Hillary Rodham Clinton is geboren in een
middenstandsgezin in Chicago op 26 oktober 1947.
Haar vader was een rechtlijnige Republikein en haar
moeder een stiekeme Democraat. Hillary is in haar
jonge jaren ook Republikeinse, maar nadat ze in
1969 haar opleiding aan het prestigieuze Wellesley
College heeft afgerond en in Yale rechten gaat
studeren, wordt zij Democrate. Tijdens deze studie
ontmoet zij Bill Clinton. Nadat Hillary een aantal
huwelijksaanzoeken van Bill afgewezen heeft,
trouwen ze op 11 oktober 1975 toch met elkaar.
Al snel daarna volgt zij hem naar Arkansas, waar
Clinton zijn politieke carrière begint die hem en
Hillary in 1993 naar het Witte Huis voerde.
Ondanks grote problemen houdt hun huwelijk
stand, waarna Hillary nadrukkelijk voor een
eigen politieke loopbaan kiest. In 2000 wordt zij
verkozen tot senator voor de staat New York. De
verwachting is dat zij zich over enkele jaren
kandidaat zal stellen voor het presidentschap
van de Verenigde Staten.

D0582726

Hillary Rodham Clinton

Mijn verhaal

Vertaald door Frans van Delft, Ed van Eeden,
Fred Hendriks, Han Meijer en Meile Snijders

Rainbow Pockets

Rainbow Pockets® worden uitgegeven door Muntinga Pockets,
onderdeel van Uitgeverij Maarten Muntinga bv, Amsterdam

www.rainbow.nl

Een uitgave in samenwerking met Uitgeverij Balans, Amsterdam

www.uitgeverijbalans.nl

Oorspronkelijke titel: *Living History*
© 2003 Hillary Rodham Clinton
© 2003 Nederlandse vertaling: Uitgeverij Balans, Amsterdam
Omslagontwerp: Brordus Bunder
Foto voor- en achterzijde omslag: Michael Thompson
Zetwerk: Stand By, Nieuwegein
Druk: Bercker, Kevelaer
Uitgave in Rainbow Pockets mei 2004
Alle rechten voorbehouden

ISBN 90 417 0502 3   NUR 680

Aan mijn ouders,
mijn echtgenoot,
mijn dochter —
en alle goede geesten in de wereld
wier inspiratie, gebeden,
steun en liefde mijn
hart hebben verwarmd
en op wie ik in deze jaren
van 'mijn verhaal'
altijd heb kunnen
rekenen

Inhoud

Over de auteur

Hillary Rodham Clinton is de enige First Lady die, naast haar representatieve taken als vrouw van de president, een belangrijke rol heeft gespeeld in het Amerikaanse staatsbestel, in het bijzonder in de binnenlandse wetgeving. Zij heeft onvermoeibaar gestreden voor hervormingen in de gezondheidszorg, voor verbetering van kansen voor de burgers op economisch gebied en in het onderwijs en voor bijzondere aandacht in de samenleving voor het kind en het gezin.

Op haar talloze reizen als metgezel van haar echtgenoot zette zij zich in voor de strijd om de rechten van de vrouw, voor haar even essentieel als mensenrechten, en om de democratische beginselen. Zij heeft hierdoor aan haar positie als First Lady een bijzonder accent gegeven. Daarnaast heeft zij, ontegenzeggelijk, door haar houding het presidentschap van Bill Clinton gered van een ongrondwettelijke en sterk politiek getinte 'impeachment-procedure'.

In *Mijn verhaal* doet zij op een zeer persoonlijke en openhartige manier verslag van haar jeugd en de jaren op highschool en college. In die tijd veranderde ze van een Republikeinse Goldwater Girl – de trots van haar vader – in een zelfbewuste vrouw die haar eigen weg in de politiek vond. Ze ontmoette Bill Clinton, begon aan een eigen advocatencarrière en kwam met hem eerst in de gouverneurswoning in Little Rock (Arkansas) en ten slotte in 1993 in het Witte Huis. Zij vertelt over de wijze waarop zij alle voorrechten om een belangrijke rol te kunnen spelen, heeft getracht te benutten en hoe zij alle tegenwerking en tegenslagen, op zowel professioneel als persoonlijk gebied, heeft ondergaan en gepoogd heeft die zaken ten goede te doen keren.

Haar verkiezing in 2000 als Senator voor de staat New York in het Huis van Afgevaardigden beschouwt zij niet alleen als het sluitstuk van haar Witte-Huistijd maar vooral als het begin van een nieuwe persoonlijke en politieke weg waar de voormalige First Lady echt op de eerste plaats komt.

Hillary Rodham Clinton heeft reeds een aantal boeken op haar naam staan:

An Invitation to the White House
Dear Socks, Dear Buddy: Kids' Letters to the First Pets
It Takes a Village: And Other Lessons Children Teach Us.

Zij woont in Chappaqua in New York.

Woord vooraf

In 1959 kreeg ik in de zesde klas van de lagere school de opdracht een verhaal over mijzelf te schrijven. In negenentwintig bladzijden, voor het merendeel half gevuld met enthousiaste hanenpoten, beschreef ik mijn ouders, broers, huisdieren, huis, hobby's, school, sport en plannen voor de toekomst. Nu, tweeënveertig jaar later, begon ik aan een ander verhaal over mijzelf, deze keer over de acht jaren die ik als First Lady met Bill Clinton in het Witte Huis heb doorgebracht. Ik realiseerde me echter al snel dat ik mijn leven als First Lady niet goed kon beschrijven als ik niet helemaal terug zou gaan naar het begin. Eerst moest ik uitleggen hoe ik de vrouw was geworden die op 20 januari 1993 het Witte Huis betrad.

Mijn acties en reacties, in het openbaar en privé, van 1993 tot 2001 kwamen uiteraard voort uit mijn opvoeding, opleiding, geloof en alles wat ik over het leven en de politiek had geleerd voordat ik het Witte Huis betrad: als dochter van een steil conservatieve vader en een liberale moeder, als studentenactivist, als voorvechter voor rechten van kinderen, als advocaat, als Bills vrouw en Chelsea's moeder.

In ieder hoofdstuk wilde ik eigenlijk meer onderwerpen bespreken dan de ruimte toeliet, meer mensen noemen dan mogelijk was, meer door mij bezochte plaatsen behandelen dan ik kon beschrijven. Als ik iedereen had willen noemen die tijdens mijn jaren in het Witte Huis indruk op mij heeft gemaakt of me heeft beïnvloed en geholpen, zou dit boek enkele banden beslaan. Hoewel ik keuzen heb moeten maken, hoop ik toch dat ik de krachten en tegenkrachten van wat mij heeft bepaald en wat mijn wereld tot op de dag van vandaag is blijven vormen en verrijken, heb kunnen beschrijven.

Na mijn vertrek uit het Witte Huis ben ik in een nieuwe fase van mijn leven terechtgekomen als Senator voor de staat New York. Het begin van deze opwindende politieke reis viel samen met mijn laatste maanden in het Witte Huis en is een klein onderdeel van het verhaal dat ik hier vertel. Het volledige verslag van mijn verhuizing naar New York, de campagne voor de Senaatszetel en de eer die de inwoners van New York mij hebben verleend om voor hen te werken, moet echter wachten tot een andere keer. Mijn mateloos fascinerende kiezers en mijn ervaringen als hun vertegenwoordiger verdienen een eigen boek, en ik hoop dat ik ze te zijner tijd recht kan doen, wanneer ik de kans krijg hierover te schrijven.

New York vertegenwoordigen in de Senaat van de Verenigde Staten is een deemoedigende en overweldigende verantwoordelijkheid. De verschrikkelijke gebeurtenissen op 11 september 2001 hebben dat nog eens nadrukkelijk onderstreept, aangezien ze de New Yorkers en Amerikanen hebben doordrongen van de rol die we allemaal moeten spelen om de democratische idealen die ons land meer dan tweehonderd jaar inspireren en leiden, te verdedigen en versterken. Dit zijn dezelfde idealen die ik van jongs af aan tijdens mijn opvoeding heb meegekregen. In de zesde klas bij juffrouw King, in 1959, had ik geschreven dat ik leraar of atoomgeleerde wilde worden. Ik vond dat er docenten nodig waren om 'jonge burgers op te leiden' en dat zonder hen 'je land niet veel voorstelde'. En, zo schreef ik, Amerika had wetenschappers nodig omdat de 'Russen ongeveer vijf keer zoveel geleerden hadden als wij'. Toen al was ik volledig een product van mijn land en mijn tijd. De lessen bij ons in het gezin en de noden van de Verenigde Staten maakten integraal deel uit van mijn plannen voor mijn toekomst. Mijn jeugd in de jaren vijftig en de politiek van de jaren zestig maakten een plichtsgevoel tegenover mijn land en een dienstbaarheid in mij wakker. De universiteit, mijn rechtenstudie en mijn huwelijk leidden me naar het politieke epicentrum van de Verenigde Staten.

Een leven in de politiek, heb ik vaak gezegd, is een voortdurende studie naar de menselijke natuur, inclusief die van mezelf. Mijn actieve betrokkenheid bij twee presidentiële campagnes en mijn verplichtingen als First Lady voerden me naar elke Amerikaanse staat en naar tachtig andere landen. Overal waar ik kwam, ontmoette ik mensen die iets in mijn hoofd en hart teweegbrachten en mijn begrip vergrootten voor de universele zorgen die het grootste deel van de wereld bezighouden.

De twee ambtstermijnen van Bill Clinton besloegen niet alleen een overgangsperiode in mijn eigen leven, maar ook in dat van de Verenigde Staten. Toen mijn echtgenoot president werd, was hij vastbesloten de economische neergang van ons land te keren, een einde aan de begrotingstekorten te maken en de groeiende ongelijkheden die de kansen voor toekomstige generaties Amerikanen ondermijnden, weg te nemen.

Ik ondersteunde zijn agendapunten en werkte hard mee zijn visie om te zetten in daden die het leven van mensen verbeterden, ons gemeenschapsgevoel versterkten en onze democratische waarden in de Verenigde Staten en daarbuiten propageerden. Tijdens Bills ambtsperiode kregen we te maken met politieke oppositie, juridische problemen en tragedies in ons privé-leven, en hebben we zelf de nodige fouten gemaakt. Maar toen Bill in januari 2001 het Witte Huis verliet, was Amerika toch een sterker, beter en rechtvaardiger land, klaar om de uitdagingen van een nieuwe eeuw het hoofd te bieden.

Mijn acht jaren in het Witte Huis hebben mijn geloof en politieke overtuigingen, mijn huwelijk, en de grondwet en het regeringssysteem van ons land op de proef gesteld. Ik werd een bliksemafleider voor politieke en ideologische oorlogen die om Amerika's toekomst werden uitgevochten en een magneet voor gevoelens, goede en slechte, over de keuzen en de rol van de vrouw. In dit boek vertel ik hoe ik die acht jaar als First Lady en vrouw van de president heb ervaren, en hoe ik tot het besluit ben gekomen me beschikbaar te stellen voor de Senaatszetel van New York met mijn eigen politieke stem.

Sommigen vragen zich misschien af hoe ik zo gedetailleerd heb kunnen schrijven over gebeurtenissen, mensen en plaatsen die nog actueel zijn en waarbij ik nog steeds betrokken ben. Ik heb mijn best gedaan open en eerlijk mijn waarnemingen, gedachten en gevoelens te beschrijven, zoals ik ze ervaren heb. Dit boek is dan ook niet bedoeld als een allesomvattend geschiedwerk, maar als persoonlijk verslag dat een kijkje biedt achter de schermen van een uitzonderlijke tijd in mijn leven en in het leven van de Verenigde Staten van Amerika.

1 *Een Amerikaans verhaal*

Ik ben niet geboren als First Lady of senator. Ik ben niet geboren als democraat. Ik ben niet geboren als advocaat of als voorvechtster voor vrouwen- of burgerrechten. En ik ben niet geboren als echtgenote of als moeder. Ik ben halverwege de twintigste eeuw geboren als Amerikaanse – een gunstige plaats en tijd – vrij om keuzes te maken die generaties vrouwen vóór mij in mijn land niet konden maken, en veel vrouwen elders in de wereld nog steeds niet. Ik groeide op in de tumultueuze hoogtijdagen van sociale veranderingen en nam deel aan politieke gevechten over de betekenis van Amerika en de rol van mijn land in de wereld.

Mijn moeder en grootmoeders hadden mijn leven nooit kunnen leiden; mijn grootvaders en vader hadden het zich niet kunnen voorstellen. Maar ze lieten mij de belofte van Amerika na, waardoor mijn leven en mijn keuzen mogelijk werden gemaakt.

Mijn leven begon net na de Tweede Wereldoorlog. Mannen, zoals mijn vader, die in dienst waren geweest, keerden terug naar huis om een gezin te stichten. Het was de tijd van de 'baby-boom' en men was optimistisch gestemd.

De Verenigde Staten hadden bijgedragen aan de verdrijving van het fascisme en ondernamen initiatieven om vriend en vijand te verenigen en het verwoeste Europa en Japan met de opbouw te helpen.

Hoewel de Koude Oorlog met de Sovjet-Unie en Oost-Europa een aanvang nam voelde de generatie van mijn ouders zich zeker en vol vertrouwen in de toekomst.

Het Amerikaanse gezag vloeide niet alleen voort uit een militair overwicht, maar was ook gestoeld op duidelijke normen en waarden en kansen voor hardwerkende mensen als mijn ouders. De Amerikaanse middenklasse had het goed: nieuwe huizen, goede scholen, stadsparken en veilige buurten.

Toch bleef er genoeg over om hard aan te werken, het rassenonderscheid bijvoorbeeld, en zo veel meer sociale achterstand en ongelijkheid bij vele medeburgers.

Mijn vader en moeder, die ook de Depressie hadden meegemaakt, geloofden heilig in onbegrensde mogelijkheden, in zelfvertrouwen en werken voor je brood, niet in gemakzucht of het eisen van sociale voorzieningen.

In die wereld werd ik, op 26 oktober in 1947, geboren. Wij behoorden tot de middenstand van de Mid-West en waren typische producten van onze tijd en plaats. Mijn moeder, Dorothy Howell Rodham, was huisvrouw. Haar leven draaide om mij en mijn twee jongere broers. Mijn vader had een klein bedrijf in gordijnstoffen. De uitdaging waar zij voor stonden hebben mij mijn eigen kansen en mogelijkheden des te meer doen appreciëren.

Het verbaast me nog steeds dat mijn moeder, geboren in 1919 in Chicago, Illinois, als kind van tienerouders, ondanks haar eenzame jeugd zo'n warme en verstandige vrouw is geworden. Haar vader, Edwin John Howell junior, was brandweerman in Chicago, en zijn vrouw, Della Murray, was een van de negen kinderen uit een familie met een Frans-Canadese, Schotse en Amerikaans-Indiaanse achtergrond. Mijn grootouders van moederskant waren zeker nog niet rijp voor het ouderschap. Della liet mijn moeder praktisch aan haar lot over. Ze liet haar dagen alleen toen ze nog maar drie of vier was met maaltijdbonnen voor een restaurant vlak bij hun flatje op vijf hoog zonder lift in Zuid-Chicago. Af en toe schonk Edwin haar wat aandacht, door haar een geijkt cadeau te brengen, een op de kermis gewonnen pop. Dat kon hij beter dan voor het gezin zorgen. Mijn moeders zus, Isabelle, werd in 1924 geboren. De meisjes werden van het ene naar het andere familielid gebracht en gingen van school naar school, maar bleven nooit ergens lang genoeg om vriendschappen te sluiten. In 1927 gingen de jonge ouders van mijn moeder eindelijk uit elkaar, wat toen nog zeldzaam was en een verschrikkelijke schande. Geen van beiden was bereid om voor de kinderen te zorgen, dus werden de twee meisjes in Chicago op de trein gezet naar Alhambra, een stadje bij de San Gabriel Mountains ten oosten van Los Angeles, waar de grootouders van vaderskant woonden. De achtjarige Dorothy was tijdens deze vier dagen durende reis verantwoordelijk voor haar driejarige zusje.

Mijn moeder bleef tien jaar in Californië. Ze zag haar moeder nooit en haar vader zelden. Haar grootvader, een voormalige Britse matroos, liet de meisjes aan zijn vrouw Emma over, een strenge vrouw die zwarte Victoriaanse jurken droeg. Ze stoorde zich aan mijn moeder en negeerde haar, als ze haar niet haar strikte huisregels oplegde. Emma hield niet van bezoek en gaf mijn moeder zelden toestemming naar een feestje of andere sociale gebeurtenis te gaan. Met Halloween werd mijn moeder eens betrapt, toen ze samen met schoolvriendinnen langs de deuren ging om snoep te vragen. Emma besloot dat mijn moeder een jaar lang niet van haar kamer af mocht, behalve om naar school te gaan. Ze mocht niet aan de keukentafel eten of in de voortuin zitten. Deze wrede straf duurde al maanden toen een zus van Emma, Belle Andreson, op bezoek kwam en hier een eind aan maakte.

Mijn moeder hield van de buitenlucht, die voor haar een ontsnapping was aan de benauwende toestand in Emma's thuis. Ze rende graag door de kilometerslange sinaasappelplantages in de San Gabriel Valley, bedwelmd door de geur van het fruit dat in de zon hing te rijpen. 's Avonds vluchtte ze in haar boeken. Ze was een uitstekende leerling en haar leraren stimuleerden haar te lezen en te schrijven.

Toen ze veertien werd, kon ze het leven bij haar grootmoeder niet meer aan. Ze vond een baantje als au pair. In ruil voor kost en inwoning en drie dollar per week zorgde ze voor twee kleine kinderen. Ze had weinig tijd voor buitenschoolse activiteiten als sport en toneel, waar ze dol op was, en geen geld voor kleren. Dagelijks waste ze haar enige blouse, die ze bij haar enige rok droeg, en als het koud was, onder haar enige trui. Maar voor het eerst woonde ze in een gezin waar vader en moeder hun kinderen de liefde, aandacht en begeleiding gaven die zij nooit gekregen had. Vaak vertelde mijn moeder me dat zij zonder die ervaring nooit geweten zou hebben hoe zij voor haar eigen gezin en kinderen had moeten zorgen.

Na haar eindexamen wilde mijn moeder verder studeren in Californië. Maar voor het eerst in tien jaar nam haar moeder contact met haar op. Ze vroeg of ze weer bij haar in Chicago wilde wonen. Della was net hertrouwd en beloofde mijn moeder dat zij en haar nieuwe echtgenoot haar studie zouden betalen. Toen mijn moeder in Chicago aankwam, ontdekte ze dat haar moeder haar alleen als huishoudster wilde gebruiken en dat ze geen financiële hulp hoefde te verwachten. Diep teleurgesteld trok ze in een klein appartement en vond ze een kantoorbaantje waarmee ze dertien dollar verdiende per werkweek van zeseneenhalve dag. Ik vroeg mijn moeder eens waarom ze toch naar Chicago was teruggegaan. Ze zei tegen me: 'Ik had zo gehoopt dat mijn moeder van me zou houden, dat ik wel moest uitvinden of dat inderdaad het geval was. Toen het tegendeel bleek, kon ik nergens anders heen.'

Mijn grootvader van moederskant stierf in 1947, dus die heb ik zelfs nooit gezien. Maar mijn grootmoeder, Della, heb ik wel gekend. Zij was een zwakke, egocentrische vrouw, die verslaafd was aan tv-soaps en geen contact had met de werkelijkheid. Toen ik een jaar of tien was, kreeg ik eens het hek van het schoolplein tegen mijn hoofd. Huilend rende ik naar huis terwijl het bloed van mijn gezicht stroomde. Della paste op mij en mijn broertjes en toen ze me zag, viel ze prompt flauw. Ik moest de buren vragen of ze mijn wond wilden verzorgen. Toen Della weer bijkwam, zei ze verongelijkt dat ik haar had laten schrikken en dat haar heel wat had kunnen gebeuren toen ze flauwviel. Ik wachtte angstig tot mijn moeder thuiskwam, die me naar het ziekenhuis bracht, waar mijn wond werd gehecht.

Op de zeldzame momenten dat Della je tot haar kleine wereldje toeliet, kon ze heel innemend zijn. Ze hield van zingen en kaartspelen. Als we haar opzochten in Chicago, nam ze ons vaak mee naar het plaatselijke Kiddieland of naar de bioscoop. Ze stierf in 1960, als een ongelukkige vrouw en nog steeds als een mysterie. Maar ze had mijn moeder wel naar Chicago gehaald, die daar uiteindelijk Hugh Rodham zou ontmoeten.

Mijn vader is in 1911 geboren in Scranton, Pennsylvania, als de middelste zoon van Hugh Rodham sr. en Hannah Jones. Hij had zijn uiterlijk te danken aan de zwartharige Welsh mijnwerkers van moederszijde. Net als Hannah was hij nuchter en vaak stuurs, maar als hij lachte, kwam dat helemaal van binnenuit en schudde heel zijn lichaam mee. Ik heb zijn lach, die rollende, bulderende lach die mensen in een restaurant doet omkijken en katten de kamer uitjaagt.

Het Scranton van mijn vaders jeugd was een rauwe industriestad met bakstenen fabrieken, kantklosserijen, kolenmijnen, spooremplacementen en houten twee-onder-een-kapwoningen. De Rodhams en de Jones' waren harde werkers en strenge methodisten.

Mijn vaders vader, Hugh sr., was de zesde van elf kinderen. Als jongen ging hij werken bij de Scranton Lace Company en schopte het daar vijftig jaar later tot chef. Het was een vriendelijke man met een zachte stem, het tegendeel bijna van zijn geduchte vrouw Hannah Jones Rodham, die erop stond dat alle drie haar namen werden gebruikt. Hannah haalde de huur op van de huizen die ze bezat en speelde de baas over haar familie en iedereen die in haar buurt kwam. Mijn vader aanbad haar en vertelde mijn broers en mij vaak hoe ze zijn voeten gered had.

Rond 1920 reden hij en een vriend mee achter op een door paarden getrokken ijswagen. Terwijl de paarden de heuvel op zwoegden, reed een vrachtwagen op de ijswagen in en verbrijzelde mijn vaders benen. Vliegensvlug werd hij naar het dichtstbijzijnde ziekenhuis gebracht. De artsen daar meenden dat zijn onderbenen en voeten onherstelbaar waren beschadigd en waren al met de voorbereidingen voor een amputatie van beide voeten begonnen. Toen Hannah, die naar het ziekenhuis was gesneld, hoorde wat de artsen van plan waren, sloot ze zich in de operatiekamer op met haar zoon en liet ze niemand aan zijn benen komen, tenzij het de bedoeling was die te redden. Ze eiste dat haar zwager, dokter Thomas Rodham, er onmiddellijk bij werd geroepen vanuit het ziekenhuis waar hij werkte. Dr. Rodham onderzocht mijn vader en verklaarde dat 'niemand met een zaag aan de benen van die jongen komt!' Mijn vader was inmiddels buiten bewustzijn van de pijn; toen hij bijkwam, hield zijn moeder naast hem de wacht en ze verzekerde hem dat zijn benen gered zouden worden en dat hij een flink pak slaag zou krijgen als ze thuis waren. Dit keer op keer opgediste familieverhaal leerde ons de strijd aan te gaan met autoriteiten en nooit op te geven.

Hannah moet een wilskrachtige vrouw zijn geweest die geen uitlaatklep vond voor haar energie en intelligentie, waardoor ze zich te veel met andermans zaken bemoeide. Haar oudste zoon, mijn oom Willard, werkte als ingenieur voor de gemeente Scranton, maar hij ging nooit het huis uit, trouwde niet en stierf kort na mijn grootvader in 1965. Russell, de jongste, was haar oogappel. Hij blonk uit op school en in atletiek, werd arts, diende in het leger, trouwde, kreeg een dochter en kwam terug naar Scranton om er als arts te werken. Begin 1948 werd hij getroffen door een slopende depressie. Mijn grootouders vroegen of mijn vader Russell kon helpen. Kort na de komst van mijn vader deed Russell een zelfmoordpoging. Mijn vader vond hem op zolder en sneed hem los. Hij nam Russell mee naar Chicago om bij ons te komen wonen.

Ik was acht of negen maanden oud toen Russell bij ons kwam. Hij sliep op de bank in onze tweekamerwoning terwijl hij onder psychiatrische behandeling stond in het

Veterans Administration Hospital. Hij was een grote, knappe man, met iets blonder haar en een lichtere teint dan mijn vader. Op een dag, rond mijn tweede jaar, dronk ik uit een colafles met terpentijn die een werkman had laten slingeren. Russell liet me onmiddellijk braken en bracht me naar de eerstehulpafdeling. Kort daarna gaf hij het artsenvak definitief op en noemde hij mij altijd voor de grap zijn laatste patiënt. Hij bleef in en om Chicago wonen en kwam vaak bij ons thuis. Hij overleed in 1962, toen hij omkwam bij een brand die door een sigaret veroorzaakt was. Ik vond het heel erg voor mijn vader, die jarenlang had geprobeerd Russell in leven te houden. Hij zou baat hebben gevonden bij moderne antidepressiva en ik zou willen dat die toen al beschikbaar waren geweest. Pappa wilde zijn vader persoonlijk vertellen dat Russell dood was, en wachtte tot grootvader kwam logeren. Toen hij het nieuws ten slotte hoorde, zat hij te snikken aan onze keukentafel. Drie jaar later stierf hij zelf, een gebroken man.

Ondanks mijn vaders latere financiële succes was hij – volgens hemzelf en zijn ouders – als jongen niet zo plichtsgetrouw en betrouwbaar als zijn oudere broer Willard, en lang niet zo slim en succesvol als zijn jongste broer Russell. Hij zat altijd in de problemen: omdat hij de blinde ezels die onder in de mijnen werkten, door de schachten naar het daglicht bracht, wegens joyriden in de nieuwe auto van een buurman of omdat hij tijdens de avonddienst van de methodistische kerk in Court Street rolschaatsend het middenpad op kwam. Toen hij in 1931 eindexamen deed op de plaatselijke Central High School, ging hij ervan uit dat hij in de kantfabriek zou gaan werken bij zijn vader. Maar toen zijn beste vriend door Penn State University werd uitverkoren als speler van het Amerikaans footballteam, eiste die van de coach dat hij zijn favoriete medespeler mee kon nemen. Mijn vader was goed in sport en de coach ging akkoord, en zo ging vader naar het State College, waar hij voor de Nittany Lions speelde. Hij bokste ook en werd lid van de studentenclub Delta Upsilon, waar hij, zo is mij verteld, een expert werd in het vervaardigen van badkuipgin. In 1935 studeerde hij af en op het dieptepunt van de economische crisis keerde hij terug naar Scranton met een diploma lichamelijke opvoeding.

Zonder iets tegen zijn ouders te zeggen, sprong hij op een vrachttrein richting Chicago om daar werk te zoeken. Daar kreeg hij een baan aangeboden: gordijnstoffen verkopen in het hele Midwesten. Toen hij terugkwam om het zijn ouders te vertellen, was Hannah razend en ze verbood het hem, maar mijn grootvader merkte op dat het moeilijk was een baan te krijgen en dat de familie het geld goed kon gebruiken voor Russells medicijnenstudie. En zo ging mijn vader terug naar Chicago. De hele week reisde hij rond door het noorden van het Midwesten, van Des Moines tot Duluth. De meeste weekends reed hij terug naar Scranton om zijn salaris aan moeder af te geven. Al heeft hij altijd gesuggereerd dat hij om economische redenen uit Scranton was vertrokken, denk ik toch dat mijn vader wist dat hij zich los moest maken van Hannah, wilde hij ooit zijn eigen leven kunnen leiden.

Dorothy Howell solliciteerde als typiste bij een textielfirma, waar ze de aandacht trok van een handelsreiziger, ene Hugh Rodham. Ze was gevallen voor zijn energie en zelfverzekerdheid, en voor zijn boertige gevoel voor humor.

Na een lange verloving trouwden mijn ouders begin 1942, kort na de Japanse aanval op Pearl Harbor. Ze betrokken een kleine woning in Chicago, in de buurt van het Lincoln Park, vlak bij Lake Michigan. Mijn vader gaf zich op voor een speciaal programma van de marine genoemd naar de bokser Gene Tunney en werd ingedeeld bij de marinebasis 'The Great Lakes', op een uur rijden ten noorden van Chicago. Hij werd eerste onderofficier, belast met de opleiding van duizenden jonge matrozen die vervolgens op zee dienden, vooral in de Stille Oceaan. Hij heeft me verteld hoe zwaar het hem te moede werd als hij zijn rekruten naar de westkust bracht, waar ze scheep gingen. Hij wist dat sommigen het niet zouden overleven. Na zijn dood kreeg ik brieven van mannen die onder hem gediend hadden, vaak met een foto van een bepaalde lichting matrozen waarop mijn trotse vader in het midden op de voorgrond stond. Op mijn lievelingsfoto staat hij breed lachend in zijn uniform, in mijn ogen even knap als willekeurig welke filmster uit de jaren veertig.

Mijn vader onderhield nauwe banden met zijn familie in Scranton en mijn broers en ik werden stuk voor stuk van Chicago naar Scranton gereden om gedoopt te worden in de methodistische kerk in Court Street, waar mijn vader als kind ter kerke was gegaan. Oma Rodham overleed toen ik vijf was. Ze werd blind toen ik haar kende, maar ze probeerde me elke morgen aan te kleden en mijn haar te vlechten. Ik stond veel dichter bij mijn grootvader die, toen ik werd geboren, al met pensioen was gegaan waarbij hij na vijftig jaar trouwe dienst een gouden horloge had ontvangen. Hij was een vriendelijke en correcte man, die trots zijn gouden horloge aan een kettinkje droeg en elke dag een pak droeg met bretels. Als hij bij ons kwam in Illinois, deed hij zijn jasje uit en rolde zijn hemdsmouwen op om mijn moeder in huis te helpen.

Mijn vader was streng voor zijn kinderen, en voor de jongens nog strenger dan voor mij. Opa Rodham nam het vaak voor hen op en maakte zich zo nog geliefder bij ons. Als kinderen brachten mijn broers en ik veel tijd door in zijn twee-onder-een-kapwoning aan Diamond Avenue en elke zomer verbleven we het grootste deel van augustus in het zomerhuisje dat opa Rodham in 1921 een kilometer of dertig ten noordwesten van Scranton in de Pocono Mountains had gebouwd, met uitzicht op Lake Winola.

Het eenvoudige huisje had geen verwarming, alleen een potkachel in de keuken, en ook geen bad of douche. Om schoon te blijven, zwommen we in het meer of kregen we onder aan de veranda aan de achterkant van het huisje een emmer water over ons heen. We speelden het liefst op de grote veranda aan de voorkant, waar opa de kaarten aan mijn broers en mij uitdeelde. Hij leerde ons pinochle, volgens hem het mooiste kaartspel ter wereld. Hij las verhalen voor en vertelde de legende van het meer, dat volgens hem genoemd was naar een indiaanse prinses, Winola, die zich erin verdronk toen haar vader haar verbood te trouwen met een knappe krijger van een andere stam.

Het huisje is nog steeds in de familie en onze zomertradities leven nog grotendeels voort. Bill en ik hebben onze dochter Chelsea voor het eerst meegenomen naar Lake Winola toen ze nog geen twee was. Mijn broers brengen er elke zomer wel een tijdje door. Gelukkig hebben ze een paar verbeteringen aangebracht. Een paar jaar geleden hebben ze er zelfs een douche gemaakt.

In het begin van de jaren vijftig woonden er weinig mensen aan de tweebaanssnelweg die voor het zomerhuisje langs liep, en in de bossen op de berg achter ons leefden beren en poema's. Als kinderen verkenden we de omgeving, te voet of met de auto over de landweggetjes. Op een bootje visten we in de Susquehanna River. Mijn vader leerde me achter het huisje schieten met een geweer en we oefenden op blikjes of stenen. Maar onze activiteiten waren toch altijd geconcentreerd rondom het meer, aan de overkant van de weg en beneden aan het pad achter de winkel van Foster. Ik maakte vakantievrienden met wie ik ging waterskiën en naar de films keek die op een doek in de openlucht, op een veld aan het meer werden geprojecteerd. En zo maakte ik kennis met mensen die ik in Park Ridge nooit ontmoet zou hebben: een familie die door mijn grootvader 'bergvolk' werd genoemd, die geen elektriciteit en geen auto had. Een jongen uit dat gezin die ongeveer even oud was als ik, kwam eens te paard bij het huisje en vroeg of ik een ritje wilde maken.

Al vanaf mijn tiende of elfde speelde ik pinochle met de mannen – mijn grootvader, vader, oom Willard, de oudere broer van mijn vader, en verschillende anderen, onder wie gedenkwaardige figuren als Pete en Hank – notoir slechte verliezers. 'Old' Pete woonde aan het eind van een zandweg en kwam elke dag spelen. Hij vloekte en stampte steevast met zijn voeten als hij dreigde te verliezen. Hank kwam alleen als mijn vader er was. Hij kwam aanwaggelen met zijn wandelstok, klom de trap naar de veranda op en schreeuwde: 'Is die zwartharige kerel thuis? Ik wil kaarten.' Hij kende mijn vader vanaf diens geboorte en had hem leren vissen. Hij had net zo'n hekel aan verliezen als Pete en kieperde soms de hele tafel omver als hij verloor, vooral na een pijnlijke nederlaag.

Na de oorlog begon mijn vader een kleine zaak in gordijnstoffen, 'Rodrik Fabrics', in het Handelscentrum in The Loop, in Chicago. Zijn eerste kantoor keek uit op de Chicago River en ik kan me herinneren dat ik daarheen ging toen ik nog maar drie of vier was. Om me weg te houden van de ramen die openstonden voor de frisse lucht, vertelde mijn vader me dat er beneden een Grote Boze Wolf woonde die me op zou eten als ik uit het raam viel. Later begon hij zijn eigen stofdrukkerij in een gebouw in Noord-Chicago. Hij had dagloners in dienst en mijn moeder werd ook ingeschakeld, net als mijn broers en ik toen we oud genoeg waren. We goten de verf voorzichtig op de zijden zeef en haalden dan de rolstrijker over de zeef om het patroon op de stof daaronder te drukken. Dan tilden we de zeef op en schoven verder langs de tafel en zo steeds weer opnieuw, waarbij we prachtige patronen aanbrachten, sommige ontworpen door mijn vader. Mijn favoriet was 'Staircase to the Stars'.

In 1950, ik was drie en mijn broertje Hugh nog een zuigeling, ging het mijn vader zo goed, dat we verhuisden naar Park Ridge, een buitenwijk. Er waren ten noorden van Chicago, langs Lake Michigan, chiquere en meer gewilde buitenwijken, maar mijn ouders voelden zich prettig in Park Ridge tussen alle andere veteranen die daarheen trokken vanwege de uitstekende openbare scholen, de parken, de bomen in de straten, de brede trottoirs en de comfortabele gezinswoningen. Het was een witte middenklassewijk, waar vrouwen thuisbleven om voor de kinderen te

zorgen, terwijl de mannen naar de Chicago Loop forens-
den, een kilometer of dertig naar het oosten. Veel vaders
namen de trein, maar de mijne moest bij mogelijke klanten langs en reed dus iedere ochtend na het ontbijt met de
gezinsauto – altijd een grote Amerikaanse slee – naar zijn
werk.

Mijn vader betaalde contant voor het stenen huis van
twee verdiepingen op de hoek van Elmstreet en Wisner-
street. We hadden twee balkons, een gesloten veranda en
een achtertuin met schutting waar de buurkinderen kwamen spelen en kersen pikten van onze boom. Het was de
tijd van de naoorlogse geboortegolf en overal zag je grote
groepen kinderen. Mijn moeder telde er ooit zevenenveertig, alleen al in ons blok.

Naast ons woonden de vier kinderen Williams en aan de
overkant de zes O'Callaghans. Vader Williams zette zijn
achtertuin 's winters onder water en na schooltijd en in de
weekends schaatsten en hockeyden we urenlang op die ijs-
baan. Meneer O'Callaghan bevestigde een basketbalring
aan zijn garage waar de kinderen van alle kanten op af kwamen om een partijtje te spelen, en verder deden we oude
vertrouwde spelletjes als bok- en de kortere versie bigsprin-
gen. Maar het meeste plezier beleefde ik aan spelen die we
zelf verzonnen, zoals de ingewikkelde ploegenwedstrijd
'jagen en rennen', een ingewikkelde vorm van verstopper-
tje en de bijna dagelijkse eindeloze softbal- en kickbalma-
rathons bij ons op de hoek, waarbij de putdeksels als hon-
ken dienden.

Mijn moeder was een klassieke huisvrouw en als ik aan
haar denk in die tijd, zie ik een vrouw die voortdurend in
de weer was met het opmaken van bedden, afwassen en iedere avond stipt om zes uur het eten op tafel had. Ik kwam
elke dag tussen de middag thuis en dan aten we tomaten-
of kippensoep en boterhammen met pindakaas, Bolognese
worst of gebakken kaas. Onder het eten luisterden mama
en ik vaak naar radioprogramma's als *Ma Perkins* of *Favorite Story*, dat begon met 'Vertel me een verhaaltje'.

'Wat voor verhaaltje?'

'Maakt niet uit.'

Mijn moeder vond ook vaak wat nu 'quality time' wordt genoemd voor mijn broers en mij. Ze leerde pas begin jaren zestig autorijden, dus wij wandelden overal naar toe. 's Winters zette ze ons op een slee en trok ze ons naar de winkel. Op weg naar huis hielden wij de boodschappen vast. Terwijl ze bezig was de was op te hangen aan een lijn in de achtertuin, hielp ze me als ik aan het oefenen was met werpen, of ging ze naast me op het gras liggen om de wolken boven ons te beschrijven.

Een zomer hielp ze me met het bouwen van een fantasiewereld in een grote kartonnen doos. We gebruikten spiegels voor meren en takjes voor bomen, en ik verzon sprookjes die mijn poppen dan speelden. Een andere zomer moedigde ze mijn jongste broertje Tony aan een tunnel te graven helemaal naar China. Ze las hem voor over China en elke dag groef hij verder aan zijn gat naast ons huis. Van tijd tot tijd vond hij een eetstokje of een geluks-koekje dat mijn moeder daar had verstopt.

Mijn broer Hugh was nog avontuurlijker. Als peuter duwde hij de deur naar het balkon open en groef zich vrolijk een weg door een meter sneeuw tot mijn moeder hem redde. Meer dan eens ging hij met zijn vriendjes spelen op de bouwplaatsen die overal in de buurt opschoten en werd dan door de politie thuisgebracht. De andere jongens reden mee in de politieauto, maar Hugh wilde beslist ernaast naar huis lopen, want, vertelde hij de politie en mijn ouders, hij hield zich aan de waarschuwing nooit bij vreemden in de auto te stappen.

Mijn moeder hechtte aan algemene ontwikkeling en daarom was het goed dat we veel lazen. Ze had meer succes bij mij dan bij mijn broers, die een voorkeur hadden voor de harde leerschool van het leven. Ze nam me elke week mee naar de bibliotheek en al gauw werkte ik me door de boeken van de jeugdafdeling heen. Toen ik vijf was, kregen we een tv-toestel, maar we mochten niet vaak kijken. We speelden eindeloos allerlei kaartspelletjes – War, Concentration, Slapjack – en bordspelen als Monopoly en Clue. Ik ben er net zo van overtuigd als zij dat kinderen in bord- en kaartspelen hun rekenen en strategisch inzicht oefenen. Tijdens het schooljaar kon ik altijd rekenen op moeders hulp bij mijn huiswerk, behalve bij wiskunde, dat liet ze aan vader over. Ze typte mijn opstellen en redde mijn mislukte poging een rok te naaien voor het vak verzorging in de brugklas.

Mijn moeder hield van haar huis en haar gezin, maar ze voelde zich beperkt door de geringe mogelijkheden van haar leven. Tegenwoordig lijken de keuzemogelijkheden voor vrouwen vaak zo overstelpend dat je gemakkelijk vergeet hoe gering ze waren voor de generatie van mijn moeder. Toen wij ouder waren, ging zij weer studeren. Ze is nooit afgestudeerd, maar ze heeft reeksen tentamens gehaald in allerlei vakken, van logica tot ontwikkelingspsychologie.

Mijn moeder maakte zich kwaad over onrecht en mishandeling, vooral als het kinderen betrof. Uit eigen ervaring wist ze dat veel kinderen, volledig buiten hun schuld, vanaf de geboorte achtergesteld en gediscrimineerd worden. Ze haatte eigendunk en morele superioriteitswaan en prentte mijn broers en mij in dat we niet beter of slechter waren dan wie ook. Als kind in Californië had ze gezien hoe de Japans-Amerikaanse kinderen op haar school openlijk werden gediscrimineerd en dagelijks gepest door de blanke leerlingen. Terug in Chicago vroeg ze zich vaak af hoe het zou gaan met die jongen die ze zo graag mocht. Iedereen noemde hem 'Tosh', kort voor Toshihishi. Ze zag hem weer op de zestigste reünie van haar middelbare school in Alhambra, waar ze als gastvrouw optrad. Zoals ze had gevreesd, waren Tosh en zijn familie tijdens de oorlog geïnterneerd geweest en was hun boerderij geconfisqueerd. Maar het deed haar goed te horen dat Tosh na jaren van strijd zelf een geslaagd groentekweker was geworden.

De normen en waarden van mijn ouders botsten nogal

eens en worden weerspiegeld in mijn eigen politieke overtuigingen. De generatiekloof begon in gezinnen als het onze. Mijn moeder was van nature Democraat, al liep ze daar in het Republikeinse Park Ridge niet mee te koop. Mijn vader was een onbuigzame, conservatieve Republikein, die zichzelf omhoog had gewerkt en daar trots op was. Hij draaide elke dime om voordat hij die uitgaf. Hij geloofde niet in krediet, en runde zijn zaak strikt op basis van contant betalen. Zijn ideologie was gebaseerd op zelfvertrouwen en persoonlijk initiatief, maar anders dan zoveel andere mensen die zichzelf tegenwoordig conservatief noemen, zag hij het belang in van fiscale verantwoordelijkheid en stond hij achter door de belastingbetaler gefinancierde investeringen in snelwegen, goede scholen, parken en andere belangrijke openbare zaken.

Mijn vader ergerde zich dood aan persoonlijke verspilling. Zijn angst voor armoede tekende zijn leven, als bij zovelen die opgroeiden tijdens de Depressie. Mijn moeder kocht zelden nieuwe kleren en zij en ik moesten wekenlang met hem onderhandelen over speciale uitgaven, zoals een nieuwe jurk voor het schoolfeest. Als een van mijn broers of ik vergat het dopje weer op de tube tandpasta te schroeven, gooide mijn vader dat uit het raam van de badkamer. We moesten naar buiten, zelfs als het sneeuwde, om het weer op te zoeken in de altijd groene struiken voor het huis. Zo wilde hij ons duidelijk maken dat we nooit iets moesten verspillen. Nu nog doe ik overgebleven olijven terug in de pot, pak ik de kleinste stukjes kaas weer in en voel me schuldig als ik iets weggooi.

Hij was een harde leermeester, maar we wisten dat hij om ons gaf. Als ik bang was dat ik de wiskundesommen niet afkreeg in de wekelijkse rekentoetsen van juffrouw Metzger in de vierde, wekte hij me extra vroeg om de tafels van vermenigvuldiging te oefenen en me staartdelingen te leren. In de winter deed hij 's avonds de verwarming uit om geld te besparen, en stond dan 's ochtends voor het licht werd op om haar weer aan te zetten. Vaak werd ik wakker van mijn vader, als hij zijn favoriete liedjes van Mitch Miller bulderde.

Mijn broers en ik moesten klusjes doen in huis en hoefden daarbij niet op iets extra's te rekenen. 'Ik geef je toch te eten?' zei vader dan. Toen ik dertien was, kreeg ik mijn eerste vakantiebaantje. Voor het Park Ridge Park District moest ik drie ochtenden in de week toezicht houden in een sportparkje dat een paar kilometer van ons huis lag. Omdat mijn vader vroeg in de ochtend weg moest in onze enige auto, liep ik heen en weer met een bolderkar vol ballen, slaghouten en springtouw. Vanaf toen had ik altijd een vakantiebaantje en werkte ik het hele jaar door.

Mijn vader was ontzettend eigenwijs, om het zacht uit te drukken. Iedereen plooide zich naar zijn uitspraken aan de eettafel, meestal over communisten, dubieuze zakenmensen of onbetrouwbare politici, in zijn ogen de drie laagste vormen van menselijk leven. Door de gedreven, soms verhitte debatten aan de keukentafel bij ons thuis leerde ik dat verschillende meningen onder één dak kunnen leven. Tegen mijn twaalfde had ik over veel dingen een eigen mening. Ik leerde ook dat iemand met wie je het niet eens bent, geen slecht mens hoeft te zijn en dat je je standpunt moet verdedigen als je ergens in gelooft.

Mijn vader en moeder maakten ons weerbaar, zodat we konden overleven, wat de toekomst ook bracht. Ze verwachtten van ons, zowel van mijn broers als van mij, dat we opkwamen voor onszelf. Kort nadat we verhuisd waren naar Park Ridge, merkte mijn moeder dat ik niet graag buiten wilde spelen. Soms kwam ik huilend thuis en klaagde dat het meisje van de overkant zo stom met me omging. Suzy O'Callaghan had oudere broers en was gewend aan wilde spelletjes. Ik was pas vier, maar mijn moeder was bang dat het een vast gedragspatroon zou worden, als ik nu toegaf aan mijn angsten. Op een dag kwam ik het huis binnengerend. Ze hield me tegen.

'Terug naar buiten jij,' beval ze. 'En als Suzy je slaat, mag je haar van mij terugslaan. Je moet voor jezelf opkomen. In dit huis is geen plaats voor lafaards.' Later vertelde ze dat ze me van achter de gordijnen in de woonkamer nakeek toen ik mijn schouders rechtte en de straat weer overstak.

Een paar minuten later was ik terug, stralend van triomf.

'Ik mag nu met de jongens spelen,' zei ik. 'En Suzy is mijn vriendin!'

Dat was ze en dat is ze nog steeds.

Ik begon spelletjes en sportevenementen te organiseren voor de kinderen in de buurt en kermissen in de achtertuin voor de lol en om geld in te zamelen voor goede doelen. Als kabouter en daarna padvindster nam ik deel aan 4-juliparades, deed een heitje voor een karweitje, verkocht koekjes en deed andere dingen waarmee je een medaille of de goedkeuring van ouderen kon verdienen. Er is een oude foto van me uit de plaatselijke krant, de *Park Ridge Advocate*, waarop ik met mijn vrienden een papieren zak met geld overhandig aan United Way. We hadden het ingezameld met de Olympische Spelen die we in de buurt hadden georganiseerd toen ik twaalf was.

Met een vader en twee broers die sportfanaten waren, werd ik ook een echte sportliefhebber en af en toe -beoefenaar. Ik was supporter van de teams van onze school en bezocht zoveel wedstrijden als ik kon. Net als mijn familie en de meeste mensen in onze wijk was ik voor de Cubs. Mijn favoriet was Mr. Cub zelve, Ernie Banks. In onze buurt was het bijna heiligschennis om te juichen voor de rivaliserende White Sox, die ook in de Amerikaanse League speelde, dus werden de Yankees mijn AL-team, ook omdat ik verliefd was op Mickey Mantle. Jaren later tijdens mijn campagne voor de Senaat, kon ik de sportieve gevoeligheden van Chicago niet uitleggen aan sceptische New Yorkers, die maar niet konden geloven dat iemand uit Chicago beweerde al vanaf haar jeugd supporter te zijn van een team uit de Bronx.

Tijdens de hele middelbareschooltijd speelde ik 's zomers in een softbalcompetitie voor meisjes, en de laatste ploeg waar ik in speelde, werd gesponsord door een plaatselijke groothandel in snoep. We droegen witte kniekousen, zwarte shorts en roze hemden, ter ere van onze naamgever Good & Plenty. De Park Ridge Kids trokken op en neer naar Hinckley Park, waar we 's zomers zwommen in de koude vijvers en 's winters schaatsten op de grote buitenbaan. We liepen en fietsten overal heen – soms ook achter de langzame vrachtwagens van de gemeente die 's zomers in de schemering een nevel van DDT sproeiden. Het drong nog tot niemand door dat pesticiden giftig waren. We vonden het gewoon leuk om in die damp te fietsen, de zoete en scherpe lucht van gemaaid gras en warm asfalt in te ademen en nog een paar minuten speeltijd te halen uit het laatste daglicht.

Soms schaatsten we op de Des Plaines River, terwijl onze vaders zich warmden aan een vuur en over politiek praatten. Soms hoorde ik mijn vader over de verspreiding van het communisme dat onze manier van leven bedreigde, over de Russen die de bom hadden en hoe we de ruimterace aan het verliezen waren, vanwege de Spoetnik. Maar de koude oorlog was voor mij iets abstracts en de wereld waarin ik leefde, leek veilig en stabiel. Ik kende geen kinderen van wie de ouders gescheiden waren, en tot ik naar de middelbare school ging, kende ik niemand die aan iets anders dan ouderdom was overleden. Ik geef toe dat die zachte cocon een illusie was, maar zo'n illusie wens ik ieder kind toe.

Het was een voorzichtig, conformistisch tijdperk in de Amerikaanse geschiedenis. Maar gedurende mijn Vaderweet-wat-goed-is-opvoeding leerde ik wel de druk van leeftijdgenoten te weerstaan. Mijn moeder wilde nooit horen wat mijn vriendinnen aanhadden of wat ze van mij vonden of wat ook. 'Jij bent uniek,' zei ze dan. 'Jij kunt best voor jezelf beslissen. Wat iedereen vindt, kan me niet schelen. Wij zijn iedereen niet; jij bent iedereen niet.'

Meestal vond ik dat ook. Natuurlijk probeerde ik soms

om erbij te horen. Ik was puberaal en ijdel genoeg om soms te weigeren mijn dikke glazen te dragen die ik sinds mijn negende nodig had om mijn ontzettend slechte ogen te corrigeren. Betsy Johnson, een vriendin vanaf de zesde klas, leidde me de stad rond als een geleidehond. Soms kwam ik klasgenoten tegen zonder hen te groeten, niet uit verwaandheid maar omdat ik niemand herkende. Ik was al in de dertig voordat ik zachte contactlenzen leerde dragen die sterk genoeg waren voor mijn ogen.

Op zondagmiddag mochten Betsy en ik alleen naar het Pickwick Theater. Op een keer zagen we achter elkaar twee voorstellingen van *Lover Come Back* met Doris Day en Rock Hudson. Na afloop gingen we naar een restaurant voor een cola en friet. We dachten dat we het dopen van frietjes in ketchup zelf hadden uitgevonden, toen de serveerster in Robin Hood zei dat ze dat nog nooit iemand had zien doen. Ik wist niet wat een fastfoodmaaltijd was totdat ons gezin rond 1960 naar McDonald's begon te gaan. De eerste McDonald's ging in 1955 open in het nabij-gelegen stadje Des Plaines, maar wij ontdekten de keten pas toen er een filiaal dichter bij ons, in Niles, werd ge-opend. Maar ook toen gingen we alleen bij bijzondere gele-genheden. Ik herinner me nog hoe ik het aantal verkochte hamburgers op het bord op de gouden ereboog zag veran-deren van duizenden in miljoenen.

Ik ging graag naar school en ik was een goede leerling. Ik had het geluk een aantal geweldige leraren te treffen op de Eugene Field School, op de Ralph Waldo Emerson Ju-nior High en op de Maine Township High School East en South. Jaren later, toen ik voorzitter was van de Staatscom-missie Onderwijsnormen in Arkansas, besefte ik hoe be-voorrecht ik was geweest met mijn goed uitgeruste scho-len, met hoogopgeleide leerkrachten en een uitgebreid aanbod van schoolse en additionele buitenschoolse vak-ken. Het is merkwaardig wat ik me nu herinner: juffrouw Taylor die elke ochtend in de klas *Winnie the Pooh* voor-leest. Juffrouw Cappuccio, mijn juffrouw in de tweede klas, die ons uitdaagde alle getallen van één tot duizend op te schrijven, een eindeloze taak voor kleine handjes met dikke potloden. Deze oefening leerde me wat het inhoudt een groot project te ondernemen en af te maken. Juffrouw Cappuccio nodigde later onze klas uit op haar huwelijk waar ze mevrouw O'Laughlin werd. Dit aardige gebaar was voor zevenjarige meisjes die hun juf konden bewonderen als een mooie bruid, het hoogtepunt van het jaar.

Gedurende mijn hele lagere school werd ik beschouwd als een wildebras. In de vijfde zaten de meest onhandelbare jongens en als juffrouw Krause de klas uit moest, vroeg ze mij of een van de paar andere meisjes 'het over te nemen'. Zo gauw de deur achter haar dichtviel, begonnen de jongens te keten, vooral om de meisjes te provoceren. Ik kreeg de naam dat ik tegen de jongens op kon, wat misschien leidde tot mijn verkiezing tot medebrigadier van de verkeersbrigade voor het volgende jaar. Dat was bij ons op school een hele gebeurtenis. Mijn nieuwe status verschafte me mijn eerste les over de merkwaardige manier waarop sommige mensen reageren op verkiezingen. Barbara, een van de meisjes in mijn klas, nodigde me tussen de middag uit bij haar thuis. Haar moeder was aan het stofzuigen en zei achteloos tegen haar dochter en mij dat we maar boterhammen met pindakaas moesten klaarmaken. Dat deden we en ik stond er verder niet bij stil totdat we op het punt stonden om weer naar school te gaan en dag zeiden tegen haar moeder.

Ze vroeg haar dochter waarom we zo vroeg vertrokken en Barbara antwoordde: 'Omdat Hillary verkeersbrigadier is en er eerder moet zijn dan de andere kinderen.'

'Als ik dat wist,' zei ze, 'had ik een lekkere lunch voor jullie gemaakt.'

Mijn juffrouw in de zesde, Elisabeth King, stampte de grammatica er bij ons in en daagde ons uit nieuwe uitdrukkingen te proberen. Als we te traag waren bij het beantwoorden van haar vragen, zei ze: 'Jullie zijn trager dan stroop die 's winters tegen een heuvel op stroomt.' Ze citeerde vaak een vers van Mattheus: 'Noch steekt men een kaars aan, en zet die onder een korenmaat, maar op een kandelaar, en zij schijnt voor allen, die in het huis zijn.' Ze stimuleerde mij, Betsy Johnson, Gayle Elliot, Carol Farley en Joan Throop om een stuk te schrijven en op te voeren, over vijf meisjes die een denkbeeldige reis naar Europa maken. Vlak voor mijn twaalfde schreef ik in opdracht van mevrouw King mijn autobiografie. Ik kwam die weer tegen in een doos met oude spullen na de verhuizing uit het Witte Huis, en toen ik haar las, zat ik weer midden in die onzekere jaren voor het uitbreken van de puberteit.

2 Universiteit van het leven

Wat je thuis niet leert, leer je in de wijde wereld, zeggen ze bij de masai in Kenia. In de jaren zestig verruimde mijn blik. John F. Kennedy won de presidentsverkiezingen. Mijn vader was voor vice-president Nixon, net als mijn leraar maatschappijleer in de tweede, meneer Kenvin. Meneer Kenvin liet ons de dag na de verkiezingen de blauwe plekken zien die hij had opgelopen, zo zei hij, toen hij op verkiezingsdag had geprobeerd het optreden van de stembuswaarnemers namens de Democratische Partij in zijn stemdistrict in Chigaco te controleren. Betsy Johnson en ik waren razend over zijn verhalen, die voor ons een bevestiging vormden van mijn vaders overtuiging dat burgemeester Richard J. Daley de verkiezingen voor president Kennedy had gewonnen door op een creatieve manier de stemmen te tellen. Tussen de middag probeerden we het kantoor van burgemeester Daley te bellen vanuit de telefooncel buiten bij de kantine, om ons beklag te doen. We kregen een heel vriendelijke dame aan de lijn die ons zei dat ze de boodschap zeker over zou brengen aan de burgemeester.

Een paar dagen later hoorde Betsy dat er vrijwilligers gevraagd werden om een plaatselijk comité van Republikeinen te helpen bij het controleren van stemlijsten aan de hand van adressen, om zo fraude op te sporen. Vrijwilligers konden zich op een zaterdagochtend om negen uur melden in een hotel in het centrum, en Betsy en ik besloten mee te doen. We wisten dat onze ouders het nooit goed zouden vinden en dus vroegen we niets. We namen de bus naar het centrum, liepen naar het hotel en werden verwezen naar een klein zaaltje. We vertelden aan de mensen achter een informatietafel dat we kwamen helpen. De opkomst moet kleiner geweest zijn dan verwacht. We kregen elk een stapel lijsten met geregistreerde stemgerechtigden en werden ingedeeld bij verschillende teams die ons, zo kregen we te horen, naar onze bestemming zouden rijden, ons daar af zouden zetten en een paar uur later weer oppikken.

Betsy en ik gingen elk apart mee met volslagen vreemden. Ik belandde bij een echtpaar dat me naar de South Side bracht. Ze zetten me af in een arme zwarte buurt en zeiden dat ik langs de deuren moest gaan en de mensen die opendeden moest vragen hoe ze heetten, zodat ik hun namen kon vergelijken met die op de lijsten van geregistreerde kiezers. Zo zouden we argumenten verzamelen om de verkiezingen ongeldig te laten verklaren. Daar ging ik dan, onversaagd en dom. Ik vond een leeg bouwterrein dat geregistreerd was als adres van een stuk of twaalf nepkiezers. Ik maakte een heleboel mensen wakker die naar de deur kwamen stommelen of schreeuwden dat ik moest ophoepelen. En ik liep een bar binnen waar mannen aan het drinken waren en vroeg of bepaalde mensen van mijn lijst daar inderdaad woonden. De mannen waren zo geschokt door mijn verschijning dat iedereen stil stond en zweeg toen ik mijn vragen stelde, tot de barkeeper zei dat ik later terug moest komen omdat de eigenaar er niet was.

Toen ik klaar was, wachtte ik op de hoek waar ik opgepikt zou worden, voldaan dat het me gelukt was om bewijzen op te duikelen voor mijn vaders bewering dat 'Daley de verkiezingen had gestolen voor Kennedy'.

Toen ik weer thuis kwam en mijn vader vertelde waar ik geweest was, werd hij natuurlijk razend. Het was al erg genoeg dat ik in mijn eentje, zonder volwassene, naar het centrum was gegaan, maar hij raakte volledig over zijn toeren toen hij hoorde dat ik alleen in de South Side had rondgezworven. En trouwens, zei hij, Kennedy werd president, of we het leuk vonden of niet.

Mijn eerste jaar op Maine East was een cultuurschok

voor mij. De geboortegolf stuwde het aantal leerlingen op tot tegen de vijfduizend blanke kinderen met verschillende etnische en economische achtergronden. Ik weet nog dat ik de eerste schooldag mijn klas uitkwam en langs de muren schoof om het gedrang te vermijden van de leerlingen die allemaal groter en ouder leken dan ik. Het hielp niet erg dat ik de week daarvoor had besloten dat ik mijn high school-tijd moest beginnen met een 'volwassen' kapsel. Dit was het begin van mijn levenslange worsteling met mijn haar.

Ik droeg mijn lange, steile haar altijd in een paardenstaart of met een haarband, en wanneer mijn moeder of ik een permanent nodig hadden of geknipt moesten worden, gingen we naar een goede vriendin van haar, Amalia Toland, die vroeger schoonheidsspecialiste was geweest. Terwijl mijn moeder en zij praatten, kapte Amalia ons in haar keuken. Maar op de high school wilde ik verschijnen met schouderlang haar en een pagekopje of een lok, net als de oudere meisjes die ik bewonderde, en ik smeekte mijn moeder me mee te nemen naar een echte salon. Een buurvrouw raadde een kapper aan die een zaak had in een kleine, raamloze ruimte achter in een plaatselijke supermarkt. Ik gaf hem een foto van hoe ik het wilde en wachtte tot de gedaanteverandering zich voltrokken had. Knippend met zijn schaar ging hij aan de slag en praatte onderwijl met mijn moeder, waarbij hij zich vaak omdraaide om iets te benadrukken. Ik zag tot mijn ontzetting dat hij aan de rechterkant een enorme hap haar wegknipte. Ik gaf een gil. Toen hij eindelijk keek naar waar ik wees, zei hij: 'O, mijn schaar is zeker uitgeschoten, ik zal het aan de andere kant gelijk moeten maken.' Geschokt zag ik hoe de rest van mijn haar verdween en hoe ik er, in mijn ogen in elk geval, ging uitzien als een artisjok. Mijn arme moeder probeerde me gerust te stellen, maar ik wist wel beter: mijn leven was kapot.

Dagenlang weigerde ik het huis uit te gaan, tot ik bedacht dat ik een paardenstaart van nephaar kon kopen bij

Ben Franklin, een goedkoop warenhuis. Met die staart op mijn hoofd en een band eromheen kon ik doen of het drama van de uitgeschoten schaar nooit had plaatsgevonden. Zo bespaarde ik me die eerste dag het gevoel van opgelatenheid en verlegenheid, tot ik bij een wisseling van lokaal op de grote centrale trap Ernest ('Ricky') Ricketts tegenkwam die juist naar boven ging. We waren vriendjes sinds we samen naar de kleuterschool liepen. Hij zei hallo, wachtte tot hij me voorbij was en deed toen wat hij al tientallen keren eerder had gedaan: hij trok van achteren aan mijn paardenstaart, maar deze keer hield hij die in zijn hand! Dat we nog steeds vrienden zijn, komt doordat hij het niet nog erger voor me maakte. Hij gaf me 'mijn haar' terug, zei dat het hem speet dat hij me gescalpeerd had en liep toen door, zonder nog meer aandacht op mij te vestigen, op dat tot dan toe ellendigste moment.

Het is inmiddels een cliché geworden, maar mijn middelbareschooltijd in de jaren zestig leek op de film *Grease* of de tv-serie *Happy Days*. Ik werd voorzitter van de plaatselijke fanclub van Fabian, een tieneridool, een club die bestond uit twee andere meisjes en ik. We keken iedere zondagavond met het hele gezin naar de *Ed Sullivan Show*, behalve de keer dat hij de Beatles te gast had, op 9 februari 1964, dat moesten we als meisjes samen zien. Paul McCartney was mijn favoriete Beatle, hetgeen discussies over de verdiensten van de verschillende leden van de groep uitlokte, vooral met Betsy, van het begin af een fan van George Harrison. Ik kreeg kaartjes voor het concert van de Rolling Stones in McCormick Place, in Chigaco in 1965. '(I Can't Get No) Satisfaction' groeide uit tot de song die stond voor allerlei gevoelens van angst en onbehagen van adolescenten. Toen ik jaren later iconen van mijn jeugd als Paul McCartney, George Harrison en Mick Jagger ontmoette, wist ik niet of ik ze een hand moest geven of gillend op en neer moest springen.

Ondanks de 'jeugdcultuur' die zich ontwikkelde, vooral onder invloed van de tv en muziek, werd je positie op school nog steeds in grote mate bepaald door de traditionele groepen: sporters en cheerleaders, leerlingenraadtypes en bollebozen, vetkuiven en capuchons. Er waren gangen waar ik niet doorheen durfde omdat ik gehoord had dat je daar te maken kreeg met de jongens van het beroepsonderwijs. Je plaats in de kantine werd bepaald door onzichtbare grenzen die iedereen erkende. In mijn eerste jaar mondden de onderliggende spanningen uit in naschoolse vechtpartijen tussen verschillende groepen op het parkeerterrein en bij voetbal- en basketbalwedstrijden.

De schoolleiding greep snel in en riep een studentengroep in het leven onder de naam 'Commissie Culturele Waarden', samengesteld uit vertegenwoordigers van verschillende groeperingen onder de leerlingen. De directeur, dr. Clyde Watson, vroeg mij er lid van te worden en daarmee kreeg ik de kans medeleerlingen te leren kennen die ik eerder uit de weg zou zijn gegaan. Onze commissie kwam met specifieke aanbevelingen om de verdraagzaamheid te vergroten en de spanningen te verminderen. Een aantal van ons mocht op de plaatselijke televisie komen vertellen wat onze commissie had gedaan. Dit was zowel mijn eerste tv-optreden als mijn eerste ervaring met een georganiseerde poging de Amerikaanse waarden van pluralisme, wederzijds respect en begrip voor het voetlicht te brengen. Die waarden moesten gekoesterd worden, zelfs op mijn high school in een rustige voorstad in Chicago. De leerlingen vormden een grote homogene blanke en christelijke groep, maar toch vonden we manieren om elkaar apart te zetten en te demoniseren. De commissie gaf me de kans nieuwe vrienden te maken. Toen ik een paar jaar later op een dansavond van de plaatselijke YMCA door een paar jongens werd lastiggevallen, kwam een voormalig lid van de commissie, een 'vetkuif', tussenbeide en zei dat ze me met rust moesten laten, ik was 'oké'.

Maar niet alles was oké in mijn middelbareschooltijd. Op 22 november 1963 zat ik in de klas van meneer Craddock gebogen over een meetkundeprobleem, toen een andere leraar de klas binnenkwam met het bericht dat president Kennedy in Dallas was neergeschoten. Meneer Craddock, een van mijn favoriete leraren en onze mentor, riep: 'Wat? Dat is niet waar!' en rende de klas uit. Toen hij terugkwam, bevestigde hij dat iemand de president had doodgeschoten en dat het waarschijnlijk iemand van de John Birch Society was geweest, een aanhanger van de rechtse beweging die Kennedy zeer vijandig gezind was. Hij zei ons naar de aula te gaan en daar op nadere informatie te wachten. Het was stil in de gangen toen duizenden leerlingen vol ongeloof naar de aula liepen. Ten slotte kwam de directeur zeggen dat we vroeger naar huis mochten.

Thuis zat mijn moeder voor de tv naar Walter Cronkite te kijken. Cronkite kondigde aan dat president Kennedy om 13.00 uur *Central Standard Time* was overleden. Ze biechtte op dat ze op Kennedy had gestemd en had vreselijk te doen met zijn vrouw en kinderen. Dat gold ook voor mij. Ik vond het ook erg voor ons land en ik wilde op de een of andere manier iets doen, al had ik geen idee wat.

Ik ging ervan uit dat ik zou werken voor mijn brood en ik voelde me niet beperkt in mijn keuzen. Ik had gelukkig ouders die nooit geprobeerd hebben me in een bepaalde richting te dwingen. Ze moedigden me alleen maar aan uit te blinken en gelukkig te zijn. Eigenlijk herinner ik me niet dat een leraar of een ouder van een vriendin ooit tegen mij of mijn vriendinnen heeft gezegd dat 'meisjes dit niet kunnen' of 'dat niet moeten doen'. Maar soms kwam die boodschap op een andere manier over.

De schrijfster Jane O'Reilly, die in de jaren vijftig meerderjarig werd, publiceerde in 1972 een beroemd essay in het tijdschrift *Ms.*, waarin ze de momenten opsomt waarop ze in de loop van haar leven besefte dat ze lager aangeslagen werd omdat ze een vrouw was. Ze beschreef dat moment van inzicht als een *klik!* – het geluid van een flitslamp. Soms was het schaamteloos, als in het geval van de personeelsadvertenties die tot het midden van de jaren zestig verdeeld waren in aparte kolommen voor mannen en vrouwen, soms subtiel, zoals de neiging om het eerste katern van de krant automatisch over te laten aan de manspersoon die toevallig in de buurt was – *klik!* – en zelf genoegen te nemen met de vrouwenpagina's tot hij klaar was met het serieuze nieuws.

Er zijn een paar momenten dat ik die *klik!* gevoeld heb. Ik was altijd gefascineerd geweest door expedities en ruimtereizen, gedeeltelijk misschien omdat mijn vader zo bezorgd was dat Amerika achterbleef bij Rusland. Ik vond de gelofte van president Kennedy dat hij mensen op de maan zou brengen, heel opwindend en ik schreef naar de NASA om me op te geven voor een astronautentraining. Ik kreeg een brief terug waarin mij meegedeeld werd dat meisjes niet tot de opleiding werden toegelaten. Dat was de eerste keer dat ik op een hindernis stuitte die ik niet kon overwinnen door vastberadenheid en hard werk, en ik was razend. Natuurlijk zou ik, afgezien van mijn geslacht, afgewezen zijn vanwege mijn slechte ogen en mijn matige fysieke vermogens. Maar de categorische afwijzing kwetste me en maakte me gevoeliger voor anderen die met discriminatie van allerlei slag te maken hadden.

Op de middelbare school liet een van mijn slimste vriendinnen de versnelde leergang schieten, omdat haar vriendje er niet in zat. Een ander wilde niet dat haar cijfers op het prikbord werden gehangen, omdat ze wist dat ze hoger zouden zijn dan die van de jongen met wie ze uitging. Deze meisjes hadden de subtiele en minder subtiele culturele signalen opgepikt om zich te schikken in seksistische stereotypen, om hun eigen prestaties af te zwakken en te voorkomen dat ze uitstaken boven de jongens in hun omgeving. Ik had op de middelbare school wel belangstelling voor jongens, maar ik had nooit een echt vriendje. Ik kon me gewoon niet voorstellen dat je een studie of een carrière op zou geven om te trouwen, zoals sommigen van mijn vriendinnen van plan waren.

Ik had al jong belangstelling voor politiek en ik vond het leuk mijn debattechnieken aan te scherpen met mijn vrienden. Ik dwong de arme Ricky Ricketts tot dagelijkse discussies over wereldvrede, honkbaluitslagen of wat er ook bij me opkwam. Ik stelde me met succes kandidaat voor de leerlingenraad en werd gekozen tot vice-voorzitter van mijn klas in de onderbouw. Ik was ook actief bij de Jonge Republikeinen en werd later een Goldwater Girl, tot en met een cowgirl-uitdossing en een strohoed versierd met de leus 'AuH2O' toe.

Mijn geschiedenisleraar in de derde, Paul Carlson, was en is nog steeds een toegewijd pedagoog en een zeer conservatieve Republikein. Meneer Carlson moedigde me aan het pas verschenen boek van senator Barry Goldwater te lezen, *The Conscience of a Conservative* – Het geweten van een conservatief. Het boek was de inspiratiebron voor mijn opstel van dat trimester over de Amerikaanse conservatieve beweging. Ik droeg het op aan 'mijn ouders die me altijd hebben voorgehouden dat ik een individu ben'. Ik waardeerde senator Goldwater omdat hij zo'n onbuigzame individualist was en tegen het politieke tij inging. Jaren later bewonderde ik zijn ondubbelzinnige steun voor de rechten van het individu, die hij volstrekt verenigbaar achtte met zijn ouderwetse conservatieve principes: 'We moeten geen stampei maken over homo's, zwarten en Mexicanen. Vrije mensen hebben het recht te doen waar ze zin in hebben.' Toen Goldwater hoorde dat ik hem in 1964 gesteund had, stuurde hij een doos met barbecuebenodigdheden en hete sauzen naar het Witte Huis en nodigde me uit langs te komen. Uiteindelijk heb ik hem in 1996 opgezocht in zijn huis in Phoenix en het was geweldig om met hem en zijn energieke vrouw Susan te praten.

Meneer Carlson was ook een vurig bewonderaar van generaal Douglas MacArthur en we luisterden keer op keer naar opnamen van zijn afscheidstoespraak voor het Congres. Een van die keren riep meneer Carlson aan het eind vol vuur: 'En onthoud vooral dit: "Beter dood dan rood!"' Ricky Ricketts, die voor me zat, begon te lachen en hij stak mij aan. Meneer Carlson vroeg streng: 'Wat valt er te lachen?' En Ricky antwoordde, 'Tjee, meneer Carlson, ik ben nog maar veertien en ik ben liever levend dan wat ook.'

Mijn actieve betrokkenheid bij de Eerste Verenigde Methodistenkerk van Park Ridge opende mijn ogen en mijn hart voor de noden van anderen en hielp mijn geloof te doordringen van een gevoel van sociale verantwoordelijkheid. De ouders van mijn vader beweerden dat ze methodist waren, omdat hun overgrootouders in de kleine mijndorpen rond Newcastle in Noord-Engeland en in Zuid-Wales bekeerd waren door John Wesley, de man die in de achttiende eeuw de methodistenkerk had gesticht. Wesley leerde dat de liefde van God uitgedrukt wordt in goede werken, en hij vatte dat samen in een eenvoudige regel: 'Doe zoveel goed als je kunt, met alle middelen waarover je beschikt, op alle mogelijke manieren, overal waar je kunt, wanneer je maar kunt, aan wie je maar kunt, zolang je kunt.' Er zal altijd gediscussieerd kunnen worden over wiens definitie van 'goed' je moet volgen, maar als jong meisje voelde ik me aangesproken door Wesleys aansporing. Mijn vader bad elke avond bij zijn bed en zelfs als kind werd bidden voor mij een bron van troost en steun.

Ik was vaak in onze kerk en toen ik in de zesde zat, werd ik aangenomen. Een aantal van mijn maatjes voor het leven, onder wie Ricky Ricketts en Sherry Heiden, werd ook aangenomen en ging de hele middelbareschooltijd met mij ter kerke. Mijn moeder leidde de zondagsschool, vooral, zegt ze, om mijn broers in de gaten te kunnen houden. Ik ging naar bijbelles, zondagsschool en de jongerengroep, ik hielp als altaardienaar en zorgde ervoor dat het altaar op zaterdag werd schoongemaakt en gereedgemaakt voor de zondagsdienst. In mijn zoeken naar een balans tussen de onafhankelijkheid die mijn vader preekte en mijn moeders bekommernis om sociale rechtvaardigheid, werd ik vooruit geholpen door de komst in 1961 van een methodistische jeugdpredikant, Donald Jones.

Dominee Jones kwam rechtstreeks van de theologische hogeschool van Drew University en had vier jaar in de marine gediend. Hij was doordrenkt van de ideeën van Dietrich Bonhoeffer en Reinhold Niebuhr. Bonhoeffer benadrukte dat de rol van een christen een morele rol was van volledig engagement met de wereld, met het doel de bevordering van de menselijke ontwikkeling. Niebuhr wist op een overtuigende manier een scherp en realistisch oog voor de menselijke natuur te combineren met een niet-aflatende passie voor gerechtigheid en sociale hervorming. Dominee Jones benadrukte dat een christelijk leven 'geloof in actie' was. Ik had nooit iemand als hij ontmoet. Don noemde zijn methodistische jongelingsbijeenkomsten op zondagen donderdagavond de 'Universiteit van het leven'. Hij wilde graag met ons werken omdat hij hoopte dat we ons meer bewust zouden worden van het leven buiten Park Ridge. Bij mij slaagde hij daar in elk geval in. Dankzij Dons 'Universiteit' maakte ik kennis met de dichters E.E. Cummings en T.S. Eliot, met de schilderijen van Picasso, met name 'Guernica' en we discussieerden over de betekenis van de 'grootinquisiteur' in de *Gebroeders Karamazov* van Dostojevski. Ik kwam laaiend enthousiast thuis en deelde wat ik geleerd had met mijn moeder, die in Don al gauw een verwante geest ontdekte. Maar aan de Universiteit van het leven ging het niet alleen om kunst en literatuur. We gingen in het kader van de uitwisseling van jeugdgroepen op bezoek bij zwarte en Spaans-Amerikaanse kerken in de binnenstad van Chicago.

Door de kringdiscussies in souterrains van kerken ontdekte ik dat ik met deze jongeren, ondanks de onmiskenbare verschillen in achtergrond, meer gemeen had dan ik ooit had kunnen denken. Zij wisten ook wat er gaande was met de burgerrechtenbewegingen in het Zuiden. Ik had vaag gehoord van Rosa Parks en dr. Martin Luther King, maar door deze discussies werd mijn belangstelling gewekt.

Toen Don dus op een keer aankondigde dat wie wilde mee kon gaan naar een toespraak van dr. King in de Orchestra Hall, was ik enthousiast. Ik mocht van mijn ouders, maar sommige vrienden kregen geen toestemming om naar die 'oproerkraaier' te gaan luisteren.

De titel van dr. Kings toespraak was 'Remaining Awake Through The Great Revolution' – Blijf je bewust van de grote revolutie die gaande is. Tot dan toe had ik maar een vaag besef van de sociale revolutie die gaande was in ons land, maar de woorden van dr. King verhelderden de strijd die gaande was en stelde tegelijkertijd onze onverschilligheid ter discussie: 'IJdelheid vraagt: is het populair? Het geweten vraagt: is het rechtvaardig?'

Al werd ik me meer bewust van de ontwikkelingen, ik praatte nog steeds vooral de stem des volks van Park Ridge na, en de politieke principes van mijn vader. Terwijl Don Jones me 'progressieve' ervaringen liet opdoen, liet Paul Carlson me kennis maken met vluchtelingen uit de Sovjet-Unie die gruwelijke verhalen vertelden over wreedheden onder de communisten. Don merkte ooit op dat ze verwikkeld waren in een gevecht om mijn geest en ziel. Maar het conflict tussen hen was veel breder en kwam tot uitbarsting in onze kerk, waar Paul ook lid van was. Paul was het niet eens met Dons prioriteiten, waaronder het programma van de Universiteit van het leven en hij oefende druk uit om Don te ontslaan. Na een reeks confrontaties besloot Don de kerk na slechts twee jaar te verlaten en een docentschap te aanvaarden aan Drew University, waar hij kortgeleden met emeritaat ging als hoogleraar sociale ethiek. We bleven nauw contact houden in de loop der jaren en Don en zijn vrouw Karen zijn vaak op bezoek geweest in het Witte Huis. Hij was op 28 mei 1994 aanwezig bij het huwelijk van mijn broer Tony in de Rozentuin.

Aan het eind van mijn eerste jaar op Maine East werd mijn klas in tweeën gesplitst. De helft van ons ging verder op de Maine Township High School South, gebouwd om de generatie van de geboortegolf op te vangen. Ik stelde me tegen verschillende jongens kandidaat voor het voorzitterschap van de leerlingenraad en verloor, wat me niet verraste maar toch kwetste, vooral omdat een van mijn tegenstanders tegen me zei dat ik 'echt stom was als ik dacht dat een meisje voorzitter kon worden'. Meteen na de verkiezingen vroeg de winnaar me om de organisatiecommissie te leiden die, voorzover ik kon overzien, al het werk zou doen. En ik zei ja.

Dat bleek trouwens erg leuk, want als de eerste eindexamenklas moesten wij de grondslag leggen voor alle schooltradities die voor ons zo belangrijk waren, zoals reünies en bals, verkiezingen voor de leerlingenraad, oppep-bijeenkomsten en jaarfeesten. We organiseerden een 'presidentieel debat' voor de verkiezingen van 1964 en een jonge leraar bestuurskunde, Jerry Baker, had de leiding. Hij wist dat ik een actieve aanhanger was van Goldwater. Ik wist mijn vader zelfs over te halen Betsy en mij naar een toespraak van Goldwater te brengen toen hij met zijn campagnetrein de voorsteden van Chicago aandeed.

Ellen Press, een andere vriendin, was de enige Democraat die ik kende in mijn klas en zij was een uitgesproken aanhanger van president Johnson. In een vlaag van tegenintuïtieve genialiteit of van perversiteit wees meneer Baker mij aan om president Johnson, en Ellen om senator Goldwater te spelen. We voelden ons allebei beledigd en we protesteerden, maar meneer Baker zei dat dit de manier was om de standpunten van de andere partij te leren kennen. En zo verdiepte ik me voor de eerste keer in de Democratische standpunten van president Johnson over burgerrechten, gezondheidszorg, armoede en buitenlandse politiek. Ik haatte elk uur dat ik in de bibliotheek in het Democratische-partijprogramma en de verklaringen van het Witte Huis zat te lezen. Maar toen ik het debat voorbereidde, merkte ik dat ik met meer dan gespeeld enthousiasme argumenteerde. Ellen moet hetzelfde ervaren hebben. Tegen de tijd dat we eindexamen deden, waren we allebei van politiek tehuis veranderd. Meneer Baker ging les geven in Washington DC, waar hij jarenlang adviseur was van de Air Line Pilots Association, een positie waarin hij ten volle gebruik kon maken van zijn vermogen zich in te leven in zowel Democratische als Republikeinse standpunten.

Dat ik in het laatst jaar zat, betekende dat ik na moest denken over een verdere studie. Ik wist dat ik naar een *college* wilde, maar had geen idee waar. Ik ging naar onze overbelaste en onvoorbereide decaan en kreeg een paar brochures over colleges in het Midwesten, maar verder geen hulp of advies. Beide kreeg ik van twee vrouwen die net van college kwamen en in het kader van hun masters-opleiding aan Northwestern University lessen staatsinrichting gaven. Karin Fahlstrom, afgestudeerd aan Smith, gaf in mijn eerste semester democratie; Janet Altman kwam van Wellesley. Ik herinner me dat miss Fahlstrom tegen de klas zei dat we nog een andere krant dan de *Chigaco Tribune* van Col. McCormick moesten lezen. Toen ik vroeg welke, stelde ze *The New York Times* voor. 'Maar dat is een instrument van het establishment van de Oostkust!' antwoordde ik. Miss Fahlstrom was duidelijk verbaasd en zei: 'Nou, dan lees je de *Washington Post*!' Tot dat moment had ik geen van beide kranten ooit onder ogen gehad en ik wist niet dat de *Tribune* niet het evangelie was.

Midden oktober vroegen miss Fahlstrom en miss Altman me of ik wist waar ik naar college wilde; ik had geen idee en zij adviseerden mij me in te schrijven bij Smith en Wellesley, twee van de 'zeven-zusterscolleges' voor vrouwen. Ze zeiden dat ik me op een vrouwencollege door de week op mijn studie kon concentreren en pret kon maken in de weekends. Het was nog niet bij me opgekomen om elders dan in het Midwesten naar college te gaan en was alleen naar Michigan State geweest omdat je daar tot het zware 'honors'-programma op de campus werd toegelaten als je tot de beste leerlingen behoorde. Maar toen ik eenmaal met het idee werd geconfronteerd, was mijn belangstelling gewekt. Ze nodigden me uit op gelegenheden waar ik studentes en oud-studentes kon ontmoeten. De bijeenkomst van Smith vond plaats in een prachtig groot huis in een van de welgestelde buitenwijken langs Lake Michigan; de bijeenkomst van Wellesley werd gehouden in een penthouse aan Lake Shore Drive in Chigaco. In beide gevallen voelde ik me misplaatst. Al die meisjes leken niet alleen rijker maar ook wereldwijzer dan ik. Een meisje op de bijeenkomst van Wellesley rookte pastelkleurige sigaretten en had het over haar vakantie in Europa. Dat leek heel ver weg van Lake Winola en mijn leventje.

Ik zei tegen mijn twee mentoren dat ik nog niet wist of ik wel in het 'verre oosten' moest gaan studeren, maar ze drongen erop aan dat ik het met mijn ouders zou bespreken. Mijn moeder vond dat ik zelf moest kiezen waar ik heen wilde. Mijn vader gaf me ook alle vrijheid, maar hij zou niet betalen als ik voor een plek ten westen van de Mississippi koos of voor Radcliffe, waarvan hij gehoord had dat het vergeven was van de beatniks. Van Smith en Wellesley had hij nooit gehoord en die waren acceptabel. Ik had geen van beide campussen bezocht, en dus koos ik, toen ik geaccepteerd werd, voor Wellesley op grond van de foto's van de campus, vooral vanwege het kleine Lake Waban, dat me deed denken aan Lake Winola. Ik ben die twee leraressen altijd dankbaar gebleven.

Ik kende niemand anders die naar Wellesley ging. Mijn meeste vriendinnen gingen naar colleges in het Midwesten om dichter bij huis te blijven. Mijn ouders brachten me weg en op de een of andere manier verdwaalden we in Boston en kwamen terecht op Harvard Square, waar mijn vader in zijn ideeën over beatniks werd bevestigd. Maar op Wellesley was er geen enkele te zien en hij leek gerustgesteld. Mijn moeder heeft verteld dat ze de 1500 km lange terugweg van Massachusetts naar Illinois heeft gehuild. Nu ik zelf ervaren heb hoe het is om je dochter achter te laten op een verre universiteit, begrijp ik precies hoe ze zich voelde. Maar op dat moment had ik alleen oog voor mijn eigen toekomst.

3 De klas van 1969

In 1994 werd in de programmaserie *Frontline* van PBS een documentaire uitgezonden over Wellesley, jaargang 1969 – 'Hillary's Class'. En het was natuurlijk mijn klas, maar het was nog zoveel meer. De maker, Rachel Dretzin, legde uit waarom *Frontline* had besloten onze klas onder de loep te nemen, vijfentwintig jaar na ons afstuderen: 'Hun tocht door een tijd van diepgaande veranderingen voor vrouwen is niet te vergelijken met die van enige andere generatie.'

Jaargenootjes van mij zeiden: 'Toen we op Wellesley kwamen, was het een meisjesschool. Toen we afscheid namen, was het een vrouwencollege.' En die uitspraak zegt waarschijnlijk even veel over ons als over het college.

Ik kwam aan op Wellesley met de politieke ideeën van mijn vader en de dromen van mijn moeder; toen ik er vertrok, begonnen mijn eigen dromen en overtuigingen vorm te krijgen. Maar die eerste dag voelde ik me, toen mijn ouders wegreden, eenzaam en overweldigd en misplaatst. Ik trof meisjes die van privé-kostscholen kwamen, die in het buitenland gewoond hadden, die vloeiend andere talen spraken en die vrijstellingen hadden voor eerstejaarscolleges op grond van hun testresultaten. Ik was één keer in het buitenland geweest, naar de Canadese kant van de Niagara Falls. De enige keer dat ik te maken had gehad met vreemde talen, was tijdens de lessen Latijn op high school geweest.

Het duurde even voor ik mijn draai had gevonden als student op Wellesley. De lessen in het eerste jaar waren behoorlijk pittig. Mijn geworstel met wiskunde en geologie overtuigde me er definitief van dat ik het idee om arts of natuurwetenschapper te worden maar beter op kon geven.

Zoals mijn leraar Frans vriendelijk zei: 'Mademoiselle, uw talenten liggen elders.' Een maand nadat het studiejaar was begonnen, belde ik 'collect' naar huis en zei tegen mijn ouders dat ik niet dacht dat ik slim genoeg was om het daar uit te houden. Mijn vader zei dat ik naar huis moest komen, mijn moeder dat ik niet moest opgeven. Na een onzekere start vervaagden mijn twijfels en besefte ik dat ik eigenlijk niet terug kon naar huis en het maar beter kon proberen.

Op een avond in mijn eerste jaar, het sneeuwde, kwam Margaret Clapp, die toen president was van het college, onverwacht naar mijn studentenhuis, Stone-Davis, gelegen op een heuvel aan de oever van Lake Waban. Ze kwam de eetzaal binnen en vroeg vrijwilligers om haar te helpen de sneeuw zachtjes van de boomtakken in de buurt te schudden, zodat die niet zouden breken onder het gewicht. We gingen van boom tot boom door de kniediepe sneeuw, onder een heldere hemel vol sterren. We werden geleid door een sterke, intelligente vrouw, op haar hoede voor de verrassingen en kwetsbaarheden van de natuur. Met evenveel zorg leidde en prikkelde ze haar studenten en haar faculteit. Die avond besefte ik dat dit de plaats was waar ik hoorde.

Met Madeleine Albright, die ambassadeur bij de Verenigde Naties is geweest en minister van Buitenlandse Zaken onder Bill Clinton, heb ik vaak van gedachten gewisseld. Ze kwam tien jaar voor mij op Wellesley, en ik heb het vaak gehad over de verschillen tussen haar tijd en de mijne. Zij en haar vriendinnen waren aan het eind van de jaren vijftig meer openlijk gericht op het vinden van een echtgenoot en ze werden minder meegesleurd door de veranderingen in de buitenwereld. Toch profiteerden ook zij van het voorbeeld van Wellesley en de hoge verwachtingen over wat vrouwen konden bereiken als ze de kans maar kregen. Wellesley benadrukte dienstbaarheid, in haar tijd en in de mijne. Het Latijnse devies van het college luidt: *Non ministrari sed ministrare* – Je niet laten dienen, maar dienen

– een spreuk die in overeenstemming was met mijn methodistische opvoeding. Toen ik aankwam, in een tijd dat het studentenactivisme bloeide, werd de spreuk door veel studentes gezien als een oproep aan vrouwen zich meer toe te leggen op de vormgeving van hun eigen leven en van de wereld om hen heen.

Wat ik het meest waardeerde van Wellesley, waren de vriendschappen voor het leven die ik er sloot en de gelegenheid die een vrouwenuniversiteit ons bood om onze vleugels en geest uit te slaan in de voortdurende zoektocht naar onszelf en onze identiteit. We leerden van de verhalen die we elkaar vertelden als we bij elkaar zaten op onze kamers of bij de lange lunches die we in hetzelfde studentenhuis, Stone-Davis, organiseerden, al die vier jaar en uiteindelijk woonden we al die tijd op een gang met vijf studenten die levenslange vriendinnen werden. Johanna Branson, een lange ballerina uit Lawrence, Kansas, koos als hoofdvak kunstgeschiedenis en deelde haar liefde voor schilderkunst en film met me. Johanna verklaarde in *Frontline*: 'Vanaf de eerste dag kregen we te horen dat wij de *crème de la crème* waren.' En ze vervolgde: 'Ik weet dat dit nu verwaand en elitair klinkt. Maar toen was het geweldig om dat te horen. Als meisje hoefde je nooit voor iemand onder te doen.' Jinnet Fowles, die van een voorbereidingsschool in Connecticut kwam en ook kunstgeschiedenis studeerde, stelde lastige vragen over wat ik dacht dat je kon bereiken met studentenacties. Jan Krigbaum, een vrije geest uit Californië, stortte zich met onverflauwd enthousiasme in iedere onderneming en hielp een uitwisselingsprogramma met studenten uit Latijns-Amerika tot stand te brengen. Connie Hoenk, een langharige blondine uit South Bend, Indiana, was een praktische, nuchtere meid in wier standpunten ik onze gedeelde wortels in het Midwesten herkende. Suzy Salomon, een slim, hardwerkend meisje uit een andere voorstad van Chicago die graag en gemakkelijk lachte, stond altijd klaar om iedereen te helpen.

Twee oudere studenten, Shelley Parry en Laura Grosch,

werden mentor. Shelley was derdejaars toen ik in het studentenhuis aankwam en ze was een voor haar leeftijd ongewoon krachtige en charmante persoonlijkheid. Wanneer ik tekeerging over een werkelijk of vermeend onrecht in de wereld, keek ze me rustig aan met haar grote, intelligente ogen en zocht ze rustig en vriendelijk naar de bron van mijn gepassioneerdheid of de feitelijke basis van mijn standpunt. Na haar afstuderen gaf ze les in Ghana en op andere plaatsen in Afrika, waar ze haar Australische man ontmoette; uiteindelijk vestigde ze zich in Australië. Shelley's kamergenoot was de ontembare Laura Grosch, een jonge vrouw met heftige emoties en artistiek talent. Toen ik 'Fooly Scare', een van Laura's schilderijen zag in haar kamer, vond ik het zo mooi dat ik het wilde kopen. Het duurde jaren voordat ik het had afbetaald en het hangt nu in ons huis in Chappaqua. Al die meisjes zijn uitgegroeid tot vrouwen die mij in de loop der jaren hebben aangemoedigd en gesteund.

Het exclusief vrouwelijke karakter van ons college garandeerde wel een concentratie op de studie en op de ontwikkeling van leiderschap buiten het studieprogramma, die een gemengd college wellicht niet had kunnen bieden. Niet alleen werden alle studentenactiviteiten door vrouwen georganiseerd, van studentenraad tot krant en clubs, we voelden ons ook vrijer om risico's te nemen, fouten te maken en zelfs te falen in aanwezigheid van elkaar. Het was een gegeven dat de jaarpresidenten, de redacteuren van onze krant, de topstudenten op ieder terrein, vrouw waren. En dat kon iedereen van ons zijn. Anders dan veel slimme meisjes op mijn middelbare school die de druk voelden om hun eigen ambities op te geven ter wille van een meer traditioneel leven, wilden mijn studiegenoten op Wellesley erkenning voor hun talent, inspanningen en prestaties. Dit is wellicht een verklaring waarom er een onevenredig aantal afgestudeerden aan vrouwencolleges een beroep hebben waarin vrouwen neigen te worden ondervertegenwoordigd.

De afwezigheid van manlijke studenten maakte veel psychische ruimte vrij en schiep een veilige zone, van maandag tot vrijdag, waarin uiterlijkheden – in elke betekenis van het woord – er niet toe deden. We concentreerden ons zonder afleiding op onze studie en hoefden ons geen zorgen te maken over hoe we eruitzagen als we naar college gingen. Maar door het ontbreken van mannen op de campus werd ons sociale leven gekanaliseerd in autoritjes en kennismakingsrituelen die 'mixers' genoemd werden. Toen ik najaar 1965 aankwam, speelde het college nog de rol van surrogaatouder. We mochten geen jongens op de kamer ontvangen, behalve tussen twee en halfzes op zondagmiddag, en dan moesten we de deur half open laten en altijd de zogenaamde 'twee-voetenregel' gehoorzamen: twee (van de vier) voeten moesten altijd op de grond staan. In het weekend gold een avondklok om één uur 's nachts en Route 128, de weg van Boston naar Wellesley, was op vrijdag- en zaterdagavond een soort Grand Prix racebaan, als onze vriendjes ons als idioten terugreden naar de campus om problemen te voorkomen. In de hal van elk studentenhuis stond een receptiebalie waar gasten zich moesten melden en via een systeem van bellen en aankondigingen werden we verwittigd van het geslacht van degene die ons op kwam zoeken. 'Visite' was vrouwelijk, 'bezoek' mannelijk. De waarschuwing dat er onverwacht bezoek kwam, gaf je de gelegenheid je op te knappen of de student achter de balie te laten weten dat je niet beschikbaar was.

Mijn vriendinnen en ik studeerden hard en gingen uit met jongens van onze leeftijd, meestal van Harvard en andere topuniversiteiten die we leerden kennen via vriendinnen of op de 'mixers'. De muziek stond bij het dansen meestal zo hard dat je niets kon verstaan van wat er gezegd werd, tenzij je naar buiten ging, en dat deed je alleen als iemand je belangstelling had gewekt. Op een van die avonden danste ik urenlang in de Alumni Hall op onze campus met een jongeman van wie ik dacht dat hij 'Farce' heette, om later te ontdekken dat het 'Forrest' was. Twee keer had ik een vriendje serieus genoeg om aan mijn ouders voor te stellen. Dankzij de houding van mijn vader had het meer weg van een ontgroening dan van een beleefdheidsbezoek. Ze overleefden het allebei, maar onze verhouding niet.

Geheel in de tijdgeest ergerden we ons al gauw aan de archaïsche regels op Wellesley en eisten we dat we als volwassenen behandeld werden. We drongen er bij het bestuur op aan de *in loco parentis*-regels af te schaffen, wat uiteindelijk ook gebeurde toen ik voorzitter was van de collegeraad. Tegelijk werd ook een verplicht studiepakket geschrapt dat volgens de studenten ook ondraaglijk was.

Terugkijkend op die jaren zijn er weinig dingen die ik betreur, maar ik ben er niet zo zeker van dat het afschaffen van zowel het verplichte studiepakket als het quasi-ouderlijke toezicht pure vooruitgang was. Twee van de cursussen waar ik het meest aan gehad heb, waren verplicht en ik heb nu meer waardering voor de waarde van kerncursussen in een scala van onderwerpen. Toen ik het gemengde studentenhuis van mijn dochter op Stanford binnenliep en daar de jongens en meisjes zag rondhangen in de gangen, vroeg ik me af hoe iemand daar nu nog aan studeren toekomt.

Halverwege de jaren zestig begonnen zelfs op de serene en beschutte campus van Wellesley de schokken van wat er in de buitenwereld gebeurde door te dringen. Hoewel ik in mijn eerste jaar tot voorzitter werd gekozen van de Jonge Republikeinen van ons college, namen mijn twijfels over de partij en haar beleid alleen maar toe, vooral ten aanzien van de burgerrechten en de oorlog in Vietnam. Mijn kerk had afgestudeerden van een high school een abonnement gegeven op het tijdschrift *Motive* dat werd uitgegeven door de methodistische kerk. Elke maand las ik verhalen die in schril contrast stonden tot mijn gebruikelijke informatiebronnen. Ook begon ik *The New York Times* te lezen, tot grote ergernis van mijn vader en vreugde van miss Fahlstrom. Ik las toespraken van haviken, duiven en alle andere commentaren van diverse pluimage. Dagelijks kon ik zowel mijn nieuwe als oude opvattingen uitproberen bij hoogleraren politicologie, die mij aanzetten mijn begrip van de wereld te verbreden en mijn eigen vooroordelen aan een nader onderzoek te onderwerpen, juist op een tijdstip waarop de actuele gebeurtenissen meer dan voldoende materiaal opleverden. Al gauw realiseerde ik me dat mijn politieke opvattingen niet meer strookten met die van de Republikeinse Partij. Het werd tijd om het voorzitterschap van de Jonge Republikeinen neer te leggen. Ik vertelde het aan mijn vriendin en vice-voorzitter Betsy Griffith, die de nieuwe voorzitter werd. Zij bleef de Republikeinse Partij trouw, samen met haar man John Deardourff, de bekende politieke adviseur. Ze heeft erg haar best gedaan haar partij te behoeden voor een harde rechtse koers en heeft zich hardnekkig ingezet voor het Gelijke-Rechtenamendement. Ze promoveerde in geschiedenis en schreef een goed ontvangen biografie van Elizabeth Cady Stanton, voordat ze haar feminisme en haar ervaring in vrouweneducatie inzette als hoofd van de Madeira-meisjesschool in Noord-Virginia. Maar dat lag allemaal nog ver in de toekomst toen ik formeel uit de Jonge Republikeinen van Wellesley College stapte en me fanatiek begon te verdiepen in alles wat ik te pakken kon krijgen over Vietnam.

Het is aan jonge Amerikanen van nu moeilijk uit te leggen, vooral nu we een zuiver beroepsleger hebben, hoe geobsedeerd een groot deel van mijn generatie was door de Vietnamoorlog. Onze ouders hadden de Tweede Wereldoorlog meegemaakt en ons verhalen verteld over Pearl Harbor, de geest en opofferingsgezindheid van Amerika, evenals de eensgezindheid over de bereidheid te vechten. Vietnam verdeelde het land en liet ons achter met tegenstrijdige gevoelens. Mijn vriendinnen en ik praatten en discussieerden er voortdurend over. We kenden jongens die in opleiding waren voor reserveofficier en die zich erop verheugden dat ze na hun afstuderen in dienst moesten, en ook jongens die van plan waren zich tegen de dienstplicht te verzetten. We hadden lange gesprekken over wat wij zouden doen als we mannen waren, in het volle besef dat wij niet voor dezelfde keuzes stonden. Het was hartverscheurend voor iedereen. Een vriend van Princeton brak ten slotte zijn studie af en nam dienst in de marine, omdat hij, zoals hij me vertelde, ziek was van de controverse en de onzekerheid.

Het debat over Vietnam dwong niet alleen tot een heldere stellingname over de oorlog, maar ook over plicht en vaderlandsliefde. Bewees je je land eer door te vechten in een oorlog die je onrechtvaardig vond en strijdig met Amerika's eigenbelang? Was je onvaderlandslievend als je gebruikmaakte van de uitstelregels of van loting om je aan de strijd te onttrekken? Veel studenten die ik kende die de morele waarde en het nut van de oorlog betwistten en ertegen protesteerden, hielden evenveel van Amerika als de dappere mannen en vrouwen die dienden zonder vragen te stellen, of als degenen die eerst dienden en later vragen stelden. Voor veel ernstige jonge mannen en vrouwen die bewust over de situatie nadachten, waren er geen gemakkelijke antwoorden en er waren verschillende manieren om uitdrukking te geven aan je patriottisme.

Sommige hedendaagse schrijvers en politici hebben geprobeerd de zielennood van die jaren af te doen als iets wat voortkwam uit het genotzuchtige gebrek aan zelftucht van de jaren zestig. Er zijn zelfs mensen die de geschiedenis zouden willen herschrijven om de erfenis van de oorlog en de sociale opschudding die hij wekte, uit te wissen. Ze willen ons doen geloven dat het om een onnozel debat ging, maar dat is niet wat ik me ervan herinner.

Vietnam was belangrijk en heeft ons land voorgoed veranderd. Nog steeds is er in deze natie een reservoir van schuld en kritiek achteraf met betrekking tot degenen die in het leger dienden en die dat niet deden. Ik kon als vrouw niet opgeroepen worden, maar toch heb ik ontelbare uren geworsteld met mijn tegenstrijdige gevoelens.

Achteraf bezien was 1968 een waterscheiding voor het land en voor mijn persoonlijke en politieke ontwikkeling. In een razend tempo volgden nationale en internationale gebeurtenissen elkaar op: het Têt-offensief, Lyndon Johnson die zich terugtrok als presidentskandidaat, de moord op Martin Luther King jr., de moord op Robert Kennedy en de meedogenloze escalatie van de oorlog in Vietnam.

In nauwelijks vier jaar tijd was ik van een Goldwater Girl veranderd in iemand die de campagne tegen de oorlog steunde van senator Eugene McCarthy, een Democratische senator van Minnesota en uitdager van president Johnson in de voorverkiezingen. Ik had bewondering voor wat president Johnson op binnenlands terrein tot stand had gebracht, maar ik vond zijn hardnekkige steun voor een oorlog die hij geërfd had, een tragische vergissing. Met een paar vriendinnen reed ik op vrijdag of zaterdag van Wellesley naar Manchester, New Hampshire, om enveloppen te vullen en per district langs de huizen te gaan. Ik kreeg de kans senator McCarthy te ontmoeten toen hij zijn hoofdkwartier aandeed om de studenten-vrijwilligers te bedanken die hem steunden in zijn verzet tegen de oorlog. Hij wist Johnson bijna te verslaan. Op 16 maart 1968 mengde Robert F. Kennedy, senator van New York, zich in de strijd.

De moord op dr. King op 4 april 1968, vervulde me met woede en verdriet. In sommige steden braken rellen uit. De volgende dag nam ik deel aan een massale protest- en rouwmars op Post Office Square in Boston. Ik kwam op de campus terug met een zwarte rouwband en vol kwellende zorg over de toekomst.

Voordat ik op Wellesley kwam, waren de enige Afro-Amerikanen die ik kende, de mensen die in de zaak van mijn vader en thuis werkten. Ik had dr. King horen spreken en had een paar keer deelgenomen aan bijeenkomsten met zwarte en Latijns-Amerikaanse tieners georganiseerd door mijn kerk. Maar voordat ik naar college ging, had ik nooit een zwarte vriend of vriendin, buur of klasgenoot gehad. Karen Williamson, een levendige studente met een onafhankelijke geest, werd een van mijn eerste vriendinnen. Op een zondagochtend ging ik met haar naar een kerkdienst buiten de campus. Ik mocht Karen en ik wilde haar oprecht beter leren kennen, maar tegelijk wantrouwde ik mijn motieven en ik was me er al te zeer van bewust dat ik afstand nam van mijn verleden. Toen ik mijn zwarte jaargenotes beter leerde kennen, ontdekte ik dat voor hen iets soortgelijks gold. Zoals ik naar Wellesley was gekomen vanuit een overheersend blanke omgeving, kwamen zij vanuit een overheersend zwarte achtergrond. Janet McDonald, een elegant en kordaat meisje uit New Orleans, vertelde over een gesprek met haar ouders, kort na haar aankomst op Wellesley. Toen ze tegen hen zei: 'Ik vind het hier vreselijk, iedereen is blank', vond haar vader het goed dat ze zou stoppen, maar haar moeder zei: 'Je kunt het en je blijft.' Dit leek erg op het gesprek dat ik met mijn ouders had gehad. Onze vaders vonden het goed, wilden zelfs graag dat we naar huis kwamen; onze moeders zeiden dat we door moesten zetten. En dat deden we.

Karen, Fran Rusan, Alvia Wardlaw en andere zwarte studentes richtten Ethos op, de eerste Afro-Amerikaanse organisatie op de campus, die dienst zou doen als een sociaal netwerk voor zwarte studenten op de campus en een lobbygroep bij het bestuur van het college. Na de moord op dr. King drong Ethos er bij het college op aan meer oog te hebben voor de rassensituatie en meer zwarte stafleden en studenten te werven en dreigde met een hongerstaking als de eisen niet ingewilligd werden. Dit was het enige openlijke studentenprotest op Wellesley in de late jaren zestig. Het college reageerde door het uitroepen van een algemene vergadering van de hele campus in de *Houghton Memorial*-kapel, waar de leden van Ethos de gelegenheid zouden krijgen hun zorgen kenbaar te maken. De bijeenkomst dreigde te ontaarden in een chaotische schreeuwpartij. Kris Olson, met wie ik samen met Nancy Gist en Susan Graber naar de rechtenfaculteit van Yale zou gaan, was bang dat de studenten de campus zouden kunnen sluiten en in staking gaan. Ik was net gekozen tot voorzitter van het bestuur van het college en dus vroeg Kris me, samen met de leden van Ethos, te proberen het debat een productieve wending te laten maken en de gerechtvaardigde grieven die bij velen van ons leefden, te vertalen voor de gezaghebbende instanties. Het siert Wellesley dat het een poging ondernam om studenten en stafleden te werven onder minderheden, een beleid dat in de jaren zeventig vruchten begon af te werpen.

De moord op senator Robert F. Kennedy twee maanden later, op 5 juni 1968, verhevigde mijn wanhoop over de ontwikkelingen in Amerika. Ik was al thuis van college toen het nieuws uit Los Angeles kwam. Mijn moeder maakte me wakker met de woorden: 'Er is weer iets vreselijks gebeurd.' Ik zat bijna de hele dag aan de telefoon met mijn vriend Kevin O'Keefe, Chicagoër van Iers-Poolse afkomst, een groot bewonderaar van de Kennedy's en de Daley's en verslingerd aan de opwinding van het grote politieke machtsspel. We praatten altijd graag over politiek. Die dag tierde hij over het verlies van John en Robert Kennedy nu ons land hun krachtige en elegante leiderschap zo nodig had. We hebben het toen en in de jaren daarna veel gehad over de vraag of politieke actie de pijn en de strijd waard was; we vonden van wel, toen en nu nog steeds, al was het alleen 'om te zorgen dat de anderen geen macht over ons krijgen', zoals Kevin het uitdrukte.

Ik had me ingeschreven voor het stageprogramma van Wellesley in Washington DC, en wilde nog steeds naar de hoofdstad gaan, hoe ontzet en ontmoedigd ik ook was door de moorden. In het kader van het zomerprogramma van negen weken werden studenten bij instellingen en kantoren van het Congres gedetacheerd, om met eigen ogen te zien 'hoe de regering werkt'. Ik was verrast toen professor Alan Schechter, de directeur van het programma en een geweldig docent politicologie en tevens de begeleider van mijn scriptie, me een stageplaats toebedeelde bij de Republikeinse Vergadering van het Huis van Afgevaardigden. Hij wist dat ik als Republikein op het college was gekomen en bezig was me los te maken van mijn vaders overtuigingen. Hij dacht dat deze stage me zou helpen mijn eigen koers uit te zetten, ongeacht wat mijn uiteindelijke keuze ook zou zijn. Mijn tegenwerpingen haalden niets uit en ik meldde me ten slotte bij een gezelschap onder leiding van Gerald Ford, op dat moment de oppositieleider in het Congres, en waarvan ook de Congresleden Melvin Laird uit Wisconsin en Charles Goodell uit New Yok deel uitmaakten, die me beiden met raad en daad bijstonden.

De stagiaires poseerden voor de verplichte foto's met de leden van het Congres en jaren later, toen ik First Lady was, vertelde ik oud-president Ford dat ik een van de duizenden stagiaires was geweest die hij een eerste blik in het Capitool had gegeven. Mijn foto met hem en de Republikeinse leiders maakte mijn vader zielsgelukkig; toen hij stierf hing die in zijn slaapkamer. Ik heb ook een afdruk van die foto met handtekening gegeven aan president Ford, met dank en mijn verontschuldigingen voor het feit dat ik afvallig geworden was.

Ik moet aan die eerste ervaring in Washington denken, elke keer als ik stagiaires ontmoet in mijn kantoor in de Senaat. Ik herinner me vooral een bijeenkomst die Mel Laird met een grote groep van ons organiseerde om te discussiëren over de oorlog in Vietnam. Wellicht maakte hij zich zorgen over de manier waarop de regering-Johnson de oorlog gefinancierd had en over de vraag of de escalatie verder ging dan de toestemming die het Congres met de resolutie over de Golf van Tonkin had gegeven, maar in het openbaar bleef hij de oorlog als Congreslid steunen. In de bijeenkomst met de stagiaires verdedigde hij de Amerikaanse betrokkenheid en hield een krachtig pleidooi voor grotere militaire inzet. Toen hij gelegenheid gaf om vragen te stellen, citeerde ik de waarschuwing van oud-president Eisenhower over Amerikaanse betrokkenheid bij landoorlogen in Azië en ik vroeg hem waarom hij dacht dat deze strategie ooit succes kon hebben. Al werden we het niet eens, getuige onze verhitte discussie, ik hield er veel respect voor hem aan over en waardering voor zijn bereidheid zijn standpunten uiteen te zetten en te verdedigen tegenover jonge mensen. Hij nam onze zorgen serieus. Later diende hij als minister van Defensie onder president Nixon.

Congreslid Charles Goodell vertegenwoordigde westelijk New York en werd later door gouverneur Nelson Rockefeller benoemd in de Senaat als voorlopige vervanger van Robert Kennedy, tot een verkiezing kon worden gehouden. Goodell was een progressieve Republikein die in 1970 bij een verkiezing met drie kandidaten werd verslagen door de veel conservatievere James Buckley, die in 1976 verloor van Daniel Patrick Moynihan, mijn voorganger die de zetel vierentwintig jaar lang bezette.

Toen ik in 2000 kandidaat was voor de Senaat, was ik blij dat ik de mensen in Jamestown, waar Goodell vandaan kwam, kon vertellen dat ik ooit voor hun Congreslid had gewerkt. Tegen het eind van mijn stage vroeg Goodell mij en een paar anderen met hem mee te gaan naar de Republikeinse Conventie in Miami, om ons in te zetten voor de laatste, vertwijfelde poging van gouverneur Rockefeller om de kandidatuur van zijn partij te verwerven ten koste van Richard Nixon. Ik greep de kans met beide handen aan en reisde af naar Florida.

De Republikeinse Conventie was mijn eerst kijkje in de keuken van de grote politiek en ik vond het een onwerkelijke en verbijsterende week. Het Fontainebleau Hotel in Miami Beach was het eerste echte hotel waar ik ooit gelogeerd had, aangezien we met mijn ouders op weg naar Lake Winola liever in de auto sliepen of in kleine motels langs de weg. Ik was verrast door de grootte, de weelde en de service. Daar deed ik mijn eerste roomservice-bestelling. Ik zie nog het bord met de reusachtige, in een servet gewikkelde verse perzik voor me, toen ik op een ochtend vroeg om cornflakes met perzik. Ik had een wegrolbaar bed dat met moeite paste in de kamer die ik met vier andere vrouwen deelde, maar ik geloof niet dat iemand van ons veel heeft geslapen. We werkten in de suite van de Rockefeller-campagne, bemanden de telefoons en gaven berichten door aan Rockefellers politieke afgezanten en gedelegeerden. Op een avond laat vroeg iemand van de campagnestaf aan iedereen in het kantoor of we Frank Sinatra wilden ontmoeten en kreeg de voorspelbare vreugdekreten als antwoord. Ik ging met de anderen naar een penthouse waar ik een hand kreeg van Sinatra, die heel hoffelijk deed of hij het geweldig vond ons te ontmoeten. Ik nam de lift naar beneden samen met John Wayne, die enigszins aangeschoten leek en de hele tocht klaagde over het smerige eten boven.

Ik genoot van mijn nieuwe ervaringen, van roomservice tot beroemdheden, maar ik wist dat Rockefeller niet genomineerd zou worden. De benoeming van Richard Nixon was een bekrachtiging van de overwinning van de conservatieve op de gematigde ideologie binnen de Republikeinse Partij, die nadien alleen maar invloedrijker is geworden. Soms denk ik dat ik niet de Republikeinen in de steek heb gelaten, maar dat het omgekeerd het geval is geweest.

Toen ik na de Conventie in Park Ridge terugkwam, had ik geen andere plannen voor de resterende weken dan wat bezoekjes aan familie en vrienden en me voorbereiden op mijn laatste jaar. Mijn familie maakte de jaarlijkse pelgrimage naar Lake Winola en ik had het huis voor mij alleen; dat was maar goed ook, want ik weet zeker dat ik anders in een eindeloze discussie was verzeild met mijn vader over Nixon en de oorlog in Vietnam. Mijn vader was werkelijk gesteld op Nixon en hij dacht dat hij een uitstekende president zou zijn. Over Vietnam was hij ambivalent. Zijn twijfels over de wijsheid van de Amerikaanse betrokkenheid bij de oorlog werden meestal overstemd door zijn afkeer van het langharig tuig dat ertegen protesteerde.

Mijn goede vriendin Betsy Johnson was net terug van een jaar studie in het Spanje van Franco. Er was veel veranderd sinds onze middelbareschooltijd – de keurige kapsels en de twinsets van toen hadden plaatsgemaakt voor lang los haar en rafelige spijkerbroeken – maar één ding was hetzelfde gebleven: ik kon altijd rekenen op Betsy's vriendschap en onze gedeelde belangstelling voor politiek. We waren geen van beiden van plan naar Chicago te gaan, waar de Democratische Conventie werd gehouden. Maar toen in het centrum de massale protestdemonstraties losbraken, begrepen we dat we dit historische ogenblik niet ongemerkt aan ons voorbij konden laten gaan. Toen Betsy belde en zei: 'We moeten zelf gaan kijken', stemde ik toe.

We wisten dat onze ouders ons nooit zouden laten gaan als ze wisten wat we van plan waren, net zomin als ze ons indertijd hadden laten gaan toen we kieslijsten gingen controleren in de binnenstad. Mijn moeder was in Pennsylvania en voor Betsy's moeder betekende naar de stad gaan winkelen in Marshall Field's en lunchen bij Stouffer's in mantelpak en met witte handschoenen. Dus zei Betsy tegen haar moeder: 'Hillary en ik gaan naar de film.'

Ze haalde me af met de stationwagen van het gezin en daar gingen we op weg naar Grant Park, het epicentrum van de demonstraties. Het was de slotavond van de Conventie en de hel brak los in Grant Park. Je rook het traangas al voordat je het politiekordon zag. In de menigte achter ons schreeuwde iemand verwensingen en gooide een steen die ons op een haar miste. Betsy en ik maakten ons haastig uit de voeten toen de politie de menigte met knuppels te lijf ging.

De eerste bekende die we tegenkwamen, was een vriendin van high school die we een tijd niet gezien hadden, inmiddels verpleegkundige in opleiding. Ze werkte als vrijwilliger in de EHBO-tent waar ze gewonde demonstranten oplapte. Ze vertelde dat ze geradicaliseerd was door wat ze gezien en gedaan had en ze dacht oprecht dat het weleens op een revolutie kon uitlopen.

Betsy en ik waren geschokt door het politiegeweld dat we in Grant Park zagen, beelden die ook op de nationale tv-kanalen te zien waren. Zoals Betsy later tegen de *Washington Post* verklaarde: 'Wij hadden een heerlijke jeugd gehad in Park Ridge, maar kennelijk was dat niet het hele verhaal.'

Kevin O'Keefe en ik discussieerden die zomer uren over

wat revolutie betekende en of ons land zoiets te wachten stond. Ondanks de gebeurtenissen van het afgelopen jaar concludeerden we beiden dat er geen revolutie zou komen en dat wij er nooit aan mee zouden kunnen doen, mocht dat toch het geval zijn. Ik wist, ondanks mijn desillusies, dat de politiek in een democratie de enige weg naar vreedzame en blijvende verandering is. Ik kon me toen niet voorstellen dat ik me ooit verkiesbaar zou stellen, maar ik wist dat ik als burger politiek actief wilde zijn. Volgens mij hadden dr. King en Mahatma Gandhi met burgerlijke ongehoorzaamheid en geweldloosheid meer echte veranderingen bewerkstelligd dan een miljoen demonstranten ooit zou bereiken met het gooien van stenen.

Mijn laatste jaar op Wellesley zou een jaar zijn waarin ik mijn overtuigingen verder zou onderzoeken en aanscherpen. Voor mijn afstudeerscriptie analyseerde ik het werk van Saul Alinksy, een opbouwwerker uit Chicago die ik de voorafgaande zomer had ontmoet. Alinsky was een kleurrijke en controversiële figuur die er in de loop van zijn lange carrière in geslaagd was bijna iedereen te beledigen. Zijn recept voor maatschappelijke verandering schreef voor dat de mensen aan de basis zich moesten organiseren, waardoor ze leerden zichzelf te helpen door de strijd aan te gaan met de overheid en het bedrijfsleven, om de middelen en de macht te verwerven om hun leven te verbeteren. Ik was het op tal van punten eens met Alinsky's ideeën, vooral met het belang de mensen in staat te stellen zichzelf te helpen. Maar op één fundamenteel punt waren we het niet eens. Hij geloofde dat het systeem alleen van buitenaf te veranderen was. Ik niet. Later, toen ik van college kwam, bood hij me aan bij hem te komen werken en hij was teleurgesteld dat ik besloot in plaats daarvan rechten te gaan doen. Alinsky zei dat het tijdverspilling was, maar mijn besluit om rechten te gaan studeren, was gegrond op mijn overtuiging dat het systeem van binnenuit veranderd kon worden. Ik deed toelatingsexamen en meldde me bij verschillende faculteiten aan.

Nadat ik voor de examens op Harvard en Yale was geslaagd, kon ik niet kiezen totdat ik uitgenodigd werd op een receptie op Harvard Law School. Een bevriende rechtenstudent stelde me voor aan een befaamde hoogleraar rechten van Harvard die eruitzag of hij zo uit *The Paper Chase* was gestapt. Mijn vriend zei: 'Dit is Hillary Rodham. Ze probeert te kiezen of ze het komende jaar hier zal komen, of zich zal inschrijven bij onze naaste concurrent.' De grote man schonk me een koele, geringschattende blik en zei: 'Tja, allereerst hebben we geen naaste concurrenten. Ten tweede zitten we niet op nog meer vrouwen te wachten in Harvard.' Ik neigde toch al naar Yale, maar deze ontmoeting nam mijn laatste twijfels weg.

Nu restte alleen nog de diploma-uitreiking op Wellesley en ik dacht dat het een rustige plechtigheid zou zijn, totdat mijn vriendin en jaargenote Eleanor 'Eldie' Acheson besloot dat er ook iemand namens ons als afgestudeerden het woord moest voeren. Ik had Eldie, de kleindochter van president Trumans minister van Buitenlandse Zaken Dean Acheson, leren kennen in een eerstejaarscollege politieke wetenschappen toen we onze politieke achtergrond moesten schetsen. Eldie vertelde later in de *Boston Globe* dat ze 'geschokt was toen ze ontdekte dat niet alleen Hillary, maar ook andere uiterst slimme mensen Republikein waren'. De ontdekking was 'deprimerend' maar 'het verklaarde wel waarom ze af en toe de presidentsverkiezingen wonnen'.

Op Wellesley had nooit een student bij die gelegenheid het woord gevoerd en de president, Ruth Adams, was ertegen. Ze had moeite met het studentenmilieu van de jaren zestig. Ik sprak haar wekelijks in mijn functie als voorzitter van de studentenraad en haar gebruikelijke vraag aan mij was een variant van Freuds beroemde verzuchting: 'Wat willen jullie meisjes toch?' De rechtvaardigheid gebiedt te zeggen dat de meesten van ons geen idee hadden. We zaten gevangen tussen een achterhaald verleden en een onbekende toekomst. We waren vaak respectloos, cynisch en intolerant in onze beoordeling van volwassenen en het gezag.

Toen Eldie mevrouw Adams aankondigde dat ze een groep studenten vertegenwoordigde die wilde dat een student zou spreken, kwam het dan ook niet als een verrassing dat de eerste reactie negatief was. Eldie voerde de druk op door te verklaren dat zij, als het verzoek werd afgewezen, persoonlijk zou proberen een tegenplechtigheid te organiseren. En ze vertrouwde erop, zo voegde ze eraan toe, dat haar grootvader die bij zou wonen. Toen Eldie rapporteerde dat de twee partijen zich ingegraven hadden, zocht ik president Adams op in haar kleine huis aan het meer.

Toen ik haar vroeg wat het echte bezwaar was, zei ze: 'Het is nooit eerder gebeurd.' Ik zei: 'We zouden het een keer kunnen proberen.' Zij zei: 'We weten niet wie ze als spreker willen vragen.' Ik zei: 'Nou, ze hebben mij gevraagd.' Zij zei: 'Goed, ik zal erover denken.' Mevrouw Adams ging ten slotte akkoord.

Het enthousiasme van mijn vriendinnen baarde me zorgen, want ik had geen idee wat ik kon gaan zeggen dat recht zou doen aan onze veelbewogen vier jaren op Wellesley en dat een passend uitgeleide was naar onze onbekende toekomst.

De laatste twee jaar bewoonden Johanna Branson en ik een grote suite met uitzicht op Lake Waban, op de derde verdieping van Davis. Ik zat uren op mijn bed over het stille meer te staren, piekerend over alles, van onze relaties tot het geloof en het protest tegen de oorlog.

Nu ik nadacht over alles wat mijn vriendinnen en ik hadden meegemaakt sinds onze ouders al die zeer verschillende dochters vier jaar daarvoor hier hadden afgeleverd, vroeg ik me af hoe ik deze gezamenlijke tijd ooit recht zou kunnen doen. Gelukkig kwamen mijn jaargenoten langs met hun favoriete gedichten en uitspraken, met ironische fragmenten van onze gezamenlijke tocht, voorstellen voor dramatische gestes. Nancy 'Anne' Scheibner, een serieuze studente godsdienst, schreef een lang gedicht waarin ze de tijdgeest probeerde te vangen. Ik praatte uren met mensen over wat ze wilden dat ik zou zeggen en spendeerde nog meer uren aan mijn pogen wijs te worden uit de ongelijk-soortige en tegenstrijdige adviezen.

Toen ik de avond voor de plechtigheid uit eten ging met een groep vriendinnen en hun verwanten, liepen we Eldie Acheson met haar familie tegen het lijf. Ze stelde me voor aan haar grootvader en zei: 'Dit is het meisje dat morgen gaat spreken', waarop Dean Acheson zei: 'Ik ben erg benieuwd naar wat je gaat zeggen.' Ik werd misselijk. Ik wist nog niet echt wat ik zou gaan zeggen en ging snel terug naar mijn kamer om de hele nacht door te halen – voor de laatste keer op college.

Mijn ouders waren opgetogen dat hun dochter afstudeerde, maar mijn moeder kampte met haar gezondheid. Een arts schreef bloedverdunners voor en hij adviseerde haar voorlopig niet te reizen. Dus kon ze helaas niet naar de plechtigheid komen en mijn vader had niet veel zin om alleen te gaan.

Maar toen ik mijn ouders vertelde dat ik zou spreken, besloot hij dat hij toch moest komen. En hij nam, typisch Hugh Rodham, de avond tevoren een late vlucht naar Boston, logeerde bij het vliegveld, kwam met het openbaar vervoer naar de campus, woonde de plechtigheid bij, ging met een aantal vriendinnen van me en hun familie naar de Wellesley Inn voor een lunch en ging toen weer regelrecht naar huis. Voor mij was alleen van belang dat hij aanwezig was bij mijn diploma-uitreiking, wat de teleurstelling over de afwezigheid van mijn moeder enigszins verzachtte. In veel opzichten was dit evenzeer haar ogenblik als het mijne.

De ochtend van de diploma-uitreiking, 31 mei 1969, was zo'n volmaakte voorjaarsdag in New England. We verzamelden op het universiteitsplein waar we ons opstelden voor het openingsceremonieel op het gazon tussen de bibliotheek en de kapel. President Adams vroeg me wat ik ging zeggen en ik antwoordde dat ik er nog niet helemaal uit was. Ze stelde me voor aan senator Edward Brooke, die de officiële rede zou houden en voor wie ik, toen nog een jonge Republikein, campagne had gevoerd toen hij in 1966 voor het eerst was gekozen. Na een compleet doorwaakte nacht waarin ik geprobeerd had een speech te peuren uit een gezamenlijk geschreven tekst, zat mijn haar afgrijselijk, wat nog verergerd werd door de baret die erbovenop prijkte. Op de foto's van die dag zie ik er werkelijk afschrikwekkend uit.

Senator Brooke erkende in zijn speech dat 'ons land voor diepe en urgente sociale problemen staat', en dat 'de beste krachten van al zijn burgers, en vooral van zijn getalenteerde jongeren, nodig zijn om dit kwaad te verhelpen'. Hij sprak zich ook uit tegen wat hij 'dwangprotest' noemde. Op dat moment klonk zijn speech als een verdediging van de politiek van president Nixon, meer door wat hij niet dan door wat hij wel zei. Ik wachtte vergeefs op een erkenning van de gegronde grieven en de pijnlijke vragen die bij zoveel jonge Amerikanen leefden over de koers van ons land. Ik wachtte op een verwijzing naar Vietnam of de burgerrechten of naar dr. King of senator Kennedy, twee gevallen helden van onze generatie. De senator leek zich er niet goed van bewust wie het belangrijkste deel van zijn gehoor vormden: vierhonderd slimme, bewuste, kritische jonge vrouwen. Zijn woorden waren gericht aan een ander Wellesley, het Wellesley van voor de omwentelingen van de jaren zestig.

Ik bedacht dat Eldie een zeer vooruitziende blik had gehad toen ze besefte dat een voorspelbare rede als die we zojuist gehoord hadden, een enorme afknapper zou zijn na de vier jaar die wij, en Amerika, hadden doorgemaakt. Dus haalde ik diep adem en begon 'de onontbeerlijke taak van kritiek en constructief protest' te verdedigen. Met een parafrase van het gedicht van Nancy Scheibner dat ik aan het slot citeerde, verklaarde ik dat 'het nu de uitdaging is om politiek te bedrijven als de kunst om wat onmogelijk lijkt, mogelijk te maken'.

Ik sprak over het besef van de kloof tussen de verwachtingen waarmee onze jaargang naar het college was gekomen, en de werkelijkheid die we ondergingen. De meesten van ons kwamen uit een beschermd milieu en door de gebeurtenissen op privé- en publiek gebied waar we tegenaan liepen, gingen we de waarachtigheid en zelfs het realiteitsgehalte van ons leven vóór het college in twijfel trekken. Deze *rite de passage* van vier jaar verschilde van wat de generatie van onze ouders had ervaren, de generatie die met grotere uitdagingen van buitenaf was geconfronteerd, zoals de Depressie en de Tweede Wereldoorlog. Dus begonnen we vragen te stellen, eerst over het beleid op Wellesley, vervolgens over de betekenis van de alfa- en gammawetenschappen, dan over burgerrechten, over de rol van vrouwen, Vietnam. Ik verdedigde het protest als 'een poging in deze bijzondere tijd een identiteit te smeden' en als een manier om 'in het reine te komen met onze mensheid'. Het maakte deel uit van de 'unieke Amerikaanse ervaring' en 'als het experiment in menselijk leven in dit land, in deze tijd, niet slaagt, zal het nergens slagen'.

Toen ik mijn jaargenoten bij de repetitie voor onze diploma-uitreiking had gevraagd wat ik namens hen moest zeggen, antwoordde iedereen: 'Je moet het hebben over vertrouwen, over het gebrek aan vertrouwen in ons en in de manier waarop wij denken over anderen. Over de vertrouwensbreuk.' Ik erkende dat het erg moeilijk was een gevoel over te brengen waarvan een generatie doortrokken was.

En ten slotte sprak ik over de worsteling om een 'wederzijds respect tussen mensen' tot stand te brengen. In alles wat ik zei, klonk echter een besef door van de angst die velen van ons voelden voor de toekomst. Ik verwees naar een gesprek dat ik de vorige dag had gehad met de moeder van een jaargenote 'die zei dat ze voor geen goud mij zou willen zijn. Ze zou vandaag niet willen leven en naar voren kijken naar wat ze ziet, omdat ze bang is.' Ik zei: 'Angst zal ons altijd vergezellen, maar we hebben er geen tijd voor. Nu niet.'

Mijn speech was, zoals ik toegaf, een poging 'greep te

70

krijgen op bepaalde onverwoorde en misschien niet te verwoorden dingen die wij voelen' wanneer we 'een wereld verkennen die niemand van ons begrijpt en proberen in die onzekerheid iets tot stand te brengen'. Het is misschien niet de meest coherente speech geweest die ik ooit heb gehouden, maar ik raakte een snaar bij mijn jaargenoten die me een enthousiaste, staande ovatie gaven, voor een deel, denk ik, omdat ze in mijn pogingen iets zinnigs te zeggen over onze tijd en plaats – en wel op een podium tegenover een tweeduizendkoppig gehoor – iets herkenden van de ontelbare gesprekken, vragen, twijfels en hoop die bij ieder van ons op dat moment leefden, niet alleen als afgestudeerden van Wellesley, maar als vrouwen en Amerikanen, wier leven kenmerkend zou zijn voor de veranderingen en keuzes waarmee onze generatie aan het einde van de eeuw te maken kreeg.

Later die middag ging ik voor de laatste keer zwemmen in Lake Waban. In plaats van naar het strandje bij het botenhuis te gaan, ging ik in de buurt van mijn studentenhuis het water in, waar officieel niet gezwommen mocht worden. Ik kleedde me uit tot mijn badpak en liet mijn afgeknipte jeans en T-shirt op een stapeltje op de kant liggen, mijn pilotenbril erop. Ik zwom zorgeloos naar het midden en dankzij mijn bijziendheid leek de omgeving een impressionistisch schilderij. Ik had het heerlijk gevonden op Wellesley en putte alle seizoenen troost uit de mooie natuur. Het zwemtochtje was een laatste afscheid. Toen ik weer aan de kant was, kon ik mijn kleren en mijn bril niet meer vinden.

Ik moest ten slotte een beveiligingsfunctionaris van de campus vragen of hij mijn kleren gezien had. Hij vertelde dat de presidente, mevrouw Adams, me vanuit haar huis had zien zwemmen en hem opdracht had gegeven mijn spullen in beslag te nemen. Ze had er kennelijk spijt van dat ze mij had laten spreken. Druipnat en halfblind volgde ik hem om mijn bezittingen in ontvangst te nemen.

Ik had geen idee dat mijn toespraak tot ver buiten Wellesley belangstelling zou wekken. Mijn enige hoop was dat mijn vriendinnen zouden vinden dat ik aan hun verwachtingen had voldaan, en hun reactie was bemoedigend. Toen ik echter naar huis belde, vertelde mijn moeder dat ze telefoontjes kreeg van journalisten en tv-programma's die interviews wilden. Ik verscheen in het interviewprogramma van Irv Kupcinet op een plaatselijk kanaal in Chicago en ik kreeg een artikel in *Life Magazine*, samen met een studentenactivist, Ira Magaziner, die op Brown had gesproken bij de afstudeerceremonie van zijn jaar. Mijn moeder meldde dat de meningen over mijn speech varieerden van uitbundig positief – 'ze sprak voor een generatie' – tot ongemeen negatief – 'wie denkt ze wel dat ze is'. De loftuitingen en de felle kritiek bleken een voorproefje van wat er ging komen: ik ben nooit zo goed, noch zo slecht geweest als mijn vurigste aanhangers en tegenstanders beweerden. Met een diepe zucht van opluchting vertrok ik voor een zomer waarin ik al werkend door Alaska trok, borden waste in het Mount McKinley Nationale Park en vissen gromde in Valdez, in een tijdelijke fabriek op een pier. Bij mijn werk in de zalmfabriek stond ik met laarzen in bloederig water terwijl ik met een lepel de zalmen van hun ingewanden ontdeed. Als ik niet snel genoeg was, schreeuwden de opzichters dat ik door moest werken. Vervolgens werd ik overgeplaatst naar de inpakafdeling, waar ik hielp de zalm in dozen te pakken die dan voor verdere verwerking naar de grote drijvende fabriek werden vervoerd. Het viel me op dat er vissen tussen zaten die er niet goed uitzagen. Toen ik dat tegen de chef zei, kreeg ik meteen ontslag. Ik kon 's middags mijn laatste loon komen halen. Toen ik dat wilde doen, bleek de hele onderneming vertrokken. Toen ik als First Lady, de vrouw van de president, een bezoek bracht aan Alaska, vertelde ik op een bijeenkomst dat het grommen van vis van alle baantjes die ik had gehad, de beste voorbereiding was geweest op het leven in Washington.

Toen ik najaar 1969 aankwam op de rechtenfaculteit van Yale, was ik een van de dertig vrouwen op een totaal van 235 studenten die zich dat jaar hadden ingeschreven. Het lijkt nu een nietig aantal, maar in die tijd was het een doorbraak en het betekende dat het niet meer ging om een louter symbolische aanwezigheid van vrouwen op Yale. Terwijl de vrouwenrechten wat veld leken te winnen toen de jaren zestig zich naar hun einde sleepten, leek verder alles uit zijn voegen en onzeker. Wie die tijd niet zelf heeft meegemaakt, kan zich moeilijk voorstellen hoe gepolariseerd het politieke landschap in Amerika was geworden.

Professor Charles Reich, bij het grote publiek vooral bekend geworden door zijn boek *The Greening of America*, bivakkeerde met een aantal studenten in een tentenkamp op het binnenplein van de faculteit om te protesteren tegen het 'establishment', waar de rechtenfaculteit van Yale uiteraard ook deel van uitmaakte. Het kampement bleef een paar weken bestaan voordat het vreedzaam werd opgebroken. Andere protesten verliepen echter minder vreedzaam. Het decennium van de jaren zestig dat zo hoopvol was begonnen, eindigde in een uitbarsting van protest en geweld. Anti-oorlogsactivisten afkomstig uit de blanke middenklasse werden betrapt toen ze bezig waren in kelders bommen te maken. De geweldloze, grotendeels zwarte burgerrechtenbeweging viel uiteen in verschillende stromingen en onder de stedelijke zwarte bevolking kwamen nieuwe stemmen op, die van de Black Muslims (Zwarte Moslims) en van de Black Panther Party (Zwarte Panters). De FBI van J. Edgar Hoover infiltreerde in dissidente groepen en overtrad in sommige gevallen de wet om ze te ontwrichten. Bij de ordehandhaving bleek men soms niet in staat een onderscheid te maken tussen legitieme oppositie, beschermd door de grondwet, en misdadig gedrag. Toen onder de regering-Nixon de binnenlandse spionage en geheime operaties sterk uitgebreid werden, leek het soms of onze regering in oorlog was met haar eigen bevolking. De rechtenfaculteit van Yale was van oudsher in trek bij studenten die belangstelling hadden voor publieke dienstverlening en onze gesprekken binnen en buiten de collegezaal getuigden van een diepe bezorgdheid over de gebeurtenissen die het land in hun greep hadden. Yale moedigde zijn studenten ook aan de wereld in te trekken en hun in de collegezaal opgedane theoretische kennis aan de praktijk te toetsen. In april 1970 kwam die wereld Yale binnengestormd, toen acht Zwarte Panters, onder wie partijleider Bobby Seale, in New Haven voor het gerecht gebracht werden wegens moord. Duizenden mensen die ervan overtuigd waren dat er sprake was van een opzetje door de FBI en het openbaar ministerie, zwermden in woedend protest de stad in. Op en rond de campus braken demonstraties uit. De campus maakte zich op voor een grote demonstratie op de eerste mei als steun voor de Panters, toen ik, laat in de avond van 27 april, hoorde dat de Bibliotheek Internationaal Recht, gevestigd in het souterrain van de faculteit, in brand stond. Ontzet voegde ik me bij een groep stafleden en studenten die het vuur met emmers te lijf gingen en boeken probeerden te redden die door vuur en water beschadigd waren. Toen de brand geblust was, vroeg de decaan van de rechtenfaculteit, Louis Pollak, iedereen naar de grootste collegezaal te komen. Pollak, een beschaafde geleerde die graag lachte en wiens deur altijd openstond, vroeg ons de rest van het studiejaar vierentwintig uur per dag veiligheidspatrouilles te organiseren.

Op 30 april kondigde president Nixon aan dat hij Amerikaanse troepen naar Cambodja ging sturen, wat een uitbreiding van de Vietnamoorlog betekende. De 1-meiprotesten groeiden toen uit tot een grotere demonstratie, niet alleen voor een eerlijk proces van de Zwarte Panters, maar ook tegen het beleid van Nixon in de oorlog. De rector van Yale, Kingman Brewster, en de universiteitskapelaan, William Sloane Coffin, hadden in de hele periode van studentenprotest voor een verzoenende houding gekozen, hetgeen ertoe bijdroeg dat de problemen die zich elders voordeden, Yale bespaard bleven. De eerwaarde Coffin werd een nationale leider van de anti-oorlogsbeweging door zijn heldere morele kritiek op de Amerikaanse bemoeienis. Rector Brewster nam de zorgen van de studenten serieus en toonde begrip voor de angst die bij velen leefde. Hij zei zelfs dat hij 'sceptisch' was over de mogelijkheid dat de 'zwarte revolutionairen' waar dan ook in de Verenigde Staten een eerlijk proces zouden krijgen. Geconfronteerd met het perspectief van gewelddadige demonstranten, schortte Brewster de colleges op en verklaarde dat de studentenhuizen aan iedereen die er kwam maaltijden konden serveren. Oud-studenten waren razend over zijn optreden en uitspraken, en hetzelfde gold voor president Nixon en zijn vice-president Spiro Agnew.

Toen, op 4 mei, openden troepen van de Nationale Garde het vuur op betogende studenten op de universiteit van Kent, Ohio. Vier studenten kwamen om het leven. De foto van een jonge vrouw die knielde over het lichaam van een dode student, verbeeldde alles wat ik en velen met mij vreesden en haatten op dat moment in ons land. Ik herinner me dat ik de deur van de faculteit uitrende en professor Fritz Kessler tegen het lijf liep, iemand die indertijd uit Hitler-Duitsland was gevlucht. Hij vroeg wat er aan de hand was en ik zei dat ik niet kon geloven wat er allemaal gebeurde; hij joeg me de stuipen op het lijf toen hij zei dat het voor hem maar al te vertrouwd was.

Getrouw aan mijn opvoeding pleitte ik voor engagement, niet voor ontwrichting of 'revolutie'. Op 7 mei deed ik een eerder gemaakte afspraak gestand om te spreken op een diner ter gelegenheid van de vijftigste verjaardag van de Liga van Vrouwelijke Kiezers in Washington DC. Ik droeg een zwarte rouwband ter nagedachtenis aan de doodgeschoten studenten. Mijn emoties kwamen weer dicht aan de oppervlakte toen ik betoogde dat de uitbreiding van de Amerikaanse oorlog in Vietnam naar Cambodja illegaal en ongrondwettig was. Ik probeerde de achtergrond van de protesten te belichten en de invloed van de schietpartij op Kent State University op de rechtenstudenten van Yale die met 239 tegen 12 stemmen hadden besloten zich aan te sluiten bij meer dan driehonderd andere faculteiten in een nationale staking uit protest tegen 'de schandalige uitbreiding van een oorlog die nooit begonnen had moeten worden'. Ik had de massameeting waar die stemming werd gehouden, voorgezeten en ik wist hoe serieus mijn medestudenten zowel de wet als hun verantwoordelijkheden als burger namen. De rechtenstudenten die eerder niet hadden meegedaan aan protestacties van andere faculteiten, bespraken het onderwerp op een zorgvuldige, zij het 'juristerige' wijze. Het waren geen '*bums*', schooiers, zoals Nixon alle protesterende studenten betitelde. De hoofdspreker op het congres was een jonge zwarte juriste, Marian Wright Edelman, die een van mijn maatschappelijke voorbeelden werd en die me mede inspireerde me mijn leven lang in te zetten voor kinderen. Marian was in 1963 afgestudeerd aan de Yale rechtenfaculteit en was als eerste zwarte vrouw toegelaten tot de balie van Mississippi. Midden jaren zestig leidde ze het Fonds voor Juridische Verdediging en Educatie van de zwarte emancipatiebeweging NAACP (National Association for the Advancement of Colored People), reisde de staat door om *Head Start*-programma's (bedoeld om achterstanden in het onderwijs op te heffen) op te zetten en waagde haar leven in het Zuiden bij haar steun aan de burgerrechtenbeweging. Ik had voor het eerst van Marian gehoord via haar man, Peter Edelman, een jurist van Harvard, die voor Arthur J. Goldberg bij het Hooggerechtshof had gewerkt en voor Bobby Kennedy. Peter had senator Kennedy vergezeld toen die in Mississippi onderzoek deed naar de omvang van armoede en honger in het diepe Zuiden. Marian was een van Kennedy's gidsen bij zijn reizen door Mississippi. Na die reis bleef Marian samenwerken met Peter en na de moord op senator Kennedy waren ze getrouwd. Ik maakte kennis met Peter Edelman op een nationale conferentie over jeugd en samenlevingsopbouw in oktober 1969 op de Colorado State University in Fort Collins, onder auspiciën van de Liga. De Liga had een dwarsdoorsnede van activisten uit het hele land uitgenodigd om te praten over de manier waarop jongeren op een positievere manier bij bestuur en politiek betrokken konden worden. Ik werd uitgenodigd plaats te nemen in de stuurgroep, samen met Peter, die toen mededirecteur van de *Robert F. Kennedy Memorial* was, David Mixner van het *Vietnam Moratorium Committee* en Martin Slate, die net als ik rechten studeerde op Yale en met wie ik bevriend was sinds hij aan Harvard College studeerde. Wat ons onder andere verenigde, was de overtuiging dat de Grondwet geamendeerd moest worden om de stemgerechtigde leeftijd te verlagen van eenentwintig naar achttien jaar. Als jonge mensen oud genoeg waren om te vechten, hadden ze ook het recht om te stemmen. Het Zesentwintigste Amendement werd uiteindelijk in 1971 aangenomen, maar jongeren gingen niet stemmen in de aantallen die velen van ons verwacht hadden, en achttien- tot vijfentwintigjarigen vormen nog steeds de leeftijdsgroep met het geringste percentage stemmers. Door hun apathie is het minder waarschijnlijk dat onze nationale politiek voldoende oog zal hebben voor hun zorgen en hun toekomst zal veiligstellen.

In een pauze van de conferentie zat ik op een bankje te praten met Peter Edelman toen ons gesprek werd onderbroken door een lange, elegant geklede zwarte man.

'Zo, Peter, zou je me niet eens voorstellen aan deze serieuze jonge dame?' vroeg hij. Dat was mijn kennismaking met Vernon Jordan, op dat moment directeur van het Voter Education Project – het project kiezersscholing – van de Zuidelijke Regionale Raad in Atlanta en een voorstander van de verlaging van de kiesgerechtigde leeftijd. Met

Vernon, een intelligente en charismatische veteraan van de burgerrechtenbeweging, raakte ik die dag, en raakte later ook mijn man, bevriend. Zijn dynamische en talentvolle vrouw Ann en hij zijn altijd goed geweest voor aangenaam gezelschap en verstandige raad. Peter vertelde me over het plan van Marian om een organisatie voor armoedebestrijding op te richten en drong erop aan dat ik haar zo snel mogelijk zou ontmoeten. Een paar maanden later sprak Marian op een van de colleges van Yale. Ik stelde me na afloop aan haar voor en vroeg of ze een zomerbaantje voor me had. Ze had werk voor me, maar kon me niet betalen. Dat was een probleem voor me omdat ik genoeg moest verdienen om de beurs die ik van Wellesley had gekregen voor Yale en de leningen die ik had afgesloten, aan te vullen. Ik kreeg een beurs van de Law Students Civil Rights Research Council – de raad van rechtenstudenten voor onderzoek burgerrechten – die ik gebruikte voor mijn werk in de zomer van 1970 aan het onderzoeksproject dat Marian in Washington DC had opgezet. Senator Walter 'Fritz' Mondale, later vice-president onder Jimmy Carter, had besloten een hoorzitting in de Senaat te houden over de leef- en arbeidsomstandigheden van rondtrekkende seizoenarbeiders in de landbouw. De hoorzitting moest samenvallen met de tiende verjaardag van de befaamde tv-documentaire van Edward R. Murrow, *Harvest of Shame* – Oogst der Schande – een uitzending die met haar beelden van de deplorabele behandeling van seizoenarbeiders een schok had teweeggebracht in Amerika. Marian belastte me met onderzoek naar het onderwijs en de gezondheid van kinderen van seizoenarbeiders. Ik had een klein beetje ervaring met zulke kinderen omdat die elk jaar een paar maanden op mijn lagere school kwamen en omdat ik via de kerk als oppas gewerkt had bij kinderen van trekarbeiders, toen ik een jaar of veertien was. Tijdens het oogstseizoen ging ik elke zaterdagochtend met een aantal vriendinnen van de zondagsschool naar het kampement van de seizoenarbeiders, waar wij dan op de kinderen onder de tien pasten, terwijl hun oudere broers en zussen met de ouders op het land werkten.

Ik leerde een zevenjarig meisje kennen, Maria, die zich voorbereidde op haar eerste communie als haar familie na de oogst terug was in Mexico. Maar die plechtigheid zou alleen doorgaan als het gezin genoeg geld opzij kon leggen voor een passend wit jurkje. Ik vertelde mijn moeder over Maria en zij nam me mee om een prachtig jurkje te kopen dat we meenamen naar Maria's moeder. Toen we het aanboden, begon ze te huilen en zakte op haar knieën om mijn moeders handen te kussen. Mijn moeder voelde zich opgelaten en herhaalde steeds maar dat ze wist hoe belangrijk zo'n speciale gelegenheid was voor een klein meisje. Jaren later besefte ik dat mijn moeder zich vereenzelvigd moet hebben met Maria.

Al leidden die kinderen een hard leven, ze waren vrolijk en vol hoop en hun ouders hielden van hen. De kinderen lieten alles vallen waar ze mee bezig waren en renden hun ouders tegemoet wanneer die terugkeerden van hun werk. Vaders tilden hun opgetogen kroost op en moeders knuffelden de peuters. Het was net als in onze buurt wanneer vaders terugkwamen van hun werk in de stad.

Maar mijn onderzoek leerde mij hoe vaak loonwerkers en hun kinderen het moesten stellen – en het nog al te vaak moeten stellen – zonder basisvoorzieningen als een fatsoenlijke behuizing en riolering. Cesar Chavez richtte in 1962 de National Farm Workers Association (Nationale Landarbeidersbond) op, die arbeiders werkzaam in Californië organiseerde, maar de omstandigheden in de rest van het land waren niet veel veranderd sinds 1960.

De hoorzittingen die ik in juli 1970 bijwoonde, maakten deel uit van een serie die de Senaatscommissie hield, om getuigenverklaringen en bewijsmateriaal te verzamelen van landarbeiders, advocaten en werkgevers. Getuigen kwamen met bewijzen dat op grote landbouwondernemingen in Florida, eigendom van bepaalde ondernemingen, de seizoenarbeiders even slecht behandeld werden als tien jaar daarvoor. Verschillende studenten die ik kende van Yale, woonden de zittingen bij namens bedrijven die cliënt waren bij de advocatenbureaus waaraan ze voor de zomer verbonden waren. De studenten vertelden me dat ze leerden hoe ze het bezoedelde imago van een zakelijke klant moesten schoonpoetsen. Ik opperde dat dit misschien het beste kon door hun landarbeiders beter te behandelen.

Toen ik najaar 1970 terugkwam op Yale voor mijn tweede jaar, besloot ik me te concentreren op het effect van de wet op kinderen. De rechten en noden van kinderen vielen historisch onder het familierecht en werden gewoonlijk afgebakend door wat de ouders beslisten, met een aantal opvallende uitzonderingen, zoals het recht van een kind op noodzakelijke medische bijstand, ook als de ouders daar religieuze bezwaren tegen hadden. Maar in de jaren zestig begonnen de rechtbanken ook andere omstandigheden aan te merken waaronder kinderen in beperkte mate rechten hadden onafhankelijk van hun ouders. Twee van mijn docenten, Jay Katz en Joe Goldstein, moedigden mijn belangstelling voor dit nieuwe gebied aan en stelden voor dat ik een cursus zou volgen op het Yale Child Study Center (Centrum voor kinderstudies), om meer te weten te komen over de ontwikkeling van het kind. Ze gaven me een introductie voor de directeur van het centrum, dr. Al Solnit, en voor dr. Sally Provence, de chef de clinique. Ik kreeg van hen gedaan dat ik een jaar lang in het centrum patiëntenbesprekingen bij mocht wonen en klinische sessies mocht observeren. Dr. Solnit en professor Goldstein vroegen me als onderzoeksassistent mee te werken aan *Beyond the Best Interests of the Child*, een boek dat ze schreven samen met Anna Freud, de dochter van Sigmund. Verder raadpleegde ik de medische staf van het Yale New Haven ziekenhuis over het pas erkende probleem van kindermisbruik en hielp ik hen de wettelijke procedures te ontwerpen voor het ziekenhuis bij de aanpak van gevallen van vermoed misbruik. Deze activiteiten gingen hand in hand met mijn taken bij het New Haven Legal Services office (Bureau voor juridische dienstverlening in New Haven). Van een jonge sociaal advocaat, Penn Rhodeen, leerde ik hoe belangrijk het is dat kinderen hun eigen advocaat hebben wanneer misbruik en verwaarlozing in het spel zijn. Penn vroeg me hem te helpen bij de verdediging van een Afro-Amerikaanse weduwe van in de vijftig, die vanaf de geboorte pleegmoeder was geweest van een tweejarig meisje van gemengd ras. Deze vrouw had haar eigen kinderen al grootgebracht en wilde het meisje adopteren. De sociale dienst van de staat Connecticut hield echter vast aan het beleid dat pleegouders niet voor adoptie in aanmerking kwamen, haalde het kind weg bij de vrouw en plaatste het bij een 'geschikter' gezin. Penn spande een zaak aan tegen de overheid met het argument dat de pleegmoeder de enige moeder was die het meisje ooit gekend had en dat overplaatsing blijvende schade zou veroorzaken. Ondanks al onze inspanningen verloren we de zaak, maar het was voor mij een prikkel te zoeken naar manieren om de behoeften en rechten van een kind in ontwikkeling erkend te krijgen binnen de wet. Ik besefte dat ik kinderen die niet werden gehoord, een juridische stem wilde geven.

Mijn eerste wetenschappelijke artikel, 'Children Under the Law', werd in 1974 gepubliceerd in de *Harvard Educational Review*. Het is een onderzoek naar de moeilijke beslissingen waar de samenleving en het juridische apparaat mee geconfronteerd worden, wanneer kinderen worden mishandeld of verwaarloosd door hun familie, of wanneer beslissingen van de ouders mogelijk onherstelbare gevolgen hebben, zoals het onthouden van medische zorg aan een kind, of het recht onderwijs te volgen. Mijn visie was gevormd door mijn activiteiten bij het bureau voor rechtshulpverlening waar ik kinderen in pleeggezinnen vertegenwoordigde, en door mijn ervaringen in het Child Study Center in het Yale New Haven ziekenhuis, waar ik artsen adviseerde bij hun visites wanneer ze probeerden vast te stellen of de verwondingen van een kind het resultaat van mishandeling waren en zo ja, of een kind dan al dan niet uit huis geplaatst moest worden en toevertrouwd aan de onzekere zorgen van de kinderbescherming. Dat waren vreselijk moeilijke beslissingen. Ik kom uit een sterk gezin en ik geloof in het veronderstelde natuurlijke recht van een ouder haar of zijn kind op te voeden zoals het hem of haar goeddunkt. Maar wat ik meemaakte in het ziekenhuis, was mijlenver verwijderd van mijn beschermde opvoeding.

Het is mogelijk dat zich in Park Ridge gevallen van kindermishandeling en huiselijk geweld hebben voorgedaan, maar ik heb er niets van gezien. In New Haven zag ik daarentegen kinderen die door hun ouders geslagen en gebrand werden; die hen dagen alleen lieten in smerige appartementen; die weigerden noodzakelijke medische hulp te zoeken. De trieste werkelijkheid, zo leerde ik, was dat sommige ouders afstand deden van hun rechten als ouder en dan moest iemand – bij voorkeur een ander familielid, maar uiteindelijk de overheid – te hulp schieten om het kind de kans te geven op een bestendig en zorgzaam thuis.

Ik moest vaak denken aan hoe mijn moeder verwaarloosd en mishandeld was door haar ouders en grootouders en hoe andere volwassenen toen de emotionele leegte hadden gevuld. Mijn moeder probeerde iets terug te doen door meisjes uit een kindertehuis in de buurt bij ons thuis te laten helpen. Ze wilde hun dezelfde kans geven die zij had gehad, om te ervaren hoe het toegaat in een ongeschonden en betrokken gezin.

Wie had kunnen voorzien dat, tijdens de presidentscampagne van 1992, conservatieve Republikeinen als Marilyn Quale en Pat Buchanan, bijna twintig jaar nadat ik het artikel had geschreven, mijn woorden zouden verdraaien om mij af te schilderen als 'anti-gezin'? Sommige commentatoren beweerden zelfs dat ik kinderen in staat wilde stellen een rechtszaak tegen hun ouders aan te spannen als ze de opdracht kregen het vuilnis buiten te zetten. Die lezing van mijn artikel had ik niet kunnen voorzien, noch had ik kunnen voorspellen dat de Republikeinen zich ooit genoopt zouden voelen mij aan de schandpaal te nagelen. En ik wist al helemaal niet dat ik op het punt stond de persoon te ontmoeten die er de oorzaak van zou zijn dat mijn leven zou tollen in richtingen die ik nooit had kunnen dromen.

5 Bill Clinton

Bill Clinton was moeilijk over het hoofd te zien in de herfst van 1970. Toen hij zijn entree maakte op de Yale rechtenfaculteit, leek hij meer op een Viking dan op een student met een Rhodes-beurs die twee jaar in Oxford had gestudeerd. Hij was groot en ergens onder die roodbruine baard en krullende manen was hij knap. Zijn vitaliteit leek uit zijn poriën te spuiten. Toen ik hem voor het eerst zag in de studentenlobby van de faculteit, stond hij, omringd door andere studenten, te oreren voor een ademloos publiek van medestudenten. Toen ik erlangs liep, hoorde ik hem zeggen: '... en dat niet alleen, we kweken ook de grootste watermeloenen ter wereld!' Ik vroeg aan een vriend: 'Wie *is* dat?'

'O, dat is Bill Clinton,' zei hij. 'Hij komt uit Arkansas, en dat is het enige waarover hij praat.'

We kwamen elkaar wel eens tegen op de campus, maar pas het voorjaar daarop maakten we kennis, op een avond in de rechtenbibliotheek. Ik zat te studeren in de bibliotheek en Bill stond in de hal te praten met een andere student, Jeff Gleckel, die Bill probeerde over te halen te gaan schrijven voor de *Yale Law Journal*. Ik merkte dat hij steeds naar me keek. En dat was niet voor het eerst. Dus stond ik op, liep naar hem toe en zei: 'Als je toch steeds naar me kijkt, en ik blijf terugkijken, kunnen we ons net zo goed aan elkaar voorstellen. Ik ben Hillary Rodham.' Dat was het. In Bills versie van het verhaal kon hij niet op zijn eigen naam komen.

Pas op de laatste collegedag in het voorjaar van 1971 hebben we elkaar echt gesproken. We kwamen samen naar buiten na afloop van het college politieke en burgerrechten van professor Thomas Emerson. Bill vroeg waar ik heen ging. Ik was op weg naar het secretariaat om me in te schrijven voor de colleges van het volgende semester. Hij zei dat hij daar ook heen ging. Onderweg complimenteerde hij me met de lange gebloemde rok die mijn moeder voor me had gemaakt. Toen ik dat vertelde, vroeg hij naar mijn familie en waar ik opgegroeid was. We schoven mee in de rij tot we bij de balie waren. Het hoofd inschrijving keek op en zei: 'Wat doe jij hier, Bill? Je hebt je al ingeschreven.' Ik moest lachen toen hij opbiechtte dat hij mij gezelschap had willen houden en we maakten een lange wandeling die uitliep op ons eerste afspraakje.

We hadden allebei een tentoonstelling van Mark Rothko willen zien in de Yale Art Gallery maar als gevolg van een arbeidsgeschil was een aantal universiteitsgebouwen gesloten, waaronder het museum. Toen Bill en ik er arriveerden, dacht hij dat hij ons binnen kon krijgen als we aanboden het zwerfvuil op te ruimen dat zich op de binnenplaats van de kunstzaal had verzameld. Het was de eerste keer dat ik Bills overtuigingskracht in actie zag, toen hij ons daar naar binnen smoesde. We hadden het hele museum voor ons alleen. We zwierven door de zalen en praatten over Rothko en twintigste-eeuwse kunst. Ik moet zeggen dat ik verrast was door zijn belangstelling voor en kennis van onderwerpen die op het eerste gezicht ongebruikelijk leken voor een viking uit Arkansas. We belandden ten slotte in de beeldentuin van het museum, waar ik me nestelde in de ruime schoot van een grote sculptuur van Henry Moore, *Draped Seated Woman*, terwijl we praatten tot het donker werd. Ik nodigde Bill uit voor het feestje dat mijn kamergenoot Kwan Kwan Tan en ik die avond op onze kamers gaven om het eind van de colleges te vieren. Kwan Kwan Tan, een etnische Chinese uit Birma die naar Yale was gekomen om haar rechtenstudie af te maken, was verrukkelijk levendig gezelschap en kon schitterend Birmese dansen uitvoeren. Zij en haar man Bill Wang, ook een student, zijn vrienden gebleven.

Bill kwam naar ons feestje maar zei nauwelijks een woord. Omdat ik hem niet zo goed kende, dacht ik dat hij verlegen was, misschien sociaal niet erg vaardig, of gewoon niet op zijn gemak. Ik zag niet veel in ons als stel. Bovendien had ik toen een vriendje en we zouden het weekend de stad uitgaan. Toen ik die zondag laat op Yale terugkwam, belde Bill en hoorde me hoesten en kuchen, want ik had een flinke kou gevat.

'Dat klinkt vreselijk,' zei hij. Een halfuurtje later stond hij voor mijn deur met kippensoep en sinaasappelsap. Hij kwam binnen en begon te praten. Hij kon over alles een gesprek voeren, van Afrikaanse politiek tot countrymuziek. Ik vroeg waarom hij op mijn feestje zo stil was geweest.

'Omdat ik meer over jou en je vrienden te weten wilde komen,' antwoordde hij.

Ik begon te beseffen dat deze jonge man uit Arkansas een stuk complexer was dan je op het eerste gezicht zou denken. Tot de dag van vandaag kan hij me versteld doen staan met de verbanden die hij weet te weven tussen ideeën en woorden en de manier waarop hij het allemaal als muziek laat klinken. Ik houd nog steeds van hoe hij denkt en hoe hij eruitziet. Een van de eerste dingen die me opvielen van Bill Clinton, was de vorm van zijn handen. Hij heeft smalle polsen en spitse, lenige vingers, als een pianist of een chirurg. Toen we elkaar pas kenden als student, kon ik me vermaken met alleen maar te kijken hoe hij de pagina's van een boek omsloeg. Nu beginnen zijn handen tekenen van ouderdom te tonen, na al die duizenden handdrukken en slagen met golfclubs en kilometers handtekening. Ze hebben de kenmerken van hun eigenaar overgenomen, verweerd maar nog steeds expressief, altijd aantrekkelijk en veerkrachtig.

Spoedig nadat Bill me te hulp was komen snellen met kippensoep en sinaasappelsap, waren we onafscheidelijk geworden. Tussen het blokken voor de afsluitende examens en mijn afronding van het eerste jaar van specialisatie in kinderrecht door, reden we urenlang rond in zijn bruin-oranje Opel stationcar uit 1970 – werkelijk de lelijkste auto die ooit gemaakt is – of hingen we rond in het strandhuis aan de Long Island Sound in Milford, Connecticut, waar hij woonde met zijn huisgenoten Doug Eakeley, Don Pogue en Bill Coleman. Op een feestje in dat huis kwamen Bill en ik laat in de keuken terecht waar we bespraken wat elk van ons wilde doen na ons afstuderen. Ik wist nog niet waar ik zou gaan wonen en wat ik zou gaan doen, mijn belangstelling voor kinderbescherming en burgerrechten dwong me niet een bepaalde kant op. Bill was heel beslist: hij ging terug naar Arkansas en zou zich verkiesbaar stellen voor een openbare functie. Veel van mijn jaargenoten zeiden dat ze van plan waren een betrekking bij de overheid te zoeken, maar Bill was de enige van wie je zeker wist dat hij het echt zou gaan doen.

Ik vertelde Bill dat ik van plan was die zomer een stage te gaan doen bij Treuhaft, Walker en Burnstein, een klein advocatenkantoor in Oakland, Californië, en hij verklaarde dat hij graag mee wilde. Ik was stomverbaasd. Ik wist dat hij zich had opgegeven om mee te werken aan de presidentscampagne van senator George McGovern en dat Gary Hart, de campagnemanager, Bill had gevraagd in het Zuiden een organisatie voor McGovern op te zetten. Hij verheugde zich erop van de ene zuidelijke staat naar de andere te rijden om de Democraten ervan te overtuigen dat ze zowel McGovern moesten steunen als zich verzetten tegen het beleid van Nixon in Vietnam. Bill was in Arkansas actief betrokken geweest bij de campagnes voor senator J. William Fulbright en anderen, en in Connecticut bij die van Joe Duffey en Joe Lieberman, maar hij had nooit de kans gehad van meet af aan mee te werken aan een presidentscampagne.

Ik liet het tot me doordringen.

'Waarom,' vroeg ik, 'zou je de kans voorbij laten gaan om iets te doen wat je zoveel waard is, door met mij naar Californië te gaan?'

'Vanwege iemand die me zeer veel waard is,' zei hij.

Hij was, vertelde hij, tot de slotsom gekomen dat wij voor elkaar bestemd waren, en hij was niet van plan mij te laten gaan nu hij me net gevonden had.

Bill en ik deelden een klein appartement vlak bij een groot park, niet ver van de campus van de Universiteit van Californië waar in 1964 de *free speech*-beweging was begonnen. Ik was het grootste deel van mijn tijd bezig met het ontwerpen en schrijven van rechterlijke verzoeken en pleitnota's voor Mel Burnstein, voor een voogdijzaak. Ondertussen verkende Bill Berkeley, Oakland en San Francisco. In de weekenden nam hij me mee naar plaatsen die hij ontdekt had, een restaurant in North Beach of een kledingzaak op Telegraph Avenue. Ik probeerde hem te leren tennissen en we experimenteerden allebei met de kookkunst. Ik bakte een perziktaart voor hem, een gerecht dat ik associeerde met Arkansas, waar ik overigens nog nooit geweest was, en samen produceerden we een smakelijke kerrieschotel met kip, die elke keer op tafel kwam als we gasten hadden. Bill las het grootste deel van de tijd en deelde dan met mij zijn gedachten over boeken als *To the Finland Station* van Edmund Wilson. Op onze lange wandelingen barstte hij geregeld los in gezang, vaak een van zijn favoriete songs van Elvis Presley.

Er is wel beweerd dat ik wist dat Bill president zou worden en dat ik dat aan iedereen vertelde die het wilde horen. Ik herinner me niet dat ik dat in onze studietijd ooit gedacht of gedaan heb, maar er was wel één gedenkwaardig voorval. Ik had met Bill afgesproken in een klein restaurant in Berkeley, maar ik werd opgehouden op mijn werk en was laat. Geen enkel teken meer van Bill en ik vroeg de ober of hij een man gezien had die aan zijn beschrijving voldeed. Een klant die vlakbij zat, bemoeide zich ermee en zei: 'Hij heeft hier een hele tijd zitten lezen en ik knoopte een gesprek met hem aan over boeken. Ik weet niet hoe hij heet, maar die wordt nog een keer president.' 'Ja, oké,' zei ik, 'maar weet je ook waar hij heen is gegaan?'

Tegen het eind van de zomer gingen we terug naar New Haven, waar we de benedenverdieping van Edgewood Avenue 21 konden huren voor zevenenvijftig dollar per maand. Daarvoor hadden we een woonkamer met open haard, een kleine slaapkamer, een kamer die dienstdeed als eet- en studeerkamer, een kleine badkamer en een primitieve keuken. De vloeren waren zo scheef dat de borden van de tafel gleden als we geen houten blokjes onder de tafelpoten legden. De wind gierde door kieren in de muren die we dichtstopten met kranten. Ondanks alles was ik dolgelukkig met ons eerste huis. We kochten meubels bij de winkel van het Leger des Heils en waren wat trots op onze studenteninrichting.

We zaten op een blok afstand van de Elm Street Diner, waar we vaak kwamen omdat het betaalbaar was en de hele nacht open. Ik ging op yogales in de plaatselijke YMCA verderop in de straat en Bill was bereid mee te gaan, als ik het maar aan niemand vertelde. Hij ging ook mee naar de Zweetkathedraal, het in gotische stijl opgetrokken sportcentrum van Yale, waar we stompzinnig rondjes liepen op de baan op de tussenverdieping. Als Bill eenmaal begon, holde hij ook door. Ik niet.

We aten vaak bij Basil's, een populair Grieks restaurant, en gingen graag naar de film in het Lincoln-theater, een kleine bioscoop wat achteraf in een woonstraat. Op een avond, toen de sneeuwstorm eindelijk was gaan liggen, besloten we naar de film te gaan. De straten waren nog niet geveegd en we liepen heen en terug door dertig centimeter sneeuw en we voelden ons vol energie en erg verliefd.

We moesten allebei werken als aanvulling op onze studieleningen. Toch hadden we ook nog tijd voor politiek. Bill besloot in New Haven een hoofdkwartier voor de presidentscampagne van McGovern te openen en huurde uit eigen zak een winkelpand. De meeste vrijwilligers waren studenten en stafleden van Yale, omdat de baas van de plaatselijke Democratische Partij, Arthur Barbieri, McGovern niet steunde. Bill maakte voor ons een afspraak met Barbieri in een Italiaans restaurant. Tijdens de lange lunch beweerde Bill dat hij achthonderd vrijwilligers had die klaar stonden om de straat op te gaan en het reguliere partijapparaat te overvleugelen. Daarop besloot Barbieri uiteindelijk McGovern te gaan steunen. Hij nodigde ons uit voor een al afgesproken partijvergadering in Melebus, een plaatselijke Italiaanse club, waar hij zijn steun voor McGovern bekend zou maken.

De week daarop reden we naar een onopvallend gebouw, gingen een deur binnen en een trap af naar een reeks ruimtes in het souterrain. Toen Barbieri opstond en het woord nam in de grote eetzaal, dwong hij meteen de aandacht af van de aanwezige leden van het districtsbestuur, voor het grootste deel mannen. Hij begon allereerst over de oorlog in Vietnam en noemde de namen op van de jongens uit New Haven en omgeving die dienden in het leger en van degenen die gesneuveld waren. Toen zei hij: 'Deze oorlog is niet het verlies van nog één jongen waard. Daarom moeten we George McGovern steunen die onze jongens naar huis wil brengen.' Zijn standpunt kreeg niet meteen de handen op elkaar, maar hij bleef net zo lang op zijn argumenten hameren tot hij in de loop van de avond unanieme steun kreeg. En hij hield zich aan zijn belofte, eerst op de conventie in de staat en vervolgens bij de verkiezingen, toen New Haven een van de weinige plaatsen in Amerika was waar McGovern meer stemmen kreeg dan Nixon.

Na Kerstmis kwam Bill met de auto van Hot Springs naar Park Ridge om een paar dagen bij mijn familie door te brengen. Mijn ouders hadden hem de zomer daarvoor ontmoet. Ik was zenuwachtig omdat mijn vader nogal ongeremd was in zijn kritiek op mijn vriendjes. Ik vroeg me af wat hij zou zeggen tegen een Democraat uit het Zuiden met Elvis-tochtlatten. Mijn moeder heeft eens tegen me gezegd dat in mijn vaders ogen geen enkele man goed genoeg was voor mij. Mijn moeder waardeerde zijn goede manieren en zijn bereidheid met de vaat te helpen. Maar Bill had haar helemaàl voor zich gewonnen toen hij zag dat ze een filosofieboek las voor een cursus die ze volgde en daar vervolgens een uur met haar over discussieerde. Het ging eerst heel langzaam, maar Bill wist papa te vermurwen tijdens vele spelletjes kaart, waaronder pinochle dat hij Bill leerde, en onder het kijken naar wedstrijden Amerikaans football op de tv. Mijn broers genoten van de aandacht van Bill. Mijn vriendinnen mochten hem ook. Nadat ik hem had voorgesteld aan Betsy Johnson, nam Roslyn, haar moeder, me op weg naar buiten even apart en zei: 'Het maakt mij niet uit wat je doet, maar deze moet je niet laten lopen. Hij is de enige die ik je ooit aan het lachen heb zien maken!'

Na het einde van het studiejaar in het voorjaar van 1972 ging ik naar Washington om weer te werken voor Marian Wright Edelman. Bill ging fulltime aan de slag voor de campagne van McGovern.

Mijn eerste opdracht die zomer was informatie te verzamelen over het in gebreke blijven van de regering-Nixon om een eind te maken aan de legale belastingvrijstelling voor de gesegregeerde privé-academies die in het Zuiden als paddestoelen uit de grond sprongen, met als doel het geïntegreerde publieke onderwijs te omzeilen. Deze academies betoogden dat ze alleen maar tegemoet kwamen aan de wens van ouders om privé-scholen te stichten en dat het niets te maken had met de ophanden zijnde, gerechtelijk afgedwongen integratie van publieke scholen. Ik ging naar Atlanta om te spreken met de juristen en burgerrechtenactivisten, die materiaal verzamelden om te bewijzen dat deze academies daarentegen alleen maar opgericht waren om onder de uitspraken van het Hooggerechtshof uit te komen, allereerst onder die in de zaak Brown Brown versus de Onderwijsraad.

In het kader van mijn onderzoek reed ik naar Dothan, Alabama, waar ik me zou uitgeven voor een jonge moeder die daar in de buurt kwam wonen en die haar kind wilde inschrijven op de plaatselijke geheel witte academie. Ik ging eerst langs in de 'zwarte' buurt van Dothan waar ik lunchte met onze plaatselijke contactpersonen. Terwijl we aan de hamburgers en de zoete ijsthee zaten, vertelden ze dat veel schooldistricten in het gebied de openbare buurt-scholen beroofden van boeken en andere materialen om daarmee de zogenaamde 'academies' uit te rusten, die ze za-gen als een alternatief voor blanke leerlingen. Op de plaat-selijke privé-school had ik een afspraak met iemand van de leiding om te praten over de inschrijving van mijn denk-beeldige kind. Ik speelde mijn rol, stelde vragen over het leerplan en de samenstelling van het leerlingenbestand. Ik kreeg de verzekering dat er geen zwarte leerlingen toegela-ten zouden worden.

Terwijl ik tegen praktijken van discriminatie streed, was Bill actief in Miami om McGovern te verzekeren van de nominatie op de Democratische Conventie op 13 juli 1972. Na de conventie vroeg Gary Hart Bill met Taylor Branch, toen een jonge schrijver, naar Texas te gaan, om zich daar te voegen bij een advocaat uit Houston, Julius Glickman, om met zijn drieën leiding te geven aan de campagne van McGovern in die staat. Bill vroeg of ik mee wilde. Ik zei ja, maar alleen als ik een eigen taak kreeg. Anne Wexler, een gelouterde campagnevoerder die toen bij het team van McGovern werkte, vroeg me leiding te geven aan de actie van de Democratische Partij in Texas om kiesgerechtigden te bewegen zich te laten registreren en ik greep die kans met beide handen aan. Toen ik in Austin, Texas, aankwam, was Bill de enige die ik er kende, maar het duurde niet lang of ik trof er mensen die tot mijn beste vrienden zijn gaan behoren.

In 1972 was Austin nog een slaperig stadje, vergeleken met Dallas of Houston. Het was natuurlijk de hoofdstad van de staat en de Universiteit van Texas was er gevestigd, maar Austin leek eerder het verleden dan de toekomst van Texas te vertegenwoordigen. Je zou toen moeilijk de explo-sieve opkomst van hightechbedrijven hebben kunnen voorspellen die het stadje in het Texaanse heuvelland ver-anderde in een van de bloeiende centra van de Sunbelt.

Het kantoor van de McGovern-campagne werd gevestigd in een leeg winkelpand aan West Sixth Street. Ik had daar een klein hok waar ik zelden zat, omdat ik vooral bezig was te proberen de achttien- tot eenentwintigjarigen die net stemrecht hadden gekregen, te bewegen zich als kiezer te laten registreren en rondreed door Zuid-Texas om stemgerechtigden van Afrikaanse en Latijns-Amerikaanse afkomst als kiezers in te schrijven. Roy Spence, Garry Mauro en Judy Trabulsi, die allemaal actief bleven in de Texaanse politiek en een rol speelden in de presidentscampagne van 1992, vormden de ruggengraat van onze acties gericht op jonge kiezers. Ze geloofden dat ze elke achttienjarige in Texas konden registreren en daarmee het electorale tij in het voordeel van McGovern konden doen omslaan. Ze maakten ook graag plezier en namen me mee naar Scholz's Beer Garden, waar we aan het eind van een werkdag van achttien of twintig uur buiten zaten te overleggen wat we nog meer konden doen, geconfronteerd met de steeds slechtere peilingen.

De Hispanics, de Amerikanen van Latijns-Amerikaanse afkomst, in Zuid-Texas waren begrijpelijkerwijs op hun hoede tegenover een blond meisje uit Chicago die geen woord Spaans sprak. Ik vond bondgenoten aan de universiteiten, bij de vakbonden en bij juristen die verbonden waren met de South Texas Rural Legal Aid Association (de vereniging voor rechtshulp op het platteland van Zuid-Texas), een initiatief in het zuidwesten om kiezers te scholen. Een van mijn gidsen langs de grens was Franklin Garcia, een gestaald vakbondslid, die me op plekken bracht waar ik alleen nooit had kunnen komen en die borg voor me stond tegenover Mexicaanse Amerikanen die bang waren dat ik van de immigratiedienst was of een andere overheidsinstelling. Op een avond vergaderde Bill in Brownsville met leiders van de Democratische Partij. Franklin en ik pikten hem daar op en we reden de grens over naar Matamoros, waar Franklin ons een maaltijd beloofde die we nooit zouden vergeten. We kwamen terecht in een tent waar een behoorlijk mariachi-orkest speelde en waar ze de beste – en de enige – geroosterde *cabrito* oftewel geitenkop serveerden die ik ooit gegeten heb. Bill viel aan tafel in slaap en ik at zo snel als spijsvertering en beleefdheid het toestonden.

Betsey Wright, die eerder actief was geweest in de Democratische Partij in Texas kwam over om te helpen bij de McGovern-campagne. Betsey was opgegroeid in West-Texas en was afgestudeerd aan de Universiteit van Austin. Ze was een sublieme politieke organisator, kende de staat van haver tot gort en stak niet onder stoelen of banken wat wij zelf al begonnen te vermoeden, namelijk dat de campagne van McGovern tot mislukken gedoemd was. Zelfs McGoverns schitterende staat van dienst in de oorlog als piloot van een bommenwerper – Stephen Ambrose zou die later memoreren in zijn boek *The Wild Blue* – die in Texas zijn stellingname tegen de oorlog geloofwaardigheid had moeten verlenen, raakte bedolven onder de aanvallen van Republikeinen en de fouten van zijn eigen campagne. Toen McGovern Sargent Shriver koos als kandidaat voor het vice-presidentschap in plaats van senator Thomas Eagleton, hoopten we dat zowel Shrivers werk onder president Kennedy als zijn verwantschap met de Kennedy's via Eunice, de zus van Jack en Bobby Kennedy, de belangstelling nieuw leven in zou blazen.

Toen de kiezersregistratie dertig dagen voor de verkiezingen sloot, vroeg Betsey me de laatste maand te komen helpen bij de campagne in San Antonio. Ik logeerde bij een vriendin van college en liet me bedelven onder de beziens-waardigheden, de geluiden, de geuren en het eten van die prachtige stad. Ik at drie keer per dag Mexicaans, meestal bij Mario aan de uitvalsweg of in het centrum bij Mi Tierra. Als je een presidentscampagne voert in een staat of een stad, probeer je altijd de nationale leiding over te halen de kandidaten te sturen, of plaatsvervangers van topniveau. Shirley MacLaine was de bekendste McGovern-aanhanger die we wisten te verleiden een dag naar San Antonio te ko-

men, tot de campagneleiding meldde dat McGovern inge-
vlogen zou worden voor een demonstratieve bijeenkomst
op het plein voor het historische Alamo, een hoogst symbolische achtergrond. Meer dan een weeklang waren we alleen maar bezig een zo groot mogelijk publiek te mobiliseren. Voor het eerst moest ik me teweerstellen tegen de bemoeienissen van kwartiermakers die door de nationale
leiding vooruit gestuurd waren. Dankzij die ervaring besef
ik hoe belangrijk het is dat de mensen op het nationale
hoofdkwartier de plaatselijke staf respecteren. De campagneleiding stuurt zogenaamde 'advance teams', een voor-
hoede, vooruit om de komst van een kandidaat logistiek
voor te bereiden. Dit was voor mij de eerste keer dat ik zo'n
advance team in actie zag. Het werd me duidelijk dat ze
onder geweldige druk moesten werken, dat ze alle essentiële benodigdheden – telefoons, kopieerapparaten, een
podium, stoelen, een geluidsinstallatie – gisteren wilden
hebben, en dat in een spannende of verloren race iemand
verantwoordelijk moet zijn voor het betalen van de rekeningen. Elke keer als de kwartiermakers iets bestelden, zeiden ze dat het geld meteen telegrafisch overgemaakt zou
worden. Maar het geld kwam nooit. Toen de grote avond
was aangebroken, deed McGovern het geweldig. We haalden net genoeg op om de plaatselijke leveranciers te betalen, achteraf het enige geslaagde waagstuk tijdens mijn verblijf van een maand.

Bij dit alles werkte ik samen met Sara Ehrman, een lid
van de staf van McGovern in de Senaat, die verlof had genomen en naar Texas was gekomen om bij de campagne te
helpen. Sara, een politieke veteraan met een scherpe, bruisende geest, was de belichaming van zowel moederlijke
warmte als van bikkelhard activisme. Ze nam nooit een
blad voor de mond, woog nooit haar woorden, ongeacht
haar gehoor. En ze had de energie en de pit van een vrouw
die twee keer jonger is dan zij was – nog steeds trouwens.
Toen ik op een dag in oktober binnenliep en vertelde dat ik
kwam helpen, had zij de leiding van de campagne in San

Antonio. We namen elkaar eens goed op en besloten dat we het best zouden kunnen vinden en dat was het begin van een vriendschap die tot vandaag voortduurt.

Het was ons allemaal duidelijk dat Nixon McGovern ging inmaken bij de verkiezingen in november. Maar we zouden al snel ontdekken dat dit Nixon en zijn agenten er niet van weerhield campagnefondsen – om maar te zwijgen van overheidsinstanties – onwettig aan te wenden om de tegenstander te bespioneren en 'dirty tricks' te financieren ter wille van een Republikeinse overwinning. Een verklungelde inbraak in de kantoren van de Democratische Partij in het Watergate-complex op 17 juni 1972 zou uiteindelijk leiden tot de val van Richard Nixon. Het zou ook mijn toekomstplannen beïnvloeden.

Voordat we teruggingen naar Yale, waar we ons hadden ingeschreven maar nog geen colleges hadden gevolgd, gingen Bill en ik voor het eerst samen op vakantie naar Zihuatanejo in Mexico, toen een lieftallig slaperig stadje aan de kust van de Stille Oceaan. Tussen het zwemmen in de branding door herkauwden we de verkiezingen en de fouten van de McGovern-campagne, een kritische analyse die maanden duurde. Er was heel veel mis gegaan, waaronder de Democratische Nationale Conventie. Een van de vele tactische fouten was dat McGovern midden in de nacht het podium opkwam voor zijn aanvaardingsrede, toen niemand in het land meer wakker was, laat staan dat er iemand zou kijken naar een politieke conventie op de televisie. Terugblikkend op onze ervaringen beseften Bill en ik dat we nog veel moesten leren over de kunst van het campagnevoeren en de macht van de televisie. De strijd van 1972 was onze eerste politieke vuurdoop.

Toen we in het voorjaar van 1973 onze rechtenstudie hadden afgerond, nam Bill me mee op mijn eerste reis naar Europa om de plekken terug te zien waar hij met zijn Rhodes-beurs was geweest. We kwamen aan in Londen en Bill bleek een voortreffelijke gids. We besteedden uren aan het bezichtigen van Westminster Abbey, de Tate Gallery en het parlementsgebouw. We zwierven rond op Stonehenge en bewonderden de groener dan groene heuvels van Wales. We bezochten zoveel kathedralen als we konden, met behulp van een boek met uiterst nauwkeurige wandelkaarten, een vierkante mijl per pagina. We zwierven van Salisbury naar Lincoln, Durham en York, waarbij we de tijd namen de ruïnes van een klooster te bekijken dat verwoest was door de troepen van Cromwell, of om te dolen door de tuinen van een schitterend landgoed.

Toen, in de schemering op de oever van Lake Ennerdale, vroeg Bill me ten huwelijk.

Ik was wanhopig verliefd op hem, maar wist totaal niet wat ik met mijn leven en toekomst aan moest. Dus zei ik: 'Nee, nu niet.' Wat ik bedoelde was: 'Gun me wat tijd.'

Mijn moeder had geleden onder de scheiding van haar ouders en het verhaal van haar trieste en eenzame jeugd stond gebeiteld in mijn ziel. Als ik besloot te trouwen, dan wilde ik dat het voor het leven was, dat wist ik. Als ik terugkijk op die tijd en op degene die ik toen was, besef ik hoe bang ik was me vast te leggen in het algemeen, en vooral voor Bills intensiteit. Ik zag hem als een natuurkracht en vroeg me af of ik wel in staat was zijn seizoenen te doorstaan.

Als Bill Clinton iets is, dan is hij koppig. Hij weet wat hij wil, kiest zijn doelen, en ik was daar een van. Hij vroeg me nog talloze keren met hem te trouwen en ik zei steeds nee. Ten slotte zei hij: 'Goed, ik zal je niet weer ten huwelijk vragen en als je ooit besluit dat je met mij wilt trouwen, dan zul je het zelf moeten zeggen.' Hij kon wachten.

6 Reiziger in Arkansas

Spoedig na onze terugkeer uit Europa nodigde Bill me opnieuw uit voor een reis – deze keer 'naar huis' zoals hij het noemde.

Op een stralende zomerochtend eind juni haalde hij me af op het vliegveld van Little Rock. Hij reed me door de straten omzoomd door Victoriaanse huizen langs de ambtswoning van de gouverneur en het Capitool van Arkansas, gebouwd naar het voorbeeld van dat in Washington. We reden door de vallei van de Arkansas River met de lage magnolia's de Ouachita Mountains in. We stopten bij uitkijkpunten en dorpswinkels, zodat Bill me mensen en plekken kon laten zien die hem dierbaar waren. Toen de schemering viel, kwamen we eindelijk aan in Hot Springs, Arkansas.

Toen Bill en ik elkaar pas kenden, vertelde hij urenlang over Hot Springs, gesticht rond de warme bronnen die de indianen al eeuwenlang in gebruik hadden en waarvan Hernando de Soto dacht, toen hij ze in 1541 ontdekte, dat hij de bron der jeugd gevonden had. De prachtige paardenrenbaan en de mogelijkheden om illegaal te gokken, hadden in de jaren twintig bezoekers getrokken als Babe Ruth, Al Capone en Minnesota Fats. Toen Bill opgroeide, stonden in veel restaurants in de stad gokkasten en in de nachtclubs traden de beroemde artiesten van de jaren vijftig op – Peggy Lee, Tonny Bennett, Liberace en Patti Page. Robert Kennedy maakte als minister van Justitie een einde aan het illegale gokken, waardoor de grote hotels, restaurants en badhuizen aan Central Avenue het moeilijk kregen. Maar de stad veerde weer op toen steeds meer gepensioneerden het milde klimaat, de meren en het natuurschoon ontdekten – en de hartelijkheid van veel inwoners.

Virginia Cassidy Blythe Clinton Dwire Kelley voelde zich in Hot Springs als een vis in het water. Bills moeder was geboren in Bodcaw, Arkansas, en opgegroeid in het nabijgelegen Hope, honderdtwintig kilometer naar het zuidwesten. Tijdens de Tweede Wereldoorlog had ze in Louisiana een verpleegstersopleiding gevolgd en daar ontmoette ze haar eerste man, William Jefferson Blythe. Na de oorlog trokken ze naar Chicago, waar ze in de North Side woonden, niet ver van mijn ouders. Toen Virginia zwanger werd van Bill, ging ze naar huis, naar Hope, om daar te bevallen. Toen haar man haar daar wilde komen opzoeken, kreeg hij in mei 1946 een dodelijk auto-ongeluk in Missouri. Virginia was een weduwe van drieëntwintig toen Bill op 19 augustus 1946 werd geboren. Ze besloot in New Orleans een opleiding voor anesthesieassistente te volgen, omdat ze op die manier meer geld kon verdienen om zichzelf en haar zoon te onderhouden. Ze liet Bill achter in Hope bij haar vader en moeder en toen ze haar diploma had, kwam ze terug naar Hope om daar te werken. In 1950 trouwde ze met Roger Clinton, een stevig drinkende autoverkoper en met hem verhuisde ze in 1953 naar Hot Springs. Rogers drinkgedrag verergerde in de loop der jaren en bovendien kon hij zijn handen niet thuis houden. Op zijn vijftiende was Bill sterk genoeg om zijn stiefvader te beletten zijn moeder te slaan, als hij in de buurt was tenminste. Hij probeerde ook zijn broertje, de tien jaar jongere Roger, te beschermen. Virginia werd voor de tweede keer weduwe toen Roger Clinton in 1967, na een lange strijd tegen kanker, overleed.

Ik had haar voor het eerst ontmoet in New Haven, toen ze Bill kwam opzoeken in het voorjaar van 1972. We waren allebei verbijsterd. Voordat ze kwam, had ik, uit zuinigheid, zelf mijn haar (slecht) bijgeknipt. Ik gebruikte geen make-up en liep meestal rond in spijkerbroeken en werkhemden. Ik was geen Miss Arkansas en zeker niet het soort meisje waarop Virginia dacht dat haar zoon verliefd zou worden. Wat er verder ook aan de hand was in Virginia's leven, ze stond vroeg op, rustte zich uit met valse wimpers en vuurrode lippenstift en stevende de deur uit. Mijn uiterlijke stijl verbijsterde haar en mijn vreemde Yankee-ideeën bevielen haar al evenmin.

Veel gemakkelijker verliep het contact met Virginia's derde echtgenoot, Jeff Dwire, die een hele steun en bondgenoot zou worden. Hij had een schoonheidssalon en behandelde Virginia als een koningin. Hij was vanaf de eerste dag aardig tegen me en was een grote steun in mijn voortdurende pogingen een verstandhouding op te bouwen met Bills moeder. Jeff zei dat ik geduld moest hebben, dat Virginia bij zou draaien.

'Maak je geen zorgen over Virginia,' placht hij te zeggen. 'Ze moet gewoon wennen aan het idee. Het is moeilijk voor twee sterke vrouwen om met elkaar overweg te kunnen.'

Uiteindelijk leerden Virginia en ik elkaars verschillen te respecteren en ontwikkelden we een diepe band. We ontdekten dat wat we deelden belangrijker was dan waarin we verschilden: we hielden van dezelfde man.

Bill kwam thuis naar Arkansas en nam een docentenbaan aan in Fayetteville, de rechtenfaculteit van Arkansas. Ik ging naar Cambridge, Massachusetts, waar ik ging werken bij Marian Wright Edelman aan het zojuist opgerichte Children Defense Fund (CDF) – het kinderbeschermingsfonds. Ik huurde de bovenverdieping van een oud huis en woonde daar alleen, voor het eerst in mijn leven. Het werk beviel me zeer. Ik was veel op reis en zag veel van de problemen waarmee kinderen en tieners overal in het land mee geconfronteerd werden. In South Carolina hielp ik bij een onderzoek naar de omstandigheden van jongeren die opgesloten zaten in gevangenissen voor volwassenen. Sommigen van de veertien- en vijftienjarigen die ik sprak, zaten vast wegens kleine overtredingen. Anderen waren al echte misdadigers. In beide gevallen zouden ze geen cellen moeten delen met geharde volwassen criminelen, die het op hen voorzien konden hebben of die hen verder konden vormen voor een misdadige carrière. Het CDF spande zich in om jongeren apart te zetten en hun meer bescherming te bieden en een sneller vonnis.

In New Bedford, Massachusetts, ging ik de deuren langs om klaarheid te brengen in zorgwekkend cijfermateriaal. Bij het CDF vergeleken we officiële cijfers van kinderen in de leerplichtige leeftijd en vergeleken die met de leerlingenaantallen van scholen. Vaak ontdekten we aanzienlijke afwijkingen en we wilden vaststellen waar die ontbrekende kinderen waren. Het deur-aan-deur aanbellen was een onthullende en hartverscheurende ervaring. Ik trof kinderen die niet op school waren vanwege fysieke gebreken als blindheid en doofheid. Ik vond ook kinderen die thuis op jongere broertjes en zusjes pasten als hun ouders werkten. Op een smalle achterveranda van een huis in een buurt van Portugees-Amerikaanse vissers trof ik een meisje in een rolstoel dat me vertelde dat ze dolgraag naar school wilde. Ze wist dat het niet ging, omdat ze niet kon lopen. We gaven de uitkomsten van ons onderzoek aan het Congres. Twee jaar later nam het Congres onder sterke aandrang van het CDF en andere pleitbezorgers de Wet Onderwijs voor alle Kinderen met een Handicap aan, waarbij alle kinderen met een fysieke, emotionele of cognitieve handicap verplicht werden opgenomen in het publieke onderwijs.

Maar ondanks het plezier in mijn werk voelde ik me eenzaam en miste ik Bill meer dan ik kon verdragen. Ik had die zomer zowel bij de balie in Arkansas als bij die in Washington toelatingsexamen gedaan, maar mijn hart trok steeds meer naar Arkansas. Toen ik hoorde dat ik in Arkansas toegelaten was en in Washington niet, dacht ik dat dit misschien een duidelijke boodschap was. Een groot deel van mijn salaris ging op aan telefoonkosten en ik was dolgelukkig toen Bill me voor Thanksgiving op kwam zoeken. We besteedden die tijd aan het verkennen van Boston en onze toekomst.

Bill vertelde dat hij plezier had in het lesgeven en het

heerlijk vond in zijn huurhuis aan de rand van Fayetteville, een vriendelijk, gezapig universiteitsstadje. Maar de politiek lokte en hij probeerde een kandidaat te vinden die het op wilde nemen tegen het enige Republikeinse Congreslid van Arkansas, John Paul Hammerschmidt. Hij had in Noordwest-Arkansas nog geen Democraat gevonden die het op wilde nemen tegen de populaire afgevaardigde die al vier termijnen had vol gemaakt en het was me duidelijk dat hij begon te overwegen zelf de strijd aan te gaan. Ik wist niet goed wat dat eventueel voor ons zou betekenen. We spraken af dat ik na Kerstmis naar Arkansas zou komen en dat we dan zouden bekijken wat we zouden doen. Toen ik daar arriveerde voor nieuwjaar 1973, had Bill besloten zich kandidaat te stellen voor het Congres. Hij dacht dat de Republikeinse Partij averij had opgelopen door het Watergate-schandaal en dat ook een afgevaardigde met een stevige basis kwetsbaar was. Het was voor hem een prikkelende uitdaging en hij was begonnen zijn campagne op poten te zetten. Ik wist van de aankondiging uit Washington dat John Doar door de Juridische Commissie van het Huis was uitgekozen om het onderzoek voor de *impeachment* – een aanklacht wegens misdrijven van een gekozen gezagsdrager – van president Nixon te leiden. We hadden John Doar in Yale ontmoet toen hij daar in het voorjaar van 1973 optrad als 'rechter' in een nagespeeld proces. Bill en ik waren als bestuursleden van de Barristers Union belast met de supervisie op een nagebootste zaak in het kader van onze studie. Doar, die dus als rechter was aangeworven, was het type Gary Cooper: een rustige, slungelachtige advocaat uit Wisconsin die onder Kennedy op het ministerie van Justitie betrokken was geweest bij het beëindigen van de rassenscheiding in het Zuiden. Hij had namens de regering in enkele van de belangrijkste kiesrechtszaken de pleidooien gevoerd en had in de meest gewelddadige episodes van de jaren zestig ter plekke gewerkt, in Mississippi en Alabama. In Jackson, Mississippi, was hij persoonlijk tussenbeide gekomen toen een confrontatie tussen boze demonstranten en de gewapende politie op een bloedbad dreigde uit te lopen. Ik bewonderde zowel zijn moed als zijn compromisloze en systematische toepassing van de wet.

Toen ik op een ochtend in januari in alle vroegte met Bill koffie zat te drinken in zijn keuken, ging de telefoon. Het was Doar die hem vroeg voor de impeachment-staf die hij bezig was samen te stellen. Doar had Burke Marshall, een oude vriend en collega van de afdeling Burgerrechten van het departement van Justitie van Robert Kennedy, om de namen van een paar jonge juristen gevraagd die hij kon aanbevelen. Bill stond boven aan de lijst, samen met drie andere jaargenoten van Yale: Michael Conway, Rufus Cormier en Hillary Rodham. Bill vertelde Doar dat hij besloten had zich kandidaat te stellen voor het Congres, maar dat hij dacht dat de anderen op de lijst wel beschikbaar waren. Doar zei dat hij mij als volgende zou bellen. Hij bood me een positie in de staf aan en zei dat ik erg weinig zou verdienen, lange dagen zou maken en dat het vooral om nauwgezet en saai werk zou gaan. Het was een aanbod dat ik niet kon weigeren, zoals dat heet. Ik kon me geen belangrijker taak voorstellen op dit kritieke punt in de geschiedenis van Amerika. Bill vond het ook geweldig voor mij en we waren allebei een beetje opgelucht dat we de discussie over onze persoonlijke situatie nog even konden opschorten. Marian gaf me haar zegen en ik pakte mijn koffers en verhuisde van Cambridge naar een logeerkamer in het appartement van Sara Ehrman in Washington. Ik stond voor een van de meest intense en belangrijke ervaringen in mijn leven.

De vierenveertig advocaten die betrokken waren bij het impeachment-onderzoek, werkten zeven dagen per week, opgesloten op de bovenste verdiepingen van het muffe, oude Congressional Hotel op Capitol Hill, tegenover de kantoren van het Huis in het zuidoosten van Washington. Ik was zesentwintig, vol ontzag voor het gezelschap waarin ik verkeerde en voor de historische verantwoordelijkheid die we op ons hadden genomen.

Doar had weliswaar de leiding over de staf, maar er waren twee teams van juristen. Het ene was samengesteld door Doar en benoemd door de Democratische voorzitter van de commissie, Congreslid Peter Rodino uit New Jersey. Het andere team was benoemd door het hoogste Republikeinse lid, Congreslid Edward Hutchinson uit Michigan en uitgekozen door Albert Jenner, de legendarische procesadvocaat die in Chicago de firma Jenner & Block had opgericht. Gelouterde juristen gaven onder supervisie van Doar leiding aan de verschillende onderzoeksgebieden. Onder hen was Bernard Nussbaum, een ervaren en strijdlustige federale assistent procureur-generaal uit New York. Een ander was Joe Woods, een bedrijfsadvocaat uit Californië met een droge humor en scrupuleuze normen, die het toezicht had over de procedurele en constitutionele zaken waar ik aan werkte. Verder had je Bob Sack, een jurist met een elegante pen die geregeld met een terloopse grap zorgde voor ontspanning en die later door Bill werd benoemd bij het federale gerecht. Maar de meesten van ons waren jonge, gretige, net afgestudeerde juristen die bereid waren dagen van twintig uur te maken in geïmproviseerde kantoren, om documenten door te pluizen en geluidsbanden uit te schrijven.

Bill Weld, de latere Republikeinse gouverneur van Massachusettes, werkte samen met mij in de taakgroep constitutionele zaken. Fred Altschuler, een voortreffelijke redacteur van juridische documenten, vroeg me te helpen bij een analyse van de rapportageprocedures in de staf van het Witte Huis, om vast te stellen welke beslissingen de president waarschijnlijk zelf nam. Ik deelde een kantoor met Tom Bell, een advocaat van Doars familiefirma in New Richmond, Wisconsin. Tom zat tot diep in de avond te worstelen met subtiele punten van juridische interpretatie, maar we lachten ook veel. Hij nam zichzelf niet al te serieus en stond ook niet toe dat ik dat deed.

Andrew Johnson was de enige president die eerder in staat van beschuldiging was gesteld, en historici waren het er algemeen over eens dat het Congres toen misbruik had gemaakt van zijn heilige grondwettelijke verantwoordelijkheden voor partijpolitieke doeleinden. Dagmar Hamilton, een jurist en hoogleraar staatsinrichting aan de Universiteit van Texas, deed onderzoek naar Engelse gevallen van impeachment, terwijl ik Amerikaanse gevallen op me nam. Doar wilde absoluut dat het hele proces door de publieke opinie en de geschiedenis als onpartijdig en eerlijk beoordeeld zou worden, wat de uitkomst ook zou zijn. Joe Woods en ik ontwierpen procedureregels die aan de Juridische Commissie van het Huis zouden worden voorgelegd. Ik woonde met Doar en Woods een openbare zitting van de Commissie bij en zat met hen aan de tafel van de raadslieden toen Doar de procedurevoorstellen presenteerde die hij wilde dat de commissie zou overnemen.

Omdat er niets uitlekte van ons onderzoek, waren de media tuk op ieder spoortje human interest. Omdat vrouwen zelden in deze omgeving optraden, werd alleen al hun aanwezigheid nieuwswaardig geacht. Het enige probleem waar ik tegenaan liep, ontstond toen een verslaggever mij vroeg hoe het voelde om 'de Jill Wine van het impeachment-onderzoek te zijn'. We hadden gezien hoe de media zich gestort hadden op Jill Wine Volner, de jonge juriste die had gewerkt in het kantoor van de speciale aanklager, Leon Jaworski. Volner leidde het gedenkwaardige kruisverhoor van Nixons privé-secretaresse, Rose Mary Woods, over de ontbrekende 18½ minuten op een uiterst belangrijke band. Er deden talloze verhalen de ronde over Volners juridische deskundigheid en haar aantrekkelijkheid.

John Doar was allergisch voor publiciteit. Hij dwong een beleid van totale vertrouwelijkheid af en zelfs anonimiteit. Hij waarschuwde ons geen dagboeken bij te houden, gevoelig afval in speciale prullenbakken te deponeren, buiten het gebouw nooit over ons werk te praten, nooit de aandacht op onszelf te vestigen en alle mogelijke sociale bijeenkomsten te mijden – alsof we daar tijd voor hadden. Hij wist dat discretie de voorwaarde was voor een eerlijk en waardig proces. Toen hij de verslaggever mij met Volner hoorde vergelijken, wist ik dat ik nooit meer naar buiten zou mogen.

Na het werk aan de procedures ging ik me bezighouden met onderzoek naar de wettelijke gronden voor een impeachment van de president en schreef een lang memorandum met mijn conclusies over welke vergrijpen tot impeachment konden leiden en welke niet. Jaren later herlas ik dat stuk. Ik ben het nog steeds eens met de vaststelling welke '*high crimes and misdemeanors*' – zware vergrijpen en misdrijven – de opstellers van de Constitutie in aanmerking vonden komen voor impeachment.

Langzaam maar zeker bracht het juristenteam van Doar het bewijsmateriaal bij elkaar dat een impeachment van Richard Nixon onafwendbaar maakte. Doar was een van de meest nauwgezette, inspirerende en veeleisende juristen met wie ik ooit gewerkt heb, en hij hamerde erop dat niemand een conclusie zou trekken voordat alle feiten waren gewogen. In die dagen van voor de pc liet hij ons systeemkaarten gebruiken om de feiten bij te houden, dezelfde methode die hij ook in zijn burgerrechtzaken had toegepast. We typten op elke kaart één feit – de datum van een memo, het onderwerp van een bespreking – met kruisverwijzingen naar andere feiten. Dan gingen we zoeken naar patronen. Tegen het einde van het onderzoek hadden we meer dan een half miljoen systeemkaarten verzameld.

Ons werk raakte in een versnelling toen we de tapes kregen die de Grand Jury van het Watergate-proces per dagvaarding had opgeëist. Doar vroeg een aantal van ons de tapes af te luisteren om ons inzicht erin te vergroten. Dat was zwaar werk. Je zat alleen in een kamer zonder ramen en probeerde te doorgronden wat er gezegd werd, wat de context was en de betekenis van de woorden. En dan was daar wat ik de 'tape der tapes' noemde. Nixon maakte opnamen van zichzelf terwijl hij naar eerdere tapes luisterde die hij van zichzelf gemaakt had en wat hij hoorde besprak met zijn staf. Hij rechtvaardigde en beredeneerde wat hij eerder had gezegd om zijn betrokkenheid bij de voortgaande pogingen van het Witte Huis om de wetten en de constitutie te trotseren, te ontkennen of te bagatelliseren. Ik hoorde de president dingen zeggen als: 'Wat ik bedoelde toen ik dat zei, was...' en 'Wat ik eigenlijk wilde zeggen, was...' Het was heel bijzonder om te horen hoe Nixon zijn uitvluchten repeteerde.

Op 19 juli 1974 presenteerde Doar de voorgestelde impeachment-artikelen waarin de beschuldigingen tegen de president precies werden vermeld. De Juridische Commissie van het Huis ging met algemene stemmen akkoord met drie impeachment-artikelen die machtsmisbruik, belemmering van de rechtsgang en minachting van het Congres betroffen, in het bijzonder omkoping van getuigen, onwettige verkrijging van particuliere belastinggegevens, aanzet tot bespioneren van burgers en gebruikmaking van een geheime onderzoekseenheid in zijn presidentiële bureau. De stemmen kwamen van beide partijen, waarmee het vertrouwen van zowel het Congres als het Amerikaanse publiek gewonnen werd. Op 5 augustus gaf het Witte Huis vervolgens afschriften vrij van de geluidsband van 23 juni 1972, vaak aangeduid als de 'smoking gun' of heterdaadtape, waarop Nixon toestemming geeft voor het verheimelijken van het geld dat zijn herverkiezingscomité voor illegale doelen had gebruikt.

Nixon trad op 9 augustus 1974 af als president, waarmee hij de natie een pijnlijke en tweedracht zaaiende stemming in het Huis van Afgevaardigden en een rechtszitting in de Senaat bespaarde. De impeachment-procedure tegen Nixon van 1974 dwong een corrupte president tot aftreden en was een overwinning voor de Constitutie en voor ons rechtssysteem. Toch was het voor sommigen van ons in de commissiestaf ook een ontnuchterende ervaring door de ernst van het proces. De enorme macht van commissies van het Congres en van speciale aanklagers was slechts zo eerlijk en rechtvaardig en constitutioneel als de mannen en vrouwen die haar hanteerden.

Plotseling zat ik zonder werk. Ons hechte groepje juristen vloog na een afscheidsdiner naar alle windstreken uiteen. Iedereen zat opgewonden over zijn toekomstplannen te praten. Ik wist het nog niet en toen Bert Jenner me vroeg wat ik ging doen, zei ik dat ik procesadvocaat wilde worden, net als hij. Dat was onmogelijk zei hij.

'Waarom?' vroeg ik.

'Omdat je geen vrouw hebt.'

'Wat mag dat in 's hemelsnaam betekenen?'

Hij legde uit dat het mij, zonder een vrouw thuis die voor mijn persoonlijke behoeften zou zorgen, nooit zou lukken aan de eisen van het alledaagse leven te voldoen, zoals zorgen dat ik met schone sokken in de rechtszaal verscheen. Sindsdien vraag ik me af of Jenner me in de maling nam of dat hij me in ernst duidelijk wilde maken hoe moeilijk de wereld van het recht nog altijd was voor vrouwen. Uiteindelijk deed het er niet toe: ik besloot mijn hart te volgen in plaats van mijn hoofd. Ik ging naar Arkansas.

'Ben je gek geworden?' zei Sara Ehrman toen ik het vertelde. 'Waarom zou je in 's hemelsnaam je toekomst vergooien?'

Dat voorjaar had ik Doar toestemming gevraagd om Bill op te zoeken in Fayetteville. Hij vond het geen goed idee maar gaf me met tegenzin een weekend vrijaf. Toen ik daar was, ging ik met Bill naar een etentje waar ik kennis maakte met een paar van zijn collega's van de rechtenfaculteit, onder wie Wylie Davis, de decaan van dat moment. Toen ik wegging zei Davis dat ik hem moest waarschuwen als ik ooit les wilde geven. Nu besloot ik hem daaraan te houden. Ik belde hem op en vroeg of het aanbod nog geldig was en hij bevestigde dat. Ik vroeg hem wat ik moest doceren en hij zei dat hij me dat zou vertellen als ik een dag of tien later zou komen om de colleges te beginnen.

Mijn besluit kwam niet uit de lucht vallen. Sinds we met elkaar omgingen, hadden Bill en ik getobd over ons netelige probleem. Als we samen wilden zijn, moest een van ons water in de wijn doen. Nu er onverwacht een eind was gekomen aan mijn werk in Washington, had ik de tijd en de ruimte om onze relatie, en Arkansas, een kans te geven. Ondanks haar bedenkingen bood Sara aan me erheen te rijden. Om de paar kilometer vroeg ze of ik wist wat ik deed en ik gaf haar steeds hetzelfde antwoord: 'Nee, maar ik ga toch.'

Ik heb op sommige momenten heel goed moeten luisteren naar mijn eigen gevoelens om te beslissen wat goed voor me was en dat kan een heel eenzame bezigheid zijn als je vrienden en familie – laat staan het publiek en de pers – je keuzes betwisten en speculeren over je motieven. Ik was op Yale verliefd geworden op Bill en wilde bij hem zijn. Ik wist dat ik altijd gelukkiger was bij Bill dan zonder hem en ik was er altijd van uitgegaan dat ik overal een bevredigend leven kon leiden. Wilde ik als persoon groeien, dan was het nu tijd voor me, wist ik, om 'datgene te doen wat ik het meest vreesde', om Eleanor Roosevelt te parafraseren. En zo was ik dus op weg naar een plaats waar ik nooit gewoond had en waar ik geen familie of vrienden had, maar mijn hart zei me dat ik de juiste weg was ingeslagen.

Op een hete augustusavond, de dag van mijn aankomst in Fayetteville, zag ik Bill een verkiezingstoespraak houden voor een redelijk groot publiek op het stadsplein van Bentonville. Dat was de eerste keer en ik was onder de indruk. Misschien maakte hij toch een kans, tegen alle verwachting in. De volgende dag bezocht ik de receptie van de balie van Washington County voor de nieuwe stafleden van de rechtenfaculteit in de plaatselijke Holiday Inn. Ik was nog geen achtenveertig uur in Arkansas, maar ik had mijn onderwijstaken gekregen. Ik zou strafrecht en procesrecht geven en leiding geven aan een kliniek voor rechtshulp en de gevangenisprojecten. In beide laatste gevallen had ik supervisie over de studenten die rechtshulp gaven aan armen en gevangenen. En verder zou ik doen wat ik kon om Bill te helpen in zijn campagne.

Bill Bassett, de president van de balie, nam me mee langs de plaatselijke advocaten en rechters. Hij stelde me voor aan Tom Butt, de rechter van het *chancery court* (hof dat zaken behandelt waar de wet niet in voorziet). 'Judge,' zei hij, 'deze dame is de nieuwe rechtendocent. Ze gaat strafrecht geven en leidt de rechtshulpprogramma's.'

Judge Butt tuurde op me neer en zei: 'Blij dat u er bent, maar u moet wel weten dat ik niets moet hebben van rechtshulp en dat ik een behoorlijk lastige rotzak ben.'

Ik perste er een glimlach uit en zei: 'Ook prettig met u kennis te maken, Judge.' Maar waar was ik in 's hemelsnaam in beland? De volgende ochtend begonnen de colleges. Ik had nog nooit rechten gedoceerd en ik was nauwelijks ouder dan de meeste studenten, een paar waren zelfs ouder dan ik. Met de enige andere vrouw in de staf, Elizabeth 'Bess' Osenbaugh, raakte ik nauw bevriend. We bespraken de problemen van het leven en het recht, meestal bij een broodje kalkoen uit wat het dichtste bij een echte 'deli', een delicatessenzaak, kwam in Fayetteville. Robert Leflar was al in de zeventig maar gaf nog steeds zijn legendarische college rechtsconflicten in Fayetteville en aan de rechtenfaculteit van de Universiteit van New York. Hij en zijn vrouw Helen sloten vriendschap met me en stelden me zelfs die eerste zomer hun door Fay Jones ontworpen huis ter beschikking. Ik hield prikkelende debatten met Al Witte, die pochte dat hij de lastigste rechtenprofessor was, maar die onder de ruwe bolster in werkelijkheid een doetje was. Ik waardeerde de vriendelijkheid van Milt Copeland met wie ik een kamer deelde, en ik bewonderde het activisme en de eruditie van Mort Gitelman, die zich inzette voor de burgerrechten.

Het semester was amper begonnen toen Virginia's man, Jeff Dwire, plotseling overleed aan een hartstilstand. Het was verschrikkelijk voor Virginia, die voor de derde keer weduwe werd, en voor Bills tien jaar jongere broer Roger, die een nauwe band met Jeff had gehad. Het was voor ons allemaal een pijnlijk verlies. Virginia had in de loop der jaren veel te verduren gehad. Ik verbaasde me over haar veerkracht en herkende dezelfde trek in Bill, die geen spoortje bitterheid aan zijn moeilijke jeugd had overgehouden. Zijn ervaringen leken hem juist nog empathischer en optimistischer te maken. Hij trok mensen aan met zijn energie en zijn karakter en tot er tijdens zijn presidentscampagne allerlei verhalen naar buiten kwamen, wisten maar zeer weinigen van de pijnlijke omstandigheden die hij had doorstaan.

Na de begrafenis van Jeff pakte Bill zijn campagne weer op en begon ik het leven in een kleine universiteitsstad te verkennen. Na het intense leven in New Haven en Washington was de vriendelijke bedaagdheid en bekoorlijkheid van Fayetteville een welkome verademing.

Toen ik op een dag in de rij stond bij de plaatselijke A&P-supermarkt, keek de caissière op en vroeg: 'Bent u niet de nieuwe rechtenprofessor?' Ik zei dat ik dat was en ze vertelde dat een neefje van haar bij me studeerde en gezegd had dat ik 'niet slecht was'. Een andere keer belde ik inlichtingen op zoek naar een student die niet was komen opdagen bij een bespreking. Toen ik de telefoniste de naam noemde van de student, zei ze: 'Hij is niet thuis.'

'Pardon?'

'Hij is kamperen,' deelde ze mee. Ik had nooit in zo'n kleine, vriendelijke en zuidelijke plaats gewoond en ik vond het heerlijk. Ik ging naar wedstrijden Amerikaans football van de Arkansas Razorbacks en leerde de aanmoedigingsyell van de Hogs. Als Bill in de stad was, gingen we 's avonds barbecuen bij vrienden en in het weekend volleyballen bij Richard Richards, ook een collega van de faculteit. Of we troffen elkaar voor een enthousiast spelletje 'hints', georganiseerd door Bessie Osenbaugh.

Carl Whillock, op dat moment werkzaam aan de universiteit, en zijn verrukkelijke vrouw Margaret woonden in een groot geel huis tegenover de rechtenfaculteit. Zij waren de eersten die me thuis uitnodigden en we werden al snel vrienden. Margaret was door haar eerste man verlaten toen haar zes kinderen nog onder de tien waren. De volkswijsheid wil dat geen man zo gek zal zijn om te trouwen met een gescheiden vrouw met zes kinderen, hoe levendig en aantrekkelijk ze ook is. Maar Carl had lak aan volkswijsheden en tekende voor de hele zwik. Ik stelde Margaret ooit in het Witte huis voor aan Eppie Lederer, ook bekend als Ann Landers. Toen Eppie het verhaal van Margaret gehoord had, riep ze uit: 'Schat, die man van je verdient een heiligverklaring!' Ze had gelijk.

Ook Ann en Morriss Henry werden goede vrienden. Ann was juriste en was politiek actief op gemeentelijk niveau, voor eigen rekening en voor haar man die in de Senaat van Arkansas zat. Ze had ook nog drie kinderen en bemoeide zich intensief met hun scholen en sportieve activiteiten. Ann, iemand die onbekommerd lucht gaf aan haar welgefundeerde mening over van alles en nog wat, was geweldig gezelschap.

Diane Blair werd mijn beste vriendin. Net als ik was ze naar Fayetteville overgeplant uit Washington DC, in het kielzog van haar eerste man. Ze gaf politicologie aan de universiteit en werd beschouwd als een van de beste professoren van de campus. We tennisten en ruilden favoriete boeken. Ze heeft veel geschreven over Arkansas en de politiek in de zuidelijke staten, en haar boek over de eerste vrouw die op eigen kracht in de Senaat werd gekozen, Hattie Carraway, een Democrate uit Arkansas, was geïnspireerd door haar krachtige overtuigingen over de rechten en de rol van vrouwen.

Tijdens het nationale debat over de ratificatie van het grondwetsamendement Gelijke Rechten debatteerde Diane met Phyllis Schlafly voor de Algemene Assemblee van Arkansas. Ik hielp haar met de voorbereiding van die confrontatie op Valentijnsdag 1975. Diane won het debat moeiteloos, maar we wisten beiden dat de gecombineerde religieuze en politieke oppositie tegen het amendement niet zou zwichten voor dwingende argumenten, logica of feiten.

Diane en ik lunchten vaak samen op de studentensociëteit. We kozen een tafeltje in de buurt van de grote ramen die uitkeken over de Ozark Hills en wisselenden ervaringen en roddels uit. Zij en ik brachten ook uren met Ann door in het zwembad in de achtertuin van de Henry's.

Ze hoorden graag over de zaken die ik deed, en ik wilde vaak hun mening horen over de mentaliteit waar ik soms op stuitte. Op een dag belde Mahlon Gibson, de openbare aanklager van het district Washington, me op en vertelde dat een onvermogende gevangene die ervan beschuldigd werd dat hij een twaalfjarig meisje had verkracht, een vrouwelijke advocaat wilde. Gibson had de rechter, Maupin Cummings, aanbevolen mij te benoemen. Ik zei tegen Mahlon dat ik het geen prettig idee vond zo'n cliënt aan te nemen, maar Mahlon wees er vriendelijk op dat ik het verzoek van de rechter niet goed kon weigeren. Toen ik de vermeende verkrachter opzocht in de districtsgevangenis, hoorde ik dat hij een ongeschoolde 'kippenvanger' was. Zijn werk bestond uit het verzamelen van kippen op de grote fokkerijen voor een van de plaatselijke slachterijen. Hij ontkende de beschuldigingen en bleef volhouden dat het meisje, een verre verwante van hem, haar verhaal verzonnen had. Ik deed een grondig onderzoek en kreeg de medewerking van een vooraanstaand wetenschapper uit New York als getuige-deskundige. Deze trok de bewijskracht in twijfel van het bloed en het zaad dat volgens de aanklager de schuld van de verdachte aan de verkrachting bevestigde. Met deze getuigenverklaring in de hand onderhandelde ik met de aanklager over een bekentenis inzake seksueel misbruik door de verdachte. Toen ik met mijn cliënt voor rechter Cummings verscheen met dit voorstel, vroeg hij me de rechtszaal te verlaten, zodat hij het verhoor kon afnemen nodig om de feitelijke gronden voor het verzoek vast te stellen. Ik zei: 'Edelachtbare, ik kan de zaal niet verlaten. Ik ben zijn raadsman.'

'Maar,' zei de rechter, 'ik kan niet over dit soort dingen praten in tegenwoordigheid van een dame.'

'Edelachtbare, u moet mij alleen maar zien als advocaat,' stelde ik hem gerust.

De rechter nam het verzoek door met de beklaagde. En vervolgens veroordeelde hij hem. Niet lang na deze ervaring bespraken Ann en ik de mogelijkheden om de eerste telefonische hulpdienst voor verkrachtingsslachtoffers op te zetten.

Ik was een paar maanden in Arkansas toen ik gebeld werd door een vrouwelijke cipier in de districtsgevangenis van Benton, ten noorden van Fayetteville. Ze vertelde me over een vrouw die was gearresteerd wegens ordeverstoring omdat ze het evangelie verkondigde in de straten van Bentonville; ze stond op de rol om voor een rechter te verschijnen die van plan was haar te laten opnemen in het psychiatrisch ziekenhuis van de staat, omdat niemand wist wat ze met haar aan moesten. De bewaarster vroeg of ik zo snel mogelijk wilde komen omdat ze dacht dat de vrouw niet gek was, alleen 'bezeten door de geest van de Heer'.

Bij de rechtbank ontmoette ik de bewaarster en de gevangene, een zo te zien zachtaardige vrouw in een enkellange jurk, een veel gebruikte bijbel onder haar arm geklemd. Ze verklaarde dat Jezus haar naar Bentonville had gestuurd om te prediken en dat ze, als ze vrij werd gelaten, ogenblikkelijk terug zou gaan om haar missie voort te zetten. Toen ik hoorde dat ze uit Californië kwam, haalde ik de rechter over een buskaartje naar huis voor haar te kopen, in plaats van haar te laten opnemen, en ik wist haar ervan te overtuigen dat Californië haar meer nodig had dan Arkansas.

Bill had de voorverkiezing voor het Congres en de Democratische nominatie in juni gewonnen, met enige hulp van mijn vader en mijn broer Tony, die in mei een paar weken waren overgekomen om te helpen in de campagne met klusjes als het plakken van posters en het beantwoorden van telefoontjes. Het verbaast me nog altijd dat mijn onverzoenlijk Republikeinse vader zich inspande voor Bills verkiezing, een bewijs dat hij hem toen al graag mocht en respecteerde.

Tegen Labor Day kwam Bills campagne behoorlijk op

stoom en kwamen de Republikeinen met een spervuur van persoonlijke aanvallen en 'dirty tricks'. Het was de eerste keer dat ik van heel dichtbij kon ervaren hoe effectief leugens en manipulaties kunnen zijn in een verkiezingsstrijd. Toen president Nixon in 1969 in Fayetteville was om de wedstrijd Amerikaans football Texas–Arkansas bij te wonen, was een jongeman in een boom geklommen om te protesteren tegen de oorlog in Vietnam en tegen Nixons aanwezigheid op de campus. Vijf jaar later beweerden Bills politieke tegenstanders dat Bill die jongen in de boom was geweest. Dat hij op dat moment in Oxford studeerde, vierduizend mijl ver, deed er niet toe. Nog jaren later kwam ik mensen tegen die het verhaal geloofden.

Een van Bills mailings aan de kiezers werd niet bezorgd en de zakken met brieven werden later teruggevonden, verstopt achter een postkantoor. Er werden nog meer gevallen van sabotage gemeld, maar kwade opzet kon niet bewezen worden. Bij de verkiezingen in november verloor Bill met een verschil van vijfduizend op totaal 172 000 uitgebrachte stemmen, oftewel met 48 tegen 52 procent. Toen Bill, Virginia, Roger en ik lang na middernacht het kleine huis verlieten waar Bill zijn campagnehoofdkwartier had gevestigd, ging de telefoon. Ik nam op, ik dacht vast dat het een vriend of een aanhanger zou zijn die zijn medeleven wilde betuigen. Iemand riep in de telefoon: 'Wat ben ik blij dat die nikkervriend, die communistische flikker Bill Clinton heeft verloren', en hing vervolgens op. Waar kwam al die haat vandaan, vroeg ik me af. Het was iets wat ik me in de komende jaren nog menig keer af zou vragen.

Ik besloot aan het eind van het collegejaar een lang bezoek te brengen aan Chicago en de oostkust, om vrienden op te zoeken en mensen die me banen hadden aangeboden. Ik wist nog steeds niet echt wat ik met mijn leven moest doen. Toen Bill me naar het vliegveld bracht, reden we langs een rood bakstenen huis vlak bij de universiteit met een bord 'te koop' op de voorgevel. In het voorbijgaan zei ik dat het mij een lief huisje leek en vergat het verder totaal. Na een paar weken reizen en denken besloot ik dat ik terug wilde naar mijn leven in Arkansas en bij Bill. Toen Bill me afhaalde, vroeg hij: 'Weet je nog dat huis dat je leuk vond? Nou, ik heb het gekocht, dus nu kun je maar beter met me trouwen, want ik kan er niet alleen gaan wonen.' Bill reed me trots de oprit op en ging me voor naar binnen. Het was een klein huis maar het had een afgeschoten veranda, een woonkamer met een indrukwekkend balken plafond, een open haard, een grote erker, een grote slaapkamer, badkamer en een keuken waar nog heel veel aan gedaan moest worden. Bill had al een oud smeedijzeren bed gekocht bij een plaatselijke antiquair en was zelfs naar de Wal-Mart geweest voor lakens en handdoeken.

Ditmaal zei ik ja.

Op 11 oktober 1975 werden we in de woonkamer van dat huis in de echt verbonden door dominee Vic Nixon, een methodist. Hij en zijn vrouw Freddie, die actief was geweest in de verkiezingscampagne van Bill, waren goede vrienden. Bij de plechtigheid waren verder mijn ouders en broers aanwezig, Virginia en Roger, Johanna Branson, Betsy Johnson Ebeling (nu getrouwd met ons middelbareschoolvriendje Tom), F.H. Martin, die Bills verkiezingscampagne in 1974 had geleid, en zijn vrouw Myrna, Bills nichtje Marie Clinton, Dick Atkinson, een vriend van Yale die ons gevolgd was naar de rechtenfaculteit, Bess Osenbaugh en Patty Howe, een goede vriendin die met Bill was opgegroeid in Hot Springs. Ik droeg een Victoriaanse jurk van kant en mousseline die ik de avond voor de plechtigheid, winkelend met mijn moeder had gevonden. Ik kwam aan de arm van mijn vader de kamer in en toen de dominee zei: 'Wie zal deze vrouw ten huwelijk geven?' keken we allemaal vol verwachting naar mijn vader. Maar hij gaf geen krimp. Ten slotte zei dominee Nixon: 'U kunt nu terugtreden, meneer Rodham.' Na de plechtigheid gaven Ann en Morriss Henry een receptie in hun grote achtertuin waar een paar honderd vrienden ons huwelijk kwamen vieren.

Na alles wat gebeurd is, wordt mij vaak gevraagd waarom Bill en ik bij elkaar gebleven zijn. Het is geen vraag waar ik dolblij mee ben, maar gegeven het publieke karakter van ons leven, weet ik dat ze steeds weer gesteld zal worden. Hoe een liefde te verklaren die decennia heeft standgehouden, die gegroeid is door de gedeelde ervaring van het grootbrengen van een dochter, van het begraven van onze ouders en de zorg voor verdere verwanten, een leven van vriendschappen, een gedeeld geloof en een bestendige betrokkenheid bij ons land? De sleutel van ons huwelijk ligt in ons tweeën en in onze gezamenlijke geschiedenis en is dieper dan ik kan verwoorden. Bill Clinton en ik zijn in het voorjaar van 1971 een gesprek begonnen en dertig jaar later praten we nog steeds.

7 *Little Rock*

Bill Clintons eerste verkiezingsoverwinning als Attorney General (minister van Justitie) van Arkansas in 1976 was een anticlimax. Hij had in mei de voorverkiezingen gewonnen en had geen Republikeinse tegenstander. Alle aandacht ging dat jaar naar de strijd om het presidentschap tussen Jimmy Carter en Gerald Ford.

Bill en ik hadden Carter het jaar daarvoor ontmoet toen hij een toespraak hield op de Universiteit van Arkansas. Hij had in 1974 twee van zijn topmensen, Jody Powell en Frank Moore, naar Fayetteville gestuurd om Bill bij zijn campagne te helpen, en ik wist dat hij het politieke landschap inspecteerde met het oog op een nationale kandidatuur.

Carter stelde zich aan me voor met de woorden: 'Hi, ik ben Jimmy Carter en ik word de nieuwe president.' Mijn belangstelling was gewekt en ik keek en luisterde aandachtig. Hij voelde de stemming in het land goed aan en gokte erop dat de politiek na Watergate een opening zou bieden aan een nieuwkomer van buiten Washington, die aantrekkingskracht had op kiezers in het Zuiden. Carter trok de terechte conclusie dat hij een even goede kans had als wie dan ook en uit zijn inleiding sprak in elk geval het zelfvertrouwen dat nodig was om een ego mangelende verkiezingscampagne te voeren.

Hij veronderstelde ook dat de amnestie die president Ford aan Richard Nixon verleend had, in het voordeel van de Democraten zou kunnen werken. Ik vond die amnestie weliswaar de juiste beslissing voor het land, maar ik was het eens met Carters analyse dat dit de kiezers eraan herinnerde dat Nixon Gerald Ford had uitgekozen als vice-president, ter vervanging van de in ongenade gevallen Spiro Agnew.

'Gouverneur,' zei ik, 'ik zou niet tegen iedereen roepen dat u de president wordt. Dat zou bij sommige mensen verkeerd kunnen vallen.'

'Maar,' antwoordde hij met de glimlach die zijn handelsmerk was, 'het is wel zo.'

Nu Bills verkiezing zeker was, voelden we ons allebei vrij om ons in te zetten voor de campagne van Carter, toen de Democraten hem aangewezen hadden als kandidaat. We gingen in juli naar de Conventie in New York City en spraken met zijn staf over onze bereidheid ons voor zijn verkiezing in te zetten. Daarop vertrokken we voor een heerlijke tweeweekse vakantie naar Europa, met onder andere een pelgrimage naar Guernica. Sinds Don Jones onze methodistische jongerengroep een reproductie van het schilderij had laten zien, wilde ik het Baskische stadje bezoeken dat Picasso tot zijn meesterwerk had geïnspireerd. De twintigste-eeuwse oorlog beleefde in 1937 in Guernica zijn première, toen de fascistische Spaanse dictator, Francisco Franco, de hulp van Hitlers Luftwaffe inriep om de stad te vernietigen. Picasso legde de gruwel en de paniek van het bloedbad vast in een schilderij dat een anti-oorlogsymbool werd. Toen Bill en ik er in 1976 door de straten liepen en koffie dronken op het stadsplein, verschilde het herbouwde Guernica weinig van andere bergstadjes. Maar het schilderij had de misdaad van Franco in mijn geheugen gebrand.

Bij onze terugkeer in Fayetteville vroeg de staf van Carter aan Bill om de campagne in Arkansas te leiden en aan mij om de coördinatie in Indiana op me te nemen. Indiana was een door en door Republikeinse staat, maar Carter dacht dat hij met zijn zuidelijke afkomst en agrarische achtergrond zelfs Republikeinse stemmers zou kunnen trekken. Ik dacht dat het een hele klus zou zijn, maar ik wilde het wel proberen. Het was mijn taak in ieder district een campagne te organiseren, wat betekende dat ik ter plekke mensen moest zien te vinden die aan de slag zouden gaan onder leiding van regionale coördinatoren, die voor het merendeel van elders uit het land kwamen. Het kantoor van de campagne in Indianapolis was gevestigd in een gebouw waar een onderdelenwinkel en een borgstellingsfirma hadden gezeten. We lagen pal tegenover de stadsgevangenis, en het neonbord 'Bail Bondsman' (borgsteller) hing nog steeds boven de posters van Carter en Walter Mondale in de etalage.

Ik heb veel geleerd in Indiana. Op een avond zat ik te eten met een groep oudere mannen wier taak het was mensen op verkiezingsdag naar de stembus te krijgen. Ik was de enige vrouw aan tafel. Ze wilden me maar geen bijzonderheden geven over hun plannen en ik bleef maar vragen naar details als hoeveel telefoontjes ze wilden doen op verkiezingsdag, hoeveel auto's ze wilden inzetten en hoeveel mensen die langs de deuren zouden gaan. Plotseling reikte een van de mannen over tafel, greep me bij de kraag van mijn trui en zei: 'Hou nou eens op, zeg! We hebben gezegd dat we het zullen doen en dan doen we het ook en we hoeven jou niet te vertellen hoe!' Ik schrok. Ik wist dat hij gedronken had en ik wist ook dat alle ogen op mij gericht waren. Mijn hart ging tekeer terwijl ik hem recht in zijn ogen keek, zijn hand wegduwde en zei: 'Allereerst: raak me nooit meer aan. Ten tweede, als je even snel was met je antwoorden als met je handen, had ik nu de informatie die ik nodig heb om mijn werk te doen. Dan zou ik jullie met rust kunnen laten – wat ik nu trouwens ook zal doen.' Mijn knieën trilden maar ik stond op en liep weg.

Al wist Carter Indiana niet te winnen, toch was ik opgetogen dat hij de nationale verkiezingen had gewonnen en verheugde me op de nieuwe regering. Maar Bill en ik hadden nu andere zorgen. We moesten verhuizen naar Little Rock, en dus weg uit het huis waarin we getrouwd waren. We kochten een huis van ongeveer 90 m² aan een schilderachtige straat in de wijk Hillcrest, niet ver van het Capitool. Fayetteville was te ver om te pendelen en dus kon ik niet langer aan de Universiteit doceren, wat ik jammer vond, want ik had prettige collega's en studenten. Ik moest beslissen wat ik nu wilde doen en ik dacht dat het geen goed idee was te gaan werken voor een door de staat gefinancierd instituut of in een andere publieke functie, als openbare aanklager of als toegewezen advocaat, omdat mijn werk dat van de Attorney General zou kunnen overlappen, of ermee in conflict zou kunnen komen. Ik begon serieus te overwegen me aan te sluiten bij een particulier kantoor, een keuze die ik eerder had verworpen. Het vertegenwoordigen van privé-cliënten zou een belangrijke ervaring zijn en zou ons financieel goed van pas komen, want Bills salaris als Attorney General zou 26 500 dollar bedragen.

Advocatenkantoor Rose was niet alleen het eerbiedwaardigste kantoor in Arkansas, het was naar verluidt ook de oudste firma ten westen van de Mississippi. Ik had een van de partners, Vince Foster, leren kennen toen ik de rechtswinkel van de rechtenfaculteit leidde. Toen ik probeerde studenten naar de rechtbank van rechter Butt te sturen om onvermogende cliënten te vertegenwoordigen, eiste die dat de studenten zouden aantonen dat hun cliënten voldeden aan een negentiende-eeuwse regel, volgens welke gratis rechtsbijstand alleen was toegestaan wanneer iemands bezittingen niet meer waard waren dan tien dollar plus de kleren die hij of zij aan had. Dat was een onmogelijke standaard voor wie een oud wrak van een auto, een tv of iets anders bezat met een waarde van meer dan tien dollar. Ik wilde de wet veranderen en had daarvoor de hulp nodig van de Orde van Advocaten van Arkansas. Ik wilde ook dat die orde financiële steun zou verlenen aan de rechtswinkel bij de rechtenfaculteit om een fulltime administratieve kracht en juridisch secretaris te kunnen betalen, aangezien toekomstige advocaten er praktijkervaring konden opdoen. Vince was het hoofd van de commissie van de orde die ging over rechtsbijstand en vandaar dat ik hem opzocht. Hij riep de hulp in van verschillende andere vooraanstaande advocaten, onder wie Henry Woods, de nestor van de strafpleiters in de staat, en William R. Wilson jr., die zich uitgaf voor het hulpje van een muilezelvilder maar die een van de beste advocaten ter plekke was. Judge Butt en ik verschenen voor het bestuur van de orde en legden onze argumenten pro en contra voor. Het bestuur besloot bij stemming de winkel te steunen en de regel te veranderen, dankzij de steun die Vince had gemobiliseerd.

Na 1976 kwamen Vince en een andere partner van Rose, Herbert C. Rule III, me een baan aanbieden. Het was vast beleid van de firma om nauwgezet de procedures te volgen en Herb, een erudiete alumnus van Yale, had al een uitspraak van de Amerikaanse Orde van Advocaten verkregen, waarbij het een kantoor toegestaan was een advocaat in dienst te nemen die getrouwd was met de Attorney General van een staat, en waarin werd vastgesteld welke stappen genomen moesten worden om belangenconflicten te vermijden.

Niet alle advocaten bij Rose waren even verguld als Vince en Herb met de komst van een vrouwelijke collega. Ze hadden nog nooit een vrouwelijke partner gehad, al had de firma in de jaren veertig wel een vrouw als griffier in dienst genomen, Elsijane Roy, die maar een paar jaar bleef en toen de vaste griffier van een federale rechter werd. Toen ze later door president Carter werd aangewezen om die rechter op te volgen, werd ze de eerste vrouw bij de federale rechtbank in Arkansas. Twee van de oudste partners, William Nash en J. Gaston Williamson, waren oud-Rhodes-studenten en Gaston zat in de commissie die Bill had geselecteerd voor een Rhodes-beurs. Herb en Vince stelden me aan hen en de andere advocaten voor, vijftien in totaal. Toen de firmanten bij stemming hadden besloten mij in dienst te nemen, kreeg ik van Vince en Herb het boek *Hard Times* van Charles Dickens, maar niemand kon op dat moment bevroeden hoe toepasselijk dat geschenk was.

Ik kwam bij de afdeling procesvoering, geleid door Phil Carroll, een door en door fatsoenlijke man, oud-krijgsgevangene in Duitsland en een uitmuntend jurist die later president van de Orde van Advocaten in Arkansas werd. De twee collega's met wie ik het meeste werk deed, waren Vince en Webster Hubbell.

Vince was een van de beste advocaten die ik ooit gekend heb en een van de beste vrienden die ik ooit gehad heb. Wie zich de rol van Gregory Peck als Atticus Finch in *To kill a Mockingbird* herinnert, heeft een beeld van Finch. Hij leek letterlijk op dat personage en in zijn optreden was hij net zo: vasthoudend, hoffelijk, scherp maar ingehouden, het soort iemand dat je graag in de buurt had in moeilijke tijden.

Vince en ik hadden een kantoor naast elkaar en we deelden een secretaresse. Hij was geboren en opgegroeid in Hope, Arkansas. De achtertuin van het huis waar hij toen woonde, grensde aan de achtertuin van de grootouders bij wie Bill tot zijn vierde had gewoond. Als jongens hadden ze samen gespeeld, maar ze verloren het contact toen Bill in 1951 naar Hot Springs verhuisde. Toen Bill zich kandidaat stelde voor Attorney General, steunde Vince hem van harte.

Webb Hubbell was een grote, potige, innemende vent, een voormalig sterfootball-speler van de Universiteit van Arkansas en een enthousiaste golfer, waarmee hij Bill meteen voor zich innam. Hij was ook een rasverteller in een staat waar verhalen vertellen een manier van leven is. Webb had een schat aan ervaring op allerlei gebied; hij zou uiteindelijk burgemeester van Little Rock worden en hij was een tijdje president van het Hooggerechtshof van Arkansas. Het was heel prettig om met hem te werken en hij leek een trouwe vriend op wie je kon bouwen.

Hubbell leek een gezellige, getapte jongen maar hij was een inventieve strafpleiter en ik hoorde hem graag vertellen over de mysterieuze kanten van het recht in Arkansas. Hij had een fenomenaal geheugen. Hij had erg last van zijn rug, die hem soms in de steek liet. Op een keer bleven Webb en ik de hele nacht op kantoor om te werken aan een conclusie die de volgende dag klaar moest zijn. Webb lag op de vloer met zijn pijnlijke rug en haalde een stroom van zaken aan, die teruggingen tot de negentiende eeuw; ik rende door de bibliotheek om ze op te zoeken.

In de eerste zaak die ik zelfstandig voerde voor een jury, verdedigde ik een conservenfabriek tegen een eiser die het achtereind van een rat had aangetroffen in het blik spek en bonen dat hij voor zijn avondmaal had bestemd. Hij had er niet van gegeten, maar beweerde dat het gezicht alleen al zo weerzinwekkend was dat hij maar bleef spugen, hetgeen hem weer verhinderde zijn verloofde te kussen. Hij zat de hele zitting in een zakdoek te spugen en zag er erbarmelijk uit. Het leed geen twijfel dat er in de fabriek iets was misgegaan, maar het bedrijf weigerde de eiser te betalen omdat hij geen schade had geleden. Bovendien waren de delen van het knaagdier gesteriliseerd en werden ze in sommige delen van de wereld als eetbaar beschouwd! Ik was zenuwachtig toen ik voor de jury stond, maar ik kreeg gaandeweg de smaak te pakken toen ik hen probeerde te overtuigen van het gelijk van mijn cliënt en ik was opgelucht toen zij de eiser slechts een symbolische schadevergoeding toekenden. Nog jaren later plaagde Bill me met mijn 'rattenreetzaak' en aapte de eiser na die beweerde dat hij zijn verloofde niet meer kon kussen omdat hij steeds moest spugen.

Ik bleef me in mijn werk ook inzetten voor de bescherming van kinderen. Beryl Anthony, een advocaat uit El Dorado, vroeg me te helpen een echtpaar te vertegenwoordigen dat het pleegkind wilde adopteren dat al tweeëneenhalf jaar bij hen woonde. De gezinszorg van Arkansas wees het verzoek af en beriep zich op het beleid dat pleegouders niet mochten adopteren. Ik was in Connecticut op hetzelfde beleid gestuit toen ik daar als student bij het bureau voor rechtshulp werkte. Beryl was getrouwd met de knappe oudere zus van Vince, Sheila, en wist via Vince van mijn belangstelling voor dit soort onderwerpen. Ik greep die kans met beide handen aan. Onze cliënten, een plaatselijke effectenmakelaar en zijn vrouw, beschikten over de middelen om dit beleid op een effectieve manier aan te vechten. Gelukkig beschikte de gezinszorg van Arkansas over eigen advocaten zodat ik niet bang hoefde te zijn dat ik het tegen de Attorney General zou moeten opnemen.

Beryl en ik legden verklaringen over van deskundigen betreffende de ontwikkeling van het kind en over de mate waarin het emotionele welzijn van een kind afhangt van een vaste verzorger in de eerste jaren. We wisten de rechter ervan te overtuigen dat het contract dat de pleegouders hadden getekend en waarbij ze afzagen van adoptie, niet afdwingbaar zou moeten zijn als de bepalingen ervan in strijd waren met de belangen van het kind. We wonnen de zaak maar konden de formele beleidslijn in deze niet veranderen, omdat de staat niet in beroep ging. Gelukkig gold onze overwinning wel als een precedent dat uiteindelijk door de staat werd overgenomen. Beryl werd in 1978 in het Congres gekozen en hield zijn zetel veertien jaar. Sheila werd zelf advocaat.

Mijn ervaringen in deze en andere zaken hadden mij ervan overtuigd dat er in Arkansas behoefte bestond aan een organisatie die zich in de hele staat inzette voor de rechten en belangen van kinderen. Ik was niet de enige die daar zo over dacht. Dr. Betty Caldwell, een internationaal bekende hoogleraar kinderpsychologie aan de Universiteit van Arkansas in Little Rock, wist van mijn werk en vroeg me zo'n organisatie op te richten, samen met haar en een groep mensen in Arkansas die zich zorgen maakten over de positie van het kind. We stichtten de Arkansas Advocates for Children and Families – een organisatie voor de belangen van kinderen en gezinnen – die het voortouw nam bij hervormingen van het welzijnswerk voor kinderen en nog steeds voor kinderen in de bres springt.

Terwijl ik me bij Rose bezighield met rechtszaken en daarnaast pro-deowerk deed voor de kinderbescherming, raakte ik ook vertrouwd met de verwachtingen en de onuitgesproken mores van het leven in het Zuiden. Vrouwen van gekozen functionarissen werden nauwkeurig in de gaten gehouden. In 1974 kreeg Barbara Pryor, de vrouw van de nieuw gekozen gouverneur, een lawine van vernietigende kritiek over zich uitgestort omdat ze een permanent in het haar had laten zetten. Ik mocht Barbara graag en vond de publieke belangstelling voor haar kapsel belachelijk. (Wat was ik naïef.) Ik ging ervan uit dat zij als drukke moeder van drie zoons juist gekozen had voor een weinig bewerkelijk kapsel. Ik besloot uit solidariteit mijn hardnekkig steile haar van een strak permanent te voorzien, een kopie, dacht ik, van Barbara. Ik moest me twee keer laten permanenten om het gewenste effect te bereiken. Toen Bill mijn kroeskop zag, vroeg hij hoofdschuddend waarom ik mijn lange haar had laten knippen en 'bederven'.

Een van de redenen waarom Vince en Webb zulke goede vrienden werden, is dat ze me accepteerden zoals ik was, terwijl ze soms de draak staken met mijn fanatisme of geduldig uitlegden waarom een idee van mij nooit van de grond zou komen. We ontvluchtten het kantoor geregeld voor de lunch, vaak in een Italiaans restaurant, The Villa. Het was zo'n geblokte-tafelkleedjeszaak met kaarsen in chiantiflessen, in de buurt van de universiteit, ver van het gebruikelijke zakenpubliek. Het was leuk om anekdotes uit te wisselen over onze krijgsverrichtingen in de rechtszalen van Arkansas, of gewoon te praten over onze gezinnen. Dit leidde natuurlijk ook tot enig wenkbrauwengefrons. In Little Rock was het toen geen gewoonte dat vrouwen uit eten gingen met mannen met wie ze niet getrouwd waren.

Mijn status als vrouw van een politicus en als lid van de balie maakte weliswaar soms de tongen los als ik in het publiek verscheen, maar meestal werd ik niet herkend. Op een keer huurde ik met een collega een klein vliegtuig omdat we in Harrison, Arkansas, voor een rechtbank moesten verschijnen. Bij aankomst bleken er geen taxi's te staan bij de landingsbaan. Ik liep naar een groepje mannen dat bij de hangar stond en vroeg: 'Is er soms iemand die naar Harrison gaat? We moeten naar de rechtbank.'

Zonder zich om te draaien zei een van de mannen: 'U kunt wel met mij meerijden.'

De man reed in een oude brik vol gereedschap en dus persten we ons allemaal op de voorbank en gingen op weg naar Harrison. We rammelden voort terwijl de radio schalde. Het nieuws kwam en de omroeper zei: 'Attorney General Bill Clinton heeft vandaag verklaard dat hij een onderzoek gaat instellen naar rechter Die-en-Die wegens wangedrag in functie.' Ineens riep de chauffeur: 'Bill Clinton! Kennen jullie die klootzak?'

Ik zette me schrap en zei: 'Ja, ik ken hem. Ik ben zelfs met hem getrouwd.'

Nu was zijn belangstelling gewekt. Hij draaide zich om en keek me voor het eerst aan. 'Bent u getrouwd met Bill Clinton? Nou, hij is mijn favoriete klootzak en ik ben zijn piloot!'

Nu zag ik pas dat onze Samaritaan een zwarte ooglap droeg. Hij heette Jay Eenoog en natuurlijk, ik wist dat hij Bill overal naar toe had gevlogen in kleine vliegtuigjes. Het was nooit bij me opgekomen. Nu hoopte ik alleen maar dat Jay Eenoog even goed kon autorijden als vliegen en ik was dankbaar toen hij ons gezond en wel, zij het wat gekreukeld, bij de rechtbank afzette.

De jaren 1978-1980 vormden een van de moeilijkste, meest opwindende, glorieuze en hartverscheurende periodes van mijn leven. Na jarenlang gepraat over hoe Bill de omstandigheden in Arkansas kon verbeteren, kreeg hij eindelijk de kans om iets te doen toen hij in 1978 tot gouverneur werd gekozen. Bill begon zijn tweejarige termijn met de opgekropte energie van een renpaard dat eindelijk van start mag. Hij had in de campagne tientallen beloftes gedaan en hij begon die in te lossen zodra hij geïnstalleerd was. Het duurde niet lang of alle leden van de wetgevende vergadering hadden een dikke, gedetailleerde begroting in handen en kort daarna kwam hij met ingrijpende initiatieven voor een nieuw departement voor Economische Ontwikkeling, voor een hervorming van de gezondheidszorg op het platteland, voor een grondige herziening van het gebrekkige onderwijssysteem en reparatie van de snelwegen. Omdat er nieuwe inkomsten nodig waren voor deze maatregelen, vooral voor de verbetering van het wegennet, moesten de belastingen omhoog. Bill en zijn adviseurs dachten dat het publiek een verhoging van de heffing voor kentekens zou accepteren, in ruil voor de belofte van betere wegen. Dat bleek een jammerlijke misrekening.

In 1979 werd ik als partner opgenomen in de firma Rose en ik stopte zo veel mogelijk energie in mijn werk. Maar vaak moest ik gasten ontvangen in de ambtswoning van de gouverneur of vergaderingen voorzitten van de adviescommissie gezondheidszorg op het platteland. Elke paar maanden pendelde ik naar Washington DC om mijn werk met Marian Wright Edelman en het kinderbeschermingsfonds voort te zetten. Bovendien had president Carter me benoemd tot bestuurslid van de Legal Services Corporation, de non-profitorganisatie die onder president Nixon was opgericht voor de financiering van rechtsbijstand aan de armen. Micky Kantor was een van mijn medebestuurders, een voormalige social advocaat die optrad voor seizoenarbeiders in Florida. Hij werd later een succesvol advocaat in Los Angeles en was in 1992 voorzitter van Bills campagne voor de presidentsverkiezingen.

En alsof dat allemaal niet genoeg was, probeerden Bill en ik ook nog een kind te krijgen. We zijn allebei dol op kinderen, en zoals iedereen weet die kinderen heeft, is er nooit een 'geschikt' moment om een gezin te stichten. Bills eerste termijn als gouverneur leek even ongeschikt als elk ander moment. Maar het geluk bleef uit tot we besloten met vakantie naar Bermuda te gaan, weer een bewijs hoe belangrijk een regelmatige rustpauze is!

Ik haalde Bill over mee te gaan naar zwangerschapsgymnastiek en dat was toen nog zoiets nieuws dat veel mensen zich verbaasd afvroegen waarom hun gouverneur ons kind ter wereld wilde brengen. Ik was ongeveer in de zevende maand, toen ik op de rechtbank was voor een zaak die ik samen met Gaston Williamson deed. We stonden wat te praten met de rechter en ik vertelde dat Bill en ik iedere zaterdagochtend naar 'barensles' gingen.

'Wat?' barstte de rechter uit. 'Ik heb je man altijd gesteund maar ik vind niet dat een echtgenoot erbij moet zijn als de baby wordt geboren!' En hij meende het.

Rond diezelfde tijd, in januari 1980, wilde het kinderziekenhuis van Arkansas fors uitbreiden en daarvoor was een goede notering van de obligaties nodig. Dr. Betty Lowe, de medisch directeur en later de kinderarts van Chelsea, vroeg of ik met een groep bestuurders en artsen mee wilde gaan naar New York, om de zaak te bepleiten voor de taxatiebureaus. Ik was inmiddels zo dik dat sommige mensen er nerveus van werden, maar ik ging mee en Betty heeft nog jaren aan iedereen verteld dat de taxateurs akkoord gingen met alle plannen, als ze de hoogzwangere vrouw van de gouverneur maar kwijtraakten voordat ze ging bevallen.

Toen de dag in maart dat ik uitgerekend was, naderde, zei mijn arts dat ik niet mocht reizen, waardoor ik het jaarlijkse diner voor gouverneurs in het Witte Huis miste. Bill was op woensdag 27 februari terug in Little Rock, net op tijd voor de vliezen braken. Hij en zijn veiligheidsagenten in de ambtswoning raakten in paniek. Bill rende rond met de Lamaze-lijst van wat er mee moest naar het ziekenhuis. Aangeraden werd een plastic zakje met ijsblokjes mee te nemen, om op te kauwen tijdens de weeën. Toen ik naar de auto strompelde, zag ik een agent een zwarte vuilniszak van honderdtachtig liter vol ijs in de kofferbak leggen.

In het ziekenhuis werd duidelijk dat ik een keizersnee moest hebben. Daar hadden we niet op gerekend. Bill eiste dat hij mee mocht naar de operatiekamer, iets wat nooit eerder gebeurd was. Hij vertelde de leiding dat hij met zijn moeder mee was geweest naar operaties en dat hij er prima tegen kon. Dat hij gouverneur was, heeft zeker geholpen bij het overreden van de ziekenhuisleiding. Korte tijd later werd het beleid gewijzigd en mochten vaders in de verloskamer blijven bij een keizersnede.

De geboorte van onze dochter was het wonderbaarlijkste en het indrukwekkendste moment in ons leven. Chelsea Victoria Clinton kwam drie weken te vroeg, op 27 februari 1980, om 23.24 uur, ter wereld, tot grote vreugde van onze families. Terwijl ik op krachten lag te komen, nam Bill Chelsea op de arm mee voor rondjes om het ziekenhuis in het kader van de 'bonding' tussen vader en dochter. Hij zong voor haar, wiegde haar, pronkte met haar en wekte in het algemeen de indruk dat hij het vaderschap had uitgevonden.

Chelsea heeft heel wat keren onze verhalen over haar kindertijd moeten aanhoren: ze weet dat ze genoemd is naar de song 'Chelsea Morning' van Joni Mitchell in de versie van Judy Collins, die haar vader voor me zong toen we door de Londense wijk Chelsea zwierven tijdens onze heerlijke kerstvakantie in 1978. Ze weet hoe verbijsterd ik was door haar vroege komst en hoe ontroostbaar ze kon zijn als ze huilde, hoe ik haar ook wiegde. Ze weet wat ik tegen haar zei in mijn poging om ons allebei te sussen: 'Chelsea, dit is voor ons allebei nieuw. Ik ben nog nooit moeder geweest en jij nog nooit baby. We moeten proberen er samen het beste van te maken.'

Kort na Chelsea's geboorte belde mijn collega Joe Giroir 's ochtends in alle vroegte op om te vragen of ik een lift wilde naar kantoor. Dat was natuurlijk een grap, maar tot dat moment had ik mijn collega's er niet van kunnen overtuigen dat we een formele regeling voor ouderschapsverlof moesten treffen. Toen ik steeds maar dikker werd, keken ze gewoon de andere kant op en praatten over alles, behalve over mijn plannen voor als de baby kwam. Maar toen Chelsea er eenmaal was, zeiden ze dat ik alle tijd moest nemen die ik nodig achtte.

Ik kon vier maanden vrij nemen van mijn voltijdbaan om thuis te blijven met onze dochter, zij het met minder inkomen. Als partner kreeg ik mijn basissalaris weliswaar doorbetaald, maar mijn inkomen was afhankelijk van de honoraria die ik inbracht en dat liep uiteraard terug in de tijd dat ik niet werkte. Ik ben nooit vergeten hoezeer bevoorrecht ik was, in vergelijking met veel andere vrouwen, dat ik deze tijd met mijn kind kon doorbrengen. Bill en ik zagen allebei de noodzaak van, liefst betaald, ouderschapsverlof in. Door onze ervaring werden we overtuigde voorstanders van de mogelijkheid voor alle ouders om thuis voor hun pasgeboren kinderen te zorgen en van betrouwbare kinderopvang als ze weer aan het werk gaan. Daarom was ik zo opgetogen toen de eerste wet die Bill tekende als president de Family and Medical Leave Act was, waarin ouderschapsverlof wordt geregeld.

We woonden in de ambtswoning en dus konden we beschikken over een ondersteunende staf bij de zorg voor Chelsea. Eliza Ashley, de onvolprezen kokkin die al tientallen jaren in de ambtswoning werkte, vond het geweldig dat er een baby in huis was. Carolyn Huber, die we weggelokt hadden bij mijn advocatenkantoor en die tijdens Bills eerste termijn leiding gaf aan de ambtswoning, was als een lid van het gezin. Voor Chelsea werd ze een soort tante en haar hulp was onbetaalbaar. Maar ik heb onze zegeningen nooit als vanzelfsprekend aangenomen. Zodra Bill en ik hadden besloten een gezin te stichten, was ik begonnen plannen te maken voor een financieel zekerder toekomst.

Geld zegt Bill Clinton bijna niets. Hij is niet tegen geld verdienen of bezit, maar het is gewoon nooit een prioriteit geweest. Hij is tevreden als hij genoeg heeft om boeken te kopen, films te zien, uit eten te gaan en af en toe te reizen. En dat was maar goed ook, want als gouverneur van Arkansas verdiende hij nooit meer dan 35 000 dollar per jaar, voor belasting. Dat was een behoorlijk inkomen in Arkansas, en wat we uitgaven aan eten, viel onder officiële onkosten, waardoor het nog behoorlijker was. Maar ik maakte me zorgen omdat een politieke baan nu eenmaal altijd onzeker is en ik vond dat we een reserve moesten opbouwen.

Ik denk zeker dat ik die bezorgdheid van mijn berucht

zuinige vader heb geërfd, die slimme investeringen deed, zijn kinderen naar de universiteit kon sturen en van een goed pensioen kon genieten. Mijn vader leerde me hoe je de aandelenmarkt moest volgen toen ik nog op de lagere school zat en hield me geregeld voor dat 'het geld niet aan de bomen groeit'. Alleen door hard te werken, te sparen en voorzichtig te beleggen kon je financieel onafhankelijk worden. Toch had ik nog weinig aandacht besteed aan sparen en beleggen totdat ik besefte dat als ons groeiend gezin over een reserve wilde beschikken, dat voornamelijk mijn verantwoordelijkheid zou zijn. Ik ging op zoek naar mogelijkheden die ik me kon veroorloven. Mijn vriendin Diane Blair was getrouwd met iemand die de fijne kneepjes van de goederenbeurs kende en die bereid was mij van zijn kennis te laten profiteren.

Met zijn knarsende, lijzige manier van praten, zijn krachtige postuur en zijn zilveren haar zou je denken dat Jim Blair een gemoedelijke doorsnee zoon van Arkansas was. Maar hij was een uitzonderlijke advocaat die onder zijn klanten de kippengigant Tysons Foods mocht rekenen. Jim had ook uitgesproken politieke meningen. Hij was voor burgerrechten, tegen de Vietnamoorlog en had de senatoren Fulbright en McGovern tegen het politieke tij in gesteund. Hij was daarbij een zeer warm persoon en had een ondeugend gevoel voor humor. Toen hij met Diane trouwde, had hij een gelijkgestemde ziel gevonden. Bill had in 1979 de huwelijksceremonie geleid en ik was daarbij getuige geweest.

De goederenmarkten kenden in de late jaren zeventig een hausse en Jim had een systeem bedacht dat hem een fortuin opleverde. In 1978 ging het hem zo voor de wind dat hij zijn familie en beste vrienden aanmoedigde ook in de markt te stappen. Ik was bereid duizend dollar te riskeren en liet mijn transacties door Jim uitvoeren via een makelaar met een schilderachtige naam: Robert 'Red' Bone. Red was een voormalige pokerspeler, een zinnige achtergrond in dit vak.

De goederenbeurs is iets totaal anders dan de effecten-
beurs en heeft eigenlijk meer gemeen met Las Vegas dan
met Wall Street. Wat een investeerder koopt en verkoopt,
zijn beloften (zogenaamde *futures*) om bepaalde goederen
– graan, koffie, vee – tegen een vaste prijs aan te schaffen.
Als de prijs dan hoger is wanneer die goederen op de markt
komen, verdient de investeerder. Soms gaat het om grote
bedragen, omdat elke dollar die je erin steekt, vele malen
zijn waarde in futures kan genereren. Prijsschommelingen
van een paar cent worden vermenigvuldigd door grote
handelsvolumes. Aan de andere kant, als de markt van var-
kensmagen of graan oververzadigd is, zakt de prijs en
maakt de investeerder grote verliezen.

Ik deed mijn best enige kennis te verwerven over vee-fu-
tures en callopties om het minder eng te maken. In de loop
van de maanden won ik en verloor ik en volgde ik de markten nauwkeurig. Een tijdje had ik een kleinere rekening lopen bij een makelaar van een andere beleggingsmaatschap-
pij in Little Rock. Maar toen ik in 1979 zwanger was van
Chelsea, verloor ik al gauw de moed om te gokken. De
winst die ik gemaakt had, leek ineens echt geld dat we konden gebruiken voor de studie van ons kind. Ik stapte uit
met een winst van honderdduizend dollar. Jim Blair en zijn
kompanen bleven langer in de markt en verloren aardig
wat geld dat ze eerder hadden verdiend.

De grote winst op mijn investering werd eindeloos onder de loep genomen toen Bill president was geworden,
maar was nooit aanleiding voor een serieus onderzoek. De
conclusie was dat ik, net als veel andere investeerders in die
tijd, geluk had gehad. Met een andere investering die we in
diezelfde periode deden, waren Bill en ik minder fortuin-
lijk. Niet alleen verloren we geld aan een onroerendgoed-
zaak, de Whitewater Estates, maar de belegging lokte vijftien jaar later een officieel onderzoek uit dat zich tijdens
Bills hele presidentschap voortsleepte.

Het begon allemaal op een dag in het voorjaar van 1978,
toen een zakenman die ook sinds jaar en dag actief was in

de politiek, Jim McDougal, ons benaderde voor een project met gegarandeerd succes: Bill en ik vormden een vennootschap met Jim en zijn jonge vrouw Susan om 230 acres – ongeveer 93 hectare – onontgonnen grond te kopen aan de zuidelijke oever van de White River in het noorden van Arkansas. Het plan was de grond te verdelen in percelen voor vakantiehuizen en die dan met winst te verkopen. De prijs was 202.611,20 dollar.

Bill had McDougal in 1968 leren kennen, toen Jim werkte voor de herverkiezingscampagne van senator J. William Fulbright en Bill daar die zomer als eenentwintigjarige vrijwilligerswerk deed. Jim McDougal was een opvallend type: charmant, geestig en buitengewoon excentriek. McDougal zag er met zijn witte pakken en zijn babyblauwe Bentley uit of hij zo uit een stuk van Tennessee Williams gestapt kwam. Maar hij had, ondanks zijn kleurrijke gewoontes, een solide reputatie. Hij leek met iedereen in de staat zaken te doen, inclusief de onkreukbare Bill Fulbright, die hij hielp een fortuin te vergaren in het onroerend goed. Zijn referenties gaven ons allebei vertrouwen. Bill had ook het jaar ervoor al een kleine investering in onroerend goed gedaan met McDougal en die had een redelijke winst opgeleverd. Toen Jim dus met het voorstel van Whitewater kwam, leek dat een goed idee.

In de Ozark Hills, een streek in Noord-Arkansas, schoten de tweede huizen als paddestoelen uit de grond voor mensen die in drommen uit Chicago en Detroit naar het zuiden trokken. De reden was duidelijk: bosgrond met een lage onroerendgoedbelasting in een zacht glooiend landschap, omringd door bergen en doorregen met meren en rivieren die tot de beste vis- en *rafting*-wateren van het land hoorden. Als alles volgens plan was verlopen, hadden we onze investering er in een paar jaar uit gehad en dat was het dan geweest. We sloten bankleningen af om de grond te kopen en droegen het eigendom uiteindelijk over aan de Whitewater Development Corporation Inc., waarin wij en de McDougals een gelijk aandeel hadden. Bill en ik beschouwden onszelf als passieve investeerders; Jim en Susan zouden het project uitvoeren en dat zou zichzelf verder financieren, wanneer de verkoop van de percelen op gang kwam. Maar toen het project was opgemeten en de percelen te koop stonden, waren de rentetarieven door het plafond geschoten, tot dicht bij de twintig procent aan het eind van het decennium. De mensen konden geen tweede huis meer financieren. Liever dan een enorm verlies te nemen, hielden we Whitewater vast, voerden enige verbeteringen uit en bouwden een modelwoning, hopend op betere economische tijden. In de jaren die volgden, vroeg Jim ons van tijd tot tijd cheques uit te schrijven om rente en andere kosten te betalen en we trokken zijn oordeel nooit in twijfel. We realiseerden ons niet dat het gedrag van Jim McDougal de grens van 'excentriek' naar mentaal 'instabiel' had overschreden en dat hij de hypotheekgelden had gebruikt om een reeks twijfelachtige zakelijke ondernemingen te financieren. Het zou jaren duren voordat we iets hoorden over zijn dubbelleven.

Voor ons was 1980 een belangrijk jaar. We waren jonge ouders en Bill stond voor een herverkiezing. Zijn belangrijkste opponent was een achtenzeventigjarige gepensioneerde kalkoenboer, Monroe Schwarzlose, die namens veel Democraten van het platteland sprak in zijn kritiek op de hogere heffingen op nummerplaten en die munt sloeg uit de indruk bij sommige mensen dat Bill 'geen voeling meer had' met Arkansas. Uiteindelijk behaalde Schwarzlose een derde van de stemmen. Wat ook niet hielp, was dat Carter als president diep in de problemen zat. De economie zakte langzaam in en de rentetarieven bleven stijgen. De regering werd afgeleid door een serie internationale crises, die culmineerden in de gijzeling van Amerikanen in Iran. Een aantal van die problemen deed zich in het voorjaar en de zomer van 1980 ook in Arkansas gevoelen, toen honderden gedetineerde Cubaanse vluchtelingen – voor het grootste deel gevangenen en verpleegden in psychiatrische ziekenhuizen die Castro naar de Verenigde Staten liet gaan met het beruchte transport van de *Mariel* – naar een 'hervestigingskamp' in Fort Chaffee, Arkansas, werden gebracht. Eind mei braken daar rellen uit onder de vluchtelingen en honderden van hen braken uit het fort en gingen op weg naar het nabijgelegen Fort Smith. Hulpsheriffs en plaatselijke inwoners laadden hun geweren en bereidden zich voor op de verwachte aanval. De situatie werd nog erger doordat het leger, op grond van de '*posse comitatus*'-doctrine, buiten de basis geen politionele bevoegdheid had en zelfs niet gemachtigd was de gedetineerden met geweld aan te houden, omdat die formeel geen gevangenen waren. Bill gaf de politie en eenheden van de Nationale Garde opdracht de Cubanen aan te houden en de situatie onder controle te brengen. Vervolgens ging hij er zelf heen om toezicht te houden op de operatie.

Door Bills optreden werden grootschalig bloedvergieten en verspreiding van het geweld voorkomen. Toen Bill er een paar dagen later weer heen ging voor het vervolg van de zaak, ging ik met hem mee. Er hingen nog steeds borden bij benzinestations: 'Alle munitie uitverkocht, kom morgen terug', en bij huizen was te lezen: 'Wij schieten om te doden.' Ik woonde ook een aantal gespannen besprekingen bij van Bill met James 'Bulldog' Drummond, de gefrustreerde generaal die het bevel voerde over Fort Chaffee, en vertegenwoordigers van het Witte Huis. Bill wilde federale bijstand om de gedetineerden in toom te houden, maar generaal Drummond zei dat zijn handen gebonden waren wegens orders van boven. De boodschap van het Witte Huis leek te luiden: Niet klagen, zie maar dat je de rotzooi opruimt waar wij je mee opgescheept hebben. Dat was precies wat Bill gedaan had, maar op de steun aan zijn president stond een grote politieke prijs.

Na de relletjes van juni had president Carter Bill beloofd dat er geen Cubanen meer naar Arkansas gestuurd zouden worden. In augustus brak het Witte Huis die belofte door centra in Wisconsin en Pennsylvania te sluiten en nog meer vluchtelingen naar Fort Chaffee te sturen. Die ommekeer betekende een verdere ondermijning van de steun voor Bill Clinton en Jimmy Carter in Arkansas.

Zuiderlingen hebben een uitdrukking voor iemand die het ineens allemaal tegen zit. Het was nu duidelijk dat president Jimmy Carter een 'slangenbeet had opgelopen'. Het was moeilijker toe te geven dat het gouverneurschap van Bill Clinton hetzelfde lot had getroffen.

Bills Republikeinse tegenstander, Frank White, begon de eerste 'negatieve' reclamespots uit te zenden. Bij beelden van donkerhuidige Cubaanse amokmakers zei een commentaarstem dat 'Bill Clinton meer geeft om Jimmy Carter dan om Arkansas'. In het begin zette ik de advertenties van me af en dacht ik dat iedereen in Arkansas toch zeker wel wist dat Bill uitstekend werk had verricht door het geweld de kop in te drukken. Toen begon ik vragen te krijgen op bijeenkomsten van scholen en gemeentes: 'Waarom liet de gouverneur de Cubanen herrie schoppen?' 'Waarom geeft de gouverneur niet meer om ons dan om president Carter?' Deze advertentie, die de impact van zo'n negatieve boodschap duidelijk aantoont, maakte deel uit van een strategie van het National Conservative Political Action Committee (Nationale Conservatieve Politieke Actiecomité), opgericht door Republikeinen om in het hele land, inclusief Arkansas, negatieve reclamespots te bedenken en uit te zenden. Maar ik leerde snel. Tegen oktober dacht ik dat de peilingen die Bill een voorsprong gaven, het fout hadden en dat hij in werkelijkheid zou kunnen verliezen. Bill had in zijn succesvolle campagne van 1978 een jonge, agressieve opiniepeiler uit New York ingehuurd, Dick Morris, maar niemand in zijn staf of op zijn kantoor kon samenwerken met Morris, en dus haalden ze Bill over in 1980 met een andere ploeg in zee te gaan. Ik belde Morris en vroeg hem wat hij van de situatie dacht. Hij zei dat Bill serieus in de problemen zat en waarschijnlijk zou verliezen, tenzij hij een of ander dramatisch gebaar zou maken. Ik kon niemand anders ervan overtuigen dat we geen acht moesten slaan op de peilingen die Bill als winnaar aanwezen. Bill zelf was onzeker. Hij wilde niet openlijk breken met de president en ook geen speciale zitting uitschrijven om de verhoging van de nummerplaatheffing te herroepen. Dus legde hij er een schepje bovenop in zijn campagne en ging door zijn beleid uit te leggen aan kiezers.

Vlak voor de verkiezingen hadden we een verontrustend gesprek met een officier van de Nationale Garde die de leiding had over een deel van de troepen die de ongeregeldheden in het Fort de kop in moesten drukken. Hij vertelde Bill dat zijn tante, een oudere vrouw, op Frank White ging stemmen omdat Bill de opstandige Cubanen hun gang had laten gaan. Toen deze officier zijn tante uitlegde dat hij zeker wist dat gouverneur Clinton juist een eind had gemaakt aan de rellen – hij was er immers zelf bij geweest –, zei zijn tante dat dit niet waar was, want ze had zelf op de televisie gezien wat er gebeurd was. De reclameboodschappen verdraaiden niet alleen het nieuws, maar ook persoonlijke getuigenissen. Die campagne van 1980, waarin de waarheid op z'n kop werd gezet, overtuigde me van de doordringende kracht van negatieve reclame in het bekeren van kiezers door de waarheid te verdraaien.

Opiniepeilingen gaven tot op het laatst aan dat Bill met een grote marge zou winnen, maar hij verloor met 48 tegen 52 procent van de stemmen. Hij was kapot. De grote hotelkamer die voor zijn campagne was gehuurd, stroomde vol met ontdane vrienden en aanhangers. Hij besloot tot de volgende dag te wachten met het geven van een publieke verklaring en vroeg mij iedereen te bedanken voor alle hulp en uit te nodigen de volgende ochtend naar de gouverneurswoning te komen. De bijeenkomst op het gazon in de achtertuin had iets van een wake. Bill had nu twee keer een verkiezing verloren, een keer voor het Congres en een keer als zittend gouverneur, en menigeen vroeg zich af of deze nederlaag hem niet zou breken. We vonden een oud huis dat we konden kopen in Hillcrest, vlakbij waar we eerder gewoond hadden. Het lag op twee kavels en had een verbouwde zolder die we gebruikten als kinderkamer voor Chelsea. Bill en ik hebben een zwak voor oudere huizen en traditionele meubels, dus stroopten we uitdragerijen en antiekwinkels af. Toen Virginia op bezoek kwam, vroeg ze waarom we van oude dingen hielden. 'Ik ben mijn hele leven bezig geweest te proberen van oude huizen en meubels af te komen,' verklaarde ze. Maar toen ze door had wat onze smaak was, stuurde ze welgemoed een Victoriaanse 'minnesofa' die ze in haar garage had staan.

Chelsea was het enige lichtpuntje in de pijnlijke maanden die volgden op de verkiezingen. Ze was het eerste kleinkind in ons beider families en dus was Bills moeder maar al te bereid om op te passen, net als mijn ouders als ze op bezoek kwamen. Chelsea vierde haar eerste verjaardag in ons nieuwe huis, daar leerde ze lopen en praten en daar gaf ze haar vader een lesje in de gevaren van *multitasking*. Op een dag hield Bill haar vast terwijl hij naar een basketbalwedstrijd op de tv zat te kijken, aan het telefoneren was en een kruiswoordpuzzel probeerde op te lossen. Toen ze geen aandacht van hem kreeg, beet ze hem in de neus.

Bill nam een baan bij Wright, Lindsey and Jennings, een advocatenfirma in Little Rock. Een van zijn nieuwe collega's, Bruce Lindsey, werd een van zijn intiemste vertrouwelingen. Maar voordat Frank White in de ambtswoning was getrokken, was Bill al een inofficiële campagne begonnen om zijn baan terug te krijgen. Deze keer, beloofde hij, zou hij niet uit het oog verliezen wat de mensen wilden.

De druk op mij om me te conformeren was dramatisch toegenomen toen Bill in 1978 tot gouverneur was gekozen. Als vrouw van de Attorney General kon ik me nog enig onconventioneel gedrag permitteren, maar als First Lady van Arkansas stond ik voortdurend in de schijnwerpers. En voor het eerst besefte ik hoezeer mijn persoonlijke keuzes van invloed konden zijn op de politieke toekomst van mijn man.

Mijn ouders hadden me geleerd te letten op de innerlijke kwaliteiten van mensen, niet op hoe ze zich kleden of op hun titels. Daardoor was het voor mij soms moeilijk te begrijpen dat anderen belang hechtten aan bepaalde conventies: ik leerde door bittere ervaring dat sommige kiezers in Arkansas ernstig gekwetst waren door het feit dat ik mijn meisjesnaam bleef gebruiken.

Omdat ik wist dat ik mijn professionele interesses niet wilde opgeven en tegelijk ook iedere verwarring en botsing van belangen met de publieke carrière van mijn man wilde voorkomen, vond ik het voor de hand liggen dat ik mijn eigen naam bleef gebruiken. Bill had geen bezwaar, maar onze moeders wel. Virginia huilde toen Bill het vertelde en mijn moeder adresseerde haar brieven aan 'Mr. and Mrs. Bill Clinton'. Het werd in de jaren zeventig hier en daar gewoner dat een bruid haar meisjesnaam hield, maar in het grootste deel van het land bleef het ongebruikelijk. En dat gold ook voor Arkansas.

Het was een persoonlijke beslissing, een klein (dacht ik) gebaar om te bevestigen dat ik nog steeds ik was, hoezeer ik ons huwelijk ook was toegewijd. En ik was ook praktisch. Toen we trouwden, doceerde ik, deed ik rechtszaken, publiceerde en sprak als Hillary Rodham. Ik hield mijn naam aan toen Bill in officiële functies was gekozen, gedeeltelijk omdat ik dacht dat het de schijn van een conflict van belangen kon helpen voorkomen. Er was een zaak die ik vermoedelijk verloren zou hebben, als ik Bills naam had aangenomen.

Ik hielp Phil Carroll bij de verdediging van een firma die met creosoot behandelde boomstammen verkocht en per spoor vervoerde. Toen de lading op het punt van bestemming werd gelost, rolden de stammen op een van de platte wagons langs de stutten en verwondden een aantal werknemers van het bedrijf dat de lading had gekocht. De rechtszaak die volgde, diende voor een rechter die was beschuldigd van wangedrag in functie, voornamelijk een gevolg van zijn al te intieme verhouding met koning alcohol. Onder de wet van Arkansas werd gerechtelijk onderzoek uitgevoerd door de Attorney General, oftewel mijn man.

De rechter, die me alleen kende als 'Ms. Rodham', besteedde veel aandacht aan me en maakte vaak opmerkingen als: 'Wat ziet u er vandaag leuk uit', of: 'Komt u naar voren dan kan ik u eens goed bekijken.'

Nadat klager zijn zaak uiteen had gezet, verzocht Phil om een uitspraak ten gunste van onze cliënt, omdat er geen bewijs was dat onze cliënt in verband bracht met de beweerde onzorgvuldigheid die het ongeluk had veroorzaakt. De rechter was het daarmee eens en wees het verzoek toe. Phil en ik pakten onze spullen en gingen terug naar Little Rock. Een paar dagen later werd ik gebeld door de advocaat van een van de andere gedaagden, die me vertelde wat er gebeurd was toen de jury aan het beraadslagen was geweest. De rechter was tegenover de advocaten tekeergegaan over het onderzoek door Bill Clinton en hoe gegriefd hij zich voelde. Ten slotte onderbrak de advocaat hem en vroeg: 'Rechter, herinnert u zich die vrouwelijke advocaat, Hillary Rodham, die hier was met Phil Carroll? Dat is de vrouw van Bill Clinton.'

'Wel verdomme, als ik dat geweten had,' riep de rechter uit, 'dan hadden ze een heel ander vonnis gekregen!'

De winter na de nederlaag van Bill kwam een aantal vrienden en aanhangers met me praten over het gebruik van 'Clinton' als mijn achternaam. Ann Henry vertelde me dat sommige mensen ontzet waren als ze een uitnodiging kregen voor een gebeurtenis op de gouverneurswoning namens 'Gouverneur Bill Clinton en Hillary Rodham'. Ook de geboorteaankondiging van Chelsea waarop onze twee namen waren vermeld, was blijkbaar een enerverend gespreksonderwerp in de hele staat. De mensen in Arkansas reageerden in veel opzichten op me zoals mijn schoonmoeder had gedaan toen ze me voor het eerst ontmoette: ik was een gek mens door mijn kleren, mijn 'noordelijke' manier van doen en het gebruik van mijn meisjesnaam.

Jim Blair stelde bij wijze van grap een doorwrocht scenario voor, uit te voeren op de trappen van het Capitool. Bill zou zijn voet op mijn keel zetten, me aan mijn haar trekken en iets zeggen als: Vrouw, jij neemt mijn achternaam en daarmee basta! Vlaggen zouden wapperen, vreugdezangen zouden losbarsten en de naamsverandering zou een feit zijn.

Vernon Jordan kwam een toespraak houden in de stad en vroeg of ik de volgende ochtend bij ons een ontbijt voor hem wilde maken, met havermout. Hij zat op een te kleine stoel in ons keukentje mijn instant havermout te eten en drong eropaan dat ik de juiste keus zou maken en Bills achternaam zou gaan gebruiken. De enige die het niet vroeg, die niet eens praatte over mijn naam, was mijn man. Mijn naam was mijn zaak, zei hij, en hij dacht niet dat zijn politieke toekomst ervan afhing, op welke manier ook.

Ik besloot dat het belangrijker was voor Bill om weer gouverneur te worden dan voor mij om mijn meisjesnaam te houden. Dus toen Bill op Chelsea's tweede verjaardag aankondigde dat hij zich weer kandidaat stelde, ging ik me Hillary Rodham Clinton noemen.

De campagne van 1982 was een familieonderneming. We laadden Chelsea met luiertas en al in een grote auto, bestuurd door een echte vriend, Jimmy Red Jones, en reden de hele staat door. We begonnen in het zuiden, waar de lente onder de pijnbomen was binnengeslopen en eindigden in een sneeuwstorm in Fayetteville. Ik heb campagne voeren altijd leuk gevonden, en ook het reizen door Arkansas, stoppend bij plattelandswinkels, verkoopschuren en barbecuerestaurants. Het is een voortdurende leerschool in de menselijke natuur, inclusief die van jezelf. Ik was verbaasd toen ik tijdens zijn campagne in 1978 voor Bill langs de deuren ging en vrouwen aantrof die me vertelden dat hun mannen voor hen stemden, of Afro-Amerikanen die dachten dat je nog steeds hoofdelijke belasting moest betalen om te mogen stemmen.

In 1982 liep ik met Chelsea op mijn heup of aan mijn hand de straten op en neer om kiezers te ontmoeten. Ik herinner me dat ik in het kleine stadje Bald Knob een paar jonge moeders tegenkwam. Toen ik zei dat ik wedde dat ze het leuk vonden om met hun baby's te praten, vroeg een van hen: 'Waarom zou ik tegen haar praten? Ze kan toch niks terugzeggen.' Ik wist van mijn tijd bij kinderstudies in Yale – en van mijn eigen moeder – hoe belangrijk het is tegen baby's te praten en ze voor te lezen, omdat dit hun woordenschat verrijkt, maar toen ik dat probeerde uit te leggen, luisterden ze beleefd maar sceptisch.

Na Bills verkiezing in 1982 keerde een bescheidener en meer gelouterde gouverneur terug naar het Huis van de Staat, maar ook iemand die niet minder vastbesloten was om zo veel mogelijk tot stand te brengen in twee jaar tijd. En er was veel te doen. Arkansas was een arme staat die naar veel maatstaven op de laatste of bijna laatste plaats stond, van het percentage studenten dat een college afmaakte tot het inkomen per hoofd van de bevolking. Ik had Bill in zijn eerste termijn geholpen met een hervorming van de gezondheidszorg en met succes een netwerk van gezondheidscentra opgezet, meer artsen, verpleegkundigen en vroedvrouwen aangetrokken in plattelandsgebieden – tegen het verzet van de officiële medische wereld in. Toen gouverneur White in 1980 probeerde zijn verkiezingsbelofte waar te maken en het netwerk te ontmantelen, stroomden de mensen naar het Capitool om te protesteren en moest White bakzeil halen. Bill en ik waren het er over eens dat Arkansas nooit welvarend zou worden zonder een grondige herziening van het onderwijssysteem. Bill kondigde aan dat hij een onderwijscommissie ging instellen die ingrijpende hervormingen zou aanbevelen, en dat ik de commissie moest voorzitten.

Ik was voorzitter geweest van de commissie gezondheidszorg platteland en Bill wilde dat ik nu het onderwijs zou aanpakken, omdat hij duidelijk wilde maken dat het hem ernst was. Niemand vond het een goed idee, ik ook niet. Maar Bill wilde van geen nee horen. 'Je moet het van de positieve kant bekijken,' zei hij. 'Als je succes hebt, zullen onze vrienden klagen dat je nog meer had kunnen doen. En onze vijanden zullen klagen dat je te veel gedaan hebt. Als je niets bereikt, zullen onze vrienden zeggen: "Ze had het nooit moeten proberen." En onze vijanden zullen zeggen: "Zie je wel, ze krijgt niets voor elkaar!"' Bill was ervan overtuigd dat hij er goed aan deed mij te benoemen en uiteindelijk liet ik me vermurwen.

Het was weer een riskante politieke zet. Voor een verbetering van de scholen zou een belastingverhoging nodig zijn – nooit een populair idee. De vijftienkoppige commissie beval aan de studenten aan standaardtoetsen te onderwerpen, waaronder een toets na het achtste leerjaar. Maar de hoeksteen van de voorgestelde hervormingen was een verplichte toets voor de leraren. Al wekte dit de woede op van de onderwijsbond, van burgerrechtengroepen en anderen die van vitaal belang waren voor de Democratische Partij in Arkansas, we vonden dat we niet om dit punt heen konden. Hoe konden we verwachten dat kinderen op een nationaal niveau zouden presteren, wanneer hun leerkrachten soms tekortschoten? Het debat was zo verbitterd dat een bibliothecaris van een school zei dat ik 'lager was dan de buik van een slang'. Ik probeerde mezelf voor te houden dat ik uitgescholden werd niet om wie ik was, maar om wat ik voorstond.

De poging om het pakket hervormingen door de wetgevende vergadering te laten aannemen en er de nodige fondsen voor vrij te maken, liep uit op een uitgesponnen en bikkelharde strijd tussen belangengroepen. Leraren maakten zich zorgen om hun baan. Volksvertegenwoordigers van plattelandsgebieden waren bang dat het plan zou uitlopen op samenvoeging van hun kleine schooldistricten. Midden in die strijd verscheen ik voor een gezamenlijke zitting van het Huis en de Senaat van Arkansas om onze zaak, een verbetering van alle scholen, groot en klein, te bepleiten. Om de een of andere reden – waarschijnlijk een combinatie van talent en veel oefening – is spreken in het openbaar altijd een van mijn sterke punten geweest. Ik moest lachen toen Lloyd George, een afgevaardigde van het plattelandsdistrict Yell County, later voor de vergadering verklaarde: 'Nou jongens, het lijkt erop dat we misschien de verkeerde Clinton hebben gekozen!' Het was weer een voorbeeld van wat ik 'het sprekende-hondsyndroom' pleeg te noemen. Sommige mensen zijn nog steeds verbaasd als een vrouw (en dat geldt voor gouverneursvrouwen, directeuren van bedrijven, sportsterren en rockzangers) zich onder grote druk staande weet te houden en zich duidelijk en deskundig kan uitdrukken. De hond kan praten! Het is trouwens vaak een voordeel als mensen die je hoopt te overtuigen, je eerst onderschatten. Ik zou bereid zijn geweest mijn hele toespraak te blaffen, als ik daarmee de onderwijshervorming erdoor had kunnen slepen!

We wonnen sommige stemmingen en verloren andere, en met de onderwijsbond moesten we het uitvechten voor de rechter. Maar tegen het einde van Bills ambtstermijn beschikte Arkansas over een plan om het niveau van de scholen op te krikken, hadden tienduizenden kinderen een betere kans om hun mogelijkheden te ontplooien en kreeg het onderwijzend personeel een zeer noodzakelijke salarisverhoging. Ik was vooral content toen Terence Bell, de minister van Onderwijs onder Reagan, het hervormingsplan van Arkansas prees en toen hij later opmerkte dat Bill zich een 'vooraanstaande hervormer van het onderwijs' had betoond.

Het publieke succes van de onderwijshervorming werd gevolgd door een verschrikkelijke klap op het privé-vlak. In juli 1984 werd ik op klaarlichte dag opgebeld door Betsey Wright, het hoofd van Bills staf, die vertelde dat Bill onderweg was naar mij. Ik had net geluncht met vrienden en dus excuseerde ik me en wachtte voor het restaurant tot Bill aan kwam rijden. We gingen in mijn auto zitten en hij vertelde dat hij juist van de politiechef van de staat gehoord had dat zijn broer Roger zich onder politietoezicht bevond. De politie had video-opnamen waarop hij drugs verkocht aan een informant. De politiechef zei tegen Bill dat ze Roger meteen konden arresteren of dat ze door konden gaan met het verzamelen van belastende feiten en het opvoeren van de druk op Roger om zijn leverancier te noemen, het werkelijke doelwit. Roger handelde, zei hij, om een ernstige cocaïneverslaving te financieren. Toen vroeg de politiechef Bill wat hij moest doen. Bill antwoordde dat er geen keuze was. De zaak tegen Roger moest zijn beloop krijgen. Als oudere broer was het echter gruwelijk pijnlijk te beseffen dat zijn broer in het beste geval in de gevangenis zou belanden en dat hij zich in het ergste geval van kant zou kunnen maken met een overdosis.

Bill en ik namen het onszelf erg kwalijk dat we de tekenen van Rogers verslaving niet onderkend hadden en niets hadden gedaan om hem te helpen. We maakten ons ook zorgen over hoe dit nieuws, en het feit dat Bill erover was ingelicht, bij zijn moeder zou aankomen. Ten slotte kwam er een eind aan het wachten. Roger werd gearresteerd en beschuldigd van het bezit van en de handel in cocaïne. Bill vertelde aan Roger en Virginia dat hij op de hoogte was gesteld van het onderzoek, maar dat hij zich aan zijn functie verplicht achtte erover te zwijgen tegen zijn moeder en zijn broer. Virginia was geschokt door de beschuldigingen en het besef dat Bill en ik geweten hadden dat Roger in de gevangenis zou belanden. Ik begreep hun pijn en woede, maar ik vond dat er voor Bill geen andere weg open was geweest dan de informatie geheim te houden voor zijn familie. Roger stemde toe in een psychologisch onderzoek voordat hij zijn gevangenisstraf zou gaan uitzitten. In de loop van die gesprekken gaf hij voor het eerst toe hoezeer hij zijn vader haatte. Bill en Virginia hoorden voor het eerst hoe erg Roger had geleden onder het alcoholisme en de gewelddadigheid van zijn vader. Bill besefte dat het leven met een alcoholist en de ontkenning en geheimzinnigheid waarmee dat gepaard gaat, ook hem niet onberoerd had gelaten en dat het jaren zou duren voordat zoiets was verwerkt. Dit was een van de vele crises die wij als familie doormaakten. Zelfs een heel goed huwelijk kan hierdoor onder spanning komen te staan. Maar ook in latere tijden waren we altijd vastbesloten om de moeilijkheden te doorstaan.

Vanaf 1987 drong een aantal leiders van de Democratische Partij er bij Bill op aan dat hij zou overwegen zich kandidaat te stellen voor de presidentsverkiezingen in 1988, als de tweede termijn van Ronald Reagan zou aflopen. Bill en ik spraken erover. Ik vond dat Bill het niet moest doen. Het zag ernaar uit dat vice-president Bush genomineerd zou worden tot opvolger van president Reagan – min of meer als kandidaat voor Reagans derde termijn. Ik dacht dat Bush moeilijk te verslaan zou zijn. Maar er waren ook andere overwegingen. Bill was in 1986 gekozen voor een vierde termijn als gouverneur, een record, en was voorzitter van de Democratic Leadership Council – het landelijk bestuur van de Democratische Partij – en van het Landelijke Genootschap van Gouverneurs, functies die hij later zou vervullen. Hij was pas veertig. Zijn moeder kampte met problemen in haar verpleegpraktijk en zijn broer probeerde de draad van zijn leven weer op te pakken na het uitzitten van zijn straf. Alsof dat allemaal niet genoeg was, had mijn vader een beroerte gehad en verhuisden mijn ouders naar Little Rock, zodat Bill en ik hen konden helpen.

Na veel wikken en wegen, nog tot 24 uur van tevoren, besloot hij toch niet mee te doen. Er is veel gespeculeerd over deze beslissing. Maar het sleutelwoord was ten slotte: Chelsea. Toen Bill haar diep teleurgestelde reactie zag op zijn mededeling dat hij misschien niet mee kon met onze vakantie, stond zijn besluit vast.

Chelsea begon te merken wat het betekende een vader te hebben die in de publieke aandacht staat. Toen ze klein was, had ze geen idee wat Bill, die gouverneur was, deed. Toen ze een jaar of vier was en iemand ernaar vroeg, antwoordde ze: 'Mijn vader praat aan de telefoon, drinkt koffie en houdt 'peeches'.

In 1986 was ze inmiddels oud genoeg om Bills verkiezingscampagne te kunnen volgen. Ze kon al lezen en naar het nieuws kijken. Ook stond ze al bloot aan de laaghartigheid die in de politiek zoveel voorkomt. Een van Bills tegenstanders was Orval Faubus, de beruchte oud-gouverneur die in 1957 rechterlijke uitspraken naast zich neer had gelegd om de segregatie in de Central High School in Little Rock op te heffen. President Eisenhower had militairen naar Little Rock gestuurd om de wet te handhaven. Omdat ik me zorgen maakten over wat Faubus en zijn achterban zouden zeggen en doen, probeerden Bill en ik Chelsea erop voor te bereiden wat ze over haar vader, en even goed over haar moeder, te horen zou kunnen krijgen. We zaten aan de eettafel in de gouverneurswoning met haar een rollen- spel te spelen waarin we deden alsof we in een debat ver- wikkeld waren waarin een van ons zich voordeed als een politieke tegenstander die Bill verweet dat hij geen goede gouverneur was. Chelsea zette grote ogen op bij alleen al het idee dat iemand zoiets slechts over haar vader kon zeg- gen.

Ik genoot van Chelsea's groeiende zelfverzekerdheid, al was het niet altijd gemakkelijk. Rond Kerstmis 1988 ging ik op eendenjacht met dr. Frank Kumpuris, een gerenom- meerd chirurg en een goede vriend. Hij nodigde me uit sa- men met hem, zijn twee zoons Drew en Dean, allebei arts, en een paar andere jachtvrienden mee te gaan naar hun jachthut in het oosten van Arkansas. Ik had niet vaak meer geschoten sinds mijn vader me les had gegeven aan Lake Winola, maar het leek me leuk. En zo stond ik tot mijn heupen in ijskoud water op de ochtendschemering te wachten. Toen de zon verscheen, kwamen de eenden over- vliegen en met een geluksschot raakte ik een gestreepte eend. Toen ik thuiskwam, wachtte Chelsea me op, razend dat ze, toen ze wakker werd, had moeten horen dat ik voor zonsopgang weg was gegaan om 'de pappie of mammie van een arm eendje dood te maken'. Mijn pogingen om het uit te leggen, waren vergeefs. Ze wilde de hele dag niet tegen me praten.

Bill had dus besloten zich niet kandidaat te stellen in 1988, maar de Democratische genomineerde, gouverneur Michael Dukakis van Massachusetts, vroeg hem de nomi- natiespeech te houden op de Democratische Conventie in

Atlanta. Het werd een fiasco. Dukakis en zijn staf hadden Bills tekst van tevoren woord voor woord doorgenomen en goedgekeurd, maar de toespraak was langer dan de gedelegeerden en de televisiemaatschappijen verwachtten. Sommige gedelegeerden in de hal begonnen te roepen dat Bill er een eind aan moest maken. Dat was een vernederend eerste optreden op een nationaal podium en veel waarnemers dachten dat dit het einde was van Bills politieke toekomst. Acht dagen later verscheen hij echter in de *Tonight Show* van Johnny Carson, waar hij de draak stak met zichzelf en saxofoon speelde. Opnieuw een comeback.

Toen Bill in 1990 werd herkozen als gouverneur, werd hij door Democraten uit het hele land benaderd over een presidentskandidatuur. Die aandrang werd gevoed door het gevoel dat George H.W. Bush het contact met de meeste Amerikanen had verloren. Al bleven zijn populariteitscijfers in de dagen na de Golfoorlog in 1991 huizenhoog, zijn prestaties op het vlak van het binnenlands beleid – en vooral op economisch terrein – maakten hem kwetsbaar. Hij gaf mij een keer toe dat mijn kennis van de gezondheidszorg groter was dan de zijne.

In tegenstelling tot in 1987 was ik van mening dat Bill dit keer wel mee moest doen. Zelf raakte hij hiervan overtuigd na een frustrerende Bilderberg Conferentie in juni 1991 en geluiden van support om hem heen. Ook Chelsea was nu ouder en had vrede met het idee, zeker toen Bill haar beloofde de voor haar belangrijke evenementen in zijn agenda vrij te houden.

Ik dacht dat Bill er klaar voor was, zowel wat betreft de inhoud, wat er gedaan moest worden voor het land, als wat betreft het voeren van een succesvolle politieke campagne. Wat hebben we te verliezen, vroegen we ons af. Zelfs als Bills poging zou falen, zou hij de voldoening kennen dat hij het geprobeerd had, niet alleen geprobeerd had te winnen, maar om iets van betekenis te doen voor Amerika. Het leek het risico waard.

8 *Op campagne*

In september 1991 kreeg ik een eerste idee wat er nodig was om een presidentiële campagne te overleven, toen ik Hal Bruno tegen het lijf liep in het Biltmore Hotel in Los Angeles. Bruno, een doorknede televisieproducer en een toevallige kennis, was daar om de mogelijke presidentskandidaten eruit te pikken tijdens de herfstvergadering van het Democratische Nationale Comité.

Hij vroeg me hoe het ging.

Ik moet een wat ontredderde indruk gemaakt hebben. 'Ik weet het niet. Dit is allemaal nieuw voor me. Heb jij nog goede raad voor me?'

'Ik heb één advies,' zei hij. 'Vertrouw niemand, ook niet de mensen die zeggen dat je niemand moet vertrouwen. En voor de rest, probeer ervan te genieten!'

Het was een wijze raad, maar het zou onmogelijk zijn een zo complexe en gejaagde onderneming als een presidentscampagne te voeren zonder een heleboel mensen te vertrouwen. We begonnen met de vrienden en professionele campagnevoerders die we kenden en op wie we konden rekenen.

Zodra hij in september besloot dat hij mee zou doen, nam Bill contact op met een kerngroepje adviseurs en vroeg hun te helpen zijn kandidatuur te lanceren. Craigh Smith, sinds lang een assistent in zijn gouverneursstaf, nam daar ontslag en ging alle activiteiten coördineren tot er een volwassen campagne op poten was gezet; daarna werd hij de politieke directeur. Op 2 oktober 1991 was een groot aantal adviseurs van Bill in Little Rock om hem te helpen de toespraak op te stellen waarmee hij de volgende dag zijn kandidatuur zou aankondigen. De sfeer van crea-

tieve chaos die avond in de gouverneurswoning zou typerend zijn voor de hele campagne. Stan Greenberg, de opiniepeiler, en Frank Greer, de media-adviseur, de president
van de Democratic Leadership Council, Al From en de be-
leidsdirecteur Bruce Reed praatten de hele dag en tot in de
nacht op Bill in en probeerden hem te helpen zijn cruciale
toespraak te voltooien. Bill voerde telefoongesprekken, las
zijn vorige toespraken door en dook op de bladen eten.
Chelsea, elf jaar oud en een ballerina in de dop, wervelde
van kamer tot kamer en draaide pirouettes rond haar vader
en onze gasten tot het bedtijd was. Om vier uur 's ochtends
was de speech klaar.

De volgende dag om twaalf uur stond Bill Clinton, weer
blakend van energie, met Chelsea en mij voor een batterij
microfoons en tv-camera's en verklaarde dat hij van plan
was zich kandidaat te stellen voor het presidentschap. In
zijn speech zette hij zijn kritiek op de regering-Bush uiteen. 'De mensen uit de middengroepen besteden meer tijd
aan hun baan, minder aan hun kinderen en ze brengen
minder geld mee naar huis, terwijl ze meer moeten betalen
voor gezondheidszorg, wonen en onderwijs. De armoede-
cijfers stijgen, de straten worden onveiliger en steeds meer
kinderen groeien op in gebroken gezinnen. Ons land gaat
de verkeerde kant op, en snel. Het raakt achter, het is de
weg kwijt en het enige wat Washington te bieden heeft, is
de status-quo van de verlamming, verwaarlozing en eigen-
baat – geen leiderschap of visie.' Hij wilde een campagne
voeren van 'ideeën, niet van slogans' en hij stond voor 'leiderschap dat de Amerikaanse droom zal herstellen, dat zal
vechten voor de vergeten middengroepen, dat meer kansen zal bieden, meer verantwoordelijkheid zal vragen van
ieder van ons en dat een sterkere gemeenschap zal scheppen in dit geweldige land van ons'. Achter de retoriek gingen de specifieke plannen schuil die Bill zou presenteren in
de strijd om de voorverkiezingen, om de Democratische
kiezers ervan te overtuigen dat hij de beste kansen had om
president George H.W. Bush te verslaan.

De grote landelijke media gaven Bill niet veel hoop dat hij het zou redden in de voorverkiezingen, laat staan dat hij tot president gekozen zou worden. Hij werd in het begin afgedaan als een obscure, zij het kleurrijke outsider, knap en welbespraakt, maar met zijn 46 jaar te jong en te onervaren voor de functie. Toen zijn boodschap van verandering aansloeg bij potentiële kiezers, kreeg de pers – net als de helpers van president Bush – meer aandacht voor Bill. En voor mij.

Als de eerste 44 jaar van mijn leven een leerschool waren, dan was de presidentscampagne van dertien maanden een openbaring. Ondanks alle goede adviezen en ondanks al de tijd die Bill en ik eerder in de politieke arena hadden doorgebracht, waren we niet voorbereid op het keiharde politieke spel en de genadeloze kritische aandacht waarmee een gooi naar het presidentschap gepaard gaat. Bill moest zijn politieke ideeën voor de hele natie verdedigen en wij moesten een uitputtend onderzoek naar alle aspecten van ons leven dulden. We moesten vertrouwd raken met een nationaal journalistenkorps dat weinig van ons wist en nog minder van onze achtergrond. En we moesten onze eigen emoties hanteren onder het verblindende licht van de publieke aandacht, in een campagne die steeds gemener en persoonlijker werd.

Ik vertrouwde op mijn vrienden en de staf om ons over de moeilijkste hobbels heen te helpen. Bill had een geweldige ploeg bij elkaar gebracht, met onder andere James Carville en Paul Begala, de mannen achter de verkiezing van Harris Wofford in de Senaat voor Pennsylvania in 1991. James, een Cajun uit Louisiana en oud-marinier, was meteen dikke maatjes met Bill; ze gingen beiden prat op hun zuidelijke afkomst, aanbaden hun mama en begrepen dat politiek op dit niveau een contactsport is. Paul, een getalenteerde Texaan, die af en toe het snelvuurdialect van Carville moest vertalen, combineerde een hartstochtelijk populisme met grote wellevendheid, op zich al geen geringe prestatie. David Wilhelm, de man die de campagne ging leiden, kwam uit Chicago. Hij wist bij intuïtie hoe je gedelegeerden individueel voor je moest winnen. Rahm Emanuel, eveneens uit Chicago en een natuurtalent op politiek gebied en als het aankwam op het verwerven van fondsen, werd financieel directeur. George Stephanopoulos, een Rhodes-student en medewerker van Congreslid Richard Gephardt, bedacht hoe politieke aanvallen snel en effectief gepareerd konden worden en hoe we in het offensief konden gaan. Bruce Reed, ook al een Rhodes-student, had een talent om ingewikkelde beleidsideeën in eenvoudige en overtuigende taal uit te drukken en speelde een onmisbare rol in het formuleren van Bills boodschap.

Bill en ik vertrouwden ook op een toegewijd aantal medewerkers uit Arkansas, onder wie Rodney Slater, Carol Willis, Diane Blair, Ann Henry, Patty Howe Criner, Carl en Margaret Whillock, Betsey Wright, Sheila Bronfman, Mack en Donna McLarty en vele anderen die zichzelf wegcijferden voor de eerste president van Amerika die uit Arkansas zou komen.

Zodra Bill zijn kandidatuur had gesteld, was ik begonnen mijn eigen staf samen te stellen. Daarmee week ik af van de campagne-etiquette die wil dat de staf van de kandidaat bepaalt wat zijn vrouw doet en zegt. Ik was anders – iets wat in de maanden die volgden steeds duidelijker zou worden.

De eerste die ik belde, was Maggie Williams, die toen werkte aan haar promotie aan de Universiteit van Pennsylvania. Maggie en ik hadden in de jaren tachtig samengewerkt in het kinderbeschermingsfonds. Ik had bewondering voor haar leidinggevende en communicatieve vaardigheden en dacht dat ze alles wat zich voordeed, doortastend aan zou pakken. Ze was pas laat in 1992 volledig beschikbaar, maar ze heeft me de hele campagne door gesteund en geadviseerd.

Drie jonge vrouwen die voor me gingen werken, bleken van onschatbare waarde en bleven de volle acht jaar in het Witte Huis bij me. Patti Solis, de politiek actieve dochter van Mexicaanse immigranten, was opgegroeid in Chicago en werkte er voor burgemeester Daley. Zij had nooit de agendaplanning gedaan in een presidentscampagne en ik was nooit in de positie geweest dat iemand anders vertelde wat ik moest doen, wanneer en waar, maar zij werd mijn planner en bleek een natuurtalent dat met intelligentie, besluitvaardigheid en een goed humeur goochelde met de eisen van de politiek, van mensen en omstandigheden. Negen jaar lang heeft ze mijn leven van uur tot uur geregeld. Ze is een goede vriendin en gewaardeerd adviseur geworden op wie ik nog steeds vertrouw.

Capricia Penavic Marshall, een dynamische jonge juriste uit Cleveland, was ook een dochter van immigranten. Haar moeder kwam uit Mexico en haar vader was een Kroatische vluchteling uit het Joegoslavië van Tito. Toen ze Bill in 1991 op de televisie een speech zag geven, besloot ze dat ze mee wilde werken als hij presidentskandidaat werd. Maandenlang was ze bezig gedelegeerden te mobiliseren in Ohio, terwijl ze probeerde een baantje te krijgen in de campagne. Ten slotte werd ze aangenomen om kwartiermakerswerk voor me te doen, een van de meest leerzame ervaringen in zowel de politiek als het leven, en vooral ook een sport voor jonge mensen. Capricia ontpopte zich als een prof en ondanks een ongelukkige eerste trip toen ze me in Shreveport op het verkeerde vliegveld opwachtte, konden we het goed vinden. Ze bleef goed gehumeurd en charmant als ze onder druk stond en dat kwam haar en mij goed van pas toen ze op het Witte Huis tijdens Bills tweede termijn de post van sociale secretaresse vervulde.

Kelly Craighead, een knappe oud-wedstrijdduikster uit Californië, was al een ervaren organisatrice van evenementen toen ze kwartiermaakster voor me werd. Dat hield in dat ze mijn leven 'on the road' plande. Overal waar ik de volgende acht jaar naar toe zou gaan – om de hoek of aan het andere eind van de wereld –, stond Kelly mij ter zijde. Haar leuze 'mislukte planning is geplande mislukking' werd een van onze campagnemantra's. Niemand werkte harder of langer dan zij om de kleinste plooitjes glad te strijken voor elke reis die ik maakte. Haar taak was veeleisend en uitputtend en eiste de gecombineerde talenten van een generaal en een diplomaat. Ze toonde ook veel inzicht, toewijding en pit. Het idee dat zij de boel voor me in de gaten hield, gaf me rust en vertrouwen, ook op de moeilijkste dagen in de jaren in het Witte Huis.

Naast alle jonge mensen die zich meldden om te helpen, bood Brooke Shearer aan me op reis te vergezellen. Brooke, haar man Strobe Talbott en haar hele familie waren vrienden van Bill sinds hij en Strobe elkaar ontmoet hadden als Rhodes-studenten. Van het eerste moment dat Bill en ik samen waren, werden ze ook mijn vrienden, en hun zoons konden het goed vinden met Chelsea. Brooke had in Washington gewerkt in de journalistiek en ze bracht een schat aan ervaring met de nationale media mee, en een scherp en ironisch oog voor de absurde kanten van een campagne.

Ik leerde al snel dat in een presidentsrace niets buiten schot blijft. Een onschuldige opmerking of grap die door de persbureaus wordt verspreid, is seconden later de kern van een brisante controverse geworden. Geruchten worden het nieuws van de dag en terwijl vroegere belevenissen voor ons afgedane zaken kunnen lijken, werd ieder detail van ons leven opgerakeld en schoon geborsteld alsof het om een archeologische opgraving ging. Ik had het eerder zien gebeuren in campagnes van anderen: senator Ed Muskie die in 1972 zijn vrouw moest verdedigen, zijn collega Bob Kerrey die in 1992 een gewaagde grap vertelde zonder te beseffen dat er een richtmicrofoon in de buurt was. Maar als je niet zelf onder die spots hebt gestaan, kun je je gewoon niet voorstellen hoe heet het daar is.

Op een avond waren Bill en ik op pad in New Hampshire en hij stelde me voor aan het publiek. Hij vertelde dat ik twintig jaar actief was geweest in de kinderbescherming en zei bij wijze van grap dat we een nieuwe campagneleus hadden: 'Twee halen, één betalen!' Hij zei het om duidelijk te maken dat ik actief mee zou werken in zijn regering en zou doorgaan me in te zetten voor de onderwerpen waar ik me in het verleden mee bezig had gehouden. Het was een mooie vondst en mijn campagnestaf nam haar over. De pers gaf er uitgebreid ruchtbaarheid aan en toen ging die zin een eigen leven leiden en werd overal aangehaald als bewijs voor mijn zogeheten geheime aspiraties om 'co-president' te worden, naast mijn man.

Ik had nog niet genoeg ervaring met de nationale pers om te beseffen dat werkelijk alles wat in de campagne voorvalt, de pijplijn van de nieuwsmedia in gaat. Informatie, beleidsstandpunten en citaten werden gefilterd door een journalistieke lens voordat ze het publiek bereikten. Een kandidaat kan zijn of haar ideeën niet overbrengen zonder berichtgeving in de media, en een journalist kan niet goed verslag doen zonder toegang tot de kandidaat. Zo zijn kandidaten en verslaggevers tegelijk antagonisten en wederzijds afhankelijk. Het is een lastige, delicate en belangrijke verhouding en ik doorgrondde die niet helemaal.

De 'twee halen, één betalen'-opmerking was weer een waarschuwing voor Bill en mij dat onze woorden uit hun context gelicht konden worden, omdat verslaggevers de tijd noch de ruimte hadden een volledig gesprek weer te geven. Eenvoud en beknoptheid waren essentieel voor verslaggevers. Net als pittige zinnen en slogans. Een van de meesters van de politieke insinuatie legde al vroeg zijn gewicht in de schaal.

De politieke instincten van oud-president Nixon hadden niets van hun scherpte verloren en hij gaf commentaar op onze campagne in een interview bij een bezoek aan Washington, begin februari. 'Als de vrouw al te sterk en intelligent overkomt,' merkte hij op, 'wekt de man de indruk dat hij een sukkel is.' Vervolgens merkte hij op dat kiezers zich in het algemeen kunnen vinden in de opmerking van kardinaal Richelieu: 'Intelligentie siert een vrouw niet.'

Achter alles wat deze man doet, zit een bedoeling, dacht ik toen ik Nixons opmerking in *The New York Times* las. Afgezien van mijn werk als staflid aan zijn impeachment in

1974 vermoedde ik dat Nixon beter dan veel anderen zag hoezeer Bill een bedreiging vormde voor de Republikeinse greep op het presidentschap. Hij dacht waarschijnlijk dat hij door Bill zwart te maken omdat die het slikte dat zijn vrouw onafhankelijk was, en door mij als onbetamelijk aan te merken, stemmers zou afschrikken die snakten naar verandering maar die onzeker waren over ons.

Tegen die tijd lag Bills hele leven onder de microscoop van de media. Hij had al meer vragen gekregen over persoonlijke zaken dan welke presidentskandidaat in de Amerikaanse geschiedenis ook. Terwijl de serieuze pers zich nog niet afgaf met onbevestigde geruchten, boden de schandaalbladen harde dollars voor schokkende verhalen uit Arkansas. Uiteindelijk wisten ze bij een van die strooptochten een dijk van een verhaal naar boven te krijgen.

Ik was op 23 januari in Atlanta aan het campagnevoeren, toen Bill belde om me te waarschuwen dat er een verhaal aankwam, waarin beweerd werd dat hij in Arkansas een twaalfjarige verhouding had gehad met een zekere Gennifer Flowers. Hij zei dat het niet waar was.

In de campagnestaf brak paniek uit en ik wist dat sommigen dachten dat de strijd verloren was. Ik vroeg David Wilhelm een telefonische vergadering te organiseren zodat ik met iedereen kon spreken. Ik zei dat we ons allemaal in deze campagne gestort hadden, omdat we dachten dat Bill iets belangrijks kon betekenen voor ons land en dat de kiezers zouden uitmaken of we zouden slagen of niet.

'Dus,' besloot ik, 'laten we weer aan de slag gaan.'

Het Flowers-verhaal sprong als een onstuitbaar virus van het ene nieuwsmedium naar het andere, van *Star*, een sensatieblad dat in supermarkten wordt verkocht, naar *Nightline*, een respectabel actualiteitenprogramma. Ondanks al onze inspanningen maakte de kamerbrede berichtgeving het ons onmogelijk de aandacht te richten op serieuze onderwerpen. De voorverkiezingen in New Hampshire waren al over een paar weken. Er moest iets gebeuren. Harry Thomason, Mickey Kantor, James Carville,

Paul Begala en George Stephanopoulos kwamen Bill en mij opzoeken om te overleggen wat we konden doen. Ze stelden voor dat we op zondagavond in het televisieprogramma 60 *Minutes* zouden verschijnen, vlak na de Super Bowl, de finale van de competitie Amerikaans football. Dan zouden we het grootst mogelijke publiek hebben. Het kostte veel overredingskracht om te besluiten dat zo'n publiek optreden het risico – verlies aan privacy, een mogelijke weerslag op onze familie, en speciaal op Chelsea – waard was. Ten slotte was ik ervan overtuigd dat Bills campagne voorbij zou zijn nog voordat de eerste stem was uitgebracht, wanneer we niet kozen voor een publieke aanpak.

Het interview voor 60 *Minutes* vond plaats op 26 januari in de suite van een hotel in Boston en begon om elf uur 's ochtends. De kamer was omgebouwd tot een filmset met batterijen lampen op statief rond de bank waarop Bill en ik zaten. Halverwege het interview begon een zwaar statief, volgehangen met lampen, mijn kant op te vallen. Bill zag het en trok me opzij, vlak voordat het gevaarte neerkwam op de plek waar ik had gezeten. Naderhand zat ik te trillen terwijl Bill me stevig vasthield en steeds maar fluisterde: 'Ik heb je. Niet bang zijn. Je bent veilig. Ik houd van je.'

De interviewer, Steve Kroft, begon met een serie vragen over onze verhouding en de toestand van ons huwelijk. Hij vroeg of Bill overspel had gepleegd en of we uit elkaar waren geweest of hadden overwogen te scheiden. We weigerden beleefd antwoord te geven op zulke persoonlijke vragen over ons privé-leven. Maar Bill bekende dat hij verdriet had veroorzaakt in ons huwelijk en zei dat hij het aan de kiezers overliet om te beoordelen of dat hem diskwalificeerde voor het presidentschap.

KROFT: *Ik denk dat de meeste Amerikanen het ermee eens zullen zijn dat het heel bewonderenswaardig is dat jullie bij elkaar zijn gebleven, dat jullie je problemen zelf opgelost hebben, dat jullie een soort verstandhouding hebben bereikt en een schikking hebben getroffen.*

Een schikking? Een verstandhouding? Misschien wilde

Kroft ons een compliment geven, maar deze karakterisering van ons huwelijk was zo fout dat Bill zijn oren niet kon geloven. En ik ook niet.

BILL CLINTON: *Wacht even. U ziet hier twee mensen die van elkaar houden. Dit is geen verstandhouding of schikking. Dit is een huwelijk. Dat is heel wat anders.*

Ik wilde dat ik hem het laatste woord had gelaten, maar nu was het mijn beurt om een duit in het zakje te doen, en dat deed ik.

HILLARY CLINTON: *Weet u, ik zit hier niet als een vrouwtje dat achter haar man staat, als Tammy Wynette. Ik zit hier omdat ik van hem houd en omdat ik respect voor hem heb en voor wat hij heeft doorgemaakt en voor wat wij samen hebben doorgemaakt. En weet u, als de mensen dat niet genoeg vinden, nou dan stemmen ze maar niet op hem.*

Het interview duurde zesenvijftig minuten, maar CBS zond maar tien minuten uit, met weglating van veel wat, althans voor mijn gevoel, belangrijk was. We wisten niet hoe drastisch ze zouden snijden in onze woorden. Toen we eindelijk klaar waren, was ik alleen maar opgelucht. Bill en ik hadden een goed gevoel over de manier waarop we geantwoord hadden en dat gold voor iedereen om ons heen. De meeste Amerikanen bleken het eens met ons belangrijkste punt: dat de verkiezingen over hen gingen, niet over ons huwelijk. Drieëntwintig dagen later werd Bill gedoopt tot 'Comeback Kid' vanwege zijn sterke tweede plaats in de voorverkiezing in New Hampshire.

Mij ging het minder goed. De respons op mijn opmerking over Tammy Wynette kwam, geheel verdiend, onmiddellijk, en was meedogenloos. Natuurlijk had ik gedoeld op de beroemde song van Tammy Wynette, 'Stand by Your Man', niet op haar als persoon. Maar ik had mijn woorden niet zorgvuldig gekozen en ze maakten een stortvloed van boze reacties los.

Het speet me dat het zo overgekomen was en ik bood Tammy persoonlijk mijn verontschuldigingen aan, en hetzelfde herhaalde ik later in het openbaar, in een ander televisie-interview. Maar de schade was aangericht. En er zou nog meer volgen.

Begin maart, het voorverkiezingsseizoen van de Democraten draaide op volle toeren, ging Jerry Brown, voormalig gouverneur van Californië en oud-presidentskandidaat van de Democraten, in de aanval tegen Bill, zich concentrerend op mijn werk als advocaat en op de firma Rose, waar ik sinds 1979 een partner geweest was. Toen Bill opnieuw gouverneur werd, vroeg ik mijn partners, bij de berekening van mijn aandeel in de winst, de honoraria ingebracht door andere advocaten voor werkzaamheden voor de staat of enige overheidsinstelling, niet mee te tellen. De firma Rose had al tientallen jaren opdrachten voor de overheid van de staat Arkansas uitgevoerd, al voordat Bill was geboren. Er was geen sprake van een belangenconflict, maar ik wilde elke schijn vermijden. De firma stemde toe om mij af te schermen van dat werk en van de honoraria die daaruit voortkwamen. Toen Frank White er in 1986 in de campagne voor het gouverneurschap een punt van probeerde te maken, werd hij in verlegenheid gebracht toen de feiten aantoonden dat andere advocatenfirma's in Arkansas beduidend meer opdrachten hadden gekregen van de staat in de tijd dat Bill gouverneur was.

Gevoed door valse informatie van politieke tegenstanders van Bill in Arkansas, stofte Jerry Brown de beschuldigingen weer af voor het debat in Chicago, twee dagen voor de voorverkiezingen in Illinois en Michigan op 17 maart. Brown beschuldigde Bill ervan dat hij opdrachten van de staat naar de firma Rose had gedirigeerd om mijn inkomsten te verhogen. Het was een valse, opportunistische beschuldiging zonder enige grond in de feiten. En het leidde tot het beruchte 'koekjes-en-thee-incident'.

De volgende morgen bezochten Bill en ik een Poolse bakkerij in Chicago, met in ons kielzog een kakelende horde met microfoons en camera's. De verslaggevers riepen, met het oog op de nakende voorverkiezingen in Illinois, vragen naar Bill over de beschuldigingen van Brown. Toen vroeg een journalist wat ik dacht van de beschuldigingen van Brown aan ons adres. Mijn antwoord was lang en verward:

'Ik vond [de opmerking] allereerst pathetisch en wanhopig, en ik vond het ook interessant, want dit soort dingen overkomt vrouwen die een eigen carrière en een eigen leven hebben. En ik denk dat dat een schande is, maar het is, denk ik, iets waar we mee zullen moeten leven. Wie van ons geprobeerd heeft een eigen carrière op te bouwen – wie geprobeerd heeft een onafhankelijk leven op te bouwen en iets te betekenen – en zeker als ze kinderen heeft zoals ik... weet u, ik heb mijn uiterste best gedaan om mijn eigen leven te leiden, maar ik denk dat het wel aangevallen zal worden. Maar het is niet waar en ik weet niet wat ik er nog meer over moet zeggen, behalve dat het verdrietig voor me is.'

Toen kwam de vervolgvraag: of ik de schijn van een belangenconflict had kunnen voorkomen toen mijn man gouverneur was.

'Ik wou dat het waar was,' antwoordde ik. 'Weet je, ik had thuis kunnen blijven en koekjes bakken en theevisite ontvangen, maar ik koos ervoor mijn vak uit te oefenen, het werk waar ik aan begonnen was voordat mijn man een officiële functie kreeg. En ik heb heel erg mijn best gedaan om zo zorgvuldig mogelijk te zijn en dat is alles wat ik erover kan zeggen.'

Het was niet mijn beste staaltje welsprekendheid. Ik had ook kunnen zeggen: Kijk eens, behalve mijn partnerschap in de firma opgeven en thuisblijven, had ik niet meer kunnen doen om een belangenconflict te voorkomen dan dat wat ik gedaan heb. Mijn assistenten beseften dat de pers de 'thee-en-koekjesopmerking' had opgepikt en stelden voor dat ik nog een keer met de verslaggevers zou praten om meer gedetailleerd – en duidelijker – uit te leggen wat ik bedoelde. Ter plekke gaf ik een geïmproviseerde minipersconferentie. Maar dat had niet veel effect. Dertien minuten nadat ik de vraag had beantwoord, stond er een verhaal op de telex van Associated Press. CNN volgde snel en zond 's middags een fragment uit waarin praktisch niet gerefereerd werd aan de oorspronkelijke vraag – over belangenconflicten en de firma Rose – maar waarin alles wat ik gezegd had, werd gereduceerd tot: 'Ik had thuis kunnen blijven en koekjes bakken en theevisite ontvangen.' Voor de meeste media was die dag het thema dat ik een ernstige politieke fout had gemaakt.

Ik had een onhandige poging gedaan mijn positie te verklaren en te opperen dat veel vrouwen die goochelen met carrière en gezinsleven, gestraft worden voor de keuzes die ze maken. Het verwerd tot een verhaal over mijn vermeende harteloosheid tegenover moeders die thuisblijven. Sommige verslaggevers versmolten 'thee en koekjes' en 'achter mijn man staan als Tammy Wynette' tot één enkel citaat, alsof ik het allemaal in een adem had gezegd, terwijl er eenenvijftig dagen tussen lagen. De controverse was een godsgeschenk voor de Republikeinen. Van die kant werd ik uitgemaakt voor 'radicale feministe', voor 'een militante feministische advocaat' en zelfs neergezet als 'de leidende ideoloog van een Clinton-Clintonregering die zich sterk zou maken voor een radicaal-feministisch programma'.

Ik kreeg honderden brieven over 'koekjes en thee'. Medestanders spraken me moed in en prezen me voor mijn pleidooi van een breed scala van keuzemogelijkheden voor vrouwen. De kritiek was venijnig. In één brief werd ik de antichrist genoemd, in een andere een belediging voor het Amerikaanse moederschap. Ik maakte me vaak zorgen over wat Chelsea ervan opving, en hoeveel ervan bleef hangen. Ze was geen zes meer.

Sommige aanvallen, waarin ik gedemoniseerd werd als vrouw, moeder en echtgenote of waarin mijn woorden en standpunten verdraaid werden, waren politiek gemotiveerd en bedoeld om mij een toontje lager te laten zingen. Andere getuigden misschien van de mate waarin onze samenleving nog moest wennen aan de veranderende rol van vrouwen. Ik verliet me op mijn eigen mantra: neem kritiek serieus, maar vat haar niet persoonlijk op. Als er iets waars of waardevols in de kritiek zit, probeer er dan van te leren. En laat het anders van je afglijden. Gemakkelijker gezegd dan gedaan.

Terwijl Bill sprak over sociale verandering, was ik er de belichaming van. Ik had mijn eigen standpunten, interesses en beroep. Ik was openhartig, in voor- en tegenspoed. Ik stond voor een fundamentele verandering in de manier waarop vrouwen in onze samenleving functioneren. En als mijn man won, zou ik een positie vervullen waarvan de taken niet omschreven waren, terwijl de prestatie door iedereen werd beoordeeld. Ik besefte al snel dat veel mensen een vast idee hadden van wat de rol van een presidentsvrouw zou moeten zijn. Ik werd een 'rorschachtest' voor het Amerikaanse publiek genoemd, en dat was een passende aanduiding voor de uiteenlopende en extreme reacties die ik opriep.

Ik verwierp zowel de vleierige bewondering als de giftige razernij, omdat ze geen van beide in de buurt van de waarheid leek te komen. Maar ik begreep dat ik geëtiketteerd en in een hokje werd gestopt, niet alleen vanwege mijn standpunten en fouten, maar ook omdat ik tot een symbool gemaakt was voor vrouwen van mijn generatie. Daarom lokte alles wat ik zei of deed – en zelfs wat ik droeg – verhitte discussies uit.

Haar en mode gaven me de eerste aanwijzingen. Het grootste deel van mijn leven had ik weinig aandacht geschonken aan mijn kleren. Ik droeg graag haarbanden. Ze waren gemakkelijk en ik kon me niet voorstellen dat ze het Amerikaanse publiek iets goeds, slechts of neutraals zouden zeggen over mij. Maar in de loop van de campagne begonnen een paar vriendinnen zich geroepen te voelen mijn verschijning op te doffen. Ze kwamen aanzetten met rekken kleren die ik moest proberen en zeiden dat de haarband weg moest.

Zij begrepen, anders dan ik, dat het uiterlijk van een First Lady ertoe doet. Ik vertegenwoordigde niet langer mijzelf. Ik vroeg het Amerikaanse volk mij hen te laten vertegenwoordigen in een rol die aan alles tussen glamour en moederlijke troost uitdrukking heeft gegeven.

Mijn goede vriendin Linda Bloodworth-Thomason stelde voor dat een vriendin van haar, de haarstyliste Christophe Schatteman in Los Angeles, mijn haar zou knippen. Ze was ervan overtuigd dat ik ervan zou opknappen. Ik vond het allemaal erg overdreven. Maar al gauw gedroeg ik me als een kind in een snoepwinkel en probeerde iedere mogelijke stijl. Lang haar. Kort haar. Pony. Plukken. Vlechten. Knotjes. Er ging een nieuwe wereld voor me open en het bleek grote pret. Maar mijn ondogmatisch geëxperimenteer was weer aanleiding tot verhalen over hoe ik nooit bij een bepaalde haarstijl kon blijven en wat dat wel niet zei over mijn karakter.

Vroeg in de campagne ving ik ook al een glimp op van de moeilijkheden om een per definitie afgeleide functie te vervullen. Ik was Bills eerste vervanger op de verkiezingstournee om zijn campagne te steunen en zijn ideeën uit te dragen en ik moest, dat hadden we al geleerd van Bills opmerking 'twee halen, één betalen', op mijn tellen passen. Ik had verlof genomen van mijn advocatenkantoor en was afgetreden als bestuurslid van de liefdadigheidsinstellingen en stichtingen waaronder Wal-Mart en het Kinderbeschermingsfonds. In Wal-Mart had ik gestreden voor meer milieuvriendelijkheid en behoud van werkgelegenheid. Hiervan afscheid te moeten nemen maakte me kwetsbaar en onzeker. Ik had tijdens ons hele huwelijk fulltime gewerkt en was gesteld op de onafhankelijkheid en de identiteit die je aan werk ontleent. Nu was ik alleen maar 'de vrouw van', een merkwaardige ervaring.

Mijn nieuwe status werd me ingewreven door heel gewone dingen: ik had nieuw briefpapier besteld om alle post die ik kreeg te beantwoorden. Ik had roomkleurig papier gekozen met mijn naam, Hillary Rodham Clinton, keurig bovenaan gedrukt in marineblauw. Toen ik de doos openmaakte, zag ik dat iemand de bestelling had veranderd zodat de naam erboven nu Hillary Clinton luidde. Kennelijk had iemand in Bills staf besloten dat het politiek nuttiger was 'Rodham' weg te laten, alsof dat niet langer deel uitmaakte van mijn identiteit. Ik stuurde het briefpapier terug en bestelde een nieuwe partij.

Toen Bill op 2 juni de voorverkiezingen in Californië, Ohio en New Jersey had gewonnen, was zijn nominatie zeker, maar zijn verkiezing niet. Hij stond in de peilingen derde achter Ross Perot en president Bush. Hij besloot dat hij zich opnieuw moest voorstellen aan Amerika en begon op te treden in populaire tv-shows. Dankzij een suggestie van Mandy Grunwald, een adviseur die zich bij de campagnestaf had gevoegd, speelde hij saxofoon in de Arsenio Hall Show. Zijn staf haalde mij ook over om meer interviews te geven en mee te werken aan een verhaal in het tijdschrift *People*, compleet met een omslagfoto waar ook Chelsea op stond. Ik was niet enthousiast maar liet me uiteindelijk overhalen, op grond van onderzoek waaruit bleek dat de meeste Amerikanen niet eens wisten dat wij een kind hadden. Aan de ene kant was ik blij dat we Chelsea tegen de media en in het algemeen in bescherming hadden genomen in de fase van de genadeloze voorverkiezingen. Aan de andere kant vond ik het moederschap de belangrijkste baan die ik ooit had gehad. Als mensen dat niet wisten, zouden ze ons zeker niet begrijpen. Het artikel was prima, maar bracht mij ertoe weer te volharden in mijn standpunt dat Chelsea recht had op haar privacy, essentieel, denk ik, voor elk kind wil het zijn eigen keuzes in het leven kunnen ontwikkelen en onderzoeken. Dus stelden Bill en ik regels op: als Chelsea bij ons was als lid van ons gezin – als ze een evenement bijwoonde met Bill of met mij –, kon de pers daar uiteraard verslag van doen. Maar ik wilde niet dat er nog meer artikelen of interviews kwamen waarin zij figureerde. Dit is een van de beste beslissingen die ik ooit heb genomen en ik heb er de acht jaar die volgden aan vast gehouden. Ik ben ook dankbaar dat de pers, met maar enkele uitzonderingen, haar privacy en recht om met rust gelaten te worden, heeft gerespecteerd. Zolang Chelsea hun aandacht niet zocht of iets deed wat van publiek belang was, was zij verboden terrein.

In juli 1992 hield de Democratische Partij in New York haar Conventie om Bill en zijn kandidaat voor het vicepresidentschap, Al Gore, formeel voor te dragen. New York was een geweldige keuze. Het was een van de lievelingssteden van Bill en mij. Bill had Al gekozen na een grondig proces onder leiding van Warren Christopher, een voormalige onderminister van Buitenlandse zaken en een gerenommeerd advocaat uit Californië. Ik had Al en zijn vrouw Tipper in de jaren tachtig ontmoet bij politieke evenementen, maar Bill en ik kenden hen niet goed. Sommige politieke waarnemers waren verbaasd dat Bill een medekandidaat koos die in zoveel opzichten op hem leek. Ze kwamen beiden uit het Zuiden, uit de buurstaten Arkansas en Tennessee, scheelden niet veel in leeftijd, beleden dezelfde godsdienst en werden beschouwd als ervaren in het openbaar bestuur. Maar Bill waardeerde Al's staat van dienst in het overheidsbeleid en dacht dat hij een versterking zou zijn, een aanvulling op zijn eigen achtergrond.

Veel mensen hebben me gezegd dat het beeld van Al, Tipper, hun kinderen, Bill, Chelsea en mij – samen op het bordes van het gouverneurshuis op de dag dat Bill zijn keuze publiek maakte – belangrijk is geweest als symbool voor de energie van de campagne en voor het potentieel voor verandering. Wat ik zelf die dag voelde, verschilde, denk ik, niet veel van wat veel Amerikanen voelden: dat een nieuwe generatie aan de beurt was om het land te leiden en dat we optimisme uitstraalden over de mogelijkheden voor een nieuwe koers. Op de laatste avond van de Conventie stonden we vreugdedronken te dansen op het podium en elkaar te omhelzen.

De volgende ochtend, op 17 juli, begonnen we onze Magical Bus Tour, of zoals wij het ook noemden, de Excellente Avonturen van Bill, Al, Hillary en Tipper.

De bustochten waren het gezamenlijke geesteskind van

David Wilhelm, de campagnedirecteur, en Susan Thomases, die Bill en ik al meer dan twintig jaar kenden. Ze was een hartelijke vriendin en een keiharde advocaat en ze begreep dat een goede campagne een verhaal moest vertellen over de kandidaat, zijn zorgen en plannen moest illustreren, zodat kiezers begrepen wat hem dreef en voor welke punten hij zou opkomen. Susan verhuisde met haar man en zoon naar Little Rock om toezicht te houden op het programma van de campagne voor de algemene verkiezingen. Zij en David wilden voortbouwen op de opwinding en de dramatische kracht van de conventie en ze dachten dat een bustour door de staten waar de slag het felst zou zijn, het beeld zou overbrengen van de hechte samenwerking en de generatiewisseling die Bill en Al vertegenwoordigden, en van hun boodschap: *'Putting People First'* – Mensen eerst.

De busreizen stelden ons in de gelegenheid elkaar beter te leren kennen. Bill, Al, Tipper en ik zaten uren samen te praten, te eten, uit het raam te zwaaien, stoppend bij geïmproviseerde bijeenkomsten. De ontspannen Al was goed in oneliners en droogkomische opmerkingen. Hij had snel door wanneer een kleine menigte aan de kant van de weg zou proberen Bill de bus te laten stoppen. Al keek door de vooruit, zag een eenzame ziel die stond te zwaaien of te kijken en riep: 'Ik heb het gevoel dat er een stop aankomt.' Toen we om twee uur 's ochtends Erie, Pennsylvania, binnenreden en opgewacht werden door honderden geduldige aanhangers, stak Al een bezielende versie van zijn standaard-campagnespeech af: 'Wat omhooggaat – ziektekosten en rentetarieven – zou naar beneden moeten gaan, en wat omlaaggaat – werkgelegenheid en hoop – zou omhoog moeten. We moeten veranderen van koers.' Toen zei hij tegen ons drieën, die onze ogen nauwelijks open konden houden: 'Ik geloof dat er drie mensen koffie zitten te drinken in die tent om de hoek. Laten we erheen gaan.' Zelfs Bill paste.

Tipper en ik spraken urenlang over onze ervaringen als

echtgenotes van politici, over onze kinderen en over wat we hoopten dat Bill en Al konden doen aan de problemen van het land. Tipper had veel kritiek over zich heen gekregen door haar uitspraken in 1985 tegen gewelddadige en pornografische songteksten. Ik had bewondering voor haar bereidheid een standpunt in te nemen en voelde met haar mee. Ik had ook bewondering voor het werk dat ze gedaan had voor daklozen en geesteszieken. Ze was een volleerd fotograaf en ze hielp de campagne vast te leggen met de camera die ze altijd bij de hand had.

Op een avond stopten we in een landelijk gedeelte van de vallei van de Ohio River bij de boerderij van Gene Branstool voor een barbecue en een ontmoeting met plaatselijke boeren. Toen we ons opmaakten om te vertrekken, zei Branstool dat zich bij een kruising een paar mijl verderop wat mensen verzameld hadden en dat we daar moesten stoppen. Het was een prachtige zomeravond en er zaten mensen op hun tractoren met vlaggen te zwaaien en aan de rand van de akkers stonden kinderen met borden ons op te wachten. De mooiste tekst vond ik: 'Geef ons acht minuten, dan geven we jullie acht jaar!' Op het grote terrein waren duizenden mensen bij elkaar gekomen.

In Vandalia, Illinois, in St. Louis, Missouri, in Corsicana, Texas, in Valdosta, Georgia, werden we begroet door enorme menigten die een opgewekte energie uitstraalden zoals ik nooit eerder in de politiek had meegemaakt.

In Little Rock diende de grote derde verdieping van het oude gebouw van de *Arkansas Democrat Gazette* als hoofdkwartier van de Clinton-campagne. James Carville stond erop dat mensen van elk onderdeel van de campagne – waaronder de afdelingen pers, politiek en onderzoek – in dezelfde grote ruimte zouden werken. Dit was een briljante en effectieve manier om de hiërarchie te verkleinen en het vrije verkeer van informatie en ideeën te bevorderen. James en George belegden elke dag om 7.00 uur en om 19.00 uur een vergadering in wat de '*war room*', de commandokamer, werd genoemd, om het nieuws van de dag te bespreken en antwoorden te formuleren op verhalen en aanvallen vanuit het kamp van Bush. Het idee was dat geen enkele aanval op Bill onbeantwoord zou blijven. De praktische inrichting van de commandokamer stelde James, George en het 'snelle-reactieteam' in staat verdraaiingen van feiten door de tegenstander onmiddellijk recht te zetten en onze boodschap elk moment van de dag naar buiten te brengen. Op een avond hoorde Patti Solis de telefoon gaan achter in het hoofdkwartier in Little Rock. Een andere campagnemedewerker, Steve Rabinowitz, rende naar het toestel, nam op en riep, zomaar spontaan: 'Hillaryland!' Hij schrok enigszins toen hij mijn stem hoorde, maar ik vond dat hij een prachtige bijnaam had bedacht. Patti beviel het ook en zij spijkerde een bord achter haar bureau met het woord 'Hillaryland'.

Mijn vertrouwen dat Bill de verkiezingen zou winnen, groeide. Amerikanen wilden een nieuw leiderschap. In de twaalf jaar dat er Republikeinen in het Witte Huis zaten, was de nationale schuld verviervoudigd, waren de begrotingstekorten steeds verder gegroeid en was er sprake van een stagnerende economie waarin veel te veel mensen geen fatsoenlijke baan konden vinden of houden en zich geen ziektekostenverzekering konden permitteren voor henzelf en hun kinderen. President Bush had tweemaal zijn veto uitgesproken over de wet die ouderschapsverlof regelde en was teruggekrabbeld op het vlak van vrouwenrechten. Als ambassadeur bij de Verenigde Naties en als Congreslid voor Texas was hij een voorstander van gezinsplanning, maar als vice-president en president was hij tegen een abortusregeling. De misdaadcijfers gingen omhoog, net als het aantal bijstandtrekkers en daklozen, en de regering-Bush leek geen voeling meer te hebben met de realiteit.

Voor Bill en mij was het dringendste probleem de crisis in de gezondheidszorg in Amerika. Overal waar we kwamen, hoorden we het ene verhaal na het andere over de onbillijkheden van het systeem van gezondheidszorg. Steeds meer burgers waren uitgesloten van noodzakelijke zorg omdat ze niet verzekerd waren, en niet in staat zelf de rekeningen te betalen.

In New Hampshire maakten Bill en ik kennis met Ronnie en Rhonda Machos, wier zoon, Ronnie junior, was geboren met een gat in zijn hart. Toen Ronnie de ziektekostenverzekering van zijn werk kwijtraakte, werd hij geconfronteerd met verpletterende rekeningen voor de medische zorg die zijn zoon nodig had. De Gores vertelden ons over de familie Philpott uit Georgia. Hun zevenjarige zoontje Brett lag op dezelfde kamer in het ziekenhuis als de jonge Albert Gore na diens verschrikkelijke auto-ongeluk. Al en Tipper hadden het vaak over de enorme financiële last waaronder de familie Philpott gebukt ging als gevolg van Bretts ziekte.

Hoe aangrijpend elk verhaal op zich ook was, we wisten dat er achter elk tragisch geval waar wij van hoorden, duizenden andere schuilgingen.

Ik geloof niet dat Bill verwacht had dat hervorming van de gezondheidszorg een hoeksteen van zijn campagne zou worden. Ten slotte luidde de befaamde leus van James Carville in de commandokamer: 'It's the economy, stupid!' – Het gaat om de economie, sukkel. Maar hoe meer Bill zich in het probleem verdiepte, hoe duidelijker het werd dat een hervorming van gezondheidszorgverzekeringen en beheersing van de kosten die omhoogschoten, behalve dat ze voorzagen in een dringende medische behoefte van de mensen, ook een integraal onderdeel waren van het oplappen van de economie. 'Vergeet de gezondheidszorg niet,' zei Bill keer op keer tegen zijn staf. En zij begonnen gegevens te verzamelen, waaronder een studie van Ira Magaziner, een vasthoudende actievoerder van wie ik voor het eerst gehoord had in 1969, toen we samen in het tijdschrift *Life* werden opgevoerd als officiële sprekers bij de afstudeerplechtigheid op onze respectieve colleges. Bill had hem hetzelfde jaar ontmoet, toen Ira met een Rhodesbeurs op de Universiteit van Oxford aankwam.

Bill, Ira en een groeiend team van deskundigen begonnen ideeën te ontwikkelen over hoe de gezondheidszorg na de verkiezingen aangepakt moest worden. We hadden een voorproefje gegeven van die plannen in een campagneboek getiteld *Putting People First* en in een speech die Bill in september gaf waarin hij uiteenzette wat zijn doelstellingen waren bij een aanpak van de crisis in de gezondheidszorg. De hervormingen die hij schetste, hielden onder andere een beheersing van de gedurig stijgende kosten in, een terugdringen van de papierwinkel en de bureaucratie in het verzekeringsbedrijf, grotere beschikbaarheid van geneesmiddelen op recept en vooral de garantie dat iedere Amerikaan verzekerd was tegen ziektekosten. We wisten dat een poging het stelsel van gezondheidszorg te herzien, een enorm moeilijke politieke klus zou zijn. Maar we geloofden dat de kiezers, als zij op 3 november voor Bill Clinton kozen, een verandering wilden.

9 *Inauguratie*

De laatste vierentwintig uur van de campagne van 1992 trokken Bill en ik kriskras door het land en deden voor het laatst een aantal steden aan, waaronder: Philadelphia in Pennsylvania; Cleveland, Ohio; Detroit, Michigan; St. Louis, Missouri; Paduca, Kentucky; McAllen en Fort Worth, Texas, en Albuquerque, New Mexico. We zagen de zon opkomen in Denver en landden rond half elf 's ochtends weer in Little Rock, waar Chelsea ons opwachtte op het vliegveld. Na een kort oponthoud om ons te verkleden, gingen we met z'n drieën naar ons stembureau, waar ik trots mijn stem op Bill uitbracht als mijn president. We brachten de dag met familie en vrienden door in de gouverneurswoning en belden met aanhangers in het hele land. Om 22.47 uur verklaarden de televisiezenders dat Bill had gewonnen.

Ik had weliswaar gerekend op een overwinning maar toch voelde ik me overweldigd. Nadat president Bush Bill had gebeld om zijn nederlaag te erkennen, gingen Bill en ik naar onze slaapkamer, sloten de deur en baden samen om Gods steun voor deze ontzagwekkende en eervolle verantwoordelijkheid. Toen riepen we iedereen bij elkaar en reden naar het Oude Staatsgebouw, waar we de campagne dertien maanden daarvoor waren begonnen. Samen met Al en Tipper Gore verschenen we voor een enorme menigte opgetogen inwoners van Arkansas en ware gelovigen uit iedere hoek van Amerika.

Binnen een paar uur was de keukentafel in de gouverneurswoning het zenuwcentrum van het team dat de overgang (*transition*) van de regering-Bush naar die van Bill moest regelen. In de weken die volgden, liepen mogelijke kandidaten voor kabinetsposten in en uit, rinkelden de telefoons dag en nacht en gingen ladingen voedsel naar binnen. Bill vroeg Warren Christopher de overgangsperiode te leiden en samen met Mickey Kantor en Vernon Jordan de kandidaten voor de belangrijkste posten door te lichten. Ze concentreerden zich eerst op de economische sector, omdat daar Bills hoogste prioriteit lag. Lloyd Bentsen, senator voor Texas, stemde toe Financiën te gaan doen; Robert Rubin, medepresident van de investeringsbank Goldman Sachs, accepteerde Bills aanbod om het eerste hoofd te worden van een op te richten National Economic Council van het Witte Huis; Laura D'Andrea Tyson, hoogleraar economie aan de Universiteit van Californië, Berkeley, werd voorzitter van de Economische Adviesraad; Gene Sperling, oud-medewerker van gouverneur Mario Cuomo van New York, werd Rubins plaatsvervanger en zou hem later opvolgen; en Congreslid Leon Panetta, de Democratische voorzitter van de begrotingscommissie in het Huis van Afgevaardigden, werd directeur van het begrotingsbureau. Samen met Bill werkten zij het economisch beleid uit dat ons land op het pad bracht van een fiscaal verantwoordelijke overheid en een ongekende groei in de private sector.

We stonden ook voor de meer alledaagse problemen waarmee elke familie waar van baan en woonplaats gewisseld wordt, mee te kampen heeft. Midden in die formatiedrukte van een nieuwe regering moesten we de gouverneurswoning ontruimen, het enige huis dat Chelsea zich kon herinneren. En omdat we geen eigen huis hadden, moest alles mee naar het Witte Huis. Vrienden kwamen helpen om alles te sorteren en in te pakken. In elke kamer stapelden de dozen zich op. Loretta Avent, een vriendin uit Arizona, die zich bij mij op verkiezingstournee had gevoegd na de Conventie, nam de duizenden cadeaus onder haar hoede die van over de hele wereld binnenkwamen en een enorm gedeelte van de grote kelder in beslag namen. Van tijd tot tijd schreeuwde Loretta van onder aan de trap:

'Kom eens kijken wat er nu weer binnenkomt.' Ik naar beneden en daar stond ze dan met een portret van Bill gemaakt van schelpen op een rood fluwelen achtergrond of met een verzameling speelgoedhonden met babykleertjes voor onze inmiddels beroemde zwart-witte kat Socks. We moesten een school in Washington vinden voor Chelsea, al bijna een tiener en niet blij dat ze haar leven moest opbreken. Bill en ik vroegen ons af hoe we haar een normale jeugd konden geven in het Witte Huis, waar ze zich zou moeten schikken in vierentwintiguursbewaking door de geheime dienst. We hadden al besloten dat Socks mee zou gaan naar Washington, al waren we gewaarschuwd dat hij daar niet langer vrij kon rondzwerven en dode vogels en muizen als jachttrofee naar binnen kon brengen. Omdat de spijlen in het hek rondom het Witte Huis te groot waren en hij daardoor op straat zou kunnen komen, besloten we met tegenzin dat hij aan de lijn moest, wanneer hij naar buiten ging.

Ik had verlof genomen voor de duur van de campagne, maar nu nam ik ontslag bij mijn advocatenpraktijk en begon met de samenstelling van een staf voor het bureau van de First Lady, de presidentsvrouw, en hielp ondertussen Bill waar ik maar kon. We worstelden allebei met de vraag wat mijn rol moest zijn. Ik zou een 'positie bekleden' maar geen echte 'baan' hebben. Hoe kon ik vanaf die positie mijn man helpen en mijn land dienen, zonder mijn eigen geluid te verliezen?

Er bestaat geen cursus 'Hoe word ik een First Lady'. Je krijgt het baantje omdat de man met wie je getrouwd bent, president wordt. Elk van mijn voorgangsters nam haar eigen opvattingen en verwachtingen, voorkeuren en afkeer, dromen en twijfels mee naar het Witte Huis. Elk schiep zich een rol waarin haar eigen interesses en stijl tot uiting kwamen en waarin de behoeften van haar man, haar gezin en het land een evenwicht vonden. Ik zou hetzelfde doen.

In de loop der jaren is de rol van First Lady vooral als een symbolische gezien. Van ons wordt verwacht dat we een ideaal – en voornamelijk mythisch – idee van Amerikaanse vrouwelijkheid vertegenwoordigen. Veel voormalige First Lady's waren talentvolle vrouwen, maar wat ze echt in hun leven hadden gedaan, werd genegeerd, vergeten of weggedrukt. Toen ik me op de rol voorbereidde, begon de geschiedenis eindelijk de werkelijkheid in te halen. In maart 1992 kreeg de populaire 'First Lady's'-afdeling in het Nationale Smithsonian Museum van Amerikaanse Geschiedenis een nieuwe opstelling, waarin de politieke rol en de publieke imago's van deze vrouwen erkenning vonden. Naast avondjurken en porselein toonde het museum het camouflagejack dat Barbara Bush droeg toen ze met haar man een bezoek bracht aan de troepen tijdens de operatie Desert Storm en werd er een citaat getoond van Martha Washington: 'Ik ben meer een staatsgevangene dan iets anders.' De verantwoordelijke conservator en het museum kregen het verwijt dat ze de geschiedenis herschreven en de 'gezinswaarden' van de First Lady's naar beneden haalden.

Toen ik me verdiepte in de huwelijken van vorige presidenten, zag ik dat Bill en ik niet het eerste stel waren dat zich op elkaar verliet als partners in het leven en in de politiek. Dankzij onderzoek van het Smithsonian en van historici als Carl Anthony en David McCullough zijn wij nu op de hoogte van Abigail Adams die haar man gedurig van advies diende, hetgeen haar de schampere bijnaam 'Mevrouw de President' opleverde; van de rol die Helen Taft achter de schermen speelde om Theodore Roosevelt zo ver te krijgen dat hij haar man als opvolger koos; van het 'onofficiële presidentschap' dat Edith Wilson vervulde na de beroerte van haar man; van de politieke vuurstormen aangestoken door Eleanor Roosevelt; van de nauwgezette correctie waaraan Bess de toespraken en brieven van Harry Truman onderwierp.

Net als de relaties van vele voorgaande bewoners van het Witte Huis was die van Bill Clinton en mij geworteld in liefde en respect, in gezamenlijke ambities en prestaties, overwinningen en nederlagen. Daar zou een verkiezing niets aan veranderen. Na zeventien jaar huwelijk, waren we elkaars grootste supporter, scherpste criticus en beste vriend.

Maar het was geen van ons beiden helemaal duidelijk hoe dit partnerschap zou passen in de nieuwe regering-Clinton. Bill kon me niet in een officiële functie benoemen, ook al zou hij willen. Sinds president John F. Kennedy zijn broer Bobby tot minister van Justitie had benoemd, waren er wetten tegen nepotisme van kracht geworden. Maar er waren geen wetten die het mij verboden mijn rol als onbetaald adviseur, en soms vertegenwoordiger, van Bill Clinton voort te zetten. We hadden lang samengewerkt en Bill wist dat hij mij kon vertrouwen. We waren er altijd van uitgegaan dat ik een bijdrage zou leveren aan de regering van mijn man. Maar tot tegen het einde van de overgangsperiode wisten we niet wat mijn rol zou zijn, totdat Bill me vroeg zijn initiatief voor de herziening van de gezondheidszorg onder mijn hoede te nemen.

Hij was bezig het economische beleid te concentreren in het Witte Huis en wilde voor de gezondheidszorg een soortgelijke structuur zien. Er waren zoveel overheidsdiensten die meenden betrokken te moeten worden bij een hervorming, dat hij bang was dat creativiteit en nieuwe benaderingswijzen verstikt zouden worden door competentiestrijd. Bill besloot dat Ira Magaziner binnen het Witte Huis de wetgevende ontwikkeling zou coördineren en hij wilde dat ik het voortouw zou nemen om een en ander wettelijk geregeld te krijgen. Bill was van plan de benoemingen van Ira en mij meteen na de inauguratie bekend te maken. Gegeven onze ervaring in Arkansas, waar Bill mij de leiding had gegeven van de commissies gezondheidszorg op het platteland en onderwijs, maakten we ons geen van beiden zorgen over de reacties die mijn betrokkenheid zou kunnen oproepen. We verwachtten zeker niet dat de hoofdstad op het stuk van politiek actieve echtgenotes conservatiever zou zijn dan Arkansas.

We waren aan de late kant toen we op de avond van 16

januari 1993 uit Little Rock vertrokken. Duizenden vrienden en aanhangers verdrongen zich in een enorme hangar op het vliegveld voor een emotioneel afscheid. Ik was opgewonden over wat ons te wachten stond, maar mijn enthousiasme was vermengd met melancholie. Bill stond het huilen nader dan het lachen toen hij voor de menigte die ons uitzwaaide de tekst van een lied citeerde: *'Arkansas runs deep in me and always will'* – Arkansas zit diep in mijn bloed en dat zal nooit veranderen. Na wat wel duizend omhelzingen en handdrukken leken, stapten we in ons gecharterde vliegtuig. Toen we opgestegen waren, verdwenen de lichten van Little Rock onder de wolken en restte er niets meer dan vooruitkijken.

We vlogen naar Charlottesville, Virginia, vanwaar we per bus verder gingen naar Washington langs de 121 mijl lange route die Thomas Jefferson had gevolgd naar zijn inauguratie in 1801. Ik vond het een toepasselijke manier om het presidentschap van William Jefferson Clinton in te wijden.

De volgende ochtend ontmoetten we Al en Tipper en bekeken Monticello, het prachtige huis dat Jefferson heeft ontworpen. Toen stapten we samen in een andere bus, net als tijdens de campagne, en reden naar het noorden, naar Washington. Langs Route 29 stonden duizenden mensen te juichen, zwaaiend met vlaggen, ballonnen en banieren. Sommigen hielden zelf gefabriceerde borden op om ons te feliciteren of te kastijden: 'Bubbas for Bill'; 'We rekenen op je'; 'Houd je beloften – aids wacht niet'; 'Jullie zijn socialisten, sukkels'. De mooiste vond ik een eenvoudig bord met handgeschreven letters: 'Genade, Barmhartigheid'.

De hemel was nog helder, maar de temperatuur daalde toen we Washington binnenreden. De voorzienigheid wilde dat de qua stiptheid zwakbegaafde nieuwgekozen president op tijd was. Vijf minuten te vroeg arriveerden we bij het Lincoln Memorial voor de eerste officiële gebeurtenis – een concert op de trappen voor een enorme menigte die zich uitstrekte tot op de Mall. Harry Thomason, Rahm

Emanuel en Mel French, ook een vriend uit Arkansas, waren de ceremoniemeesters van de feestelijkheden bij de inauguratie. Harry en Rahm waren zo opgelucht toen ze ons zagen dat ze elkaar om de hals vielen.

Ik had nog nooit in een kooi van kogelvrij glas gezeten, een merkwaardige en enigszins vervreemdende ervaring. Maar ik was dankbaar voor de kleine kacheltjes bij onze voeten, want de temperatuur was naar beneden geduikeld. De weergaloze Diana Ross zong een spectaculaire versie van 'God Bless America'. Bob Dylan speelde voor de volgepakte Mall, net zoals hij dat gedaan had op die dag in augustus 1963, toen Martin Luther King jr. vanaf dezelfde trappen zijn 'I have a Dream'-rede had afgestoken. Ik voelde me bevoorrecht dat ik Luther King als tiener had horen spreken in Chicago en het was verbijsterend om op de plaats waar hij had gestaan, te luisteren naar mijn echtgenoot, die eer bewees aan de man die deze natie heeft geholpen die pijnlijke geschiedenis te verwerken.

'In deze wereld en in die van morgen is het samen voorwaarts, of helemaal niet,' zei Bill. 'Laten we een Amerikaans thuis bouwen voor de eenentwintigste eeuw, waarin voor iedereen plaats is aan tafel en geen enkele zoon of dochter wordt buitengesloten.'

De zon ging al onder toen Bill, Chelsea en ik aan het hoofd van duizenden zwaaiende, zingende feestvierders over Memorial Bridge trokken.

We stopten op de andere oever van de Potomac en vormden een kring om een replica van de Vrijheidsklok. Dat was het startsein voor een ceremonie waarbij in het hele land, en in het ruimteveer *Endeavor* dat toen om de aarde draaide, gelijktijdig duizenden 'Klokken van Hoop' werden geluid. We bleven nog wat toen vuurwerk de nachthemel boven de hoofdstad verlichtte. Toen moesten we naar een andere plechtigheid en naar weer een andere en langzamerhand vloeiden al die feestelijkheden samen in een caleidoscoop van gezichten, podia en stemmen.

Tijdens de inauguratieweek logeerden onze familieleden en persoonlijke staf bij ons in Blair House, het traditionele gastenverblijf voor bezoekende staatshoofden en nieuw gekozen presidenten. Blair House en de professionele staf onder leiding van Benedicte Valentiner, bij iedereen bekend als 'Mrs. V' en haar plaatsvervanger Randy Baumgardner, gaven ons het gevoel dat we thuis waren in het stijlvolle, elegante herenhuis dat een oase van rust was in een hectische week. Blair House staat erom bekend dat men er aan iedere bijzondere behoefte tegemoet komt. Ons team stelde niet zo veel voor vergeleken met sommige bezoekende staatshoofden die eisten dat de bewaking naakt was om zeker te zijn dat ze ongewapend was, of die hun eigen koks meenamen om gerechten als geit of slang klaar te maken.

Bill hield veel toespraken die week, maar de belangrijkste speech van zijn leven had hij nog niet geschreven: zijn inaugurele rede. Bill schrijft prachtig en is een begaafde redenaar die kan zorgen dat het heel vanzelfsprekend klinkt, maar zijn voortdurende wijzigingen en veranderingen op het laatste moment zijn zenuwslopend. Geen zin of hij weet eraan te prutsen. Ik was gewend aan zijn voortdurende geknutsel, maar zelfs ik voelde hoe mijn bezorgdheid groeide naarmate de dag dichterbij kwam. Elk vrij moment tussen zijn verplichtingen door werkte Bill aan zijn toespraak.

Mijn man houdt ervan om iedereen om hem heen mee te trekken in zijn creatieve chaos. David Kusnet, zijn hoofd-speechschrijver; Bruce Reed, zijn plaatsvervangend adviseur binnenlandse politiek; George Stephanopoulos, zijn directeur communicatie; Al Gore en ik – allemaal deden we een duit in het zakje. Bill riep ook de hulp in van twee oude vrienden: Tommy Caplan, een verbazingwekkende woordensmid en romanschrijver die een van zijn kamergenoten was geweest op de Universiteit van Georgetown, en Taylor Branch, een schrijver die de Pulitzer-prijs had gewonnen en met wie we in Texas samen voor de McGovern-campagne hadden gewerkt. Midden in dat proces kreeg Bill een brief van de eerwaarde Tim Healy, de vroegere president van Georgetown en hoofd van de Openbare Bibliotheek New York. Hij en Bill hadden een gemeenschappelijke kennis. Vader Healy was nog een brief aan Bill aan het schrijven, toen hij plotseling op weg naar huis aan een hartaanval bezweek. De brief werd gevonden in zijn schrijfmachine en werd naar Bill gestuurd, die in deze postume boodschap een prachtige zin vond. De eerwaarde Healy had geschreven dat Bills verkiezingszege *'would force the spring'* – de komst van de lente af zou dwingen – en tot een bloei van nieuwe ideeën, van hoop en energie zou leiden, die het land nieuwe kracht zou geven. Ik vond het prachtige woorden en een treffende metafoor voor wat Bill wilde met zijn presidentschap.

Het was fascinerend te zien hoe mijn man die week letterlijk voor mijn ogen president werd. Tussen alle feestelijkheden door kreeg Bill rapportages over kwesties van staatsveiligheid om hem voor te bereiden op de historische verantwoordelijkheden die hij zo aanstonds op zich zou nemen. Opmerkelijk behendig verplaatste hij zijn aandacht van een belangrijke rede naar het nieuws dat Amerikaanse vliegtuigen Irak bombardeerden als reactie op het negeren van VN-sancties door Saddam Hoessein, naar rapporten over de verslechtering van het conflict in Bosnië.

De dag voor de inauguratie was hij nog aan zijn speech aan het schrijven. Ik moest mijn eigen programma afwerken, maar ik was bereid die middag voor hem in te vallen bij verschillende verplichtingen, zodat hij tijd had om te werken. Die middag perste ik er ook nog een bezoek aan evenementen van mijn beide alma maters, Wellesley en Yale Law School, tussen. Op de terugweg van het Mayflower Hotel liep mijn auto op Pennsylvania Avenue, binnen het zicht van Blair House, vast in een file met auto's die van buiten Washington op de inauguratie waren af gekomen. Ik was zo laat en gefrustreerd dat ik uit de auto sprong en tussen de auto's door rende. Capricia Marshall zag het vanuit een raam en moet nog steeds lachen als ze beschrijft hoe ik op hoge hakken en in een nauwsluitend flanellen pakje tussen de auto's door sprong, met een stel geschrokken veiligheidsagenten achter me aan.

Een uur of twee voor zonsopgang op de dag van zijn inauguratie was Bill klaar met het schrijven en repeteren van zijn grote rede.

We sliepen heel kort en begonnen toen die bijzondere dag met een emotionele interkerkelijke dienst in de Metropolitan Afrikaans methodistisch episcopale kerk. Toen gingen we naar het Witte Huis, waar de familie Bush ons begroette in de noordelijke zuilengang, terwijl hun spaniëls, Millie en Ranger, om hun benen dartelden. Ze waren heel hartelijk en stelden ons op ons gemak. Onze families waren geen van beide ongeschonden uit de campagne gekomen. Maar Barbara Bush was heel hartelijk geweest als we elkaar in het verleden ontmoetten en ze had me na de verkiezingen een rondleiding gegeven door het woongedeelte van het Witte Huis. George Bush was altijd vriendelijk geweest als we hem ontmoetten bij de jaarlijkse conferentie van het Nationale Genootschap van Gouverneurs en ik had twee keer naast hem gezeten, bij het diner van het Genootschap in het Witte Huis en bij de onderwijstop in Charlottesville. Toen in 1983 de zomerconferentie van gouverneurs in Maine werd gehouden, stelden de Bushes hun buiten in Kennebunkport open voor een *clambake*, een grote picknick met vis en schelpdieren. Chelsea was mee, ze was toen pas drie en toen ze naar de wc moest, nam de toenmalige vice-president haar bij de hand en wees haar de weg.

Op het Witte Huis voegden Al en Tipper Gore zich bij ons, samen met Alma en Ron Brown, de voorzitter van de Democratische Partij die kort daarna beëdigd zou worden als minister van Handel, en Linda en Harry Thomason, die samen de leiding hadden over de inauguratie. President en mevrouw Bush gingen ons voor naar de Blue Room, waar we ruim twintig minuten koffie dronken en babbelden, totdat het tijd was om naar het Capitool te gaan. Bill reed met George in de presidentiële limousine, Barbara en ik volgden in een andere auto. De menigte langs Pennsylvania Avenue juichte en zwaaide als we langs kwamen. Ik had bewondering voor de gracieuze wijze waarop mevrouw Bush het moment tegemoet ging dat de ene president, haar man, aftrad ten gunste van de andere.

We stonden voor de westelijke gevel van het Capitool met het adembenemende uitzicht over de Mall op het Washington Monument en het Lincoln Memorial. De enorme menigte strekte zich uit tot voorbij het monument.

Volgens gebruik zette de kapel van de Amerikaanse marine vlak voor twaalf uur voor de laatste keer het 'Hail to the Chief' in voor George Bush, en vervolgens een paar minuten later voor de nieuwe president. Die melodie deed me altijd al iets maar nu was ik tot tranen geroerd nu ze voor mijn man werd gespeeld. Chelsea en ik hielden eerbiedig de bijbel vast toen Bill de ambtseed aflegde. Toen trok hij Chelsea en mij tegen zich aan, kuste ons beiden en fluisterde: 'Wat houd ik van jullie tweetjes.'

In zijn rede legde Bill de nadruk op de thema's offergezindheid en dienstbaarheid voor Amerika en riep op tot de veranderingen die hij in zijn campagne had bepleit. 'Er is niets mis met Amerika dat niet genezen kan worden door wat goed is voor Amerika,' zei hij en riep de Amerikanen op voor 'een seizoen van hulpvaardigheid' ten behoeve van behoeftigen thuis en van de mensen elders op de wereld die we moesten helpen democratie en vrijheid tot stand te brengen.

Na de plechtige beëdiging haastte een gedeelte van onze nieuwe staf zich naar het Witte huis om te beginnen onze spullen uit te pakken en alles in orde te brengen, terwijl Bill en ik in het Capitool gingen lunchen met leden van het Congres. Zoals op de dag van de inauguratie om twaalf uur de macht van de ene president op de andere overgaat, zo geldt dat ook voor het bezit van het Witte Huis. De bezittingen van een nieuwe president en zijn gezin kunnen pas na zijn beëdiging het Witte Huis binnengebracht worden. Om 12.01 uur reden de verhuiswagens van George en Barbara Bush weg van de dienstingang en reden de onze voor. Onze bagage, meubels en honderden dozen werden in een krankzinnig tempo uitgeladen in de paar uur tussen de plechtigheid bij het Capitool en het slot van het inauguratiedefilé. Medewerkers waren als gekken in de weer om eruit te vissen wat we onmiddellijk nodig hadden en stapelden de rest van onze bezittingen zo lang in kasten en lege kamers.

De veiligheidsprocedures in het Witte Huis schreven voor dat de belangrijkste medewerkers een machtiging moeten krijgen van de geüniformeerde agenten van de geheime dienst, een procedure die in de wandeling *WAVES* wordt genoemd, wat staat voor '*Workers and Visitors Entry System*' (toegangssysteem werknemers en bezoekers). Een lijst van vooraf gescreende gasten en stafleden wordt dan '*WAVE-d in*', binnengewuifd. Helaas had mijn persoonlijke assistente, Capricia Marshall, het systeem niet helemaal begrepen. Ze dacht dat het ging om een *wave-in*, een verwelkomend handgebaar. Capricia wilde mijn inauguratiejapon die dag niet uit handen geven en kwam die zelf van Blair House naar het Witte Huis brengen. Ze zwaaide naar de bewaking terwijl ze van hek tot hek liep, op zoek naar iemand die haar binnen zou wuiven. Het getuigt van haar overredingskracht dat mijn paarsblauwe, met kant overtrokken baljurk op de dag van de inauguratie langs de beveiliging van het Witte Huis is gekomen.

Na de lunch reden Bill, Chelsea en ik van het Capitool langs de route van het defilé naar het ministerie van Financiën; daar stapten we uit met de schoorvoetende zegen van de geheime dienst en liepen langs Pennsylvania Avenue naar het podium voor het Witte Huis, waar ik voor een kacheltje naar het defilé zat te kijken. Omdat het zestien jaar geleden was dat de Democraten de presidentsverkiezingen hadden gewonnen, wilde iedereen meedoen. We konden en wilden geen nee zeggen. Alleen al uit Arkansas waren er zes fanfarekorpsen, in een defilé dat drie uur duurde.

Pas tegen de avond, nadat de laatste wagen van het defilé voorbij was getrokken, liepen we het Witte Huis binnen als de nieuwe bewoners. Ik herinner me dat ik met verbazing staarde naar het gebouw waar ik vaak als gast was geweest. Nu zou het mijn huis zijn. Op de wandeling over het pad naar het Witte huis, de trappen op naar de Noordelijke Zuilengang, de Grand Foyer in, drong de werkelijkheid tot me door: ik was nu de First Lady, getrouwd met de president van de Verenigde Staten. Dit was het eerste van vele momenten dat het tot me doordrong dat ik deelnam aan de geschiedenis.

Leden van de permanente staf van het Witte Huis, ongeveer honderd in getal, stonden ons ter begroeting op te wachten in de Grand Foyer. Dit zijn de mannen en vrouwen die het huis draaiende houden en die voorzien in de speciale behoeften van de bewoners. Het Witte Huis heeft zijn eigen technici, timmerlieden, loodgieters, tuinlieden, bloemisten, conservatoren, koks, butlers en huishoudsters die blijven als de regering wisselt. Alle werkzaamheden staan onder toezicht van de 'ushers', een wonderlijke negentiende-eeuwse benaming waarmee nog steeds de administratieve staf wordt aangeduid. In 2000 publiceerde ik mijn boek *An Invitation to the White House* waarin ik al mijn bewondering en respect voor hen heb neergelegd.

We werden naar boven gebracht, naar de privé-vertrekken op de tweede etage die er kaal uitzagen aangezien onze spullen nog niet uitgepakt waren. Maar we hadden geen tijd om daarover in te zitten. We moesten ons klaar maken om uit te gaan.

Een van de gerieflijkste aspecten van de ambtswoning is de schoonheidssalon, op initiatief van Pat Nixon op de tweede etage geïnstalleerd. Chelsea, haar vriendinnen, mijn moeder, mijn schoonmoeder en mijn schoonzus, Marie, verdrongen elkaar om zich te laten opdirken als Assepoesters voor het bal.

Bill wilde die avond naar alle elf de inauguratiebals, en

dan niet voor de gebruikelijke vijf minuten om zich te laten zien en te zwaaien. We zouden het vieren. Chelsea en vier van haar vriendinnen uit Arkansas vergezelden ons naar verschillende evenementen, waaronder het MTV-bal, en gingen toen terug naar het Witte Huis. Het Arkansasbal in het Washington Convention Center was het grootste feest, en voor ons het leukste omdat zich daar onze familieleden met twaalfduizend vrienden en aanhangers hadden verzameld. Ben E. King overhandigde Bill zijn saxofoon en de menigte barstte los in gejuich en de kreet *Soeoeoe-eee!*, de aanmoedigingsyell van de Razorbacks, het footballteam van Arkansas en genoemd naar een wild varken.

Niemand vermaakte zich beter dan Bills moeder, Virginia Kelley. Zij was op minstens drie feesten het stralende middelpunt. Ze kende waarschijnlijk de helft van de feestvierders en had snel kennis gemaakt met de rest. Ze maakte die avond ook een speciale vriendin: Barbra Streisand. Zij en Barbra knoopten op het Arkansas-bal een vriendschap aan die het volgende jaar werd voortgezet met wekelijkse telefoongesprekken.

Bill en ik trokken van bal naar bal en tegen het einde van de avond hadden we op zoveel vertolkingen van 'Don't Stop Thinking About Tomorrow', het inofficiële campagnelied, gedanst, dat ik mijn schoenen uit moest schoppen om mijn voeten rust te gunnen. Geen van ons beiden wilde dat er een eind kwam aan deze avond, maar uiteindelijk troonde ik Bill mee uit het Sheraton Hotel toen de musici op het Midwestern-bal hun instrumenten begonnen in te pakken. Ruim na twee uur in de ochtend gingen we terug naar het Witte Huis.

Toen we op de tweede verdieping uit de lift stapten, keken we elkaar ongelovig aan: dit was ons nieuwe huis. Te moe om de imposante nieuwe omgeving te verkennen, ploften we in bed. We hadden maar een paar uur geslapen toen er krachtig op de slaapkamerdeur werd geklopt.

Klop klop klop.

'Huh?'

Klop klop klop.

Bill schoot overeind en ik tastte in het donker naar mijn bril en dacht dat er op onze allereerste ochtend sprake moest zijn van de een of andere noodsituatie. Plotseling zwaaide de deur open en stapte een man in smoking de slaapkamer binnen met zilveren ontbijtblad. Zo waren de Bushes hun dag begonnen, met ontbijt op bed, en zo waren de butlers het gewend. Om 5.30 uur. Maar de eerste woorden die de arme man te horen kreeg van de 42ste president van de Verenigde Staten waren: 'Hé, wat moet jij hier?'

Nooit iemand zo snel een kamer zien verlaten.

Bill en ik lachten en kropen weer onder de dekens om te proberen nog een uurtje slaap te stelen. Ik bedacht dat er nog behoorlijk wat aanpassingen gevraagd zouden worden, zowel van het Witte Huis als van ons, de nieuwe bewoners, privé en publiek.

Het presidentschap van Clinton stond voor een politieke verandering en een wisseling van generaties, en elke instelling in Washington zou daarvan de gevolgen voelen. Het Witte Huis was twintig van de afgelopen vierentwintig jaar het domein van de Republikeinen geweest. De bewoners hoorden tot de generatie van onze ouders. De Reagans aten 's avonds vaak met een blad op schoot voor de tv, en het schijnt dat de Bushes bij zonsopgang opstonden om de honden uit te laten, vervolgens de kranten lazen en naar de nieuwsprogramma's keken op de vijf tv-toestellen in hun slaapkamer. Na twaalf jaar was de toegewijde vaste staf gewend aan een voorspelbare routine en regelmatige uren. Sinds het aftreden van Jimmy Carter in 1981 hadden er geen kinderen meer permanent gewoond. Ik vreesde dat de losse levensstijl van ons gezin en onze gewoonte op elk uur van de dag te werken, even vreemd zouden zijn voor de staf als de vormelijkheid van het Witte Huis dat voor ons was.

Bills campagne legde de nadruk op 'Putting People

First', dus wilden we op de eerste dag onze belofte inlossen en gaven we voor duizenden mensen, voor het grootste deel door loting aangewezen, een open huis. Ze hadden allemaal een kaartje gekregen en velen van hen stonden al voor zonsopgang in de rij om ons en de Gores te ontmoeten. Maar we hadden niet beseft hoe lang het zou duren om iedereen te begroeten en we hadden er niet genoeg tijd voor uitgetrokken. Er stond een rij in het park van de oostelijke ingang tot de zuidelijke zuilengang en ik voelde me vreselijk toen ik me realiseerde dat veel mensen die buiten in de kou stonden te wachten, nooit de Diplomatieke Ontvangstzaal zouden halen voordat wij weg moesten.

Laat die middag, na het open huis en onze andere verplichtingen, konden Bill en ik eindelijk iets gemakkelijkers aantrekken en eens rondkijken in ons nieuwe huis. We wilden die eerste dagen en nachten in het Witte Huis delen met onze familie en onze beste vrienden. Op de tweede verdieping lagen twee logeerkamers, de zogenaamde Queen's Room en de Lincoln Bedroom. Op de derde waren zeven gastenvertrekken. Behalve Chelsea en haar vriendinnen uit Little Rock hadden we onze ouders, Hugh en Dorothy Rodham en Virginia en Dick Kelley, onze broers, Hugh Rodham met zijn vrouw Maria, Tony Rodham en Roger Clinton te logeren. En we hadden ook vier van onze beste vrienden uitgenodigd bij ons te overnachten: Diane en Jim Blair, en Harry en Linda Thomason.

Harry en Linda hadden zeer succesvolle tv-shows geschreven en geproduceerd, waaronder *Designing Women* en *Evening Shade*, maar hun hart bleef altijd in de Ozark Hills. Harry was opgegroeid in Hampton, Arkansas, en was zijn carrière begonnen als coach Amerikaans football op een middelbare school in Little Rock. Linda kwam uit een familie van advocaten en activisten in Poplar Bluff, Missouri, net over de grens met Arkansas. De enige andere beroemdheid die in dat stukje Missouri geboren was, vertelde Linda met een lach, was Rush Limbaugh de rechtse radiopresentator, een van de felste supporters van George Bush.

De families van Linda en Rush kenden elkaar en koesterden een langdurige, gemoedelijke rivaliteit.

Na de stormachtige week van inauguratiefeestelijkheden was het goed om bij te komen met mensen die we al jaren kenden en volstrekt vertrouwden. Aan het eind van de avond besloten we de kleine gezinskeuken achter de Westelijke Zitkamer te plunderen. Harry en Bill doorzochten de kasten terwijl Linda en ik in de koelkast keken. Daar stond niets in, behalve een halfvolle fles wodka. We gebruikten de inhoud om te klinken op de nieuwe president, het land en onze toekomst.

Onze ouders waren al naar bed en Chelsea en haar gasten waren eindelijk rustig. De vorige avond waren de meisjes vroeg teruggekomen van de inauguratiebals en hadden zich vervolgens kostelijk vermaakt met een speurtocht die de staf van het Witte Huis voor hen georganiseerd had. Het had mij een goede manier voor haar geleken om op een amusante manier vertrouwd te raken met haar nieuwe omgeving. De conservatoren hadden allerlei historische aanwijzingen bedacht, zoals: 'Zoek het schilderij met de gele vogel' (*Stilleven met vruchten, bokaal en kanarie*, door Severin Roesen, in de Red Room); en: 'Zoek de kamer waarvan wel gezegd wordt dat er een spook is gezien.' Het antwoord was de Lincoln Bedroom, waar gasten koude briesjes en geestverschijningen hadden gesignaleerd.

Ik geloof niet in spoken, maar soms hadden we het gevoel dat het Witte Huis geplaagd werd door aardsere entiteiten. Geesten van voorbije regeringen lieten overal sporen achter. Soms zelfs in de vorm van briefjes. Harry en Linda kregen die nacht de Lincoln Bedroom. Toen ze in het lange rozenhouten bed klommen, vonden ze onder een kussen een opgevouwen papiertje.

'Beste Linda, ik was hier eerst, en ik kom terug', stond erop.

Was getekend: 'Rush Limbaugh'.

Mijn moeder, Dorothy Howell, trouwde in 1942 met mijn vader, Hugh Rodham, toen hij nog bij de marine zat. Door haar jeugdervaringen werd ze een sociaal bewogen vrouw met een groot rechtvaardigheidsgevoel dat ze aan mij en mijn broers doorgaf. Ik heb de lach van mijn vader – dezelfde bulderende lach die mensen in een restaurant doet omkijken en katten de kamer uit jaagt.

Mijn grootmoeder, Hannah Jones Rodham, gebruikte altijd al haar drie namen. Ze was een opvallende persoonlijkheid, maar overleed toen ik vijf jaar was en ik herinner me minder van haar dan van mijn grootvader, Hugh sr, een vriendelijke, geduldige man. Mijn vader aanbad zijn moeder en vertelde me vaak hoe zij had weten te voorkomen dat zijn voeten werden geamputeerd.

Ik was acht of negen maanden oud toen oom Russell Rodham bij ons kwam wonen. Nadat hij zijn artsenpraktijk had opgegeven, zei de jongste broer van mijn vader vaak voor de grap dat ik zijn laatste patiënt was.

Mijn stiefgrootvader, Max Rosenberg, was joods. Als tienjarige die in het Midwesten opgroeide, was ik geschokt toen ik hoorde dat er miljoenen onschuldige mensen vanwege hun geloof waren omgebracht. Bij mijn bezoek aan Auschwitz als First Lady herinnerde ik me mijn vaders poging mij uit te leggen tot welk kwaad de mens in staat is, en waarom de Verenigde Staten tegen de nazi's moesten vechten.

Na de oorlog begon mijn vader een kleine zaak in gordijnstoffen. Toen we oud genoeg waren, moesten wij allemaal meehelpen met bedrukken. Zijn succes bracht ons naar Park Ridge, Illinois, een Amerikaans stadje als uit een prent van Norman Rockwell. Hier, in 1959, poseren we op ons paasbest met onze poes Isis.

Elke zomer brachten we bijna de hele maand augustus door in het vakantiehuis van opa Rodham bij Lake Winola, ten noordwesten van Scranton in de Pocono Mountains. Op de grote veranda aan de voorkant speelden we vaak kaart (pinochle) of een bordspel.

In Park Ridge organiseerde ik spel- en sportevenementen en kermissen in de achtertuin, voor de lol en om geld in te zamelen voor een goed doel. Op mijn twaalfde haalde ik met mijn vrienden de plaatselijke krant toen we een papieren zak overhandigden met geld dat was ingezameld voor United Way.

De methodistische jeugddominee Don Jones liet me kennismaken met de 'Universiteit van het leven' toen hij 1961 in Park Ridge aankwam; hij stimuleerde onze jongerengroep om het geloof te praktiseren door middel van sociale activiteiten. Hier sta ik te midden van een stel vriendinnen uit de groep tijdens een van onze frivolere uitstapjes.

Van jongs af was ik in politiek geïnteresseerd. Ik was actief als Jonge Republikein en werd later een Goldwater Girl, tot aan mijn cowgirl-uitdossing toe. Tijdens nagespeelde verkiezingsdebatten op school raakte ik echter aan het twijfelen.

De Commissie Culturele Waarden was mijn eerste kennismaking met
een organisatie die probeerde Amerikaanse waarden als pluralisme,
wederzijds respect en begrip uit te dragen. De bijeenkomst met
vertegenwoordigers van verschillende studentenverenigingen werd
uitgezonden door de lokale tv. Voor mijn eerste televisieoptreden had
ik mijn haar opgestoken.

In 1965 begon ik op Wellesley. Achteraf kan men makkelijk de
ontsteltenis over de Vietnam-oorlog afdoen als jaren-zestigaanstellerij,
maar zo herinner ik me dat niet.

Alan Schechter was mijn docent politicologie en scriptiebegeleider op Wellesley. Hij koos mij uit voor een stage in Washington DC, en zette me op het juiste pad.

In 1968 liep ik stage bij de House Republican Conference in Washington, DC, waar ik werkte onder leiding van Gerald Ford (rechts van mij) en met mensen als Melvin Laird en Charles Goodell (helemaal rechts), die mij advies gaven. Met beiden raakte ik bevriend. Deze foto van mij met vooraanstaande Republikeinen hing in mijn vaders slaapkamer toen hij overleed.

Wij, de klas van 1969, zaten op Wellesley gevangen tussen een achterhaald verleden en een onzekere toekomst. Nooit eerder had een student een toespraak gehouden tijdens de diploma-uitreiking. De lovende en vernietigende reacties op mijn speech bleken een voorbode voor later te zijn.

Patty Howe Criner (links) en mijn kamergenote op de universiteit Johanna Branson, zijn vriendinnen voor het leven. In 1975 waren ze in Arkansas op mijn bruiloft, net als mijn vader, een man met uitgesproken opvattingen maar ook met het vermogen te veranderen.

Trouw aan mijn aard en opvoeding pleitte ik ervoor het systeem van binnenuit te veranderen; ik besloot rechten te gaan studeren aan de universiteit, waar ik met Bill schijnprocessen voerde.

Bill Clinton was in 1970 een opvallende verschijning op Yale. Hij leek meer op een Viking dan op een net uit Oxford teruggekeerde Rhodesstudent. Bij onze eerste ontmoeting in de lente van 1971 raakten we in gesprek en meer dan dertig jaar later is hij nog steeds het beste gezelschap dat ik ken.

John Doar (links), gekozen door de Juridische Commissie van het Huis om het impeachment-onderzoek naar president Nixon te leiden, bood me een staffunctie aan om de wettelijke grondslag voor een presidentieel impeachment te onderzoeken. Ik werkte onder Joe Woods, naast Doar. De kennis die ik opdeed, zou me goed van pas komen.

In navolging van Marian Wright Edelman heb ik me mijn leven lang ingezet voor kinder- en burgerrechten.

In 1971 werd Bill ge-vraagd om in het Zui-den campagne te voe-ren voor George McGovern. Hij zou bijna hebben meege-daan aan de presi-dentscampagne, maar koos ervoor het groot-ste deel van de zomer met mij door te bren-gen in Californië.

Ik volgde mijn hart naar Arkansas toen Bill zich daar kandidaat stelde. We hielden van ons leven daar, en van onze regelmatige volleybalpartijtjes. Op 11 oktober 1975 trouwden we in de woonkamer van ons huis in Fayetteville.

Voor de Carter-campagne in 1976 werd ik gevraagd als campagnecoördinator voor de staat Indiana. Carter verloor deze staat, maar ik leerde er veel van, en dit baantje stelde me weer op de proef.

In 1979 werd Bill beëdigd als gouverneur van Arkansas. Later stelde hij met het oog op hervormingen in het onderwijs een commissie in en benoemde mij tot voorzitter. Toen we verplichte leraarstesten voorstelden, liep het debat heel hoog op.

De geboorte van Chelsea was het grootste wonder in ons leven. Ze is genoemd naar het nummer 'Chelsea Morning', dat haar vader zong toen hij en ik door de Londense wijk Chelsea slenterden tijdens een vakantie in 1978.

Het jongenskoor van Arkansas bracht Bill, Carolyn Huber en mij een serenade — een heerlijk respijt tijdens de moeilijke kerstperiode van 1980. Bill had net de herverkiezingen verloren en we waren bezig uit de ambtswoning te verhuizen. We zouden niet lang wegblijven.

Sinds mijn dertiende heb ik altijd een baan gehad, behalve tijdens de acht jaren die ik in het Witte Huis woonde. Ik werd de eerste vrouwelijke partner bij advocatenkantoor Rose in Little Rock en ontgon nieuwe gebieden voor mezelf.

De twee juristen bij advocatenkantoor Rose met wie ik het meeste samenwerkte, waren Vince Foster (links) en Webb Hubbell, hier te gast op een verjaardagsfeestje van Chelsea. Ik vond Webb een loyale vriend op wie je kon bouwen. Vince was een van de slimste advocaten die ik heb gekend en een van mijn beste vrienden. Ik wenste dat ik de tekenen van zijn wanhoop had herkend en hem had kunnen helpen.

Als vrouw van de Attorney General kon ik me 'eigenaardigheden' permitteren, maar als First Lady van Arkansas stond ik midden in de schijnwerpers. Voor het eerst besefte ik wat voor gevolgen mijn persoonlijke keuzen konden hebben voor de politieke toekomst van mijn man. Veel stemgerechtigden in Arkansas hadden er grote moeite mee dat ik mijn meisjesnaam, Rodham, behield. Later zette ik daar Clinton achter.

Mijn geloof heeft altijd een cruciale, maar zeer persoonlijke rol gespeeld in mijn leven en in dat van mijn familie. Toen ik in de methodistenkerk werd aangenomen, nam ik me John Wesleys woorden ter harte: 'Doe al het goede dat je kunt, met alle middelen die je hebt... zolang je kunt.'

Tijdens de presidentscampagne in 1992 trokken Tipper en Al Gore in de bus met ons mee door het land. Telkens als we een groepje van twee of meer mensen tegenkwamen, wilde Bill stoppen om met hen te praten.

In de campagne van 1992 speelde zelfs broccoli een rol. Alles wat ik zei of deed, kon tot verhitte discussies leiden, ook hoe mijn haar zat.

Mijn broers Hugh en Tony en mijn vader gingen mee op campagne. Waren de eerste vierenveertig jaren van mijn leven vormend te noemen, de dertien maanden van de presidentscampagne waren een openbaring.

Verkiezingsavond in de Old State House in Little Rock, 3 november 1992. Onze relatie, geworteld in dezelfde dromen, prestaties, overwinningen en nederlagen en in wederzijdse liefde en steun, zou ons sterken én op de proef stellen toen Bill president werd.

Na de verkiezingen vierden we in Californië de verjaardag van Harry Thomason met zijn vrouw Linda Bloodworth-Thomason, goede vrienden. Harry en Linda produceerden en schreven een aantal zeer succesrijke tv-programma's, maar hun hart bleef bij de Ozark Hills. Ik draag de pet van de American League-club waarvan ik mijn leven lang fan ben.

Ik heb altijd gevonden dat vrouwen keuzen moeten kunnen maken die goed zijn voor henzelf, en ik vond dat ook voor First Lady's gelden. Ik had nooit verwacht dat Washington in sommige opzichten conservatiever was dan Arkansas.

Bill wilde naar alle elf inaugurele feesten, en niet alleen om even obligaat hallo te zeggen. We gingen dit echt vieren. Achter de schermen oefenden we onze dans op een van de 'warming-ups' eerder die week.

Op 20 januari 1993 begon een nieuw presidentschap voor Amerika en een nieuw leven voor ons gezin. Als First Lady werd ik een symbool — dat was voor mij iets nieuws.

Het Witte Huis is het kantoor en de woning van de president; en het is een nationaal museum. Ik kwam er al snel achter dat de organisatiecultuur erg veel leek op die van een militaire eenheid. Jarenlang waren de dingen op een bepaalde manier gedaan, vaak door een staf die er al tientallen jaren zat, en die jaar in jaar uit er alles aan deed de zaken te verbeteren. Zo was chef-hovenier Irv Williams zijn carrière begonnen onder president Truman. De leden van de vaste staf wisten dat zij verantwoordelijk waren voor de continuïteit van de elkaar opvolgende presidentiële gezinnen. In veel opzichten beheerden zij het hart, de hersenen en de ziel van het presidentschap en gaven die door van de ene regering op de andere. Wij waren slechts tijdelijke bewoners. Toen oud-president Bush tijdens Bills eerste termijn zijn officiële portret in het Witte Huis kwam onthullen, zag hij George Washington Hannie jr., een butler die al meer dan 25 jaar in het Witte Huis werkte. 'George, nog altijd hier?' vroeg hij.

De oudgediende antwoordde: '*Yes, sir*. Presidenten komen en gaan. Maar George is altíjd hier.'

Net als in veel eerbiedwaardige instituten drongen veranderingen maar moeilijk door tot het Witte Huis. Het telefoonsysteem riep herinneringen aan lang vervlogen tijden op. Om vanuit de residentie naar buiten te kunnen bellen, moest je de hoorn oppakken en wachten tot een telefonist van het Witte Huis het nummer voor je draaide. Na verloop van tijd wende ik aan het systeem en raakte ik erg gesteld op de vriendelijke en geduldige telefonisten die achter het schakelbord zaten. Toen het hele telefoonsysteem na verloop van tijd werd opgewaardeerd met nieuwere technologie, miste ik het oude systeem zelfs wel eens.

Waar ik beslist nooit aan zou kunnen wennen, was de veiligheidsagent die voor onze slaapkamerdeur geposteerd stond. Ook dit was altijd standaardprocedure geweest, en de veiligheidsdienst was op dit punt aanvankelijk onvermurwbaar.

'Wat als de president midden in de nacht een hartaanval krijgt?' vroeg een agent toen ik hem voorstelde een verdieping lager op de begane grond op wacht te gaan staan.

'Hij is 46 jaar oud en in prima conditie,' antwoordde ik. 'Hij krijgt heus geen hartaanval!'

De veiligheidsdienst paste zich aan onze behoeften aan en wij ons aan de hunne. Tenslotte waren zij de deskundigen als het op onze veiligheid aankwam. We moesten gewoon een manier zien te vinden waarop zij hun werk konden doen en wij onszelf konden blijven. Twaalf jaar lang waren ze gewend aan een voorspelbare routine waarin spontaniteit uitzondering was, niet de regel. Onze campagne, met haar halsbrekende tempo en veelvuldige en onvoorziene tussenstops, vereiste het nodige improvisatievermogen van onze agenten. Ik voerde talloze lange gesprekken met de mensen die ons moesten beschermen. Don Flynn, een van mijn belangrijkste agenten, zei op een gegeven moment: 'Nu begrijp ik het. Het is alsof iemand van ons president was. Wij vinden het ook leuk om overal naar toe te gaan, dingen te doen en laat op te blijven.' Die ene opmerking was medebepalend voor de samenwerking en flexibiliteit die kenmerkend waren voor onze verhoudingen met de agenten die hadden gezworen ons te beschermen. Bill, Chelsea en ik hebben de grootste waardering voor hun moed, integriteit en professionaliteit, en tot onze vreugde zijn we nog steeds bevriend met veel agenten die ons in die tijd hebben beschermd.

Maggie Williams had me bijgestaan aan het einde van de presidentscampagne in 1992, maar op voorwaarde dat ze na afloop van de verkiezingen terug mocht keren naar Philadelphia om haar studie af te maken. Maar na de verkiezingen besefte ik dat ik haar meer dan ooit nodig had. Ik bestookte haar met smeekbeden om te blijven tijdens de verhuizing naar het Witte Huis en vervolgens mijn stafchef te worden.

De dingen die ons als eerste te doen stonden, waren andere stafleden selecteren, kantoorruimte kiezen en kennismaken met de finesses van de traditionele taken van de First Lady. Sinds de regering-Truman hadden First Lady's en hun staven volledig geopereerd vanuit de East Wing, de oostelijke vleugel van het Witte Huis, waar twee verdiepingen zijn gereserveerd voor kantoorruimte, een grote ontvangstruimte voor bezoekers, het filmtheater van het Witte Huis en een lange beglaasde colonnade langs de rand van de oostelijke tuin die Lady Bird Johnson aan Jackie Kennedy had gewijd. Naarmate in de loop der jaren de taken van First Lady's zich uitbreidden, werden hun staven steeds groter en meer gespecialiseerd. Jackie Kennedy was de eerste First Lady met een eigen perschef.

De Oval Office is gesitueerd in de West Wing, de westelijke vleugel, evenals de Roosevelt Room, de Cabinet Room, de Situation Room (waar uiterst geheime vergaderingen plaatsvinden en informatie wordt uitgewisseld), de White House Mess (waar maaltijden worden geserveerd) en de burelen voor de belangrijkste stafleden van de president. De rest van de staf van het Witte Huis huist aan de andere kant van de oprijlaan in de Old Executive Office Building, de OEOB. Geen enkele First Lady of haar staf had ooit kantoren gehad in de West Wing of de OEOB, dat sindsdien hernoemd is in Eisenhower Executive Office Building.

Maggie en ik besloten dat in het Witte Huis de afdelingen voor de ontvangst van gasten, de persoonlijke correspondentie en sociale evenementen in de East Wing gehuisvest zouden blijven. Maar aangezien een gedeelte van mijn staf deel zou uit maken van het West Wing-team, vond ik dat dit deel ook fysiek geïntegreerd moest zijn. Maggie besprak haar voorstel voor een nieuwe ruimteverdeling van de West Wing met de herinrichtingsstaf van Bill, en het bureau van de First Lady verhuisde naar een reeks kamers aan het einde van een lange gang op de eerste verdieping van de OEOB.

Ze regelde voor mij een kantoor op de eerste verdieping van de West Wing, vlak bij de ambtenaren van Binnenlandse Zaken. Ook dit was een unieke gebeurtenis in de geschiedenis van het Witte Huis en voorzag conferenciers en politieke nitwits van de nodige munitie. Zo verscheen een cartoon van het Witte Huis met de Oval Office die uit het dak van de eerste verdieping oprees.

Maggie kreeg als titel Assistent to the President – haar voorgangers waren *Deputy* (plaatsvervanger) Assistants to the President geweest – en iedere ochtend om half acht was ze aanwezig bij de stafvergadering met de topadviseurs van de president. Ik had ook een fulltime staflid voor Binnenlandse Zaken weten te krijgen, en een presidentiële speechschrijver om aan mijn toespraken te werken, vooral die met betrekking tot de hervormingen in de gezondheidszorg. Mijn staf telde twintig leden, onder wie een plaatsvervangend stafchef, een perschef, een agendabeheerder, een reismanager en iemand die mijn dagelijkse inlichtingen verzamelde. Twee extra krachten die vandaag de dag nog steeds voor me werken, waren Pam Cicetti, een ervaren directiesecretaresse die mijn factotum werd, en Alice Pushkar, directeur correspondentie van de First Lady, die een van de meest ontmoedigende functies met grote onverstoorbaarheid en fantasie vervulde.

Deze veranderingen waren essentieel, wilde ik een bijdrage kunnen leveren aan Bills politieke beleid, met name voorzover dat betrekking had op familiezaken. De mensen die ik in dienst nam, voelden zich betrokken bij deze onderwerpen en vonden dat de regering steun kon – en moest – bieden bij het creëren van mogelijkheden voor mensen die bereid waren hard te werken en verantwoordelijkheid te nemen. De meesten van hen hadden in de publieke sector gewerkt of voor organisaties die zich inzetten voor de verbetering van de economische, politieke en sociale omstandigheden van mensen die slecht vertegenwoordigd en minder bedeeld waren.

Al snel werd mijn staf binnen de regering en door de pers erkend als een actieve en invloedrijke factor. Dit was grotendeels te danken aan Maggie en Melanne Verveer, mijn plaatsvervangend stafchef. Melanne en haar man Phil waren al vrienden van Bill sinds ze samen aan Georgetown University hadden gestudeerd, en zij was al jaren actief Democraat en kende het Washingtonse wereldje goed. Melanne was een politiek dier dat haar hart ophaalde aan de complexiteiten en nuances van beleidskwesties. Ze had jarenlang op Capitol Hill en in de advocatuur gewerkt. Ik grapte altijd dat zij alles en iedereen in Washington kende. Niet alleen Melanne was legendarisch in onze hoofdstad, maar ook haar adressenbestand. Bij de laatste telling stonden er zesduizend namen in. Het is onmogelijk een opsomming te geven van de vele projecten die aan Melannes brein zijn ontsproten, eerst als plaatsvervangend stafchef en in de tweede ambtstermijn als mijn stafchef. Ze speelde ook een belangrijke rol in het team van de president als pleitbezorger voor vrouwenzaken, mensenrechtenbeleid, justitie en kunst.

In de kringen rondom het Witte Huis werd mijn staf binnen de kortste keren bekend onder de naam 'Hillaryland'. Wij waren volledig betrokken bij de dagelijkse gang van zaken in de West Wing, maar vormden ook een eigen kleine subcultuur binnen het Witte Huis. Mijn staf bestond vrijwel volledig uit vrouwen en ging prat op zijn discretie, loyaliteit en camaraderie; en we hadden onze eigen speciale ethische normen. Terwijl de West Wing nogal eens lekte, deed Hillaryland dat nooit. Terwijl de topadviseurs van de president met hun ellebogenwerk de grootste kantoren met de mooiste uitzichten wisten te bemachtigen, deelden de hogere stafleden van Hillaryland met alle plezier hun kantoren met hun jonge assistenten. We hadden speelgoed en kleurpotloden voor kinderen in onze belangrijkste vergaderzaal – Room 100 – en ieder kind dat ooit bij ons op bezoek was geweest, wist precies waar de koekjes lagen. Met Kerstmis had Melanne een keer buttons besteld met in heel kleine letters het opschrift HILLARYLAND, en met ons tweeën begonnen we erelidmaatschappen uit te delen, gewoonlijk aan de veelgeplaagde echtgenoten en kinderen van mijn overwerkte stafleden. Dankzij dat lidmaatschap mochten ze te allen tijde langskomen en al onze feestjes bezoeken.

In de West Wing liep alles op rolletjes, maar ik kreeg nog steeds de kriebels van mijn taken in de East Wing. Bill en ik moesten tien dagen na de inauguratie al ons eerste grote evenement organiseren, het jaarlijkse diner voor gouverneurs. Bill was voorzitter geweest van de National Governors Association (NGA) en veel van onze gasten waren oud-collega's en jarenlange vrienden. We wilden een geslaagd diner aanbieden. Bovendien begon zich in de media een notie te vormen dat ik maar weinig belangstelling zou hebben voor de gebruikelijke taken van de First Lady, zoals de organisatie van de sociale evenementen in het Witte Huis. Ik wilde dat vooroordeel graag uit de wereld helpen. Als First Lady in Arkansas had ik altijd veel plezier beleefd aan de organisatie van zulke evenementen, hoewel ze uiteraard veel kleinschaliger waren geweest, en ik verheugde me er ook nu weer op dit deel van mijn functie uit te voeren. Maar mijn staf en ik konden wel wat hulp gebruiken. Ik was niet onbekend met diners in het Witte Huis. In 1977 hadden president Carter en zijn vrouw de toenmalige Attorney General van Arkansas Bill Clinton en zijn echtgenote uitgenodigd voor een diner ter ere van de minister-president van Canada Pierre Trudeau en zijn vrouw Margaret. We zijn er alle jaren dat Bill gouverneur was, weer teruggekomen voor hetzelfde diner dat ik nu moest organiseren. Een dergelijk evenement bezoeken is één ding; de organisatie ervan is bepaald iets anders.

Ik kreeg hulp van ons nieuwe hoofd sociale evenemen-

ten Ann Stock, een energieke vrouw met een onberispelij-
ke smaak en stijl die onder Carter in het Witte Huis had
gewerkt en daarna als directielid van Bloomingdale's. Ann
en ik probeerden allerlei combinaties van tafellinnen en
couverts uit en kozen ten slotte voor het goud- en roodge-
rande servies dat mevrouw Reagan had aangeschaft. We
besteedden de nodige tijd aan de tafelschikking, omdat we
er zeker van wilden zijn dat de gasten zich op hun gemak
zouden voelen bij hun disgenoten. We kenden vrijwel iedereen en besloten de gasten bij elkaar te plaatsen op basis
van interesses en persoonlijkheden. Ik overlegde met de
bloemist van het Witte Huis, Nancy Clarke, die de tulpen
schikte die ik voor iedere tafel had geselecteerd. Nancy bezit een vrolijk uithoudingsvermogen dat me keer op keer
versteld doet staan.

Ieder uur dat ik in het Witte Huis doorbracht, bleek een
nieuwe onvoorziene hindernis op te werpen. Er waren echter maar weinig mensen in mijn omgeving die mijn ervaringen echt begrepen. Mijn goede vrienden ondersteunden me en ik kon hen altijd bellen, maar niemand van hen
had in het Witte Huis gewoond. Gelukkig kende ik iemand die dat wel had gedaan en begreep wat ik doormaakte. Zij werd een waardevolle bron van wijsheid, raad en
steun.

Op 26 januari, een bitter koude ochtend een paar dagen
na de inauguratie, vloog ik per lijndienst naar New York.
Het was gedurende mijn acht jaar in het Witte Huis de enige keer dat ik een commerciële vlucht nam. Om veiligheidsredenen en vanwege het ongemak dat bij andere passagiers werd veroorzaakt, besloot ik op voorstel van de veiligheidsdienst ook die link met mijn vorige leven te
verbreken. Officieel ging ik naar New York om de Lewis
Hine Award in ontvangst te nemen voor mijn werk op het
gebied van kinderzorg en om een bezoek te brengen aan
P.S. 115, een lokale openbare school waar ik het geven van
vrijwillige bijlessen wilde stimuleren. Maar ik maakte tevens van de gelegenheid gebruik een privé-bezoek te bren-

gen aan Jacqueline Kennedy Onassis; ik ging bij haar lunchen in haar prachtige appartement in Fifth Avenue.

Ik had Jackie een paar keer eerder ontmoet en was tijdens de campagne van 1992 een keer bij haar op bezoek geweest. Zij had Bill al in een vroege fase van zijn carrière gesteund door een financiële bijdrage te geven en de partijconventie te bezoeken. Ze was een boven alles en iedereen uitstekende publieke persoonlijkheid, iemand die ik, zolang als ik me kon herinneren, had bewonderd en gerespecteerd. Niet alleen was Jackie Kennedy een voortreffelijke First Lady geweest die stijl, charme en intelligentie in het Witte Huis had geïntroduceerd, maar tevens een meer dan uitstekende moeder voor haar kinderen. Enkele maanden daarvoor had ik haar om advies gevraagd over het opvoeden van kinderen die in de publieke belangstelling staan; deze keer hoopte ik meer van haar te horen over de manier waarop zijzelf was omgegaan met de gevestigde cultuur in het Witte Huis. Het was weliswaar dertig jaar geleden dat ze daar had gewoond, maar ik had het gevoel dat er sindsdien niet zo heel veel veranderd was.

De veiligheidsagenten zetten mij tegen de middag af bij haar appartement, en Jackie begroette mij bij de lift op de vijftiende verdieping. Ze was onberispelijk gekleed: ze droeg een zijden broek in een van haar favoriete kleuren – een combinatie van beige en grijs – en een passende blouse met subtiele perzikkleurige strepen onder een zijden jasje. Ondanks haar eenenzestig jaar bleef ze nog altijd een mooie en waardige vrouw, precies zoals ze was toen ze voor het eerst de ogen van de natie op haar gericht wist als de betoverende eenendertigjarige vrouw van de op een na jongste president in de geschiedenis van de Verenigde Staten.

Na de dood van president Kennedy in 1963 had ze zich jaren uit het openbare leven teruggetrokken; ze trouwde met de Griekse scheepsmagnaat Aristoteles Onassis en begon later een succesvolle carrière als literair redacteur voor een van de beste uitgeverijen in New York. Het eerste dat me in haar appartement opviel, was de enorme overvloed aan boeken. Ze lagen overal: op en onder tafels, naast banken en stoelen. In haar studeerkamer lagen de boeken zo hoog opgetast dat ze de stapels naast haar bureau als extra tafel kon gebruiken. Ze had haar appartement letterlijk met boeken ingericht... en het was nog smaakvol ook. Ik heb dat nooit bij iemand anders meegemaakt. Ik heb het effect dat ik in Jackies appartement en in haar woning in Martha's Vineyard heb gezien, proberen na te bootsen met de boeken van Bill en mij. Om voorspelbare redenen leverde dat niet zo'n elegante aanblik op.

We zaten aan een tafel in de hoek van haar huiskamer die uitkeek over Central Park en het Metropolitan Museum of Art en zetten het gesprek voort waaraan we tijdens onze lunch een halfjaar daarvoor waren begonnen. Jackie gaf me waardevolle adviezen over hoe ik moest omgaan met het verlies van mijn privacy en ze vertelde me wat zij had gedaan om haar kinderen, Caroline en John, te beschermen. Ze zei dat het een van de grootste uitdagingen voor Bill en mij zou zijn om Chelsea een normaal leven te bieden. We moesten haar de kans geven op te groeien en zelfs fouten te maken, terwijl we haar tegelijkertijd moesten beschermen tegen de voortdurende kritische aandacht die ze als dochter van de president zou krijgen. Ze vertelde dat haar eigen kinderen het geluk hadden gehad dat ze veel neefjes en nichtjes hadden om mee te spelen en dat velen van hen ook bekende vaders hadden. Ze vermoedde dat het voor een enig kind een stuk lastiger zou zijn.

'Je moet Chelsea ten koste van alles in bescherming nemen,' zei Jackie. 'Omring haar met vrienden en familie, maar verwen haar niet. Geef haar niet het gevoel dat ze iets speciaals is of bijzondere rechten heeft. Houd de pers zo veel mogelijk bij haar vandaan en laat niemand misbruik van haar maken.'

Bill en ik hadden al rekening gehouden met de publieke belangstelling voor Chelsea en de nationale fascinatie voor een kind dat opgroeit in het Witte Huis. Ons besluit over de school waar we Chelsea heen wilden sturen, had geleid tot een gepassioneerd debat binnen en buiten Washington, voornamelijk vanwege de symbolische betekenis van onze keuze. Ik begreep de teleurstelling van de voorstanders van openbaar onderwijs toen we kozen voor een particuliere quakerschool, Sidwell Friends, zeker aangezien Chelsea in Arkansas op openbare scholen had gezeten. De voorkeur van Bill en mij was maar op één argument gebaseerd: privé-scholen stonden op privé-terrein en waren dus niet toegankelijk voor de nieuwsmedia. Openbare scholen waren dat wel. Het laatste dat we wilden was dat tv-camera's en verslaggevers onze twaalfjarige dochter de hele schooldag door zouden volgen, zoals ze hadden gedaan toen president Carters dochter Amy naar een openbare school was gegaan.

Tot dusverre had Chelsea kunnen profiteren van onze eigen inschattingen en Jackies adviezen. Ze paste zich naar omstandigheden goed aan haar nieuwe school aan, hoewel ze haar vrienden uit Arkansas miste. Ze nam haar intrek in twee kamers op de eerste verdieping van het Witte Huis. Eerder waren dat de kamers geweest van Caroline en John Kennedy en later van Lynda en Luci Johnson, dus Jackie wist precies waar ze lagen. Eén kamer was Chelsea's slaapkamer, met een extra bed voor logeetjes; de andere kamer was een soort leefhol, waar ze haar huiswerk kon maken, tv kijken, naar muziek luisteren en vrienden ontvangen.

Ik vertelde Jackie hoe blij ik was met de eetkamer die ze boven had laten inrichten en dat we de servieskamer lieten ombouwen tot een kleine keuken, waar we onze maaltijden als gezin konden gebruiken in een meer ontspannen en informele atmosfeer. Op een avond veroorzaakte ik een culinaire crisis in het Witte Huis. Chelsea voelde zich niet goed en ik wilde voor haar roereieren met appelmoes klaarmaken, het troostvoedsel dat ik haar altijd gaf toen we nog in Arkansas woonden. Ik zocht in de kleine keuken naar wat keukengerei en riep vervolgens naar beneden naar de chef om me even te komen brengen wat ik nodig had. Hij en het keukenpersoneel waren volkomen ontdaan bij de gedachte dat de First Lady zonder enig toezicht met een koekenpan in de weer ging! Ze belden zelfs mijn staf om te vragen of ik zelf aan het koken was geslagen uit onvrede met de maaltijden die zij klaarmaakten. Dit incident herinnerde me aan de ervaringen die Eleanor Roosevelt had toen zij zich probeerde aan te passen aan het leven in het Witte Huis. Ze schreef in haar autobiografie: 'Onbewust deed ik een hoop dingen die de portiers schokten. Van begin af aan stond ik erop de lift zelf te bedienen, zonder te hoeven wachten totdat een van de portiers dat voor me deed. Zoiets deed de vrouw van de president gewoon niet.'

Jackie en ik voerden ook lange gesprekken over de veiligheidsdienst en de ongewone problemen waarmee veiligheidsagenten van presidentskinderen te maken kregen. Ze bevestigde mijn idee dat ik Chelsea duidelijk moest maken hoe serieus zij de veiligheidsregels moest gehoorzamen. Ik had kinderen van gouverneurs meegemaakt die bevelen uitdeelden aan hun lijfwachten en hen zelfs pestten waar ze maar konden. Jackie vertelde me over een keer dat een oudere jongen Johns fiets had gestolen en dat John zijn veiligheidsagent had gevraagd hem terug te halen. Toen Jackie daarachter kwam, zei ze tegen John dat hij moest leren voor zichzelf op te komen. De achtereenvolgende teams die waren aangesteld ter bescherming van Chelsea, begrepen dat onze dochter zo veel mogelijk het leven van een normale tiener moest leiden.

De veiligheidsdienst geeft codenamen aan de mensen die onder haar bescherming vallen. De leden van een gezin krijgen altijd namen die met dezelfde letter beginnen. Bill werd 'Eagle', ik was 'Evergreen', en Chelsea vroeg om de toepasselijke naam 'Energy'. De codenamen doen misschien eigenaardig aan, maar ze verhullen een harde werkelijkheid: voortdurende bedreigingen zijn een onderdeel van dit leven en maken een waakzame en strikte beveiliging noodzakelijk.

Jackie sprak vrijuit over de bijzondere en gevaarlijke aantrekkingskracht die er uitgaat van charismatische politici. Ze waarschuwde me dat Bill, net als president Kennedy, een persoonlijk magnetisme bezat dat sterke gevoelens bij mensen wakker riep. Ze zei het nooit met zoveel woorden, maar ze bedoelde dat hij een mogelijk doelwit was. 'Hij moet heel voorzichtig zijn,' vertelde ze me. 'Heel voorzichtig.'

Het kostte me nog steeds veel moeite te begrijpen hoe we ook nog maar enigszins een normaal leven konden leiden als we bij iedere stap die we buiten de deur zetten, over onze schouder moesten kijken. Jackie wist dat wij, in tegenstelling tot vorige presidentiële echtparen, geen eigen huis of vakantieadres hadden om ons terug te trekken. Ze adviseerde me Camp David te gebruiken en bij vrienden te logeren met huizen in afgelegen gebieden, waar we geen last zouden hebben van nieuwsgierige ogen en paparazzi.

Maar we spraken niet alleen over ernstige onderwerpen. We roddelden over gemeenschappelijke vrienden en zelfs over mode. Jackie was op dat gebied een van de toonaangevende trendsetters van de twintigste eeuw. Vanaf het moment dat Bill zich officieel kandidaat had gesteld voor het presidentschap, hadden mijn vrienden en enkele vertegenwoordigers van de pers opmerkingen en grappen gemaakt over mijn kleding, mijn kapsel en mijn make-up. Toen ik Jackie vroeg of ik mezelf moest uitleveren aan een team van beroemde modeadviseurs, zoals hier en daar in de media was aangeraden, keek ze me ontzet aan. 'Je moet jezelf zijn,' zei ze, 'anders zie je er op het laatst uit zoals iemand anders vindt dat jij eruit moet zien. Concentreer je op wat belangrijk voor je is.' Haar woorden luchtten me op. Met Jackies stilzwijgende goedkeuring besloot ik mijn stemming niet meer door deze kwestie te laten bederven.

In alle rust genoten we van onze lunch, en na twee uur moest ik weer terug naar Washington. Jackie zei me dat ik te allen tijde kon bellen of langskomen als ik vragen had of even wilde praten. Totdat ze zestien maanden later vroegtijdig als gevolg van kanker overleed, is ze voor mij altijd een bron van inspiratie en goede raad gebleven.

Na mijn bezoek aan Jackie voelde ik me zelfverzekerd, maar dat duurde niet lang. Mijn eerste krantistenterview als First Lady had ik toegestaan aan Marian Burros van *The New York Times*, die traditiegetrouw het eerste grote diner van iedere nieuwe regering versloeg. Haar verhalen concentreerden zich meestal op de keuze van het menu, de bloemen en het amusementsgedeelte van de avond. Ik had bepaalde ideeën over hoe we het Witte Huis tot een uitstalkast van de Amerikaanse keuken en cultuur konden maken en dacht dat het interview me een goede kans bood deze ideeën naar voren te brengen.

Ik ontving Marian in de Red Room in het Witte Huis. We zaten op een American Empire-sofa uit de negentiende eeuw, vlak naast de open haard. Aan de muur hing Gilbert Stuarts befaamde portret uit 1804 van Dolley Madison, de echtgenote van president Madison en een van mijn onstuimige voorgangsters. Tijdens het gesprek met Marian viel mijn blik af en toe op Dolley. Ze was een bijzondere vrouw, haar tijd ver vooruit, befaamd om haar vriendelijkheid, trendsettende persoonlijke stijl (ze droeg graag tulbandhoedjes), politieke talent en grote moed. Tijdens de oorlog van 1812, toen de Britse vijandelijke troepen oprukten naar Washington, was ze de hele dag bezig met de voorbereidingen voor wat haar laatste diner in het Witte Huis zou worden, met president Madison en zijn militaire adviseurs die deze avond van het front zouden terugkeren. Hoewel ze wist dat ze moest evacueren, weigerde ze te vertrekken totdat de Britten zowat op haar deurmat stonden. Op haar vlucht nam ze niet meer mee dan een tas met kleren, belangrijke staatsdocumenten en een paar lievelingsspullen uit het huis. Als laatste daad liet ze Gilbert Stuarts levensgrote portret van George Washington uit zijn lijst snijden, oprollen en opbergen. Vlak na haar ontsnapping plunderden admiraal Cockburn en zijn mannen het Witte Huis, aten de maaltijd die zij had bereid op en staken het gebouw in brand.

Ik wilde dat mijn eerste diner in het Witte Huis een gedenkwaardige zou worden, maar niet zo gedenkwaardig.

Ik vertelde tegen Marian Burros dat ik ons persoonlijk stempel op het Witte Huis wilde drukken, zoals eerdere presidentiële echtparen hadden gedaan. Zo begon ik met de introductie van de Amerikaanse keuken op het menu. Vanaf de regering-Kennedy was de keuken van het Witte Huis geregeerd door de Fransen. Ik begreep wel waarom Jackie zo veel had willen verbeteren in het Witte Huis, van de inrichting tot en met de keuken, maar dat was toen. In de drie decennia die sindsdien verstreken waren, hadden Amerikaanse chef-koks een revolutie binnen de culinaire wereld veroorzaakt, te beginnen bij het onvergelijkbare duo Julia Child en Alice Waters. Child had Bill en mij aan het eind van 1992 een brief geschreven waarin ze er bij ons op aandrong de Amerikaanse kookkunst voor het voetlicht te brengen, en Waters adviseerde ons een Amerikaanse chef-kok aan te stellen. Ik was het met hen eens. Per slot van rekening was het Witte Huis een van de meest zichtbare nationale symbolen van Amerikaanse cultuur. Ik nam Walter Scheib in dienst, een specialist met grote ervaring op het gebied van de lichtere Amerikaanse keuken, en liet meer voedsel en wijn van Amerikaanse bodem leveren.

Het diner bleek een groot succes, met een paar schoonheidsfoutjes die hopelijk alleen onszelf zijn opgevallen. Het banket, voornamelijk samengesteld uit Amerikaanse gerechten, bestond uit gemarineerde garnalen, geroosterde haasbiefstuk, verse groenten in een mandje van courgettes en Yukon Gold-aardappelen met Vidalia-uien. We aten geitenkaas uit Massachusetts en dronken Amerikaanse wijnen. Onze gasten leken aangenaam verrast, zeker ook door de Broadway-achtige revue na afloop van de maaltijd met Lauren Bacall en Carol Channing; onze vriend en Tony Award-winnaar James Naughton had deze op het laatste moment nog in elkaar gezet. Na afloop van de avond slaakte ik een diepe zucht van opluchting.

Op 2 februari verscheen het artikel van Burros op de voorpagina van *The New York Times*, en het bevatte enkele nieuwtjes. Zo kondigde ik aan dat we het roken zouden verbieden in de presidentiële woning en de West en East Wings, dat broccoli zou terugkeren in de keuken van het Witte Huis (na te zijn verbannen door de Bushes) en dat we het Witte Huis toegankelijker wilden maken voor het publiek. Bij het artikel was een foto van mij afgebeeld in een zwarte avondjurk van Donna Karan, met ontblote schouder.

Ik vond het verhaal en de foto tamelijk onschuldig, maar ze gaven aanleiding tot een eindeloze reeks commentaren. De leden van het perskorps van het Witte Huis waren er niet blij mee dat ik een exclusief interview had toegestaan aan een journalist die geïnteresseerd was in eten en cultuur, en niet in politiek. Ze oordeelden dat ik blijkbaar moeilijke vragen over mijn rol in de politieke arena uit de weg wilde gaan. Sommige critici suggereerden dat het verhaal een opzetje was om mijn imago wat te 'verzachten' en me af te schilderen als een traditionele vrouw in een traditionele rol. Enkelen van mijn vurigste aanhangers stoorden zich ook aan het artikel en de foto omdat geen van beide beantwoordde aan het beeld dat zij van mij als First Lady hadden. Als ik me serieus wilde inlaten met wezenlijke beleidskwesties, zo redeneerden ze, waarom zat ik dan met een journalist te praten over eten en recepties? En omgekeerd, als ik me werkelijk druk maakte over bloemstukken en de kleur van het tafellinnen, hoe kon ik dan genoeg inhoud hebben om leiding te geven aan een groot politiek project? Welk signaal wilde ik eigenlijk afgeven?

De mensen konden me blijkbaar maar op twee manieren zien: ofwel als een hardwerkende carrièrevrouw óf als een plichtsgetrouwe en zorgzame gastvrouw. Ik begon langzaam te begrijpen wat Kathleen Hall Jamieson, een uitmuntend hoogleraar communicatiewetenschappen aan de Universiteit van Pennsylvania en decaan van de Annenberg School of Communications, bedoelde met de term *'double bind'*. Jamieson meent dat seksegebonden stereotypen vrouwen in gijzeling houden doordat ze hen categoriseren op een manier die afbreuk doet aan al die verschillende facetten die hun leven bepalen. Het werd me duidelijk dat mensen die mij een bepaald etiket wilden opplakken, zowel traditionalisten als feministen, nooit tevreden zouden zijn met mij zoals ik mijzelf zag, met mijn talrijke verscheidene en soms paradoxale rollen.

Mijn vriendinnen leefden op dezelfde manier. Zo kon Diane Blair het ene moment een college politicologie geven en een paar uur later een maaltijd staan te bereiden voor een grote groep mensen in haar buitenhuis; Melanne Verveer zat het ene moment een vergadering in het Witte Huis voor en een minuut later hing ze met haar kleindochter aan de telefoon; Lissa Muscatine, een Rhodes-student van Harvard die in de periode dat ze voor me in het Witte Huis werkte drie kinderen heeft gekregen, zat in een vliegtuig mijn speeches te reviseren of stond thuis de luiers te verschonen. Wie was dan de 'echte' vrouw? De meesten van ons namen iedere dag van ons leven dergelijke en andere rollen aan.

Ik weet hoe moeilijk het is om de talloze uiteenlopende eisen, keuzen en activiteiten waar vrouwen dag in dag uit mee te maken hebben, te integreren. De meesten van ons horen zeurende stemmen in ons hoofd die onze keuzen ter discussie stellen, en we gaan gebukt onder schuldgevoelens, welke keuze we ook maken. Ik ben zelf een echtgenoot, moeder, dochter, zuster, schoonzuster, advocaat, kinderrechtenactivist, hoogleraar rechten, methodist, politiek adviseur, burger en nog zoveel andere dingen geweest. En nu was ik een symbool; en dat was een geheel nieuwe ervaring.

Bill en ik hadden ons zorgen gemaakt over de problemen die ons te wachten stonden toen we naar het Witte Huis verhuisden, maar ik had nooit gedacht dat de manier waarop ik mijn rol als First Lady zou invullen, zoveel controverse en consternatie zou veroorzaken. Ik dacht zelf dat ik in bepaalde opzichten traditioneel was en in andere niet. Ik besteedde zorg aan het eten dat ik mijn gasten serveerde en ik wilde ook de toegankelijkheid van de gezondheidszorg voor alle Amerikanen verbeteren. Voor mijn gevoel waren er geen verschillen tussen mijn interesses en activiteiten.

Ik navigeerde door onbekende wateren en de tegenstrijdige beelden die mensen van mij hadden, werden voor een deel door mijn eigen onervarenheid veroorzaakt. Het duurde een tijdje voordat ik besefte dat zaken die mij onbeduidend voorkwamen, voor veel mannen en vrouwen in de Verenigde Staten misschien heel belangrijk waren. We leefden in een tijdperk waarin sommige mensen nog steeds zeer ambivalent stonden tegenover vrouwen die openbare leidinggevende functies hebben of belangrijke machtsposities bekleden. In deze tijd van veranderende rollen voor mannen en vrouwen was ik Amerika's eerste bewijsstuk.

Bij alles wat ik deed, werd ik nauwlettend in de gaten gehouden. Vanaf de tijd dat ik door de veiligheidsdienst werd beschermd, de Democratische Conventie in New York in juli 1992, had ik geprobeerd me aan te passen aan mijn verlies aan anonimiteit. Zo af en toe glipte ik het Witte Huis uit met een sweater aan en een zonnebril en baseballpet op. Ik vond het heerlijk over de Mall te lopen en naar de monumenten te kijken of met mijn fiets langs het c&o Canal in Georgetown te rijden. Na enig onderhandelen wist ik de beveiliging terug te brengen tot één persoon die in vrijetijdskleding achter me aan liep of fietste. Ik kwam er echter al snel achter dat er altijd zo'n groot zwart volgeladen bestelbusje in de buurt was; voor het geval dat. Als ik maar snel genoeg was, liet ik zelfs mensen die dachten me te herkennen, in het ongewisse. Op een ochtend vroeg een gezin me of ik een foto van hen voor het Washington Monument wilde nemen. Ik zei snel ja, zij poseerden met een big smile, en ik knipte de foto. Toen ik verder liep, hoorde ik een van de kinderen zeggen: 'Mama, die mevrouw ken ik ergens van.' Maar ik was al buiten gehoorsafstand voordat ik kon meekrijgen of ze inmiddels een vermoeden hadden over wie hun fotografe was.

Deze momenten van rustige anonimiteit werden steeds schaarser en dat gold ook voor de tijd die we met onze goede vrienden doorbrachten. Een aantal oude kameraden uit Arkansas was in Bills regering komen werken, maar ironisch genoeg behoorden zij tot de mensen die ik die eerste weken het meest miste. We hadden eenvoudig geen tijd om ze op te zoeken.

Begin februari nodigden Bill en ik Vince Foster, inmiddels assistent-raadsman van het Witte Huis, Bruce Lindsey, nu een van Bills adviseurs, en Webb Hubbell, onderminister van Justitie, uit voor een klein informeel diner in de eetkamer op de eerste verdieping van het Witte Huis om de veertigste verjaardag te vieren van onze vriendin Mary Steenburgen. Mary, net als Bill afkomstig uit Arkansas, had een geslaagde carrière in Hollywood opgebouwd – ze had onder meer een oscar gewonnen –, maar ze had nooit het contact met haar wortels verloren. Zij, Bruce, Vince en Webb behoorden tot onze beste vrienden, en dat diner staat me bij als een van de laatste zorgeloze momenten die we samen hebben doorgebracht. Voor enkele uren lieten we de dagelijkse bekommernissen voor wat ze waren en praatten over de overgang naar Washington en over tijdloze onderwerpen, zoals kinderen, scholen, films en politiek. Wanneer ik mijn ogen sluit, zie ik nog steeds Vince aan die tafel zitten, moe maar gelukkig, achterover leunend en de gesprekken volgend met een begrijpende glimlach op zijn gezicht. Op dat moment konden we onmogelijk vermoeden onder welke druk hij als nieuwkomer in de politieke arena van Washington stond.

11 *Gezondheidszorg*

Op 25 januari nodigden Bill en ik twee gasten uit voor de lunch in de kleine studeerkamer vlak bij de Oval Office: Carol Rasco, de pas benoemde nieuwe adviseur voor binnenlands beleid van het Witte Huis die ook al voor Bills regering in Arkansas had gewerkt, en onze oude vriend Ira Magaziner, een succesvol commercieel adviseur, die een baanbrekende studie had gepubliceerd over de kosten van de gezondheidszorg.

Ira was een lange, magere en emotionele man; hij maakte zich zelfs in de meest zorgeloze tijden nog zorgen, en op deze dag leek hij erg gespannen. Over een paar uur wilde Bill zijn plannen voor een taakgroep voor de gezondheidszorg openbaar maken en aankondigen dat deze binnen de eerste honderd dagen van zijn termijn met voorstellen tot wetswijziging zou komen. Er waren maar weinig ambtenaren in het Witte Huis die wisten dat Bill mij had gevraagd de taakgroep te leiden of dat Ira als presidentieel topadviseur de dagelijkse activiteiten zou managen. Ira wist zelf pas tien dagen voor de inauguratie dat hij deze nieuwe baan zou krijgen.

Bill wilde de gezondheidszorg vanuit een geheel nieuw perspectief benaderen, en Ira had met zijn briljante, vasthoudende geest altijd een inventieve kijk op problemen. Als eigenaar van een adviesbureau in Rhode Island dat multinationals adviseerde over de verhoging van hun productiviteit en winstgevendheid, had hij ook ervaring in de particuliere sector.

Nadat we de stewards van de marine onze lunch hadden laten aanrukken, kwam Ira met zorgelijk nieuws: een aantal oudgedienden op Capitol Hill had Ira gewaarschuwd dat ons tijdschema om in honderd dagen een wetswijziging voor de gezondheidszorg gerealiseerd te krijgen, onrealistisch was. Wij waren aangemoedigd door het electorale succes van Harris Wofford, de nieuwe Democratische senator van Pennsylvania, die de gezondheidszorg tot speerpunt van zijn campagne had gemaakt en dikwijls tegen de mensen had gezegd: 'Als misdadigers recht hebben op een advocaat, hebben werkende Amerikanen recht op een dokter.' Maar Ira had een andere boodschap ontvangen.

'Ze denken dat ze ons zullen afmaken,' zei Ira, die zijn broodje nog niet had aangeraakt. 'We hebben minstens vier tot vijf jaar nodig om een pakket samen te stellen dat door het Congres wordt geaccepteerd.'

'Een paar van mijn vrienden zeggen dat ook,' zei ik, in de hoop dat ik met mijn woorden Ira wat tot rust kon brengen. Het gebrekkige gezondheidszorgsysteem was een probleem dat me al heel lang nauw aan het hart ging, lang voordat Bill en ik de politiek in gingen; ik vond dat alle Amerikanen toegang moesten hebben tot een goede en betaalbare gezondheidszorg. Misschien is dat ook de reden waarom ik niet gillend de kamer uitliep toen Bill voor het eerst voorstelde dat ik de taakgroep zou leiden. Op deze dag waren het Bills grenzeloze optimisme en vastbeslotenheid die mij in mijn stoel hielden.

'Ik hoor dezelfde geluiden,' zei Bill, 'maar we moeten het proberen. We moeten het gewoon voor elkaar krijgen.'

Er waren dwingende redenen om door te zetten. Tegen de tijd dat Bill president werd, waren zevenendertig miljoen Amerikanen, voor het merendeel werkende mensen en hun kinderen, onverzekerd. Ze kregen pas toegang tot zorg wanneer ze in een medische crisis waren beland. Zelfs voor eenvoudige medische behandelingen kwamen ze als arme sloebers bij de eerste hulp terecht, waar de zorg het duurst was; of ze staken zich diep in de schulden omdat ze zelf opdraaiden voor voorkomende medische noodgevallen. In het begin van de jaren negentig raakten honderdduizend Amerikanen per maand hun dekking kwijt, en twee miljoen verloren haar tijdelijk bij verandering van baan. Kleine ondernemingen waren vanwege de torenhoge ziektekostenpremies niet in staat hun werknemers dekking te bieden. En de kwaliteit van de zorg liep ook terug: in een poging de kosten in de hand en hun eigen bedrijfsresultaten op peil te houden, weigerden of traineerden verzekeringsmaatschappijen vaak de behandelingen die door artsen werden voorgeschreven.

De kosten voor de gezondheidszorg rezen de pan uit en drukten de nationale economie, ondermijnden de Amerikaanse concurrentiepositie, tastten de arbeidslonen aan, verhoogden de particuliere schulden en vergrootten het nationale begrotingstekort. Als natie besteedden we meer geld aan gezondheidszorg – veertien procent van ons bruto binnenlands product – dan elk ander geïndustrialiseerd land. In 1992 werd 45 miljard dollar van de ziektekosten niet eens uitgegeven aan artsen, verplegend personeel, ziekenhuizen, verpleegtehuizen of andere zorgaanbieders, maar aan administratiekosten.

Deze verschrikkelijke spiraal van escalerende kosten en afnemende dekking werd voor een belangrijk deel veroorzaakt door het groeiend aantal onverzekerde Amerikanen. Onverzekerde patiënten konden maar zelden hun medische kosten contant betalen, zodat hun kosten werden overgenomen door de artsen en ziekenhuizen die hen behandelden. Artsen en ziekenhuizen verhoogden op hun beurt hun tarieven om de uitgaven te bekostigen voor patiënten die niet verzekerd waren of niet konden betalen; dat is de reden waarom soms twee dollar voor aspirines en 2400 dollar voor krukken op ziekenhuisrekeningen verschenen. Omdat verzekeraars de hogere tarieven van artsen en ziekenhuizen moesten dekken, begonnen zij de dekking te beperken en de bedragen voor premies, eigen risico's en eigen bijdragen voor mensen met een verzekering te verhogen. Naarmate de premies hoger werden, waren minder werkgevers bereid of in staat hun werknemers dekking te bieden, zodat meer mensen hun verzekering kwijtraakten. Zo was de vicieuze cirkel rond.

Een oplossing voor deze problemen was cruciaal voor het welzijn van tientallen miljoenen Amerikanen en van ons land in zijn geheel, maar desondanks wisten we dat ons een moeizame strijd te wachten stond. In het grootste gedeelte van de twintigste eeuw hadden presidenten geprobeerd ons nationale gezondheidszorgsysteem te hervormen, met wisselend succes. President Theodore Roosevelt en andere progressieve leiders stelden bijna een eeuw geleden als eersten een systeem voor algemene ziektekostenverzekering voor. In 1935 zag president Franklin D. Roosevelt plannen voor een nationaal systeem voor ziektekostenverzekering als een onderdeel van de sociale zekerheid, de hoeksteen van zijn New Deal. Van zijn plannen kwam niets terecht, grotendeels door de oppositie van de American Medical Association (AMA), de lobbygroep van Amerikaanse artsen die bevreesd waren voor overheidscontrole op hun activiteiten.

Ook president Truman zette zich in voor een algehele ziektekostenverzekering. Hij nam deze op in zijn Fair Deal en maakte haar tot programmapunt in de verkiezingen van 1948. Maar ook hij werd tegengewerkt door de goed gefinancierde en goed georganiseerde oppositie van de AMA, de Amerikaanse Kamer van Koophandel en andere organisaties die zich op ideologische gronden tegen een nationale ziektekostenverzekering verzetten, omdat ze haar associeerden met socialisme en communisme. De tegenstanders van toen geloofden bovendien, net als tegenwoordig, dat het bestaande systeem goed genoeg werkte, ondanks de paradoxale situatie dat de Verenigde Staten meer geld uitgeven aan gezondheidszorg dan welk ander land dan ook, maar niet in staat zijn iedereen een ziektekostenverzekering te bieden. Nadat hij tevergeefs had geprobeerd het verzet van de oppositie te breken, kwam Truman met het meer bescheiden – en praktischer – idee om ziektekostenverzekering te geven aan mensen met een uitkering.

Tijdens de jaren veertig en vijftig wisten de vakbonden ziektekostenregelingen in hun arbeidsovereenkomsten opgenomen te krijgen. Andere werkgevers begonnen deze verzekeringen ook aan te bieden aan niet-georganiseerde werknemers. Dit leidde tot een gezondheidszorgsysteem dat sterk op werkgevers leunde en waarin de ziektekostenverzekering steeds meer werd gekoppeld aan het hebben van werk.

In 1965 leidde het sociale programma van president Johnson, The Great Society, tot de instelling van Medicaid en Medicare, die een door de nationale overheid gefinancierde ziektekostenverzekering aanbood aan twee achtergestelde groepen, armen en bejaarden; 76 miljoen mensen doen tegenwoordig een beroep op deze programma's. Deze regeling van Johnson, mogelijk gemaakt door zijn overweldigende overwinning in 1964 en een grote Democratische meerderheid in het Congres, is nog steeds een van de grootste successen op het gebied van gezondheidszorg in de twintigste eeuw en vormde de realisatie van de doelstellingen van president Truman.

Medicare werd gefinancierd uit de salarissen van de werknemers en verlichtte de zorgen voor mensen boven de vijfenzestig door hun toegang te geven tot de diensten van artsen en ziekenhuizen. Hoewel Medicare, ten onrechte, geen medicijnen op recept vergoedt, blijft het een populaire en noodzakelijke verzekering voor oudere Amerikanen, en de administratiekosten ervan liggen een stuk lager dan die van de particuliere ziektekostenverzekeraars. Medicaid, het programma dat de zorg betaalt voor de armste Amerikanen en voor gehandicapten, wordt gezamenlijk gefinancierd door de staten en de federale overheid en wordt door de staten volgens federale regels uitgevoerd. Medicaid is politiek gezien kwetsbaarder dan Medicare omdat de armen minder politieke macht hebben dan de bejaarden; het programma is echter een geschenk uit de hemel voor arme Amerikanen, met name kinderen en zwangere vrouwen.

President Nixon erkende het negatieve effect van de

kosten van de gezondheidszorg op de economie en stelde in 1970 een systeem voor algemene gezondheidszorg voor dat was gebaseerd op de zogeheten 'werkgeversplicht' (*employer mandate*): alle werkgevers waren verplicht voor een beperkte ziektekostenregeling voor hun werknemers te betalen. Hoewel tijdens de regering-Nixon twintig verschillende voorstellen voor de gezondheidszorg bij het Congres werden ingediend, kreeg geen enkel voorstel voor een algemene dekking de goedkeuring van een Congrescommissie, tot bijna twintig jaar later, in 1994.

De presidenten Ford en Carter – een Republikein en een Democraat – probeerden in de jaren zeventig ook hervormingen door te voeren, maar stuitten op dezelfde politieke obstakels die in het grootste deel van de twintigste eeuw veranderingen hadden geblokkeerd. In enkele tientallen jaren tijd waren de commerciële ziektekostenverzekeraars steeds machtiger geworden. Veel verzekeringsmaatschappijen waren tegen een algemene dekking omdat ze bang waren dat dit hun recht op het vaststellen van de premie zou beperken evenals hun vermogen patiënten met verhoogd risico af te wijzen. Sommige dachten zelfs dat een algemene ziektekostendekking de ondergang van de particuliere verzekering zou inluiden.

Historisch gezien waren de vooruitzichten voor Bill bepaald niet gunstig aangezien zelfs onder Democraten uiteenlopende opvattingen over de herzieningen in de gezondheidszorg leefden. Bovendien hadden de meningen, zoals een deskundige het uitdrukte, 'een theologisch karakter': de posities stonden onwrikbaar vast en men was ongevoelig voor rede, bewijsvoering of argumenten. Maar Bill vond dat hij het volk en het Congres moest laten zien dat hij zich niet wilde laten tegenhouden en dat hij zijn verkiezingsbelofte om de gezondheidszorg onmiddellijk aan te pakken waar zou maken. Een herziening van de gezondheidszorg was niet alleen een kwestie van verstandig politiek beleid waarvan miljoenen Amerikanen zouden profiteren, maar ook een noodzakelijke voorwaarde om het begrotingstekort terug te dringen. De kosten voor de gezondheidszorg hadden de afgelopen vier jaar het tekort mede doen oplopen tot 387 miljard dollar, meer dan het dubbele van het tekort waarvan de regering-Bush voor de verkiezing gewag had gemaakt.

Ik deelde de diepe zorg van Bill over het economisch en fiscaal onverantwoordelijke beleid van de twaalf voorafgaande jaren onder de regeringen-Reagan en -Bush. Zelfs de laatste schattingen door de regering-Bush hadden het echte tekort verdoezeld door de effecten van een stagnerende economie, de invloed van de kosten van de gezondheidszorg en de besteding van geld aan de reddingsoperaties van spaartegoeden en leningen te onderschatten. Maar bovenal geloofde ik dat een hervorming van de gezondheidszorg het leed van werkende mensen overal in ons welvarende land kon verzachten. Als vrouw van een gouverneur, en nu van een president, hoefde ik me geen zorgen te maken over de gezondheidszorg voor mijn gezin. Ik vond dat iedereen daar recht op had.

Mijn ervaringen als bestuurslid van het Arkansas Children's Hospital en als voorzitter van een taakgroep voor de gezondheidszorg op het platteland hadden mij vertrouwd gemaakt met de problemen die aan ons gezondheidszorgsysteem kleefden. Zo wist ik hoeveel moeite het kostte hervormingen te realiseren en hoe groot de financiële problemen waren van gezinnen die te 'rijk' waren om voor Medicaid in aanmerking te komen of te 'arm' om een eigen ziektekostenverzekering te kunnen betalen. Toen ik in de jaren tachtig door Arkansas rondreisde en tijdens de presidentiële verkiezingscampagne door de Verenigde Staten, had ik landgenoten gesproken die mijn geloof versterkten dat we de gebreken van het systeem moesten repareren. Bills vastbeslotenheid om tot hervormingen te komen, was onze grootste hoop om voor miljoenen hardwerkende mannen en vrouwen de gezondheidszorg te garanderen die ze verdienden.

Bill, Ira, Carol en ik liepen uit de Oval Office langs de

buste van Abraham Lincoln van Augustus Saint-Gaudens en door de kleine hal naar de Roosevelt Room, waar een menigte ministers, topambtenaren en journalisten zat te wachten op wat officieel stond aangekondigd als een 'taakgroepvergadering'.

Wanneer je de Roosevelt Room binnen wandelt, loop je als het ware de Amerikaanse geschiedenis binnen. Er hangen vaandels van elke Amerikaanse militaire campagne en vlaggen van iedere afdeling van het Amerikaanse leger; portretten van Theodore en Franklin Roosevelt prijken aan de muur; de Nobelprijsmedaille die Theodore Roosevelt vanwege zijn bemiddelende rol bij het beëindigen van de Russisch-Japanse Oorlog in 1906 had verkregen, is in alle bescheidenheid op de schoorsteenmantel boven de open haard tentoongesteld. Tijdens mijn verblijf in het Witte Huis heb ik daar nog een buste van Eleanor Roosevelt aan toegevoegd, zodat haar bijdrage als een 'Roosevelt' ook zou worden erkend in de kamer die naar haar oom en echtgenoot was vernoemd.

In deze historische kamer verklaarde Bill dat zijn regering binnen honderd dagen een hervormingsplan voor de gezondheidszorg bij het Congres zou indienen, een plan dat 'de kosten van de gezondheidszorg in de Verenigde Staten op een krachtige manier onder controle zal brengen en een begin zal maken met een toegankelijk gezondheidszorgsysteem voor alle Amerikanen'.

Daarna kondigde hij aan dat ik voorzitter zou worden van een nieuwe presidentiële taakgroep voor een herziening van de nationale gezondheidszorg, waartoe ook zouden behoren de ministers van Gezondheid en Sociale Zaken, Financiën, Defensie, Veteranenzaken, Handel en Arbeid, evenals de directeur van het Office of Management and Budget en topambtenaren van het Witte Huis. Bill legde uit dat ik in samenwerking met Ira, het kabinet en anderen zou voortborduren op de eerste aanzetten die hij tijdens de verkiezingscampagne en in zijn inaugurele rede had geschetst. 'We zullen enkele harde keuzen moeten maken om de kosten voor de gezondheidszorg in de hand te houden... en iedereen toegang tot de gezondheidszorg te bieden,' zei hij en voegde eraan toe: 'Ik ben dankbaar dat Hillary het voorzitterschap van deze taakgroep op zich wil nemen, en niet alleen omdat dit betekent dat ze samen met mij enkele van de klappen zal opvangen waartoe mijn plannen vermoedelijk aanleiding zullen geven.'

De klappen kwamen van alle kanten. De aankondiging was een verrassing binnen het Witte Huis en de federale instellingen. Enkele stafmedewerkers van Bill waren ervan uitgegaan dat ik beleidsadviseur voor Binnenlandse Zaken zou worden (waar Bill en ik het nooit over hebben gehad). Anderen dachten dat ik me zou richten op onderwijs of kinderzorg, voornamelijk omdat ik me in het verleden met deze onderwerpen had beziggehouden. Misschien hadden we meer stafleden moeten inlichten, maar er lekte toch al te veel gevoelige, alleen voor intern gebruik bestemde informatie uit het Witte Huis naar buiten en Bill wilde het verhaal zelf in de openbaarheid brengen en de eerste vragen zelf beantwoorden.

Veel medewerkers in het Witte Huis waren van mening dat het een goed idee was. Enkelen van Bills belangrijkste luitenants, onder wie Robert Rubin, voorzitter van de National Economic Council, stonden vierkant achter het idee. Bob was een van mijn favoriete mensen in de regering; hij is bijzonder intelligent en succesvol, maar houdt zichzelf voortdurend en volkomen op de achtergrond. Later maakte hij grappen over zijn opmerkelijke politieke inzicht: hij had niet gedacht dat mijn aanstelling zo'n grote politieke repercussies zou hebben. Ik moet zeggen dat de reactie ook mij verraste.

Enkele vrienden waarschuwden ons op luchtige toon voor de dingen die in het verschiet lagen: 'Wat heb je gedaan dat je man zo kwaad op je is?' vroeg Mario Cuomo, toenmalig gouverneur van New York, me tijdens een bezoek aan het Witte Huis.

'Wat bedoel je?'

'Nou,' antwoordde Mario, 'hij moet wel erg boos zijn om jou de leiding te geven over zo'n ondankbare taak.'

Ik hoorde de waarschuwingen, maar ik realiseerde me onvoldoende aan wat voor enorme klus we eigenlijk waren begonnen. Mijn werk in Arkansas als voorzitter van de taakgroep voor de gezondheidszorg op het platteland en de Education Standards Committee van Arkansas liet zich qua schaal niet vergelijken met de hervorming van de gezondheidszorg. Maar beide opdrachten werden als een succes beschouwd, waardoor ik vol enthousiasme en goede moed aan deze nieuwe uitdaging begon. Het grootste probleem leek de termijn van honderd dagen die Bill had aangekondigd. Hij had de verkiezingen waaraan drie kandidaten hadden deelgenomen, gewonnen met minder dan de helft van de stemmen – 43 procent – en hij vond dat hij aan het begin van zijn regering gebruik moest maken van het politieke momentum, voorzover hij dat nu bezat. James Carville, onze vriend, adviseur en een van de meest briljante strategen in de Amerikaanse politiek, had Bill gewaarschuwd: 'Hoe meer tijd we de verdedigers van de statusquo geven zich te organiseren, hoe beter ze in staat zullen zijn de oppositie tegen je plan te mobiliseren en hoe meer kans ze hebben het te torpederen.'

De Democraten in het Congres spoorden ons ook aan voort te maken. Een paar dagen na Bills aankondiging vroeg Dick Gephardt, de Democratische leider van de grootste partij in het Huis van Afgevaardigden, om een onderhoud met mij. Hij stond op Capitol Hill bekend als een echte man uit het Midwesten en als een absolute begrotingsexpert. Van huis uit had hij compassie met mensen in nood meegekregen en zijn betrokkenheid bij de hervorming van de gezondheidszorg was toegenomen door het gevecht tegen kanker dat zijn zoon enkele jaren daarvoor had geleverd. Vanwege zijn positie en ervaring zou Gephardt een toonaangevende stem zijn in elk debat dat in het Huis over de gezondheidszorg werd gevoerd. Op 3 februari had ik in mijn kantoor in de West Wing een strategiebespreking met Gephardt en zijn topambtenaar voor de gezondheidszorg. We luisterden een uur lang terwijl Gephardt zijn bezorgdheid over de hervorming uiteenzette. Het was een emotionele vergadering.

Een van de belangrijkste zorgen van Gephardt was dat we niet in staat zouden zijn de Democraten te verenigen, aangezien dezen zelfs onder de beste omstandigheden zelden een eenheid vormden. De hervormingen in de gezondheidszorg maakten de bestaande tegenstellingen nog groter. Ik moest vaak aan die oude grap van Will Rogers denken:

'Ben jij lid van een georganiseerde politieke partij?'

'Nee, ik ben Democraat.'

Ik was me bewust van de mogelijke verdeeldheid, maar hoopte dat een Democratisch Congres de rijen zou sluiten rondom een Democratische president om te laten zien wat de partij voor de Verenigde Staten kon betekenen.

Democratische Congresleden waren inmiddels begonnen hun eigen hervormingsvoorstellen op te stellen om invloed te kunnen uitoefenen op de plannen van de president. Sommigen stelden een *single-payer*-benadering voor, volgens de Canadese en bepaalde Europese gezondheidszorgsystemen, dat het huidige op werkgevers gebaseerde systeem moest vervangen. De federale overheid zou via belastinginkomsten de enige financier, oftewel *single payer*, van de meeste medische zorg worden. Enkelen bepleitten een geleidelijke uitbreiding van Medicare, totdat deze uiteindelijk dekking zou bieden aan alle onverzekerde Amerikanen, te beginnen met de leeftijdscategorie vijfenvijftig tot vijfenzestig jaar.

Bill en andere Democraten verwierpen de *single-payer*- en Medicare-modellen en gaven de voorkeur aan een half-particulier systeem dat 'gereguleerde concurrentie' (*managed competition*) werd genoemd en via marktwerking en concurrentie de kosten omlaag moest brengen. Voor de overheid zou een kleinere rol zijn weggelegd: ze zou maatstaven opstellen voor de verzekeringspakketten en helpen verzekeringscoöperaties op te richten. Deze coöperaties waren groepen individuen en ondernemingen die waren gevormd om verzekeringen te verwerven. Gezamenlijk konden ze dan met concurrerende verzekeringsmaatschappijen onderhandelen over betere voorwaarden en tarieven en hun invloed aanwenden om een hogere kwaliteit van de zorg te verwezenlijken. Het beste model voor dit plan was het Federal Employees Health Benefit Plan, een grote coöperatie van negen miljoen federale medewerkers die de leden een scala van verschillende verzekeringsopties boden, waarvan prijs en kwaliteit werden bewaakt door de beheerders van de coöperatie.

Onder het systeem van gereguleerde concurrentie zouden ziekenhuizen en artsen niet langer opdraaien voor de behandelkosten van patiënten die niet of onvoldoende verzekerd waren, aangezien iedereen ofwel verzekerd zou zijn via Medicare, Medicaid of de gezondheidszorgprogramma's voor veteranen en militairen ofwel zou deelnemen aan een van de verzekeringscoöperaties.

Het belangrijkste was misschien nog wel dat het systeem patiënten de mogelijkheid bood hun eigen arts te kiezen, een voorwaarde die voor Bill niet onderhandelbaar was.

Vanwege de vele opvattingen die over de gezondheidszorgherziening bestonden, liepen de gemoederen in het Congres hoog op, zo vertelde Gephardt ons. Een week daarvoor had hij in zijn kantoor een vergadering gehad waarin de discussie tussen twee Congresleden zo uit de hand was gelopen dat er bijna rake klappen waren gevallen. Gephardt benadrukte dat we de meeste kans van slagen hadden wanneer we het voorstel voor de hervormingen in de gezondheidszorg zouden koppelen aan een begrotingswet die bekendstond als de Budget Reconciliation Act, waarover het Congres meestal laat in het voorjaar stemde. Een Reconciliation Act combineert een aantal begrotings- en belastingbesluiten in één wetsvoorstel dat kan worden aangenomen of verworpen door een eenvoudige meerderheid van stemmen in de Senaat. Op deze manier kan een zogenoemde 'filibuster' worden voorkomen, een vaak toegepaste vertragingstactiek ter obstructie van controversiële wetgeving die normaal gesproken een meerderheid van zestig tegen veertig stemmen vereist. Veel begrotingstechnische kwesties, met name die op het gebied van belastingbeleid, zijn zo ingewikkeld dat een debat de voortgang in het Huis van Afgevaardigden en de Senaat eindeloos kan vertragen. De Reconciliation Act is een politiek middel om controversiële belasting- en begrotingswetten door het Congres te loodsen. Nu stelde Gephardt voor dit middel op een geheel nieuwe wijze toe te passen: om een belangrijke en ingrijpende verandering in het Amerikaanse sociale beleid bij wet te regelen.

Gephardt was ervan overtuigd dat Republikeinen in de Senaat obstructie zouden plegen tegen elk gezondheidszorgplan dat we zouden indienen. Hij wist ook dat het voor de Democraten in de Senaat heel moeilijk zou worden zestig stemmen bij elkaar te krijgen om de obstructie te beëindigen, gezien het feit dat de stemmenverhouding in de Senaat slechts 56-44 in het voordeel van de Democraten bedroeg. De strategie van Gephardt kwam erop neer dat hij een filibuster wilde vermijden door de hervormingen in de gezondheidszorg in te dienen in het kader van de Budget Reconciliation Act. Slechts een eenvoudige meerderheid zou voldoende zijn om de wet aangenomen te krijgen, en vice-president en Senaatsvoorzitter Gore kon, indien nodig, de beslissende 51ste stem uitbrengen.

Ira en ik wisten dat het economische team binnen het Witte Huis deze strategie waarschijnlijk zou verwerpen omdat het incorporeren van de gezondheidszorgherziening in de Budget Reconciliation Act de pogingen van de regering om andere bezuinigingen en economische plannen geaccepteerd te krijgen, kon bemoeilijken. We beëindigden onze vergadering en ik nam Gephardt meteen mee naar de Oval Office om de zaak rechtstreeks met Bill te bespreken. Bill liet zich door Gephardt overtuigen en vroeg aan Ira en mij het idee samen met de leiding van de Senaat te onderzoeken.

Gewapend met Gephardts suggesties en gesterkt door Bills bemoedigingen trokken Ira en ik de volgende dag naar Capitol Hill om de Democratische leider van de meerderheid in de Senaat, George Mitchell, te ontmoeten. Dit was het eerste van de honderden bezoeken die ik in verband met de hervormingsplannen voor de gezondheidszorg aan Congresleden zou brengen. Mitchells zachte stem was in tegenspraak met de nuchterheid waarmee hij leiding gaf aan de Democratische Senaatsleden. Ik respecteerde zijn mening, en hij was het met Gephardt eens: het zou bijna onmogelijk zijn de hervormingen in de gezondheidszorg door te voeren, tenzij het voorstel deel uitmaakte van de Reconciliation Act. Mitchell was ook onzeker over de Finance Committee van de Senaat, die jurisdictie had over veel aspecten van de wetgeving over de gezondheidszorg. Hij was met name bang dat commissievoorzitter Daniel Patrick Moynihan van New York, een doorgewinterde Democraat die sceptisch tegenover hervormingen in de gezondheidszorg stond, slecht op dit plan zou reageren. Moynihan was een intellectuele gigant en had sociologie gedoceerd aan Harvard voordat hij zich beschikbaar had gesteld voor de Senaat. Hij was een expert op het gebied van armoede en gezinskwesties en had liever gezien dat de president en het Congres sociale hervormingen als eerste punt op de agenda hadden gezet. Hij was niet blij toen Bill bekend maakte dat hij binnen honderd dagen met wetgeving op het gebied van de gezondheidszorg wilde komen. En hij stak zijn mening niet onder stoelen of banken.

Aanvankelijk was ik nogal gefrustreerd door zijn opstelling, maar ik begon hem te begrijpen. Bill en ik konden ons goed vinden in Moynihans streven naar sociale hervormingen, maar Bill en zijn economische team geloofden dat de regering het federale begrotingstekort nooit onder controle zou kunnen krijgen als ze er niet in slaagden de kosten van de gezondheidszorg omlaag te brengen. Ze waren van mening dat de hervorming van de gezondheidszorg van essentieel belang was voor het economische beleid en dat sociale hervormingen konden wachten. Senator Moynihan vermoedde dat het zeer moeilijk zou zijn het plan voor de gezondheidszorg in zijn commissie erdoor te krijgen. Hij wist dat het zijn taak zou worden het economische stimuleringsbeleid van Bill door de Finance Committee te loodsen en in de Senaat besproken te krijgen. Dat alleen al zou het uiterste van zijn politieke vaardigheden en invloed vergen. Een aantal Republikeinen was al met plannen gekomen om tegen de stimuleringsmaatregelen te stemmen, hoe het pakket er ook uitzag. En een aantal Democraten moest misschien nog overtuigd worden, met name als een belastingverhoging ook tot het pakket behoorde.

Toen we Mitchells kantoor verlieten, hadden we een betere kijk op wat ons te doen stond, met name wat betreft de Reconciliation Act. Nu moesten we het economisch team – in het bijzonder Leon Panetta, de directeur van de Office of Management and Budget – ervan overtuigen dat het opnemen van de gezondheidszorgherziening in de Reconciliation Act een ondersteuning zou zijn van de algehele economische strategie die de president voorstond, en niet de aandacht zou afleiden van de bezuinigingsplannen. Bill had het weinige politieke kapitaal dat hij bezat hard nodig om het begrotingstekort omlaag te brengen; dat was een van zijn centrale verkiezingsbeloften geweest. Als Bill de gezondheidszorg tot zijn aandachtspunt zou maken, zo was de gedachte in sommige gedeelten van de West Wing, zou dat de aandacht van de Amerikanen van zijn economische boodschap afleiden en de politieke wateren vertroebelen.

We moesten ook senator Robert C. Byrd van West Virginia ervan zien te overtuigen dat de hervorming van de gezondheidszorg thuishoorde in de Reconciliation Act. Byrd was de Democratische voorzitter van de Appropriations Committee van de Senaat en was in die tijd al vierendertig jaar senator. Met zijn statige verschijning en zijn zilvergrijze haar was hij de onofficiële historicus van de Senaat en een parlementair genie dat befaamd was om de wijze waarop hij zijn collega's met klassieke citaten om de oren wist te slaan. Hij hechtte ook groot belang aan procedures en decorum en had een procedurele horde uitgevonden, de zogeheten 'Byrd rule', die ervoor moest zorgen dat onderwerpen die in de Budget Reconciliation Act werden opgenomen, daadwerkelijk met begrotingen en belastingwetgeving te maken hadden. In zijn ogen werd de democratie ondermijnd als in de Reconciliation Act wetsvoorstellen waren opgenomen die weinig van doen hadden met de begroting van de Verenigde Staten. Het hervormingsplan voor de gezondheidszorg was, vanwege zijn invloed op overheidsuitgaven, belastingen en uitkeringsprogramma's, beslist een begrotingskwestie, maar als senator Byrd daar anders over dacht, zouden we zijn voorschrift moeten zien te omzeilen om de maatregel alsnog in de Reconciliation Act te krijgen.

Langzaam maar zeker kreeg ik in de gaten hoe steil de berg was die we probeerden te beklimmen. Aangezien we niet midden in een allesoverheersende economische crisis zaten, zoals tijdens de grote Depressie, zou het zeer moeilijk worden het economische plan of de gezondheidszorgherziening aangenomen te krijgen; de acceptatie van beide plannen leek haast onmogelijk. De hervormingen in de gezondheidszorg waren essentieel voor groei op de langere termijn, maar ik wist niet hoeveel verandering het politieke lichaam ineens kon verteren.

We hadden ons vrij simpele doelen gesteld: we wilden een plan maken waarin alle aspecten van de gezondheidszorg werden aangepakt, en niet een plan dat een beetje aan de randvoorwaarden morrelde. We wilden een proces waarin diverse ideeën werden bestudeerd en plaats was voor gezonde discussie. En we wilden zo veel mogelijk tegemoet komen aan de wensen van het Congres.

We kwamen vrijwel meteen in zwaar weer terecht.

Bill had Ira aangesteld als degene die het herzieningsproces van de gezondheidszorg moest structureren. Dit bleek echter een onredelijk zware last voor iemand die geen ervaring had in de Washingtonse politieke arena. Naast de presidentiële taakgroep, die bestond uit mijzelf, de kabinetsministers en andere ambtenaren van het Witte Huis, organiseerde Ira een gigantische werkgroep van experts, ondergebracht in teams die elk aspect van de gezondheidszorg moesten bestuderen. Deze werkgroep bestond uit maar liefst zeshonderd mensen van verschillende overheidsinstellingen en belangengroepen uit het Congres en de gezondheidszorg, onder wie artsen, verpleegkundigen, ziekenhuisbestuurders, economen enzovoort. Deze werkgroep vergaderde regelmatig met Ira om specifieke onderdelen van het plan in detail te bespreken en te evalueren. De groep was zo groot dat sommige leden klaagden dat ze zich te veel met bijzaken moesten bezighouden. Anderen raakten gefrustreerd en kwamen niet meer naar vergaderingen. Weer anderen waren alleen nog maar geïnteresseerd in hun eigen deel van de agenda en investeerden niet langer in het eindresultaat van het gehele plan. Kortom, de poging om zo veel mogelijk mensen en gezichtspunten bij de hervormingen te betrekken – in beginsel een goed idee – maakte onze positie uiteindelijk eerder zwakker dan sterker.

Op 24 februari kregen we een tegenslag te verwerken waarmee niemand van ons rekening had gehouden. Drie groepen die gelieerd waren aan de gezondheidszorgindustrie, klaagden de taakgroep aan vanwege haar samenstelling: omdat ik technisch gesproken geen werknemer van de overheid was (First Lady's ontvangen geen salaris), was het juridisch gezien niet toegestaan dat ik de groep voorzat of bij besloten vergaderingen aanwezig was. Zij beriepen zich op een obscure federale wet die was opgesteld om te voorkomen dat particuliere belangengroepen clandestien de besluitvorming van de regering zouden kunnen beïnvloeden en het recht op openbaarheid van informatie voor zichzelf reserveerden. De participatie van honderden mensen in het proces betekende uiteraard dat er van geheimhouding geen enkele sprake kon zijn, maar de pers, die niet was uitgenodigd voor vergaderingen, greep de kwestie met beide handen aan. Als ik bij de vergaderingen aanwezig mocht zijn, aldus de aanklacht, dan betekende dat volgens de wetten op de openbaarheid van bestuur dat de besloten vergaderingen toegankelijk moesten zijn voor buitenstaanders, onder wie de pers. Het was een slimme politieke zet, die bedoeld was om ons werk te verstoren en bij publiek en pers de indruk te wekken dat wij 'geheime' vergaderingen hielden.

Niet lang daarna kregen we nog meer slecht nieuws, deze keer van senator Byrd. Iedere Democratische afgezant die we konden bedenken, onder wie de president, had hem gevraagd de hervorming van de gezondheidszorg op te nemen in de Reconciliation Act. Maar in maart belde de senator de president op met de mededeling dat hij zich hier op procedurele gronden tegen verzette. De Senaat mocht slechts twintig uur debatteren over wetsvoorstellen binnen de Reconciliation Act, wat hij te weinig tijd vond voor zulke omvangrijke hervormingsplannen. Het onderwerp was gewoon te ingewikkeld voor een dergelijke behandeling, zo vertelde hij Bill. Achteraf gezien en op basis van mijn eigen ervaring in de Senaat kan ik me heel goed in zijn inschatting vinden. Op dat moment betekende dit echter een politieke tegenslag die ons dwong onze strategie opnieuw te bepalen en een manier te vinden om de hervorming van de gezondheidszorg door het normale wetgevende proces te loodsen. We hielden spoedvergaderingen met leden van het Huis en de Senaat om elementen van het plan die we naar het Congres wilden doorsluizen, vast te leggen. We zagen niet dat Byrds mening over de Reconciliation-strategie eigenlijk een reusachtig teken aan de wand was. We probeerden te snel een wetsvoorstel in elkaar te zetten dat het Amerikaanse sociale en economische beleid voor de komende jaren fundamenteel zou veranderen. En we waren de race al aan het verliezen.

In dit klimaat, waarin Bill bovendien kreeg te kampen met consternatie over zijn plan om homoseksuelen in het leger toe te laten en over zijn nominaties voor de minister van Justitie, koesterden we ieder succesje dat op onze weg kwam. Halverwege maart gaf het Huis goedkeuring aan Bills economische stimuleringsmaatregelen. Mijn staf en ik besloten dit met een klein feestje te vieren. Op 19 maart verzamelden we ons met zo'n twintig personen in de eetzaal van het Witte Huis voor een lunch. De ruimte, met haar eikenhouten wanden, haar memorabilia van de marine en leren stoelen, was de perfecte omgeving voor persoonlijke gesprekken en voor zoveel gelach en hilariteit als we konden opbrengen. Deze bijeenkomst bood me een zeldzame gelegenheid eens ongedwongen met mijn assistenten te spreken en mijn mening te geven over welk onderwerp dan ook dat ter sprake kwam. Vanaf het moment dat ik mijn voet over de drempel zette, voelde ik voor het eerst sinds dagen wat ontspanning en zorgeloosheid opkomen.

De lunch werd geserveerd en we begonnen onze verhalen te vertellen over de eerste paar weken in het Witte Huis. Toen kwam Carolyn Huber, een van mijn trouwe assistenten die met ons vanuit Arkansas naar Washington was verhuisd, de kamer binnen. Ze liep naar mijn stoel en fluisterde in mijn oor: 'Je vader heeft een beroerte gehad,' zei ze. 'Hij ligt in het ziekenhuis.'

12 Het einde van iets

Ik verliet de eetzaal van het Witte Huis en ging naar boven om Drew Kumpuris te bellen, de arts van mijn vader in Little Rock. Hij bevestigde dat mijn vader een zware beroerte had gehad en per ambulance naar het St. Vincent's Hospital was vervoerd, waar hij bewusteloos op de intensive care lag. 'U moet zo snel mogelijk komen,' zei Drew. Ik waarschuwde onmiddellijk Bill en pakte wat kleren in. Binnen een paar uur zaten Chelsea, mijn broer Tony en ik in een vliegtuig naar Arkansas voor een lange, droevige reis naar huis.

Van mijn aankomst in Little Rock die avond en de aansluitende rit naar het ziekenhuis kan ik mij niets meer herinneren. Mijn moeder stond me vlak buiten de intensive care op te wachten; ze zag er afgemat en bezorgd uit, maar was dankbaar dat ze ons zag.

Dokter Kumpuris legde ons uit dat mijn vader was weggezakt in een diep onherroepelijk coma. We konden hem bezoeken, maar het was niet waarschijnlijk dat hij wist dat we er waren. Aanvankelijk vroeg ik me af of ik Chelsea wel mee naar binnen moest nemen, maar ze stond erop en ik gaf toe omdat ik wist hoezeer ze aan haar grootvader was gehecht. We gingen naar binnen en ik was opgelucht dat hij er bijna vredig bijlag. Aangezien een operatie aan zijn beschadigde hersenen geen enkele zin had, lag hij niet aangesloten op de wirwar van slangetjes, buisjes en monitors, zoals na zijn bypassoperatie van tien jaar daarvoor. Hoewel hij wel kunstmatig beademd werd, waren er slechts enkele onopvallende infusen en monitors naast zijn bed. Chelsea en ik hielden zijn hand vast. Ik streelde zijn haar, sprak tegen hem en koesterde een minuscule hoop dat hij zijn ogen weer zou openen of in mijn hand zou knijpen.

Chelsea zat naast zijn bed en sprak urenlang tegen hem. Ze leek niet van haar stuk gebracht door zijn toestand. Ik stond er versteld van hoe rustig ze onder de situatie bleef.

Hugh kwam later die avond aan uit Miami, waar hij werkte als pro-deoadvocaat. Ze kwamen vaders kamer binnen met de hoop dat ze misschien zijn coma konden doorbreken door familieverhalen te vertellen of liedjes te zingen, met name liedjes die hem altijd de gordijnen in joegen. Mijn vader maakte ruzie met mijn broers over alles wat ze in hun puberteit deden. Een van zijn veelvoorkomende tirades ging over hun smaak – of het gebrek daaraan – als het ging om tv-programma's. Met name verafschuwde hij de openingstune van *The Flintstones*. Hugh en Tony gingen elk aan een kant van het bed staan en zongen dat deuntje voor hem, in de hoop dat ze een reactie – 'Zet die herrie af!' – konden oproepen, zoals toen ze nog klein waren. Als hij ons die avond gehoord heeft, heeft hij dat in ieder geval niet laten merken, maar ik houd me vast aan de gedachte dat hij op een of andere manier heeft geweten dat we er voor hem waren.

Meestal gingen we om de beurt naast vaders bed zitten. We keken toe hoe de mysterieuze groene bliepjes op de monitors op en neer bewogen en gaven ons over aan het hypnotiserende gezoem en geklik van het ademhalingsapparaat. Het centrum van mijn turbulente universum van verplichtingen en vergaderingen vernauwde zich tot die kleine ziekenhuiskamer in Little Rock, totdat het een wereld op zichzelf werd, ver verwijderd van alle andere zorgen en beperkt tot de dingen die het belangrijkst zijn.

Bill kwam op 21 maart. Ik was zo blij hem te zien. Ik voelde dat ik me voor het eerst in twee dagen tijd kon ontspannen toen hij de gesprekken met de artsen op zich nam en met me meedacht over de beslissing die we spoedig zouden moeten nemen omtrent de medische opties van mijn vader.

Carolyn Huber en Lisa Caputo waren samen met Chelsea en mij vanuit Washington naar Little Rock gereisd. Carolyn is haast een lid van de familie, en mijn ouders waren dol op haar. Ik had haar ontmoet toen ik bij advocatenkantoor Rose ging werken, waar zij al een aantal jaren in dienst was. Ze had de gouverneurswoning van Arkansas beheerd tijdens Bills eerste termijn, en daarna hadden we haar gevraagd om met ons mee te verhuizen naar het Witte Huis om mijn persoonlijke correspondentie te verzorgen.

Lisa Caputo werkte sinds de Conventie als mijn perschef. Bij hun eerste ontmoeting klikte het meteen tussen haar en mijn vader. Ze waren erachter gekomen dat ze allebei afkomstig waren uit de streek Scranton-Wilkes-Barre in Pennsylvania. 'Hillary, je hebt iets heel goeds gedaan,' zei mijn vader tegen me. 'Je hebt iemand aangenomen uit het land van God!'

Harry Thomason kwam vanaf de westkust naar Little Rock, en hij regelde ook de reis voor Virginia en Dick Kelley, die de stad uit waren gegaan en zondagavond in het ziekenhuis arriveerden. Bill en ik dachten dat ze naar Las Vegas waren gegaan, hun favoriete reisbestemming. Maar Harry nam Bill en mij even apart om ons nog meer schokkend nieuws mee te delen. Hij vertelde ons, zo voorzichtig als hij kon, dat Virginia en Dick niet voor een vakantie naar Nevada waren gegaan, maar naar Denver, waar Virginia informatie had ingewonnen over experimentele behandelingen voor de kanker die na haar borstamputatie, twee jaar eerder, was teruggekeerd en uitgezaaid. Ze wilde niet dat wij wisten hoe ernstig haar toestand was, en Harry zei dat ze het zou ontkennen als we erover zouden beginnen. Harry was er zelf achter gekomen toen hij hen probeerde op te sporen; hij vond dat wij het moesten weten. Bill en ik bedankten hem voor zijn verstandige gedachte en zijn goede hart en gingen terug naar Virginia en Dick, die met mijn moeder en mijn broers zaten te praten. We besloten de wens van Virginia op dit moment te respecteren en ons eerst te concentreren op de huidige familiecrisis.

De dag nadat hij was gekomen, moest Bill weer terug

naar Washington. Gelukkig hoefde Chelsea geen lessen te missen omdat het voorjaarsvakantie was. Ze bleef bij me in Little Rock en ik voelde me gezegend met haar rustige en liefhebbende gezelschap. De uren werden dagen, en de toestand van mijn vader bleef kritiek. Vrienden en familieleden begonnen overal vandaan te komen om ons emotioneel te steunen. We brachten de tijd door met woordspelletjes en kaarten. Tony leerde me Tetris te spelen op zijn zakcomputer en urenlang zat ik gedachteloos geometrische vormen in elkaar te passen die over mijn beeldscherm naar beneden zweefden.

Ik kon me gewoon niet concentreren op mijn plichten als First Lady. Ik zegde al mijn afspraken af en vroeg Lisa Caputo aan Ira Magaziner en verder iedereen die me nodig had, uit te leggen dat ze zonder mij moesten verdergaan. Tipper was zo vriendelijk mij te vervangen bij een aantal forums over gezondheidszorg die reeds vastgesteld waren, en Al sprak in mijn plaats de leiders van de American Medical Association in Washington toe en zat de eerste openbare taakgroepvergadering over de nationale gezondheidszorgherziening voor. Ik kon mijn ouders gewoon niet alleen laten. Normaal gesproken ben ik in staat veel dingen tegelijk te verwerken, maar ik kon niet net doen alsof dit normaal was. Ik wist dat onze familie spoedig voor de keuze zou komen te staan om de apparatuur die mijn vader in leven hield, af te zetten.

Misschien om mijn gevoelens wat af te leiden praatte ik in de lange uren die ik in het ziekenhuis doorbracht, met artsen, verpleegkundigen, farmaceuten, ziekenhuisbestuurders en familieleden van andere patiënten over het huidige gezondheidszorgsysteem. Een van de artsen vertelde me dat sommige Medicare-patiënten het ziekenhuis verlieten zonder de voorgeschreven doktersrecepten, omdat die voor hen onbetaalbaar waren. Andere patiënten betaalden wel voor hun medicijnen maar namen een lagere dosis dan voorgeschreven, zodat ze er langer mee konden doen. Vaak waren deze patiënten binnen de kortste keren weer terug in het ziekenhuis. De problemen in de gezond-heidszorg die we in Washington probeerden aan te pakken, waren nu onderdeel van mijn dagelijkse werkelijkheid. Deze persoonlijke ontmoetingen maakten me weer eens extra duidelijk wat voor moeilijke taak Bill me had gegeven en hoe belangrijk het was dit systeem te verbeteren.

Bill keerde op zondag 28 maart terug naar Little Rock. We kwamen met de naaste familie bij elkaar en spraken met twee artsen, die ons twee keuzen gaven: Hugh Rod-ham was hersendood en werd door machines in leven ge-houden. Niemand van ons kon zich voorstellen dat de nor-se, uiterst onafhankelijke man die wij hadden gekend, van ons zou verlangen dat we zijn lichaam onder dergelijke omstandigheden in leven zouden houden. Ik wist nog hoe kwaad en gedeprimeerd hij was geweest na zijn viervoudi-ge bypassoperatie in 1983. Het grootste deel van zijn leven was hij een gezond man geweest, die grote waarde hechtte aan zijn onafhankelijkheid. Hij vertelde me toen dat hij liever dood ging dan ziek en hulpeloos te blijven. Dit was veel erger, hoewel hij zich in ieder geval niet van zijn toe-stand bewust leek. Ieder lid van de familie ging ermee ak-koord dat we die nacht de beademing zouden laten stop-pen; we zouden afscheid van hem nemen en hem toever-trouwen aan God. Dokter Kumpuris vertelde ons dat hij waarschijnlijk binnen 24 uur zou sterven.

Maar de ziel van de voormalige bokser en footballspeler van Nittany Lions was nog niet van plan te vertrekken. Na-dat de apparatuur was verwijderd, begon mijn vader uit zichzelf te ademen en zijn hart bleef kloppen. Bill bleef bij ons tot dinsdag, toen hij zijn taken weer moest hervatten. Chelsea en ik besloten te blijven tot het eind.

Ik had weliswaar al mijn openbare optredens afgezegd, waaronder de kans om de eerste bal te gooien voor de ope-ningswedstrijd van de Cubs in Wrigley Field, Chicago, maar er was één verplichting waar ik niet onderuit leek te kunnen komen. Liz Carpenter was persvoorlichter van Lady Bird Johnson geweest en had nu als een van haar vele activiteiten een serie lezingen georganiseerd aan de Universiteit van Texas in Austin. Maanden daarvoor had ik haar uitnodiging om op 6 april een lezing te geven geaccepteerd. Nu mijn vader op sterven lag, belde ik haar op om de afspraak af te zeggen of te verplaatsen. Maar daar wilde ze niets van weten. Op haar onnavolgbare wijze wist ze me te vertellen dat het hele evenement maar een paar uur zou duren en dat ik nu de kans kreeg even aan iets anders te denken dan aan mijn vader. Ze had zelfs Lady Bird gevraagd mij te bellen en een poging te doen mij over te halen. Dat was slim. Liz wist hoeveel bewondering ik koesterde voor Lady Bird Johnson, een heerlijke, beminnelijke vrouw en een van onze effectiefste en invloedrijkste First Lady's. Uiteindelijk leek het gemakkelijker de lezing te geven dan voortdurend nee te moeten zeggen.

Op zondag 4 april was mijn vader nog steeds onder ons. Hij leefde nu al een week zonder apparatuur of voeding. Het ziekenhuis had hem van de intensive care verwijderd om plaats te maken voor een andere patiënt. Hij lag nu in een reguliere ziekenhuiskamer in een gewoon bed; hij zag eruit alsof hij net in slaap was gevallen en zo weer wakker kon worden. Hij oogde uitgerust, en jonger dan de 82 jaar die hij was. Mijn moeder en ik hadden van het ziekenhuis gehoord dat ze spoedig operatief een voedingsslangetje moesten aanbrengen, zodat hij naar een verpleegtehuis kon worden overgebracht. We hoopten allebei dat ons die nachtmerrie bespaard zou blijven. Ik wist dat mijn vader zo'n voedingsslangetje zou verafschuwen, terwijl intussen zijn spaargeld zou worden weggespoeld door de afvoerpijp van een verzorgingstehuis, in zijn opvatting een nog veel erger kwaad. Maar als zijn vegetatieve staat zou aanhouden, hadden we geen keus.

Chelsea moest weer naar school en we keerden op 4 april laat op de dag terug naar het Witte Huis. Twee dagen later vloog ik naar Austin. Aangezien ik er niet op had gerekend dat ik die lezing nog zou geven, moest ik die nog schrijven, en toen ik aan boord van het vliegtuig stapte, had ik geen flauw idee wat ik zou gaan zeggen.

Ik geloof dat we, wanneer onze harten worden opgeruwd door verdriet, kwetsbaarder zijn voor pijn, maar ook ontvankelijker voor nieuwe inzichten. Ik weet niet hoezeer ik veranderd was door de dreigende dood van mijn vader, maar veel ideeën waarmee ik jarenlang niets had gedaan, kwamen nu in mij naar boven. De lezing die ik op papier zette, was verre van consistent, of zelfs maar welsprekend: zolang als ik me kan herinneren, heb ik geworsteld om woorden te vinden die mijn diepste gevoelens adequaat weergeven. Maar ze was wel een ongefilterde afspiegeling van wat ik in die periode dacht.

Al sinds een aantal jaren had ik altijd een klein boekje bij me dat ik volstopte met aantekeningen, inspirerende citaten, spreuken en favoriete bijbelteksten. In het vliegtuig naar Austin bladerde ik door het boekje totdat ik een tijdschriftartikel tegenkwam, geschreven door Lee Atwater vlak voordat hij op veertigjarige leeftijd aan een hersentumor overleed. Atwater was een politiek wonderkind. Hij was campagneleider geweest van de presidenten Reagan en Bush en een van de belangrijke architecten van de Republikeinse dominantie in de jaren tachtig. Hij was een politieke straatvechter en stond bekend om zijn meedogenloze tactieken. Het enige wat voor hem telde, was de overwinning, zei hij altijd... totdat hij ziek werd. Vlak voordat hij stierf, schreef hij over een 'spiritueel vacuüm in het hart van de Amerikaanse samenleving'. Zijn boodschap had me ontroerd toen ik haar voor het eerst had gelezen, en leek me nu nog belangrijker dan toen; daarom besloot ik Atwater te citeren in mijn toespraak voor de veertienduizend mensen die naar de Liz Carpenter-lezing waren gekomen:

'Lang voordat ik door kanker was getroffen, voelde ik een zekere onrust in de Amerikaanse samenleving,' schreef Atwater. 'Het was het gevoel bij de inwoners van dit land, zowel Republikeinen als Democraten, dat er iets in hun leven ontbrak, iets wezenlijks. Ik wist niet precies wat het was. Mijn ziekte hielp me in te zien dat datgene wat in de samenleving ontbrak, hetzelfde was als wat in mijzelf ontbrak. Een beetje hart, een hoop broederschap.

In de jaren tachtig draaide alles om verwerven: welvaart, macht en prestige. Ik kan het weten. Ik heb meer welvaart, macht en prestige verworven dan de meeste mensen. Maar je kunt alles hebben wat je hart begeert en je nog steeds leeg voelen. Hoeveel macht zou ik niet willen ruilen voor een beetje meer tijd met mijn gezin? Welke prijs zou ik niet willen betalen voor een avond met vrienden? Er was een dodelijke ziekte voor nodig om me met die waarheid te confronteren, maar het is een waarheid die het land, dat in beslag is genomen door meedogenloze ambities en moreel verval, ten koste van mij kan leren...'

Ik maakte gebruik van allerlei verschillende bronnen om een statement te formuleren over de noodzaak 'de samenleving opnieuw te vormen door te herdefiniëren wat het betekent om mens te zijn in de twintigste eeuw, vlak voor de aanvang van een nieuw millennium'.

'We hebben een nieuwe politiek van zingeving nodig. We hebben een nieuwe moraal van individuele verantwoordelijkheid en zorgzaamheid nodig. We hebben een nieuwe definitie van de burgerlijke samenleving nodig, die een antwoord geeft op de niet te beantwoorden vragen die worden gesteld door zowel de krachten van de markt als die van de overheid. Hoe kunnen we een samenleving creëren die ons weer vervult en ons het gevoel kan geven dat we deel uitmaken van iets wat groter is dan wijzelf?'

Lee Atwaters prangende vraag luidde: 'Wie zal ons uit dit spirituele vacuüm leiden?' Ik stelde een antwoord voor: 'Wij allemaal.'

Na afloop van de lezing gaf ik Liz Carpenter, gouverneur Ann Richards en Lady Bird Johnson een hartelijke kus en vertrok naar het vliegveld om weer terug te keren naar het Witte Huis. Daar sprak ik nog even met mijn man en dochter voordat ik weer naar Little Rock ging om met mijn moeder de verhuizing van mijn vader naar een verpleegtehuis te regelen.

Ik was opgelucht dat ik de lezing had gegeven en dacht dat daarmee de kous af was. Maar kort daarna werden mijn woorden bespot in een hoofdartikel van het magazine van *The New York Times* met de badinerende titel 'Sint-Hillary'. Het artikel deed mijn uiteenzetting over spiritualiteit af als 'gemakkelijk, moralistisch gepreek... verpakt in wazig en dweperig new-agejargon'. Ik was dan ook bijzonder dankbaar dat veel mensen mij belden om me te bedanken voor het feit dat ik betekenisvolle kwesties in onze levens en samenleving aan de orde had gesteld.

De dag na mijn lezing in Austin overleed mijn vader.

Onwillekeurig moest ik denken aan de manier waarop de relatie met mijn vader in de loop der jaren was veranderd. Toen ik nog een klein meisje was, aanbad ik mijn vader. Ik zat ongeduldig achter het raam op hem te wachten en rende hem altijd over straat tegemoet wanneer hij terugkwam van zijn werk. Hij moedigde me aan honkbal, football en basketbal te spelen en trainde met mij. Ik probeerde goede cijfers op school te halen om zijn goedkeuring te krijgen. Maar naarmate ik ouder werd, veranderde onze verhouding onvermijdelijk, niet alleen omdat ik zelf opgroeide – en dat onder zulke verschillende omstandigheden als hij zelf had gedaan –, maar ook omdat hij veranderde. Langzaam maar zeker verloor hij de energie die hem altijd de fut had gegeven om naar buiten te gaan en football-worpen te oefenen met Hugh en mij, terwijl wij tussen de olmen voor ons huis door liepen. Net als deze prachtige olmen het slachtoffer werden van een ziekte en overal in het land in buurten als de onze moesten worden omgehakt, leken ook zijn energie en enthousiasme in de loop van de tijd te tanen.

Zijn directe wereld leek steeds kleiner te worden toen hij halverwege de jaren zestig zijn vader en beide broers in een paar jaar tijd verloor. Toen besloot hij in het begin van de jaren zeventig dat hij genoeg geld had verdiend en gespaard: hij stopte met werken en hief zijn kleine bedrijf op. Tijdens mijn jaren op de middelbare school en de universiteit werd onze relatie steeds meer bepaald door ofwel stilte, terwijl ik mijn hersenen pijnigde om iets tegen hem te zeggen, ofwel discussies, die ik vaak uitlokte omdat ik wist dat hij altijd met me wilde praten over politiek en cultuur: Vietnam, hippies, feministen die hun beha's verbrandden, Nixon. Maar ik begreep dat hij, zelfs wanneer hij tegen me uitviel, mijn onafhankelijkheid en prestaties bewonderde en met heel zijn hart van me hield.

Onlangs heb ik nog eens de brieven gelezen die hij me schreef toen ik op Wellesley en Yale zat. Meestal waren ze een reactie op een van mijn wanhopige *collect calls* naar huis waarin ik mijn twijfels uitte over mijn capaciteiten of mijn onzekerheid over de richting die mijn leven nam. Ik geloof niet dat iemand die mijn vader kende of het slachtoffer was van zijn bijtende kritiek, zich de tedere liefde en adviezen kon voorstellen waarmee hij me probeerde op te monteren en weer op het juiste spoor te zetten.

Ik had ook respect voor de bereidheid van mijn vader zijn opvattingen te veranderen, hoewel hij zelden toegaf dat hij dat deed. Aan het begin van zijn leven had hij elk vooroordeel geërfd dat traditioneel in een protestants arbeidersgezin leeft: hij was tegen Democraten, katholieken, joden, zwarten en verder tegen iedereen die niet als lid van de stam werd beschouwd. Wanneer ik me tijdens onze zomertripjes bij Lake Winola opwond over zijn opvattingen, verklaarde ik tegenover alle Rodhams dat ik van plan was later een katholieke Democraat te trouwen; een erger lot konden zij zich niet voorstellen. In de loop van de tijd werd mijn vader zachter en veranderde, vooral door persoonlijke ervaringen met allerhande mensen. Toen ik later verliefd werd op een baptistische Democraat uit het zuiden, was mijn vader verbijsterd, maar werd ten slotte een van Bills meest fervente supporters.

Toen mijn ouders in 1987 naar Little Rock verhuisden, kochten ze een flat naast die van Larry Curbo, een verpleger, en Dillard Denson, een neuroloog. Ze behoorden tot de beste vrienden van mijn moeder en kwamen regelmatig een kijkje nemen bij mijn ouders; ze praatten met mijn vader over de aandelenmarkt of politiek en hielpen mijn moeder met het huishouden. Wanneer Bill en ik op bezoek kwamen, richtten het leger en de veiligheidsdienst hun flat in als commandocentrum. Op een avond zaten mijn ouders te kijken naar een tv-programma met homoseksuele personages. Toen mijn vader uiting gaf aan zijn afkeer van homoseksuelen, zei mijn moeder: 'En Dillard en Larry dan?'

'Wat bedoel je?' vroeg hij.

Mijn moeder legde hem toen uit dat zijn goede vrienden en buren een homoseksueel stel waren met een langdurige relatie. Een van de laatste vooroordelen van mijn vader was daarmee verdwenen. Larry en Dillard bezochten mijn vader vaak in het ziekenhuis toen hij in coma lag. Op een avond loste Larry mijn moeder voor enkele uren af aan het bed, zodat zij thuis een paar uur kon rusten. En hij was het die mijn vaders hand vasthield en hem vaarwel zegde toen hij stierf.

De volgende ochtend gingen Bill, Chelsea en ik samen met een aantal intieme vrienden en familieleden in alle vroegte terug naar Little Rock om een gedenkdienst bij te wonen in de First United Methodist Church. We reisden samen met mijn broer Tony, zijn toekomstige vrouw Nicole Boxer, mijn lieve vriendin Diane Blair, die bij ons logeerde, Bruce Lindsey, Vince Foster en Webb Hubbell. Ook de komst van Al en Tipper samen met Mack en Donna McLarty deed me erg goed. De kerk op die Goede Vrijdag zat vol voor een 'dienst van dood en wederopstanding', geleid door de hoofdpredikant van de kerk, de eerwaarde Ed Matthews, en de predikant die Bill en mij had getrouwd, de eerwaarde Vic Nixon. Vergezeld door Dillard en Larry en door Carolyn en dr. John Holden, zeer goede vrienden van mijn broers uit Park Ridge, bracht onze familie na de dienst mijn vader naar huis, naar Scranton. Het was typerend voor mijn vader dat hij jaren geleden al de plek van zijn graf had uitgekozen en ervoor betaald.

We hielden nog een tweede uitvaartdienst in de Court Street Methodist Church, vlak bij het huis waar mijn vader was opgegroeid. Bill sprak een liefdevolle grafrede uit waarin hij de norsheid en toewijding van Hugh Rodham verwoordde:

'In 1974, toen ik mijn eerste verkiezingscampagne voerde, deed ik mee in een district waar een hoop Republikeinen uit het Midwesten woonden. En mijn toekomstige schoonvader kwam me te hulp in een Cadillac met een nummerplaat uit Illinois. Hij vertelde niemand dat ik verliefd was op zijn dochter; hij stapte gewoon op de mensen af en zei: "Ik weet dat u een Republikein bent, en dat ben ik ook. Ik vind dat Democraten halve communisten zijn, maar deze knul is oké."'

We legden hem te rusten op het kerkhof in Washburn Street. Het was een koude, regenachtige dag in april, en mijn gedachten waren even mistroostig als de loden hemel. Ik luisterde naar het spelen van de bugelblazer van de Military Honor Guard. Na de begrafenis gingen we met enkele oude vrienden van mijn vader naar een plaatselijk restaurant waar we herinneringen aan vroeger ophaalden.

We hadden eigenlijk het leven van mijn vader moeten vieren, maar ik werd overweldigd door verdriet om de dingen die hij zou missen. Ik dacht eraan hoe blij hij was met zijn schoonzoon die als president zijn land diende en hoe graag hij Chelsea had willen zien opgroeien. Terwijl Bill in het vliegtuig zijn grafrede aan het voorbereiden was, zaten wij allemaal verhalen te vertellen. Chelsea vertelde ons dat 'PopPop' altijd had gezegd dat, wanneer ze zou afstuderen aan de universiteit, hij een wit pak zou aantrekken en haar zou komen ophalen in een grote limousine. Hij had veel dromen die niet gerealiseerd zouden worden. Maar ik was dankbaar voor het leven, de mogelijkheden en dromen die hij mij had gegeven.

13 *Vince Foster*

Bill, Chelsea en ik wilden de paasdagen doorbrengen in Camp David, en we stuurden een uitnodiging naar onze naaste familie en de vrienden die naar Scranton waren gekomen. Na de begrafenis en de lange weken van zorgen hadden we allemaal behoefte aan ontspanning, en Camp David was het enige toevluchtsoord waar we de vrede en privacy konden vinden waar we zo aan toe waren. Jackie Kennedy Onassis had me aangeraden mijn gezinsleven af te schermen in dit beschutte buitenverblijf dat gelegen was in een woudreservaat in de Catoctin Mountains in Maryland. Haar eenvoudige pragmatische advies bleek, zoals altijd, zeer waardevol. Ik was ook blij dat mijn vader ons daar had bezocht na de inauguratie. We konden ons herinneren hoe hij had rondgelopen door de rustieke optrekjes en plezier had beleefd aan de plek die president Eisenhower naar zijn kleinzoon David had vernoemd. Nu kwamen we daar bij elkaar, samen met mijn vaders kleinkind Chelsea, om zijn overlijden te verwerken.

In dat paasweekend was het koud en regenachtig; precies zoals ik me voelde. Met mijn moeder maakte ik een lange wandeling in de motregen en ik vroeg haar of ze bij ons in het Witte Huis wilde komen wonen. Onafhankelijk als altijd zei ze dat ze een poosje zou blijven, maar weer naar huis wilde gaan om alle zaken rondom vaders dood af te handelen. Ze bedankte me voor het feit dat ik Dillard Denson en Larry Curbo ook in Camp David had uitgenodigd. Ze wist dat zij waardevolle vrienden zouden blijven nu ze verder alleen door het leven moest.

We woonden de paasdienst bij in de pas gebouwde Evergreen Chapel, een constructie van hout en gebrandschilderd glas die prachtig in die bosrijke omgeving past. Ik zat in de kerkbank en dacht eraan hoe mijn vader mijn broers en mij altijd in verlegenheid bracht met zijn luide, valse gezang. Ik heb al net zomin een muzikaal gehoor als hij, maar die ochtend zong ik hardop mee, in de hoop dat mijn valse noten door zouden dringen tot de hemel.

Ik was lichamelijk en emotioneel uitgeput en waarschijnlijk had ik mezelf meer tijd moeten gunnen om bij te komen en te rouwen. Maar ik kon de roep om weer aan het werk te gaan niet weerstaan. Ira had me sos-signalen gestuurd met de waarschuwing dat het gezondheidszorginitiatief door begrotingsproblemen op een zijspoor dreigde te belanden. Bovendien moest Chelsea weer terug naar school en naar haar eigen leven. Na het paasdiner met onze gasten vertrokken Bill, Chelsea en ik naar Washington.

Toen ik die zondagavond in onze slaapkamer kwam, voelde ik meteen dat er iets niet in orde was. Ik begon onze koffers uit te pakken en merkte dat enkele meubels waren verschoven. Spullen op onze nachtkastjes waren verplaatst en er zat een flinke kras op het houten tv-meubel dat tussen de grote ramen in de zuidwand stond. Ik liep terug naar de westelijke zitkamer en onze privé-kamers en merkte dat er meer meubilair was dat een andere plek had gekregen. Ik riep hoofdportier Gary Walters bij me en vroeg hem wat er was gebeurd tijdens onze afwezigheid. Hij vertelde me dat veiligheidsagenten al onze bezittingen hadden doorzocht om te controleren of er geen afluisterapparatuur in zat verborgen of onze veiligheid op een andere manier in gevaar was gebracht. Hij zei dat hij vergeten was ons hiervan in kennis te stellen.

Niemand van mijn staf of van de presidentiële staf was op de hoogte gesteld van de operatie. Helen Dickey, een vriendin uit Little Rock die op de tweede verdieping logeerde, had zaterdagnacht geluiden gehoord en was naar beneden gegaan om te kijken wat er aan de hand was. Ze trof er in het zwart geklede gewapende mannen aan die haar bevalen weg te gaan.

Ik dacht terug aan het briefje dat Rush Limbaugh voor Harry en Linda in het Lincoln-bed had gelegd. Ik vroeg me ook af waar enkele van de bizarre verhalen in de pers vandaan kwamen, waaronder een artikel waarin een anonieme veiligheidsagent werd geciteerd die beweerde dat ik een lamp naar mijn echtgenoot had gegooid. Onder andere omstandigheden had ik misschien nog wel kunnen lachen om het feit dat een groot tijdschrift zo'n bespottelijk, uitsluitend op kwaadaardige geruchten gebaseerd verhaal had gepubliceerd.

Zoals met veel goede en slechte dingen die in de loop der jaren over mij zijn gezegd, zijn de berichten over mijn 'legendarische driftbuien' overdreven. Maar in dit geval moet ik toegeven dat ik bijna ontplofte van woede. Ik belde Mack McLarty, Bills stafchef, en David Watkins, de directeur van de Office of Management and Administration van het Witte Huis, op om hun te vertellen wat ik precies had ontdekt en wat ik daarvan vond. Ik wilde er zeker van zijn dat zoiets niet nog een keer buiten ons medeweten om zou gebeuren.

Mack en David lieten me een tijdje uitrazen. Nadat ze de zaak hadden onderzocht, vertelden ze me dat de afspraken voor de doorzoeking waren gemaakt via de portiersdienst. Mack liet een bevel uitgaan dat iets dergelijks niet meer mocht gebeuren tenzij hij op de hoogte was gesteld en de president zijn goedkeuring had gegeven.

Ik rouwde om de dood van mijn vader en was ontzet over de inbreuk in ons privé-leven. We woonden weliswaar in een huis dat aan het land toebehoorde, maar er bestaat een stilzwijgende afspraak dat de mensen die in het Witte Huis wonen, recht hebben op enkele privé-vertrekken. Die van ons waren nu geschonden en ik kreeg daardoor het gevoel dat mijn gezin en ik nergens ons verdriet onder onszelf en in vrede konden verwerken.

Ik sliep niet veel die nacht. En het was ook nog een bijzonder korte nacht. Al om vijf uur 's ochtends begonnen ouders en kinderen lange rijen buiten de poorten te vormen voor de jaarlijkse Easter Egg Roll, die op paasmaandag plaatsvindt op het zuidelijke gazon. Toen ik rond acht uur uit het raam naar buiten keek, zag ik dat honderden kinderen zich hadden verzameld. Allemaal stonden ze met een lepel in de hand te wachten totdat ze de bont gekleurde paaseieren over het grasveld mochten voortrollen. Ze waren helemaal opgewonden en het was uitgesloten dat ik hun dag zou verpesten door mijn persoonlijke zorgen. Ik kleedde me dus aan en stapte het zonnetje in. Aanvankelijk was het me zwaar te moede, maar de opwinding en het gelach van de kinderen dat over het uitgestrekte groene gazon golfde, ontroerden me en beurden me weer op.

De laatste paar maanden waren een moeilijk begin geweest van een meedogenloze tijd in Washington. Terugkijkend besef ik wat mij vooral door deze moeilijke periode heeft geloodst. Het zijn dezelfde dingen waaraan ik gedurende onze hele periode in het Witte Huis de meeste steun heb ontleend: mijn familie, mijn vrienden en mijn geloof. Ik loop met mijn geloof niet te koop, maar het heeft altijd een wezenlijk deel van mijn leven uitgemaakt. Totdat mijn vader zijn fatale beroerte kreeg, knielde mijn vader elke avond voor zijn bed om te bidden. En ik deelde zijn geloof in de kracht en het belang van het gebed. Ik heb vaak in het openbaar verklaard dat als ik vóór 1992 niet in de kracht van het gebed had geloofd, het leven in het Witte Huis mij dat dan wel zou hebben geleerd. Nog voor de beroerte van mijn vader kreeg ik een uitnodiging van mijn goede vriendin Linda Lader die, samen met haar man Phil, de Renaissance Weekends organiseerde die Bill, Chelsea en ik vanaf 1983 hadden bijgewoond.

Tot de leden van de gebedsgroep behoorden zowel Democraten als Republikeinen, onder wie Susan Baker, de vrouw van James Baker, minister van Buitenlandse Zaken onder oud-president Bush; Joanne Kemp, de vrouw van Jack Kemp, het voormalige Republikeinse Congreslid (en toekomstig kandidaat voor het vice-presidentschap); en Grace Nelson, vrouw van Bill Nelson, mijn huidige collega in de Senaat en Democraat uit Florida. Holly Leachman was de spirituele animator die een voortdurende bron van inspiratie en een goede vriendin voor me werd. Zolang ik in het Witte Huis heb gewoond, faxte Holly mij iedere dag een bijbeltekst of een geloofsoverweging en kwam regelmatig op bezoek, gewoon om me op te vrolijken of met me te bidden.

De lunch op 24 februari 1993 was georganiseerd in Cedars, een landgoed aan de Potomac dat dienst doet als hoofdkwartier van de National Prayer Breakfeast en de gebedsgroepen die hieruit overal ter wereld zijn voortgekomen. Doug Coe, al jaren de grote organisator van National Prayer Breakfeast, is een unieke verschijning in Washington: een oprecht liefhebbende spirituele mentor en gids voor iedereen, ongeacht partijvoorkeur of geloof, die zijn of haar relatie met God wil verdiepen en zichzelf in dienst wil stellen van mensen in nood. Doug werd een bron van kracht en vriendschap en ook hij stuurde me vaak opbeurende brieven. Al deze relaties begonnen bij die bijzondere lunch.

Mijn 'gebedspartners' vertelden me dat ze allemaal elke week voor me zouden bidden. Bovendien gaven ze me een boek dat ze zelf hadden gemaakt. Daarin stonden overwegingen, citaten en bijbelteksten waarvan ze hoopten dat ze me steun konden geven tijdens mijn verblijf in Washington. Van al de duizenden geschenken die ik in mijn acht jaren in het Witte Huis heb ontvangen, waren er niet veel die meer welkom en onmisbaar waren dan deze twaalf immateriële gaven van inzicht, vrede, compassie, geloof, vriendschap, visie, vergeving, genade, wijsheid, liefde, vreugde en moed. In de volgende maanden en jaren baden deze vrouwen trouw voor en met mij. Ik waardeerde hun zorgzaamheid en hun bereidheid de politieke scheidslijn in Washington te negeren om iemand die steun nodig had bij te staan. Vaak haalde ik hun kleine boekje te voorschijn. Door middel van persoonlijke bezoeken en brieven wist Susan Baker mij te bemoedigen en haar medeleven te tonen over de gebeurtenissen die varieerden van het verlies van mijn vader tot de stormen rondom de impeachmentprocedure tegen mijn echtgenoot.

Toen eind april de eerste honderd dagen van de regering bijna waren verstreken, was het duidelijk dat we de zelfopgelegde deadline voor de hervormingsmaatregelen in de gezondheidszorg niet zouden halen. Dat kwam niet doordat ik twee weken had doorgebracht in Little Rock. Telkens wanneer we voorstellen in overweging hadden om een algemene ziektekostenverzekering te financieren, kwam deze informatie in de pers terecht, waardoor Congresleden zich druk maakten over strategieën voordat er ook maar één beslissing was genomen. We waren al in het defensief gedrongen voordat we een plan hadden. Ik verbaasde me erover hoe graag mensen informatie naar de pers lieten uitlekken. Sommigen geloofden dat ze invloed uitoefenden op de gebeurtenissen, terwijl anderen zich blijkbaar koste wat kost belangrijk wilden voelen, ook al werden ze slechts als anonieme bronnen geciteerd.

Het land duizelde nog na van de afgrijselijke afloop van de patstelling in Waco, Texas, die was ontstaan toen leden van de Branch Davidian-sekte vier agenten op 28 februari doodschoten en twintig anderen verwondden toen die probeerden aanhoudingsbevelen af te geven. In de daaropvolgende confrontatie op 19 april werden meer dan tachtig Branch Davidian-aanhangers gedood, onder wie twintig jonge kinderen. Het was een onthutsend verlies aan mensenlevens, en hoewel een onafhankelijk onderzoek uitwees dat de leiding van de Branch Davidian-sekte verantwoordelijk was voor de branden en schoten die tot zoveel doden hadden geleid, kon dat geenszins het verdriet verzachten dat wij allemaal voelden over al het geweld en dood als gevolg van een pervertering van het geloof.

In voormalig Joegoslavië belegerden Bosnische Serviërs de moslimstad Srebrenica in een waanzinnige vlaag van 'etnische zuiveringen' – weer een voorbeeld van het verkeerde gebruik van religieuze verschillen met als doel politieke macht. De nieuwsmedia zonden afschuwelijke beelden uit van massamoorden onder burgers en van uitgehongerde gevangenen; beelden die deden denken aan de nazi-wreed- heden in Europa. De situatie werd nog pijnlijker toen het aantal doden bleef stijgen en ik walgde van het falen van de Verenigde Naties om tussenbeide te komen of zelfs maar de moslimbevolking te beschermen.

Tegen deze somber stemmende achtergrond hadden Bill en ik op 21 april twaalf presidenten en ministers-presi- denten te gast op het Witte Huis, die waren gekomen voor de inwijding van het Holocaust Museum. Een aantal van de bezoekende leiders zette de Verenigde Staten onder druk om meer betrokken te raken bij de pogingen van de Verenigde Naties om het bloedbad te stoppen. De meest welbespraakte pleitbezorger van deze opvatting was Elie Wiesel, die bij de opening van het museum op 22 april een bezielde toespraak hield over Bosnië. Wiesel, een overle- vende van een nazi-concentratiekamp en winnaar van de Nobelprijs voor de vrede, richtte zich tot Bill en zei: 'Meneer de president..., ik ben in het voormalige Joegosla- vië geweest. Ik kan niet meer slapen na wat ik heb gezien. Ik zeg dat als jood. We moeten iets ondernemen om het bloedvergieten in dat land te stoppen.' Ik had *Nacht* gele- zen, Wiesels beklemmende verslag van zijn ervaringen in Auschwitz en Buchenwald, de dodenkampen in Polen en Duitsland. Ik bewonderde zijn werk en zijn toewijding aan de mensenrechten, en op die dag hebben Bill en ik vriend- schap gesloten met hem en zijn vrouw Marion.

In de grijze motregen luisterde ik naar Elies woorden. Ik was het met hem eens: ik was ervan overtuigd dat de geno- cide in Bosnië alleen kon worden gestopt door middel van gerichte luchtaanvallen op Servische doelen. Ik wist dat Bill gefrustreerd was door het onvermogen van Europa om op te treden, nadat Europa had benadrukt dat Bosnië zich in zijn eigen achtertuin bevond en dat het dit probleem dus zelf wilde oplossen. Bill had contact met zijn adviseurs over de mogelijkheid van Amerikaanse betrokkenheid bij de vredesoperaties en andere opties om het conflict te beëindigen. De situatie werd nijpender naarmate het dodental opliep.

We begonnen te wennen aan de achtbaan van goed en slecht nieuws, zowel aan het thuisfront als in de rest van de wereld. Op Capitol Hill waren Republikeinen een filibuster in de Senaat begonnen en torpedeerden voorlopig de economische stimuleringsmaatregelen van de president, die door het Huis waren aangenomen. Er gebeurden zoveel dingen dat enkele van de beste momenten van de regering werden overschaduwd. Op 21 april was het Dag van de Aarde, en Bill had plechtig beloofd dat hij een belangrijk internationaal biodiversiteitsverdrag zou tekenen dat president Bush had afgewezen. De week daarna kondigde hij de oprichting van AmeriCorps aan, een militair programma dat het idealisme van het Peace Corps en de VISTA (Volunteers in Service to America) nieuw leven zou inblazen en het enthousiasme van jonge vrijwilligers zou mobiliseren om de noden in ons eigen land te lenigen.

Welke eisen onze openbare functies ook aan ons stelden, Bill en ik probeerden altijd oog te houden voor onze verplichtingen als ouders van Chelsea. We gingen naar elke schoolactiviteit en bleven samen met haar op wanneer ze haar huiswerk maakte. Bill kon haar nog steeds helpen met haar wiskunde, en als hij buiten de stad was, faxte ze hem haar problemen door en praatten ze over de oplossingen. We bleven ook haar privacy streng bewaken, tot grote ergernis van enkele mensen van de media en Bills staf. Het persbureau van het Witte Huis had Bill zo ver weten te krijgen dat NBC hem een dag mocht volgen om *A Day in the Life* van de president te verfilmen. De film zou begin mei worden uitgezonden. Ik had ook mijn medewerking toegezegd, maar eiste dat Chelsea buiten de film zou blijven. Bills staf probeerde me ervan te overtuigen dat het goed voor ons imago zou zijn wanneer het publiek ons tweeën met Chelsea aan het ontbijt zou zien zitten of haar zien helpen met haar huiswerk. Toen dat niets uithaalde, probeerde de producer van het programma me over te halen. Uiteindelijk belde anchorman Tom Brokaw op. Ik moet Tom nageven dat hij mijn beslissing respecteerde toen ik hem zei: 'Absoluut niet.'

We waren druk bezig van onze privé-vertrekken een echt thuis te maken. Dit betekende verven, behangen en boekenplanken ophangen waar we maar konden. Door het stof, de verf en andere chemicaliën die bij de herinrichting van de vertrekken werden gebruikt, ontwikkelde Chelsea vlak na Pasen een zorgwekkende ademhalingsallergie, en meer dan ooit wilde ik bij haar zijn, de hele tijd. We probeerden haar toestand buiten de openbaarheid te houden, en maar weinig mensen wisten hoe ongerust ik me maakte.

Chelsea werd weer beter toen we de allergie eenmaal onder controle hadden. Om ons allebei op te vrolijken, nam ik haar mee naar New York, naar een voorstelling van *De schone slaapster* van het American Ballet Theatre. Daar bracht mijn haar mij opnieuw in de problemen. Ik geloof dat het Susan Thomases was die me zei dat er een fantastische kapper was die ik eens moest uitproberen, Frederic Fekkai. Ik had er wel oren naar en vroeg of hij langs kon komen in onze kamer in het Waldorf Astoria Hotel voordat we die avond uit zouden gaan. Ik mocht hem van begin af aan, zodat ik hem iets nieuws liet uitproberen, een 'nonchalante' coupe zoals die van Diane Sawyer. En het was beslist een stuk korter. Internationale krantenkoppen waren het gevolg.

Lisa Caputo, mijn perschef, hoorde van mijn nieuwe coupe via een laat telefoontje die avond van Capricia Marshall, die met mij naar New York was gegaan.

'Wees niet boos op me,' zei Capricia. 'Ze heeft haar haar af laten knippen.'

'Wat!'

'Susan nam die kerel mee naar de hotelkamer en toen ze naar buiten kwam, was haar haar verdwenen.'

'O mijn God.'

De moeilijkheid voor Lisa was niet deze vergankelijke pr-flater – ze wist intussen wel hoe ze haarverhalen moest aanpakken – maar ze had hier met een wat gecompliceerder mediaprobleem te maken. Aangezien mijn staf ooit had gedacht dat in mei de hervormingsmaatregelen voor de gezondheidszorg gepresenteerd moesten worden, had ik Katie Couric en haar crew van haar tv-programma *Today* toestemming gegeven me te volgen in het Witte Huis als voorbereiding op een groot interview. NBC had de week daarvoor uren filmmateriaal van me opgenomen, als een First Lady met haar tot op de schouders. De First Lady die door Katie Couric zou worden geïnterviewd, had een nieuwe look. En het was onmogelijk het eerder geschoten materiaal opnieuw op te nemen, met als resultaat dat het publiek binnen één programma twee verschillende Hillary's zou zien.

Katie liet niets merken toen ze in het Witte Huis arriveerde en mijn nieuwe coupe aanschouwde. En ze klaagde er al evenmin over dat mijn roze pak niet paste bij haar zalmkleurige kleding. Ik keek altijd graag naar haar op tv, en tot mijn vreugde bleek ze in het werkelijke leven al even nuchter als op het scherm. Bovendien vatte ze de hele kwestie erg sportief op.

Ik was nog steeds bezig de kneepjes van het vak te leren en te weten wat het is om First Lady te zijn. Het leven van een gouverneursvrouw verschilt hemelsbreed van dat van een presidentsvrouw. Opeens is iedereen in je omgeving druk doende met de vraag wat jou gelukkig kan maken. Soms kennen die mensen je niet goed of begrijpen ze je verkeerd. Alles wat je zegt, wordt uitvergroot. Je moet bijvoorbeeld erg voorzichtig zijn met wat je vraagt, want je krijgt het met vrachtwagens tegelijk aangeleverd.

Op een van mijn eerste soloreizen als First Lady vroeg een jonge assistent aan mij: 'Wat wilt u te drinken in uw hotelkamer?'

En ik zei: 'Nou, ik zou wel een Dr. Pepper Light lusten.'

Nog jaren later trof ik in de koelkasten van mijn hotelkamers iedere keer weer een hele lading Dr. Pepper Light aan. Mensen kwamen me altijd gekoelde glazen van het spul brengen. Ik voelde me als de tovenaarsleerling uit de klassieke tekenfilm *Fantasia*: ik kon de Dr. Pepper-machine niet meer afzetten.

Dit is een onschuldig verhaal, maar de implicaties van dit verschijnsel waren ontnuchterend. Ik moest accepteren dat veel mensen al het mogelijke deden om mij te plezieren en dat ze zich vaak ernstig vergisten in hetgeen waarmee ze me een plezier wilden doen. Ik kon niet gewoon zeggen: 'Kijk er zelf even naar', wanneer mij een probleem werd voorgelegd. Misschien had ik dat eerder moeten bedenken. Maar dat deed ik niet, totdat ik werd geconfronteerd met de gevolgen van een achteloze opmerking die ik maakte nadat ik signalen had opgevangen over financieel mismanagement en verspilling bij het reisbureau van het Witte Huis. Ik zei tegen stafchef Mack McLarty dat ik hoopte dat hij 'er even naar zou kijken' als er inderdaad zulke problemen waren.

'Travelgate', zoals het schandaal in de media ging heten, had misschien met recht twee of drie weken een plekje in het nieuws verdiend. Maar vanwege het heersende partijpolitieke klimaat bleek het in plaats daarvan de eerste manifestatie van een obsessie met onderzoek die tot in het volgende millennium zou voortleven.

Voordat we naar het Witte Huis verhuisden, wisten Bill, ik of onze onmiddellijke staf niet dat er een reisbureau in het Witte Huis was. Het reisbureau chartert vliegtuigen, boekt hotelkamers, bestelt maaltijden en zorgt in het algemeen voor de pers wanneer die de president vergezelt op een reis. De kosten komen voor rekening van de nieuwsorganisaties. Hoewel we niet veel afwisten van wat het bureau deed, wisten we wel zeker dat we aantijgingen over misbruik van fondsen door wie dan ook in het Witte Huis niet wilden negeren of door de vingers zien. Een onderzoek door KPMG Peat Marwick had uitgewezen dat de directeur van het reisbureau er een 'schaduwboekhouding' op na hield, dat minstens achttienduizend dollar aan cheques niet op de juiste manier verantwoord kon worden en dat de administratie van het bureau 'een janboel' was. Op basis van deze bevindingen besloten stafchef Mack McLarty en de juridische staf van het Witte Huis vervolgens de staf van het reisbureau te ontslaan en de afdeling te reorganiseren.

Deze acties, die voor de betrokken besluitnemers geen enkel punt van discussie leken, veroorzaakten een storm van verhitte protesten. Toen Dee Dee Myers, de perschef van de president en de eerste vrouw in die functie, in haar ochtendbriefing op 19 mei 1993 de ontslagen bekendmaakte, waren we verrast door de reacties in de perskamer. De regering deed haar best de financiële belangen van hun werkgevers en van het land te verdedigen, terwijl sommige journalisten al hun aandacht richtten op het feit dat hun vrienden van het reisbureau, die per slot van rekening ten dienste van de president werkten, waren ontslagen. De regering werd beschuldigd van amateurisme en vriendjespolitiek (op grond van het feit dat een werknemer van het Witte Huis, die een achternicht van Bill was en ervaring had opgedaan met het organiseren van reizen, tijdelijk als hoofd van het gereorganiseerde reisbureau was aangesteld). Bill Kennedy, mijn voormalige juridische partner die ook bij de juridische staf werkte, had de FBI gevraagd een onderzoek naar de kwestie in te stellen, wat de woede bij enkele journalisten alleen nog maar vergrootte. Ik heb het grootste respect voor de integriteit en juridische competentie van Bill Kennedy. Net als de meesten van ons was ook hij echter onbekend met Washington en de heersende mores aldaar. Hij wist niet dat zijn directe verzoek aan de FBI om de beschuldigingen van misbruik van fondsen te onderzoeken, beschouwd zou worden als een serieuze schending van het protocol in Washington.

Na een intern onderzoek, dat volledig in de media werd gepubliceerd, deelde Mack McLarty openbare reprimandes uit aan vier regeringsfunctionarissen, onder wie Watkins en Kennedy, voor het slechte oordeelsvermogen waarmee ze deze zaak hadden benaderd. Maar liefst zeven afzonderlijke onderzoeken, waaronder dat van het Witte Huis, de General Accounting Office, de FBI en Kenneth Starrs bureau van de onafhankelijke aanklager, waren niet in staat te bewijzen dat leden van de regering zich op enigerlei wijze schuldig hadden gemaakt aan onrechtmatige daden, vergrijpen of belangenverstrengeling en bevestigden dat de aanvankelijke verdenkingen jegens het reisbureau terecht waren geweest. De onafhankelijke aanklager concludeerde bijvoorbeeld dat het besluit om de politieke werknemers van het reisbureau te ontslaan, wettig was en dat er bewijs was voor financieel wanbeheer en onregelmatigheden. Het ministerie van Justitie vond voldoende bewijs om het voormalige hoofd van het reisbureau aan te klagen en te veroordelen wegens verduistering. Volgens persberichten bood hij aan schuldig te bekennen aan één geval van verduistering, in ruil voor een korte gevangenisstraf. Maar de aanklager wilde hem voor de rechtbank brengen op beschuldiging van een zwaar misdrijf. Nadat enkele beroemde journalisten in het proces als *character witness* waren opgetreden, werd hij uiteindelijk vrijgesproken.

Ondanks de unanieme conclusie dat er niets onrechtmatigs had plaatsgevonden in de manier waarop het Witte Huis de zaak had aangepakt, was het wel een rampzalig ominueze eerste kennismaking met de pers van het Witte Huis. Ik weet niet of ik ooit zo veel zo snel heb geleerd over de gevolgen van opmerkingen die je maakt, of over daden die je verricht voordat je precies weet wat er aan de hand is. En lange tijd daarna werd ik midden in de nacht wakker en vroeg me bezorgd af of de acties en reacties met betrekking tot het reisbureau medeoorzaak waren geweest van de zelfdoding van Vince Foster.

Vince Foster werd pijnlijk geraakt door Travelgate. Hij was een nauwgezet, fatsoenlijk en eerzaam man die het gevoel had dat hij de president, Bill Kennedy, Mack McLarty en mij in de steek had gelaten omdat hij het drama niet had begrepen en binnen de perken kunnen houden. De laatste klap werd hem klaarblijkelijk toegediend in een reeks rancuneuze hoofdartikelen in *The Wall Street Journal*, waarin de integriteit en competentie van alle advocaten uit Arkansas die in de regering-Clinton zaten, onder vuur werden genomen. Op 17 juni 1993 stond in een hoofdartikel onder de titel 'Wie is Vince Foster?' te lezen dat het meest 'verontrustende' aspect aan deze regering 'haar onverschilligheid ten aanzien van het volgen van de wet' was. In de daaropvolgende maand zette de *Journal* zijn campagne voort om het Witte Huis onder Clinton en mijn collega's van advocatenkantoor Rose als een soort corrupte coterie af te schilderen.

Bill en ik voelden ons misschien onervaren in onze hoedanigheid als First Couple, maar in de harde wereld van de politiek waren we geen groentjes. We wisten dat we de aanvallen naast ons neer moesten leggen en ons moesten richten op hoe wij in werkelijkheid ons leven leefden. Vince Foster had zo'n verdedigingsmechanisme niet tot zijn beschikking. Hij was nieuw in deze cultuur en hij trok zich de kritiek erg aan. Hoewel we nooit zullen weten wat er door hem heen ging in die laatste weken van zijn leven, denk ik dat hij bij iedere beschuldiging die tegen hem werd geuit, steeds verder wegzakte in een poel van pijn en wanhoop. Zolang ik leef, zal ik de spijt voelen dat ik niet meer tijd met hem heb doorgebracht en dat ik de tekens van zijn vertwijfeling niet heb opgemerkt. Maar hij was erg op zichzelf, en niemand – noch zijn vrouw Lisa, noch zijn naaste collega's, noch zijn zus Sheila met wie hij altijd een zeer hechte band heeft gehad – had enig idee van de diepte van Vinces depressie.

Het laatste gesprek dat ik me met hem kan herinneren, was half juni, de avond voor vaderdag. Bill was de stad uit om een toespraak te houden op een diploma-uitreiking, en ik maakte een plannetje om buiten de deur te gaan met Webb Hubbell, zijn vrouw Suzy, de Fosters en een stel andere echtparen uit Arkansas. We spraken af tussen zeven en acht uur 's avonds bij de Hubbells thuis.

Net toen ik me klaarmaakte om te vertrekken, belde Lisa Caputo me op om te zeggen dat het hoofdartikel in het modekatern van *The Washington Post* van de volgende dag zou gaan over Bills biologische vader, William Blythe. Het verhaal zou onthullen dat hij minstens tweemaal getrouwd was geweest voordat hij kennis had gemaakt met Bills moeder – iets wat niemand in de familie wist – en dat er een man zou worden opgevoerd die beweerde een halfbroer van Bill te zijn. Fijne vaderdag.

De persvoorlichters van Bill vroegen me hem te bellen en hem op de hoogte te brengen van de inhoud van het artikel, zodat hij voorbereid was op vragen van journalisten over zijn vader. Daarna moesten Bill en ik Virginia zien te vinden, die evenmin weet had van het verleden van haar echtgenoot. Ik was met name ongerust omdat haar kanker steeds erger werd en ze geen behoefte had aan nog meer stress.

Toen ik naar het huis van de Hubbells belde om het etentje af te zeggen, kreeg ik Vince aan de lijn. Ik legde hem uit waarom ik die avond niet kon komen.

'Ik moet Bill te pakken krijgen, en daarna moeten we zijn moeder zien te vinden,' zei ik. 'Hij moet degene zijn die haar vertelt dat dit verhaal wordt gepubliceerd.'

'Wat erg allemaal,' zei Vince.

'Dat vind ik ook. Weet je, ik word hier kotsmisselijk van.'

Dat is volgens mij de laatste keer dat ik met Vince heb gesproken.

Daarna was Vince tot in juli samen met Bernie Nussbaum, de raadsman van het Witte Huis, hard aan het werk om de kandidaten door te lichten ter vervanging van de bijna gepensioneerde rechter Byron 'Whizzer' White van het Hooggerechtshof en van William Sessions, die gevraagd was af te treden als hoofd van de FBI. Ik deed nog steeds mijn uiterste best de hervormingen in de gezondheidszorg op de agenda van het Congres te houden. Bovendien was ik druk bezig me voor te bereiden op mijn eerste buitenlandse reis als First Lady. Bill wilde begin juli in Tokio de jaarlijkse G7-top bijwonen, een jaarlijkse bijeenkomst van de zeven leidende industriële landen, en ik zou met hem meegaan.

Japan was strategisch een belangrijke bondgenoot en een economische partner van de Verenigde Staten en ik verheugde mij erop er weer naar toe te gaan. Toen Bill nog gouverneur was, was ik er eens geweest en ik herinner me nog hoe ik buiten de poorten naar het terrein van het Keizerlijk Paleis had staan turen. Ditmaal zouden we aanzitten aan een officieel banket in het paleis dat gegeven werd door de keizer en de keizerin. Dit innemende, vriendelijke, artistieke en intelligente echtpaar belichaamt de gratie van de Japanse kunst evenals de sereniteit van de vredige tuinen die ik eindelijk kon bezoeken toen ik in het paleis was. Op deze reis ontmoette ik ook een aantal vooraanstaande Japanse vrouwen – de eerste van tientallen soortgelijke ontmoetingen die ik overal ter wereld organiseerde – om kennis te nemen van zaken waarmee vrouwen overal te maken hebben.

Ik was heel blij dat mijn moeder ons op deze reis kon vergezellen. Ik dacht dat een radicale verandering van omgeving haar misschien zou kunnen helpen de dood van mijn vader te verwerken. Ze amuseerde zich geweldig op onze reis door Japan en Korea, en op de terugweg maakten we een tussenstop in Hawaii, waar we Chelsea ontmoetten en waar ik een vergadering bijwoonde over het gezondheidszorgsysteem van Hawaii. Op 20 juli vlogen Chelsea en ik terug naar Arkansas om mijn moeder af te zetten en enkele vrienden te bezoeken. Die avond, ergens tussen acht en negen uur, belde Mack McLarty me op bij mijn moeder en vertelde dat hij verschrikkelijk nieuws had: Vince Foster was dood; het leek op zelfdoding.

Ik was zo onthutst dat ik nog steeds niet precies kan reconstrueren in welke volgorde de gebeurtenissen zich hebben afgespeeld. Ik weet nog dat ik heb gehuild en dat ik Mack heb bestookt met vragen. Ik kon het gewoon niet geloven. Was hij er zeker van dat er geen vergissing in het spel was? Mack gaf me wat grove details over het lichaam dat in het park was gevonden, het vuurwapen dat erbij lag, een schotwond in het hoofd. Hij wilde van mij weten wanneer hij het best de president kon inlichten. Op dat moment was Bill te gast in CNN's *Larry King Live* uit het Witte Huis en had net toegestemd een halfuur langer te blijven. Mack vroeg me of ik vond dat Bill zijn optreden moest beëindigen. Ik vond dat Mack het interview moest afkappen, zodat hij Bill zo snel mogelijk kon inlichten. De gedachte dat Bill de tragische dood van een van zijn beste vrienden live op tv zou moeten vernemen, was voor mij onverdraaglijk.

Zodra Mack had opgehangen, vertelde ik het mijn moeder en Chelsea. Daarna belde ik iedereen van wie ik wist dat hij of zij Vince kende, in de hoop dat iemand licht kon werpen op de vraag hoe en waarom dit had kunnen gebeuren.

Informatie was mijn levensadem geworden. Ik was compleet van de kaart omdat ik me zo ver verwijderd voelde en ik er niet achter kon komen wat er was gebeurd. Zodra Bills tv-optreden was afgelopen, belde ik hem op. Hij klonk als verdoofd en bleef maar zeggen: 'Hoe heeft dit kunnen gebeuren?' en: 'Ik had het op een of andere manier moeten tegenhouden.' Na ons gesprek ging Bill meteen naar het huis dat Vince en Lisa in Georgetown hadden gehuurd. Tijdens een van onze vele telefoontjes vertelde hij me hoe Webb een pilaar van kracht en efficiency was: hij organiseerde de begrafenis die in Little Rock zou worden gehouden, hij regelde het vervoer en deed alles voor de familie wat gedaan moest worden. Ik zal Webb daar altijd dankbaar voor blijven en toen ik hem te spreken kreeg, bood ik aan te helpen waar dat in mijn vermogen lag. Ik sprak ook met Lisa en met Sheila, de zus van Vince. Niemand van ons kon geloven wat we te horen kregen. We hielden nog steeds vast aan een irrationele hoop dat deze verschrikkelijke nachtmerrie op een vergissing, een persoonsverwisseling berustte.

Ik belde Maggie Williams op die dol was op Vince en hem dagelijks zag. Zij kon alleen maar huilen, en door onze tranen heen probeerden we een gesprek te voeren. Ik belde Susan Thomases, die Vince al sinds de jaren tachtig kende. Ik belde Tipper Gore en vroeg haar of ze vond dat we hulpverleners moesten inhuren om de staf voor te lichten over depressie. Tipper troostte me en wist me tegelijkertijd te vertellen dat veel zelfdodingen als een verrassing komen omdat we niet weten hoe we de voortekenen moeten duiden.

De hele nacht bleef ik op. Ik huilde en praatte met vrienden. Ik vroeg me keer op keer weer af of we deze tragedie hadden kunnen voorkomen als ik of iemand anders had gemerkt dat er iets niet klopte in Vinces gedrag. Toen *The Wall Street Journal* de hekelcampagne tegen hem was begonnen, had ik hem gezegd dat hij de verhalen moest negeren, een advies dat ik gemakkelijk kon geven maar dat kennelijk voor hem onmogelijk was op te volgen. Hij vertelde onze wederzijdse vrienden dat hij en zijn vrienden en cliënten in Arkansas altijd de *Journal* hadden gelezen, en dat hij zich niet kon voorstellen dat hij die mensen nog onder ogen kon komen wanneer ze deze verhalen hadden gelezen.

De uitvaartdienst voor Vince werd gehouden in Saint Andrew's Cathedral in Little Rock. Vince was geen katholiek, maar Lisa en de kinderen wel, en het betekende veel voor hen om daar de dienst te kunnen houden. Bill hield een mooie toespraak over deze bijzondere man die hij al zijn hele leven kende en eindigde met een citaat uit een lied van Leon Russell: 'I love you in a place that has no space or time. / I love you for my life. / You are a friend of mine.'

Na de dienst reden we in een lange, bedroefde stoet naar Hope, waar Vince was geboren en getogen. Het was een bloedhete zomerdag en de hitte zinderde boven de stoffige velden. Vince werd even buiten Hope begraven. Tegen die tijd kon ik geen woord meer uitbrengen. Verdoofd. Ik had alleen nog ergens een vaag gevoel dat Vince eindelijk veilig was, weer thuis, op de plek waar hij hoorde.

De volgende dagen leken in slowmotion voorbij te gaan, terwijl wij probeerden de draad van ons leven weer op te pakken. Maar ieder van ons die bevriend was geweest met Vince, werd nog steeds geobsedeerd door de vraag: waarom? Maggie was met name overweldigd door verdriet. Bernie Nussbaum kon het niet bevatten dat hij die bewuste ochtend nog bij Vince was geweest en helemaal niets had gemerkt. Voor de juridische staf was het de beste week geweest sinds de inauguratie. Ruth Bader Ginsburg was op weg naar het Hooggerechtshof en net die ochtend had de president rechter Louis Freeh benoemd als nieuwe directeur van de FBI. Bernie vond dat Vince een ontspannen, zelfs opgeruimde indruk maakte.

Toen ik later meer te weten kwam over klinische depressie, begreep ik echter dat Vince misschien wel zo gelukkig leek omdat de gedachte dat hij zou sterven hem een vredig gevoel bezorgde. Vince had een plan, zoals altijd. De Colt-revolver van zijn vader lag al in zijn auto. Het is nauwelijks voor te stellen dat iemand zoveel pijn kan hebben dat de dood een welkome verademing is, maar voor Vince was het zo. Later kwamen we erachter dat hij een paar dagen voor zijn zelfdoding psychiatrische hulp had gezocht, maar dat deze te laat kwam om hem te helpen. Hij reed naar een afgelegen park langs de Potomac, stak de loop van de revolver in zijn mond en haalde de trekker over.

Twee dagen na Vinces dood ging Bernie Nussbaum naar het bureau van Vince en samen met enkele vertegenwoordigers van het ministerie van Justitie en de FBI onderzocht hij elk aanwezig document op zoek naar aanwijzingen die enig licht zouden kunnen werpen op zijn zelfdoding.

Bernie had al op de avond van Vinces dood cursorisch naar een afscheidsbrief gezocht, maar niets kunnen vinden. Volgens de grote hoeveelheden getuigenissen later ontdekte Bernie tijdens dit eerste onderzoek dat Vince in zijn kantoor enkele persoonlijke dossiers bewaarde met werk dat hij voor Bill en mij had gedaan toen hij nog onze advocaat in Little Rock was geweest. Daaronder bevonden zich enkele dossiers die betrekking hadden op een vastgoedproject dat Whitewater heette. Bernie gaf deze dossiers aan Maggie Williams, die ze naar onze woning bracht. Kort daarop werden ze overgebracht naar het kantoor van Bob Barnett, onze privé-advocaat in Washington. Aangezien het kantoor van Vince nooit een *locus delicti* is geweest, waren deze handelingen begrijpelijk, legaal en gerechtvaardigd. Maar al snel zou naar aanleiding van deze documenten een hele nijverheidsindustrie uit de grond worden gestampt van complottheoretici en onderzoekers die probeerden te bewijzen dat Vince was vermoord om te verdonkeremanen wat 'hij wist over Whitewater'.

Die geruchten hadden moeten stoppen na het officiële rapport waarin zijn dood als zelfdoding werd bestempeld, en met de brief die Bernie in zevenentwintig stukjes gescheurd in Vinces koffertje had aangetroffen. De brief was niet zozeer een afscheidsbrief als wel een cri de coeur, een opsomming van de dingen die aan zijn ziel vraten.

'Deze baan in het middelpunt van het openbare leven in Washington is niets voor mij. Mensen te gronde richten wordt hier als een sport beschouwd,' schreef hij.

'... het publiek zal de onschuld van de Clintons en hun loyale staf nooit geloven.'

'De redacteuren van WSJ (*Wall Street Journal*) liegen straffeloos.'

Die woorden maakten mij erg bedroefd. Vince Foster was een goed mens die een bijdrage wilde leveren aan zijn land. Hij had advocaat kunnen blijven in Little Rock, misschien ooit voorzitter van de balie van Arkansas kunnen worden en nooit ook maar één wanklank over zijn persoon hoeven horen. In plaats daarvan kwam hij naar Washington om zich in te spannen voor zijn vriend uit Hope. In de korte tijd waarin hij voor de overheid werkte, werd zijn zelfbeeld vernietigd en, in zijn ogen, zijn reputatie onherstelbaar beschadigd. Kort na zijn dood gaf een columnist van *Time Magazine* de droevige transformatie van Vinces leven in diens eigen woorden weer: 'Voordat we hiernaar toe kwamen, beschouwden we onszelf als goede mensen.' Vince sprak niet alleen voor zichzelf, maar voor iedereen van ons die de reis van Arkansas naar Washington had ondernomen.

De zes maanden na de uitbundigheid van de inauguratie waren meedogenloos geweest. Mijn vader en mijn goede vriend waren dood; de vrouw, kinderen, familieleden en vrienden van Vince waren totaal kapot; mijn schoonmoeder lag op sterven; de weifelende misstappen van een nieuwe regering werden tot federale kwesties gemaakt. Ik wist niet waar ik het zoeken moest, dus deed ik wat ik vaak doe wanneer ik met tegenslag word geconfronteerd: ik propte mijn agenda zo vol dat ik geen tijd had om te piekeren. Ik zie nu dat ik op de automatische piloot functioneerde. Ik dwong me zelf ertoe vergaderingen op Capitol Hill over de gezondheidszorg te bezoeken en toespraken te houden, vaak terwijl ik de tranen wegslikte. Als ik iemand ontmoette die me aan mijn vader deed denken of ik een vervelende opmerking over Vince tegenkwam, voelde ik de tranen opwellen. Ongetwijfeld leek ik soms kribbig, bedroefd en zelfs woedend. En dat was ik ook. Ik wist dat ik door moest gaan en mijn pijn in stilte moest dragen. Dit was een van die perioden waarop ik op louter wilskracht doorzette.

De grote begrotingsoorlog eindigde ten slotte in augustus, toen Bills economische plan werd aangenomen. Voor de stemming had ik gesproken met twijfelende Democraten die zich niet alleen zorgen maakten over het zware begrotingsbesluit, maar ook over hoe ze zich konden verenigen met de net zo zware besluiten die ze eventueel over de gezondheidszorg, wapenwetgeving en handel moesten nemen. Een Republikeins Congreslid belde me op om te zeggen dat ze het eens was met het streven van de president om het tekort weg te werken, maar dat ze van haar leiders tegen moest stemmen, ondanks haar overtuigingen. Uiteindelijk stemde geen enkele Republikein voor het begrotingsplan. Het werd met een meerderheid van één stem door het Huis aangenomen en vice-president Gore moest in zijn officiële rol als voorzitter van de Senaat de beslissende stem uitbrengen. Diverse dappere Democraten, die deden wat zij het best achtten voor de Verenigde Staten op de lange termijn, onder wie Marjorie Margolis Mezvinsky, verloren in de volgende verkiezingen.

Het plan was niet helemaal naar de zin van de regering, maar het betekende in ieder geval dat de fiscale verantwoordelijkheid weer bij de overheid kwam te liggen en het startsein werd gegeven tot een economische omwenteling die in de Amerikaanse geschiedenis haar weerga niet kende. Het plan bracht het begrotingstekort tot de helft terug; het verlengde het leven van de Medicare Trust Fund; het vergrootte de verlaging van de zogenoemde EITC (Earned Income Tax Credit), waardoor vijftien miljoen Amerikanen met lagere inkomens minder belasting hoefden te betalen; het hervormde het stelsel voor studieleningen waardoor belastingbetalers miljarden dollars uitspaarden; en het creëerde stimuleringsgebieden en gemeenschapsinitiatieven die belastingvoordelen boden aan investeerders in probleemgebieden en -wijken. Om deze hervormingen te kunnen betalen, voorzag het plan in een verhoging van de benzineaccijnzen en een belastingverhoging voor de meest verdienende Amerikanen, die in ruil daarvoor lagere rentetarieven kregen en een boomende aandelenmarkt toen de economie een hoge vlucht nam. Bill tekende de nieuwe wet op 10 augustus 1993.

Halverwege augustus werden Bill en ik zo door ons werk in beslag genomen dat we haast met geweld op het vliegtuig naar Martha's Vineyard moesten worden gezet om vakantie te nemen. Het bleek een heerlijke en weldadige tijd voor mij te zijn.

Ann en Vernon Jordan hadden ons uitgenodigd naar Martha's Vineyard te komen, waar zij al jarenlang op vakantie gingen. Ze hadden voor ons de perfecte plek gevonden: een klein, afgelegen huis dat toebehoorde aan Robert McNamara, de minister van Defensie onder Kennedy en Johnson. De kleine bungalow in Cape Cod met twee slaapkamers lag aan de oever van Oyster Pond, een van de grote zoutwatermeren bij de zuidkust van het eiland. Ik sliep en zwom en voelde de maanden van spanning langzaam van me af glijden.

De Jordans hadden op 19 augustus een feestje georganiseerd ter gelegenheid van Bills zevenenveertigste verjaardag. Er waren oude vrienden en nieuwe mensen, met wie ik kon lachen en me ontspannen. Het was een van de heerlijkste dagen sinds de inauguratie. Jackie Kennedy was er met haar oude vriend Maurice Templesman. De altijd charmante Katharine Graham, uitgever van *The Washington Post*, was aanwezig, evenals Bill en Rose Styron, die trouwe vrienden werden.

Styron, een laconieke, hoogst intelligente man uit het Zuiden met een prachtig verweerd gezicht en doordringende ogen, had onlangs *Darkness Visible: A Memoir of Madness* gepubliceerd, waarin hij verslag deed van zijn worsteling met klinische depressie. Tijdens het diner sprak ik met hem over Vince, en de volgende dag zetten we ons gesprek voort tijdens een lange wandeling langs een van de vele prachtige stranden van Martha's Vineyard. Hij beschreef het overweldigende gevoel van verlies en wanhoop dat iemand zo in zijn greep kan krijgen dat het verlangen naar een bevrijding van de dagelijkse pijn en desoriëntatie de dood tot een verkieslijke, zelfs rationele keuze maakt.

Ik bracht ook tijd door met Jackie Kennedy. Haar huis, gelegen op een van de prachtigste stukken grond op Martha's Vineyard, had overal boeken en bloemen en de ramen ervan keken uit op de vriendelijke duinen die doorliepen naar de oceaan in de verte. Het huis had dezelfde pretentieloze elegantie die Jackie tentoonspreidde bij alles wat ze deed.

Ik vond het heerlijk om Jackie en Maurice samen te

zien. Hij was charmant, intelligent en belezen; zijn liefde, respect en zorg voor haar straalden van hem af, en hij genoot zichtbaar van haar gezelschap. Ze maakten elkaar aan het lachen, wat voor mij een criterium is voor elke relatie.

Jackie en Maurice nodigden ons uit voor een zeiltocht op het jacht van Maurice met Caroline Kennedy en haar echtgenoot, Ed Schlossberg, Ted en Vicky Kennedy en Ann en Vernon Jordan. Caroline is een van de weinige mensen ter wereld die Chelsea's unieke ervaringen als presidentsdochter kan begrijpen, en vanaf dat bezoek werd ze een oplettende vriendin en rolmodel voor mijn dochter. Ted Kennedy, Carolines oom en de pater familias van de Kennedy-clan, is een van de meest effectieve senatoren die ooit ons land heeft gediend en een ervaren zeiler. Hij vertelde ons aan een stuk door verhalen over piraten en zeeslagen, van kleurrijke details voorzien door zijn intelligente en bruisende vrouw Vicky.

Op een prachtige zonnige dag voeren we weg uit Menemsha Harbor en gingen voor anker bij een klein eiland om voor de lunch nog een duik te nemen. Ik ging naar beneden om mijn zwempak aan te trekken en toen ik weer aan dek kwam, lagen Jackie, Ted en Bill al in het water. Caroline en Chelsea waren boven op de kajuit geklommen, zo'n twaalf meter boven het water. Toen ik naar boven keek, sprongen ze samen naar beneden en belandden met een enorme plons in de oceaan.

Lachend kwamen ze weer boven water en zwommen terug naar de boot voor een tweede sprong.

Chelsea zei: 'Kom op, mam, doe het ook eens een keer.'

Ted en Bill begonnen natuurlijk meteen te roepen: 'Ja, kom op. Spring ook eens een keer!' Ik weet nog steeds niet waarom, maar ik zei: 'Oké.' Ik was helemaal niet meer zo atletisch, maar voor ik er erg in had, klom ik Caroline en Chelsea achterna naar boven. Intussen dacht ik bij mezelf: Hoe ben ik hier nu weer in verzeild geraakt? Caroline en Chelsea waren nog niet boven of ze vlogen alweer naar beneden. Nu zat ik daar helemaal alleen en keek naar die kleine figuurtjes beneden in het water. Ik hoorde hen roepen: 'Kom op, kom op! Springen!'

Toen hoorde ik Jackies stem boven iedereen uit: 'Niet doen, Hillary! Laat je niet overhalen. Niet doen!'

Ik dacht bij mezelf: Dat zijn nog eens woorden van ervaring en verstand. Ik wist zeker dat Jackie vaak genoeg had moeten zeggen: 'Nee, ik doe dát gewoon niet.' Ze wist precies wat er in mij omging en ze schoot me te hulp.

'Je hebt groot gelijk!' riep ik terug.

Langzaam klom ik weer naar beneden, met alle waardigheid die ik bij elkaar kon schrapen. Daarna sprong ik in het water en ging een stukje zwemmen met Jackie.

14 De verloskamer

Toen we een week voor Labor Day terugkeerden naar Washington, had de regering inmiddels haar eerste belangrijke politieke overwinning op zak, en werd het tijd voor het Witte Huis dat men zich fulltime ging richten op de herziening van de gezondheidszorg. Althans, daar hoopte ik op. De termijn van honderd dagen was allang verstreken, de taakgroep was eind mei opgeheven en de gezondheidszorg was voor maanden op een zijspoor gezet opdat de president en zijn economische en juridische teams zich konden concentreren op de begrotingsplannen. Tijdens de zomer had ik allerlei Congresleden telefonisch benaderd en hard gewerkt om Bill te helpen zijn economische programma aangenomen te krijgen, de sleutel tot alles wat hij voor dit land hoopte te bereiken.

Maar zelfs nu de cruciale strijd om de begroting was gewonnen, moest de gezondheidszorg nog steeds concurreren met andere prioriteiten. Van begin af aan had minister Lloyd Bentsen van Financiën gewaarschuwd dat het tijdschema voor de gezondheidszorghervormingen te krap was; hij dacht dat het niet mogelijk was een dergelijke wet binnen twee jaar op te stellen en door het Congres te loodsen. Eind augustus waren Bentsen, minister van Buitenlandse Zaken Warren Christopher en economisch adviseur Bob Rubin vastbesloten de hervormingen in de gezondheidszorg uit te stellen en verder te gaan met de North American Free Trade Agreement, oftewel de NAFTA, het vrijhandelsverdrag tussen Mexico, de Verenigde Staten en Canada. Ze geloofden dat vrije handel ook een cruciaal onderdeel van het economische herstelbeleid was, en de NAFTA vroeg om onmiddellijke actie. De schepping van een vrijhandelszone in Noord-Amerika – de grootste vrijhandelszone ter wereld – zou de export van de Verenigde Staten doen groeien, banen creëren en ervoor zorgen dat onze economie de vruchten van de globalisering zou plukken, en niet de lasten ervan zou dragen. Hoewel de uitbreiding van de handelsmogelijkheden bij de vakbonden niet populair was, had ze voor de regering een hoge prioriteit. De vraag was of het Witte Huis zijn energie kon besteden aan twee legislatieve campagnes tegelijkertijd. Ik pleitte voor zo'n aanpak omdat het in mijn ogen mogelijk was en omdat een uitstel van de hervormingen in de gezondheidszorg het hele project zou verzwakken. Maar Bill moest de knoop doorhakken, en omdat de besluitvorming omtrent NAFTA gebonden was aan een strikte deadline, besloot Bill dat NAFTA voorrang moest krijgen. Bill wilde zich ook sterk maken voor goede relaties met onze zuiderbuur. Niet alleen was Mexico het land van herkomst van miljoenen Mexicaanse Amerikanen, er vonden ook diep ingrijpende politieke en economische veranderingen plaats die konden doorsijpelen naar de rest van Latijns-Amerika. Bill wilde president Ernesto Zedillo steunen, een gestudeerde econoom die aan een veranderingsproces werkte om de nationale regering te veranderen van een eenpartijsysteem in een democratie met plaats voor meerdere partijen. Alleen zo zou ze de oude problemen van armoede en corruptie kunnen aanpakken, evenals grensoverschrijdende kwesties zoals immigratie, drugs en handel.

Opnieuw moest de gezondheidszorg in de wachtkamer plaatsnemen. Niettemin bleven Ira, ik en een kader van ambtenaren werken aan de basis voor een wet die alle Amerikanen een goede, betaalbare gezondheidszorg zou garanderen. Door Bills dramatische politieke overwinningen in de zomer waren we zelfs gematigd optimistisch over onze kansen. We bleven onszelf voorhouden dat de hervormingen niet alleen een kwestie waren van ingewikkeld sociaal beleid, maar ook concrete ingrepen in de levens van mensen; en tijdens mijn zoektocht naar oplossingen voor deze crisis kwam ik met veel van deze levens in contact.

Terwijl Bill en zijn adviseurs een beleid in elkaar timmerden om de economie weer op gang te krijgen, was ik het land afgereisd om te luisteren naar Amerikanen die vertelden over de grote problemen waarin ze verkeerden als gevolg van stijgende medische kosten, onrechtvaardige behandeling en bureaucratische moerassen waarin ze iedere dag opnieuw terechtkwamen. Van Louisiana tot Montana en van Florida tot Vermont, overal waar ik kwam, werd ik gesterkt in mijn overtuiging dat het bestaande gezondheidszorgsysteem veel efficiënter en goedkoper zou kunnen zijn, terwijl toch iedere Amerikaan de medische zorg kon ontvangen die hij of zij nodig had.

Ik sprak met mensen die tijdelijk hun dekking waren kwijtgeraakt omdat ze van baan waren veranderd, wat nog steeds met twee miljoen werknemers per maand gebeurde. Ik ontmoette mannen en vrouwen die ontdekten dat ze geen verzekering konden krijgen omdat er in het verleden bij hen een ziekte als kanker of diabetes was vastgesteld. Sommige bejaarde Amerikanen die van een vast inkomen leefden, vertelden me dat ze noodgedwongen een keuze moesten maken tussen de huur betalen en voorgeschreven medicijnen kopen. De hospitalisering van mijn vader had me geleerd dat, zelfs met de beste zorg en ondersteuning, het verlies van een dierbare een onbeschrijfelijk pijnlijke ervaring is. Ik kon me nauwelijks voorstellen hoeveel pijnlijker het moest zijn wanneer het verlies voorkomen had kunnen worden.

Ik ontmoette ook Amerikanen die een grote bron van inspiratie voor mij betekenden. Op een dag sprak ik op Capitol Hill tot een verzameling hervormers in de gezondheidszorg. Op de eerste rij zag ik een jongetje in een rolstoel zitten met een prachtige glimlach op zijn lieve gezicht. Ik kon mijn ogen niet van hem afhouden. Vlak voordat ik begon te spreken, ging ik naar hem toe. Toen ik me voorover boog om hem gedag te zeggen, gooide hij zijn armen om mijn nek. Ik tilde hem op en ontdekte dat hij een beugel droeg die zijn hele lichaam bedekte en die misschien wel twintig kilo woog. Ik sprak mijn gehoor toe terwijl ik hem op de arm hield. Zo maakte ik kennis met Ryan Moore, een zevenjarige jongen uit South Sioux City, Nebraska, die met een zeldzame vorm van dwerggroei was geboren. Zijn ouders waren in een voortdurend gevecht met de verzekeringsmaatschappij verwikkeld om de talloze operaties die hij nodig had betaald te krijgen. Ryans ziekte had dan misschien zijn lichamelijke groei belemmerd, maar zijn positieve houding was ongebroken. Mijn staf en ik raakten zo gehecht aan Ryan dat Melanne een grote foto van hem aan de muur in de kantoren van Hillaryland ophing. Verhalen als dat van Ryan hielden ons doelgericht tijdens onze strijd om een ziektekostenverzekering voor alle Amerikanen te realiseren, en zijn moed en hoop zijn me tot op de dag van vandaag blijven inspireren. Ryan zit nu op highschool en droomt van een carrière als sportverslaggever.

Begin september was Bill ook druk bezig met de voorbereidingen op het aanstaande bezoek van de Israëlische minister-president Yitzhak Rabin en de Palestijnse leider Yasir Arafat en de tekening van een nieuw vredesakkoord voor het Midden-Oosten. De historische ontmoeting, die op 13 september 1993 zou plaatsvinden op het zuidelijke gazon van het Witte Huis, was het uitvloeisel van maandenlange onderhandelingen in de Noorse hoofdstad Oslo, en de overeenkomst kreeg bekendheid onder de naam Osloakkoorden. Het was belangrijk dat onze regering blijk gaf van haar steun aan deze overeenkomst omdat de Verenigde Staten het enige land waren dat de uitvoering van de akkoorden bij beide partijen kon afdwingen en waarop Israël kon vertrouwen als het ging om de bewaking van zijn eigen veiligheid. Bovendien was het van belang dat de mensen in het Midden-Oosten en de wereld zouden zien dat minister-president Rabin en voorzitter Arafat zich persoonlijk achter de resultaten van de onderhandelingen stelden.

Ik had Yitzhak en Leah Rabin voor het eerst eerder dat

jaar ontmoet, toen ze een beleefdheidsbezoek brachten aan het Witte Huis. De minister-president, een man van gemiddelde lengte, was niet iemand die zichzelf op de voorgrond plaatste, maar zijn beheerste waardigheid en intensiteit trokken mij – en vele anderen – als vanzelf naar hem toe. Hij was omgeven door een aura van kracht; dit was een man bij wie ik me veilig voelde. Leah, een aantrekkelijke donkerharige vrouw met doordringende blauwe ogen, straalde een en al energie en intelligentie uit. Ze was zeer belezen en een oprechte kunstkenner en -genieter. Tijdens dit tweede bezoek aan het Witte Huis viel het haar op dat ik bepaalde schilderijen uit de kunstverzameling van het Witte Huis een andere plek had gegeven. Leah had een uitgesproken mening en ventileerde haar opvattingen over personen en gebeurtenissen via ongegeneerde opmerkingen, waardoor ze mij al snel voor zich innam. Zowel Yitzhak als Leah was realistisch over de problemen die Israël te wachten stonden. Ze geloofden dat onderhandelingen met hun gezworen vijanden de enige manier vormden om een veilige toekomst voor hun land te bewerkstelligen. Hun houding weerspiegelde het oude adagium: hopen op het beste, voorbereid zijn op het ergste. Zo keek Bill er ook tegenaan.

Op die gedenkwaardige dag probeerde Bill Yitzhak ertoe te bewegen Arafat de hand te schudden. Rabin stemde daarmee in. Vóór de ceremonie voerden Bill en Yitzhak een hilarisch toneelstukje op waarbij Bill deed alsof hij Arafat was en zij de ingewikkelde handdruk oefenden die Arafat zou beletten te dichtbij kon komen.

De handdruk en de overeenkomst, die zoveel hoop leken te geven, werden door sommige Israëli's en Arabieren beschouwd als een afwijzing van hun eigen politieke standpunten en religieuze opvattingen, wat later zou leiden tot geweld en de tragische moord op Rabin. Maar op die volmaakte middag – in het warme licht van een schitterende zon, waarmee God Zijn zegen leek te verlenen – hoopte ik er slechts het beste van en besloot ik de Israëli's op welke manier dan ook te ondersteunen bij hun moedige beslissing dit risico te nemen voor een blijvende en veilig vrede.

Terwijl hij aan deze en andere prangende kwesties werkte, ruimde Bill op 22 september ook tijd in voor een door de tv uitgezonden toespraak tot het Congres om de contouren van het plan voor de volksgezondheid te schetsen. Daarna moest ik verschijnen voor de vijf Congrescommissies die zich zouden buigen over het wetsvoorstel voor de herziening van de gezondheidszorg, dat we begin oktober hoopten in te dienen.

Het was een ambitieuze agenda voor de maand september en we konden ons niet meer tegenslagen permitteren. Hoewel het wetsvoorstel nog niet af was, wilden Bill, Ira en ik de Democratische Congresleden er kennis van laten nemen voordat Bill zijn grote toespraak zou houden, zodat zij de argumentatie achter onze voorstellen konden begrijpen. Maar de ruwe cijfers in het voorstel moesten nog door begrotingsdeskundigen worden nagerekend en bevestigd, en dat duurde enkele weken langer dan we hadden gedacht. In plaats van een onvolledig document te laten circuleren richtten we een 'leeskamer' in waar Democratische stafleden het voorstel konden komen bestuderen, met als aanmerking dat de cijfers waarschijnlijk nog zouden wijzigen. De inhoud van het document werd gelekt naar nieuwsorganisaties, en de daaropvolgende artikelen wekten bij veel Congresleden de indruk dat het hier om het definitieve wetsvoorstel ging. Senator Moynihan was toch al niet al te enthousiast over de gezondheidszorgherziening en kraakte de hele onderneming af als zijnde gebaseerd op 'fantasiecijfers'.

Intussen waren voor- en tegenstanders van de hervorming hun eigen campagnes begonnen om de uitslag te beïnvloeden. Groepen die klanten, gezinnen, werknemers, bejaarden, kinderziekenhuizen en -artsen vertegenwoordigden, kozen grotendeels onze kant. Maar ondernemersgroepen, met name kleine ondernemers, apothekers en verzekeringsgiganten, beschouwden de hervorming al sinds lange tijd als een bedreiging. Ook artsen maakten bezwaren tegen bepaalde onderdelen van het plan.

We ontdekten al snel hoe goed georganiseerd en goed gefinancierd de oppositie was. Begin september begon de Health Insurance Association of America, een machtige belangengroep die de nationale verzekeringsmaatschappijen vertegenwoordigde, een tv-campagne om de hervormingen in een kwaad daglicht te stellen. De reclamespots lieten een stel zien dat aan een keukentafel over zijn doktersrekeningen gebogen zit. De man en de vrouw tonen zich bezorgd dat de regering hen wil dwingen akkoord te gaan met een nieuw plan voor de gezondheidszorg dat ze niet willen. 'De dingen veranderen, en niet allemaal ten goede. De regering zal ons misschien dwingen een keuze te maken uit een paar plannen voor de gezondheidszorg die door bureaucraten van de overheid zijn ontworpen,' aldus de commentaarstem. De boodschap was onwaar en misleidend, maar ze was een slimme manier om de mensen bang te maken en sorteerde het gewenste effect.

Op 20 september, twee dagen voordat Bill zijn plan voor de gezondheidszorg aan het Congres en het land bekend zou maken, vroeg hij me naar de voorlopige toespraak te kijken die hij net van zijn speechschrijvers had gekregen. Door de jaren heen hebben Bill en ik elkaar altijd als klankbord gebruikt. We vragen elkaar altijd om commentaar wanneer we aan een belangrijke toespraak of een groot artikel werken. Het was zondagnamiddag en ik nestelde me in een grote leunstoel in een van mijn favoriete vertrekken op de bovenste verdieping van het Witte Huis, het Solarium, waar we ons vaak terugtrokken om te ontspannen, te kaarten, tv te kijken en ons een gewoon gezin te voelen. Ik bladerde snel door de tekst van de toespraak en zag in een oogopslag dat de toespraak verre van klaar was; en Bill moest over twee dagen het Congres toespreken. Ik begon flink nerveus te worden. Ik pakte de telefoon en vroeg de telefonist van het Witte Huis Maggie te bellen. Maggie hield altijd onder alle omstandigheden het hoofd koel. Ze wierp een blik op de toespraak en riep meteen voor die avond een vergadering bijeen van de topadviseurs voor de gezondheidszorg en de speechschrijvers. Met kommen nacho's en guacamole bij de hand zaten Bill en ik met een stuk of tien stafleden in het Solarium en wisselden ideeën uit voor een thema voor de toespraak. Ik kwam met het idee dat de hervorming van de gezondheidszorg onderdeel was van de Amerikaanse reis, een geschikte metafoor omdat dit, in Bills opvattingen, de kans voor onze generatie was om geschiedenis te schrijven ten behoeve van de generaties van de toekomst. We gingen akkoord met het reisthema en met grote urgentie en opluchting gaven we een ruwe schets van de toespraak aan de speechschrijver. Onder voortdurende redactie en bijsturing van Bill kreeg zij de tekst op tijd af voor de presentatie op dinsdagavond.

Presidenten houden speciale toespraken tot het Congres altijd vanaf een podium in de barokke kamer van het Huis van Afgevaardigden. Het is een avond vol rituelen. De ceremoniemeester kondigt op zwaarmoedige toon de binnenkomst van de president aan: 'De president van de Verenigde Staten'. Het publiek staat op en de president begroet leden van beide partijen, die traditioneel tegenover elkaar aan weerszijden van het gangpad zitten. Dan beklimt hij het spreekgestoelte en wendt zich tot het publiek, met de vice-president en de voorzitter van het Huis direct achter hem.

De First Lady zit samen met gasten van het Witte Huis en andere hoogwaardigheidsbekleders in een speciaal gedeelte van het balkon, en het was een populair gezelschapsspelletje in Washington om te raden wie er naast haar zouden zitten. Rechts van mij zat een van de bekendste kinderartsen van het land en iemand op wie ik zeer gesteld ben, dr. T. Berry Brazelton, met wie ik al tien jaar lang samenwerkte op het gebied van de kinderproblematiek. Een grotere verrassing was de gast aan mijn linkerzijde: dr. C. Everett Koop. Dr. Koop was van oorsprong een kinderchirurg die onder Reagan directeur-generaal van de nationale gezondheidsdienst was geweest. Hij was een grote man met een baard en een bril. Dr. Koop was een rechtgeaarde Republikein en een onbuigzame tegenstander van abortus. Bill en ik hadden bewondering voor hem opgevat vanwege zijn dappere opstelling als directeur-generaal van de nationale gezondheidsdienst, toen hij de Amerikanen waarschuwde voor de gevaren van het roken en de verspreiding van aids en een kruistocht ondernam voor immunisaties, condoomgebruik, een gezonde leefomgeving en betere voeding. Als praktiserend arts en als beleidsmaker had hij het falen van het systeem van nabij meegemaakt en was een uitgesproken pleitbezorger van de hervormingen in de gezondheidszorg geworden. Hij was een waardevolle adviseur en bondgenoot.

Nadat Bill het publiek tot zitten had gemaand, begon hij zijn toespraak. Ik moet eerlijk bekennen dat ook ik niet meteen in de gaten had dat er iets mis was. Later hoorden we dat een assistent de verkeerde speech in de teleprompter had gezet, de economische speech die Bill enkele maanden daarvoor had gehouden. Als geen ander is Bill in staat voor de vuist weg te spreken en te improviseren, maar deze toespraak was te lang en te belangrijk om helemaal uit de losse pols te doen. Zeven zenuwslopende minuten lang sprak hij uit het blote hoofd, terwijl zijn medewerkers in allerijl de vergissing probeerden te herstellen.

Het was een geweldige toespraak, met de juiste mengeling van passie, wijsheid en inhoud. Ik was die avond ontzettend trots op hem. Het was een moedig pad dat hij als nieuwe president bewandelde. Franklin D. Roosevelt had een manier gevonden om oudere Amerikanen economische zekerheid te geven via een stelsel van ouderdomsuitkeringen; Bill wilde, via een hervorming van de gezondheidszorg, de kwaliteit van leven van tientallen miljoenen Amerikanen verbeteren. Hij hield een rood-wit-blauwe 'ziektekostenkaart' omhoog en sprak de hoop uit dat iedere Amerikaan er een zou ontvangen. Hij beloofde dat iedere burger dankzij het plan een ziektekostenverzekering zou krijgen en kon rekenen op betaalbare medische zorg van goede kwaliteit.

'Vanavond zijn we bijeengekomen om een nieuw hoofdstuk in de Amerikaanse geschiedenis te schrijven,' zei Bill tegen het volk. '...na tientallen jaren vruchteloos proberen wordt het de hoogste tijd dat we hiervan onze meest urgente prioriteit maken: de waarborg dat iedere Amerikaan toegang heeft tot gezondheidszorg, een gezondheidszorg die niet meer kan worden afgenomen, een gezondheidszorg die er altijd is.'

Toen hij na tweeënvijftig minuten zijn toespraak beëindigde, kreeg hij een staande ovatie van het publiek. Hoewel een paar Republikeinse parlementariërs meteen een aantal details van het plan bekritiseerden, gaven velen in beide partijen te kennen dat ze bewondering hadden voor Bills bereidheid een onderwerp aan te pakken waaraan zoveel van zijn voorgangers hun vingers hadden gebrand. Zoals een journalist het stelde, was de hervorming van de gezondheidszorg als de 'beklimming van de Mount Everest van het welzijnsbeleid'. Onze klimtocht was begonnen. Ik voelde me opgewonden, maar ook ongerust. Ik was me er terdege van bewust dat een goede speech afleveren iets anders was dan een wetsvoorstel ontwerpen en door het Congres loodsen. Maar ik was Bill dankbaar voor zijn betrokkenheid en welsprekendheid, en ik had het idee dat we tot een compromis zouden kunnen komen omdat het economische en sociale welzijn van ons land op de langere termijn ervan afhing.

Na de redevoering reden we in een stoet van auto's terug naar het Witte Huis. Daar hadden we ter gelegenheid van de speech een kleine feestje georganiseerd op de eerste verdieping, maar besloten eerst naar de Old Executive Office Building te gaan, waar de staf van het gezondheidszorgteam in Room 160 aan het werk was in overbevolkte noodhokjes. Bill en ik bedankten hen voor het feit dat ze dag en nacht aan het hervormingsvoorstel hadden gewerkt. Ik ging op een stoel staan en verklaarde onder gelach en applaus dat deze kamer, nu de geboorte van het wetsvoorstel over de gezondheidszorg op handen was, werd omgedoopt tot 'Verloskamer'.

We hadden alle reden om optimistisch te zijn over het hervormingsplan, aangezien de reacties op Bills toespraak en de contouren van het plan in het algemeen positief waren. Een overweldigende meerderheid van het publiek steunde het initiatief. Met koppen als 'Hervorming van de gezondheidszorg: Wat ging er goed?' prezen krantenartikelen het plan en onze pogingen tot een consensus tussen twee partijen te komen.

Hoewel het wetsvoorstel pas een maand later zou worden ingediend, wilde ik graag verder gaan met mijn presentatie voor de commissies die zich zouden buigen over de herziening van de gezondheidszorg. Zes dagen na de toespraak van Bill, op 28 september, kreeg ik mijn kans. Mijn verschijning voor de Ways and Means Committee van het Huis betekende de eerste keer dat een First Lady als belangrijkste pleitbezorger optrad voor een belangrijk wetsinitiatief van de regering. Andere First Lady's zijn ook voor Congrescommissies verschenen, onder wie Eleanor Roosevelt en Rosalynn Carter. De laatste pleitte in 1979 voor een subcommissie van de Senaat voor een verhoging van de budgets voor hulpprogramma's voor psychiatrische patiënten.

De hoorzaal was volgepakt toen ik arriveerde en geheel tegen mijn gewoonte in was ik behoorlijk zenuwachtig. Iedere stoel was bezet en langs de muren was er geen vierkante centimeter meer vrij. Enkele tientallen fotografen zaten of lagen op de vloer voor de getuigentafel en klikten er heftig op los toen ik ging zitten. Elk netwerk had een cameraploeg gestuurd om de gebeurtenis vast te leggen.

Ik had hard gewerkt aan de voorbereiding van mijn presentatie. In een van de voorbereidende sessies had Mandy Grunwald, de ervaren media-adviseur die tijdens onze campagne van 1992 had samengewerkt met James Carville en was blijven werken voor het Democratic National

Committee, me gevraagd wat ik precies wilde overbrengen.

Ik wist dat ik me geen feitelijke fouten kon veroorloven, maar ik wilde ook niet dat de verhalen van menselijke zorgen en leed zouden verdwijnen in het donkere moeras van het overheidsbeleid. Ik wilde dat mijn woorden de dagelijkse problematische praktijk van de gezondheidszorg voor het voetlicht zouden brengen. Ik besloot te beginnen met een persoonlijke motivatie waarom ik er zo op was gebrand de gezondheidszorg te verbeteren. Om tien uur 's ochtends hamerde commissievoorzitter Dan Rostenkowski, die bruuske en korzelige politicus van de oude stempel uit Chicago, de aanwezigen tot de orde en introduceerde mij.

'In de afgelopen maanden, waarin ik mezelf vertrouwd heb gemaakt met de problemen in de gezondheidszorg waarmee ons land en de Amerikaanse burgers te maken hebben, heb ik zeer veel geleerd,' zei ik. 'De officiële reden van mijn aanwezigheid hier is dat ik nu eenmaal die verantwoordelijkheid op me heb genomen. Maar belangrijker voor mij is dat ik hier ben als moeder, als echtgenote, als dochter, als zuster, als vrouw. Ik ben hier als Amerikaans burger die zich zorgen maakt over de gezondheid van haar gezin en de gezondheid van haar land.'

De volgende twee uren beantwoordde ik vragen van commissieleden, en later op die dag getuigde ik voor het Energy and Commerce Committee van het Huis, voorgezeten door een van de langst zittende leden van het Huis en een aloude pleitbezorger van hervorming van de gezondheidszorg, de Democratische afgevaardigde John Dingell uit Michigan. In de volgende twee dagen verscheen ik voor een andere commissie van het Huis en twee commissies van de Senaat. Het was een fascinerende, uitdagende en uitputtende ervaring. Ik was blij dat ik de kans had gehad in het openbaar over ons plan te spreken. Tot mijn vreugde waren de commentaren in het algemeen positief. De leden van het Congres prezen mijn presentatie en waren, volgens de nieuwsverslagen, onder de indruk van mijn gedetailleerde kennis van het gezondheidszorgsysteem. Dit gaf me goede moed. Misschien had mijn presentatie ertoe bijgedragen dat de mensen zouden begrijpen waarom de hervorming zo cruciaal was zowel voor de Amerikanen en hun gezinnen, als voor de economie van het land. Ik was ook gewoonweg opgelucht dat ik het achter de rug had en dat ik mezelf niet voor schut had gezet of mijn echtgenoot, die zijn nek had uitgestoken door mij te kiezen als zijn vertegenwoordiger bij zo'n grote onderneming.

Hoewel veel leden oprechte waardering hadden voor de fijnere nuances van het gezondheidszorgdebat, besefte ik dat een deel van de lovende reacties op mijn optreden het nieuwste voorbeeld van het 'sprekende-hondsyndroom' was, waarmee ik kennis had gemaakt toen ik First Lady van Arkansas was. Er bestaat een citaat dat door Boswell wordt toegeschreven aan dr. Samuel Johnson: 'Sir, een vrouw die een toespraak houdt, is als een hond die op zijn achterpoten loopt. Het ziet er niet uit, maar het is al een verrassing dat het überhaupt mogelijk is.'

Veel van de loftuitingen concentreerden zich op het feit dat ik geen gebruik had gemaakt van aantekeningen of mijn assistenten en dat ik in het algemeen gesproken mijn zaakjes kende.

Ik kwam er ook achter dat mijn populariteit buiten Washington, mijn positieve ontvangst op Capitol Hill en de klaarblijkelijke bereidheid van het Congres om de hervorming van de gezondheidszorg in overweging te nemen, bij rechtse Republikeinen alarmbellen deden rinkelen. Als Bill Clinton bij wet geregeld kon krijgen dat iedere Amerikaan een ziektekostenverzekering zou hebben, dan zou hij een tweede ambtstermijn op zijn sloffen binnenhalen. Dat wilden de Republikeinse partijstrategen ten koste van alles voorkomen. Onze politieke experts vermoedden dat er ter rechterzijde een tactiek van de verschroeide aarde werd voorbereid, en Steve Ricchetti, de belangrijkste contactpersoon van het Witte Huis met de Senaat, maakte zich zorgen: 'Ze zullen je weten te vinden,' vertelde hij me een keer in mijn kantoor. 'Je bent te sterk. Ze zullen je op een of andere manier kortwieken.'

Ik verzekerde Steve dat ik al eerder voor hete vuren had gestaan, en dat ik het aan kon omdat het een zaak betrof waar ik in geloofde.

Na mijn presentatie werd het tijd de weg voor de gezondheidszorgherziening te plaveien. De president zou een aantal toespraken houden en manifestaties bezoeken om aandacht en steun voor het beleid te vragen. Bill had een groot deel van de eerste helft van oktober daarvoor gereserveerd. Om te beginnen ging hij op 3 oktober naar Californië, waar hij gemeentevergaderingen zou beleggen om de hervorming te bespreken en zo veel mogelijk zieltjes te winnen. Maar iedere presidentiële agenda kan het slachtoffer worden van externe gebeurtenissen. Bill was op 3 oktober onderweg naar Californië toen zijn assistenten een urgent telefoontje uit de Situation Room van het Witte Huis ontvingen. Twee Black Hawk-helikopters waren in Somalië neergeschoten. De details waren onvolledig, maar het was duidelijk dat er Amerikaanse soldaten om het leven waren gekomen, en de vrees bestond dat het geweld voort zou duren. President Bush had troepen naar dit door hongersnood getroffen land gestuurd, aanvankelijk om humanitaire hulp te verlenen, maar dat was uitgelopen op een agressieve poging de vrede te handhaven. Iedere president moet onmiddellijk uit twee strategieën kiezen wanneer zich noodsituaties voordoen: hij kan alles uit handen laten vallen en zich openlijk op de crisis richten, of hij kan proberen de situatie aan te pakken zonder zijn officiële schema in de war te laten sturen. Bill bleef in Californië maar had onophoudelijk telefonisch contact met zijn nationale veiligheidsteam. Toen kwam er nog ernstiger nieuws binnen: het lichaam van een Amerikaanse militair was door de straten van Mogadishu gesleept, een weerzinwekkende daad van barbarij die in scène was gezet door de Somalische krijgsheer generaal Mohammed Aideed.

Bill kreeg ook verschrikkelijk nieuws uit Rusland, waar militairen een coup hadden proberen te plegen tegen president Boris Jeltsin en schoten waren afgevuurd in het Russische regeringscentrum. Op 5 oktober brak Bill in Culver City, Californië, een gemeentevergadering over de gezondheidszorg af en keerde terug naar Washington. In de volgende weken werden Bill, de pers en het land volledig in beslag genomen door Somalië en de onrust in Rusland, en moest de hervorming van de gezondheidszorg opnieuw wachten.

Aanvankelijk stond ons een wetsvoorstel voor ogen dat hooguit tweehonderdvijftig pagina's zou beslaan, maar naarmate er nieuwe voorstellen bijkwamen, werd allengs duidelijk dat de wet veel langer zou moeten zijn, deels doordat het plan complex was en deels doordat we instemden met specifieke verzoeken van belangengroepen. De American Academy of Pediatrics eiste bijvoorbeeld dat het wetsvoorstel dekking zou garanderen voor negen kindervaccinaties en zes bezoeken aan consultatiebureaus. Deze eisen waren misschien wel terecht, maar zulke gedetailleerde punten hadden onderwerp van onderhandeling moeten zijn na invoering van de wet, en niet tijdens de opstelling ervan. De Health Security Act die door het Witte Huis op 27 oktober bij het Congres werd ingediend, omvatte 1342 pagina's. Een paar weken later, op de laatste zittingsdag van het Congres, werd het voorstel met weinig tamtam ingediend door George Mitchell, meerderheidsleider in de Senaat. Hoewel ook veel andere complexe wetten op gebieden als energie of begroting langer zijn dan duizend pagina's, gebruikten tegenstanders de lengte van het voorstel tegen ons. Wij deden een voorstel om een belangrijk sociaal beleidspunt te stroomlijnen en vereenvoudigen, maar het leek alsof wij niet in staat waren ons eigen wetsvoorstel te stroomlijnen en vereenvoudigen. Het was een slimme tactiek die op effectieve wijze het feit verhulde dat de nieuwe wet op de gezondheidszorg duizenden pagina's van inmiddels bestaande wetgeving en regulering op het gebied van de gezondheidszorg overbodig zou maken.

Er gebeurde zo veel dat ik gemakkelijk mijn zesenveertigste verjaardag op 26 oktober had kunnen vergeten. Maar mijn staf liet geen gelegenheid voor een feestje ongemerkt voorbij gaan. De bende van Hillaryland had meer dan honderd familieleden en beste vrienden en vriendinnen uit het hele land uitgenodigd voor een surpriseparty in het Witte Huis. Ik wist dat er iets gaande was toen ik die avond thuiskwam na mijn besprekingen met senator Moynihan en senator Barbara Mikulski van Maryland.

Alle lichten in de residentie waren uit. Een stroomstoring, zo werd me verteld. Dat was mijn eerste aanwijzing. De stroom in het Witte Huis valt nooit uit. Daarna werd ik de trap op geleid en moest ik een zwarte pruik en een hoepelrok aantrekken: koloniale stijl en ongetwijfeld een poging de kledingstijl van Dolley Madison na te bootsen! Daarna werd ik naar beneden, naar de State Floor, geleid, waar ik werd begroet door een tiental stafleden met blonde pruiken die 'een tiental verschillende Hillary's' moesten verbeelden: hoofdband-Hillary, koekjesbakkende Hillary, gezondheidszorg-Hillary. Bill was vermomd als president James Madison (met witte pruik en maillot!). Ik vond het ontzettend lief van hem, maar ik was blij dat we in de twintigste eeuw leefden. Een pak staat hem veel beter.

15 *Whitewater*

Op Halloween 1993 las ik in de zondagseditie van *The Washington Post* dat ons oude, verliesgevende vastgoed-project in Arkansas ons opnieuw achtervolgde. Volgens anonieme 'regeringsbronnen' had de Resolution Trust Corporation (RTC), een federaal bureau dat mislukte hypotheektransacties onderzoekt, een strafrechtelijk onderzoek aangeraden tegen de hypotheekbank Madison Guaranty Savings and Loan van Jim McDougal. McDougal en zijn vrouw Susan waren onze partners geweest in Whitewater Development Company, Inc., een volledig zelfstandige vastgoedonderneming die we hadden verworven vier jaar voordat McDougal Madison Guaranty kocht. Vanwege onze voormalige band met McDougal raakten we echter ten onrechte verwikkeld in de zakelijke tegenspoed die hem later trof. Tijdens de presidentscampagne van 1992 verschenen er aantijgingen in de pers, die al snel werden weerlegd, dat McDougal vanwege zijn zakelijke relatie met ons tijdens het gouverneurschap van Bill speciale gunsten van de staat Arkansas had ontvangen. Het verhaal raakte op de achtergrond toen Bill en ik konden aantonen dat wij geld hadden verloren in het Whitewater-project en dat, terwijl Bill gouverneur was, het Arkansas Securities Department de federale bestuurders zelfs had aangespoord McDougal te ontslaan en Madison Guaranty te sluiten.

Nu meldde *The Washington Post* dat rechercheurs van de RTC bezig waren met een onderzoek naar de beschuldiging dat McDougal zijn hypotheekbank had gebruikt om illegaal geld door te sluizen naar politieke campagnes in Arkansas, waaronder Bills herverkiezingscampagne voor het gouverneurschap in 1986. Ik was ervan overtuigd dat het allemaal met een sisser zou aflopen. Bill en ik hadden nooit geld in Madison Guaranty gestoken of geld ervan geleend. En wat de campagnebijdragen betreft, Bill had een wetswijziging doorgevoerd om per verkiezing een maximumgrens van 1500 dollar voor iedere bijdrage vast te stellen. McDougal was al aangeklaagd, berecht en vrijgesproken door de federale overheid vanwege aanklachten die voortkwamen uit zijn operatie met Madison Guaranty nog voordat Bill zich in de presidentsverkiezingen mengde.

Bill en ik waren ons niet bewust van de politieke betekenis van deze hernieuwde belangstelling voor Whitewater; waarschijnlijk heeft dat bijgedragen aan enkele pr-blunders die we hebben begaan bij de aanpak van deze groeiende controverse. Maar ik had nooit kunnen voorspellen hoever onze tegenstanders deze zaak zouden doordrijven.

De naam Whitewater kwam te staan voor een eindeloos onderzoek naar onze levens, waarvoor de belastingbetaler alleen al in verband met de nasporing van de onafhankelijke aanklager meer dan zeventig miljoen dollar moest neertellen en dat geen enkel incriminerend feit heeft opgeleverd. Bill en ik werkten vrijwillig met de rechercheurs samen. Elke keer wanneer zij een nieuwe beschuldiging inbrachten of lieten uitlekken, keken we nog eens goed achter ons om te zien of we niet iets belangrijks over het hoofd hadden gezien of waren vergeten. Maar toen de ene na de andere beschuldiging werd geuit, beseften we dat we spoken achterna joegen in een spiegelpaleis: we holden achter een geestverschijning aan, die plotseling verdween om achter ons weer op te duiken. Whitewater kwam ons nooit reëel voor, omdat het dat niet was. Het doel van het onderzoek was de president en de regering in diskrediet te brengen en haar momentum te vertragen. Het deed er niet toe waar de onderzoeken over gingen; het ging er alleen maar om dat er iets werd onderzocht. Het deed er niet toe dat wij niets verkeerd hadden gedaan; het ging er alleen maar om dat het publiek de indruk kreeg dat dit wel het geval was. Het deed er niet toe dat de onderzoeken de belastingbetalers tientallen miljoenen dollars hebben gekost; het ging er alleen maar om dat de levens van ons en het werk van de president keer op keer overhoop werden gehaald. Whitewater markeert een nieuwe tactiek in politieke oorlogvoering: onderzoek als wapen van politieke vernietiging. 'Whitewater' werd een handig verzamelbegrip voor ongeacht welke aanvallen die onze politieke tegenstanders maar konden verzinnen. Whitewater was van begin af aan een politieke oorlog die tijdens het hele presidentschap van Bill Clinton bleef voortwoeden.

Soms kwam Whitewater mij voor als een nieuwe wending in een oud verhaal met bekende hoofdpersonages; meer een vervelende bijkomstigheid dan een echte bedreiging. In het licht van het Halloween-artikel in *The Washington Post* en een vergelijkbaar artikel dat vlak daarna in *The New York Times* verscheen, leek het ons verstandig uit voorzorg een privé-advocaat in de arm te nemen. Bob Barnett, onze eigen advocaat, wist zichzelf Whitewater te besparen omdat zijn vrouw, Rita Braver, een Witte-Huiscorrespondent voor CBS was. Bob raadde ons David Kendall aan, zijn collega bij Williams and Connolly.

We kenden David al jaren. Hij was weliswaar een paar jaar ouder dan Bill en ik, maar we hadden wel nog samen op de rechtenfaculteit van Yale gezeten. Net als Bill was ook David een Rhodes-student. En net als ik kwam hij uit het Midwesten – David was geboren en getogen op een farm op het platteland van Indiana – waardoor we van nature een bepaalde band hadden. Hij werd al snel een plechtanker in ons leven.

David was geknipt voor deze taak. Hij was griffier geweest bij het Hooggerechtshof onder rechter Byron White en had ervaring met bedrijfsrecht en met zaken die veel media-aandacht trokken. In de jaren tachtig had hij in Texas diverse hypotheekbanken vertegenwoordigd, dus kende hij het klappen van de zweep in die materie. Tegelijkertijd had hij een onwrikbaar sociaal geweten. Aan de muur in zijn kantoor heeft David een kopie ophangen van zijn arrestatierapport uit Mississippi, waar hij korte tijd in de gevangenis had gezeten nadat hij tijdens de stemrecht-demonstratie in de Freedom Summer van 1964 was gearresteerd. In een van zijn eerste opdrachten als advocaat verdedigde hij doodstrafgevallen voor het NAACP Legal Defense Fund.

Net als alle echt goede advocaten heeft David het talent om ogenschijnlijk willekeurige en niet-samenhangende feiten tot een overtuigend verhaal samen te smeden. Maar met de reconstructie van het verhaal van Whitewater zou hij zijn vaardigheden bewijzen. Eerst nam hij de dossiers uit het kantoor van Vince Foster over, die na Vinces dood waren overgedragen aan Bob Barnett. Daarna traceerde hij andere documenten, van Washington tot Flippin, in Arkansas, vlak bij de Whitewater-grond.

In de volgende drie maanden kwam David ons ongeveer een keer per week in het Witte Huis opzoeken. Gefascineerd luisterde ik toe hoe hij ons op de hoogte bracht van zijn bevindingen, hoe hij de puzzelstukjes van het Whitewater-dossier in elkaar probeerde te passen en de steeds grilliger wordende investeringen van Jim McDougal onderzocht. Het papierspoor van McDougal reconstrueren, zei hij, was vergelijkbaar met rook wegscheppen.

Bill noch ik had ooit het Whitewater-project bezocht; we kenden het alleen van foto's. David vond dat hij de plek met eigen ogen moest zien om de zaak goed te kunnen begrijpen. Hij vloog naar het zuiden van Missouri (dat dichter bij het terrein lag dan Little Rock) en huurde een auto. Hij verdwaalde op de binnenwegen en met uren vertraging kwam hij eindelijk uit op een ruw pad dat met een bulldozer door de bossen was aangelegd en eindigde bij het afgelegen Whitewater-terrein. Hier en daar hingen bordjes 'Te koop', maar er was niemand thuis. Als hij een paar maanden later was teruggekeerd, nadat de media bezit hadden genomen van het terrein om foto's te maken en iedereen te interviewen die ook maar op een of andere manier met Whitewater te maken had, zou David op een van de weinige bewoonde huizen een groot bord hebben zien hangen met de tekst: 'Idioten, ga naar huis!'

Uiteindelijk kwam David de huidige eigenaar van enkele Whitewater-percelen op het spoor: een lokale onroerendgoedmakelaar uit Flippin, Chris Wade. We wisten niet dat McDougal ergens in mei 1985 de resterende vierentwintig percelen van de onderneming aan Wade had verkocht. Hoewel we nog steeds partners waren, had McDougal ons niet geïnformeerd, ons niet gevraagd de overeenkomst te beëindigen of aangeboden de opbrengst van 35 000 dollar te delen. We wisten al evenmin dat McDougal in deze transactie een Piper Seminole-vliegtuig had verworven dat zijn 'bedrijfsvliegtuig' werd.

Halverwege de jaren tachtig was McDougal voorzitter van een klein bedrijfsimperium, althans op papier. In 1982 had hij een kleine spaarbank gekocht, Madison Guaranty, en snel de geldkraan opengedraaid. Voorzover David Kendall kon nagaan, waren Jims transacties meestal dubieus. Hij wilde de populistische bankier met de grote ideeën uithangen. Om een understatement van David aan te halen: hij pleegde 'al te optimistische investeringen'. Maar toen hij de betalingen niet meer kon voldoen, begon McDougal met geld te schuiven: hij leende wat van Peter om Joe te kunnen betalen. Zonder dat wij ervan wisten, heeft hij ooit zelfs Whitewater Development Company gebruikt om onroerend goed te kopen bij een caravanterrein ten zuiden van Little Rock, dat hij vol vertrouwen 'Castle Grande Estates' doopte. Het zou jaren kosten om zijn web van zakenpartners en mislukte projecten te ontrafelen.

Madison Guaranty begon als duizenden andere hypotheekbanken die kleine leningen verstrekten. Toen de regering-Reagan in 1982 de hypotheekindustrie dereguleerde, konden plotseling eigenaars als McDougal grote, roekeloze leningen afsluiten buiten hun eigen zaken om, en daarmee brachten zij uiteindelijk de hele branche, inclusief Madison Guaranty, in grote financiële problemen. Een van de manieren die de directeuren van hypotheekbanken en hun advocaten hadden bedacht om slecht lopende zaken te redden was het verwerven van kapitaal door het aanbieden van preferente aandelen, iets wat ze nota bene mochten doen met toestemming van de overheid. In 1985 stelde Rick Massey, een jonge advocaat bij Rose Law Firm, samen met een vriend die voor McDougal werkte, precies zo'n remedie voor Madison Guaranty voor. Omdat McDougal bij Rose nog een openstaande rekening voor juridische ondersteuning had lopen, stond de firma erop dat hij maandelijks een voorschot van tweeduizend dollar zou betalen, voordat Massey aan het werk ging. Mijn partners vroegen mij of ik McDougal het verzoek tot het voorschot wilde doen en 'factuurpartner' van Massey wilde worden, aangezien hij als junior medewerker zelf nog geen facturen mocht indienen bij cliënten. Nadat ik het voorschot had geregeld, was het met mijn eigen betrokkenheid bij het hele verhaal grotendeels gedaan. De aandelenuitgifte is nooit door de overheid van Arkansas goedgekeurd en de federale dienst voor hypotheekbanken nam Madison Guaranty over, zette McDougal af als voorzitter en begon een onderzoek naar de transacties van de hypotheekbank omdat McDougal werd verdacht van zelfverrijking.

Het federale onderzoek en de gerechtelijke vervolging die vervolgens tegen McDougal zijn ingesteld, deden jarenlang een zware aanslag op zijn vermogen. In 1986 benaderde hij ons met de vraag of we afstand wilden doen van ons aandeel van vijftig procent in Whitewater Development Company. Ik vond dat een geweldig idee. We hadden onze investering acht jaar daarvoor gedaan, en ze had ons alleen maar geld gekost. Maar voordat we afstand deden van onze aandelen, vroeg ik McDougal onze namen van de hypotheekakte te verwijderen en in ruil voor de verwerving van het restant van de aandelen van het bedrijf ook de resterende schuld op zich te nemen en ons te ontslaan van bestaande en toekomstige verplichtingen. Toen hij daar bezwaar tegen maakte, begonnen er belletjes in mijn hoofd te rinkelen. Voor de eerste keer sinds we in 1978 partners werden, vroeg ik om inzage in de boeken. Mij is vaak gevraagd waarom ik dat nooit eerder heb gedaan en hoe ik zo slecht op de hoogte had kunnen zijn van McDougals acties. Die vraag heb ik mezelf ook gesteld. Ik dacht gewoon dat we een slechte investering hadden gedaan en dat we de prijs moesten betalen voor het feit dat we onroerend goed hadden gekocht op het moment dat de hypotheekrente de lucht in schoot. We zaten met een verliesgevend project en moesten wachten totdat de markt zich weer ten goede keerde of totdat we konden verkopen. Ik had geen enkele reden McDougal te wantrouwen; in de jaren zeventig had hij op het gebied van investeringen een indrukwekkende staat van dienst opgebouwd en ik bedacht dat hij niet van elke baal stro goud kon spinnen. Wanneer McDougal zei dat we bepaalde schulden moesten betalen, deed ik dat gewoon en richtte me op de belangrijkere facetten in mijn leven, zoals mijn kind, de diverse verkiezingen van mijn man en mijn advocatenpraktijk. Met hulp van Susan McDougal wist ik in een behoorlijk aantal maanden tijd de Whitewater-documenten bij elkaar te krijgen en gaf ze ter analyse aan mijn accountant. De documenten bleken één grote chaos te zijn en Whitewater was een regelrecht fiasco. Ik vond dat Bill en ik alles op orde moesten zien te krijgen en ons vervolgens moesten terugtrekken uit de puinhoop die McDougal ervan had gemaakt. Gezien de problemen waarin McDougal verkeerde, duurde dat jaren.

Om te beginnen wilde ik elke mogelijke verplichting die de onderneming had tegenover de fiscus van Arkansas, nakomen en de plaatselijke grondbelasting betalen. Whitewater had nooit geld opgeleverd, maar de onderneming moest wel aangifte van de vennootschapsbelasting indienen, iets wat McDougal de afgelopen jaren had nagelaten, zoals ik in 1989 ontdekte. Hij had geen grondbelasting betaald, ofschoon hij ons had verzekerd dat hij dat wel had gedaan. Om de belastingen alsnog te kunnen betalen, moest ik de handtekening hebben van een van de bestuurders van Whitewater, en dat waren de McDougals. Ik heb een jaar lang geprobeerd een juridische volmacht van Mc-Dougal te krijgen, zodat ik de belastingaangiften kon indienen, de belastingen betalen en de grond verkopen om de schulden te dekken.

Intussen viel Jim McDougals leven in duigen. Zijn vrouw Susan had hem in 1985 verlaten en was later naar Californië verhuisd. Het jaar daarna kreeg hij een ernstige beroerte, die de manische depressiviteit waaraan hij blijkbaar al een hele poos leed, nog verergerde. Ik voelde er weinig voor contact op te nemen met Jim; daarom belde ik in 1990 met Susan in Californië, legde haar uit wat ik wilde doen en vroeg haar of zij als secretaris van de onderneming wilde tekenen. Ze ging akkoord, ik stuurde haar de papieren toe en zij stuurde ze ondertekend weer terug. Toen Jim hierachter kwam, werd hij razend. Hij schold Susan via de telefoon de huid vol en belde mijn kantoor om mij te bedreigen. Hij was mijn vijand geworden.

McDougal raakte nog meer verbitterd toen hij op acht punten werd aangeklaagd en terechtstond voor samenzwering, fraude, valsheid in geschrifte en belastingontduiking. Hij meldde zich bij een psychiatrisch ziekenhuis voordat zijn zaak in 1990 voorkwam. Hij vroeg Bill om als *character witness* in zijn voordeel te getuigen, maar ik wist Bill hiervan te weerhouden. Bill is altijd bereid iedereen, met name oude vrienden, het voordeel van de twijfel te gunnen, maar ik vond dat hij niet kon instaan voor McDougal. We realiseerden ons allebei dat we niet wisten wat voor man hij werkelijk was en wat hij al die jaren had uitgespookt. Nadat de jury hem had vrijgesproken, bedreigde McDougal me opnieuw, en deze keer liet hij weten dat hij me zou laten boeten voor mijn belastingaangifte van Whitewater Company.

En hij voegde de daad bij het woord, met aanzienlijke hulp van Bills politieke tegenstanders. Sheffield Nelson was een selfmade oud-directeur van de Arkansas-Louisiana Gas Company (ARKLA) die naar de Republikeinse Partij was overgestapt om in 1990 met Bill de strijd om het gouverneurschap aan te gaan. Nelson was gewend zijn zin te krijgen en na zijn verkiezingsnederlaag was hij dan ook zeer wraakzuchtig. Zodra Bill in 1991 zijn kandidatuur voor het presidentschap aankondigde, liet Nelson het Witte Huis onder Bush weten dat hij alle hulp wilde bieden om Bill te verslaan. In het kader daarvan overtuigde hij McDougal ervan dat hij zo veel mogelijk aantijgingen tegen Bill en mij in de openbaarheid moest brengen, ongeacht wat de feiten waren.

Dit resulteerde in een eerste 'Whitewater'-verhaal, een artikel op de voorpagina van de zondagseditie van *The New York Times* in maart 1992, midden in de Democratische voorverkiezingen.

Jim McDougal kreeg in het artikel alle ruimte om onwaarheden over ons partnerschap te spuien. De schrijver pakte flink uit over onze 'gecompliceerde relatie' met McDougal en impliceerde op valse gronden dat wij dankzij Jim geld hadden verdiend bij de Whitewater-deal en dat hij van ons daarvoor bepaalde gunsten had ontvangen. Ondanks de ronkende kop boven het artikel – 'Clintons in zee met hypotheekbankeigenaar in vastgoedonderneming in Ozark Hills' – dateerde onze transactie met de McDougals van vier jaar voordat Jim de hypotheekbank had gekocht. De campagnestaf van Bill huurde onmiddellijk Jim Lyons in, een gerespecteerde bedrijfsadvocaat uit Denver, die op zijn beurt een firma van gerechtsaccountants in de arm nam om de documenten van de Whitewater-investering te verzamelen en te analyseren.

Het rapport van Lyons, dat slechts 25 000 dollar kostte en binnen drie weken werd afgerond, bewees dat Bil en ik evenzeer aansprakelijk waren voor de oorspronkelijke lening die we aangewend hadden om de Whitewater-percelen te kopen, als de McDougals, en dat we op de investering tienduizenden dollars hadden verloren: het uiteindelijke bedrag bedroeg meer dan 46 000 dollar. Tien jaar en tientallen miljoenen dollars later ondersteunde het definitieve Whitewater-rapport van de onafhankelijke aanklager uit 2002 de bevindingen van Lyons, evenals een afzonderlijk onderzoek waartoe was opgedragen door de Resolution Trust Corporation (RTC). Nadat het Lyons-rapport in maart 1992 was gepubliceerd, verloor de pers haar belangstelling. Maar sommige Republikeinen en hun bondgenoten gaven niet zo snel op. In augustus 1992 diende een lagere RTC-rechercheur, L. Jean Lewis, een juridische aanklacht in met betrekking tot Madison Guaranty, die probeerde Bill en mij te impliceren. Chuck Banks, de Republikeinse landsadvocaat in Little Rock die door president Bush tot federaal rechter was benoemd, werd door het ministerie van Justitie van Bush onder druk gezet om stappen te ondernemen naar aanleiding van deze aanklacht en ons te dagvaarden voor de Kamer van Inbeschuldigingsstelling (*grand jury*); deze dagvaardingen zouden natuurlijk openbaar worden en suggereren dat wij op een of andere manier bij een strafrechtelijk onderzoek betrokken zouden zijn. Banks weigerde dat en toonde zich verbaasd dat de RTC hem deze informatie niet drie jaar eerder had gestuurd toen hij de gangen van Jim McDougal had onderzocht. Banks zei dat deze aanklacht hem geen basis gaf ons van illegale activiteiten te verdenken of een onderzoek tegen ons te gelasten; hij was bang dat een onderzoek van zijn kant naar buiten zou kunnen lekken en vlak voor de presidentsverkiezingen de campagne beïnvloeden. Het is enigszins verrassend dat het uiteindelijke Whitewater-rapport melding maakt van de betrokkenheid van de regering-Bush bij pogingen slechts een paar weken voor de verkiezingen een 'oktoberverrassing' uit de hoed te toveren. Niet alleen was minister van Justitie William Barr hierbij betrokken, maar ook probeerde de raadsman van het Witte Huis, Boyden Gray, informatie in te winnen over een mogelijke juridische verwijzing van de RTC die op ons betrekking had. Toen in het najaar van 1993 het rumoer rondom Whitewater weer de kop opstak, had niemand van ons in het Witte Huis kunnen vermoeden wat voor krachten zouden worden gemobiliseerd om een – voor onze tegenstanders – volmaakte politieke storm op te wekken.

Half november, toen Kendall nog de feiten aan het verzamelen was, diende *The Washington Post* een lange lijst met vragen over Whitewater en McDougal bij het Witte Huis in. In de daaropvolgende weken sudderde er een intern debat binnen de regering over de vraag hoe we op deze mediaverzoeken moesten reageren. Moesten we vragen beantwoorden? Moesten we inzage geven in documenten? Zo ja, welke? Onze politieke adviseurs, onder wie George Stephanopoulos en Maggie Williams, pleitten ervoor de documenten aan de media te geven. Dat was ook de mening van David Gergen, die onder Nixon, Ford en Reagan in het Witte Huis had gediend en was toegetreden tot Bills staf. Gergen argumenteerde dat de media niet zouden rusten voordat ze de informatie zouden krijgen, maar dat ze hun aandacht op andere zaken zouden richten zodra ze haar hadden. We hadden niets te verbergen, dus waarom niet? Het verhaal zou een tijdje flink wat aandacht krijgen en vervolgens overwaaien.

Maar David Kendall, Bernie Nussbaum en Bruce Lindsey, allemaal juristen, vonden het gevaarlijk om documenten aan de pers te overhandigen. Aangezien het dossier nog niet was afgerond, en misschien ook nooit afgerond zou worden, konden we veel vragen over McDougal en zijn zakelijke acties niet beantwoorden. De media zouden niet tevreden zijn; ze zouden altijd denken dat we iets achterhielden terwijl we in feite niet meer informatie te bieden hadden. Als jurist was ik geneigd me bij dit standpunt aan te sluiten. Bill schonk niet veel aandacht aan de zaak omdat hij wist dat hij als gouverneur McDougal geen gunsten had verleend, en bovendien: wij hadden geld verloren. Zijn taken als president namen hem volledig in beslag en hij vroeg mij met David te bepalen hoe we op de mediaverzoeken zouden reageren.

Vanwege onze ervaring met de impeachment-procedure tegen Nixon in 1974 besloten Bernie en ik volledige medewerking te verlenen aan het overheidsonderzoek, zodat niemand met recht kon beweren dat we tegenwerkten of onschendbaarheid claimden. Daarom liet ik David de overheidsrechercheurs inlichten dat we hen vrijwillig van alle documenten zouden voorzien en zouden meewerken aan een onderzoek voor de Kamer van Inbeschuldiging-stelling. Ik dacht, ten onrechte naar later bleek, dat de media ons niet langer op de nek zouden zitten vanwege onze weigering hun dezelfde documenten te geven, aangezien we ze immers wel aan het ministerie van Justitie overhandigden.

Vlak voordat het ministerie van Justitie een dagvaarding verstuurde, lieten we via David weten dat we volledig en zonder uitstel wilden samenwerken, dat we alle documenten zouden overhandigen die we over Whitewater konden vinden en dat we met betrekking tot de documenten die we afstonden, inclusief het werk dat Vince Foster als onze persoonlijke advocaat voor ons had gedaan, zouden afzien van onschendbaarheid.

Ervan overtuigd dat dit non-schandaal zou overwaaien, zoals ook tijdens onze campagne was gebeurd, reisden we af naar Camp David om Thanksgiving te vieren. Dit was een bitterzoete tijd voor ons. Mijn vader zou niet aan tafel met Hugh en Tony zitten vechten om een van de drumsticks of vragen om nog een portie cranberry's en watermeloen in het zuur, twee van zijn lievelingsgerechten uit zijn jeugd. En we wisten dat Virginia's gezondheid achteruitging. Misschien was dit onze laatste Thanksgiving met haar en we wilden haar beslist een heerlijke tijd bezorgen en haar verwennen zonder al te veel drukte, want dat paste gewoon niet bij haar. Virginia had om de paar dagen een bloedtransfusie nodig, en we regelden dat ze die transfusie kon krijgen in Camp David, dat volledig is toegerust om medische zorg te verlenen aan de president, zijn familie en gasten en de matrozen en mariniers die er gestationeerd zijn.

Virginia's echtgenoot Dick, die tijdens de Tweede Wereldoorlog in de Stille Oceaan bij de marine had gediend, genoot van zijn bezoekjes aan Camp David. Hij bracht heel wat uren door bij de jonge mariniers die in hun vrije tijd in het kleine café-restaurant in Hickory Lodge op de basis zaten. Virginia ging erbij zitten, haar drankje koesterend en luisterend naar een twintigjarige korporaal die haar vertelde over zijn familie en het meisje dat hij wilde trouwen. Ik zie haar nog voor me in haar rode laarzen, witte broek en sweater, en rood leren jasje; grappen maken en lachen met Dick en de jonge mannen. Iedereen die langere tijd van Virginia's gezelschap heeft mogen genieten, heeft haar leren kennen als een echte Amerikaanse: groot hart, opgewekt gemoed, gevoel voor humor en zonder enige vooroordelen of pretenties.

Begin november berichtte de pers dat haar kanker was teruggekeerd, maar de meeste mensen wisten niet hoe ernstig haar situatie was. Dat kwam door haar positieve houding en doordat ze zich goed bleef verzorgen. Hoe ze zich ook voelde, ze vertoonde zich nooit zonder make-up en valse oogwimpers. Christophe Schatteman, onze bevriende hairstylist uit Los Angeles, was naar Arkansas gevlogen om de pruiken die Virginia na haar chemokuur droeg, dezelfde coupe te geven als haar eigen haar, een genereuze daad die boekdelen over hem spreekt.

Mijn broer Tony had zich onlangs verloofd met Nicole Boxer, de dochter van senator Barbara Boxer van Californië en haar echtgenoot Stewart. We wilden in het voorjaar het huwelijk van Tony en Nicole in het Witte Huis houden; daarom had ik ook Nicole, haar ouders en haar broer Doug uitgenodigd om Thanksgiving met ons te vieren in Camp David.

Camp David is een eeuwigdurend werk in uitvoering, aangezien iedere nieuwe president en First Lady hun persoonlijke toets aan het kamp toevoegen. Nadat het tijdens de Depressie in de jaren dertig van de vorige eeuw als strafkamp was gebouwd, besloot president Franklin Roosevelt het voor het eerst als presidentieel buitenverblijf te gebruiken. Hij noemde het 'Shangri-la' en begon de eerste verbeteringen aan te brengen. Tegen de tijd dat wij er kwamen, stonden er tien rustieke jachthutten voor gasten, die allemaal naar bomen waren vernoemd. Het grootste gastenverblijf, Aspen, is gereserveerd voor de president en ligt boven op een heuvel die afloopt naar de green die door president Eisenhower is aangelegd en de vijver die daar door president Nixon aan is toegevoegd. De ramen van de huiskamer kijken uit over het natuurreservaat dat om Camp David heen ligt. De hekwerken, camera's en marinedetachementen die eraan herinneren dat deze vredige omgeving in feite een militaire basis is, nog eens extra beveiligd vanwege de president, zijn aan het oog onttrokken.

Het centrum van Camp David is de grootste hut, Laurel, waar we bijeenkwamen om football te kijken, spelletjes te spelen, voor de grote open haard te zitten en onze maaltijden gezamenlijk te nuttigen. Na enige tijd merkte ik dat de centrale kamer in Laurel functioneler kon worden gemaakt en dat er beter gebruik kon worden gemaakt van het uitzicht. Er waren maar een paar ramen in de lange achterwand die op de bossen uitkeken, en een grote zuil blokkeerde de doorgang in de kamer. Ik werkte met de marine en mijn vriend Kaki Hockersmith, een binnenhuisarchitect uit Arkansas, aan de plannen voor een renovatie waarbij de pilaar werd verwijderd en een paar extra ramen werden toegevoegd waardoor er meer licht in de vertrekken kwam, zodat we de veranderingen van de seizoenen ook binnen konden volgen.

De koks en stewards van de marine prepareerden en serveerden een klassiek Thanksgiving-diner dat voldeed aan de verwachtingen van beide kanten van de familie. Doordat we de tradities van zowel Bills als mijn familie met elkaar verenigden, kregen we brood en maïsbroodvulling, pompoen en vruchtenpasteitjes. De buffettafels kreunden onder het gewicht van al het voedsel, en ieder van ons hield een traditie in ere die alle landstreken overstijgt: meer eten dan eigenlijk goed voor je is.

In dat weekend kwamen twee oude vrienden op bezoek: Strobe Talbott, toentertijd ambassadeur in algemene dienst voor de nieuwe onafhankelijke staten van de voormalig Sovjet-Unie, later onderminister van Buitenlandse Zaken, en Brooke Shearer, directeur van het White House Fellows Program en mijn partner tijdens de campagne; ze hadden hun zonen meegenomen. We spraken niet veel over Whitewater, dat we slechts beschouwden als een kortstondig bliepje op het radarscherm. In plaats daarvan bespraken we de gebeurtenissen van het afgelopen jaar. We koesterden grote verwachtingen voor de toekomst van ons land. We hadden op persoonlijk vlak een moeilijk jaar achter de rug, maar wat betreft Bills agenda ook een productief jaar. We waren misschien traag uit de startblokken gekomen, maar begonnen op stoom te raken. Het land vertoonde tekenen van economisch herstel en een vergroot consumentenvertrouwen: de werkloosheid was gedaald tot 6,4 procent, het laagste percentage sinds het begin van 1991. De huizenverkoop steeg terwijl rentepercentages en inflatie daalden. Naast het economische plan, dat wezenlijk was voor de nog nooit vertoonde groei, had Bill de National Service Act getekend, waarmee de oprichting van AmeriCorps een feit was; de Family and Medical Leave Act, waarover president Bush tot tweemaal toe een veto had uitgesproken; de Motor-Voter-wet, die het werkende mensen mogelijk maakte zich op de kieslijst te laten inschrijven wanneer ze hun rijbewijs gingen ophalen; directe studiefinanciering, waardoor de drempel om hoger onderwijs te gaan volgen werd verlaagd; en een van Strobes prioriteiten, economische hulp aan Rusland om die jonge democratie een steun in de rug te geven.

Een paar pondjes zwaarder, maar verkwikt en wel, keerden we na de feestdagen terug. Ik was met name blij dat Bill op 30 november 1993 de Brady Handgun Violence Prevention Act had ondertekend. Net als de Family and Medical Leave Act had Bush ook deze wet tegengehouden. Het was een verstandige wet die veel te lang op zich had laten wachten. De wet regelde dat iedereen die een pistool koopt, vijf dagen moet wachten, zodat intussen de achtergrond van die persoon kon worden nagetrokken. De wet zou niet mogelijk zijn geweest zonder de onvermoeibare inspanningen van James en Sarah Brady. James, een voormalige persvoorlichter van het Witte Huis, had hersenletsel opgelopen toen hij in 1981 bij een moordaanslag op president Reagan door een verwarde man in het hoofd was getroffen. Hij en zijn onvermoeibare vrouw Sarah hadden zich ervoor ingezet dat criminelen en geestelijk gestoorden geen vuurwapens meer konden kopen. Hun doorzettingsvermogen resulteerde in een uiterst emotionele scène in de East Room, toen Bill, geflankeerd door de Brady's, de belangrijkste vuurwapenwet in vijfentwintig jaar tekende. In de jaren daarna is geen enkele legale vuurwapenbezitter zijn wapens kwijtgeraakt, maar is voorkomen dat zeshonderdduizend voortvluchtigen, stalkers en criminelen wapens hebben kunnen kopen.

NAFTA werd op 8 december 1993 geratificeerd. Dat betekende dat de regering zich eindelijk volledig kon richten op de herziening van de gezondheidszorg. Om de belangstelling levend te houden, waren dr. Koop en ik weer de boer op gegaan. Op 2 december spraken we achthonderd artsen en werknemers in de gezondheidszorg toe op het Tri State Rural Health Care Forum in Hanover, New Hampshire.

Dr. Koop was een steeds enthousiaster pleitbezorger van ons plan voor de gezondheidszorg geworden. Hij sprak als een oudtestamentische profeet. Hij kon de harde waarheid voor het voetlicht brengen zonder protesten op te roepen. Hij zei bijvoorbeeld: 'We hebben te veel specialisten in de gezondheidszorg, en te weinig generalisten', en een hele zaal vol specialisten zat instemmend mee te knikken.

Het forum in New Hampshire werd op tv uitgezonden. Het was dus een bijzonder belangrijk moment in onze campagne en een geweldige gelegenheid de sterke punten van het plan-Clinton uit te leggen. Ik ging helemaal op in de discussie. Op een gegeven moment keek ik naar het publiek en zag mijn adjudant Kelly Craighead door het middenpad van het auditorium kruipen. Ze maakte verwoede gebaren, sloeg tegen haar hoofd en wees naar mij. Ik bleef doorpraten en luisteren, en kon er niet achter komen wat ze aan het doen was.

Arme Kelly. Er was weer eens een haarcrisis. Capricia Marshall, die in Washington de bijeenkomst op tv volgde, had gezien dat boven op mijn hoofd een pluk haar recht omhoogstak. Ze kreeg het vermoeden dat het publiek naar mijn haar zat te staren in plaats van naar mijn verhaal te luisteren. Daarom had ze Kelly op haar mobieltje gebeld: 'Zorg dat ze d'r haar weer plat krijgt!'

'Dat kan niet. Er zitten honderden mensen in de zaal.'

'Maakt niet uit. Geef haar een seintje!'

Toen Kelly me na afloop het verhaal vertelde, moesten we allemaal hartelijk lachen. Na een klein jaar in mijn nieuwe leven begon ik eindelijk het belang van het onbelangrijke in te zien. Vanaf dat moment ontwikkelden we een systeempje met handgebaren, zodat ik wist wanneer ik mijn haar moest pletten of de lippenstift van mijn tanden vegen.

Terug in Washington waren de kerstrituelen in het Witte Huis in volle gang. Ik kon alle begrip hebben voor de surrealistische planning waartoe Gary Walters, mijn hoofdportier, mij op een warme dag in mei had aangespoord: 'Mevrouw Clinton, het wordt werkelijk de hoogste tijd om aan de voorbereidingen voor Kerstmis te beginnen.' Hij vertelde me dat ik een besluit moest nemen over de kerstkaarten van het Witte Huis, een thema voor de versieringen moest kiezen en de feestjes plannen die we in december zouden geven. Ik vind Kerstmis een heerlijk feest, maar ik begon er altijd pas aan te denken na Thanksgiving. Dit betekende dus een grote ommezwaai in mijn manier van plannen. Maar ik paste me plichtsgetrouw aan en terwijl de geur van magnolia's door de open ramen naar binnen waaide, begon ik de foto's met besneeuwde gazons voor het Witte Huis te bekijken.

Al die maanden van voorbereidingen betaalden zich uit. Ik besloot van Amerikaanse ambachten mijn thema te maken en we nodigden ambachtslieden uit heel het land uit om handgemaakte versieringen op te sturen, die we ophingen in de meer dan twintig bomen die verspreid door de residentie stonden opgesteld. We hielden drie weken lang één receptie of feest per dag. Ik vond het leuk programma's en activiteiten te plannen en toezicht te houden op de tientallen vrijwilligers die door het Witte Huis zwierven om de versieringen op te hangen. Een van de ongelukkige gevolgen van de aanslagen op 11 september 2001 is dat het Witte Huis niet meer zo toegankelijk is als in onze tijd. Tijdens onze eerste adventstijd in het Witte Huis kwamen er zo'n 150 000 bezoekers naar de publiek toegankelijke kamers om de versieringen te bekijken en een paar koekjes te proeven. Omdat we mensen van alle geloofsovertuigingen tijdens de feestdagen wilden uitnodigen, ontstaken we die decembermaand de eerste menora in het Witte Huis om het chanoekafeest te vieren. Drie jaar later vierden we het eerste suikerfeest in het Witte Huis om het einde van de ramadan, de islamitische vastenmaand, te gedenken.

Voor de Clintons is Kerstmis altijd een bijzondere gebeurtenis. Bill en Chelsea zijn enthousiaste shoppers, cadeautjesinpakkers en boomversierders. Ik vond het heerlijk om hen samen de kerstboom te zien optuigen en bij iedere versiering herinneringen op te halen over de herkomst ervan. Dit jaar was het niet anders, hoewel het even duurde voordat we onze eigen kerstversieringen hadden gevonden. Veel van onze bezittingen waren ingepakt gebleven in ongemerkte dozen die ergens in kamers op de tweede verdieping van het Witte Huis of in het presidentiële magazijn in Maryland gestouwd waren. Maar uiteindelijk hingen onze geliefde kerstmissokken aan de schoorsteenmantel van de open haard in de Yellow Oval Room, in een huis dat langzaam ons huis begon te worden.

Dit zou Virginia's laatste kerstfeest worden. Zij werd nu steeds zwakker en had iedere dag een transfusie nodig. De onverzettelijke mevrouw Kelley was echter vastbesloten met volle teugen te genieten van ieder laatste moment van haar leven, en Bill en ik wilden dat ze zo veel mogelijk tijd met ons zou doorbrengen. Daarom probeerden we haar over te halen een week te blijven logeren. Ze stemde toe, maar zei dat ze niet tot oudjaar kon blijven omdat zij en Dick naar een concert van Barbra Streisand in Las Vegas gingen. Virginia had een hechte vriendschap met Barbra ontwikkeld, die hen uitgenodigd had voor haar langverwachte comebackconcert. Ik denk dat dit reisje voor Virginia de motivatie was om door te leven, want er was niets waarvan ze meer genoot dan van een rondje langs de casino's en een kans om een live optreden van Barbra Streisand bij te wonen.

De media-aandacht voor Whitewater hield tijdens de feestdagen onverminderd aan. *The New York Times, The Washington Post* en *Newsweek* probeerden elkaar voortdurend primeurs af te snoepen. Republikeinen in het Huis en de Senaat, met name Bob Dole, riepen om een 'onafhankelijk onderzoek' naar de Whitewater-affaire. De Independent Counsel Act, die na het Watergate-schandaal was aangenomen, was onlangs verlopen, en onderzoeken moesten nu worden goedgekeurd door de minister van Justitie. De druk werd iedere dag groter, hoewel er geen feiten waren die ook maar enigszins voldeden aan het enige criterium om een speciale aanklager te benoemen: geloofwaardig bewijs van illegale activiteiten.

Vince Foster werd nog tot in zijn graf achtervolgd. Een week voor Kerstmis meldde de pers dat een aantal van zijn dossiers, waaronder Whitewater-documenten, door Bernie Nussbaum uit zijn kantoor waren 'verdonkeremaand'. Het ministerie van Justitie wist natuurlijk wel dat de persoonlijke dossiers in het bijzijn van juristen van het ministerie en van FBI-agenten uit Vinces kantoor waren weggehaald, aan onze advocaten overhandigd en nu werden overgedragen aan het ministerie van Justitie voor onderzoek. Maar het uitlekken van dit 'nieuws' rakelde het smeulende vuurtje weer op.

Op dat moment werden we geconfronteerd met een schandalige aanval van onze tegenstanders. Op zaterdag 18 december hield ik een receptie, toen ik een telefoontje kreeg van David Kendall.

'Hillary,' zei hij, 'ik moet je een zeer onaangenaam verhaal vertellen...'

Ik ging zitten en hoorde hoe David een samenvatting gaf van een lang, gedetailleerd artikel dat zou verschijnen in *American Spectator*, een rechts maandblad dat regelmatig de regering onder vuur nam. Het artikel, geschreven door David Brock, stond vol met de walgelijkste leugens die ik ooit had gehoord, erger dan de obscene rommel uit de roddelbladen. Brocks voornaamste bronnen waren vier politieagenten van Bills voormalige lijfwacht uit Arkansas. Ze beweerden onder andere dat ze vrouwen voor Bill hadden geritseld toen hij gouverneur was. Jaren later zou Brock zijn bewering herroepen in een verbijsterend boek waarin hij zijn politieke drijfveren uit die tijd uiteenzette.

'Luister, het is niet meer dan een hoop bagger, maar het komt wel in de publiciteit,' zei David. 'Je moet je erop voorbereiden.'

Mijn eerste gedachten gingen uit naar Chelsea en naar onze moeders, die al meer dan genoeg hadden doorgemaakt.

'Wat kunnen we eraan doe?' vroeg ik David. 'Kunnen we er wel iets aan doen?'

Zijn advies was om rustig te blijven en niets te zeggen. Reacties van onze kant zouden alleen maar meer publiciteit voor het artikel opleveren. De lijfwachten waren aardig bezig twijfel te zaaien over hun betrouwbaarheid, aangezien ze schaamteloos van de daken riepen dat ze hoopten geld te verdienen aan hun verhalen. Twee van de vier maakten hun identiteit bekend en probeerden links en rechts te kijken of ze misschien ergens een contract voor een boek konden lospeuteren. Nog sprekender is het feit dat ze werden vertegenwoordigd door Cliff Jackson, een andere fervente politieke tegenstander van Bill uit Arkansas. Het merendeel van Brocks verhalen was te vaag om na te trekken, maar sommige details konden makkelijk worden ontzenuwd. Zo stond erin dat ik opdracht had gegeven de gastenboeken van de gouverneurswoning te vernietigen om Bills vermeende liaisons toe te dekken; maar in de gouverneurswoning zijn nooit gastenboeken bijgehouden. Helaas, het feit dat Brocks bronnen politieagenten waren geweest die voor Bill hadden gewerkt, verleenden hun verhalen een fineer van geloofwaardigheid.

De impact van het artikel drong volgens mij pas de volgende avond écht tot mij door, tijdens een kerstparty voor onze vrienden en familie in het Witte Huis. Lisa Caputo vertelde me dat twee van de lijfwachten die avond hun verhaal zouden uitventen op CNN en dat *The Los Angeles Times* een eigen versie van de beschuldigingen van de lijfwachten ging publiceren. Het werd me te veel. Ik vroeg me af of datgene wat Bill voor het land probeerde te doen, opwoog tegen de pijn en de vernederingen die onze vrienden en familie nu moesten ondergaan. Ik moet er net zo ontredderd hebben uitgezien als ik me voelde, want Bob Barnett kwam naar me toe om te vragen of hij iets voor me kon doen. Ik vertelde hem dat we de volgende dag een reactie klaar moesten hebben. Ik stelde voor om met Bill even naar boven te gaan om het door te spreken. Bill liep op en neer door de centrale hal, Bob knielde voor me terwijl ik wegzonk in een kleine stoel tegen de muur. Met zijn te grote bril en zijn milde gelaatstrekken ziet Bob eruit als je favoriete oom. Hij sprak me op kalmerende toon toe; het was duidelijk dat hij erachter probeerde te komen of we na alles wat er dit jaar was gebeurd, nog de kracht konden opbrengen voor een nieuwe strijd.

Ik keek hem aan en zei: 'Ik geloof gewoon niet dat ik dit allemaal nog een keer wil meemaken.'

Hij schudde het hoofd. 'De president is gekozen, en je moet in dit schuitje blijven zitten, voor het land en voor je familie. Hoe slecht het er ook lijkt voor te staan, je moet je erdoorheen zien te slaan,' zei hij. Hij vertelde me niets nieuws, en het was niet voor het eerst dat ik te horen kreeg dat mijn daden en woorden het presidentschap van Bill konden ondersteunen of juist ondermijnen. Ik wilde zeggen: 'Bill is gekozen, niet ik!' Verstandelijk gezien wist ik wel dat Bob gelijk had en dat ik alle energie bij elkaar zou moeten schrapen. Ik was bereid het te proberen. Maar ik voelde me zo moe. En op dat moment heel alleen.

Ik realiseerde me dat aanvallen op onze reputaties gevaar opleverden voor Bills inspanningen om het land een andere richting te geven. Vanaf het moment dat de campagne was begonnen, had ik gezien hoe de Republikeinen uit alle macht hun greep op het Witte Huis wilden behouden. Het feit dat Bills tegenstanders begrepen hoe hoog de inzet was, deed mijn vechtlust terugkeren. Ik ging naar beneden om me weer bij de feestgangers te voegen.

Er stonden enkele interviews op het programma die ik niet kon afzeggen. Op 21 december had ik een interview met Helen Thomas, de deken van het perskorps van het Witte Huis en een legendarische journaliste, en enkele andere radio- en tv-verslaggevers. Uiteraard vroegen ze me om een reactie op het artikel in de *Spectator*, en ik besloot hun een antwoord te geven. Volgens mij was het geen toeval dat deze aanvallen werden gelanceerd op het moment dat Bills populariteit volgens de peilingen haar hoogste punt had bereikt sinds de verkiezingen, en dat vertelde ik hun ook. En ik geloofde ook dat de verhalen werden rondgestrooid uit partijpolitieke en ideologische redenen.

'Ik denk dat mijn echtgenoot heeft bewezen dat hij werkelijk hart heeft voor dit land en het presidentsambt respecteert. En na afloop van zijn presidentschap zullen de meeste onpartijdige Amerikanen mijn echtgenoot beoordelen op zijn woorden en daden. En de rest van deze troep zal in de vuilnisbak belanden, waar die thuishoort.'

Het was niet bepaald de kalme, rustige reactie die David had aangeraden. Hoewel het eerste kwaad was geschied, begonnen de media eindelijk de motieven van de lijfwachten te onderzoeken. Het bleek dat twee van hen kwaad waren op Bill omdat zij het idee hadden dat Bill ondankbaar jegens hen was geweest. Ze waren ook onderwerp van een onderzoek geweest naar een vermeende verzekeringsfraude uit 1990, waarbij een dienstvoertuig waarin ze reden, total loss was geraakt. Een andere lijfwacht zou hebben beweerd dat Bill hem een baan bij de federale overheid had aangeboden in ruil voor zijn stilzwijgen; later tekende hij een beëdigd attest waarin hij verklaarde dat dit nooit was gebeurd. Maar het zou bijna tien jaar duren voordat we het volledige, huiveringwekkende verhaal te horen kregen van wat bekend werd als 'Troopergate'.

In een vlaag van gewetenswroeging bood David Brock, de schrijver van het artikel in de *Spectator*, in 1998 publiekelijk zijn verontschuldigingen aan Bill en mij aan voor de leugens die hij over ons had verspreid. Hij zei dat hij zozeer in beslag was genomen door het opbouwen van zijn 'rechtse geloofwaardigheid' dat hij had toegelaten dat hij politiek was misbruikt, hoewel hij getwijfeld had aan de betrouwbaarheid van zijn bronnen. Zijn autobiografie *Blinded by the Right*, uitgebracht in 2002, beschrijft zijn jaren als 'rechtse huurmoordenaar', zoals hij zichzelf betitelde. Hij beweert dat hij niet alleen op de loonlijst van de *Spectator* stond, maar onder de tafel ook kreeg betaald om alle smerigheid die mensen over ons vertelden, op te graven en in de openbaarheid te brengen. Een van zijn geheime beschermheren was Peter Smith, een financier uit Chicago en een steunpilaar van Newt Gingrich. Smith betaalde Brock om naar Arkansas te reizen en de lijfwachten te interviewen, een ontmoeting die door Cliff Jackson was geregeld. Volgens Brock inspireerde het succes van het lijfwachten-artikel Richard Mellon Scaife, een ultraconservatieve miljardair uit Pittsburg, om vergelijkbare verhalen te financieren via een clandestiene onderneming die 'Arkansas Project' heette. Via een educatieve stichting pompte Scaife ook honderdduizenden dollars in de *Spectator* om zijn vendetta tegen de Clintons te kunnen voeren.

De plot die door Brock en anderen wordt beschreven, is

ingewikkeld en de personages zijn perfide. Maar om de betekenis van Troopergate, de schandaalpersartikelen die eraan vooraf gingen en die nog zouden volgen volledig te kunnen doorgronden, is het belangrijk te weten wat er zich achter de schermen afspeelde. Dit was een totale politieke oorlog.

'Om mijn beginnende carrière als rechtse schandaalmaker op de rails te krijgen,' schrijft Brock, 'nam ik deel aan een bizarre en soms bespottelijke poging van goed betaalde, rechtse detectives om Clinton te besmeuren met goedkope persoonlijke aantijgingen. Deze inspanningen werden in samenwerking met de officiële Republikeinse Partij of Republikeinse organisaties verricht, maar voltrokken zich formeel buiten deze om. Bovendien onttrokken ze zich aan de radar van het Amerikaanse publiek en het perskorps. Naarmate de campagne voortschreed, gingen deze inspanningen veel verder dan het onderzoek naar de oppositie dat in iedere campagne gebruikelijk is: ze vonden onder grote geheimhouding en met grote vastberadenheid plaats en stoorden zich niet aan enige standaard van bewijsvoering, principe of fatsoen. Deze activiteiten gaven al in een zeer vroeg stadium aan hoe ver politiek rechts de komende tien jaar wilde gaan in zijn pogingen de Clintons te vernietigen.'

Samen met andere leden van Scaifes geheime Arkansas Project moest Brock twijfels zaaien en versterken over Bill Clintons karakter en bekwaamheid tot regeren. Volgens de memoires van Brock: 'Het land werd zodanig geconditioneerd dat het een beeld zag dat volledig door rechtse Republikeinen was verzonnen. Vrijwel vanaf het moment dat de Clintons uit Arkansas vertrokken en het nationale podium beklommen, heeft het land hen nooit meer gezien.'

Op een vrieskoude ochtend tussen Kerstmis en nieuwjaar zaten Maggie Williams en ik koffie te drinken op ons favoriete plekje in de residentie: in de westelijke zitkamer, achter het grote waaiervormige raam. We praatten wat en bladerden door de kranten. De meeste voorpagina's waren volledig aan Whitewater besteed.

'Hé, moet je dit eens zien!' zei Maggie toen ze me een nummer van USA *Today* gaf. 'Hier staat dat jij en de president de meest bewonderde mensen ter wereld zijn.' Ik wist niet of ik moest lachen of huilen. Ik kon alleen maar hopen dat het Amerikaanse volk zijn rechtvaardigheidsgevoel en goede wil zou behouden, terwijl ik met alle macht probeerde de mijne te bewaren.

Het gerinkel van een telefoon die midden in de nacht overgaat, is een van de onaangenaamste geluiden ter wereld.
Toen de telefoon in onze slaapkamer ver na middernacht
op 6 januari 1994 rinkelde, zat Dick Kelley aan de andere
kant van de lijn. Hij belde Bill om te zeggen dat zijn moeder zojuist in haar slaap was overleden in haar huis in Hot
Springs.

De rest van de nacht zijn we op gebleven en pleegden en
ontvingen telefoontjes. Bill sprak tweemaal met zijn broer
Roger. We namen contact op met een van onze beste vrienden, Patty Howe Criner, die samen met Bill was opgegroeid, en we vroegen haar of ze met Dick de begrafenis
wilde regelen. Al Gore belde om ongeveer drie uur in de
ochtend. Ik maakte Chelsea wakker en nam haar mee naar
onze slaapkamer, zodat Bill en ik haar het nieuws konden
vertellen. Haar band met haar grootmoeder, die ze 'Ginger' noemde, was altijd bijzonder hecht geweest. Nu had ze
binnen een jaar tijd twee van haar grootouders verloren.

Voor het aanbreken van de ochtend publiceerde het
persbureau van het Witte Huis het nieuws van Virginia's
dood, en toen we de tv op onze slaapkamer aanzetten, zagen we het eerste nieuwsbericht op het scherm: 'De moeder van de president is vannacht na een lange strijd tegen
kanker overleden.' Het maakte haar dood op een verschrikkelijke manier definitief. We keken bijna nooit naar
het ochtendnieuws, maar het achtergrondgeluid leidde
onze gedachten een beetje af. Toen verschenen Bob Dole
en Newt Gingrich in de tv-show *Today* voor een reeds afgesproken optreden. Ze begonnen te praten over Whitewater: 'Dit schreeuwt in mijn ogen om een onafhankelijke

aanklager,' zei Dole. Ik keek naar Bill. Hij was er helemaal kapot van. Bill was door zijn moeder opgevoed met de overtuiging dat je mensen geen schop geeft wanneer ze op de grond liggen, dat je zelfs je tegenstanders in het leven of in de politiek met fatsoen bejegent. Enkele jaren later vertelde iemand tegen Bob Dole hoezeer zijn woorden Bill die dag hadden gekwetst, en de eerlijkheid gebiedt te zeggen dat hij Bill daarna een verontschuldigende brief heeft geschreven.

Bill vroeg de vice-president of deze voor hem een toespraak wilde houden die voor die middag in Milwaukee stond gepland, zodat hij meteen naar Arkansas kon vertrekken. Ik bleef in het Witte Huis om contact op te nemen met familie en vrienden en hen te helpen met het regelen van hun reis. Chelsea en ik vlogen de volgende dag naar Hot Springs en gingen meteen door naar het huis van Virginia en Dick aan het meer, waar allerlei vrienden en familieleden bij elkaar gepakt zaten in de bescheiden kamers. Barbra Streisand was uit Californië overgekomen, en haar aanwezigheid verleende de situatie een vleugje opwinding en glamour waarvan Virginia zou hebben gesmuld. We stonden bij elkaar koffie te drinken en de bergen voedsel te eten die in Arkansas na ieder sterfgeval uit het niets opduiken. We wisselden verhalen uit over Virginia's verbazingwekkende leven en haar autobiografie die op het punt stond te verschijnen en die de passende titel *Leading with My Heart* had gekregen. Ze zou de publicatie ervan niet meer meemaken, maar het verhaal dat ze vertelt, is opmerkelijk en openhartig. Ik ben ervan overtuigd dat, als ze lang genoeg zou hebben geleefd om haar boek te promoten, het niet alleen een bestseller zou zijn geworden maar sommige mensen ook had kunnen helpen Bill wat beter te begrijpen. Uren later was het huis nog steeds zo volgepakt als de kerk op paaszondag, maar zonder de aanwezigheid van Virginia was het alsof het hele koor ontbrak.

Er was in Hot Springs geen kerk die groot genoeg was om al de vrienden die Virginia in de loop van haar leven had verzameld, te herbergen. De gedenkdienst zou moeten worden gehouden in het Convention Center in het centrum van Hot Springs. Bill zei tegen me: 'Als het weer beter was geweest, hadden we de renbaan van Oaklawn kunnen gebruiken. Mijn moeder zou dat geweldig hebben gevonden!' Ik moest glimlachen bij de gedachte aan de baan die gevuld was met duizenden paardenfans die een medefan stonden toe te juichen.

Toen de begrafenisstoet de volgende ochtend door Hot Springs reed, stonden overal mensen langs de kant van de weg om haar de laatste eer te bewijzen. De dienst huldigde Virginia's leven met verhalen en gezang, maar het was onmogelijk het wezen te bevatten van deze unieke vrouw, die haar liefde had gedeeld met iedereen die haar levenspad had gekruist.

Na de dienst reden we naar de begraafplaats in Hope, waar Virginia zou worden begraven bij haar ouders en haar eerste echtgenoot, Bill Blythe. Virginia was terug in Hope.

Air Force One pikte ons bij het vliegveld van Hope op om ons terug te brengen naar Washington. Het was een verdrietige vlucht, en het vliegtuig zat vol met familie en vrienden die Bill probeerden op te monteren. Maar zelfs op de dag waarop hij zijn moeder begroef, kon Bill niet ontsnappen aan de spoken van Whitewater.

De stafleden en advocaten van het Witte Huis schaarden zich rond de president voor een spoedberaad. Iedereen was bang dat het voortdurende geroep om de aanstelling van een speciale aanklager de boodschap van Bill zou overstemmen, maar niemand kon voorspellen of het geroep zou verstommen wanneer we zelf om een speciale aanklager zouden verzoeken. Tegen de tijd dat we op Andrews waren geland en met de helikopter terug naar het Witte Huis waren gevlogen, had Bill de buik vol van de discussie. Hij moest nog diezelfde avond terugkeren naar Andrews om naar Europa te vliegen, waar hij in Brussel en Praag besprekingen zou voeren over de uitbreiding van de NAVO. Aansluitend zou hij op staatsbezoek naar Rusland gaan om

Jeltsins bezorgdheid over de NAVO-plannen voor uitbreiding naar het oosten weg te nemen. Voordat Bill vertrok, maakte hij me duidelijk dat de kwestie-Whitewater hoe dan ook de wereld moest worden uitgeholpen, en snel.

Het plan was dat ik me voor het staatsbezoek op 12 januari bij Bill in Moskou zou voegen. Op de begrafenis van Virginia hadden we besloten dat ik Chelsea mee zou nemen, omdat we haar in zulke verdrietige tijden niet alleen in het Witte huis wilden achterlaten. Ik wist dat we nog voor mijn vertrek een beslissing zouden moeten nemen over de speciale aanklager. Die zondag betuigden diverse vooraanstaande Democraten in politieke talkshows op tv hun steun voor de aanstelling van een speciale aanklager. Niemand van hen kon precies uitleggen waarom deze stap van toepassing of noodzakelijk was. Ze leken bevangen door de waan van de dag en stelden zich onder druk van de pers behoedzaam op. De druk werd steeds groter en mijn eigen vastberadenheid begon af te nemen.

Mijn instinct, als advocaat en als oud-lid van het onderzoeksteam voor het Watergate-schandaal, vertelde me dat we volledige medewerking moesten verlenen aan elk gerechtvaardigd strafrechtelijk onderzoek, maar dat we niemand de vrijheid mochten geven om ongenuanceerd en onbeperkt aan het spitten te gaan in ons leven en dat van onze vrienden en medewerkers. Een 'speciaal' onderzoek zou alleen mogen worden gestart naar aanleiding van aannemelijk bewijs van een vergrijp, en zo'n bewijs was er niet. Zonder aannemelijk bewijs zou de aanstelling van een speciale aanklager een verschrikkelijk precedent scheppen: iedere ongefundeerde aanklacht tegen een president met betrekking tot gebeurtenissen uit elke periode van zijn leven zou vanaf dat moment reden kunnen zijn een speciale aanklager aan te stellen.

De politieke adviseurs van de president voorspelden dat er uiteindelijk hoe dan ook een speciale aanklager zou worden aangesteld en ze vonden dat het beter was er nu een aan te stellen en zo snel mogelijk de hele affaire achter ons te laten. George Stephanopoulos had onderzoek gedaan naar vorige onafhankelijke aanklagers en noemde het geval van president Carter en zijn broer Billy, tegen wie een onderzoek was ingesteld in verband met een betwiste lening aan een pindagroothandel halverwege de jaren zeventig. De speciale aanklager waar Carter om had gevraagd, voltooide zijn onderzoek in zeven maanden en zuiverde de Carters van alle blaam. Dat was bemoedigend. Daar stond echter het onderzoek in de zogeheten 'Iran-Contra-affaire' tegenover, dat werd gestart tijdens de regering-Reagan-Bush en zeven jaar in beslag had genomen. Maar in dat laatste geval waren werknemers van het Witte Huis en ander overheidspersoneel buiten hun boekje gegaan bij het uitvoeren van het buitenlands beleid van de Verenigde Staten. Verscheidene ambtenaren waren in staat van beschuldiging gesteld, onder wie minister van Defenie Caspar Weinberger en kolonel Oliver North, die deel uitmaakte van de Nationale Veiligheidsraad.

Alleen David Kendall, Bernie Nussbaum en David Gergen waren het met me eens dat we ons moesten verzetten tegen de aanstelling van een speciale aanklager. Bills stafleden kwamen een voor een hun argumenten bij mij bepleiten, en allemaal hadden ze dezelfde boodschap: ik zou het presidentschap van mijn man om zeep helpen als ik hun strategie niet zou ondersteunen. Ze zeiden dat de berichten over Whitewater van de voorpagina's moesten verdwijnen, zodat we ons weer konden richten op beleidskwesties, zoals de herziening van de gezondheidszorg.

Ik vond dat we onze poot stijf moesten houden wanneer we in ons recht stonden, en niet moesten toegeven aan het politieke opportunisme en de druk van de pers. 'Een verzoek indienen voor de aanstelling van een speciale aanklager is een fout,' zei ik. Maar ik kon hen niet overtuigen.

Op 3 januari was Harold Ickes, een oude vriend en adviseur tijdens onze campagne van 1992, tot de regering toegetreden als plaatsvervangend stafchef. Harold was een uiterst beweeglijke advocaat met zandkleurig haar. Bill had hem gevraagd de aanstaande campagne voor de herziening van de gezondheidszorg te coördineren. Binnen een paar dagen tijd had hij een andere functie gekregen: hij nam de organisatie op zich van een speciaal Whitewater-team dat bestond uit een aantal topadviseurs, pr-medewerkers en leden van de juridische staf. Als er geknokt moest worden, kon je geen betere advocaat aan je zijde hebben dan Harold. Net als David was hij een doorgewinterde mensenrechtenactivist in het Zuiden van de Verenigde Staten. Harold was zelfs ooit zo bruut in elkaar geslagen toen hij probeerde zwarte kiezers in de Mississippi-delta te organiseren, dat hij een nier was kwijtgeraakt. Het grootste deel van zijn jonge jaren heeft hij zijn erfenis genegeerd – hij heeft zelfs als paardentemmer op een ranch gewerkt – maar hij was en bleef de zoon van Harold Ickes sr., een van de opmerkelijkste figuren in het kabinet van Franklin Roosevelt. Harold was een politiek dier, en het Witte Huis leek zijn natuurlijke leefomgeving.

Harold deed zijn best de Whitewater-discussie onder controle en binnenskamers te houden, maar het rumoer in de West Wing bleef aanhouden. Elk nieuwsbericht bracht ons dichter bij een allesbepalende beslissing. De dag nadat ik uit Hot Springs naar het Witte Huis was teruggekeerd, vertelde Harold me dat hij met grote aarzeling tot de conclusie was gekomen dat we een verzoek moesten indienen voor de aanstelling van een speciale aanklager.

Op dinsdagavond 11 januari belegde ik een telefonische vergadering met Bill in Praag. David Kendall en ik kwamen in de Oval Office bij elkaar met een handvol topadviseurs van Bill om in deze kwestie een knoop door te hakken. De scène herinnerde me aan een cartoon die ik eens had gezien: een man staat voor twee deuren en probeert een keuze te maken. Op een bord boven de ene deur staat: 'De klos als je deze kiest.' Boven de andere staat: 'De klos als je deze niet kiest.'

In Europa was het twee uur 's nachts. Bill was doodop en geïrriteerd omdat hij van de media dagenlang alleen maar vragen over Whitewater kreeg voorgeschoteld. Hij was ook diep bedroefd over de dood van zijn moeder, de enige persoon die zijn leven lang een stabiele factor was geweest, zijn belangrijkste cheerleader die hem onvoorwaardelijk haar liefde en steun had gegeven. Ik had erg met hem te doen en wenste dat hij niet zo'n cruciale beslissing hoefde te nemen onder zulke omstandigheden. Hij was verschrikkelijk hees en we moesten ons allemaal naar de zwarte vergadertelefoon toe buigen om te kunnen verstaan wat hij zei.

'Ik weet niet hoe lang ik dit nog kan volhouden,' zei hij. Het frustreerde hem dat de pers niet wilde praten over de historische uitbreiding van de NAVO, die spoedig de deur zou openzetten naar voormalige Warschaupact-landen. 'Het enige wat ze willen weten, is waarom we ons onttrekken aan een onafhankelijk onderzoek.'

George sprak als eerste. In alle rust herhaalde hij zijn argumenten: dat een speciale aanklager de aandacht van de media zou afleiden, dat het een onvermijdelijke stap was en dat verder uitstel de nekslag zou betekenen voor onze politieke agenda.

Vervolgens hield Bernie Nussbaum een krachtig pleidooi voor zijn standpunt. Net als ik wist Bernie dat de aanklagers onder enorme druk zouden komen te staan om, ter rechtvaardiging van hun inspanningen, met beschuldigingen te komen. Zoals Bernie voortdurend benadrukte, waren we op dit moment al bezig met het overhandigen van documenten aan het ministerie van Justitie, en omdat er geen aannemelijk bewijs voor een overtreding van de wet was, was het juridisch gezien niet mogelijk een speciale aanklager dwingend op te leggen. We konden alleen een verzoek ertoe indienen, wat een absurde actie leek. Liever een politiek circus dan mogelijk een juridisch gebed zonder end.

Na verscheidene hartstochtelijke rondes had Bill, die inmiddels aan het eind van zijn Latijn was, voldoende gehoord. Ik sloot de vergadering. 'Mijnheer de president, omdat u niets verkeerds hebt gedaan, zullen ze gefrustreerd raken,' waarschuwde Bernie en voegde eraan toe dat een onafhankelijke aanklager ons, onze vrienden en onze familie tot in het volgende decennium zou kunnen achtervolgen. Om met zijn woorden te spreken, het onderzoek zou een 'dwalend zoeklicht' worden.

'Wat kan ik dan volgens jou het beste doen?' vroeg Bill.

'Ik heb liever te maken met slechte publiciteit.' Ik sloot de vergadering af en vroeg alleen of David Kendall nog even wilde blijven om een paar woorden met de president te wisselen.

Het was even stil in de kamer. Toen sprak Bill.

'Luister, ik denk dat we het gewoon moeten doen,' zei hij. 'We hebben niets te verbergen, en als deze kwestie blijft voortslepen, betekent dat het einde van onze politieke agenda.'

Het was tijd om bakzeil te halen. 'Ik weet dat we hier doorheen moeten,' zei ik. 'Maar jij moet de beslissing nemen.'

David Kendall was het vierkant met Bernie eens. Zij waren allebei ervaren strafpleiters die begrepen dat ook onschuldigen konden worden vervolgd. Maar de politieke adviseurs waren in de meerderheid en zij wilden alleen maar dat de pers zich op een ander onderwerp zou storten. David verliet de kamer en ik pakte de hoorn op om met Bill alleen te spreken.

'Waarom slaap je er niet nog eens een nachtje over,' zei ik. 'Als je er morgenochtend nog steeds zo over denkt, sturen we meteen een verzoek naar de minister van Justitie.'

'Nee,' zei hij, 'laten we nu de knoop doorhakken.' Hoewel hij evenzeer als ik bang was dat we de gevolgen van dit besluit onderschatten, vroeg hij me het verzoek in te dienen. Ik voelde me verschrikkelijk. Hij was gedwongen een beslissing te nemen waar hij zich niet prettig bij voelde. Maar gegeven de druk waarmee we te maken hadden, wisten we niet wat we anders moesten doen.

Ik ging naar Bernie Nussbaums kantoor om hem het

slechte nieuws zelf te brengen en omhelsde mijn oude vriend. Hoewel het al laat was, begon Bernie een brief op te stellen aan Janet Reno met het formele verzoek van de president aan de minister van Justitie een speciale aanklager te benoemen om een onafhankelijk onderzoek in te stellen naar Whitewater.

We zullen nooit weten of het Congres uiteindelijk zelfstandig het besluit zou hebben genomen een onafhankelijke aanklager op deze zaak te zetten. En we zullen nooit weten of de overhandiging van een onvermijdelijk onvolledige verzameling persoonlijke documenten aan *The Washington Post* de komst van een speciale aanklager zou hebben voorkomen. Achteraf gezien zou ik willen dat ik harder gevochten had en mezelf niet had laten overtuigen de weg van de minste weerstand te kiezen. Bernie en David kregen gelijk. We werden meegesleurd in wat de juridische analist Jeffrey Toobin later zou omschrijven als de politisering van het strafrechtsysteem en de criminalisering van het politieke systeem. Wat was voorgespiegeld als een snelle oplossing voor onze politieke problemen, zou de volgende zeven jaren de energie van de regering opslorpen, ten onrechte de levens van onschuldige mensen binnendringen en Amerika's aandacht afleiden van de problemen waarmee we intern en in het buitenland te maken hadden.

Bills aangeboren optimisme en veerkracht gaven hem de kracht om door te gaan, inspireerden mij en maakten het mogelijk dat het grootste deel van zijn plannen voor de Verenigde Staten aan het einde van zijn twee termijnen gerealiseerd was. Maar zo ver was het toen nog niet. Ik kon niet weten wat er voor ons in het verschiet lag toen Chelsea en ik in het vliegtuig stapten om ons bij Bill in Rusland te voegen.

De daling naar Moskou was turbulent, en ik voelde me misselijk toen ik het vliegtuig verliet. Chelsea stapte met Capricia Marshall in een auto en ik stapte in de officiële limousine met Alice Stover Pickering, de vrouw van onze ambassadeur Thomas Pickering. Zij hadden allebei overal in de wereld op talrijke posten in de buitenlandse dienst gewerkt. Tom Pickering zou later een uitstekende staatssecretaris voor Politieke Zaken onder Madeleine Albright blijken. Terwijl ik de stad in werd gereden voor een ontmoeting met Najna Jeltsin, voelde ik me misselijk. De snel rijdende autocolonne, die werd voorafgegaan en gevolgd door Russische politieauto's, kon niet stoppen. De achterbank van de limousine was helemaal schoon, en er was geen beker, handdoek of servet in de buurt. Ik boog mijn hoofd naar beneden en braakte over de vloer. Alice Pickering leek volkomen rustig en bleef gewoon de bezienswaardigheden aanwijzen, zodat ik me wat minder gênant voelde. Tot mijn grote waardering heeft zij hierover nooit met iemand een woord gewisseld. Tegen de tijd dat we bij Spaso House, de officiële residentie van de ambassadeur, arriveerden, voelde ik me al wat beter. Na een snelle douche trok ik schone kleren aan en had ik een cruciale ontmoeting met mijn tandenborstel. Daarna was ik klaar mijn schema te hervatten.

Ik verheugde me op mijn weerzien met mevrouw Jeltsin, die ik de vorige zomer in Tokio had ontmoet. Najna had als civiel ingenieur in Jekaterinboerg gewerkt, waar haar echtgenoot de plaatselijk leider van de communistische partij was geweest. Ze had een oprecht gevoel voor humor en we lachten ons door een dag met publieke optredens en privé-diners met lokale functionarissen heen.

Dit eerste bezoek aan Rusland was bedoeld om de relatie tussen Bill en president Jeltsin te verstevigen, zodat ze op een constructieve manier kwesties konden bespreken als de ontmanteling van het nucleaire arsenaal van de voormalige Sovjet-Unie en de uitbreiding naar het oosten van de NAVO. Terwijl onze echtgenoten hun topbesprekingen voerden, bezochten Najna en ik een ziekenhuis, dat speciaal voor de gelegenheid een nieuwe lik verf had gekregen, om de gezondheidszorgsystemen van onze landen te bespreken. Het systeem van Rusland verslechterde doordat het de overheidssteun moest ontberen die het ooit had ontvangen. De artsen die we spraken, waren nieuwsgierig naar ons hervormingsplan voor de gezondheidszorg. Ze erkenden het hoge niveau van de Amerikaanse geneeskunde, maar bekritiseerden ons onvermogen voor iedereen gezondheidszorg te garanderen. Net als wij streefden ze naar een algehele dekking, maar hadden de grootste moeite deze te realiseren.

Eindelijk kreeg ik Bill die avond te zien. De Jeltsins gaven een staatsdiner dat begon met een ontvangst in de pas gerestaureerde Sint-Vladimirzaal en werd voortgezet met een maaltijd in de Facettenzaal, een kamer met talloze spiegels en een van de prachtigste zalen die ik ooit heb gezien. Ik zat naast president Jeltsin, met wie ik nog nooit uitgebreid had gesproken. Hij hield het gesprek gaande met een lopend commentaar op het voedsel en de wijn en vertelde me in alle ernst dat rode wijn Russische matrozen op de nucleaire onderzeeërs beschermde tegen de schadelijke effecten van strontium 90. Ik hield altijd al van rode wijn.

Chelsea voegde zich na het diner bij ons voor het feest in de Sint-Joriszaal. Daarna namen Boris en Najna ons mee voor een uitgebreide rondleiding langs de privé-vertrekken in het Kremlin, waar we de nacht zouden doorbrengen. We vonden de Jeltsins heerlijk gezelschap en ik hoopte dat we hen vaker zouden zien.

Toen onze lange autocolonne de volgende ochtend het Kremlin verliet, bleven Chelsea en Capricia op een of andere manier op de trappen achter, samen met Chelsea's eenzame veiligheidsagent en een van Bills bedienden. Ze realiseerden zich wat er gebeurde toen ze zagen dat de laatste wagen was vertrokken en de rode loper werd opgerold. De agent en Capricia zagen een aftands wit autobusje staan en renden ernaartoe, vastbesloten het voertuig in beslag te nemen. De chauffeur, die beddengoed kwam afleveren, sprak Engels. Zodra hij begreep wat er aan de hand was, laadde hij hen alle vier achter in zijn busje en scheurde met een rotgang door de wegversperring heen naar het vliegveld. Ze waren nog op tijd, maar mochten het vliegveld niet betreden. De Russische veiligheidsagenten herkenden Chelsea wel, maar konden er niet achter komen waarom ze niet bij ons was. Terwijl ze bezig waren het mysterie te ontrafelen, pakten Chelsea en haar gezelschap de koffers op en renden naar de terminal. Ik ontdekte pas dat Chelsea niet bij ons was toen we op het punt stonden het vliegtuig in te stappen en zij en Capricia hijgend en wel de terminal binnenstormden. Nu lijkt het een grappige gebeurtenis, maar toen was ik buiten mezelf van ongerustheid. Ik nam me voor Chelsea en Capricia de rest van de reis niet meer uit het oog te verliezen.

Onze volgende statie, Minsk in Wit-Rusland, was zonder meer een van de meest deprimerende plaatsen die ik ooit heb bezocht: de architectuur riep een sfeer van Sovjet-Russische zwaarmoedigheid en autoritair communisme op; het weer was regenachtig en grijs. Hoewel de Wit-Russen pogingen deden een onafhankelijke en democratische staat op te bouwen, waren de kansen op succes gering. De intellectuelen en academici die ik ontmoette en die na de val van de Sovjet-Unie het land probeerden te regeren, waren geen partij voor de overgebleven communisten. Onze reisroute was bezaaid met herinneringen aan de rampen uit de Wit-Russische geschiedenis: bij het Koeropati-monument legde we bloemen ter nagedachtenis van de bijna driehonderdduizend mensen die waren omgebracht door de stalinistische geheime politie. Ik bezocht een ziekenhuis dat kinderen behandelde die te lijden hadden van stralingsziekten ten gevolge van de ramp in Tsjernobyl. Daar werd mij op pijnlijke manier duidelijk hoezeer de Sovjet-Unie het ongeluk in de kernenergiecentrale heeft toegedekt en welke gevaren er kleven aan kernenergie, zoals de proliferatie van kernwapens. Het enige lichtpuntje was een prachtige voorstelling van de balletversie van de *Carmina Burana* in het Groot Academisch Staatstheater voor Opera en Ballet. Van pure verrukking zaten Chelsea en ik op het puntje van onze stoel. Sedert ons bezoek is de geschiedenis niet vriendelijk geweest voor Wit-Rusland. Tegenwoordig wordt het land bestuurd door een autoritair regime van oud-communisten die de persvrijheid en mensenrechten aan banden hebben gelegd.

Op 20 januari 1994, op de eerste verjaardag van de regering, maakte Janet Reno de benoeming bekend van Robert Fiske tot speciale aanklager. Hoewel Fiske een Republikein was, stond hij in hoog aanzien als gedegen en onpartijdig advocaat met ervaring als aanklager. President Ford had hem benoemd tot landsadvocaat voor het zuidelijke district in New York en hij was daar gebleven tijdens het bewind van Carter. Nu werkte hij voor een advocatenkantoor op Wall Street. Fiske beloofde een snel en onpartijdig onderzoek en nam verlof van zijn werk, zodat hij al zijn tijd en energie kon steken in de uitvoering van zijn opdracht. Als hij zijn werk had kunnen doen, zou de angst van Bernie, David, Bill en mij ongegrond zijn geweest.

Een paar dagen later sprak de president zijn State of the Union uit. De toespraak was krachtig en vol hoop. Ondanks bezwaren van David Gergen onderstreepte Bill zijn opmerkingen over gezondheidszorg met een theatraal gebaar: hij hield een pen omhoog en beloofde dat hij een veto zou uitspreken over iedere wet op de gezondheidszorg die geen algemene dekking omvatte. Gergen, een oudgediende onder de presidenten Nixon, Ford en Reagan, was bang dat deze actie te confronterend was. Ik was het met de speechschrijvers en politieke adviseurs eens dat dit gebaar een effectieve uiting was van Bills vastberadenheid op dit punt. De angst van Gergen bleek later niet ongefundeerd, toen we uit alle macht naar mogelijkheden zochten om tot compromissen te komen.

Ik had enkele weken van enorme spanning achter de rug, en het verzoek van Bill om de Amerikaanse delegatie voor de Olympische Winterspelen in Lillehammer te leiden was me dan ook meer dan welkom. Ik besloot Chelsea mee te nemen. Ondanks de minder prettige ervaring aan het einde van de reis had ze genoten van ons bezoek aan

Rusland, en ik was blij dat ze zich weer wat kon ontspannen en een beetje pret hebben. Sinds we naar Washington waren verhuisd, had ze zoveel mensen verloren: twee grootouders, een schoolvriend uit Little Rock die bij een waterscooterongeluk om het leven was gekomen, Vince Foster, wiens vrouw Lisa haar had leren zwemmen in het zwembad van de Fosters en met wiens kinderen ze bevriend was. De verhuizing naar Washington en het lidmaatschap van de First Family waren voor haar niet gemakkelijker geweest dan voor ons.

Lillehammer is een charmant stadje in Noorwegen dat het schilderachtige decor vormde voor de Olympische Spelen. Ons reisgezelschap kreeg kamers toegewezen in een klein hotel met een eigen skipiste, vlak buiten het stadje. Voor de openingsceremonie werden we geacht ons land te vertegenwoordigen. Ingepakt in warme skikleding zagen Chelsea en ik eruit alsof we rechtstreeks van de Noordpool kwamen. Ter vergelijking: de Europese delegaties, vooral koninklijke figuren als prinses Anne van Engeland, liepen blootshoofd rond in elegante jassen van kasjmier. We zagen ook geharde Noren die in de besneeuwde bossen een campingplek hadden gevonden, zodat ze verzekerd waren van de beste plaatsen langs de parkoersen van de crosscountrywedstrijden. Een hoogtepunt van de reis was mijn ontmoeting met Gro Brundtland, een arts die toentertijd minister-president van Noorwegen was.

Minister-president Brundtland had me uitgenodigd voor een ontbijt in het openluchtmuseum Maihaugen, in een rustieke jachthut met een grote loeiende open haard. Het eerste dat ze tegen me zei toen we voor de maaltijd aanschoven, was: 'Ik heb het plan voor de gezondheidszorg gelezen. Ik heb een paar vragen.'

Vanaf dat moment was ze een vriendin voor het leven. Ik was zo blij iemand te ontmoeten die niet alleen het plan had gelezen, maar er ook over wilde praten. Natuurlijk hielp het dat ze zelf arts was, maar ik was onder de indruk en verrukt. Onder het genot van porties vis, brood, kaas en sterke koffie vergeleken we de relatieve verdiensten van de Europese gezondheidszorgmodellen en verdiepten ons daarna in andere onderwerpen. Later verliet Brundtland de Noorse politiek om hoofd te worden van de Wereldgezondheidsorganisatie (WHO) en we hebben samengewerkt bij WHO-initiatieven op de terreinen van tbc, hiv/aids en tabaksverslaving.

Dit was mijn eerste officiële buitenlandse reis zonder de president. Ik vond het geweldig om hem en ons land te vertegenwoordigen en genoot van de ontspannen agenda. Ik skiede wat, moedigde onze atleten, onder wie medaillewinnaar Tommy Moe, aan en stond in de sneeuw te kijken hoe superfitte mensen in een flits voorbij zoefden. Ik had ook de kans om, weg van het gewoel, met Chelsea te praten. Ze was intelligent en nieuwsgierig, en ik wist dat ze de Whitewater-sage via de media volgde. Ik kon merken dat ze werd verscheurd door twijfel of ze me ernaar moest vragen of juist niet, zodat ik de zaak kon vergeten. Ikzelf werd verscheurd omdat ik enerzijds mijn frustraties over de gang van zaken met haar wilde delen, maar haar anderzijds zo veel mogelijk wilde afschermen, niet alleen van de politieke aanvallen maar ook van mijn eigen woede en ontgoocheling. Dit was een voortdurende emotionele strijd, en we moesten allebei ons uiterste best doen daar een balans in te bewaren.

De benoeming van een speciale aanklager deed het rumoer over Whitewater voor een paar dagen verstommen. Maar al even voorspelbaar werd de nu ontstane nieuwsleemte gevuld met een stroom nieuwe beschuldigingen en geruchten. Newt Gingrich en Republikeins senator Al D'Amato van New York riepen op tot hoorzittingen van de Banking Committee in zowel het Huis als de Senaat om de Whitewater-aantijgingen te onderzoeken.

Robert Fiske waarschuwde de strijdlustige Republikeinen dat ze mogelijk zijn onderzoek zouden belemmeren en slaagde erin de hoorzittingen uit te stellen. Hij ging snel te werk, zoals beloofd, en dagvaardde getuigen en sleepte hen voor de kamers van inbeschuldigingstelling in Washington en Little Rock.

Fiske ondervroeg diverse medewerkers van het Witte Huis over de strafrechtelijke verwijzingen tegen Madison Guaranty van de Resolution Trust Corporation, een instantie van het ministerie van Financiën. Hij was geïnteresseerd in elke vorm van contact tussen de West Wing en de minister van Financiën, Roger Altman, over de verwijzing en over Altmans besluit om zijn taken als tijdelijk hoofd van de RTC neer te leggen. Ook dit was weer een voorbeeld van een situatie waarin het Witte Huis noodgedwongen reageerde op berichten in de pers. Want als ik de chronologie van de gebeurtenissen goed voor ogen heb, hebben het Witte Huis en het ministerie van Financiën deze kwestie pas besproken nadat de pers in het najaar van 1993 begon met een onderzoek, dat overigens op gang kwam doordat er uit een zogenaamd vertrouwelijk onderzoek van de RTC was gelekt. Hoewel Fiske en volgende onderzoekers de contacten als legaal beoordeelden, zoals bij zoveel andere aspecten van het rumoer rondom Whitewater, bleven de Republikeinen Altman en anderen voortdurend met beschuldigingen bestoken. Toen het definitieve Whitewater-rapport in 2002 werd gepubliceerd en de contacten tussen het Witte Huis onder Bush en functionarissen van de RTC in het najaar van 1992 als feit werden gepresenteerd, heb ik geen Republikeinse protesten gehoord. Uiteindelijk nam Roger Altman, een eerlijk en zeer bekwaam man die de president en het land goed heeft gediend, ontslag, evenals mijn oude vriend Bernie Nussbaum, een andere toegewijde ambtenaar.

In het voorjaar van 1994 werd ik 's ochtends soms wakker met een pijnlijk verlangen naar al die goede vrienden, compagnons en familieleden die ons waren ontvallen of ten onrechte waren geattaqueerd: mijn vader, Virginia, Vince, Bernie, Roger. En andere ochtenden waren de berichten in de pers gewoon te gek voor woorden en leken zelfs de aandelenkoersen te beïnvloeden. Op 11 maart 1994 publiceerde *The Washington Post* een artikel met als kop: 'Geruchten over Whitewater doen Dow Jones dalen met 23 punten: markten opgeschrikt door beeldvorming, niet door details.' Op diezelfde dag beschuldigde Roger Ailes, toenmalig voorzitter van CNBC, tegenwoordig van Fox, de regering van 'een doofpotaffaire met betrekking tot Whitewater met grondfraude, illegale verkiezingsbijdragen, machtsmisbruik, verdoezelen van een zelfmoord, mogelijk moord'.

Toen nam halverwege maart Webb Hubbell plotseling ontslag bij het ministerie van Justitie. Krantenartikelen hadden gemeld dat Rose Firm van plan was een klacht tegen hem in te dienen bij de balie van Arkansas vanwege een bedenkelijke wijze van factureren; zo zou hij cliënten te hoge honoraria berekenen en te veel onkosten opvoeren. Bill en ik konden niet geloven dat Webb zijn cliënten en partners zou bedriegen, maar de aantijgingen waren voor Webb erg genoeg om ontslag te nemen. Tegen die tijd had ik echter al zoveel valse beschuldigingen tegen mezelf horen uiten, dat ik aannam dat ook Webb ten onrechte werd beschuldigd. Ik sprak met hem af in het Solarium op de tweede verdieping van het Witte Huis om hem te vragen wat er aan de hand was. Webb vertelde me dat hij met enkelen van onze voormalige partners onenigheid had gekregen over de facturering van een octrooizaak die hij voor zijn schoonvader, Seth Ward, op basis van gebeurlijkheid had behandeld. Webb had de zaak verloren en Seth weigerde de onkosten te betalen. Seth kennende, moet ik toegeven dat dit inderdaad een plausibel verhaal leek. Webb vertelde me dat hij de zaak aan het regelen was met de partners van Rose en verzekerde me dat de kwestie zou worden opgelost. Ik geloofde hem en vroeg hem wat ik op dit moment voor hem of zijn gezin kon doen. Hij zei dat hij al geïnformeerd had naar opdrachten en hij was ervan overtuigd dat hij geen verdere hulp nodig had 'totdat dit misverstand overwaait'.

Het officiële onderzoek in de Whitewater-affaire en de

naspeuringen van de pers dreigden ons in het Witte Huis af te leiden van het belangrijke werk dat we probeerden te doen. Mack, Maggie en andere stafmedewerkers gaven het advies een Whitewater Response Team in te stellen onder leiding van onze 'Master of Disaster', Harold Ickes. Dit team zou onze aanpak van elk onderzoek of elke discussie over Whitewater op één plaats verzamelen.

We hadden vier redenen voor dit besluit. Op de eerste plaats wilden we dat de staf zich zou richten op Bills prioriteiten voor het land. Op de tweede plaats: als iedereen zich met een bepaalde kwestie bemoeit, is niemand verantwoordelijk. Op de derde plaats liet het team van Fiske zoveel dagvaardingen uitgaan dat we een georganiseerd systeem nodig hadden om dossiers te zoeken en antwoorden te verschaffen. En ten slotte: als stafleden met Bill, met mij of onder elkaar over Whitewater zouden spreken, zouden ze gemakkelijker opgezadeld kunnen worden met lange getuigenissen, juridische kosten en algemene ongerustheid.

Ik maakte me met name zorgen over leden van mijn eigen staf: Maggie Williams, Lisa Caputo, Capricia Marshall en anderen die zo hard hadden gewerkt en nu werden beloond met dagvaardingen en afschrikwekkende juridische kosten. Toen Maggie eenmaal bij het onderzoek betrokken was geraakt, kon ik haar daarover niet meer om advies vragen of haar enige troost bieden. Het is een huldeblijk aan haar persoonlijke kracht en aan de standvastigheid van iedereen die voor me werkte dat niemand zich beklaagde of wegliep voor de problemen waarmee we werden geconfronteerd.

David Kendall ontpopte zich tot mijn belangrijkste schakel met de buitenwereld; hij was een geschenk uit de hemel. Vanaf het allereerste begin raadde hij me aan geen krantenartikelen te lezen en geen tv-reportages over het onderzoek of aanverwante 'schandalen' te bekijken. Mijn staf verzamelde voor mij de informatie waarover ik moest beschikken voor het geval ik door de media zou worden ondervraagd. David vertelde me dat ik me met de rest niet bezig hoefde te houden.

'Dat is mijn werk,' zei hij. 'Een van de redenen waarom je een advocaat inhuurt, is dat die zich druk moet maken in plaats van jij.' David las uiteraard alles en maakte zich ontzettend druk over wat de volgende stap zou zijn. Ik heb zelf ook een enigszins obsessieve persoonlijkheid en vond het dan ook erg moeilijk deze adviezen op te volgen. Maar ik leerde alles over te laten aan David.

Om de paar dagen stak Maggie haar hoofd door de deuropening van mijn kantoor en zei: 'David Kendall wil met je praten.' Wanneer hij binnenkwam, liet zij ons alleen. Tijdens ieder gesprek ontrafelde hij een nieuw stukje van het verhaal van Jim McDougal en zijn persoonlijke en financiële avonturen, en iedere keer kreeg ik weer iets nieuws te horen.

Ik probeerde de nieuwe informatie zelf te verwerken. Ik sprak er alleen met Bill over wanneer er iets belangrijks naar boven was gekomen. Ik deed mijn best hem te sparen, zodat hij zich kon concentreren op zijn taken als president. Het wordt vaak gezegd dat de president de eenzaamste baan ter wereld heeft. Harry Truman noemde het Witte Huis eens 'het kroonjuweel in het Amerikaanse strafsysteem'. Bill hield van zijn werk, maar ik kon zien dat de politieke oorlog zijn tol begon te eisen en ik probeerde hem te beschermen waar ik kon.

David slaagde erin de meeste lacunes in het verhaal op te vullen. Ook zijn bevindingen ondersteunden onze bewering dat we geld hadden verloren bij de Whitewaterdeal en dat we nooit betrokken waren geweest bij McDougals gesjoemel met zijn hypotheekbank. David kwam ook met vervelend nieuws over fouten die hij in onze oude financiële documenten had gevonden. Als een goudzoeker had hij elk stukje papier dat we konden vinden, gezeefd en had een paar klompjes lood gevonden. Een daarvan was een vergissing in het rapport van Lyons, waarin ons verlies in het Whitewater-project op meer dan 68 000 dollar werd geschat. We moesten dat bedrag verminderen met 22 000 dollar nadat David had ontdekt dat een cheque die Bill had uitgeschreven om zijn moeder te helpen haar huis in Hot Springs te kopen, ten onrechte was aangezien voor een betaling ten behoeve van de Whitewater-lening. David kwam er ook achter dat onze gediplomeerde accountant in Little Rock een fout had gemaakt bij onze belastingaangifte van 1980. Als gevolg van een onvolledige verklaring van een makelaardij had hij voor ons een verlies van duizend dollar opgevoerd, terwijl we bij de desbetreffende transacties in feite bijna 6500 dollar winst hadden geboekt. De gebeurtenis was inmiddels verjaard, maar we besloten vrijwillig onze rekening met de staat Arkansas te vereffenen en alsnog een bedrag van 14 615 dollar aan achterstallige belasting en rente aan de fiscus over te maken.

Naarmate er meer financiële stukken werden vrijgegeven of hun weg naar de pers vonden, gaven ze aanleiding tot andere verhalen, die verder niets met Whitewater van doen hadden. Half maart publiceerde *The New York Times* een hoofdartikel met als kop: 'Topadvocaat uit Arkansas hielp Hillary Clinton aan flinke winst.' Het verhaal maakte op correcte wijze melding van de winst die ik had geboekt op de goederenmarkt in 1979. Maar het bevatte de foutieve insinuatie dat onze goede vriend Jim Blair op een of andere manier deze meevaller voor mij had geritseld om ten behoeve van zijn cliënt Tyson Foods wat invloed te verwerven bij Bill Clinton. Het verhaal stond vol onjuistheden over de relatie van Blair en Don Tyson met Bill toen hij gouverneur was. Opnieuw vroeg ik me af waarom dergelijke verhalen niet werden geverifieerd voordat ze in de krant verschenen. Als Tyson Bill in zijn zak had, zoals de *Times* beweerde, waarom steunde hij dan in de gouverneurscampagnes van 1980 en 1982 Bills tegenstander Frank White?

Grootmoedig had Jim zijn kennis van de goederenmarkt met zijn familie en vrienden gedeeld. Met zijn hulp begaf ik me op deze wispelturige markt en wist in korte tijd van duizend dollar honderdduizend dollar te maken. Gelukkig raakte ik net op tijd in paniek en stapte ik uit de handel voordat de markt ineenstortte. Was me dit gelukt zonder Jim? Nee. Moest ik mijn makelaar meer dan achttienduizend dollar aan courtage betalen? Ja. Heeft mijn avontuur in de goederenmarkt Bills beslissingen als gouverneur beïnvloed? Absoluut niet.

Zodra het verhaal over mijn goederenhandel bekend werd, huurde het Witte Huis experts in om de papieren van mijn activiteiten opnieuw te bekijken, en alles bleek in orde. Leo Melamed, het voormalige hoofd van de handelsbeurs van Chicago en een actieve Republikein, waarschuwde me dat hij zijn mening zou geven als we erom vroegen, ongeacht de gevolgen ervan. Na een grondig onderzoek van mijn handelsactiviteiten kwam hij tot de conclusie dat ik niets verkeerds had gedaan en dat de hele controverse een storm in een glas water was. Dat verbaasde mij niets, omdat onze belastingaangifte van 1979, die melding maakte van een opmerkelijke verhoging van ons inkomen, door de fiscus was gecontroleerd en goed bevonden. Ieder jaar dat Bill in het Witte Huis woonde, heeft de fiscus onze belastingaangifte gecontroleerd.

Ik realiseer me achteraf dat de voortdurende stroom van beschuldigingen mijn relaties met de pers danig hebben geschaad. Ik had het perskorps van het Witte Huis te lang op afstand gehouden. Omdat ik wilde dat de media verslag zouden doen over de hervormingen in de gezondheidszorg, gaf ik interviews aan correspondenten die overal in het land manifestaties en toespraken versloegen. Het perskorps van het Witte Huis had echter maar weinig toegang tot mij. Het duurde een poosje voordat ik begreep dat hun wrok gerechtvaardigd was.

Eind april 1994 voelde ik me voldoende gesterkt door David Kendalls onderzoek en mijn eigen kennis over Whitewater en de daarmee samenhangende kwesties dat ik klaar was de media te geven wat ze wilden: mij.

Ik belde mijn stafchef op en zei: 'Maggie, ik wil het doen. Laten we een persconferentie beleggen.'

'Besef je dat je álle vragen zult moeten beantwoorden, waarmee ze ook komen?'

'Ja. Ik ben daartoe bereid.'

Van tevoren had ik mijn plan met de president, David Kendall en Maggie besproken. Ik bereidde me voor met behulp van Lisa, raadsman van het Witte Huis Lloyd Cutler, Harold Ickes en Mandy Grunwald. Ik had geen trek in een parade van West Wing-adviseurs die mijn deur plat zouden lopen met adviezen over hoe ik vraag zus en vraag zo moest beantwoorden. Ik wilde zo rechtstreeks mogelijk spreken.

Op de ochtend van 22 april maakte het Witte Huis bekend dat de First Lady die middag vragen zou beantwoorden in de State Dining Room. We hoopten dat de media zich door de keuze van een andere omgeving zouden laten verleiden tot een frisse aanpak.

Ik had niet nagedacht over wat ik bij deze gebeurtenis zou dragen: ik kies mijn kleren bijna altijd pas op het laatste moment. Ik had zin in een combinatie van een zwarte rok en een roze trui. Een paar verslaggevers interpreteerden deze kleding meteen als een poging mijn imago wat te 'verzachten'; mijn achtenzestig minuten durende confrontatie met de pers zou de geschiedenis ingaan als de 'roze persconferentie'.

Ik zat voor een verzameling verslaggevers en cameramensen die de eetkamer vulden.

'Dank u voor uw komst,' begon ik. 'Een van de redenen voor deze persconferentie is dat ik me realiseerde dat ik weliswaar het hele land doorreis en vragen beantwoord, maar dat velen van u niet echt de kans hebben gehad mij te ondervragen. En vorige week zei Helen: "Ik kan niet met haar meereizen, dus hoe kan ik haar dan vragen stellen?" Dat is de reden waarom we hier zijn en Helen, jij mag de eerste vraag stellen.'

Helen, de veteraan van het perskorps, kwam meteen ter zake:

'Weet u of er op een of andere manier geld van Madison

kan zijn doorgesluisd naar het Whitewater-project of naar een van de politieke campagnes van uw echtgenoot?' vroeg ze.

'Absoluut niet. Daar weet ik niets van.'

'Datzelfde geldt ook voor uw winst in de goederenhandel: het is voor een leek, en waarschijnlijk ook voor veel deskundigen, moeilijk te geloven dat met zo'n geringe investering zo'n hoge winst te behalen valt. Kunt u dit op een of andere manier verklaren?'

En daarom begon ik het uit te leggen. En uit te leggen. En nog eens uit te leggen. Stuk voor stuk vroegen de verslaggevers me alles wat ze over Whitewater konden bedenken. En ik gaf hun allemaal antwoord, totdat ze geen andere manieren meer konden bedenken om dezelfde vragen te stellen.

Het kruisverhoor gaf me de kans alles wat ik op dat punt wist, naar buiten te brengen. Ik kon bovendien een probleem bespreken dat me van begin af aan had dwarsgezeten. Iemand vroeg me of ik het gevoel had dat mijn onwil om de pers informatie te verschaffen, 'mede de indruk heeft gewekt dat u probeerde iets te verbergen'?

'Ja, dat denk ik wel,' antwoordde ik. 'En ik denk dat dit waarschijnlijk een van de dingen is waarvan ik het meest spijt heb, en een van de redenen waarom ik dit wilde doen... Als er één ding is dat mijn vader en moeder meer dan een miljoen keer tegen me hebben gezegd, dan is dat volgens mij: "Luister niet naar wat andere mensen zeggen; laat je niet leiden door de meningen van anderen. Jij bent namelijk degene met wie je moet leven." En ik vind dat een goed advies.

Maar ik denk ook dat dit advies en mijn geloof daarin, in combinatie met mijn gevoel voor privacy, er misschien toe hebben geleid dat ik minder begrip voor de pers en het openbare belang heb gehad, en minder begrip voor het feit dat mensen het recht hebben om dingen over mijn man en mij te weten, dan ik zou moeten hebben.

Dus dat klopt. Ik heb altijd geloofd dat ik een deel van

mijn leven privé moest houden. En ik zei pas geleden tegen een vriend van me dat ik het idee had dat ik na een lange tijd van verzet heringedeeld was.'

Daar moest iedereen om lachen.

Na afloop van de persconferentie zaten David en ik nog iets te drinken in de westelijke zitkamer, terwijl we door het raam de zon zagen ondergaan. We liepen met zijn tweeën nog even de gebeurtenissen van de dag door. Hoewel iedereen vond dat ik het goed had gedaan, was ik somber over de situatie en terwijl we de gebeurtenissen van die dag nog eens doornamen, zei ik tegen David: 'Volgens mij zullen ze het hier niet bij laten. Ze komen gewoon weer achter ons aan, wat we ook doen. We kunnen het gewoon niet goed doen.'

Diezelfde nacht overleed Richard Nixon op 81-jarige leeftijd, na een beroerte vier dagen daarvoor. In het vroege voorjaar van 1993 had Nixon Bill een brief gestuurd vol met heldere observaties over Rusland, en toen Bill deze brief aan me voorlas, noemde hij Nixon een briljante, tragische figuur. Bill nodigde de voormalige president vervolgens in het Witte Huis uit om over Rusland te spreken. Chelsea en ik begroetten hem toen hij uit de lift op de eerste verdieping stapte. Hij zei tegen Chelsea dat zijn dochters naar dezelfde school als zij waren gegaan, Sidwell Friends. Toen wendde hij zich tot mij:

'Meer dan twintig jaar geleden heb ik ook geprobeerd het systeem voor de gezondheidszorg te verbeteren. Het moet eens gebeuren.'

'Ik weet het,' antwoordde ik, 'en we zouden er tegenwoordig beter voorstaan als uw voorstel was aangenomen.'

Een van de vrouwen in het artikel van het decembernummer van *American Spectator* had ophef gemaakt over de manier waarop de lijfwachten uit Arkansas haar hadden geportretteerd. Hoewel ze in het verhaal alleen werd aangeduid met 'Paula', beweerde ze dat haar vrienden en familie haar herkenden als de vrouw die met Bill in een hotelkamer in Little Rock tijdens een conventie een ontmoeting zou hebben gehad en later tegen een lijfwacht had gezegd dat ze de 'vaste vriendin' van de gouverneur wilde worden.

In februari, tijdens een manifestatie van de National Conservative Political Action Committee, dook Paula Corbin Jones op bij een persconferentie en ze presenteerde zichzelf als de Paula uit het artikel. Cliff Jackson, die ten behoeve van Bills lijfwachten geld probeerde te werven voor een 'Troopergate Whistleblower's Fund', stelde haar voor aan de pers. Ze zei dat ze haar naam wilde zuiveren. Daartoe diende ze echter geen aanklacht wegens smaad in tegen de *Spectator*, maar beschuldigde ze Bill van 'seksuele intimidatie' omdat hij tegen haar zin had aangedrongen op intiem verkeer. Aanvankelijk besteedde de serieuze pers geen aandacht aan het verhaal van Jones omdat haar geloofwaardigheid in het geding was vanwege haar connectie met Jackson en de misnoegde lijfwachten. Wij verwachtten dat dit verhaal uit de belangstelling zou verdwijnen, net als de andere verzonnen schandalen.

Maar op 6 mei 1994, twee dagen voordat de verjaringstermijn zou zijn verstreken, diende Paula Jones een civiele aanklacht in tegen de president van de Verenigde Staten en vroeg om zevenhonderdduizend dollar schadevergoeding. Iemand verhoogde de inzet van dit spel. Het had zich verplaatst van de sensatiebladen naar de rechtbank.

17 D-Day

Washington is een stad van rituelen, en een van de rituelen die strikt in ere worden gehouden, is het jaarlijkse Gridiron Dinner, een formele aangelegenheid waarbij de belangrijkste journalisten uit Washington in avondkledij verschijnen, komische sketches opvoeren en liedjes zingen waarin de spot wordt gedreven met de huidige regering, inclusief de president en de First Lady. Gasten op het diner zijn de zestig leden van de club, hun collega's en hoogwaardigheidsbekleders uit de politieke, zakelijke en journalistieke wereld. Zoals zoveel officiële gremia in Washington was ook de Gridiron Club een behoudende instelling. Vrouwen werden pas in 1975 voor het eerst toegelaten. (Eleanor Roosevelt organiseerde altijd feestjes voor de 'Gridiron Widows', de buitengesloten echtgenotes en vrouwelijke journalisten.) In 1992 werd Helen Thomas, de doorgewinterde Witte-Huisverslaggever, tot eerste vrouwelijke voorzitter gekozen. Maar het lidmaatschap is nog steeds zeer exclusief en uitnodigingen voor Gridiron Dinners behoren tot de meest gewilde in de stad. De president en zijn vrouw zijn vrijwel altijd aanwezig; ze nemen plaats op het podium van de balzaal en incasseren sportief alles wat er over hen wordt gezegd. Soms hebben ze ook zelf een sketch ingestudeerd.

Toen het honderdnegende Gridiron Dinner in maart 1994 eraan zat te komen, wisten Bill en ik dat onze presentatie van het regeringsplan voor de gezondheidszorg onvoldoende helder en eenvoudig was geweest om publieke steun te verwerven en het Congres te motiveren in het strijdperk te treden tegen goed gefinancierde en goed georganiseerde tegenstanders. De Health Insurance Association of America was bang dat het plan van de regering de privileges en winsten van verzekeringsmaatschappijen zou aantasten. Om twijfels over de hervormingen op te wekken, lanceerde de groep een nieuwe reclamecampagne over een stel dat Harry en Louise heette. Ze zaten aan een keukentafel en stelden elkaar slim bedachte vragen over het plan en vroegen zich af wat het hun zou kosten. Zoals de bedoeling was, speelden de spotjes in op de angsten die leefden onder de doelgroep, de 85 procent van de Amerikanen die al een ziektekostenverzekering had en zich zorgen maakte over de mogelijkheid dat die hun ontnomen zou worden.

Voor het Gridiron Dinner besloten Bill en ik een parodie op de spotjes van de verzekeringslobby op te voeren, waarbij Bill de rol van Harry speelde en ik die van Louise. Het gaf ons de kans om de tactieken waarmee onze tegenstanders de mensen angst probeerden in te boezemen, aan de kaak te stellen, en tegelijkertijd een beetje lol te hebben. Mandy Grunwald en cabaretier Al Franken schreven het script, Bill en ik leerden onze tekst vanbuiten en namen na enkele repetities onze versie van 'Harry en Louise' op video op.

De spot ging als volgt: Bill en ik zitten op een sofa, hij in een ruitjeshemd en een kop koffie bij de hand, ik in een marineblauwe sweater en een rok, terwijl ik een enorme stapel papieren zit te bestuderen, zogenaamd de wet op de gezondheidszorg.

BILL: Hallo, Louise. Hoe was je dag vandaag?

IK: Nou, prima, Harry. Tot zo-even.

BILL: Jeetje, Louise, je ziet eruit alsof je een geest hebt gezien.

IK: Nou, het is nog veel erger. Ik heb net het gezondheidszorgplan van Clinton gelezen.

BILL: Zo'n herziening van de gezondheidszorg lijkt me een uitstekend idee.

IK: Nou, dat weet ik, maar sommige details jagen me de stuipen op het lijf.

BILL: Zoals?

IK: Bijvoorbeeld, op pagina 3764 staat dat we onder het gezondheidszorgplan van Clinton ziek kunnen worden.

BILL: Maar dat is verschrikkelijk.

IK: Nou, dat weet ik. En moet je hier eens kijken; het wordt nog erger. Op pagina 12 743... nee, sorry, ik bedoel 27 655, staat dat we uiteindelijk allemaal dood zullen gaan.

BILL: Onder het gezondheidszorgplan van Clinton? Je bedoelt dat Bill en Hillary eerst al die bureaucraten en belastingen op ons afsturen en dat we dan nog allemaal doodgaan?

IK: Zelfs Leon Panetta.

BILL: Wow, daar schrik ik van. Mijn hele leven ben ik nog nooit zo bang geweest.

IK: Ik ook niet Harry.

SAMEN: Er moet een betere manier zijn.

COMMENTAARSTEM: 'Betaald door de Coalitie tot Inboezeming van Doodsangst.'

Het was een ongebruikelijke act voor een presidentieel echtpaar, en het publiek vond het geweldig. Het Gridiron Dinner is een informele gebeurtenis, en het is niet de bedoeling dat de aanwezige journalisten er iets over schrijven. Desondanks is het gebruikelijk dat er de volgende dag grote artikelen aan de liedjes en sketches worden gewijd. Ons video-optreden kreeg uitgebreid aandacht en werd de volgende ochtend zelfs in diverse ontbijtshows op tv herhaald. Hoewel sommige deskundigen vermoedden dat onze act alleen maar meer de aandacht zou vestigen op de echte spotjes van Harry en Louise, was ik blij dat we wat vraagtekens hadden kunnen plaatsen bij de toon van de campagne van de verzekeringslobby en de absurditeit van de aantijgingen. En misschien nog belangrijker: het gaf een prettig gevoel om een lichte toets aan te brengen in een verder humorloze situatie.

De politici en journalisten in Washington hadden zich kostelijk vermaakt met onze sketch, maar we wisten dat we de pr-oorlog om de herziening van de gezondheidszorg aan het verliezen waren. Zelfs een populaire president die zo goed overkwam, was geen partij voor de honderden miljoenen dollars die werden besteed om via negatieve en misleidende reclamespotjes bepaalde kwesties te verdraaien. Bovendien tornden we aan de macht van de farmaceutische bedrijven, die bang waren dat een controle van de prijzen van voorgeschreven medicijnen hun winsten zou verminderen, en van de verzekeringsbranche, die in zijn campagne tegen een algehele ziektekostenverzekering kosten noch moeite spaarde. En enkelen van onze aanhangers begonnen hun enthousiasme voor het plan te verliezen omdat zij niet al hun wensen vervuld zagen. Ten slotte was ons voorstel tot hervorming uit zichzelf al complex, net als het probleem van de gezondheidszorg zelf, waardoor het een pr-nachtmerrie werd. Vrijwel elke belangengroep kon wel iets in het plan vinden wat haar niet aanstond.

We kwamen erachter dat de herziening van de gezondheidszorg, net als Whitewater, onderdeel was van een politieke oorlog die groter was dan Bill of de zaken waarvoor we stonden. We bevonden ons in de frontlinies van een steeds vijandiger wordend ideologisch conflict tussen gematigde Democraten en een Republikeinse Partij die steeds verder naar rechts opschoof. Inzet van de strijd waren de Amerikaanse denkbeelden over regering en democratie en de richting die ons land voor de komende jaren moest inslaan. We ontdekten al snel dat in deze oorlog alle middelen geoorloofd waren en dat de tegenstander in deze politieke veldslag veel betere wapens ter beschikking stonden: geld, media en organisatie.

Vier maanden daarvoor, in december 1993, had Republikeins strateeg en schrijver William Kristol, een stafchef van voormalig vice-president Dan Quayle en voorzitter van het Project for the Republican Future, een memorandum gestuurd naar de Republikeinse leiders van het Congres waarin hij er bij hen op aandrong het hervormingsplan van de gezondheidszorg om zeep te helpen. Het plan, zo schreef hij in zijn memo, is een 'serieuze politieke be-

dreiging voor de Republikeinse Partij' en de afwijzing ervan zou 'een monumentale tegenslag voor de president' betekenen. Hij verzette zich niet op inhoudelijke gronden tegen het plan; hij liet er alleen zijn partijpolitieke logica op
los. Hij instrueerde Republikeinen niet over het wetsvoorstel te onderhandelen of compromissen te sluiten. Volgens
Kristol was er maar één goede strategie: het plan onmiddellijk torpederen. In het memo werd met geen woord gerept
over de miljoenen Amerikanen zonder verzekering.

Overeenkomstig het memo ondersteunden Kristol,
Jack Kemp en voormalig minister onder Reagan Bennett
Williams de Republikeinse Partij met een gerichte mediacampagne tegen de herziening van de gezondheidszorg. In
de steden die ik zojuist had bezocht om het plan uit te leggen en te promoten, werd de ether overspoeld met reclamespots die het plan bekritiseerden.

Kristols memo aan de Republikeinse Congresleiders
had het gewenste effect. Nu de verkiezingen halverwege de
ambtstermijn in november 1994 ophanden waren, begonnen gematigde Republikeinen die voorstander van een
hervorming waren, zich van het regeringsplan te distantië-
ren. Senator Dole was oprecht geïnteresseerd in een hervorming van de gezondheidszorg, maar wilde zich in 1996
kandidaat stellen voor het presidentschap. Hij kon de huidige president Bill Clinton geen enkele legislatieve overwinning meer gunnen, zeker niet na de successen die Bill
had geboekt met zijn wetsvoorstellen over begroting en cri-
minaliteitsbestrijding en met de NAFTA. We hadden senator Dole aangeboden samen te werken aan een wetsvoorstel en ook de erkenning te delen, mocht de wet worden
aangenomen. Het voorstel van de senator was dat wij eerst
onze wet zouden indienen en dat we daarna samen aan een
compromis zouden werken. Zo ver is het nooit gekomen.
Kristols strategie begon zijn vruchten af te werpen.

Met elke stap die we vooruit deden, hadden we het gevoel dat we twee stappen terug deden. Twee belangrijke zakelijke belangengroepen, de Kamer van Koophandel en de

National Association of Manufacturers, hadden Ira halver-wege 1993 meegedeeld dat ze konden leven met een sleutel-component van het wetsvoorstel, de werkgeversplicht, die bedrijven met meer dan vijftig werknemers zou verplich-ten hun personeel een ziektekostenverzekering aan te bie-den. Deze zakelijke belangengroepen wisten dat de meeste grote werkgevers hun werknemers al een ziektekostenver-zekering aanboden en zagen in de werkgeversplicht een mogelijkheid deze verzekering tot alle werknemers uit te breiden. Maar tegen het einde van maart 1994, toen een subcommissie van de Ways and Means Committee van het Huis met zes tegen vijf stemmen voor de werkgeversplicht stemde, hadden deze twee belangengroepen onder druk van de Republikeinen en tegenstanders van de hervorming hun positie gewijzigd. De werkgeversplicht was duidelijk een controversiële kwestie, en Bill begon concessies te doen en compromissen te sluiten met het Congres. Hoewel hij had gedreigd zijn veto uit te spreken over elke wet die geen algehele ziektekostendekking zou bieden, gaf hij nu aan dat hij misschien ook met minder genoegen zou nemen. Dit was onderdeel van het proces van geven en nemen dat tijdens onderhandelingen over wetsvoorstellen gebruike-lijk is, en het opende voor de Senaat de deur een door leden van de Finance Committee van senator Moynihan ge-steund voorstel in overweging te nemen om vijfennegentig procent van alle Amerikanen te verzekeren in plaats van honderd procent. Maar zelfs die concessie leverde ons niet duidelijk meer bondgenoten op. We verloren zelfs steun van sommige hardliners die vonden dat we de zaak ver-raadden als we met minder dan honderd procent genoegen namen.

In het voorjaar werden er tegen Dan Rostenkowski ze-ventien aanklachten wegens fraude met overheidsgeld in-gediend. We verloren een sleutelfiguur en bondgenoot in het Huis toen hij vervolgens terugtrad en ten slotte werd veroordeeld. Dit volgde op het teleurstellende nieuws dat de meerderheidsleider in de Senaat George Mitchell zich niet herkiesbaar zou stellen, wat betekende dat de machtigste Democraat in de Senaat en voorvechter van ons wetsvoorstel geen vuist meer kon maken.

We kwamen er ook achter dat de herziening van de gezondheidszorg voor heel wat Congresleden een harde leerschool was. Gelet op het gigantische aantal wetten waarover zij geacht worden te stemmen, concentreren de meeste leden hun aandacht op de wetgeving die betrekking heeft op de taken van de subcommissies waarvan zij deel uitmaken. Ze hebben dus geen tijd om de fijne kneepjes van elk onderwerp dat in het Huis of de Senaat ter sprake komt te bestuderen. Maar het verbaasde me dat meer dan een Congreslid het verschil niet kende tussen Medicare en Medicaid, allebei door de federale overheid gefinancierde gezondheidszorgprogramma's. Anderen hadden er geen notie van wat voor dekking zijzelf van de overheid kregen. Newt Gingrich, die in 1995 de Republikeinse voorzitter van de Senaat zou worden, beweerde tijdens een optreden in *Meet the Press* in 1994 dat hij geen ziektekostenverzekering van overheidswege had maar die inkocht bij Blue Cross-Blue Shield. Maar zijn polis was een van de vele die federale ambtenaren kregen aangeboden via het Federal Health Benefits Plan. En de overheid betaalde vijfenzeventig procent van de vierhonderd dollar premie van Gingrich en alle andere Congresleden.

Dit gebrek aan kennis van zaken werd me duidelijk tijdens een ontmoeting die ik op een dag had in het Capitool met een groep senatoren. Naar aanleiding van vragen over het herzieningsplan deelde ik exemplaren uit van een instructieboek met een samenvatting van onze plannen. Senator Ted Kennedy, een van de grootste deskundigen op het gebied van gezondheidszorg en tal van andere kwesties die in het Congres spelen, leunde achterover op twee poten van zijn stoel terwijl hij luisterde naar de ene vraag na de andere van zijn collega's. Ten slotte ploften de twee voorpoten van zijn stoel op de grond en brulde hij: 'Als u nu eens gewoon op pagina 34 van het instructieboek kijkt! Daar staat het toch zwart op wit.' Hij kende alle details – met de bijbehorende paginanummers – vanbuiten!

Zelfs een aantal van onze bondgenoten in de advocatuur begon moeilijk te doen. Een van de belangrijkste organisaties bij de hervormingscampagne was de American Association of Retired Persons (AARP). Deze machtige lobbygroep van bejaarden begon in maart 1994 een eigen reclamecampagne waarin de groep erop aandrong dat in het wetsvoorstel voor de herziening van de gezondheidszorg dat het Congres zou aannemen, ook een geneesmiddelenvergoeding was opgenomen. Dit was een ononderhandelbare eis van de AARP, en van mij. Hoewel de AARP ons bedoelde te helpen, had de reclamecampagne een ondermijnend effect omdat ze de mensen ten onrechte het idee gaf dat in ons plan geen voorziening was getroffen voor de vergoeding van medicijnen, terwijl dat natuurlijk wel het geval was.

Ik deed mijn uiterste best de hervormingsgezinde krachten onder de paraplu van het Health Care Reform Project bij elkaar te houden. Maar we konden slechts zo'n vijftien miljoen dollar bij elkaar brengen om een publieke informatiecampagne te voeren en sprekers te rekruteren om overal in het land de boodschap af te leveren. Daarmee waren we vele maten te klein voor de zwaargewichten uit het bedrijfsleven die naar schatting circa driehonderd miljoen dollar in hun eigen campagne tegen de hervorming hebben gestoken.

De manier waarop de verzekeringsbranche ons hervormingsplan verdraaide, was zo effectief dat veel Amerikanen niet in de gaten hadden dat de kernelementen van de hervorming, waar ze het mee eens waren, in feite in het plan-Clinton aanwezig waren. Een nieuwsartikel in *The Wall Street Journal* op 10 maart 1994 vatte ons dilemma samen in de kop 'Velen realiseren zich niet dat ze juist het plan-Clinton aantrekkelijk vinden'. De schrijver legde uit dat de Amerikanen weliswaar bepaalde elementen van het plan-Clinton steunen, maar 'meneer Clinton de slag om zijn eigen wetsvoorstel voor de gezondheidszorg aan het verliezen is. In de kakofonie van negatieve tv-spots en aanvallen van critici opperen de vijanden hun bezwaren tegen het plan-Clinton sneller dan de president en Hillary Rodham Clinton ze kunnen pareren. Tenzij de Clintons erin slagen de verwarring op te heffen, ziet de toekomst voor belangrijke elementen van hun wetsvoorstel er niet goed uit.'

Terwijl Washington zich helemaal verloor in de herziening van de gezondheidszorg en Whitewater, gold dat niet voor de rest van de wereld. Begin mei verscherpten de Verenigde Naties de sancties tegen de militaire junta in Haïti, en een nieuwe golf van Haïtiaanse vluchtelingen overspoelde de Amerikaanse kusten. Er was een crisis ophanden, en Bill vond dat Al Gore hem moest vervangen tijdens een reis naar Zuid-Afrika voor de presidentiële inauguratie van Nelson Mandela. Tipper en ik vergezelden Al als leden van de Amerikaanse delegatie. Het vooruitzicht dat ik bij dit gedenkwaardige moment aanwezig mocht zijn, emotioneerde me. In de jaren tachtig had ik de boycot van Zuid-Afrika gesteund, in de hoop dat het apartheidsregime zou buigen onder de internationale druk. Op de februaridag in 1990 waarop Nelson Mandela de gevangenis uit liep, maakte Bill Chelsea voor dag en dauw wakker, zodat ze samen die dramatische gebeurtenis konden beleven.

In een volgepakt vliegtuig was ik op weg naar Johannesburg. Tijdens de zestien uur durende reis bleven mijn reisgenoten de hele nacht wakker: ze kaartten, luisterden naar muziek en praatten opgetogen over de historische verandering waarvan zij getuigen zouden zijn. Na een verblijf van zevenentwintig jaar in de gevangenis vanwege samenzwering tegen het apartheidsregime in Zuid-Afrika had Nelson Mandela de eerste interraciale verkiezingen in dat land gewonnen om er de eerste zwarte president te worden. De vrijheidsstrijd in Zuid-Afrika had sterke banden met de Amerikaanse mensenrechtenbeweging en werd ondersteund door Afro-Amerikaanse leiders, van wie er velen met ons naar Zuid-Afrika reisden om Mandela te eren.

We landden in de buitenwijken van Johannesburg, een uitdijende, moderne stad in de droge centrale hooglanden van Zuid-Afrika. Die avond woonden we een voorstelling bij in het beroemde Market Theater, waar Athol Fugard en andere toneelschrijvers jarenlang de overheidscensuur aan hun laars hadden gelapt en de martelende werkelijkheid van de apartheid uitgebeeld. Daarna werden we getrakteerd op een buffet met allerlei Afrikaanse specialiteiten, naast de gebruikelijke vleesgerechten en salades. Ik was niet zo avontuurlijk ingesteld als Maggie en de rest van mijn staf, die elkaar uitdaagden tot het proeven van gefrituurde sprinkhanen en larven.

Onze delegatie vertrok naar het noorden, naar de hoofdstad Pretoria. Omdat de officiële machtsoverdracht pas plaatsvond nadat de nieuwe president was beëdigd, werd de statige presidentiële residentie nog steeds bewoond door F.W. de Klerk. Terwijl Al Gore een ontmoeting had met De Klerk en zijn ministers, ontbeten Tipper en ik met mevrouw De Klerk en de echtgenotes van andere vertrekkende functionarissen van de Nasionale Partij. We zaten in een ontbijtkamer met een lambrisering van houten panelen, rijkelijk versierd met grof geweven tapijten en porseleinen prullaria. Midden op een grote ronde tafel stond een draairek vol met de kuipjes jam, broden, beschuiten en eieren van een traditioneel Nederlands boerenontbijt. Hoewel we een luchtig gesprek voerden over voedsel, kinderen en het weer, lag er een onuitgesproken subtekst onder de gebeurtenis: over enkele uren zou de wereld waarin deze vrouwen leefden, voor altijd verdwijnen.

Vijftigduizend mensen woonden de inauguratie bij. Het was een feestelijk spektakel om de herwonnen vrijheid en rehabilitatie van de nieuwe president te vieren. Iedereen was verbaasd over de ordelijke machtsoverdracht in een land dat zo geschonden was door racistische angst en haat. Colin Powell, een lid van onze delegatie, was tot tranen toe bewogen toen de straaljagers van het Zuid-Afrikaanse leger kwamen overvliegen. Hun condensstrepen tekenden zich in de lucht af, gekleurd in het rood, zwart, groen, blauw, wit en goud van de nieuwe nationale vlag. Nog maar een paar jaar daarvoor waren diezelfde straaljagers een indrukwekkend symbool van de militaire macht van het apartheidsregime geweest; nu salueerden ze met hun vleugels hun nieuwe opperbevelhebber.

In zijn toespraak wees Mandela discriminatie op basis van ras of geslacht af, twee kwalen die diep verankerd waren in Afrika en het merendeel van de rest van de wereld. Toen we de ceremonie verlieten, zag ik de eerwaarde Jesse Jackson huilen van vreugde. Hij boog naar me toe en zei: 'Had u ooit gedacht dat iemand van ons deze dag zou meemaken?'

Toen we terugkeerden naar de presidentiële residentie, bleek dat deze een totale transformatie had ondergaan. Overal langs de lange, bochtige weg tussen de groene gazons, waarlangs een paar uur geleden nog gewapende militairen hadden gestaan, stonden nu drummers en dansers uit heel Zuid-Afrika in hun schitterende kleding. De stemming was opgewekt en feestelijk, alsof de lucht zelf in een middag tijd was opgeklaard. We werden in het huis genodigd om ons te mengen onder de tientallen bezoekende staatshoofden en hun delegaties. Een van mijn problemen die middag was Fidel Castro. Mensen van Buitenlandse Zaken hadden me gewaarschuwd dat Castro me wilde spreken. Ze vertelden me dat ik hem ten koste van alles moest zien te mijden, aangezien wij geen diplomatieke relaties met Cuba onderhielden om nog maar te zwijgen over het handelsembargo.

'U mag hem niet de hand schudden,' zeiden ze tegen me. 'U mag niet met hem praten.' Zelfs als ik hem maar toevallig tegen het lijf liep, zou de anti-Castrofactie in Florida diep beledigd zijn.

Tijdens de receptie keek ik herhaaldelijk over mijn schouder of ik ergens tussen al die gezichten Castro's borstelige grijze baard ontwaarde. Midden in een fascinerend gesprek met iemand als koning Mswat III van Swaziland zag ik opeens Castro op me afkomen en ik smeerde ik 'm naar de andere kant van de kamer. Het was belachelijk, maar ik wist dat een enkele foto, een verdwaalde opmerking of een toevallige ontmoeting nieuws zou zijn.

Er werd een lunch geserveerd onder een enorme tent van wit canvas. Mandela stond op om zijn gasten toe te spreken. Ik vind het heerlijk om hem te horen praten in die trage, waardige stijl die zowel formeel als humoristisch is. Hij maakte de gebruikelijke opmerkingen om ons te verwelkomen. Toen zei hij iets wat me diep trof. Hij vertelde dat hij verheugd was dat hij zoveel hoogwaardigheidsbekleders als gast mocht ontvangen, maar dat hij het meest verheugd was over de aanwezigheid van drie van zijn voormalige gevangenisbewaarders van Robbeneiland die hem tijdens zijn gevangenschap met respect hadden behandeld. Hij vroeg hun op te staan, zodat hij hen aan de menigte kon voorstellen.

Zijn edelmoedigheid van geest was inspirerend en bemoedigend. Maandenlang was ik volkomen in beslag genomen door de vijandigheid in Washington en de kwaadaardige aanvallen in verband met Whitewater, Vince Foster en het reisbureau. Maar hier stond Mandela en eerde drie mannen die hem gevangen hadden gehouden.

Toen ik nader kennismaakte met Mandela, legde hij me uit dat hij vroeger een opgewonden standje was geweest. In de gevangenis had hij geleerd zijn emoties te controleren om te kunnen overleven. Dankzij zijn jaren in de gevangenis had hij de tijd en de motivatie gevonden diep in zijn eigen hart te kijken en de pijn te verwerken die hij daar aantrof. Hij herinnerde mij eraan dat dankbaarheid en vergiffenis, die vaak voortkomen uit pijn en lijden, een enorme discipline vereisen. Over de dag waarop zijn gevangenschap eindigde, vertelde hij me: 'Op het moment dat ik de deur uit liep naar de poort die me naar de vrijheid zou voeren, wist ik dat ik nog steeds een gevangene zou zijn als ik mijn verbittering en haat niet achter me zou laten.'

Met de woorden van Mandela nog in mijn hoofd trof ik

op de avond van mijn terugkeer uit Zuid-Afrika vijf voormalige First Lady's op het National Garden Gala in de Amerikaanse Botanische Tuin. Ik was erevoorzitter van dat evenement, dat was georganiseerd om fondsen te werven voor de aanleg van een nieuwe tuin die een levend gedenkteken zou vormen in de Mall, gewijd aan acht hedendaagse First Lady's ter ere van onze bijdragen aan het land.

Tot mijn grote vreugde was Lady Bird Johnson in staat het gala bij te wonen. We hebben tijdens mijn jaren in het Witte Huis met elkaar gecorrespondeerd en ze wist me met haar brieven vaak te troosten en moed in te spreken. Ik bewonderde de stille kracht en charme waarmee ze haar rol als First Lady had vervuld. Ze was met een programma voor landschapsverfraaiing begonnen: ze had wilde bloemen laten planten langs duizenden kilometers nationale autowegen, waarmee ze onze waardering voor het natuurlijke landschap had vergroot. Dankzij Lady Bird ontwikkelde een hele generatie Amerikanen een nieuw respect voor het milieu en een drang dit te bewaren. Ze was ook beschermvrouwe van Head Start, het vroege leerprogramma voor minder bevoorrechte kinderen. En als het op campagnevoeren aankwam: in de verkiezingsrace tegen Barry Goldwater in 1964 had ze voor haar man het hele Zuiden van de Verenigde Staten doorkruist. Tijdens een moeilijke periode in het Witte Huis begreep zij dat betrokkenheid en opoffering een eerste vereiste waren voor presidentiële politiek. Met haar intelligentie en compassie hield ze zich staande in een wereld die werd gedomineerd door de bovenmaatse persoonlijkheid van Lyndon B. Johnson. Terneergeslagen door Washington had ik behoefte aan haar gevoel voor perspectief dat ze zich met veel pijn en moeite had verworven.

De foto's van die gala-avond waren mooie aandenkens: Lady Bird, Barbara Bush, Nancy Reagan, Rosalynn Carter, Betty Ford en ik. Het was een bijzonder plaatje: al de nog levende First Lady's samen op het podium, op een na. Jackie Kenndey kon niet bij ons zijn.

Een aantal maanden daarvoor was bij Jackie Onassis-Kennedy een non-Hodgkinlymfoon vastgesteld, een vorm van kanker die vaak dodelijk is maar soms zeer langzaam uitzaait. Als gevolg daarvan was ze niet in staat te komen. We hadden wel gehoord dat ze een operatie had ondergaan, maar niet hoe snel haar situatie was verslechterd. Zo was Jackie Kennedy: ze probeerde haar sterven al net zo privé te houden als haar leven.

Op 19 mei 1994 stierf zij in haar appartement in New York in het bijzijn van Caroline, John en Maurice. De volgende ochtend gingen Bill en ik in alle vroegte naar de Jacqueline Kennedy Garden bij de oostelijke zuilengang van het Witte Huis om onze gedachten te delen met een aantal mensen van de pers, staf en vrienden. Bill erkende haar bijdragen aan ons land, terwijl ik sprak over haar onbaatzuchtige toewijding aan haar kinderen en kleinkinderen: 'Ze vertelde me ooit: "Als je de opvoeding van je kinderen verprutst, dan doet het er volgens mij verder niet meer toe wat je doet."' Daar was ik het hartgrondig mee eens. Ik woonde haar begrafenisdienst bij in de rooms-katholieke Sint-Ignatius Loyolakerk in New York en vloog vervolgens met haar familie en goede vrienden naar Washington. Bill voegde zich op het vliegveld bij ons en ging met ons mee naar het graf, waar Jackie werd begraven naast president John F. Kennedy, hun jong gestorven zoontje Patrick en hun naamloze doodgeboren dochter. Na de ceremonie aan het graf gingen we met de uitgebreide Kennedy-familie naar Hickory Hill, het nabij gelegen huis van Ethel Kennedy.

Twee weken later stuurde John F. Kennedy jr. Bill en mij een handgeschreven brief die ik koester: 'Ik wil u beiden graag laten weten hoeveel uw ontluikende vriendschap met mijn moeder voor haar betekende,' schreef hij. 'Sinds ze Washington heeft verlaten, heeft ze volgens mij nooit emotioneel in contact willen treden met die periode in haar leven, of met de institutionele vereisten die aan een voormalige First Lady worden gesteld. Het had veel te maken met de herinneringen die dit alles wakker riep en met haar verlangen zich te verzetten tegen een levenslange rol die haar niet helemaal paste. Maar ze leek diep gelukkig en opgelucht dat ze zichzelf toestond via u daar weer mee in contact te komen. Dat heeft haar op een fundamenteel niveau geholpen, misschien omdat ze met u kon praten over de gevaren die er kleven aan het opvoeden van kinderen onder die omstandigheden (gevaarlijk is het juiste woord) of misschien vanwege de overeenkomsten tussen uw presidentschap en dat van mijn vader.'

Begin juni 1994 reisden Bill en ik naar Groot-Brittannië voor de herdenking van de vijftigste verjaardag van de invasie in Normandië, die het einde van de Tweede Wereldoorlog in Europa had ingeluid. Hare Majesteit koningin Elizabeth II had ons uitgenodigd de nacht door te brengen op het koninklijke jacht HMS *Britannia*, en ik verheugde me erg op mijn kennismaking met de koninklijke familie. Ik had prins Charles het jaar daarvoor ontmoet tijdens een klein diner van de Gores. Hij was een heerlijke man met een gevatte scherpzinnigheid en een gevoel voor humor dat hij vooral ten koste van zichzelf aanwendde. Toen Bill en ik aan boord van de *Britannia* stapten, werden we voorgesteld aan de koningin, prins Philip en de koningin-moeder, die ons een drankje aanbood. Toen ik mijn reisdirecteur Kelly Craighead aan haar voorstelde, verraste de koningin-moeder ons allemaal door Kelly uit te nodigen op het jacht te blijven om met haar en enkele jonge militaire adjudanten van de koningin te dineren. Kelly zei dat ze dolgraag op die uitnodiging wilde ingaan maar dat ze eerst moest kijken of ze kon worden ontslagen van haar taken. Kelly liep me achterna naar mijn kajuit en vroeg me wat ze moest doen. Ik zei haar dat ze absoluut moest blijven en dat iemand anders die avond haar taken bij het formele diner met de koningin en prins Philip wel kon waarnemen. Ze haastte zich naar een van de militaire adjudanten om dit door te geven, maar keerde in paniek weer terug omdat ze te horen had gekregen dat formele kleding verplicht was bij het diner. Haar gewone zwarte broekpak volstond niet, dus ik haalde al mijn chique kleding te voorschijn en hielp Kelly met de samenstelling van een passende garderobe voor haar diner met de koningin-moeder.

Tijdens het grote diner zat ik tussen prins Philip en minister-president John Major aan een tafel die lang genoeg was om plaats te bieden aan al de aanwezige koningen, koninginnen, ministers-presidenten en presidenten. Vanaf een verhoging keek ik uit over een grote zaal waarin meer dan vijfhonderd gasten waren verzameld om de Brits-Amerikaanse alliantie te gedenken die op D-Day de overwinning wisten te behalen. Onder hen bevonden zich de voormalige minister-president Margaret Thatcher, wier carrière ik met grote belangstelling had gevolgd; Mary Soames, de dochter van Churchill; en Winston, Churchills kleinzoon, een zoon van Pamela Harriman. Major was een prettige disgenoot. Ik had een heerlijk gesprek met hem over mensen in de zaal en luisterde naar zijn verhaal over het verschrikkelijke auto-ongeluk dat hem was overkomen toen hij als jongeman in Nigeria werkte. Maandenlang was hij aan bed gekluisterd geweest en zijn pijnlijke herstel had veel tijd in beslag genomen.

Prins Philip was een beschaafde causeur die zijn aandacht zorgvuldig verdeelde tussen mij en de vrouw aan zijn andere zijde, Hare Majesteit koningin Paola van België. Hij stopte letterlijk halverwege het snijden van zijn vlees om zijn hoofd van haar naar mij en weer terug te wenden, terwijl hij ons intussen onderhield over zeilen en de geschiedenis van de *Britannia*.

De Britse vorstin, gezeten naast Bill, droeg een fonkelende diamanten tiara die schitterde in het licht wanneer ze knikte en lachte om Bills verhalen. Ze deed me in haar verschijning, beleefdheid en gereserveerdheid denken aan mijn moeder. Ik heb grote bewondering en sympathie voor de manier waarop ze zich van haar taken heeft gekweten toen ze als jonge vrouw haar vader opvolgde. Vanuit mijn eigen beperkte ervaringen kon ik me nauwelijks voorstellen hoe het was om decennia lang, tijdens moeilijke en snel veranderende tijden, zo'n veeleisende rol in het middelpunt van de belangstelling te vervullen. Toen Chelsea negen jaar was, hadden Bill en ik haar voor een korte vakantie mee naar Engeland genomen. Ze wilde alleen maar de koningin en prinses Diana ontmoeten, wat we in die tijd natuurlijk niet konden regelen. Ik nam haar wel mee naar een historische tentoonstelling over alle koningen en koninginnen van Engeland. Ze bestudeerde de expositie zorgvuldig, was bijna een uur bezig met het lezen van de levensbeschrijvingen van elke monarch en liep daarna de hele tentoonstelling nog een keer langs. Toen ze klaar was, zei ze: 'Mama, ik geloof dat koning of koningin zijn een hele zware baan is.'

De ochtend na dit grootse diner ontmoette ik prinses Diana voor het eerst bij de Drumhead Service, een traditionele religieuze ceremonie van de 'Forces Committed', het punt waarop troepen niet meer mogen worden teruggetrokken van de slag. De ceremonie werd gehouden op het terrein van een marinebasis, op een veld dat was omgeven door tuinen die zich uitstrekten langs een boulevard aan zee. Te midden van de veteranen en toeschouwers bevond zich Diana, vervreemd maar nog niet gescheiden van prins Charles. Ze woonde de ceremonie alleen bij. Ik keek naar haar toen ze de menigte begroette, die haar duidelijk verafgoodde. Ze had een betoverende persoonlijkheid, was ongewoon mooi en gebruikte haar ogen om mensen naar zich toe te trekken: ze boog haar hoofd voorover om je te begroeten terwijl ze haar ogen opsloeg. Het leven straalde van haar af en ze ademde een soort kwetsbaarheid uit die ik hartverscheurend vond. Hoewel we tijdens dit bezoek niet veel tijd hadden om met haar te spreken, leerde ik haar later goed kennen. Ik mocht haar. Ze was een vrouw die werd verscheurd door verschillende behoeften en interessen die om voorrang schreeuwden, maar ze wilde oprecht een bijdrage leveren, een stempel achterlaten. Ze zette zich in voor de aids-problematiek en de afschaffing van landmijnen. Bovendien was ze een toegewijde moeder, en telkens als we elkaar ontmoetten, spraken we erover hoe zwaar het was kinderen op te voeden die in het middelpunt van de belangstelling staan.

Later op die middag gingen we aan boord van de *Britannia* en voeren uit naar Het Kanaal, waar we ons aansloten bij een lang konvooi schepen, waaronder de *Jeremiah O'Brien*, een van de schepen die door de Amerikaanse regering waren ingezet om goederen naar Groot-Brittannië te vervoeren toen de Verenigde Staten bij de oorlog betrokken raakten. We stapten over op de USS *George Washington*, een vliegdekschip dat voor de Franse kust voor anker lag. Dit was de eerste keer dat ik een vliegdekschip bezocht, een drijvende stad met een bevolking van zesduizend matrozen en mariniers. Terwijl Bill werkte aan de toespraak die hij de volgende dag zou houden, liet ik me rondleiden, onder andere over het vliegdek, een van de gevaarlijkste werkplekken in het leger. Het vereist een enorme hoeveelheid moed en training om een gevechtsvliegtuig te laten opstijgen en doen landen op dat deinende stukje Amerikaanse bodem midden op de oceaan. Vanaf de brug hoog boven het dek keek ik uit over het gigantische vliegdekschip en voelde de macht die ervan uitging. Ik dineerde in de kombuis, niet groter dan een cafetaria, samen met enkele bemanningsleden van wie de meeste hooguit achttien of negentien jaar oud waren. Vijftig jaar daarvoor hadden jongemannen van dezelfde leeftijd de stranden van Normandië bestormd.

Hoewel ik D-Day van Stephen Ambrose had gelezen, had ik me niet gerealiseerd hoe hoog de klippen waren die de geallieerde troepen moesten bedwingen nadat ze zich een weg over het strand hadden gebaand. Pointe-du-Hoc leek onbedwingbaar op 6 juni 1944 en met ontzag luisterde ik naar de veteranen die deze klim hadden gemaakt.

Bills relatie met het leger kende een moeizame start, zodat zijn redevoering over D-Day een beladen toespraak was. Net als ik had hij geprotesteerd tegen de oorlog in

Vietnam omdat hij geloofde dat de oorlog op verkeerde gronden werd gevoerd en onwinbaar was. Door zijn werkzaamheden voor de Foreign Relations Committee aan het eind van de jaren zestig wist hij toen al wat wij nu allemaal weten: de regering van de Verenigde Staten had het publiek misleid over de mate van onze betrokkenheid, de kracht van onze Vietnamese bondgenoten, het incident in de Golf van Tonkin, het succes van onze militaire strategie, de aantallen oorlogsslachtoffers en andere gegevens waardoor het conflict langer voortduurde en meer mensenlevens kostte. Bill had geprobeerd zijn grote twijfels over de oorlog tot uitdrukking te brengen in een brief aan het hoofd van de officiersopleiding in Arkansas in 1969. In zijn besluit zich van de opleiding terug te trekken en zich te onderwerpen aan de dienstplicht via loting, gaf hij uiting aan de innerlijke strijd die zoveel jongemannen voerden om een land waarvan ze hielden en een oorlog die ze niet ondersteunden.

Toen ik Bill pas had ontmoet, spraken we onafgebroken over de oorlog in Vietnam, de dienstplicht en de tegenstrijdige verplichtingen die we voelden als jonge Amerikanen die van hun land hielden maar het niet eens waren met deze specifieke oorlog. We kenden allebei de angstige verwarring uit die tijd, en we kenden allebei vrienden die vrijwillig dienst hadden genomen, als dienstplichtige waren opgeroepen, zich hadden verzet of welbewust gewetensbezwaar hadden aangetekend. Vier van Bills klasgenoten van zijn middelbare school in Hot Springs waren gesneuveld in Vietnam. Ik wist dat Bill respect had voor de militaire dienst, dat hij zou hebben gediend als hij was opgeroepen en dat hij graag zou hebben gediend in de Tweede Wereldoorlog, een oorlog waarvan het doel kristalhelder was. Maar de Vietnamoorlog stelde het intellect en het geweten van velen in mijn generatie op de proef omdat hij strijdig leek met de nationale belangen en waarden van de Verenigde Staten in plaats van deze te bevorderen. Als eerste president die tijdens de Vietnamperiode was opgegroeid, nam

Bill de onverwerkte gevoelens die in ons land over die oorlog leefden mee naar het Witte Huis.

Hij achtte de tijd rijp om de kloof tussen de Amerikanen onderling te overbruggen en de vroegere vijand in de ogen te zien. Bill hief in 1994 het handelsembargo met Vietnam op en herstelde de diplomatieke betrekkingen. De Vietnamese regering, op haar beurt, ondernam actie om vermiste militairen op te sporen.

In 2000 zette Bill als eerste president voet aan de grond van het land waaruit de Verenigde Staten zich in 1975 hadden teruggetrokken. Hij betoonde hiermee eer aan de 58 000 Amerikanen die het leven in de strijd hadden gelaten. De diepe wonden bij zowel Amerikanen als Vietnamezen konden nu beginnen te genezen.

Een van de eerste problemen waarmee Bill als opperbevelhebber te maken kreeg, was zijn verkiezingsbelofte dat homoseksuele mannen en vrouwen tot het leger zouden worden toegelaten, zolang hun seksuele geaardheid hun functioneren en de harmonie binnen de eenheid op geen enkele manier in gevaar bracht. Ik vond het niet meer dan vanzelfsprekend dat in het leger geen plaats was voor wangedrag, noch van heteroseksuele noch van homoseksuele aard, en dat de militaire gedragscode uitsluitend van toepassing moest zijn op gedrag, en niet op seksuele geaardheid. De kwestie werd in het begin van 1993 actueel en bleek een slagveld waarop krachtig verdedigde stellingen werden betrokken. Degenen die naar voren brachten dat homoseksuelen zich hadden onderscheiden in elke oorlog die in onze geschiedenis was gevoerd en de gelegenheid moesten krijgen ons land te blijven dienen, vormden in het leger en het Congres een duidelijke minderheid. De publieke opinie was minder duidelijk verdeeld, maar zoals zo vaak het geval is, waren ook nu de tegenstanders van verandering onbuigzamer en luidruchtiger dan de voorstanders. Wat me het meest dwarszat, was de hypocrisie. Nog drie jaar daarvoor werden tijdens de Golfoorlog zowel mannelijke als vrouwelijk soldaten die bekendstonden als homoseksueel de frontlinies in gestuurd omdat hun land hen nodig had voor de vervulling van de missie. Na afloop van de oorlog, toen ze niet langer nodig waren, werden ze ontslagen op basis van hun seksuele geaardheid. Dat vond ik onverdedigbaar.

Bill wist dat hij met deze kwestie geen politiek gewin kon behalen, maar het irriteerde hem dat hij de gezamenlijke chefs van staven en de commandanten van de krijgsmachtsonderdelen niet kon overtuigen de werkelijkheid te accepteren: dat er altijd homoseksuelen in het leger waren geweest, dat ze er ook nu in zaten en dat dit altijd zo zou blijven; het enige wat nodig was, was een beleidswijziging die iedereen dezelfde maatstaven voor gedrag zou opleggen. Nadat zowel Huis als Senaat dit voorstel had weggestemd via tweederde meerderheden, zodat de president geen gebruik kon maken van zijn vetorecht, besloot Bill een compromis te accepteren: 'Niets vragen en niets zeggen.' Volgens dit beleid mogen superieuren een ondergeschikte niet vragen of hij of zij homoseksueel is. Wordt die vraag toch gesteld, dan hoeft de ondergeschikte geen antwoord te geven. Dit beleid heeft echter onvoldoende gewerkt. Het komt nog steeds voor dat vermeende homoseksuelen afgeranseld en getreiterd worden, en het aantal ontslagen homoseksuelen is gegroeid. Sinds 2000 is het homoseksuelen in Groot-Brittannië, onze belangrijkste bondgenoot, toegestaan in krijgsdienst te treden, en er zijn nog geen problemen gesignaleerd; Canada heeft in 1992 zijn ban op homoseksuelen in het leger opgeheven. We hebben als samenleving nog een lange weg te gaan voordat dit probleem is opgelost. De oppositie zou eens een voorbeeld moeten nemen aan Barry Goldwater, een icoon van Amerikaans rechts en een uitgesproken voorvechter van de rechten van homoseksuelen, die hij in overeenstemming acht met zijn conservatieve principes. Over de kwestie van homoseksuelen in het leger zei hij: 'Je hoeft echt geen hetero te zijn om voor je land te vechten en te sterven, als je maar een geweer kunt vasthouden.'

In de redevoering die hij op de Amerikaanse militaire begraafplaats in Colleville-sur-Mer in Normandië hield, sprak Bill tot de Amerikaanse veteranen van de generatie van onze ouders: 'Wij zijn de kinderen van uw offer,' zei hij. 'Deze dappere Amerikanen sloten zich aan bij de Europese legers en verzetsstrijders uit Groot-Brittannië, Noorwegen, Frankrijk, België, Nederland, Denemarken en andere landen en kwamen in opstand tegen het nazisme. Daarmee versterkten ze een historische alliantie die een halve eeuw later de Verenigde Staten nog steeds bindt aan Europa. De "beste generatie" begreep dat Amerikanen en Europeanen verbonden zijn in een gemeenschappelijke onderneming, een die geleid heeft naar de overwinning in de koude oorlog en die een inspiratiebron is geweest voor de verspreiding van vrijheid en democratie over verscheidene continenten. Gelet op de onzekerheden van de wereld van vandaag, blijven de historische banden van Amerika met Europa, zo duidelijk aanwezig op deze Normandische stranden, de sleutel vormen voor veiligheid, welvaart en hoop op vrede in deze wereld.'

Bills D-Day-toespraak was met name zeer emotioneel voor hem omdat hij pas daarvoor een kopie had ontvangen van het militaire dossier van zijn vader en de geschiedenis van diens eenheid, die had deelgenomen aan de invasie in Italië. Nadat in een aantal kranten het verhaal van zijn vaders diensttijd was gepubliceerd, ontving Bill een brief van een man die in New Jersey woonde maar oorspronkelijk afkomstig was uit Nettuno in Italië. Als jonge knaap was hij bevriend geraakt met een Amerikaanse soldaat die in de 'motor pool' van het binnenvallende leger diende. De soldaat, die de jongen had geleerd auto's en vrachtwagens te repareren, was Bills vader, William Blythe, geweest. Dat hij uit de eerste hand informatie over zijn vader kreeg, greep Bill erg aan en hij voelde zich op een of andere manier verbonden met die jonge soldaat, en met de vader die hij nooit had gekend, toen hij probeerde de dankbaarheid van onze generatie tot uitdrukking te brengen voor alles wat hij en miljoenen anderen voor de Verenigde Staten en de wereld hadden gedaan.

De reis was ook voor mij zeer emotioneel geweest. Ik wilde dat het presidentschap van Bill een succes zou worden, niet alleen omdat hij mijn echtgenoot was en ik van hem hield, maar omdat ik van mijn land hield en geloofde dat hij de juiste man was om aan het einde van de twintigste eeuw leiding te geven aan de Verenigde Staten van Amerika.

18 *Halverwege de eerste ambtstermijn*

Aretha Franklin deed de Rozentuin op zijn grondvesten schudden tijdens een onvergetelijke avond in juni als onderdeel van de concertreeks *In Performance* die we in het Witte Huis organiseerden en die later op tv is uitgezonden. Als een koningin paradeerde ze tussen de tafels van de gasten, die in verrukte bewondering zaten te luisteren hoe Aretha met zanger Lou Rawls door een repertoire van gospel en soul zweefde. Daarna ging ze over op shownummers. Bill zat op zijn stoel mee te swingen. Ze boog zich tot vlak bij hem en zong: 'Smile, what's the use of crying...'

Een week later publiceerde Robert Fiske de voorlopige bevindingen in zijn snel verlopende Whitewater-onderzoek: Op de eerste plaats had niemand in het Witte Huis van de Clintons of het ministerie van Financiën geprobeerd het RTC-onderzoek te beïnvloeden. Op de tweede plaats onderschreef Fiske de opvatting van de FBI en de politie dat de dood van Vince Foster zelfdoding was. Ten derde concludeerde hij dat er geen enkel bewijs was dat zijn zelfdoding iets met Whitewater te maken had.

Tot ongenoegen van veel rechtse Republikeinen die openlijk voeding hadden gegeven aan speculaties over de dood van Vince, liet Fiske geen dagvaardingen uitgaan. Enkele conservatieve commentatoren en Congresleden, zoals Lauch Faircloth, Republikeins senator uit North Carolina, eisten het hoofd van Fiske. Ironisch genoeg plaveide mijn man precies op de dag dat Fiske zijn bevindingen publiceerde, ongewild de weg voor zijn vervanging door de vernieuwing van de Independent Counsel Act te tekenen die hem door het Congres was toegestuurd. Hij had deze ondertekening beloofd, en belofte maakt schuld. Hij hield zijn woord.

Vanwege de groeiende Republikeinse kritiek op Fiske had ik tegen ondertekening van de wet gepleit tenzij de aanstelling van Fiske achteraf in de wet werd opgenomen. Ik was bang dat de Republikeinen en hun bondgenoten in de rechterlijke macht, onder leiding van opperrechter Rehnquist, een manier zouden vinden Fiske te laten vervangen omdat hij onpartijdig en snel te werk was gegaan. Ik vertelde Lloyd Cutler, de opvolger van Bernie Nussbaum als raadsman van het Witte Huis, wat mij dwarszat. Lloyd is een van de grote mannen van Washington, als gewezen raadsman van president Carter en adviseur van veel andere politieke leiders. Hij is een uitmuntend jurist die mede aan de wieg heeft gestaan van een van Amerika's meest prestigieuze advocatenkantoren. Toen ik hem mijn angst voorlegde, zei hij me geen zorgen te maken. Lloyd, een echte gentleman, nam aan dat hij van doen had met mensen die dezelfde mores hanteerden als hijzelf en beloofde me zelfs zijn hoed te zullen opeten als Fiske zou worden vervangen.

Volgens de nieuw aangenomen wet moest de onafhankelijke aanklager worden gekozen door een 'Special Division', een commissie van drie federale rechters die waren benoemd door de opperrechter van het Hooggerechtshof. Rehnquist had David Sentelle, een ultraconservatieve Republikein uit North Carolina, aangewezen als voorzitter van de Special Division.

Volgens nieuwsberichten was rechter Sentelle half juli gesignaleerd bij een lunch die hij genoot samen met Faircloth en senator Jesse Helms, een andere uitgesproken criticus van mijn echtgenoot. Misschien was het toeval, en Helms beweerde later dat ze gewoon als oude vrienden over hun prostaatproblemen hadden zitten praten, maar op 5 augustus, een paar weken na die lunch, kondigde de Special Division de benoeming van een nieuwe onafhankelijke aanklager aan. Exit Robert Fiske, enter Kenneth Starr.

Starr was een achtenveertigjarige Republikeinse insider,

een voormalige rechter aan een hof van beroep die zijn toren had verlaten om in de eerste regering-Bush vice-minister van Justitie te worden, een traditionele stap op weg naar het Hooggerechtshof. Hij was partner in Kirkland & Ellis, een advocatenkantoor met een lucratieve portefeuille als verdediger van bedrijven in de tabaksindustrie. Starr was een steile conservatief; in tegenstelling tot Fiske was hij nooit aanklager geweest. Hij had zich in dat voorjaar in een tv-programma onomwonden uitgelaten over de zaak-Paula Jones: hij vond dat Jones het recht had een zittende president aan te klagen en drong aan op een snelle behandeling van de zaak. Hij had ook aangeboden als *amicus curiae* een akte van beschuldiging voor haar op te stellen. Vanwege deze aantoonbare belangenverstrengeling deden vijf voormalige presidenten van de Amerikaanse orde van juristen een beroep op Starr om niet als onafhankelijk aanklager op te treden. Ze gaven ook een verklaring af waarin ze hun vraagtekens plaatsten bij de commissie van drie rechters die hem had gekozen.

De aanstelling van Starr betekende een enorme vertraging van het onderzoek omdat het merendeel van Fiskes staf liever ontslag nam dan onder Starr te moeten werken; Starr nam geen verlof van zijn eigen juristenpraktijk, zoals Fiske had gedaan, zodat hij zich slechts parttime met het onderzoek kon bezighouden; Starr had geen enkele strafrechtervaring en moest deze dus opdoen tijdens zijn werkzaamheden; en hoewel de wet vereiste dat een onafhankelijke aanklager een onderzoek moest verrichten 'op een snelle, verantwoordelijke en kostenbesparende manier', publiceerde Star nooit een tijdsplanning en toonde nooit enige vorm van haast, in tegenstelling tot Fiske, die van plan was geweest het onderzoek eind 1994 af te ronden. Van begin af aan lijkt het Starrs bedoeling te zijn geweest de kwestie te rekken tot op zijn minst na de verkiezingen van 1996.

Deze verontrustende belangenverstrengeling en enkele andere vroege waarschuwingstekens maakten duidelijk dat

Starr Fiske niet verving om een onafhankelijk onderzoek voort te zetten, maar vanwege partijpolitieke redenen. Ik begreep onmiddellijk waar we mee te maken hadden, maar wist ook dat ik er niets aan kon doen. Ik moest vertrouwen hebben in ons rechtssysteem en er het beste van hopen. Maar ik herinnerde Lloyd Cutler wel aan zijn belofte en raadde hem aan een kleine hoed van natuurlijke materialen te nemen.

Partijpolitiek gekonkel was niets nieuws in Washington; het hoort er gewoon bij. Maar het was de politiek van karaktermoord, van diepgravende, kwaadwillende campagnes om de levens van publieke figuren te ruïneren, die ik deprimerend en slecht voor ons land vond.

De hele lente en zomer door deden rechtse radiopresentatoren hun luisteraars overal in het land opschrikken met afschuwelijke verhalen uit Washington. Rush Limbaugh hield zijn twintig miljoen radioluisteraars geregeld voor: 'Whitewater gaat over gezondheidszorg.' En uiteindelijk begreep ik dat dit inderdaad klopte. Het feit dat het Whitewater-onderzoek ondanks de bevindingen van Fiske werd voortgezet, had alles te maken met het ondermijnen van de progressieve agenda, op welke manier dan ook. Limbaugh en anderen hadden zelden inhoudelijke kritiek op het hervormingsvoorstel voor de gezondheidszorg of op andere Democratische beleidsvoorstellen. Als je alles moest geloven wat er in 1994 de ether werd in gestuurd, kreeg je het idee dat de president een communist was, de First Lady een moordenaar en dat ze samen een complot hadden uitgebroed om je je vuurwapens en familiedokter af te pakken (als je er een had) omwille van een socialistisch gezondheidszorgsysteem.

Op een middag, eind juli, deed ik in het kader van de Health Security Express Seattle aan. Geïnspireerd op de Freedom Riders die in het begin van de jaren zestig per bus door het Zuiden van de Verenigde Staten trokken om de boodschap over de opheffing van rassenscheiding te verspreiden, hadden de voorstanders van de herziening van de gezondheidszorg in de zomer van 1994 deze nationale bustour georganiseerd. Het idee was het plan voor de gezondheidszorg aan de mensen zelf te gaan uitleggen en van de Grote tot aan de Atlantische Oceaan een grote massa mensen op de been te brengen om het Congres te laten zien dat er steun bestond voor de wet.

We begonnen in Portland in Oregon, waar ik de eerste troepen eropuit stuurde. Het was een levendige manifestatie, ondanks de extreem hoge temperatuur en de luidruchtige demonstranten die zich rondom de locatie hadden verzameld. Toen de bus vertrok, vloog er een klein vliegtuig door de lucht dat een vaandel achter zich aan sleepte: 'Pas op voor de nepexpres.' Geen goedkope stunt.

Tijdens mijn optreden in Seattle bestond minstens de helft van de 4500 mensen die de manifestatie bezochten uit demonstranten. Lokale en nationale radiopresentatoren hadden een weeklang mensen opgeroepen te komen demonstreren. Een van hen had zijn luisteraars aangespoord naar Seattle te komen om 'Hillary eens te laten zien' wat ze van me dachten. Deze oproep bracht honderden steile conservatieven op de been: van burgerwachtsympathisanten tot antibelastingdemonstranten en blokkeerders van abortusklinieken en alles wat daaromheen zwermt.

De veiligheidsdienst waarschuwde me dat we misschien op problemen zouden stuiten. Voor deze ene keer liet ik me overreden een kogelvrij vest te dragen. Ik was inmiddels gewend geraakt aan de voortdurende aanwezigheid van veiligheidsmensen en aan het voeren van persoonlijke gesprekken binnen gehoorsafstand van de mannen en vrouwen van de veiligheidsdienst; ik verdacht hen er soms zelfs van dat ze meer over mij en mijn gezin wisten dan mijn beste vrienden. Ze hadden me al eerder aangeraden bepaalde plekken te mijden of beschermende kleding te dragen. Nu, voor het eerst, gaf ik gehoor aan hun waarschuwing. Het was een van de weinige keren dat ik me werkelijk fysiek bedreigd voelde. Tijdens de manifestatie kon ik nauwelijks mijn eigen stem boven het gejoel en boege-

roep uit horen. Toen we na afloop van de toespraak wegreden, dromden honderden demonstranten samen rondom
de limousine. Vanuit de auto zag ik een menigte mannen
die naar schatting tussen de twintig en veertig jaar oud waren. Ik zal de blik in hun ogen en hun verwrongen gezichten nooit vergeten; ze schreeuwden tegen me terwijl de
agenten hen aan de kant probeerden te duwen. De veiligheidsdienst arresteerde die dag verschillende personen en
confisqueerde twee pistolen en een mes.

Dit protest was noch willekeurig, noch spontaan. Het
was onderdeel van een goed georganiseerde actie om de
campagnetour ter promotie van de herziening van de gezondheidszorg te verstoren en de boodschap ervan te neu-
traliseren, aldus de journalisten David Broder en Haynes
Johnson. Op alle plaatsen die de bussen aandeden, stonden georganiseerde demonstranten ze op te wachten. De
protesten werden openlijk gesponsord door een politieke
belangengroepering met de vriendelijke naam Citizens for
a Sound Economy (CSE). Later ontdekten journalisten dat
de CSE nauw samenwerkte met het bureau van Newt
Gingrich in Washington. En, zoals Broder en Johnson
schreven in hun boek *The System*, de gulle gever achter de
groep was niemand minder dan de teruggetrokken, maar
steeds actiever wordende Richard Mellon Scaife, de conservatieve miljardair die ook het Arkansas Project en het
lijfwachtenverhaal had gefinancierd.

Toen we na de bustour terugkeerden in Washington,
probeerden we met de Republikeinen in het Congres op
diverse punten verder te werken aan een compromis over
de hervormingsplannen. Ik bewonderde senator John
Chafee van Rhode Island vanwege zijn principiële standpunten en fatsoenlijke gedrag. Van begin af aan was hij een
voorstander van hervormingen en een pleitbezorger van
een algemene ziektekostendekking geweest. Samen met
zijn Republikeinse collega's had hij gewerkt aan een eigen,
goed doordacht voorstel en hij had gehoopt dat hij zijn
plan met het onze kon samenvoegen en zo voldoende

steun in beide partijen kon genereren om het wetsvoorstel aangenomen te krijgen. Chafee deed heldhaftige pogingen de kloof tussen Republikeinen en Democraten te overbruggen en bleef doorstrijden totdat hij de enige Republikein was die zich nog voor een hervorming inzette. Uiteindelijk gaf ook hij zijn zaak op. Zonder ook maar één Republikeinse aanhanger was de herziening van de gezondheidszorg een patiënt die kunstmatig in leven werd gehouden en de laatste sacramenten reeds had ontvangen.

We deden desondanks een laatste vertwijfelde poging tot een soort compromis met de Republikeinen te komen. De staf van senator Kennedy oefende nog één keer druk uit op Chafee, maar zonder succes. Op een verhitte vergadering in het Witte Huis stelden enkele adviseurs voor dat Bill in het openbaar het volk moest toespreken en uitleggen hoe de top van de Republikeinse Partij geprobeerd had de herziening te doen ontsporen. Hij kon spreken over zijn pogingen tot een consensus te komen en vragen waarom Dole, Gingrich en anderen zo weinig zin hadden de gang naar de onderhandelingstafel te maken. Een dergelijke boodschap zou kunnen fungeren als een presidentiële oproep aan het Congres om de klus te klaren. Anderen waren ervan overtuigd dat het verstandiger was het wetsvoorstel een zachte dood te laten sterven. Met de verkiezingen in het vooruitzicht vonden ze dat we een nieuwe controverse konden missen als kiespijn en ze waren bang dat een verklaring van de president te veel nadruk zou leggen op een politieke nederlaag.

Ik vond dat het volk een vechtende president moest zien, zelfs als hij zou verliezen, en dat we moesten aansturen op een stemming in de Senaat. Het compromis van de Finance Committee was door de commissie verworpen, en senator Mitchell kon het als meerderheidsleider rechtstreeks in de Senaat in stemming brengen. Zelfs als die strategie zou leiden tot een Republikeinse filibuster, zoals sommigen in ons kamp voorspelden, dacht ik dat het in ons voordeel kon werken. De leden van het Congres zouden bij de aanstaande verkiezingen in november verantwoording moeten afleggen aan hun kiezers. Als we niets deden, zouden de Democraten een dubbele nederlaag lijden: de Republikeinen hoefden niet tegen de hervormingen te stemmen en de Democratische meerderheid was er niet in geslaagd de wetgeving door te voeren. De voorzichtiger strategie kreeg de voorkeur en de herziening van de gezondheidszorg ging via een zijdeur af. Ik denk nog steeds dat dit een verkeerde beslissing was. De hervormingen opgeven zonder een laatste gevecht in het openbaar demoraliseerde de Democraten en gaf de oppositie de kans de geschiedenis te herschrijven.

Na twintig maanden schikten we ons in onze nederlaag. We wisten dat we een groot aantal experts en professionals uit de wereld van de gezondheidszorg van ons hadden vervreemd, evenals sommige bondgenoten in het Congres. Uiteindelijk waren we er niet in geslaagd de grote meerderheid van Amerikanen die een ziektekostenverzekering had, ervan te overtuigen dat ze geen dekking en medische keuzemogelijkheden hoefden op te geven om de minderheid van Amerikanen die niet verzekerd waren te helpen. Evenmin konden we hen ervan overtuigen dat de hervorming hen zou beschermen tegen het verlies van hun eigen verzekering en hun eigen gezondheidszorg in de toekomst beter betaalbaar zou maken.

Bill en ik waren teleurgesteld en ontmoedigd. Ik wist dat de nederlaag voor een deel aan mij te wijten was, zowel vanwege mijn eigen fouten als vanwege mijn onderschatting van de weerstand die ik zou oproepen als First Lady met een politieke missie. Maar onze belangrijkste fout was dat we te veel te snel probeerden te doen.

Dat gezegd hebbende geloof ik nog steeds dat onze poging een goede zaak is geweest. Ons werk in 1993 en 1994 heeft de weg geplaveid voor wat sommige economen de 'Hillary-factor' hebben genoemd, de doelbewuste beperking van prijsstijgingen door medische-zorgaanbieders en farmaceutische bedrijven in de loop van de jaren negentig.

Onze inspanning heeft bijgedragen tot het creëren van de ideeën en politieke wil die geleid hebben tot een aantal kleinere hervormingen in de jaren daarna. Dankzij de inzet van de senatoren Ted Kennedy en Nancy Kassebaum, een Republikein uit Kansas, hebben de Verenigde Staten nu een wet die garandeert dat werknemers hun verzekering niet verliezen wanneer ze van baan veranderen. Achter de schermen heb ik met senator Kennedy gewerkt aan de totstandkoming van het Children's Health Insurance Program (CHIP), dat in 2003 een ziektekostenverzekering zal bieden aan meer dan vijf miljoen kinderen van ouders die te veel verdienen om in aanmerking te komen voor Medicaid maar zich geen particuliere verzekering kunnen veroorloven. CHIP was de grootste uitbreiding van de volksgezondheidsverzekering sinds in 1965 Medicaid werd ingevoerd en was er mede de oorzaak van dat voor het eerst in twaalf jaar tijd het aantal Amerikanen zonder ziektekostenverzekering daalde.

Ik ben er trots op dat Bill een aantal wetten heeft getekend waaraan ik gewerkt heb, zoals de wetten die het vrouwen mogelijk maakten na de bevalling van een kind langer dan vierentwintig uur in het ziekenhuis te blijven, die mammografie en prostaatonderzoek bevorderden, die het onderzoek naar diabetes opvoerden en die het aantal vaccinaties van kinderen met negentig procent verhoogde, zodat alle tweejarigen voor het eerst in de geschiedenis immuun werden voor de ernstigste kinderziektes. Bill pakte ook de tabakslobby aan en maakte serieus werk van het hiv/aids-probleem in de Verenigde Staten en elders in de wereld. Hij gebruikte zijn positie als president om patiëntenrechten te verlenen aan de meer dan tachtig miljoen Amerikanen en hun gezinnen die deelnamen aan het Federal Employees Health Benefit Plan of afhankelijk waren van Medicare, Medicaid en het Veterans Health System. Geen van deze afzonderlijke regelingen veroorzaakte een aardverschuiving zoals die ons met onze Health Security Act voor ogen had gestaan, maar gezamenlijk verbeterden ze op het gebied van de volksgezondheid de situatie voor tientallen miljoenen Amerikanen, en ik ben er trots op dat ze werden gerealiseerd tijdens de ambtstermijn van Bill.

Terecht hebben we geprobeerd het hele systeem te hervormen. In 2002, toen het economisch gezien slechter ging en de financiële besparingen in de gezondheidszorg uit de jaren negentig teniet werden gedaan, stegen de kosten voor de ziektekostenverzekering opnieuw veel sneller dan de inflatie, groeide het aantal mensen zonder verzekering en kregen de bejaarden die afhankelijk waren van Medicare nog steeds geen vergoedingen voor hun medicijnen. De mensen die de spotjes van Harry en Louise hebben betaald, zijn misschien beter af, maar het Amerikaanse volk niet. Maar er komt een dag dat we het systeem zullen repareren. En wanneer we dat doen, zal dat het resultaat zijn van meer dan vijftig jaar van inspanningen, van Harry Truman tot Richard Nixon tot Jimmy Carter tot Bill en mij. Ja zeker, ik ben nog steeds blij dat we het hebben geprobeerd.

Hoewel Bills naam bij de verkiezingen voor het Congres, halverwege zijn ambtstermijn, op geen enkel stembiljet zou prijken, wisten we allebei dat zijn presidentschap medebepalend zou zijn voor het verkiezingsresultaat en dat onze nederlaag met de herziening van de gezondheidszorg de uitslag waarschijnlijk zou beïnvloeden. Er waren ook nog andere factoren in het spel, waaronder een van de weinig voorspelbare trends in de Amerikaanse politiek: een aloude wijsheid zegt dat de partij die de controle heeft over het Witte Huis, tijdens de verkiezingen halverwege de ambtstermijn normaal gesproken zetels in het Congres verliest. Misschien is dit een afspiegeling van het diepgewortelde verlangen van kiezers om een machtsevenwicht in Washington in stand te houden: geef de president nooit zoveel macht dat hij denkt zich als een koning te kunnen gedragen. Een van de manieren om hem in bedwang te houden, is zijn steun in het Congres verminderen. Wanneer het slecht gaat met de economie of er andere factoren zijn die de populariteit van de president verminderen, kan het verlies bij deze verkiezingen groter zijn.

Newt Gingrich en zijn cohort van zelfverklaarde Republikeinse 'revolutionairen' leken vast van plan deze trend uit te buiten. In september stond Gingrich, omringd door gelijkgestemden, op de trappen van het Capitool om zijn strategie voor een verkiezingsoverwinning te presenteren: een 'Contract met Amerika'. Het Contract, dat aan de basis stond van Republikeinse voorstellen om het ministerie van Onderwijs af te schaffen, diep te snoeien in de uitgaven voor Medicare en Medicaid, het onderwijs en het milieubeheer en te korten op aftrekposten voor arme werkenden, werd in kringen rondom het Witte Huis al snel bekend als het 'Contract tegen Amerika', vanwege de schade die het ons land zou berokkenen. De cijfers achter deze tegenstrijdige agenda klopten gewoon niet. Je kunt niet de defensie-uitgaven verhogen, de belastingen verlagen en de nationale begroting sluitend maken als je niet tegelijkertijd op veel overheidstaken bezuinigt. Gingrich rekende erop dat kiezers het rekenwerk zouden overslaan. Het Contract was een strategie om lokale verkiezingen op een nationaal plan te brengen en de verkiezingen voor het Congres tot een referendum op Republikeinse voorwaarden te maken: nee tegen de regering-Clinton en ja tegen hun Contract.

In de Amerikaanse politiek meten kandidaten en overheidsfunctionarissen door middel van peilingen wat er onder de mensen leeft. Er zijn er echter slechts weinigen die dit durven toegeven, uit angst dat de media en het publiek hun voor de voeten zullen werpen dat ze naar de kiezersgunst hengelen. Maar peilingen zijn niet bedoeld om politici duidelijk te maken wat ze moeten geloven of welke politiek ze moeten voorstaan; ze zijn diagnostische middelen om politici te helpen zo effectief mogelijk een bepaald beleid te bepleiten, op basis van de reactie van de kiezer. Artsen kunnen met een stethoscoop naar de hartslag van een patiënt luisteren; politici gebruiken een peiling om de hartslag van de kiezer te meten. In campagnes helpen peilingen de kandidaten hun sterke en zwakke punten te bepalen. Wanneer functionarissen eenmaal gekozen en in functie zijn, kunnen verstandige peilingen hen helpen hun doelstellingen effectief over te brengen. De beste politieke peilingen zijn deels een kwestie van statistiek, deels van psychologie en deels van alchemie. Dit is de essentie van opiniepeilingen: om zinnige antwoorden te krijgen, moet je de juiste vragen stellen aan een representatief aantal vermoedelijke stemmers.

Naarmate de novemberverkiezingen dichterbij kwamen, verzekerden Bills politieke adviseurs ons dat de Democraten er nog niet zo slecht voor stonden. Desondanks maakte ik me zorgen. Na wekenlang het hele land te hebben doorkruist, kon ik me niet aan de indruk onttrekken dat zowel de peilingen van externe bureaus als de peilingen van de Democratische opiniepeilers zelf te rooskleurig waren. Ik had het idee dat de peilers geen rekening hielden met de heftige oppositie van de conservatieven en de moedeloosheid en onverschilligheid onder onze eigen kiezers, die onder het oppervlak van de Amerikaanse politiek schuilgingen. Een goede interpretatie van peilingen houdt rekening met de mate waarin kiezers emotioneel betrokken zijn. Een meerderheid van de kiezers zegt misschien dat ze geïnteresseerd is in een verstandig vuurwapenbeleid, maar ze is niet zo fanatiek als de minderheid van kiezers die tegen iedere regulering op dit gebied is. Emotionele kiezers stemmen op basis van dat ene punt voor of tegen een kandidaat. De meerderheid houdt bij het stemmen ook rekening met een aantal andere kwesties, of stemt helemaal niet. Ik wist dat een groot deel van de resultaten van het regeringsbeleid emotionele kiezers zou aantrekken. De meeste Republikeinse kiezers waren fel gekant tegen belastingverhoging voor de hogere inkomens om het begrotingstekort tegen te gaan, tegen het verbod op aanvalswapens en tegen de Brady Bill; de National Rifle Association, religieus rechts en de belangengroepen tegen belastingverhoging waren meer dan ooit gemotiveerd.

Ik wist ook dat de harde kern van Democratische kiezers deels gedesillusioneerd was door het mislukken van de herziening van de gezondheidszorg of zich verraden voelde door de regeringssteun voor de NAFTA, en ik wist dat hun teleurstelling alle positieve resultaten van de regering en het Democratische leiderschap zou overschaduwen. De Democraten leken niet erg gemotiveerd om te gaan stemmen. En voor veel onafhankelijke of zwevende kiezers was het te vroeg om de verbeteringen in de economie of de heilzame effecten van een kleiner begrotingstekort op de rentevoeten en de groei van de werkgelegenheid te zien.

In oktober belde ik Dick Morris op om eens een externe deskundige over onze vooruitzichten te horen. Bill en ik vonden Morris een creatieve opiniepeiler en een briljant strateeg, maar er kleefden enkele serieuze bezwaren aan hem. Om te beginnen werkte hij zonder enige gewetensnood voor beide kampen. Hoewel hij Bill had geholpen vijf gouverneursverkiezingen te winnen, werkte hij ook voor de conservatieve Republikeinse senatoren Trent Lott van Mississippi en Jesse Helms van North Carolina. Als geen ander kon Morris uitspraken doen over de zwevende kiezers die pendelden tussen beide partijen. Zijn advies was soms nogal ongebruikelijk: je moest zelf zijn gegevens nauwkeurig napluizen om inzichten en ideeën eruit te halen. En hij bezat de sociale vaardigheden van een stekelvarken. Desondanks geloofde ik dat we konden profiteren van Morris' analyses als we hem voorzichtig en rustig bij onze zaak konden betrekken. Met zijn sceptische kijk op de politiek en mensen vormde Morris een prima tegenwicht tegen de immer optimistische Bill Clinton. Waar Bill na iedere regenbui de zon weer zag schijnen, ontwaarde Morris louter donderstormen.

Morris werkte voor het eerst voor Bill bij de gouverneursverkiezingen van 1978. De enige verkiezing die Bill niet wist te winnen, is die van 1980 geweest waaraan Morris niet had meegewerkt. Maar in 1991 had Morris inmiddels een aantal Republikeinen in zijn klantenkring opgenomen, en niemand binnen de Democratische machtsstructuur mocht of vertrouwde hem. Bills adviseurs hadden hem ervan overtuigd dat hij bij zijn presidentiële verkiezingscampagne geen gebruik moest maken van Morris' diensten. Ik belde hem in oktober 1994 op.

'Dick,' zei ik, 'ik heb geen goed gevoel over deze verkiezingen.' Ik vertelde hem dat ik geen vertrouwen had in de positieve opiniepeilingen en dat ik zijn mening daarover wilde horen. 'Als ik Bill zo ver kan krijgen dat hij je belt, wil je dan helpen?'

Morris werkte ook al voor vier Republikeinse kandidaten, maar dat was niet de reden voor zijn weigerachtigheid.

'Ik voel me slecht behandeld, Hillary,' zei hij met zijn rappe New Yorkse tongval. 'De mensen waren echt gemeen tegen me.'

'Ik weet het, Dick, ik weet het. Maar de mensen vinden jou een moeilijke man.' Ik verzekerde hem dat hij alleen contact zou hebben met Bill en mij en dat we probeerden te begrijpen hoe de stemming onder de kiezers was en hoe de pet van de Democraten stond. Morris kon de uitdaging niet weerstaan. In alle rust ontwierp hij een lijst met vragen om de nationale stemming te peilen en liet ons de resultaten van zijn onderzoek zien; deze waren ontmoedigend. Ondanks de enorme vooruitgang die Bill op economisch gebied had geboekt, hoewel het begrotingstekort eindelijk weer hanteerbaar was geworden, honderdduizenden nieuwe banen waren gecreëerd en de economie weer begon te groeien, had het herstel nog niet echt vaste voet gekregen en konden de meeste mensen het gewoon niet geloven. En van de mensen die het wel geloofden, legden velen de oorzaak van de ommekeer niet bij de Democraten. De partij verkeerde in grote problemen, vertelde Morris ons. We maakten de meeste kans deze tendens te keren wanneer Democratische kandidaten de nadruk zouden leggen op concrete overwinningen die mensen konden erkennen en waarderen, zoals de Brady Bill, de Family and Medical Leave Act en AmeriCorps. Hij meende dat deze specifieke-re strategie de Democraten naar de stembus zou kunnen lokken. In plaats van te hoop lopen tegen het Contract, wat de Democratische kandidaten tot dusverre hadden gedaan, moesten we zelf veel assertiever zijn over wat de Democraten hadden bereikt. Bill was het daarmee eens en probeerde de leiders in het Congres ertoe over te halen de behaalde positieve resultaten van het beleid op te eisen en zichzelf te verdedigen tegen de hevige aanvallen van de Republikeinen.

Twee weken voor de verkiezingsdag lieten Bill en ik de verkiezingsstrijd even voor wat hij was voor een reis naar het Midden-Oosten, waar Bill de ondertekening van het Israëlisch-Jordaans vredesverdrag zou bijwonen, dat een einde zou maken aan de officiële staat van oorlog tussen beide landen. En ik zou mijn zevenenveertigste verjaardag vieren in drie verschillende landen: Egypte, Jordanië en Israël. Op 26 oktober zag ik de piramiden van Gizeh baden in het morgenlicht, en terwijl Bill een ontmoeting had met president Mubarak en Yasir Arafat om het vredesproces in het Midden-Oosten te bespreken, gaf Mubaraks vrouw Suzanne een verjaardagsontbijt, met taart en al, in een eetkamer die op de sfinx uitkeek.

Hosni en Suzanne Mubarak zijn een indrukwekkend stel. Suzanne is afgestudeerd in de sociologie en heeft zich opgeworpen als een energieke pleitbezorger voor betere mogelijkheden en onderwijs voor vrouwen en kinderen in Egypte, ondanks de oppositie van islamitische fundamentalisten.

Mubarak heeft het voorkomen van een oude farao. Hij is aan de macht sinds de moord op Anwar Sadat in 1981 en in al die jaren heeft hij geprobeerd Egypte te regeren terwijl hij te maken had met moslimextremisten die verschillende moordaanslagen op hem hebben gepleegd. Net als andere Arabische leiders die ik heb ontmoet, beseft Mubarak het dilemma waar hij voor staat: hij moet een land regeren waar voortdurend spanning heerst tussen een westers geöriënteerde, geschoolde minderheid die modernisering nastreeft, en een conservatievere meerderheid wier angst voor het verdwijnen van haar waarden en traditionele leefwijze kan worden gemanipuleerd. Balanceren op dat evenwichtskoord – en intussen in leven blijven – is een onverschrokken uitdaging, en Mubaraks regeerstijl heeft soms aanleiding gegeven tot kritiek dat hij te autocratisch zou zijn.

We vlogen van Cairo naar Jordanië voor de ondertekening van het vredesverdrag tussen Jordanië en Israël. De woestijnachtige omgeving bij de Arava-grensovergang tussen de twee landen deed me denken aan een landschap uit *The Ten Commandments.* Maar de praal en de grandeur van de gebeurtenis leverden een verhaal op dat stukken dramatischer was dan welk Hollywood-vehikel dan ook. Twee visionaire leiders namen persoonlijke en politieke risico's ten behoeve van de vrede. Minister-president Yitzhak Rabin en koning Hoessein waren in de strijd geharde militairen die nooit de hoop op een betere toekomst voor hun volkeren opgaven.

Ook als ik niet had geweten dat Hoessein een afstammeling was van de profeet Mohammed, zou ik onmiddellijk zijn getroffen door zijn boeiende verschijning en zijn aangeboren verhevenheid. Ondanks zijn kleine postuur had hij een imponerend voorkomen. Hij spreidde een unieke combinatie van vriendelijkheid en macht ten toon. Zijn toespraak was respectvol en werd gekenmerkt door een royaal gebruik van 'sir' en 'ma'am'. Maar zijn bereidwillige lach en bescheiden houding onderstreepten zijn waardigheid en kracht. Hij was een vechter die van plan was voor zijn land een plaats op te eisen in een gevaarlijke omgeving.

Zijn levenspartner, koningin Noor, de voormalige Lisa Najeeb Halaby, was in de Verenigde Staten geboren en had aan Princeton gestudeerd. Haar vader, de voormalige voorzitter van Pan American Airlines, was van Syrisch-Libanese afkomst en haar moeder was Zweeds. Noor had een graad in architectuur en stedenbouw behaald en werkte voor

Royal Jordanian Airlines als hoofd planning toen ze de koning ontmoette, verliefd werd en met hem trouwde. Ze straalde van trots en liefde in de aanwezigheid van haar man en van hun kinderen, met wie ze vaak en onbekommerd lachte. Ze was zeer betrokken geraakt bij de onderwijskundige en economische ontwikkeling van haar nieuwe vaderland en vertegenwoordigde de opvattingen en aspiraties ervan in de Verenigde Staten en elders in de wereld. Met haar intelligentie en charme en de steun van haar echtgenoot liet ze het land langzaam kennismaken met een moderne benadering van vrouwen- en kinderenkwesties. Bill en ik verheugden ons op iedere minuut die we privé met de koning en zijn vrouw konden doorbrengen.

Op die bloedhete namiddag in de Jordaanslenk ging Noor gekleed in turkoois. Ze zag eruit als een fotomodel en was zichtbaar verrukt over de vredesinspanningen van haar soldaat-koning. Toevallig droeg ik ook turkoois, wat een vrouw uit het publiek de uitspraak ontlokte: 'Nu weten we dat turkoois de kleur van de vrede is.'

Na de ceremonie gingen Bill en ik per helikopter met de koning en de koningin terug naar hun vakantiehuis in Akaba aan de Rode Zee. Noor verraste me met mijn tweede verjaardagstaart van die dag. Deze was versierd met fopkaarsjes die ik niet kon uitblazen. De koning vond het een leuke grap. Hij sprong op en bood zijn hulp aan, maar had al net zomin succes als ik. Met twinkelende ogen verklaarde de koning: 'Soms worden zelfs de bevelen van een koning niet opgevolgd.' Ik moet vaak aan die perfecte middag denken, toen de hoop op vrede zo groot was.

Later op die dag sprak Bill als eerste Amerikaanse president een gezamenlijke zitting van het Jordaanse parlement in de hoofdstad Amman toe. De jetlag begon inmiddels zijn tol te eisen en het reisgezelschap was uitgeput. Ik zat op de tribune naar Bills toespraak te kijken, terwijl om me heen regeringsfunctionarissen en leden van de Witte-Huisstaf begonnen te knikkebollen, en de een na de ander het moest afleggen tegen de slaap. Ik bleef wakker door mijn nagels in mijn handpalmen te drukken en me in mijn armen te knijpen, een truc die ik van mijn veiligheidsagenten had geleerd. Ik overwon mijn aanval van vermoeidheid net op tijd voor een privé-diner met de koning en de koningin in hun officiële residentie. Ze woonden niet in een formeel paleis, maar in een groot comfortabel huis dat smaakvol maar bescheiden was ingericht. We aten met ons vieren aan een kleine ronde tafel in de hoek van een warme, uitnodigende kamer. We brachten de nacht door in Hashimiya Palace, een modern koninklijk gastenverblijf op een heuvel ten noordwesten van de stad met een prachtig uitzicht op de zongebleekte heuvels en de minaretten van het Hasjemitisch koninkrijk.

Van Jordanië gingen we naar Israël, waar Leah Rabin met een derde verjaardagstaart klaarstond en Bill een nieuwe historische toespraak hield, deze keer voor de Israëlische Knesset in Jeruzalem. Toen we terugkeerden naar huis, dacht ik dat Israël een stapje dichter bij vrede en veiligheid was gekomen.

Deze reis markeerde het belangrijkste succes dat Bill op het gebied van de buitenlandse politiek had behaald. Maar hij speelde niet alleen een cruciale rol in de ontspanning in het Midden-Oosten. Hij hield zich ook bezig met de tientallen jaren durende problemen in Noord-Ierland. En na een pijnlijk jaar van diplomatie en de landing van Amerikaanse troepen in Haïti was de junta uiteindelijk afgetreden en had de macht teruggegeven aan de gekozen president Jean-Bertrand Aristide. Buiten het zicht van publiek en pers was een nucleaire crisis in Noord-Korea voorlopig afgewend als resultaat van een akkoord in 1994 waarin Noord-Korea instemde met het bevriezen en ontmantelen van het nucleaire wapenprogramma in ruil voor steun uit de Verenigde Staten, Japan en Zuid-Korea.

Hoewel Noord-Korea later zijn belofte niet bleek na te komen, wendde het op dat moment toch een potentieel militair conflict af. Was het akkoord helemaal nooit bereikt geweest dan had Noord-Korea in 2002 het grootste arsenaal nucleaire wapens kunnen produceren om aan de hoogste bieder te kunnen leveren.

Bills optreden op het internationale toneel zorgde voor een opleving in de opiniepeilingen in de laatste week van oktober, en men drong erop aan dat hij zich in de campagne mengde om de Democratische kandidaten te ondersteunen. Zoals altijd vroeg hij allerlei vrienden en vertrouwelingen, formele en informele adviseurs om raad. Ik dacht dat het beter voor Bill was als hij niet zo veel campagne zou voeren, nu het Amerikaanse volk hem liever als staatsman zag dan als politicus. Uiteindelijk was Bill niet opgewassen tegen de lokroep van het campagne voeren en werd de oppercampagnevoerder van zijn partij.

Het was een onbehaaglijke periode geweest, zowel in de verkiezingscampagne als terug in het Witte Huis, waar we door twee incidenten werden opgeschrikt. In september vloog een man met een klein vliegtuig het Witte Huis binnen, net ten westen van de ingang bij de zuidelijke zuilengang. Toevallig sliepen we die nacht in Blair House omdat de voortdurende renovaties aan het verwarmings- en airconditioningsysteem in de residentie ons uit onze privévertrekken hadden verdreven. De piloot kwam bij zijn actie om het leven en niemand wist precies waarom hij deze stunt had uitgehaald. Blijkbaar was hij gedeprimeerd en op zoek naar aandacht, maar misschien had hij niet de bedoeling gehad zichzelf te doden. Achteraf gezien had het feit dat hij zo eenvoudig de beveiliging kon omzeilen, iedereen meer attent moeten maken op de gevaren die zelfs een klein vliegtuig kon opleveren.

Daarna was ik op 29 oktober met senator Dianne Feinstein op een verkiezingsbijeenkomst in het Palace of Fine Arts Theatre in San Francisco, toen veiligheidsagenten me naar een kleine kamer brachten. Het hoofd van mijn beveiliging, George Rogers, vertelde me dat de president aan de lijn was en me wilde spreken. 'Je hoeft je geen zorgen te maken,' zei Bill, 'maar je zult te horen krijgen dat er zojuist iemand op het Witte Huis heeft geschoten.' Een man in een regenjas had rondgehangen bij het hek langs Pennsylvania Avenue toen hij plotseling een automatisch geweer van onder zijn jas te voorschijn haalde en begon te schieten. Een aantal voorbijgangers had hem overmeesterd voordat hij zijn geweer kon herladen, en als door een wonder was niemand gewond geraakt. Het was een zaterdag, en Chelsea was bij een vriend op bezoek terwijl Bill boven naar een footballwedstrijd zat te kijken. Ze waren geen moment in gevaar geweest, maar het verontrustende was dat de man blijkbaar vlak voordat hij begon te schieten, een lange bezoeker met witte haren over het terrein had zien lopen, die vanuit de verte op de president leek. De schutter bleek een gestoorde vuurwapenliefhebber die dreigtelefoontjes had gericht aan het kantoor van een senator omdat hij kwaad was over de Brady Bill en het verbod op vuurwapens. Dankzij de nieuwe wet had hij de maand daarvoor geen nieuw pistool kunnen kopen. Toen ik na een nachtvlucht terugkwam op het Witte Huis, leek alles weer normaal, op een paar kogelgaten in de façade van de West Wing na.

Later die dag hadden Bill en ik in mijn kleine werkkamer naast de grote slaapkamer in het Witte Huis telefonisch contact met Dick Morris. Hij had de gegevens van zijn peilingen geanalyseerd en vertelde ons dat wij zeker de meerderheid in zowel het Huis als in de Senaat zouden gaan verliezen.

Mijn instinct had me niet bedrogen. Ook Bill geloofde de slechte boodschap van Morris en deed het enige wat volgens hem nog kon helpen: hij mengde zich nog nadrukkelijker in de verkiezingsstrijd. Die week bezocht hij Detroit, Duluth en plaatsen ten oosten en westen daarvan. Zonder enig effect.

Ik begon de verkiezingsdag als alle andere dagen. Ik ontving Eeva Ahtisaari, First Lady van Finland, en Tipper Gore; daarna had ik een ontmoeting met Marike de Klerk, de voormalige First Lady van Zuid-Afrika die in Washington op bezoek was. Tegen het einde van de middag hing er een grafstemming in de gangen van het Witte Huis.

Bill en ik aten samen met Chelsea in de kleine keuken op de eerste verdieping. We wilden alleen zijn wanneer de eerste verkiezingsuitslagen binnenkwamen. Deze wezen op een regelrechte ramp: de Democraten verloren acht zetels in de Senaat en een verbijsterende vierenvijftig zetels in het Huis van Afgevaardigden, waardoor er voor het eerst sinds de regering-Eisenhower een Republikeinse meerderheid ontstond. Partijreuzen als Speaker Tom Foley uit Washington en gouverneur Mario Cuomo van New York werden niet herkozen. Mijn vriendin Ann Richards verloor het gouverneurschap in Texas aan een man met een beroemde naam: George W. Bush. Chelsea ging uiteindelijk naar haar slaapkamer omdat ze de volgende ochtend weer naar school moest. Bill en ik zaten alleen aan de keukentafel. We keken naar de verkiezingsuitslagen op het tv-scherm en probeerden de resultaten te interpreteren. Het Amerikaanse volk had ons een krachtige boodschap gestuurd. De verkiezingsopkomst was jammerlijk laag; minder dan de helft van de geregistreerde kiezers was komen opdagen en beduidend meer Democraten dan Republikeinen waren thuisgebleven. Het enige sprankje hoop dat we in dit naargeestige landschap konden ontdekken, was dat slechts minder dan een kwart van het electoraat de Republikeinen hun 'enorme mandaat' had verleend.

Maar dit feit kon de vreugde van Newt Gingrich niet bederven toen hij die avond voor de camera's de verantwoordelijkheid voor deze Republikeinse monsterzege opeiste. Hij wist al dat hij de volgende voorzitter in het Huis zou worden, de eerste Republikein sinds 1954 die deze functie zou bekleden. Grootmoedig bood hij aan met de Democraten samen te werken om het Contract met Amerika in recordtijd door het Congres te loodsen. De gedachte aan een Huis en Senaat die de komende twee jaren onder controle van de Republikeinen zouden staan, was ontmoedigend. De politieke gevechten zouden nog harder zijn en de regering zou haar uiterste best moeten doen om de posi-

Ik had iemand gevonden die beter dan wie ook begreep wat ik doormaakte. Jackie Kennedy Onassis werd voor mij een kalme bron van inspiratie en advies. 'Je moet Chelsea ten koste van alles in bescherming nemen,' waarschuwde ze. Jackie bevestigde mijn gevoel dat we er alles aan moesten doen om Chelsea in alle rust te laten opgroeien en haar eigen fouten te laten maken.

HILLARYLAND

Nooit eerder hield een First Lady kantoor in de West Wing, maar we wisten dat mijn staf integraal deel zou uitmaken van het Witte-Huis-team en we hadden een eigen plek nodig, letterlijk en figuurlijk. Al snel stond mijn staf bekend als 'Hillaryland', compleet met eigen speldje. De bijzondere stagiaire Huma Abedin (linksonder) werkte zich omhoog en werd mijn persoonlijke assistente. Maggie Williams (rechtsonder), mijn stafchef tijdens de eerste termijn, is een van de slimste, creatiefste en beschaafdste mensen die ik ken.

Mijn gebedsgroep tijdens een etentje, 14 november 1993. Jarenlang gaven deze vrouwen me stille steun in moeilijke tijden – al zaten er veel Republikeinen bij. Ik waardeerde hun bereidheid een politieke oversteek te maken om steun te bieden aan iemand die dat kon gebruiken. We baden met en voor elkaar.

Hillaryland was onze eigen kleine subcultuur binnen het Witte Huis en we hadden een geheel eigen stijl. Mijn mensen lieten zich voorstaan op discretie, loyaliteit en uitzonderlijke kameraadschap – en alle kinderen die ooit op bezoek waren geweest, wisten precies waar we de koekjes verstopten.

De mensen die ik die eerste weken het meest miste, waren oude vrienden uit Arkansas die nu voor Bills regering werkten. We nodigden hen uit voor een informeel etentje ter gelegenheid van de veertigste verjaardag van Mary Steenburgen uit Arkansas. Dit was een van de laatste gezellige avonden met z'n allen voordat Vince Fosters zelfmoord een gapend gat naliet in ons leven.

Mijn vader had me op alle nare dingen in het leven voorbereid, behalve op de pijn van zijn dood. De tijd die ik samen met mijn moeder aan zijn ziekenhuisbed doorbracht, sterkte mijn drang de gezondheidszorg te hervormen en verdiepte mijn begrip van die dingen in het leven die ertoe doen.

Bill kondigde aan dat ik de nieuwe presidentiële taakgroep voor de herziening van de nationale gezondheidszorg zou leiden, met Ira Magaziner als senior adviseur Beleidsontwikkeling. Zijn ervaringen in de privé-sector, en ook zijn creatieve energie en vasthoudendheid, maakten hem tot een van Bills waardevolste adviseurs. Het nieuws van mijn rol veroorzaakte tumult, zowel binnen als buiten het Witte Huis.

Nadat Bill op 17 februari 1993 voor een gezamenlijke sessie met de Senaat en het Congres zijn pakket economische maatregelen had onthuld, kon het plan dat het land erbovenop moest helpen, worden uitgevoerd. Drie jaar eerder dan beloofd, maakte hij de begroting sluitend.

Nadat Bill in september 1993 zijn plan voor de gezondheidszorg aan het Congres had voorgelegd, hielden wij om dit te vieren een personeelsfeestje in het Old Executive Office Building, waar het kantoor werd omgedoopt tot 'de kraamkamer'. We waren begonnen met wat een journalist de 'beklimming van de Mount Everest van het welzijnsbeleid' noemde.

De zevenjarige Ryan Moore uit South Sioux City, Nebraska, was zo inspirerend voor mij en mijn staf dat we ten burele van Hillaryland een gigantisch portret van hem aan de muur hingen. We wilden een plan dat alle kinderen de medische zorg garandeerde die ze nodig hadden, ongeacht de economische situatie of de verzekeringsstatus van de ouders.

Op 28 september 1993 verdedigde voor het eerst een First Lady een belangrijk wetsvoorstel van de regering. Ik wilde dat mijn woorden de menselijke dimensie van de problemen in de gezondheidszorg overbrachten. Ik besefte niet dat de lovende respons op mijn getuigenis het zoveelste voorbeeld kon zijn van het 'sprekende-hondsyndroom'.

Om er meer over te weten te komen én om publiciteit te trekken voor hervorming van de gezondheidszorg, reisde ik door het land en luisterde ik naar persoonlijke verhalen over stijgende medische kosten, ongelijke behandeling en bureaucratische nachtmerries. De steun van dr. Koop, door Reagan aangewezen als directeur-generaal van de nationale gezondheidsdienst, was een zegen. Hij gaf de harde feiten achter de noodzaak tot hervorming.

James Carville, onze vriend en adviseur, is een van de briljantste strategische geesten in de Amerikaanse politiek, en hij kan me echt aan het lachen maken.

Op het Gridiron Dinner in 1994 besloten we het tv-spotje van de verzekeringslobby tegen de hervormingen te parodiëren, met Bill als 'Harry' en ik als 'Louise'. Al Franken en Mandy Grunwald hielpen ons de strategie van onze tegenstanders als bangmakerij te ontmaskeren en daar een beetje lol in te hebben.

Geïnspireerd door de Freedom Riders die in het begin van de jaren zestig per bus door het Zuiden van de Verenigde Staten trokken om de boodschap over de opheffing van rassenscheiding te verspreiden, organiseerden voorstanders van hervorming van de gezondheidszorg in de zomer van 1994 een nationale bustour. In Seattle vreesden agenten van de geheime dienst dat ik fysiek bedreigd zou kunnen worden.

Voorstanders van de Health Security Express vertelden op een bijeenkomst op het Witte Huis hun persoonlijke verhalen. Telkens als ik zag dat Bill zich met iemands leed identificeerde, zoals op die middag, voelde ik weer grote genegenheid voor hem.

De Hillaryland-bende organiseerde een onverwacht feestje op het Witte Huis voor mijn zesenveertigste verjaardag. Met zwarte pruik en hoepelrok verkleedde ik mezelf als Dolley Madison, een van mijn favoriete First Lady's. Ik deed ook nog een andere Dolly na – Parton – op een ander feestje en droeg een paardenstaart op een jaren-vijftigfuif.

Iedereen die ooit het genoegen heeft gehad in het gezelschap te verkeren van Virginia Cassidy Blythe Clinton Dwire Kelley, kent haar als een echte Amerikaanse: grootmoedig, opgewekt, gezellig en geheel vrij van vooroordelen of pretenties. We leerden elkaars verschillen te respecteren en ontwikkelden een warme, liefdevolle band. Al kostte dat tijd.

Camp David was een van de weinige plekken waar we ons helemaal konden ontspannen, zoals we dat vroeger deden in de keuken van onze gouverneurswoning in Arkansas met Liza Ashley en Dick Kelley. Bills broer Roger kwam op vakanties vaak naar het presidentiële buitenverblijf, samen met zijn zoon Tyler en met Zachery, de zoon van mijn broer Tony, die dikke vrienden waren. Hugh en zijn vrouw Maria waren ook vaak aanwezig op deze familiebijeenkomsten.

Harold Ickes, een goede vriend en politieke medestander, kwam in de
regering als plaatsvervangend stafchef. Binnen een paar dagen moest
hij een speciaal Whitewater-team bij elkaar brengen. Later adviseerde
hij mij over mijn kandidaatstelling voor de Senaat. Toen ik besloot
het te doen, werd Mark Penn opiniepeiler voor mijn
Senaatscampagne; hij gaf me dezelfde goede adviezen en de
vriendschap die hij mijn man had geboden.

Whitewater verwerd tot een onbeperkt onderzoek naar ons leven.
Alleen al de onafhankelijk aanklager kostte de belastingbetaler meer
dan zeventig miljoen dollar en het onderzoek ontwrichtte het leven
van talloze onschuldige mensen. David Kendall, onze persoonlijke
advocaat, was een godsgeschenk, net als de advocaten Cheryl Mills en
Nicole Seligman.

Bob Barnett (links), jurist en goede vriend, gaf ons in goede en slechte tijden advies. Sid Blumenthal (rechts) stelde me voor aan de toekomstige Britse premier Tony Blair in de wetenschap dat wij en de Blairs politieke en persoonlijke bondgenoten zouden worden.

Eind april 1994 stelden de media vragen over Whitewater en handel in vastgoed. Ik vond het tijd worden hun te geven waar ze om vroegen: mijzelf. Die ochtend had ik in een opwelling een combinatie van een zwarte rok en een roze trui uitgekozen, zodat mijn achtenzestig minuten durende confrontatie met de Vierde Macht de geschiedenis in zou gaan als 'de roze persconferentie'.

Het speldenkussen met de coverfoto van mijn boek It Takes a Village was een geschenk van Hillaryland-vrijwilligster Phyllis Fineschriber. Ik schonk de opbrengsten van het boek – bijna een miljoen dollar – aan goede doelen voor kinderen.

De Israëlische premier Rabin had een aura van kracht om zich heen. Bill beschouwde hem als een vriend en zelfs als een vaderfiguur. Zijn vrouw Leah straalde energie en intelligentie uit.

Keizer Akihito en keizerin Michiko komen aan op het Witte Huis. De keizerin is een van de fascinerendste vrouwen die ik heb ontmoet.

Zes van de zeven nog levende First Lady's bij elkaar voor de opening van de Amerikaanse Botanische Tuin. Jackies afwezigheid wierp een schaduw over deze gebeurtenis. Ze overleed een maand later.

Ik ontmoette president Jeltsin voor het eerst op een staatsdiner. Hij vertelde me in alle ernst dat rode wijn Russische matrozen op de nucleaire onderzeeërs beschermde tegen de schadelijke effecten van strontium 90.

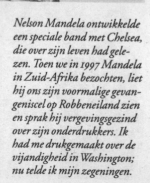

Nelson Mandela ontwikkelde een speciale band met Chelsea, die over zijn leven had gelezen. Toen we in 1997 Mandela in Zuid-Afrika bezochten, liet hij ons zijn voormalige gevangeniscel op Robbeneiland zien en sprak hij vergevingsgezind over zijn onderdrukkers. Ik had me drukgemaakt over de vijandigheid in Washington; nu telde ik mijn zegeningen.

Terwijl het presidentschap voortdurend onder vuur lag door eindeloze onderzoeken, bleef Bill gewoon regeren. In 1994 voorspelde de Duitse bondskanselier Helmut Kohl me al dat Bill in 1996 zou worden herkozen. Deze mening werd destijds in de Verenigde Staten slechts door een kleine groep gedeeld, en Kohls overtuiging verraste me – net als zijn gevoel voor humor.

De Vierde Wereldvrouwenconferentie van de Verenigde Naties werd in 1995 gehouden in Beijing, en ik was erevoorzitter van de Amerikaanse delegatie. In de rede die ik hield, stelde ik dat 'vrouwenrechten mensenrechten zijn'. De inzet was enorm – voor de Verenigde Staten, de conferentie, voor vrouwen over heel de wereld en voor mij.

Toen Bill terugkeerde van Rabins begrafenis, klaagde Gingrich over de manier waarop hij tijdens de vlucht naar huis was behandeld, en over het feit dat hij het vliegtuig aan de achterkant had moeten verlaten toen we op luchtmachtbasis Andrews waren aangekomen. Deze foto van Bill, Gingrich en de toenmalige meerderheidsleider Bob Dole bewijst het tegendeel.

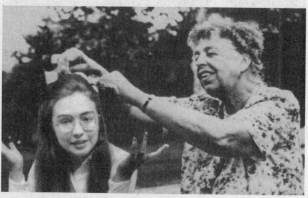

De weken na de desastreuze tussentijdse verkiezingen waren een van de moeilijkste in mijn acht jaren op het Witte Huis. Ik wist dat men zei: 'Dit komt allemaal door Hillary. Ze verknoeide het met de gezondheidszorg, waardoor we de verkiezingen verloren.' Als fan van Eleanor Roosevelt liet ik me weer door haar inspireren met behulp van een foto van haar.

tieve resultaten die ze had geboekt overeind te houden. Nu de Republikeinen de touwtjes in handen hadden, zou het Congres waarschijnlijk de juistheid van het aforisme van Lyndon Johnson aantonen: 'Democraten maken wetten; Republikeinen stellen onderzoeken in.'

Moedeloos en teleurgesteld vroeg ik me af in hoeverre dit debacle aan mij te wijten was. Hadden we de verkiezingen verloren vanwege de mislukte herziening van de gezondheidszorg? Had ik er – tevergeefs – op gegokt dat het land mijn actieve rol zou accepteren? Bovendien kon ik maar niet begrijpen waarom ik het mikpunt was geworden van de woede van de mensen.

Bill voelde zich ellendig, en het was pijnlijk om iemand van wie ik zo veel hield, zo gekwetst te zien. Hij had zijn uiterste best gedaan voor de Verenigde Staten en besefte dat de nederlaag van zijn vrienden en bondgenoten mede veroorzaakt was door zowel zijn successen als zijn mislukkingen. Ik wist nog hoe hij zich had gevoeld na zijn nederlagen in 1974 en 1980. Maar dit was erger: de inzet was hoger en hij had het gevoel dat hij zijn partij in de steek had gelaten.

Het zou enige tijd vergen, maar Bill was vastbesloten erachter te komen wat er bij deze verkiezingen was misgelopen en hoe hij zijn agenda moest verwoorden en opnieuw bepalen. Zoals altijd begonnen we een conversatie die maandenlang zou duren. We hielden veel vergaderingen met vrienden en adviseurs om te bekijken wat Bills volgende stappen zouden moeten zijn. Koste wat het kost wilde ik dat Bills presidentschap een succes werd. Ik geloofde in hem en in zijn plannen voor de toekomst van dit land. Ik wist ook dat ik een behulpzame partner voor hem wilde zijn en een effectieve pleitbezorgster voor de kwesties die mij mijn hele leven lang al ter harte gingen. Ik wist alleen niet hoe ik vanaf dit punt verder moest.

De oude Chinese verwensing 'Moge u leven in interessante tijden' werd een standaardgrap in ons gezin. Bill en ik vroegen elkaar voortdurend: 'En, heb je al een beetje een interessante tijd?' Maar 'interessant' was geen goede omschrijving van onze ervaringen. De weken na de rampzalig verlopen tussentijdse verkiezingen behoorden tot de moeilijkste van mijn acht jaar in het Witte Huis. Als ik me goed voelde, probeerde ik de nederlaag te zien als normaal verschijnsel in de verkiezingscyclus, als een soort politieke marktcorrectie. Maar als ik in de put zat, verweet ik mezelf dat ik de gezondheidszorg had verknoeid door te hoog in te zetten, door de basis van ons te vervreemden en onze tegenstanders in de kaart te spelen. De media smulden van het verlies van de Democraten en veel mensen – in het Witte Huis en daarbuiten – wezen met een beschuldigende vinger in onze richting. Het viel niet mee dit gemor te negeren, maar Bill en ik wilden ons verre houden van dit 'zwartepieten'. We moesten een nieuwe strategie ontwikkelen voor de veranderde situatie.

Op een miezerige novembermorgen ging ik even langs mijn kantoor na een gesprek met Bill in de Oval Office. Ik wierp een blik op de foto van Eleanor Roosevelt die daar in een lijst op een tafel staat. Ik ben een enorme fan van haar, en verzamel haar portretten en memorabilia van haar carrière. Haar kalme, vastberaden blik op de foto deed me denken aan een uitspraak die ze ooit deed waar ik altijd om moet lachen: 'Een vrouw is als een keukenmixer. Je weet pas hoe sterk ze is als ze in de puree zit.' Het was tijd om weer eens met Eleanor te gaan praten.

In mijn speeches sprak ik vaak gekscherend over mijn

denkbeeldige gesprekken met Eleanor Roosevelt en de adviezen die ik aan haar vroeg. Ik deed dat ook werkelijk, maar dan als een soort mentale oefening om problemen te analyseren. Eleanor Roosevelt was daarvoor de ideale sparringpartner, want als presidentsvrouw trad ik in de voetsporen van een van de controversieelste First Lady's van Amerika. Vaak trad ik bijna letterlijk in haar voetsporen, want waar ik ook ging, mevrouw Roosevelt was er al geweest. Ik bezocht uitgestorven dorpjes in de Dust Bowl, arme wijken in New York en reisde tot in Oezbekistan, maar overal was Eleanor al eerder geweest. Ze was een pionier op allerlei gebieden die ik belangrijk vind: burgerrechten, kinderarbeid, vluchtelingen, mensenrechten. En ze kreeg, net als ik, zware kritiek te verduren omdat ze probeerde zelf haar rol als First Lady in te vullen. Ze werd voor communistische agitator uitgemaakt, en voor lelijke ouwe bemoeial. Mensen in de regering van haar man ergerden zich aan haar. Minister van Binnenlandse Zaken Harold Ickes sr. (de vader van Bills plaatsvervangend chef-staf) klaagde bijvoorbeeld dat ze zich niet met zijn zaken moest bemoeien en zich bij haar breiwerk moest houden, en J. Edgar Hoover werd gek van haar. Maar ze was een ontembare geest, die zich niet door critici de mond liet snoeren.

Wat zou mevrouw Roosevelt dus zeggen van mijn problemen van dat moment? Niet veel, dacht ik. Zij vond dat het weinig zin had in de put te zitten over de tegenslagen van alledag. Je moet gewoon doorgaan en onder de omstandigheden zo goed mogelijk je best blijven doen.

Je kunt erg alleen komen te staan door dergelijke problemen, maar Eleanor Roosevelt had goede vrienden op wie ze steunde als haar het vuur na aan de schenen werd gelegd of als ze zich onzeker voelde in de wereld van de politiek. De vertrouwde adviseur van Franklin D. Roosevelt, Louis Howe, was haar vertrouweling, en haar vriendinnen Lorena Hickok, voormalig verslaggeefster van Associated Press, en haar persoonlijk secretaresse, Malvina 'Tommy' Thompson, waren haar confidentes.

Ik had eveneens het geluk om fantastische, trouwe mensen in dienst te hebben en te beschikken over een grote kring van vrienden tot wie ik me kon wenden. Ik kan me slecht voorstellen dat mevrouw Roosevelt 'stoom afblies' bij haar vrienden en personeel, maar ik kon dat wel degelijk. Mijn vriendinnen uit Arkansas, Diane Blair en Ann Henry, die het Witte Huis in die weken na de verkiezingen bezochten, kenden me goed en boden me persoonlijke steun aan evenals nuttige ideeën over politiek en geschiedenis.

Uit het hele land en uit het buitenland belden vrienden om te vragen of ik niet te terneergeslagen was door de gebeurtenissen. Koningin Noor, die iets van een nieuwsjunkie heeft, volgde de Amerikaanse politiek vanuit Amman. Ze belde kort na de tussentijdse verkiezingen op om me een hart onder de riem te steken. Ze zei dat ze bij haar in de familie elkaar bij dergelijke tegenslagen het advies gaven om 'als een goede soldaat verder te vechten'. Ik vond het een goede uitdrukking. Op een gegeven moment zei ik het ook om mijn mensen aan te moedigen.

Maar soms was ik degene die peptalk nodig had.

Op een morgen eind november riep Maggie een vergadering bij elkaar van tien vrouwen voor wie ik veel respect had: Patti, die mijn agenda bijhield, Ann, mijn afsprakensecretaresse, Lisa mijn voorlichtster, Lissa, die mijn speeches schrijft. Melanne, mijn plaatsvervangend chef-staf, Maggies assistente Evelyn Lieberman, Mandy Grunwald, Susan Thomases en Ann Lewis. Ann was al heel lang actief voor de Democratische Partij. Ze is een scherpzinnige politieke activiste die vaak op de televisie was om mijn plannen en de regering te verdedigen. Evelyn was een sterke aanwezigheid in Hillaryland, waar ze zich met operationele en logistieke kwesties bezighield. Ze werd later de eerste vrouwelijke plaatsvervangend chef-staf in het Witte Huis. Onder Madeleine Albright bracht ze het tot onderminister van Buitenlandse Zaken met de diplomatieke dienst en *public affairs* in haar portefeuille. Deze vrouwen kwamen elke week bijeen om beleidsideeën en politieke strategieën te bespreken. Evelyn had, op typerend uitdagende wijze, een naam voor deze vrouwenvergaderingen verzonnen: de *Chix Meeting*. Deze bijeenkomsten waren bijzonder levendig, er werd van alles en nog wat besproken en ze waren helemaal off-the-record, en dus nam ik eraan deel als het uitkwam.

Die morgen zaten de Chix in de Map Room, de historische kamer waar president Franklin D. Roosevelt, samen met Winston Churchill en andere geallieerde leiders, tijdens de Tweede Wereldoorlog de troepenbewegingen volgden op de militaire kaarten die FDR er had laten ophangen. Dertig jaar later, tijdens de oorlog in Vietnam, spraken de Amerikaanse minister van Buitenlandse Zaken en de Russische ambassadeur bij de Verenigde Naties elkaar in de Map Room nadat Nixon had bevolen de haven van Haiphong met mijnen te blokkeren. Aan het begin van het presidentschap van Ford werd de kamer helaas veranderd in een opslagruimte.

Toen ik ontdekte waarvoor de kamer oorspronkelijk was gebruikt, besloot ik hem opnieuw te laten stofferen en in de oude waardigheid te herstellen. Ik kreeg een van FDR's originele stafkaarten, waarop de geallieerde posities in Europa in 1944 stonden aangegeven. De kaart was opgerold en bewaard door de jonge adjudant van de president, George Elsey, die hem aan het Witte Huis doneerde toen hij hoorde dat ik de kamer wilde restaureren. Ik hing hem boven de open haard.

De kaart riep soms emotionele reacties op van bezoekers die de Tweede Wereldoorlog hadden meegemaakt. Ik had een keer in de Map Room afgesproken met professor Uwe Reinhardt, een in Duitsland geboren econoom die me adviseerde over de gezondheidszorg. Toen hij de kaart goed had bekeken, vertelde hij me met tranen in zijn ogen dat hij als jongetje met zijn moeder in Duitsland had vastgezeten terwijl zijn vader naar het Russische front was gestuurd. Uwe liet me op de kaart zien waar hij en zijn moeder zich hadden schuilgehouden om aan de bombardementen en de gevechten te ontkomen, en waar ze bevrijd waren door Amerikaanse soldaten. Een andere keer dineerden we voor de open haard in de Map Room samen met Hilary Jones, een oude vriend uit Arkansas die tijdens de Tweede Wereldoorlog had meegevochten in Europa. Hilary liet Bill en mij op de kaart zien hoe zijn divisie al vechtend vanuit Italië naar het noorden was getrokken.

Het leek me gezien de geschiedenis een heel geschikte ruimte om mijn strategie uit te stippelen. Maggie organiseerde deze vergaderingen omdat ze begreep dat het in de hogedrukketel van het Witte Huis belangrijk voor me was een plek te hebben waar ik alles kon zeggen wat ik op mijn lever had zonder me zorgen te hoeven maken over verkeerde interpretaties of dat iets naar de pers zou uitlekken. Ze wist dat deze vergaderingen zouden helpen ons weer op het regeringsbeleid en andere kwesties te richten die we echt belangrijk vonden.

Toen ik de kamer binnenkwam, zaten de vrouwen al rond de grote vierkante tafel. Tot dan toe was het me gelukt mijn verdriet en ontmoediging voor mijn mensen verborgen te houden, behalve voor Maggie, die precies wist hoe ik me voelde – of ik dat nu liet blijken of niet. Maar nu kwam alles boven. Tegen de tranen vechtend en met gebroken stem stamelde ik verontschuldigingen. Het speet me dat ik iedereen had teleurgesteld en ons verlies was deels mijn schuld, maar het zou niet weer gebeuren. Ik vertelde hun dat ik overwoog me uit de actieve politiek en het beleidswerk namens de regering terug te trekken, vooral omdat ik geen obstakel wilde zijn in de regering van mijn echtgenoot. En ik had mijn optreden voor een forum over First Lady's afgezegd. Dit forum, dat die avond zou plaatsvinden, werd gesponsord door de George Washington University en gepresenteerd door de historicus Carl Anthony, die een goede vriend van me is. Wat had het voor zin daarnaar toe te gaan? Iedereen luisterde kalm, zonder een woord te zeggen. Daarna zei elke vrouw afzonderlijk tegen me waarom ik niet moest opgeven. Te veel mensen, vooral vrouwen, rekenden op me.

Lissa Muscatine beschreef een lezing die ze onlangs voor een groep studenten van American University had gehouden over haar werk als speechschrijfster voor het Witte Huis. Ze had gezegd dat de president en ik de rechten van vrouwen op de werkplek heel belangrijk vonden, en dat we dit niet alleen met de mond beleden. Ze wees erop dat ze zelf door het Witte Huis was aangenomen terwijl ze in verwachting was van een tweeling. Na haar zwangerschapsverlof was ze weer fulltime voor me gaan werken, vertelde ze de studenten, en ze zei dat ik haar had aangemoedigd haar tijd goed in te delen en zo nodig thuis te werken, zodat ze tijd met haar kinderen kon doorbrengen. Na het praatje kwam er een tiental jonge vrouwen om Lissa heen staan om vragen te stellen en te zeggen hoe belangrijk ze het vonden dat er ook in het Witte Huis werkende moeders waren.

'Veel jonge mensen zoeken naar een voorbeeld in hun leven. Jij bent een rolmodel,' zei Lissa. 'Wat moeten zij als je nu opgeeft?'

Ik liet me overtuigen. Opgebeurd door de steun van mijn vriendinnen toog ik die avond naar het Mayflower Hotel voor het forum over First Lady's. Het publiek was enthousiast en duidelijk op mijn hand, waardoor ik me gesterkt voelde. Voor het eerst sinds de verkiezingen voelde ik me weer vol energie, weer klaar om me in het gewoel te storten, vooral nu Bill het met een Congres zou moeten stellen dat in de greep was van de Republikeinen en hun assertieve leiders. Eleanor Roosevelt zei ooit: 'Als ik gedeprimeerd ben, ga ik aan het werk.' Ik volgde haar voorbeeld, ik wist dat ik dat moest doen.

Newt Gingrich gaf me de gelegenheid me luid en duidelijk uit te spreken. De man die kort daarop de eerste Republikeinse voorzitter van het Huis van Afgevaardigden sinds 1954 zou zijn, wilde graag zijn politieke spierballen laten zien. Het duurde niet lang voor Gingrichs impulsiviteit en rechtse bombast hem en zijn partij in de problemen brachten. De eerste hint kwam eind november, toen een kleine rel ontstond over wat hij had gezegd over de reorganisatie van de sociale zekerheid. Hij had gezegd dat de natie als onderdeel van zijn Contract With America geld kon besparen door kinderen van moeders met een uitkering in een weeshuis te plaatsen. Het idee was dat staten geen uitkeringen meer mochten verstrekken ten behoeve van kinderen zonder vader en kinderen van ongetrouwde moeders beneden de achttien. In zijn voorstel zouden de besparingen worden gebruikt om weeshuizen en tehuizen voor ongetrouwde moeders op te zetten en te runnen.

Ik vond dit een afschuwelijk idee. Door mijn werk met kinderen ben ik ervan overtuigd geraakt dat ze bijna altijd het beste af zijn bij hun gezin, dat armoede niet per se betekent dat kinderen slecht worden opgevoed, dat steun voor gezinnen met speciale problemen, zoals armoede, de eerste stap hoort te zijn. Alleen kinderen die door hun ouders worden mishandeld of verwaarloosd, moeten beschermd worden door ze buitenshuis te plaatsen. Dat zijn de enige situaties waarbij de overheid namens het kind tussenbeide moet komen.

Op 30 november 1994 leverde ik tijdens een speech voor de Women's Agenda in New York kritiek op Gingrich en zijn Republikeinse team omdat ze een wetgeving voorstonden die kinderen strafte voor omstandigheden waaraan zij geen schuld hadden. Ik zei dat ik zijn opmerkingen over weeshuizen absurd en ongeloofwaardig vond. Het was ironisch dat de Republikeinen mij in de campagne van 1992 als 'anti-gezin' hadden afgeschilderd omdat ik er voorstander van was dat kinderen die werden mishandeld of verwaarloosd bij hun ouders werden weggehaald. Nu stelden dezelfde Republikeinen voor om kinderen bij hun ouders weg te halen omdat die niet getrouwd waren of omdat hun moeder arm was.

Een paar dagen later verscheen Gingrich in het programma *Meet the Press* van NBC en sloeg terug: 'Ik wil haar vragen om naar de videotheek te gaan en de film over Boys Town (een weeshuis) van Mickey Rooney te lenen. [...] Ik begrijp die progressieve politici niet die in veilige enclaves wonen en roepen: "O wat zou dat verschrikkelijk zijn. Neem nou het gezin van Norman Rockwell dat uit elkaar dreigt te vallen..."'

Ik diende Newt in een lang artikel in *Newsweek* van repliek. Mijn conclusie: dit is overheidsbemoeienis op zijn ergst.

Met het artikel in *Newsweek* was de angel uit de weeshuisdiscussie gehaald. Maar de sfeer werd slechter toen Gingrich' moeder tijdens een televisie-interview tegen Connie Cheung zei (op een moment dat ze dacht dat de microfoon niet aan stond) dat haar zoon mij regelmatig een *bitch* noemde. De pers ging met het verhaal op de loop.

Ik besloot dit te laten voor wat het was en het met Gingrich over een andere boeg te gooien. Ik stuurde hem een handgeschreven briefje om hem en zijn gezin uit te nodigen voor een rondleiding in het Witte Huis. Een paar weken later gaf ik Gingrich, zijn vrouw Marianne, zijn zuster Susan en zijn moeder de beloofde rondleiding. Het bezoek was weinig gedenkwaardig, op het feit dat het überhaupt plaatsvond na. Alleen toen we in de Red Room thee dronken, gebeurde er iets wat de moeite van het vermelden waard is. Gingrich zag het antieke meubilair en begon te oreren over de Amerikaanse geschiedenis. Zijn vrouw onderbrak hem al snel.

'Weet u, hij gaat maar door, of hij nu weet waarover hij praat of niet.'

Gingrich' moeder kwam snel voor hem op. 'Newty is historicus,' zei ze. 'Newty weet altijd waarover hij praat.'

Door het geruzie na de verkiezingen leerde ik op een positieve manier op de scheldpartijen van rechts te reageren. Ik besefte dat ik mijn eigen verhaal moest vertellen en mijn eigen waarden zodanig over het voetlicht moest brengen dat mensen er rechtstreeks kennis van konden nemen, zonder dat iemand anders ze verkeerd kon weergeven.

Door het schrijven van het artikel in *Newsweek* had ik geleerd dat ik beter zelf kon opschrijven wat ik wilde zeggen. Ik begon nu aan ambitieuzer schrijfprojecten te denken om mijn ideeën te presenteren. Ik wilde een boek schrijven over hoe kinderen in onze huidige wereld kunnen worden opgevoed. Ik wilde mensen warm maken voor het idee dat 'er een dorp voor nodig is om een kind op te voeden', zoals het Afrikaanse spreekwoord zegt. Maar ik noch iemand van mijn naaste medewerkers had ooit een boek geschreven. Kort daarop maakte ik kennis met twee vrouwen die dat wel hadden gedaan. Zij zouden me helpen en aanmoedigen.

Bill en ik maakten tijdens een van onze Renaissanceweekenden kennis met Marianne Williamson, die een aantal zeer goed verkochte boeken had geschreven. Zij stelde voor met een aantal mensen van buiten de politiek bij elkaar te komen om Bills verwachtingen en doelstellingen voor de resterende twee jaar van zijn ambtstermijn te bespreken. Dat sprak me aan en we vroegen haar op 30 en 31 december een bijeenkomst te organiseren in Camp David.

Op Mariannes gastenlijst stonden mensen als Tony Robbins, wiens boek *Awaken the Giant Within* een bestseller was in de Verenigde Staten, en Stephen R. Covey, die het zeer populaire *7 Habits of Highly Effective People* had geschreven. Ik dacht dat het geen kwaad kon eens te horen wat deze mensen, naar wier adviezen miljoenen Amerikanen luisterden, te vertellen hadden. Marianne had ook Mary Catherine Bateson en Jean Houston uitgenodigd. Bateson is hoogleraar in de antropologie (en dochter van de beroemde antropologen Margaret Mead en Gregory Bateson), met als specialisatie culturele antropologie en genderstudies. Ik was al een bewonderaar van haar boek uit 1989, *Composing a Life*, waarin ze beschrijft hoe vrouwen hun leven vormen door de onderdelen van het dagelijks leven te combineren die het best voor hen werken. De keuzen die vrouwen maken, worden niet langer door conventies bepaald. Ze kunnen en moeten tegenwoordig al doende ontdekken wat mogelijk is. Ze moeten improviseren, profiteren van hun unieke talenten en kansen, reageren op de onvoorziene omstandigheden die zich voordoen en ruimte laten voor het onverwachte.

Ik bleef urenlang praten met Mary Catherine Bateson en Jean Houston, met wie ze af en toe samenwerkt. Jean is universitair docent en publiceert over inheemse culturen, mythologie en de geschiedenis van de vrouw. Terwijl Mary Catherine een kalme academica is die in gebreide wollen vesten en makkelijke schoenen rondloopt, hult Jean zich in felgekleurde capes en kaftans, en domineert ze ieder gezelschap waarin ze zich bevindt met haar enorme aanwezigheid en flitsende gevoel voor humor. Ze is een wandelende encyclopedie, citeert moeiteloos uit gedichten en ander literair werk, en schudt historische en wetenschappelijke feiten uit haar mouw. Ze kent ook veel goede grappen en woordspelingen, en is altijd bereid daar anderen van te laten meegenieten.

Jean en Mary Catherine waren experts op twee gebieden die van groot belang voor me waren. Ik had hulp en advies van ervaren auteurs nodig en zij hadden talloze boeken geschreven. En ik wilde advies over Azië, want het ministerie van Buitenlandse Zaken had mij gevraagd de Verenigde Staten te vertegenwoordigen bij een bezoek aan vijf Zuid-Aziatische landen. Ik wilde me zo goed mogelijk op die reis voorbereiden (die, naar ik dacht, een ommekeer voor me zou betekenen). Jean en Mary Catherine hadden uitgebreid in Azië rondgereisd, dus nodigde ik hen uit mij en mijn staf daarover te komen vertellen voordat ik in maart naar Pakistan zou vertrekken.

Ik verzette me tegen het idee om gebruik te maken van de titel van First Lady; ik concentreerde me liever op specifieke bezigheden en beleidskwesties. Ik heb altijd gevonden dat mensen niet moeten worden beoordeeld op hun functietitel, op wat ze beweren te zijn, maar op wat ze tot stand brengen. Een First Lady neemt een secundaire positie in; wat ze doet, is volkomen afhankelijk van de president. Dit verklaart deels waarom de rol van presidentsvrouw mij niet altijd even goed lijkt te passen. Vanaf mijn kindertijd probeerde ik mijn onafhankelijkheid te bewaren en mezelf te zijn. Hoeveel ik ook van mijn man en mijn land hield, ik vond het moeilijk als symbool door het leven te gaan. Mary Catherine en Jean hielpen me te begrijpen dat de rol van een First Lady zeer symbolisch is, en dat ik maar beter kon leren hoe ik daar het beste van kon maken, zowel thuis als op het wereldtoneel.

Mary Catherine zei dat er niets mis was met symbolische handelingen en dat 'symboliek heel doeltreffend' kan zijn. Ze meende bijvoorbeeld dat het feit dat ik als First Lady Chelsea meenam op mijn reis door Zuid-Azië, een belangrijk signaal zou kunnen afgeven over het belang van dochters. Een bezoek aan arme vrouwen op het platteland kon eveneens een symbool zijn, waardoor de waardering voor hen zou toenemen. Ik begreep wat ze bedoelde, en raakte er zelf ook van overtuigd dat ik de komende jaren bij alles wat ik deed, als symbool effectief moest proberen te zijn om de regering-Clinton te steunen.

Mijn vriendschap met Jean werd een jaar later beschreven in het boek *The Choice* van Bob Woodward, dat over de politieke campagne van 1996 ging. Woodward noemde Jean melodramatisch mijn 'spiritueel raadgeefster' en beschreef een aantal oefeningen die ze mij en mijn staf leerde om op nieuwe manieren over ons werk na te denken. Hij berichtte uitgebreid over de keer dat Jean me vroeg een denkbeeldig gesprek met Eleanor Roosevelt aan te gaan. Omdat ik Eleanor ook vaak in mijn speeches aanhaalde en dan zelfs verwees naar verzonnen gesprekken die ik met haar voerde ter onderstreping van mijn standpunt, had ik weinig moeite met wat Jean vroeg en leek het me ook niet heel zonderling. Stelt u zich dus mijn verbazing voor toen ik de passage uit Woodwards boek over deze oefening op de voorpagina van de *Washington Post* zag staan alsof het een grote onthulling was.

De dag na het stuk in *The Washington Post* sprak ik voor

de jaarlijkse gezinsconferentie in Tennessee, waar Al en Tipper Gore gastheer en gastvrouw waren. 'Ik heb net nog even met Eleanor Roosevelt gesproken,' zei ik, waarop het publiek in lachen uitbarstte en luid applaudisseerde. 'En zij vindt dit ook een fantastisch idee!'

Rond deze tijd hadden we Jim en Diane Blair te eten. We zaten op het Truman-balkon toen Jim, even uitgestreken als altijd, opmerkte: 'Hill, door al dat gedoe rond Eleanor hoef je je nu gelukkig geen zorgen meer te maken over de Whitewater-kwestie.'

'Hoe bedoel je?'

'Tja, als ze je nu te grazen willen nemen, kan je altijd zeggen dat je ontoerekeningsvatbaar bent.'

Om jezelf lachen is een probaat middel om moeilijke tijden te doorstaan, veel beter dan jezelf isoleren, hoewel ik daar af en toe wel de neiging toe had, vooral in de maanden nadat de Democraten de meerderheid in het Huis en de Senaat waren kwijtgeraakt.

Bill en ik wisten dat ons met een Republikeins Congres nog minstens twee jaar aan Whitewater-onderzoek te wachten stond. Kenneth Starr voelde zich gesterkt door de verkiezingsresultaten. Eind november viel Webb Hubbell in zijn net.

Webb had in maart van het jaar daarvoor, toen hij zich verdedigde tegen beschuldigingen van knoeien met facturen bij advocatenpraktijk Rose, ontslag genomen bij het ministerie van Justitie, volgens eigen zeggen om controverses te vermijden. Volgens Webb was er geen enkel bewijs voor de beschuldigingen. Toen hij de zomer daarvoor Camp David bezocht om met Bill te golfen, had hij ons verzekerd dat hij onschuldig was.

Maar op Thanksgivingday 1994 hoorden we op Camp David via de radio dat Webb Hubbell en Jim Guy Tucker, de opvolger van Bill als gouverneur van Arkansas, in staat van beschuldiging waren gesteld. Ik was tegen die tijd gewend aan onware verhalen in de pers, en dus ging ik ervan uit dat er iets niet klopte. Toch was ik er wel ontdaan over en wist ik dat dergelijk nieuws, of het nu klopte of niet, zich als een lopend vuurtje verspreidde als Webb en zijn advocaat niet meteen reageerden. Bill en ik belden Webb thuis op, waar hij druk bezig was zijn kalkoen klaar te maken. Bill wenste hem een prettige Thanksgiving en gaf de telefoon vervolgens aan mij.

Ik zei tegen Webb dat ik gehoord had van de tenlastelegging. 'Je moet dit meteen weerleggen,' zei ik. 'Je moet die geruchten meteen de wereld uit helpen. Dit is verschrikkelijk.'

Webb zei dat hij nog geen officiële brief met een tenlastelegging van de aanklagers had ontvangen en veranderde vervolgens snel van onderwerp. Hij vertelde me wie er bij hem kwamen eten en wat hij en zijn vrouw Suzy klaarmaakten. Het stoorde me dat hij er zo kalm onder bleef. Ik dacht dat hij het nieuws niet serieus nam of zich er gewoon niet door van de wijs wilde laten brengen. Dat telefoontje op Thanksgiving was de laatste keer dat Bill of ik met Webb spraken. In zijn memoires, *Friends in High Places*, schrijft Webb dat zijn advocaat de dag voor ons telefoongesprek de officiële tenlastelegging had ontvangen, maar had besloten tot na Thanksgiving te wachten om hem op de hoogte te brengen. Hij geeft ook toe dat hij fraudeerde in een futiele poging iets te doen aan zijn schulden, die hij voor familie en vrienden verborgen hield.

Op 6 december 1994 verklaarde Starrs kantoor dat Hubbell schuldig zou pleiten op de beschuldiging van fraude en belastingontduiking. Hij gaf toe dat hij, om zijn schulden te kunnen betalen, tussen 1989 en 1992 meer dan vierhonderd facturen had uitgeschreven waarmee geknoeid was. Bij elkaar had hij klanten en partners van de Rose Law Firm voor minstens 394 000 dollar opgelicht.

Ik was verbijsterd. Webb was een vertrouwde collega en werd algemeen bewonderd als openbaar bestuurder in Arkansas. Hij was een goede vriend met wie ik veel tijd had doorgebracht. Het idee dat hij mensen die hem na stonden, had bedrogen en misleid, was buitengewoon schokkend. Zijn schuldbekentenis betekende een nieuwe escalatie op het slagveld van Whitewater.

In de kerstvakantie kreeg ik twee keer hetzelfde cadeautje van twee vriendinnen. Van zowel Anne Bartley, een vriendin en filantrope uit Arkansas die vrijwilligerswerk deed in het Witte Huis, als van Eileen Bakke, een vriendin van de Renaissance-weekenden, kreeg ik het boek *Eindelijk thuis: gedachten bij Rembrandts 'De Terugkeer van de Verloren Zoon'* van de Nederlandse priester Henri Nouwen cadeau. Nouwen schrijft aan de hand van het schilderij *De terugkeer van de verloren zoon* van Rembrandt over de parabel van de zoon die zijn vader en oudere broer verliet om een losbandig leven te leiden. Toen hij weer thuiskwam, werd hij verwelkomd door zijn vader en door zijn verontwaardigde en plichtsgetrouwe broer. Tijdens die problematische periode in 1993 en 1994 gingen we regelmatig naar de methodistische Foundry-kerk in het centrum van Washington. Ik ontleende veel kracht aan de preken en persoonlijke steun van de eerwaarde dominee Phil Wogaman en de rest van de congregatie. Mijn gebedsgroep bleef voor me bidden, zoals ook miljoenen andere mensen overal ter wereld deden. Hierdoor werd ik geweldig geholpen, maar vooral Nouwens eenvoudige 'discipline van de dankbaarheid' was een echte openbaring voor me. Ondanks de verloren verkiezingen, de mislukte reorganisatie van de gezondheidszorg, de aanvallen van politieke tegenstanders, de rechtszaken en de dierbaren die waren overleden, had ik zo veel waarvoor ik dankbaar kon zijn. Ik moest mezelf er actief aan blijven herinneren hoe gezegend ik was.

Op een koude middag eind maart 1995 vertrok ik met Hillaryland voor mijn eerste grote reis naar het buitenland zonder de president. Het regeringsvliegtuig steeg op van luchtmachtbasis Andrews met eenenveertig passagiers aan boord. We zouden in twaalf dagen tijd Pakistan, India, Bangladesh, Nepal en Sri Lanka bezoeken. Er waren journalisten, veiligheidsagenten en ambtenaren van het Witte Huis en het ministerie van Buitenlandse Zaken aan boord. Ook Jan Piercy ging mee, mijn vriend van Wellesley die nu directeur voor de Verenigde Staten was van de Wereldbank. Maar het gelukkigst was ik met het gezelschap van Chelsea. De reis viel gelukkigerwijs precies in de voorjaarsvakantie van haar school. Ze was net vijftien geworden en bloeide op tot een stabiele, bedachtzame jonge vrouw. Ik wilde graag de laatste avonturen van haar kindertijd samen met haar beleven en zien hoe ze zou reageren op de buitengewone wereld die we zouden gaan bezoeken. Ik wilde het bezoek ook door haar ogen bekijken.

Na een vlucht van zeventien uur landden we 's avonds laat in de kletterende regen in de Pakistaanse hoofdstad Islamabad. Het ministerie van Buitenlandse Zaken had me gevraagd het Indische subcontinent te bezoeken om te laten zien dat de regio belangrijk was voor de Verenigde Staten omdat men wist dat de president noch de vice-president tijd had om het gebied binnenkort te bezoeken. Mijn bezoek was bedoeld om te laten zien dat dit strategische en ontvlambare deel van de wereld de aandacht had van de Verenigde Staten, en om de leiders van deze landen te verzekeren dat we achter hun pogingen stonden de democratie te versterken, de vrije markt te bevorderen en tolerantie en naleving van de mensenrechten te stimuleren, inclusief de rechten van de vrouw. Als teken van onze zorg en betrokkenheid was het belangrijk om zelf de streek te bezoeken.

Hoewel we slechts korte tijd in de individuele landen konden doorbrengen, wilde ik zo veel mogelijk vrouwen ontmoeten om meer te leren over de correlatie tussen de vooruitgang van vrouwen en de sociale en economische vooruitgang in de landen als geheel. Ik interesseerde me voor de ontwikkelingsvraagstukken sinds de tijd dat ik met de arme plattelandsbevolking van Arkansas had gewerkt, maar dit was mijn eerste bezoek aan een ontwikkelingsland. Ik had me een halfjaar daarvoor, in maart, alvast kunnen voorbereiden toen ik in Kopenhagen de Verenigde Staten had vertegenwoordigd op de Wereldtop voor Sociale Ontwikkeling van de Verenigde Naties. Op die conferentie werd ik gesterkt in mijn overtuiging dat mensen en gemeenschappen wereldwijd tegenwoordig meer verbonden en onderling afhankelijk zijn dan op enig ander tijdstip in de menselijke geschiedenis, en dat Amerikanen niet afzijdig kunnen blijven bij de armoede, ziektes en ontwikkeling van mensen elders op deze wereld.

De Chinezen zeggen dat vrouwen de helft van de hemel omhooghouden, maar in de meeste landen dragen vrouwen meer dan hun deel bij aan het welzijn van hun gezin. Hun werk wordt in het gezin of in de officiële economie zelden erkend of beloond. Deze ongelijkheid is zeer zichtbaar in het Indische subcontinent, waar een half miljard mensen in armoede leeft, onder wie vooral vrouwen en kinderen. Arme vrouwen en meisjes worden er onderdrukt en gediscrimineerd wat betreft opleiding en medische zorg, en lijden onder het door de cultuur gesanctioneerd geweld. Door politie en rechterlijke macht wordt vaak niets ondernomen tegen misstanden als vrouwenmishandeling, verbranding van bruiden en moord op pas geboren meisjes, terwijl vrouwen die in sommige landen worden verkracht, wegens overspel in de gevangenis kunnen belanden. Desondanks waren er ook tekenen van hoop toen ik het Indische subcontinent in 1995 bezocht. Er waren speciale scholen die onderwijs aanboden aan meisjes en kleinschalige regelingen om vrouwen krediet te verstrekken waarmee ze een eigen inkomen konden verdienen.

Veel van dergelijke projecten werd destijds door de Amerikaanse overheid gesteund, maar de nieuwe Republikeinse meerderheid in de Senaat en het Huis wilde drastisch snoeien in de buitenlandse hulp – hoewel die minder dan één procent van het overheidsbudget uitmaakte. Ik steunde allang de Amerikaanse Agency for International Development (het overheidsbureau voor internationale ontwikkeling, USAID) en hoopte dat de media-aandacht voor de First Lady ook tot meer aandacht zou leiden voor de hulpprogramma's van de Verenigde Staten. Ik wilde duidelijk maken dat het zonde zou zijn als de Verenigde Staten ophielden internationale steun te verlenen aan vrouwen die het slecht hebben – en niet alleen vanwege de individuele problemen van die vrouwen. Als vrouwen lijden, lijden ook de kinderen en stagneert de economie, waardoor het uiteindelijk ook slechtere afzetmarkten worden voor Amerikaanse producten. En als vrouwen slachtoffer zijn, wordt de stabiliteit van het gezin en het land ondermijnd, waardoor de vooruitzichten voor de democratie en de welvaart ook slechter worden.

Alle vijf landen die ik ging bezoeken, hadden te lijden onder geweld en instabiliteit. Drie weken voor ons bezoek hadden moslimextremisten in Pakistan een aanslag gepleegd op een bestelbusje met medewerkers van het Amerikaanse consulaat in Karachi. Twee van hen waren omgekomen. En Ramzi Yousef, een van de belangrijkste planners van de aanslag op het World Trade Center in 1993, was kort voor ons bezoek in Pakistan gearresteerd en naar de Verenigde Staten uitgewezen om te worden berecht.

De geheime dienst maakte zich zorgen over onze reis en had het liefst dat ik alleen overheidsgebouwen en andere overzichtelijke plekken bezocht. Ze hadden het amusant genoeg aan de stok met het ministerie van Buitenlandse Zaken, dat me graag naar brandhaarden wilde sturen – naar plaatsen waar de situatie te gevaarlijk was voor de president of de vice-president. Ik wilde graag vrouwen van zowel het platteland als van de grote stad ontmoeten. Behalve het voorspelbare programma wilde ik dorpen en andere plekken bezoeken waar gewone mensen woonden. Alle plaatsen waarvoor een bezoek was gepland, werden zorgvuldig onderzocht door teams van veiligheidsmensen. Ik was me er pijnlijk van bewust hoe moeilijk het was voor onze gastlanden en ambassadeurs om een dergelijke onorthodoxe reis te organiseren. Door hun inspanningen kreeg ik des te meer het gevoel dat ik mijn tijd daar zo goed mogelijk moest benutten.

Toen de zon opkwam boven de Margalla Hills, zag ik Islamabad voor het eerst. Het was een geplande stad van brede lanen met nette gebouwen van halverwege de twintigste eeuw, met daaromheen lage bergen, groen van pas aangelegde bossen. De stad is typerend voor de talloze hoofdsteden die ontstonden in de nieuwe naties die onafhankelijk werden, gebouwd op neutraal terrein met veel goede bedoelingen en buitenlandse hulp. Aanvankelijk had ik helemaal niet het gevoel in Azië te zijn. Maar dat veranderde snel tijdens mijn beleefdheidsbezoek aan Begum Nasreen Leghari, de vrouw van de president van Pakistan, Farooq Ahmad Khan Leghari.

Mevrouw Leghari bleek een onberispelijk gekapte vrouw in elegante couturekleding, die uitstekend Engels sprak met een zangerig Brits accent. Ze leefde in 'purdah' of volledige isolatie. Ze mocht nooit door mannen worden aanschouwd, op familieleden na, en de zeldzame keren dat ze het huis verliet, was ze volledig gesluierd. Ze was niet aanwezig geweest bij de inauguratie van haar man, maar had de plechtigheid op de televisie gevolgd. Toen ik haar op de eerste verdieping van het presidentiële paleis kwam bezoeken, mocht ik alleen medewerksters en vrouwelijke agenten van de geheime dienst meenemen.

Mevrouw Leghari vuurde de ene na de andere vraag op me af over het dagelijks leven in Amerika, en ik was al even nieuwsgierig naar haar leefomstandigheden. Ik vroeg of ze een andersoortig bestaan wilde voor de volgende generatie vrouwen in haar familie. Ik had gehoord dat haar onlangs getrouwde dochter op de gastenlijst stond van een groot diner dat ik de dag daarop in Lahore zou bijwonen, dus ik vroeg mevrouw Leghari waarom haar dochter wel in het openbaar verscheen. 'Tja, dat is de keuze van haar man,' zei ze. 'Ze is niet langer van ons huis, dus doet ze wat hij wil.' Ze accepteerde de bewegingsvrijheid van haar dochter omdat haar schoonzoon dat zo voor haar had bepaald. Maar de vrouw van mevrouw Leghari's zoon leefde met haar in purdah, omdat haar zoon het voorbeeld van zijn vader volgde.

De tegenstellingen binnen Pakistan bleken nog duidelijker bij mijn volgende afspraak, een lunch die te mijner ere door premier Benazir Bhutto werd gegeven en bijgewoond door tientallen hoogopgeleide Pakistaanse vrouwen. Het was alsof ik eeuwen vooruit schoot in de tijd. Er waren vrouwelijke wetenschappers en activisten, er was een pilote, een zangeres, een vrouw met een hoge positie bij een bank en een vrouwelijke adjunct-hoofdinspecteur van politie. En natuurlijk waren ze gasten van een vrouw die tot eerste minister van Pakistan was gekozen.

Benazir Bhutto, een briljante, mooie vrouw van halverwege de veertig, was van vooraanstaande familie en opgeleid in Harvard en Oxford. Haar vader, Zulfikar Ali Bhutto, was in de jaren zeventig premier van Pakistan geweest namens de Pakistan People's Party. Er vond een militaire staatsgreep plaats, en hij werd afgezet en opgehangen. Na zijn dood had Benazir jaren onder huisarrest gestaan, om eind jaren tachtig leidster te worden van zijn oude politiek partij. Ze was de enige beroemdheid voor wie ik ooit achter dranghekken heb staan wachten. In juli 1989 wandelde ik tijdens een korte vakantie met Chelsea door Londen, toen we een grote menigte voor het Ritz Hotel zagen staan. Toen ik de mensen vroeg waar ze op wachtten, zeiden ze dat Benazir Bhutto in het hotel verbleef en ieder moment werd verwacht. Chelsea en ik bleven staan tot we de stoet auto's zagen aankomen en zagen toen hoe Bhutto in haar gele chiffon uit haar limousine stapte en de lobby in gleed. Ze was elegant, beheerst en had onmiskenbare glamour. Twee jaar daarna werd ze door het leger uit haar functie gezet.

In 1990 werd haar regering ontbonden naar aanleiding van aanklachten over corruptie, maar haar partij won de nieuwe verkiezingen in 1993. Ondertussen kreeg Pakistan het steeds moeilijker door de algemene wetteloosheid en het toenemende geweld. Vooral in Karachi werd de situatie allengs onhoudbaar vanwege de talrijke etnische en sektarische moorden. Er gingen ook geruchten over corruptie van haar man, Ali Asif Zardari, en haar volgelingen.

Tijdens de lunch leidde Benazir een discussie over de veranderende rol van de vrouw in haar land. Ze vertelde een grapje over de status van haar man als echtgenoot van de premier.

'Volgens de Pakistaanse kranten is meneer Asif Zardari de facto de eerste minister van dit land,' zei ze. 'Mijn man zei tegen me: "Alleen de First Lady zelf begrijpt hoe onwaar dat is."' Ze sprak verder over de problemen die vrouwen hadden om met de traditie te breken en een leidende rol te spelen in het openbare leven. Ze sprak over de moeilijkheden die ik als presidentsvrouw had ondervonden en over haar eigen situatie. 'Vrouwen die zich met lastige onderwerpen bezighouden en nieuw terrein verkennen, stuiten vaak op onbegrip,' zei ze.

Tijdens het privé-gesprek dat ik vervolgens met de premier had, bespraken we het bezoek dat ze in april aan Washington zou brengen. Ook haar man en kinderen kwamen ons gezelschap houden. Omdat ik wist dat hun huwelijk gearrangeerd was, keek met extra aandacht naar Benazir en haar man. Maar Asif was charmant, maakte grapjes, en ze leek oprecht gek op hem. Het zou echter niet goed met ze gaan. De beschuldigingen van corruptie werden na mijn reis steeds hardnekkiger. In augustus 1996 benoemde Benazir haar man in de regering en op 5 november 1996 werd ze afgezet na beschuldigingen dat Asif zijn positie had misbruikt om zich te verrijken. Hij werd veroordeeld wegens corruptie en kwam in de gevangenis terecht, terwijl zij het land verliet met de kinderen omdat ook zij dreigde te worden gearresteerd en niet meer terug kon.

Ik weet niet of de beschuldigingen tegen Benazir en haar man terecht waren of niet. Ik weet alleen dat ik in de korte tijd die ik in Pakistan doorbracht, met enorme contrasten werd geconfronteerd, met een cultuur die zulke indrukwekkende maar tegengestelde vrouwen kon voortbrengen als Nasreen Leghari en Benazir Bhutto. Hoe was het mogelijk dat president Leghari zijn vrouw in purdah liet leven, terwijl Ali Bhutto zijn dochter naar Harvard had gestuurd? Hoe was het mogelijk dat gearrangeerde huwelijken toch tot huwelijksgeluk konden leiden? Waarom hadden Pakistan, India, Bangladesh en Sri Lanka alle ooit een vrouwelijk staatshoofd gehad, terwijl er in die landen zo weinig prijs werd gesteld op vrouwen dat meisjesbaby's werden verwaarloosd of vermoord?

Ik wilde graag weten hoe het de volgende generatie goed opgeleide Pakistaanse vrouwen zou vergaan. Hierover kwamen Chelsea en ik het een en ander te weten toen we de dag erop een bezoek brachten aan het Islamabad College for Girls, de school waar Benazir Bhutto op had gezeten. We spraken er met leerlingen die ons vertelden over zorgen die we goed kenden. Ze wilden hun maatschappij veranderen en vroegen zich af of ze daar de kans voor zouden krijgen. Ze vroegen zich af of ze als goed opgeleide vrouwen wel in de maatschappij zouden passen. 'De ideale man vind je nooit,' zei een meisje. 'Je moet realistisch zijn.' Haar opmerking zou me bijblijven. Ze kwam uit een cultuur waar vrouwen in het huwelijk niet mochten kiezen. Toch kenden ze het moderne leven voldoende om over de onzekere opties van vrouwen overal ter wereld te kunnen nadenken.

We spraken ook over de kansen van vrouwen toen we later de Lahore University of Management Science bezochten, waar vrouwen bedrijfskunde studeerden. Het onderwijsprogramma werd voor een deel gesteund door Amerikanen van Pakistaanse afkomst die wisten hoe belangrijk het voor de Pakistaanse economie is om ook vrouwen goed op te leiden. Niemand twijfelt aan het succes van Zuid-Aziatische immigranten in de Verenigde Staten, waar ze een vooraanstaande rol spelen in de zakenwereld en in andere beroepen.

Hun succes in ons land toonde aan hoe belangrijk het was om te leven in een land waar geen geweld of oorlog heerst, dat wordt bestuurd door een goed functionerende, niet-corrupte regering, dat een vrije markt heeft en een cultuur waarin niemand wordt achtergesteld, ook vrouwen en meisjes niet. Maar zo ver was het nog nergens in het Indische subcontinent. Mannen en vrouwen die hadden kunnen bijdragen aan de ontwikkeling van hun eigen land, hielpen nu mee in de Verenigde Staten. In Sri Lanka, het laatste land dat ik tijdens mijn reis bezocht, was het percentage mannen en vrouwen dat kon lezen en schrijven weliswaar hoog, maar het land had jarenlang geleden onder de guerrillastrijd van de hindoeïstische Tamil-tijgers, die tegen de boeddhistische Singalese meerderheid en de regering vochten. De onophoudelijke terreurcampagne ondermijnde de economische groei en schrikte buitenlandse investeerders af.

Voordat we Islamabad verlieten, bracht ik een bezoek aan de Faisalmoskee die door de Saoedi's was gebouwd en naar de voormalige Saoedische koning was genoemd. In de moskee, een van de grootste ter wereld, deden we onze schoenen uit en dwaalden we door de enorme binnenplaatsen en gebedsruimtes die plaats boden aan meer dan honderdduizend gelovigen. Chelsea, die op school veel over de islamitische cultuur en geschiedenis had geleerd, stelde gericht vragen aan onze gids. De koran kan net als de bijbel op verschillende manieren worden geïnterpreteerd.

De meeste interpretaties gaan uit van rechtvaardigheid en een vreedzame coëxistentie met andere godsdiensten, maar er zijn ook fanatieke uitzonderingen. Terwijl ik met mijn hoofd in de nek de honderd meter hoge minaretten en de prachtige koepel van deze moderne moskee bekeek, werd ik geplaagd door een ongemakkelijk gevoel. Op dat moment werden er over de hele wereld meer dan vijftienhonderd van dergelijke moskeeën gebouwd door de Saoedi's, zowel door de regering als door burgers. Hierdoor werd het wahhabisme, hun ultraconservatieve uitleg van de islam, opzettelijk of niet over de wereld verspreid. Hoewel ik veel respect heb voor de islam, stoort het me dat oliegeld dat voor een belangrijk deel uit de Verenigde Staten kwam, wordt besteed aan de verspreiding van een vorm van moslimfundamentalisme die gekenmerkt wordt door uitsluiting van vrouwen van het maatschappelijk leven, door religieuze intolerantie en, in zijn meest extreme vorm, zoals we geleerd hebben door Osama bin Laden, de verbreiding van terreur en geweld.

De volgende dag bezocht ik de Amerikaanse ambassade, waar ik met Amerikaanse en Pakistaanse ambassademedewerkers sprak, die geschokt waren door de aanslag op hun collega's die kort daarvoor had plaatsgevonden. Ik prees hun moed dat ze op zo'n gevaarlijke post durfden te werken, en verzekerde hen dat hun diensten van onschatbare waarde waren, wat isolationistische figuren in het Congres ook mochten zeggen (dit was een nauwelijks verholen verwijzing naar een paar Republikeinse afgevaardigden die opschepten dat ze geen paspoort hadden, niet geïnteresseerd waren in het buitenland en flink op het budget van Buitenlandse Zaken wilden bezuinigen). Ik zei dat hun inspanningen zeer gewaardeerd werden door de Amerikaanse overheid en door talloze Amerikaanse burgers. En ten slotte bedankte ik hen voor al het extra werk dat ze ten behoeve van mijn bezoek hadden verricht. Ik wist dat plaatselijk ambassadepersoneel vaak opgelucht ademhaalde als ze de bezoekende VIP eindelijk weer konden uit-zwaaien. Vaak houden ze dan een feestje om bij te komen. Ik maakte dus een grapje dat ik zou doen alsof ik vertrok om vervolgens hun feestje te bezoeken.

De volgende dag vlogen we onder extra strenge veiligheidsmaatregelen naar Lahore, de oude, middeleeuwse hoofdstad van Punjab. De Pakistanen waren zo bang voor incidenten dat er honderden soldaten langs de weg van het vliegveld naar de stad stonden. Lahore staat vol prachtige gebouwen uit de tijd van de mogols. Maar het was duidelijk dat al het normale verkeer was stilgelegd en de gewoonlijk zeer bedrijvige stad leek ontvolkt. Ik zag dat er langs een deel van de route met felle kleuren bedrukte stoffen waren opgehangen om de sloppen aan het zicht te onttrekken. Maar waar de stoffen van hun lijn waren gevallen, zagen we vuilnisbelten waar kinderen en uitgemergelde honden naar voedsel zochten.

Kort na aankomst in Lahore gingen we een dorp bezoeken dat geen elektriciteit had, maar als heel modern werd beschouwd omdat er een ziekenhuisje was en een meisjesschool. Het hospitaaltje was een vierkant betonnen gebouw waar een handvol dokters de zorg had voor een gebied waar honderdvijftigduizend mensen woonden. De mensen die er werkten, leken heroïsch in hun begrip van wat er moest gebeuren, maar beschikten niet over de middelen om hun werk goed te kunnen doen. We doneerden een hoeveelheid verband en medicijnen, zoals we overal probeerden te doen. In het ziekenhuis zagen we de patiënten, vooral moeders met kinderen, stil op banken tegen de muur zitten. Ze leken verbaasd om al die Amerikanen in het dorp te zien, maar ze lieten Chelsea en mij hun baby vasthouden en beantwoordden vriendelijk vragen via een tolk.

De meisjesschool bevond zich in een betonnen gebouw dat honderd meter verderop lag. Meer onderwijs was er niet voor meisjes, want de plaatselijke middelbare school was alleen voor jongens. Ik sprak met een vrouw die tien kinderen had, vijf jongens en vijf meisjes. De jongens stuurde ze naar de middelbare school, de meisjes konden nergens naar toe omdat de dichtstbijzijnde meisjesschool te ver weg lag. Ze wilde graag een middelbare school voor meisjes in de buurt. Ze sprak heel openlijk over geboorte-beperking en zei dat ze nooit zo veel kinderen had gekregen als ze beter op de hoogte was geweest. We werden uitgenodigd om een huis achter de school te bezoeken. Het was een compound waar verschillende generaties van een uit-gebreide familie woonden. Overal liepen kinderen en die-ren rond, de oudste familieleden zaten in een hangmat naar de commotie te kijken die ons bezoek teweegbracht. Het hoofd van de familie verwelkomde me hartelijk en liet me de woningen rond de compound zien, die telkens uit één ruimte bestonden die slaap- en eetgelegenheid was voor een heel gezin. Maar de meeste activiteiten vonden buiten plaats. Daar kwamen ook de vrouwen bij elkaar om eten te maken. Twee meisjes lieten Chelsea zien hoe ze kool gebruikten om hun ogen zwart te maken. Zich opmaken is iets universeel vrouwelijks.

Ik had veel aandacht besteed aan wat Chelsea en ik tij-dens de reis zouden dragen. We wilden gemakkelijk zitten-de kleding, waar niemand aanstoot aan zou nemen, maar ik wilde tegelijkertijd ook niet te veel toegeven aan een cul-tuur die naar mijn mening het leven en de rechten van vrouwen beknotte. Jackie Kennedy was tijdens haar be-zoek aan India in 1962 gefotografeerd in mouwloze topjes en rokken tot aan de knie, om maar niet te spreken van een sari die haar middenrif bloot liet en die internationaal voor veel sensatie zorgde. De publieke opinie in het Indische subcontinent was sindsdien alleen maar conservatiever ge-worden. We overlegden met experts van het ministerie van Buitenlandse Zaken, die nuttige adviezen gaven over hoe we ons in het buitenland dienden te gedragen zonder ons-zelf of onze gastheren in verlegenheid te brengen. In de briefing voor deze reis waarschuwden ze ons dat we nooit het initiatief mochten nemen tot een gebaar waarbij fysiek contact werd gemaakt met de andere sekse; het schudden van een hand werd al als beledigend gezien. Ook je benen over elkaar slaan, wijzen naar mensen en eten met je 'onreine' linkerhand waren taboe.

Ik had een aantal katoenen ensembles gekocht met een rok tot de enkel, en verschillende lange sjaals meegenomen waarmee ik mijn schouders of mijn hoofd kon bedekken als ik een moskee binnenging. Benazir Bhutto droeg altijd een lichte sjaal over haar hoofd en een *shalwar kameez*, een lange tuniek over een ruim vallende broek, een dracht die zowel mooi als praktisch was. Chelsea en ik besloten het ook eens te proberen. Dus droeg ik tot verrassing van de genodigden die avond een rode kameez van zijde en Chelsea een turquoise, die paste bij de kleur van haar ogen. De gouverneur van Punjab had vijfhonderd gasten uitgenodigd in het rode zandstenen fort, ooit het centrum van het middeleeuwse mogolrijk, dat op een heuvel boven de stad uittorende. Het was een heldere avond vol sterren en het leek bij aankomst alsof we in een sprookje van duizend-en-een-nacht terecht waren gekomen. We liepen over een lange rode loper naar de ingang, aan weerszijden verwelkomd door muzikanten en dansers, terwijl de lucht vol vuurwerk was. Kamelen en paarden in met juwelen bezette kleden en hoofdtooien trippelden en draaiden rond op de muziek van een fluit, maakten een buiging voor ons en steigerden vervolgens, met hun voorpoten in de lucht klauwend. Chelsea en ik waren als betoverd, en knepen elkaar verrukt in een hand. We liepen langs de twee door de wind uitgesneden wachttorens het binnenste fort binnen, waar het opgewonden feestgedruis verstomde. Hier wachtten ons weer volkomen nieuwe sensaties. De binnenplaatsen en gangen werden verlicht door duizenden flakkerende olielampjes en de lucht was bezwangerd van rozengeur. Ik keek naar mijn betoverende, plotseling volwassen dochter, die gehuld in schitterende zijde naast me stond, en wenste dat Bill er ook bij was geweest om haar zo te zien.

De avond eindigde met een krankzinnige rit naar het vliegveld en de vlucht naar Delhi. Ik had India al sinds mijn studententijd een keer willen bezoeken. Tijdens mijn eerste jaar op Wellesley zou Margaret Clapp, die toen directeur van het college was, naar India vertrekken om daar rectrix te worden van een vrouwenuniversiteit in Madurai. Voor haar vertrek ging ze bij de studentenhuizen langs om ons te vertellen wat ze in India ging doen en ik was gefascineerd door haar verhaal. Na mijn afstuderen wilde ik eigenlijk naar India om te studeren of les te geven, maar ik besloot uiteindelijk rechten te gaan studeren. Dat was nu ruim vijfentwintig jaar geleden. Inmiddels had ik veel gehoord over de vrouwenbeweging in die regio en was ik heel benieuwd naar wat ik in India te zien zou krijgen. Ik wist echter dat ik officieel mijn land vertegenwoordigde en dus maar weinig tijd en gelegenheid zou hebben, hoewel Bill mij graag inzette ter bevordering van de goede verstandhouding met India dat sinds jaar en dag een politiek van 'non-alignment' voert en sinds de koude oorlog banden onderhoudt met Rusland.

De eerste dag had ik een vol schema. Ik bezocht een van de weeshuizen van moeder Teresa, waar veel meer meisjes dan jongens verbleven, omdat dochters zoveel vaker werden afgestaan. Moeder Teresa was op reis in het buitenland, maar zuster Priscilla gaf ons een rondleiding. Goed verzorgde kindertjes strekten hun armpjes naar ons uit, en Chelsea pakte het ene na het andere kindje op terwijl zuster Priscilla ons over hen vertelde. Soms werden de meisjes als baby te vondeling gelegd op straat, maar vaker nog werden ze naar het weeshuis gebracht door moeders die niet voor hen konden zorgen of zeiden dat de vader het kind niet wilde. Een aantal kinderen had een klompvoetje, een hazenlip of een andere handicap, en waren gebracht door gezinnen die te arm waren om voor een operatie te betalen. Veel kinderen zouden door Europeanen of Amerikanen worden geadopteerd, hoewel adoptie nu ook in India zelf steeds vaker voorkwam. Bij het afscheid bedankte zuster Priscilla ons voor onze komst en zei dat de plaatselijke overheid vanwege ons bezoek de onverharde weg had geplaveid, wat ze lachend 'een klein wonder' noemde.

Na het bezoek aan het weeshuis was er een lunch met een groep Indiase vrouwen in de ambassadeurswoning, en vervolgens een diner met president Shanker Dayal Sharma. De dag erop zou ik premier P.V. Narasimha Rao ontmoeten. Ik diende hier precies hetzelfde te doen als in Pakistan om de Indiërs niet te beledigen; ik wist dat de landen mijn bezoeken nauwkeurig met elkaar zouden vergelijken.

Ik had afgesproken om een lange speech over vrouwenrechten te houden voor de Rajiv Gandhi Foundation, maar het schrijven kostte me moeite. Ik was op zoek naar een beeld waarmee ik duidelijk tot uitdrukking kon brengen wat ik wilde zeggen. Tijdens de lunch kreeg ik dit op een presenteerblaadje aangeboden. Meenakshi Gopinath, rectrix van het Lady Sri Ram College (een middelbare school), gaf me een prachtig, met de hand geschreven gedicht dat door een van haar leerlingen, Anasuya Sengupta was geschreven. Het heette 'Stilte' en begon als volgt:

> *Te veel vrouwen*
> *In te veel landen*
> *Spreken dezelfde taal.*
> *Van de stilte.*

Ik kon het gedicht niet uit mijn hoofd krijgen. Terwijl ik die avond laat aan mijn speech zat te werken, besloot ik dat ik het zou gebruiken om mijn overtuiging te verwoorden dat vrouwenkwesties niet als 'soft' of marginaal afgedaan mochten worden, maar volledig geïntegreerd dienden te zijn in het binnenlandse en buitenlandse beleid. Als vrouwen geen onderwijs en gezondheidszorg krijgen, of van het economische of sociale leven worden uitgesloten, dan is dat een kwestie van mensenrechten. De stem van de helft van de wereldbevolking was al te lang genegeerd door hun overheden. De stem van vrouwen zou mijn thema worden en ik besloot mijn speech te eindigen met een citaat uit het gedicht.

De Rajiv Gandhi Foundation, die genoemd was naar de vermoorde premier, was opgericht door zijn vrouw Sonia. Zij was degene die me had uitgenodigd om te komen spreken. Sonia Gandhi was een bescheiden vrouw van Italiaanse afkomst, die verliefd was geworden op Rajiv, de knappe zoon van premier Indira Gandhi, toen ze beiden aan Cambridge University in Engeland studeerden. Ze trouwden en gingen in India wonen. Sonia was gelukkig met haar twee kinderen totdat zich een reeks rampen voltrok. Het eerste dat er gebeurde, was dat haar zwager Sanjay, van wie verwacht werd dat hij in de politieke voetsporen zou treden van zijn moeder en zijn grootvader Jawaharlal Nehru, omkwam bij een vliegtuigongeluk. Vervolgens werd Indira Gandhi in 1984 door haar eigen veiligheidsmensen vermoord. Rajiv, de gedoodverfde opvolger voor het leiderschap van de Congrespartij, werd premier. Maar toen hij in 1991 op verkiezingscampagne was, kwam hij om bij een zelfmoordaanslag van een Tamil-guerrillastrijder, die oorlog voerde tegen de regering van Sri Lanka en de Indiase regering die de Sri Lankese overheid steunde. Sonia Gandhi werd een symbool van de continuïteit binnen de Congrespartij en daarmee een openbare figuur.

Tegen de tijd dat ik mijn speech moest houden, eisten jetlag en slapeloosheid hun tol. Ik kon de woorden nauwelijks meer lezen, maar besloot met deze regels uit Anasuya's gedicht:

> *We proberen slechts woorden te geven*
> *aan hen die niet kunnen spreken*
> *(te veel vrouwen*
> *in te veel landen)*
> *ik probeer slechts te vergeten*
> *het verdriet van mijn grootmoeders*
> *stilte.*

434

Het gedicht raakte een gevoelige snaar bij het publiek, en de plaatselijke en internationale pers maakte er melding van. De Indiërs leken erdoor geraakt dat ik ideeën van een schoolmeisje als symbool gebruikte voor de omstandigheden waarin vrouwen overal ter wereld verkeren. Anasuya zelf was een prachtig meisje, nederig en bescheiden onder alle publiciteit rond haar gedicht en oprecht verbaasd dat mensen overal ter wereld ernaar vroegen.

Nog verbazingwekkender vond ik de uitwerking die het gedicht had op de journalisten uit Washington die met me mee reisden. Ze leken eindelijk te begrijpen wat ik wilde zeggen. Verschillende journalisten kwamen na mijn speech naar me toe om te vragen waarom ik niet eerder over deze kwestie had gesproken. Ik begreep hun vraag, hoewel ik al vijfentwintig jaar over de rechten en de waardigheid van vrouwen en kinderen in Amerika sprak. In deze regio, waar de purdah bestond en meisjes te vondeling werden gelegd, maar waar vrouwen ook eerste minister konden worden, zag ik de kwestie in scherper contrast – en zo zag de pers het ook. Ik vond dat hervorming van de gezondheidszorg, de gezinsverlofregeling, de belastingverlaging voor de laagste inkomens en opheffing van de wereldwijde ban op abortus alle tot hetzelfde thema behoorden: vrouwen de macht geven om zelf te bepalen wat juist is voor hen en hun gezin. Maar blijkbaar moest ik naar de andere kant van de wereld reizen om dat duidelijk te maken. Dit had deels een eenvoudige reden: de meereizende journalisten waren een en al aandacht, want ik was hun enige onderwerp op deze reis. Bovendien hadden de dingen die ik hier in het buitenland zei, minder vergaande politieke implicaties dan de specifieke beleidsvoorstellen waarover ik in de Verenigde Staten sprak.

De betere verstandhouding met de pers was een van de prettige verrassingen van de reis. We begonnen omzichtig, alsof we veteranen van legers waren die in een eerdere oorlog tegenover elkaar hadden gestaan. Maar naarmate de tijd verstreek, begonnen we elkaar in een ander licht te zien. Ik had veel steun aan mijn basisregels, die inhielden dat er niet bericht mocht worden over wat er in het vliegtuig of in het hotel gebeurde, of over wat Chelsea zei of deed als ze zonder mij was. Toen ik er eenmaal vertrouwen in had dat de journalisten deze 'reiscode' respecteerden, voelde ik me meer op mijn gemak en kon ik veel opener zijn. Het hielp ook dat we dezelfde ervaringen ondergingen, van de onderdompeling in een vreemde cultuur tot de vrolijkheid tijdens informele groepsdiners.

De journalisten kregen ook voor het eerst zo veel van Chelsea te zien en te horen. Op een dag hielp ze ondervoede kinderen wegen die zo zwak waren dat ze bij de minste aanraking ineenkrompen, een paar uur later zat ze aan tafel met een eerste minister. Ze stelde goede vragen, maakte opmerkingen die van begrip getuigden, en natuurlijk vroegen journalisten me telkens of ze haar mochten citeren. Eén keer gaf ik toe. Dat was na ons bezoek aan de Taj Mahal, toen ze gezegd had: 'Als kind was dit voor mij hét voorbeeld van een sprookjespaleis. Ik zag er plaatjes van en fantaseerde dan dat ik een prinses was of zoiets. Het is echt spectaculair om hier nu zelf te zijn.'

Het was een mooie, onschuldige uitspraak, maar ik had er meteen spijt van dat we er de deur voor open hadden gezet, want het was heel moeilijk die weer dicht te krijgen. Toen de schrijvende pers dit citaat mocht gebruiken, werd mijn voorlichtster Lisa Caputo overspoeld door televisiejournalisten die wilden dat Chelsea haar woorden voor de camera zou herhalen. Ik moest het hele gezelschap weer aan de basisregels herinneren en besloot Chelsea, zodra we weer in Washington waren, in purdah te laten gaan!

Mijn memorabelste herinneringen aan India waren niet de Taj Mahal, hoe adembenemend die ook was, maar twee bezoeken in de stad Ahmadabad in de staat Gujarat. Eerst bezochten we er de eenvoudige ashram van Mahatma Gandhi, waar hij zich tijdens de roerige Indiase onafhankelijkheidsstrijd af en toe terugtrok om zich te bezinnen. De eenvoud van zijn leven en de ellende die ik hier zag, confronteerden me met mijn eigen overdadige bestaan. Gandhi's geloof in vreedzaam verzet tegen onderdrukking en het idee om tegen overheidsbeleid te protesteren door grote groepen tegenstanders op de been te brengen, oefenden grote invloed uit op de Amerikaanse burgerrechtenbeweging. Het waren de hoekstenen van Martin Luther Kings campagne tegen de segregatie geweest. Gandhi's principes van zelfvoorziening en verzet tegen het kastensysteem vormden in zijn eigen land de inspiratie voor een opmerkelijke vrouw, Ela Bhatt, die in 1971 de Self Employed Women's Association (Vereniging van Zelfstandige Onderneemsters, SEWA) oprichtte. Liz Moynihan, de buitengewone vrouw van de senator die in India had gewoond toen haar man daar ambassadeur was geweest en daar nog steeds aan een aantal archeologische projecten werkte, had me op haar geattendeerd en me aangemoedigd naar India te gaan om haar werk te bekijken. Nu was ik eindelijk in India en kon ik zelf zien wat deze ene vastbesloten vrouw had bereikt.

De SEWA is zowel een vakbond als een vrouwenbeweging, en telt 140 000 leden, onder wie de allerarmste en meest gemeden vrouwen van heel India. Deze vrouwen waren vaak uitgehuwelijkt en leefden in het huishouden van hun man onder de waakzame blik van hun schoonmoeder. Sommigen leefden in purdah, de meesten hielden met de grootste moeite het hoofd boven water. De SEWA bood kleine leningen die hen hielpen een eigen inkomen te verdienen en gaf basiscursussen lezen, schrijven en boekhouden. Ela Bhatt liet me de grote boeken in het kantoor van de SEWA zien waarin de leningen en terugbetalingen stonden vermeld. Door dit systeem van kleinschalige leningen bood de SEWA werkgelegenheid voor duizenden individuele vrouwen en veranderde de organisatie de diep verankerde traditionele opvatting over de rol van de vrouw.

Het nieuws van mijn bezoek had zich over de dorpen van Gujarat verspreid, zodat er bijna duizend vrouwen op de bijeenkomst waren verschenen. Sommigen hadden tien uur over hete stoffige wegen gelopen om hier te komen. Ik kreeg tranen in mijn ogen toen ik de groep zag die me in een grote open tent opwachtte. Als een golvende menselijke regenboog zaten ze zich in hun smaragdgroene, robijnrode en saffierblauwe sari's koelte toe te wuiven. Er waren hindoe- en moslimvrouwen en zelfs vrouwen die tot de onaanraakbaren behoorden, de laagste hindoekaste in India. Er waren vliegermaaksters, vuilnisverzamelaarsters en groenteverkoopsters. Chelsea ging bij hen zitten.

Een voor een stonden de vrouwen op om me te vertellen hoe hun leven door de SEWA was veranderd. En dat niet alleen door de hulp en de kleinschalige leningen die de organisatie verschafte, maar ook door de onderlinge solidariteit. Een vrouw legde uit dat ze niet langer bang was voor haar schoonmoeder (schoonmoeders zijn in deze cultuur een probleem omdat ze enorm veel macht hebben over hun schoondochters vanaf het moment dat ze na hun huwelijk bij de familie van haar man intrekken). Ze had een zekere mate van onafhankelijkheid gekregen door zelf een stalletje op de markt te runnen, en zo zelf voor haar inkomen te zorgen. Een andere vrouw vertelde dat ze niet langer bang was voor de politie omdat ze door de SEWA werd beschermd tegen de bazige ambtenaren die haar en collega-verkoopsters op de markt lastigvielen. De waardige houding, scherp omlijnde gezichten en met kool opgemaakte gezichten van deze vrouwen leken in tegenspraak met het moeilijke leven dat ze leidden. Ik vroeg me af of het mij in dergelijke omstandigheden gelukt zou zijn nog zoveel waardigheid uit te stralen.

Ten slotte werd mij gevraagd een paar woorden ter afsluiting te spreken. Toen ik klaar was, pakte Ela Bhatt de microfoon en zei dat de vrouwen hun dankbaarheid wilden uiten voor mijn bezoek vanuit Amerika. De vrouwen sprongen op in een sensationele waaier van kleuren en begonnen 'We Shall Overcome' te zingen in het Gujarati. Mijn eigen ogen stonden vol tranen. Ik was volkomen ondersteboven van deze ontmoeting met vrouwen die er ondanks eeuwen van onderdrukking en hun huidige harde leven in geslaagd waren iets voor zichzelf op te bouwen. Ze waren de belichaming van het belang van mensenrechten.

Ik dacht de volgende dag nog aan hun woorden en gezichten toen we van zeeniveau naar de Nepalese hoofdstad Kathmandu in de Himalaya vlogen. Kathmandu ligt in een vallei op een hoogte van 1700 meter, net zo hoog als Salt Lake City. Op een heldere dag kun je een panorama van met sneeuw bedekte toppen rond Kathmandu zien.

Het landschap in Nepal behoort tot de mooiste ter wereld maar de bewoonde streken zijn er zo overvol dat menselijke uitwerpselen als mest worden gebruikt en schoon water een zeldzaamheid is. De Amerikanen die ik sprak, waren ziek geworden in Nepal, en vertelden erover alsof het een soort initiatierite betrof. Een aantal leden van het Peace Corps droeg T-shirts waarop alle ziekten stonden die ze hadden overleefd.

We namen strenge voorzorgsmaatregelen, want we hadden de helft van de reis er nu opzitten, en één ziektedag zou de rest van het reisplan in de war sturen. Onze gastheren deden er alles aan om ons te beschermen. 'Mam, je weet nooit wat de agenten van de geheime dienst me hebben verteld,' zei Chelsea op onze eerste dag. 'Ze zeiden dat ze het zwembad van het hotel hebben laten leeglopen en vervolgens hebben gevuld met mineraalwater uit flessen!' Ik ben er nooit achter gekomen of dit waar was, maar het zou me niet hebben verbaasd.

Tijdens een beleefdheidsbezoek aan het koninklijk paleis werd ik door koning Birendra Bir Bikram Shah Dev en koningin Aishwarya ontvangen in een zaal met een enorm tijgervel op de vloer. Ik had bij aankomst op het vliegveld al met koningin Aishwarya kennisgemaakt. Ze had toen gezegd dat ze zich erop verheugde om uitgebreider met me te kunnen praten, dus ik hoopte nu met haar over de gezondheidszorg en onderwijs voor meisjes te kunnen spreken. Maar de koning was de enige die het woord voerde. Hij was tot voor kort koning van een land dat feitelijk van de buitenwereld was afgesneden. Nepal maakte nu een overgangsperiode door op weg naar democratie, en hij wilde met me praten over eventuele Amerikaanse hulp en investeringen. Het land leed op dat moment onder geweld en onrust die werden veroorzaakt door een maoïstische guerrillabeweging op het platteland, maar dit bleek minder bedreigend voor de koninklijke familie dan een geestesziek familielid. Het is nog steeds moeilijk te begrijpen dat de koning, koningin en acht leden van de koninklijke familie een paar jaar later in datzelfde paleis werden doodgeschoten, volgens de officiële rapporten door de kroonprins die niet mocht trouwen met het meisje van wie hij hield.

De volgende morgen maakten Chelsea, Capricia en ik in alle vroegte een lange wandeling in de bergen boven de stad. Mensen stonden ons langs de kant van de weg na te kijken en een tien- of elfjarig meisje met heldere ogen liep met ons mee. Ze sprak een paar woorden Engels, vooral plaatsnamen; ze zei bijvoorbeeld 'New York City' of 'California', gevolgd door een bijvoeglijk naamwoord als 'groot' of 'mooi'. Daarbij lachte ze telkens, alsof we vrienden waren die in een lang gesprek waren gewikkeld. Ze wist me volledig voor zich te winnen. Hoe hoger we klommen, hoe beter ik kon zien dat iedere vierkante centimeter land in gebruik was: voor huizen, terrasbouw, wegen of de boeddhistische kloosters die er her en der langs de hellingen liggen. Ik hoorde bij het klooster het dichtst bij ons een bel luiden en zag de witte gebedsvlaggen wapperen op de muur eromheen. Toen we terugkwamen bij de plek beneden waar onze auto's waren geparkeerd, stond de vader van het meisje ons op te wachten. Ik had tegen die tijd al gehoord dat ze niet naar school ging en het Engels dat ze kende had geleerd door met wandelaars en toeristen mee te lopen. Ik probeerde de vader te complimenteren met zijn intelligente en nieuwsgierige dochter, maar ik weet niet of ik me goed duidelijk maakte. Hoewel ik weet dat geld een weinig geschikt middel is om dankbaarheid tot uitdrukking te brengen, wilde ik dat de vader begreep dat ik zijn dochters instelling en vindingrijkheid waardeerde. Ik hoopte dat de status van het meisje binnen haar familie er hoger door zou worden, dat ze haar misschien meer zouden bieden in haar leven. Ik heb vaak aan haar gedacht en me afgevraagd wat er van haar geworden is.

Later die morgen bezochten we een geboortekliniek, gesticht door Amerikaanse vrouwen die bezorgd waren over sterftecijfers onder kraamvrouwen in Nepal, dat een van de hoogste ter wereld is: vijfhonderdvijftien doden per honderdduizend geboorten, terwijl dit cijfer in de wereld gemiddeld op vierhonderd ligt en in Amerika op minder dan zeven. De kliniek, een partnership tussen USAID, Save the Children en het Nepalese ministerie van Volksgezondheid, had een eenvoudig maar doelmatig systeem voor preventieve zorg ontwikkeld, waarbij zwangere vrouwen en vroedvrouwen werden voorzien van 'thuisbevallingpakketten' die uit weinig meer bestonden dan een plastic laken, een stuk zeep, een stuk garen en een scheermesje. Deze zaken kunnen in Nepal het verschil tussen leven en dood betekenen voor een moeder en een pasgeboren baby: een plastic laken waar de kraamvrouw op kan liggen, zeep voor de vroedvrouw om handen en instrumenten te ontsmetten, garen om de navelstreng af te binden en een schoon scheermesje om deze door te snijden,.

Bij een tussenstop in het Royal Chitwan National Park in het zuiden van Nepal maakten Chelsea en ik een ritje op een olifant. Ik had voor de gelegenheid (ik wist dat ik uitgebreid gefotografeerd zou worden) een soort 'Out of Africa-kostuum' aangedaan, met een kaki shirt en een strooien hoed. Op de foto die de hele wereld rondging, zag je een gelukkig moeder-en-dochterpaar dat op een dikhuid gezeten naar een zeldzame Aziatische neushoorn kijkt. Toen we later terug in Washington waren, zei mijn vriend James Carville: 'Geweldig, toch? Je werkt je twee jaar te pletter om mensen een betere gezondheidszorg te geven en ze willen je vermoorden. Maar als je samen met Chelsea op een olifant klimt, zijn ze dol op je!'

In het volgende land dat we bezochten, Bangladesh – het dichtstbevolkte land op aarde –, zag ik het grootste contrast tussen arm en rijk van het hele subcontinent. Vanuit het raam van ons hotel in Dhaka ontwaarde ik een houten schutting die twee werelden scheidde: aan de ene kant sloppenwijken en vuilnishopen, en aan de andere kant ons hotelterrein met zwembad, luxe badhuisjes en het terras waar bezoekers als ik van een drankje genoten. Het was als een stereoscoop van de wereldeconomie. Hier deden de autoriteiten geen moeite de armen achter felgekleurde doeken te verbergen. De stad was overvol, met meer mensen per vierkante meter dan ik ooit ergens had gezien. De wegen waren verstopt door enorme aantallen kleine autootjes; mensenmenigten zwermden uit over de rijweg. Meer dan eens hield ik mijn adem in als ik een autootje rakelings langs een groep mensen zag razen. De hitte en vochtigheid buiten het hotel deden aan een Turks bad denken. Maar ook dit land wilde ik al heel lang bezoeken, vooral vanwege een internationaal erkende ontwikkelingsorganisatie, het International Center for Diarrheal Disease Research (Internationaal Centrum voor Diarreeonderzoek, ICDDR/B) in Dhaka, en de Grameen Bank, een pionier op het gebied van kleinschalige leningen. Het ICDDR/B is een belangrijk voorbeeld van de positieve resultaten die er met buitenlandse hulp worden bereikt. Dysenterie is een belangrijke doodsoorzaak, vooral onder kinderen, in delen van de wereld waar schoon drinkwater schaars is. De ICDDR/B ontwikkelde een 'orale dehydratietherapie' (ORT), een geneesmiddel tegen uitdroging dat vooral uit zout, suiker en water bestaat, makkelijk is toe te dienen en reeds het leven van miljoenen kinderen heeft gered. Deze eenvoudige, weinig kostende oplossing wordt door sommigen een van de belangrijkste medische doorbraken van de eeuw genoemd, en het ziekenhuis dat er de eerste proeven mee deed, draait op Amerikaanse hulp. Het succes van ORT is een voorbeeld voor het soort weinig techniek vereisende, goedkope behandelingen die ook in de

Verenigde Staten toegepast kunnen worden.

Meer dan tien jaar daarvoor had ik voor het eerst over de Grameen Bank gehoord. Bill en ik hadden toen dr. Muhammad Yunus in Little Rock uitgenodigd om uit te leggen hoe de armste plattelandsbevolking van Arkansas zou kunnen profiteren van een programma van kleinschalige leningen. De Grameen Bank biedt leningen aan de armste vrouwen, die geen andere mogelijkheden hebben om krediet te krijgen. Met leningen van soms niet meer dan vijftig dollar konden duizenden vrouwen een klein bedrijfje beginnen waarmee ze zichzelf en hun gezin van de armoede redden. Deze vrouwen zijn niet alleen de investeringen meer dan waard (achtennegentig procent van de leningen wordt terugbetaald), maar ook toegewijde spaarders, die hun winst in hun bedrijfje en gezinnen steken. Ik hielp bij het opzetten van een ontwikkelingsbank en van groepen van vrouwen die in aanmerking kwamen voor kleine leningen, in Arkansas, en ik wilde dit systeem van kleine leningen, dat gebaseerd was op het succes van Yunus en de Grameen Bank, overal in de Verenigde Staten promoten. Yunus en de Grameen Bank hebben sinds die tijd een fors aantal van dergelijke projecten overal ter wereld opgezet of geadviseerd, waarbij voor anderhalf miljard dollar aan leningen zonder onderpand werd verstrekt aan 2,4 miljoen kleine ondernemers overal ter wereld. In Bangladesh alleen al profiteerden er 41 000 dorpen van.

Maar doordat de Grameen Bank en soortgelijke organisaties zoveel succes hadden met projecten die vrouwen in staat stelden voor zichzelf te zorgen, werden ze een doelwit voor islamitische fundamentalisten. Twee dagen voordat we in Dhaka aankwamen, waren er zo'n tweeduizend extremisten naar de hoofdstad gekomen om te protesteren tegen de seculiere hulporganisaties, die volgens hen de vrouwen overhaalden om het niet zo nauw te nemen met de koran. In de maanden voor ons bezoek was er brand gesticht bij dorpsbanken en meisjesscholen en was een vooraanstaande schrijfster met de dood bedreigd.

Een van de lastigste aspecten van de persoonsbeveiliging is dat je nooit van tevoren weet op welke momenten het echt gevaarlijk zal worden. De geheime dienst had informatie ontvangen dat een van de extremistische groepen zou proberen mijn bezoek te verstoren, en dus was de beveiliging in de hoogste staat van paraatheid toen we in een Amerikaans C130-transportvliegtuig van de hoofdstad naar het zuidwesten van Bangladesh vlogen om twee dorpen te bezoeken. In Jessore bezochten we een basisschool waar de overheid een proef nam met een systeem van beloningen aan gezinnen die hun dochters naar school stuurden. Het was een nieuwe manier om ouders ervan te overtuigen hun dochters naar school te sturen en op school te houden. We kwamen aan bij de school, die midden in het open land lag, en ik ging naar de klaslokalen om met de meisjes en hun leraren te praten. Tijdens het gesprek zag ik op een gegeven moment buiten enige commotie ontstaan; veiligheidsagenten renden rond. Toen zag ik een menigte dorpelingen op de school afkomen die tot duizenden leek aan te zwellen. Ze kwamen over een heuvel in een rij van twintig man dik. We hadden geen idee waar ze vandaan kwamen of wat ze kwamen doen. We zouden er ook nooit achter komen, want de agenten begeleidden ons snel naar buiten, terug naar de auto's. Ze waren bang dat de menigte niet meer in toom gehouden kon worden.

Maar het bezoek dat we in het dorp Mashihata aan de Grameen Bank hadden gebracht, maakte het uitstapje alleszins de moeite waard, ondanks de lange hobbelige rit en de commotie met de menigte. Ik was uitgenodigd om twee dorpen te bezoeken – een hindoe, de ander moslim – maar dat lukte niet vanwege het drukke schema. Opmerkelijk genoeg besloten de moslimvrouwen naar het hindoedorp te komen voor de ontmoeting.

'*Swagatam*, Hillary, *swagatam*, Chelsea' (Welkom Hillary, welkom Chelsea), zongen de kinderen in Bengali. We werden er begroet door mijn oude vriend Muhammad Yunus die voorbeelden mee had genomen van kleding die vrouwen van een Grameen-project voor de verkoop hadden gemaakt. Ook Chelsea en ik droegen dergelijke kleren, die hij naar het hotel had laten sturen. Hij hield een korte toespraak, waarin hij dezelfde zaken aanstipte als ik in mijn speeches.

'Vrouwen hebben potentieel,' zei hij. 'En de verstrekking van krediet is niet alleen een doelmatige manier om de armoede te bestrijden, maar ook een fundamenteel recht.'

Ik zat onder een strooien afdak, omringd door hindoe- en moslimvrouwen. Ze vertelden me dat ze in weerwil van de waarschuwingen van fundamentalisten bij elkaar waren gekomen. Ik zei dat ik graag naar hen wilde luisteren en van hen wilde leren.

Een moslimvrouw stond op en zei: 'De mullahs zitten ons tot hier. Ze proberen altijd de vrouwen te onderdrukken.'

Ik vroeg met wat voor problemen ze te maken hadden en ze zei: 'Ze zeggen dat ze ons zullen verbannen als we een lening bij de bank nemen, of dat de mensen van de bank onze kinderen zullen roven. Ik zeg hun dat ze ons met rust moeten laten. We proberen onze kinderen een beter leven te bezorgen.'

De vrouwen stelden vragen om erachter te komen hoe mijn leven zich verhield tot dat van hen. 'Is er vee in de plaats waar u woont?' vroeg er een. 'Nee,' antwoordde ik, grijnzend naar de journalisten, waarmee we tegen die tijd één grote familie vormden, 'tenzij men persmuskieten vee wil noemen.'

De Amerikanen lachten luid terwijl de Bengalezen nadachten over mijn grapje en zich het hoofd braken over de vraag hoe ik met een 'koning' getrouwd kon zijn als we niet veel vee hadden.

'Verdient u uw eigen geld?' vroeg een vrouw met een rode decoratieve stip tussen haar ogen, een teken dat ze getrouwd was.

'Ik verdien geen geld meer nu mijn man president is,'

antwoordde ik. Het leek me moeilijk om uit te leggen wat ik precies deed. Ik zei dat ik vroeger meer verdiende dan mijn man en dat ik later weer gewoon mijn eigen geld wilde verdienen.

De dorpskinderen voerden een toneelstuk voor ons op en een paar vrouwen lieten mij en Chelsea zien hoe we de decoratieve stippen op ons voorhoofd moesten aanbrengen en een sari moesten omwikkelen. Ik werd getroffen door de positieve houding van de mensen met wie ik sprak, hier in dit arme, geïsoleerde dorp zonder elektriciteit of stromend water, dat dankzij het werk van de Grameen Bank toch hoop had.

Ik was niet de enige die geroerd was. Een van de Amerikaanse journalisten die naast me stond en naar de discussie luisterde, leunde voorover en fluisterde: 'De taal van de stilte wordt hier niet gesproken.'

'Het spijt de First Lady dat ze vanavond niet bij u kan zijn,' zei Bill Clinton tegen de menigte Washingtonse journalisten en politici in maart 1995. 'Als jullie dat geloven,' vervolgde hij, 'dan heb ik nog wat land in Arkansas dat ik jullie graag wil verkopen.' Dit was weer een diner in de Gridiron Club, maar deze keer kon ik er niet bij zijn omdat ik door Zuid-Azië reisde. Daarom had ik een filmpje van vijf minuten van mezelf laten opnemen, een parodie op de succesfilm *Forrest Gump*, dat aan het eind van het diner werd afgespeeld.

Op de film zag je eerst een blauwe lucht met een witte veer die voor het Witte Huis neerdwarrelde en naast een bankje belandde – en daar zat ik, Hillary Gump, met een doos bonbons op mijn schoot.

'Mijn mamma zei altijd dat het Witte Huis net een doos bonbons is,' zei ik in mijn beste imitatie van Tom Hanks. 'Prachtig vanbuiten, maar met harde noten vanbinnen.'

Het filmpje, dat was geschreven en geregisseerd door Al Franken, de auteur en komiek van *Saturday Night Live*, was een parodie op *Forrest Gump* en op mijn leven. Er kwamen scènes in voor uit mijn kindertijd, mijn tijd op college en mijn politieke carrière. Mandy Grunwald, Paul Begala en Jay Leno hadden er ideeën voor aangedragen. Bij ieder nieuw shot van mij op de bank droeg ik weer een andere pruik, om de draak te steken met mijn telkens veranderende kapsel. Aan het eind van de film speelde Bill een figurantenrolletje. Hij zat naast me op de bank, nam me mijn doos bonbons af, gaf me er één bonbon voor terug en vroeg vervolgens of hij patat mocht.

Toen ik Bill belde om hem te vertellen dat Chelsea en ik

veilig in Pakistan waren aangekomen, vertelde hij me dat er enthousiast geapplaudisseerd was na het filmpje. We wensten beiden dat de andere dingen in Washington even gesmeerd liepen.

Toen ik terugkwam uit Azië, waren de president en zijn regering met het Republikeinse Congres aan het onderhandelen over het zogenaamde Contract met Amerika. Newt Gingrich loodste het grootste deel van zijn contract in de eerste honderd dagen van het honderdvierde Congres door het Huis van Afgevaardigden, dat door de Republikeinen werd gedomineerd, maar slechts twee van de maatregelen werden tot wet verheven. De overige wetsvoorstellen lagen nu bij de Senaat, waar nog genoeg Democraten zaten om ze tegen te houden. Ook konden ze nog door een presidentieel veto worden getroffen. Bill moest beslissen of hij de wetgeving van de Republikeinen moest proberen te amenderen, met zijn veto als machtsmiddel, of dat hij zelf alternatieven moest indienen. Uiteindelijk deed hij beide. En hij probeerde het initiatief te herwinnen op zijn tegenstander, die botweg had verklaard dat Bills presidentschap nu 'irrelevant' was.

Het Witte Huis was al sinds de tussentijdse verkiezingen vleugellam en het was tijd een nieuwe koers uit te zetten. Het is algemeen bekend dat Bill veel geduldiger is dan ik, dus als wie dan ook hem aanspoorde om wat vaker de confrontatie te zoeken of zelfs agressiever op te treden tegen Gingrich, zei hij dat de mensen eerst dienden te begrijpen op welke punten hij precies met de Republikeinen van mening verschilde, zodat het geen gevecht tussen Bill Clinton en Newt Gingrich werd, maar een strijd over zaken als Medicare, Medicaid, onderwijs en het milieu.

Bill heeft een onwaarschijnlijk goed oog voor de lange termijn in de politiek. Hij overziet de consequenties van individuele zetten van tegenstanders en plant voor de verre toekomst. Hij wist dat de echte strijd pas later dat jaar bij de begrotingsdebatten zou plaatsvinden. Hij was zich er ook goed bewust van dat 1996 voor hem en zijn presidentschap het streefjaar was voor succes. Aanvankelijk raadde hij geduld aan omdat hij ervan uitging (terecht, naar later bleek) dat de kiezers genoeg zouden krijgen van de radicale voorstellen van de Republikeinen. Maar toen Gingrich aankondigde dat hij ter meerdere eer en glorie van het Republikeinse Congres de natie in *prime time* via de televisie zou toespreken, besloot Bill dat het tijd was het initiatief weer naar zich toe te trekken.

Hij veranderde een al geplande speech over onderwijs-kwesties, die hij op 7 april 1995 in Dallas zou houden, in een pleidooi voor zijn regering. Hij wees op wat hij bereikt had, op het teruggedrongen begrotingstekort en het aantal banen dat was gecreëerd, en legde uit wat er nog stond te gebeuren: verhoging van het minimumloon, geleidelijke verhoging van de dekking voor de gezondheidszorg en belastingverlichting voor de middenklasse. Hij leverde kritiek op de ergste plannen in het Contract met Amerika, zoals het wetsvoorstel voor de sociale zekerheid. Hij zei dat het 'waardeloos was wat betreft de werkgelegenheid en beroerd voor jongeren'. Hij bekritiseerde de Republikeinse bezuinigingen op onderwijs, schoollunches en inentings-programma's voor kinderen. En hij legde de basis voor een aantal compromissen om te zorgen dat de overheid kon blijven functioneren. Als de Republikeinen niet meededen, kwam de verantwoordelijkheid voor de mislukking bij hen en bij Gingrich te liggen. Het was een fantastische rede, waarmee hij niet alleen zijn visie verwoordde maar ook een waarschuwing uitsprak in de richting van de oppositie.

Voorjaar 1995 overlegden Bill en zijn staf eindeloos met vrienden en bondgenoten om een strategie te ontwikkelen en te formuleren. Een van de mensen die hij vaak consulteerde, was Dick Morris. Ik had hem bij Bill aangeraden, deels omdat ik wist dat Morris ook Republikeinen adviseerde en meende dat zijn inzicht in de manier van denken van de Republikeinen Bill kon helpen het initiatief op wetgevend gebied te herwinnen. Morris was ook een nuttig kanaal naar de oppositie als Bill wilde uitproberen hoe een kwestie bij de oppositie lag.

Aanvankelijk werd streng geheim gehouden dat Morris voor ons werkte, maar na de speech in Dallas besloot Bill om Morris aan de staf voor te stellen. Bills medewerkers uit de West Wing waren onaangenaam verrast toen ze ontdekten dat die irritante Dick Morris al meer dan een halfjaar in het geheim de president adviseerde. Harold Ickes was geschokt, omdat hij al vijfentwintig jaar een ideologische en persoonlijke vijand van hem was; hun vijandschap ging terug tot de tijd dat ze beiden werkzaam waren in de politiek van de Upper West Side in Manhattan. George Stephanopoulos stoorde zich eraan dat Bill naar een politieke weerhaan als Morris luisterde, en vond het vervelend dat hij nu een rivaliserende adviseur naast zich had. Leon Panetta moest niets van Morris hebben, noch van de manier waarop hij de hiërarchie in de West Wing had weten te omzeilen. De adviseurs hadden op hun manier gelijk, maar toch werden ze op een onverwachte manier geholpen door Morris' aanwezigheid.

Na het verlies van het Congres liepen Bills topadviseurs zwaar aangeslagen in de West Wing rond. Maar niets brengt zoveel eenheid als een gemeenschappelijke vijand. Ze hadden voortaan niet slechts het Republikeinse Congres om hen te motiveren, ze hadden ook Dick Morris.

Bills bereidheid naar tegenovergestelde meningen te luisteren om eigen conclusies te kunnen trekken, is een van zijn sterkste punten. Hij stimuleerde zichzelf en zijn staf door mensen van telkens andere achtergronden met verschillende, vaak tegengestelde meningen uit te nodigen. Het was een manier om iedereen – en vooral zichzelf – fris en bij de les te houden. Het is, denk ik, heel onverstandig je in een geïsoleerde omgeving als het Witte Huis te omringen met mensen die allen hetzelfde temperament en dezelfde denkbeelden hebben. Misschien lopen vergaderingen dan niet meer uit, maar makkelijke consensus leidt vaak tot slechte beslissingen. Door Dick Morris toe te voegen aan de smeltkroes van meningen, ego's en ambities in de West Wing, werden de troepen gemotiveerd en presteerde iedereen beter.

Morris kreeg zijn cijfers en analyses van Mark Penn, een briljante en felle opiniepeiler, die hij inhuurde toen zijn eigen rol eenmaal bekend was. Penn en zijn zakenpartner Doug Schoen, eveneens een veteraan op het gebied van politieke strategie, leverden niet alleen het onderzoek dat de strategie van het Witte Huis hielp vormgeven, maar werden op een gegeven moment ook uitgenodigd om de wekelijkse vergaderingen op woensdagavond in de Yellow Oval Room bij te wonen. Bill en ik hadden in de loop der jaren geleerd Morris' meningen met een flinke korrel zout te nemen. We hadden ook geleerd ons niet van de wijs te laten brengen door zijn aanstellerige gedrag en opschepperij. Maar hij was een goed antigif tegen conventionele wijsheid, en zijn drammerigheid was nuttig om de bureaucratische traagheid van Washington te doorbreken. Morris' invloed op de regering-Clinton is vaak overdreven, soms door progressieve critici, maar vaker nog door Morris zelf. Maar hij hielp uiteindelijk een strategie te ontwikkelen waarmee de muur werd doorbroken die de Republikeinen hadden opgeworpen om de Democratische wetgeving tegen te houden en door eigen wetten te vervangen.

Als partijen zich in diametraal tegenovergestelde posities bevinden, kan geen van twee het zich veroorloven naar het midden op te schuiven. In plaats daarvan moeten ze als strategie een derde positie proberen in te nemen, als de top van een driehoek. Morris noemde deze strategie *triangulation* (driehoeksvorming). Ze kwam in feite neer op de filosofie die Bill had ontwikkeld als gouverneur en op wat hij tijdens de campagne van 1992 had gezegd. Hij wilde een 'dynamisch centrum' scheppen waarmee de 'hersendode' politiek van bevroren, verouderde posities kon worden doorbroken. Het idee van driehoeksvorming was een goed voorbeeld van de aanpak die Bill had beloofd om in Washington in te voeren, en hij zou er al snel goed in worden.

Bill ging bijvoorbeeld niet rechtstreeks tegen de Republikeinen in toen die probeerden de hervorming van de sociale zekerheid op te eisen waar Bill al sinds 1980 aan had gewerkt. Hij steunde de hervorming op zich, maar eiste veranderingen en betere wetgeving, zodat hij van links en rechts voldoende politieke steun kreeg om de extreme Republikeinse eisen te kunnen negeren. Natuurlijk ging het vaak om de details, net als in het echte leven. De details van de hervorming van de sociale zekerheid of de begrotings-onderhandelingen waren lastig – ze leken soms meer op Rubicks draaibare kubus dan op een driehoek – en er werd fel om gestreden.

Met zijn energie en ideeën versterkte Morris Bills initiatieven, maar hij was niet verantwoordelijk voor de implementatie ervan. Die taak was toebedeeld aan Leon Panetta en de rest van de regering. In juni 1994 was Leon chef-staf geworden. Hij had Mack McLarty vervangen, die zich de eerste anderhalf jaar onder heel moeilijke omstandigheden uitstekend van zijn taak had gekweten. Panetta was vroeger afgevaardigde voor Californië geweest in het Congres; Bill had hem gekozen als hoofd van het Office of Management and Budget, en hij had een vooraanstaande rol gespeeld bij de plannen om het begrotingstekort terug te dringen en had die vervolgens door het Congres geloodst. Als chef-staf heerste hij met strakke hand. Hij oefende steeds meer invloed uit op de agenda van de president en zorgde dat medewerkers alleen toegang hadden tot de Oval Office als dit werkelijk nodig was. Zijn expertise zou van cruciaal belang zijn bij de strijd om de begroting die binnenkort zou losbarsten.

De Republikeinse meerderheid zocht naar manieren om haar radicale plannen uit te voeren. Ze begonnen met het jaarlijkse begrotingsdebat, waar ze probeerden plannen te dwarsbomen door de financiering ervan tegen te houden. Ze wilden de regelgevende functies van de overheid ontmantelen, bijvoorbeeld op het gebied van consumentenbescherming, milieu, bijstand en toezicht op ondernemingen. Zelfs de 'Great Society' van Lyndon Johnson – het pakket maatregelen waaruit Medicare, Medicaid en historische wetgeving op het gebied van burgerrechten zijn voortgekomen – werd door Newt Gingrich bestempeld als een 'anticultureel waardesysteem' en 'een langdurig, maar mislukt experiment in professioneel overheidsbestuur'.

Bill en ik waren verontrust over de felle aanvallen die de Republikeinse leiders lanceerden op de regering, de gemeenschap en zelfs op conventionele opvattingen van de maatschappij. Ze leken alles te willen zien in het licht van een ouderwets, stoer individualisme dat aan het eind van de twintigste eeuw aan de hele Verenigde Staten opgelegd moest worden. Ik vind mezelf een heel erge individualist, een beetje stoer en misschien ook wel een beetje een cowboy. Maar ik vind ook dat ik als Amerikaans burger onderdeel ben van een onderling solidair netwerk van rechten, voorrechten en verantwoordelijkheden.

Het was in de context van deze extreme Republikeinse retoriek dat ik verder werkte aan mijn boek *It Takes a Village*. Ik werd opgejut door de plannen van Gingrich om kinderen van arme alleenstaande moeders gedwongen in weeshuizen op te nemen. Ik maakte me al jaren zorgen over het lot van deze en andere kinderen. Ik was bang dat de armen en zwakkeren in de samenleving door Gingrich' extreme plannen een dickensiaanse toekomst te wachten stond. Hoewel mijn boek niet politiek was in partijpolitieke zin, wilde ik een visie verwoorden die duidelijk verschilde van de harteloze, elitaire en onrealistische conservatieve plannen die op Capitol Hill werden bekokstoofd. De rechtse Republikeinen klaagden continu over de 'bevooroordeeldheid van de progressieve media', maar het luidste en effectiefste geschreeuw kwam zeker niet van progressieve zijde. De openbare discussie werd steeds meer beheerst door reactionaire goeroes, door radio- en tv-persoonlijkheden aan de andere kant van het politieke spectrum. Ik besloot daarom me rechtstreeks tot het publiek te wenden en mijn ideeën zelf op te schrijven. Eind juli begon ik aan een wekelijkse column onder de titel 'Taking it over', waarmee ik alweer in de voetsporen trad van Eleanor Roosevelt, die van 1935 tot 1962, zes dagen per week, een column had die 'My day' heette.

Mijn eerste columns gingen over van alles en nog wat, van de vijfenzeventigste verjaardag van het vrouwenkiesrecht tot hoe we met ons gezin de feestdagen doorbrachten. Het was een meer dan louterende ervaring om mijn gedachten op papier te zetten. Ik leerde er onder andere door begrijpen hoe ik mijn eigen rol binnen de regering diende te veranderen. Ik begon me meer op kleine binnenlandse plannen te richten, die meer kans van slagen hadden dan de massale projecten als de herziening van de gezondheidszorg. Op mijn agenda stonden nu zaken als de gezondheidszorg voor kinderen, borstkankeronderzoek en behoud van de overheidssteun voor staatstelevisie, juridische bijstand en de kunsten.

Ik kwam meer te weten over borstkanker en over de obstakels die zich aandienen bij de voorkoming en behandeling ervan door te praten met zorgverzekeraars, medisch onderzoekers en met vrouwen en hun families tijdens zogenaamde 'luistersessies' waar ik naar toe ging in bejaardenhuizen en ziekenhuizen overal in het land. Tijdens een vergadering van de National Breast Cancer Coalition in Williamsburg, Virginia, gedurende de verkiezingscampagne van 1992 was ik getroffen door de veerkracht van vrouwen die borstkanker te boven waren gekomen. Toen de bus met een aantal deelnemers aan de vergadering het onderweg begaf, stapten de vrouwen gewoon uit en liftten verder naar de vergadering. Dezelfde vastberadenheid en betrokkenheid trof ik aan tijdens mijn regelmatige ontmoetingen in het Witte Huis met vrouwen die borstkanker hadden gehad.

Bill en ik kenden de angst en onzekerheid die gepaard gaan met een diagnose dat er kanker is geconstateerd door de ervaringen met zijn moeder. Een van de trouwste vrijwilligsters in mijn bureau in het Witte Huis, Miriam

Leverage, streed zes jaar tegen borstkanker alvorens in 1996 de dappere strijd te moeten opgeven. Miriam was vroeger lerares geweest en nu een trotse grootmoeder. Ze onderging twee operaties, werd bestraald en volgde vijf chemotherapieën. Ze herinnerde mij en mijn stafmedewerkers er altijd aan ons zelf te onderzoeken en regelmatig een borstfoto te laten maken – iets wat ik sinds mijn veertigste elk jaar doe.

Ik lanceerde de Medicare Mammography Awareness Campaign op moederdag 1995 en hoopte daarmee het bewustzijn te vergroten over het belang van vroege ontdekking en dat vrouwen die door Medicare ervoor in aanmerking komen, hun voordeel doen met een borstfoto. Ik ontdekte dat veertig procent van de vrouwen voor wie de borstfoto's door Medicare werd betaald, daar daadwerkelijk gebruik van maakte. Omdat de verwachting was dat een op de acht vrouwen in ons land borstkanker zou krijgen, is de noodzaak van vroegtijdige ontdekking groter dan ooit. Voor de 'Mama-gram-campagne' werkte ik samen met sponsors uit het bedrijfsleven, pr-deskundigen en vertegenwoordigers van consumentenorganisaties, met als doel oudere vrouwen aan te moedigen borstfoto's te laten maken en hen voor te lichten over de voordelen van vroege ontdekking. Bij die uitgebreide campagne maakten we gebruik van voorgedrukte kaarten, displays in winkels, plastic boodschappentassen en publieke mededelingen. De daaropvolgende jaren zette ik me ervoor in de dekking van Medicare uit te breiden, zodat meer vrouwen jaarlijks in aanmerking zouden komen voor het laten maken van een borstfoto zonder bijbetaling, en ik was blij toen Bill nieuwe maatregelen aankondigde die de veiligheid en kwaliteit van de mammografie zouden vergroten. Deze inspanningen sloten uitstekend aan bij mijn werk ter ondersteuning van het vergaren van meer gelden ten behoeve van het ontdekken, het voorkomen en het behandelen van borstkanker en het vinden van methodes om het te genezen. Ook lanceerde ik een borstkankerpostzegel waarvan een deel van de verkoopprijs ten goede komt aan het kankeronderzoek.

Een van de verschrikkelijkste kwesties waarmee ik te maken kreeg, was het Golfoorlogsyndroom. Duizenden mannen en vrouwen die in 1991 tijdens Operatie Desert Storm in de Perzische Golf hadden gediend, leden aan niet goed te diagnosticeren ziekten als chronische vermoeidheid, maag- en darmproblemen en ademhalingsmoeilijkheden. Ik ontving hartverscheurende brieven van veteranen die vanwege hun ziekte hun baan waren kwijtgeraakt en hun gezin niet meer konden onderhouden. Eén veteraan die ik ontmoette, kolonel Herbert Smith, leidde een gezond en productief leven voordat hij naar de Golf vertrok. Tijdens zijn dienst in Operatie Desert Storm kreeg hij geleidelijk gezwollen lymfeklieren, uitslag, pijn in zijn gewrichten, koorts en raakte hij dodelijk vermoeid. Na zes maanden moest hij terug naar huis, maar daar slaagden artsen er niet in vast te stellen wat hem mankeerde noch een middel te vinden dat hem beter kon maken. Het was hartverscheurend kolonel Smith te horen vertellen hoe vreselijk het is dag in dag uit, jaar in jaar uit, te moeten leven en niet te weten waarvan je ziek bent geworden. Nog erger werd het voor Smith doordat sommige militaire artsen nogal sceptisch stonden tegenover zijn ziekte. Er was zelfs een militaire arts die Smith ervan beschuldigde dat hij bij zichzelf bloed afnam om bloedarmoede voor te wenden om zo in aanmerking te kunnen komen voor een uitkering. Kolonel Smith had een beschadiging opgelopen aan zijn hersenen en vestibulair systeem, waardoor hij ernstig gehandicapt werd en zijn werk als dierenarts niet meer kon doen. En toch vonden de pleidooien van kolonel Smith en andere veteranen geen gehoor. Ik riep op tot een grootschalig onderzoek naar het Golfoorlogsyndroom en sprak op aanraden van Bill met functionarissen van de ministeries van Defensie, Veteranenzaken, Gezondheidszorg en Sociale Zaken om te bepalen wat onze overheid voor de veteranen kon doen. Ik stelde een presidentiële adviescommissie voor om de zaak te onderzoeken en Bill stelde die aan. Ook ondertekende hij een wet die veteranen van de Golfoorlog recht gaf op een uitkering bij niet te diagnosticeren ziekten. Een van de grootste zorgen was of de manschappen niet aan chemische wapens waren blootgesteld. Het Pentagon deed hier uitgebreid onderzoek naar en zorgde voor betere bescherming voor in de toekomst.

In het voorjaar van 1995 werd de agenda van het Witte Huis overheerst door binnenlandse kwesties als deze. Maar op een dag in april gebeurde er iets verschrikkelijks, wat in het hele land meteen alle aandacht opeiste. Voor mij begon 19 april als een gewone dag van vergaderingen en gesprekken. Om ongeveer 11 uur 's morgens zat ik in mijn favoriete stoel in de West Sitting Hall mijn agenda door te nemen met Maggie, toen Bill vanuit de Oval Office belde met het nieuws dat er een explosie had plaatsgevonden in een overheidsgebouw in Oklahoma City, het Alfred P. Murrah Building. We gingen naar de keuken en zetten de kleine televisie aan, waarop de eerste afschuwelijke beelden te zien waren.

In de uren daarna hoorden we dat het om een bomaanslag ging, maar niemand wist wie er verantwoordelijk voor was. Bill stuurde onmiddellijk teams van FEMA, de FBI en andere overheidsinstanties naar Oklahoma om het onderzoek te leiden. Het gebouw was bijna helemaal verwoest door de aanslag en een groot aantal belangrijke ambtenaren was daarbij om het leven gekomen of gewond geraakt. Onder de 167 onschuldige mensen die waren omgekomen, bevonden zich negentien kinderen die net bij de crèche op de eerste verdieping van het gebouw waren afgeleverd. Vijf agenten van de geheime dienst waren gedood, van wie er één zeven maanden daarvoor nog op het Witte Huis had gewerkt.

De beelden uit Oklahoma City waren van een onthutsende intimiteit: een klein meisje, slap als een lappenpop, dat door een zwaar aangeslagen brandweerman uit de rokende puinhopen wordt gedragen, een kantoormedewerker die volledig over zijn toeren op een stretcher wordt gelegd. Dat de omgeving zo bekend leek, maakte het extra aangrijpend voor het Amerikaanse publiek. En daar was het bij de aanslag ook om begonnen.

Mensen werden zich er door de aanslag bewust van dat de 'bureaucraten' die ze altijd op de korrel namen als ze tegen de overheid fulmineerden, gewoon hun buren, vrienden of verwanten konden zijn, dat het medeburgers waren die hun werk deden, een echt leven leidden en ook echt konden sterven.

Het eerste waar mensen behoefte aan hadden, was informatie over de aanslag, en vervolgens dat al het mogelijke werd gedaan om hen te beschermen. Ik maakte me vooral zorgen over kinderen die van de verwoesting van de crèche hadden gehoord, en nu bang waren dat hun eigen school of kinderdagverblijf niet meer veilig was.

Op de zaterdag na de aanslag spraken Bill en ik voor radio en televisie met een groep kinderen wier ouders voor dezelfde overheidsinstantie werkten als de ambtenaren die in Oklahoma waren omgekomen. We meenden dat het belangrijk was, als moeder en vader, samen een gesprek met deze angstige kinderen te hebben. 'We willen dat kinderen begrijpen dat het heel normaal is dat je bang bent als er zoiets vreselijks gebeurt,' zei Bill tegen de kinderen, die in de Oval Office op de grond zaten terwijl hun ouders vlakbij stonden. 'Jullie ouders houden van jullie en zullen goed voor jullie zorgen,' zei ik. 'Er zijn meer goede mensen in deze wereld dan slechte.'

Bill zei tegen de kinderen dat we degenen die achter de bomaanslag zaten, zouden aanhouden en straffen. Daarna vroeg hij wat de kinderen er zelf van vonden.

'Het was gemeen,' zei een kind.

'Het spijt me voor de kinderen die zijn omgekomen,' zei een ander.

De rest van het land zag Bill zoals ik hem kende, als een menselijk, invoelend iemand met een weergaloos talent om mensen in moeilijke tijden bij elkaar te brengen. We hadden met Chelsea gepraat en haar advies gevraagd over de beste manier om deze jonge kinderen gerust te stellen. Ze zei onder andere dat het een goed idee van ons was om de volgende dag naar Oklahoma te vliegen om de gezinnen van de slachtoffers te bezoeken en deel te nemen aan een gebedsdienst. Voordat we vertrokken, pootten we een cornoeljeplant op de South Lawn ter herinnering aan de slachtoffers.

Tegen de tijd dat we in Oklahoma City aankwamen, was er een verdachte gearresteerd, Timothy McVeigh. McVeigh had banden met militante anti-overheidsgroepen. Hij had, zo hoorden we, 19 april gekozen als datum voor de aanslag op het land dat hij was gaan verachten, omdat op die dag de verschrikkelijke brand in Waco had plaatsgevonden waarbij meer dan tachtig leden van de Branch Davidian-sekte om het leven waren gekomen, onder wie de leider, David Koresh. McVeigh en de zijnen waren vervreemde en zeer gewelddadige vertegenwoordigers van extreem-rechts. Ze pleegden daden die elke verstandige Amerikaan diepe afkeer inboezemden. De haat, intolerantie en paranoïde afkeer van de overheid, opgezweept door talkshows op rechtse radiostations en websites, droegen bij aan een sfeer waarin deze misleide extremisten tot hun drieste daden konden overgaan. Maar door de gruwelen van de aanslag in Oklahoma City slonk de aanhang van de militiebewegingen en de haatzaaiende radiostations. Bill en ik spraken met een aantal slachtoffers en hun gezinnen alvorens een grote herdenkingsdienst bij te wonen waar Bill en dominee Billy Graham het woord voerden, en zo de natie hielpen de tragedie te verwerken. Telkens als ik Bill snikkende familieleden zag omhelzen, zag praten met diepbedroefde vrienden of terminaal zieken zag troosten, werd ik weer helemaal verliefd op hem. Zijn sympathie komt uit een diepe bron van medeleven en emotie die hem in staat stelt zich open te stellen voor mensen die pijn lijden.

Bill sprak zich krachtig uit tegen de verspreiders van

haat en de groeperingen die zich tegen de overheid verzetten tijdens de rede die hij begin mei op de University of Michigan hield ter gelegenheid van de opening van het academisch jaar. 'Er is niets patriottisch aan haat jegens je eigen land of aan het idee dat je van je land kunt houden terwijl je de regering haat.'

Het land probeerde dapper de tragedie in Oklahoma te verwerken, maar het kantoor van de onafhankelijk aanklager (het OIC) rustte niet. Op zaterdag 22 april, na de bijeenkomst met de kinderen in de Oval Office, kwamen Kenneth Starr en zijn medewerkers naar het Witte Huis om mij en de president een verklaring onder ede af te nemen. Ik was het jaar daarvoor ondervraagd door Robert Fiske, voordat hij werd vervangen. Het zou mijn eerste ontmoeting worden met Starr en zijn mensen. David Kendall en ik hadden de voorbereiding voor mijn verklaring niet licht opgevat. David wist dat het OIC elk woord van mij op een goudschaaltje zou wegen, dus hij vond dat ik me maximaal moest voorbereiden, hoe druk ik het ook had. Vaak spraken we elkaar nog 's avonds laat over de informatie die hij in grote zwarte ordners had opgeborgen. Ik kon die zwarte ordners op het laatst niet meer zien, want ze waren de tastbare blijken van al het gemuggenzift waaraan ik onder ede zou worden blootgesteld.

De verklaringen werden in de Treaty Room afgenomen. Bill ging eerst naar binnen en ik zou na hem komen. Als vertegenwoordigers van het Witte Huis waren aanwezig Abner Mikva, voormalig rechter en Congreslid, nu adviseur van het Witte Huis, en Jane Sherburne, een ervaren advocate die haar kantoor had verlaten om zich met de juridische kanten van het onderzoek bezig te houden. Ook onze eigen advocaten, David Kendall en zijn partner Nicole Seligman waren erbij, twee van de slimste en meest meelevende mensen die ik ooit heb gekend. Starr kwam met drie andere advocaten. Ze zaten aan de ene kant van een lange conferentietafel die we voor de gesprekken naar de Treaty Room hadden laten brengen, wij aan de andere.

Toen Bill na het gesprek naar buiten kwam, zei hij dat hij een heel vriendelijk gesprek had gehad met Starr. Tot mijn verbazing had Bill zelfs aan Jane Sherburne gevraagd om Starr en zijn medewerkers een rondleiding te geven in de slaapkamer van Lincoln, die naast de Treaty Room lag. Ik was typerend genoeg een stuk minder vredelievend dan mijn echtgenoot. Dit was pas het eerste voorbeeld van de andere wijze waarop Bill en ik met Starr omgingen. We zaten beiden in het oog van de storm, maar ik liet me door elke windvlaag uit de koers slaan, terwijl Bill gewoon er met de wind in de rug langs leek te zeilen. Ik was woedend dat fanatieke Republikeinen zo in ons privé-leven mochten rondneuzen. Ze konden iedere cheque die ik de laatste twintig jaar had uitgeschreven, bekijken, mochten onze vrienden onder de meest doorzichtige voorwendsels lastigvallen.

De Republikeinen openden een nieuw aanvalsfront toen Al D'Amato, de Republikeinse senator voor New York, voorzitter werd van de Senate Banking Committee. Daarmee was hij eindelijk in staat om een hoorzitting over Whitewater te houden, waar hij al zo lang op uit was. Ik heb sindsdien vrede gesloten met senator D'Amato, die nu een van de prominentste figuren in mijn district is, maar de hoorzittingen die hij met zijn medewerkers en mede-Republikeinen hield, hebben onschuldige mensen veel psychisch en financieel leed bezorgd. En dat kan ik niet vergeten.

Hoewel Fiske eerder had vastgesteld dat Vince Fosters zelfmoord niets met Whitewater te maken had, vroeg D'Amato vroegere en huidige ambtenaren van het Witte Huis het hemd van het lijf over deze verdrietige gebeurtenis. Maggie Williams, normaal gesproken een sterk, evenwichtig mens, was in tranen tijdens de meedogenloze ondervraging over gebeurtenissen rondom de dood van Vince Foster. Het was afschuwelijk om aan te zien hoe Maggie keer op keer op de pijnbank werd gelegd, en te weten dat ze zich blauw betaalde aan advocaten.

D'Amato maakte mijn vriendin Susan Thomases tijdens haar ondervraging uit voor leugenares. Ze leed al tientallen jaren aan multiple sclerose, waardoor haar geheugen haar in de steek liet, maar ze probeerde zo goed mogelijk op zijn intimiderende vragen te antwoorden. En ik kon haar of de anderen die met deze nachtmerrie moesten meedoen, niet eens troosten. Als ik met een getuige over Vince Foster sprak, of over welke andere kwestie ook waar de onderzoekers vragen over wilden stellen, dan zou dit op samenspanning of beïnvloeding van getuigen kunnen wijzen. Ik moest gesprekken met getuigen dus vermijden, of tenminste zorgen dat ze geen ja hoefden te antwoorden als hun gevraagd werd of ze met mij hadden gesproken.

Zo buiten spel te staan, niet in staat om vrienden en collega's te verdedigen of hen zelfs maar te spreken over de onrechtvaardige behandeling waaraan ze werden blootgesteld, was een van de moeilijkste dingen die ik ooit in mijn leven heb ondervonden. En het zou allemaal nog erger worden voor het beter werd.

22 Vrouwenrechten zijn mensenrechten

In China worden wel vaker dissidenten gearresteerd en de gevangenneming van Harry Wu had misschien nauwelijks aandacht gekregen als China niet als gastland was gekozen voor de Vierde Wereldconferentie over Vrouwen van de Verenigde Naties, die ik als erevoorzitter van de Amerikaanse delegatie zou bijwonen. Wu was een mensenrechtenactivist die negentien jaar als politieke gevangene in Chinese dwangarbeiderkampen had doorgebracht voordat hij naar de Verenigde Staten emigreerde. Hij was op 19 juni 1995 door de Chinese autoriteiten gearresteerd toen hij vanuit Kazakstan zijn vaderland probeerde binnen te komen.

Hoewel hij een geldig visum had voor China, werd hij van spionage beschuldigd en in afwachting van zijn proces in de gevangenis opgesloten. Harry Wu werd plotseling een bekende naam. Deelname van de Verenigde Staten aan de Wereldvrouwenconferentie werd onzeker toen mensenrechtengroeperingen, Chinees-Amerikaanse activisten en een paar Congresleden aandrongen op een boycot. Ik was het op zich met hun stellingname eens, maar was teleurgesteld dat vrouwenkwesties voor de zoveelste keer opgeofferd werden.

Overheden (ook de Amerikaanse) beperken zich bij hun buitenlandse beleid tot diplomatieke, militaire en economische kwesties. Zelden maakten kwesties als de gezondheid van vrouwen, onderwijs aan meisjes, de schendingen van juridische of politieke rechten van vrouwen of hun economische isolement deel uit van de discussie als het over buitenlandse politiek gaat. Toch meende ik dat de nieuwe wereldwijde economie die in opkomst was niet

zonder vrouwen kon, dat landen en regio's weinig economische of sociale vooruitgang zouden boeken als een belangrijk deel van hun vrouwelijke bevolking arm, slecht of
niet opgeleid, ongezond en rechteloos bleef.

Er werd verwacht dat deze thema's op de Vrouwenconferentie in de schijnwerpers zouden komen te staan. De
conferentie zou een belangrijk forum voor landen kunnen
worden om kwesties aan de kaak te stellen als gezondheidszorg voor moeders en kinderen, kleinschalige leningen, geweld binnenshuis, onderwijs voor meisjes, gezinsplanning,
juridische en eigendomsrechten voor vrouwen en vrou-
wenstemrecht. Het zou ook een zeldzame gelegenheid zijn
voor vrouwen overal ter wereld om verhalen, informatie en
strategieën voor actie in hun eigen land uit te wisselen. De
conferentie wordt maar eens in de vijf jaar gehouden en ik
had gehoopt dat mijn optreden in Beijing als teken opgevat zou worden dat de Verenigde Staten de behoeften en
rechten van vrouwen tot kernpunten van het Amerikaanse
buitenlandbeleid wilden maken.

Ik zette me al vijfentwintig jaar in voor de rechten van
vrouwen en kinderen. In de Verenigde Staten hadden
vrouwen in politiek en economisch opzicht gewonnen,
maar dat kon niet voor de meerderheid van de vrouwen op de wereld gezegd worden. Toch sprak bijna geen
enkele internationaal bekende figuur zich ten gunste van
hen uit.

In de tijd dat Harry Wu werd gearresteerd, waren mijn
staf en ik druk bezig met de voorbereiding van de conferentie. In het Congres klonk er gemor van de gebruikelijke
figuren, zoals Jesse Helms en Phil Gramm, die zeiden dat
de conferentie 'uit lijkt te lopen op een parade van negatieve sentimenten tegen het gezin en de Verenigde Staten'.
Sommige Congresleden waren sceptisch over alles wat
door de Verenigde Naties werd georganiseerd, en deden
dus helemaal neerbuigend over het idee van een vrouwenconferentie. Maar er waren nog meer tegenstanders. Het
Vaticaan, dat luidkeels zijn mening over abortus verkon-

digde, sloot zich aan bij een paar islamitische landen die zeiden bezorgd te zijn dat de conferentie een platform voor de vrouwenrechten werd, waar ze op tegen waren. En ook aan de politieke linkerzijde waren er mensen tegen Amerikaanse deelname, omdat de Chinese overheid aanvankelijk geen NGO's (non-gouvernementele organisaties) wilde toelaten die zich inzetten voor eigendomsrechten voor vrouwen, kleinschalige leningen, de gezondheid van vrouwen en tal van andere kwesties. De Chinese autoriteiten traden niet alleen streng op tegen actievoerders voor een onafhankelijk Tibet, maar maakten het sommige deelnemers ook moeilijk een visum te krijgen. Verder maakte men zich zorgen (een zorg die ik deelde) over de slechte mensenrechtenreputatie van het gastland en het barbaarse beleid van gedwongen abortussen dat er gevoerd werd om te zorgen dat echtparen niet meer dan een kind kregen.

Ik stelde samen met Melanne Verveer en de staf van de president een zeer diverse delegatie samen, waarin gevoeligheden van het hele politieke spectrum waren vertegenwoordigd. Bill benoemde een aantal Republikeinen, onder wie de voormalige gouverneur van New Jersey, Tom Kean, de katholieke non en directrice van het College van New Rochelle, zuster Dorothy Ann Kelley, en dr. Laila Al-Marayati, vice-voorzitster van de Muslim Women's League. Madeleine Albright, destijds Amerikaans ambassadeur bij de Verenigde Naties, werd het officiële hoofd van de delegatie.

Maanden van vergaderingen en strategieoverleg met vertegenwoordigers van de Verenigde Naties en andere landen stonden na Wu's arrestatie op het spel. In de weken daarop gaf iedereen zijn mening over de vraag of de Verenigde Staten een delegatie naar de Vrouwenconferentie moesten sturen en of ik daarbij mocht zijn.

Ik was vooral verontrust door een persoonlijke brief van mevrouw Wu, die zich begrijpelijkerwijs zorgen maakte over het lot van haar man en meende dat mijn deelname aan de conferentie 'aan de leiders in Beijing een verwarrend signaal zou afgeven over de vastberadenheid waarmee de Verenigde Staten Harry's vrijlating nastreven'.

Ik en anderen in het Witte Huis en het ministerie van Buitenlandse Zaken deelden haar bezorgdheid. We wisten dat de Chinese overheid de conferentie wilde gebruiken om haar internationale reputatie op te vijzelen. Als ik ging, hielp ik de reputatie van China oppoetsen. Als ik de conferentie boycotte, dan bezorgde ik de Chinese leiders negatieve publiciteit. We begonnen aan een diplomatiek schaakspel waarin mijn aanwezigheid bij de conferentie en de gevangenneming van Harry Wu belangrijke stukken waren. De Amerikaanse overheid zei zowel openlijk als privé dat ik niet naar de conferentie zou gaan als Harry Wu gevangen bleef zitten. Toen de onenigheid steeds groter werd en het er niet naar uitzag dat deze nog zou worden opgelost, overwoog ik er als privé-burger naar toe te gaan.

Het besluit werd extra gecompliceerd doordat de betrekkingen tussen de Verenigde Staten en China op dat moment niet al te best waren. Er waren spanningen over de kwestie-Taiwan en over de verspreiding van kernwapens, de verkoop van Chinese MII-raketten aan Pakistan en de voortdurende schendingen van mensenrechten door de Chinezen. Half augustus verslechterden de betrekkingen nog meer toen de Chinezen aan provocerende militaire oefeningen begonnen in de Straat van Taiwan.

Toen de conferentie nog maar een paar weken weg was, besloot de Chinese overheid klaarblijkelijk dat ze zich niet nog meer slechte publiciteit kon veroorloven. Tijdens een showproces dat op 24 augustus in Wuhan plaatsvond, werd Harry Wu veroordeeld wegens spionage. De dag erop werd hij het land uit gezet. Een aantal commentatoren en Wu zelf waren ervan overtuigd dat er een politieke deal met de Chinezen was gesloten die inhield dat ik in ruil voor zijn vrijlating de conferentie zou bezoeken en me daar zou onthouden van kritische uitlatingen over de Chinese overheid. Maar hoewel het duidelijk een gevoelig diplomatiek ogenblik was, heeft er nooit een quid pro quo plaatsgevonden tussen onze overheid en die van China. Toen de kwestie-Wu eenmaal de wereld uit was, besloten het Witte Huis en Buitenlandse Zaken dat ik naar de conferentie kon. Ik kreeg geen instructies om mijn kritiek te matigen.

Terug in Californië uitte Wu kritiek op mijn besluit. Hij zei dat mijn aanwezigheid uitgelegd kon worden als vergoelijking van de Chinese reputatie op het gebied van mensenrechten. De Californische afgevaardigde in het Congres, Nancy Pelosi, belde me om te vertellen dat mijn aanwezigheid een pr-coup voor de Chinezen zou betekenen. Bill en ik waren op vakantie in Jackson Hole in Wyoming en we spraken daar langdurig over de voors en tegens van mijn bezoek. Bill was het met me eens dat nu Wu eenmaal was vrijgelaten, de Chinezen het best rechtstreeks, op hun eigen grondgebied, met de mensenrechtenkwestie geconfronteerd konden worden. Tijdens een bijeenkomst in Wyoming ter viering van de vijfenzeventigste verjaardag van de invoering van vrouwenkiesrecht in de Verenigde Staten, probeerde Bill de zaak te sussen en verdedigde hij de Amerikaanse deelname door te zeggen dat deze belangrijk was voor de rechten van de vrouw. 'De conferentie biedt een belangrijke kans om verdere verbetering van de status van vrouwen in kaart te brengen.'

Eind augustus was onze vakantie in de Tetons, een van de prachtigste gebieden van ons land, bijna voorbij. We hadden gelogeerd in het westernachtige huis van onze vrienden Jay en Sharon Rockefeller. Ik had een groot deel van de tijd aan mijn boek zitten werken en jaloers toegekeken als Bill en Chelsea gingen wandelen of paardrijden. Chelsea, die een maand aan een survivalkamp had deelgenomen in Colorado, waar ze snelstromende rivieren was overgestoken, bergen had beklommen, een kampement boven de boomgrens had leren opslaan en andere, soortgelijke vaardigheden had ontwikkeld, haalde ons over om te gaan kamperen. Ik had sinds mijn tijd op college niet meer gekampeerd, en Bill had het nog nooit gedaan, tenzij we die ene nacht meetelden die we in Yosemite Park in de auto hadden geslapen. We wilden dus graag, maar hadden geen idee hoe. Toen we de mannen van de geheime dienst vertelden dat we op een afgelegen plek in Grand Teton National Park wilden gaan kamperen, gingen ze als razenden aan het werk. Tegen de tijd dat we aankwamen bij de kampeerplek die ze hadden uitgezocht, hadden ze de hele omgeving uitgekamd en patrouilleerden er agenten met nachtzichtkijkers. Chelsea moest lachen om ons idee van kamperen in de natuur, op luchtmatrassen in een tent met een houten vloer!

Van Wyoming gingen we naar Hawaii, waar Bill op 2 september 1995 in Pearl Harbor en de National Cemetery of the Pacific redes hield ter gelegenheid van de vijftigste herdenking van de Amerikaanse overwinning op Japan. Op de begraafplaats, die in de krater van een uitgewerkte vulkaan ligt, bevinden zich meer dan 33 000 graven, waaronder die van de mannen die in de Tweede Wereldoorlog bij Pearl Harbor en in de Stille Oceaan omkwamen en die van gesneuvelden uit de oorlogen in Korea en Vietnam. De aanblik van die graven en de duizenden veteranen uit de Tweede Wereldoorlog en hun families bracht de buitengewone opofferingen uit die tijd weer in herinnering waaraan wij onze vrijheid te danken hebben.

In het kleine hutje op de marinebasis Kaneohe waar we logeerden, bleef ik de hele nacht op om aan mijn boek te werken en aan de laatste versie voor mijn speech in Beijing. Een gelukkige bijkomstigheid van de ophef over Harry Wu was dat de conferentie enorm veel extra aandacht had gekregen. Alle ogen waren nu op Beijing gericht en ik wist dat alle ogen ook op mij gericht zouden zijn. Mijn staf en ik hadden gewerkt aan een krachtige verdediging van het Amerikaanse standpunt inzake de mensenrechten. We hadden tevens geprobeerd de conventionele opvatting van vrouwenrechten te verbreden. Ik wilde geen blad voor de mond nemen over misstanden in China als de gedwongen abortussen en de routinematige onderdrukking van de vrijheid van meningsuiting en het recht van vergadering.

De dag erop gingen we met een grote groep aan boord van het luchtmachttoestel dat ons naar Beijing zou brengen. Chelsea moest terug naar Washington met haar vader, dus ik was mijn favoriete reisgezelschap kwijt.

Nadat we aan boord ons avondeten hadden gegeten, zetten de meeste passagiers hun stoel in de slaapstand en probeerden met een deken over zich heen een paar uur te slapen. Het team dat aan de speech werkte, was echter nog niet klaar. We hadden de vijfde of zesde versie af en moesten de tekst nu laten lezen aan onze buitenlandexperts, die zich in Honolulu samen met andere ambtenaren bij ons gezelschap hadden gevoegd. Aan een gedimd verlichte werktafel zaten Winston Lord, de zeer beschaafde oud-ambassadeur van China, die door Bill was benoemd tot onderminister van Buitenlandse Zaken voor Azië, Eric Schwartz, een mensenrechtenspecialist uit de Nationale Veiligheidsraad, en Madeleine Albright bij elkaar en lazen nauwgezet de tekst van de speech door op zoek naar onjuistheden of diplomatieke blunders. Eén verkeerd woord in een zo belangrijke speech kon tot een diplomatieke crisis leiden. Ik wist dat hun adviezen bijzonder belangrijk waren, maar was tegelijkertijd op mijn hoede. De experts waren er vaak zo op gebrand een speech te nuanceren en diplomatiek te maken, dat er weinig meer van overbleef. Dat bleek in dit geval mee te vallen.

'Wat wil je met je speech bereiken?' had Madeleine me eerder gevraagd.

'Ik wil zo ver mogelijk gaan in mijn steun voor de rechten van vrouwen en meisjes.'

Madeleine, Win en Eric adviseerden me een gedeelte waarin ik een definitie van mensenrechten gaf, te versterken door te verwijzen naar de onlangs gehouden Wereldconferentie Mensenrechten in Wenen, waar die rechten nogmaals waren bevestigd. Ze voegden passages toe over de gevolgen van oorlogen voor vrouwen, vooral over verkrachting als oorlogsstrategie en de toenemende aantallen vrouwelijke vluchtelingen na gewelddadige conflicten. Ze begrepen gelukkig dat eenvoud en emotie de twee ingrediënten waren waaraan mijn speech zijn kracht ontleende. Ze zorgden ervoor dat ik niet in moeilijkheden kwam, maar grepen niet te zwaar in op de tekst die ik had voorbereid.

Brady Williamson, een advocaat uit Wisconsin die de leiding had over ons voorbereidingsteam, werd dagelijks door Chinese hoogwaardigheidsbekleders ondervraagd over de inhoud van mijn speech. Ze maakten duidelijk dat ze niet in verlegenheid gebracht wilden worden door mijn woorden en dat ik 'waardering zou hebben voor de Chinese gastvrijheid'.

Op reizen als deze is slaaptekort de norm. We sliepen steevast te weinig en woonden vergaderingen, diners en andere ontvangsten knikkebollend en met zware oogleden bij. Het was al na middernacht toen we uiteindelijk aankwamen bij het China World Hotel, een van de luxehotels voor buitenlandse bezoekers in Beijing. We konden maar een paar uur slapen voor mijn eerste officiële afspraak op dinsdagmorgen, een door de Wereldgezondheidsorganisatie gesponsord colloquium over vrouwen en gezondheid. Ik sprak er over het grote verschil in gezondheidszorg voor vrouwen in rijke landen als het onze en in arme landen.

Eindelijk was het tijd om naar de grote zaal te gaan, die eruitzag als een miniversie van de Verenigde Naties. Hoewel ik duizenden speeches had gehouden, was ik nu zenuwachtig. Ik was emotioneel sterk bij het onderwerp betrokken en ik vertegenwoordigde mijn land. Het was heel belangrijk dat ik het goed deed, voor de Verenigde Staten, voor de conferentie, voor vrouwen overal ter wereld en voor mijzelf. Als de conferentie nergens toe leidde, zou ik een kans hebben gemist om de wereldwijde opinie in te schakelen ten gunste van de verbetering van de omstandigheden en kansen voor vrouwen en meisjes. Ik wilde mijn land of mijn echtgenoot niet voor schut zetten. En ik wilde deze zeldzame kans om te pleiten voor meer rechten voor vrouwen, ten volle benutten.

Onze delegatie had druk met andere delegaties onderhandeld over het actieplan van de conferentie. Sommige afgevaardigden waren het duidelijk niet met de Amerikaanse ideeën eens. Het was des te moeilijker mijn speech goed over te laten komen omdat vrouwenrechten een emotionele kwestie waren. Ik had tijdens mijn werk voor de herziening van de gezondheidszorg geleerd dat speeches weinig gebaat zijn bij de verhitte emoties die ik er vaak in stop. Ik diende ervoor te zorgen dat ik de speech niet verknoeide door de verkeerde toon aan te slaan of te emotioneel te zijn. Of men dat nu leuk vindt of niet, vrouwen worden altijd bekritiseerd als ze in het openbaar te veel hun gevoelens laten zien.

Ik zag vrouwen en mannen van alle rassen en kleuren in de zaal, sommige in westerse kleding, maar de meeste in traditionele kleding van hun eigen land. De meerderheid had een koptelefoon op om naar een simultaanvertaling van de speeches te luisteren. Hierdoor kon ik slecht zien wat het publiek van mijn woorden vond, iets waarop ik niet was voorbereid. Het was onmogelijk om de lichaamstaal van de luisteraars te lezen, omdat de pauzes in mijn Engelse zinnen of alinea's niet overeenkwamen met de pauzes in de tientallen verschillende vertalingen die de mensen in de zaal hoorden.

Nadat ik Gertruda Mongella, de secretaris-generaal van de conferentie, had bedankt, begon ik met te zeggen dat ik dankbaar was deel uit te kunnen maken van deze grote, wereldwijde bijeenkomst van vrouwen.

Dit is echt een feest – een feest ter ere van de bijdragen die vrouwen leveren aan ieder aspect van het leven: thuis, op het werk, in de gemeenschap, als moeder, echtgenote, zuster, dochter, leerling, werkneemster, burger en leider... Hoe verschillend wij vrouwen hier ook lijken, de overeenkomsten zijn groter dan de verschillen. We gaan dezelfde toekomst tegemoet. En we zijn hier om een gemeenschappelijke basis te vinden, zodat we vrouwen en meisjes overal ter wereld nieuwe waar-

digheid en respect kunnen bezorgen – en daarmee gezinnen
sterker en stabieler kunnen maken.

Ik wilde dat de speech eenvoudig, toegankelijk en ondub-
belzinnig zou zijn in de boodschap dat vrouwenrechten in
feite neerkomen op mensenrechten. Ik wilde overbrengen
hoe belangrijk het voor vrouwen is om zelf te kunnen kiezen. Ik zei dat ik als First Lady samen met Bill, en alleen,
zesentwintig landen had bezocht, en ik beschreef de vrouwen en meisjes die ik overal ter wereld had gesproken, die
zich vaak op basisniveau inzetten voor onderwijs, gezondheidszorg, economische onafhankelijkheid, juridische
rechten en politieke participatie van vrouwen. En ik sprak
over de ongelijkheid en onrechtvaardigheid waar vrouwen
in de meeste landen meer onder te lijden hadden dan mannen.

Als ik het maximale uit deze speech wilde halen, moest
ik duidelijk zeggen wat ik van het gedrag van de Chinese
overheid vond. De Chinese regering had de NGO's verboden hun eigen forum in Beijing te houden. De vertegenwoordigers van de NGO's op allerlei gebied, van prenatale
zorg tot kleinschalige leningen, moesten uitwijken naar een
geïmproviseerd conferentieoord in het stadje Huairou, zestig kilometer ten noorden van Beijing, waar vergaderruimte en faciliteiten schaars waren. Hoewel ik China noch enig
ander land bij naam noemde, was het duidelijk wie de grote
schender van de mensenrechten was waarover ik sprak.

Ik denk dat het aan de vooravond van het nieuwe millennium
tijd is de stilte te verbreken. Het is tijd om hier in Beijing dui-
delijk te zeggen – zodat de hele wereld het hoort – dat het niet
langer aanvaardbaar is vrouwenrechten los te zien van men-
senrechten... Te lang al is de geschiedenis van de vrouw de ge-
schiedenis van het zwijgen. Zelfs vandaag de dag nog wordt
geprobeerd ons stil te houden.

De stemmen op deze conferentie en die van de vrouwen in
Huairou moeten luid en duidelijk gehoord worden. Het is een

schending van de mensenrechten als kinderen worden doodge-
hongerd, als ze worden verdronken of gekeeld, als hun ruggen-
graat wordt gebroken, alleen omdat ze als meisje zijn geboren.

Het is een schending van de mensenrechten als vrouwen en
meisjes worden verkocht als slavin of prostituee.

Het is een schending van de mensenrechten als vrouwen
met benzine worden overgoten en in brand worden gestoken
omdat men vindt dat hun bruidsschat niet groot genoeg is.

Het is een schending van de mensenrechten als individuele
vrouwen in hun eigen gemeenschap worden verkracht en als
de verkrachting van duizenden vrouwen buit is voor overwin-
naars of tactiek is om de vijand te intimideren.

Het is een schending van de mensenrechten als huiselijk ge-
weld een belangrijke doodsoorzaak is voor vrouwen tussen de
veertien en de vierenveertig.

Het is een schending van de mensenrechten als miljoenen
jonge meisjes een onterende en pijnlijke genitale verminking
moeten ondergaan.

Het is een schending van de mensenrechten als vrouwen het
recht om hun eigen gezin te plannen, wordt ontnomen, waar-
toe ook de praktijk van gedwongen abortussen en sterilisaties
behoort.

Als deze conferentie één belangrijke boodschap oplevert,
laat het dan zijn dat vrouwenrechten eens en voor al als men-
senrechten worden gezien... en mensenrechten als vrouwen-
rechten.

Ik eindigde mijn speech met een oproep aan alle deelnemers naar hun eigen land terug te keren met het voorne-
men de kansen voor vrouwen in het onderwijs, de gezondheidszorg, de rechtspraak en de politiek te verbeteren.
Toen ik de laatste woorden eenmaal had uitgesproken –
'Moge Gods zegen op u, uw werk en al degenen die daarvan profiteren, rusten' –, sprongen de strak voor zich uit
kijkende delegatieleden plotseling op en begonnen enthousiast te applaudisseren. Er kwamen delegatieleden op
me af die prijzende woorden riepen, me probeerden aan te

raken en me bedankten voor mijn komst. Zelfs de afgevaardigde van het Vaticaan complimenteerde me met mijn speech. In de hal hingen vrouwen over de balkons om naar me te zwaaien. Velen kwamen met de roltrap naar beneden om me te feliciteren en mijn hand te grijpen.

Ik vond het fantastisch dat mijn boodschap goed was overgekomen en was opgelucht dat ook de verslagen in de pers positief waren. In het redactioneel commentaar van *The New York Times* stond dat de speech 'misschien haar beste optreden in het openbaar ooit' was.

Wat ik toen niet wist, was dat mijn speech van eenentwintig minuten een manifest voor vrouwen over de hele wereld zou worden. Zelfs vandaag de dag nog word ik in het buitenland vaak aangeklampt door vrouwen die uit mijn speech citeren of een gedrukt exemplaar bij zich hebben waar ze een handtekening op willen. Mijn speech bleek inderdaad de stimulerende boodschap te brengen die vrouwen wilden horen en nodig hadden.

De reactie van de Chinese overheid was minder positief. Later hoorde ik dat ze mijn woorden hadden gecensureerd op de monitors in de conferentiezaal, waarop hoogtepunten van de conferentie waren uitgezonden.

De meesten van de een miljard mensen die China rijk was, moesten dagelijks met dat soort overheidscontrole leven. We kregen er nog een staaltje van toen we terugkeerden naar mijn auto om ons een paar uur te ontspannen na de speech. Ik had sinds ons vertrek uit Hawaii geen krant meer gezien en ik zei op een gegeven moment langs mijn neus weg dat het prettig zou zijn om even de *International Herald Tribune* in te zien. Een paar minuten later werd er op de deur van mijn hotelsuite geklopt en lag de krant op de mat, alsof ik hem besteld had. Maar we hadden geen idee wie mij dit had horen zeggen of wie hem bezorgd had.

Voordat ik naar China vertrok, was ik door het ministerie van Buitenlandse Zaken en de geheime dienst geïnstrueerd over diplomatieke kwesties, protocol en informatie van de inlichtingendiensten waarvan ik op de hoogte diende te zijn. Ik moest ervan uitgaan, zo werd me verteld, dat alles wat ik zei of deed, op de band zou worden opgenomen, vooral in de hotelkamers.

Of de krant nu toevallig werd bezorgd of dat dit een voorbeeld was van de manier waarop de Chinese geheime dienst werkte, we moesten er erg om lachen. We beseften dat we allemaal ongewoon gespannen waren omdat we de hele tijd in de gaten werden gehouden en alles wat we zeiden, werd opgenomen. Vanaf dat moment knipoogden mijn medewerkers regelmatig naar televisieschermen en spraken ze tegen lampen. Ze riepen bestellingen voor pizza, biefstuk en milkshakes in het luchtledige, in de hoop dat de Chinese veiligheidsmensen die zouden komen bezorgen. Maar na drie dagen was er nog steeds alleen die ene krant bezorgd.

De dag na mijn speech in Beijing ging ik naar Huairou om te spreken met de vertegenwoordigers van de NGO's die niet aan de conferentie mochten deelnemen. Het was een sombere dag; het regende hard en er woei een ijskoude wind. In mijn gezelschap bevond zich een ander lid van de Amerikaanse delegatie, de toegewijde minister van Volksgezondheid Donna Shalala, die acht jaar lang deel uitmaakte van het kabinet-Clinton. Ze stond bekend om haar onwrikbare betrokkenheid bij het verbeteren van de gezondheid en het welzijn van de Amerikanen, en haar moed, die in Huairou op de proef zou worden gesteld.

We reden in een kleine stoet noordwaarts langs akkers en rijstvelden en kwamen aan in de plaats waar het NGO-forum werd gehouden. Al had de Chinese overheid als voorzorgsmaatregel het forum verplaatst naar een plek die op een uur rijden van de vrouwenconferentie van de Verenigde Naties lag, toch bleven de Chinese hoogwaardigheidsbekleders zich zorgen maken over de duizenden vrouwelijke activisten in Huairou. Ze vonden dat mijn aanwezigheid de zaken er alleen maar gevaarlijker op maakte. Ze waren ontevreden dat ik de dag ervoor in mijn speech kritiek had geleverd op de Chinese overheid en maakten zich waarschijnlijk nog meer zorgen over wat ik tegen de vrouwen zou zeggen die ze van de conferentie in Beijing hadden uitgesloten.

Vanwege de regen was het forum uitgeweken naar een omgebouwde bioscoop. Toen we er aan het eind van de morgen aankwamen, zaten er al drieduizend vrouwen in dit gebouw, twee keer zoveel als de officiële capaciteit. Voor de deur stonden nog eens honderden vrouwen die probeerden naar binnen te komen. Ze stonden uren in de stromende regen en in modderige plassen, maar werden tegengehouden door de Chinese politie. Toen we het gebouw naderden, begon de politie met stokken de menigte bij de ingang weg te drijven. Dit was geen beleefde confrontatie. De politie duwde steeds harder, en er vielen mensen in de glibberige modder.

Melanne was vooruit gereisd met Neel Lattimore, mijn uitstekende plaatsvervangend persvoorlichter, die beroemd was om zijn malse oneliners en als geen ander de media naar mijn hand kon zetten. Hij was op en top een professional maar was ook degene die ons met zijn humor aan het lachen kon maken terwijl hij toch een van de meest gevoelige banen in het Witte Huis had. Melanne, die heen en weer werd geduwd in de golvende menigte, werd gelukkig herkend door een van onze veiligheidsmensen. Deze agent strekte zijn lange arm uit en Melanne klampte zich eraan vast als aan een reddingsboei. Hij redde haar uit de menigte en duwde haar vervolgens letterlijk naar binnen. Kelly Craighead ging onverschrokken weer naar buiten met agenten van de geheime dienst om Donna en andere leden van mijn groep te vinden en duwden hen naar binnen. Tegen de tijd dat ze ons inhaalden, waren ze door en door nat. Neel zorgde voor onze persmensen. Hij begeleidde journalisten hun bus uit en bleef achteraan om te zorgen dat iedereen werd toegelaten. Tegen de tijd dat hij zelf probeerde door de verregende menigte naar binnen te komen, werd hij niet meer doorgelaten. Toen hij een van de Chinese veiligheidsmensen die de menigte in de gaten hielden om hulp vroeg, werd hij weggeduwd. Ze begonnen te schreeuwen dat hij weg moest gaan. Hij mocht niet naar binnen om ons te zoeken en ze wilden hem niet bij onze auto's laten wachten. Uiteindelijk ging hij alleen terug naar Beijing.

De Chinese politie had door haar hardhandige optreden buiten het gebouw de mensen van de NGO's flink opgejut, zodat ze zongen, schreeuwden, klapten en juichten toen ik het toneel op kwam.

Ik vond de juichende menigte heerlijk en vertelde hoeveel bewondering ik had voor de aanwezige groeperingen, die vaak in gevaarlijke omstandigheden een belangrijke rol spelen bij de opbouw van een democratische maatschappij. De NGO's zijn de matigende krachten in een vrijemarktsysteem, omdat ze zowel de privé-sector als de overheid bij excessen afremmen. Ik sprak over het werk van de NGO's waarmee ik overal ter wereld kennis had gemaakt en las het gedicht 'Silence' voor dat de leerlinge in New Delhi voor me had geschreven. Het leek het perfecte antigif tegen de pogingen van de Chinese overheid om het NGO-forum de voet dwars te zetten en de woorden en ideeën van zoveel vrouwen te beknotten. Bij mijn vertrek was ik helemaal opgeladen door alle moed en het enthousiasme dat ik had gezien bij deze vrouwen, die duizenden kilometers vaak op eigen kosten hadden gereisd om hun stem te verheffen voor de zaak die ze verdedigden. De gebeurtenissen in Huairou bleven nog jaren in mijn geheugen gegrift. Zelden ziet men op één plaats zo tastbaar het verschil tussen leven in een vrije maatschappij en leven in een door de overheid gecontroleerd systeem.

Toen eenmaal duidelijk was dat ik de controversiële reis naar China wel zou maken, vroeg de regering me om ook een kort bezoek te brengen aan Mongolië, de voormalige satellietstaat van de Sovjet-Unie waar men in 1990 moedig besloten had een democratie te worden, in plaats van het communistische voorbeeld van buurland China te volgen. Maar de nieuwe natie had moeite het hoofd boven water te houden nu er geen hulp meer kwam uit Rusland en het economisch tij tegenzat. Het was dus belangrijk dat de Verenigde Staten lieten merken dat ze het Mongoolse volk en hun gekozen leiders steunden. En een bezoek van de First Lady aan hun hoofdstad Oelan Bator, een van de meest afgelegen hoofdsteden ter wereld, was een van de manieren om dat te doen.

Oelan Bator is ook de koudste hoofdstad ter wereld, waar het begin september al kan sneeuwen, maar bij aankomst was het een kristalheldere dag, met felle zonneschijn. Vanaf het vliegveld reden we in ongeveer drie kwartier naar een hoogvlakte waar we een bezoek brachten aan een nomadenfamilie, een van de duizenden die er in Mongolië leven. Deze familie had twee grote tenten, die ze *gers* noemen en die zijn gemaakt van zwaar vilt dat over een houten raamwerk is gespannen. Ik had een handgemaakt zadel als geschenk meegenomen en legde uit dat mijn man uit een streek kwam waar veel paarden en koeien waren. Door via een tolk vragen te stellen, kwam ik erachter dat ze binnenkort naar hun winterverblijf in de Gobiwoestijn zouden vertrekken, waar het klimaat milder is. Ze reisden met paard en wagen, namen al hun dieren mee, en leefden van zelf gekweekte groenten, paardenmelk en andere paardenmelkproducten, net als hun voorouders honderden jaren terug hadden gedaan.

Dit eenvoudige leven leidden ze tegen de spectaculaire achtergrond van de steppe, die van een enorme rust, uitgestrektheid en natuurlijke schoonheid was. De kinderen van de familie hielden een paardenrace voor me, en hun mooie jonge moeder liet zien hoe je een merrie melkt. In de gers werd elke vierkante centimeter benut. De enige moderne technologie bestond uit een oude, roestige transistorradio. Zoals de Mongoolse traditie vereiste, kreeg ik ter verwelkoming een kop gefermenteerde merriemelk aangeboden.

Het smaakte als warme yoghurt die een dag gestaan heeft, niet iets wat ik mezelf zou inschenken, maar niet zo afschuwelijk dat ik er niet beleefd kleine slokjes van kon drinken. Ik was zo genereus om ook de Amerikaanse journalisten er wat van aan te bieden, maar die weigerden allemaal. Toen de arts van het Witte Huis die bij buitenlandse reizen met ons meeging van mijn culinaire avontuur hoorde, moest ik meteen een antibioticakuur van hem doen om een verschrikkelijke veeziekte te voorkomen.

'Wist u niet dat u brucellose kunt krijgen van ongepasteuriseerde melk?' riep hij uit.

Ik was gefascineerd door de plek en het leven dat men er leidde, maar ik moest nog lunchen met president Ochirbat, vervolgens thee drinken met een groep vrouwen en daarna studenten van de Nationale Universiteit toespreken. En dus vertrokken we.

In Oelan Bator waren geen sporen meer te zien van de inheemse Mongoolse cultuur, want de sovjets hadden de meeste authentiek Mongoolse gebouwen en monumenten verwoest en vervangen door steriele bouwwerken in stalinistische stijl. Mensen mochten in die tijd zelfs de naam van Dzjengis Khan niet uitspreken. In Oelan Bator stond ons een dichte menigte langs de trottoirs op te wachten, maar de mensen zwaaiden of riepen niet naar ons, zoals in veel landen gebruikelijk is. Ze kwamen in stilte hun respect betuigen. Ik waardeerde het zeer dat er zoveel mensen op de Amerikaanse bezoekster waren afgekomen, hoewel later ons autokonvooi minstens evenveel belangstelling trok.

Bij mijn toespraak voor de universiteit moest ik na elke alinea wachten op de vertaling in het Mongools. Ik sprak over de moed van het Mongoolse volk en hun leiders, en spoorde hen aan hun streven naar democratie door te zetten. Winston Lord had me op het idee gebracht Mongolië als voorbeeld te nemen voor mensen die dachten dat democratie in dergelijke landen geen kans maakte. En Lissa had de slogan verzonnen: 'Kom maar eens in Mongolië kijken!' En dat zouden mensen inderdaad eens moeten doen.

Tijdens de vlucht terug naar huis dacht ik eraan hoeveel vrouwen die ik ontmoet had, zich met mijn problemen leken te identificeren, waardoor ik me diep verbonden en solidair voelde met deze vrouwen van overal ter wereld. Misschien dat ik de meeste aandacht had gekregen, maar de vrouwen die onder moeilijke omstandigheden tot prestaties kwamen, verdienden het meeste respect – ik had in elk geval veel respect voor hen.

23 *Gesloten*

Ik keerde op tijd terug uit Azië om Chelsea te helpen wennen op school. Hoewel ze nog steeds moederlijke gevoelens in me opriep en ik de neiging had haar te willen helpen, was ze een typische vijftienjarige die probeerde zo onafhankelijk mogelijk te zijn. Ik gaf toe aan haar smeekbede om door vrienden met de auto thuisgebracht te mogen worden, in plaats van altijd achter ze aan te moeten rijden in een auto van de veiligheidsdienst. Ik wilde haar zo veel mogelijk het leven van een gewone tiener geven, hoewel haar situatie natuurlijk verre van normaal was. Ondanks ons uitzonderlijke bestaan in het Witte Huis draaide haar leven toch vooral rond school, vrienden, kerk en ballet. Ze had na schooltijd dagelijks een paar uur les bij het Washington Ballet, voordat ze thuis aan de bergen huiswerk begon ter voorbereiding op college. Chelsea had niet altijd even veel behoefte aan mijn hulp of aanwezigheid, dus kon ik me concentreren op mijn boek, *It Takes a Village*, dat af moest. Ik moest nog veel tijd steken in het schrijven en zou de hulp van vrienden moeten inroepen als ik de uiterste deadline op Thanksgiving wilde halen. Ik was van plan in oktober Latijns-Amerika te bezoeken voor de jaarlijkse bijeenkomst van presidentsvrouwen van het westelijk halfrond. Ik verheugde me op de kans om met First Lady's uit andere landen samen te werken aan een gemeenschappelijk beleid om in het westelijk halfrond mazelen uit te roeien en het sterftecijfer van kraamvrouwen terug te dringen. Net zo belangrijk was dat Bill wilde laten zien dat de Verenigde Staten een belangrijke rol konden spelen bij de opbouw van democratische waarden, gezonde economieën en sterke maatschappijen in een regio die vaak door de Verenigde Staten was genegeerd.

Alle landen op het westelijk halfrond, met uitzondering van Cuba, waren nu democratieën. Dit was goed voor de mensen in de regio, maar ook voor de Verenigde Staten. Onze overheid diende onze buurlanden te helpen vooruitgang te boeken op het gebied van economie en de verlichting van de armoede, de bestrijding van analfabetisme en verbetering van de gezondheidszorg. Het einde van de interne conflicten in die landen en de toegenomen handelsmogelijkheden zouden tot een hogere levensstandaard kunnen leiden. Misschien zou er zelfs ooit een 'Halfrondunie' gevormd kunnen worden, van Canada tot het zuidelijkste tipje van Argentinië. Maar er moest nog ontzettend veel werk worden verricht voordat er werkelijk sprake was van welvaart in deze regio.

Ik zou vooral landen bezoeken waar Amerikaanse ontwikkelingshulp ten goede kwam aan vrouwen en kinderen, in het bijzonder met betrekking tot de bestrijding van mazelen en sterfte onder kraamvrouwen. In landen waar hun status was verbeterd, was er ook sprake van economische en politieke vooruitgang. In het verleden kwam de buitenlandse hulp vaak terecht bij militaire junta's die hun eigen burgers onderdrukten, maar steun van de Verenigde Staten kregen voor hun strijd tegen het communisme en het socialisme. Grove schendingen van mensenrechten in landen als El Salvador en Chili werden tijdens de koude oorlog door de Verenigde Staten vergoelijkt of genegeerd. We hoopten nu duidelijk te maken dat die tijd achter ons lag.

Het eerste land dat ik zou aandoen, was Nicaragua, een land van vier miljoen mensen dat zwaar te lijden had gehad onder een langdurige burgeroorlog en een enorme aardbeving die in 1972 de hoofdstad Managua bijna met de grond gelijk had gemaakt. De eerste vrouwelijke president van Nicaragua, Violeta Chamorro, stond aan het hoofd van een ambitieuze maar kwetsbare regering van een land dat in de afgelopen decennia slechts dictators en oorlogen had gekend. President Chamorro had in 1990 als oppositieleider een verrassende zege geboekt tijdens een van de eerste democratische verkiezingen in de geschiedenis van het land. Ze verwelkomde me op haar haciënda-achtige landgoed in de hoofdstad, dat ze tot een heiligdom had gemaakt voor haar overleden man, een sociaal geëngageerde krantenredacteur die in 1978 was vermoord door soldaten van dictator Anastasio Somoza. Ze liet me de met kogels doorboorde auto van haar man zien, die als een memento mori in een zijtuin stond. Weer sprak ik een vrouw die vanwege een persoonlijke tragedie in de politiek was gegaan en voor de democratie vocht.

In een van de armste wijken van Managua bezocht ik vrouwen die met steun van USAID een kredietbankje met de naam 'Verenigde moeders' hadden opgericht dat werd gerund door de Foundation for International Community Assistance (FINCA). Het was een voorbeeld van een succesvol Amerikaans ontwikkelingshulpproject. Ze lieten me de producten zien die ze inkochten of maakten om te verkopen: klamboes, bakproducten, auto-onderdelen. Een van de vrouwen had me op televisie gezien toen ik het SEWA-project in Ahmadabad in India bezocht. Ze wilde weten of de situatie van de Indiase vrouwen op die van hen leek. Ik vertelde dat de vrouwen in India net als zij hun leven probeerden te verbeteren door geld te verdienen om hun kinderen naar school te kunnen sturen, hun huizen te kunnen repareren en te kunnen investeren in hun bedrijf. Na deze ontmoeting nam ik me voor nog meer mijn best te doen om te zorgen dat dergelijke projecten voor kleinschalige leningen meer geld kregen van de Amerikaanse overheid, en ze ook overal in de Verenigde Staten in te voeren. In 1994 had ik de oprichting van de Community Development Financial Institutions Fund (CDFI) gesteund, een systeem van kleine kredietbanken die leningen, beurzen en financieringen boden aan arme buurten waar traditionele banken geen zaken mee wilden doen.

Ook in de Chileense hoofdstad Santiago, een moderne

stad met de besneeuwde pieken van de Andes op de achtergrond, was duidelijk vooruitgang geboekt. Chili had lange
tijd geleden onder het wrede dictatoriale regime van generaal Pinochet, die in 1989 was afgetreden. Onder de democratisch gekozen regering van president Eduardo Frei ontwikkelde Chili zich snel en werd het een voorbeeld van
economisch en politiek succes. Zijn vrouw, Marta Larra-
chea de Frei, was een presidentsvrouw naar mijn hart. Geholpen door een leger professionele medewerkers, werkte
ze aan allerlei sociale kwesties, van kleinschalige leningen
voor de armen tot hervorming van het onderwijs. Bij een
project voor kleinschalig krediet dat Marta en ik bezochten, vertelde een vrouw die net met geleend geld een nieuwe naaimachine had gekocht voor haar kledingbedrijfje,
dat ze zich voelde 'als een vogeltje dat uit zijn kooi is vrijgelaten'. Marta en ik spraken de hoop uit dat alle vrouwen
uiteindelijk vrij zouden zijn om zelf keuzen te maken in
het leven, zoals onze dochters konden, de vier die zij er had
en mijn Chelsea.

De Braziliaanse president Fernando Henrique Cardoso
was net als president Frei in 1994 na een periode van economische instabiliteit aan de macht gekomen om de economie uit het slop te helpen. Zijn vrouw Ruth Cardoso was
socioloog en kreeg een officiële post in de regering, waar ze
zich inzette om het leven van arme Brazilianen te verbeteren die in de overvolle steden en het uitgestrekte platteland
maar net in hun levensonderhoud konden voorzien. Ik
zocht de Cardoso's op in hun presidentieel paleis, een groot
complex van staal, glas en marmer. Ruth had een aantal
vooraanstaande Braziliaanse vrouwen uitgenodigd om
over de status van vrouwen in hun land te spreken. Die status was sterk afhankelijk van de economische achtergrond.
Voor goed opgeleide, rijke vrouwen waren er volop mogelijkheden, terwijl het de overgrote meerderheid van de Braziliaanse vrouwen aan onderwijs en kansen ontbrak. De
Cardoso's wilden vooral het onderwijssysteem veranderen,
dat de ongelijkheid vergrootte omdat er maar een paar uur

per dag openbaar basisonderwijs werd gegeven, waardoor de kansen op goed onderwijs beperkt waren tot leerlingen wier ouders zich privé-onderwijs of -leraren konden permitteren. Hoger onderwijs was meestal gratis voor leerlingen die de examens haalden, maar die kwamen meestal uit de hoogste klassen.

Tijdens mijn bezoek aan Salvador de Bahia, aan de kust van Brazilië, zag ik meer voorbeelden van de grote ongelijkheid tussen rijk en arm. In Salvador, een stad waar de invloed van de omvangrijke Afro-Braziliaanse bevolking, wier voorouders ooit als slaaf naar Brazilië waren gebracht, bijna fysiek voelbaar is, onttrok ik me aan het officiële programma om een voorstelling van de Olodum Band bij te wonen – een plaatselijke sensatie die wereldfaam kreeg als begeleidingsband van Paul Simon. Op een plein vol enthousiaste toeschouwers keek ik naar de tientallen trommelaars die een oorverdovende beat produceerden waarop de menigte vrolijk aan het swingen sloeg op de keien van het plein.

Als Olodum een positief beeld gaf van het leven in Salvador, dan kreeg ik tijdens mijn bezoek aan een kraamkliniek de volgende ochtend een beeld van hoe zwaar het bestaan er is. De helft van de patiënten bestond uit moeders met pas geboren kinderen, terwijl de andere helft werd gevormd door patiënten met klachten van gynaecologische aard die vaak vanwege een slecht uitgevoerde illegale abortus hier terecht waren gekomen. De minister van Gezondheid, die mijn gids was, vertelde me dat abortus wettelijk verboden was, maar dat rijke vrouwen wel aan voorbehoedsmiddelen en verantwoorde abortussen konden komen. De armen hebben daarvoor het geld niet.

De laatste plaats die ik bezocht, was Asunción, de hoofdstad van Paraguay, waar de bijeenkomst van presidentsvrouwen zou plaatsvinden. We bespraken onze gezamenlijke plannen om in het westelijk halfrond alle kinderen tegen mazelen ingeënt te krijgen en de onderwijsmogelijkheden voor meisjes te vergroten, maar hadden daarbij nog genoeg tijd voor gezelligheid. Eerst bezochten we een receptie van president Juan Carlos Wasmosy en zijn vrouw Maria Teresa Carrasco de Wasmosy op het presidentieel paleis. Daarna klommen we de bus weer in, waar ik op een lege plaats ging zitten naast een vriendelijk uitziende dame met wit haar. De dame naast me kwam me bekend voor, maar ik kon me niet meer herinneren wie ze precies was. Om daarachter te komen, vroeg ik of haar reis naar Paraguay lang had geduurd en of het goed ging in het land waar ze vandaan kwam. 'Uitstekend,' zei ze, 'op het embargo na.'

Ik was zonder erg naast Vilma Espin, de vrouw van Raúl Castro, gaan zitten, de schoonzuster van Fidel Castro, namens wie ze daar was. Ik was blij dat er geen officiële fotografen bij waren die dit moment vastlegden, waardoor mij de zoveelste controverse bespaard bleef.

Hoewel mijn reis slechts vijf dagen geduurd had, werd hij een blauwdruk voor latere reizen naar Latijns-Amerika en het Caribisch gebied. Ik had nogmaals ondervonden hoe belangrijk informele relaties zijn om de weg te effenen voor samenwerking bij belangrijke projecten.

Een paar weken voor mijn reis naar Latijns-Amerika kwamen koningin Noor van Jordanië, Leah Rabin van Israël en Suzanne Mubarak van Egypte met hun echtgenoten naar Washington voor de ondertekening van het historische vredesakkoord waarmee een einde werd gemaakte aan de Israëlische militaire bezetting van een aantal steden op de West Bank en in de Gazastrook. Op 28 september 1995 gaf ik, een paar uur voordat de officiële ondertekening in de East Room zou plaatsvinden, een tea party voor de echtgenotes van de bezoekende leiders uit het Midden-Oosten.

Leah, Suzanne, Noor en ik begroetten elkaar in de Yellow Oval Room op de eerste verdieping als oude vrienden. We deden ons best een nieuw lid van de groep te verwelkomen: Suha Arafat, de vrouw van de Palestijnse leider. Ik was nieuwsgierig naar haar. Ik wist dat ze de dochter van een vooraanstaande Palestijnse familie was en dat haar moeder, Raymonda Tawil, een onconventionele vrouw in haar cultuur, een bekende dichteres en essayiste was. Suha had voor de PLO gewerkt voordat ze volkomen onverwacht met de veel oudere Arafat trouwde. Ze had onlangs een dochter gekregen, dus we hadden iets gemeenschappelijks om over te praten. Iedereen probeerde vriendelijk te zijn tegen Suha, maar ze voelde zich niet op haar gemak.

Leah, Suzanne, Noor en ik spraken vaak over de lopende onderhandelingen. We wisselden geen staatsgeheimen uit, maar we vormden een informeel informatie- en feedbackkanaal. Leah of Noor belde me soms op met een boodschap die hun echtgenoot op een informele manier aan Bill wilde doorgeven.

Ik kijk nu op die rustige middag in de herfst van 1995 terug als op een kalmte voor een verschrikkelijke storm.

Bij de ondertekening van het vredesakkoord in de East Room hield ook koning Hoessein een korte toespraak, waarbij hij onder andere een gekscherende opmerking maakte over het totale rookverbod dat ik in het Witte Huis had ingesteld. 'Premier Rabin en ik hebben niet één sigaret gerookt terwijl we hier waren. Ik dank u hartelijk voor uw goede invloed in dat opzicht.' Ik bood aan voor hem en premier Rabin een uitzondering te maken, maar hij wilde geen speciale privileges. 'Bovendien,' voegde hij eraan toe, 'weten we zo zeker dat onze vergaderingen niet uitlopen!'

De receptie die avond in de Corcoran Gallery bleek voornamelijk uit speeches te bestaan. Toen Yitzhak Rabin na de eindeloze speech van Yasir Arafat naar het podium toe liep, keek hij in de richting van Arafat en zei: 'Weet u, in Israël zeggen we vaak dat het houden van redevoeringen de belangrijkste joodse sport is.' Hij zweeg een ogenblik en zei toen: 'Ik begin te geloven, voorzitter Arafat, dat u al een beetje op een jood begint te lijken.' Arafat lachte met de bulderende toeschouwers mee.

Na de ondertekening van het akkoord spande Rabin zich harder dan ooit in voor een rechtvaardige en stabiele verstandhouding met de Palestijnen en een toekomst zonder geweld en terrorisme in Israël. Helaas heeft hij zijn droom nooit werkelijkheid kunnen zien worden.

Op zaterdag 4 november 1995 belde Bill terwijl ik op de tweede verdieping aan mijn boek zat te werken. Hij bracht het nieuws dat Rabin was doodgeschoten tijdens een vredesbijeenkomst in Tel Aviv. Hij was niet door een Palestijn of zelfs maar een Arabier vermoord, maar door een fanatieke rechtse Israëliër die vond dat hij niet met de Palestijnen mocht onderhandelen over land in ruil voor vrede. Ik rende naar beneden, naar Bill, die met zijn adviseurs aan het overleggen was. Ik sloeg mijn armen om hem heen en liet niet los. Dit was een diep persoonlijk verlies. We bewonderden Rabin als leider en Bill beschouwde hem als een vriend en zelfs, dacht ik, als een vaderfiguur. Bill en ik gingen naar onze slaapkamer om alleen te zijn met ons verdriet. Twee uur later legde Bill in de Rozentuin een van de welsprekendste en emotioneelste verklaringen af van zijn presidentschap, waarin hij vaarwel zei aan een vriend en een groot leider. 'Het land waarvoor hij zijn leven gaf, is vanavond in de rouw,' zei hij. 'Maar ik wil dat de wereld zich herinnert wat premier Rabin hier nog geen maand geleden in het Witte Huis zei: "We moeten het land van melk en honing niet laten verworden tot een land van bloed en tranen. Laat dit niet gebeuren." Het is nu aan ons, aan alle mensen in Israël, in het Midden-Oosten en overal ter wereld die verlangen naar vrede, om te zorgen dat dit niet zal gebeuren. Yitzhak Rabin was mijn partner en mijn vriend. Ik bewonderde hem en ik hield van hem. Omdat mijn echte gevoelens niet in woorden uitgedrukt kunnen worden, zeg ik alleen: *"Sjalom, chaver"* – Vaarwel vriend.'

Deze laatste Hebreeuwse woorden werden een slogan. Toen we op 6 november in Jeruzalem aankwamen om de begrafenis bij te wonen, zagen we Bills uitspraak op billboards en bumperstickers staan. Bill had een aantal eminente personen voor onze delegatie uitgenodigd, onder wie de voormalige presidenten Jimmy Carter en George H.W. Bush, de voorzitter van de gezamenlijke chefs van staven, en veertig Congresleden. Na onze aankomst zochten Bill en ik meteen Leah op in haar huis. Mijn hart brak voor Leah, die net als Jackie Kennedy bij haar echtgenoot was geweest op het moment dat hij werd doodgeschoten. We konden nauwelijks woorden vinden om recht te doen aan ons verdriet. Ze zag er aangedaan en jaren ouder uit dan toen wij haar een paar weken eerder hadden gezien. Op begraafplaats Har Herzl betuigden eerste ministers, presidenten en Arabische koningen hun respect aan de strijder Rabin, die voor de vrede was gevallen. Bill hield een prachtige lofrede en Leah Rabin omhelsde hem naderhand warm en liefdevol. De emotioneelste en persoonlijkste bijdrage was van de kleindochter van Rabin, Noa Ben Artzi-Pelossof. Noa richtte zich rechtstreeks tot haar geliefde grootvader: 'Opa, u was de vuurkolom die zich tussen de Israëlieten en het leger van Farao opstelde. Nu is het donker en hebben we het koud.'

Arafat was om veiligheidsredenen niet bij de begrafenis aanwezig. Maar Bill ontmoette er wel Mubarak, Hoessein en Simon Peres, de man die nu eerste minister was en die eerder had onderhandeld over de akkoorden van Oslo en in 1994 samen met Arafat en Rabin de Nobelprijs voor de vrede had gekregen. Ik ben er zeker van dat Rabin het ook zo gewild zou hebben. Hij wist dat vrede iets uiterst fragiels is en continu aandacht behoeft.

Tijdens de lange vlucht terug naar Washington nodigde Bill de oud-presidenten Carter en Bush uit om in de vergaderruimte van de Air Force One over Rabin en de status van het vredesproces te praten. Onder Carter was de overeenkomst van Camp David getekend tussen Israël en Egypte, en Bush had de Conferentie van Madrid georganiseerd, waar voor het eerst alle partijen in het Midden-Oosten bij elkaar waren gekomen voor vredesbesprekingen. Toen we eindelijk besloten om te gaan rusten, gingen Bill en ik naar het presidentiële privé-gedeelte voor in het vliegtuig, dat bestaat uit een kantoor, een badkamer met douche en een kamer met twee banken die in bedden kunnen worden veranderd. Bill en ik wisten niet hoe we de twee ex-presidenten moesten laten slapen, dus boden we hun de dokters- en verpleegsterskamer aan, waar slaapbanken stonden. De rest van onze gasten strekte zich uit op de zit-banken of de stoelen achter in het vliegtuig. We hoorden een paar dagen later pas dat Newt Gingrich woedend was geworden over de manier waarop hij tijdens de vlucht naar huis was behandeld, en over het feit dat hij het vliegtuig aan de achterkant had moeten verlaten toen we op lucht-machtbasis Andrews waren aangekomen.

Meteen na terugkomst op het Witte Huis werd er weer druk met de Republikeinen over de begroting onderhan-deld. Sinds de lente, toen de Republikeinen die het Con-gres in hun greep hadden waren begonnen met de opstel-ling van financieringsregelingen voor hun Contract met Amerika, werd er op een confrontatie aangestuurd. Ze wil-den de belastingen sterk verlagen en tegelijkertijd het be-grotingstekort volledig wegwerken binnen een periode van zeven jaar, en dat was alleen mogelijk als er gigantisch werd bezuinigd op onderwijs, milieu en gezondheidszorgrege-lingen als Medicare en Medicaid. Ze wilden een ingrijpen-de reorganisatie van de sociale zekerheid, inclusief draconi-sche maatregelen zoals het schrappen van uitkeringen aan ongetrouwde moeders van beneden de achttien. Ze beloof-den ook de geplande premieverlaging voor Medicare onge-daan te maken, waardoor bejaarden meer zouden gaan be-talen voor de gezondheidszorg.

Bill was wat betreft veel zaken bereid met de Republi-keinen samen te werken, maar hun begroting vond hij on-aanvaardbaar. Hij verklaarde dat hij wetsvoorstellen die Medicare aantastten of kinderen en de armste groepen du-peerden, door middel van zijn veto zou blokkeren. En hij kondigde een eigen budget aan dat, zonder de wrede be-zuinigingen en bedrieglijke cijfers zoals in het plan van Gingrich, het begrotingstekort zou helpen terugdringen. Aan het einde van het zomerreces hadden de Republikei-nen nog steeds geen overeenstemming bereikt over de begroting, terwijl de overheid op 30 september, het eind van het belastingjaar, zonder werkkapitaal zou komen te zitten. Het Congres en de president waren een tijdelijke begroting overeengekomen (de CR of *continuing resolution*), zodat het ministerie van Financiën geld kon blijven uitgeven terwijl de onderhandelingen voortduurden. Maar deze tijdelijke maatregel zou op 13 november om middernacht aflopen en er was nog geen nieuwe begroting, noch een overeenkomst over verlenging van de CR.

In de periode dat de deadline voor de begroting naderde, was ook de deadline voor mijn boek nabij en was ik als een razende bezig hoofdstukken te herschrijven. Maar ik pleitte er rechtstreeks en via mijn staf voor om een ferm standpunt in te nemen tegen Gingrich' budgettaire plannen.

Ondanks het dreigement van de Republikeinen dat ze de regering het werken onmogelijk zouden maken, verwierp Bill de nieuwe begroting die hem na terugkomst van Rabins begrafenis werd toegestuurd. Deze begroting was nog erger dan de vorige. Gingrich speelde duidelijk blufpoker, maar hij had zijn tegenstander onderschat. Bill gebruikte ook deze keer zijn veto.

Bill was continu in de West Wing met de onderhandelingen bezig. Hij vroeg me vaak wat ik van een bepaalde politieke kwestie vond. Omdat ik me vooral zorgen maakte over de Republikeinse voorstellen inzake Medicare en Medicaid, vroeg ik hem of een van mijn stafleden, Jennifer Klein, aan de onderhandelingen mocht deelnemen en helpen nagaan hoe de Republikeinse voorstellen Medicare en Medicaid in gevaar brachten. Ik wilde over dit gevoelige onderwerp rechtstreeks contact hebben met Bills staf. Hij vond het goed, en Jen hielp Chris Jennings, de hoogste adviseur van de president op het gebied van de gezondheid, in de strijd om de begroting van de gezondheidszorg veilig te stellen.

Op 13 november was het geld van de overheid op, en was de president wettelijk gedwongen een groot aantal overheidsdiensten stil te leggen. Dit was een uiterst moeilijke beslissing voor Bill en dat was hem ook aan te zien. Hij maakte zich ernstige zorgen over de gevolgen van de sluiting van de overheid. Hij was gedwongen 750 000 ambtenaren met verlof te sturen. Alleen werknemers die 'onmisbaar' werden geacht, konden blijven, maar werkten tijdelijk zonder salaris. Een overheidsdienst als Meals on Wheels, die bij zeshonderdduizend bejaarden thuis eten bracht, kreeg geen geld meer. De Federal Housing Administration kon de verkoop van huizen niet meer administratief verwerken. Het Department of Veteran Affairs kon weduwen en andere belanghebbenden niet meer de uitkeringen overmaken waar ze verzekeringspremies voor betaald hadden en die hun rechtens toekwamen. De musea en monumenten aan de Mall in Washington moesten hun deuren sluiten. Bij Yellowstone Park en de Grand Canyon werden toeristen weggestuurd. Twee vrachtauto's vol kerstbomen die bestemd waren voor de jaarlijkse vredesoptocht in Washington, bleven ergens ten oosten van Ohio staan, omdat de parkdienst ze niet kon afladen en planten voor de ceremonie.

Het werd vreemd stil in het Witte Huis. De meeste werknemers in de East Wing waren naar huis gestuurd. De geheime dienst werd essentieel geacht, maar administratief medewerkers en tuinmannen niet. Het personeel in de West Wing werd teruggebracht van vierhonderddertig tot negentig, en ik hield slechts vier medewerkers over. Werk dat nooit stil mocht komen te liggen, werd overgenomen door stagiaires en vrijwilligers. Maar dit waren nog maar kleine ongemakken. Als dit bleef doorgaan, zouden er aan het eind van de maand echte problemen ontstaan, want dan konden de ambtenarensalarissen niet betaald worden. En ik maakte me zorgen over wat we moesten doen als zich een ramp of een internationale crisis voordeed.

De partijen verweten elkaar over en weer het lamleggen van de overheid. Maar Gingrich liet zich op 15 november in de kaart kijken tijdens een ontbijt met journalisten. Hij voerde aan dat hij vooral zo'n vergaande CR naar het Witte Huis had gestuurd omdat hij zich slecht behandeld had gevoeld tijdens de terugreis na de begrafenis van premier Rabin.

'Dat lijkt misschien onbelangrijk, maar ik ben ook maar een mens,' zei Gingrich. 'Je zit al vijfentwintig uur in het vliegtuig en niemand heeft nog een woord tegen je gezegd en dan vragen ze je of je het vliegtuig via de achterdeur wilt verlaten. Je vraagt je dan af: waar zijn hun manieren? Hebben ze dan geen enkel gevoel voor beleefdheid?'

De volgende dag stond er op de voorpagina van de *New York Daily News* een cartoon van Gingrich in luiers. Erboven stond in chocoladeletters: 'Huilebalk'. Die middag gaf het Witte Huis een foto vrij van Witte-Huisfotograaf Bob McNeely waarop Gingrich, duidelijk heel tevreden met zichzelf, in het vliegtuig met de president en meerderheidsleider Dole zit te praten. De foto en Gingrich' opmerking werden breed uitgemeten in de pers. Gingrich verloor zijn geloofwaardigheid en het Amerikaanse volk gaf het Congres en niet de regering de schuld voor de sluiting van de overheid. Hoewel het gevecht nog niet voorbij was, begonnen de kansen te keren.

De overheid bleef zes dagen gesloten, de langste periode in de geschiedenis. De partijen kwamen uiteindelijk een nieuwe CR overeen, waarmee de overheid tot 15 december gefinancierd kon worden. Ik wist dat er mensen waren die enorm veel angst en ongemak hadden geleden, maar ik denk dat het op lange termijn heel belangrijk voor het land was dat Bill zijn poot stijf bleef houden.

Als ik nu onze agenda's van de laatste drie maanden van 1995 bekijk, dan kan ik nauwelijks geloven dat we toen zo veel verschillende gebeurtenissen en problemen te verwerken kregen. Tijdens Thanksgiving, dat we met familieleden en goede vrienden in Camp David doorbrachten, legde ik de laatste hand aan *It Takes a Village*. Daarna was het tijd voor de kerstperiode, die begon met de vredesmars en de nationale ceremonie voor het ontsteken van de kerstbomen – waaronder de bomen die na de heropening van de overheid alsnog waren afgeleverd.

Op 28 november, midden in die stressvolle periode, begonnen Bill en ik aan een officiële reis naar Engeland, Ierland en Spanje. Het was een soort vervroegd kerstgeschenk voor ons. Ik had in 1973 voor het eerst, samen met Bill, Engeland bezocht. We hadden er onze afstudeerceremonie van Yale voor gemist. Destijds vlogen we met goedkope studententickets van minder dan honderd dollar, sliepen we in goedkope Bed & Breakfasts of bij vrienden op de bank, en deden we waar we zin in hadden. Nu vlogen we met de Air Force One, reden we rond in gepantserde limousines en lag iedere minuut van het reisschema vast.

Bills verstandhouding met premier Major kende een stroef begin. Zijn regering had de regering-Bush geholpen door informatie te laten opzoeken over hoe Bill zich had gedragen tijdens de studentenprotesten tegen de oorlog in Vietnam in het Engeland van begin jaren zeventig. Er bleken geen geschreven bewijzen over te bestaan, maar het was schokkend dat de Tory's zich zo openlijk in de Amerikaanse politiek hadden gemengd. De betrekkingen kwamen verder onder druk te staan toen Bill in 1994 een visum verstrekte aan Gerry Adams, de leider van Sinn Fein, de politieke tak van de IRA.

Geen enkele Amerikaanse president had zich ooit met de problemen in Noord-Ierland bemoeid, maar Bill was vastbesloten dit te proberen. Iedereen wist dat Adams in het verleden bij IRA-activiteiten betrokken was geweest. Het Amerikaanse ministerie van Buitenlandse Zaken was het eens met de argumenten van de Britse overheid tegen een visum voor Adams. Maar de Ierse regering had besloten dat het zinnig was zaken te doen met Adams en Sinn Fein. Volgens de Ieren kon Bill een belangrijke rol spelen door een omgeving te creëren die vredesbesprekingen mogelijk maakte. Bill was bereid een politiek risico te lopen om aan te tonen dat je pas vrede kunt sluiten met je vijanden, als je bereid bent met ze te praten. Hij besloot Adams wel een visum te geven, en dat zou de juiste beslissing blijken. Er werd een staakt-het-vuren afgekondigd in Noord-Ierland en we zouden kort daarop naar Belfast vliegen om dat te vieren.

Van alle reizen die we tijdens de acht jaar van Bills presidentschap maakten, was dit een van de bijzondere. Bill was trots op zijn Ierse afkomst via zijn moeder, die Cassidy heette. En Chelsea was als klein meisje gek op Ierse volksverhalen. We waren in 1994 samen een ogenblik in Ierland geweest toen we onderweg naar Rusland waren en ons vliegtuig midden in de nacht op Shannon Airport moest bijtanken. Ze had toen gevraagd of ze mocht uitstappen om de Ierse bodem aan te raken. Ik zag hoe ze een hand aarde oppakte en in een fles deed, die ze later op haar kamer bewaarde. *How the Irish Saved Civilization* van Thomas Cahill was een van Bills favoriete boeken. Hij kocht er een hele stapel van om aan vrienden en collega's cadeau te doen. Maar op dat ene bezoek aan het vliegveld na was geen van ons ooit in Ierland geweest.

We werden in Belfast verwelkomd met de prachtige traditionele begroeting *'Céad míle fáilte'* (Honderdduizendmaal welkom) in het Gaelic.

We brachten eerst een bezoek aan de fabriek van Mackie, waar machines voor de texticlindustrie werden vervaardigd. Het was een van de weinige bedrijven in Noord-Ierland waar protestantse en katholieke werknemers naast elkaar werkten. Een katholiek meisje van wie de vader in 1987 was vermoord, en een protestantse jongen kwamen Bill de hand schudden. Omdat de sektarische maatschappij streng gescheiden was in een katholiek en een protestant deel, leefden de meeste mensen in gesegregeerde wijken en gingen naar door kerken gerunde scholen. Dit gezamenlijk optreden van deze kinderen stond symbool voor een nieuwe toekomst.

Bill had een bespreking met verschillende katholieke en protestantse groeperingen, terwijl ik een ontmoeting had met een groep vrouwen die een vredesbeweging had opgericht. Het was een vredesinitiatief van katholieken en protestanten samen, over de sektarische scheidslijnen heen. Ik sprak in het traditionele fish and chips-restaurant 'The Lamplighter' met Joyce McCartan, een opmerkelijke vrouw van vijfenzestig jaar die in 1987 het Women's Information Drop-in Center had opgericht nadat haar zeventienjarige zoon door een protestantse schutter was doodgeschoten. Ze was een tiental andere familieleden kwijtgeraakt door het sektarische geweld. Joyce legde uit wat zij en andere vrouwen voor ogen hadden gehad toen ze het centrum opzetten als toevluchtsoord waar vrouwen van beide gezindten naar toe konden komen om te praten over hun angsten en de mogelijkheden voor verandering. De werkloosheid was zowel onder katholieken als protestanten hoog en jonge mensen hadden vaak niets te doen. De negen vrouwen die om de tafel zaten, vertelden hoe bang en bezorgd ze waren als hun man of zonen het huis verlieten, en hoe opgelucht als ze weer veilig thuiskwamen. 'Er zijn vrouwen voor nodig om mannen hun verstand te laten gebruiken,' zei Joyce.

De vrouwen hoopten dat het staakt-het-vuren stand zou houden en dat het geweld binnenkort voorgoed achter de rug zou zijn. Ze schonken thee uit gewone aluminium theepotten, en toen ik zei dat de thee er goed warm in bleef, wilde Joyce dat ik een pot meenam als herinnering. Ik gebruikte die gedeukte theepot een tijd lang dagelijks in ons eigen keukentje in het Witte Huis. Toen Joyce kort na ons bezoek overleed, was het een grote eer voor me om in 1997 te worden uitgenodigd om in Belfast de eerst Joyce McCartan Memorial Lecture te houden voor de Universiteit van Ulster. Ik nam de theepot mee en zette hem op het spreekgestoelte tijdens mijn speech, waarin ik sprak over de moed van Ierse vrouwen als Joyce, die rond de keukentafel bij een pot thee geprobeerd hadden de weg naar de vrede te vinden.

Van Belfast vlogen we per helikopter langs de Noord-Ierse kust naar Derry, voor een bezoek aan John Hume.

Hume, een grote, wat verkreukelde, vlot pratende man met een vriendelijke glimlach, was een van de architecten van het vredesproces, en kreeg samen met David Trimble, de leider van de grootste protestantse partij, de Ulster Unionist Party, de Nobelprijs voor de vrede. Hume was leider van de Social Democratic and Labor Party (SDLP), die in 1970 werd opgericht om een eind te maken aan het geweld. Hij had zich decennialang ingespannen voor verzoening en beëindiging van de gewelddadigheden, en had daarbij zelf vaak grote risico's gelopen. Nu kwam de president van de Verenigde Staten naar de Guild Hall in zijn stad om zijn medeburgers toe te spreken. Tienduizenden mensen stonden ons op straat in de vrieskou toe te juichen en riepen: 'We want Bill. We want Bill.' Ik was trots op mijn man en had het gevoel dat de politieke opwinding in Washington eindeloos ver weg was.

Toen we weer in Belfast terugkwamen, stond ook daar een enorme menigte te wachten. Voor het stadhuis zou de ceremonie van de ontsteking van de kerstboom plaatsvinden. Een van de jonge marinemensen die de president vergezelden, keek naar de menigte en zei: 'Deze mensen zien er allemaal hetzelfde uit. Waarom vermoorden ze elkaar dan?'

Ik sprak ook de menigte toe, waarbij ik voorlas uit brieven van kinderen die schreven dat ze hoopten op een duurzame vrede. Vervolgens haalde Bill, met twee van de jonge briefschrijvers aan zijn zijde, de schakelaar over waarmee de kerstboom werd ontstoken. Hij sprak over hoop en vrede, en zei dat onze dag in Belfast, Derry en Londonderry County ons altijd zou bijblijven als een van de bijzonderste dagen van ons leven. Ik was het van ganser harte met hem eens.

We besloten de avond met een receptie op Queens University die was gesponsord door de Engelse minister voor Noord-Ierland, sir Patrick Mayhew. Er waren vertegenwoordigers van de verschillende protestantse en katholieke facties uitgenodigd, van wie de meesten elkaar al hadden ontmoet op het Witte Huis, waar ze op uitnodiging van Bill en mij Saint Patrick's Day waren komen vieren. Nu waren ze weer bij elkaar, hoewel het katholieke leiderschap aan de ene kant van de zaal stond, dicht bij de band, en het protestante aan de andere kant. Ian Paisley, de protestante leider van de Democratic Unionist Party, was er ook, maar weigerde de 'papen' de hand te schudden. Paisley, een grote man met een intimiderend voorkomen, was in het verleden blijven steken – wat typerend is voor fundamentalisten. Hij kon zich niet aan de nieuwe werkelijkheid aanpassen.

De volgende morgen vlogen we naar de Ierse hoofdstad Dublin. Vanwege de explosieve economische groei en de nieuwe welvaart, waardoor zelfs Ierse immigranten uit de Verenigde Staten terug naar huis werden gelokt, werd Ierland sinds begin jaren negentig door economen wel de 'Keltische tijger' genoemd. Bill had Jean Kennedy Smith, de zuster van wijlen John F. Kennedy, in 1993 tot ambassadeur van Ierland benoemd, en ze deed het geweldig. In Dublin legden we een beleefdheidsbezoek af bij Mary Robinson, de eerste vrouwelijke president van Ierland, in haar ambtswoning Áras an Uachtaráin. President Robinson en haar echtgenoot Nick, een nuchtere man met wie we goed konden opschieten, zetten zich in voor het Ierse vredesproces en waren nieuwsgierig te horen wat we van Belfast en Derry hadden gevonden. Ze liet ons het licht zien dat in een raam aan de straatkant werd gezet als teken van welkom aan Ieren die hun vaderland hebben verlaten en weer huiswaarts keren.

Vandaar ging ik naar de National Gallery om de vrouwen van Ierland en Noord-Ierland toe te spreken. In een rede die live op de Ierse televisie werd uitgezonden, prees ik de moed van de Ierse vrouwen die zich hadden ingezet voor de vrede. In mijn speech dreef ik de spot met de Ierse tv-persoonlijkheid die een groep vrouwelijke rechters in zijn programma ontving met de woorden: 'Wie past er op de kinderen?' Ik lachte erom en zei: 'Ik verlang naar de dag dat dezelfde vraag aan mannen wordt gesteld.' In Ierland was de discussie over vrouwenrechten nog maar net begonnen. Er had pas een referendum plaatsgevonden over de vraag of echtscheiding toegestaan moest worden, en dit had het maar net gehaald. De rooms-katholieke Kerk had zich er heftig tegen verzet. De vrouwen die ik toesprak, waren zich maar al te bewust van de vooruitgang die vrouwen in economisch, politiek en sociaal opzicht hadden geboekt, en wat een grote hindernissen er nog wachtten.

Ik voegde me weer bij Bill in de Bank of Ireland, naast het terrein van Trinity College, waar we een afspraak hadden met Bono en de andere leden van U2, die sindsdien vrienden van ons zijn geworden. We hebben met Bono samengewerkt aan wereldwijde campagnes om de schulden van arme landen te verlichten en hiv en aids te bestrijden. Toen we de bank uitkwamen en het podium op liepen dat voor Bills speech was opgebouwd, zag ik tot mijn verbazing een menigte van waarschijnlijk tweehonderdduizend mensen die ons stond op te wachten op het universiteitsterrein en verder, tot in de nauwe straatjes aan de andere kant. Met het optimisme dat van een Amerikaanse president wordt verwacht, zei Bill tegen de immense menigte dat er voor ieder conflict ooit een oplossing zal komen, en dat er dus ook een eind zou komen aan het geweld in Noord-Ierland.

Na nog een toespraak, voor de Dáil, het Ierse parlement, gingen we de straat op om inkopen te doen en Cassidy's Pub te bezoeken. Ons voorbereidingsteam had genealogische informatie nageplozen om alle Cassidy's te vinden die op een of andere manier met Bill verwant konden zijn, en een aantal van hen was naar deze pub gekomen voor een pint guinness. Ik kwam er tot de conclusie dat alle Ieren waarschijnlijk op een of andere manier met elkaar verwant zijn.

Aan het begin van de avond hadden we het grote genoegen in de woning van ambassadeur Smith de dichter en Nobelprijswinnaar Seamus Heaney en zijn vrouw Marie te ontmoeten. Heaney's gedicht 'The Cure at Troy' had voor Bill de inspiratie gevormd tot zijn woorden dat dit de tijd is voor Ierland 'waarin hoop en geschiedenis rijmen'.

Ik putte kracht en inspiratie uit Ierland en ik was het met Melanne eens die zei: 'Ik wou dat ik wat van dit prettige gevoel in een flesje mee naar huis kon nemen.'

24 *Tijd om iets te zeggen*

Bills afscheidswoorden in Belfast, 'dat u doordrongen mag worden van de geest van Kerstmis en vrede', waren niet doorgedrongen tot Washington, waar ook rond Kerstmis de partijstrijd gewoon doorging. Tijdens het jaarlijkse kerstbal van het Witte Huis, dat op 5 december plaatsvond, kwamen dezelfde mensen die Bill tegenwerkten bij het opstellen van de begroting en die hem bestreden met dagvaardingen. Nu stonden ze in de rij om met Bill en mij op de foto te mogen. Bill verwelkomde iedereen natuurlijk even vriendelijk. Pas de dag daarop liet hij de Republikeinse leiders merken dat er met hem niet te spotten viel, want toen sprak hij zijn veto uit over de wet waarmee in zeven jaar tijd het begrotingstekort geheel moest zijn weggewerkt.

De Republikeinen wilden meedogenloos bezuinigen op milieu, onderwijs en regelingen waar vrouwen, kinderen en ouderen van profiteerden, zoals Medicaid en Medicare. Bill tekende zijn veto met dezelfde pen die Lyndon Johnson dertig jaar daarvoor had gebruikt om de wet voor Medicare te ondertekenen. Het ging volgens Bill om 'twee totaal verschillende toekomsten voor Amerika'. Hij wist dat de Republikeinen over onvoldoende stemmen beschikten om het presidentiële veto ongedaan te kunnen maken, en riep op tot een compromis. Ze zouden hun standpunten moeten verzachten en met het Witte Huis moeten onderhandelen om de impasse te doorbreken. Maar Gingrich' revolutionaire nieuwkomers weigerden water bij de wijn te doen, en wilden doorgaan met hun ideologische kruistocht ter ontmanteling van de federale overheid.

Op 16 december kwam de overheid vanaf middernacht

nogmaals zonder geld te zitten. Deze keer was de sluiting gedeeltelijk. Een deel van de ambtenaren werd met verlof gestuurd, en een deel werkte zonder salaris totdat de overheid 'weer opening'. Het was afschuwelijk om dit van hen te vragen, vooral in de kerstperiode. Ik verbaasde me over de botheid van het Congres, dat op 22 december met reces ging, meteen na aanname van de radicale wet op de hervorming van de sociale zekerheid die miljoenen kwetsbare vrouwen en kinderen zou treffen als hij in die vorm zou worden ingevoerd.

Er werd door Bills staf al sinds de presidentscampagne gepraat over de reorganisatie van het sociale stelsel. Bill had beloofd aan 'de sociale zekerheid zoals wij die kennen' een eind te maken. Ik was het met hem eens dat het niet meer voldeed en gereorganiseerd moest worden, maar ik vond ook dat wat er ook zou veranderen, er steeds een adequaat vangnet moest blijven bestaan voor mensen die weer aan het werk wilden. Ik stak mijn mening niet onder stoelen of banken tegenover Bill en de stafleden die de reorganisatie vorm gaven. Ik zei dat Medicaid en de kinderopvang voor werkende moeders in elk geval behouden moesten blijven. Hoewel ik me niet in het publieke debat mengde, maakte ik Bill en zijn adviseurs in de West Wing duidelijk dat ik me zou verzetten als ze toegaven aan dit krenterige Republikeinse voorstel, waarvan vrouwen en kinderen de dupe zouden worden. Ik begreep Bills dilemma en wilde zijn beslissing beïnvloeden. Bills staf werkte met die van mij samen en we kwamen een heel eind met ons antwoord op de Republikeinen. De president sprak, zoals beloofd, zijn veto uit over het Republikeinse voorstel tot hervorming van de sociale zekerheid.

De Republikeinen kregen eindelijk de schuld voor de impasse over de begroting en de verlamming van de overheid. Hun populariteitscijfers daalden. En het verenigde front van de Republikeinse Partij begon scheuren te vertonen. In januari begon Bob Dole, die stond te popelen om naar New Hampshire te gaan voor het begin van zijn presidentscampagne, al over compromissen te praten. Gingrich gaf toe dat zijn blufstrategie had gefaald. Ik was opgelucht dat de overheid weer kon functioneren en de ambtenaren weer gewoon hun salaris kregen.

Bij het officiële begin van de tweede termijn van het honderdvierde Congres, op 3 januari 1996, waren slechts drie ondergeschikte onderdelen van Gingrich' Contract met Amerika tot wet verheven. Bill had elf veto's uitgesproken. Hij was erin geslaagd rampzalige bezuinigingen op Medicare en Medicaid te voorkomen en regelingen als AmeriCorps en Legal Aid te behouden. Aan het eind van de maand werd er een compromis bereikt over de begroting en kon de overheid weer gewoon functioneren.

Een instelling die niet door de sluiting werd getroffen, was de Banking Committee van de Senaat, waarvan het werk 'essentieel' werd geacht. Onze vrienden, advocaten en zakenpartners werden onophoudelijk naar Capitol Hill ontboden om te worden uitgehoord op zoek naar bewijzen van vermeende misdaden, terwijl ziekenhuizen voor oorlogsveteranen geen patiënten meer mochten behandelen en ambtenaren zonder salaris naar huis werden gestuurd.

Op 29 november 1995, tijdens onze reis in Europa, werd de belangrijkste getuige van de Republikeinen, L. Jean Lewis, ondervraagd door senator Paul Sarbanes van Maryland en de Democratische advocaat in de commissie-D'Amato, Richard Ben-Veniste. Lewis was de ambtenaar van de Resolution Trust Corporation die een aanklacht bij de FBI en de openbare aanklager in Little Rock had ingediend, en daarbij niet alleen de McDougals had aangeklaagd, maar ook iedereen die had bijgedragen aan een fondsenwerffeest dat McDougal in 1986 in Madison Guaranty had gegeven. Ze had Bill en mij op de getuigenlijst gezet en de aanklacht ingediend om de verkiezingen van 1992 te beïnvloeden. En volgens het definitieve Whitewater Report dat in 2002 werd gepubliceerd, was deze poging ons in een crimineel onderzoek te betrekken aangemoedigd door Bush' Witte Huis en ministerie van Justitie.

Om haar getuigenis voor de Banking Committee te ontzenuwen, onderwierp Ben-Veniste Lewis aan een streng kruisverhoor en suggereerde daarbij dat ze loog toen ze beweerde dat ze per ongeluk een opname had gemaakt van een lang gesprek dat ze had gehad met een RTC-functionaris die Lewis had opgezocht in haar kantoor in Kansas City. Ben-Veniste ontlokte eveneens aan Lewis de verklaring dat ze weliswaar een conservatieve Republikein was, maar geen vooroordelen koesterde tegen Bill en hem nooit een leugenaar had genoemd. Vervolgens kwam hij met een brief die zij in 1992 had geschreven waarin precies die beschuldiging was verwoord. Democraten kwamen met bewijzen op de proppen dat Lewis geprobeerd had een anti-Bill-en-Hillary-lijn op de markt te brengen in de vorm van T-shirts en bekers met opdrukken van die strekking. Lewis kreeg een breakdown nog voor het verhoor eindigde.

Mensen die in het doorlopende Whitewater-drama geïnteresseerd waren, hoorden daar weinig over. Geen van de televisiestations die verslag deden van de hoorzittingen, liet de mislukte getuigenverklaring van Lewis zien, behalve C-SPAN, dat trouw alles weergaf wat er gebeurde. *The Washington Post* en *The New York Times* berichtten er evenmin over. Enkele dagen na Lewis' gedenkwaardige, zelfbeschuldigende getuigenverklaring leek de *Times* nog steeds geloof te hechten aan Lewis' ongefundeerde beschuldigingen. In de krant werd ze zelfs een 'stergetuige' genoemd. Niet van zijn stuk gebracht door de feiten, bleef senator D'Amato onderzoek doen naar mijn bemoeienissen met McDougals hypotheekbank, terwijl het zogenaamd geheime onderzoeksteam van Kenneth Starr een groot talent aan de dag legde voor berekenend lekken van vertrouwelijk materiaal naar de media.

Eind 1995 kwam Dick Morris naar me toe met een vreemde mededeling: ik zou worden aangeklaagd voor iets wat nog niet duidelijk was. 'Mensen dicht bij Starr' hadden gezegd dat ik de aanklacht beter niet kon ontkennen, maar

aan Bill moest vragen me nog voor een eventuele rechtszaak kwijtschelding te schenken. Ik nam aan dat Morris
iets voor zijn Republikeinse cliënten of contacten opknap-
te, dus ik koos mijn woorden uiterst voorzichtig. 'Zeg je
bronnen Starrs medewerkers te vertellen dat ik niets verkeerds heb gedaan, maar dat ik me er goed bewust van ben
dat een openbaar aanklager zelfs een broodje ham voor het
gerecht kan slepen als hij dat wil, zoals Edward Bennett
Williams ooit onsterfelijk opmerkte. En als Starr mij voor
het gerecht sleept, vraag ik zeker niet om kwijtschelding
van straf. Ik denk dat ik zou aantonen dat Starr een oplichter is.'

'Weet je zeker dat je dat wilt zeggen?' vroeg Morris.

'Woord voor woord,' antwoordde ik.

Bij al het rumoer over de begroting en het stopzetten
van de overheidsuitgaven was een belangrijke gebeurtenis
in het Whitewater-onderzoek bijna ongemerkt voorbij gegaan. Net voor kerst werd het rapport van de RTC over de
Whitewater-affaire eindelijk openbaar gemaakt. Uit dit
onafhankelijke onderzoeksverslag, dat aanvankelijk onder
supervisie had gestaan van de openbaar aanklager, bleek
dat Bill en ik minimaal betrokken waren bij de investeringen in Whitewater en dat we op geen enkele manier aansprakelijk waren voor de ondergang van Madison Guaranty. Na zevenenveertig getuigen ondervraagd te hebben,
tweehonderdduizend pagina's te hebben vol getypt en 3,6
miljoen dollar belastinggeld te hebben uitgegeven, vonden
de onderzoekers geen aanwijzingen dat we iets verkeerds
hadden gedaan. Er bleek geen feitelijke basis voor het
Whitewater-schandaal te bestaan.

Maar dit rapport kreeg net zomin aandacht in de media
als de voor ons ontlastende getuigenverklaring van Jean
Lewis. In *USA Today* werd met geen woord gerept over het
rapport. In *The Washington Post* werd het genoemd in de
elfde alinea van een voorpaginaverhaal over Whitewater-
dagvaardingen, en *The New York Times* schreef er een paar
alinea's over. De Republikeinen zeiden dat het RTC-onder-

zoek te beperkt was geweest en gingen gewoon door met hun hoorzittingen.

Door dit nieuws zonk mij de moed in de schoenen. Op 4 januari had ik in het Witte Huis een gesprek met David Kendall om bijgepraat te worden. David probeerde tijdens deze briefings de zaken luchtig te houden door fotokopieën van zijn favoriete cartoons en knipsels van waanzinnige verhalen uit de roddelpers mee te nemen, zoals 'Hillary bevalt van Alien-baby', of wat ze die week ook maar uit hun duim hadden gezogen.

We kwamen bijeen in de Family Room, die zich aan de zuidkant van het woongedeelte bevindt, tussen de grote slaapkamer en de Yellow Oval Room in. Hier keken de Bushes en Reagans vroeger televisie, en het was de slaapkamer van Harry Truman en Franklin Roosevelt. Bill en ik hadden er een televisie, een kaarttafel, een gemakkelijke zitbank en een leunstoel neergezet. Halverwege ons gesprek kwam er een zaalwacht binnen en gaf David een briefje. David verontschuldigde zich, verliet de kamer en kwam een paar minuten later terug. We beëindigden ons gesprek en David vertrok.

De volgende dag belde David en vroeg of hij naar me toe kon komen. 'Er is iets gebeurd,' zei hij.

Die middag vertelde David me in de Treaty Room dat hij tijdens ons gesprek van de dag ervoor een briefje van Carolyn Huber had gekregen, en dat hij haar vervolgens had opgezocht in haar kantoor in de East Wing. Carolyn was al vanaf Arkansas onze assistente. Ze behandelt onze persoonlijke correspondentie en categoriseert en archiveert onze persoonlijke papieren (van oude schoolrapporten tot vakantiefoto's tot belangrijke redevoeringen), die toen in honderden dozen door de hele woning stonden. David vroeg haar vaak om hulp bij het vinden van documenten die de onafhankelijk aanklager wilde hebben, en in de maanden ervoor had ze duizenden stukken uit onze dozen en archieven overgedragen.

Toen hij die morgen in haar kantoor kwam, gaf ze hem

een stapel papieren. David zag al snel wat het was: een foto-kopie van een computeruitdraai waarin gedetailleerd stond beschreven wat ik in 1985–1986 bij Rose Law Firm voor Madison Guaranty had gedaan. Hoewel de admini-stratie van de honoraria voor Madison Guaranty door de speciale aanklager bij ons was opgeëist, waren Rose Law Firm en Madison Guaranty de logische plaatsen om ze te vinden. Het verbaasde David en mij niet dat deze in ons ar-chief niet te vinden was. We wilden deze facturen natuur-lijk graag hebben, omdat ik er zeker van was dat ze mijn verklaringen over dat beetje juridisch werk dat ik had ge-daan, zouden steunen. Ik was opgelucht toen ze eindelijk werden gevonden.

'Waar lagen die in 's hemelsnaam?' vroeg ik.

'Geen idee,' zei David. 'Carolyn doorzocht de inhoud van een van de dozen op haar kantoor en kwam ze toevallig tegen. Ze stuurde meteen een briefje toen ze zag waar het om ging.'

'Wat betekent dit voor ons?' vroeg ik David.

'Tja, het is goed nieuws dat we ze gevonden hebben. Maar het slechte nieuws is dat de pers en de aanklagers waarschijnlijk weer moord en brand beginnen te schreeu-wen.'

En dat gebeurde ook. De voormalige speechschrijver van Nixon, William Safire, had me in zijn column in *The New York Times* een 'geboren leugenaarster' genoemd. Mijn portret had op het omslag van *Newsweek* gestaan on-der de kop: 'Saint or Sinner?' En er werd weer gepraat over een dagvaarding voor een juryrechtbank en een mogelijke aanklacht in het Whitewater-onderzoek.

Later bedachten we dat de kopie van de honoraria-ad-ministratie waarschijnlijk gemaakt was tijdens de campag-ne van 1992, zodat Bills campagnestaf, de Rose Law Firm en ik snel antwoorden konden geven op vragen die journa-listen over Madison Guaranty, Jim McDougal en White-water zouden stellen. Vince Foster, die destijds dergelijke vragen voor me afhandelde, had aantekeningen op de documenten gekrabbeld. Ik wist dat de administratie zou bewijzen dat wat ik vanaf het begin zei, klopte. Maar ik begreep dat we sceptici die niet begrepen hoe er dingen kwijt konden raken in het Witte Huis, nooit tevreden zouden kunnen stellen.

Op 9 januari 1996 werd de Green Room onder de waakzame blikken van de zaalwachters van het Witte Huis omgebouwd tot een tijdelijke televisiestudio voor mijn interview met Barbara Walters. Technici legden kabels en stelden apparatuur op die de hele kamer in een roze en gouden licht zette dat zo vriendelijk en flatteus was, dat zelfs Benjamin Franklin er met zijn gepoederde pruik jeugdig uitzag op het schilderij aan de muur. Barbara en ik spraken vriendelijk over ditjes en datjes terwijl de tv-ploeg het geluid instelde en de juffrouw van de make-up onze gezichten deed.

Het interview was al lang van tevoren voor deze datum afgesproken om *It Takes a Village* te promoten, dat meteen daarna zou verschijnen. Ik ging ervan uit dat Barbara me ook over een andere kwestie wilde ondervragen. Dit was niet het beste begin voor een publiciteitstournee langs elf steden. Toch wilde ik deze kans aangrijpen om me te verdedigen tegen het nieuwste salvo beschuldigingen. Toen de camera's begonnen te draaien, vroeg Barbara Walters, die ik graag mocht en bewonderde, inderdaad meteen naar deze zaak.

'Mevrouw Clinton, op dit moment is er veel minder aandacht voor uw boek dan voor uzelf. Hoe bent u in deze problemen verzeild geraakt, hoe komt het dat nu zelfs uw geloofwaardigheid op het spel lijkt te staan?'

'O, dat vraag ik me iedere dag af, Barbara,' antwoordde ik. 'Dit is voor mij allemaal heel verrassend en verwarrend. Maar er worden al vier jaar vragen gesteld en als we ze dan eindelijk allemaal hebben beantwoord en het rustig lijkt te worden, worden er weer nieuwe vragen gesteld. We blijven ons best doen ze zo goed mogelijk te beantwoorden.'

'Maakt het u van streek?'

'Af en toe wel, ja. Het maakt me een beetje verdrietig,

een beetje boos of het ergert me. Dat kan ook bijna niet anders. Maar ik weet dat het erbij hoort, en dat we gewoon door moeten blijven ploegen.'

Toen Barbara Walters me naar de ontbrekende archiefstukken vroeg, antwoordde ik: 'Weet u, een maand geleden waren mensen verontwaardigd dat de administratie kwijt was en dachten ze dat die wel vernietigd zou zijn. En nu de administratie is gevonden, zijn ze nog steeds verontwaardigd. Maar ik ben blij dat ze is teruggevonden. Ik wou dat dit al twee jaar geleden was gebeurd, want ze toont aan dat wat ik vanaf het begin heb gezegd, klopt. Ik heb gedurende een periode van vijftien maanden ongeveer een uur per week aan Madison Guaranty besteed. Dat was zeker niet veel werk.'

Barbara had moeite te begrijpen waarom die papieren zo moeilijk te vinden waren geweest.

'Hoe ziet uw archief er dan uit?'

'Het is een zootje.'

'Dat kan ik nauwelijks geloven.'

'Ik denk dat mensen moeten begrijpen dat er miljoenen papieren rondgaan in het Witte Huis. Er is meer dan twee jaar ijverig naar gezocht.'

Het was moeilijk om duidelijk te maken dat we sinds onze verhuizing naar het Witte Huis in een ontzettende chaos hadden geleefd. We waren hier in 1993 komen wonen met al onze bezittingen in inderhaast gelabelde dozen, vooral omdat we zelf geen huis hadden waarin we dingen konden opslaan. Kort voordat we naar de privé-verblijven verhuisden, werd het Witte Huis ingrijpend verbouwd om aan moderne energie-eisen te voldoen. We hadden onze spullen in dozen zitten die in kasten en extra kamers werden opgeslagen terwijl er in plafonds en muren leidingen werden aangelegd voor de airconditioning. We moesten de dozen ongeveer wekelijks naar een andere plek verhuizen om de renovatie voor te blijven.

In de zomer van 1995 werden er leidingen in het dak aangelegd en zag de tweede verdieping eruit alsof er een orkaan doorheen was geraasd. De tweede verdieping was een informeel gebied met extra logeerkamers, een solarium, een kantoor, een fitnessruimte en een paar bergruimtes. In een daarvan, een ruimte die we de 'boekenkamer' noemden, hadden we boekenplanken laten timmeren om ons teveel aan boeken neer te zetten. Deze kamer had verschillende deuren, naar de waskamer, de fitnessruimte en een klein halletje dat door personeel werd gebruikt. Het was een van de meest gebruikte kamers van de privé-verblijven waar op alle uren van de dag en nacht mensen in en uit liepen. We hadden in de boekenkamer tafels laten neerzetten waarop geschenken en aandenkens van onze reizen konden worden uitgestald voordat ze naar de opslag van het Witte Huis gingen. De boekenkamer was ook een plek waar dozen, papieren en persoonlijke spullen die nog moesten worden bekeken en gecatalogiseerd, tijdelijk naar toe gingen. Dergelijke spullen reisden regelmatig heen en weer tussen het Witte Huis en een magazijn ergens in Washington. Ook Carolyn Huber had een paar archiefkasten in deze kamer staan. Wat de zaak nog gecompliceerder maakte, was dat de tafels tijdens de verbouwing meestal waren afgedekt met beschermkleden tegen het pleister en stof dat rondstoof.

De continue zoektocht naar documenten die voor de rechtszaken werden opgevraagd, leidde tot nog meer chaos. David Kendall vroeg ons een kopieermachine in de boekenkamer neer te zetten, zodat hij en zijn assistenten documenten ter plekke konden kopiëren voor ze aan het kantoor van de onafhankelijk aanklager over te dragen. En in deze kamer, zo vertelde Carolyn in haar getuigenverklaring, had ze het stapeltje papier op een van de tafels gevonden. Ze dacht dat het oude archiefstukken waren die iemand voor haar had neergelegd om op te bergen. Zich niet bewust van hun betekenis, had ze ze in een doos met andere archiefstukken gegooid, die naar haar kantoor werden gebracht om te worden uitgezocht. Haar kantoor stond al vol van dergelijke dozen, die ze wilde uitzoeken als ze meer tijd had. Toen ze maanden later aan dat karwei begon, vouwde ze de papieren open en zag ze dat het mijn honorariumadministratie was.

Carolyn handelde gewetensvol door meteen David van haar ontdekking op de hoogte te brengen. Ze deed haar best om de papierberg voor te blijven en dat kostte soms veel tijd, zoals ze zelf ook zegt. Ik heb nooit met Carolyn gesproken over de honorariumadministratie of het onderzoek, omdat ik niet van beïnvloeding van de getuige beschuldigd wilde worden. Maar ik ken haar goed genoeg om te weten dat ze zich alleen op een onschuldige en begrijpelijke manier heeft vergist.

Omdat Carolyn een soort gezinslid voor ons was, weet ik dat ze het heel vervelend moet hebben gevonden dat ze haar ontdekking precies toen deed en dat die tot zoveel ophef leidde. De senaatscommissie ging meteen op zoek naar bewijzen voor meineed en obstructie (die nooit werden gevonden). Ze vroeg bovendien om financiering van nog eens twee of drie maanden onderzoek om de hoorzittingen te kunnen voltooien die de belastingbetalers al negenhonderdduizend dollar hadden gekost. Een paar maanden later publiceerde de RTC een aanvullend rapport waarin werd geconcludeerd dat de honorariumadministratie mijn verklaringen over het werk dat ik had gedaan, bevestigden. Natuurlijk had ik geen redenen gehad ze verborgen te houden en betreurde het dat ze niet eerder was gevonden.

De hoorzittingen werden voortgezet, de media bleven erover berichten en bij elk radio- of televisie-interview waar er over *It Takes a Village* gepraat zou worden, werd er naar de honorariumadministratie gevraagd. De enige vrolijke momenten die maand waren de publiciteitsbezoeken aan boekwinkels, scholen en kinderziekenhuizen overal in het land. Er stonden altijd veel mensen te wachten die me warm verwelkomden en steunden, een bewijs te meer voor de kloof die er gaapt tussen de politiek in Washington en de besognes van de mensen in de rest van het land.

Deze kloof was een van de redenen waarom ik *It Takes a*

Village wilde schrijven. De partijpolitieke retoriek in Washington leek nauwelijks een bijdrage te leveren aan de oplossing van problemen van kinderen in Amerika.

Mijn overtuigingen over wat goed is voor kinderen en gezinnen vallen merendeels niet onder een ideologie of een partijprogramma, en veel mensen die ik tijdens de tournee voor mijn boek ontmoette, zeiden er net zo over te denken. De mensen die urenlang in de rij stonden, wilden niet praten over de laatste ronde van moddergooien in de hoofdstad. Ze wilden praten over hoe moeilijk het is goede, betaalbare kinderopvang te vinden, over hoe lastig het is kinderen op te voeden zonder de hulp van grootouders en andere familieleden, en in een massacultuur die je waarden op losse schroeven zet en die risicovol gedrag aanmoedigt. Ze wilden praten over hoe belangrijk goede scholen zijn en betaalbaar schoolgeld, en over allerlei kwesties die in de huidige, snel veranderende wereld zwaar wegen voor ouders en andere volwassenen. Ik voelde me door deze gesprekken gesterkt en hoopte dat mijn boek een nationaal debat op gang zou brengen over wat het beste is voor Amerikaanse kinderen.

Ik hoopte ook dat *It Takes a Village* informatie zou bieden over ideeën en programma's op buurtniveau die een positief effect hadden op het leven van kinderen en gezinnen. Vaak wordt een regeling die op de ene plek goed werkt, niet door anderen overgenomen omdat er te weinig communicatie is. Een groep ouders uit Atlanta zou bijvoorbeeld kunnen leren van een innovatief schoolprogramma voor moeilijk opvoedbare jongeren in Los Angeles. Ik hoopte projecten die aan de basis plaatsvonden, bekendheid te geven, zodat ze als voorbeeld konden dienen voor de rest van het land.

Tijdens de tournee waren er ook momenten die mijn ego streelden. Op 17 januari stonden er in Ann Arbor in Michigan bijvoorbeeld tientallen mensen in Border's Bookstore te wachten met t-shirts aan van de 'Hillary Fan Club'. Deze fanclub, in 1995 opgericht in de keuken van

Ruth en Gene Love, een gepensioneerd echtpaar uit Silver Spring, Maryland, had honderden leden in het hele land en een paar dependances in het buitenland. De Loves, die met recht zo heten, werden goede vrienden die altijd leken aan te voelen wanneer ik behoefte had aan een oppepper. De fanclubleden stonden me overal in het land in hun speciale T-shirt op te wachten met een glimlach en een positieve instelling.

Tijdens de tournee voor mijn boek sprak ik op 19 januari 1996 ook op mijn alma mater, Wellesley College. Ik logeerde bij de directeur van Wellesley, Diana Chapman Walsh. Haar huis ligt aan de oever van Lake Waban, dus stond ik vroeg op om een lange wandeling te maken over het pad rond het meer. Ik was net terug toen David belde om te zeggen dat Kenneth Starr me gedagvaard had om voor een onderzoeksjury (de zogenaamde *grand jury*) een verklaring onder ede af te leggen over de tijdelijk verdwenen honorariumadministratie. Deze keer zou het geen rustige bijeenkomst in het Witte Huis worden. Ik zou voor een voltallige juryrechtbank moeten getuigen, en dat al binnen een week. Ik was hierdoor flink overstuur, maar wist dat ik dat alleen tegenover Bill of mijn advocaten kon uiten.

Melanne wilde graag met me op tournee. Ze wist hoe moeilijk het voor me was met het dagelijkse gedoe met de pers die maar bleef doorvragen. Haar vriendschappelijke aanbod bracht zowel emotionele als financiële kosten met zich mee, want ze onderging dezelfde behandeling als ik en moest bovendien haar eigen verblijfskosten betalen. Die dag op Wellesley was extra moeilijk omdat ik Melanne niet kon vertellen wat er gebeurde, maar ze begreep aan mijn opwinding dat er iets mis was en schermde me af voor vragen. Ik zal haar trouw en vriendschap nooit vergeten.

Ik keerde ontmoedigd en verward terug naar het Witte Huis, bezorgd dat deze gebeurtenissen een eind zouden maken aan het laatste restje geloofwaardigheid dat ik bezat en wat ze konden betekenen voor Bills presidentschap. Bill was bezorgd om me en hij was boos. Hij zei telkens weer hoezeer het hem speet dat hij me hier niet tegen kon beschermen.

Ook Chelsea maakte zich zorgen om me. Ze volgde het onderzoek nauwlettend, vaak meer dan me lief was. Zoals ik haar wilde beschermen, zo wilde ze mij verdedigen. Aanvankelijk probeerde ik haar niet te belasten met wat mij overkwam, maar uiteindelijk besefte ik dat ze nu ze ouder was, beter begreep wat er in mij omging.

Omstreeks deze tijd was Bill ten aanzien van het sluiten van de overheid de Republikeinen te slim af geweest, maar zijn politieke succes bood geen bescherming tegen het misbruik van het wetboek van strafrecht dat tegen ons in het geweer werd gebracht. Ik wist dat hij zich machteloos voelde tegenover Starr en zijn kornuiten, die er permanent op uit waren hem persoonlijk te vernietigen, en dus ook mij. Boosheid is niet de beste geestesgesteldheid om je voor te bereiden op een verhoor voor een onderzoeksjury. Het feit dat ik advocaat was, hielp wel, want ik wist hoe het eraan toe ging. Maar de week voor mijn verhoor sliep en at ik nauwelijks. Ik viel vijf kilo af, maar het is geen manier van afvallen die ik iemand kan aanraden. Ik werkte aan mijn verklaring, die eenvoudig en oprecht zou worden, maar hield me meer bezig met hoe ik zou overkomen en of ik mijn boosheid zou weten te bedwingen. De juryleden vervulden gewoon hun burgerplicht. Ze verdienden mijn respect, hoe weinig ik ook ophad met Starr en zijn aanklagers.

David had tegenover de aanklagers betoogd dat er geen enkele reden was me voor de onderzoeksjury te ondervragen, dat deze er zelfs voor misbruikt werd. Ik kon achter gesloten deuren ondervraagd worden, zoals de eerste keer, maar Starr wilde per se dat ik voor de rechtbank verscheen. Hij wilde me in het openbaar vernederen, maar ik was vastbesloten in geen geval voor hem door de knieën te gaan. Ik was dan misschien de eerste presidentsvrouw ooit die voor een onderzoeksjury moest getuigen, maar ik wilde dat op mijn eigen voorwaarden doen. David Kendall zei dat we de fotografen en tv-ploegen voor de rechtbank konden omzeilen door met onze limousine de parkeerkelder in te rijden en de lift naar de tweede verdieping te nemen. Ik was daar faliekant op tegen. Het zou de indruk wekken dat ik de rechtbank stiekem wilde bezoeken, alsof ik iets te verbergen had.

Toen we op 26 januari 1996 's middags voor de rechtbank van het District of Columbia aankwamen, glimlachte en wuifde ik dus naar het publiek. Ik had me er de hele week geestelijk op voorbereid. Ik wist dat ik niet moest laten blijken hoe afschuwelijk ik Starr en deze absurde vertoning vond. Ik hield mezelf voor dat ik alleen maar diep adem hoefde te halen en God om hulp hoefde te bidden.

Toen ik naar de zaal van de onderzoeksjury liep, wuifde ik naar mijn hardwerkende advocaten en riep: 'Hallo! Op naar het vuurpeloton!'

De jury kwam bijeen in de grote rechtszaal op de tweede verdieping. Volgens de regels van de onderzoeksjury mogen getuigen geen advocaat meenemen. Ik zat dus helemaal alleen tegenover de juryleden en de aanklagers. Alle drieëntwintig juryleden waren er, op twee na. Tien van de leden waren vrouw, en van hen was de meerderheid zwart. Ik vond dit prettig en dacht dat ik goed met hen zou kunnen communiceren. Ze leken representatief voor de regio waar ze werkten, wat niet gezegd kon worden van het team van aanklagers dat de zaal binnenkwam. Alle acht medeaanklagers van Kenneth Starr waren blanke mannen in pak.

Starr liet het stellen van de vragen over aan een medeaanklager. Hij bleef ondertussen van achter de tafel van de openbare aanklager naar me zitten staren. Ik beantwoordde alle vragen minstens één en soms verschillende keren. Tijdens een van de pauzes liep er een manlijk jurylid op me af met de vraag of ik mijn handtekening wilde zetten in een exemplaar van *It Takes a Village*. Ik keek naar David, die naar me grijnsde, en zette mijn handtekening. Later hoorde ik dat dit 'incident' was onderzocht en dat het jurylid vervolgens uit de jury was gezet.

Na vier uur was ik klaar. In een zijkamer overlegde ik nog snel even met Jane Sherburne en mijn advocaten David, Nicole, en Jack Quinn, de nieuwe raadsman van het Witte Huis. We bespraken wat ik tegen de pers zou zeggen, die popelend op me stond te wachten. Terwijl ik naar de uitgang liep, kwam ik voorbij kantoren waar niemand nog naar huis leek te zijn gegaan. Mensen bleven rondhangen om naar me te kunnen wuiven of me een hart onder de riem te kunnen steken.

Het was al donker toen ik de rechtbank verliet. Ik verklaarde me, nog steeds glimlachend, bereid een paar vragen te beantwoorden. Ze wilden weten hoe ik me voelde.

'Het was een lange dag,' antwoordde ik.

'Had u de dag liever ergens anders doorgebracht?'

'O zeker, waar dan ook.'

Toen me gevraagd werd hoe die honorariumgegevens weg hadden kunnen raken, antwoordde ik: 'Ik zou net als iedereen graag willen weten hoe het komt dat die documenten na al die jaren toch weer te voorschijn zijn gekomen. Ik heb geprobeerd zo goed mogelijk mee te werken met het onderzoek.'

Ik wuifde en glimlachte terwijl ik in de limousine stapte voor de rit terug naar het Witte Huis. Bill en Chelsea zaten me op te wachten. Ze omhelsden me en vroegen hoe het gegaan was. Ik was alleen maar heel blij dat het achter de rug was.

In de persverslagen werd veel aandacht besteed aan de ruimvallende zwarte wollen jas met geborduurde achterkant die ik die dag aanhad. Een journalist schreef dat er een 'gouden draak' op de rug was aangebracht, en meteen begonnen politieke commentatoren druk te speculeren over de symbolische betekenis daarvan. Was dit een totem? Was ik de drakenvrouw? Het Witte Huis voelde zich verplicht een verklaring te doen uitgaan dat de geborduurde krullen op de jas, ontworpen door Connie Fails, een vriendin uit

Little Rock, geen betekenis hadden. Het was gewoon een abstract patroon dat er volgens een modejournaliste uitzag als 'art-decoschelpen'. Mijn voorlichters herinnerden de journalisten eraan dat ik deze jas ook had aangehad tijdens de feestelijkheden voor Bills inauguratie in 1993, en dat er toen niemand commentaar op had gehad. Maar daarmee kwam er nog geen eind aan het gewauwel. De jas werd 'een rorschachtest voor de Washingtonse politiek', schreef een andere journalist. En zo was het.

De avond erop dwong ik mezelf naar een typisch Washingtons ritueel te gaan, het Alfalfa Club Dinner. Deze club heeft slechts één doel: tijdens een jaarlijks diner in avondkleding een presidentsnominatie na te spelen. Ik zat in de balzaal van het Hilton op het podium met mijn man en een keur aan ministers en rechters van het hooggerechtshof. De namaakpresidentskandidaat van dat jaar was Colin Powell. Hij stond op om te spreken en begroette de aanwezigen: 'Dames en heren, Republikeinse extremisten, Democraten en anderen die er niet toe doen, en alle getuigen die onlangs voor een juryrechtbank hebben moeten verschijnen' – een categorie van slechts één persoon, en dat was ik. Ik stak mijn hand op terwijl Powell zich omdraaide en me plagerig aankeek. Ik wist onderhand dat je je in Washington sportief moest blijven gedragen, hoe hard het steekspel om de politieke macht er ook wordt gespeeld. Nadat Powell klaar was met zijn rede, kwam een van Bills topadviseurs naar me toe en fluisterde: 'Je telt hier pas echt mee als je ten minste vijf keer voor een onderzoeksjury hebt moeten verschijnen, zoals ik.'

25 *Strijdtoneel*

In de wetenschap hoe belangrijk Amerika's eeuwenlange en ingewikkelde relatie met Frankrijk is, maakten Bill en ik ons zorgen over ons eerste staatsbanket voor de Franse president Jacques Chirac en zijn echtgenote Bernadette in februari 1996. Chirac, een conservatief politicus en gaullist, was achttien jaar lang burgemeester van Parijs geweest. En hoewel Chirac vloeiend Engels spreekt en als jongeman uitgebreid door de Verenigde Staten had gereisd, vertaalde hij zijn persoonlijke genegenheid voor Amerika niet altijd in steun van zijn regering aan ons beleid. Bill deed er echter veel aan om de Fransen te laten meewerken, vooral in 1999, toen hij Frankrijk overhaalde akkoord te gaan met NAVO-luchtaanvallen om een eind te maken aan de etnische zuiveringen in Kosovo zonder dat daaraan een specifieke VN-resolutie ten grondslag lag.

Diplomatie is koorddansen, ook als het om relaties met je bondgenoten gaat. De nauwe verwantschap en het wederzijds respect tussen onze landen gaan terug tot de Franse hulp aan onze revolutie, maar er zijn tijden dat de Franse en Amerikaanse politiek verschillende wegen bewandelen en de relatie onder druk komt te staan, zoals tijdens de door de Amerikanen geleide oorlog tegen Irak, waartegen de Franse regering zich fel en openlijk verzette.

Het eerste obstakel was het menu. De Franse *cuisine* is natuurlijk legendarisch en dus maakte ik me wekenlang zorgen over wat ik hun in het Witte Huis moest voorzetten. Onze Amerikaanse chef-kok Walter Scheib voelde zich niet in het minst geïntimideerd en zei dat hij een combinatie zou maken van het beste uit de Franse en het beste uit de Amerikaanse keuken.

De ronde tafels in de State Dining Room waren gedrapeerd met damast en overladen met kristal, zilver en rozen. Terwijl de sneeuw in Washington neerdwarrelde, babbelden filmsterren, captains of industry, kunstenaars en diplomaten tevreden en genoten van hun kreeft met citroen en tijm, soep van geroosterde aubergine, lamsrack en zoete aardappelpuree, begeleid door de beste Amerikaanse wijnen.

'Natuurlijk ben ik dol op allerlei Amerikaanse dingen, ook het eten,' zei Chirac. 'U weet misschien dat ik ooit op Harvard Square in een Howard Johnson-restaurant heb gewerkt.'

Ondanks de grote politieke verschillen tussen onze landen bleven Bill en ik op een aangename manier contact houden met de Chiracs gedurende onze jaren in het Witte Huis, en ik genoot van een bezoek dat ik met Bernadete Chirac bracht aan Midden-Frankrijk. Bernadette Chirac, nicht van De Gaulles aide de camp, is een elegante, gecultiveerde vrouw die sinds 1971 afgevaardigde is voor een kiesdistrict in de Corrèze in Midden-Frankrijk. Zij was de enige presidentsvrouw die ik kende die tevens een gekozen politica was. Ik was gefascineerd door de eigen rol die ze zo voor zichzelf had weten te creëren en door haar verhalen over hoe ze tijdens haar verkiezingscampagne van huis tot huis ging om stemmen te winnen. Toen ze me later uitnodigde voor een bezoek aan haar district, greep ik die kans met beide handen aan. In mei 1998 bracht ik met haar een prachtige dag door in de Corrèze, waar we mensen bezochten die ze vertegenwoordigde.

Op 27 februari 1996 vierden we Chelsea's verjaardag met een voorstelling van *Les Misérables* in het National Theater. Voor het weekend daarop hadden Bill en ik een bus vol vrienden van haar uitgenodigd. Chelsea plande zelf de activiteiten, waaronder een paintball-sessie 's middags. De mariniers die in Camp David dienden, waren maar een paar jaar ouder dan de gasten, dus zij vormden ook in camouflagekleding gestoken groepjes om aan het paintballspel mee te doen. Bill stond continu aanwijzingen en strategische tips te schreeuwen naar de teams die achterop dreigden te raken. Na het verjaardagsetentje in Laurel Lodge, compleet met een reusachtige versie van de weergaloze worteltjestaart van chef-banketbakker Roland Mesnier, gingen we in Hickory Lodge films kijken en bowlen op de bowlingbaan die president Eisenhower had laten aanleggen. Even na middernacht zuchtten Bill en ik tegen elkaar dat we geen zestien meer waren.

Ik kon nauwelijks geloven dat Chelsea alweer zo oud was. Ik herinnerde me al te goed hoe ze als kind op mijn schoot kroop en later haar eerste balletlessen nam. Nu was ze al even groot als ik en wilde haar rijbewijs halen. Dat was erg genoeg, maar erger nog was dat Bill haar les zou geven. Niet dat hij geen goede chauffeur is, maar met zoveel aan zijn hoofd weet hij niet altijd even goed welke kant hij opgaat. Na de eerste les in een auto van de veiligheidsdienst zei Chelsea tegen me: 'Ik denk dat daddy vandaag veel van me geleerd heeft.'

Wij hebben altijd alle moeite gedaan om onze agenda's zoveel mogelijk op haar af te stemmen. We streefden naar een gezamenlijke maaltijd 's avonds in de keuken om elkaar bij te praten. Ook hebben we natuurlijk geprobeerd haar te beschermen tegen de nieuwsgierige pers. Hoe het zij, dit soort bijzondere omstandigheden hebben haar ongetwijfeld eerder volwassen gemaakt dan andere kinderen van haar leeftijd. In elk geval heeft ze geleerd oprechte vriendschappen aan te gaan met mensen die zij in haar hart heeft gesloten.

Chelsea en haar vrienden dachten al aan wat ze na highschool gingen doen. Ik vond het een naar idee dat we haar niet langer thuis zouden hebben, maar probeerde haar daar niet mee te belasten. Ik hoopte maar dat ze een campus in de buurt van Washington zou uitzoeken.

Chelsea's school, Sidwell Friends, hield een jaarlijkse voorlichtingsavond voor leerlingen en ouders, en Bill en ik gingen er met Chelsea naar toe om vertegenwoordigers van

verschillende colleges te horen uitleggen wat de toelatings-
eisen waren en hoe je je kon inschrijven. Chelsea was heel
stil tijdens de korte rit terug naar het Witte Huis. Maar op
een gegeven moment zei ze plotseling: 'Ik denk dat ik naar
Stanford wil.'

Iedere verstandige, psychologische aanpak vergetend,
flapte ik er meteen uit: 'Wat! Stanford is veel te ver weg.
Dat ligt helemaal aan de Westkust, drie tijdzones hiervan-
daan. Dan zien we je nooit meer.'

Bill kneep in mijn arm en zei tegen Chelsea: 'Liefje, je
kunt je natuurlijk inschrijven waar je wilt.' Ik wist dat ik
het uiteindelijk vast geweldig voor haar zou vinden als ze
aangenomen werd op Stanford, als ze dat graag wilde. Mijn
vader verbood me vroeger om bepaalde keuzen te maken.
Dat zouden Bill en ik nooit doen. Ik bleef echter hopen dat
ze binnen de tijdzone van Washington zou blijven. Maar
waar ze ook naar toe ging, de realiteit was dat ze over anderhalf jaar niet meer thuis zou wonen. Misschien dat zij daar
klaar voor was, maar dat gold niet voor mij. Ik besloot
meer tijd met haar door te brengen, voorzover ze dat tenminste toeliet!

Het ministerie van Buitenlandse Zaken had me gevraagd een bezoek te brengen aan Bosnië en Hercegovina
om het belang van de Dayton-vredesakkoorden te onder-
strepen die in november waren getekend. Terreinwinst van
de Moslim-Kroatische coalitie die de Verenigde Staten
hadden gesteund, gepaard aan de NAVO-luchtaanvallen die
Bill had bepleit, had de Serviërs eindelijk gedwongen akkoord te gaan met een regeling. Ik zou ook Amerikaanse
militaire bases in Duitsland en Italië bezoeken, en een
week doorbrengen in Griekenland en Turkije, twee belangrijke NAVO-bondgenoten die op gespannen voet met elkaar stonden over Cyprus en andere nog steeds niet opge-
loste kwesties.

Bill en ik wisten niet of het wel zo'n goed idee was om
Chelsea mee te nemen naar Bosnië. We wogen de risico's af
en besloten dat zij (en ik) weinig gevaar zou(den) lopen als

we de juiste voorzorgsmaatregelen namen. Ze was oud en wijs genoeg om veel van deze ervaring te kunnen leren. Bovendien zou er een aantal artiesten met ons meereizen van de United Service Organization (USO, de stichting die entertainment verzorgt voor Amerikaanse troepen in het buitenland). Onder dit gezelschap bevond zich ook Sheryl Crow en de komiek Sinbad. Zij waren ook bereid de gevaren van de reis voor lief te nemen.

Ik vond dat Bill, minister van Buitenlandse Zaken Warren Christopher en zijn speciale afgezant Richard Holbrooke in Dayton een wonder hadden verricht toen ze de Serviërs, Kroaten en Moslims ervan hadden overtuigd de strijd te staken en een nieuwe bestuursvorm te accepteren. Om de strijdende partijen uit elkaar te houden en te waken voor de veiligheid van de bevolking, hadden de Verenigde Staten achttienduizend manschappen gestuurd, die zich bij de veertigduizend vredeshandhavers uit andere landen zouden voegen. Maar de regering wilde een signaal afgeven dat zou bijdragen aan naleving van de vredesakkoorden en dus vroegen ze mij er als vertegenwoordiger van de Amerikaanse regering naar toe te gaan. Mijn staf en ik zeiden gekscherend dat het ministerie van Buitenlandse Zaken mij vooral naar plaatsen stuurde die te klein, te gevaarlijk of te arm waren voor de president of de vice-president. Maar ik vond het best, omdat de niet voor de hand liggende en gevaarlijke plaatsen vaak de interessantste zijn. Ik vond het een eer om naar Bosnië te mogen gaan.

Op zondag 24 maart landde onze omgebouwde 707 op vliegbasis Ramstein. Hier was de First Armored Division gelegerd, die de meeste troepen voor Bosnië had geleverd.

De Duitse bevolking had Bill en mij twee jaar eerder hartelijk welkom geheten bij de viering van de Duitse eenheid in Berlijn. We liepen toen samen met bondskanselier Helmut Kohl, een innemende, emotionele en zelfs vrolijke man die Bills vriend en politieke partner zou worden, door de Brandenburger Tor en stonden toen op grond die tot 1989 had toebehoord aan communistisch Oost-Duitsland.

Kohl wilde alles in het werk stellen om een veertigjarige scheiding te overwinnen en van Oost- en West-Duitsland weer één land te maken. Hij was ook een voorstander van uitbreiding van de Europese Unie, het introduceren van een gemeenschappelijk munt en steunde de Amerikaanse inspanningen om om een einde te maken aan het conflict op de Balkan. De samenwerking tussen onze landen was een levend voorbeeld van hoe het naoorlogse bondgenootschap vrede en veiligheid kon bewerkstelligen.

Nadat we in Baumholder waren aangekomen, woonden Chelsea en ik een kerkdienst bij, spraken met de gezinnen van de manschappen en genoten van een kort optreden van Sheryl en Sinbad. De volgende morgen gingen we omstreeks halfzeven aan boord van het c17-transportvliegtuig dat ons naar de luchtmachtbasis bij Tuzla in Bosnie en Hercegovina zou brengen. Behalve de entertainers van de uso hadden we ook post en cadeautjes bij ons voor de troepen, waaronder driehonderd video's en 2200 telefoonkaarten voor internationale gesprekken. Het Witte Huis had zes dozen m&m's gedoneerd met het zegel van de president erop. Amerikaanse bedrijven hadden voor de kinderen in Bosnië, die vanwege de strijd jarenlang school hadden moeten missen, schoolbenodigdheden en speelgoed meegegeven.

Tijdens de één uur en veertig minuten durende vlucht wandelde ik rond in het grotachtige metalen binnenste van het enorme transportvliegtuig en maakte ik een praatje met de bemanning en de journalisten, die op klapstoeltjes vast gesnoerd zaten. Het was alsof ik in het binnenste van een camera rondliep, maar dan veel lawaaiiger. Onze gezagvoerder was een van de slechts vier vrouwelijke piloten in de Amerikaanse luchtmacht die een c17 vliegen. Ze bleef hoog boven het verwoeste gebied om buiten het bereik te blijven van luchtafweerraketten en scherpschutters. Iedereen in het vliegtuig moest beschermende kleding aan tegen de luchtafweergranaten, waar ondanks het staakt-het-vuren nog gevaar voor was. Van de geheime dienst moesten Chelsea en ik voor de landing in de gepantserde cockpit plaatsnemen. Gezagvoerder Beineke vloog zigzaggend op de landingsbaan aan en zette het vliegtuig snel op de grond, om zo min mogelijk doelwit te zijn voor sluipschutters.

De veiligheidssituatie in voormalig Joegoslavië veranderde voortdurend, en was onlangs weer verslechterd. Omdat er sluipschutters in de heuvels rond de landingsbaan konden zitten, kregen we nauwelijks tijd voor een geplande ontmoeting met kinderen uit de streek, die op het vliegveld zou plaatsvinden. We kregen ze wel een ogenblik te spreken en ook hun leraren, die ons vertelden dat ze steeds geprobeerd hadden de school voort te zetten, op welke veilige plek ze ook maar konden vinden. Een achtjarig meisje gaf me een gedicht dat ze zelf had geschreven. Het heette 'Vrede'. Chelsea en ik gaven de schoolspullen die we hadden meegenomen, en overhandigden brieven van kinderen van groep zeven uit de Amerikaanse militaire basis Baumholder, van wie de ouders een briefwisseling met Bosnische kinderen hadden opgezet. Vervolgens werden we naar de versterkte Amerikaanse basis in Tuzla overgebracht, waar meer dan tweeduizend Amerikaanse, Russische, Canadese, Britse en Poolse soldaten in een grote tentstad bivakkeerden.

Sheryl Crow, Sinbad, Chelsea en ik vlogen in Black Hawk-helikopters om de soldaten in de voorste posities te bezoeken. We werden geflankeerd door Apache-gevechtshelikopters, wat ons des te meer deed beseffen hoe gevaarlijk het kan zijn om de vrede te handhaven. We landden bij Camp Alicia, een legerkamp bij de stad Zvornik, in het noordoosten van Bosnië, waar de soldaten ons lieten zien hoe ze mijnen opruimen. Het bleek een hachelijk karwei, dat nogmaals duidelijk maakte hoe gevaarlijk het voor de soldaten hier was.

In de Verenigde Staten zetten veel mensen vraagtekens bij de Amerikaanse aanwezigheid in Bosnië. Sommigen vonden dat onze soldaten niet moesten meedoen aan het handhaven van de vrede, hoewel dat een taak is die de Verenigde Staten historisch gezien vaak op zich hebben genomen (bijvoorbeeld in de Sinaïwoestijn na het vredesakkoord tussen Israël en Egypte, en in de gedemilitariseerde zone na de oorlog in Korea). Anderen betoogden dat Europese in plaats van Amerikaanse troepen de verantwoordelijkheid zouden moeten dragen om de grenzen in de regio te beveiligen. Ik sprak hierover met soldaten en hun officieren. Ik vroeg naar hun mening en luisterde naar de opvatting die zij van hun missie hadden. Een luitenant vertelde me dat hij de rol die de Verenigde Staten konden spelen, pas echt begrepen had toen hij Bosnië zelf had gezien.

'Voordat we kwamen,' zei hij, 'kon ik moeilijk inschatten wat er precies aan de hand was met die etnische groepen die lang vreedzaam naast elkaar hadden geleefd en elkaar plotseling begonnen af te maken vanwege hun godsdienst. Je ziet huizen waarvan het dak weg is geblazen. Je ziet hele buurten die plat zijn gebombardeerd. Je ziet mensen die jarenlang nauwelijks te eten of te drinken hebben gehad. Maar nu zien we niets dan wuivende en glimlachende kinderen. Dat is voor mij reden genoeg om erbij te zijn.'

Vanuit het raam van onze helikopter zag ik zelf ook het een en ander van de ellende die de oorlog had aangericht. Van een afstand was het een prachtig groen en golvend landschap, echt het oude, landelijke Europa. Maar toen ik lager vloog, zag ik dat nog maar weinig boerderijen een dak hadden, en dat in bijna alle gebouwen kogelgaten zaten. De akkers waren niet bewerkt en zaten vol granaatinslagen. Het was lente, maar vanwege de landmijnen en het gevaar voor sluipschutters durfde niemand te zaaien. De bossen en wegen waren evenmin veilig. Het was duidelijk dat er nog heel wat werk verricht moest worden voordat de Bosniërs weer een normaal leven konden leiden.

Ik had een bezoek aan Sarajevo gepland, waar ik een uit verschillende etnische groeperingen bestaande delegatie zou ontmoeten om te horen wat de Verenigde Staten en privé-organisaties konden doen om het leven na de oorlog weer op gang te trekken. Door de precaire veiligheidssituatie kon mijn bezoek aan Sarajevo niet doorgaan, maar de mensen die ik er zou spreken (onder wie de Bosnische kardinaal van de rooms-katholieke kerk en de leider van de orthodoxe kerk van Servië), waren zo teleurgesteld dat ze er een rit van tachtig kilometer over gevaarlijke wegen voor over hadden om me in Tuzla te bezoeken.

We ontmoetten elkaar in de conferentiezaal van het legerhoofdkwartier. Mijn bezoekers zagen er uitgeput en terneergeslagen uit, maar ze wilden graag praten. Ze beschreven hun pogingen nog iets van een normaal leven te handhaven in een wereld die door een wrede oorlog op z'n kop was gezet. Ze vertelden hoe geschokt ze waren dat hun buren, collega's, vrienden – mensen die ze goed hadden gekend – op een gegeven moment niet meer met hen wilden praten en zich soms ronduit vijandig opstelden. Daarna was het geweld begonnen en maakten bommen en scherpschutters deel uit van het dagelijks leven. Het hoofd van de trauma-afdeling van een ziekenhuis in Kosovo vertelde dat het ziekenhuis op een gegeven moment geen voorraden en stroom meer had, maar toch open was gebleven. Een Kroatische kleuterlerares die bij het beleg van Sarajevo haar twaalfjarige zoon had verloren, vertelde over haar klas, die langzaam was leeggelopen doordat kinderen met hun ouders wegvluchtten of slachtoffer werden van het chaotische en vaak willekeurige geweld. Een Servische journalist vertelde dat hij door mede-Serven gevangen was gezet en in elkaar was geslagen omdat hij Bosnische moslims had proberen te beschermen. Het was duidelijk dat de psychologische wonden die de mensen hier hadden opgelopen, vaak erger waren dan de fysieke. In tal van plaatsen die ik bezocht, waren de littekens op de harten en in de hoofden van de burgers nog steeds aanwezig, van decennia en zelfs eeuwen geleden. De wederopbouw in de nasleep van een oorlog is al een hele klus; het herstellen van vertrouwen tussen mensen onderling is dat eveneens.

Na de ontmoeting liep ik door het kamp, keek ik hoe de soldaten er leefden, bracht ik een bezoekje aan het hospitaaltje, de mess en de recreatietent. Voordat Sheryl en Sinbad naar Tuzla terugkeerden, voerden ze nog een geweldige USO-show op. Chelsea had tijdens de reis veel succes bij de soldaten en hun gezinnen, en schudde handen en zette handtekeningen alsof ze haar hele leven nooit iets anders had gedaan. Ze deed zelfs mee aan de USO-show toen ze door de sergeant-majoor die als presentator fungeerde, vanuit het publiek het toneel op werd geroepen. Zonder een spoor van verlegenheid huppelde ze op de microfoon af voor een act met de sergeant-majoor.

'Heet jij misschien Chelsea?' begon de sergeant-majoor.

'Zoiets, ja,' antwoordde ze lachend.

Vervolgens vroeg hij haar om de yell van de troepen na te doen die ze het publiek al had horen slaken.

'Hoe-waa!'

'Dat was prima,' zei hij. 'Doe nog maar eens.'

'Hoe-wáá!' brulde ze nu keihard. Het publiek applaudisseerde en slaakte woeste vreugdekreten.

Hoewel de regel nog steeds gold dat Chelsea niet zonder toestemming vooraf geïnterviewd of gefotografeerd mocht worden, voelde ze zich tijdens deze reis zelfverzekerder en vrijer dan ooit tevoren. Ze was net als haar vader van nature vriendelijk en nieuwsgierig, en ze voelde zich op haar gemak in menigten. Toen we later die dag de Amerikaanse troepen in Aviano in Italië bezochten, liet Chelsea nogmaals zien hoeveel elan ze nu had. Ze poseerde samen met mij voor foto's met een groep piloten en monteurs van de luchtmacht. Toen we wegliepen om elders nog meer handen te schudden, riep iemand achter ons luidkeels: 'Hé, Chelsea, hoe gaat het met je rijlessen?'

Chelsea draaide zich om en glimlachte naar de jongeman in gevechtstenue die klaarblijkelijk het een en ander over haar in de pers had gelezen. 'Gaat wel,' zei ze en liep verder. Maar na een paar stappen keerde ze zich nogmaals om en riep: 'Kijk maar uit als je in Washington bent!'

De reis maakte een blijvende indruk op Chelsea en mij. We waren trots op de mannen en vrouwen in uniform die de Amerikaanse diversiteit en waarden hier zo goed vertegenwoordigden. Als mensen op de Balkan bewijzen wilden zien van de waarde van een pluralistische samenleving, dan hoefden ze maar aan een tafel in een mess in Tuzla, Bedrock of Alicia te gaan zitten, want daar waren alle huidskleuren, accenten, godsdiensten en levenshoudingen vertegenwoordigd. Deze diversiteit is de kracht van de Verenigde Staten en het zou ook hier een positieve kracht kunnen vormen.

Alvorens de reis af te sluiten in Istanbul en Athene, vlogen we van de Turkse hoofdstad Ankara naar Efese, de prachtig gerestaureerde antiek-Griekse stad aan de Turkse zuidkust. Het was een prachtige zonnige en heldere dag en we hadden een adembenemend uitzicht op de Turkse kust en de blauwgroene Egeïsche Zee. Ik weet nog dat ik dacht: Wat een perfecte dag om te vliegen, wat een perfect moment om te mogen leven.

Op 31 maart waren we weer terug in Washington. Ik was fysiek moe, maar vol indrukken en informatie die ik met Bill wilde delen. Vergeleken met de problemen die ik in oorlogsgebied had gezien, leek de strijd in Washington onbetekenend. Die strijd ging natuurlijk gewoon door, maar deze keer was Kenneth Starr degene die onder vuur lag. In het redactioneel commentaar van *The New York Times* werd scherpe kritiek geleverd op Kenneth Starr omdat hij voor zijn eigen advocatenkantoor bleef werken terwijl hij het onderzoek naar het Witte Huis leidde. Volgens het artikel was er behoefte aan 'een openbaar aanklager die objectief en niet gebonden is'. Volgens de krant hoefde Starr zijn positie als onafhankelijk aanklager echter niet op te geven, omdat het onderzoek 'te ver is gevorderd om opnieuw te kunnen beginnen' (wat ik een onzinnig argument vind). Maar het was verfrissend dat het publiek er eindelijk op opmerkzaam werd gemaakt dat Starr tijdens zijn onderzoek voor bedrijven bleef werken met belangen die duidelijk tegengesteld waren aan die van de regering-Clinton (zoals tabaksproducenten).

Toen Kenneth Starr tot onafhankelijk aanklager werd benoemd, had hij zijn partnerschap in het advocatenkantoor Kirkland and Ellis niet hoeven opgeven. Hij bleef gewoon delen in de winsten die er met rechtszaken werden geboekt tegen bedrijven die rechtstreeks onder het beleid van Clinton te lijden hadden.

Een paar vermetele journalisten – Gene Lyons van de *Arkansas Democratic Gazette* en Joe Conason van de *New York Observer*, bijvoorbeeld – hadden voor een beperkt lezerspubliek geschreven over Starrs belangenverstrengeling, maar nu begon het verhaal ook te circuleren in de landelijke pers en in Washington.

Het was algemeen bekend dat Starr, die in de regeringen van Reagan en Bush had gediend, een overtuigd Republikein was. Aardig wat mensen waren bovendien op de hoogte van zijn banden met religieus rechts en Paula Jones. Maar niemand had tot dan toe oog gehad voor Starrs zakelijke relaties met onze politieke tegenstanders.

Op 11 maart 1996 rapporteerde *USA Today* dat Starr 390 dollar per uur verdiende om de staat Wisconsin te verdedigen in een zaak over een manier van schoolfinanciering waar de regering-Clinton geen voorstander van was. Zijn honorarium werd betaald door de aartsconservatieve Bradley Foundation. In een artikel in *The Nation* werden de feiten en bewijzen op een rijtje gezet dat Starr als parttime aanklager minstens de schijn van belangenverstrengeling op zich laadde, aangezien hij onderzoek deed naar de RTC op het moment dat zijn advocatenkantoor, Kirkland and Ellis, door diezelfde RTC werd onderzocht. De RTC had Kirkland and Ellis aangeklaagd wegens nalatigheid in de zaak tegen de Denver Spaar- en Leenbank. Het ging hier om Starrs eigen financiële belangen bij dit advocatenkantoor, maar deze schijn van belangenverstrengeling werd door de media niet opgepikt. Starr had zich uit deze zaak moeten terugtrekken. Maar terwijl die zaak voor 325 000 dollar door Kirkland and Ellis vertrouwelijk en in het geheim werd geschikt, werd het werk dat de Rose Firm voor Madison Guaranty had verricht, tot in detail door de RTC, het Congres en de pers nageplozen, en werd Starr geheel ongemoeid gelaten.

De plotseling ongunstige pers leek Starr niet te deren. Hij negeerde de oproep van *The New York Times* om 'ontslag te nemen bij zijn kantoor en geen zaken meer te behandelen totdat zijn plichten als onafhankelijk aanklager zijn vervuld'. Op 2 april verdedigde hij zelfs gewoon vier grote tabaksproducenten in een belangrijke zaak voor het hof van appèl van New Orleans.

Ik was geschokt door de dubbele standaard die er werd gehanteerd. Starr en zijn opdrachtgevers werden beschermd tegen aanklachten van partijdigheid, terwijl de conservatieve factie onbeschaamd onpartijdige juristen en onderzoekers van de tegenpartij van belangenverstrengeling bleef beschuldigen. Robert Fiske, de oorspronkelijke speciale aanklager, werd in augustus 1994 van zijn post ontheven om plaats te maken voor Starr. En Starr gebruikte een verzonnen klacht wegens belangenverstrengeling om een gerenommeerde jurist van een zaak in Arkansas af te laten halen omdat die een voor hem ongunstige uitspraak had gedaan.

Deze zaak had niets met mij of Bill te maken, noch met Madison Guaranty, de McDougals of wie er ook maar met Whitewater te maken had. Starr misbruikte zijn macht als onafhankelijk aanklager om Jim Guy Tucker, de Democratische gouverneur van Arkansas na Bill Clinton, van fraude en samenzwering te beschuldigen naar aanleiding van de kabeltelevisiestations die Tucker in Texas en Florida had gekocht. Het aanklagen van tegenstanders was in juni 1995 onderdeel van Starrs dreigementen en intimidatietactiek. Iedereen werd aangeklaagd, en wie iets kon vertellen – wat dan ook – wat Bill of mij met iets ongeoorloofds in verband kon brengen, kreeg een deal aangeboden. Rechter Henry Woods kreeg de zaak-Tucker te behandelen, en verwierp na onderzoek van de feiten Starrs aanklacht, omdat deze niets met het Whitewater-onderzoek te maken had. Volgens Woods' interpretatie van de wet was Starr zijn boekje te buiten gegaan. Starr ging tegen deze uitspraak in beroep en diende een verzoek tot wraking van rechter Woods in.

Woods, voormalig FBI-agent en eminent advocaat, was door president Jimmy Carter tot rechter benoemd. Hij was nu zevenenzeventig, en had een prachtige carrière als jurist en voorvechter van burgerrechten in het Zuiden achter zich. In de bijna twintig jaar dat hij rechter was, had hij een reputatie opgebouwd van eerlijke, bijna onfeilbare uitspraken, die zelden in hoger beroep werden herroepen – totdat hij met Starr te maken kreeg.

De drie rechters van de rechtbank die Starrs verzoek beoordeelden, waren conservatieve Republikeinen die waren benoemd door president Reagan of president Bush. Ze gaven Starr zijn zin: ze verklaarden de aanklacht tegen Tucker alsnog gegrond en haalden Woods van de zaak-Tucker af – niet omdat ze meenden dat hij bevooroordeeld was, maar omdat de kritische krantenartikelen die over hem in kranten en tijdschriften verschenen, de schijn van bevooroordeeldheid zouden kunnen wekken.

Als advocaat stoorde ik me zeer aan deze uitspraak, waarvoor geen precedent bestond. Een openbare aanklager hoort niet een rechter te kunnen laten wraken omdat hij het niet met diens vonnis eens is. De krantenartikelen waarin rechter Woods in diskrediet werd gebracht, bleken van de hand van rechter Jim Johnson, een oude politicus uit Arkansas die vóór rassenscheiding was en ooit de steun genoot van de Ku Klux Klan. Johnson haatte Bill en Woods vanwege hun progressieve ideeën inzake rassenintegratie. Johnsons artikel waarin Woods en bijna iedere andere politicus uit Arkansas werden aangevallen, verscheen in de rechtse *Washington Times*. Het opiniestuk stond vol foute informatie die door andere media klakkeloos voor waar werd aangenomen. Nadat hij van de zaak was afgehaald, verklaarde rechter Woods tegenover *The Los Angeles Times*: 'Voorzover ik weet, ben ik de enige rechter in de Anglo-Amerikaanse geschiedenis die van een zaak is gehaald op basis van krantenverslagen, tijdschriftartikelen en televisieberichten.'

Ik vond het verschrikkelijk dat Jim Guy Tucker en zijn vrouw Betty nu ook in Starrs netten verstrikt waren geraakt. Maar Jim Guy, die in 1982 van Bill had verloren in de voorronden van de gouverneursverkiezing, weigerde over ons te liegen, hoezeer Starr ook zijn best deed. Starr ging daarom gewoon verder met een andere aanklacht, waarvoor Tucker samen met Jim en Susan McDougal in maart 1996 voor de rechter moest verschijnen.

Deze keer werden Tucker en de McDougals beschuldigd van fraude en verduistering. De meeste beschuldigingen tegen hen konden worden teruggevoerd op David Hale, een louche Republikeinse zakenman uit Arkansas. Volgens de tenlastelegging had Hale met Jim McDougal samengespannen om leningen te krijgen van de Madison Guaranty en van de Small Business Administration voor diverse projecten, zoals voor landaankopen en bedrijven van Hale, de McDougals en Jim Guy Tucker, dat deze leningen niet waren terugbetaald en dat de redenen voor het toekennen van de leningen vaak bewust verdraaid waren weergegeven. De tenlastelegging kende eenentwintig aanklachten, maar Whitewater Development, de president of ik werden er niet in genoemd.

Hale was een ervaren dief en oplichter – en had een goed motief. Hij werkte met Starr samen in de hoop strafvermindering te krijgen voor eerder begane misdrijven. Small Business Administration (SBA), dat miljoenen dollars aan Hales bedrijf had geleend en bedoeld was om kleine ondernemingen en zelfstandigen te helpen, meldde dat ze 3,4 miljoen dollar verlies had geleden als gevolg van onrechtmatige acties van Hale. De SBA plaatste Hales bedrijf vervolgens onder curatele. In 1994 bekende Hale dat hij zich schuldig had gemaakt aan het verduisteren van negenhonderdduizend dollar die rechtens SBA toekwamen, maar zijn vonnis werd uitgesteld tot vlak voor het McDougal-Tuckerproces twee jaar later. Inmiddels was zijn verhaal sterk veranderd en wilde hij maar wat graag informatie geven waar de aanklagers om vroegen. De advocaten van Bill en Jim deden hun uiterste best getuigen toegelaten te krijgen die meer konden vertellen over Hales banden met rechtse activisten, de betalingen die hij van het kantoor van de onafhankelijk aanklager ontving, de meer dan veertig keer die hij met rechter Jim Johnson belde voor en na zijn deal met Starr, en de gratis rechtsbijstand die hij kreeg van Ted Olson, een oude vriend van Kenneth Starr en advocaat van zowel het Arkansas Project als het rechtse propagandablad de *American Spectator*. Olson zou later de justitiële senaatscommissie misleiden over zijn betrokkenheid bij deze activiteiten toen hij onder president George W. Bush tot vice-minister van Justitie zou worden benoemd. De rechters weigerden tijdens het proces tegen McDougal en Tucker bewijzen van Hales lucratieve banden met de onafhankelijk aanklager toe te laten. Maar het was ook voor het eerst dat er details over het geheime Arkansas Project openbaar werden.

Hoewel het hele verhaal pas jaren later duidelijk zou worden, was Hale een goedbetaalde pion in een mediacampagne om Bill in diskrediet en zijn regering ten val te brengen. Niet alleen ontving Hale ten minste 56 000 dollar van de OIC nadat hij had toegezegd te zullen getuigen, maar hij werd tevens in het geheim door het Arkansas Project betaald. Journalist David Brock onthulde later dat Hale geld had gekregen uit het 'onderwijskundig omkoopfonds' van de *American Spectator*, dat werd gefinancierd door Richard Mellon Scaife. Brock schreef later: 'In het begin... was het Arkansas Project een middel om Hale heimelijk te helpen Clinton een misdaad in de schoenen te schuiven.'

Toen rechter Henry Woods bewijzen te zien kreeg dat de groep een lastercampagne tegen hem op touw had gezet, eiste hij een federaal onderzoek naar het Arkansas Project. De federale rechters van zijn district – die zowel door Democraten als Republikeinen waren benoemd – voldeden unaniem aan zijn eis. Maar er vond nooit een onderzoek plaats. Rechter Woods ging in 1995 met pensioen en overleed in 2002. Hij was een van de vele goede mensen die door Starr werden zwartgemaakt.

Nadat de OIC zijn zaak, die vooral steunde op de getuigenis van Hale, naar voren had gebracht, wilde Jim McDougal zich per se verdedigen. Men dacht dat zijn getuigenverklaring de zaak van alle drie beklaagden ernstig zou kunnen schaden. De drie werden op verschillende aanklachten veroordeeld. Tucker trad af als gouverneur om zich op zijn hoger beroep te concentreren. En Kenneth Starr vergrootte de druk op Jim en Susan McDougal om met bewijzen van misdaden te komen die niet bestonden.

Maar toen het gecompliceerde verhaal van Whitewater eindelijk voor de rechtbank kwam, voelde ik een subtiele verandering in de atmosferische druk in Washington. Senator D'Amato stopte de hoorzittingen toen de Democraten met een vertragingsmaatregel dreigden om de financiering tegen te houden. Voor het eerst in jaren had ik enige hoop dat we Whitewater achter ons zouden kunnen laten.

Maar ondanks een paar hoopvolle momenten zou het voorjaar van 1996 geen vrolijke tijd worden. Op 3 april stortte tijdens een heftige regenbui een T43-straalvliegtuig van de Amerikaanse luchtmacht neer op een heuvel aan de Kroatische kust. Aan boord waren de Amerikaanse minister van Handel, Ron Brown, zijn medewerkers en een delegatie van grote Amerikaanse ondernemers. Rons reis naar de Balkan was bedoeld om de investeringen en handel te stimuleren, als onderdeel van de langetermijnstrategie van de regering voor die regio. Dit was typerend voor Rons werk in het kabinet. Hij begreep instinctief dat het stimuleren van de wereldwijde economie goed was voor de Amerikaanse strategische belangen en het Amerikaanse bedrijfsleven. Drieëndertig Amerikanen, onder wie Ron, en twee Kroaten kwamen bij het ongeluk om het leven.

Ik was er stuk van. Ron en zijn vrouw Alma waren goede vrienden van ons. Ze waren hechte bondgenoten sinds de campagne van 1992, toen Ron in feite als voorzitter van de Democratic National Committee optrad. Ron had de partij met humor en een onverstoorbaar aplomb geleid bij voor- en tegenspoed van de campagne. Zelfs toen Bills vooruitzichten vanwege de meedogenloze aanvallen slecht waren, aarzelde Ron nooit een moment. Hij was ervan overtuigd dat Bill kon en zou winnen als de Democraten geen krimp zouden geven. En hij had gelijk. Ron was opbeurend gezelschap. Hij vrolijkte iedereen op met zijn glimlach en de eeuwige twinkeling in zijn ogen. Ik had er vaak van geprofiteerd. 'Laat niet je humeur door jammeraars verpesten,' zei hij dan tegen me.

Toen Bill en ik het nieuws hoorden, gingen we snel bij Alma en Rons kinderen op bezoek. Hun huis was vol familie en vrienden en we lachten en huilden samen en vertelden verhalen over Ron. Later hoorde ik dat Ron in hetzelfde vliegtuig had gezeten, met een aantal van dezelfde bemanningsleden, als waarmee ik een week eerder met Chelsea naar Turkije was gevlogen, toen ik dat prachtige uitzicht had op de Egeïsche Zee.

Bill en ik wachtten op luchtmachtbasis Dover in Delaware het militaire vliegtuig op met drieëndertig, met Amerikaanse vlaggen bedekte kisten aan boord. Adam Darling, een jonge medewerker van het ministerie van Handel die een favoriet van Bill en van mij was geworden nadat hij tijdens de verkiezingscampagne van 1992 op zijn fiets het hele land door was gereden om publiciteit voor Bill te maken, was slechts negenentwintig jaar oud geworden.

Bill hield een korte toespraak op de landingsbaan. Hij zei onder andere dat de slachtoffers gestorven waren terwijl ze hun land dienden en het beste vertegenwoordigden dat Amerika te bieden had.

'De zon gaat onder op deze dag,' zei hij terwijl ik tegen

mijn tranen vocht. 'De volgende keer dat hij opgaat is het Pasen, een feest dat de overgang symboliseert van verlies en wanhoop naar verlossing, een dag die ons er meer dan welke dag ook aan herinnert dat het leven uit meer bestaat dan we weten – soms zelfs meer dan we kunnen verdragen. Maar het leven is ook eeuwig. Wat zij deden terwijl de zon weg was, zal eeuwig bij ons blijven.'

26 *Praagse zomer*

Toen ik in de zomer van 1996 voor de eerste keer naar Midden- en Oost-Europa reisde, waren er al prille democratieën gevestigd in de landen die tot het sovjetblok hadden behoord. Voor honderden miljoenen mensen betekende dit een bevrijding van de tirannie van het leven achter het IJzeren Gordijn. Democratie was echter nog maar een eerste stap, zo kon ik met eigen ogen zien. Om na tientallen jaren dictatuur een goed functionerende democratische overheid op te bouwen, vrije markten te creëren en een burgermaatschappij te vormen, is veel tijd, inspanning en geduld nodig, alsmede financiële hulp, investeringen, technische training en morele steun van landen als de Verenigde Staten.

Bill steunde de uitbreiding van de NAVO met landen van het voormalige Warschaupact. Volgens hem was dit heel belangrijk voor de relatie tussen de Verenigde Staten en Europa op lange termijn en als steun voor de Europese integratie. In de Verenigde Staten, en ook in Rusland, dat de NAVO niet aan de eigen grens wilde, was er veel weerstand tegen uitbreiding van de NAVO. De uitdaging voor Bill en zijn team was bepalen welke landen nu al in aanmerking kwamen voor lidmaatschap van de NAVO, en tegelijkertijd de deur openhouden voor de Midden- en Oost-Europese landen die in de toekomst tot de NAVO wilden toetreden door hen van de Amerikaanse steun te verzekeren. Mij werd gevraagd Bill te vertegenwoordigen in een deel van de wereld dat volgens hem de steun en aanmoediging van de Verenigde Staten hard nodig had.

Een deel van de reis zou ik worden vergezeld door Madeleine Albright, onze ambassadeur bij de Verenigde

Naties en latere minister van Buitenlandse Zaken. Madeleines ouders waren afkomstig uit Tsjecho-Slowakije en hadden voor de nazi's en later, nog eens, voor de communisten moeten vluchten voordat ze zich in de Verenigde Staten vestigden. Madeleine was zelf een voorbeeld van de mogelijkheden die een democratie te bieden heeft.

Als eerste bezocht ik de Roemeense hoofdstad Boekarest. Het was ooit een van de mooiste hoofdsteden van Europa en werd omstreeks 1900 vaak met Parijs vergeleken, maar tijdens de veertig jaar communistische overheersing is de stad veel van haar elegantie kwijtgeraakt. Maar terwijl we van het vliegveld naar de stad reden, zagen we nog resten van een eerder kosmopolitisch tijdperk: brede boulevards, ooit verlevendigd door cafés met gebouwen uit het fin-de-siècle. Tegenwoordig is het socialistisch realisme van de sovjets er de dominante stijl. Ik zag veel lege karkassen van reusachtige gebouwen die nooit waren afgebouwd.

Tientallen jaren lang werd het land overheerst door het afschuwelijke regime van de communistische dictator Nicolae Ceauşescu, die samen met zijn vrouw de bevolking terroriseerde totdat hij op 25 december 1989 werd afgezet en geëxecuteerd. Ik ging eerst naar het Plein van de Revolutie, waar ik bloemen legde bij het monument ter ere van de slachtoffers van de revolutie – de revolutie die de Ceauşescu's ten val bracht. Bij het monument, een houten kruis, ontmoette ik vertegenwoordigers van de Bond van 21 december, genoemd naar de eerste dag van de opstand, die me vertelden over de geschiedenis van hun revolutie. Er had zich een menigte van drieduizend Roemenen verzameld op het plein, dat schitterend is, maar wordt ontsierd door kogelgaten in de gebouwen eromheen. Ik was verrast door de groepen wilde honden die op straat liepen – wat ik nooit eerder in een stad had gezien – en vroeg onze gids ernaar. 'Ze zitten overal,' vertelde hij. 'Mensen kunnen zich geen hond als huisdier veroorloven en er is geen systeem om ze te vangen.' Het onvermogen voor de honden te zorgen, bleek een eerste teken van wat er allemaal mis was in Roemenië.

Een van de afschuwelijke erfenissen van het communistische regime was het grote aantal kinderen met aids. Ceauşescu had geboortebeperking en abortus verboden, omdat hij vond dat de staat veel nieuwe burgers nodig had. Vrouwen vertelden me dat ze eens per maand op hun werk door een arts van de overheid werden onderzocht om te kijken of ze geen voorbehoedsmiddelen gebruikten of abortus hadden gepleegd. Vrouwen die in verwachting waren, werden in de gaten gehouden totdat ze hun kind hadden gekregen. Iets vernederenders kon ik me nauwelijks voorstellen: rijen vrouwen die zich onder toeziend oog van de politie uitkleedden in afwachting van onderzoek door medische bureaucraten. Als ik mijn mening verdedig dat vrouwen zelf de keuze moeten hebben, refereer ik vaak aan Roemenië, waar vrouwen verplicht waren zwanger te worden, en aan China, waar gedwongen abortussen plaatsvinden. Ik ben onder andere tegen criminalisering van abortus omdat ik vind dat dit een persoonlijke zaak is die vrouwen zelf moeten kunnen beslissen en niet wettelijk door de staat kan worden afgedwongen. In Roemenië werden veel ongewenste kinderen geboren en beschikten ouders vaak niet over de financiële middelen om voor kinderen te zorgen. Dergelijke kinderen werden in staatsweeshuizen opgenomen. Omdat ze vaak ziek of ondervoed waren, werden ze behandeld met bloedtransfusies. Ceauşescu had van bloedtransfusies overheidsbeleid gemaakt. Maar de Roemeense bloedvoorraad raakte besmet met het aidsvirus, wat tot een rampzalige aidsepidemie onder kinderen leidde. Mijn stafleden en ik bezochten in Boekarest een weeshuis waar we afschuwelijk zieke kinderen zagen, sommige met een huid vol tumoren, andere met magere lichaampjes, verwoest door het aidsvirus en duidelijk stervende. Een paar stafleden stonden ergens in een hoekje van het gebouw te huilen, maar ik wilde mijn tranen bedwingen, want ik wist dat ik de hopeloosheid van deze situatie voor deze kinderen en de ouders die voor hen zorgden, alleen maar zou bevestigen door me te laten gaan. De nieuwe

Roemeense overheid werkte onvermoeibaar, ook met buitenlandse hulp, om de zorg voor de kinderen te verbeteren, en te zorgen dat meer van hen geadopteerd konden worden door gezinnen in het buitenland, maar het adoptiesysteem werd geplaagd door corruptie. Omdat er kinderen aan de hoogste bieder werden verkocht, werd er in 2001 een verbod op internationale adoptie ingesteld, nadat de Europese Unie de praktijken in Roemenië aan de kaak had gesteld. Er zal nog heel wat werk verricht moeten worden voordat de corruptie is verdwenen en het systeem voor de kinderopvang is gemoderniseerd, maar Roemenië heeft sinds mijn bezoek indrukwekkende vorderingen geboekt. Het is nu kandidaat-lid van zowel de NAVO als de Europese Unie.

Polen heeft sinds 1996 indrukwekkende politieke en economische vooruitgang geboekt. De Poolse president Aleksander Kwaśniewski sprak uitstekend Engels en had door de Verenigde Staten gereisd voordat hij als lid van de Poolse Communistische Partij de politiek in ging. Hij was in 1995 op eenenveertigjarige leeftijd president geworden en vertegenwoordigde het generatieverschil met de eerste democratisch gekozen president van Polen, Lech Wałęsa, de heroïsche leider van de vakbond Solidariteit, die in 1980 de staking op de Leninwerf van Gdańsk had georganiseerd. Solidariteit speelde een belangrijke rol bij de omverwerping van het communistische regime in Polen, en Wałęsa, die in 1983 de Nobelprijs voor de vrede kreeg, was president tijdens het eerste staatsbezoek dat Bill en ik in 1994 aan Warschau brachten. Hij had met zijn vrouw Danuta een staatsbanket voor ons gegeven. Aan tafel ontspon zich toen een levendige discussie tussen aan de ene kant de Wałęsa's, en aan de andere kant een vertegenwoordiger van een boerenorganisatie, die voor langzamer verandering en meer economische protectie pleitte. Veel van de harde economische beslissingen die in Polen werden genomen om van een staatseconomie te kunnen overschakelen op een vrije markt – er werd over 'schoktherapie' gesproken –, werden onder Wałęsa genomen, maar zijn partij verloor de verkiezingen. Hij werd vervangen door Kwaśniewski, die de lichting politici van na het communisme deels verving door jongere mensen, die een succes bleken.

Jolanta Kwaśniewska, de vrouw van de president, zocht me op in Kraków, dat met zijn gotische torens en grijze torenspitsen een van de best bewaarde middeleeuwse steden van Europa is. Jolanta en ik hadden iets gemeenschappelijk: we hebben beiden één dochter. Dat leidde tot geanimeerde gesprekken over de leuke en minder leuke kanten van de opvoeding. Samen bezochten we de twee voormalige dissidenten Jerzy Turowicz en Czesław Miłosz. Turowicz had vijftig jaar lang een katholiek weekblad uitgegeven, voortdurend belaagd door het communistische regime dat van het blad af wilde. Miłosz, die in 1980 de Nobelprijs voor literatuur had gekregen voor zijn oeuvre, waaronder werken als *De greep naar de macht* en *De geknechte geest*, had tijdens het communistische tijdperk voortdurend voor de vrijheid van meningsuiting gepleit. Deze bijzondere mannen, die tientallen jaren lang met hun moed en overtuiging dissidenten overal ter wereld een hart onder de riem staken, leken bijna terug te verlangen naar de morele duidelijkheid van hun strijd tegen het communistische regime.

Soortgelijke gevoelens trof ik aan bij mensen die zowel het nazisme als het communisme hadden overleefd, toen het verschil tussen goed en kwaad zo eenvoudig leek. Er bestaat geen huiveringwekkender getuigenis van het kwaad dan de concentratiekampen Auschwitz en Birkenau. Ik had de doorsnee bakstenen gebouwen van Auschwitz en het lange, stille stuk spoorrails van Birkenau wel al eens op films gezien, maar het was heel wat anders om zelf de plaats te bekijken waar miljoenen joden, dissidente Polen, zigeuners en anderen hun dood tegemoet waren gegaan. Ik had niet verwacht dat ik er zo van onder de indruk zou zijn. Ik bezocht kamers waar stapels kinderkleren, brillen, schoenen, kunstgebitten en mensenhaar lagen: stille maar toch zo veelzeggende getuigenissen van de gruwelijke wreedheden van het nazi-regime. Als verdoofd dacht ik aan die miljoenen die hier van hun toekomst waren beroofd. Terwijl ik met mijn gids langs de spoorrails stond die naar de gaskamers leidden, vertelde hij me dat de nazi's tijdens de bevrijding van Polen door de geallieerden nog haastig hadden geprobeerd de crematoria op te blazen om de bewijzen voor hun daden te vernietigen.

Ik moest denken aan iets wat er in mijn jeugd gebeurde. Toen ik een jaar of tien was, ging ik een keer met mijn vader naar een bar en restaurant aan de Susquehanna River, bij Rodham Cottage aan Lake Winola. Terwijl mijn vader met de barkeeper sprak, viel het me op dat deze getatoeëerde cijfers op zijn pols had staan. Ik vroeg mijn vader later waarom dat was, en hij vertelde me dat de man in de oorlog een krijgsgevangene was geweest van de nazi's. Ik stelde meer vragen en mijn vader legde uit dat de nazi's ook bij miljoenen joden dergelijke cijfercodes hadden laten tatoeëren en dat ze als slaven in het concentratiekamp waren gebruikt of in gaskamers waren vermoord. Ik wist dat de man van mijn oma Della, Max Rosenberg, joods was en ik was vol afschuw bij het idee dat ze iemand als hij alleen vanwege zijn geloof vermoord hadden.

Hoe je op een afstand met zo'n kwaad kunt leven, is al moeilijk, maar in Warschau, tijdens de volgende halte op mijn reis, ontmoette ik mensen voor wie die uitdaging een hoogst persoonlijke was geworden. In een vertrek van de Ronald S. Lauder Foundation, een joods gemeenschapscentrum, zaten twintig mensen die de afgelopen jaren erachter waren gekomen dat ze joods waren. Een circa vijfenvijftigjarige man had van de vrouw van wie hij dacht dat ze zijn moeder was, te horen gekregen dat zijn biologische ouders hem aan haar hadden afgestaan om hem uit de klauwen van de nazi's te houden. Een tiener had van haar ouders gehoord dat de ouders van haar moeder gedaan hadden alsof ze niet joods waren om te voorkomen dat ze op transport naar Auschwitz werden gesteld. Deze jonge vrouw moest nu zien te ontdekken wie ze was. Toen ik in oktober 1999 nog een keer in Polen was, bracht ik een bezoek aan de stichting die zich bezighoudt met het herstel van judaïsme in Polen. Nadat de Poolse media over deze gebeurtenissen hadden bericht, vertelde Lauder mij dat de stichting telefoontjes en brieven van Poolse joden ontving die op het platteland leefden waarin ze vertelden dat ze, pas nadat ze over mijn bezoek hadden gelezen, hadden gedacht dat zij de enig overgeblevenen waren. Deze samenlevingen, maar ook talloze individuen, werden nu geconfronteerd met hun verleden.

Madeleine Albright, die zich bij mij voegde in Tsjechië, kende soortgelijke ervaringen. Toen ze opgroeide had ze nooit gedacht dat ze joods was. Ze was als katholiek opgevoed, maar zou er kort daarna achter komen – door een Amerikaanse journalist die haar biografie aan het schrijven was – dat drie van haar vier grootouders in een concentratiekamp van de nazi's om het leven waren gekomen. Haar familie emigreerde vanuit Tsjecho-Slowakije naar Engeland en ten slotte naar Denver, waar Madeleine highschool afmaakte alvorens zich op Wellesley in te schrijven. Hoewel het nieuws van haar joodse afkomst haar verbaasde, zei ze dat ze er begrip voor had hoe belangrijk haar ouders het gevonden hadden zo hun kinderen te beschermen.

Wij hadden een ontmoeting met president Václav Havel, de toneelschrijver en mensenrechtenactivist die jaren wegens dissidente activiteiten in de gevangenis had gezeten. Na de Fluwelen Revolutie van 1989, toen het communistische Tsjecho-Slowakije op vreedzame wijze in een democratie veranderde, werd Havel president van het vernieuwde land. Drie jaar daarop werd Tsjecho-Slowakije in twee landen opgedeeld – Slowakije en Tsjechië – en werd hij president van de nieuwe Republiek Tsjechië.

Ik had Havel voor het eerst in Washington ontmoet, waar hij in 1993 de inwijding van het Holocaust Museum bijwoonde. Hij was goed bevriend met Madeleine, die haar vroege jeugd in Praag had doorgebracht en nog steeds vloeiend Tsjechisch sprak. Havel, een verlegen, maar wel-sprekende, grappige en zeer charmante man, was tegen die tijd al een internationaal bekende figuur. Ik vond hem bijzonder fascinerend en tussen Bill en hem ontstond al snel een band vanwege hun beider liefde voor muziek. Havel deed Bill tijdens zijn eerste reis van Praag in 1994 een saxofoon cadeau, en ze bezochten samen een jazzclub die een belangrijke rol had gespeeld tijdens de Fluwelen Revolutie. Havel stond erop dat Bill een stukje met de muzikanten op het toneel meespeelde en begeleidde hem daarbij op de tamboerijn! Van Bills versie van 'Summertime', 'My funny Valentine' en een paar andere nummers die ze samen speelden, werd een cd gemaakt die enorm populair werd in Praag.

Havels vrouw Olga was kort daarvoor overleden en hij stond erop dat we bij hem thuis kwamen eten, in plaats van in de officiële presidentiële woning op de Praagse Burcht. Havel stond me op de stoep voor zijn huis op te wachten met bloemen en een cadeautje, een haarband van aluminium die was gemaakt door een bevriende kunstenaar.

Na een levendig diner nam Havel ons mee voor een wandeling door de Oude Stad en over de beroemde Karelsbrug. Er liepen veel muzikanten, tieners en toeristen rond, en Havel vertelde dat in de jaren dat hij dissident was, de brug een verzamelpunt was waar mensen muziek maakten, platen of cassettes ruilden die ze op de zwarte markt hadden gekocht, en zonder door de autoriteiten te worden opgemerkt boodschappen uitwisselden. Muziek, vooral Amerikaanse rockmuziek, was na de Russische inval van 1968 heel belangrijk om de hoop levend te houden. In 1977 leidde Havel de protesten na de arrestatie en berechting van een Tsjechische rockband die, vrij naar Frank Zappa, 'The Plastic People of the Universe' heette. Hij richtte de mensenrechtenbeweging Charta 77 op en werd in 1979 als 'subversief element' tot dwangarbeid veroordeeld. Na zijn vrijlating in 1983 leefde hij van zijn pen. De brieven die hij vanuit de gevangenis aan zijn vrouw Olga schreef, behoren nu tot de klassieke dissidentenliteratuur.

Havel, evenzeer politiek filosoof als toneelschrijver, was een van de eersten die opmerkten dat de globalisering het aantal nationalistische en etnische conflicten eerder heeft doen toenemen dan afnemen. Een massacultuur waarin iedereen dezelfde spijkerbroek aan heeft, hetzelfde fastfood eet en naar dezelfde muziek luistert, leidt niet noodzakelijkerwijs tot meer saamhorigheid. Volgens Havel voelen mensen zich in een massacultuur juist onzekerder over hun eigen identiteit, waardoor ze extremer worden – wat tot religieus fundamentalisme, geweld, etnische zuiveringen en zelfs genocide kan leiden. Havels theorie sloeg vooral op de nieuwe democratieën in Midden- en Oost-Europa, waar intolerantie en nationalistische spanningen oplaaiden, zoals in voormalig Joegoslavië en de Sovjet-Unie.

Havel lobbyde met succes bij Bill en andere Amerikaanse leiders om het hoofdkwartier van Radio Free Europe van Berlijn naar Praag te verplaatsen. Tijdens de koude oorlog had de Amerikaanse regering Radio Free Europe gesteund als tegenwicht voor de communistische propaganda in het sovjetrijk. Havel vond dat de zender een nieuwe rol moest krijgen nu de koude oorlog voorbij was en Berlijn niet langer door het IJzeren Gordijn in tweeën werd gedeeld. De zender zou nu propaganda moeten maken voor de democratie. Bill was het met Havel eens, evenals het Amerikaanse Congres, dat in 1995 de verhuizing van Radio Free Europe naar Praag goedkeurde. Het radiostation werd gehuisvest in het oude parlement in sovjetstijl, op de kop van het historische Wenceslasplein. Hier stelden zich ooit de sovjettanks op die in de zomer van 1968 de stad waren binnengerold om een ontluikende democratiseringsbeweging de kop in te drukken. Havel wist hoe je politieke symbolen moest gebruiken.

Ik sprak op de vierde juli – Onafhankelijkheidsdag – voor Radio Free Europe 25 miljoen luisteraars in Midden- en Oost-Europa toe. Ik prees de rol die Radio Free Europe voor de revolutie had gespeeld, toen veel Tsjechen hun radio naar het raam gekeerd hielden om deze zender op te vangen en naar westerse uitzendingen te kunnen luisteren. Geïnspireerd door Havels waarschuwingen tegen globalisering en culturele homogenisering, riep ik op tot een 'alliantie van waarden' die alle democratische volken zou helpen een antwoord te vinden op 'de onvermijdelijke vragen van de eenentwintigste eeuw'. Ik sprak over het evenwicht dat gevonden moest worden tussen de rechten van het individu en die van de gemeenschap, over de moeite die het kost kinderen op te voeden die onder druk staan van de massamedia en de consumentencultuur, en over de noodzaak vast te houden aan onze etnische en nationale identiteit terwijl we regionaal en wereldwijd met anderen samenwerken.

Democratie is iets waaraan voortdurend gewerkt moet worden, een proces van de perfectionering waaraan ons eigen land na twee eeuwen nog steeds hard werkt. Het bouwen en handhaven van een vrije maatschappij is als een kruk met drie poten, waarvan een poot staat voor democratisch bestuur, de tweede voor een vrije markt en de derde voor een maatschappij van mensen met burgerzin, die zich uit in een netwerk van maatschappelijke organisaties, godsdienstige instellingen, vrijwilligerswerk en individuele daden van burgerzin, die met elkaar het weefsel van de democratie vormen. Een succesvolle burgersamenleving is even belangrijk als vrije verkiezingen en vrije markten om de burgers van democratische waarden te doordringen.

Aan het einde van mijn speech refereerde ik aan een verhaal dat Madeleine me verteld had over een rondreis die ze in 1995, precies vijftig jaar na het einde van de Tweede Wereldoorlog in Tsjecho-Slowakije, door het westen van de Bohemen had gemaakt. In alle steden die ze bezocht, stonden Tsjechen te zwaaien met Amerikaanse vlaggen met achtenveertig sterren, die een halve eeuw eerder uitgedeeld waren door Amerikaanse troepen. De Tsjechen hadden ze tijdens de hele sovjetperiode bewaard, omdat ze altijd waren blijven hopen dat ze ooit weer vrij zouden worden. Dat gaf een mooi beeld van de instelling van de Tsjechen en was een goede voorbode voor de toekomst van het land.

Ik genoot van het samenzijn met Madeleine. We hadden elkaar in 1995 goed leren kennen tijdens de reis naar de Vrouwenconferentie in Beijing. We waren beiden vastbesloten om voort te bouwen op Beijing en te zorgen dat vrouwenkwesties en sociale ontwikkeling een belangrijke plaats zouden innemen in het buitenlandbeleid van de Verenigde Staten. We spraken er vaak per telefoon over, en toen ze eenmaal minister van Buitenlandse Zaken was, luncheen we regelmatig in haar privé-eetzaal op de vijfde verdieping van haar ministerie, met alleen haar chef-staf Elaine Shocas en Melanne als gezelschap. Ik denk dat het ons in de loop van de tijd gelukt is om wat betreft het buitenlandbeleid bij een aantal mensen een omslag in de meningsvorming tot stand te brengen, en dat democratische waarden als gelijkheid en rechtvaardigheid een grotere rol zijn gaan spelen.

Madeleine en ik werden trouwe partners op politiek gebied omdat we dezelfde visie en ervaring hadden, en onder andere allebei Wellesley College hadden bezocht. We werden ook goede vriendinnen, deels vanwege de drie dagen die we samen in Praag doorbrachten, waarbij we onder andere een prachtige boottocht maakten op de Moldau. Toen we op 4 juli langs de Praagse Burcht voeren, werd er ter ere van ons vuurwerk afgestoken. We liepen samen door Praag. Madeleine wees me op bezienswaardigheden en sprak mensen die ons toejuichten in het Tsjechisch aan.

Hoe pragmatisch en vindingrijk Madeleine kan zijn, bleek toen ze in het Hrzanský-paleis snel even wat vertrouwelijke diplomatieke informatie met me wilde doorspreken voordat we premier Václav Klaus zouden ontmoeten. Er bleek nergens een plek te zijn waar we even onder vier ogen konden praten, dus greep Madeleine mijn arm en trok me mee naar de deur.

'Volg me,' zei ze. En even later stonden we te overleggen

op het damestoilet – de perfecte plaats voor vrouwen om iets rustig te bespreken.

Madeleine en ik reisden van Praag verder naar Bratislava, de hoofdstad van Slowakije, waar destijds een autoritaire regering zetelde onder leiding van Vladimir Mečiar. Hij wilde de NGO's verbieden, die hij een bedreiging vond voor de staat. Voor mijn reis was me door vertegenwoordigers van deze NGO's gevraagd of ik een bijeenkomst met NGO's uit heel Slowakije wilde bijwonen. Na wat overlegrondes vond ik dat een goed idee omdat het de aandacht zou vestigen op het feit dat Mečiar de NGO's dwarsboomde en op zijn weinig democratische houding. De bijeenkomst werd gehouden in het Concertgebouw, thuisbasis van het Filharmonisch Orkest van Slowakije. De deelnemers spraken er openlijk over de rechten van minderheden, de schade die het milieu werd toegebracht, de verkiezingsprocedures en de pogingen van de overheid om hun werk te dwarsbomen en in een kwaad daglicht te plaatsen.

Van alle regeringsleiders die ik gesproken heb, waren er slechts twee die zich vreemd en onbehoorlijk gedroegen: Robert Mugabe van Zimbabwe, die de hele tijd raar zat te giechelen terwijl hij zijn vrouw het woord liet doen, en Vladimir Mečiar, die ik later die middag in het regeringsgebouw trof. Tijdens ons gesprek zat Mečiar, een voormalig bokser, aan de ene kant van een kleine zitbank, en ik aan de andere. Hij vroeg naar de bijeenkomst in het Concertgebouw, en ik zei dat ik onder de indruk was van het belangrijke werk dat door deze organisaties werd verricht. Hierop leunde hij naar me over en begon hij op een dreigende toon en met dito gebaren te schelden op de 'verraders' die de staat bedreigden. Aan het eind van het gesprek zat ik op het uiterste puntje van de bank, ontsteld over zijn lompheid en nauwelijks verhulde woede. De Slowaken waren zelf blijkbaar ook niet zo tevreden over hem, want in september 1998 werd hij niet herkozen. De politieke ommekeer was deels aan de NGO's te danken, die de Slowaakse kiezers tot verandering wisten te motiveren.

In Hongarije, een van de voormalige Oostbloklanden die graag lid wilden worden van de NAVO, besprak ik de toekomstmogelijkheden van het land met premier Gyula Horn. Ik was een voorstander van uitbreiding van de NAVO en probeerde bemoedigend daarover te praten. Ik ontmoette ook de Hongaarse president Arpad Göncz, een heroïsche figuur die zowel onder de nazi's als onder de communisten gevangen had gezeten. Hij was net als Havel toneelschrijver geweest en was de eerste gekozen president van democratisch Hongarije. Hij verwelkomde me in een groot huis dat als ambtswoning voor de president fungeerde. Hij bekende dat hij niet wist wat hij met zoveel ruimte moest beginnen. 'Mijn vrouw en ik zijn maar met ons tweeën,' zei hij. 'We gebruiken maar één slaapkamer. We zouden eigenlijk een hoop mensen moeten uitnodigen om hier te komen wonen.' Göncz ziet er met al zijn witte haar een beetje uit als Sinterklaas. Hij werd heel ernstig toen hij over de Balkan begon. Hij zei dat hij bang was dat er in Europa, en in het Westen als geheel, langdurige etnische problemen zouden ontstaan. In wat profetische woorden zouden blijken te zijn, waarschuwde hij voor islamitische extremisten en betoogde hij dat dezelfde expansionistische impulsen die de legers van het Ottomaanse rijk in de zestiende eeuw tot voor de poorten van Boedapest hadden gebracht, nu zichtbaar waren in de moslimfundamentalisten die het seculaire pluralisme van moderne democratieën afwijzen evenals de vrijheid van anderen uit te komen voor hun religieuze overtuiging en keuzemogelijkheden voor vrouwen.

Mensen vragen zich vaak af hoeveel vrijheid ik had om tijdens mijn bezoeken door de stad te wandelen en of ik ergens naar toe kon zonder agenten van de geheime dienst om me heen. Meestal ging ik met een stoet auto's van de ene plek naar de andere en werd ik omringd door veiligheidsmensen. Maar in Boedapest smaakte ik het zeldzame genoegen in het beroemde restaurant Gundel te gaan eten. Ik at er in de tuin, die verlicht was door lampions, terwijl een vioolspeler mij een serenade bracht. Na een heerlijke middag in Boedapest had ik een paar uur vrij en wilde ik de oude stad te voet bekijken. Melanne, Lissa, Kelly en Roshann Parris, mijn fantastische kwartiermakers uit Kansas City, vermomden zich als toeristen, net als mijn chef beveiliging, Bob McDonough, de enige bodyguard die meeging. Ik droeg een strohoed, een zonnebril, een overhemd en een katoenen broek. Zo liepen we door de nauwe straatjes van de stad, langs winkels, langs baden, naar de neogotische kathedraal. Het enige wat ons verraadde, waren de twee Hongaarse veiligheidsagenten die (omdat de Hongaarse overheid mij per se wilde beschermen) twee passen achter ons liepen. Ze hadden donkere pakken aan en schoenen met dikke zolen, en droegen een wapen. Toch werden we pas na een uur door iemand herkend. 'Hillary!' gilde een Amerikaanse toerist vanaf de andere kant van de straat. Nu ik was ontdekt, begonnen er overal mensen te staren, te zwaaien en begroetingen naar ons te schreeuwen. Ik schudde handen, zei hallo, maar we konden gewoon nog een paar uur blijven lopen. We gingen zelfs nog een ijsje eten in een café en inkopen doen op een markt.

Later kwamen we een jong Amerikaans echtpaar tegen dat vroeg of ze met mij op de foto mochten. De man bleek een soldaat die in Bosnië was gelegerd. Hij wist dat ik een jaar eerder het gebied had bezocht en wilde me graag over zijn ervaringen vertellen. *'So far, so good,'* zei hij met een klassiek Amerikaans understatement. Na de ontmoeting met deze ernstige jongeman en zijn vrouw moest ik denken aan wat president Göncz had gezegd over de conflicten die in het verschiet lagen en maakte ik me zorgen wat hen en ons allen te wachten stond.

27 Keukentafel

Ik laat me makkelijk ontroeren door grote ceremoniële bijeenkomsten, en de opening van de Olympische Spelen in Atlanta op 19 juli 1996 was wat dat betreft een goede. Bill verklaarde bij het geschal van hoorns en cimbalen de spelen voor geopend, waarna een koor een lied zong dat de tienduizenden atleten en toeschouwers in het Olympisch stadion door merg en been ging. Mohammed Ali, trillend van de Parkinson, bedwong zijn rechterarm en hield een laaiende fakkel op om de Olympische vlam te ontsteken. Het was een onvergetelijk moment voor de wereld en de oud-bokskampioen.

De feestelijkheden werden wreed verstoord toen er een week later een pijpbom ontplofte in het Centennial Olympic Park, waarbij een vrouw werd gedood en honderdelf mensen gewond raakten. Bill noemde de aanslag een 'grove daad van terreur'. Ik legde in Atlanta bloemen bij de plaats van de aanslag.

Een paar dagen na de bomaanslag kwam de FBI al met een waarschijnlijke verdachte. Dit was Richard Jewell, een parttime beveiligingsagent, die men eerder een held had genoemd omdat hij de bom had ontdekt. Het was hartverscheurend om Jewell zich tegen de FBI te zien verdedigen. De media postten maandenlang voor zijn huis en berichtten vierentwintig uur per etmaal over hem. De bomaanslag werd uiteindelijk eind oktober toegeschreven aan Eric Rudolph, een fanatieke anti-abortusactivist die de ruige Appalachen in vluchtte en nooit werd gepakt.

De bomaanslag vormde het nare einde van een zomer die gekenmerkt werd door tragische gebeurtenissen, zoals het ongeluk met vlucht 800, een passagiersvliegtuig dat kort na vertrek vanaf Kennedy Airport in New York in de Atlantische Oceaan neerstortte, en de terroristische aanslag op een militaire installatie in Saoedi-Arabië, de Khobar Towers, waarbij drieëntwintig Amerikanen om het leven kwamen.

Bill had al vanaf zijn eerste State of the Union-speech gewaarschuwd voor de gevaren van het wereldwijde terrorisme. Vóór de jaren negentig werd het terrorisme niet als een belangrijke bedreiging voor de binnenlandse veiligheid beschouwd, hoewel er in de jaren tachtig meer dan vijfhonderd Amerikanen het leven door hadden verloren. Dit veranderde door de bomaanslagen op het World Trade Center en in Oklahoma City in 1993. Bill zei vaak dat terroristen vanwege onze open grenzen, makkelijke manieren van reizen en de nieuwe technologie, talloze mogelijkheden hadden om aanslagen te plegen. Om beter op de hoogte te zijn, las hij van alles over chemische en biologische wapens en liet hij zich samen met zijn staf voorlichten door experts. Hij werd zeer ongerust door wat hij te weten kwam. In 1995 legde hij een aantal wetten aan het Congres voor die vervolging van terroristen moesten vergemakkelijken, fondsenwerving voor terroristische doeleinden aan banden moesten leggen en de controle over chemische en biologische wapens moesten vergroten. Een aantal van deze wetten werd in 1996 aangenomen, maar zonder een aantal belangrijke maatregelen waarom hij had gevraagd. Bill ging daarom jaar na jaar terug naar het Congres om meer fondsen en bevoegdheden te krijgen. Het bleek echter moeilijk publieke aandacht te krijgen, of steun van het Congres, voor de wetgeving die hij noodzakelijk achtte.

In de maanden voor de grote partijconventies die in de zomer zouden plaatsvinden, werd zowel de Democratische als de Republikeinse agenda beheerst door binnenlandse kwesties. De Republikeinen hamerden op de gebruikelijke zaken. Ze scholden op de verkwistende *liberals* en hun dure uitkeringen, abortusklinieken, wapenverboden en milieubeschermende maatregelen. Bills herverkiezingscampagne, tegen de voormalig meerderheidsleider van de Senaat, Bob Dole uit Kansas, als vermoedelijke Republikeinse tegenkandidaat, was vooral gericht op beleid dat volgens hem moest leiden tot meer gemeenschapszin, betere kansen, meer verantwoordelijkheidsgevoel en meer waardering voor ondernemingszin.

Ik worstelde met de vraag hoe ik de kwesties waarvoor ik stond, zou moeten presenteren en in verband moest brengen met de problemen waarover mensen zich op dat moment zorgen maakten. Talloze gezinnen, waaronder het mijne, praten na school of werk samen over wat er die dag gebeurd is, en dergelijke gesprekken vinden meestal aan de keukentafel plaats. Ik noemde dergelijke problemen waar de Democratische Partij iets tegen wilde doen, vaak 'keukentafelproblemen', wat een stopwoordje werd in de campagne. Verschillende commentatoren in Washington maakten neerbuigende opmerkingen over de 'vervrouwelijking van de politiek'. Ik vond die reactie grappig, maar tevens kortzichtig en potentieel gevaarlijk. Ze deden alsof alleen vrouwen profiteerden van maatregelen als ouderschapsverlof, borstkankeronderzoek voor oudere vrouwen of een adequaat ziekenhuisverblijf voor moeders die net een kind hadden gekregen. En hun echtgenoten, kinderen, ouders en families dan? Ook zij werden geholpen als vrouwen betere mogelijkheden en betere zorg kregen. Daarom verzon ik de term 'de vermenselijking van de politiek', om het idee te stimuleren dat 'keukentafelproblemen' voor iedereen belangrijk zijn, en niet alleen voor vrouwen.

Bill halveerde het overheidstekort, zoals hij in zijn campagne van 1992 beloofd had, creëerde meer dan tien miljoen banen, zorgde dat de 15 miljoen laagstbetaalde werknemers meer belasting terugkregen, regelde dat werknemers niet meteen hun ziektekostenverzekering kwijt waren als ze werkloos werden, en verhoogde het minimumloon. De meeste Republikeinen waren op de verhoging van het minimumloon tegen. En we hadden succes met een maatregel waarin ook een bepaling was opgenomen waaraan ik maanden had gewerkt: een belastingteruggave van vijfduizend dollar per kind voor adoptieouders en van zesduizend dollar per kind met speciale behoeften. Bovendien zouden adopties niet langer geweigerd of vertraagd kunnen worden vanwege ras, huidskleur of land van oorsprong. Al sinds de tijd dat ik me als rechtenstudent voor adoptiekinderen had ingespannen, was ik uit op een goede regeling voor deze kinderen, die het vinden van een permanent, liefdevol gezin zou vergemakkelijken. Ik wist dat deze nieuwe maatregelen hielpen, maar ook dat er meer diende te gebeuren. Daarom organiseerde ik in 1996 een aantal bijeenkomsten met adoptiespecialisten in het Witte Huis. Deze denktank leidde in 1997 uiteindelijk tot een adoptiewet die voor het eerst voorzag in een financiële prikkel om staten te stimuleren voor permanente adoptie te zorgen in plaats van kinderen in tijdelijke pleeggezinnen te plaatsen.

Ook het zestig jaar oude stelsel voor de sociale zekerheid, dat generaties van uitkeringsafhankelijke Amerikanen had gekweekt, moest op de helling. Bill had beloofd dat het gereorganiseerd zou worden en het Witte Huis had maanden van moeilijke onderhandelingen en politieke strijd achter de rug. De Republikeinen wisten dat de kiezers erg voor hervorming van de sociale zekerheid waren en hoopten dat ze Bill zo ver konden krijgen een wet aan te nemen die ongunstig was voor vrouwen en kinderen en miljoenen Amerikanen essentiële dienstverlening onthield. Als Bill daartoe niet bereid was, dan konden ze dat bij de komende verkiezingen tegen hem gebruiken. Maar de hervorming van de sociale zekerheid werd een succes voor Bill. Ik vond zelf ook dat het systeem diende te veranderen, hoewel dat persoonlijk moeite kostte.

Het eerste stelsel voor sociale zekerheid werd in de jaren dertig opgebouwd om weduwen met kinderen te helpen. Vrouwen hadden toen weinig kansen op de arbeidsmarkt. Halverwege de jaren zeventig nam het aantal ongehuwde moeders enorm toe, evenals het aandeel van ongehuwde moeders op het totaal aantal uitkeringsgerechtigden. In die tijd betraden ook steeds meer moeders de arbeidsmarkt, en voor veel banen werd een hoger opleidingsniveau verlangd. Vrouwen met weinig opleiding en weinig werkervaring konden dikwijls onvoldoende verdienen om aan de armoedeval te ontsnappen of om een baan te vinden waarbij ze verzekerd waren en andere voordelen genoten. Omdat de meeste mensen die een uitkering hadden, laag waren opgeleid en weinig werkervaring hadden, hadden die dus nauwelijks een prikkel om een baan tegen het minimumloon te zoeken. Voor sommigen was het een betere keuze thuis te blijven. Dit leidde tot het ontstaan van een permanente uitkeringsklasse – en tot wrok onder belastingbetalers, vooral werkende ouders met een laag inkomen. Ik vond het ook oneerlijk dat de ene alleenstaande moeder elke dag vroeg opstond en een oppas regelde, terwijl de andere thuisbleef en een uitkering kreeg. Ik was het met Bill eens dat mensen die willen werken, daarvoor beloond moeten worden.

In 1980, tijdens Bills eerste ambtstermijn, nam Arkansas deel aan een 'demonstratieproject' van de regering-Carter om uitkeringsgerechtigden aan te moedigen te gaan werken. In 1987 en 1988 was Bill de belangrijkste Democratische gouverneur die met het Congres en het Witte Huis van Reagan samenwerkte aan de hervorming van de sociale zekerheid. Als voorzitter van het Landelijke Genootschap van Gouverneurs liet hij vrouwen die in Arkansas onder zijn plan waren gaan werken, vertellen over deze ervaring. Ze bleken zich veel beter te voelen over hun toekomst en die van hun kinderen nu ze niet meer van een uitkering leefden. Bill was in oktober 1988 aanwezig bij een plechtigheid waar president Reagan een wet op de hervormingen ondertekende die voor een groot deel op de ideeën van Bill zowel als de gouverneurs berustte.

Toen Bill in 1991 aan zijn presidentscampagne begon, was duidelijk dat de hervormingen onder Reagan niet tot de gewenste resultaten hadden geleid. Dit kwam vooral doordat de regering-Bush er onvoldoende geld voor had vrijgemaakt en onvoldoende druk had uitgeoefend om de wet in individuele staten te implementeren. Bill beloofde een einde te maken aan 'de sociale zekerheid zoals wij die kennen', en te zorgen voor een regeling die beter was voor de werkgelegenheid en beter voor gezinnen.

Toen Bill aan zijn eerste presidentstermijn begon, kreeg het Amerikaanse systeem van bijstand AFDC (Aid to Families with Dependent Children) meer dan de helft van zijn fondsen van de federale overheid. Maar het werd uitgevoerd door de staten, die het voor zeventien tot vijftig procent financierden. De federale overheid schreef voor dat moeders die over onvoldoende middelen beschikten, een uitkering dienden te krijgen, maar de staten bepaalden de hoogte van die uitkering. En dus waren er vijftig verschillende systemen en liep de hoogte van de uitkeringen uiteen van 821 dollar voor een gezin met twee kinderen in Alaska, tot 137 dollar in Alabama. Moeders met een AFDC-uitkering hadden tevens recht op voedselbonnen en een Medicaid-ziektekostenverzekering.

Op de wetgevende agenda van 1993 en 1994 ging de reorganisatie van de sociale zekerheid nog voor het economische plan, de NAFTA, de misdaadbestrijding en de gezondheidszorg. En toen de Republikeinen de controle kregen over het Congres, hadden ze hun eigen ideeën over hoe ze het systeem moesten veranderen. Ze waren voorstander van strenge beperkingen aan de uitkeringsduur, tegen federale financiering van sociale zekerheid die door staten werd uitgekeerd, waaronder Medicaid en voedselbonnen, tegen uitkeringen voor legale immigranten, ook degenen die werkten en belasting betaalden, en voor weeshuizen om kinderen van ongetrouwde tienermoeders te huisvesten en op te voeden (het plan van Newt Gingrich). Het Republikeinse plan voorzag nauwelijks in steun om mensen de stap van uitkering naar werk te laten maken.

Bill, ik en de Congresleden die een productieve hervorming van het uitkeringssysteem nastreefden, vonden dat mensen die in staat waren te werken, dat ook moesten doen. Maar we zagen ook in dat er prikkels nodig waren om te zorgen dat mensen weer permanent gingen werken, en dat er grote investeringen nodig waren ten behoeve van onderwijs en scholing, voor kinderopvang en reiskostenvergoeding. We waren ook tegen het idee legale immigranten van uitkeringen uit te sluiten en kinderen van arme ouders gedwongen in weeshuizen te laten opnemen.

Eind 1995 werden de eerste wetten in de regering en het Congres behandeld. Er volgde een hoop politiek getouwtrek. Ik denk dat veel Republikeinen dachten dat ze Bill in een hoek konden drijven als ze voldoende 'gifpillen' in de wetten stopten. Als hij deze wetten ondertekende, stelde hij belangrijke groepen Democratische kiezers teleur en benadeelde hij miljoenen arme kinderen; en als hij dat niet deed, zouden de Republikeinen bij de verkiezingen van 1996 stemmen winnen van kiezers die hervormingen wilden, maar de details van de wet niet kenden.

Sommige mensen in het Witte Huis drongen er bij Bill op aan de hervormingsplannen van het Congres maar te tekenen, omdat het de regering en de Democratische afgevaardigden anders veel stemmen zou kosten. Anderen vonden dat Bill moest proberen de Republikeinen de loef af te steken en het publiek ervan moest overtuigen dat hij juist degene was die hervormingen wenste. Ik voelde me persoonlijk zeer betrokken bij de hervorming van het uitkeringssysteem, waarschijnlijk meer nog dan Bill. Ik vond dat het systeem zeer aan vernieuwing toe was, maar had me er als voorvechter voor vrouwen- en kinderenrechten in verdiept, en wist dat uitkeringen vaak de enige tijdelijke mogelijkheid waren voor arme gezinnen. Natuurlijk werd er soms misbruik van gemaakt, maar ik had ook ervaren hoe belangrijk het soms was voor mensen die er een periode mee konden doorkomen waarin er geen andere mogelijkheden waren om een inkomen te verwerven. Hoewel ik soms privé tegen de besluiten van de overheid had gepleit, had ik me nooit in het openbaar tegen besluiten van de regering of van Bill verzet. Nu zei ik echter tegen Bill en zijn staf dat ik me gedwongen voelde me tegen een nieuwe wet uit te spreken als daarmee Medicaid en voedselbonnen voor uitkeringsgerechtigen zouden worden afgeschaft.

De Republikeinen dienden een wet in die een strenge limiet stelde aan de uitkeringsduur, geen steun bood voor de overgang naar werk, uitkeringen voor legale immigranten schrapte, toezicht van de federale overheid afschafte en staten meer zeggenschap gaf over het aanwenden van overheidsgeld. De staten zouden kortom zelf mogen bepalen wat ze wilden bieden aan uitkeringen, kinderopvang, voedselbonnen en gezondheidszorg. Na een heftig debat in het Witte Huis sprak Bill zijn veto uit over de wet. Vervolgens namen de Republikeinen een nieuwe wet aan, die wat meer financiële hulp bood, maar de andere maatregelen bleven onveranderd. Ik hoefde niet erg bij Bill te lobbyen, want ik wist dat hij deze wet evenmin zou ondertekenen. En inderdaad sprak hij ook in deze kwestie zijn veto uit, met als reden dat alle arme kinderen recht moesten blijven houden op voldoende eten en medische en andere zorg.

De derde wet werd aangenomen met steun van meer dan de helft van de Democraten in het Huis en de Senaat. Er werd meer geld in vrijgemaakt om mensen aan het werk te krijgen, en er werd voor het eerst ook geld voor kinderopvang gereserveerd. Bovendien werden de voedselbonnen en de gezondheidszorgverzekering weer in ere hersteld. Maar nog steeds hadden immigranten geen recht op een uitkering, gold er voor uitkeringen een maximumperiode van vijf jaar, en konden staten nog steeds de maximale maandelijkse uitkeringshoogte bepalen. Om te zorgen dat staten uitkeringsgerechtigden financieel aanmoedigen om werk te aanvaarden, werd het niveau van de overheidsuitkeringen verhoogd tot dat van halverwege de jaren negentig, toen dit op zijn maximum was. Dit betekende dat de staten over de financiële middelen zouden beschikken waaruit een vangnet kon worden betaald waarvan in de wet sprake was.

Bill was wel bereid zijn handtekening te zetten onder

deze derde wet, die ondanks zijn tekortkomingen een belangrijke eerste stap was voor de hervorming van het uitkeringsstelsel in de Verenigde Staten. Ik vond ook dat hij dit moest doen en zette me in om mensen over te halen ervoor te stemmen, hoewel hij veel kritiek kreeg van progressieve Democraten, organisaties die opkwamen voor immigranten, en de meeste mensen die bij de sociale diensten werkzaam waren. Bill beloofde dat hij zou vechten om ook immigranten voor een uitkering in aanmerking te laten komen, wat tegen 1998 tot enig succes leidde. Hij meende dat het aanvaardbaar was om de maandelijkse uitkeringen in één keer over te dragen omdat de staten, die sowieso de hoogte van de uitkeringen bepaalden, significant meer geld zouden ontvangen om mensen met een uitkering weer aan het werk te krijgen. Ik was het bezorgdst over de maximale uitkeringsduur van vijf jaar, omdat deze ook zou gelden als het land in een zware recessie terechtkwam en er nauwelijks meer banen waren. Maar alles bij elkaar meende ik dat dit een historische kans was een systeem dat afhankelijkheid kweekte, te veranderen in een systeem dat juist de onafhankelijkheid van mensen bevorderde.

De wet was echter verre van perfect, en dus moest een pragmatische politiek uitkomst brengen. Bill vond dat hij de wet kon tekenen omdat er een Democratische regering aan de macht was die hem op een menselijke manier zou kunnen implementeren. Als hij voor de derde keer zijn veto had uitgesproken, zou hij de Republikeinen in de kaart hebben gespeeld. Dit speelde vlak na de rampzalig verlopen tussentijdse verkiezingen, en de kans op nog meer stemmenverlies was groot. En als dat gebeurde, zou het helemaal moeilijk worden om het sociale-zekerheidsstelsel te veranderen.

Een paar van onze trouwste aanhangers waren woedend over Bills besluit en mijn instemming, onder anderen Marian Wright Edelman en haar man Peter Edelman de onderminister voor Sociale Zaken en Gezondheidszorg. Ze hadden gehoopt dat ik me tegen de nieuwe wet zou verzetten, omdat ik voor het kinderbeschermingsfonds had gewerkt. Ze begrepen niet dat ik de wet steunde, die zij oprecht schandelijk, onpraktisch en slecht voor kinderen vonden. Marian verwoordde deze mening in een 'open brief aan de president' in *The Washington Post*.

De controverse had een pijnlijke nasleep. Ik besefte dat ik van het kamp van de pleitbezorgers in dat van de beleidsmakers was overgegaan. Mijn overtuigingen waren niet veranderd, maar ik was het niet meer eens met de Edelmans en anderen die bezwaar maakten tegen de wet. Zij dachten niet aan compromissen, want ze hoefden niet, zoals Bill, met Newt Gingrich en Bob Dole te onderhandelen, of zich zorgen te maken over het politieke evenwicht in het Congres. Zij waren niet gekozen. Ik herinnerde me maar al te goed de nederlaag die we met de hervorming van de gezondheidszorg hadden geleden, die deels te wijten was, dachten sommigen, aan het gebrek aan bereidheid tot compromissen van onze kant. Ik vind niet dat er in de politiek compromissen gesloten moeten worden als het gaat om waarden en principes, maar wel dat er flexibel met strategieën en tactieken moet worden omgegaan als het doel dichtbij is. Vrouwen en hun kinderen zouden door de hervorming van het uitkeringsstelsel een beter leven kunnen krijgen. Bovendien was de hervorming een strategie om het Amerikaanse publiek ervan te overtuigen dat de armen en kwetsbaren in de samenleving geholpen moesten worden. Als het verachte systeem van sociale zekerheid vervangen kon worden door een systeem dat mensen weer aan het werk hielp, dan zouden publiek en politici misschien bereid zijn iets te doen aan het grotere probleem van de armoede en de consequenties daarvan: de ellende in éénouder of dakloze gezinnen, de inadequate huisvesting, het gebrek aan gezondheidszorg en andere problemen. Ik hoopte dat hervorming van de sociale zekerheid het begin, en niet het eind zou zijn van onze strijd tegen de armoede.

Peter Edelman en Mary Jo Bane, een vriendin die ook onderminister voor Sociale Zaken en Gezondheidszorg was geweest en aan de hervorming had meegewerkt, namen een paar weken na Bills ondertekening van de wet ontslag uit protest. Het was een principieel besluit, dat ik accepteerde en waar ik zelfs bewondering voor had, hoewel ik met hen van mening verschilde over de verdiensten van de wet. Ik bleef Marian en Peter wel ontmoeten en ik vond het prachtig dat Marian in augustus 2000 van Bill de Medal of Freedom kreeg voor haar inzet voor burgerrechten en kinderen. Ze was een belangrijke mentor voor me en ik vond het erg vervelend dat het tot deze breuk kwam over het uitkeringsstelsel.

Aan het eind van Bills presidentschap was het aantal mensen dat een uitkering ontving, gedaald van 14,1 naar 5,8 miljoen en waren er miljoenen ouders weer aan het werk. De staten hadden mensen gesteund om parttime of laagbetaald werk te accepteren door hun ziekenfonds te blijven doorbetalen en voedselbonnen te blijven verstrekken. In januari 2001 was de armoede onder kinderen met vijfentwintig procent gedaald en op het laagste niveau sinds 1979 beland. Door de hervorming van het uitkeringsstelsel, de verhoging van het minimumloon, de belastingvermindering voor de laagstbetaalden en de bloeiende economie waren bijna acht miljoen mensen aan de armoede ontsnapt, dat wil zeggen honderd keer zo veel als het aantal mensen dat zich in de periode-Reagan boven de armoedegrens wist uit te werken.

Een belangrijke bijdrage aan het succes van de hervorming werd geleverd door Welfare to Work Partnerhip, een instelling die zich inspande om werklozen weer aan het werk te krijgen. Bill had zijn oude vriend Eli Segal gevraagd deze organisatie op te zetten. Eli was een succesvolle zakenman die met Bill had samengewerkt in de campagne voor McGovern en die chef-staf was geweest in Bills campagne van 1992. Als assistent van de president had hij de leiding over de oprichting van de National Service Corporation (een overkoepelende instelling voor non-profitorganisaties) en AmeriCorps. Eli werkte voor de benodigde wetgeving nauw samen met Shirley Sagawa, een juridisch medewerkster van mijn staf, en werd de eerste directeur van de Corporation. Meer dan tweehonderdduizend jonge mensen maakten tussen 1994 en 2000 gebruik van de studiebeurzen en mogelijkheden voor vrijwilligerswerk die AmeriCorps aanbood. AmeriCorps vormde partnerschappen met bedrijven en instellingen. Eli volgde dit model voor de Welfare to Work Partnerhip, waarbij werkgevers gevraagd werd werklozen in dienst te nemen en op te leiden. De organisatie was onder Eli's leiderschap een groot succes. Ruim 1,1 miljoen uitkeringsgerechtigden werden aan een opleiding of baan geholpen.

De hervorming van de sociale zekerheid was tot stand gebracht in een tijd dat het economisch tij meezat. De echte proef op de som zal zich echter pas voordoen als het ons land economisch tegenzit en er meer mensen aanspraak zullen maken op een uitkering. De wetgeving hierover staat op het punt te worden aangepast, en als senator wil ik me inzetten voor de aanpassing en verbetering ervan. Ondertussen horen legale immigranten die werken (en bij elkaar meer dan vijf miljard dollar aan belastinggeld bijdragen), weer recht te krijgen op een uitkering. De maximale uitkeringsperiode van vijf jaar moet worden verlengd voor mensen die hun baan kwijtraken als er geen banen te krijgen zijn. Onderwijs en scholing moeten worden aangemoedigd en staten horen verantwoording af te leggen voor het geld dat ze van de federale overheid voor uitkeringen krijgen.

Toen Bill in de maanden voor de verkiezingen van 1996 steeds meer steun van het Amerikaanse volk kreeg, gingen zijn tegenstanders wanhopig op zoek naar dingen die afbreuk konden doen aan zijn populariteit. Het blad *Time* beschreef de trend begin juli in een artikel getiteld 'The Starr Factor'. Er stond onder andere: 'Clinton wacht al maanden op een Republikeinse tegenstander die de verkiezingen van 1996 tot een echte strijd kan maken. Het ziet ernaar uit dat hij die eindelijk gevonden heeft, maar het is niet Bob Dole. De enige serieuze bedreiging voor de president is Kenneth Starr. Nu de campagne van Dole nog steeds niet van de grond lijkt te komen, kunnen de Republikeinen alleen nog hopen dat het presidentschap door dagvaardingen en rechtszaken zal worden stukgemaakt.'

Het nieuwste pseudo-schandaal leek te zijn gepland voor de partijconventies die in de zomer zouden plaatsvinden, en draaide om twee medewerkers van het Witte Huis, Craig Livingstone en Anthony Marceca, die op middenkaderniveau op de afdeling persoonsbeveiliging werkten. In 1993 hadden ze bij de FBI achtergrondinformatie opgevraagd over mensen die op het Witte Huis werkten met als doel een archief samen te stellen van iedereen die over een toegangspas voor het Witte Huis beschikte. De afdeling persoonsbeveiliging deed zelf geen antecedentenonderzoek; dat werd aan de FBI overgelaten. Ze was al evenmin verantwoordelijk voor de veiligheid, want daar was de geheime dienst voor. Ik heb nooit helemaal begrepen wat de afdeling dan wel deed, maar er werd in elk geval gecontroleerd of er bij huidige werknemers antecedentenonderzoek was uitgevoerd en er werden veiligheidsinstructies gegeven aan personeel van het Witte Huis. Toen Bush in januari 1993 uit het Witte Huis vertrok, namen zijn mensen alle gegevens van de afdeling persoonsbeveiliging mee voor de Bush Library (hiertoe waren ze volgens de archiefwet gerechtigd). De nieuwe regering beschikte dus niet over achtergrondgegevens van permanente medewerkers in het Witte Huis – die had alleen de geheime dienst. Livingstone en Marceca probeerden de archieven weer op te bouwen en ontvingen daarom honderden dossiers van de FBI, waaronder een aantal over ambtenaren die onder Reagan en Bush hadden gediend. Ze merkten deze fout niet op en toen een andere medewerker dat wel deed, stuurde ze de archieven gewoon naar het archief in plaats van ze aan de FBI terug te geven. Het Witte Huis erkende de fout en bood verontschuldigingen aan. Maar Kenneth Starr zette

niettemin een 'archiefschandaal' op zijn lijstje onderzoeks-
projecten.

Een ontevreden FBI-agent vertelde de senaatscommissie dat Craig Livingstone zijn baantje als hoofd van de
afdeling persoonsbeveiliging te danken had aan een
vriendschap tussen mij en Livingstones moeder. Ik kende
mevrouw Livingstone niet, maar we waren tijdens een
kerstviering op het Witte Huis een keer samen gefotografeerd voor een groepsfoto. Toen ik een school in Boekarest
bezocht die door onze overheid werd geholpen met het les-
programma, werd me door een Amerikaanse journalist gevraagd in hoeverre ik de familie Livingstone kende. Ik zei
tegen hem dat ik me niet herinnerde Craig of zijn moeder
ooit te hebben ontmoet, maar dat als dat wel zo was, ik vast
gezegd zou hebben: 'Mrs. Livingstone, I presume?'

In augustus ging ik met Chelsea een aantal colleges in
New England bezoeken. Hoewel ik opzag tegen het moment dat ze het huis zou verlaten om op college te gaan wonen, vond ik het wel erg leuk om colleges met haar te gaan
bekijken. Ik hoopte dat ze verliefd zou worden op mijn alma mater, Wellesley, of ten minste een college aan de Oostkust zou kiezen, zodat ik haar makkelijk zou kunnen bezoeken en ze snel thuis kon zijn als ze dat wilde. Ik sloot een
deal met de geheime dienst, zodat we van de ene campus
naar de andere mochten rijden in een onopvallend bestelbusje met zo weinig mogelijk zichtbare agenten aan boord.
We bezochten zes campussen zonder veel aandacht te trekken, en ik had het erg leuk gevonden als ze voor een van die
zes had gekozen.

Maar Chelsea wilde graag Stanford zien, en dus vertrokken we naar Palo Alto. We werden er vriendelijk verwelkomd door Condoleezza Rice, die op deze universiteit de
Provost was (de op één na hoogste bestuursfunctie). Chelsea was opgetogen over onze dag op deze universiteit met
haar mooie oude gebouwen, prachtige ligging aan de voet
van de bergen, en heerlijk klimaat. Toen ik Bill die avond
belde, vertelde ik hem dat Stanford duidelijk haar eerste

keus was. Dat was, denk ik, de prijs die je moet betalen als je je kind tot een onafhankelijk mens probeert op te voeden.

We zouden voor onze zomervakantie weer naar Jackson Hole in Wyoming gaan. Ik had er een jaar eerder hard aan *It Takes a Village* zitten werken, maar nu had ik alle tijd om met Bill en Chelsea door de zomerse bloemenweiden te wandelen van de Grand Tetons, en het dichtbij gelegen Yellowstone National Park te bezoeken. De glooiende graslanden en geisers worden al sinds 1872, toen de Amerikaanse regering Yellowstone uitriep tot Amerika's en 's werelds eerste nationaal park, in ere gehouden voor toekomstige generaties Amerikanen. Sindsdien zijn nationale parken een voorbeeld geworden voor andere landen on hun natuurlijk erfgoed te beschermen. Telkens als ik een van de nationale parken bezoek, word ik eraan herinnerd hoezeer ons land gezegend is met zulke overdadige natuurlijke bronnen en aan onze verantwoording als beheerders van dit schitterende land. Onze opdracht gaat verder dan alleen maar het bewaren van dit prachtige landschap; we moeten toezichthouders zijn van een gezond, evenwichtig milieu. In Yellowstone, waar grijze wolven uitgeroeid waren door jagers, hebben biologen in overheidsdienst een kleine populatie uitgezet die ervoor moet zorgen dat het natuurlijk evenwicht tussen prooi en jagers weer wordt hersteld. Tijdens ons bezoek aan Yellowstone wandelden Bill, Chelsea en ik naar de hokken waar grijze wolven acclimatiseerden voordat ze werden vrijgelaten. Er waren op dat moment geen verslaggevers te bekennen, alleen rangers en een paar agenten van de geheime dienst die niet hadden verwacht dat ze de president en zijn gezin ooit tegen echte wolven zouden moeten beschermen.

Bill kondigde later een historische overeenkomst aan om een enorm mijnbouwbedrijf tegen te houden dat aan de rand van Yellowstone goud wilde gaan winnen. Hoe ouder ik werd, des te fanatieker wilde ik onze aarde beschermen tegen onnodige en onomkeerbare schade. Ik geloof dat een sterke economie en een schoon milieu elkaar niet hoeven uit te sluiten, en zelfs hand in hand kunnen gaan, omdat alle leven en economische activiteit uiteindelijk afhankelijk zijn van de manier waarop we met de natuurlijke omgeving omgaan. Tijdens Bills presidentsperiode zag ik toe op de aanpassing van het Witte Huis, een project gericht op het verbeteren van het energieverbruik van het gebouwencomplex met behulp van onder andere recyclingtechnieken. Door een project waarvoor ik het startschot gaf, Save America's Treasures (Red Amerika's schatten) haalde ik geld op voor onze parken, waarvan ik een groot aantal bezocht. Ik steunde Bill en Al in hun streven land, lucht en water te beschermen, iets te doen aan de wereldwijde klimaatverandering en over te schakelen op alternatieve energiebronnen. Maar op milieugebied richtte ik mijn aandacht vooral op de gevolgen van milieuvervuiling voor onze gezondheid. Door mijn werk voor zieke Golfoorlog-veteranen en het toenemend aantal kinderen dat aan astma en vrouwen dat aan borstkanker lijdt, ben ik ervan overtuigd geraakt dat er langetermijnonderzoek nodig is naar de effecten van milieuschade op de volksgezondheid.

Op 12 augustus begon de Republikeinse Partijconventie in San Diego. Een partij die haar partijconventie houdt, kandidaten aanwijst en de speerpunten van de campagne onthult, krijgt altijd alle aandacht. De kandidaat van de andere partij houdt zich dan stil langs de zijlijn. Ik vond dat prettig, want ik meende dat iedereen wel wat vrije tijd kon gebruiken. Zelf had ik de speeches op televisie niet gezien, maar ik hoorde achteraf van vrienden over het optreden van Elizabeth Dole op de tweede avond. Ze dompelde zich onder in de menigte, microfoon in de hand, en sprak vol liefde over haar man, zijn carrière en overtuigingen. Elizabeth Dole, opgeleid als advocate en oud-minister onder Reagan en Bush, is een politieke professional, intelligent en weloverwogen. Haar welsprekendheid deed de campagne van haar man veel goed. Hoewel ze Bob Dole daarmee tot een nog lastiger tegenstander maakte, zag ik graag een vrouw die onder druk een goede prestatie neerzette en de lof kreeg die ze verdiende. Door een vreemde wending van het lot zit ik nu samen met haar in de Senaat.

Na Elizabeth Doles speech volgden er onvermijdelijk speculaties over wat ik op onze partijconventie zou zeggen. Ze was nog maar nauwelijks uitgesproken, of mijn staf bombardeerde me al met vragen. Journalisten vroegen of ik op het podium zou blijven staan, of net als zij de zaal in wilde lopen. Hoe verleidelijk het ook was om iets nieuws te proberen, ik besloot dat het toch beter was bij mijn eigen stijl en thema's te blijven.

Op zondag 25 augustus kwam ik aan in Chicago, drie dagen voor Bill, die in gezelschap van Chelsea met de trein uit West Virginia zou komen. Betsy Ebeling had een bijeenkomst met mijn familie en vrienden georganiseerd in Riva's Restaurant, op de Navy Pier in Lake Michigan. Ik merkte al snel hoe enthousiast de mensen in Chicago waren dat de partijconventie in hun stad plaatsvond. Burgemeester Richard Daley, zoon en naamgenoot van de legendarische burgervader van Chicago, had de stad op een fantastische manier voorbereid en langs alle straten bomen laten planten. De sfeer was heel anders dan tijdens de partijconventie die de Democraten er in 1968 hielden, tijdens het burgemeesterschap van zijn vader. Toen waren de straten vol demonstranten geweest die tegen een onrechtvaardige oorlog protesteerden. Maar deze keer liep alles op rolletjes.

Ik zou op dinsdagavond de afgevaardigden toespreken. Het zou de eerste keer worden dat een speech van een First Lady op een partijconventie tijdens primetime op de televisie zou worden uitgezonden. Eleanor Roosevelt was de eerste presidentsvrouw die een partijconventie toesprak, maar dat was in 1940, voordat televisie algemeen was. Ik had veel afspraken in de twee dagen voor mijn speech. Ik sprak een bijeenkomst van vrouwelijke Democratische leiders toe, had ontmoetingen met verschillende delegaties uit de staten, was aanwezig bij de opening van een park ter ere van Jane Addams en bezocht een school. Ik werkte ook aan de speech, die zelfs op maandagavond, toen ik naar het United Center ging om met een teleprompter te oefenen, nog niet helemaal vastlag. Het United Center is de thuis-basis van de basketbalclub de Chicago Bulls, en zij vorm-den de inspiratie voor een button die altijd een favoriet van me is gebleven. In 1996 zaten er wereldberoemde spelers bij de Bulls, zoals Michael Jordan, Scottie Pippen, die ik uit Arkansas kende, en de *bad boy* van de Amerikaanse basket-balbond, Dennis Rodman, die zijn haar in verschillende kleuren verfde en overal tatoeages en piercings had. Op het partijcongres werd dus een button verkocht met een foto van mijn gezicht met het kapsel van Rodman en het onder-schrift: 'Hillary Rodman Clinton: *As Bas as She Wants to Be.*'

Maar dinsdagmorgen was ik nog steeds niet tevreden over mijn speech. Ik miste Bill, die nog in de trein zat en me dus niet, zoals gewoonlijk, kon helpen en geruststellen. In minder dan twaalf uur zou ik het grootste publiek ooit toespreken en ik zat nog steeds te ploeteren om mijn the-ma's en overtuigingen goed onder woorden te brengen.

Bob Dole werd, zonder dat hij dat wist, mijn redder. Plotseling zag ik het licht. In zijn aanvaardingsspeech voor de Republikeinse Partijconventie had hij het uitgangspunt van *It Takes a Village* aangevallen. Hij dacht abusievelijk dat ik de staat bedoelde met mijn idee van het dorp. Hij impliceerde daarom dat ik voor vergaande overheidsbe-moeienis was (en de Democraten dus ook). 'En na de aan-slag op het Amerikaanse gezin, de basis waarop dit land is gegrondvest, wordt ons verteld dat we om een kind op te voeden een dorp nodig hebben, dat wil zeggen een collec-tief – en dus de staat... Maar volgens mij is er, met alle res-pect, juist helemaal geen dorp voor nodig om een kind op te voeden. Dat moet door het gezin gebeuren.'

Dole had niet begrepen waar mijn boek over ging, na-melijk dat kinderen allereerst de verantwoordelijkheid zijn van het gezin, maar dat het 'dorp' – een metafoor voor de maatschappij als geheel – verantwoordelijk is voor de cultuur, de economie en de omgeving waarin kinderen opgroeien. De politieman die op straat zijn dienst loopt, de leraar in het klaslokaal en de producent die besluit welke films er gemaakt worden, oefenen stuk voor stuk invloed uit op Amerikaanse kinderen.

Ik ging als een razende aan het werk en herschreef mijn speech zodanig dat het thema uit mijn boek er de rode draad van vormde. Vervolgens ging ik naar het kamertje in de kelder van het United Center om voor de laatste keer te oefenen met Michael Sheehan, de mediacoach die me probeerde te leren met de teleprompter om te gaan, waarmee ik nooit eerder had gewerkt. Ik had er de grootste moeite mee, maar wist dat ik de speech helemaal zou verknallen – hoe goed hij nu ook in elkaar zat – als ik hem als een robot voorlas. Ik oefende net zo lang totdat het naar wens ging.

Eindelijk was het tijd. Chelsea had twee dagen lang met Bill in de trein gezeten, en was eerder uitgestapt om bij mij te kunnen zijn. Ze ging bij mijn moeder en mijn broers, Dick Kelley, Diane Blair, Betsy Ebeling en een hoop andere vrienden in de skybox zitten, vanwaar ze een prachtig uitzicht had op het podium.

Er bevonden zich ongeveer twintigduizend mensen in de conventiezaal en de stemming was hooggespannen. Twee van de beste sprekers van onze partij, de voormalige gouverneur van New York, Mario Cuomo, en de voorman van de burgerrechtenbeweging Jesse Jackson, speechten vóór mij. Ze brachten de stemming onder de Democratische getrouwen er goed in met ouderwets opzwepende toespraken met veel aandacht voor de waarden van de partij.

Toen ik het toneel op liep, begon het publiek furieus te applaudisseren en met de voeten te stampen. Dit hielp me over mijn zenuwen heen te komen, maar na enige tijd begon ik me zorgen te maken dat kostbare minuten prime time op de televisie verloren gingen. Ik had een uur toegewezen gekregen en ik liep de kans dat mijn speech halverwege werd afgebroken als ik de tijd overschreed die de zen-ders ervoor hadden ingeruimd. Dit was gebeurd met de speech die Bill in 1988 voor Michael Dukakis hield tijdens het partijcongres in Atlanta. Ik was dan misschien de First Lady, maar ik wist dat er geen marge voor vergissingen was. Niemand sloeg acht op mijn aansporingen om te gaan zitten, dus bleef ik maar staan glimlachen en wuiven, en liet het gejuich over me heen komen.

Eindelijk verstomde het gejoel en kon ik beginnen. Mijn speech was eenvoudig en recht door zee. Ik vroeg het publiek zich voor te stellen hoe de wereld eruit zou zien tegen de tijd dat Chelsea net zo oud was als ik – in het jaar 2028. 'Het is zeker dat het anders zal zijn,' zei ik, 'maar niet dat het beter is. Want vooruitgang is afhankelijk van de keuzen die we nu maken, en of we nu onze waarden verdedigen.'

In mijn speech ging ik in op issues zoals uitbreiding van het ouderschapsverlof, vereenvoudiging van de abortuswetgeving, de wettelijke garantie dat moeders na de bevalling van een baby minstens achtenveertig uur in het ziekenhuis mogen blijven.

Toen kwam ik bij het crescendo, mijn reactie op wat Bob Dole had gezegd:

Het grootbrengen van onze dochter was een zeer lonende, nederig makende ervaring voor Bill en mij. We leerden onder andere dat er een gezin voor nodig is om een kind gelukkig, gezond en hoopvol op te voeden. En dat er leraren voor nodig zijn. En geestelijken. En ondernemers. En mensen die zich om hun gezondheid en veiligheid bekommeren. Er zijn enorm veel verschillende mensen voor nodig.

Ja, er is een hele gemeenschap voor nodig.

En er is een president voor nodig.

Een president die niet alleen in het potentieel van zijn eigen kind gelooft, maar in dat van alle kinderen, die niet alleen op de kracht van zijn eigen gezin vertrouwt, maar op die van het Amerikaanse gezin.

Daar is Bill Clinton voor nodig.

Weer barstte de menigte los in een wild applaus. Het publiek begreep dat ik me rechtstreeks tegen het radicale Republikeinse individualisme en de nauwe en onrealistische opvatting keerde van wat Amerikanen aan het eind van de twintigste eeuw nodig hebben om hun kinderen te kunnen opvoeden.

Op woensdagavond gingen Chelsea en ik Bill van de trein halen. Hij had zeer verontrustend nieuws. Een roddelkrant stond op het punt een verhaal te publiceren over Dick Morris, die regelmatig een callgirl zou hebben ontvangen in het hotel waar hij verbleef als hij in Washington was. In de krant, die op donderdag verscheen, werd de callgirl uitgebreid geciteerd. Ze zei dat Morris had opgeschept dat hij mijn speech voor de partijconventie had geschreven, en die voor de vice-president – wat natuurlijk beide apert onwaar was. Toen het nieuws door de rest van de media werd overgenomen, nam Morris ontslag bij het campagneteam.

Bill liet een verklaring uitgaan waarin hij Morris voor zijn werk bedankte en hem een 'uitmuntend politiek strateeg' noemde. Na zijn vertrek nam Mark Penn zijn werk geruisloos over.

Op donderdagavond aanvaardde Bill op de partijconventie officieel zijn nominatie. Hij werd luid toegejuicht toen hij het podium opkwam, en had ieders onvoorwaardelijke aandacht vanaf het moment dat hij met een perfecte stembeheersing begon uit te leggen waarom hij de juiste man meende te zijn om Amerika voor een tweede termijn te leiden. Hij beschreef eerst de situatie waarin we ons in 1992 als natie hadden bevonden, en schetste vervolgens wat we hadden bereikt, welke vooruitgang Amerika had geboekt tijdens zijn presidentschap. Vanuit de skybox keken Chelsea en ik trots naar zijn virtuoze optreden. Toen hij ongeveer op twee derde van het verhaal was, gingen we naar beneden om ons bij hem op het toneel te kunnen voegen voor de finale van de conventie. Tegen de tijd dat we achter het toneel stonden, was hij bijna klaar met zijn speech. Hij eindigde met een terugblik naar de campagne van 1992. 'Na deze vier goede, maar harde jaren,' zei hij, 'geloof ik nog steeds in een stadje dat Hope heet, in een land dat Amerika heet.' En dat gold ook voor mij.

28 *Tweede termijn*

Bill en ik vlogen de laatste dag van zijn campagne als gekken het land door om nog zo veel mogelijk stemmen binnen te halen. We waren aan het eind van ons Latijn en namen niets voor zeker aan, totdat de stemmen geteld zouden zijn of, zoals Bill het uitdrukt, tot de laatste hond dood is. Elk uur werd de stemming in Air Force One vrolijker, omdat we er steeds meer van overtuigd raakten dat Bill de eerste Democratische president sinds Franklin Roosevelt ging worden die twee volle termijnen zou uitdienen. Op de avond vóór de verkiezingen waren Bill, Chelsea en ik duizelig van opwinding en slaapgebrek. Amerika was op dat moment helemaal in de ban van een dwaas dansje, en ergens in Missouri ging Chelsea de bemanning van de Air Force One midden in de nacht voor in een spontane versie van de macarena (waarbij we allemaal een beetje leken op kampeerders die een zwerm muggen van zich af proberen te meppen). Toen Mike McCurry, de persvoorlichter van de president, de pers bij het vliegtuig op de hoogte bracht van onze activiteiten, was hij zo zorgvuldig te vermelden dat de opperbevelhebber 'op een presidentiële manier' had gedanst. Iets na twee uur 's nachts begon het toestel aan de afdaling naar Little Rock.

Er was geen twijfel mogelijk dat we zouden gaan stemmen en vervolgens op de uitslagen zouden wachten in Arkansas, waar Bills reis naar het Witte Huis was begonnen. We streken neer in een aantal kamers van een hotel in het centrum, waar we uitrustten en bezoek kregen van vrienden en familie. Toen de stemlokalen sloten, stroomden tienduizenden mensen al naar Little Rock om het overwinningsfeest mee te vieren. We bleven onzichtbaar, behalve om naar het stemlokaal te gaan en om een lunch bij te wonen ter ere van senator David Pryor, die dat jaar met pensioen ging.

Ik was dankbaar dat we de dag doorbrachten te midden van vertrouwde gezichten, omgeven door steunbetuigingen van een massa mensen uit de stad waar we ons thuisvoelden. Maar er hing ook al een zweempje nostalgie in de lucht, omdat iedereen wist dat een president nu eenmaal maar twee termijnen in functie mag blijven. De man die had geleefd om campagne te voeren, had nu eindelijk de eindstreep bereikt in de wedren naar het presidentschap. Er was nog een ontnuchterende onderstroom merkbaar in de jubelende menigte. In zijn toespraak tijdens de lunch had senator Pryor ons herinnerd aan de onafhankelijke aanklager die twee jaar tevoren zijn tenten had opgeslagen in Little Rock en zijn onderzoek nog altijd niet had afgerond. 'Ik denk dat je in Arkansas het meeste applaus krijgt door te zeggen: "Laten we deze verkiezingen afronden en Ken Starr naar huis sturen",' zei hij. Hij wees erop dat het onderzoek 'veel levens vernield heeft en een groot aantal mensen financieel heeft gebroken. We vinden het tijd dat hij ons met rust laat.'

Toen we later op de avond hoorden dat Bill de verkiezing dik gewonnen had, wist ik dat dit meer was dan een overwinning voor de president: het was een rehabilitatie voor het Amerikaanse volk. De kiezers hadden ervoor gezorgd dat deze verkiezing ging om dingen die belangrijk voor hen waren – werk, hun gezinsleven en de economie – en niet om oude politieke vetes en opgeklopte schandalen. Onze boodschap was vanuit de giftige atmosfeer in Washington doorgedrongen tot de kiezers. De campagnemantra van 1992 – 'Het gaat om de economie, sukkel' – werkte nog steeds, maar met een nieuwe nadruk op wat de oplevende economie kon doen om het leven van alle Amerikanen te verbeteren. Wij zagen onder ogen dat de persoonlijke behoeften van mensen een politiek feit konden worden, als ze hun stem – en hun stemmen – gebruikten om te worden gehoord.

Verkiezingsdagen zijn een marteling, omdat je niets anders kunt doen dan wachten. Om mezelf af te leiden, ging ik met enkele leden van mijn staf en vrienden lunchen in Doe's Eat Place, een filiaal van het beroemde Doe's steakrestaurant in Greenville, Mississippi. Na de lunch besloot ik naar het huis van mijn moeder te rijden in de Hillcrestwijk in Little Rock, en ik kreeg het hoofd van mijn lijfwachten, Don Flynn, zo ver dat hij naast me plaatsnam. Om een of andere reden waren Dons knokkels na aankomst zo wit als dobbelstenen. Sindsdien heb ik niet meer gereden.

Kort na middernacht, direct nadat Dole zijn nederlaag had toegegeven, liepen Bill en ik, hand in hand met de Gores, het balkon op van het Old Statehouse, het eerste regeringsgebouw van Arkansas, waar Bill zijn campagne begonnen was op 3 oktober 1991.

Ik kon te midden van de grote menigte de gezichten zien van vrienden en bekenden die Bill en mij gesteund hadden sinds hij in 1974 de politiek was in gegaan. Ik herinnerde me de allereerste keer dat ik in het Old Statehouse was geweest, in januari 1977, toen we er een receptie hielden voor iedereen die gekomen was om te zien hoe Bill werd ingezworen als Attorney-General van Arkansas. Ik was de bevolking van Arkansas dankbaar omdat ze me door de jaren heen zo veel hadden gegeven en voelde de diepte van Bills gevoelens. 'Ik dank de mensen uit mijn geliefde geboortestaat,' zei hij. 'Ik zou vanavond nergens anders op de wereld willen zijn. Vanuit dit prachtige oude regeringsgebouw, dat getuige is geweest van zoveel geschiedenis van mijzelf en onze staat, wil ik u bedanken omdat u zo lang aan mijn kant hebt gestaan, nooit hebt opgegeven, en altijd geweten hebt dat we het nog beter konden doen.'

Bill kreeg zijn kans om 'een brug naar de eenentwintigste eeuw te bouwen' en ik zou mijn best doen om hem te helpen. Mijn praktijktraining tijdens de eerste termijn had me geleerd mijn positie effectiever te gebruiken, zowel achter de schermen als in het openbaar. Aanvankelijk had ik een zeer zichtbare rol vervuld als Bills voornaamste adviseur op het gebied van de gezondheidszorg: ik getuigde tegenover het Congres, hield toespraken, reisde het land door en vergaderde met Congres-leiders. Gaandeweg bleef ik echter meer op de achtergrond – maar minstens even actief – tijdens de twee jaar die volgden op de tussentijdse verkiezingen van 1994.

Ik was binnen het Witte Huis samen met andere regeringsmensen aan de slag gegaan om belangrijke aspecten van de gezondheidszorg te redden die onder vuur werden genomen door Gingrich en de Republikeinen. Ik heb twee jaar de topadviseurs van de president geassisteerd om de herziening van de gezondheidszorg te verfijnen en bezuinigingen te voorkomen op juridische bijstand, cultuur, opvoeding, Medicare en Medicaid. Als vervolg op de herziening van de gezondheidszorg heb ik ook met Democraten en Republikeinen samengewerkt op Capitol Hill om een omvattend programma van de grond te krijgen dat vaccinatie van kinderen mogelijk moest maken tegen geringe of geen kosten.

Vooruitkijkend naar Bills tweede termijn was ik van plan in het openbaar te spreken over onderwerpen die betrekking hadden op vrouwen, kinderen en gezinnen, en ook te helpen om het beleid van het Witte Huis op die gebieden vorm te geven. Ondanks de betere materiële voorzieningen in veel geavanceerde samenlevingen als de onze leefden gezinnen onder zwaardere druk. De kloof tussen arm en rijk werd groter. Ik wilde pal staan voor het sociale vangnet – gezondheidszorg, opleidingen, pensioenen, lonen en banen – dat dreigde te scheuren voor burgers die minder goed in staat waren in te spelen op de gevolgen van de hightechrevolutie en de internationale consumptiecultuur. Tijdens de campagne van 1996 had ik met Bill samengewerkt om onderwerpen onder de aandacht te brengen als zwangerschapsverlof, studieleningen, gezondheidszorg voor ouderen en de verhoging van het minimumloon. De kiezers hadden zijn leiderschap bij de verkiezingen bekrachtigd en we konden ons concentreren op programma's die positieve veranderingen teweeg zouden brengen in de levens van mensen. De opnieuw klinkende protesten van de Republikeinen tegen een grote overheid waren bedoeld om het vertrouwen van de mensen te ondermijnen in de werkzaamheid van de in brede kring geaccepteerde federale programma's als sociale zekerheid, Medicare en het openbare-schoolsysteem. Door een initiatief van vice-president Al Gore, dat bekend werd als 'Herijking van de overheid', was de centrale overheid kleiner geworden dan die sinds de regering-Kennedy geweest was. Bill wist dat iedere uitbreiding van de rol van de federale overheid zichtbaar effectief moest zijn, zoals meer politie op straat of meer leraren voor de klassen.

Bij de opvoeding van Chelsea werd ik gesteund door mijn staf in onze gouverneurswoning in Arkansas, en door een hele reeks helpende handen die ons te hulp schoten als Bill en ik aan het werk waren. De meeste werkende ouders hebben dat geluk niet. In 1994 hielp ik bij de promotie van de grootste vergadering van werkende vrouwen die ooit bijeen was gebracht door het Amerikaanse ministerie van Arbeid. De bijeenkomst heette 'Werkende vrouwen tellen mee' en schetste een beeld van de zorgen van miljoenen werkende vrouwen, bijna de helft van onze werkende bevolking. Ongeacht inkomen en achtergrond maakten de vrouwen zich vooral zorgen over twee punten: betaalbare en goede kinderopvang, en een evenwicht vinden tussen werk en gezinsleven. Ik kreeg de mogelijkheid vrouwen te ontmoeten die hadden meegedaan aan het onderzoek, en meer te weten te komen over hun levens. Een alleenstaande moeder uit New York City beschreef de sleutel tot haar dagelijkse manier van overleven: 'Alles wordt getimed,' zei ze. Ze legde uit hoe haar schema in elkaar zat: opstaan om zes uur 's morgens, alles voorbereiden voor haar werk, ontbijt maken, de kat voeren en haar negenjarige zoon wekken. Wat strijkwerk inhalen terwijl hij zich gereedmaakt voor school. Met haar zoon naar school lopen, gaan werken tot vijf uur 's middags en hem dan ophalen bij zijn na-schoolse opvang. Eten maken, helpen met huiswerk, reke-ningen betalen of het huis in orde brengen en dan bekaf het bed in. Ze was er trots op dat ze haar gezin kon onder-houden en dat ze erin geslaagd was zich op te werken van parttime boekhouder tot fulltime secretaris, maar haar rooster was veeleisend en uitputtend. Zoals een 37-jarige zuster op een intensive care in Santa Fe me vertelde: 'We moeten echtgenote zijn, én moeder, én een professional, én onszelf zijn, wat meestal op de laatste plaats komt.'

De vrouw uit New York was dankbaar voor de nabijge-legen naschoolse opvang, die georganiseerd werd door de Police Athletic League (PAL). De plaatselijke politie onder-steunt dergelijke projecten vaak omdat ze begrijpen dat, als je kinderen uit de problemen wilt houden, je ze een veilige, productieve omgeving moet bieden na schooltijd. Toch hebben veel ouders geen toegang tot goede naschoolse op-vang of goede kinderdagverblijven. Er zijn niet genoeg werkplekken die kinderopvang bieden of ondersteunen; crèches sturen zieke kinderen vaak weg en de meeste vra-gen hoge vergoedingen als kinderen laat worden opge-haald. Een moeder uit Boston vertelde me dat ze soms haar lunchpauze oversloeg om op tijd te kunnen zijn om haar driejarige kind op te halen uit het kinderdagverblijf. En zij is de enige niet. In Atlanta ontmoette ik de assistente van een bankdirecteur, die zei: 'Ik rijd voetgangers bijna van de sokken om op tijd bij het kinderdagverblijf te kunnen zijn (om de hoge vergoedingen te vermijden voor het ophalen na zes uur 's avonds). Een federale rechter annex moeder legde uit: 'Toen ik advocaat was, hadden alle partners van het bedrijf vrouwen die niet werkten. Zij hoefden zich er niet druk om te maken dat ze hun was moesten ophalen bij de wasserij of hun kinderen moesten ophalen.' Dat leek op wat Albert Jenner in 1974 tegen me had gezegd, toen ik suggereerde dat ik wel strafpleiter zou willen worden: 'Dat kan niet want je hebt geen vrouw'.

In 1994 stimuleerde mijn vriend dr. David Hamburg,

de voorzitter van de Carnegie Foundation, me om mijn rol als First Lady te gebruiken om te wijzen op de gebreken in de Amerikaanse kinderzorg en te zorgen dat er meer federale steun moest komen voor werkende ouders. Tijdens de debatten over de herziening van de bijstand, in 1996, had ik erop aangedrongen dat de regering de toegankelijkheid van kinderopvang als een cruciaal onderdeel zou behandelen in de pogingen arme bijstandsmoeders aan het werk te krijgen. Later zou ik mijn boodschap nog verbreden, toen ik nieuwe onderzoeksresultaten bestudeerde, die aangaven hoe belangrijk het is om de hersenen van jonge kinderen te stimuleren. Het idee daarachter was dat kinderopvang de ontwikkeling in de jonge jaren kan verbeteren. Ik stelde me op achter een vernieuwend programma, Voorgeschreven voorlezen, dat dokters ertoe moest brengen om ouders 'voor te schrijven' dat ze hun baby's en peuters moesten voorlezen. Ik heb gepraat met talloze experts op het gebied van de kinderopvang en sleutelfiguren in organisaties voor kinderzorg in het hele land, om verschillende manieren van aanpak te zien waarmee de kwaliteit van de kinderopvang verbeterd en de keuzemogelijkheden voor werkende ouders vergroot kunnen worden. In Miami vergaderde ik met zakenlieden om te discussiëren over de verantwoordelijkheid die bedrijven hebben voor kinderopvang, om vervolgens in het Witte Huis een bijeenkomst te organiseren waarbij de aandacht gevestigd werd op de succesvolle initiatieven van diverse bedrijven op dit gebied. Op de marinebasis in Quantico, Virginia, bezocht ik een van de indrukwekkende kinderopvangcentra van het Amerikaanse leger voor gezinnen van militairen, dat ik ten voorbeeld heb gesteld aan de rest van de samenleving.

Ik organiseerde twee conferenties in het Witte Huis, de eerste over de ontwikkeling en leerprocessen bij jonge kinderen, en de tweede over kinderopvang. Daar namen allerhande experts aan deel, pleitbezorgers, topzakenlieden en politici, om de aandacht van het land te richten op de kritieke onderdelen van het gezinsleven en duidelijk te maken wat de initiatieven van de overheid waren om werkende mannen en vrouwen de hulp te bieden die ze nodig hebben om productieve werknemers én verantwoordelijke ouders te zijn. Mijn staf bleef nauw samenwerken met de presidentiële adviseurs om de grensverleggende politieke veranderingen in het gezinsbeleid te bespreken die Bill presenteerde in zijn State of the Union van 1998. Ik was er trots op dat de regering over een periode van tien jaar twintig miljard dollar ging investeren in kinderopvang. Dat geld zou gebruikt worden om kinderopvang beter bereikbaar te maken voor werkende ouders met een laag inkomen en naschoolse opvang voor oudere kinderen, voor het uitbouwen van het Headstart-programma, en voor het fiscaal aftrekbaar maken van de investeringen die bedrijven en opleidingsinstituten doen in kinderopvang. Er werd een Early Learning Fund ingesteld om financiële hulp te bieden aan staten en gemeenten die wilden proberen het aanbod van kinderopvang te verbeteren, het aantal kinderen per begeleider te verlagen en het aantal gekwalificeerde aanbieders van kinderopvang te vergroten. Ik werkte er hard aan om naschoolse opvang toegankelijker te maken, en in 1998 introduceerde de regering het '21st Century Community Learning Centers-programma', dat verrijkende naschoolse opvang en mogelijkheden voor zomerschool bood aan naar schatting 1,3 miljoen kinderen. Het is bewezen dat naschoolse opvang de lees- en rekenprestaties verbetert; tegelijkertijd gaat hierdoor jeugdcriminaliteit en drugsgebruik omlaag, en biedt het programma ouders broodnodige gemoedsrust.

Ik bleef me inzetten voor dergelijke initiatieven door in het openbaar te verschijnen, toespraken te houden, te vergaderen en te bellen met leden van het Congres en diverse organisaties. Dat deed ik met hulp van mijn getalenteerde en onmisbare beleidsstaf: Shirley Sagawa, Jennifer Klein, Nicole Rabner, Neera Tanden, Ann O'Leary, Heather Howard en Ruby Shamir. Bill en ik organiseerden ook strategische besprekingen in het Witte Huis over de beperking van mediageweld dat gericht is op kinderen, de verbetering van het opleidingsniveau van Spaanstalige studenten – van wie er velen voortijdig met hun studie stopten – en de uitbreiding van de mogelijkheden en positieve bezigheden voor Amerikaanse tieners.

Het eerste wetsontwerp dat Bill in 1993 met zijn handtekening tot wet maakte, was de wet op het zwangerschaps- en medisch verlof, een Democratisch initiatief van senator Dodd uit Connecticut, die het voor miljoenen werkende mensen mogelijk maakte maximaal twaalf weken onbepaald verlof op te nemen bij een noodgeval in de familie of om te zorgen voor een ziek gezinslid, zonder bang te hoeven zijn dat ze hun baan kwijtraken. Miljoenen Amerikanen deden hun voordeel met de bescherming die de wet bood, en ontdekten hoeveel diepe invloed die had op hun levens. Een vrouw uit Colorado schreef me dat haar man recentelijk was overleden aan een hartstilstand, na zeven jaar ziekte. Door de wet op zwangerschaps- en medisch verlof was ze in staat geweest vrij te nemen, zodat ze hem naar doktersafspraken en ziekenhuisbezoeken kon brengen, en hem aan het eind kon troosten. De laatste maanden van zijn leven hoefde ze zich er geen zorgen over te maken of ze haar baan nog wel zou hebben als haar echtgenoot overleden was.

Ik drong er bij mijn staf op aan dat ze methoden zouden bedenken om de wet te verbeteren, waarna ze in samenwerking met het ministerie van Arbeid en het nationale overlegorgaan voor Vrouwen en Gezinnen kwamen met aanpassingen die ervoor moesten zorgen dat werknemers van de federale overheid maximaal twaalf weken betaald verlof konden krijgen in het geval van een ziek gezinslid. We hoopten dat dit federale beleid een model zou worden voor het hele land en maakten ons sterk voor een regeling die staten ertoe zou doen overgaan hun systeem van werkloosheidsuitkeringen te gebruiken om jonge ouders een betaald zwangerschapsverlof te bieden. Zestien staten waren over dergelijke wetsontwerpen in gesprek, toen de regering-Bush de regeling schrapte, waarmee de mogelijkheid tot steun voor jonge ouders werd weggenomen.

Congresvoorstellen tot hervorming van de faillissementswetgeving brachten de financiële situatie van veel gezinnen in gevaar. Het aantal Amerikanen dat een faillissement had aangevraagd, was in twintig jaar tijd met vierhonderd procent gestegen, een verbijsterend percentage dat een grote weerslag had op de economische stabiliteit van ons land. De discussie over de oorzaak daarvan was verhit. Gebruikte een groeiend aantal Amerikanen een faillissement simpelweg als een financieel hulpmiddel om te ontsnappen aan hun torenhoge persoonlijke schuldenlast? Of was de stijging te wijten aan de onverantwoordelijke houding van banken en creditcardmaatschappijen die ongeschikte klanten wierven, en op een roekeloze manier kredieten verleenden? Of hadden betrouwbare Amerikanen te maken met toenemende persoonlijke kosten, waardoor ze gewoon niet meer konden rondkomen, zoals rekeningen in de gezondheidszorg die niet gedekt werden door een verzekering? De manier waarop politici deze vragen beantwoordden, was bepalend voor de oplossingen die ze steunden. Wie geloofde dat de creditcardmaatschappijen hoofdverantwoordelijk waren voor de toename van de schulden van Amerikanen, gaf de voorkeur aan oplossingen die beperkingen oplegden aan de agressieve tactiek waarmee nieuwe, financieel onbetrouwbare kaarthouders werden binnengehaald. Wie vond dat mensen het systeem gebruikten om hun rechtsgeldige schulden niet te hoeven betalen, zag liever oplossingen die het moeilijker zouden maken om failliet verklaard te worden, of stelde een limiet aan de schulden die vervielen in het geval van een faillissement.

Ik ontdekte dat bij dit debat helemaal voorbij werd gegaan aan een discussie over wat er gebeurt met vrouwen en kinderen die afhankelijk zijn van wettelijk vastgestelde alimentatie, die niet betaald wordt. Meer dan een kwart van alle faillissementen werd aangevraagd door vrouwen, die hun enige bron van inkomsten zagen verdwijnen omdat hun ex-echtgenoten annex vaders van hun kinderen blut waren. Anderen kwamen in steeds grotere financiële problemen omdat ze geen alimentatie konden vorderen van hun ex, omdat die bankroet verklaard was. Ik onderkende dat de veranderingen in de faillissementswetgeving enorme implicaties zouden hebben voor vrouwen en gezinnen. In geval van een faillissement wilden creditcardmaatschappijen dat onbetaalde creditcardrekeningen dezelfde prioriteit zouden krijgen als alimentatie voor ex-echtgenotes en kinderen. Dit zou inhouden dat alleenstaande vrouwen zouden moeten concurreren met Visa en MasterCard om de alimentatie binnen te krijgen waar ze wettelijk recht op hadden. Ik vond dat de verplichtingen voor kinderalimentatie vóór moesten gaan. Ik was ook van mening dat een ingrijpende herziening van de faillissementswetgeving evenwichtig moest zijn, en meer verantwoordelijkheid zou moeten eisen van zowel schuldenaren als schuldeisers. Ik oefende druk uit op de president om zijn veto uit te spreken over een wetsontwerp dat de creditcardmaatschappijen onevenredig veel voordeel bood ten opzichte van de consumenten, en werkte later samen met leden van het Congres om de in de wet geregelde bescherming van consumenten te verbeteren, en voorzieningen in te bouwen ter bescherming van vrouwen en hun gezinnen, vaak de armste en kwetsbaarste Amerikanen. In de Senaat heb ik het gevecht voortgezet, en een van de eerste maatregelen die tijdens mijn termijn werden doorgevoerd, betrof de verbetering van de bescherming voor vrouwen en kinderen.

Zoals ik dat overal ter wereld deed, kwam ik ook in eigen land op voor de economische macht van vrouwen, omdat ik wist dat vrouwen nog steeds niet evenveel betaald kregen als mannen, dat het overgrote deel van banen met een minimumloon naar vrouwen ging, en dat de meeste werkende vrouwen geen pensioen kregen, maar afhankelijk waren van bijstand. De structuur van de bijstand is gebaseerd op de ouderwetse opvatting dat vrouwen secundaire broodwinners zijn, of zelfs helemaal geen broodwinners. Een bijstandsuitkering is afhankelijk van de bijdragen die iemand daaraan heeft geleverd tijdens diens werkzame jaren. De meeste vrouwen verdienen niet alleen minder dan mannen en ontvangen geen pensioen, maar ze werken doorgaans ook vaker parttime, zijn vaker onbetaald werkzaam, en wonen na hun pensionering vaak jarenlang alleen, omdat ze gemiddeld langer leven dan hun echtgenoten. Voor veel oudere vrouwen is bijstand het enige wat hen behoedt van regelrechte armoede. In een poging dit essentiële sociale vangnet te behouden, organiseerde Bill een forum in het Witte Huis over de herziening van de bijstand in 1998, waarbij hij mij vroeg een panel voor te zitten dat zich zou buigen over de structurele discriminatie van vrouwen binnen het systeem en met mogelijke oplossingen zou komen.

Vrouwen en kinderen hebben ook te lijden gehad van ongelijkheden in ons systeem van gezondheidszorg, een van de redenen waarom ik me destijds sterk maakte voor hervormingen. In mijn voortgaande werk om vrouwen, kinderen en gezinnen te steunen in hun behoefte aan een betaalbare, kwalitatief hoogstaande gezondheidszorg, lobbyde ik voor een uitgebreide dekking. Daartoe behoorden preventieve voorzieningen binnen Medicare om mensen te onderzoeken op prostaatkanker, borstkanker en baarmoederhalskanker. Ook ondersteunde ik de pogingen van de overheid om een einde te maken aan de zogeheten 'drive-by bevallingen'. De norm bij de meeste ziekenhuizen was om jonge moeders binnen vierentwintig uur na de bevalling te ontslaan, waardoor zowel de moeder als haar baby gevaar liep. In 1996 wisten we die situatie te veranderen, zodat vrouwen voortaan achtenveertig uur na een normale bevalling konden blijven en negenenzestig uur na een keizersnee.

Een van de belangrijkste doelen van de hervormingen in de gezondheidszorg was een ziekteverzekering voor alle Amerikanen, inclusief de ruim tien miljoen kinderen die zelden een dokter zagen en niet regelmatig onderzocht werden, omdat hun ouders geen verzekering hadden. Geïnspireerd door het leven van aidsactiviste Elizabeth Glaser, begon ik ook te lobbyen voor een beter testen en labelen van kindergeneesmiddelen, waaronder geneesmiddelen voor kinderen met hiv/aids. Ik ontmoette Elizabeth voor het eerst op de Democratische Conventie in 1992, waar ze ontroerend sprak over haar besmetting met hiv door een bloedtransfusie tijdens de geboorte van haar dochter Ariel in 1981. Omdat ze zich niet bewust was van de besmetting, gaf ze de ziekte door aan haar dochter via haar moedermelk en later aan haar zoon Jake, in de baarmoeder. Elizabeth beschreef haar woede en frustratie toen ze hoorde dat de medicijnen die voor haarzelf beschikbaar waren, niet aan haar kinderen werden gegeven, omdat niet getest was of ze veilig en werkzaam waren voor kinderen. Elizabeth en haar man, Paul Glaser moesten hulpeloos en wanhopig toezien hoe hun dochter op zevenjarige leeftijd bezweek aan aids.

Elizabeth zette haar persoonlijke verlies en verdriet om in een missie ten behoeve van kinderen met hiv/aids. Ze stichtte de Pediatric Aids Foundation om onderzoek te ondersteunen en te stimuleren, dat kan leiden tot voorkoming en behandeling van aids bij kinderen. Tot aan haar dood in 1994 werkte ik samen met Elizabeth om vast te stellen dat geneesmiddelen op de juiste manier werden getest en toegediend aan kinderen, en na haar dood bleef ik me voor deze zaak inzetten.

Terwijl sommige geneesmiddelen niet beschikbaar waren voor kinderen die daar letterlijk om schreeuwden, werden andere geneesmiddelen routineus voorgeschreven, zonder veel begrip voor de juiste dosering en eventuele schadelijke neveneffecten. Jen Klein, mijn staflid die leiding gaf aan de succesvolle poging van het Witte Huis om geneesmiddelen voor kinderen beter te testen en te labelen, wist veel van dit onderwerp omdat haar eigen zoon, Jacob, behandeld werd voor astma. In 1998 introduceerde de

Food and Drugs Administration (FDA) de verplichting voor farmaceutische bedrijven om geneesmiddelen te testen voor gebruik bij kinderen, maar de bedrijven stapten naar de rechter en een federale rechtbank oordeelde dat de FDA niet de wettelijke bevoegdheid had zo'n verplichting op te leggen. Als senator heb ik gewerkt aan een wet die deze bevoegdheid aan de FDA wel verleent, zodat de wens van Elizabeth in vervulling gaat.

Half november brachten Bill en ik een staatsbezoek aan Australië, de Filippijnen en Thailand. Door mijn toespraak in Beijing in het voorgaande jaar kreeg ik talloze verzoeken om ook in Austalië zelf op te treden op bijeenkomsten over vrouwenissues. Zo hadden we een gemengde agenda. We hadden ook tijd ingebouwd om naar het Great Barrier Reef te gaan, terwijl we Sydney en Canberra aandeden. In Port Douglas sprak Bill zijn steun uit voor het Internationaal Koraalrif-initiatief, ter voorkoming van verdere erosie van het rif overal ter wereld, en vervolgens namen we de boot naar de Koraalzee. Ik wilde snel het water in. 'Kom op, meiden!' zei ik tegen mijn staf. 'Het leven is te kort om bang te zijn dat je haar nat wordt!'

Het is altijd een heel gedoe als de president gaat zwemmen. Marineduikers en veiligheidsagenten met zwemvliezen en duikmaskers draaiden om ons heen, terwijl Bill en ik ons vergaapten aan een reuzenmossel en scholen doorschijnende vissen die door het turquoise water schoten.

Er waren tal van prachtige momenten tijdens de trip. Bill speelde golf met de beroemdste 'Great White Shark' uit Australië, de legendarische Greg Norman. Hij had zich erop voorbereid door in het gangpad van de Air Force One tijdens de vlucht eindeloos te oefenen met putten. Ik was blij dat ik eindelijk een bezoek kon brengen aan het Sydney Opera House, waar ik een groep vrouwen toesprak in een van de meest verbluffende moderne gebouwen ter wereld. In een wildreservaat knuffelde Bill een koalabeer die Chelsea heette. Het mag een wonder heten – of een prettige vergissing – dat hij überhaupt bij het dier in de buurt mocht komen. Een overijverige functionaris van het Witte Huis had het namelijk op zich genomen Bill te beschermen tegen alle mogelijke overzeese allergieaanvallen. Tijdens ons beleefdheidsbezoekje aan de gouverneur-generaal in Canberra stonden Bill en ik met sir William en lady Deane hun enorme groene grasveld te bewonderen, toen lady Deane tegen Bill zei: 'Het spijt ons van de kangoeroes. We denken dat ze allemaal gepakt zijn.'

Bill keek verbaasd.

'Waar heeft u het over?' vroeg hij.

'O, hemeltje,' zei ze. 'Ons is gezegd dat we alle kangoeroes van het grasveld moesten laten halen, omdat ze konden zorgen voor een allergische reactie, als ze te dicht bij de president kwamen.'

Voorzover Bill weet, is hij niet allergisch voor kangoeroes, maar kennelijk had iemand gezegd dat hij dat wel was, dus had de drang om hem te beschermen gezegevierd. Onze loyale en toegewijde voorbereidingsteams stonden te trappelen ons te helpen en ik ben er dankbaar voor dat ze zo ijverig hun best deden om al onze wensen te ondervangen. Ik vond het verschrikkelijk als hun ijver een aanslag werd op de mensen om ons heen. Bij een staatsdiner in Parijs dat de Franse president François Mitterrand en zijn vrouw Danielle in 1994 voor ons hielden in het Elysée-paleis, verontschuldigde mevrouw Mitterrand zich tegenover mij dat de tafels er zo kaal uitzagen zonder bloemstukken.

'Hoe bedoelt u?' vroeg ik.

'Ik heb gehoord dat de president allergisch is voor bloemen.'

Bill is evenmin allergisch voor snijbloemen, zoals hij zijn stafmedewerkers jaren geleden al vertelde, maar doorgaans zonder succes. Zonder deze prachtige mensen hadden we nooit iets kunnen realiseren, maar in een enkel geval kregen we duidelijk meer hulp van hen dan we nodig hadden.

Inmiddels was bepaald dat wanneer ik met de president meereisde, mijn staf en ik de nadruk zouden leggen op de thema's die te maken hadden met vrouwen, gezondheidszorg, scholing, mensenrechten, het milieu en pogingen van gewone mensen om, bijvoorbeeld door kleine leningen, de economie te stimuleren. Ik scheidde me doorgaans af van Bills officiële delegatie om met vrouwen te praten in hun woningen of op hun werk, bij ziekenhuizen langs te gaan die vernieuwend bezig waren in de gezondheidszorg bij kinderen en gezinnen, en scholen te bezoeken, vooral scholen die meisjes opleidden. Op die plekken leerde ik de plaatselijke cultuur kennen en versterkte ik de boodschap dat de voorspoed van een land direct verbonden is met de opleiding en het welzijn van meisjes en vrouwen.

Tijdens ons eerste bezoek aan de Filippijnen in 1994 waren Bill en ik bij Corregidor langsgegaan, de Amerikaanse basis die in de Tweede Wereldoorlog was ingenomen door de Japanners. Daar had generaal Douglas MacArthur, toen hij gedwongen was de eilanden te verlaten, beloofd: 'Ik kom terug.' De Filippijnse soldaten hadden moedig zij aan zij gevochten met de Amerikanen, waarmee ze de weg gebaand hadden voor MacArthurs uiteindelijke terugkeer in 1944. De Filippijnen hadden diepgaande politieke veranderingen ondergaan in de decennia na de Tweede Wereldoorlog en het volk was nog aan het bijkomen van de gevolgen van de eenentwintigjarige autocratische heerschappij van Ferdinand Marcos. Corazon Aquino, wier man vermoord was omdat hij tegen het bewind van Marcos was geweest, had de weg gebaand naar het herstel van de democratie in haar land. 'Cory' Aquino nam het tegen Marcos op bij de presidentsverkiezingen van 1986. Marcos werd tot winnaar verklaard, maar die overwinning had hij te danken aan fraude en intimidatie. De protesten van het volk dwongen Marcos de macht neer te leggen en Aquino werd president. Ze was de zoveelste vrouw die de politiek was ingegaan als gevolg van een persoonlijk verlies.

President Aquino werd opgevolg door Fidel Ramos, een voormalige generaal die zijn opleiding had genoten in West Point, die zijn zware verantwoordelijkheden combineerde met een vlotte glimlach en een goed gevoel voor humor. Wij waren de gasten van hem en zijn vrouw Amelita bij allebei onze trips naar Manila. Tijdens de staatslunch in 1994 drong hij erop aan dat Bill saxofoon zou spelen, en toen Bill tegensputterde, zorgde hij ervoor dat de band Bill uitnodigde mee te spelen, begeleid door mevrouw Ramos aan de piano. Zij toonde me ook grijnzend een van de vele kasten in de voormalige presidentiële residentie die nog altijd vol stond met Imelda Marcos' schoenen.

Nadat ik een toespraak had gehouden op een conferentie die werd bijgewoond door duizenden vrouwen uit alle delen van de Filippijnen, vertrok ik eerder dan Bill uit Manila om het heuvelachtige noorden van Thailand te bezoeken. Bill zou ik later weer in Bangkok treffen bij een staatsbezoek aan de koning en koningin van Thailand. Terwijl we naar Chiang Mai vlogen, een stad vlak bij de grens met Laos en Birma, genoot ik van het spectaculaire uitzicht op de groene rijstvelden en de meanderende rivieren onder mij. Op de landingsbaan wachtten rijen muzikanten, die op trommels en cimbalen sloegen, en de *sah* bespeelden, een snaarinstrument met een zangerig, bitterzoet geluid. Meisjes in de traditionele kleding van de heuvelstammen dansten, waarbij ze op wonderbaarlijke manier een grote hoeveelheid bloemen en kaarsen in balans wisten te houden, die aan hun middel was bevestigd. Mijn aankomst viel samen met het Loy Krathong-festival, waarbij de wegen vol feestvierende mensen waren, die op weg gingen om bloemstukken met kaarsen te laten wegdrijven op de Mae Ping-rivier. Mij werd verteld dat dit oude gebruik een symbool was voor het einde van de problemen van het ene jaar en de hoop voor het volgende jaar.

De hoop die uit dit ritueel sprak, stond in schril contrast met het harde leven van de meisjes die ik later bezocht in een opvangtehuis voor voormalige prostituees. Deze regio in Noord-Thailand maakte deel uit van de 'Gouden Driehoek', een epicentrum van allerlei soorten handel: in drugs, smokkelwaar en vrouwen. Mij werd verteld dat minstens tien procent van alle meisjes uit dit gebied in de seksindustrie terechtkwam. Velen van hen belandden in de prostitutie nog voordat ze in de puberteit kwamen, omdat klanten de voorkeur gaven aan jonge meisjes, uitgaande van de verkeerde veronderstelling dat ze zo aids konden vermijden, een ziekte die een ware epidemie was onder de oudere prostituees. In het New Life Center in Chiang Mai bood een Amerikaanse zendeling voormalige prostituees een veilig onderdak, waar ze de kans kregen de taalvaardigheid aan te leren die nodig was om voor zichzelf te zorgen. Ik ontmoette in het Center een meisje dat op achtjarige leeftijd was verkocht door haar aan opium verslaafde vader. Na een paar jaar ontsnapte ze en kwam ze weer thuis – om dit keer verkocht te worden aan een bordeel. Pas twaalf jaar oud was ze en ze lag in het Center te sterven aan aids. Ze was vel over been en ik moest machteloos toezien hoe ze al haar krachten gebruikte om haar handen tegen elkaar te drukken en zo de traditionele Thaise groet te brengen, toen ik naar haar toe kwam. Ik knielde naast haar stoel neer en probeerde via een tolk met haar te praten. Ze had de kracht niet om te spreken. Het enige wat ik kon doen, was haar hand vasthouden. Ze stierf kort na mijn bezoek.

Tijdens een rondgang door een dorpje in de buurt was ik getuige van de verontrustende bewijzen van de plaatselijke vraag-en-aanbodeconomie, die de dood van dit meisje had veroorzaakt. Mijn gidsen legden uit dat ieder huis met een tv-antenne op het strodak een aanwijzing vormde dat de erin wonende familie rijk was – wat inhield dat ze een dochter hadden verkocht aan de seksindustrie. Gezinnen in de armere modderhutten zonder televisies hadden ofwel geweigerd, of hadden geen dochters om te verkopen. Dit bezoek bevestigde alle voornemens die ik had om de scheiding tussen wereldpolitiek en regionale levensomstandigheden te overbruggen. Bij een vergadering met vertegenwoordigers van de Thaise regering en vrouwengroepen praatte ik over de regeringsplannen om de vrouwenhandel in de seksindustrie van Bangkok tegen te gaan.

Vrouwenhandel is een misdaad tegen de mensenrechten, die vrouwen en meisjes tot slaven maakt en de economieën van hele regio's verstoort en ontwricht, net als drugssmokkel dat doet. Thailand was niet uniek. In de loop van mijn reizen begon ik te begrijpen wat een enorme omvang de handel in mensen – en voornamelijk vrouwen – had gekregen. Het ministerie van Buitenlandse Zaken becijfert dat momenteel per jaar niet minder dan vier miljoen vrouwen, die vaak in extreme armoede leven, worden verhandeld. Ik begon me uit te spreken over deze gruwelijke schending van mensenrechten en zette de regering onder druk om het voortouw te nemen in de wereldwijde bestrijding ervan. In Istanbul maakte ik in 1999 bij de bijeenkomst van de Organisatie voor Vrede en Veiligheid in Europa (OVSE) deel uit van een panel dat aandrong op internationale actie. Mijn staf werkte, samen met het ministerie van Buitenlandse Zaken en Congresleden die zich al met het onderwerp bezighielden, aan een wetsaanpassing. De wet bescherming slachtoffers Mensenhandel, die in 2000 werd aangenomen, geldt nu voor het hele land. Deze wet heeft vrouwen geholpen die naar de Verenigde Staten verhandeld werden en is van nut gebleken voor regeringen en organisaties die elders in de wereld mensenhandel aanpakten.

Ons staatsbezoek aan Thailand viel samen met het vijftigste jubileum van koning Bhumibol Adulyadej. Hij en koningin Sirikit hadden er hard aan gewerkt de mensen in het noorden economische kansen te bieden. Ze droegen de ontwikkelingssteun allebei een warm hart toe en hadden scholingsprogramma's opgezet voor mensen uit verarmde landbouwgebieden. De Thaise regering heeft zich de afgelopen jaren ook ingezet om de prostitutie – en dan vooral die onder jonge meisjes – terug te dringen door een striktere toepassing van haar anti-prostitutiewetgeving en door het opleggen van zwaardere gevangenisstraffen voor bordeelhouders, hoerenlopers en families die hun kinderen verkopen als prostituees.

We vlogen terug naar Washington om op tijd te zijn

voor Thanksgiving en reisden meteen door naar een familiebijeenkomst in Camp David. Tot onze gasten behoorden ook Harry en Linda en Harry's broer Danny Thomason, die Bill al kende sinds 1968, toen Danny lesgaf op de school in Hot Springs. Bovendien waren er ook twee neefjes: Tony's zoon Zachary en Rogers zoon Tyler. Ondanks de kou gingen de mannen golfen, ze streden om wat ze de Camp David-trofee noemden. We aten en zaten in Laurel, de grote blokhut, waar ik een grootbeeldtelevisie liet neerzetten, zodat iedere spelfase in iedere footballwedstrijd vanuit iedere hoek van de kamer gezien kon worden. Bij het eten stemden we over welke film er die avond te zien zou zijn in het Camp-theater; als de stemmen staakten, of als er sterke onenigheid was, draaiden we soms twee films.

De Republikeinen hadden negen zetels verloren in het Huis van Afgevaardigden en twee in de Senaat, maar hadden nog steeds de meerderheid in beide kamers van het Congres; ze verdeelden de leidende posities eerder onder ideologen dan onder gematigden of pragmatisten. De nieuwe voorzitter van het Government Reform and Oversight Committee van het Huis, Dan Burton uit Indiana, was de meest uitgesproken aanhanger van de complottheorie op Capitol Hill. Hij had enige roem vergaard door het afvuren van een .38 kaliber-pistool op een watermeloen in zijn achtertuin, als onderdeel van een bizarre poging om te bewijzen dat Vince Foster vermoord was.

Diverse sleutelfiguren onder de Republikeinen – onder wie de meerderheidsleider in de Senaat, Trent Lott – hadden al gezworen dat het hun 'verantwoordelijkheid' was door te gaan met het onderzoek naar de regering-Clinton. Maar het Whitewater-onderzoek leek aan belang in te boeten. Senator D'Amato had zijn hoorzittingen in juni opgeschort. Ondanks voortdurende ondervragingen was Kenneth Starr er niet in geslaagd belastende verklaringen te ontlokken aan Webb Hubbell, die achttien maanden hechtenis uitzat in een federale gevangenis vanwege fraude met geld van zijn cliënten en partners.

In opdracht van het ministerie van Buitenlandse Zaken vertrok ik naar Zuid-Azië om aandacht te schenken aan vrouwen als essentiële schakels voor het welzijn van het gezin, de gemeenschap en het land. Chelsea's aanwezigheid symboliseerde de waarde van dochters, en bovendien wilde ik graag de laatste avonturen van haar jeugd met haar delen. We bezochten dr. Muhammad Yunus in Bangladesh (bovenste foto), Ela Bhatt in Ahmadabad in India (tweede foto), Benazir Bhutto in Pakistan (derde foto). In Nepal maakten Chelsea en ik een fantastische olifantenrit.

Van alle bezoeken die we tijdens Bills acht jaar durende presidentschap aflegden, was er geen zo stimulerend en inspirerend als dat aan Ierland. Ik ontmoette vredesactiviste Joyce McCartan (rechts), met wie ik thee dronk in het traditionele fish and chips-restaurant 'The Lamplighter' in Belfast. Ze zei: 'Vrouwen zijn nodig om mannen tot bezinning te brengen.'

Bill en ik werkten goed samen met Jacques en Bernadette Chirac, ondanks aanzienlijke politieke verschillen. Ik was gefascineerd door de eigen rol die ze voor zichzelf had gecreëerd.

Ik mocht dan wel de geschiedenis ingaan als de eerste presidentsvrouw die moest getuigen voor een grand jury, maar dat deed ik wel onder mijn eigen voorwaarden.

In 1996 reisde ik naar Bosnië en Hercegovina om het Dayton Vredes-akkoord te promoten. Ik was de tweede First Lady die ooit een ge-vechtszone bezocht — in navolging van, zoals gewoonlijk, Eleanor Roosevelt. Chelsea was een succes bij de Amerikaanse troepen, die een afspiegeling vormden van Amerika's diversiteit.

Na de tweede verkiezing had ik het gevoel alsof ik als gehard staal aan een nieuw hoofdstuk van mijn leven begon: wat sterker aan de randen, maar duurzamer en flexibeler. Bill was in zijn presidentschap gegroeid, en daardoor kregen zijn gezicht en zijn ogen iets doorleefds.

Op de dag van de inauguratie kwam Chelsea's minirok als een verrassing. Voor omkleden was het al te laat en dat zou ze waarschijnlijk ook niet hebben gedaan. Ik was eraan gewend geraakt moeder te zijn van een puber.

In Arkansas ging Chelsea
naar een openbare school,
maar in Washington stuur-
den we haar naar Sidwell
Friends, een Quaker school,
omdat privé-scholen door de
media tot verboden gebied
waren verklaard. Op de
'Moeder-dochtershow' voerden moeders komische
sketches op terwijl zij hun
dochters nadeden. Zo paro-
dieerde ik Chelsea's passie
voor de pirouette. Die Bill
weer aanzette tot putten.

De keuken is het hart van elk huis waar ik heb gewoond, en de tweede verdieping van het Witte Huis was daarop geen uitzondering. Deze kleine tafel werd het middelpunt van ons gezin – daar werd gegeten, huiswerk gemaakt, een verjaardag gevierd, gelachen, gehuild en tot diep in de nacht gepraat.

Elk cliché over het lege-nestsyndroom was op mij van toepassing. We namen een hond en vergaten daarbij Socks te raadplegen, die Buddy al meteen voor eeuwig verafschuwde.

Na onze ervaring in Washington begreep ik waarom Chelsea ervoor koos om 4500 kilometer verderop te gaan studeren. Meteen toen we in haar kamer op Stanford aankwamen, moest ik even overschakelen. Bill leek in een traag soort trance te raken. 'Zullen we na het eten terugkomen?' vroeg hij.

Nadat de Lewinsky-affaire losbarstte, bleef ik trouw verschijnen in de Today Show. Ik had misschien mijn stelling wat fraaier kunnen verwoorden, maar ik blijf bij wat ik presentator Matt Lauer vertelde: er was sprake van een 'rechtse samenzwering', een aansluitend netwerk van groepen en individuen die de tijd terug wilden zetten op veel gebieden waar ons land vooruitgang had geboekt.

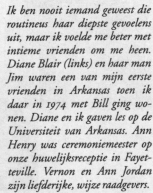

Ik ben nooit iemand geweest die routineus haar diepste gevoelens uit, maar ik voelde me beter met intieme vrienden om me heen. Diane Blair (links) en haar man Jim waren een van mijn eerste vrienden in Arkansas toen ik daar in 1974 met Bill ging wonen. Diane en ik gaven les op de Universiteit van Arkansas. Ann Henry was ceremoniemeester op onze huwelijksreceptie in Fayetteville. Vernon en Ann Jordan zijn liefderijke, wijze raadgevers.

De ervaringen die wij deelden met Tony en Cherie Blair schiepen niet alleen een bijzondere band, maar ook een belangrijk filosofisch en politiek verbond. Toen Bill en ik hen op Downing Street 10 ontmoetten, begonnen we een niet te stoppen discussie over onze gezamenlijke zorgen.

Betsy Johnson Ebeling (midden) was mijn vriendinnetje uit de zesde die me als een blindengeleidehond door de stad leidde wanneer ik weigerde de dikke bril te dragen die ik sinds mijn negende nodig had. Ricky Ricketts trok in de derde klas middelbare school mijn neppaardenstaart af. Susan Thomases, een vriendin voor het leven, hielp Bill tijdens de verkiezingen.

Er waren talloze onvergetelijke reizen naar Latijns-Amerika. In Antigua, Guatemala, schudde ik de hand van drie jonge vrouwen, van wie er een, hoop ik, ooit president kan worden van haar land.

Nadat Bill mij eindeloos en enthousiast over mijn reis naar Afrika had horen praten, ging hij in 1998 als eerste zittende president zelf een grote reis maken door dit continent. In Accra, Ghana, werden we verwelkomd door president Jerry Rawlings, zijn vrouw Nana Konadu en de grootste mensenmassa die ik ooit had gezien. Ook bezochten we Kaapstad en ontmoetten we Nelson Mandela, die eens tegen ons zei: 'De grootste verdienste in het leven is niet dat je nooit valt, maar dat je na de val weer opkrabbelt.'

Sommige dagen waren beter dan andere, zoals hier in Botswana. Bill en ik genoten van de laatste zonnestralen op de rivier de Chobe, op een dag die voor mij eeuwig mocht duren. In Washington was het licht minder barmhartig voor ons.

Nadat Bill voor de grand jury en de camera vanuit de Map Room van het Witte Huis had verklaard dat er een ongepaste, intieme relatie was geweest met Monica Lewinsky, ontmoette ik David Kendall, Chuck Ruff, Mickey Kantor en Paul Begala in het Solarium – verstomd, diepbedroefd en woedend omdat ik Bill had geloofd. Waarom hij mij bedroog, is zijn verhaal, en hij moet het op zijn eigen manier vertellen.

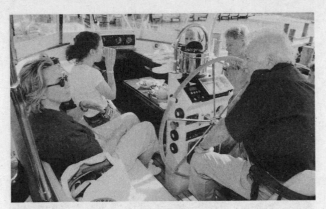

Het laatste dat ik wilde, was met Bill Clinton op vakantie gaan, maar ik wilde per se weg uit Washington. Ik moest nadenken over wat ik moest doen voor mezelf, mijn dochter, mijn familie, mijn huwelijk en mijn land. Ik wist dat het presidentschap wankelde. De ontroerende bezorgdheid van Walter en Betsy Cronkite deed me goed.

Een van de meest attente gebaren in deze moeilijke periode kwam van Stevie Wonder, en de boodschap die hij via zijn muziek doorgaf, was overweldigend. Hij kwam naar het Witte Huis en zong een lied dat hij voor mij geschreven had over de kracht van vergeving. Ik schoof mijn stoel steeds dichter naar hem toe terwijl hij speelde.

Na de impeachment-stemming kwam een delegatie Democraten onder leiding van Dick Gephardt (midden) naar het Witte Huis om hun solidariteit met de president te betuigen. De staf van het Witte Huis, met John Podesta aan het hoofd, ging gewoon door met de normale gang van zaken.

Madeleine Albright en ik trokken ons in Praag terug voor een onder-onsje ver van de pers. Witte-Huisfotografe Barbara Kinney, die door haar professionele toewijding op de vreemdste plekken kwam, was ons gevolgd.

Susan McDougal zat maandenlang in de gevangenis omdat ze weigerde voor de Whitewater-grand jury te getuigen; ze zei dat ze zich gedwongen voelde te voorkomen dat Bill en ik ten onrechte bij de zaak werden betrokken.

Het onderhouden van goede relaties met de echtgenotes van staatshoofden bood de laatsten extra diplomatieke kansen. In de eerste moeilijke perioden belde koningin Noor van Jordanië wel eens om te vragen hoe het ging. Ze vertelde me dat wanneer leden van haar familie het moeilijk hadden, ze elkaar aanmoedigden om 'door te gaan'. In Amman rouwde ik met koningin Noor om de dood van haar 'Soldier King'.

Nadat senator Moynihan aankondigde met pensioen te gaan, moedigden vooraanstaande Democraten in New York me aan om in de race te stappen. Ik ben zeer blij dat ik het gedaan heb. Moynihans dood in maart 2003 was een groot verlies voor het land.

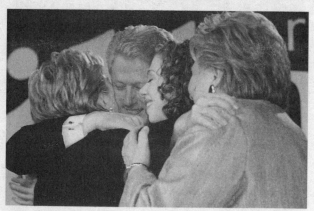

Een van de moeilijkste beslissingen die ik in mijn leven heb moeten maken, was me kandidaat te stellen als Senaatslid voor New York. Jarenlang had ik toespraken gehouden over het belang van vrouwen in politieke en bestuurlijke functies. Nu werd het tijd, zoals een jonge atlete het uitdrukte, dat ik me 'in de strijd waagde'. Hier sta ik met mijn trouwste supporters, Bill, Chelsea en mijn moeder.

Terwijl ik me gereedmaakte voor de avond, kwam Chelsea binnen met de laatste uitslagen. Het was duidelijk dat ik met een veel grotere voorsprong zou winnen dan verwacht. Hoe blij ik ook was met het succes van mijn campagne, onze vreugde werd getemperd door de veelbewogen presidentsrace.

Een doorgewinterde campagneman en een beginneling praten op de New York State Fair over politiek. Mijn reis had me van Illinois naar het oosten en vandaar naar Arkansas gebracht, waar ik trouwde met een man die president zou worden. In 2000 zou voor het eerst in de geschiedenis de zoon van een voormalige president plaatsnemen in de Oval Office en een voormalige First Lady in de Senaat.

Een van de eerste dingen die me opvielen
aan Bill Clinton, was de vorm van zijn
handen. Hij heeft smalle polsen en spitse, lenige vingers, als een pianist of een chirurg.
Toen we elkaar pas kenden als student, kon
ik me vermaken met alleen maar te kijken
hoe hij de bladzijden van een boek omsloeg.
Nu beginnen zijn handen tekenen van ouderdom te tonen, na al die duizenden
handdrukken en slagen met golfclubs en
kilometers handtekening.

Bill en ik zijn begonnen aan
een nieuw hoofdstuk in ons
leven. We zijn verhuisd naar
Chappaqua in New York, en
hoewel we niet kunnen voorspellen waar dit pad ons
brengen zal, ben ik klaar
voor de reis.

Nadat ik zelf op
Bills talloze be-
edigingsceremo-
nies de bijbel
had vastgehou-
den, hielden nu
Bill en Chelsea
voor mij dit
boek vast, ter-
wijl Al Gore me
tijdens deze
oefenceremonie
beëdigde. Ik was
nu senator
Clinton.

Toen Bills tweede inauguratie naderde, werd een aantal veranderingen doorgevoerd in het kabinet en de staf van het Witte Huis. Leon Panetta, Bills stafchef, besloot terug te keren naar zijn gezin in Californië. Erskine Bowles, een zakenman uit North Carolina en een betrouwbare vriend die Leons assistent was, nam zijn plaats in. Met Erskines vrouw, Crandall, een gewiekste en succesvolle zakenvrouw, had ik in Wellesley in hetzelfde jaar gezeten. Harold Ickes, onze oude vriend die sinds 1991 met Bill samenwerkte en die de campagne in New York in 1992 fantastisch georganiseerd had, ging terug naar zijn advocaten- en consultancypraktijk. Evelyn Lieberman nam zijn functie als hoofd van Voice of America over. George Stephanopoulos vertrok om les te gaan geven en zijn memoires te schrijven.

Ik verloor mijn stafchef ook. Het was moeilijk het vertrek van Maggie Williams te aanvaarden, maar ze wilde weer een eigen leven gaan leiden. Ze was nooit van plan geweest langer dan één termijn te blijven en ik begreep haar beslissing. Maggie en haar man Bill Barrett verhuisden naar Parijs. Ik was erg blij voor haar, want Maggie had vreselijk te lijden gehad onder de steeds terugkerende onderzoeken. Natuurlijk was zij niet de enige die werd meegezogen door de wervelwind, maar ik zag haar elke dag en wist wat een tol de laatste jaren hadden gevergd.

Melanne Verveer werd mijn nieuwe stafchef. Zij was mee geweest op bijna al mijn overzeese trips en was een drijvende kracht achter de internationale beweging die wij in gang aan het zetten waren om vrouwen te scholen en klaar te stomen voor leidende posities. Ze heeft een vlekkeloos goed ontwikkeld sociaal gevoel, is prettig gezelschap, kent als geen ander de weg in de doolhof van wetgeving en kent bijna iedereen in het Congres.

Diverse kabinetsposities waren na de verkiezingen vrijgekomen, waaronder die van minister van Buitenlandse Zaken. Sinds Warren Christopher begin november zijn pensionering had aangekondigd, had Washington zich verloren in een raadspelletje over wie hem zou gaan vervangen. Er was een lijst vol hoopvolle lieden, elk met een eigen achterban.

Ik hoopte dat Bill zou willen overwegen Madeleine Albrigth aan te stellen als eerste vrouwelijke minister van Buitenlandse Zaken. Ik vond dat ze het geweldig deed bij de Verenigde Naties en ik was onder de indruk van haar diplomatieke vaardigheden, haar kennis van de wereldproblematiek en haar persoonlijke moed. Ik bewonderde haar ook om haar vloeiende beheersing van het Frans, Russisch, Tsjechisch en Pools, naast natuurlijk het Engels; vier talen die ik niet sprak. Zij had zich al vroeg uitgesproken voor Amerikaans ingrijpen op de Balkan en haar levensverhaal was op talloze manieren verbonden met de Europese en Amerikaanse geschiedenis van de afgelopen halve eeuw. Ze identificeerde zich als geen ander met het menselijke verlangen bevrijd te worden van onderdrukking en de wens tot democratie.

Sommige gevestigde figuren binnen kringen van Buitenlandse Zaken in Washington schoven de kandidaten van hun keuze naar voren en de fluistercampagne tegen Madeleine begon onmiddellijk: ze was te voortvarend, te agressief, niet geschikt, de leiders van bepaalde landen zouden geen vrouw accepteren. Toen verscheen in november 1996 een artikel in *The Washington Post* waarin gemeld werd dat het Witte Huis haar alleen als kandidaat voor een tweede ronde beschouwde. Hoewel dat artikel waarschijnlijk geïnspireerd was door een van haar tegenstanders om haar kandidatuur te ondermijnen, werkte deze tactiek averechts, omdat daardoor nog meer aandacht werd gericht op Madeleines sterke punten. Nu moest haar kandidatuur wel serieus genomen worden.

Ik heb er nooit met Madeleine over gepraat en zelfs mijn meest vertrouwde stafleden waren er niet van op de hoogte dat ik Bill ertoe probeerde over te halen te overwegen haar als minister van Buitenlandse Zaken te kiezen. Behalve met mijn man sprak ik alleen over haar benoeming met Pamela Harriman, de toenmalige ambassadeur in Frankrijk. Een week na de publicatie van het artikel in *The Washington Post* bezocht Pamela me in het Witte Huis. Nadat ze vier jaar de Amerikaanse ambassadeur in Parijs was geweest, wist ze nog alles over de mensen en de roddels in Washington. En ze was heel nieuwsgierig naar Madeleine Albright.

'Ik heb met iedereen gepraat,' zei ze met dat prachtige, rokerige Engelse accent van haar. 'Weet u, sommige mensen denken echt dat Madeleine benoemd zou kunnen worden tot minister van Buitenlandse Zaken.'

'Echt?'

'Ja, wat denkt u?' vroeg ze.

'Het zou mij niet verbazen als het gebeurde.'

'Echt niet?'

'Nee, ik vind dat ze het geweldig gedaan heeft en ik ben nu eenmaal van mening dat het bij gelijke geschiktheid leuk zou zijn als een vrouw die functie kreeg.'

'Nou, nou. Ik weet het niet. Ik ben er nog niet zo zeker van. Er zijn nog diverse andere, zeer goed gekwalificeerde mensen die het ook willen,' overwoog Pamela.

'Dat weet ik ook wel, maar ik zou niet tegen Madeleine wedden, als ik u was.'

Ik wist dat mijn mening een van de vele was die Bill te horen kreeg. Als hij een beslissing nam, was die van hem alleen. Dus luisterde ik naar zijn overwegingen en bracht ik soms commentaar of een vraag naar voren. Toen Bill me vroeg naar Madeleine Albright, vertelde ik hem wat ik dacht: 'Bill, niemand steunt je politiek meer dan zij en niemand is zo uitgesproken en overtuigend in de verdediging ervan. En alle vrouwen in Amerika zullen trots zijn.'

Ik was er nog altijd niet zeker van wie Bill zou vragen, totdat hij uiteindelijk op 4 december 1996 Madeleine belde en haar vroeg zijn minister van Buitenlandse Zaken te worden. Ik was opgetogen. Na de bekendmaking stuurde Pamela Harriman me een briefje waarin stond: 'Ik zal nooit tegen u of Madeleine wedden.'

Madeleine werd de eerste vrouw in de geschiedenis die

deze functie vervulde. In ieder geval gedurende haar zittingstermijn kregen de rechten en behoeften van vrouwen een plek op de agenda van de Amerikaanse buitenlandse politiek. Dat maakte ze duidelijk toen ze een feestelijke receptie gaf ter ere van de Internationale Vrouwendag in 1997. Ik kreeg de eer het podium met haar te delen, waar we het belang van vrouwenrechten in de voortgang van de wereld uiteenzetten. Ik sprak me fel uit tegen de barbaarse wetgeving van de Taliban in Afghanistan. Ik geloofde dat de Verenigde Staten hun regering niet moesten erkennen vanwege de onderdrukking van vrouwen, en dat Amerikaanse ondernemingen er geen contracten moesten afsluiten voor het aanleggen van pijpleidingen of andere zaken.

Voor de tweede inaugurele rede was ik veel meer ontspannen; ik genoot van de gebeurtenissen zonder bang te hoeven zijn dat ik staande in slaap zou vallen. Toch leken de festiviteiten enigszins een anticlimax, met minder opwinding en ontzag dan we in 1993 hadden ervaren. Natuurlijk was onze wereld veranderd. Ik voelde dat ik een nieuwe fase van mijn leven inging, als staal dat gehard wordt in het vuur: wat sterker aan de randen, maar duurzamer en flexibeler. Bill was in zijn presidentschap gegroeid, en daardoor kregen zijn gezicht en zijn ogen iets doorleefds. Hij was pas vijftig, maar zijn haar was bijna helemaal wit en voor de eerste keer in zijn leven zag hij er zo oud uit als hij was. Maar hij had nog altijd de jongensachtige glimlach, de scherpe geest en het aanstekelijke optimisme waarop ik verliefd was geworden. Vijfentwintig jaar daarna bloeide ik nog altijd op als hij een kamer binnenkwam, en bewonderde ik nog altijd zijn knappe gezicht. We deelden een niet-aflatend geloof in het belang van maatschappelijk werk, we waren elkaars beste vrienden en, ook al hadden we bij tijd en wijle onze problemen, we maakten elkaar nog steeds aan het lachen. Dat, wist ik zeker, zou ons door de nieuwe vier jaar in het Witte Huis heen helpen.

Ik was niet dezelfde persoon die in 1993 gekleed ging in

een paarsblauwe jurk. Ik paste er ook niet meer in na vier jaar in het Witte Huis. Ik was niet alleen ouder, maar ook blonder geworden. De pers hield nog altijd de veranderingen in mijn kapsel in de gaten, maar liet me wel met rust als het over mode ging. Ik was bevriend geraakt met de ontwerper Oscar de la Renta en zijn glamourvolle vrouw Annette, na onze ontmoeting op de eerste Kennedy Center Honors-receptie die Bill en ik gehouden hadden in het Witte Huis in 1993. Daar droeg ik een door hem ontworpen jurk, die ik in een winkel had gekocht. Toen Annette en hij in de rij stonden voor de ontvangst en hij ons zag, vertelde hij me dat hij gevleid was en bood hij aan me op iedere gewenste manier te helpen. Zijn elegante ontwerpen vond ik prachtig, en hij maakte een prachtige, met borduurwerk versierde jurk van goudkleurige tule voor me met een bijpassende satijnen cape, voor het tweede inaugurele bal. Ik droeg ook een van zijn koraalkleurige wollen mantelpakjes met een bijpassend jasje bij de inhuldigingsceremonie. Op Oscars dringende advies maakte ik een inbreuk op de traditie door geen hoed te dragen. De enige kritiek die ik daarna uit modekringen kreeg, was dat ik een broche had gedragen op dat jasje. Dat was puur mijn beslissing: ik houd van broches!

Maar ik had zelf wel een klacht. Onze zestien-en-bijna-zeventienjarige Chelsea kwam naar beneden in een half-lange jas. Ik had pas in de gaten wat ze daaronder droeg, toen we al klaar stonden om uit het Witte Huis te vertrekken. Toen ik een glimp opving van een minirok tot halverwege haar dijen, vroeg ik of ik haar kleding mocht zien. Ze deed haar jas open en fotografe Diana Walker, die een achter-de-schermenopdracht had voor *Time*, wist de uitdrukking op mijn gezicht te vangen. Het was te laat om Chelsea zich nog te laten omkleden en misschien had ze dat niet eens gedaan, zelfs niet als ik haar erom gesmeekt had. Ze kreeg veel aandacht toen ze in de stoet meeliep zonder jas, maar ze wuifde en lachte gewoon, en bleef met veel zelfvertrouwen en aplomb zichzelf. Eerder die dag had ze al haar veerkracht en gevoel voor humor nodig gehad bij de lunch op het Capitool.

De Republikeinen hadden een meerderheid in het Congres, dus bepaalden de Republikeinen de tafelschikking voor de traditionele Congreslunch. Misschien vond iemand het grappig om mij naast Newt Gingrich neer te zetten en Chelsea naast Tom Delay, de Republikeinse fractieleider in het Huis, en de nog kwieke negentiger Strom Thurmond, de senator uit South Carolina. Delay had allerlei afschuwelijke uitspraken gedaan over Chelsea's vader, maar tegenover haar deed hij zo vriendelijk mogelijk, en Chelsea deed aardig terug. Hij vertelde haar dat zijn eigen dochter op zijn kantoor werkte en hoe belangrijk het was dat je gezin betrokken was bij je openbare leven. En hij bood aan om Chelsea rond te leiden op het Capitool.

Ook Strom Thurmond kletste gezellig mee. 'Weet u hoe ik zo oud ben geworden?' vroeg hij Chelsea. Thurmond was 95. Hij was de oudste dienstplichtige die per parachute achter de gevechtslinies in Normandië gedropt was, kort voor D-Day, en hij was twee keer getrouwd geweest met een voormalige schoonheidskoningin. De senator had vier kinderen gekregen toen hij al ver over de zestig was. 'Push-ups! Eénarmige push-ups!' adviseerde hij Chelsea. 'En eet nooit iets wat groter is dan een ei. Ik eet zes maaltijden per dag ter grootte van een ei!'

Chelsea knikte beleefd en prikte in haar salade. Er werd een volgende gang opgediend.

'Ik vind u bijna zo mooi als uw moeder,' zei de senator, met de zijdeachtige Zuidelijke charme die hem berucht had gemaakt.

Halverwege de maaltijd vertrouwde hij haar toe: 'U bent echt zo mooi als uw moeder. Zij is mooi en u bent ook mooi. Echt waar. U bent net zo mooi als uw moeder.'

Tegen de tijd dat het dessert werd opgediend, zei Thurmond: 'Ik vind dat u mooier bent dan uw moeder. Ja, dat is echt zo, en als ik zeventig jaar jonger was, zou ik u het hof maken!'

Mijn lunchconversatie was lang niet zo kleurrijk als die van Chelsea. Newt Gingrich leek wat ingetogen. Ik doorstond de hele maaltijd met hem door over niets bijzonders te praten. Hoe is het met uw moeder? Goed, dank u. Hoe is het met de uwe? Gingrich had een paar moeilijke jaren achter de rug.

Hoewel hij de herverkiezing als Speaker van het Huis had gewonnen, had Gingrich zijn populariteit in de nationale opiniepeilingen verloren. Bill had hem aan de kant gemanoeuvreerd, waardoor hij terrein verloren had in het Huis. Kort tevoren was hij aan de tand gevoeld door de Ethische Commissie van het Huis vanwege onethisch optreden. Hij werd beschuldigd van het onrechtmatig aanwenden van organisaties met belastingvrijstelling om een serie politieke lezingen te financieren. Vervolgens zou hij de commissie misleid hebben over die fondsenwerving. Gingrich hield vol dat het een onschuldige vergissing was en schoof de verantwoordelijkheid naar zijn advocaat, maar de commissie vond dat hij tijdens het onderzoek bij dertien gelegenheden twijfelachtige en misleidende verklaringen had afgelegd. Hem werden een boete en een berisping opgelegd. Ik betwijfelde of de problemen die Gingrich in het Huis had, hem ervan zouden weerhouden de Whitewater-onderzoeken zolang als hij kon te laten voortduren. Eigenlijk kon ik een voorgevoel niet van me afschudden dat ik al had sinds de inhuldigingsceremonie, die rond het middaguur had plaatsgevonden.

Het was een heldere en koele dag en de atmosfeer voor de Rotunda voelde zelfs nog ijziger aan. Per traditie neemt de voorzitter van het Hooggerechtshof de nieuwe president de eed af, maar Bill noch ik liep warm voor het idee zo'n belangrijk moment te delen met William Rehnquist, die niets moest hebben van ons en onze politieke standpunten. In het begin van zijn carrière, als klerk bij Robert Jackson, een rechter van het Hooggerechtshof, had Rehnquist zich sterk gemaakt voor de instandhouding van een belangrijke uitspraak van het Hof uit 1896, in de zaak

Plessy versus Ferguson, waarin de doctrine 'gescheiden maar gelijk' werd gelanceerd. Hij onderschreef een Texaanse wet die voorverkiezingen voor alleen blanken toestond. 'Het wordt tijd dat het Hof het feit onderkent dat blanke mensen in het Zuiden niet houden van gekleurde mensen,' schreef hij in 1952. En volgens een verklaring onder ede was Rehnquist in 1964 de drijvende kracht achter de aanvechting van het stemrecht voor zwarten bij de verkiezingen in Arizona. In 1970, als onderminister van Justitie onder Richard Nixon, stelde hij een amendement op de Grondwet voor om de implementatie te beperken en tegen te gaan van de grensverleggende zaak Brown versus de Onderwijsraad uit 1954, over de opheffing van rassenscheiding op scholen. Sinds hij in 1971 door Nixon benoemd was in het Hooggerechtshof, probeerde hij voortdurend de voortgang van het Hof – en daarmee ook die van het land – inzake rassenzaken terug te draaien. Hij stemde bijvoorbeeld als enige vóór belastingvrijstelling voor de Bob Jones University, waar interraciale relaties verboden waren op straffe van verwijdering. Hij heeft nooit geprobeerd zijn vriendschap te verbergen met veel extreme conservatieven die Bills presidentschap hadden geprobeerd te ondermijnen sinds zijn eerste inauguratie. Zoals het land later zou merken in de zaak Gore versus Bush, die de verkiezingen zou beslissen, heeft Rehnquists levenslange functie als lid van het Hooggerechtshof niets veranderd aan zijn ideologische of partijgebonden opvattingen.

Ik had erop aangedrongen dat een andere rechter van het Hooggerechtshof, Ruth Ginsburg of Stephen Breyer, de ambtseed zou afnemen, en Bill had dat overwogen, maar zijn eerbied voor de traditie gaf de doorslag. Zijn inaugurele rede ging immers over verzoening en herstel, en noemde de 'rassenscheiding' expliciet 'de constante vloek van Amerika'. Bill riep de Amerikanen op 'om nieuwe banden te smeden'.

Toen het zo ver was, hielden Chelsea en ik de bijbel vast, waarop Bill zijn linkerhand legde, terwijl hij zijn rechterhand ophief om de eed uit te spreken. Toen Rehnquist hem had ingezworen, boog Bill naar hem toe om hem de hand te schudden.

'Veel geluk,' zei Rehnquist zonder te glimlachen. Iets in zijn toon waarschuwde me dat we dat nodig zouden hebben.

29 *Naar Afrika*

De tweede keer dat mijn echtgenoot zou gaan golfen met Greg Norman, moest hij uiteindelijk twee maanden met krukken lopen. Bill viel niet in een zandbak en schoot niet door na een wilde slag, maar hij verstapte zich gewoon op een donker trapje voor Normans huis in Florida, waardoor hij naar achteren weggleed en daarbij de pees van zijn rechterdijspier voor negentig procent afscheurde. Dat gebeurde net na één uur 's nachts op vrijdag 14 maart 1997 en hij belde me op weg naar het ziekenhuis om het te vertellen. Hij had erg veel pijn, maar probeerde, zoals hij zei 'mijn beste beentje voor te zetten'. Ik was opgelucht dat zijn gevoel voor humor hem niet had verlaten, maar maakte me direct ook zwaar zorgen. Bill wilde alleen maar terug naar het Witte Huis, om dan door te vliegen naar de Finse hoofdstad Helsinki, om de woensdag daarop een lang van tevoren geplande ontmoeting met Boris Jeltsin te hebben, wat de dokters ook zouden zeggen. Ik belde dr. Connie Mariano, de directeur van de medische staf van het Witte Huis en de lijfarts van de president, om haar mening te vragen. Zij zei dat Bill onder het mes zou moeten, maar dat hij rustig vanuit Florida naar Washington kon vliegen om het daar te laten doen.

Op vrijdagmorgen stond ik op de landingsbaan van de militaire vliegbasis Andrews terwijl de Air Force One landde. Ik keek toe hoe een drom veiligheidsagenten mijn normaliter onverwoestbare echtgenoot uit de buik van het vliegtuig droeg. Ze zetten hem in een rolstoel die op een draagbare hydraulische lift stond en brachten hem zo naar de grond. Ik reed met Bill in een busje naar het Bethesda Naval Hospital, waar chirurgen zijn been zouden opereren. Bill was ondanks zijn hevige pijn erg vrolijk en nog steeds volledig gericht op Helsinki. Ik vroeg hem te wachten tot we wisten hoe de operatie was gegaan, maar hij had al besloten dat alles prima zou gaan. Bill doet me vaak denken aan een jongen die fanatiek staat te scheppen in een schuur vol mest. Als iemand hem vraagt waarom, zegt hij: 'Met al die mest moet hier wel ergens een pony zijn.'

Hij had een volledige narcose of andere verdovende pijnstillers geweigerd te nemen, omdat hij als president vierentwintig uur per dag alert en beschikbaar moest zijn. Dat leverde een probleem op. De operatie die nodig was om de pees van zijn dijspier weer vast te maken aan de bovenkant van zijn knieschijf, was pijnlijk en moeizaam. Als die onder algehele narcose zou gebeuren, was Bill volgens het 25ste amendement op de Grondwet verplicht de presidentiële macht tijdelijk over te dragen aan de vice-president, die paraat was. Zo'n overdracht was er niet meer geweest sinds 1985, toen president Reagan geopereerd was voor darmkanker. Bill was vastbesloten de macht niet over te dragen. De komende vergadering met Jeltsin ging over de uitbreiding van de NAVO, waar de Russen fel tegen waren. Bill wilde geen nieuwsberichten die zouden wijzen op zwakte of kwetsbaarheid van zijn kant. Hij koos voor een plaatselijke verdoving en babbelde met zijn doktoren over de muziek van Lyle Lovett die door de operatiekamer klonk terwijl de orthopedisch chirurg en zijn team gaten boorden in zijn knieschijf, daar de afgescheurde dijspier doorheen trokken en de pees toen vasthechtten aan het onbeschadigde deel van de spier.

Gedurende de operatie wachtte ik bezorgd in een speciale suite, die gereserveerd was voor de president en zijn gezin. Na schooltijd voegde Chelsea zich bij me. Ons gezin is gezegend met een goede gezondheid. De enige keer dat ik in het ziekenhuis heb gelegen, was voor mijn bevalling. Behalve een poliklinische behandeling van Bills voorhoofdsholtes in de vroege jaren tachtig en het knippen van Chelsea's amandelen een paar jaar later, had geen van ons een operatie hoeven ondergaan. Ik vond ons geluk echter niet vanzelfsprekend, omdat ik wist dat alleen God in de hand heeft of mijzelf – of iemand van wie ik houd – iets overkomt.

Eindelijk, na een drie uur durende operatie, werd Bill om 4.43 uur 's middags in een rolstoel naar de suite gereden. Hij zag er bleek en uitgeput uit, maar had een goed humeur, omdat dokter Mariano en de chirurg ons vertelden dat de operatie geslaagd was en dat hij uitstekende vooruitzichten voor volledig herstel had. Chelsea en ik hadden naar een film met Cary Grant zitten kijken en Bills eerste woorden waren: 'Waar is het basketbaltoernooi?' Gauw schakelden we over naar het kanaal waarop een wedstrijd uit het March Madness-toernooi te zien was.

Behalve over de Razorbacks wilde Bill alleen maar praten over zijn trip naar Finland. Dokter Mariano en de chirurgen legden uit wat de mogelijke risico's waren van een lange vliegreis en vroegen me of ik hem die uit zijn hoofd kon praten. Ik zei dat ik het zou proberen, wanneer zijn gezondheid ervan afhing, maar dat ik betwijfelde of het zou lukken. Ik belde Sandy Berger, Bills adviseur voor nationale veiligheid, die samen met zijn vrouw Sally al sinds het begin van de jaren zeventig met ons bevriend was. Sandy legde uit wat het belang van deze trip naar Helsinki was en waarom hij hoopte dat Bill zou kunnen gaan, al gaf hij toe dat Bill niet zou moeten vliegen als zijn medische team dat verbood. Ik bracht Sandy's boodschap over aan Bill: Sandy zou zich vol spijt voegen naar de doktoren.

'Nou, ik niet,' zei Bill. 'Ik ga.'

Naast Bills bed belde ik met dokter Mariano.

'Kijk, hij wil nu eenmaal gaan,' zei ik tegen haar. 'Dus moeten we een manier bedenken om hem veilig heen en terug te krijgen.'

'Maar hij mag zo lang niet vliegen,' protesteerde ze. 'Dan kan zijn bloed gaan klonteren.'

Ik keek naar mijn verbolgen echtgenoot en bedacht dat hij weleens zou kunnen gaan klonteren als ze hem niet lieten gaan.

'Wat zeggen ze?' vroeg hij dwingend.

'Kan Jeltsin niet hierheen komen?' vroeg ik hem.

'Nee. Ik moet erheen.'

'Hij gaat naar Helsinki,' zei ik tegen dokter Mariano. 'Zorg er dus maar voor dat zijn bloed niet klontert.'

'Dan zullen we hem moeten verpakken in droog ijs.'

'Uitstekend, verpak hem maar in droog ijs.'

Dokter Mariano gaf eindelijk toe en begon een medisch team samen te stellen voor de trip naar Finland.

Chelsea en ik lieten Bill later die avond in bed achter, zodat zij zich kon voorbereiden op het Weense Bal, dat gehouden werd in de Oostenrijkse ambassade. Ze had walslessen genomen en haar vader stond erop dat ze zou gaan. Op zaterdagmorgen ging ik terug naar het ziekenhuis, nadat ik onze woonverblijven was rondgegaan om te kijken of er obstakels waren waar iemand in een rolstoel of op krukken last van zou kunnen hebben. Met hulp van een marinefysiotherapeut stelde ik een lijst op van wat er gedaan moest worden voordat Bill naar huis kwam: kleden en snoeren zouden met tape moeten worden vastgezet, in de douche moest een handgreep worden bevestigd, meubels moesten worden verplaatst. Daardoor kreeg ik enig inzicht in hoe het dagelijks leven moet zijn voor mensen in een rolstoel, zoals een van onze voorgangers, Franklin Delano Roosevelt.

Op zondag arriveerde hij in een rolstoelbusje, met zijn been gestrekt voor zich uit. Bill ging meteen naar bed, maar in plaats van te gaan slapen sloeg hij een extra sterke tylenol achterover en keek hij de basketbalfinale af op de televisie.

Er was voor die zondag een goodwilltrip naar Afrika gepland voor Chelsea en mij. Ik dacht dat ik die beter zou kunnen afzeggen om Bill te vergezellen naar Helsinki, of ons vertrek op zijn minst zou moeten uitstellen tot hij die dinsdag zou vertrekken. Hij wilde er niet van horen. Als wij onze plannen zouden aanpassen, redeneerde hij, zouden sommige mensen kunnen gaan denken dat de operatie niet geslaagd was. We sloten een compromis: Bill zou volgens schema naar Helsinki gaan, maar Chelsea en ik zouden een dag later dan gepland naar Afrika afreizen.

Naast de journalisten en fotografen die me doorgaans vergezelden, stuurde het tijdschrift *Vogue* Annie Leibovitz mee om onze reis vast te leggen. Hoewel ze bekend is vanwege haar portretten van beroemdheden, wierp ze zich helemaal op het vastleggen van de schoonheid en indrukwekkendheid van de Afrikanen en het landschap dat ze bewoonden. Ik had ingestemd met het artikel dat de foto's van Leibovitz zou begeleiden en wilde de schijnwerpers zetten op de zelfhulpprogramma's die gesteund werden door Amerikaans ontwikkelingsgeld en diverse fondsen; ik wilde praten over vrouwenrechten en steun aan de democratie, en ik wilde stimuleren dat Amerikanen meer over Afrika te weten zouden komen. Hoe belangrijk dat laatste doel was, werd geïllustreerd door een journalist die me voorafgaand aan de trip vroeg: 'Wat is de hoofdstad van Afrika?' Dat ik Chelsea kon meenemen, was zoals altijd een groot genoegen voor me. Bovendien betekende dit een boodschap voor de plaatsen waar vaak voorbij werd gegaan aan de behoeften en bekwaamheden van meisjes: de president van de Verenigde Staten heeft een dochter voor wie hij het de moeite waard vindt om haar de opleiding en de gezondheidszorg te verschaffen die ze nodig heeft om haar door God gegeven talenten te ontwikkelen.

Chelsea en ik maakten een eerste stop in Senegal, het land waar de voorouders van talloze Amerikanen vandaan kwamen, die verkocht waren aan slavenhandelaars op het Ile de Gorée, voor de kust van de Senegalese hoofdstad Dakar. In het kleine fort waar de slaven werden vastgehouden, zaten nog steeds voetijzers en kettingen aan de muren van de bedompte cellen, als grimmige herinneringen aan de kwaadaardige neigingen van de mens. Hier werden onschuldige mensen van hun huis en gezin weggerukt en als vee verhandeld; door de Deur Zonder Terugkomst achter in het ford werden ze naar buiten gedreven, naar het strand, vanwaar ze in boten werden geladen en naar de voor anker liggende slavenschepen werden geroeid. Ik sloot mijn ogen en ademde de vochtige, muffe lucht in, terwijl ik me mijn wilde wanhoop voorstelde als ikzelf of mijn dochter ontvoerd zou worden om als slaaf verkocht te worden.

Later kwam ik in contact met mensen die zich inzetten voor de opheffing van een ander cultureel gegeven dat ik beschouw als een vorm van slavernij: de verminking van de genitaliën van vrouwen. In het dorp Saam Njaay, op een uur afstand van Dakar, was een revolutie in de levens en gezondheid van vrouwen aan de gang. Molly Melching, een voormalige vrijwilligster van het Peace Corps, was in Senegal achtergebleven om te helpen bij de oprichting van Tostan, een vernieuwende NGO die in dorpjes bedrijven en educatieve projecten opzette. Door Tostan begonnen vrouwen zich uit te spreken over de pijn en de verschrikkelijke bijverschijnselen voor de gezondheid – waaronder de dood – die ze hadden gezien of ervaren vanwege de oude praktijk van het wegsnijden van de genitaliën bij meisjes. Nadat Tostan een discussie had georganiseerd voor het hele dorp, stemde het dorp vóór de beëindiging van deze praktijken. Toen mannelijke leiders van dat dorp naar andere dorpen reisden om uit te leggen waarom de besnijdenis slecht was voor meisjes en vrouwen, besloten ook andere dorpen die te verbieden. De beweging werd steeds groter en de leiders ervan vroegen president Abdou Diouf vrouwenbesnijdenis in het hele land te verbieden. Toen ik een gesprek had met president Diouf, prees ik de beweging van het volk en steunde ik het verzoek van de dorpelingen om in Senegal een wet aan te nemen die besnijdenis van vrouwen zou verbieden. Ik stuurde ook een aanmoedigende brief aan Tostan, die ze gebruikten in hun campagne. Binnen een jaar werd er een wet aangenomen die de besnijdenis van vrouwen verbiedt. Maar het ingrijpen in oeroude tradities was wel heel moeilijk geweest.

Dit voorbeeld van actie door het volk om het leven van

mensen te verbeteren, gaf me veel hoop, terwijl we door-reisden naar Zuid-Afrika, het lichtend symbool van verandering op dit continent. Nelson Mandela was een van de symbolen van die verandering. Dat gold ook voor aartsbis-schop Desmond Tutu, de stem van het geweten van de anti-apartheidsbeweging, die Nelson Mandela ertoe geïnspireerd had de Waarheids- en Verzoeningscommissie in te stellen. Ik ontmoette bisschop Tutu en leden van de commissie in Kaapstad, in een gewone vergaderzaal, waar ze de getuigenissen afnamen van slachtoffers en daders van geweldsmisdrijven, in een poging de waarheid aan het licht te brengen en verzoening teweeg te brengen tussen de rassen, na generaties van onrecht en wreedheid. Mandela en Tutu begrepen de problematiek en het belang van geïnstitutionaliseerde vergeving. Tijdens het proces dat zij in gang hadden gezet, konden de daders van de misdaden naar voren komen en bekennen, in ruil voor amnestie, en kregen de slachtoffers eindelijk antwoorden. Zoals een van de slachtoffers zei: 'Ik wil vergeven, maar ik moet weten wie en wat ik vergeef.'

Mandela was de personificatie van de vergeving. Hij leidde Chelsea en mij rond in de gevangeniscel op Robbeneiland waar hij achttien jaar gezeten had. Hij legde me uit dat hij jaren had nagedacht over wat hij zou doen als en wanneer hij weer vrijkwam. Hij maakte zijn eigen waarheids- en verzoeningsproces door, dat leidde tot de opmerkelijke verklaring die ik hem drie jaar geleden bij zijn inauguratie hoorde uitspreken, toen hij drie van zijn voormalige cipiers voorstelde. Vergeving is nooit en nergens een eenvoudige taak. Het verlies van een leven of vrijheid is altijd pijnlijk, te meer als het voortkomt uit wat dr. Martin Luther King noemde 'het bedorven brood van de haat'. Voor de meesten van ons, stervelingen, is het moeilijker met vergeving om te gaan dan toe te geven aan de wens tot vergelding. Mandela liet de wereld zien hoe je de keuze voor vergeving kunt maken en verder kunt gaan.

Net als de rest van het continent heeft Zuid-Afrika nog

altijd te maken met overweldigende armoede, misdaad en ziekten, maar ik werd bemoedigd door de hoop die ik zag op de gezichten van scholieren in schooluniformen die Engels leerden in een klas in Soweto (dankzij een USAID-project), om later wetenschappers en dichters te kunnen worden aan de Universiteit van Kaapstad. Ik sprak met vrouwen die daadwerkelijk bouwden aan een betere toekomst voor henzelf en hun kinderen. Met ceremoniële tekens op hun gezicht geschilderd duwden zij zingend kruiwagens voort, stortten ze cement en mengden ze verf voor hun nieuwe woningen. Ze waren thuisloze zwervers, die in deplorabele omstandigheden geleefd hadden, maar hadden hun eigen woningbouw- en kredietvereniging opgericht, naar het model van de Self-Employed Women's Association in India, die ik eerder had bezocht. Door hun spaargeld bij elkaar te leggen, konden ze scheppen, verf en cement kopen, leerden ze hoe ze funderingen moesten leggen, legden ze riolen aan en begonnen ze hun eigen woongemeenschap. Toen Chelsea en ik er op bezoek kwamen, hadden ze achttien woningen gebouwd; toen ik Bill er een jaar later heen bracht, waren het er honderdvier. Ik vond een regel uit een van hun liederen erg mooi, die ruw vertaald betekent: 'Kracht, geld en kennis – we kunnen niets zonder die dingen.' Goed advies voor vrouwen overal.

Ik verliet Zuid-Afrika in het besef dat de leiders te maken hadden met grote problemen, maar met optimisme over de toekomst van het land. In Zimbabwe, het noordelijke buurland, trof ik echter een land aan waarvan de veelbelovende potentie genuikt werd door desastreus leiderschap. Robert Mugabe, het staatshoofd sinds de onafhankelijkheid van het land in 1980, trad steeds autocratischer en vijandiger op tegen zijn vermeende tegenstanders. President Mugabe zei weinig tijdens mijn beleefdheidsbezoek in de presidentiële residentie in de hoofdstad Harare. Hij lette scherp op zijn jonge echtgenote Grace, terwijl ik met haar praatte, en begon af en toe zonder reden te giechelen. Ik vond hem gevaarlijk labiel en hoopte dat hij afstand zou doen van de macht. Mijn mening is in de afgelopen jaren alleen nog maar bevestigd, want Mugabe heeft alle politieke tegenstand onderdrukt en gaf toestemming aan een campagne om blanke boeren van hun land te verdrijven en de zwarte oppositie te intimideren, waardoor hij zijn volk in chaos en hongersnood heeft gestort.

Later sprak ik met een groep vrouwen uit de politiek, de vrije beroepen en het zakenleven in een kunstgalerie in Harare. Zij beschreven de spanning die bestaat tussen de rechten die ze op papier hebben, en de oude gebruiken en gewoonten die nog altijd de overhand hebben. Ze vertelden verhalen over vrouwen die door hun mannen mishandeld waren omdat ze zo 'onfatsoenlijk' waren een broek te dragen. Een van de vrouwen somde de problemen op waarmee ze te maken hadden: 'Zolang er een wet bestaat dat mannen twee vrouwen kunnen hebben, maar vrouwen niet twee echtgenoten mogen hebben, sta je buiten de werkelijkheid.'

Ik ging weg uit Harare met een gevoel van ontmoediging vanwege de verslechterende voorzieningen en faciliteiten, en het klaarblijkelijke falen van een leider die te lang aan de macht is gebleven. Maar mijn humeur verbeterde bij onze volgende stop, de Victoria-watervallen, waar de Zambesi-rivier zich in een fantastische draaikolk stort. Chelsea en ik liepen door de nevel die opstijgt uit het neerstortende water en bekeken de glanzende regenbogen in de ochtendzon. De adembenemende schoonheid en natuurlijke grondstoffen van Afrika moeten beschermd worden, terwijl de economische mogelijkheden voor de mensen groeien, maar dat is geen eenvoudig probleem, zoals ik merkte tijdens ons bezoek aan Tanzania, een uitgestrekt Oost-Afrikaans land dat in 1964 was gevormd van twee voormalige koloniën waarvan de namen me als kind altijd betoverd hadden: Tanganyika en Zanzibar. In de hoofdstad, Dar es Salaam, ontmoette ik president Benjamin Mkapa, een vrolijke voormalige journalist die hard werkte aan de ontwikkeling van een nationale economie die gebruikmaakte van de natuurlijke grondstoffen van het land en de strategische ligging aan de Indische Oceaan. Met de felle instemming van zijn vrouw, Anna Mkapa, en de vrouwelijke ministers die ons gesprek bijwoonden, drong ik er bij de president op aan wetten te schrappen die vrouwen beperkten in het bezitten en erven van eigendommen, restricties die niet alleen oneerlijk zijn, maar ook het economische potentieel van het halve volk afremden. Tot mijn vreugde nam Tanzania in 1999 een landwet en een dorpswet aan, waarmee de wetten vervangen werden die tevoren vrouwen discrimineerden.

Tanzania is ook een cruciale factor voor vrede en stabiliteit in het door oorlogen verscheurde Midden-Afrika. In Arusha bracht ik een bezoek aan het Internationale Straftribunaal dat de genocide in Rwanda onderzoekt. Het succes van dit tribunaal, dat de macht heeft oorlogsmisdadigers te berechten en te straffen, is van vitaal belang voor alle Afrikanen, maar vooral voor vrouwen en kinderen, die de eerste slachtoffers zijn van oorlogen en burgeroorlogen. Aanrandingen en verkrachtingen op grote schaal waren in Rwanda tactische wapens in de gewelddadige volkerenmoord die daar in 1994 plaatsvond. In de Oegandese hoofdstad Kampala sprak ik met een delegatie van Rwandese vrouwen die met hun zachte, muzikale stemmen vertelden van de gruwelen die ze hadden overleefd. Een jonge vrouw beschreef hoe ze, na te zijn aangevallen met een machete, probeerde haar gedeeltelijk afgerukte arm met een draad vast te zetten, terwijl ze vergeefs zocht naar medische hulp. Toen de infectie onvermijdelijk doorzette, hakte ze de arm zelf af. De vrouwen gaven me een fotoalbum met foto's van beenderen, schedels, verdwaasde overlevenden en verweesde kinderen. Ik kon mezelf er bijna niet toe dwingen om te kijken. Ik betreur ten diepste dat de wereld, inclusief de regering van mijn man, er niet in geslaagd is deze volkerenmoord te stoppen.

Oeganda was om andere redenen memorabel. Met het oog op de Afrikaanse aidsepidemie legde de Oegandese regering zich erop toe de verspreiding van het hiv-virus te voorkomen door een campagne van interventie en voorlichting. De gevolgen van de wereldwijde aidsepidemie werden, en worden nog altijd, het zwaarst gevoeld in het deel van Afrika bezuiden de Sahara, een regio waar zeventig procent van alle hiv/aidsgevallen ter wereld voorkomt. Ieder onderdeel van de samenleving is er aangetast door de crisis. In sommige van de zwaarst getroffen landen, zoals Oeganda, steeg de kindersterfte in de late jaren negentig tot alarmerende hoogte en daalde de levensverwachting scherp. De economie leed onder het gewicht van een slinkende werkkracht en een overbelasting van de gezondheidszorg. Tijdens Bills regering verdrievoudigden de Verenigde Staten binnen twee jaar tijd de financiële steun voor internationale aidsprogramma's ten behoeve van preventie, verzorging en behandeling, en de infrastructuur van de gezondheidszorg. USAID heeft het gebruik van condooms doen toenemen, door er wereldwijd een miljard te verspreiden. Bill werkte samen met andere landen om te helpen met het opzetten en financieren van een breed internationaal partnership, het gezamenlijke VN-programma voor aids, dat gecoördineerde strategieën heeft ontwikkeld om de ziekte tegen te gaan. Omdat hij de dringende behoeften van Afrika onder ogen zag, heeft Bill een presidentieel bevel uitgevaardigd om ervoor te zorgen dat medicijnen voor de bestrijding van hiv/aids en medische technologie betaalbaarder en beter beschikbaar worden voor behoeftige landen bezuiden de Sahara. Het Peace Corps begon alle 2400 vrijwilligers in Afrika op te leiden tot aidsvoorlichters.

Met steun van USAID was in Kampala het eerste centrum ten zuiden van de Sahara opgezet waar men zich anoniem kon laten testen en adviseren. Onderweg vanaf het vliegveld bij Entebbe zag ik billboards die drie gulden regels van de aidspreventie predikten: Doe aan onthouding, blijf trouw, of draag een condoom. De campagne werd geleid door Oeganda's charismatische president Yoweri Museveni, die geloofde in een harde aanpak van de problemen die van oudsher waren genegeerd en verwaarloosd in de rest van het continent. Net zo betrokken bij de strijd tegen aids was Museveni's vrouw Janet. Toen ik hielp om het Aids Informatie Centrum in te wijden, hoorde ik van een Amerikaanse dokter ter plekke dat het beleid om op dezelfde dag te testen en de resultaten mee te delen, dat door de kliniek werd geïntroduceerd, nu weer werd geïmporteerd in de Verenigde Staten. Onze ontwikkelingshulp maakte vorderingen bij het onderzoek naar een vaccin of geneesmiddel in Oeganda, maar daar hadden de Verenigde Staten zelf ook baat bij.

Er is geen belangrijker politiek probleem in Afrika dan het oplossen en stoppen van regionale, nationale en stammenconflicten.

Eritrea is de nieuwste natie in Afrika, een democratie die is voortgekomen uit dertig jaar burgeroorlog om onafhankelijkheid van Ethiopië, waarin vrouwen naast mannen vochten. Toen ik in Asmara uit het vliegtuig stapte, zag ik een rood-wit-blauw spandoek waarop stond, met een verwijzing naar de titel van mijn boek: YES, IT DOES TAKE A VILLAGE. Vrouwen in jurken met heldere kleuren begroetten me door te joelen en popcorn naar me te gooien, een welkomstgebaar dat de bedoeling had bezoekers te beschermen tegen kwade krachten en hun geluk toe te wensen. Terwijl we van het vliegtuig wegreden, was er een ander groot spandoek, waarop stond: WELKOM, ZUSTER.

De president van Eritrea, Isaias Afwerki, en zijn vrouw Saba Haile, een voormalige vrijheidsstrijder, woonden in hun eigen huisje bij het presidentiële paleis, waar ze me ontvingen. Terwijl ik keek naar volksdansers die hun kunsten lieten zien in de hoftuin die nog door de Italianen aangelegd was tijdens hun koloniale overheersing, vroeg ik president Afwerki, die zijn universitaire studie had afgebroken om in het verzet te vechten, of hij in de lange oorlog tijd had gevonden om te dansen. 'Natuurlijk,' antwoordde hij. 'We moesten wel dansen om onszelf eraan te herinneren hoe de wereld zonder oorlog was.'

Eind mei 1998 brak er weer een conflict uit tussen Ethiopië en Eritrea over een betwiste grens. Duizenden werden gedood en de belofte van vrede werd voor de beide volken op tragische wijze uitgesteld. Bill stuurde Tony Lake, zijn voormalige nationale veiligheidsadviseur, en Susan Rice, de onderminister van Buitenlandse Zaken voor Afrikaanse aangelegenheden, naar de regio. Uiteindelijk hielp de regering-Clinton een vredesregeling te treffen. Ik kan nu alleen maar hopen dat het potentieel dat ik zag voor een betere toekomst – compleet met dans –, in beide landen zal worden gerealiseerd.

Toen Chelsea en ik uit Afrika terugkwamen, overstelpten we Bill met onze avonturen. Zijn bespreking met Boris Jeltsin was productief geweest, maar lang niet zo enerverend en exotisch als onze reis. Bills been werd beter, maar hij hobbelde nog steeds op krukken rond in het Witte Huis. De Republikeinse oppositie zou ons toch geen extra tijd gunnen vanwege de blessure. Een maand eerder, in februari 1997, nam Starrs carrière als openbaar aanklager een bizarre wending, toen hij aankondigde dat hij ontslag nam als onafhankelijke aanklager om een functie aan te nemen op de Pepperdine University als decaan van de juridische faculteit en hoofd van de nieuw opgezette school voor openbaar bestuur. Maar Starrs vertrek strandde toen medestanders op de rechtervleugel hem hard aanvielen omdat hij zijn onderzoek stopzette voordat hij iets had gevonden waarvoor wij konden worden aangeklaagd. Tegelijkertijd pikten sommige media een draad op die de zogenaamd onpartijdige, onafhankelijke aanklager verbond met een van zijn ontegenzeglijk partijgebonden geldschieters. Het bleek dat Starrs aanstelling als decaan gekoppeld was aan een gulle gift van Richard Mellon Scaife, een bestuurder van de Pepperdine University. Binnen enkele dagen gaf Starr toe aan de druk van rechts en besloot hij de baan niet te accepteren. Met verontschuldigingen kondigde hij aan dat hij zou aanblijven als onafhankelijke aanklager tot zijn werk klaar was.

Ik weet niet of we beter af geweest zouden zijn zonder Starr. Maar een mogelijk gevolg van het feit dat Starr aanbleef, was dat hij nog wanhopiger zou proberen iets te vinden – wat dan ook – om zijn voortgaande onderzoek te rechtvaardigen. David Kendall, die de verslaggeving in de media over Whitewater voortdurend in de gaten hield, constateerde dat er steeds meer verhalen loskwamen uit Starrs kantoor. Krantenverslagen wezen erop dat OIC-onderzoekers opnieuw allang in diskrediet gebrachte bronnen in Arkansas opzochten, zoals de lijfwachten van de bereden politie, om door te dringen in het privé-leven van de president. In de tussentijd had Jim McDougal een deal gesloten met de aanklagers voor een beperkte strafmaat. Hij wilde maar al te graag interviews geven en veranderde zijn verhaal, waarbij hij andermaal probeerde Bill en mij te betrekken in zijn kuiperijen. Zijn ex-vrouw Susan leed in de gevangenis omdat ze weigerde te getuigen voor de Whitewater-onderzoekscommissie, aangezien ze volhield dat het een val was om haar voor meineed aan te klagen, terwijl ze de waarheid vertelde. Iedereen die gelooft dat aanklagers geen misbruik kunnen maken van het Amerikaanse strafrechtsysteem, moet Susans boek lezen: *The Woman Who Wouldn't Talk: Why I Refused to Testify Against the Clintons and What I Learned in Jail* (De vrouw die niet wilde praten: waarom ik weigerde te getuigen tegen de Clintons en wat ik in de gevangenis geleerd heb). Het is een ijzingwekkend verslag van de grove manier waarop Starrs mensen haar behandeld hebben en een ontnuchterende herinnering aan het feit dat de bescherming van onze vrijheid afhankelijk is van de garantie dat de wet voor iedereen geldt.

Leden van Starrs team, en Starr zelf, bleken geheime getuigenissen voor de onderzoekscommissie naar buiten te brengen, wat volkomen onwettig is. In een artikel uit het *New York Times Magazine* van 1 juni 1997 trok Starr mijn waarachtigheid in twijfel en zinspeelde hij op een mogelijke aanklacht vanwege belemmering van de rechtsgang. Voor David Kendall was dat de druppel die de emmer deed overlopen, en hij stelde voor dat het tijd was voor een tegenoffensief. Met goedkeuring van Bill schreef hij een brief waarin hij Starr ervan beschuldigde een campagne van 'lekken en besmeuren' te voeren in de media. Drie voormalige speciale aanklagers, onder wie een voormalige openbare aanklager van conservatief Republikeinse kant, stemden publiekelijk in met Kendall dat het gedrag van het OIC alle perken te buiten ging. Maar de pr-oorlog woedde voort.

In de tussentijd ging Paula Jones' rechtszaak wegens ongewenste intimiteiten een tweede fase in. In januari had Bob Bennett, Bills advocaat in de Jones-zaak, voor het Amerikaanse Hooggerechtshof betoogd dat een president niet belast moet worden met het verdedigen van civiele rechtszaken terwijl hij nog in functie is. Bennetts punt was dat – als dit zou worden toegestaan – iedere president tot over zijn oren verzeild kon raken in processen die waren aangespannen door zijn politieke tegenstanders of door mensen die publiciteit zochten, en dat de president daardoor niet in staat zou zijn zijn taken als opperbevelhebber naar behoren uit te voeren. Maar op 27 mei 1997 besloten alle negen rechters van het Hooggerechtshof dat de onschendbaarheid van de president niet gold voor civiele zaken, en dat Jones versus Clinton door kon gaan. Ik zag het als een verschrikkelijke beslissing, omdat het alle politieke tegenstanders nu vrijstond een willekeurige president voor de rechter te dagen.

Chelsea had besloten naar Stanford te gaan, vijfduizend kilometer bij ons vandaan, en ik keek zorgelijk uit naar haar eindexamen en haar vertrek naar de universiteit. Ik probeerde niet te laten merken dat ik heimelijk angst had haar te verliezen, omdat ik bang was dit speciale moment in haar leven te verpesten. Ik troostte me door zo veel mogelijk tijd met haar door te brengen. Samen met andere moeders die leden aan de ophanden zijnde verlatingsangst, werkte ik een maand lang intensief samen aan een heilige

Sidwell Friends-traditie: de Moeder-dochtershow. Moeders van Sidwell-dochters werden uitgenodigd deel te nemen aan een avond vol komische sketches waarmee op een vriendelijke manier de draak werd gestoken met hun eindexamenkandidaten. Ik deed samen met de moeders van Chelsea's vriendinnen mee aan diverse toneelstukjes waarin wij de rollen van onze dochters speelden. Mijn rol hield onder meer in dat ik veel pirouettes moest doen, als een ballerina, en dat ik per telefoon moest kletsen over plannen om uit te gaan. Voor de openingsscène moesten we ons in lakens hullen, alsof het toga's waren, en zingen 'I Believe I Can Fly'. Ik acteerde vreselijk slecht, maar gelukkig voor Chelsea viel mijn stem tijdens het muzikale openingsnummer in het niet bij die van de andere moeders.

De diploma-uitreiking van de Sidwell Friends-klas van 1997 was net zoals al zulke ceremonies, behalve dan dat dit jaar de president van de Verenigde Staten de openingstoespraak hield. Hij maakte me aan het huilen toen hij de eindexaminandi vroeg onder ogen te zien dat hun ouders 'een beetje verdrietig of vreemd deden. Want kijk, vandaag herinneren we ons jullie eerste schooldag en alle triomfen en trammelant die tussen toen en nu liggen. Hoewel we jullie hebben opgevoed voor dit moment van vertrek, en hoewel we erg trots op jullie zijn, wil een deel van ons jullie nog een keer vasthouden zoals we dat deden toen jullie nog nauwelijks konden lopen, om jullie nog één keer voor te lezen uit *Good Night, Moon*, of *Curious George* of *The Little Engine That Could*.' Toen we terugkwamen van de plechtigheid, had de hele staf van het Witte Huis zich verzameld in de East Room om Chelsea te feliciteren. Toen deze mannen en vrouwen haar voor het eerst ontmoetten, was ze een kind met een beugeltje; zij hadden gezien – en daarbij geholpen – hoe zij opbloeide tot een prachtige jonge vrouw.

Toen de zomer naderde, maakte de regering zich op voor drie grote taken: onderhandelen met het Congres over de begroting, voorbereiding voor een serie vergaderingen op hoog niveau – waaronder een in Madrid – over de controversiële uitbreiding van de NAVO, en een economische topconferentie in Denver, Colorado.

Een van de belangrijkste lessen die ik geleerd heb in mijn jaren als First Lady, is hoezeer staatszaken en de politiek van landen afhankelijk zijn van de persoonlijke relaties tussen hun leiders. Zelfs landen die ideologisch lijnrecht tegenover elkaar staan, kunnen overeenkomsten sluiten en allianties vormen als hun leiders elkaar kennen en vertrouwen. Maar deze vorm van diplomatie vereist constante aandacht en een informele dialoog tussen de belangrijkste betrokkenen, wat een van de achterliggende redenen was voor de talrijke overzeese trips van de president, de vicepresident en mijzelf.

De G7-topconferentie, een jaarlijkse vergadering tussen de grootste industrielanden ter wereld – de Verenigde Staten, het Verenigd Koninkrijk, Frankrijk, Duitsland, Japan, Italië en Canada – was steeds belangrijker geworden, niet alleen als politiek maar ook als economisch forum. Rusland was als gast uitgenodigd bij de voorgaande G7-topconferenties, maar in 1997, toen de Verenigde Staten de gastheer zouden zijn van de vergadering in Denver, voerde Boris Jeltsin druk uit om zijn land permanent lid te maken. De ministers van Financiën van diverse lidstaten waren tegen deze verandering, op grond van het feit dat Rusland nog steeds economisch zwak was, voor steun afhankelijk was van de G7 en de internationale financiële instellingen, en zich vaak weigerachtig opstelde om veranderingen door te voeren die noodzakelijk waren voor welzijn op de lange termijn. Maar Bill en zijn medeleiders vonden het belangrijk om Jeltsin te steunen en dachten dat het een belangrijk signaal aan het Russische volk zou zijn van de positieve effecten van de samenwerking met de Verenigde Staten, Europa en Japan. Dus werd Rusland uitgenodigd en werd de juniconferentie in Denver haastig hernoemd in 'Topconferentie van de Acht' (later werd dat officieel G8).

Bill was vastbesloten Jeltsin binnen de kerngroep van wereldleiders te brengen. De strategie was Jeltsins status in Rusland te versterken, omdat hij beschouwd werd als de beste hoop voor de democratie in dat deel van de wereld, en om de Russen ertoe over te halen de uitbreiding van de NAVO in Oost-Europa te accepteren. Madeleine Albright en Strobe Talbott, de onderminister van Buitenlandse Zaken en Rusland-expert, waren binnen de regering de voornaamste architecten van deze benadering. Madeleine werkte er onvermoeibaar aan om Moskou met overreding en soms ook druk in de westerse invloedssfeer te brengen, wat haar naar verluidt de Russische bijnaam 'Madame Staal' opleverde.

In de begindagen van Bills presidentschap zette ik vraagtekens bij de waarde van zulke staatsbezoeken, waarbij de mannen zich afzonderden in vergaderingen en de vrouwen vergast werden op nauwgezet geregelde bezoekjes aan culturele hoogstandjes. Maar nu besefte ik dat het vormen van goede banden met mijn collega-echtgenotes zorgde voor handige, intieme communicatiekanalen tussen de staatshoofden. Ik merkte ook dat veel andere leidersvrouwen fascinerend gezelschap waren, en soms goede vriendinnen werden.

In Denver nodigde ik de bezoekende dames uit voor een idyllische treinrit naar het skigebied Winter Park, om daar te lunchen met een fraai uitzicht vanaf de bergtop op de Colorado Rockies. Ik leerde Cherie Blair, de vrouw van de zojuist gekozen Britse premier Tony Blair, nog maar net kennen, maar mocht haar al graag. De meeste andere vrouwen kende ik van eerdere topconferenties en ik zag met genoegen hoe Najna Jeltsin in Rusland in haar rol groeide, sinds ik haar voor het eerst ontmoet had in Tokio in 1993. Ze was ingenieur geweest en had gewerkt aan de constructie van watersystemen, om vervolgens in de verraderlijke wateren van de Russische politiek te worden geworpen. Vanaf het begin was ze persoonlijk betrokken en zeer uitgesproken over kinderen en hun behoeften in de gezondheidszorg. In 1995 had ik haar geholpen de donatie van een voedingssupplement veilig te stellen, waarmee kinderen behandeld konden worden die leden aan fenylketonurie (PKU), een aangeboren stofwisselingsziekte die tot zwakzinnigheid kan leiden. Aline Chrétien, wier echtgenoot Jean in 1993 gekozen was tot premier van Canada, was intelligent, had een scherp inzicht en was net zo elegant als Jacky Kennedy. Ik was onder de indruk van haar zelfdiscipline en bereidheid nieuwe uitdagingen aan te gaan. Tijdens de acht jaar dat we elkaar regelmatig zagen, studeerde ze Spaans en piano en oefende en studeerde trouw. Ze wist ook hoe je plezier kunt maken. We hebben in 1995 veel lol gehad bij het schaatsen op de bevroren kanalen rond Ottawa. Kamiko Hashimoto uit Japan was een levendige en belangstellende vrouw, die op mij een schitterende indruk maakte. Flavia Prodi uit Italië, een ernstige en bedachtzame hoogleraar, probeerde de Italiaanse politiek uit te leggen, die voortdurend aan verandering onderhevig leek, terwijl de Italiaanse maatschappij en cultuur hetzelfde bleven, wie er ook regeerde.

Terwijl de trein voortrolde door het spectaculaire landschap, kwamen er wat mensen langs het spoor staan om te wuiven en borden met welkomstgroeten omhoog te houden naar de bezoekers. Staand op het balkon van het laatste rijtuig, zag ik ineens twee jongemannen, die uit het niets verschenen, hun broek lieten zakken en ons hun achterwerken lieten zien. In eerste instantie schrok ik vreselijk, maar daarna moest ik lachen om deze onwaardige en onvergetelijke toevoeging aan ons zorgvuldig geplande uitstapje voor mijn collega-echtgenotes.

Hoewel de besprekingen in Denver ernstig en vaak gespannen waren, probeerden we iedereen op zijn gemak te stellen met het avondprogramma. Met verwijzing naar het ooit Wilde Westen had het diner een pioniersthema, compleet met ratelslang en buffel, een minirodeo en een country & westernband. Bill gaf zijn gasten cowboylaarzen cadeau. De Japanse premier Ryutaro Hashimoto en de Canadese premier Jean Chrétien deden hun laarzen maar al te graag aan en trokken hun broekspijpen op om ze te laten zien, toen ze arriveerden voor het diner.

De gemeenschappelijke maaltijden vormen een belangrijk onderdeel van de diplomatie, en kunnen soms problematisch zijn. De avond voordat de vergadering in Denver begon, had Madeleine Albright haar Russische tegenhanger Jevgeni Primakov uitgenodigd voor een diner in een plaatselijk restaurant. Daar vergastte ze hem op een delicatesse uit de regio, genaamd 'bergoesters', een beleefde term voor diepgevroren stierentestikels. Ik verzekerde de echtgenotes dat deze niet op mijn menu stonden.

Als we een buitenlandse reis maakten, gaf het ministerie van Buitenlandse Zaken ons altijd achtergrondinformatie over de landen die we bezochten, en ook nuttige tips voor het protocol. Soms waarschuwden ze ons dat er ongewone gerechten geserveerd zouden kunnen worden, en vertelden ze hoe ik kon vermijden die te eten zonder mijn gastheren en -vrouwen te beledigen. Een oudgediende diplomaat suggereerde dat ik het voedsel 'over mijn bord heen en weer moest duwen' om net te doen alsof ik het opat, een truc die iedere vijfjarige al toepast. Maar geen enkel diplomatiek handboek had me kunnen voorbereiden op mijn eetervaringen met Boris Jeltsin.

Ik mag en respecteer Jeltsin en beschouw hem als een echte held, die de democratie in Rusland tot twee keer toe heeft gered: eerst toen hij in 1991 op het Rode Plein op een tank klom en zich afkeurend uitsprak over de militaire couppoging, en andermaal in 1993, toen er een militair complot werd gesmeed tegen het Russische Witte Huis en Jeltsin standhield voor de democratie, met sterke steun van Bill en andere wereldleiders. Op zijn geheel eigen manier was hij ook prima gezelschap. Hij had een groot hart en maakte me altijd aan het lachen. Natuurlijk had hij de reputatie onberekenbaar te zijn en het was maar al te vaak zichtbaar dat hij een borrel of twee op had.

Bij officiële diners zat ik meestal naast Jeltsin, met Bill aan zijn andere kant en Naina naast Bill. Hij sprak geen Engels, maar een achter ons zittende tolk vertaalde alles wat hij zei voor Bill en mij, met dezelfde diepe, raspende stem en al Boris' stembuigingen. Boris raakte zijn eten zelden aan. Nadat iedere gang voor ons was neergezet, duwde hij zijn bord weg of negeerde dat gewoon, terwijl hij doorging met ons verhalen te vertellen. Soms werd het eten zelf een verhaal.

Toen wij in 1994 de gasten waren van de Jeltsins in hun gloednieuwe Russische ambassade in Washington, zaten Bill en ik met hem op een verhoging, voor tientallen tafels vol sterren uit het societyleven van Washington, plus Russische en Amerikaanse hoogwaardigheidsbekleders. Jeltsin gebaarde plotseling dat Bill en ik ons naar hem toe moesten buigen. 'Hiel-aarie,' zei hij. 'Biel! Kijk eens naar die mensen daar. Weet u wat ze denken? Ze denken allemaal: Hoe komt het dat Boris en Bill daar zitten en wij niet?'

Dat was een veelzeggend commentaar. Jeltsin was slimmer dan sommigen van zijn tegenstanders begrepen en was zich terdege bewust van de fluistercampagne, die van het Kremlin tot Buitenlandse Zaken gevoerd werd, als zou hij niet acceptabel of gepolijst genoeg zijn. Hij wist ook dat sommigen van dezelfde mensen Bills uitbundigheid afkeurden en neerkeken op zijn herkomst uit Arkansas. We lachten en prikten in ons eten, maar Jeltsin ging door. 'Hahhh!' lachte hij en richtte zich tot de president. 'Ik heb iets speciaals voor u, Bill!'

Er werd een compleet gevulde big voor ons op tafel gezet. Met één uithaal van zijn mes sneed Jeltsin er een oor af en gaf dat aan mijn echtgenoot. Het andere oor sneed hij af voor zichzelf, hij bracht het naar zijn mond en beet er een stuk uit. Tegelijkertijd gebaarde hij dat Bill hetzelfde moest doen.

'Op ons!' zei hij, terwijl hij het restant van het oor omhooghield alsof het een glas goede champagne was.

Het is maar goed dat Bill een ijzeren maag heeft. Zijn vermogen alles op te eten wat hem wordt voorgezet, is een van zijn vele politieke talenten. Zelf heb ik die kracht niet, en dat wist Jeltsin. Hij vindt het leuk me te plagen, en alleen al daarom was ik blij dat een varken maar twee oren heeft.

Jaren later, toen de ambtstermijnen van Jeltsin en Bill afliepen, hadden we een gezamenlijk slotdiner in het Kremlin. Het werd gehouden in de koepelvormige Catherina-zaal, een van de mooist versierde eetzalen in het oude paleis. Halverwege de maaltijd boog Jeltsin naar me toe en zei met een donderende, samenzweerderige stem: 'Hielaarie! Ik zal je missen. Ik heb een foto van jou op mijn kantoor, en daar kijk ik elke dag naar.' Er was een schalkse flonkering in zijn blik.

'Nou, dank u wel, Boris,' zei ik. 'Ik hoop dat we elkaar toch nog af en toe zullen zien.'

'Ja, u moet me komen opzoeken, dat moet u me beloven.'

'Ik hoop dat we elkaar nog eens zullen zien, Boris.'

'Goed!' zei hij. 'En nu, Hillary, heb ik vanavond iets speciaals voor u.'

'Wat dan?'

'Dat zeg ik niet! U moet wachten tot het komt!'

Gang na gang kwam voorbij en toost na toost. Tot uiteindelijk, vlak voor het dessert, de kelner ons een kom hete soep voorzette.

'Dit is het, Hillary, uw speciale verrassing!' zei Boris. Hij grinnikte terwijl hij de sterk ruikende stoom opsnoof. 'Mmm! Heerlijk!'

'Boris, wat is het?' vroeg ik, met mijn lepel al in de hand. Hij wachtte even voor het effect. 'Elandlippen!'

In het troebele vocht dreven echt twee elandlippen voor mij. De gelatineachtige substantie leek op een paar rubberen stroken waar de rek uit was. Ik heb ze door de kom geduwd tot de kelner ze kwam weghalen. Er zijn dingen die ik niet eet voor mijn land.

De conferentie in Denver was een succes, maar het masseren van de Russen was een langetermijnproject dat voortgezet zou worden bij de NAVO-topconferentie die in juli gehouden werd in Madrid. Bill en ik reisden een paar dagen voor de bijeenkomst naar Europa om een bezoek te brengen aan het Middellandse-Zee-eiland Mallorca, als gasten van de Spaanse koning Juan Carlos en koningin Sofia. Toen we er eenmaal waren, voegde Chelsea zich bij ons samen met Nick Davison, haar beste vriend van highschool met wie ze samen reisde.

Ik keek er altijd naar uit om Juan Carlos en Sofia weer te ontmoeten, want ze waren prettig gezelschap: warm, geestig, heel gewoon en altijd fascinerend. We hadden de koning en de koningin in 1993 ontmoet toen hun zoon, Felipe, studeerde aan de Georgetown-universiteit in Washington. Ik bewonderde de koning zeer vanwege zijn moedige verzet tegen het fascisme in zijn land. Na Franco's dood in 1975 werd hij staatshoofd, waarbij hij onmiddellijk zijn intentie uitsprak om de democratie in Spanje te herstellen. In 1981 voorkwam hij eigenhandig een militaire staatsgreep in het parlement door op televisie te verschijnen, de leiders van de coup te kapittelen en zijn troepen te bevelen terug te gaan naar hun kazernes. Sofia, die een Griekse prinses was toen ze met Juan Carlos trouwde, is kinderverpleegkundige en al net zo charmant en gecultiveerd als haar echtgenoot. Als fervent filantroop steunde ze al jarenlang kleine-kredietprojecten voordat de meeste mensen zelfs maar gehoord hadden van dat soort initiatieven.

We reisden verder naar Madrid, voor de NAVO-topconferentie. De Spaanse premier José María Aznar en zijn vrouw Ana Botella hielden een privé-diner voor de NAVO-leiders en hun echtgenotes in de tuin van het Moncloa-paleis, hun officiële residentie. Bills inspanning om de NAVO uit te breiden werd eindelijk werkelijkheid toen Polen, Hongarije en Tsjechië gevraagd werd lid te worden. De volgende avond was er een groot diner van de koning en de koningin in het neoklassieke koninklijke paleis in het centrum van Madrid, om deze historische uitbreiding te vieren. We waren in 1994 voor het eerst in dat paleis geweest, toen de koning en de koningin er een diner gaven. Het werd pas echt leuk nadat we gegeten hadden en de koning ons een rondleiding gaf. Hij bekende dat hij geen idee had wat er zich in de meeste kamers bevond, dus verzon hij allerlei verhalen terwijl hij de deuren opendeed. Al gauw vertelden we allemaal verhalen over verzonnen gebeurtenissen die er konden hebben plaatsgevonden. Zowel de koning als de koningin heeft een geweldig gevoel voor humor; ik zie nog voor me hoe Bill en de koning bij de langste tafel stonden die ik ooit gezien heb – hij zag eruit alsof er wel honderd gasten konden aanzitten – terwijl ze de mogelijkheid bespraken om het ding in de lengte door te zagen. Nu diende diezelfde tafel als officiële eettafel voor staatshoofden en regeringsleiders uit heel Europa.

Nadat onze officiële taken erop zaten, namen Sofia en Juan Carlos Bill, Chelsea en mij mee naar het Alhambra in Granada. Toen Bill en ik net verkering hadden, vertelde hij me dat de mooiste natuurlijke bezienswaardigheid die hij ooit gezien had, de zonsondergang boven de Grand Canyon was, en de mooiste door mensen gemaakte bezienswaardigheid het Alhambra dat verlicht werd door de stralen van de ondergaande zon, die neerdaalde boven de vlakten rond Granada. Toen ik dat verhaal vertelde aan de koning, stond hij erop dat ik dat zelf ook zou zien. We bekeken het kasteel en gebruikten het diner in een restaurant dat gevestigd was in een eeuwenoud huis met een schitterend uitzicht op het paleis. We keken hoe de zon on-

derging en de muren rustiek roze schilderde. In de schemering zagen we dat de verlichting van het paleis al net zo
adembenemend was.

Na zo'n avond voelde ik me alsof ik kon zweven naar
mijn volgende bestemming: Wenen, waar ik de openings-
spreker was bij een forum met de titel 'Vitale stemmen:
vrouwen in de democratie'. Dat forum was een idee van en
werd georganiseerd door Swanee Hunt, onze ambassadeur
in Oostenrijk, met steun van Melanne Verveer. Duizend
prominente Europese vrouwen waren aanwezig bij deze
bijeenkomst, die de officiële lancering vormde van het Vital Voices Democracy Initiative van de Amerikaanse regering.

Het project lag me na aan het hart, als lichtend voorbeeld van de inspanningen van de regering vrouwenzaken
te incorporeren in haar buitenlandse beleid. Als uitvloeisel
van de bijeenkomst in Beijing bracht het Vital Voices-ini-
tiatief vertegenwoordigers van onze overheid, NGO's en internationale samenwerkingsorganen bijeen om de vooruitgang voor vrouwen op drie terreinen te bevorderen: het
opbouwen van democratie, het versterken van economieën en werken aan vrede. In te veel landen werd vrouwen nog altijd het recht ontzegd deel te hebben aan de politieke arena, een onafhankelijk inkomen en eigen bezit te
verwerven, en wettelijke bescherming te genieten tegen
misbruik en geweld. Met hulp van de Verenigde Naties, de
Wereldbank, de Europese Unie, de Inter-American Bank
en andere organisaties leverde Vital Voices technische assis-
tentie, vaardigheidscursussen en netwerkmogelijkheden
die vrouwen het instrumentarium en de middelen ver-
schaften die ze nodig hebben om de burgermaatschappij,
vrije-markteconomie en politieke deelname in hun eigen
landen te verbeteren.

Ik vond dat persoonlijke aandacht voor politieke en individuele ontwikkeling ontbrak aan onze eigen diplomatieke retoriek over democratie en vrije markten. Vrouwen
en kinderen hadden buitenproportioneel te lijden tijdens

de moeilijke overgang naar kapitalisme en democratie, doordat ze niet langer konden terugvallen op de vaste inkomsten die hoorden bij de gecentraliseerde economieën, of op gratis opleiding en gezondheidszorg, die door de overheid worden geleverd. Vital Voices stimuleert vrouwelijk ondernemerschap op zulke uiteenlopende plekken als Zuid-Afrika en de Baltische landen, steunt pogingen vrouwen te betrekken bij de politieke echelons in Koeweit en Noord-Ierland, en hardt vrouwen om de strijd aan te gaan met de handel in vrouwen en kinderen in Oekraïne en Rusland.

Door een effectief wereldwijd non-profitpartnership gaat de organisatie verder met het opleiden en scholen van vrouwen over de hele wereld. Veel van die vrouwen zijn politieke leiders geworden in hun eigen land.

Ons hectische schema bood ons nog net genoeg ruimte om in augustus weer naar Martha's Vineyard te gaan voor de zomervakantie. Daar voelden we ons ontspannen en op ons gemak. Op een dag liet ik me overhalen een rondje te golfen met Bill, wiens been voldoende genezen was dat hij zich kon permitteren om zijn favoriete tijdverdrijf weer eens te proberen. Eerlijk gezegd houd ik niet van golf. En ik ben er ook vreselijk slecht in. Om met Mark Twain te spreken: 'Golf is het verpesten van een goede wandeling.'

Mijn aversie tegen de sport dateert van een voorval dat plaatsvond in de zomer voordat ik naar de negende klas ging: de enige manier om van mijn moeder toestemming te krijgen om uit te mogen met een bepaalde jongen van de middelbare school, bestond er toen in dat ik 's middags met hem moest gaan golfen. Ik was stekeblind, maar natuurlijk was ik te ijdel om mijn bril op te zetten. Ik kon de golfbal niet zien, maar ik besloot te slaan naar alles wat wit was. Dus haalde ik hard uit, waarna de bal in wit poeder uit elkaar vloog, want het was een grote witte paddestoel. Twee cursussen bij een professional en de aanschaf van contactlenzen hadden mijn spel niet verbeterd. Ik gaf de voorkeur aan lezen en zwemmen in de branding, terwijl

Bill zijn swing verbeterde met Vernon Jordan en zijn andere golfmaatjes.

In het laatste weekend van augustus woonden Bill en ik een strandfeest bij, toen een staflid hem iets in zijn oor kwam fluisteren. Ik keek van een afstand toe en zag de schok op Bills gezicht. Daarna hoorde ik het nieuws ook. Prinses Diana had een verschrikkelijk auto-ongeluk gehad in Parijs. Net als iedereen in de wereld konden wij dit nieuws nauwelijks vatten.

We verlieten het feestje en belden onmiddellijk onze nieuwe ambassadeur in Frankrijk, Felix Rohatyn, die de plaats had ingenomen van Pamela Harriman na haar trieste dood eerder dat jaar. We belden bijna de hele nacht met Londen en Parijs om uit te vinden wat er gebeurd was. Het was nog altijd moeilijk te accepteren dat een jonge vrouw die zo mooi en levenslustig was als Diana, zo plotseling kon overlijden.

Ik had Diana twee maanden tevoren voor het laatst gezien. We hadden elkaar ontmoet op het Witte Huis, waar ze hartstochtelijk en intelligent praatte over haar twee belangrijkste onderwerpen: het opruimen van landmijnen en het voorlichten van mensen over hiv/aids. Ze leek veel zelfverzekerder sinds haar scheiding van Charles, en ik voelde dat ze eindelijk zichzelf werd. We spraken over haar ophanden zijnde trip naar Thailand voor aidspreventie en naar Afrika voor de ruiming van landmijnen. Ze vertelde me dat ze hoopte dat haar jongens ooit in Amerika zouden studeren, en ik bood aan om haar en hen dan te steunen. Ze keek duidelijk uit naar de toekomst, wat haar dood nog tragischer maakt.

De volgende morgen werd ik al vroeg gebeld door een vertegenwoordiger van Diana's familie, die vroeg of ik de begrafenis in Londen wilde bijwonen. Ik vond het een eer dat ik gevraagd werd. Tijdens de dienst in Westminster Abbey, waar ik bij de Blairs en de leden van de koninklijke familie zat, keek ik met pijn in mijn hart naar Diana's zoons, van wie ik wist dat ze dol op hen was geweest. De eerbied-

waardige kathedraal, waar Diana's schoonmoeder vijfenveertig jaar tevoren tot koningin was gekroond, zat stamp-
vol en buiten op straat hadden zich tienduizenden mensen
verzameld om via luidsprekers naar de dienst te luisteren.
Honderden miljoenen mensen over de hele wereld keken
naar de tv. Toen Diana's broer Charles zijn grafrede hield,
gaf hij een paar beroemd geworden sneren aan het adres
van de koninklijke familie, over de manier waarop ze zijn
zuster behandeld hadden, en ik kon het applaus van het
publiek buiten de kerk horen. Het klonk als een donder-
slag die van kilometers afstand over de menigte aanrolde en
steeds heviger werd terwijl hij door de straten daverde, via
de deuren van Abbey door het stenen middenpad naar de
voorkant van de kathedraal. Iedereen in ons gedeelte leek
te bevriezen toen het applaus losbarstte. Daarna speelde
Elton John 'A Candle in the Wind', met nieuwe woorden,
die de ontroering vingen van het breekbare, kortstondige
leven van de prinses.

De dag vóór Diana's begrafenis verloor de wereld nog
een van de meest aansprekende persoonlijkheden, toen
Moeder Teresa stierf in Calcutta. Afgezien van hun klaarblijkelijke verschillen hadden deze twee vrouwen allebei
het talent aandacht te vragen voor de meest kwetsbare en
meest genegeerde mensen, waarbij ze hun eigen beroemdheid op een berekende manier gebruikten om anderen te
helpen. Ontroerende foto's van Diana en Moeder Teresa
samen tonen hun goede relatie, en ze spraken tegenover
mij ook allebei met warmte over elkaar.

Ik vloog van Diana's begrafenis terug naar Martha's
Vineyard en ging vandaar een paar dagen later door naar
Calcutta voor de begrafenis van Moeder Teresa. Het Witte
Huis had een vooraanstaande delegatie van Amerikanen
die Moeder Teresa gesteund hadden gevraagd mij te vergezellen. Onder hen was Eunice Shriver, die kort tevoren ziek
was geweest. Ze ging voorbij aan de bezwaren van haar
dokter en ging mee; ze zat tijdens de hele vlucht, omdat ze
dat comfortabeler vond dan de ligbank voor in het vlieg-

tuig, die ik haar dringend aanraadde. Ze prevelde haar rozenkrans en bad met de Missionaries of Charity, die Moeder Teresa's Amerikaanse volgelingen vertegenwoordigen. Ik was dankbaar dat ik mijn man en mijn land kon vertegenwoordigen om een vrouw te eren die de wereld had ontroerd met haar onwankelbare geloof en haar praktische, doeltreffende aanpak.

Moeder Teresa's open kist werd door de drukke straten van Calcutta gedragen naar een overdekt stadion dat vol zat met mensen. De dienst duurde uren, omdat de leiders van alle nationale en religieuze delegaties een voor een naar voren werden geroepen om een krans met witte bloemen op de lijkbaar te leggen. Ik had veel tijd om na te denken over mijn korte maar verrijkende relatie met Moeder Teresa.

We ontmoetten elkaar voor het eerst in februari 1994, bij het Nationale Gebedsontbijt in de balzaal van een hotel in Washington. Ik herinner me dat ik ervan opkeek hoe klein ze was en dat ze alleen sokken en sandalen droeg in de barre winterkou. Ze had zojuist een toespraak gehouden tegen abortus, en ze wilde met me praten. Moeder Teresa was feilloos direct. Ze was het oneens met mijn opvatting dat vrouwen het recht hebben tot abortus te beslissen en zei dat ook tegen me. Door de jaren heen heeft ze me tientallen brieven en boodschappen gestuurd met dezelfde vriendelijke smeekbede. Moeder Teresa las me nooit de les en ging nooit tegen me tekeer; haar vermaningen waren altijd liefderijk en oprecht. Ik had het grootste respect voor haar bezwaren tegen abortus, maar blijf geloven dat het gevaarlijk is een staat de macht te geven vrouwen en doktoren strafrechtelijk te vervolgen. Ik zie dat als een hellend vlak naar door de overheid gecontroleerde voortplanting, en in China en het communistische Roemenië ben ik er getuige van geweest waartoe dat kan leiden. Ik ben het ook oneens met de bezwaren die zij en de katholieke Kerk hebben tegen geboortebeperking. Niettemin begrijp en onderschrijf ik de rechten van gelovige mensen die zich uit-

646

spreken tegen abortus en proberen vrouwen – zonder dwang of criminalisering – te overreden voor adoptie te kiezen in plaats van abortus.

Hoewel we het nooit eens werden over abortus en geboortebeperking, hadden Moeder Teresa en ik op veel andere gebieden gemeenschappelijke meningen. Een ervan was de overtuiging dat adoptie een veel betere keuze is dan abortus voor niet-geplande of ongewilde kinderen. Tijdens ons eerste gesprek vertelde ze me over weeshuizen in India en riep ze mijn hulp in om in Washington DC een soortgelijk tehuis op te zetten, waar baby's konden worden verzorgd tot hun adoptie.

Toen ik instemde om met het project te helpen, liet Moeder Teresa zien wat een niet-aflatend lobbyist ze was. Als ze vond dat het werk niet opschoot, stuurde ze me brieven waarin ze vroeg welke voortgang er werd geboekt. Ze stuurde gezanten om me aan te sporen. Ze belde me vanuit Vietnam, ze belde me vanuit India, altijd met dezelfde boodschap: Wanneer krijg ik mijn tehuis voor baby's?

Het bleek moeilijker te zijn dan ik had kunnen vermoeden om de bureaucratie in Washington DC zo ver te krijgen dat er een tehuis werd opgezet voor kinderen die door hun moeders waren vrijgegeven voor adoptie. Zelfs het Witte Huis had moeite een doorbraak te forceren bij de huisvestingsautoriteiten en de diverse zorginstellingen. Uiteindelijk werd in juni 1995 het Moeder Teresa-kindertehuis geopend in een veilige, prettige buurt in Washington DC. Moeder Teresa kwam over uit Calcutta en ik ontmoette haar voor de openingsceremonie. Als een blij kind greep ze met haar kleine, sterke hand mijn arm en trok me mee naar boven, om het net geverfde kinderverblijf te zien en de rijen badjes, die stonden te wachten om gevuld te worden met baby's. Haar enthousiasme was onweerstaanbaar. Op dat moment begreep ik volledig hoe deze nederige non hele landen in beweging kon brengen met haar wil.

De mate van haar invloed was goed zichtbaar in het stadion in Calcutta, waar presidenten en premiers knielden voor haar open kist. Ik kon me voorstellen hoe ze van boven naar dat tafereel keek en zich afvroeg hoe ze alle aanwezigen zo ver kon krijgen dat ze haar wil zouden uitvoeren om de armen te helpen in alle landen die op die dag vertegenwoordigd werden.

Moeder Teresa liet een machtige erfenis na, en een kundige opvolger in zuster Nirmala, die als mede-Missionary of Charity jarenlang met Moeder Teresa heeft samengewerkt. Na de herdenkingsdienst nodigde zuster Nirmala me uit het weeshuis in Calcutta te bezoeken en vroeg ze om een privé-onderhoud in het Moederhuis, het hoofdkwartier van hun orde. Zuster Nirmala begroette me en leidde me naar een eenvoudige gewitte kamer, die slechts verlicht werd door rijtjes flonkerende kaarsjes, die langs de muren waren opgesteld. Terwijl mijn ogen aan het duister wenden, zag ik dat de gesloten kist van Moeder Teresa hierheen was gebracht, naar haar huis, waar ze voor altijd zou blijven. De nonnen vormden een cirkel rond de kist en stonden in stil gebed bijeen, waarna zuster Nirmala mij vroeg een gebed uit te spreken. Ik was overrompeld en aarzelde, omdat ik me er niet toe in staat voelde. Toen boog ik mijn hoofd en dankte God voor het voorrecht deze kleine, krachtige, heilige vrouw gekend te hebben tijdens haar aardse verblijf. Ik twijfelde er niet aan dat ze vanuit de hemel naar ons keek, terwijl ieder van ons op een eigen manier probeerde inhoud te geven aan haar vermaning God en elkaar lief te hebben.

Tegen midden september gebeurde eindelijk waar ik al jaren tegenop had gezien: Chelsea verhuisde naar Californië om als eerstejaars te beginnen op Stanford. Om mijn eigen bezorgdheid over deze bitterzoete verandering in ons leven zo klein mogelijk te houden, maakte ik in de weken tevoren lijsten met dingen die Chelsea nodig had voor school. Samen met haar deed ik inkopen: we kochten een stofzuiger, een kledingstomer, plakpapier voor laden en heel veel dingen waarvan alleen een moeder denkt dat ze onmisbaar zijn voor het leven in een studentenhuis.

We hoopten dat Chelsea's aankomst op de campus, midden september 1997, zo weinig mogelijk aandacht zou trekken. Het bestuur van Stanford begreep onze bezorgdheid om haar privacy en had samen met mijn staf en de geheime dienst een veiligheidsplan uitgewerkt, dat ervoor moest zorgen dat Chelsea zo normaal mogelijk zou kunnen studeren. Hoewel ze vierentwintig uur per dag beschermd zou worden, zou dat onopvallend gebeuren, zowel omwille van Chelsea als omwille van de universiteit. De jonge agenten die haar moesten bewaken, zouden zich kleden en eruitzien als studenten, en ze zouden rustig een verblijfplaats inrichten in een kamer vlak bij die van Chelsea. Op zijn beurt was Stanford blij dat de toegang van de media tot de campus beperkt was, zodat journalisten zonder permissie voor speciale evenementen hun tenten niet konden opslaan bij Chelsea's studentenhuis of haar van klas tot klas konden volgen.

Chelsea, Bill en ik kwamen op een prachtige herfstdag aan op Palo Alto. Op verzoek van Stanford hadden we ingestemd met een fotosessie op onze eerste campusdag, voor de bijna tweehonderd journalisten van over de hele wereld, die plaatjes wilden schieten en commentaren wilden over Chelsea's aankomst. Afgezien daarvan lieten de media haar met rust en begon ze haar studie net als de andere 1659 uit het Stanford-jaar '01.

We liepen door het twee verdiepingen tellende studentenhuis dat Chelsea's tweede thuis zou worden. Ik was uitgeput van al het boodschappen doen en inpakken op het laatste moment en ging er, net als alle andere moeders, meteen na aankomst overdreven hard tegenaan. Chelsea's kamer, die ze deelde met een andere jonge vrouw, was nauwelijks groot genoeg om er een stapelbed, twee bureaus en een paar ladekasten kwijt te kunnen. Ik raasde gedreven rond, in een vergeefse poging alle spullen van Chelsea een plaats te geven, kasten in te richten, lakens en handdoeken op te ruimen, plakpapier voor de laden op te meten en te knippen, terwijl ik een nerveus kletsgesprek hield met mijn dochter. 'Zullen we je schoonmaakmiddelen onder het bed opbergen? Dit is een goede plek om je toiletartikelen neer te zetten. Ik denk niet dat je het bureau zo moet inruimen.'

Intussen deed Bill zoals de meeste andere vaders, die in een soort slowmotion-trance raken op het moment dat ze de campus betreden. Bill had erop gestaan dat hij Chelsea's bagage zelf zou dragen en daarna ging hij met een minuscule moersleutel het stapelbed te lijf, dat Chelsea en haar kamergenote liever uit elkaar wilden hebben. Nadat hij geconstateerd had dat het stapelbed eerst op zijn kop gezet moest worden, volbracht Bill zijn taak, waarna hij naar het raam liep, waar hij somber naar buiten ging staan kijken, als een verdwaasde bokser die zojuist is uitgeteld in de ring.

Mijn eigen fanatieke manier van omgaan met de ophanden zijnde scheiding van mijn dochter werkte Chelsea op haar zenuwen, en het was een opluchting voor mij dat deze ervaring niet uniek was voor ons. Op de bijeenkomst voor studenten en ouders beschreef Blake Harris, die namens de studenten sprak, op hilarische wijze hoe zijn eigen moeder een paar jaar tevoren was bezig geweest:

Ouders, u hebt uw best gedaan. En u zult uw kinderen missen, als u hier vanavond weggaat. En zij zullen u ook missen, over ongeveer een maand, en hooguit een kwartier. Neem mijn ouders, bijvoorbeeld. Mijn moeder huilde toen ik ging studeren. Toen we aankwamen, kon mijn moeder niet wachten om me voor het laatst te bemoederen. Zij besloot dat het absoluut noodzakelijk was dat ze plakpapier in mijn laden deed. En ik liet haar begaan. Ik had het hart niet om haar te vertellen dat, als mijn kleren ooit schoon zouden zijn, het hoogst onwaarschijnlijk was dat ze ooit in een la terecht zouden komen.

Chelsea en ik keken elkaar aan en sloegen dubbel van het lachen. Ik voelde me in ieder geval niet alleen.

Aan het eind van de middag was het tijd voor de ouders

om te vertrekken, zodat de studenten hun bezittingen konden inruimen en herinruimen zonder ouderlijke tussenkomst. Samen met de meeste andere moeders haalde ik onze spullen bij elkaar, inclusief het ongebruikte plakpapier, en gingen we op weg naar de uitgang. Na weken van plannen maken, winkelen, inpakken, uitpakken en organiseren hadden we ons gepantserd voor dit moment. Op een bepaald niveau waren we er inderdaad klaar voor om gedag te zeggen en onze kinderen hun nieuwe levens te laten leiden.

Toen ik naar de vaders keek, realiseerde ik me echter dat die zo'n voorbereiding niet hadden gehad. Net toen het tijd werd om te vertrekken, leken ze te ontwaken uit hun collectieve beneveling en maakten ze zich plotseling zorgen over het afscheid dat ze moesten nemen van hun nakomelingen.

'Hoe bedoel je: het is tijd om te gaan?' vroeg Bill. 'Moeten we nu echt weg?' Hij keek onthutst. 'Kunnen we na het eten niet terugkomen?'

31 *De Derde Weg*

Ik was begin 1997 op Chequers, de officiële residentie van de Engelse premier, uitgenodigd door premier Blair en zijn vrouw voor een kleine bijeenkomst van Amerikaanse en Britse politieke denkers. Onze gastheer gaf me een prachtige rondleiding langs onder meer een ring van koningin Elizabeth I, het bureau van Napoleon met brieven aan Josephine, en een geheime brief van Cromwell. We gingen langs het gevangenenkamertje, zo genoemd omdat lady Mary Grey er in 1566–1567 opgesloten had gezeten omdat ze zonder toestemming van de koningin getrouwd was. Dit waren zo een paar historische relikwieën waartussen de Britse premier woonde in smalle gangen, wenteltrappen, geheime hoekjes en kieren van het statige zestiende-eeuwse gebouw.

Zes maanden eerder was Tony Blair gekozen met een programma vol progressieve ideeën dat het traditionele denken van de Labour-partij over sociale en economische kwesties volkomen overboord gooide. In de nasleep van zijn benoeming had hij Bill bedankt voor diens steun aan hemzelf en zijn partij, voor het wijzen op een heel andere richting toen Engeland en Europa werden geconfronteerd met de gevolgen van globalisatie en economische en politieke veiligheid.

Tony en Cherie Blair hadden zich op dezelfde dingen geconcentreerd als Bill en ik al jaren doen. Ik ontdekte als eerste deze politieke symbiose toen Tony alleen nog maar leider van de Labour-partij was. Onze gezamenlijke vriend Sid Blumenthal, een Amerikaanse journalist en schrijver die uitputtend over de Amerikaanse en Engelse politiek heeft geschreven, stond erop dat we elkaar ontmoetten. Sid was al jaren een goede vriend van Bill en mij, en ik waardeerde zijn politieke analyses en inzicht. Hij begon in het Witte Huis in 1997 en zijn vrouw Jackie, een ervaren advocaat en organisator, was in 1996 tot de regering toegetreden.

'Jullie en de Blairs zijn politieke maatjes,' zei Sid. 'Jullie moeten met elkaar kennis maken.'

Toen Sid en Jackie in 1996 een receptie bij hen thuis voor Tony organiseerden, nodigden ze mij ook uit. Ik trof Blair bij de hors d'oeuvrestafel, waar we zeker dertig minuten over de wereldpolitiek en landspolitiek praatten. Ik voelde meteen verwantschap. Ook hij droeg alternatieven aan voor de traditionele, liberale retoriek, aannames en standpunten met de bedoeling de economische groei te bevorderen via individueel initiatief en sociale rechtvaardigheid in deze informatie-eeuw.

Of je het nu nieuwe Democraten noemt of New Labour of de Derde Weg of het Vitale Centrum, Tony Blair en Bill Clinton hadden dezelfde politieke visie. Maar de vraag waar ze allebei mee geconfronteerd werden, was hoe ze een progressieve beweging die in de jaren zeventig en tachtig in verval was geraakt door het reaganisme in Amerika en het thatcherisme in Engeland, weer nieuw leven konden inblazen.

De Amerikaanse Republikeinse Partij was meester in het creëren van een voedingsbodem voor conservatieve ideeën, nadat senator Barry Goldwater in 1964 ontluisterend de presidentsverkiezingen verloor van Lyndon B. Johnson. Geschokt door het enorme verlies waren meerdere Republikeinse multimiljonairs bereid tot een strategie waarbij ze een conservatieve, zelfs rechtse filosofie met de bijbehorende politiek actief steunden en propageerden. Ze bekostigden denktanks, betaalden professoraten en seminars, sponsorden mediakanalen om ideeën en gedachten uit te kunnen wisselen. Rond 1980 financierden ze ook de politieke reclamecampagne van het National Conservative Political Action Committee, een van de eerste politieke organisaties die massamedia gebruikten voor een negatieve campagne. Met direct-mail en televisiereclame doorbrak de NCPAC een geaccepteerd taboe in de nationale en lokale verkiezingen: het schaamteloos aanvallen van het verleden van een tegenstander en zijn positie; ze achtervolgden de Democratische kandidaten persoonlijk en meedogenloos. Dit was de zwarte onderbuik van Republikeins rechts dat aan de macht kwam met een heel ander publiek gezicht: de gezellige, zelfverzekerde Ronald Reagan. Reagan won in de jaren tachtig twee keer de verkiezingen en de Republikeinen wonnen veel zetels in het Congres.

Ik stond sceptisch tegenover negatieve campagnevoering toen ik die voor het eerst van dichtbij meemaakte tijdens Bills herverkiezingscampagne in 1980. Maar ik zat ernaast. Een negatieve campagne, die iedereen zo verafschuwt, is zo effectief dat beide partijen er gebruik van maken, hoewel Republikeinen en aanverwante belangengroepen haar effectiever toepassen dan de Democraten. De meeste kandidaten geloven dat ze van zich af moeten bijten en terugslaan, maar leugens en halve waarheden uit de negatieve campagne hebben het vertrouwen ondermijnd in niet alleen de kandidaten maar ook in het politieke systeem.

Wij en de Britten hebben verschillende politieke systemen en verschillende manieren om campagne te voeren, maar Bill en ik hadden met de Blairs gemeen dat we vochten voor progressievere ideeën in de openbare arena. Bills electorale succes was te danken aan zijn buitengewone politieke handigheid, zijn besef dat de Democratische Partij ouderwets geworden was en aan de oplossingen die hij daarvoor had. De partij had het land uit de Depressie gehaald, uit de Tweede Wereldoorlog en de Burgeroorlog. Nu moesten haar leiders heroverwegen hoe onze oude waarden vertaald konden worden naar moderne oplossingen voor de wereldwijde veiligheid, uitdagingen waar we aan het begin van de eenentwintigste eeuw voor staan en het veranderde patroon van werk en gezinsleven. Bill probeerde de Democraten verder te laten kijken dan wat hij noemde de 'hersendode politiek van het verleden' (rechts versus links, liberaal versus conservatief, blauwe boorden versus witte boorden, groei versus milieu, pro-regering versus anti-regering) om een 'dynamisch centrum' op te bouwen. Mede door zijn samenwerking met de meest vooraanstaande politici in de top van de Democratische Partij onder wie Al From, en anderen, werd Bill een van de eerste Democraten die in de jaren tachtig een nieuwe Democratische filosofie aanboden en de partij wilden hervormen naar een moderne visie van hoe een regering zou moeten functioneren. Ze pleitten voor samenwerking met de privé-sector en met burgers voor meer economische kansen, voor groeiende individuele verantwoordelijkheid en een groter maatschappelijk bewustzijn.

In zijn poging de Labour-partij te hervormen had Blair aan de andere kant van de oceaan soortgelijke ideeën. Ik herinner me dat ik eind jaren tachtig in Londen was en het jaarlijkse partijcongres van Labour op de televisie volgde. Het viel me op hoeveel sprekers met het woord 'kameraad' naar elkaar verwezen, een linguïstische verwijzing naar een discutabel verleden. Nadat de Conservatieve Partij bijna twintig jaar had geregeerd, werd in de jaren negentig Blair het energieke, charismatische nieuwe gezicht van de Labour-partij. Na zijn benoeming tot premier in mei 1997 nodigde Blair Bill uit voor een officieel bezoek aan Londen, waar we veel met elkaar hebben gepraat.

Tony en Cherie, allebei 'barristers', de Engelse term voor rechtbankadvocaten, hadden elkaar als klerk ontmoet in een van de gerechtshoven. Inmiddels moeder van drie kinderen, had Cherie haar werk weer opgenomen nadat haar man in 1997 premier was geworden, had moeilijke criminele zaken en verdedigde ook cliënten voor het Europese Hof over mensenrechtenkwesties. In 1995 werd ze tot Queen's Counsel (CQ) benoemd, een grote eer, en werkte af en toe als rechter. Ik bewonderde de manier waarop ze haar werk uitoefende, ook zaken aannam waarin ze tegen de regering moest optreden. Ze was gespecialiseerd in werkgelegenheidsprocessen en veel van haar cliënten waren omstreden of mensen van aanzien. In 1998 vertegenwoordigde ze een homofiele arbeider die bij de nationale spoorwegen werkte en dezelfde rechten als zijn niet-homofiele maten eiste. Ik kan me geen First Lady voorstellen die de regering van de Verenigde Staten gaat vervolgen!

Als echtgenote van de nieuwe premier zag Cherie zich ineens geplaatst tegenover een vracht aan openbare eisen en verantwoordelijkheden waar ze geen extra hulp voor kreeg, behalve twee parttime krachten die haar agenda en correspondentie bijhielden. De vrouw van een premier, in tegenstelling tot een First Lady, heeft traditioneel geen actieve of symbolische rol. Toen Cherie en ik elkaar ontmoetten, wilde ze heel graag praten over hoe ze haar verantwoordelijkheden zou kunnen regelen. Ik moedigde haar aan zichzelf te blijven, wat heel moeilijk was, zoals ik zou ontdekken, en probeerde haar te steunen in haar streven haar kinderen zo veel mogelijk uit de schijnwerpers te houden.

Cherie had haar eigen vuurdoop al gehad op de eerste ochtend na de verkiezingen, toen ze de voordeur van haar eigen woning opende om een bos bloemen aan te pakken en in haar nachtkleding gefotografeerd werd.

Toen zij, Tony, Bill en ik uitgebreid dineerden in Le Pont de la Tour, een restaurant vlak bij de Tower in Londen aan de Theems, stokte het gesprek nooit. We hadden dezelfde ideeën over problemen in het onderwijs en de gezondheidszorg en waren bezorgd over de groeiende invloed van de media. Tijdens het diner spraken we af onze adviseurs met elkaar ideeën en strategieën te laten uitwerken.

Het organiseren van het eerste overleg kostte maanden, omdat er in beide landen veel verzet tegen was. De Nationale Veiligheidsraad en het Britse ministerie van Buitenlandse Zaken waren allebei bezorgd dat we bevriende landen en regeringen tegen ons in het harnas zouden jagen door vergaderingen met alleen Britten en Amerikanen te organiseren. Ik wierp tegen dat als die zogenaamde 'speciale relatie' ook maar iets betekende, een bilateraal, informeel gesprek tussen onze landen niet beledigend was voor onze bondgenoten. Bill en ik hielden vol omdat we wisten dat we van elkaar konden leren en dat we een constructieve politieke omgeving nodig hadden. Maar we deden wel concessies. Om er zo min mogelijk aandacht op te vestigen zou Bill bij het eerste gesprek, op Chequers waar Tony de gastheer was, niet aanwezig zijn. En het zou over binnenlandse problematiek gaan, waardoor eventuele implicaties voor de buitenlandse politiek vermeden werden maar wel duidelijk werd gemaakt dat in een tijd van globalisering binnenlandse politiek aanzienlijke internationale gevolgen kan hebben.

Op de uiteindelijke lijst van Amerikanen stonden onder meer Melanne; Al From; Sid Blumenthal, toen assistent van de president; Andrew Cuomo, minister van Stedelijke Ontwikkeling en Woningbouw; Larry Summers, onderminister van Financiën; Frank Raines, directeur van de Office of Management and Budgettering; toespraakschrijver en consultant Don Baer en professor Joseph Nye van de Kennedy School of Government aan Harvard. Blair had Anthony Giddens, directeur van de London School of Economics, en leden van zijn regering onder wie Gordon Brown, minister van Financiën; Peter Mandelson, minister zonder Portefeuille, en Dave Miliband, hoofd van het Bureau voor Staatsbeleid, uitgenodigd.

Op 30 oktober vertrok ik uit Washington en maakte tussenstops in Dublin en Belfast. De nieuwe Ierse Taoiseach (premier) Bertie Ahern gaf een grote receptie in St. Patrick's Hall op Dublin Castle. Ahern, een verstandige en vriendelijke politicus, zou een goede premier blijken te zijn en een fervent voorstander van het vredesproces. Al een paar jaar leefde hij gedwongen gescheiden van zijn vrouw en had nu een langdurige relatie met een geweldig aardige vrouw, Celia Larkin. Hun verhouding was een van die publieke geheimen die iedereen kende, maar die niet in het openbaar toegegeven werd. Bertie koos mijn bezoek als gelegenheid om naar buiten te treden. Terwijl ambassadeur Jean Kennedy Smith me naar het podium begeleidde om de mensen te begroeten, liepen Bertie en Celia het trappetje op. De Ierse pers was buiten zinnen. Zodra Bertie en ik gesproken hadden, renden ze naar hun telefoons en computers. De journalist van de *Irish Times*, Susan Garrity, die in Washington gedetacheerd was en met me mee gevlogen was om de reis te verslaan, vertelde me later dat ze een journalist in de hoorn had horen schreeuwen: 'Moet je horen, hij zette zijn maîtresse op het podium, naast de First Lady! Niet te geloven toch? De First Lady!' Dit wereldschokkende nieuws had geen gevolgen voor de politieke carrière van Ahern, die in 2002 herkozen werd, en het was zeker geen onderwerp tijdens het besloten diner dat Bertie, Celia en ik later hadden met mijn favoriete Ieren, Seamus en Marie Heaney en Frank McCourt, de schrijver van *Angela's Ashes*.

De volgende ochtend vloog ik naar Belfast om de eerste Joyce McCartan Memorial Lecture aan de universiteit van Ulster te houden. Ik sprak over Joyces onophoudelijke inzet voor vrede en erkende dat vrouwen als zij, ondanks hun persoonlijke verliezen, hadden bijgedragen aan een beter begrip van de tradities tijdens de *Troubles* en dat ze nu weer een rol speelden in het vredesproces. Ik bewonderde vooral Monica McWilliams en Pearl Sager, vertegenwoordigers van de Women's Coalition tijdens de gesprekken onder leiding van de voormalig senator George Mitchell, die Bill als leider van de onderhandelingen had aangewezen.

Tijdens deze reis merkte ik uit de eerste hand het belang van contacten tussen de beide groeperingen op een rondetafelconferentie van jonge katholieken en protestanten in de nieuwe Waterfront Hall, een monument voor het optimisme over de toekomst in Belfast. Dit soort conferenties bevordert het vredesproces en brengt jonge mensen samen die elkaar onder andere omstandigheden nooit zouden tegenkomen. Ze wonen in streng gescheiden wijken en gaan naar strikt sektarische scholen. Ik zal nooit vergeten wat een jongeman tegen me zei toen ik hem vroeg wat hij dacht dat nodig was om vrede te bereiken. 'We moeten samen naar school kunnen gaan zoals jullie in Amerika dat doen,' antwoordde hij.

Een van de redenen waarom ik verbetering van ons openbareschoolsysteem via hogere normen en meer verantwoordelijkheden steun en ertegen ben om het door toelatingsdrempels te verzwakken, is dat ons unieke systeem, dat kinderen van alle rassen, religies en achtergronden bij elkaar brengt, gevormd en voortgekomen is uit onze pluriforme democratie. Er zijn weinig landen in de wereld die zo'n verscheidenheid op onderwijsgebied kennen. En omdat onze gemeenschap nog diverser zal worden, wordt het nog belangrijker dat kinderen samen studeren, waardoor ze elkaars verschillen leren tolereren en respecteren en beseffen dat ze allemaal mensen zijn.

Ook Marjorie 'Mo' Mowlam, Tony Blairs minister voor Noord-Ierland, woonde de conferentie in Belfast bij. Mo was juist klaar met de behandeling van een goedaardig gezwel in haar hersenen, waardoor haar haar uitviel. Ze droeg een pruik, maar zodra we privé samen waren, vroeg ze of ik er bezwaar tegen had als ze hem afzette. Ik begreep later dat ze dat ook bij officiële bijeenkomsten deed: haar kale hoofd met wat plukken blond haar ontbloten. Ik vroeg me af of het afnemen van haar pruik een subtiele manier was om te suggereren dat ze wat betreft haar werk voor het vredesproces niets te verbergen had. Of een niet zo subtiele aanwijzing dat ze een vrouw was die meer in inhoud dan in uiterlijkheden geïnteresseerd was. Mo werd een zeer gewaardeerde nieuwe vriendin.

Ik vloog van Belfast naar Londen en reed zestig kilometer noordelijker, naar Buckinghamshire, waar Chequers zo'n vijfhonderd hectare glooiend Engels platteland omvat met betegelde paden en zorgvuldig onderhouden tuinen. Een enorme voordeur markeert de ingang van het roodstenen landhuis dat het weekendverblijf van de premiers is sinds 1921, nadat het landgoed in handen van de Engelse regering kwam. Tony kwam me tegemoet in een spijkerbroek en met zijn jongensachtige grijns.

Die avond genoten de Blairs, Melanne en ik van een intiem diner en we bleven die nacht lang zitten voor de grote stenen haard in de grote hal en praatten over van alles en nog wat. Van Jeltsin en zijn vriendenkring tot het Franse verraad ten opzichte van Iran en Irak, over het Amerikaanse ingrijpen in Bosnië. We hadden het ook over wat Tony de 'vermoeidheid tot in de kleinste cellen' noemde, wat tegenwoordig blijkbaar bij het openbare leven hoorde en het verband tussen onze religieuze overtuiging en het bekleden van een publieke functie. Bij ons allemaal kwam onze politieke overtuiging voort uit ons geloof, waardoor we zeer betrokken waren bij sociale acties. Ik vertelde van John Wesleys aanroeping die mij zeer aansprak toen ik tot de methodisten was toegetreden: 'Doe al het goede dat je kunt, met alle middelen die je hebt ... zolang je kunt.'

De volgende morgen arriveerden de andere Amerikaanse en Britse deelnemers. Bij de koffie in de grote salon op de eerste verdieping bespraken we maatregelen die gezinnen zouden kunnen ondersteunen bij de opvoeding van de kinderen, en onderwijs- en werkgelegenheidsbeleid. Na de gesprekken liepen we door de tuinen en keken over sappige grasvelden die tot aan de horizon leken te lopen. Engeland kan grijs en nat zijn aan het eind van de herfst, maar vandaag was de lucht helderblauw en scheen de zon en was de omgeving vol kleuren. Toen ik langs de lanen en de rozenstruiken keek, realiseerde ik me dat er, hoewel Chequers uitermate goed beveiligd was en bewaakt werd, geen zichtbare tekenen waren dat het een afgezonderde regeringslocatie was.

Aan het diner zat ik naast Tony Giddens, een briljant en productief wetenschapper die uitgebreid over de Derde Weg gepubliceerd had. Giddens vertelde me dat, als de geschiedenis van de bloederige twintigste eeuw geschreven zou worden, de groeiende status van de vrouw als een his-

torische verandering beschouwd zou worden, net zo diep-
gaand als de opmerkelijke opmars van de technologie en de
succesvolle proliferatie van de westerse democratie.

Zodra we in Amerika terug waren, lichtten Sid en ik Bill
in en raadden hem aan de Derde-Wegconferenties door te
zetten. Hij organiseerde er een op het Witte Huis, in de
Blue Room, tijdens het officiële bezoek van de Blairs in
1998, en regelde vervolgconferenties waar ook andere ge-
lijkgezinde leiders aan deelnamen, onder wie de Italiaanse
president Romano Prodi en de Zweedse premier Goran
Persson aan de New York University in 1998, en de Duitse
kanselier Gerhard Schröder, de Italiaanse premier Massimo d'Alema en de Braziliaanse president Fernando Henrique Cardoso in Florence in november 1999.

Door onze Derde-Wegconferenties konden de Verenigde Staten op een nieuwe manier contact leggen met hun
traditionele bondgenoten.

Met Italië bijvoorbeeld konden we ons geen betere
bondgenoot wensen. Bill en ik hadden Italië al eerder bezocht in 1987 en in 1994 voor de G-7 Top onder voorzitterschap van premier Berlusconi. Ik was zeer verheugd weer
eens in Florence te zijn. Zelf heb ik mijn leven lang al grote
belangstelling voor de Italiaanse kunst. Onze bezoeken aan
Italië hadden ons een goede verstandhouding opgeleverd
met de opeenvolgende premiers Berlusconi, Prodi, D'Alema en Carlo Campi, allen bondgenoten op vele gebieden
en in het bijzonder met betrekking tot Bosnië, Kosovo en
de uitbreiding van de NAVO.

De regering wist dat bezoeken op hoog niveau zeer belangrijk waren voor mogelijke diplomatieke banden met
prille democratieën. Daarom stuurde het ministerie van
Buitenlandse Zaken me naar het hart van Centraal-Azië,
de zogenaamde -stan-landen, onafhankelijke landen die
eerder deel uitmaakten van de Sovjet-Unie. Op mijn acht-
daagse reis zou ik Kazakstan, Kirgizië, Oezbekistan, Oekraïne, Rusland – in dit geval Siberië – aandoen, een paar
van de meest afgelegen plaatsen waar ik ooit in mijn leven

ben geweest. Maar eerst moest ik daar nog zien te komen, wat veel meer voeten in de aarde had dan voorzien was.

Opnieuw reisde ik met Kelly en Melanne en met Karen Finney, mijn perssecretaresse, een lange jonge vrouw met een groot uithoudingsvermogen en veel humor. We vertrokken op zondagavond 9 november vanaf Andrews Air Force Base in een Boeing 707 die in het verleden als Air Force One was gebruikt. We waren zo'n tien minuten in de lucht en ik zat in mijn opfrisboek over Kazakstan, onze eerste stop, te lezen, toen een bemanningslid me rustig vertelde dat we terug moesten naar Andrews omdat er problemen waren met een van de motoren. Ik maakte me niet bezorgd. Ik wist dat een vliegtuig van die grootte makkelijk op drie van de vier motoren kon vliegen. En ik had een rotsvast vertrouwen in de piloten van onze luchtmacht, de beste van de wereld. Dus las ik verder in mijn boek.

We landden vlotjes met drie motoren op Andrews, waar brandweerauto's met loeiende sirenes het vliegtuig omsingelden. Terwijl de mecaniciens hun werk deden, belde ik Bill om hem te vertellen van de vertraging en dat we hopelijk zo snel mogelijk konden vertrekken nadat het euvel verholpen zou zijn.

Uren later hoorden we pas dat we niet voor morgenmiddag konden vertrekken, dus rond middernacht gingen we allemaal naar huis. Toen ik op het Witte Huis aankwam, had Bill Chelsea aan de telefoon, die in haar studentenhuis een extra nieuwsuitzending van CNN had gezien waarin bericht werd: 'First Lady's vliegtuig teruggekeerd... lekte brandstof... iedereen aan boord ongedeerd.' Ook mijn moeder belde, alleen maar om mijn stem te horen. Andere vrienden belden na de kop in *The Washington Post*: 'First Lady's vliegtuig panne, trip naar Centraal-Azië uitgesteld'. Door al deze toestanden leek het alsof ik uit een vliegtuig was gesprongen en met een parachute op aarde was teruggekeerd.

We vertrokken de volgende dag, toen de reparaties klaar waren. De reis was niets voor zwakkelingen en doetjes. We landden op oneffen landingsbanen zonder lichten, zagen hoe mannen met fakkels ons vliegtuig probeerden te ontdooien en er werd van ons verwacht dat we op iedere stop en op alle uren van de dag (en nacht) een groot aantal wodka's achterover sloegen. Het was een van de meest uitdagende en exotische reizen die ik gemaakt heb voor het Witte Huis. Bergachtig, grimmig en angstaanjagend mooi, liep door deze landen de oude Zijderoute die Marco Polo nog gevolgd had. Veel Kazakken, Kirgiezen en Oezbeken, die soms nog in de traditionele kostuums gekleed gingen, stamden af van de soldaten van Dzjengis en Kubla Khan. In de post-sovjetperiode probeerden ze een moderne equivalent van de Zijderoute op te zetten, zodat hun landen en de economie ervan konden profiteren in de eenentwintigste eeuw. Hoewel ze gerussificeerd waren in het sovjettijdperk, had ieder land zijn specifieke etnische karakter behouden en kende een verrassend heterogene bevolking. Ik hoopte deze mensen en hun leiders een hart onder de riem te kunnen steken in deze moeilijke overgangstijd van een commando-economie en dictatoriale regering naar vrijheid.

Kazakstan beschikt over veel gas- en olievoorraden, waardoor de levensstandaard van zijn inwoners kan toenemen, vooropgesteld natuurlijk dat de corruptie bij de overheid en onder particulieren niet alle inkomsten opslokt. Het gezondheidssysteem in Kazakstan was met sprongen achteruit gegaan tijdens de ineenstorting van de Sovjet-Unie. Het gezondheidscentrum, voor vrouwen, gesticht met Amerikaanse hulp, was gehuisvest in een klein huizenblok en was bedoeld om de gezondheid van vrouwen en kinderen te bevorderen. Omdat anticonceptieartikelen niet verkrijgbaar waren, was onder het communisme abortus een vorm van gezinsplanning geworden. De bedoeling van de regering-Clinton was abortus 'veilig, legaal en zeldzaam' te maken. We deden ons best abortus te ontmoedigen, om seksueel overdraagbare ziektes te minimaliseren door gezinsplanningsartikelen te verstrekken en om de gezondheid van kraamvrouwen en moeders te verbeteren. Deze politiek ging in tegen het handen-afbeleid dat door president Reagan was ingesteld en die Bill op de derde dag van zijn presidentschap introk (en die George W. Bush later weer instelde). De hervatting van de Amerikaanse hulp begon al resultaten af te werpen. De doktoren in de kliniek in Almaty vertelden me dat het aantal abortussen en vrouwen die in het kraambed overlijden, afgenomen was, een nieuw bewijs dat onze praktische politiek om abortus zeldzaam te maken, veel effectiever was dan de veel vagere anticonceptiebenadering van de Republikeinen.

Kirgizië, het bergachtige buurland van Kazakstan in het zuidoosten, heeft dringend medische voorraden nodig en samen met Richard Morningstar, de speciale adviseur van de president voor hulp aan de Nieuwe Onafhankelijke Staten van de voormalige Sovjet-Unie, had ik geregeld dat ik diverse pallets humanitaire hulpgoederen bij me had en voor twee miljoen dollar aan medicijnen, medische hulpmiddelen en kleding.

Mijn reisschema dicteerde me dat ik de meeste tijd in Oezbekistan zou doorbrengen, het centrum van de oude Zijderoute. Toen ik in de hoofdstad Tasjkent aankwam, ging ik direct naar een receptie die president Islam Karimov en zijn vrouw Tatjana ter ere van mij gaven. President Karimov, een voormalig communist met een zeer autoritaire reputatie, was gefascineerd door mijn man, die hij van de televisie kende. Hij vroeg me hoe Bill erin slaagde in contact te blijven met de mensen in het land zonder zijn natuurlijke gezag van het presidentschap te verliezen. Karimov, net zoals overigens zijn collega's in de nieuwe onafhankelijke staten, had geen ervaring met democratie. Er bestond geen handleiding die de leiders uit hun hoofd konden leren over de formele en informele gedragscode van de theorie en de praktijk van een democratie.

Karimov beschouwde de moslimfundamentalisten in zijn land als politieke tegenstanders. Daarvoor is hij wel bekritiseerd. Maar het ging hem erom ook voor de andere godsdiensten deuren te openen. Het bewijs ervan kon ik waarnemen in een pas geopende nieuwe synagoge in een klein zijstraatje in Boechara, ook een van de oude markt-steden aan de Zijderoute. Ik ontmoette de rabbi, die ook werkte als verloskundige en gynaecoloog. Hij legde me uit hoe de overlevenden van de ooit verdreven joodse gemeen-schap, die terugging tot de diaspora na de verwoesting van de tempel in Jeruzalem in 70 voor Christus, de Mongolen en de sovjets hadden overleefd en dat ze nu onder Karimov vrijheid van geloof genoten en werden beschermd.

Op het Registan-plein vertelde de president me trots dat de Sjir Dor-madrasa, een historisch islamitische school voor jongens, weer studenten accepteerde en hun de tradi-tionele interpretatie van de islam van Centraal-Azië zou onderwijzen, die recht tegenover de interpretatie van som-mige Arabische landen stond en die sommige Oezbeken geradicaliseerd en gemilitariseerd had. De president be-schreef me de problemen die hij had met groeperingen die zijn bewind wilden afzetten en een islamitische staat wil-den stichten, zoals de Taliban, die in buurland Afghanistan aan de macht waren. De regering-Karimov werd bekriti-seerd vanwege de aanpak van deze fundamentalisten, maar de president voerde aan dat, hoewel hij bijna werd bevolen om religieuze activiteiten te ondernemen, hij nooit een door het buitenland gefinancierde politieke oppositie on-der valse religieuze vlag zou accepteren.

Als Amerikaanse die de Sjir Dor-madrasa binnenging, voelde ik me niet op mijn gemak. Ik was blij dat na jaren van sovjetonderdrukking deze religieuze scholen open wa-ren en veel leerlingen hadden, maar ik maakte me zorgen over de gebrekkige onderwijsmogelijkheden voor meisjes en nog meer over het feit dat vanuit sommige madrasa's ra-dicaal fundamentalistische ideeën werden verkondigd. In de dagen na 11 september 2001 moest ik nog vaak denken aan Sjir Dor en andere madrasa's die ik bezocht had. Ma-drasa's zijn voor sommige mensen verbonden met trai-ningskampen voor extremisten en potentiële terroristen.

In ontwikkelingslanden zou onderwijs voor jongens en meisjes absolute prioriteit moeten hebben, en daartoe is het van groot belang de rol te kennen die de madrasa's in de islamitische wereld spelen. In landen als Pakistan, waar openbare scholen meestal niet te betalen zijn, zijn madrasa's vaak de enige optie voor zonen van ambitieuze arme ouders, maar helaas is hun onderwijs strikt beperkt tot het uit het hoofd leren van de koran in het Arabisch. Het nieuwe fundamentalisme in Azië kan worden herleid tot door Arabieren geleide bewegingen en de madrasa's. Karimov, die deze buitenlandse invloed vreesde, probeerde de religieuze tolerantie, die in het verleden zo kenmerkend was voor Centraal-Azië, weer te propageren, wat langzaam maar zeker lukte. Als de Verenigde Staten meer hulp boden aan deze landen om openbare, non-raciale scholen te helpen stichten, zou dat hoogstwaarschijnlijk op den duur veel geld en levens schelen doordat conflicten en terreurdaden minder tot de verbeelding zouden gaan spreken.

Mensen waren kennelijk al op de hoogte van het feit dat we naar Samarkand zouden komen. Toen Karimov en ik wilden vertrekken bij een project dat handwerkproducten van vrouwen exporteerde en dat door de USAID gesponsord werd, stond een grote menigte op ons te wachten, die door de altijd aanwezige politie in bedwang werd gehouden door een menselijke ketting te vormen. Ik zei tegen Karimov: 'Weet u, meneer de president, als mijn man hier geweest was, dan zou hij de straat zijn overgestoken en die mensen een hand hebben gegeven.'

'Weet u dat zeker?'

'Ja, want in een democratie zijn deze mensen de baas. Bill zou niet alleen oversteken omdat hij aardig is, maar ook omdat hij weet voor wie hij werkt.'

'Oké, daar gaan we.'

Tot verbijstering van zijn begeleiders, de politie en de menigte stak de president de straat over en stak zijn hand uit, die door een paar enthousiaste Oezbeken werd gegrepen.

Opgewekt door de moed, de vastberadenheid en het realisme dat ik tegen was gekomen, kwam ik op tijd thuis om een van de belangrijkste wetgevende overwinningen van Bill mee te vieren: de ondertekening van de Adoption and Safe Families Act op 19 november. De herziening van de adoptie- en voogdijwetten was voor mij al vanaf mijn tijd op de rechtenfaculteit van Yale belangrijk, toen ik voor het eerst een pleegmoeder vertegenwoordigde die haar pleegkind wilde adopteren, wat geweigerd werd.

Tijdens Bills eerste termijn had ik gewerkt met Dave Thomas, de oprichter van Wendy's fastfoodketen en een verstokte Republikein, en andere leiders van bedrijven en stichtingen om het voortouw te nemen in de hervorming van adoptie. Dave was zelf geadopteerd en had een aanzienlijke hoeveelheid energie en geld gespendeerd aan het stroomlijnen van het pleegoudersysteem. Op dat moment zat nog een half miljoen Amerikaanse kinderen vast in de jungle van het pleegouderschap. Terugkeren naar huis was voor honderdduizend van hen geen optie, en slechts twintigduizend kinderen vonden jaarlijks een vaste plek bij een gezin. Mijn hoop was dat we dit proces konden versnellen door nieuwe wetgeving en dat we willekeurige belemmeringen zouden kunnen wegnemen die voorkwamen dat veel liefhebbende gezinnen kinderen konden adopteren.

Deanna Mopin, een tiener uit Kansas die op vijfjarige leeftijd in een pleegtehuis was geplaatst nadat ze in haar eigen huis misbruikt was, was een van de belangrijkste sprekers op een viering in het Witte Huis van de Nationale Adoptiemaand 1995. Verlegen en slecht op haar gemak beschreef ze hoe het was om met negen andere pleegkinderen onder één dak te wonen, terwijl ze niet naar de film mocht en geen schoolkleren mocht kopen zonder toestemming van haar 'huisouders' en twee sociaal werkers.

Mijn eigen kleine staf had onvermoeibaar met regerings- en Congresambtenaren aan deze wet gewerkt, die ook financiële prikkels aan de afzonderlijke staten omvatte, evenals voorzieningen waardoor gezinnen in moeilijke omstandigheden bij elkaar konden blijven, snellere behandeling van permanente plaatsing en beëindiging van de ouderlijke macht in geval van mishandeling en sterke verwaarlozing. Deze belangrijke wet erdoor loodsen was een instructieve ervaring. We leerden dat we, omdat we met een recalcitrant Congres moesten werken, vaak meer bewegingsvrijheid hadden als het over een duidelijk, scherp omlijnd onderwerp ging en niet over brede, visionaire zaken als gezondheidszorg of hervorming van het sociale stelsel.

De grote veranderingen in de federale adoptiewetgeving zou de plaatsing van duizenden pleegkinderen als Deanna in veilige en permanente gezinnen enorm versnellen. 'Deze adoptiewetgeving houdt een fundamentele verandering in binnen de filosofie van de kinderzorg. Van het uitgangspunt dat de belangrijkste zorg de terugkeer moet zijn van het kind naar zijn biologische ouders, naar het uitgangspunt dat gezondheid en veiligheid van het kind voorop moeten staan,' meldde *The Washington Post*. Een van de verrassende en bevredigende aspecten van dit succes was dat ik de kans kreeg met Tom Delay, misschien wel de meest bevlogen en effectieve leider van de extreem conservatieven in het Huis, te werken. Maar over dit onderwerp stond hij pal achter me. Hij en zijn vrouw hadden pleegkinderen gehad en nadat ik senator was geworden, bleef ik met hem aan dit ontwerp werken.

Binnen vijf jaar na de ondertekening van de Adoption and Safe Families Act was het aantal geadopteerde kinderen meer dan verdubbeld, waarmee de doelstellingen van de wetgeving oversteen werden. Ik besefte echter dat ongeveer twintigduizend jonge mensen 'te oud' worden voor het pleegzorgsysteem als ze achttien worden, zonder ooit in het huis van een gezin ondergebracht te zijn geweest. Net als zij de kritische overgang naar de onafhankelijkheid doormaken, komen ze niet meer in aanmerking voor federale steun; een buitenproportioneel aantal van hen wordt thuisloos en leeft zonder ziektekostenverzekering of andere

cruciale ondersteuning. Tijdens een trip naar Berkeley ontmoette ik een opmerkelijke groep jonge mensen van de
California Youth Connection, een organisatie voor steun
en hulp aan oudere kinderen in de pleegzorg en aan degenen die daar net te oud voor waren geworden. Zij bena-
drukten de moeilijkheden van het bereiken van volwassen-
heid zonder iets van de emotionele, sociale en financiële
steun die gezinnen vaak bieden. Joy Warren, een prachtige
blondine die haar eindexamen had gedaan, bracht het
grootste deel van haar jeugd door in tijdelijke pleegtehui-
zen, maar wist zich te concentreren op haar studie en werd
toegelaten tot de universiteit van Berkeley en daarna tot
Yale. Joy had twee jongere zusjes die nog altijd in de pleegzorg zaten: dat vergrootte de druk die zij voelde om al op
jonge leeftijd ouderlijke verantwoordelijkheid op zich te
nemen. Ze werd stagiaire op mijn kantoor in het Witte
Huis, waar ze mijn staf assisteerde bij de ontwikkeling van
nieuwe wetgeving om tegemoet te komen aan de behoeften van jonge mensen die te oud worden voor het pleegzorgsysteem. Ik werkte met de Republikeinse senator John
Chafec uit Rhode Island en de Democratische senator Jay
Rockefeller uit West-Virginia aan wat de Foster Care Independent Act van 1999 zou worden. Deze wet biedt jonge
mensen die te oud worden voor het pleegzorgsysteem toegang tot gezondheidszorg, educatieve mogelijkheden,
scholing, hulp bij huisvesting, juridisch advies en andere
vormen van ondersteuning.

Ik was in oktober vijftig geworden en dat is, volgens de
boekjes, een moeilijke leeftijd. Maar niet zo moeilijk als
zonder Chelsea te moeten leven. Mijn dagen en nachten
waren tot aan onze vakantie gevuld met vergaderingen en
andere afspraken, maar ik was verrast toen ik merkte hoe
leeg het Witte Huis leek zonder de muziek uit haar slaapkamer, het gegiechel van haar vriendinnen als ze zaten te
roddelen en pizza aten in het Solarium. En ik miste haar
pirouette in de lange centrale gang. Soms betrapte ik Bill,
die spijtig in Chelsea's slaapkamer zat en rondkeek. Ik

moest toegeven dat mijn man en ik een mijlpaal in ons leven hadden bereikt, om maar eens een cliché te gebruiken, dat alleen leden van onze zelfbewuste leeftijdsklasse een syndroom zouden noemen. We waren nu 'bewoners van een leeg nest'. We zouden ons veel vrijer moeten voelen omdat we nu dag en nacht naar vrienden konden, maar in een leeg huis thuiskomen was afschuwelijk. Ons nest moest weer gevuld worden; het werd tijd voor een hond.

We hadden geen honden meer gehad, nadat onze cockerspaniël Zeke in 1990 was gestorven. We waren gek op die hond geweest en het was niet voor te stellen dat een ander zijn plaats in zou nemen. Kort nadat we Zeke begraven hadden, bracht Chelsea een zwart-wit poesje mee dat ze Socks noemde en die mee naar het Witte Huis verhuisde, waar hij overduidelijk liet merken de enige kat te willen zijn.

Maar toen Bill voor de tweede keer gekozen werd en we wisten dat Chelsea buiten de deur zou gaan wonen, gingen we aan een nieuwe hond denken. We kochten een boek over honden en Bill, Chelsea en ik bekeken veel plaatjes en lazen van alles over verschillende rassen. Chelsea wilde een klein schoothondje dat ze kon dragen en Bill wilde een grote hond waar hij mee kon rennen. Toen we dat achter de rug hadden, besloten we dat een labrador precies was wat ons gezin en het Witte Huis nodig hadden.

Ik wilde de hond als kerstcadeau aan Bill geven, dus ik ging op zoek naar de perfecte pup. Begin december ontmoette een enthousiast springende drie maanden oude chocoladebruine labrador voor het eerst de president. De pup sprong direct in Bills armen en het was liefde op het eerste gezicht. We moesten alleen nog een naam voor het dier hebben. We twijfelden en maakten lijsten. Mensen schreven brieven met suggesties en schreven hondennamenwedstrijden uit. Twee van mijn favorieten waren Arkanpaws en Clin Tin Tin.

De zaak liep volkomen uit de hand en we vonden dat we beter konden opschieten en dat arme dier een naam geven.

We kozen uiteindelijk de simpele en, volgens ons, nobele naam Buddy.

Buddy was de bijnaam van de favoriete oom van mijn man, Oren Grisham, een toegewijde hondenbezitter en -trainer die in de voorafgaande lente overleden was. Toen Bill in Hope opgroeide, liet oom Buddy hem met zijn jachthonden spelen. Hoe meer Bill over de nieuwe pup praatte, hoe meer hij aan oom Buddy moest denken en hoe duidelijker het werd dat we de hond naar hem zouden noemen. Het enige lastige was, dacht ik, dat een van de butlers op het Witte Huis Buddy Carter heette. We wilden hem niet beledigen door onze hond dezelfde naam te geven, maar we vroegen het hem en hij vond het een prima idee. En volgens mij identificeert hij zich inmiddels met het dier. 'Buddy zit weer eens in de problemen,' grapte hij met ons als de hond de krant had afgekauwd. 'Niet ik hoor, die andere Buddy.'

Maanden later, toen Buddy, de hond, weg was om ge-castreerd te worden, kwam Buddy Carter hoofdschud-dend het Witte Huis binnen en mompelde: 'Geen goede dag vandaag voor Buddy. Helemaal geen goede dag.'

De kleine labrador hoorde al snel bij de dagelijkse routi-ne van mijn man. Hij sliep aan zijn voeten in de Oval Of-fice en bleef tot laat in de nacht wakker. Ze waren voor el-kaar geschapen, vooral aangezien Buddy Bills eigenschap-pen had, of ontwikkeld had. Buddy hield van mensen, had een zonnig, opgeruimd karakter en kon zich zeer goed fo-cussen en concentreren. Buddy had twee obsessies: eten en tennisballen. Hij werd fanatiek als het op apporteren van ballen aankwam. Hij bleef er maar mee doorgaan, als je hem zijn gang zou laten gaan, tot hij er dood bij neerviel. Daarna stond hij op om zijn eten te zoeken.

Buddy werd al snel het middelpunt van ons gezinsleven, wat Socks verschrikkelijk vond. Socks had jarenlang in het middelpunt van de belangstelling gestaan. Op een van mijn favoriete foto's staat Socks te midden van fotografen voor het gouverneurshuis van Arkansas, vlak voor onze verhuizing naar Washington. Socks vervloekte Buddy. We hebben zo ijverig geprobeerd ze met elkaar op te laten schieten. Maar als we ze in één kamer achterlieten, stond Socks met gekromde rug te blazen naar Buddy, die de kat de gordijnen in wilde jagen. Socks had heel kort geknipte nagels, maar hij liet geen kans voorbij gaan Buddy een mep te geven en ooit heeft hij hem recht op zijn neus geslagen. Alle twee hadden ze hun fans en ze ontvingen allebei duizenden brieven, veelal van kinderen die van hun liefde voor Socks of Buddy vertelden. In feite moest ik een aparte correspondentieafdeling in het U.S. Soldiers' Home inrichten om hun mail te beantwoorden. In 1998 publiceerde ik een paar van die brieven onder de titel 'Dear Socks and Dear Buddy'. De opbrengst ging naar de National Park Foundation.

Voordat we het in de gaten hadden, was kerst alweer voorbij en vertrokken we voor onze rituele trip naar Hilton Head in South Carolina voor Renaissance Weekend (bijeenkomsten waar privé-families op eigen kosten bij elkaar komen om met elkaar te discussiëren; deelnemers zijn doorgaans vooraanstaande vertegenwoordigers uit de wereld van religie, sport, bestuur, zakenwereld, media enzovoort – vert.) en een bijeenkomst van 1500 vrienden en bekenden.

Ik hield van de lange, serieuze gesprekken en stak er altijd veel van op. Maar ik had rust nodig en keek uit naar de vier dagen die we op St. Thomas, een van de Amerikaanse Virgin Islands, zouden doorbrengen na oud en nieuw. Dit prachtige eiland in de Cariben hadden we verleden jaar bezocht toen we in een huis logeerden dat over de Magens Bay uitkeek. Dit jaar kwamen we terug met ons nieuwe maatje Buddy.

We landden op het kleine vliegveldje van de hoofdstad Charlotte Amalie en reden over de bochtige bergweg met kokosnotenpalmen en mangobomen naar ons onderkomen aan de noordkant van het eiland. De warme lucht en tropische wind waren net zo prettig als het huis, dat op een heuveltje stond met een trappetje dat naar het strand leidde. De geheime dienst logeerde naast ons en de kustwacht had alle boten uit de kleine baai geweerd uit veiligheids- en privacy-overwegingen. Toen we over het water keken, was er geen teken van leven te ontdekken. Een idyllische plek.

Bill, Chelsea en ik deden wat we meestal doen tijdens vakanties: we spelen kaart- en woordspelletjes en legden samen een duizendstukjespuzzel. We hadden ook koffers vol boeken meegenomen die we lazen en bespraken onder eenvoudige maaltijden. En we zwommen, wandelden, jogden, maakten trektochten en fietsten. Normaal pakt Bill iedere kans aan om te golfen en omdat onze vakanties meestal in het football- en basketballseizoen vallen, moet onze accommodatie goede televisie hebben. Maar we waren natuurlijk nooit echt alleen. De geheime dienst stond in de buurt paraat en de marinestewards die altijd met een president meereizen, stonden altijd klaar om te koken of schoon te maken als dat nodig was. En natuurlijk hadden we een onmisbare staf bij ons: de dokter, verpleegster, militaire hulp, de persstaf en de veiligheidsadviseur. Maar daar waren we aan gewend en ze respecteerden onze privacy. Wat de paparazzi niet deden.

Op een middag, halverwege de vakantie stonden Bill en ik in badkleding klaar om te gaan zwemmen. Wat we niet wisten, was dat een fotograaf van de Agence France Press zich verstopt had in de struiken op het openbare strand langs de baai. Hij moet een krachtige telelens hebben gehad, want de volgende dag verscheen een foto van ons, waarop we schuifelden op het strand, in kranten over de hele wereld. Mike McCurry, persvoorlichter van het Witte Huis, was boos over de inbreuk die gemaakt was op onze privacy en dat de fotograaf, zo vertelde hij de pers, 'zich in de struiken verborgen had gehouden en stiekem foto's had gemaakt'. Het incident wierp vragen op over zowel onze veiligheid als onze privacy. Als je dichtbij genoeg kunt komen om met een telelens een foto te maken, dan ben je ook dichtbij genoeg om met een telescoopgeweer te schieten.

Toch maakte Bill zich er niet bezorgd over. Hij vond het een leuke foto.

Er volgde nog een discussie in de pers over de vraag of de fotograaf de journalistieke ethiek geschonden had en onze privacy uit sensatiebeluste motieven had geschonden. Dat leidde tot de speculatie onder sommige journalisten dat wij 'geposeerd' hadden voor de foto in de hoop dat onze omhelzing vastgelegd zou worden.

Hallo? Zoals ik een paar weken later tegen een radioreporter zei: 'Noem mij maar eens een vijftig jaar oude vrouw die bewust in haar badpak met haar rug naar de camera gaat staan.'

Nou ja, misschien mensen die er aan alle kanten goed uitzien, zoals Cher of Jane Fonda of Tina Turner.

Maar ik niet.

'Dank u wel, mevrouw Clinton,' zei een van Kenneth Starrs mensen. 'Dat was het voor vandaag.'

David Kendall zat naast me in de Treaty Room tijdens een gesprek met de onafhankelijke aanklager over nog wat kleine dingetjes in het onderzoek naar de verkeerd afgehandelde FBI-dossiers. 'Ze moeten die vragen stellen, zodat ze kunnen zeggen dat ze die gesteld hebben,' verzekerde David me. Hij had gelijk: de vragen waren kort en oppervlakkig. Kenneth Starr was aanwezig, maar zei niets in het tien minuten durende vraag-en-antwoordspelletje.

David zou later opmerken dat de aanklagers zelfvoldaner waren dan anders, 'als katten die de kanarie verslinden', aldus een van de advocaten in de kamer, maar ik merkte die ochtend niets. Ik was blij dat de zaak op een nette manier afgesloten was door het OIC. Het was 4 januari 1998 en Starrs onderzoek duurde al vier jaar. Net als alle andere onderzoeken van de onafhankelijke aanklager was *Filegate* gebakken lucht. Een ambtenaar van het Witte Huis had een blunder gemaakt door gebruik te maken van een verouderde lijst om FBI-dossiers op te vragen voor de huidige stafleden, en had per ongeluk dossiers gekregen van een aantal mensen met veiligheidspasjes van de regering-Reagan en de regering-Bush. Maar er was nooit sprake geweest van een samenzwering of een misdaad. Afgelopen herfst was Starr tot de conclusie gekomen dat Vince Foster daadwerkelijk zelfmoord had gepleegd. (Drie jaar eerder was Robert Fiske al tot die voor de hand liggende conclusie gekomen, maar er waren nog eens vier officiële onderzoeken, waaronder dat van Starr, nodig om dat te bevestigen.) Starr was ook vastgelopen met zijn oorspronkelijke beschuldigingen van de Whitewaterland-deal. De onderzoekscultuur bleef ons, ook buiten de Witte-Huisdeuren, achtervolgen toen een foutieve rapportage van een lijst met giften en geschenken een hausse aan krantenberichten teweeg bracht.

Het meest dringende proces waar we nu nog mee te maken hadden, was een civiele zaak die niets met het OIC-onderzoek van doen had. Paula Jones' rechtsteam werd betaald en gecoacht door het Rutherford Institute, een rechtshulporganisatie met een fundamentalistisch-rechtse agenda. Bills advocaten waren ervan overtuigd dat de zaak nooit voor de rechter zou komen via een motie voor verkorte rechtspraak. Maar door een aantal beslissingen van het Hooggerechtshof was de zaak nu beland op het punt dat Jones getuigen mocht oproepen, onder wie de president. Bill zou op zaterdag 17 januari 1998 onder ede moeten getuigen.

Er waren mogelijkheden geweest om buiten het hof met Jones te schikken, maar daar was ik principieel op tegen, want ik dacht dat het een precedent zou scheppen als een president zou betalen om een smaadproces te voorkomen. Er zouden talloze rechtszaken volgen. Achteraf weten we nu natuurlijk dat het niet-schikken in de zaak-Jones toen we die kans hadden, de tweede grote tactische blunder was die we maakten in het bombardement van onderzoeken en rechtszaken. De eerste was dat we überhaupt om een onafhankelijke aanklager hadden verzocht.

Bill was de avond ervoor laat opgebleven om zijn getuigenis voor te bereiden. Toen hij wegging, wenste ik hem geluk en gaf hem een dikke zoen. Ik wachtte op hem in de residentie en toen hij terugkwam keek hij opgewonden en uitgeput. Ik vroeg hoe het was gegaan en hij vertelde dat het een grote farce was en dat hij zich door de hele gang van zaken diep beledigd voelde. We zouden met vrienden in een restaurant in Washington gaan eten, maar hij wilde het afzeggen en rustig thuis eten.

Zoals gewoonlijk had iedereen het druk aan het begin

van het nieuwe jaar. Het Witte Huis verzond iedere week nieuwe initiatieven als voorbereiding van de aanstaande State of the Union. Voor een evenwichtiger begroting wilde de president aanzienlijke verhogingen in de gezondheidszorg en onderwijs, en de grote verhoging voor kinderzorgtoelagen die mijn staf had voorgesteld en waardoor het aantal kinderen dat er een beroep op kon doen, zou verdubbelen.

Toen maakte Bill me op woensdagochtend 21 januari vroeg wakker. Hij zat op het voeteneinde van mijn bed en zei: 'Er staat iets in de kranten van vandaag wat je moet weten.'

'Waar heb je het over?'

Hij vertelde me dat er nieuwsberichten waren dat hij een affaire met een vroegere Witte-Huismedewerkster zou hebben gehad en dat hij haar gevraagd zou hebben daarover te liegen tegen de advocaten van Paula Jones. Kenneth Starrs kantoor had aan minister van Justitie Janet Reno gevraagd of hij zijn onderzoek mocht uitbreiden om te bekijken of er mogelijk gerechtelijke stappen tegen hem ondernomen konden worden. Die toestemming had hij gekregen.

Bill vertelde me dat Monica Lewinsky een medewerkster was die hij twee jaar eerder had leren kennen toen ze een vrijwilligster was in de West Wing tijdens het regeringsreces. Hij had een paar keer met haar gesproken en ze had gevraagd of hij haar aan een baantje kon helpen. Dat was precies in Bills straatje. Hij zei dat ze zijn aandacht verkeerd begrepen had, iets wat ik honderden keren ervoor heb zien gebeuren. Het was zo'n bekend scenario dat ik het niet moeilijk vond te geloven dat de beschuldiging ongegrond was. Tegen die tijd had ikzelf ook meer dan zes jaar ongegronde aantijgingen achter de rug, soms door dezelfde mensen en groeperingen die nu met de zaak-Jones en het Starr-onderzoek verbonden waren.

Ik vroeg Bill iedere keer weer naar wat er gebeurd was. Hij hield vol dat hij zich niet onbetamelijk gedragen had, maar gaf toe dat zijn aandacht verkeerd begrepen had kunnen worden.

Ik zal nooit helemaal kunnen begrijpen wat zich die dag in het hoofd van mijn man afspeelde. Maar ik weet dat Bill zijn staf en onze vrienden hetzelfde verhaal vertelde: dat er niets onbetamelijks was gebeurd. Waarom hij mij en anderen voorgelogen heeft, is zijn eigen verhaal en hij moet het op zijn eigen manier kunnen vertellen. In een betere wereld zou een dergelijk gesprek tussen man en vrouw alleen maar onze eigen zaak zijn. Hoewel ik lang geprobeerd had om wat er van onze privacy over was te beschermen, kon ik nu niets meer doen.

Voor mij leek de consternatie rondom Monica Lewinsky het zoveelste gemene schandaal van onze politieke tegenstanders. Want sinds hij zich kandidaat had gesteld voor een openbaar ambt, was Bill van vanalles beschuldigd, van drugshandel tot het verwekken van een kind bij een prostituee in Little Rock, en hebben ze mij een dievegge en moordenares genoemd. Ik verwachtte dat dit verhaal niet meer dan een voetnoot in de geschiedenis zou worden.

Ik geloofde mijn man toen hij zei dat de aanklachten ongegrond waren, maar ik realiseerde me dat we rekening moesten houden met het vooruitzicht van een nieuw, afschuwelijk en agressief onderzoek, net op het moment dat ik dacht dat onze juridische problemen voorbij waren. En ik wist dat het politieke gevaar zeer reëel was. Een civiele smaadactie was door Kenneth Starr omgebouwd tot een crimineel onderzoek en hij zou het ongetwijfeld zo hoog spelen als hij kon. Lekken naar de media vanuit het Joneskamp en het bureau van de onafhankelijke aanklager wezen erop dat delen van Bills verklaring onder ede niet helemaal overeenkwamen met beschrijvingen die andere getuigen gaven van zijn relatie met Lewinsky. Het bleek dat vragen in de Jones-verklaringen alleen maar gesteld waren om de president van meineed te kunnen beschuldigen, waarna zijn terugtreden of zijn impeachment geëist kon worden.

Dit was een heleboel slecht nieuws voor één ochtend. Maar ik wist dat Bill en ik met onze dagelijkse agenda door moesten gaan. Medewerkers in de West Wing liepen druk door elkaar, mopperden in hun telefoons en fluisterden achter dichte deuren. Het was belangrijk dat de Witte-Huisstaf zag dat we deze crisis aankonden en dat we ons opmaakten om terug te vechten, net zoals we ook in het verleden hadden gedaan. Ik wist dat iedereen me in de gaten zou houden en ik meende dat het beste wat ik kon doen voor mijzelf en degenen om me heen was om met opgeheven hoofd door te gaan. Ik had meer tijd willen gebruiken voor mijn eerste openbare optreden, maar dat was er niet. Die avond zou ik een lezing over burgerrechten houden voor een groot publiek op Goucher College in Baltimore op uitnodiging van onze goede vriend Taylor Branch, auteur van een boek over Martin Luther King dat de Pulitzer Prize gewonnen had: *Parting the Waters*. Ik was niet van plan Taylor te laten vallen, dus ging ik naar het Union Station waar ik de trein naar Baltimore nam.

David Kendall belde me in de trein en het was fijn zijn stem te horen. Afgezien van Bill was hij de enige bij wie ik voelde dat ik alles kon zeggen. Een jaar eerder had Starr aantekeningen opgevraagd van gesprekken die ik met Witte-Huisadvocaten had gevoerd over Whitewater, en een gerechtshof had verordonneerd dat het geheimhoudingsrecht tussen advocaat en cliënt niet van toepassing was op advocaten die door de regering werden betaald. Volgens David was het waarschijnlijk dat het OIC van plan was iedere werknemer, iedere vriend en ieder familielid te dagvaarden die misschien informatie over de zaak-Lewinsky kon geven.

Terwijl de Amtrak-trein door de voorsteden van Maryland denderde, vertelde David dat hij al vanaf de dag voor de Jones-aanklacht de geruchten hoorde gonzen. Journalisten hadden hem gebeld met vragen over de betrokkenheid van een andere vrouw in deze zaak. Hij had het een zorgwekkende ontwikkeling gevonden, maar niet ernstig genoeg om aan de bel te trekken. Nu moest hij toegeven dat Attorney General Reno op 16 januari een brief aan de drie rechters van toezicht had geschreven waarin zij adviseerde om Starr zijn onderzoek te laten uitbreiden met de zaak-Lewinsky en naar mogelijke belemmering van de rechtsgang. We hoorden later dat Reno's aanbeveling gebaseerd was op incomplete en onjuiste informatie die het OIC haar verstrekt had. Bill was kortzichtig geweest en door de onrechtvaardigheid van dit alles was ik vastbesloten om naast hem tegen de aanklachten te vechten.

Ik had ervoor gekozen terug te vechten, maar het was niet prettig te horen wat er over mijn man gezegd werd. Ik wist dat de mensen zich afvroegen: 'Hoe kan ze 's ochtends opstaan, laat staan naar buiten gaan? Zelfs als ze de beschuldigingen niet gelooft, moet het toch afschuwelijk zijn om ze te horen.' Nou, dat klopte. Eleanor Roosevelts opmerking dat iedere vrouw in de politieke wereld 'een olifantshuid moet kweken', werd een mantra voor me toen de ene crisis na de andere op me afkwam. Inderdaad was mijn huid dikker geworden door de jaren heen, waardoor je meer kunt hebben, maar makkelijk was het zeker niet. Je wordt niet op een ochtend wakker en zegt dan tegen jezelf: 'Nou, ik ga me vandaag van niets wat aantrekken, hoe gemeen of achterbaks het ook is.' Ik vond het een schrikbarend eenzame ervaring.

En ik was ook bang dat de dikke huid me van mijn gevoelens en emoties zou vervreemden, dat ik dat gevoelloze wezen zou worden waar sommige journalisten me al voor hielden. Ik moest voor mijn gevoelens openstaan, zodat ik eerlijk kon reageren en bepalen wat goed voor mij was, zonder dat ik me iets aantrok van wat anderen zeiden en dachten. Het is al moeilijk om jezelf te blijven voor een publiek, maar onder deze extreme druk was het helemaal moeilijk. Ik controleerde mezelf constant op ontkenning of verharding van mijn emotionele aders.

Ik hield mijn lezing in Baltimore en ging toen naar het treinstation waar een menigte journalisten en camera's op me wachtte. Ik was in jaren niet zo populair geweest. De journalisten riepen vragen en een gilde harder dan de rest: 'Denkt u dat de beschuldigingen vals zijn?' Ik stopte en draaide me om naar de microfoons.

'Zeker, ik geloof dat ze vals zijn, absoluut,' zei ik. 'Het is altijd moeilijk en pijnlijk als iemand om wie je geeft, van wie je houdt, die je bewondert, aangevallen wordt en zulke onbeschaamde beschuldigingen voor de voeten krijgt geworpen als mijn man wordt aangedaan.'

Waarom wordt Bill Clinton aangevallen?

'Er wordt een georganiseerde poging gedaan zijn positie als president te ondermijnen, om ongedaan te maken wat hij allemaal bereikt heeft, om hem persoonlijk aan te vallen terwijl hij zich politiek niet kan verdedigen.'

Het was niet de eerste keer dat ik dit zei en het zou ook niet de laatste keer zijn. Met een beetje geluk zouden de mensen gaan begrijpen wat ik zei. Volgens mij ondermijnden de aanklagers het presidentsambt door hun rechten te gebruiken en misbruiken om de politieke macht terug te winnen die ze bij de stembus verloren hadden. Op dit punt gingen hun acties iedereen aan. Ik voelde me in ieder geval verantwoordelijk voor de verdediging van mijn man en van mijn land. Ze konden hem zijn standpunten en zijn politieke succes niet afnemen, evenmin als ze zijn populariteit konden ondermijnen. Dus maakten ze hem zwart, en door hem ook mij. De inzet was zo hoog mogelijk.

Net als ik zei Bill eerder gemaakte afspraken niet af. De al eerder geregelde interviews met National Public Radio, Roll Call en PBS Television gingen door. Hij besprak de buitenlandse politiek en zijn State of the Union van dinsdag 27 januari.

Vervolgens beantwoordde hij alle vragen die hem werden gesteld over zijn persoonlijk leven in essentie hetzelfde: de beschuldigingen waren niet waar. Hij had niemand gevraagd te liegen. Hij zou aan het onderzoek meewerken, maar op dit moment was het onmogelijk meer te zeggen.

Onze goede vriend Harry Thomason vloog over om ons

te helpen en moreel te steunen. Als de televisieproducent die hij altijd was, dacht Harry dat Bills openbare verklaringen te voorzichtig en te juridisch overkwamen en haalde hij Bill over eens te laten zien hoe kwaad hij was over de beschuldigingen. En dat deed hij. Op 26 januari, op een persbijeenkomst over de financiering van naschoolse kinderopvang, terwijl Al Gore, onderwijsminister Richard Riley en ik naast hem stonden, ontkende de president zeer duidelijk dat hij een seksuele relatie met Lewinsky zou hebben gehad. Ik vond het gezien de omstandigheden gerechtvaardigd dat hij liet zien hoe kwaad hij was.

Washington werd bijna hysterisch van het schandaal. Dagelijks doken nieuwe feiten op, wat in feite prikacties waren om de president te betrappen, inclusief illegale bandopnames. De regering deed een jammerlijke maar dappere poging voorstellen voor de State of the Union van tevoren in te zien, maar er hingen alleen maar speculaties en voorspellingen in de lucht over de mogelijkheden van Bill en of hij wel of niet zou kunnen aanblijven.

De volgende dag was de dag van de State of the Union en ik had een al eeuwen geleden gemaakte afspraak om 's ochtends in New York in de *Today Show* te verschijnen. Ik had nog liever een wortelkanaalbehandeling gehad, maar een afzegging zou nog meer speculaties teweegbrengen. Dus ging ik in het volste vertrouwen dat ik de waarheid kende, maar tegelijkertijd vreesde ik het vooruitzicht dat ik er op de nationale televisie over zou moeten praten. Bills adviseurs en de mijne overspoelden me met adviezen. Sommigen waren bang dat ik Starr tegen me in het harnas zou jagen als ik het over de partijdige aanpak van zijn onderzoek zou hebben. David Kendall was daar niet bang voor.

Matt Lauer presenteerde de show die ochtend zonder Katie Couric, wier man, Jay Monahan, drie dagen tevoren op tragische wijze zijn gevecht tegen darmkanker verloren had. Iedereen was verdrietig op de set in het Rockefeller Center in New York. Ik ging tegenover Matt zitten en direct na het nieuws van zeven uur begon hij met het interview.

'Er zit in deze tijd maar één vraag in de hoofden van de mensen in dit land, mevrouw Clinton. Namelijk: wat is er precies voor relatie geweest tussen uw man en Monica Lewinsky? Heeft hij het met u uitvoerig over die relatie gehad?'

Ik antwoordde: 'We hebben het er uitgebreid over gehad. En ik denk dat, als de zaak zich gaat ontrollen, de mensen dan meer informatie zullen krijgen. Maar nu zitten we midden in een razend gekke tijd en mensen beweren van alles en verspreiden geruchten en insinuaties. En ik heb van de afgelopen jaren in de politiek geleerd, zeker vanaf het moment dat mijn man zich voor de eerste keer kandidaat voor het presidentschap stelde, dat je in dit soort zaken het beste je geduld kunt bewaren, diep adem moet halen en dat de waarheid vanzelf boven water komt.'

Lauer vertelde dat onze vriend James Carville de situatie had beschreven als een oorlog tussen de president en Kenneth Starr. 'U hebt tegen goede vrienden gezegd, heb ik begrepen, dat dit de laatste grote slag wordt. En dat de ene of de andere kant ten onder zal gaan.'

'Nou, ik weet niet meer of ik zo dramatisch geweest ben,' zei ik. 'Het klinkt als een mooie zin uit een goede film. Maar ik geloof inderdaad dat het een veldslag is. Ik bedoel, kijk alleen maar eens naar de mensen die erbij betrokken zijn. Die speelden ook bij andere zaken een rol. Op dit moment is dit het grote verhaal voor iedereen die ernaar zoekt en erover wil schrijven en wil uitleggen dat het een ultrarechtse samenzwering is die samenspant tegen mijn man vanaf het moment dat hij verklaarde presidentskandidaat te willen zijn. Een paar journalisten hebben dit opgepikt en toegelicht. Maar het is nog niet tot het Amerikaanse publiek doorgedrongen. En eigenlijk hoop ik dat het nu op deze bizarre manier wel lukt.'

Later, toen David Kendall me belde om over mijn optreden te praten, vertelde ik hem dat ik steeds aan hem had gedacht tijdens het interview.

'Ik hoorde steeds jouw wijze woorden in mijn oren,' zei ik.

'En welke woorden van onschatbare wijsheid hoorde je precies?' hapte David in het aas.

'Neem ze te grazen!' lachte ik. David die als quaker was opgevoed, gniffelde en zei diepzinnig: 'Dat is een oude quaker-uitdrukking.'

'O, zoiets als: "Men neme hen te grazen?"'

We moesten nu alle twee hard lachen en bliezen zo stoom af.

Maar natuurlijk was Starr die 'ultrarechtse samenzwering' opgevallen. Hij nam de ongebruikelijke stap een verklaring uit te geven waarin hij zich erover beklaagde dat ik zijn motieven belachelijk maakte. Hij noemde het idee van een samenzwering 'flauwekul'. 'Het is de geslagen hond die blaft,' zeggen wij in Arkansas. Mijn commentaar leek een gevoelige snaar te hebben geraakt.

Terugkijkend vind ik dat ik mijn commentaar wel iets handiger had kunnen formuleren, maar ik blijf achter mijn beschrijving van Starrs onderzoek staan. Op dat moment kende ik de waarheid achter de aanklachten tegen Bill nog niet maar ik was wel op de hoogte van Starrs connecties met de politieke tegenstanders van mijn man. Volgens mij zat – en zit – er een hecht netwerk van groeperingen en mensen achter die de klok terug willen draaien op veel gebieden waarop ons land grote vorderingen heeft gemaakt, van burger- en vrouwenrechten tot consumenten- en milieubescherming; en dat ze alles wat ze ter beschikking hebben – geld, macht, media en politiek – gebruiken om dit doel te bereiken. Recentelijk zijn ze ook meesters geworden in de politiek van persoonlijke vernietiging. Opgehitst door extremisten die jarenlang progressieve politici en ideeën hebben bevochten, worden ze gesteund door corporaties, stichtingen en mensen als Richard Mellon Scaife. De meeste namen waren al bekend en te vinden voor echte onderzoeksjournalisten. En een paar mediadienaren gingen zoeken.

Ondertussen werd er in het nieuws druk gespeculeerd over de State of the Union die avond. Zou de president het schandaal ter sprake brengen? (Hij zou het niet doen.) Zouden leden van het Congres de rede boycotten? (Slechts een paar, hoewel sommige Republikeinen de hele avond op hun handen hebben gezeten.) Zou de First Lady meekomen om haar man te steunen? Natuurlijk deed ik dat.

Uiteraard waren we allemaal nerveus over hoe Bill ontvangen zou worden, maar zodra ik op mijn plaats ging zitten in de *Gallery* van het Huis van Afgevaardigden, wist ik dat het goed zou gaan. Ik werd begroet met een overweldigend applaus en aanmoedigingen van heel wat vrouwen in het publiek. Bill leek ontspannen en vol vertrouwen, en toen hij binnenkwam kreeg hij een nog ovationeler applaus. Ik vond zijn rede prikkelend, een van de beste uit zijn carrière. Hij vatte de vooruitgang die het land de afgelopen zes jaar had gemaakt, kort samen en gaf de stappen aan die hij zou nemen tijdens zijn presidentschap om dit succes te consolideren. Tot verrassing van sommigen uit onze eigen partij en tot consternatie van de oppositie zegde hij een evenwichtige federale begroting toe, die drie jaar op het schema voorliep, om 'de sociale zekerheid te garanderen', het land voor te bereiden op de ophanden zijnde vloedgolf van babyboomers die met pensioen gingen. Het ging goed met de economie en hij stelde een verhoging van het minimumloon voor. Hij pleitte ook voor aanzienlijke verhoging van de budgetten in het onderwijs, de gezondheidszorg en de kinderhulpprogramma's. 'De tijd van het steriel debat tussen diegenen die zeggen dat de regering de vijand is en diegenen die zeggen dat de regering het antwoord is, is voorbij,' zei hij. '[Wij] hebben een derde weg gevonden. Wij hebben de kleinste overheid van de afgelopen vijfendertig jaar, maar wel de vooruitstrevendste. Wij hebben een kleinere overheid, maar een sterker land.'

Maanden geleden had ik een uitnodiging geaccepteerd om het jaarlijkse World Economic Forum toe te spreken in Davos, Zwitserland, een prachtig klein skidorp in de Al-pen. In februari verzamelen zich daar elk jaar zo'n tweeduizend vooraanstaande zakenlieden, politici, maatschappelijke leiders en intellectuelen vanuit de hele wereld om te praten over wereldkwesties en om nieuwe bondgenootschappen te smeden en oude te hernieuwen. Het was voor het eerst dat ik daaraan deelnam maar ook in dit geval was afzeggen geen optie.

Ik was blij dat een paar van de Amerikaanse deelnemers in Davos goede vrienden waren, onder wie Vernon Jordan en burgemeester Richard Daley. Elie en Marion Wiesel waren bijzonder aardig. Doordat hij een overlevende van de holocaust was, had Elie een zeer goed inlevingsvermogen ontwikkeld. Hij deinsde nooit terug voor het lijden van een ander en zijn hart is groot genoeg om zonder aarzelen de pijn van een vriend(in) over te nemen. Hij begroette me met een stevige omhelzing en vroeg: 'Wat is er aan de hand in Amerika? Waarom doen ze dit?'

'Ik heb geen flauw idee, Elie,' zei ik.

'Nou, ik wil je in ieder geval laten weten dat Marion en ik jullie vrienden zijn en dat we jullie willen helpen.' Hun begrip was het mooiste cadeau dat ze konden geven.

Geen van de andere bekenden in Davos bracht het tumult in Washington ter sprake, hoewel ze zich uitsloofden om te laten zien dat ze ons steunden. 'Kom alsjeblieft met ons dineren,' boden ze aan. Of: 'O, kom hier naast me zitten. Hoe is het met je?'

Het ging altijd heel goed met me. Meer kreeg ik niet over mijn lippen.

Mijn lezing ging goed, ondanks de zeer ontmoedigende titel die de conferentie-organisatie had verzonnen: 'Individuele en collectieve prioriteiten voor de eenentwintigste eeuw'. Ik beschreef de drie essentiële componenten van iedere moderne gemeenschap: een goed functionerende regering, een vrijemarkteconomie en een florerende burgermaatschappij. Op dit derde gebied, veel meer dan op de markt en op regeringsniveau, gebeurt alles wat het leven de moeite waard maakt: gezin, vertrouwen, spontane verbonden, kunst, cultuur. En ik sprak over de verwachtingen en realiteit van de menselijke ervaring. 'Er bestaat geen perfecte mens,' zei ik. 'Er bestaat geen perfecte markteconomie, behalve in de abstracte theorieën van economen. Er bestaat geen perfecte regering, behalve in de dromen van politieke leiders. En er bestaat geen perfecte maatschappij. We zullen moeten werken met de mensen zoals ze zijn.' Een les die ik nog iedere dag leerde.

De ochtend na mijn lezing greep ik de kans om de bergen in te gaan. Ik ben nooit een goede skister geweest, maar ik vind het heerlijk om te skiën. Het was geweldig om puur fysiek bezig te zijn, terwijl de koude, heldere lucht langs me stoof toen ik over de brede, goed begaanbare skipaden naar beneden gleed en wenste dat ik nog uren zou kunnen skiën. Zelfs met mijn veiligheidsagenten achter me aan was ik op die berg een paar seconden lang bevrijd van alle zorgen.

33 *Bedenk je toekomst*

Politieke vijanden komen soms op de meest onverwachte plekken te voorschijn. Als de tijdelijke bewoners van het Witte Huis ontsloten Bill en ik de deuren ervan voor feestelijke bijeenkomsten en belangrijke vieringen – en daarbij hanteerden we geen zwarte lijst van mensen die het oneens waren met onze politiek. Dat zorgde voor een merkwaardig incident in de ontvangstrij op 21 januari 1998, net nadat het Lewinsky-verhaal naar buiten was gekomen. Bill en ik gaven een diner in avondkostuum om te vieren dat de fondsenwerving was afgerond voor het White House Endowment Fund, een non-profitorganisatie die geld van particulieren int om restauratieprojecten voor het Witte Huis te betalen. Het fonds, dat was opgezet door Rosalynn Carter en uitgebouwd door Barbara Bush, heeft als streefdoel voor de fondsenwerving een bedrag van 25 miljoen dollar. Ongeveer de helft van dat bedrag was binnengekomen toen ik First Lady werd, en het verheugde me dat we het bedrag inmiddels meer dan gehaald hadden. Voor mij had dit werk te maken met liefde voor het Witte Huis, en het diner was een gelegenheid om alle geldgevers te bedanken.

Bill en ik waren onze gasten aan het begroeten in de Blue Room toen een man met een rond gezicht onze handen kwam schudden. Terwijl zijn naam werd geannonceerd en een Witte-Huisfotograaf klaar ging staan om zijn foto te nemen, realiseerde ik me dat het Richard Mellon Scaife was, de reactionaire miljardair die de langetermijncampagne had gefinancierd om Bills presidentschap te gronde te richten. Ik had Scaife nooit ontmoet en sommige journalisten waren geschokt toen ze hoorden dat ik hem op de gastenlijst had gezet. Toen mij werd gevraagd waarom hij was uitgenodigd, zei ik dat Scaife het volste recht had te komen, vanwege het feit dat hij tijdens de regeringstermijn van Bush een financiële bijdrage had geleverd aan het herstel van het Witte Huis. Maar het verbaasde mij dat hij ervoor gekozen had in de rij te gaan staan om de vijand de hand te schudden.

Ons volgende gala was het officiële diner ter ere van Tony Blair op 5 februari 1998. Vanwege de vriendschap die Bill en ik hadden opgevat voor Tony en Cherie, en vanwege de historische banden en de speciale relatie tussen onze landen, wilde ik voor de Blairs mijn beste beentje voorzetten. En dat deden we dan ook, met het grootste diner dat we ooit hebben gehouden in het Witte Huis, in de East Room, omdat de State Dining Room er te klein voor was. Als entertainment na het diner had ik sir Elton John en Stevie Wonder ingehuurd om samen op te treden, een werkelijk groots, Anglo-Amerikaans muziekspektakel.

Toen de voorzitter van het Huis, Newt Gingrich, onze uitnodiging accepteerde, besloot ik hem links van mij neer te zetten, terwijl Blair, geheel volgens het protocol, rechts van me zat. Gingrich bewonderde Blair als een politiek leider die veranderingen teweegbrengt, een omschrijving die hij ooit had gebruikt om zichzelf te kenschetsen. Ik was benieuwd wat ze tegen elkaar zouden zeggen en ook hoopte ik te weten te komen wat Gingrich dacht van de nieuwste aanklachten van Starr. Een aantal politieke commentatoren had een mogelijk impeachment in het vooruitzicht gesteld, en hoewel er geen legitieme grondwettelijke basis was voor zo'n stap, hoefde dat de Republikeinen er niet van te weerhouden het toch te proberen. Gingrich was de sleutel: als hij vond dat het door moest gaan, stond het land nog wat te wachten. Na een lange discussie aan tafel over de uitbreiding van de NAVO en over Bosnië en Irak, leunde Gingrich naar mij. 'Die aantijgingen tegen uw man zijn bespottelijk,' zei hij, 'en ik vind het vreselijk oneerlijk dat sommige mensen proberen er een slaatje uit te slaan. Zelfs

als het waar is, betekent dat niets. Het voert nergens toe.'
Dat was wat ik hoopte te horen, maar ik was verrast. Ik vertelde later tegen Bill en Kendall dat Gingrich de beschuldigingen tegen Bill niet serieus leek te nemen. Hij draaide als een blad aan de boom toen hij later het initiatief nam tot de Republikeinse aanval voor Bills impeachment. Op dat moment zag ik die conversatie als bewijs dat Gingrich gecompliceerder en onberekenbaarder was dan ik dacht. (Maanden later, toen zijn eigen buitenechtelijke slippertjes naar buiten kwamen, begreep ik beter waarom Gingrich probeerde dit onderwerp met rust te laten.)

In februari besloot Starr medewerkers van de geheime dienst te dagvaarden en te dwingen te getuigen voor de onderzoekscommissie. Starr was op zoek naar iets wat Bills verklaring in de zaak-Jones zou ondergraven, en hij wilde dat ze melding maakten van gesprekken die ze misschien hadden opgevangen of van activiteiten waarvan ze getuige waren geweest terwijl ze de president beschermden. Het was niet eerder voorgekomen dat agenten van de geheime dienst moesten getuigen, en Starrs dagvaarding bracht hen in een onhoudbare situatie. Dergelijke agenten zijn niet-politieke professionals die lange werktijden hebben onder moeilijke omstandigheden en enorme druk. Onvermijdelijk komen ze vertrouwelijke dingen tegen van degenen die ze bewaken, waarvan ze weten dat ze die niet naar buiten mogen brengen. Als veiligheidsagenten niet meer vertrouwd worden door de president, kunnen ze niet meer zo dicht bij hem komen als nodig is om hun werk te doen: dat is de president en zijn gezin beschermen tegen geweld – en niet afluisteren ten behoeve van de onafhankelijke aanklager of andere onderzoeksorganen.

Ik respecteer en bewonder de veiligheidsagenten die ik door de jaren heen ontmoet heb. De beschermer en de beschermde doen een buitengewone poging professioneel afstand te bewaren, maar als je bijna ieder uur van de dag in elkaars nabijheid bent, ontstaat er een relatie van vertrouwen en zorg. Mijn gezin en ik hebben de agenten ook leren kennen als warme, grappige en attente mensen. George Rogers, Don Flynn, A.T. Smith en Steven Ricciardi, die successievelijk mijn lijfwachten waren, wisten allemaal het juiste evenwicht te bewaren tussen ongedwongenheid en professionalisme. En ik zal nooit het kalmerende effect van Steven Ricciardi's stem vergeten na de aanval van 11 september 2001, toen hij Chelsea belde, die bij haar vriend Nickie Davison in Lower Manhattan verbleef, om te controleren of haar niets was overkomen.

Lew Merletti, een Vietnam-veteraan die de leiding had gehad over de presidentiële bewaking en later directeur werd van de geheime dienst, ging praten met Starrs mensen en waarschuwde hen dat het dwingen van agenten om te getuigen ten koste zou gaan van het noodzakelijke vertrouwen tussen de agenten en presidenten, waardoor de veiligheid van de president nu en in de toekomst ondermijnd zou worden. Omdat hij de presidenten Reagan, Bush en Clinton beschermd had, kon Merletti bogen op een ruime praktijkervaring. Andere hoofden van de geheime dienst vielen hem bij. Het ministerie van Financiën, waaronder de geheime dienst valt, vroeg het Hof om Starrs verzoek te weigeren. En de voormalige president Bush schreef brieven waarin hij zich ertegen uitsprak dat Starr agenten probeerde te dwingen te getuigen. Maar Starr bleef maar dagvaarden. De omstandigheden waaronder deze agenten werkten, en de unieke rol van de geheime dienst telden nauwelijks mee in zijn berekeningen. In juli dwong hij Larry Cockell, het hoofd van de presidentiële veiligheidsdienst, te getuigen en stuurde aangetekende brieven aan anderen om te getuigen. Uiteindelijk koos het Hof de kant van Starr op de juridische grond dat agenten en degenen die door hen beschermd worden, anders dan advocaten en hun klanten of doktoren en patiënten, zich niet kunnen beroepen op 'geheimhouding' binnen een vertrouwelijke relatie. Voor het einde van het jaar had Starr meer dan vijfentwintig op het Witte Huis werkzame agenten gedwongen te getuigen.

In het vroege voorjaar van 1988 leek het grote publiek het onderzoek van Starr moe te worden. Veel Amerikanen namen aanstoot aan de obscene, sensatiezoekende onthullingen van de onafhankelijke aanklager en erkenden dat, zelfs wanneer Bill fouten had gemaakt in zijn persoonlijke leven, deze misstappen niets afdeden aan de manier waarop hij zijn presidentiële verantwoordelijkheden uitvoerde. De media begonnen de mogelijkheid te onderzoeken dat er een georganiseerde hetze tegen ons gevoerd werd. Op 9 februari publiceerde *Newsweek* een twee pagina's tellend artikel onder de titel: 'Complot of toeval?' Het onthulde de banden tussen drieëntwintig conservatieve politici, donateurs, mediamensen, auteurs, advocaten, organisaties en anderen die geld en informatie aandroegen voor de diverse schandalen die door Starr onderzocht werden.

Toen schreef David Brock in het aprilnummer van het blad *Esquire* een open brief aan de president, waarin hij zich verontschuldigde voor zijn 'Troopergate'-artikel, dat in 1994 gepubliceerd was in de *American Spectator,* en dat had geleid tot de rechtszaak van Paula Jones. Dat was het begin van Brocks gewetenscrisis. In zijn boek *Blinded by the Right* onthult hij zijn eigen medeplichtigheid aan de georganiseerde pogingen Bill en zijn regering te gronde te richten, en de vastberadenheid, tactieken en doelstellingen van ultrarechts Amerika.

Wij begonnen een offensief op het juridische front. Het was de onafhankelijke aanklager verboden geheime informatie van de onderzoekscommissie naar buiten te brengen, op grond van een federaal statuut. Toch liet Starrs bureau regelmatig informatie uitlekken, meestal aan een select groepje verslaggevers, die schreven op een manier die in de smaak viel bij de onafhankelijke aanklager. David Kendall diende een klacht in en hield een persconferentie om aan te kondigen dat hij de rechter die de Whitewateronderzoekscommissie voorzat, Norma Holloway Johnson, zou vragen de onthulling van zulke informatie te verbieden. Deze actie had het gewenste effect. Het lekken stopte een poosje.

Op 1 april, toen Bill en ik bezig waren aan het laatste stuk van een presidentiële trip naar Afrika, belde Bob Bennett met een belangrijke boodschap voor de president. Rechter Susan Webber Wright had besloten de rechtszaak van Paula Jones te seponeren vanwege een gebrek aan feitelijke en juridische gronden.

In de lente werd pr-goeroe Charles Bakaly door Starr ingehuurd om zijn imago te verbeteren. Misschien ingefluisterd door Bakaly, gaf Starr in juni een speech voor een groep advocaten in North Carolina, waarin hij zichzelf vergeleek met Atticus Finch, de moedige blanke advocaat uit het Zuiden in Harper Lees roman *To Kill a Mockingbird*. In dat verhaal neemt Finch de zaak op zich van een zwarte man die ervan beschuldigd wordt een blanke vrouw te hebben verkracht in zijn kleine dorp in Alabama. Die daad van Finch getuigde van morele moed en heldendom. Hij bood tegenstand aan de ongebreidelde macht van een aanklager die bewijzen naar zijn eigen hand zette. Ik had in Vince Foster altijd veel kenmerken van Atticus Finch herkend, maar de vergelijking van Finch met Starr, een man die uit zijn eigen gevoel van morele superioriteit regels en procedures aan zijn laars lapt, was meer dan David Kendall en ik konden verdragen. David plaatste op 3 juni een stuk in *The New York Times*. 'Net als Atticus,' schreef Kendall, 'moeten openbare functionarissen sceptisch zijn over hun eigen motieven, over de motieven van hun tegenstanders en zelfs over hun eigen versie van de "waarheid".'

Midden juni oordeelde rechter Johnson dat we 'gerede twijfel' aan onze kant hadden bij de veronderstelling dat het OIC op onwettige wijze informatie lekte en dat we Starr en zijn mensen konden dagvaarden om de bron van het lekken te vinden. Vertrouwelijkheid en geheimhouding zijn van essentieel belang bij het werk van een grand jury, in het bijzonder met het oog op mensen op wie het onderzoek gericht is maar die er wellicht als onschuldig uit komen. Rechter Johnson ontdekte dat de lekken naar de media 'zeer ernstig' waren en 'meermalen geschied' en dat het oic het niet zo nauw nam met zijn geheimhoudingsplicht. Het is ironisch te weten dat haar beslissing, die in ons voordeel was, maar 'onder zegel' werd gegeven omdat het een grand jury-procedure betrof, een van de weinige zaken was die niet naar de pers uitgelekt waren.

Bill zette zijn politieke planning in de eerste helft van 1998 door, waarbij hij in conflict kwam met de 'bende van drie' – Gingrich, Delay en Dick Armey – die vastbesloten waren de subsidie voor de Nationale Gift voor de Humaniora om zeep te helpen en te snijden in de federale steun voor culturele activiteiten in het hele land.

Ik had in 1995 een opiniestuk geschreven voor *The New York Times* over het belang van overheidssteun aan de kunst. Toentertijd was ik ook voorstander van de publieke omroep en nodigde Pino en andere typetjes uit Sesamstraat uit op het Witte Huis voor een persconferentie. De poppen werden gered, maar we zetten onze strijd voort voor het behoud van beperkte maar vitale steun van de federale overheid aan de kunsten.

Bill had een nieuwe kandidaat voor de ambassadeurspost bij de Verenigde Naties: Richard Holbrooke, voor wie de Republikeinen in de Senaat niets voelden. Holbrooke was eerder de architect van de vredesakkoorden van Dayton, Bills ambassadeur in Duitsland en in Bills eerste termijn ook de onderminister van Buitenlandse Zaken voor Europa en Canada. Hij had ook verbeten vijanden gemaakt, meestal voor dingen die hem tot eer strekten. Hij was snijdend intelligent, sterk, vaak recht voor z'n raap en kende geen angst. Tijdens de onderhandelingen om een einde te maken aan de oorlog in Bosnië, had Dick me af en toe gebeld om een idee te bespreken of me te vragen om informatie door te spelen aan Bill. Toen Bill Holbrooke in juni 1988 uitverkoos als ambassadeur bij de Verenigde Naties, probeerden Dicks tegenstanders zijn benoeming te torpederen. Melanne en ik zetten ons ervoor in om zijn benoeming goedgekeurd te krijgen en drongen er bij hem op aan vol te houden tijdens het soms weerzinwekkende benoemingsproces, dat er steeds vaker toe leidt dat goede mensen afzien van openbare ambten en dat belangrijke posten vacant blijven. Na veertien maanden zegevierde Holbrooke en werd hij in augustus 1999 benoemd. Hij deed briljant werk in de Verenigde Naties en slaagde erin de goedkeuring voor de betaling van onze VN-contributie door het Congres te loodsen. Ook werkte hij samen met secretaris-generaal Kofi Annan om de aanpak van de hiv/aidsepidemie hoog op de agenda van de Verenigde Naties te krijgen.

Het hoogtepunt van het voorjaar was Bills langverbeide trip naar Afrika, zijn eerste naar dat continent en het eerste uitgebreide bezoek van een zittende president bezuiden de Sahara. Sinds onze eerste ontmoeting heeft Bill mij geholpen mijn horizons te verleggen, maar nu was het mijn beurt hem te laten zien wat ik had ontdekt.

We arriveerden in de Ghanese hoofdstad Accra op 23 maart 1998, en werden verwelkomd door de grootste mensenmenigte die ik ooit heb gezien. Meer dan een half miljoen mensen hadden zich in de verzengende hitte verzameld op het Onafhankelijkheidsplein om Bill te horen spreken. Ik vond het heerlijk om te reizen met Bill, al vanaf die keer in 1973 toen hij me had meegenomen naar Engeland en Frankrijk. Bij iedere openbare gelegenheid voelde hij zich prima in zijn element en vond het heerlijk onbekenden te ontmoeten en nieuwe ervaringen te ondergaan. Terwijl hij op het podium stond tegenover de immense menigte, zei hij dat ik achterom moest kijken naar de rijen stamhoofden die gekleed waren in kleurige mantels en behangen met gouden sieraden. Hij kneep in mijn hand. 'We zijn ver weg van Arkansas, kleine Hi'ry.'

En dat waren we inderdaad. De Ghanese president Jerry Rawlings en zijn vrouw Nana Konadu gaven een lunch voor ons in het Osu-kasteel, de officiële residentie van de president. Ooit waren slaven en misdadigers opgesloten geweest in de kerker van dit gebouw. Rawlings, die in 1979 na een militaire coup aan de macht was gekomen, bracht zijn critici tot zwijgen door politieke stabiliteit te brengen in zijn land. Hij werd in 1992 tot president gekozen en herverkozen in 1996, waarna hij zijn functie in 2000 vredig beschikbaar stelde door middel van vrije verkiezingen. Met zijn echtgenote Nana, een elegante vrouw die haar eigen prachtige ontwerpen droeg, gemaakt van Kente-katoen, bleek ik een intieme gemeenschappelijke kennis te hebben: Hagar Sam, de Ghanese vroedvrouw die Chelsea op de wereld had geholpen in Little Rock, had ook geassisteerd bij de geboorte van de vier Rawlings-kinderen. Net als andere ondernemende mensen over de hele wereld, had Hagar ervoor gekozen haar opleiding voort te zetten in Amerika, en terwijl ze studeerde in het Baptist Hospital in Little Rock, had ze voor mijn gynaecoloog gewerkt.

Iedere dag was voor Bill een verrassing. In Oeganda reisden we samen met president Museveni en zijn vrouw naar een Wanyange-dorp, vlak bij de oorsprong van de rivier de Nijl. Ik had beide presidenten gevraagd de aandacht nog eens te vestigen op de positieve resultaten van kleine leningen. We gingen van huis naar huis en zagen de bewijzen van het succes. De leners hadden hun geld gebruikt om konijnenhokken te bouwen, een grotere kookpot aan te schaffen om extra voedsel te kunnen verkopen, of goederen te kopen waarmee ze naar de markt gingen. Buiten een van de huizen ontmoette mijn echtgenoot een andere Bill Clinton – een twee dagen oud jongetje wiens moeder hem vernoemd had naar de Amerikaanse president.

Bill wilde naar Rwanda gaan voor een ontmoeting met de mensen die de volkerenmoord hadden overleefd. De meest nauwkeurige schattingen waren dat in minder dan vier maanden tussen de vijfhonderdduizend en een miljoen mensen waren vermoord. De geheime dienst stond erop dat de bijeenkomst zou plaatsvinden op het vliegveld, dus zaten we in een vliegveldlounge te praten met de overlevenden van een van de ergste genociden in de menselijke geschiedenis. Het is verschrikkelijk eraan herinnerd te worden wat mensen elkaar kunnen aandoen. Twee uur lang vertelde het ene slachtoffer na het andere over de omstandigheden waarin hij of zij het kwaad had ontmoet. Geen land of internationale kracht, ook niet de Verenigde Staten, had ingegrepen om het moorden een halt toe te roepen. Bill wist dat het moeilijk zou zijn geweest voor de Verenigde Staten om troepen te sturen, zo kort na het verlies van Amerikaanse soldaten in Somalië. We waren ook verwikkeld in een poging een eind te maken aan etnische zuiveringen in Bosnië. Bill drukte openlijk zijn spijt uit dat ons land en de internationale gemeenschap niet meer hadden gedaan om de gruwelen te stoppen.

In Kaapstad werden Bill en ik begroet door president Mandela, die Bill overhaalde een toespraak te houden voor het Zuid-Afrikaanse parlement. We lunchten na afloop met een naar ras diverse groep parlementariërs, die elkaar vóór de onafhankelijkheid sociaal gezien nooit ontmoet zouden hebben. Bill bracht ook een bezoek aan Victoria Mxenge om de meer dan honderd nieuwe huizen te zien die gebouwd waren sinds Chelsea en ik er een jaar eerder geweest waren. De vrouwen hadden een straat naar me genoemd, en ze gaven me als souvenir een straatbordje met mijn naam erop.

De Zuid-Afrikaanse zomer liep op zijn einde, waardoor het kil was toen Bill met Mandela door de celblokken op Robbeneiland liep. Zwarte gevangenen waren verplicht geweest korte broeken te dragen bij hun werk in de kalksteengroeve op het eiland, zelfs als het koud was. De kleurlingen, of gevangenen van gemengd ras, droegen lange broeken. Tijdens eindeloze uren van stenen breken, tekende Mandela letters in het kalksteenpoeder, om zo zijn medegevangenen te leren lezen, als de gevangenbewaarders niet keken. Na jaren blootgesteld te zijn geweest aan het bijtende stof waren Mandela's traanbuizen beschadigd, waardoor zijn ogen traanden en jeukten. Maar ze lichtten iedere keer op als hij in de nabijheid was van zijn nieuwe liefde Graça Machel, die ons begeleidde naar Robbeneiland. Graça was de weduwe van Samora Machel, de president van Mozambique die in 1986 onder verdachte omstandigheden bij een vliegtuigongeluk om het leven was gekomen. Ze was een baken van licht in haar door oorlog verscheurde land en had zich ingezet voor het welzijn van vrouwen en kinderen in heel Afrika. Mandela's huwelijk met Winnie was na jaren van scheiding, gevangenis en verbanning gestrand. Ik kon zien dat hij zich bij Graça op zijn gemak voelde en hij was duidelijk smoorverliefd. Aangespoord door zijn oude vriend aartsbisschop Tutu waren ze in juli 1998 getrouwd.

Mandela stond erop dat Bill en ik hem bij zijn gewone stamnaam Madiba noemden. Wij vonden het prettiger om hem als 'meneer de president' aan te spreken. We eerden en bewonderden hem gewoon erg. Mandela vroeg ons herhaaldelijk waarom we Chelsea niet hadden meegenomen. 'Zeg haar maar dat als ik naar de Verenigde Staten kom, ze me moet komen opzoeken,' zei hij. 'Waar ik ook ben.'

Bill en ik hadden graag gezien dat Chelsea bij ons was. We waren op weg naar Botswana, een droog land dat nergens aan zee grenst, en dat gekenmerkt wordt door de grote tegenstelling dat het het hoogste inkomen per hoofd van de bevolking in Afrika bezuiden de Sahara kent, maar ook het grootste aantal aidsslachtoffers ter wereld. De regering probeerde haar hulpbronnen in te zetten in de strijd tegen de verspreiding van de ziekte en behandelingen aan te bieden, maar de kosten daarvan waren onbetaalbaar zonder internationale hulp. Dit bezoek zette Bill ertoe zich in te spannen om de komende twee jaar de Amerikaanse steun aan internationale aidsprogramma's te verdrievoudigen en aanzienlijke bedragen vrij te maken voor de ontwikkeling van een vaccin.

Hoewel onze reis tot dan bijzonder opwindend was geweest, had Bill nog geen kans gehad iets van de wilde dieren te zien waar Chelsea en ik het vorige jaar zo enthousiast over waren geweest. Tijdens ons korte bezoek aan het Chobe National Park stonden Bill en ik vóór zonsopgang op voor een vroege safari. We zagen olifanten, nijlpaarden, adelaars, krokodillen en een moederleeuw met vier welpen, en brachten de middag door terwijl we de Zambesi-rivier afzakten. We zaten alleen achter op de boot terwijl de zon onderging. Het was een dag die ik nooit zal vergeten.

Bij onze laatste stop, in Senegal, ging Bill naar het Ile de Gorée, net als ik gedaan had. Hij zag de Deur Zonder Terugkomst en sprak een ontroerende verontschuldiging uit voor Amerika's rol in de slavernij. Deze verklaring was voor sommige Amerikanen controversieel, maar absoluut op zijn plaats. Woorden doen er wel degelijk toe, zeker de woorden van een Amerikaanse president. Het betuigen van spijt voor de genocide in Rwanda en ons aandeel in de slavernij sturen een boodschap van betrokkenheid en respect aan de Afrikanen, die te kampen hebben met de problemen van armoede, ziekte, onderdrukking, hongersnood, analfabetisme en oorlog, die allemaal met elkaar te maken hebben. Maar Afrika heeft meer dan woorden alleen nodig. Er moet worden geïnvesteerd en de handel moet op gang komen om de economieën vlot te trekken. Maar dan moeten er zowel veranderingen in de meeste regeringen worden doorgevoerd als verandering in de houding van en tot de Verenigde Staten. Daarom kwam Bill met de Afrikaanse Groei- en Mogelijkhedenwet die prikkels voor Amerikaanse bedrijven bevat om zaken te gaan doen in Afrika.

Binnen een maand, terwijl we nog steeds praatten over en dachten aan Afrika, gingen Bill en ik naar China voor een staatsbezoek. Ik vond het heerlijk dat we Chelsea en mijn moeder konden meenemen en was opgetogen omdat we dit keer langer zouden blijven en dus meer zouden kunnen zien dan tijdens mijn bezoek in 1995. De Chinese regering was al bezig met het liberaliseren van haar economie en de richting die het land insloeg, zou directe gevolgen hebben voor de Amerikaanse belangen. Bill was voorstander van goede betrekkingen met China, maar zoals ik in 1995 had begrepen, was dat makkelijker gezegd dan gedaan. We vertrokken dat voorjaar voor een al lang geleden gepland bezoek in de hoop de Chinese leiders te wijzen op hun schendingen van de mensenrechten terwijl we tegelijkertijd zouden proberen de reusachtige Chinese markt open te krijgen voor het Amerikaanse bedrijfsleven en wat begrip te kweken voor de positie en rol van Taiwan. Dat vergde heel wat balanceerkunst.

Omdat het een staatsbezoek was, stond de Chinese regering op een formele welkomstceremonie in Beijing. Wij laten zulke ceremonies meestal plaatsvinden op het zuidelijke grasveld bij het Witte Huis en de Chinezen doen dat meestal op het Tiananmen-plein. Bill en ik discussieerden erover of we zo'n ceremonie zouden moeten bijwonen op het Tiananmen-plein, waar de Chinese overheid in juni 1989 tanks had gebruikt om met kracht pro-democratische demonstraties te onderdrukken. Bill wilde het niet laten lijken of hij instemde met China's repressieve handelwijze en misdaden tegen de mensenrechten, maar hij begreep hoe belangrijk het plein was in de eeuwenlange Chinese geschiedenis en stemde ermee in het Chinese verzoek te respecteren. Ik dacht terug aan de gebeurtenissen op Tiananmen, zoals we die in 1989 hadden gezien, toen studenten op het plein een beeld van de 'Godin van de Democratie' hadden gemaakt dat leek op ons Vrijheidsbeeld, ondanks de aanwezigheid van soldaten, die in niets verschilden van de erewacht van soldaten die nu voor ons stonden opgesteld om te worden geïnspecteerd door de president van de Verenigde Staten.

Ik had president Jiang Zemin in oktober 1997 ontmoet, toen hij en zijn vrouw, Wang Yeping, naar de Verenigde Staten waren gekomen voor een staatsbezoek. Jiang sprak Engels en was een aangename gesprekspartner. Voor het bezoek hadden velen van mijn vrienden me gevraagd het onderwerp van de Chinese onderdrukking van de Tibetanen bij hem ter sprake te brengen. Ik had met de Dalai Lama over deze zaak overlegd en dus vroeg ik aan president Jiang mij de Chinese onderdrukking van de Tibetanen en hun godsdienst uit te leggen. 'Wat bedoelt u?' vroeg hij.

'Tibet is historisch gezien een onderdeel van China. De Chinezen zijn de bevrijders van het Tibetaanse volk. Ik heb de geschiedenisboeken gelezen die wij in onze bibliotheken hebben, en ik weet dat de Tibetanen nu beter af zijn dan tevoren.'

'Maar hoe zit het dan met hun tradities en het recht om hun zelfgekozen godsdienst uit te oefenen?'

Hij werd hartstochtelijk en sloeg zelfs een keer op de tafel. 'Zij waren slachtoffers van de godsdienst. Nu zijn ze bevrijd van het feodalisme.'

Dit was een lesje in de manier waarop dezelfde feiten, ondanks een zich ontwikkelende wereldcultuur, beschouwd kunnen worden door totaal verschillende historische en culturele brillen en dat het woord 'vrijheid' verschillende betekenissen heeft voor verschillende mensen. Niettemin denk ik dat president Jiang, die wist wat er in de wereld te koop was en die erin geslaagd was de Chinese economie open te stellen en te moderniseren, wat Tibet betreft niet helemaal oprecht was. Om historische en psychologische redenen zijn de Chinezen als de dood voor interne desintegratie. In de kwestie-Tibet leidde dat tot een overreactie en onderdrukking, wat vaak het geval is met obsessies.

Tijdens ons bezoek aan China brachten Bill en ik opnieuw onze bezorgdheid naar voren over Tibet en de mensenrechten in het algemeen in China. Net als altijd waren de Chinese leiders onvermurwbaar en afwijzend. Wanneer mij wordt gevraagd waarom een Amerikaanse president een land zou moeten bezoek waarmee we ernstige geschillen hebben, luidt mijn antwoord altijd hetzelfde: Amerika, de meest diverse natie in de menselijke geschiedenis, is nu een macht zonder weerga. Maar ons land kan erg afgezonderd zijn van andere landen en zeer slecht geïnformeerd over hun standpunten. Onze leiders en ons volk hebben er baat bij om meer te leren over de wereld waarin we leven, waarin we elkaar beconcurreren en waarin we proberen samen te werken. Ongeacht wat we gemeen hebben met alle andere volkeren, diepe verschillen worden nu eenmaal gevormd door geschiedenis, geografie en cultuur – en die kunnen alleen worden overbrugd, voorzover dat mogelijk is, door het uitwisselen van ervaringen en opbouwen van relaties. Een opmerkelijk presidentieel bezoek, met alle media-aandacht daaromheen in zowel het land dat de president bezoekt als in eigen land, kan in ieder geval de basis leggen voor meer begrip en vertrouwen. Omdat China zo belangrijk is, was er een extra argument om er een staatsbezoek te brengen.

Het Centrum voor Juridische Vrouwenstudies en Hulp van de universiteit van Beijing is een kleine wetswinkel die verbazend veel leek op die welke ik als jonge rechtendocent had geleid aan de universiteit van Arkansas. Het centrum maakte strijdlustig gebruik van de wet ter stimulering van vrouwenrechten, een eerste stap om de naleving van een wet uit 1992 die vrouwenrechten beschermt, af te dwingen. Het centrum had geprobeerd de wetten kracht bij te zetten, door een principiële rechtszaak te beginnen namens fabrieksarbeiders die al maanden geen salaris hadden ontvangen, een werkgever aan te klagen die vrouwelijke ingenieurs dwong eerder met pensioen te gaan dan hun mannelijke collega's, en te helpen een verkrachter te vervolgen. We spraken met diverse cliënten van het centrum, onder wie een vrouw die ontslagen was omdat ze haar eerste kind had gekregen zonder toestemming van de afdeling gezinsplanning van haar bedrijf. Het centrum was in 1995 opgezet met geld van de Ford Foundation en had al ruim vierduizend mensen advies gegeven en gratis juridische hulp geboden in meer dan honderd zaken.

Ik vond het optreden van de wetswinkel bemoedigend, evenals de experimenten met dorpsdemocratie. Dat er in China het een en ander verandert is zeker, vooruitgang richting vrijheid is dat niet. Ik denk dat de Verenigde Staten groot belang hebben bij nauwere banden en een beter begrip.

De Chinese regering verbaasde ons door de ongecensureerde uitzending toe te staan van de persconferentie die Bill en Jiang gaven – waarin ze uitgebreid praatten over het onderwerp mensenrechten, inclusief Tibet – en van Bills toespraak voor de studenten van de universiteit van Beijing, waarin hij benadrukte dat 'ware vrijheid meer inhoudt dan economische vrijheid'.

Bill, Chelsea, mijn moeder en ik toerden naar de Verboden Stad en de Chinese Muur. We woonden de zondagsdienst bij in de door de staat goedgekeurde protestantse Chongwenmen-kerk – een recht dat velen ontzegd is – om openlijk onze steun te betuigen voor grotere religieuze vrijheid in China. Op een vroege morgen bezochten we de 'vuile markt', een vlooienmarkt waar de verkopers die geen plaats kunnen krijgen in de grote permanente tent, hun waren buiten uitstallen op dekens in het straatvuil. En president Jiang gaf een schitterend staatsdiner voor Bill en mij in de Grote Zaal van het Volk, waarin zowel traditionele Chinese als westerse muziek gespeeld werd. Voordat de voorstelling was afgelopen, hadden beide leiders om beurten de Legerkapel voor de Bevrijding van het Volk gedirigeerd. De volgende avond nodigde Jiang ons, evenals Chelsea en mijn moeder, uit voor een privé-dineetje in de omheinde huizengroep waar hij en de andere hoge regeringsfunctionarissen met hun gezinnen wonen. Nadat we gegeten hadden in een oud theehuis, liepen we buiten door de zachte zomeravond naar een meertje en gingen daar aan de oever zitten. De lichten van Beijing waren vaag te zien in de verte.

Als Beijing het Washington DC van China is, is Shanghai het Chinese New York. Bills schema was gevuld met ontmoetingen met zakenlieden en een bezoek aan de beurs van Shanghai. Ik stuitte op nog een grappig maar illustratief voorbeeld van de manier waarop de Chinese autoriteiten wilden controleren wat wij te zien kregen. Er was voor ons een lunch gepland in een restaurant als pauze in een bomvol officieel programma. Toen we arriveerden, vertelde Bob Barnett, die er tevoren al was gaan kijken, dat een paar uur eerder de politie was opgedoken en iedereen die in de nabijgelegen winkels werkte, gesommeerd had weg te gaan. Ze werden vervangen door aantrekkelijke jonge mensen in westerse kleding.

In de moderne bibliotheek van Shanghai, die voor iedere stad een architectonisch hoogtepunt zou zijn, sprak ik over de status van vrouwen, waarbij ik mijn opmerkingen ophing aan het oude Chinese aforisme dat vrouwen de helft van de hemel omhooghouden. Maar in de meeste gevallen, als je het onbetaalde huishoudelijke werk combineert met inkomenproducerend werk, nemen we meer dan de helft voor onze rekening. Vastbesloten de aandacht te vestigen op religieuze vrijheid, woonden minister van Buitenlandse Zaken Albright en ik een ceremonie bij ter gelegenheid van de restauratie van de Ohel Rachel-synagoge, een van de talrijke synagogen die gebouwd waren door de grote joodse bevolkingsgroep die bloeide in de negentiende en twintigste eeuw, toen joden vanuit Europa en Rusland naar Shanghai vluchtten. De meeste joden verlieten China toen de communisten de macht grepen, omdat de regering het jodendom niet officieel erkende, en de Ohel Rachel-synagoge werd decennialang gebruikt als opslagplaats. Rabbi Arthur Schneier van de Park East-synagoge in New York City, die samen met kardinaal Theodore McCarrick en dr. Donald Argue Bill had geïnformeerd over de status van de vrijheid van godsdienst in China, bood een nieuwe thora aan voor de gerestaureerde ark.

Van het jachtige tempo van Shanghai vlogen we naar Gullin, een stad die al eeuwenlang populair is bij kunstenaars. De kalm slingerende Li-rivier stroomt er tussen grote, slakkenhuisvormige rotspunten door. Veel van China's mooiste landschapsschilderingen zijn afbeeldingen van deze prachtige plek.

Zodra we terugkwamen uit China, richtte ik me op onze eigen culturele en artistieke geschiedenis en een millenniumviering waar ik al maanden over nadacht. Een democratie kan niet bestaan zonder een groot reservoir intellectueel kapitaal om de buitengewone onderneming voort te zetten waaraan de stichters van ons land, intellectuele giganten wier verbeelding en filosofische principes hen in staat stelden ons duurzame systeem van bestuur te bedenken en vorm te geven, ooit zijn begonnen. Onze democratie kon gedurende meer dan 225 jaar blijven bestaan omdat ze uitgaat van Amerikaanse burgers die begrip hebben van het rijke verleden van ons land, inclusief de vruchtbare bondgenootschappen met andere landen, en die zich een beeld van de toekomst kunnen vormen die wij voor onze kinderen moeten creëren.

Het nieuwe millennium bood de gelegenheid de geschiedenis, cultuur en ideeën onder de aandacht te brengen die van Amerika de langst bestaande democratie in de geschiedenis van de mensheid hebben gemaakt en die van wezenlijk belang zijn om onze burgers op de toekomst voor te bereiden. Ik wilde de aandacht vooral richten op het Amerikaanse culturele en artistieke verleden. Ik gaf het creatieve plaatsvervangend hoofd van mijn staf, Ellen Lovell, de leiding over ons millenniumproject, en samen bedachten we het thema dat mijn hoop op deze onderneming samenvatte: 'Eer het verleden, bedenk je toekomst'.

Ik organiseerde een aantal lezingen en voorstellingen in de East Room van het Witte Huis waarin wetenschappers, historici en kunstenaars diverse onderwerpen naar voren brachten, van de culturele wortels van de jazz tot genetica tot vrouwengeschiedenis. De briljante wetenschapper Stephen Hawking gaf een uiteenzetting van de laatste doorbraken in de kosmologie. Dr. Vinton Cerf en dr. Eric Lander bespraken het Humane Genoomproject waarin de geheimen van onze genetische samenstelling worden ontsloten. Zo weten we al dat alle menselijke wezens voor 99,9 procent genetisch identiek zijn, geen onbelangrijk gegeven gelet op vreedzame coëxistentie in een veel te gewelddadige wereld. De beroemde trompettist Wynton Marsalis legde beeldend uit waarom jazz de muziek van de democratie is. Onze bekroonde dichters lazen samen met teenagers voor uit eigen werk. En voor het eerst was alles via internet te volgen, waardoor mensen over de hele wereld ervan konden genieten en konden deelnemen aan de vraag-en-antwoordsessie na afloop.

Als onderdeel van de twee jaar durende herdenking lanceerde ik Red Amerika's Schatten, een nieuw programma om culturele en historische oriëntatiepunten en kunstvoorwerpen overal in ons land te herstellen en als zodanig te erkennen. In elke gemeenschap is wel iets – een monument, een gebouw, een kunstwerk – wat een verhaal over de identiteit van ons Amerikanen vertelt. Die geschiedenis hebben we echter te vaak verwaarloosd en daardoor hebben we er niet van geleerd. De Amerikaanse vlag, de inspiratiebron van ons volkslied, hing er gerafeld bij in het Museum of American History. Reparatie ervan zou miljoenen kosten; het verlies ervan zou onbetaalbaar zijn.

Bij de lancering van Red Amerika's Schatten kondigden Bill en ik aan dat Ralph Lauren en de Polo Company tien miljoen dollar doneerden voor de restauratie van de vlag. In de twee daaropvolgende jaren incasseerde Red Amerika's Schatten zestig miljoen van de federale overheid en vijftig miljoen dollar aan privé-donaties. Daarmee werden oude films gerestaureerd, pueblo's gerenoveerd, theaters opnieuw ingericht en tal van andere voorwerpen die behoren tot Amerika's erfgoed gered.

Ik nam deel aan een vierdaagse bustrip vanuit Washington naar Seneca Falls, New York, met onderweg stops bij Fort McHenry in Baltimore, de werkplaats van Thomas Edison in New Jersey, het militaire hoofdkwartier van George Washington in Newburgh, New York, een park in Victor, New York, opgedragen aan de Iroquois-indianencultuur en Harriet Tubmans huis in Auburn, New York.

Harriet Tubman is een van mijn heldinnen. Als voormalige slaaf ontsnapte ze naar de vrijheid via de Underground Railroad, om vervolgens keer op keer moedig terug te gaan naar het Zuiden om ander slaven naar de vrijheid te leiden. Hoewel ze geen formele opleiding had genoten, was deze buitengewone vrouw tijdens de Burgeroorlog verpleegster en verkenner voor het leger van de Verenigde Staten en werd ze tijdens de periode waarin de zuidelijke staten opnieuw bij de Federatie werden ingelijfd, een activiste van het eerste uur die geld bijeenbracht om zojuist bevrijde zwarte kinderen onderwijs, kleding en huisvesting te bieden. Ze had een kracht die haarzelf ontsteeg en was een bron van inspiratie voor Amerikanen van alle rassen. 'Als je moe bent, blijf dan doorgaan,' zei ze tegen de slaven die ze leidde. 'Als je bang bent, blijf doorgaan. Als je honger hebt, blijf doorgaan. Als je de vrijheid wilt proeven, blijf doorgaan.'

De emotionele afsluiting van de rit was een gebeurtenis die werd bijgewoond door zestienduizend mensen bij het Women's Rights National Historical Park in Seneca. Dat was ter gelegenheid van de honderdvijftigste verjaardag van de campagne voor vrouwenkiesrecht, geleid door Elizabeth Cady Stanton en Susan B. Anthony.

Geïnspireerd door de geschiedenis die dit stadje vertegenwoordigde voor vrouwen en voor Amerika, begon ik met het verhaal van Charlotte Woodward, een negentienjarige handschoenenmaakster die honderdvijftig jaar geleden in het nabijgelegen Waterloo woonde en werkte. Ik vroeg het publiek zich haar leven voor te stellen: ze werkte voor een klein salaris en wist dat als ze trouwde, haar loon, haar kinderen en zelfs de kleren die ze aanhad, aan haar echtgenoot zouden toebehoren. Stel je Charlottes nieuwsgierigheid en groeiende opwinding voor toen ze op 19 juli 1848 met een paard en wagen naar Seneca Falls reed om de eerste conventie voor vrouwenrechten in Amerika bij te wonen. Ze zag dat de wegen vol waren met andere vrouwen, net als zijzelf, en dat ze samen een lange optocht vormden op het pad naar gelijkheid.

Ik sprak over Frederick Douglass, de zwarte abolitionist die naar Seneca Falls kwam om zijn levenslange strijd voor vrijheid voort te zetten. Ik vroeg me af 'wat de dappere mannen en vrouwen die deze verklaring ondertekenden, zouden zeggen als ze zagen hoeveel vrouwen niet stemmen bij verkiezingen. Ze zouden verbaasd en woedend zijn. Honderdvijftig jaar geleden werd vrouwen in Seneca Falls het zwijgen opgelegd door iemand anders. Vandaag de dag leggen wij vrouwen onszelf het zwijgen op. We hebben een keuze. We hebben een stem.'

Uiteindelijk drong ik er bij de vrouwen op aan zich in de toekomst te laten leiden door het visioen en de wijsheid van degenen die bijeen waren gekomen in Seneca Falls.

'De toekomst zal en kan niet perfect zijn, evenmin als het verleden en het heden. Onze dochters en kleindochters zullen nieuwe uitdagingen onder ogen zien die we ons vandaag niet eens kunnen voorstellen. Maar ieder van ons kan helpen die toekomst voor te bereiden door te doen wat we kunnen om ons uit te spreken voor rechtvaardigheid en gelijkheid van vrouwenrechten en mensenrechten, om aan de goede kant van de geschiedenis te staan, wat dat ook mag kosten.'

Het was passend dat mijn lange reizen van dat voorjaar en die zomer eindigden op die historische grond. Ik was getuige geweest van een breekbare bloei van democratie die wortel schoot in China, Afrika, Oost-Europa en Latijns-Amerika. De drang naar vrijheid in die landen was dezelfde drang die Amerika had doen ontstaan. De verbinding tussen Harriet Tubman en Nelson Mandela was een deel van dezelfde menselijke reis, en ik zocht naar de beste manier om die te eren. Omdat er zoveel bloed had gevloeid voor het stemrecht, hier en in de hele wereld, ben ik dat gaan zien als een heilig sacrament. En ik geloof dat de keuze om je kandidaat te stellen voor een gekozen ambt, een eerbetoon is aan degenen die zich hebben opgeofferd voor onze gelijke rechten om onze leiders te kiezen. Ik ging naar huis met een hernieuwd respect voor ons bepaald niet foutloze, maar krachtige regeringssysteem en vol nieuwe ideeën over hoe we dat voor alle burgers kunnen laten werken. En toen ik dacht aan de obstakels waarmee Bill en ik in Washington nog altijd te maken hadden, dook ik diep onder in de bron van inspiratie die Harriet Tubman ons allemaal heeft aangereikt, en beloofde ik om gewoon door te blijven gaan.

Augustus 1998 was een bloederige maand. Wat er gebeurde, leek een keerpunt aan het eind van een hoopvol decennium aan te kondigen. Op tal van plekken in de wereld was het midden van de jaren negentig een periode van groeiende stabiliteit en verzoening. Het sovjetimperium was uit elkaar gevallen zonder een nieuwe wereldoorlog te veroorzaken, en Rusland werkte samen met Amerika en Europa aan een veiliger toekomst. In Zuid-Afrika werden vrije verkiezingen gehouden. Bijna alle landen in Zuid-Amerika waren democratieën. Er was een einde gekomen aan de etnische zuiveringen in Bosnië en de wederopbouw was begonnen. In Noord-Ierland begonnen vredesbesprekingen. Ondanks verschrikkelijke tegenslagen leken de leiders in het Midden-Oosten op weg naar vrede. Zoals altijd broeiden er conflicten en werd er in de wereld veel geleden, maar een groot aantal vijandigheden was gestopt.

Deze periode van relatieve rust werd bruut verstoord toen op 7 augustus de Amerikaanse ambassades in Kenia en Tanzania werden gebombardeerd door islamitische terroristen. Vijfduizend mensen werden gewond, tweehonderdvierenzestig vermoord, onder wie twaalf Amerikanen. De meeste slachtoffers waren Afrikaanse ambtenaren en voorbijgangers. Het was de verschrikkelijkste van een hele reeks aanvallen op Amerikaanse overzeese doelen en een waarschuwing voor wat ons nog te wachten stond. Bill stortte zich helemaal op de oorzaken van de terroristische aanslagen en op het isoleren van de leiders ervan. Het werd steeds duidelijker voor de inlichtingendiensten dat een duivelse Saoedische balling, Osama bin Laden, het grootste deel van het terrorisme in de moslimwereld organiseerde en financierde, en dat zijn aanvallen steeds omvangrijker en brutaler werden.

In Irak had Saddam Hoessein opnieuw de VN-sanctie aan zijn laars gelapt op grond waarvan hij wapeninspecteurs vrijelijke, onaangekondigde toegang tot onder andere zijn fabrieken moest toestaan. Bill overlegde eindeloos met VN-ambtenaren en Amerikaanse bondgenoten over een passend antwoord aan Hoessein. Het was opvallend, behalve voor degenen die hem kenden, dat Bill in staat was zich van de politieke beroering om hem heen in Washington af te sluiten en zich op de internationale crises kon concentreren. Maar Bill en zijn nationaal veiligheidsteam konden maar moeilijk de publieke opinie in Amerika interesseren voor de groeiende bedreigingen in het eigen land en in het buitenland, en regeringsgelden daarvoor vrijmaken. Veel te veel energie van de nieuwsmedia, het Congres en de FBI ging naar het onderzoek naar het privé-leven van de president.

Eind juli hoorde ik van David Kendall dat Starr een immuniteitsdeal met Monica Lewinsky had gesloten. Ze zou op 6 augustus getuigen voor de Whitewater-onderzoekscommissie – die allang niets meer te maken had met Whitewater. Bill was gedagvaard om te getuigen en hij moest beslissen of hij wel of niet zou gaan meewerken. Bills juridische team verzette zich ertegen, vond dat het onderwerp van een onderzoek niet voor een onderzoekscommissie hoorde te getuigen. Mocht het tot een rechtszaak komen, dan kon alles wat hij ooit gezegd had, tegen hem gebruikt worden. Maar de politieke druk om te getuigen was enorm. Er kwam een tussentijdse verkiezing aan en Bill wilde niet dat deze zaak die zou beïnvloeden. Ik vond ook dat Bill moest getuigen en volgens mij was er geen enkele reden om bezorgd te zijn wanneer hij dat deed. Het was een horde die genomen moest worden. David Kendall hield Bill en mij regelmatig op de hoogte van de ontwikkelingen in het Starr-onderzoek en ik wist dat de aanklager een bloedmonster van de president had geëist zonder te specificeren waarom. David meende dat het mogelijk was dat het OIC blufte, om ons vlak voor Bills getuigenis de stuipen op het lijf te jagen.

Ik wist uit eigen ervaring dat het verschijnen voor een onderzoekscommissie een zenuwslopende ervaring is. Vrijdagnacht 14 augustus had ik met Bob Barnett in de Yellow Oval Room een gesprek over heel andere dingen en hij wilde, als vriend, weten hoe het met me ging. Naderhand vroeg Bob of ik me zorgen maakte. 'Nee,' zei ik. 'Ik vind het alleen heel vervelend voor ons allemaal.'

Toen zei Bob: 'En als er nou meer aan de hand is dan jij weet?'

'Volgens mij is er niet meer. Ik heb het Bill zo vaak gevraagd.'

Maar Bob hield aan: 'En als Starr hem nou ineens met iets verrast?'

'Zoals ik hem ken, zou ik nooit iets geloven van wat Starr zegt of doet.'

'Maar,' zo vervolgde Bob, 'je moet wel onder ogen zien dat er een kern van waarheid in zit.'

'Luister eens, Bob,' zei ik, 'mijn man mag dan geen heilig boontje zijn, maar hij heeft nog nooit tegen me gelogen.'

De volgende ochtend, zaterdag 15 augustus, maakte Bill me vroeg wakker, net als maanden geleden. Deze keer zat hij niet aan het voeteneinde maar ijsbeerde door de kamer terwijl hij me voor de eerste keer vertelde dat de situatie veel ernstiger was dan hij eerder had toegegeven. Hij realiseerde zich nu dat hij zou moeten getuigen dat er sprake was geweest van een ontoelaatbare intimiteit. Hij vertelde me dat, wat er ook tussen hen gebeurd was, kort en sporadisch was geweest. Dat kon hij me zeven maanden geleden nog niet vertellen, zei hij, omdat hij zich toen te veel schaamde om het te kunnen toegeven.

Ik kon amper meer ademhalen. Snakkend naar adem begon ik te huilen en te schreeuwen: 'Wat bedoel je? Wat wil je zeggen? Waarom heb je tegen mij gelogen?'

Ik was razend en werd met iedere seconde razender. Hij stond daar maar en zei steeds: 'Het spijt me. Het spijt me. Ik wilde jou en Chelsea beschermen.' Ik geloofde mijn oren niet. Tot op dat moment had ik gedacht dat hij stom geweest was om aandacht aan die jonge vrouw te schenken, en was ervan uitgegaan dat hij er ingeluisd werd. Ik kon me niet indenken dat hij iets stoms zou hebben gedaan wat ons huwelijk en zijn presidentschap in gevaar zou kunnen brengen. Ik was verbijsterd, kapot en woedend op mezelf dat ik hem ooit had geloofd.

Vervolgens bedacht ik dat Bill en ik het Chelsea moesten vertellen. Toen ik tegen hem zei dat hij dat voor zijn rekening moest nemen, kreeg hij tranen in zijn ogen. Hij had het vertrouwen in ons huwelijk beschaamd en we wisten allebei dat het een niet te repareren breuk kon zijn. En we moesten Chelsea vertellen wat hij had gedaan en dat hij ook tegen haar gelogen had. Dit waren verschrikkelijke momenten voor ons allemaal. Ik wist niet wat ik moest doen. Ik had ontzettend veel behoefte aan iemand met wie ik kon praten om mijn gevoelens op een rijtje te krijgen. Ik besloot een vriendin te bellen die ook advocaat was.

Dit was de meest choquerende en pijnlijke gebeurtenis van mijn leven. Ik was ten einde raad maar ik wist dat ik rust in mijn hart en geest moest zien te vinden.

Gelukkig had ik dat weekend geen openbare optredens. We werden geacht op vakantie te zijn, maar we hadden ons vertrek naar Martha's Vineyard uitgesteld tot na Bills getuigenis voor de onderzoekscommissie. Ondanks de emotionele puinhopen om hem heen moest Bill zijn getuigenis en een verklaring voor het land voorbereiden.

Terwijl wij met deze persoonlijke en publieke crisis worstelden, had de wereld een andere schok te verwerken: in het Noord-Ierse Omagh liet een splintergroepering van het Ierse Republikeinse Leger een autobom ontploffen op een drukke markt: achtentwintig doden en meer dan tweehonderd gewonden, en zware schade aan het vredesproces waaraan Bill met de Ierse leiders zo lang en zo hard had gewerkt. Toen die avond de verslagen ervan binnendruppelden, herinnerde ik me ineens de momenten dat ik met vrouwen uit alle hoeken van Ierland had gesproken over de Troubles en hoe we naar een manier gezocht hadden om tot vrede en verzoening te komen. Nu moest ik datzelfde zien te bereiken te midden van mijn eigen hartverscheurende problemen.

Bill legde zijn vier uur durende getuigenis af op maandagmiddag in de Map Room. Starr was akkoord gegaan met het laten vervallen van de dagvaarding, en de vrijwillige verklaring werd op video opgenomen en doorgespeeld via het gesloten circuit naar de kamer van de onderzoekscommissie. Dat bespaarde Bill de vernedering om als eerste zittende president voor een onderzoekscommissie te moeten verschijnen, maar dat was dan ook de enige vernedering die hem die dag bespaard bleef.

Toen het voorbij was, om vijf voor half zeven 's avonds, was Bill kalm maar razend. Ik was niet bij zijn verklaring aanwezig geweest en kon nog niet met hem praten, maar zijn lichaamstaal vertelde me dat hij deze beproeving verschrikkelijk had gevonden.

De persagent van het Witte Huis had de tv-omroepen gewaarschuwd dat Bill zich kort tot het land zou richten om negen uur 's ochtends. Bills meest vertrouwde adviseurs van het Witte Huis, Chuck Ruff, Paul Begala, Mickey Kantor, James Carville, Rahm Emanuel, Harry en Linda Thomason, waren in het Solarium samengekomen om hem te helpen met zijn getuigenis. David Kendall was er ook, net als Chelsea, die probeerde te snappen wat er allemaal gebeurde. Ik was er niet in het begin. Ik voelde me niet geroepen Bill te hulp te schieten met het opstellen van zijn openbare verklaring over een kwestie die mijn eigen gevoel van fatsoen en privacy aantastten. Maar ten slotte ging ik, uit gewoonte, wellicht uit nieuwsgierigheid of misschien wel liefde naar boven. Toen ik rond acht uur de kamer binnenkwam, zette iemand snel het geluid van de televisie uit. Iedereen in de kamer wist dat ik niet wilde horen wat er gezegd werd. Toen ik vroeg hoe het ging, was het duidelijk dat Bill nog steeds niet had besloten wat hij zou gaan zeggen.

Hij wilde de mensen laten weten dat hij het diep betreurde dat hij zijn gezin, zijn vrienden en zijn land zo misleid had. Hij wilde ook laten weten dat hij nog steeds vond dat hij niet gelogen had tijdens het kruisverhoor in de zaak-Jones omdat de vragen zo onduidelijk waren gesteld – maar dat klonk als juridische haarkloverij. Hij had een vreselijke fout gemaakt, probeerde die vervolgens geheim te houden, en nu moest hij zich verontschuldigen. Tegelijkertijd kon hij zich niet veroorloven zich kwetsbaar op te stellen, niet tegenover zijn politieke vijanden en evenmin tegenover de vijanden van zijn land. In de dagen vóór zijn bekentenis aan mij, op die zaterdagochtend, hadden we het uitgebreid gehad over de gevaarlijke patstelling die in Irak dreigde door de verklaring van Saddam Hoessein op 5 augustus dat hij nieuwe wapeninspecties niet zou toelaten. En alleen Bill en ik, en uiteraard ons veiligheidsteam, wisten dat binnen enkele uren na zijn verklaring over zijn misstap Amerika een bombardement zou uitvoeren op een van Osama bin Ladens schuilplaatsen in Afghanistan, als vergelding voor de bombardementen in Kenia en Tanzania. Als de hele wereld toekeek, en grote delen ervan zich afvroegen waar zo'n drukte om werd gemaakt, vond Bill dat de president van de Verenigde Staten het zich niet kon veroorloven geëmotioneerd op de televisie te verschijnen.

Terwijl het moment van zijn verklaring naderde, kwam iedereen met een eigen ideetje, en daar schoot Bill niets mee op. Hij wilde van de gelegenheid gebruik maken om te wijzen op de oneerlijke en excessieve kanten van Starrs onderzoek, maar er was onenigheid over de vraag of hij wel of niet de onafhankelijke aanklager moest aanvallen. Ik was woedend op hem, maar kon ook zien hoe overstuur hij was en dat was een verschrikkelijk gezicht. Dus uiteindelijk zei ik: 'Kom op, Bill, het is jouw rede. Jij hebt jezelf in deze situatie gebracht en jij bent de enige die kan bepalen wat je erover wilt zeggen.' Daarop verlieten Chelsea en ik de kamer.

Uiteindelijk liet iedereen die in de kamer was Bill alleen en bracht hij zelf de laatste veranderingen in zijn speech aan. Direct daarna werd Bill aangevallen dat hij zich niet voldoende verontschuldigd had (eigenlijk omdat hij zich niet zo oprecht verontschuldigd had, omdat hij ook Starr bekritiseerd had). Ik was veel te opgewonden om iets te vinden. James Carville, die de meest controversiële, recht-voor-z'n-raap- en 'geef-ze-geen-millimetervriend' is die we hebben, vond het een vergissing dat we Starr aanvielen. Dit was het moment om toe te geven dat er fouten waren gemaakt en daar moest het bij blijven. Ikzelf weet nog steeds niet wat het beste was. De pers vond de verklaring beroerd, maar in de loop van de volgende dagen gaven de reacties van de meeste Amerikanen aan dat ze een seksuele relatie tussen volwassenen met wederzijds goedvinden een privézaak vonden. En dat ze niet geloofden dat zoiets iemand zou schaden in zijn werk, of dat nou in de rechtszaal, de operatiekamer, het congres of de Oval Office was.

Het allerlaatste dat ik op dit moment wilde, was op vakantie gaan, maar ik wilde ontzettend graag weg uit Washington. Chelsea wilde graag naar Martha's Vineyard, waar goede vrienden op ons wachtten. Dus vertrokken Bill, Chelsea en ik de volgende middag naar het eiland. Buddy, onze hond, rende naar Bill om hem gezelschap te houden. Hij was het enige gezinslid dat daar nog steeds zin in had.

Vlak voor ons vertrek zei Marsha Berry, mijn elegante en onvervangbare perssecretaresse, over mij: 'Dit is duidelijk niet de gelukkigste dag van mevrouw Clintons leven. In een tijd als deze vertrouwt ze op haar sterke en diepe geloof.'

Tegen de tijd dat we aankwamen bij de boerderij die we gehuurd hadden, was de meeste adrenaline weggeëbd en voelde ik me alleen nog maar diep ongelukkig, teleurgesteld en vol besluiteloze woede. Ik kon het amper opbrengen een woord te wisselen met Bill en als ik dat deed, was het een tirade. Ik liep langs het strand. Hij sliep beneden. Ik sliep boven. De dagen waren makkelijker dan de nachten. Met wie moet je contact zoeken als je beste vriend, degene die je altijd door de moeilijkste periodes heeft geholpen, degene is die je gekwetst heeft? Ik voelde me onvoorstelbaar alleen en wist zeker dat Bill zich ook zo voelde. Maar ik was nog niet zo ver dat ik met hem in dezelfde kamer kon zijn, laat staan dat ik hem kon vergeven. Ik zou diep in mijzelf en in mijn geloof moeten duiken om nog enig vertrouwen in ons huwelijk terug te vinden, om iets van begrip te kunnen opbrengen. Op dit moment wist ik niet wat ik zou gaan doen.

Toen we net aangekomen waren, moest Bill voor korte tijd terug naar het Witte Huis om de aanval met kruisraketten te leiden op een van Osama bin Ladens trainingskampen in Afghanistan. Amerika had gewacht met bombarderen tot de inlichtingendiensten hadden bevestigd dat Bin Laden en zijn topmensen op de plek van het beoogde doel waren. De bommen vielen maar een paar uur te laat. In de annalen van de 'verdomd-als-je-het-waagt-of-niet-waagt-situaties' is dit een klassieke. Ondanks het overduidelijke bewijs dat Bin Laden verantwoordelijk was voor de bombardementen op de ambassades, werd Bill aangevallen omdat hij het startsein voor de operatie gegeven had. Hij werd ervan beschuldigd dat hij ze gebruikte om de aandacht af te leiden van zijn eigen moeilijkheden en van de toenemende roep om afzetting, door Republikeinen en commentatoren die op dat moment totaal niet het gevaar inzagen van terrorisme in het algemeen en dat van Bin Laden en al-Qaida in het bijzonder.

Bill kwam terug naar een huis vol stilte. Chelsea bracht het grootste deel van haar tijd door met onze vrienden Jill en Ken Iscol en hun zoon Zack. Ze boden hun huis en harten aan mijn verwarde en verwonde dochter. Het was een marteling voor Bill en mij om samen opgesloten te zitten, maar het was nog moeilijker om naar buiten te gaan. De media hadden ons ontdekt op het eiland en zouden boven op ons springen zodra we de deur uit gingen. Ik had helemaal geen zin in sociale contacten, maar was ontroerd te zien hoe onze vrienden ons omringden. Vernon en Ann Jordan waren sympathiek als altijd. Katherine Graham, die niet eens een goede vriendin was, maar haar eigen ervaring had met ontrouw, bleef me maar voor een lunch uitnodigen. En toen belde ook Walter Cronkite en nodigde ons drieën uit voor een tocht op zijn boot.

Eerst wilden we niet gaan. Maar Walter en zijn vrouw Betsy hielden niet van de mensen die om Bills hoofd riepen en bekritiseerden me dat ik überhaupt contact met hen had. 'Het is toch niet te geloven,' zei Walter. 'Waarom mogen deze mensen leven? Jij weet heel goed dat ik lang genoeg leef om te weten dat huwelijken het soms moeilijk hebben. Niemand is perfect. Kom op, we gaan zeilen!'

We namen zijn uitnodiging aan. Helaas was ik tegen die tijd te verdoofd om te zeggen dat ik me echt kon ontspannen, maar het was heerlijk om op het open water te zijn. En de ontroerende aandacht van de Cronkites verkwikte me.

Maurice Templesman, die iedere zomer naar Martha's Vineyard kwam, hielp me ook geweldig. Ik had hem steeds beter leren kennen na het overlijden van Jackie Kennedy, en hij kwam regelmatig op het Witte Huis op bezoek. Hij belde en vroeg of ik langs wilde komen. Op een avond zaten we op zijn jacht en zagen de lampen van de boten die de haven van Menemsha binnenvoeren. Hij had het even over Jackie, die hij verschrikkelijk miste, en vertelde me dat hij begreep hoe moeilijk haar leven soms geweest moest zijn.

'Ik weet zeker dat je man echt van je houdt,' zei hij. 'En ik hoop dat je hem kunt vergeven.'

Maurice wilde niet mijn privacy binnendringen, hij gaf me alleen maar advies. En ik nam het graag aan. Nadat we gepraat hadden, was het een enorme steun om gewoon, rustig aan het water te zitten in het gezelschap van een goede vriend.

Die nacht keek ik naar de hemel en de heldere sterren,

net zoals ik als kind gekeken had in Park Ridge, op een deken naast mijn moeder. Ik dacht na over de sterrenbeelden die niet veranderd waren vanaf het moment dat de eerste zeilers de wereld gingen verkennen en de stand van de sterren gebruikten om hun terugweg te bepalen. Ik heb mijn weg gevonden in een levenslang onbekend gebied met het fortuin aan mijn zijde en een bestendig geloof om mij op koers te houden. Ditmaal had ik alle hulp nodig die ik kon krijgen.

Ik was dankbaar voor alle steun en adviezen die ik in deze periode kreeg, vooral van Don Jones, de methodistische predikant uit mijn jeugd die een vriend voor het leven is geworden. Don herinnerde me aan een klassieke uitspraak uit een preek van de theoloog Paul Tillich: 'Je bent aangenomen', die Don eens voor had gelezen aan een groep jongeren in Park Ridge. De vooraanname is dat zonde en genade, het hele leven door, constant interveniëren, de ene is niet mogelijk zonder de ander. Het mysterie van genade is dat je er niet naar kunt zoeken. 'Genade overkomt ons als we wanhopig en ongedurig zijn,' schreef Tillich. 'Het overkomt je of het overkomt je niet.'

Genade overkwam me. Tot het mij overkwam, was mijn belangrijkste werk om iedere keer mijn ene voet voor de andere te zetten en te proberen de volgende dag te halen.

35 *Impeachment*

Eind augustus was er sprake van ontspanning, misschien zelfs vrede in ons gezin. Hoewel mijn hart gebroken was en ik teleurgesteld was in Bill, realiseerde ik me tijdens de uren die ik alleen thuis doorbracht, dat ik van hem hield. Ik was echter nog onzeker of ons huwelijk stand kon houden. Ik leefde van dag tot dag; dat was eenvoudiger dan vooruit te kijken. We keerden terug naar Washington en gingen een nieuwe fase in een oorlog binnen waaraan geen eind leek te komen. Ik wist nog niet of ik zou vechten voor mijn man en mijn huwelijk, maar ik was vastbesloten te vechten voor mijn president.

Ik moest mijn emoties onder controle zien te krijgen en me concentreren op wat ik voor mezelf wilde. De vervulling van mijn persoonlijke en openbare plichten berustte op een reservoir aan gevoelens, met steeds wisselende beoordelingen. Meer dan twintig jaar was Bill mijn man, mijn beste vriend, mijn levenspartner in goede en kwade tijden. Hij was een liefhebbende vader voor onze dochter. Nu had hij, om door hem zelf nader te verklaren redenen, mijn vertrouwen diep gekwetst en zijn vijanden een troef in handen gegeven om te gebruiken na al die jaren van valse beschuldigingen, onderzoeken en processen. De persoonlijke en de politieke aspecten van mijn leven lagen op ramkoers.

Op persoonlijk vlak had ik Bill wel zijn nek kunnen omdraaien. Maar hij was niet alleen maar mijn echgenoot. Hij was ook president en ik vond, ondanks alles, dat de manier waarop Bill leiding gaf aan Amerika en de wereldpolitiek absoluut door mij ondersteund moest blijven. Maar wat hij ook had gedaan, ik vond dat geen mens de krenkende behandeling verdiende die hij had ondergaan. Zijn privacy, mijn privacy, Monica Lewinsky's privacy en de privacy van onze families was op een wrede en nodeloos grove wijze geschonden. Wat mijn man had gedaan, was in mijn ogen moreel verkeerd. Ik wist echter ook dat zijn gedrag geen landsverraad was. Alles wat ik had geleerd van het Watergate-onderzoek, overtuigde me ervan dat er geen enkele grond was om een impeachment-procedure in te stellen tegen Bill Clinton. Als mannen als Starr en zijn bondgenoten de grondwet naast zich neer konden leggen en zich uit ideologische, partijpolitieke en kwaadwillige oogmerken schuldig konden maken aan machtsmisbruik om een president ten val te brengen, dan gaf ik dit land niet veel hoop. De toekomst van het presidentschap en de integriteit van de grondwet waren in het geding. Ik wist dat mijn daden en woorden in de komende weken en dagen van invloed konden zijn op de toekomst van Bill en van de Verenigde Staten. Maar ook het lot van mijn huwelijk wankelde en ik wist nog niet naar welke kant de weegschaal zou overslaan.

Het leven nam weer zijn eigen loop en ik ging daarin mee. Ik vergezelde Bill op 1 september bij een staatsbezoek naar Moskou. Daarna vlogen we naar Ierland, waar we een ontmoeting hadden met Tony en Cherie Blair. Samen met hen liepen we door de straten van Omagh waar de bomaanslag was gepleegd. De ontploffing van 250 kilo explosieven in een druk winkelcentrum had niet geleid tot een verbreking van het staakt-het-vuren, zoals de bommenleggers hadden gehoopt. Het inspireerde de mensen alleen maar zich nog meer voor de vrede in te zetten. Als reactie op de terreuraanslag begonnen geschokte hardliners aan beide zijden van het conflict gematigder posities in te nemen.

Gerry Adams, leider van Sinn Féin, de politieke tak van de IRA, verklaarde in het openbaar dat geweld als middel om een einde te maken aan de Britse overheersing na zevenenzeventig jaar strijd 'achterhaald' was. Na Adams' openbare verklaring stemde David Trimble, leider van de Ulster Unionist Party, voor het eerst in met een ontmoeting met Sinn Féin. Alle zijden waren het erover eens dat zulke hoopvolle ontwikkelingen onmogelijk waren geweest zonder de directe diplomatieke inbreng van Bill Clinton en zijn afgezant George Mitchell, de voormalige meerderheidsleider in de Senaat.

Het bloedbad in Omagh was een herinnering aan de loffelijke risico's die Bill bereid was te nemen voor vrede overal op de wereld, aan al de goede dingen die hij had bereikt. Bill bracht ontelbare uren door om Ieren, Bosniërs, Serviërs, Kroaten, Kosovaren, Israëli's, Palestijnen, Grieken, Turken, Burundezen en anderen ervan te overtuigen dat ze hun wrok uit het verleden moesten opgeven en de barrières voor vrede moesten slechten. Zijn pogingen hadden soms succes, en soms niet. Veel van de successen waren broos, zoals we later zagen bij het vredesproces in het Midden-Oosten. Maar zelfs de mislukkingen dwongen mensen begrip te krijgen voor de pijn en de menselijkheid van de andere partij. Ik was altijd trots en dankbaar vanwege de vasthoudendheid die Bill in zijn zoektocht naar vrede en verzoening aan de dag legde.

Het grote contingent journalisten dat de president naar Rusland en Ierland was gevolgd, wilde meer dan alleen maar een verslag over een vredesmissie maken. Ze hielden ons allebei nauwlettend in de gaten op zoek naar aanwijzingen over de staat van ons huwelijk. Stonden we dicht bij elkaar of juist niet? Keek ik stuurs of moest ik huilen achter mijn zonnebril? En wat was de betekenis van de gebreide trui die ik voor Bill in Dublin had gekocht en die hij in Limerick droeg tijdens zijn eerste golfpartij in meer dan een maand? Vertwijfeld wilde ik opnieuw een stuk privacy voor mezelf en mijn gezin afbakenen, maar ik vroeg me af of dat ooit nog mogelijk zou zijn.

Terwijl Bill in het buitenland met internationale leiders onderhandelde, gaf Joe Lieberman, senator uit Connecticut, hem in Washington een openbare berisping. Lieberman, die sinds zijn eerste campagne voor de senaat van de staat Connecticut in het begin van de jaren zeventig met Bill bevriend was, keurde in de Senaat het gedrag van de president af als immoreel en schadelijk omdat 'het een boodschap afgeeft over welk gedrag acceptabel is in het grotere Amerikaanse gezin'.

Toen journalisten Bill in Ierland om een reactie op de toespraak van Lieberman vroegen, antwoordde hij: 'Ik ben het daar in principe mee eens. Ik heb al gezegd dat ik een grote fout heb gemaakt. Het was onvergeeflijk en het spijt me. Het spijt me zeer.' Dit was de eerste in een hele reeks onvoorwaardelijke openbare verontschuldigingen die mijn echtgenoot tijdens zijn lange reis van boetedoening zou maken. Maar ik besefte dat verontschuldigingen nooit voldoende zouden zijn voor de extremistische Republikeinen en misschien waren ze ook niet voldoende om een crisis binnen de Democratische Partij af te wenden. Democratische leiders, onder wie Congreslid Richard Gephardt van Missouri, senator Daniel Patrick Moynihan van New York en senator Bob Kerrey van Nebraska, veroordeelden het privé-gedrag van de president en zeiden dat hij op een of andere manier verantwoording daarover moest afleggen. Niemand van hen stuurde echter aan op impeachment.

Tegen de tijd dat we terugkeerden naar het Witte Huis, had ik een aantal problemen aan mijn hoofd, zowel van persoonlijke als van politieke aard. Bill en ik hadden besloten een relatietherapeut in de arm te nemen om te bekijken of we ons huwelijk konden redden. Op één niveau was ik emotioneel uitgeput en probeerde ik om te gaan met de open wond in mijn huwelijk. Op een ander niveau was ik vastbesloten terug te vechten omdat ik geloofde dat Bill, ondanks zijn persoonlijk feilen, een goed mens en een fantastische president was. Het land had hem nodig. Ik beschouwde de aanval van de onafhankelijke aanklager op de president als een nieuwe fase in een steeds verder escalerende politieke oorlog, en ik stond aan Bills kant.

Wanneer mensen me vragen hoe ik me staande heb gehouden in die verschrikkelijke tijd, antwoord ik dat het geen bijzondere prestatie is om iedere dag op te staan en naar je werk te gaan, zelfs niet wanneer je midden in een huwelijkscrisis zit. Iedereen van ons komt in zijn leven in een vergelijkbare situatie terecht, en de vaardigheid om ermee om te gaan is voor een First Lady precies hetzelfde als voor iemand die een vorkheftruck bedient. Het enige verschil was dat ik het moest doen terwijl iedereen zat mee te kijken.

Hoewel ik in tweestrijd stond over mijn persoonlijke toekomst, was ik er absoluut van overtuigd dat Bills privégedrag en zijn ondoordachte poging dit te verbergen, geen juridische of historische basis vormden voor een grondwettelijke impeachment-procedure. Ik vond dat hij voor zijn gedrag verantwoording moest afleggen – aan mij en aan Chelsea – maar niet via een onterecht gebruik van een impeachment-proces. Maar ik wist ook dat de oppositie via de pers een sfeer kon creëren waarin de politieke druk om een impeachment in te stellen of op ontslag aan te dringen, zou toenemen, ongeacht de wet. Ik maakte me zorgen over de Democraten die misschien overhaast zouden roepen om Bills ontslag en ik probeerde me te concentreren op wat ik kon doen om hen te helpen bij hun herverkiezing in november. Hoewel in de peilingen een grote meerderheid van de bevolking zich tegen impeachment uitsprak, geloofden veel Democraten die herkozen wilden worden, dat ze hun zetels zouden verliezen als ze niet fel stelling namen tegen de president. In bepaalde districten was die zorg terecht. Maar in een groot deel van het land konden de dreiging met impeachment en het onderzoek van Starr worden gebruikt tegen Republikeinse kandidaten, die de situatie wilden uitbuiten.

Begin september ontdekte David Kendall dat het OIC op het punt stond een verwijzing voor een impeachment naar de Juridische Commissie van het Huis te sturen, die vervolgens zou bepalen of de kwestie in het voltallige Huis van Afgevaardigden in stemming zou worden gebracht. Ik had dit juridische aspect bestudeerd toen ik in 1974 voor de impeachment-staf van de Juridische Commissie van het Huis had gewerkt. Ik had in die functie een memorandum geschreven over de procedures die moesten worden gevolgd om een impeachment tegen een president in te stellen en een ander memorandum over de maatstaven waaraan het bewijs moest voldoen om een impeachment te beginnen. Volgens de grondwet moet het Huis bij meerderheid van stemmen de bepalingen voor impeachment goedkeuren, die gelijk staan aan een strafrechtelijke aanklacht tegen een federale functionaris. De bepalingen worden vervolgens voor een openbare behandeling naar de Senaat gestuurd. Hoewel een jury in een strafzaak unaniem tot veroordeling moet komen, is slechts een tweederde meerderheid in de Senaat voldoende om de aangeklaagde te veroordelen en uit zijn functie te ontheffen. De grondwet reserveert impeachment alleen voor zeer ernstige misdrijven: 'Verraad, omkoping of andere zware vergrijpen en misdrijven'. De Founding Fathers die de grondwet hebben opgesteld, hebben de impeachment ontworpen als een traag, zorgvuldig proces omdat ze vonden dat het niet gemakkelijk mocht zijn een federale ambtsdrager, met name de president, uit zijn functie te ontslaan.

In 1868 stelde het Huis van Afgevaardigden een impeachment in tegen president Andrew Johnson. Het Congres wilde dat de zegevierende Unie na de burgeroorlog een hard wederopbouwbeleid in het Zuiden zou voeren, en Johnson had die wens naast zich neer gelegd. Ik was het niet met het Huis eens, maar in ieder geval handelde het op grond van Johnsons officiële daden als president. Johnson stond terecht maar in de Senaat kwamen de Republikeinen één stem te kort. Richard Nixon was de tweede Amerikaanse president die met een impeachment-procedure werd geconfronteerd, en ik wist uit eigen ervaring hoe zorgvuldig in dat proces was omgesprongen met het bewijs voor de Kamer van Inbeschuldigingstelling (*grand jury*), precies volgens de letter en de geest van de grondwet. Dat onderzoek was gedurende acht maanden onder strikte geheimhouding en vertrouwelijkheid uitgevoerd, voordat de bepalingen voor impeachment aan de Juridische Commissie van het Huis werden gepresenteerd. Voorzitter Peter Rodino en speciale aanklager John Doar waren toonbeelden van discreet en onpartijdig professionalisme.

David Kendall vroeg of hij vooraf een kopie kon krijgen van de verwijzing die het OIC aan de Juridische Commissie van het Huis zou sturen, zodat hij een eerste reactie zou kunnen opstellen, een verzoek dat was gestoeld op eenvoudige billijkheid en op het precedent van de impeachmentprocedure tegen Nixon. Starr weigerde. Op 9 september reden assistenten van Starr met twee bestelwagens naar het Capitool om exemplaren van het meer dan honderdtienduizend woorden tellende Starr-rapport bij de portier af te leveren, compleet met zesendertig dozen bijlagen. De manier waarop Starr het publiek probeerde te bespelen, was verbijsterend; de snelheid waarmee de Rules Committee van het Huis besloot het volledige rapport op internet te zetten, was dat nog meer.

De federale wet vereist dat bewijs voor de Kamer van Inbeschuldigingstelling vertrouwelijk blijft, zodat de getuigenis die door een openbaar aanklager van een getuige wordt verkregen zonder het verhelderende effect van een kruisverhoor niet tot vooroordelen in een zaak kan leiden of een onschuldige persoon schaden. Dit is een van de grondbeginselen van ons rechtssysteem. Het Starr-rapport was een compilatie van niet-uitgewerkte getuigenissen voor de Kamer van Inbeschuldigingstelling die waren verkregen van getuigen die nooit aan een kruisverhoor waren onderworpen en zonder enig gevoel voor billijkheid of evenwichtigheid openbaar waren gemaakt.

Ik heb het Starr-rapport niet gelezen, maar ik heb begrepen dat het woord 'seks' (in een of andere vorm) 581 maal in het 445 pagina's tellende rapport voorkomt. 'Whitewater', het vermeende onderwerp van Starrs onderzoek, komt viermaal voor, telkens om een bepaalde persoon aan te duiden, zoals de 'Whitewater Independent Counsel'. De wijze waarop Starr zijn rapport verspreidde, was nodeloos aanschouwelijk en vernederend voor de president en de grondwet. De publicatie ervan was een dieptepunt in de Amerikaanse geschiedenis.

De aanbeveling van Starr luidde dat de Juridische Commissie van het Huis elf mogelijke gronden voor impeachment in overweging moest nemen. Ik was ervan overtuigd dat hij zijn juridische mandaat te buiten was gegaan. De grondwet vereist dat het bewijs voor laakbare misdrijven moet worden onderzocht door de wetgevende tak van de overheid; dit is niet de taak van de onafhankelijke aanklager, die wordt aangesteld door de uitvoerende en rechterlijke macht. Het was Starrs taak een onbevooroordeelde samenvatting van de bekende feiten te presenteren aan de commissie, die vervolgens haar eigen staf aan het werk zou zetten om bewijs te verzamelen. Maar in zijn ijver Bill Clinton aan een impeachment-procedure te onderwerpen, benoemde Starr zichzelf tot aanklager, rechter en jury. En hoe meer ik vond dat Starr zijn macht misbruikte, hoe meer ik met Bill sympathiseerde, althans op politiek gebied.

Starrs lijst met tenlasteleggingen vermeldde onder meer de aanklachten dat de president onder ede had gelogen over zijn privé-gedrag, de rechtsgang had gehinderd en misbruik had gemaakt van zijn functie. Bill heeft nooit de rechtsgang gehinderd of zijn ambt misbruikt. Hij hield vol dat hij niet onder ede had gelogen. Maar of hij dat nu wel of niet heeft gedaan, een leugen onder ede over een persoonlijke kwestie in een civielrechtelijke zaak is volgens de grote meerderheid van grondwetsgeleerden en historici geen grond voor impeachment.

De dag nadat Starr zijn rapport bij het Congres had ingediend, bezochten Bill en ik een receptie van de Democratic Business Council, waar ik hem voorstelde als 'mijn man en onze president'. Voor mezelf was ik nog steeds bezig Bill te vergeven, maar mijn woede jegens de mensen die hem moedwillig hadden tegengewerkt, hielp me daarbij. Mijn agenda stond vol met evenementen en ik bezocht ze allemaal. Op die dag had ik een bijeenkomst met mijn speechschrijvers, een conferentie over darmkanker, een receptie van AmeriCorps en een aantal andere afspraken. Door gewoon mijn eigen dagelijkse werkzaamheden te verrichten, hoopte ik dat ik de stafleden van het Witte Huis kon stimuleren dat ook te doen. Als ik me door een dag kon worstelen, moesten zij dat ook kunnen doen.

Wekenlang had Bill zich verontschuldigd tegenover mij, Chelsea en de vrienden, kabinetsleden, stafmedewerkers en collega's die hij had misleid en teleurgesteld. Tijdens een emotionele gebedsbijeenkomst met religieuze leiders op de ochtend van 11 september in het Witte Huis biechtte Bill zijn zonden op en vroeg in een oprecht pleidooi het Amerikaanse volk om vergeving. Maar hij zou zijn ambt niet opgeven. 'Ik zal mijn advocaten opdragen een krachtige verdediging te ontwerpen met alle beschikbare en toepasselijke argumenten,' zei hij. 'Maar juridische taal mag niet het feit verhullen dat ik een fout heb begaan. Als mijn boetedoening oprecht en onverflauwd is..., kan dit tot iets goeds leiden zowel voor ons land als voor mijzelf en mijn gezin. De kinderen van dit land kunnen de ernstige les leren dat integriteit belangrijk is en egoïsme verkeerd, maar God kan ons veranderen en ons sterk maken op de plaatsen waar we gebroken waren.'

Bill legde zijn politieke lot in de handen van de Amerikaanse burgers. Hij vroeg om hun mededogen en ging vervolgens weer voor hen aan het werk met dezelfde betrokkenheid die hij aan de dag had gelegd op het moment dat hij als president het Witte Huis had betreden. Intussen gingen we door met onze sessies bij de relatietherapeut. Daar werden we gedwongen moeilijke vragen te stellen en te beantwoorden die we hadden weten te vermijden tijdens de vele jaren waarin we onophoudelijk hadden gewerkt en campagne gevoerd. Inmiddels was ik zo ver dat ik ons huwelijk wilde redden, als dat mogelijk was.

Ik kreeg goede moed door de algemene reactie op Bills oprechte verontschuldigingen. De steun voor de president hield tijdens de crisis onverminderd aan. Een grote meerderheid van ongeveer zestig procent van de Amerikanen vond ook dat het Congres geen impeachment-procedure moest beginnen, dat Bill niet moest aftreden en dat de expliciete details in het Starr-rapport 'ongepast' waren. De steun voor mezelf bereikte ongekende hoogten en op een gegeven moment stond zelfs zo'n zeventig procent van de Amerikanen achter me, waaruit bleek dat de Amerikanen fundamenteel een billijk en meevoelend volk zijn.

Hoewel een impeachment niet alleen ongewenst was bij het volk maar ook iedere grondwettelijke basis ontbeerde, nam ik aan dat de Republikeinen in het Huis er toch op aan zouden sturen als het maar enigszins mogelijk was. De enige manier om een impeachment-procedure te voorkomen, was een goede uitslag bij de verkiezingen in november. Maar de partij die het Witte Huis in handen heeft, verliest bij de verkiezingen halverwege de ambtstermijn traditioneel zetels in het Congres. Dat was ons in 1994 ook overkomen, en bij een tweede ambtstermijn is die tendens doorgaans nog sterker. Alom maakten Democratische kandidaten zich om begrijpelijke redenen zorgen over de politieke gezondheid van de president.

Op 15 september had ik in de Yellow Oval Room een vergadering met een twintigtal vrouwelijke Democratische Congresleden. De afgevaardigden zaten op sofa's en stoelen, terwijl bedienden koffie en gebakjes serveerden. De vrouwen kwamen er bij mij op aandringen dat ik een openbare rol zou spelen in de verkiezingscampagne, maar ik denk dat ze ook zelf wilden zien en horen hoe het met me ging en wat mijn plannen waren. Toen ze eenmaal begrepen dat ik me daadwerkelijk sterk wilde maken voor de grondwet, de president en de Democratische Partij, vroegen ze me of ik in de openbaarheid wilde treden en voor hen campagne wilde voeren.

We bespraken hoe we de aandacht van de kiezers konden afleiden van de impeachment en weer konden richten op de zaken die voor hen van belang waren: overheidssteun voor de verkleining van de klassen en de bouw van nieuwe scholen, hervormingen in de ouderdomsvoorzieningen en de ziektekostenverzekering, betere wezenzorg en adoptiepraktijken en milieubescherming.

'Ik zal u zo veel mogelijk helpen,' zei ik, 'maar ik heb ook uw hulp nodig om de eenheid binnen de partij te bewaren en de Democratische fractieleden te houden op de plek waar ze thuishoren: achter de grondwet en de president.'

'We zijn hier niet om te praten over het gedrag van de president,' zei afgevaardigde Lynn Woolsey na de vergadering tegen de pers. 'We zijn hier om te praten over wat belangrijk is, belangrijker voor de mensen van dit land.' Woolsey vertelde later: 'We hebben tegen mevrouw Clinton gezegd dat wij, als vrouwen, weten dat vrouwen meer dan één ding tegelijk kunnen doen wanneer de nood hoog is. Daarom hebben we haar gevraagd in het vliegtuig te stappen en die plekken aan te doen waar haar stem broodnodig gehoord moet worden.'

En dat deed ik. Ik ondersteunde tientallen Democratische kandidaten voor het Congres en mijn waanzinnige agenda hield me de hele dag bezig. Maar de nachten waren zwaar, vooral nadat Chelsea was teruggekeerd naar Stanford. Bill en ik waren op onszelf aangewezen, en dat voelde nog steeds ongemakkelijk. Ik ging hem niet meer uit de weg, zoals ik daarvoor had gedaan, maar er hing nog steeds een spanning tussen ons, en we lachten niet meer zo vaak als vroeger.

Ik ben niet iemand die zijn diepste gevoelens gemakkelijk uit, zelfs niet tegenover mijn beste vrienden. Mijn moeder is precies hetzelfde. We hebben de neiging onze emoties zelf te verwerken, en die neiging werd alleen maar versterkt nadat ik een publieke figuur was geworden. Het was een welkome afwisseling toen mijn goede vriendinnen Diane Blair en Betsy Ebeling half september voor een paar dagen kwamen logeren. Ik was gezegend met goede vrienden, maar toen het meedogenloze onderzoek eenmaal was begonnen, voelde ik me gedwongen hen te beschermen om te voorkomen dat ook zij bij een onderzoek zouden worden betrokken. In die tijd, na augustus 1998, voelde ik me nog meer afgesneden en alleen, omdat ik niet meer met Bill wilde praten zoals vroeger. Ik bracht veel tijd in mijn eentje door, biddend en lezend. Maar ik voelde me een stuk beter in het gezelschap van vriendinnen die me al zo lang kenden, die me zwanger en misselijk, gelukkig en verdrietig hadden meegemaakt en konden begrijpen waar ik nu doorheen ging.

Op 17 september, tijdens het verblijf van Diane en Betsy, belde Stevie Wonder op en vroeg me of hij langs kon komen in het Witte Huis. Hij was de avond daarvoor aanwezig geweest bij het staatsdiner voor enkelen van zijn vele fans, de Tsjechische president Václav Havel en zijn nieuwe vrouw Dagmar, en wilde graag privé nog een keer terugkomen om een lied te laten horen dat hij voor mij had geschreven.

Capricia begeleidde Stevie, zijn assistent en een van zijn zonen naar de eerste verdieping van de residentie, waar een vleugel onder een groot schilderij van Willem de Kooning stond. Diane en Betsy zaten op een canapé en ik in een kleine stoel vlak bij de vleugel toen Stevie een onvergetelijke lichtvoetige melodie begon te zingen. Hij had de tekst nog niet helemaal af, maar het nummer ging over de kracht van vergiffenis, met als refrein *'You don't have to walk on water'*. Je hoeft niet over water te lopen. Naarmate zijn lied vorderde, schoof ik mijn stoel steeds dichter naar hem toen, en op het laatst zat ik pal naast hem. Toen Stevie klaar was, stonden de tranen in mijn ogen en toen ik om me heen keek, zag ik bij Betsy en Diane de tranen langs de wangen lopen. Dit was een van de mooiste momenten die mij in die ongelooflijk moeilijke periode geboden werden.

Een ander opbeurend gebaar kwam van Anna Wintour, hoofdredacteur van *Vogue*, die een geïllustreerd artikel over mij wilde publiceren in het decembernummer van haar blad. Het was dapper van haar mij te vragen en eigenlijk ging het tegen mijn intuïtie in haar aanbod te accepteren. Maar de hele onderneming deed me ontzettend goed. Ik droeg een fantastische bordeauxrode fluwelen creatie van Oscar de la Renta voor de foto op het omslag. Voor één dag gaf ik me over aan de wereld van visagisten en couturiers. De foto's van Annie Leibovitz waren geweldig. Het gaf me een heerlijk gevoel er zo goed uit te zien, terwijl ik me zo slecht had gevoeld.

21 september, de dag waarop Bill de openingszitting van de Verenigde Naties in New York zou toespreken, liep uit op een absurdistische klucht. Toen bleek dat Bill zich door het Starr-rapport niet tot aftreden zou laten dwingen, verhoogden de Republikeinse leiders de inzet en gaven de videoband vrij waarop de getuigenis van de president voor de Kamer van Inbeschuldigingstelling was opgenomen. Op het moment waarop Bill de enorme algemene vergaderzaal betrad en een ongebruikelijke staande ovatie in ontvangst nam, zonden alle grote tv-netwerken tegelijkertijd het verhoor uit dat de assistenten van Starr in augustus hadden afgenomen. Terwijl de urenlange marteling van de getuigenis door de ether gonsde, hield Bill een krachtige toespraak bij de Verenigde Naties over de groeiende dreiging van het internationale terrorisme en de dringende behoefte aan een gezamenlijke reactie van alle beschaafde mensen. Ik weet zeker dat maar weinig Amerikanen Bills waarschuwing hebben gehoord over de gevaren waarmee terroristen ons bedreigen. Na afloop van zijn toespraak gaven de presidenten, ministers-presidenten en delegaties hem een tweede warme en langdurige ovatie. Het onthaal van zijn internationale ambtgenoten vormde een bevestiging van Bills leiderschap, een terechte erkenning van het goede werk dat hij als president had gedaan.

Bill had ook ontmoetingen met de Pakistaanse minister-president Nawaz Sharif over de beperking van het Pakistaanse nucleaire programma en de algehele bedreiging die uitging van de nucleaire proliferatie op het subcontinent, en met secretaris-generaal Kofi Annan over een antwoord op de voortdurende weigering van Irak zich aan VN-resoluties te houden. Later bezochten we samen een forum over de wereldeconomie in New York University met de Italiaanse president Roman Prodi, de Zweedse minister-president Goran Persson, de Bulgaarse president Petar Stojanov en onze vriend, de Britse premier Tony Blair.

Tegen de tijd dat we de volgende dag terugkeerden naar het Witte Huis, had het er alle schijn van dat de publiciteitsstunt van de Republikeinen was mislukt. Het schouwspel van de president die zijn zelfbeheersing bewaarde terwijl hij werd gebombardeerd met obscene vragen die niemand zou willen beantwoorden, scheen onder het Amerikaanse volk de sympathie voor Bills hachelijke situatie alleen maar te vergroten.

De avond daarna kregen we in het Witte Huis bezoek van Nelson Mandela, die ook de zitting van de Verenigde Naties had bijgewoond, samen met zijn echtgenote Graça Machel. Tijdens een receptie voor Afro-Amerikaanse religieuze leiders in de East Room sprak Mandela over zijn oprechte liefde en respect voor Bill. Nadat hij de loftrompet had gestoken over de relatie die Bill met Zuid-Afrika en de rest van het werelddeel had opgebouwd, merkte Mandela vriendelijk op: 'We hebben vaak gezegd dat onze ethiek ons niet toestaat onze vrienden in de steek te laten.' Hij wendde zich tot Bill en sprak hem persoonlijk toe: 'En vanavond willen we je laten weten dat we aan jou denken in deze moeilijke en onzekere periode in je leven.' Mandela oogstte gelach en applaus toen hij zwoer dat hij zich niet zou mengen in 'de huishoudelijke problemen in dit land'. Maar het was duidelijk dat hij een beroep deed op de Amerikanen om een halt toe te roepen aan het hele impeachment-spektakel. Mandela, die zijn woede de baas was geworden en zijn eigen gevangenisbewaarders had vergeven, was, als altijd, filosofisch.

'Maar als onze verwachtingen, als onze liefste gebeden

en dromen niet worden gerealiseerd,' zei hij, 'dan moeten we allemaal in gedachten houden dat de grootste luister in het leven niet gelegen is in het nooit ten val komen, maar in het overeind komen na iedere val.'

Ik probeerde nog steeds overeind te komen. Door ieder uur opnieuw tot de laatste minuut af te tellen en iedere ochtend opnieuw te beginnen, bouwde ik ongemerkt, dag na dag, mijn leven weer op. Het kostte me veel moeite om Bill te vergeven; het vooruitzicht dat ik ooit de sluipschutters van de rechtervleugel zou kunnen vergeven, leek een onmogelijkheid. Als Mandela kon vergeven, zou ik het echter ook proberen. Maar het was zwaar, zelfs met de hulp van veel vrienden en mensen die een voorbeeld voor me waren.

Een aantal weken na het bezoek van Mandela bezocht de Dalai Lama me in het Witte Huis. Tijdens onze bijeenkomst in de Map Room gaf hij me een witte gebedssjaal cadeau en vertelde me dat hij vaak aan mij en mijn strijd dacht. Hij moedigde me aan sterk te zijn en niet toe te geven aan verbittering en woede als reactie op de pijn en het onrecht. Zijn boodschap sloot naadloos aan bij de steun die ik van mijn gebedsgroep ontving, met name van Holly Leachman en Susan Baker, die me kwamen bezoeken en samen met me baden. Veiligheidsagent Brian Stafford, toenmalig hoofd van de presidentiële lijfwacht, en Mike McCurry, de persvoorlichter van de president in die zeer zware tijden, kwamen met grote regelmaat langs om te kijken hoe ik me onder de grote druk staande hield. Democratische Congresleden belden op om te vragen of ze iets voor me konden doen. Een van hen zei: 'Hillary, als jij mijn zus was, dan verkocht ik Bill Clinton een klap recht op zijn smoel!' Ik verzekerde hem dat ik zijn medeleven op prijs stelde, maar dat ik niet echt op dat soort hulp zat te wachten. Sommige Republikeinen lieten me weten dat ze het niet eens waren met het besluit van hun partij de impeachment door te zetten.

Op 7 oktober kwam een delegatie van nieuwe leden van

het Huis van Afgevaardigden me in het Witte Huis bezoeken. Opnieuw ontving ik hen in de Yellow Oval Room, waar het zonlicht door de vensters naar binnen stroomde. Ze waren bang dat de Republikeinen nog voor de novemberverkiezingen een stemming over een impeachment zouden forceren. Ik gaf hun de beste peptalk die ik kon bedenken: 'We mogen niet toestaan dat zij de president uit zijn ambt verjagen,' zei ik. 'Niet op deze manier. U bent lid van het Congres. Het is uw taak de grondwet te beschermen en te doen wat goed is voor het land. Laten we deze zaak dus eens doornemen.' Gebruikmakend van mijn ervaring van vijfentwintig jaar daarvoor legde ik uit wat de grondwet over impeachment te vertellen had, hoe de opstellers van de grondwet vonden dat het middel van de impeachment moest worden gebruikt en hoe het middel in de meer dan tweehonderd jaar daarna was geïnterpreteerd. Toen we de vergadering beëindigden, verzekerde ik hun dat, wanneer het op een stemming aankwam, zowel de president als ik alleen maar wilde dat ze zouden luisteren naar hun eigen geweten en hun kiezers; we zouden begrip hebben voor welk besluit ze ook maar zouden nemen.

De Democraten en de paar overgebleven gematigde Republikeinen op Capitol Hill waren het erover eens dat een officiële berisping de geschiktste reactie was op Bills gedrag. Maar machtige Republikeinen waren fel gekant tegen het compromis. Henry Hyde, voorzitter van de Juridische Commissie van het Huis, deed het idee van een berisping smalend af als *impeachment lite*. Hyde was met name onverzoenlijk. Hij achtte het Witte Huis verantwoordelijk voor een artikel dat op 16 september was verschenen in het internettijdschrift *Salon*, waarin werd onthuld dat hij in de jaren zestig een langdurige liefdesrelatie had gehad terwijl hij met zijn inmiddels overleden vrouw was getrouwd. Hyde noemde zijn ontrouw, die plaatsvond toen hij in de veertig was, een 'jeugdzonde'. Hij was woedend en verontwaardigd dat de media zo'n persoonlijke misstap naar buiten hadden gebracht, en Republikeinen riepen op tot een onderzoek naar het tijdschrift. Ondanks mijn talrijke politieke en ideologische meningsverschillen met Hyde kon ik wel met hem meevoelen, hoewel ik niet kon begrijpen dat hij niet inzag dat hij met twee maten mat.

Dat najaar stroopte ik in een ware campagnemarathon stad en land af. Ik spoorde de mensen aan te gaan stemmen alsof hun leven ervan afhing. Ik concentreerde me op districten waar een nek-aan-nekrace dreigde en mijn eigen populariteit hoog was. Net als zes jaar geleden voerde ik een felle campagne voor Barbara Boxer, die haar Senaatszetel verdedigde tegen een sterke opponent in Californië. Ik spande me ook in voor Patty Murray, de effectieve 'mama op tennisschoenen' en Senator voor Washington, en voor Senator Carol Mosley Braun van Illinois. Ik maakte tussenstops in Ohio, Arkansas en Nevada en hamerde voortdurend op hetzelfde thema. 'We moeten een zeer helder signaal afgeven aan het Republikeinse leiderschap in het Congres dat Amerikanen zich druk maken om echte kwesties,' zei ik tegen een verzameling mensen in Janesville, Wisconsin. 'Ze maken zich druk over onderwijs, gezondheidszorg en ouderenzorg. En ze willen een Congres dat zich druk maakt over dezelfde dingen als waarover zij zich druk maken.'

Ik legde mijn ziel en zaligheid in de campagne van afgevaardigde Charles Schumer, die het opnam tegen senator Al D'Amato uit New York. Chuck Schumer was een intelligente, progressieve Democraat en een van Bills trouwste supporters. Al D'Amato had de Whitewater-hoorzittingen in de Senaat voorgezeten, waar hij straffeloos functionarissen en portiers uit het Witte Huis en een babysitter voor de commissie had laten optrommelen; al die hoorzittingen hadden niets opgeleverd, maar de getuigen wel met hoge juridische kosten opgezadeld. D'Amato had een zware kluif aan de krachtige Schumer.

Ik was in New York aanwezig bij een fondsenwervende bijeenkomst voor Schumer toen ik opeens merkte dat mijn voet zo opgezwollen was dat ik nauwelijks nog in mijn schoen paste. Toen ik terugkeerde in het Witte Huis, liet ik dokter Connie Mariano komen, die snel mijn voet onderzocht en me vervolgens zonder omwegen meenam naar het marineziekenhuis Bethesda om te kijken of ik misschien een bloedstolsel had ontwikkeld door al die uren in het vliegtuig. Inderdaad bleek ik een flinke bloedprop achter mijn rechterknie te hebben die onmiddellijk moest worden verholpen. Dokter Mariano schreef me absolute bedrust voor en ik moest minstens een weeklang bloedverdunners nemen. Ik wilde natuurlijk mijn gezondheid niet verwaarlozen, maar wilde ook per se mijn campagneactiviteiten voortzetten. We kwamen tot een compromis: zij stuurde een verpleegster mee om me mijn medicamenten toe te dienen en mijn gezondheid in de gaten te houden.

Toen de verkiezingsdag dichterbij kwam, lanceerde de Republikeinse Partij een grote reclamecampagne die zich richtte op het schandaal en persoonlijk was goedgekeurd door Newt Gingrich. Maar het plan werkte niet. De kiezers vonden de Republikeinse strategie blijkbaar nog walgelijker dan het gedrag van de president. Ik denk dat we meer zetels hadden kunnen winnen als meer Democraten de Republikeinen ter verantwoording hadden geroepen voor hun fanatisme met betrekking tot impeachment. Maar ingaan tegen de conventionele wijsheid van Washington was voor de meeste kandidaten een te grote gok. De experts voorspelden nog steeds een enorme overwinning voor de Republikeinen.

Toen op de verkiezingsdag de uitslagen van de eerste peilingen binnenkwamen, was Bill in een opgewekte stemming. Hij zat met zijn stafleden in het kantoor van John Podesta, in de West Wing, om de resultaten te bekijken. John was een gewiekste en zakelijk ingestelde politieke adviseur die onder Bills eerste regering had gediend en onlangs, na het vertrek van Erskine Bowles, was teruggekeerd als stafchef. Een van de assistenten had Bill uitgelegd hoe hij de uitslagen via internet kon volgen en fanatiek zat hij achter Johns computer langs de politieke websites te surfen. Ik was zoals altijd weer eens te zenuwachtig om de uitslagen te bekijken. Daarom nodigde ik Maggie en Cheryl Mills, een topadvocaat uit de juridische staf, uit om in de bioscoop te kijken naar Oprah Winfrey's nieuwe film *Beloved*, naar de roman van Toni Morrison. Toen we later die avond naar buiten kwamen, kregen we goed nieuws te horen. Het was een historische uitslag. De Democraten hadden vijf zetels winst geboekt in het Huis van Afgevaardigden en de Republikeinse meerderheid verkleind: de verhoudingen waren nu 223 tegen 211. De verhoudingen in de Senaat bleven ongewijzigd: 55 Republikeinen tegen 45 Democraten. Barbara Boxer werd opnieuw in de Senaat gekozen en het beste nieuws van die avond was dat Chuck Schumer Al D'Amato in New York had verslagen. De Republikeinen en de mediagoeroes hadden voorspeld dat de Democraten zo'n dertig zetels in het Huis zouden verliezen en vier tot zes zetels in de Senaat. In plaats daarvan wonnen de Democraten zetels in het Huis. Het was voor het eerst sinds 1822 dat de regerende partij dat in een tweede ambtstermijn was gelukt.

Spoedig daarna kregen we ander verrassend nieuws te horen. Drie dagen later, op vrijdag 6 november, had senator Moynihan een interview opgenomen met de New Yorkse tv-legende Gabe Pressman, waarin hij aankondigde dat hij geen vijfde ambtstermijn ambieerde. Het interview zou op zondagochtend worden uitgezonden, maar het nieuws lekte eerder uit.

Vrijdagavond laat kreeg ik een telefoontje van afgevaardigde Charlie Rangel, het ervaren Congreslid uit Harlem en een goede vriend.

'Ik heb net gehoord dat senator Moynihan heeft aangekondigd dat hij met pensioen gaat. Ik hoop dat jij je kandidaat stelt, want volgens mij maak je een goede kans om te winnen,' zei hij.

'O, Charlie,' zei ik, 'ik voel me vereerd dat je aan me denkt, maar ik ben niet geïnteresseerd, en bovendien zijn er nog een paar andere lopende zaken die nu opgelost moeten worden.'

'Dat weet ik,' zei hij. 'Maar ik meen het serieus. Denk er eens over.'

Misschien meende hij het inderdaad serieus, maar ik vond het idee me kandidaat te stellen voor de zetel van senator Moynihan absurd, hoewel dit niet de eerste keer was dat dit ter sprake kwam. Een jaar daarvoor had mijn vriendin Judith Hope, voorzitter van de Democratische Partij in New York, me op een kerstreceptie in het Witte Huis al verteld dat Moynihan zich volgens haar niet nog een keer kandidaat zou stellen. 'Als dat zo is,' zei ze, 'zou ik graag willen dat jij het deed.' Ik vond de opmerking van Judith toen nogal ver gezocht en dat vond ik nog steeds.

Ik had andere dingen aan mijn hoofd.

36 Wachten op genade

De tussentijdse verkiezingen van 1998 hadden nog een verrassing in petto: Newt Gingrich trad af als voorzitter van
het Huis en kondigde aan zich terug te trekken uit het
Congres. Aanvankelijk leek dit op een overwinning voor
ons en waarschijnlijk op het vastlopen van de impeachment. Bob Livingston uit Louisiana werd naar voren ge-
schoven om Gingrich op te volgen als voorzitter, maar
Tom Delay, leider van de Republikeinse meerderheid en de
echte machthebber binnen de fractie, zette zijn partijleden
onder druk om met geen enkel redelijk compromis, bijvoorbeeld een berisping, genoegen te nemen. Toen Erskine
Bowles aan Gingrich vroeg waarom de Republikeinen een
weg volgden die goed noch grondwettelijk was, antwoordde Gingrich: 'Omdat we daartoe in staat zijn.'

Het Whitewater-onderzoek en het proces-Paula Jones
dat de stoot tot dit constitutionele pokerspel had gegeven,
waren nog lang niet vergeten. Jones' advocaten waren in
beroep gegaan tegen het seponeren van de zaak door rechter Wright, en hadden in die maanden daarvóór laten
doorschemeren dat Jones voor een miljoen dollar bereid
was een schikking te treffen. Bill had duidelijk het recht
aan zijn kant, maar de uit drie rechters bestaande kamer
van het Achtste Hof van Appèl werd gedomineerd door dezelfde twee conservatieve Republikeinen die eerder op basis van krantenartikelen de juridisch onhoudbare beslissing hadden genomen rechter Henry Woods van een aan
Whitewater gerelateerde zaak te halen. Gezien deze voor-
geschiedenis vreesde Bill dat de kans groot was dat men om
partijpolitieke reden precedent en wet weer zou uitspelen,
en dat de rechters zouden beslissen dat de zaak voor het ge-

recht kon komen. Op 13 november liet Bills advocaat Bob Bennett weten dat Jones tegen betaling van achthonderd-vijftigduizend dollar haar aanklacht wilde intrekken. Hoewel Bill het vreselijk vond een zaak te schikken die hij al gewonnen had en die volgens rechter Wright elke juridische of feitelijke grond miste, realiseerde hij zich dat er geen andere manier was deze periode af te sluiten. Hij verontschuldigde zich niet en gaf niets toe. Bennett zei alleen maar: 'De president heeft besloten geen uur langer meer aan deze kwestie te besteden.' En toen was het voorbij.

Al wekenlang zat ik te wachten totdat de Juridische Commissie van het Huis zou komen met een reeks van dagvaardingen, zoals dat in 1974 was gebeurd tijdens het impeachment-onderzoek tegen Nixon. Het is de taak van de commissie eigen onderzoek te doen, en niet af te gaan op beschuldigingen van een onafhankelijk aanklager. Ik walgde toen Hyde bekendmaakte dat de commissie Kenneth Starr zou oproepen als hoofdgetuige. Starr sprak twee uur aan een stuk en de rest van de middag beantwoordde hij vragen van commissieleden. Pas om negen uur 's avonds kreeg David Kendall eindelijk de kans Starr aan een kruisverhoor te onderwerpen. Omdat David moest werken onder een belachelijk hoge tijdsdruk die door de Republikeinse meerderheid in de commissie was opgelegd, begon hij zijn betoog met een samenvatting van het proces:

Het is mijn taak te reageren op de twee uur durende, ononderbroken verklaring van de onafhankelijk aanklager, en op diens vier jaar durende onderzoek van vijfenveertig miljoen dollar, waar minstens achtentwintig advocaten bij betrokken waren, achtenzeventig FBI-agenten en een onbekend aantal privé-detectives; een onderzoek dat volgens een computertelling 114 532 verhalen in de pers en 2513 minuten zendtijd op tv heeft opgeleverd, afgezien van de schandalige 24-uursuitzendingen op de kabel; een eindrapport van 445 pagina's; vijftigduizend pagina's met getuigenisdocumenten voor de geheime grand jury; een vier uur durende getuigenis op videoband;

tweeëntwintig uur geluidsband, waarvan een deel onwettig is
verkregen, en de verklaringen van talloze getuigen van wie er
niet één aan een kruisverhoor is onderworpen.
En ik heb hier dertig minuten voor.

Tijdens dit sovjetachtige showproces moest Starr toegeven dat hij zelf niet één getuige voor de grand jury had ver- hoord. Hij had niets aan zijn rapport toe te voegen. Wel meldde hij dat het OIC in de zogeheten 'Travelgate'- en 'Filegate'-onderzoeken, de president uiteindelijk had vrij- gesproken van feiten die tot impeachment zouden kunnen leiden.

Barney Frank, een scherpzinnig en bekwaam Democra- tisch Congreslid uit Massachusetts, vroeg Starr wanneer hij tot die conclusie was gekomen.

'Een paar maanden geleden,' antwoordde Starr.

'Waarom hield u dat achter toen u voor de verkiezingen een rapport uitbracht met veel negatiefs over de president, en komt u nu pas, een paar weken na de verkiezingen met deze vrijspraak van de president?'

De onafhankelijk aanklager had hierop geen antwoord.

Ethisch adviseur van het OIC Sam Dash, die geen erg had gehad in eerdere misstappen van Starr en zijn onderge- schikten, nam de volgende dag uit protest tegen Starrs ver- klaring zijn ontslag. Dash, die in 1973 en 1974 tijdens het Watergate-schandaal de voornaamste raadsman was ge- weest van de Senaatscommissie voor Justitie, schreef een brief waarin hij Starr beschuldigde van misbruik van zijn positie doordat hij zichzelf 'onrechtmatig' een rol had toe- bedeeld in het impeachment-proces. Zijn ontslag had ove- rigens geen merkbaar effect op het verdere verloop, even- min als de open brief waarin vierhonderd historici – onder wie medesponsors Arthur M. Schlesinger van de City Uni- versity van New York, Sean Wilentz van Princeton Univer- sity en C. Vann Woodward van Yale University – het Con- gres openlijk opriepen tot afwijzing van impeachment om- dat niet aan de constitutionele voorwaarden werd voldaan.

Hun verklaring zou verplichte kost moeten zijn voor het vak maatschappijleer.

Als historici en als burgers betreuren wij het huidige streven om de president aan te klagen. Wij menen dat dit streven, indien het slaagt, bijzonder ernstige gevolgen zal hebben voor onze constitutionele orde.

In onze grondwet is impeachment van de president een buitengewoon ernstige maatregel. De opstellers reserveerden deze maatregel expliciet voor ernstige misdaden en vergrijpen [crimes and misdemeanors] in het uitoefenen van de uitvoerende macht. Bij impeachment voor iets anders zou volgens James Madison de president alleen kunnen dienen 'zolang het de Senaat behaagt' en zou het systeem van checks and balances dat onze voornaamste bescherming is tegen misbruik van de openbare macht, worden uitgehold.

Hoewel wij het privé-gedrag van president Clinton en zijn latere pogingen tot bedrog niet goedkeuren, wijken de huidige aanklachten tegen hem af van wat volgens de opstellers gronden waren voor impeachment. De uitspraak van het Huis van Afgevaardigden een open onderzoek in te stellen, creëert nieuwe, voor allerlei doeleinden geschikte speurtochten naar vergrijpen op basis waarvan men een president kan afzetten.

De idee van impeachment die achter deze pogingen ligt, is ongekend in onze geschiedenis. De nieuwe processen zijn buitengewoon gevaarlijk voor de toekomst van onze politieke instellingen. Bij voortzetting zal het presidentschap er permanent door worden beschadigd en gekortwiekt, en meer dan ooit speelbal zijn van de grillen van het Congres. Het presidentschap, dat historisch gezien het centrum van leiderschap is in tijden van grote nationale beproevingen, zal niet zijn opgewassen tegen de onvermijdelijke taken van de toekomst.

We staan voor de keuze onze grondwet te behouden of te ondermijnen. Willen we een precedent scheppen waarmee we straks presidenten kunnen lastigvallen en onze regering kunnen opzadelen met slepende nationale kwesties van onthullin-

gen en beschuldigingen? Of willen we de grondwet bescher-
men en terugkeren naar de openbare zaak?

We vragen u, Republikein, Democraat of Onafhankelijk
Congreslid, stelling te nemen tegen de gevaarlijke nieuwe in-
vulling van impeachment, en te eisen dat onze federale over-
heid haar normale werkzaamheden hervat.

Begin december overleed op 91-jarige leeftijd in zijn huis in
Carthage, Tennessee, Albert Gore sr. de vader van de vice-
president. Op 8 december vlogen Bill en ik naar Nashville
voor een dienst in het War Memorial Auditorium. Al Gore
stond naast de kist waarover de Amerikaanse vlag lag en
hield een prachtige grafrede voor zijn vader, de eens zo
machtige en moedige senator die in 1970 zijn zetel verloor
omdat hij tegen de Vietnamoorlog was. Al sprak rechtstreeks vanuit zijn hart, met humor en gevoel. Het was de
beste speech die ik hem ooit heb horen geven.

Er is ontstellend veel gespeculeerd of onze relatie met de
familie Gore onder het impeachment-schandaal heeft geleden. Al en Tipper waren in augustus, net als iedereen, geschokt en gekwetst toen Bill zijn fouten opbiechtte, maar
ze bleven hem allebei tijdens die hele beproeving steunen,
zowel persoonlijk als politiek. Ze waren er wanneer we ze
nodig hadden, soms als we hun om hulp vroegen, soms
wanneer ze zelf hadden bedacht dat we die konden gebruiken.

In de nacht van 11 op 12 december besloot de Juridische
Commissie geheel volgens partijlijnen om het voltallige
Huis te laten stemmen over vier impeachment-artikelen.
Dit was geen verrassing, al hadden we nog steeds gehoopt
op voldoende steun voor een compromis: stemmen over
een berisping.

Terwijl het Congres zich voor impeachment gereedmaakte, richtte Bill zich op zijn officiële taken en ik op de
mijne. Ik maakte een reis naar Puerto Rico, de Domini-
caanse Republiek en Haïti om, samen met enkele Congresleden, mijn medeleven te betuigen aan de slachtoffers van

de orkaan Georges. Ik had sterk het gevoel dat het mijn plicht was als First Lady mijn publieke taken voort te zetten. Dat hield me op de been. Ik had nooit het idee dat ik me de luxe kon permitteren in bed te duiken en de lakens over mijn hoofd te trekken.

Van 12 tot 15 december waren Bill en ik in het Midden-Oosten. Met premier Benjamin 'Bibi' Netanyahu en zijn vrouw Sara bezochten we Masada, een symbool van joods verzet en martelaarschap dat Bill en ik zeventien jaar eerder hadden bezocht als onderdeel van een reis door het Heilige Land onder begeleiding van Bills baptistische dominee dr. W.O. Vaught. Hij was toen al overleden, maar vaak wenste ik dat hij er nog was om raad te geven en met Bill in gesprek te gaan. Ik stelde het zeer op prijs dat er drie dominees waren om Bill te begeleiden: Phil Wogaman, Tony Campolo en Gordon MacDonald bezochten Bill en baden regelmatig met hem toen hij begrip en vergeving zocht. Tijdens dat eerste bezoek aan Israël waren we ook in Bethlehem geweest; nu keerden we terug met Yasir Arafat om de Geboortekerk te bezichtigen, waar we samen met christelijke Palestijnen kerstliedjes zongen, nog steeds hoop koesterend voor het vredesproces. Bill zou een baanbrekende toespraak houden voor het Palestijns Nationaal Congres en andere ontmoetingen hebben met de Palestijnen, en we landden op het spiksplinternieuwe Gaza International Airport. Dit was een belangrijke gebeurtenis omdat de opening van de luchthaven een van de voorwaarden was uit de recente Wye-vredesakkoorden die Bill met Arafat en Netanyahu was overeengekomen om de economische kansen voor de Palestijnen te vergroten.

Hoewel de ontwikkelingen in het Midden-Oosten toentertijd positief oogden, bleef Bill nauwgezet de dreigende Saddam Hoessein in de gaten houden, die weigerde akkoord te gaan met hervatting van VN-wapeninspecties in Irak. Politiek gezien was dit het allerslechtste moment om militaire acties tegen Hoessein te ondernemen. Met de impeachment-stemming op de achtergrond kon elke actie van de president worden uitgelegd als een poging het Congres af te leiden of op te houden. Anderzijds, als Bill luchtaanvallen op Irak uitstelde, kon hij ervan beschuldigd worden de nationale veiligheid op te offeren om onder het politieke debat uit te komen. De ramadan stond voor de deur en spoedig was de kans om aan te vallen verkeken. Op 16 december kreeg Bill van zijn defensie- en spionagespecialisten te horen dat de tijd rijp was. Bill gaf het bevel tot luchtaanvallen om de bekende en vermoedelijke opslagplaatsen van massavernietigingswapens en andere militaire doelen in Irak uit te schakelen.

De openlijk sceptische Republikeinse leiders stelden het impeachment-debat uit toen de bombardementen begonnen. 'Clintons besluit om Irak te bombarderen, is een onbeschaamde en schandalige toepassing van militaire macht voor persoonlijk gewin,' zei het Republikeinse Congreslid Joel Hefley. Trent Lott, de leider van de Republikeinse meerderheid in de Senaat, was het publiekelijk oneens met het oordeel van de president. 'Zowel het moment als het beleid is dubieus,' zei hij over deze militaire actie. Lott nam gas terug toen zijn uitspraak werd gezien als een aanwijzing dat partijpolitiek in dit Congres belangrijker werd gevonden dan de nationale veiligheid.

De leiders van het Huis waren vastbesloten een stemming af te dwingen over impeachment tijdens de demissionaire periode, voordat in januari de Republikeinse meerderheid met elf leden zou zijn gereduceerd. Op 18 december, terwijl de bommen op Irak vielen, begon het impeachment-debat. Ik had me al een paar maanden in de media van commentaar onthouden, maar die ochtend sprak ik buiten het Witte Huis een groep verslaggevers toe. 'Ik geloof dat de overgrote meerderheid van de Amerikanen net als ik instemt met, en trots is op, het werk dat de president voor ons land heeft gedaan,' zei ik. 'En ik geloof dat we met deze feestdagen – nu we Kerstmis, Chanoeka of de ramadan vieren en het tijd is voor bezinning en verzoening – een eind zouden moeten maken aan de verdeeldheid, omdat we samen zoveel sterker staan.'

Dick Gephardt vroeg of ik wilde verschijnen op de frac-
tievergadering van de Democraten op het Capitool, vlak
voordat er over de impeachment-artikelen zou worden gestemd. Toen ik de volgende ochtend voor de Democraten
stond, bedankte ik iedereen voor zijn steun aan de grondwet, het presidentschap en de leider van hun partij, mijn
man. Die woorden kwamen rechtstreeks uit mijn hart.

'Jullie mogen allemaal woedend zijn op Bill Clinton,'
zei ik. 'Zeker, zelf ben ik ook niet blij met wat mijn man gedaan heeft. Maar impeachment is niet het antwoord. Er
staat hier te veel voor ons op het spel om ons te laten afleiden van wat echt belangrijk is.' Ik herinnerde alle aanwezigen eraan dat wij allen Amerikaanse staatsburgers waren,
dat het recht voor ons allen gold en dat we het aan ons
staatsstelsel waren verschuldigd de grondwet te gehoorzamen. De impeachment-kwestie was onderdeel van een politieke oorlog, was begonnen door mensen die eropuit waren de plannen te saboteren die de president had met de
economie, het onderwijs, de sociale zekerheid, de gezondheidszorg, het milieu, het streven naar vrede – van Noord-
Ierland en de Balkan tot in het Midden-Oosten – kortom
met alles waar wij als Democraten voor stonden. Dat
mochten we niet laten gebeuren. En hoe er die dag ook gestemd zou worden, Bill Clinton zou niet aftreden.

We wisten allemaal dat de laatste pogingen om impeachment te voorkomen, geen kans hadden. Terwijl ik
naar buiten liep door de marmeren gangen van het enorme
Capitool, het gebouw dat zoveel Amerikaanse geschiedenis
had gezien, betreurde ik mijn land nu ons zo gekoesterde
rechtssysteem werd misbruikt voor iets wat een staatsgreep
vanuit het Congres leek te worden. Als pas afgestudeerde
rechtenstudent had ik de politiek gemotiveerde impeachment van president Andrew Johnson bestudeerd. Als lid
van de Congresstaf die onderzoek deed naar Richard
Nixon, wist ik hoe hard we moesten werken voor een eerlijk impeachment-proces overeenkomstig de grondwet.

Deze ernstige gebeurtenis werd bijna aan het oog onttrokken door een bizar drama in het Huis. De avond voor de stemming werd Bob Livingston, de beoogde voorzitter, ontmaskerd als overspelige echtgenoot. Zaterdagochtend, toen Livingston voor zijn collega's stond in de schitterende Congreszaal van het Capitool, wist iedereen dat hij de 'dwalingen' in zijn huwelijk had opgebiecht. Kort nadat hij onder een fluitconcert het aftreden van de president had geëist, verbaasde hij iedereen door zijn functie als voorzitter neer te leggen – alweer een onbedoeld slachtoffer van de karaktermoordcampagne van zijn eigen partij. Net als Gingrich verliet hij het Huis.

Twee artikelen werden afgewezen, twee werden aanvaard. Bill werd aangeklaagd wegens meineed tegenover een grand jury en wegens het blokkeren van de rechtsgang. Hij zou nu moeten voorkomen in de Amerikaanse Senaat.

Na de impeachment-stemming reed een delegatie Democraten in een bus van het Capitool naar het Witte Huis om zich solidair met de president te betuigen. Ik stak mijn arm onder die van Bill toen we de Oval Office uitliepen om hen in de Rozentuin te verwelkomen. Al Gore legde een ontroerende steunverklaring af en noemde de impeachment-stemming in het Huis 'een slechte dienst aan iemand die volgens mij als een van de grootste presidenten in de geschiedenis te boek zal komen staan'. Al Gores krachtige goedkeuring sloeg aan, evenals de mijne. Het Amerikaanse volk had begrepen wat er aan de hand was.

Bill bedankte iedereen die hem trouw was gebleven en beloofde dat hij niet zou opgeven. Hij zou aanblijven, zei hij, 'tot het laatste uur van de laatste dag van mijn termijn'. Het was een merkwaardig uitgelaten bijeenkomst, gezien die verschrikkelijke uitkomst, en ik was dankbaar voor alle openbare steunbetuigingen aan Bill. Ondertussen echter moest ik mijn best doen de groeiende pijn in mijn rug te bedwingen. Toen ik na afloop terugliep naar de residentie, kon ik nauwelijks nog op mijn benen staan.

De timing, het kerstreces, was uitermate ongelukkig,

want impeachment of niet, er vonden dag en nacht recepties plaats in het Witte Huis, en dat betekende urenlang in de rij staan en mensen ontvangen. Ik overleefde er een aantal, maar al snel lag ik plat op mijn rug en kon ik me niet bewegen. Ik was het slachtoffer van opgekropte spanningen en, zo bleek, schoeisel.

Een van de artsen in het Witte Huis die me onderzochten, haalde er een fysiotherapeut van de marine bij. Nadat die me had onderzocht, vroeg hij: 'Mevrouw, loopt u de laatste tijd veel op hoge hakken?'

'Ja.'

'Mevrouw,' zei hij, 'u mag geen hoge hakken meer dragen.'

'Hoezo niet? Nooit meer?'

'Inderdaad, nooit meer.' Hij keek me onderzoekend aan en vroeg: 'Met alle respect, mevrouw, waarom zou u?'

Het was zowel troostend als vreemd om tijdens de vakantie dezelfde dingen te doen die we altijd deden, ondanks het spook van een Senaatsproces dat als een ongenode en ongewenste gast door het huis waarde. Ik ontving honderden steunbetuigingen. Een van de attentste kwam van Lady Bird Johnson, die alles vanuit haar huis in Texas had gevolgd:

Beste Hillary,

Jij hebt mijn dag goed gemaakt! Toen ik je op tv zag met de president aan je zijde (was het op de South Lawn?), en je ons herinnerde aan de vooruitgang die ons land op zoveel gebieden heeft geboekt, bijvoorbeeld in het onderwijs en de gezondheidszorg, en hoe ver we nog hebben te gaan, stuurde ik een gebedje je kant op. Toen hoorde ik dat je naar Capitol Hill ging om de Democraten toe te spreken en hun steun te vragen.

Dat deed me goed, en ik denk dat heel veel andere burgers in ons land er net zo over denken.

Bravo, mijn bewondering heb je,

Lady Bird Johnson

De vriendelijke en wijze woorden van Lady Bird Johnson waren hartverwarmend. Het deed me goed dat iemand die begreep onder welke druk ik stond, kon inzien waarom ik zo vastbesloten mijn man bleef steunen.

Ook dit jaar vierden we oudjaarsavond tijdens het jaarlijkse Renaissance Weekend op Hilton Head in South Carolina. Er waren zoveel vrienden en collega's helemaal hier naartoe gekomen om ons een hart onder de riem te steken en om Bill als leider van ons land te bedanken. De ontroerendste bijdrage kwam van admiraal b.d. Elmo Zumwalt jr., voormalig chef Marine-operaties tijdens de Vietnamoorlog. Admiraal Zumwalt richtte zijn korte toespraak tot Chelsea onder de titel 'Als dit mijn laatste woorden waren'. Hij wilde dat zij nooit zou vergeten wat haar vader had bereikt, ook al dreigde dat door de gebeurtenissen in het Congres overschaduwd te worden.

'Jouw vader, mijn opperbevelhebber,' zei hij, 'zal herinnerd worden als de president die de vijftien jaar durende achteruitgang van ons militaire apparaat een halt toeriep en ervoor zorgde dat onze gewapende troepen inzetbaar bleven..., als de man die een einde maakte aan de slachtpartijen in Haïti, Bosnië, Ierland en Kosovo..., die het vredesproces in het Midden-Oosten een stapje verder bracht..., die het debat aanzwengelde en maatregelen trof ter verbetering van de sociale zekerheid, het onderwijs en de gezondheidszorg.'

Ook vertelde admiraal Zumwalt aan Chelsea dat men haar moeder zal blijven herinneren omdat die 'de ogen van de wereld had geopend' voor de rechten van de vrouw en van het kind en zich had ingezet voor verbetering van hun omstandigheden, en omdat ik mijn gezin in tijden van nood bleef steunen. Zijn woorden waren een onschatbaar geschenk aan Chelsea – en aan mij.

Helaas waren dit de laatste woorden die Chelsea zou horen van admiraal Zumwalt, want een jaar later overleed hij. Hij zal door zijn land herinnerd worden als een van de grootste vaderlands- en menslievende figuren van zijn generatie, en door mij en mijn gezin als een echte en trouwe vriend.

Het proces in de Senaat begon op 7 januari 1999, kort na de beëdiging van het honderdzesde Congres. Opperrechter William Rehnquist had zich voor de gelegenheid gekleed. Hij verscheen niet in de Senaatszaal in zijn gewone effen zwarte toga, maar droeg een eigen creatie, met gouden strepen op de mouwen. Hij antwoordde de pers dat de kostuums in een voorstelling van Gilbert & Sullivan's komische opera *Iolanthe* hem op dit idee hadden gebracht. Wat was het gepast om in theaterkostuum een politieke farce voor te zitten!

Behoedzaam meed ik de tv-uitzendingen van de zitting, ten eerste omdat ik het hele proces beschouwde als een grondwettelijke dwaling en ten tweede omdat ik toch niets aan de uitkomst kon doen. Bills zaak was in handen van een uitstekend team van juristen – de advocaten van het Witte Huis, onder wie raadsman Chuck Ruff, plaatsvervangend raadsvrouwe Cheryl Mills, Lanny Breuer, Bruce Lindsey en Greg Craig, die een topfunctie op het ministerie van Buitenlandse Zaken had verruild om het Witte-Huisteam te versterken, en Bills persoonlijke advocaten David Kendall en diens partner Nicole Seligman.

Ik had een ontmoeting met het juridisch team om suggesties te doen over de strategie en presentatie, maar meer dan mijn steun kon ik niet geven. Omdat de stemming in het Huis vóór impeachment als een aanklacht werd beschouwd, waren de Republikeinse leden van het Huis in de Senaat aanwezig als managers of 'aanklagers'. Zij moesten het 'bewijs' leveren voor de impeachment-artikelen, terwijl Bills advocaten hem moesten verdedigen. Er werden geen getuigen in persoon opgevoerd. De Huis-managers vertrouwden op getuigenverklaringen voor de grand jury en op verklaringen onder ede die ze hadden afgenomen van Sid Blumenthal, Vernon Jordan en Monica Lewinsky. In zijn boek *The Clinton Wars* heeft Sid Blumenthal een fascinerend achter-de-schermenverslag geschreven van zijn ervaringen tijdens de impeachment.

De grondwet eist dat twee derde van de Senaat vóór veroordeling van de president stemt om hem te kunnen afzetten. Dat was nog niet voorgekomen in de Amerikaanse geschiedenis, en ik verwachtte niet dat het nu wel zou gebeuren. Geen enkele betrokkene geloofde werkelijk dat er zevenenzestig senatoren voor een veroordeling zouden stemmen, vandaar, misschien, dat de aanklagers van het Huis niet eens de schijn van een professionele aanklacht konden ophouden. Er waren voor deze managers weinig regels over procedures of de bewijsvoering. Het proces had daardoor weinig weg van een echte hoorzitting. Het leek meer op een groepsgewijze tirade waarin mijn man werd zwartgemaakt.

In de vijf weken die het spektakel duurde, gaven de advocaten van de president een voorstelling van de wet en de feiten waar later historici en juristen op zullen terugvallen wanneer zij deze betreurenswaardige bladzijde uit de Amerikaanse geschiedenis proberen te begrijpen. In een vlammend betoog verwierp Cheryl Mills de stelling van de Huis-managers dat vrijspraak van de president niet alleen een ondermijning van het recht, maar ook van 's lands burgerrechten zou betekenen. De Afro-Amerikaanse Mills verklaarde: 'Ik maak me geen zorgen over burgerrechten, want het dossier van de president inzake burgerrechten, vrouwenrechten en al onze andere rechten is geenszins ontvankelijk voor impeachment... Ik sta hier vandaag voor u, omdat het juist president Bill Clinton was die erin geloofde dat ik hier voor hem kon staan.'

Dale Bumpers, de voormalige senator uit Arkansas, stak een krachtig betoog af voor Bill. Bumpers, een meesterlijk redenaar en goede vriend van Bill, verweefde de Amerikaanse geschiedenis met wederwaardigheden uit Arkansas en hield zo een overtuigend pleidooi voor vrijspraak. Met kracht herinnerde hij ons eraan dat de grondwet in het geding was. In zijn schitterende autobiografie *The Best Law-*

yer in a One-Lawyer Town vertelt Bumpers dat Bill hem had opgebeld met de vraag of hij namens hem zou willen spreken. Bumpers dacht erover na en besefte toen dat 'elk gezin in Amerika zich min of meer kon vereenzelvigen met de verhoren en beproevingen die de Clintons ondergingen en die deel uitmaken van het menselijk drama'. Vervolgens vroeg hij zich af: 'Waar zijn de elementen van vergeving en verlossing, die juist de basis vormen van het christendom?'

De hele hoorzitting heb ik geen moment eraan getwijfeld dat we uiteindelijk zouden winnen. Ik kreeg er met de dag meer vertrouwen in, wat me deed denken aan een oud gezegde op zondagsschool: Vertrouwen is van een rots af-stappen en een van twee gevolgen afwachten – je komt op vaste grond terecht, of je leert vliegen.

37 'Durf mee te doen'

De constitutionele krachtmeting op Capitol Hill vormde een merkwaardige achtergrond voor de toenemende speculaties over mijn deelname aan de race voor de Senaatsverkiezingen in New York. Ik had nog steeds geen interesse senator Moynihan op te volgen, maar begin 1999 stelde de Democratische-Partijleiding alles in het werk om mij van gedachten te doen veranderen. Tom Daschle, de leider van de minderheid in de Senaat voor wie ik veel respect had, belde op om me aan te moedigen, net als talloze andere Democraten uit New York en de rest van het land. Hoe vleiend al die aandacht ook was, ik vond dat andere, meer ervaren Democraten uit New York beter geschikt waren voor de race. Congreslid Nita Lowey, hoofd van de New Yorkse Rekenkamer Carl McCall en Andrew Cuomo, minister van Stedelijke Ontwikkeling en Woningbouw in de regering-Clinton, stonden boven aan de lijst.

De waarschijnlijke Republikeinse kandidaat, de New Yorkse burgemeester Rudolph Giuliani, zou voor iedere Democratische kandidaat een geduchte tegenstander zijn. De partijtop, bang een oude Democratische zetel te verliezen, was van plan een even groot politiek zwaargewicht in te zetten, iemand die de torenhoge kosten kon opbrengen die een dergelijke race ging kosten. In zekere zin was ik een wanhoopskeuze – een beroemde openbare figuur die misschien compensatie bood voor Giuliani's uitgesproken New Yorkse profiel en de zakken vol geld van de Republikeinen. Tegen die achtergrond was het niet vreemd dat tijdens de opnamen van het NBC-programma *Meet the Press* mijn kandidatuur in de eerste dagen van het nieuwe jaar weer ter sprake kwam.

Op zondag 3 januari was senator Robert Torricelli uit New Jersey te gast, die als hoofd van de Commissie Senaatscampagne Democraten verantwoordelijk was voor het rekruteren van kandidaten en het inzamelen van geld voor campagnes. Gastheer Tim Russert had voor aanvang van de show vragen over de Senaatscampagne gesteld en meldde tijdens de uitzending dat Torricelli geloofde dat ik me kandidaat zou stellen.

Toen ik kennis nam van Torricelli's opmerking, belde ik hem op. 'Bob, je hebt het over mijn leven,' zei ik. 'Je weet dat ik me niet kandidaat stel. Waarom zeg je dit?' Torricelli ontweek de vraag en wist maar al te goed dat hij de sluizen open had gezet. Andrew Cuomo en Carl McCall trokken zich uit de race terug en concentreerden zich in plaats daarvan op de gouverneurscampagne van 2002, en Nita Lowey zei dat ze zou wachten met de beslissing om zelfstandig campagne te voeren.

Door al deze ontwikkelingen namen de speculaties in de media over mijn deelname aan de race toe. Maar privé kreeg ik een negatief advies. De paar vrienden met wie ik er voortdurend over sprak, raadden het me af. De top van mijn Witte-Huisstaf zag het evenmin zitten. Men vreesde de druk waaronder ik zou komen te staan als kandidaat, en de emotionele kosten van een zware campagne.

Toen op 7 februari koning Hoessein van Jordanië na een moedige strijd tegen kanker overleed, zetten Bill en ik een paar dagen alles opzij om de lange, treurige reis te maken naar de Jordaanse hoofdstad Amman. De voormalige presidenten Ford, Carter en Bush vlogen mee met de Air Force One. De kans op vrede in het Midden-Oosten leed onherstelbare verliezen met het overlijden van twee grote figuren, Rabin en nu Hoessein. De straten van Amman waren gevuld met rouwenden van over heel de wereld. Koningin Noor, in het zwart gekleed en met een witte hoofddoek, begroette minzaam alle hoogwaardigheidsbekleders die haar uitzonderlijke echtgenoot de laatste eer kwamen bewijzen. Kort voor zijn dood had de koning zijn oudste zoon Abdoellah aangewezen als zijn opvolger. Koning Abdoellah en zijn begaafde koningin Rania overtroffen alle verwachtingen en vervulden hun zware taken met energie en gratie.

Toen we terugkeerden van de begrafenis, hing de impeachment-hoorzitting als een donkere wolk boven ons gezin. Bill en ik vochten voor het herstel van onze relatie en we probeerden Chelsea te beschermen tegen het geruzie op Capitol Hill. Bij dit alles kwam nog de maatschappelijke druk die ik voelde om een beslissing te nemen over de Senaatsverkiezingen, een beslissing die onmiddellijk en op de lange termijn gevolgen zou hebben voor mijn leven en dat van mijn gezin.

Een gesprek met Harold Ickes, expert op het gebied van de New Yorkse politiek, maakte me duidelijk dat ik de toenemende druk van buiten moest erkennen en mijn kandidaatstelling serieus moest nemen. Harolds beste eigenschap, als vriend, is zijn aan botheid grenzende openheid. Hoewel Harold echt een lieve, schattige man is, heeft hij een stemgeluid waar je bang van wordt. Alles klinkt als een verwensing, ook als hij je een complimentje geeft. Op zijn eigen, kleurrijke manier gaf hij me advies.

'Als je denkt het niet te zullen doen, stap er dan uit en leg een Sherman-achtige verklaring af,' zei Harold. 'Maar als je erover twijfelt, hou dan nog je mond. Zolang die impeachment nog niet is afgelopen, zal niemand je onder druk zetten.'

Harold en ik ontmoetten elkaar op vrijdag 12 februari, de dag, zo bleek, dat de Senaat zou stemmen over impeachment. Ik was er zeker van dat een meerderheid in de Senaat zich door de grondwet zou laten leiden en vóór vrijspraak zou stemmen. In afwachting van de uitkomst luisterde ik geconcentreerd naar Harold, die het politieke landschap van New York in kaart bracht en me uitlegde hoe onvoorspelbaar een New Yorkse Senaatscampagne kan zijn. Hij vouwde een grote kaart uit van de staat, waar we uren naar tuurden terwijl hij onophoudelijk commentaar gaf op de obstakels die ik zou tegenkomen. Hij wees naar steden als Montauk, Plattsburgh en Niagara Falls, en het werd duidelijk dat ik fysiek in staat moest zijn een campagne over te brengen op de negentien miljoen inwoners van New York, en daarvoor door een staat van 140 000 vierkante kilometer moest reizen. Bovendien zou ik de fijne kneepjes van de lokale politiek moeten beheersen, de grote verschillen moeten kennen in volksaard, cultuur en economie van *upstate* New York en de buitensteden. New York City was een universum op zich: een snelkookpan vol met elkaar beconcurrerende politici en belangengroepen. De vijf wijken waren haast aparte ministaten, elk met eigen behoeften en moeilijkheden die weer heel anders waren dan van de districten en de steden in het noorden, of van het naburige Long Island, Westchester en andere buitensteden.

Nadat we zo uren bij elkaar zaten, somde Harold alle redenen op om niet aan de race mee te doen. Ik was geen New Yorkse, had me nog nooit eerder kandidaat gesteld en had Giuliani tegenover me, een intimiderende tegenstander. Nog nooit had een vrouw een Senaatsrace in New York gewonnen. De nationale Republikeinse Partij zou alles in het werk stellen mij en mijn politiek te demoniseren. De campagne zou gemeen en emotioneel uitputtend worden. En hoe kon ik in New York campagne voeren terwijl ik nog First Lady was? De lijst ging maar door.

'Ik weet niet eens of je wel een goede kandidaat bent,' zei Harold.

Dat wist ik ook niet.

Die middag stemde de Amerikaanse Senaat met een grote meerderheid voor vrijspraak van Bill. Voor geen van de beschuldigingen was een meerderheid te vinden, laat staan de vereiste tweederde. De stemming zelf liep uit op een anticlimax, veroorzaakte geen opwinding, alleen maar opluchting. Gelukkig bleven de grondwet en het presidentschap intact.

Nog steeds had ik niet besloten of ik me kandidaat ging stellen, maar dankzij Harold had ik een realistischer kijk op de campagne gekregen. Nu het impeachment-proces voorbij was, werd het tijd deze kwestie aan te pakken. Op 16 februari liet mijn bureau weten dat ik een mogelijke kandidaatstelling zorgvuldig zou overwegen en later in het jaar zou beslissen.

Harold gaf me een lijst met honderd New Yorkers met wie ik contact kon opnemen, en eind februari maakte ik afspraken met hen, allereerst met senator Moynihan en zijn vrouw Liz, die de campagnes van haar man had gevoerd en ontzettend goed op de hoogte was van de New Yorkse politiek. Senator Moynihan steunde me ruimhartig in het openbaar door tegen NBC-presentator Tim Russert, die ooit voor hem gewerkt had, te zeggen dat mijn 'stralende, jeugdige, intelligente en bekwame Illinois-Arkansaanse uitstraling', wel paste bij New York en New Yorkers. 'Ze zou welkom zijn en kunnen winnen,' zei hij. Ik was sprakeloos, vooral door het predikaat 'jeugdig'. Ook raadpleegde ik de ex-burgemeesters van New York City Ed Koch en David Dinkins, die me steun gaven en aanmoedigden. Senator Schumer, die net zijn eigen harde Senaatscampagne had overleefd, was behulpzaam en praktisch. Leden van het Congres, burgemeesters, wetgevers, wijkhoofden, vakbondsleiders, activisten en vrienden droegen allemaal hun visies bij. Net als Robert F. Kennedy jr., milieuactivist en zoon van de man die vóór senator Moynihan de zetel bekleedde. Ook hij was enthousiast en beloofde mij te informeren over urgente milieukwesties in de staat.

Maar hoeveel mensen me ook stimuleerden, even zoveel anderen deden er alles aan om me de kandidaatstelling uit het hoofd te praten. Vooral goede vrienden begrepen niet waarom ik me in een uitputtende Senaatscampagne wilde storten na alle emotionele ophef van de afgelopen jaren. Het leven tijdens de campagne zou in niets lijken op het comfort en de veiligheid van het Witte Huis. Elke werkdag zou met zonsopgang beginnen en bijna altijd tot in de kleine uurtjes voortduren. Het betekende een snelle hap onderweg, maandenlang van huis zijn en een beroep doen op vrienden bij wie ik kon logeren als ik op pad was. Het ergste was dat ik in mijn laatste jaar in het Witte Huis maar weinig tijd zou hebben voor mijn familie en nog minder voor mijn vrienden.

Ook twijfelde men of het Congres de plek was waar ik het best zou functioneren. Maandenlang had ik gepiekerd over wat ik na mijn leven in het Witte Huis zou gaan doen. Sommige vrienden meenden dat ik meer invloed zou hebben als ik voor verandering zou pleiten in de internationale arena in plaats van in de honderd leden tellende Senaat. Na bijna dertig jaar advocatuur en acht jaar als First Lady had ik ruime ervaring in het opkomen voor vrouwen, kinderen en families. Zelfs als ik kon winnen, was ik er niet zeker van of het me wel waard was dit zichtbare platform op te geven voor een intensieve politieke campagne en de dagelijkse beslommeringen van een leven in de politiek. Bovendien moest ik meer mogelijkheden overwegen: ik was benaderd om stichtingen te leiden, een tv-show te presenteren, hoofd te worden van een universiteit en als CEO in het bedrijfsleven te gaan werken. Dit waren aanlokkelijke opties die een veel comfortabeler vooruitzicht boden dan een harde Senaatsrace.

Mandy Grunwald, een vaardige mediaconsultant die in New York was opgegroeid en had meegewerkt aan de recente campagnes van senator Moynihan, herhaalde Harolds waarschuwingen. Ze wees erop dat ik moest leren omgaan met het agressieve New Yorkse journaille (niet mijn specialiteit). Ook stelde Mandy bot dat ik nergens vrije doorgang had omdat ik een nieuweling was: de New Yorkse pers zag geen fouten over het hoofd. Die zouden in de schandaalpers worden opgeblazen, op alle journaals van de lokale tv worden uitgezonden en in de krant door commentatoren worden ontleed. Daarna volgden de praatprogramma's op de radio. En dat was nog niet alles. Gezien het historische feit dat ik als zittende First Lady me voor de Senaat verkiesbaar stelde, kon ik ervan uitgaan dat niet alleen de New Yorkse pers mijn campagne nauwgezet zou volgen.

Mijn mogelijke kandidaatstelling alleen al was voor de nationale en internationale media genoeg om mijn voorlichters in het Witte Huis te overladen met interviewaanvragen.

Ook het gladde ijs van de New Yorkse politiek baarde me zorgen. New Yorkers die het weten konden, vertelden me openlijk dat ik kansloos was omdat ik niet Iers, Italiaans, katholiek of joods was; een etnische identiteit was een voorwaarde in zo'n diverse staat. Een andere groep die het me verrassend genoeg moeilijk kon maken, waren de Democratische vrouwen, vooral professionele vrouwen van mijn leeftijd die mijn achterban zouden moeten vormen, maar die sceptisch waren over mijn motieven en mijn beslissing om met Bill getrouwd te blijven.

Op een lentedag liep ik het lijstje met obstakels af die ik zou tegenkomen, toen Patti Solis Doyle, mijn planner en een scherpzinnig politiek adviseur, mijn monoloog onderbrak en eruit flapte: 'Hillary, ik denk niet dat je deze race kunt winnen.' Ze vond zo stellig dat ik me niet kandidaat mocht stellen – en wist zeker dat ik dat niet zou doen –, dat zij en haar man Jim al voorzichtig plannen maakten om terug naar Chicago te verhuizen.

Mijn staf in het Witte Huis had andere redenen zich zorgen te maken over wat er zou gebeuren als de First Lady plotseling kandidaat werd voor de Amerikaanse Senaat. Iedereen zette zich volledig in voor mijn binnenlandse politieke agenda. Men wilde er zeker van zijn dat ik zou doorzetten als ik kandidaat was. Ik verzekerde hen dat ik me, Senaatsrace of niet, zou blijven inzetten voor onze eigen projecten – van 'Save America's Treasures' tot naschoolse kinderopvang. Het vooruitzicht van een campagne deed ook de vraag rijzen of ik in het buitenland nog wel de vertegenwoordigster van Amerikaanse belangen kon zijn. Gedurende Bills ambtstermijn had ik de hele wereld afgereisd ten behoeve van vrouwenrechten, mensenrechten, religieuze verdraagzaamheid en democratie. Mondiaal denken en handelen was misschien wel het laatste dat ik moest doen als ik me voor New York kandidaat wilde stellen. Ondertussen had ik me ondanks mijn eigen besognes te houden aan officiële bezoeken aan Egypte, Tunesië en Marokko en aan een Kosovaars vluchtelingenkamp aan de grens met Macedonië. Ik had me krachtig uitgesproken vóór Bill toen hij in de NAVO het voortouw nam bij de bombardementen die de troepen van Slobodan Milošević uit Kosovo moesten jagen. Ik hielp de Macedoniërs hun textielfabrieken te heropenen, zodat men weer aan het werk kon en voorkomen werd dat door economische instabiliteit het doel van de NAVO – de Kosovaren terug naar huis te laten keren – niet zou worden gehaald.

In de loop van het voorjaar besprak ik alle mogelijke campagnescenario's met adviseurs en vrienden, en elke discussie liep uit op een levendig debat over mijn toekomst. Een van de dingen waar we het over hadden, noemden we eufemistisch 'het echtgenootprobleem'. In mijn geval was dat een understatement. Het is altijd moeilijk een geschikte rol te vinden voor de vrouw of man van een politieke kandidaat. Mijn dilemma was uniek. Sommigen vreesden dat Bill nog steeds zo populair was in New York en zo'n politieke reus in Amerika, dat het me nooit zou lukken een onafhankelijke politieke stem te ontwikkelen. Anderen meenden dat de controverse die hem aankleefde, mijn eigen stem zou doen ondersneeuwen. De logistieke kwesties inzake 'mijn echtgenoot' waren netelig. Als ik tijdens een speciale gelegenheid mijn kandidaatstelling zou bekendmaken, zou de president van de Verenigde Staten dan stil naast me blijven zitten op het podium, of ook spreken? Zou hij gedurende de race voor mij campagne voeren, zoals hij dat zou doen voor andere Democratische kandidaten in het land, of zou dat mij weer neerzetten als zijn plaatsvervanger? Er moest een balans worden gevonden tussen enerzijds mezelf profileren als kandidaat op eigen kracht en anderzijds profiteren van de steun en adviezen van de president.

Het voordeel van mijn gedelibereer was dat Bill en ik

het weer over iets anders hadden dan de toekomst van onze relatie. Na een tijdje raakten we meer ontspannen. Hij wilde me graag helpen en ik verwelkomde zijn expertise. Geduldig besprak Bill al mijn zorgen en met zorg besprak hij de moeilijkheden die ik zou tegenkomen. Nu waren de rollen omgedraaid. Nadat hij mij advies had gegeven, moest ik mijn beslissing nemen. We wisten beiden dat als ik me kandidaat zou stellen, ik er meer dan ooit alleen voor zou komen te staan. Na elk gesprek begon ik weer te twijfelen. Het ene moment leek het me een fantastisch idee me kandidaat te stellen, dan weer vond ik het krankzinnig. Zo bleef ik maar tobben, wachtend op een doorslaggevend moment van inspiratie.

Ik had een duwtje nodig. En dat kreeg ik ook, al kwam dat niet van een politiek adviseur of Democratisch leider. In maart ging ik naar New York City om met tennislegende Billie Jean King een receptie te bezoeken ter promotie van een documentaire over vrouwen in de sport. We kwamen bijeen in de Lab School in de wijk Chelsea in Manhattan, samen met tientallen jonge vrouwelijke atleten die op een podium stonden dat was opgesierd met een enorme vlag waarop stond 'Dare to Compete', de titel van de documentaire. Sofia Totti, de aanvoerster van het damesbasketbalteam, kondigde mij aan. Toen ik haar een hand gaf, boog ze zich voorover en fluisterde ze in mijn oor.

'Durf mee te doen, mevrouw Clinton,' zei ze. 'Durf mee te doen.'

Haar woorden brachten me van mijn stuk, zodanig dat ik de receptie verliet en begon na te denken: hoe kon ik bang zijn voor iets waartoe ik talloze andere vrouwen had gestimuleerd? Waarom aarzelde ik zo om mee te doen aan de race? Waarom dacht ik er niet serieuzer over na? Moest ik niet gewoon 'durven mee te doen'.

De aanmoediging van Sofia Totti en zoveel anderen deed me denken aan een scène uit een van mijn favoriete films, *A League of Their Own*. De ster van een professioneel dameshonkbalteam, gespeeld door Geena Davis, wil voor het eind van het seizoen het team verlaten om terug te keren naar haar echtgenoot thuis. Wanneer de coach van het team, gespeeld door Tom Hanks, haar op andere gedachten wil brengen, zegt ze. 'Het is gewoon te moeilijk.' Hanks antwoordt dan: 'Dat is ook de bedoeling. Als het makkelijk was, deed iedereen het. Het moeilijke maakt het juist zo mooi.' Na jarenlang de-vrouw-van te zijn geweest, had ik geen idee of ik wel vanuit de marge het strijdtoneel op kon, maar een onafhankelijke rol in de politiek begon me steeds leuker te lijken. In de Verenigde Staten en in talloze andere landen had ik verkondigd hoe belangrijk het is dat vrouwen deelnemen aan politiek en bestuur, zich verkiesbaar stellen en de kracht van hun stem gebruiken om maatschappelijk beleid te ontwikkelen en de toekomst van hun land te sturen. Hoe kon ik de kans om dit alles te doen, laten schieten?

Veel van mijn vrienden waren niet overtuigd. Op een voorjaarsmiddag maakten Maggie Williams en ik een lange wandeling. Maggie, een van mijn beste vriendinnen en adviseurs, is een vrouw met een groot politiek inzicht. Ze wist dat ik de beslissing niet langer kon uitstellen en geduldig luisterde ze naar mijn overwegingen om al of niet aan de race mee te doen. 'Ik weet gewoon niet wat ik moet doen,' zei ik.

'Ik vind het gekkenwerk,' zei ze. 'En iedereen die om je geeft zal hetzelfde zeggen.'

'Toch denk ik dat ik het ga doen,' antwoordde ik.

Maggies reactie verbaasde me niet. Ze probeerde me tegen mezelf te beschermen en wilde niet dat ik me zou beschadigen. Maar door het uit mijn hoofd te praten, hielp Maggie me nog eens goed na te denken over de redenen om het wel te doen.

Sommige mensen beweerden dat het dienen in de Senaat vanuit mijn positie als First Lady aan zou voelen als een 'degradatie'. Maar op alle kwesties waar ik om gaf, had de Amerikaanse Senaat invloed. En als ik geen senator was, dan probeerde ik zeker de mensen die dat wel waren, te beïnvloeden. 'De Amerikaanse Senaat is een van de belangrijkste democratische instituten ter wereld,' zei Bob Rubin me. 'Het is een eer om gekozen te worden en ervoor te dienen.' Dat vond ik ook.

Ook leek me de techniek van de campagne beter hanteerbaar. Ik zou kunnen winnen, dacht ik, als ik de benodigde vijfentwintig miljoen dollar kon inzamelen voor een Senaatsrace door de hele staat New York. Onze goede vriend Terry McAuliffe, geboren in Syracuse en een ervaren en effectieve fondsenwerver, zei dat ik kon winnen wanneer ik bereid was nog harder te werken dan ik ooit gedaan had. Dat moedigde me aan. Ook achtte ik het mogelijk stemmen af te pakken in traditioneel Republikeinse bastions. Delen van het noorden van New York deden me denken aan het naburige Pennsylvania, waar de wortels van mijn vader lagen. En veel problemen op het platteland van New York hadden ook Arkansas geplaagd: arme boeren, verdwijnende banen door automatisering, de uittocht van jongeren die hun heil elders zoeken. Bovendien leek burgemeester Giuliani zich niet graag buiten New York City te begeven, dat nog steeds overwegend Democratisch was. Als ik de kiezers in New York kon laten zien dat ik de problemen van hun families begreep en vastberaden was me voor hen in te zetten, dan zou ik het misschien kunnen halen.

Hoewel verkiezingspolitiek soms een wereld op zich lijkt, had ik nog genoeg realiteitsbesef om alles in die lente van 1999 in perspectief te blijven zien. Op 12 april 1999 werd eindelijk Susan McDougal vrijgesproken van blokkering van de rechtsgang in de Whitewater-zaak, nadat ze achttien maanden in de gevangenis had gezeten omdat ze had geweigerd te getuigen voor de grand jury. In de loop van het proces waren andere getuigen opgedoken die ook door Starr onder druk waren gezet. Dit was de zoveelste veroordeling van Starrs juridische tactieken, maar de onevenredig hoge prijs die Susan McDougal daarvoor moest betalen, betreurde ik ten zeerste. Hardnekkig bleef zij volhouden dat Starr haar onder druk had gezet om Bill en mij valselijk te beschuldigen, en toen zij dat weigerde, werd ze schuldig verklaard aan minachting voor de rechtbank en gevangengezet, en moest ze een deel in eenzame opsluiting doorbrengen. In Jung Changs *Wilde zwanen*, het verhaal van drie bewogen Chinese vrouwenlevens vanaf de communistische machtsovername tot de Culturele Revolutie, kwam ik weer een Chinees gezegde tegen dat mijn mening over Starrs onderzoeksmethoden weergeeft: 'Waar de wil is om te oordelen, is bewijs.'

Toen openden op 20 april twee leerlingen op Columbine High School in Colorado het vuur op hun medeleerlingen en hielden ze hun school uren onder vuur voordat ze hun geweren op zichzelf richtten. Twaalf leerlingen en één docent kwamen om in deze massamoord. De tienermoordenaars voelden zich naar verluidt van hun school vervreemd en hadden de aanval nauwkeurig gepland om hun macht en verlangen naar wraak te laten zien. Ze hadden een klein arsenaal aan pistolen, geweren en andere wapens kunnen aanschaffen, waarvan ze er een aantal in hun regenjassen verborgen toen ze naar school gingen.

Een maand na de schietpartij gingen Bill en ik naar Littleton in Colorado om de families van slachtoffers en overlevenden te bezoeken. Het was hartverscheurend om de gezichten te zien van ouders die door een hel gingen en het verlies verwerkten van hun kinderen die in deze zinloze en choquerende daad van geweld waren omgekomen. Ouders en tieners vroegen Bill en mij ervoor te zorgen dat deze verschrikkelijke verliezen niet voor niets waren geweest. Op een bijeenkomst met leerlingen van Columbine College in de gymzaal van een naburige school zei Bill: 'Jullie kunnen ons een cultuur van waarden geven in plaats van een cultuur van geweld. Jullie kunnen ons helpen geweren uit verkeerde handen te houden. Jullie kunnen ons helpen ervoor te zorgen dat kinderen die het moeilijk hebben – en die zijn er altijd – op tijd erkend, bereikt en geholpen worden.'

De tragedie van Columbine was niet de eerste noch de

laatste schietpartij op een Amerikaanse middelbare school. Maar er ontstond wel de roep om meer federale actie om geweren uit handen te houden van gewelddadige jongeren in moeilijkheden – een dodelijke combinatie. Bill en ik belegden een bijeenkomst met veertig Congresleden uit beide partijen voor de aankondiging van een wetsvoorstel in het Witte Huis om de wettelijke leeftijd voor pistoolbezit te verhogen naar eenentwintig, en om de aanschaf van pistolen te beperken tot één per maand. En weer sprak ik me uit tegen de alomtegenwoordigheid van geweld op televisie, in films en in videospelletjes. Ondanks de publieke verontwaardiging kreeg het Congres twee eenvoudige maatregelen niet voor elkaar: het sluiten van tijdelijke verkooppunten waar mensen zonder controle van hun achtergrond vuurwapens kunnen aanschaffen, en het verplicht stellen van een kinderslot op een geweer.

Het gebrek aan wil vanuit het Congres om in te gaan tegen de almachtige wapenlobby en om verstandige maatregelen te treffen die het vuurwapen veiliger zouden maken, zette me aan het denken over wat ik kon doen als senator: verstandige wetgeving goedkeuren. In een interview in mei zei ik tegen CBS-presentator Dan Rather dat ik, als ik me kandidaat zou stellen, dat zou doen vanwege de dingen die ik in een stadje als Littleton had geleerd en ondanks alles wat ik in Washington had meegemaakt.

De Senaatsrace begon ergens op te lijken. Giuliani ontmoette in Texas gouverneur George W. Bush, die zojuist de formatie bekend had gemaakt van zijn presidentiële Commissie van Oriëntatie. Ook noemde de burgemeester mij een politiek avonturier en kondigde aan naar Arkansas te gaan om geld voor zijn campagne in te zamelen. Een slimme zet, vond ik, waarmee hij zowel geld als aandacht zou krijgen, en waardoor ik een idee kreeg van de toekomstige campagne. Congreslid Lowey, een van de succesrijkste en populairste Congresleden, trok zich uit de race terug. In juni nam ik de eerste concrete en noodzakelijke stap voor een Senaatscampagne door mijn Commissie van Oriëntatie te vormen. Ik schakelde de hulp in van mediaconsulente Mandy Grunwald en van Mark Penn, de slimme en oordeelkundige opinieleider die met Bill had gewerkt, en ik begon gesprekken af te nemen met potentiële medewerkers van de campagnestaf.

Gedurende mijn jaren in het Witte Huis maakte ik vaak met mijn moeder en Chelsea een uitje naar New York om naar een show op Broadway of een tentoonstelling te gaan, of gewoon om vrienden te bezoeken. Zelfs voordat ik het senatorschap overwoog, stond deze staat boven aan mijn lijst van woonplaatsen na Bills ambtstermijn. Dit verlangen groeide met de jaren en was nu een ferm besluit geworden. Hoewel Bill van plan was zijn presidentiële bibliotheek op te bouwen in Arkansas en daar tijd door te brengen, hield hij ook van New York. Puur praktisch gesproken was het voor hem een perfecte basis voor zijn werkzaamheden, gezien de hoeveelheid tijd die hij zou reizen en spreken, zowel thuis als in het buitenland, en gezien het feit dat hij met zijn stichting zijn publieke taak zou voortzetten.

We hadden al gesproken over het kopen van een huis, en al snel gingen we op jacht. Maar deze doodgewone routineklus werd bemoeilijkt door veiligheidsoverwegingen van de geheime dienst. In bepaalde straten mochten we niet wonen en het huis moest ruimte hebben voor beveiligingspersoneel. Niettemin genoot ik van de zoektocht. We hadden in de gouverneurswoning in Arkansas en in het Witte Huis gewoond, maar al bijna twintig jaar niet meer in een eigen huis. Uiteindelijk vonden we de perfecte plek, een oude boerderij met schuur in Chappaqua, ten noorden van New York City in Westchester County.

Ook begon ik voor het eerst namens mezelf actief te zoeken naar mogelijke donateurs. Op een belangrijk fondsenwervingsevenement voor de Democratische Partij in Washington op 7 juni 1999 werden Bill en ik op het podium verwelkomd door de voormalige gouverneur van Texas Ann Richards, wier gevatheden en humor in politieke kringen legendarisch waren.

'Hillary Clinton, de aanstaande jonge senator uit New York, en natuurlijk haar liefhebbende echtgenoot Bill,' zei ze met een zwaar Texaans accent. 'Nou, die zal wel voor wat leven zorgen in de club van echtgenoten van Senaatsleden.'

Bill accepteerde de goedbedoelde plaagstootjes en genoot zichtbaar van alle steun die ik kreeg. Hij begreep de offers die ik al die jaren had gebracht opdat hij de regering kon dienen. Nu hij zag dat ik de kans kreeg om meer dan alleen de dienende rol van politieke echtgenote te spelen en mijn politieke vleugels uit te slaan, moedigde hij me aan om door te gaan. Het zou wennen zijn voor hem om vanaf de zijlijn toe te kijken, maar toch gaf hij mij als zijn vrouw en als kandidaat zijn onvoorwaardelijke en enthousiaste steun.

Eind juni kreeg ik uit onverwachte hoek nog een duwtje in de rug, van pater George Tribou, de priester die jarenlang de katholieke jongensschool in Little Rock had gerund. Wij waren vrienden geworden ook al was hij het niet eens met mijn pro-abortusstandpunt. Hij logeerde in het Witte Huis en ik had een bezoek voor hem geregeld met zijne heiligheid paus Johannes Paulus II tijdens diens bezoek aan St. Louis in 1999. Op 24 juni 1999 schreef pater Tribou me dit briefje:

Beste Hillary,
Ik wil je zeggen wat ik al vijftig jaar tegen mijn leerlingen zeg:
Ik denk dat op de dag des oordeels de eerste vraag die God je stelt niet over de tien geboden gaat (hoewel Hij daar later wel over begint!) maar wat Hij ieder van ons wel vraagt, is: WAT DEED JE MET DE TIJD EN DE TALENTEN DIE IK JE GEGEVEN HEB…? Wie denkt dat je niet bent opgewassen tegen de vijandelijke New Yorkse pers en de hoon van je tegenstanders, beseft niet dat je alles aankunt, gepokt en gemazeld als je bent. Kortom: 'Run' Hillary, 'run'! Ik zal voor je blijven bidden.

De moeilijkste beslissingen die ik in mijn leven heb genomen, waren getrouwd blijven met Bill en me kandidaat stellen voor het senatorschap. Inmiddels wist ik zeker dat ik ons huwelijk wilde voortzetten als dat kon, want ik hield van Bill en ik besefte hoezeer ik al die jaren koesterde die ik met hem had doorgebracht. Ik wist dat ik in mijn eentje niet zo'n goede ouder was geweest voor Chelsea als samen met Bill. Ongetwijfeld kon ik in mijn eentje een aangenaam leven leiden en goed de kost verdienen, maar ik hoopte nog steeds dat Bill en ik samen oud konden worden. We werkten samen aan de wederopbouw van ons huwelijk met behulp van ons geloof, onze liefde en ons gezamenlijk verleden. En nu mij helderder voor ogen stond welke kant ik met Bill op wilde gaan, voelde ik me vrijer om de eerste stappen richting Senaatsrace te zetten.

Ik wist dat de campagne genadeloos hard zou worden. Hoewel ik inmiddels een doorgewinterde campagnevoerster was, reizend van hot naar haar en alles wat daartussen ligt, namens kandidaten voor een gouverneurschap, het Congres en de president, had ik nog nooit voor mezelf campagne gevoerd. Ik zou moeten leren een menigte toe te spreken in de eerste persoon enkelvoud: ik was gewend aan 'hij', 'zij' en 'wij', maar niet aan 'ik'. En er bestond een reële mogelijkheid dat ik me zou moeten uitspreken tegen het beleid van de regering-Clinton, wanneer dat nadelig was voor New York. Maar allereerst richtte ik me op de meest urgente taak: kennismaken met mijn toekomstige kiezers. Ik plande een 'luistertoer', een rondreis door New York van juli tot augustus waarop ik luisterde naar de problemen van burgers en lokale leiders en naar hun aspiraties voor hun families en gemeenschappen. De toer begon op de geschiktste plek om een campagne te lanceren voor de vrijkomende zetel van senator Daniel Patrick Moynihan: zijn prachtige, 360 hectare grote landgoed in Pindars Corner. Toen ik daar op 7 juli aankwam, trof ik de senator, zijn vrouw Liz en meer dan tweehonderd verslaggevers aan die op mijn bekendmaking stonden te wachten. Mijn trouwe en vooruit gestuurde medewerker Rick Jasculca was verbijsterd. 'Er is zelfs een verslaggever uit Japan!' zei hij.

Met de senator aan mijn zijde maakte ik bekend dat ik een officieel campagnecomité aan het vormen was als voorbereiding op mijn kandidaatstelling voor de Amerikaanse Senaat. 'Ik neem aan dat iedereen zich afvraagt: waarom de Senaat? Waarom New York? En waarom ik?' zei ik tegen de verzamelde pers. Ik stipte kwesties aan die mij en New York aangingen, en erkende de legitimiteit van de vragen omtrent mijn kandidaatstelling voor een staat waar ik nooit had gewoond.

'Een terechte vraag, denk ik, en ik begrijp volledig waarom men die stelt. En ik zal hard moeten werken en stad en land afreizen om te luisteren naar en te leren van de mensen in New York en hun te laten zien dat datgene waar ik voorstander van ben, misschien net zo belangrijk, zo niet belangrijker is, dan waar ik vandaan kom.'

Een paar minuten later liepen senator Moynihan en ik terug naar zijn boerderij voor een brunch met ham en broodjes. Spoedig was ik onderweg.

38 New York

Aangezien ik als kandidaat zo groen was als gras, hield ik er rekening mee dat ik onderweg enkele hordes zou moeten nemen. Dat bleek ook het geval, maar ik had van tevoren nooit kunnen bedenken dat ik zoveel plezier aan de campagne zou beleven. Vanaf het moment dat ik de boerderij van senator Moynihan verliet om in juli 1999 aan mijn luistertournee te beginnen, was ik betoverd door de plaatsen die ik bezocht en de mensen die ik overal in New York tegenkwam.

De inwoners van New York State, met hun veerkracht, hun verscheidenheid en hun ambities voor de toekomst, vertegenwoordigen alles wat mij in de Verenigde Staten zo dierbaar is. Ik leerde de kleine stadjes en boerderijen kennen op het golvende platteland en steden als Buffalo, Rochester, Syracuse, Binghamton en Albany, die eens het centrum vormden van de Amerikaanse industriële revolutie en zich nu opmaakten voor het informatietijdperk. Ik doorkruiste de Adirondack Mountains en de Catskill Mountains en hield mijn vakantie aan de oevers van Skaneateles Lake en Lake Placid. Ik bezocht de campussen van de grote openbare en particuliere hogescholen en universiteiten in New York. Van Long Island tot aan de Canadese grens ontmoette ik groepen zakenmensen en boeren die me deelgenoot maakten van de problemen waarmee ze geconfronteerd werden. En ik verhuisde naar mijn nieuwe huis in een buitenwijk, ten noorden van New York, die me met zijn uitstekende openbare scholen en parken herinnerde aan de buurt waar ikzelf was opgegroeid.

Ik was dol op de rauwe energie van New York City, die mengeling van etnische buurten en zijn grootmoedige en openhartige mensen. Ik bezocht eethuizen, vakbondscentra, scholen, kerken, synagogen, opvangtehuizen en fabrieksloodsen en maakte op iedere straathoek van de stad nieuwe vrienden. De diverse gemeenschappen in New York herinneren me er iedere keer opnieuw weer aan dat de stad Amerika's unieke belofte aan de rest van de wereld symboliseert, een feit dat op 11 september 2001 op tragische wijze werd onderstreept toen Manhattan werd aangevallen door terroristen die de vrijheid, verscheidenheid en kansen die de Verenigde Staten vertegenwoordigen, haten en vrezen.

Tijdens mijn campagne dompelde ik me helemaal onder in de geschiedenis van de staat: de indianen van de Irokese Confederatie die met hun democratische principes grote invloed hebben uitgeoefend op de stichters van de Verenigde Staten, leefden overal in New York voordat het een staat werd; de Amerikaanse Revolutie werd uitgevochten en gewonnen in de Champlain, Mohawk en Hudson Valley; dankzij het vervoer over water in het Erie-kanaal verspreidde de economische groei zich naar de rest van het land; kunst, letterkunde en cultuur verspreidden zich vanuit New York City over de hele wereld; bewegingen voor de afschaffing van slavernij, kiesrecht voor vrouwen, vakbonden, burgerrechten, progressieve politiek en rechten voor homoseksuelen zijn allemaal op New Yorkse bodem ontsproten. Ik werd gegrepen door het ritme van gebeurtenissen in deze grote, veelzijdige staat. Ik danste de salsa op Fifth Avenue tijdens de Puerto Rican Day Parade, at een broodje worst op de kermis en probeerde de polka op een Pools festival in Cheektowaga.

Ik moest proberen mijn campagneactiviteiten te combineren met mijn verplichtingen als First Lady, wat geen alledaagse opgave bleek. Het feit dat ik tegelijkertijd twee taken moest uitvoeren, trok een zware wissel zowel op de staf in het Witte Huis die me bijna acht jaar lang door dik en dun had gesteund, als op mijn toegewijde team van campagnemedewerkers dat werkte voor de verkiezingsstrijd in New York. Soms verlangde het Witte Huis van mij dat ik deelnam aan een reis of evenement gelet op Bills prioriteiten als president of mijn taken als First Lady; mijn campagneadviseurs werd het dan meteen bleek om de neus omdat ik betrokken was bij een activiteit die niets met New York of de problemen die er speelden te maken had. Ondanks deze onvermijdelijke spanningen voerde iedereen zijn taken voortreffelijk uit.

De campagne was overigens verre van idyllisch. Met name in het begin maakte ik de nodige fouten. En fouten in de New Yorkse politiek worden niet licht vergeten. Toen het baseballteam van de New York Yankees naar het Witte Huis kwam om zijn overwinning in de World Series van 1999 te vieren, gaf manager Joe Torre me een baseballpet, die ik meteen opzette. Slechte zet. Niemand geloofde wat *The Washington Post* en *San Francisco Examiner* jaren daarvoor hadden geschreven, namelijk dat ik een fanatieke bewonderaar van Yankees-sterspeler Mickey Mantle was. Ze dachten dat ik me voordeed als iets wat ik overduidelijk niet was: een geboren en getogen New Yorker. In de volgende paar dagen zagen mijn potentiële kiezers heel wat foto's van mij met die Yankee-pet op, voorzien van weinig flatterende onderschriften.

De ergste misser maakte ik tijdens een officieel bezoek aan Israël in het najaar van 1999, toen ik als First Lady een manifestatie bezocht met Suha Arafat, de vrouw van de Palestijnse leider. Mevrouw Arafat sprak me toe in het Arabisch. Via de koptelefoon kregen we een Arabisch-Engelse vertaling van de toespraak te horen, maar ik noch een ander lid van onze delegatie, onder wie stafleden van de Amerikaanse ambassade, Midden-Oosten-experts en gerespecteerde Amerikaans-joodse leiders, had haar beschuldigende opmerking gehoord die suggereerde dat Israël gifgas zou hebben gebruikt bij pogingen de Palestijnen onder de duim te houden. Toen ik vlak daarna het podium betrad om mijn toespraak te houden, begroette mevrouw Arafat me met een traditionele omhelzing. Als ik me bewust was geweest van haar haatdragende woorden, zou ik die daar ter plekke aan de kaak hebben gesteld. De schandaalpers in New York drukte foto's af waarop ik een kus kreeg van Suha Arafat en refereerde daarbij aan haar opmerkingen. Veel joodse kiezers waren uiteraard kwaad over de uitlatingen van mevrouw Arafat en teleurgesteld over het feit dat ik niet de gelegenheid had aangegrepen haar opmerkingen te verwerpen. Mijn campagne kwam deze tegenslag uiteindelijk te boven, maar ik had een harde les geleerd over de gevaren die kleefden aan de vermenging van mijn rol in de internationale diplomatieke arena en de gecompliceerde plaatselijke New Yorkse politiek.

Tijdens de hele campagne bestond er een vermakelijk onderscheid tussen de nationale verslaggeving van de verkiezingsrace en de manier waarop die in New York zelf werd verslagen. Nationale columnisten en media-experts voorspelden gewoontegetrouw dat mijn 'opportunisme' me de das zou omdoen en dat ik de race om de Senaatszetel vroegtijdig zou verlaten. In hun talrijke commentaren namen ze het me ook kwalijk dat ik weigerde met de pers te praten. Dit zorgde dikwijls voor de nodige hilariteit onder mijn stafmedewerkers, omdat ik met grote regelmaat New Yorkse journalisten die de verkiezingscampagne versloegen, te woord stond. Mijn verhouding tot de pers verbeterde in de loop van de tijd dankzij de begeleiding van mijn hoofd communicatie, Howard Wolfson. Howard had gewerkt voor Nita Lowey en Chuck Schumer en kende de wilde chaos in het omgaan met de New Yorkse mediawereld. Hij werd een bekende en welsprekende verschijning op tv en pleitbezorger van mijn campagne. Met zijn hulp leerde ik uiteindelijk me te ontspannen in mijn contacten met de pers en begon ik de dagelijkse omgang met de politieke verslaggevers zelfs leuk te vinden.

Hoe moeilijk ik het ook vond in de stromingen van de New Yorkse politiek vaste bodem onder de voeten te krijgen, opgeven was wel het laatste waar ik aan dacht. Ik concentreerde me gewoon op twee zaken: ik wilde de inwoners van New York leren kennen en ik wilde dat zij mij leerden kennen. Ondanks de omvang van de staat was ik vastbesloten ook 'in het veld' campagne te voeren in plaats van alleen via betaalde media met de kiezers in contact te treden. Hoewel publiciteit via radio en tv belangrijk en noodzakelijk is, kan niets de persoonlijke gesprekken vervangen, waarin de kandidaat vaak meer leert dan de kiezers.

Ik had me ten doel gesteld alle tweeënzestig districten van New York te bezoeken en meer dan een jaar lang reisde ik met mijn trouwe assistent Kelly Craighead en mijn energieke campagnemedewerker Allison Stein de hele staat door in een omgebouwd Ford-busje, dat door de pers 'HRC speedwagon' werd gedoopt. Ik stopte bij wegrestaurants en cafés die langs de route lagen, net zoals Bill en ik tijdens zijn campagnes hadden gedaan. Ook al was er maar een handjevol mensen binnen, ik schoof aan, nam een kop koffie en praatte over elk onderwerp dat ter sprake kwam. Campagne-experts noemen dit 'detailhandelpolitiek', maar voor mij was dit de beste manier om op de hoogte te blijven van wat de mensen dagelijks bezighield.

Dit hectische bestaan leek in niets op het leven in het Witte Huis. Bill en ik hadden enkele bezittingen verhuisd naar de woning die we hadden gekocht aan het einde van een doodlopende straat in Chappaqua, minder dan een uur ten noorden van New York City, maar ik had slechts weinig vrije tijd die ik daar kon doorbrengen. Normaal gesproken was er niemand thuis, met uitzondering van het verplichte contingent veiligheidsagenten die hun commandopost in een oude gerenoveerde schuur in de tuin hadden ingericht. Ik lag zelden voor middernacht in bed en was gewoonlijk om zeven uur 's ochtends weer onderweg. In de schaarse vrije tijd die ik bezat, ging ik voor wat muffins, broodjes ei en koffie langs bij Lange's, een geweldige delicatessezaak verderop bij mij in de straat.

Maar ik voelde me niet moe. Integendeel, ik merkte dat ik energie putte uit de campagne. Niet alleen kreeg ik een non-stop spoedcursus over New York en de problemen die daar leefden, maar ik ontdekte ook wat mijn mogelijkheden en beperkingen als politiek kandidaat waren. En ik oversteeg langzaam mijn rol als campagnevoerder tweede klasse en stond mezelf toe zelfstandig te opereren. Het was een langzaam proces met een steile leercurve. Met zoveel adviseurs, vrienden en aanhangers die me voortdurend voorzagen van – vaak tegenstrijdige – adviezen leerde ik hoe ik zorgvuldig moest luisteren, de mogelijkheden tegen elkaar afwegen en vervolgens mijn eigen instincten volgen.

Uiteindelijk had ik het gevoel dat de communicatie met de kiezers op gang begon te komen. Geleidelijk aan voelde ik dat de gunst van de kiezers begon te verschuiven in mijn richting. Toen ik met mijn campagne begon, liepen de mensen in groten getale uit om mij te zien, in welk deel van de staat ik ook was. Dit was niet noodzakelijkerwijs een teken van massale steun. De mensen zagen me voornamelijk als een curiositeit. Nadat ik talrijke plaatsen en steden voor een tweede of derde maal had bezocht, werd ik echter een almaar normalere verschijning en leken mijn mogelijke aanhangers minder reserves te voelen hun verhalen en zorgen met mij te delen. We voerden echte gesprekken over kwesties die de mensen ter harte gingen, en de belangstelling voor mijn achtergrond begon af te nemen ten gunste van de belangstelling voor mijn ideeën. Kiezers in de provincie, zelfs Republikeinen, luisterden aandachtig naar mijn voorstellen om de economie van de regio nieuw leven in te blazen. Ze stelden me moeilijke vragen, lachten wanneer ik me eens een onbeholpen grap liet ontvallen en hadden vaak vriendelijke opmerkingen over mijn haar. Ik voelde me steeds meer welkom op de plaatsen die ik aandeed.

Ik vond het belangrijk mezelf vertrouwd te maken met de verscheidenheid en complexiteit van het politieke landschap van de staat New York. Datzelfde gold ook voor mijn contacten met vrouwen, van wie sommige teleurgesteld of beledigd waren vanwege het feit dat ik niet van Bill was gescheiden. Ik respecteerde hun bezwaren en hoopte dat ze zouden begrijpen dat ik een beslissing had genomen die ik voor mijzelf en mijn gezin de beste vond.

Ik voelde er weinig voor zo'n persoonlijke kwestie door middel van toespraken aan de orde te stellen. Daarom bezocht ik in diverse delen van de staat kleine bijeenkomsten bij vrouwelijke aanhangers thuis. De gastvrouw nodigde zo'n twintig vriendinnen en buurvrouwen uit om koffie met me te komen drinken. We voerden informele gesprekken, weg van de cameralampen en politieke verslaggevers. Ik beantwoordde vragen over mijn huwelijk, over de redenen voor mijn verhuizing naar New York, over de gezondheidszorg en over kwesties die hen bezighielden. Langzamerhand leken veel vrouwen die in principe geneigd waren me te steunen, bereid mijn besluit bij Bill te blijven te accepteren, ook al zouden ze zelf een andere keuze hebben gemaakt.

Mijn campagne en mijn populariteit kregen beide een flinke oppepper door mijn optreden in januari 2000 in *The Late Show with David Letterman*. Eén tv-optreden tijdens een talkshow zorgde voor evenveel of zelfs meer publiciteit voor de campagne-items dan een hele dag met redevoeringen. Ik was eigenlijk niet eens van plan geweest naar de talkshow te gaan, althans niet zo ver voor de verkiezingen. Maar Letterman belde Howard regelmatig op om te vragen of ik niet wilde komen. Iedere keer wimpelde Howard hem af, wat een terugkerende grap werd in Lettermans openingsmonoloog van de show. Een maand lang werd ik door Letterman op de hak genomen en uiteindelijk zegde ik toe op 12 januari mijn opwachting te maken als gast in zijn show.

Ik hoopte op een leuke avond, maar ik wist ook dat presentatoren van talkshows hun gasten soms het vuur na aan de schenen kunnen leggen, dus ik was een beetje nerveus. Letterman, die in de buurt van Chappaqua woonde, vroeg me naar ons nieuwe huis en waarschuwde me dat 'iedere idioot in de buurt nu toeterend voorbij zal rijden'.

'O, was u dat?' zei ik. Letterman en het publiek lagen in

een deuk en daarna kon ik me ontspannen en had ik een heerlijk avondje. Een paar maanden later verscheen ik ook in andere talkshows, deed ik met een uitgestreken gezicht een sketch als 'politiek avonturier' op het jaarlijkse persdiner in Albany en was ik te gast in Jay Leno's *Tonight Show*.

In februari 2000 kondigde ik formeel mijn kandidatuur aan op de State University of New York in Purchase, vlak bij ons huis Chappaqua. Onder de mensenmassa bevonden zich juichende supporters en politieke leiders uit alle hoeken van de staat. Bill, Chelsea en mijn moeder waren allemaal aanwezig. Senator Moynihan introduceerde me en vertelde over zijn bezoeken aan Eleanor Roosevelt in haar huis in Hyde Park. Hij had me geen groter compliment kunnen geven toen hij zei: 'Hillary, Eleanor Roosevelt zou je geweldig hebben gevonden.'

Patti Solis Doyle, de eerste persoon die ik in 1992 had aangenomen, coördineerde mijn agenda van het Witte Huis met die van de campagne, en nam later verlof van haar werk in Washington om in New York fulltime leiding te geven aan de logistieke kant van mijn verkiezingsstrijd en me te helpen bij de campagnestrategie. Patti werkte ook met de snelgroeiende en invloedrijke Latino-gemeenschap die, tot mijn grote vreugde, mijn campagne met groot enthousiasme ondersteunde. Ik was ontzettend trots op Patti en het uitzonderlijke werk dat ze voor me deed. Vaak dacht ik terug aan onze eerste dag in het Witte Huis, toen haar geïmmigreerde Mexicaanse ouders, die hadden gedroomd van een beter leven voor hun zes kinderen, naar de inauguratie waren gekomen en hadden gehuild van blijdschap om hun dochter die medewerker was geworden in de staf van de First Lady van de Verenigde Staten.

Tijdens de campagne voegde Patti zich bij een ervaren en getalenteerd team dat onder leiding stond van mijn campagnemanager Bill de Blasio, die zich manifesteerde als een uitstekend strateeg en een betrouwbare afgezant onder de talrijke gemeenschappen in New York. Mijn hoofd communicatie Howard Wolfson gaf leiding aan een bijzonder snel reagerende organisatie. Politiek directeur Ramon Martinez deelde zijn scherpe politieke instincten met mij en moedigde me aan nieuwe groepen kiezers aan te boren en hun mijn betrokkenheid te tonen. Gigi George coördineerde mijn campagne met andere Democratische kandidaten in New York en wist de kiezers in het veld goed te bereiken. Plaatsvervangend campagnemanager voor beleidszaken Neera Tanden ontsnapte geen enkel detail en nuance van de problemen waarmee de staat te kampen had. Hoofd van de onderzoeksafdeling Glen Weiner wist waarschijnlijk meer over mijn tegenstanders dan hun eigen staven. Financieel directeur Gabrielle Fialkoff voerde op aangename wijze de ondankbare maar belangrijke taak uit om het noodzakelijke geld voor de campagne te verzamelen. Al deze mensen werkten dag en nacht samen met tientallen andere stafleden en duizenden vrijwilligers aan een van de effectiefste campagnes die ik ooit heb meegemaakt.

Ander goed nieuws was dat Chelsea op Stanford voldoende extra studiepunten had gehaald om zich voor het komende halfjaar vrij te kunnen maken van haar studie, zodat ze haar vader kon helpen in het Witte Huis en mij in New York. Wanneer ze maar kon, voegde ze zich bij de Speedwagon-crew om met mij op campagne te gaan, wat me altijd enorm stimuleerde. Ze was een natuurtalent in het campagnevoeren. Ik was zo trots op de jonge vrouw die ze was geworden en dankbaar dat ze uit de acht zware jaren te voorschijn was gekomen als een vriendelijke, zorgzame en oprechte vrouw. Ik prijs me intens gelukkig dat ik haar moeder ben.

In de eerste maanden van de campagne lag ik het zwaarst onder vuur van de media. Nu was het de beurt aan de burgemeester van New York City. New Yorkers en de pers merkten op dat Giuliani buiten het inzamelen van geld weinig moeite deed de Senaatszetel te winnen. Zijn campagne was voornamelijk op New York City gericht. Hij reisde nauwelijks buiten zijn thuisbasis en wanneer hij dat al deed, wekte hij de indruk dat hij liever thuis was gebleven. Hij had geen ideeën geopperd om iets te doen aan de teruglopende economie op het platteland of aan de raciale spanningen die onder de oppervlakte van New York City sluimerden.

Een fatale schietpartij in maart, waarbij de politie de zwarte Patrick Dorismond in New York City had neergeschoten, onderstreepte de politieke kwetsbaarheid van de burgemeester. De manier waarop Giuliani deze tragische zaak afhandelde, deed de oude vijandigheid tussen zijn ambt en de minderheden in de stad weer oplaaien. In deze situatie zette de burgemeester de crisis op scherp, terwijl er juist behoefte was aan een kalmerende en geruststellende toon. Burgers in veel buurten, met name waar grote groepen minderheden woonden, hadden het gevoel dat de politie onder leiding van de burgemeester niet te vertrouwen was. Hun vijandigheid werd gevoed door bekende affaires, zoals het neerschieten van Amadou Diallo in de Bronx een jaar eerder. Politieagenten waren op hun beurt terecht gefrustreerd geraakt. Ze probeerden hun werk zo goed mogelijk te doen, maar ze werden verkeerd begrepen omdat de leiding van de stad in staat van oorlog verkeerde met de gemeenschappen die zij probeerden te beschermen. Toen Giuliani de geheime dossiers over Dorismonds criminele verleden als minderjarige vrijgaf, maakte hij de kloof alleen maar wijder en vergrootte hij het wantrouwen.

Hoe meer Giuliani vasthield aan zijn polariserende retoriek, hoe meer ik ervan overtuigd raakte dat ik een andere aanpak kon bieden. In een toespraak in de Riverside Church in Manhattan schetste ik een plan voor de verbetering van de relaties tussen politie en minderheden, via onder andere betere werving, training en betaling van de gemeentepolitie van New York City. Daarna ging ik naar Harlem om te spreken in de Bethel African Methodist Episcopal Church.

De manier waarop Giuliani de zaak-Dorismond aanpakte, was verkeerd, en ik was van plan hem daarvoor ter verantwoording te roepen. In plaats van de spanningen weg te nemen en de stad tot eenheid te manen, had hij zout in de wonden gestrooid.

'New York heeft een serieus probleem, en dat weten we allemaal,' zei ik. 'Wij allemaal, behalve de burgemeester, lijkt het wel.' De volgepakte kerk barstte los in gejuich en halleluja's.

Mijn optreden in Harlem was een keerpunt in mijn campagne. Nadat ik maandenlang had achtergelegen op Giuliani, begon mijn aanhang eindelijk te groeien en deed ik het zelfs goed buiten de grote steden. Mijn voortdurende aandacht voor de kiezers en hun plaatselijke problemen betaalde zich terug in een toenemende steun. Ik had het idee dat ik de slag van het campagnevoeren te pakken kreeg en dat ik mijn eigen politieke stem had gevonden.

Half mei werd ik op de Democratische Conventie in Albany formeel genomineerd als kandidaat van New York voor de Senaat van de Verenigde Staten. Het was een enthousiaste bijeenkomst die meer dan tienduizend activisten en politieke leiders uit de steden, het platteland en de voorsteden bij elkaar bracht, onder wie de senatoren Moynihan en Schumer en veel anderen die me met hun overvloedige adviezen en ondersteuning naar de eindstreep van de campagne trokken. Op het laatste moment verscheen de president van de Verenigde Staten, tot grote vreugde van de verzamelde menigte, en van de Democratische genomineerde.

Vlak na mijn nominatie trok er een seismische schok door het politieke landschap van New York. Op 19 mei kondigde burgemeester Giuliani aan dat hij zich terugtrok uit de verkiezingsstrijd nadat bij hem prostaatkanker was geconstateerd en er nieuwsberichten waren verschenen over zijn langdurige buitenechtelijke relatie. Opeens was hij degene wiens persoonlijke leven op straat lag. Ondanks onze politieke meningsverschillen beleefde ik geen genoegen aan deze ironische wending van het lot, want ik wist maar al te goed hoe pijnlijk dit voor alle betrokkenen was, met name voor de kinderen van Giuliani.

Burgemeester Giuliani eindigde zijn ambtsperiode met een krachtig en empathisch optreden doordat hij het land na de aanvallen op 11 september 2001 een hart onder de riem wist te steken. Door onze samenwerking ten behoeve van de stad en de slachtoffers van het terrorisme ontwikkelden we ten slotte een productieve en vriendschappelijke relatie, die waarschijnlijk voor ons allebei als een verrassing kwam.

Toen de burgemeester zich uit de verkiezingsstrijd terugtrok, leidde dat niet tot de welkome opluchting waarop sommigen hadden gehoopt. Maandenlang was mijn campagne op hem gefocust geweest. Hij was dan misschien mijn taaiste tegenstander, maar ik had het gevoel dat mijn kandidatuur de kiezers in New York een duidelijke keuze gaf en dat de kiezers daarop reageerden. Tegen het einde van Giuliani's campagne had ik volgens de opiniepeilingen een voorsprong van acht tot tien punten. Nu moest ik helemaal opnieuw beginnen tegen een nieuwe tegenstander, Congreslid Rick Lazio.

Vanwege de verkiezingsstrijd had ik maar weinig tijd voor andere dingen. Wanneer ik de campagne onderbrak, was dat ofwel voor officiële verplichtingen van het Witte Huis waar ik niet onderuit kon komen, ofwel voor een droevige reeks van begrafenissen van vrienden en collega's. Casey Shearer, de eenentwintigjarige zoon van onze dierbare vrienden Derek Shearer en Ruth Goldway, kreeg een fatale hartverlamming tijdens een partijtje basketbal, een week voordat hij zou afstuderen aan Brown University. Koning Hassan II van Marokko stierf in juli, waarmee de Verenigde Staten een gewaardeerde vriend en bondgenoot verloren. Zijn zoon en opvolger, koning Mohammed VI, nodigde Bill, Chelsea en mij uit voor de begrafenis, waar Bill als betoon van respect met duizenden mannelijke rouwdragers achter de baar meeliep tijdens de vijf kilometer lange tocht door de straten van Rabat te midden van meer dan een miljoen Marokkanen die langs de route stonden.

De zomer daarvoor waren John F. Kennedy jr., zijn vrouw Carolyn en haar zus Lauren op tragische wijze om het leven gekomen toen hun privé-vliegtuig neerstortte bij Martha's Vineyard. Bill en ik waren erg op John gesteld. We hadden hem leren kennen bij privé-bezoeken aan het huis van zijn moeder op Martha's Vineyard en bij openbare gelegenheden. We wilden dat John, zijn zus Caroline en haar kinderen zich vrij voelden te allen tijde het Witte Huis te bezoeken. Nadat hij was getrouwd, had John zijn bruid meegenomen voor een persoonlijke rondleiding. Toen hij Bill in de Oval Office achter het bureau van zijn vader zag zitten, riep dat een vage herinnering wakker aan hoe hij als jongetje onder het bureau speelde en door het kleine deurtje heen gluurde terwijl zijn vader aan de telefoon zat. Ik weet nog hoe John zwijgend voor het officiële, door Aaron Shikler geschilderde portret van zijn vader stond dat we een prominente ereplaats hadden gegeven op de State Floor. Het was hartverscheurend om alweer een begrafenis bij te wonen van iemand die zo levenslustig was en zo'n grote belofte inhield, omringd door leden van een familie die ons land zo veel had gegeven.

Ik ontving ook verschrikkelijk nieuws over mijn vriendin Diane Blair. Tijdens mijn campagne had ik Diane regelmatig om raad gevraagd. Ze was afgestudeerd aan Cornell University en kende New York goed. Ze herinnerde me eraan om me vooral te ontspannen en plezier te hebben, en moest altijd erg lachen om de blunders die ik maakte. Diane, een enthousiaste tennisspeelster, leek erg fit met haar eenenzestig jaar. Begin maart 2000, net een paar weken nadat ze zich lichamelijk helemaal had laten onderzoeken en er niets ernstigs was gevonden, ontdekte ze enkele verdachte knobbels op haar been. Binnen een week werd er longkanker met uitzaaiingen bij haar vastgesteld. Ze belde me om me het nieuws mee te delen; ik was volkomen uit het lood geslagen. De prognose was zeer ongunstig. Ik kon me gewoon niet voorstellen dat ik de hoogte- en dieptepunten van de komende jaren zonder Diane zou moeten doormaken. De maanden daarna probeerde ik haar iedere dag te bellen, hoe druk ik het ook met de campagne had. Bill en ik vlogen een paar maal naar Fayetteville in Arkansas om een bezoek te brengen aan Diane en Jim, die zo goed voor haar zorgde. Hoewel ze zware chemotherapie kreeg die haar verzwakte en haaruitval veroorzaakte, was Diane een dappere knokker die nooit de glimlach op haar gezicht of haar liefdevolle karakter verloor. Zelfs in haar laatste maanden deed ze wedstrijdje met Bill om te zien wie het snelst het kruiswoordraadsel van de *New York Times Sunday Magazine* kon oplossen.

Toen Jim in juni belde om te vertellen dat het einde nabij was, liet ik de campagne voor wat ze was en vloog naar Diane om haar voor het laatst te zien. Tegen die tijd werd ze vierentwintig uur per dag verzorgd door ziekenverzorgsters – levende heiligen in mijn ogen. Omringd door haar familie en een grote schare trouwe vrienden zakte ze telkens weg in slaap en werd ze weer wakker. Ik stond naast haar bed, hield haar hand vast en leunde vooorover om elk woord dat ze nog uit kon brengen, op te vangen. Toen ik me klaarmaakte om weg te gaan, boog ik me naar haar toe en kuste haar vaarwel. Ze hield mijn hand stevig vast en fluisterde tegen me: 'Laat jezelf en de dingen waarin je gelooft, nooit in de steek. Zorg voor Bil en Chelsea. Zij hebben je nodig. En win deze verkiezing voor me. Ik wilde dat ik dat moment nog kon meemaken. Ik houd van je.' Daarna kwamen Bill en Chelsea bij me staan aan haar bed. Ze keek ons indringend aan. 'Niet vergeten,' zei ze.

'Wat niet vergeten?' vroeg Bill.

'Gewoon, niet vergeten.'

Vijf dagen later overleed ze.

Bill, Chelsea en ik vlogen later naar Fayetteville voor een begrafenisdienst ter nagedachtenis aan Dianes uitzonderlijke leven. Precies zoals Diane zou hebben gewild, was de dienst opgewekt, levendig en vol muziek en verhalen over haar persoonlijke en openbare passie om de wereld te verbeteren. In mijn toespraak zei ik dat Diane meer uit haar veel te korte leven had weten te halen dan iemand van ons in drie- of vierhonderd jaar zou kunnen doen. Ik ken niemand die met meer wilskracht en succes het leven geleefd heeft. In een ontroerende grafrede gaf Bill een treffende beschrijving van Diane: 'Ze was mooi en goed. Ze was serieus en grappig. Haar enige ambitie was goed doen en goed zijn, en tegelijkertijd volkomen onbaatzuchtig.' Ze heeft mijn leven zonder meer gelukkiger gemaakt. Ik heb nooit een betere kameraad gehad en ik mis haar iedere dag.

Op 11 juli begon Bill aan een twee weken durende conferentie in Camp David met premier Ehoed Barak en Yasir Arafat in een poging de voortslepende vredesonderhandelingen op basis van de Oslo-akkoorden tussen Israël en de Palestijnen uit het slop te trekken. Barak, een voormalig generaal en Israëls meest gedecoreerde militair, was uit op een definitieve regeling die de visie van Yitzhak Rabin, onder wie hij had gediend, zou verwezenlijken. Barak en zijn levendige vrouw Nava werden snel vrienden die ik graag om me heen had en die ik bewonderde om hun vredesinspanningen. Helaas, waar Barak naar Camp David was gekomen om vrede te sluiten, gold dat niet voor Arafat. Hoewel hij Bill herhaaldelijk vertelde dat nog tijdens de ambtstermijn van Bill een vrede tot stand moest komen, was Arafat nooit bereid de harde keuzes te maken die nodig waren om tot overeenstemming te komen.

Tijdens de campagne onderhield ik nauw contact met Bill, die zijn groeiende frustraties niet onder stoelen of banken stak. Op een avond belde Barak me zelfs op om te vragen of ik misschien ideeën had om Arafat ervan te overtuigen de onderhandelingen serieus te nemen. Op verzoek van Bill had Chelsea hem vergezeld naar Camp David, waar ze zich voor de inofficiële lunches, diners en informele gesprekken bij de groep voegde. Bill had ook mijn assistent Huma Abedin gevraagd bij de ontvangst van de delegaties te assisteren. Huma Abedin was een Amerikaanse moslimvrouw die in Saoedi-Arabië was opgegroeid en Arabisch sprak. Ze etaleerde de vaardigheden en tact van een ervaren diplomaat toen ze tijdens de pauzes van de vergaderingen en de spelletjes darts en poolbiljart de contacten onderhield met de Palestijnse en Israëlische afgevaardigden.

Ten slotte kondigde Bill op 25 juli om twaalf uur 's middags het einde aan van de mislukte Camp-Davidtop; hij uitte daarover zijn diepe teleurstelling en moedigde beide partijen aan verder te gaan met de zoektocht naar 'een rechtvaardige, duurzame en allesomvattende vrede'. In de laatste zes maanden van Bills verblijf in het Witte Huis werden de vredespogingen voortgezet, die bijna slaagden tijdens de onderhandelingen in Washington en het Midden-Oosten in december 2000 en januari 2001, toen Bill zijn laatste en beste aanbod deed om tot een compromis te komen over een vredesvoorstel. Uiteindelijk accepteerde Barak Bills aanbod, maar Arafat weigerde. De tragische gebeurtenissen van de afgelopen jaren hebben laten zien dat Arafat een afschuwelijke fout maakte.

In augustus 2000 was het tijd voor de Democratische Nationale Conventie in Los Angeles. Bill en ik zouden op de openingsavond, 14 augustus, de afgevaardigden toespreken en vervolgens de stad verlaten om plaats te maken voor vice-president Gore en zijn running mate senator Joe Lieberman, om de nominatie te accepteren en in het middelpunt van de belangstelling te staan.

Ik werd op het podium begroet door de Democratische vrouwelijke senatoren Barbara Mikulski, Dianne Feinstein, Barbara Boxer, Patty Murray, Blanche Lincoln en Mary Landrieu, die zelf in 1996 een slopende senaatsrace had meegemaakt. Doordat alle aandacht gericht was op wat er met mij straks ging gebeuren, wilde ik, toen ik het podium besteeg, er zeker van zijn dat het Amerikaanse volk zou weten hoezeer ik het voorrecht had gewaardeerd om acht jaar lang te dienen als First Lady. 'Bill en ik sluiten een hoofdstuk in ons leven af en zullen snel aan een nieuw beginnen... Ik dank u voor de buitengewone kans die ik van u gekregen heb, om in binnen- en buitenland te werken aan kwesties die er voor kinderen, vrouwen en hun families toe doen... [en] voor uw steun en vertrouwen in goede tijden – en in slechte. Dank u wel... voor deze unieke eer en zegening.'

Bill hield na mij zijn speech en alleen al zijn aanwezigheid veroorzaakte een golf van nostalgie door heel het Staples Center; mensen zongen 'nog eens vier jaar' en gaven hem een overdonderend en warm onthaal. Hij legde een krachtige verantwoording af voor zijn presidentschap en betuigde indrukwekkend zijn steun aan Al Gore. Toen zat onze taak op deze conventie erop en gingen we naar huis.

Na een paar dagen begon ik me voor te bereiden op drie aanstaande debatten tegen Lazio. Als jonge, mediamieke Republikein uit Long Island genoot Lazio veel populariteit in de buitensteden. Anders dan Giuliani was hij niet polariserend of sarcastisch, en buiten zijn district was hij niet zo bekend. Met steun en aanmoediging van Republikeinse leiders uit heel het land profileerde hij zichzelf als de anti-Hillary-kandidaat, en voerde hij bijna de hele zomer een negatieve campagne. Maar die had weinig effect. Een van de onverwachte voordelen die ik had, was dat iedereen al alles over mij dacht te weten, zowel de goede als slechte dingen. Lazio's aanvallen waren achterhaald. Mijn campagne ging niet in op de persoonlijke toonzetting van Lazio's campagne en concentreerde zich op zijn stemgedrag, en op zijn werk in het Congres als een van Gingrich' voornaamste slippendragers. Men wist weinig over hem, en de informatie die wij gaven over zijn standpunten, was voor het publiek genoeg om de open plekken in te vullen.

Ons eerste debat vond plaats in Buffalo op 13 september, met als gespreksleider de daar geboren Tim Russert van het NBC-programma *Meet the Press*. Na een reeks vragen over de gezondheidszorg, de economie en het onderwijs in het noorden van de staat New York liet Russert een nieuwsfragment zien van mijn verschijning in de *Today Show*, waarin ik zonder medestanders Bill verdedigde nadat de affaire-Lewinsky was losgebarsten. Daarop vroeg Russert of ik 'er geen spijt van had het Amerikaanse volk te hebben misleid' en of ik mijn excuses wilde aanbieden omdat ik mensen ervan had 'beschuldigd deel uit te maken van een rechtse samenzwering'.

Hoewel deze vraag me van mijn apropos bracht, moest ik iets antwoorden, dus zei ik: 'Weet je, Tim, dat was een heel moeilijke periode voor mij, voor mijn familie en voor ons land. Het is iets wat ik ten diepste betreur voor iedereen die het heeft moeten ondergaan. Ik wou dat wij deze kwestie vanuit historisch perspectief konden bekijken, maar dat kan nog niet. We zullen moeten wachten totdat die boeken zijn geschreven... Ik heb geprobeerd zo voorkomend te zijn als ik kon, gezien de omstandigheden waar ik in zat. Het is duidelijk dat ik niemand heb misleid. Ik kende de waarheid niet. En daar schuilt veel leed achter; bovendien heeft mijn man wel degelijk toegegeven... dat hij het land misleid heeft, net als zijn familie.'

Ook kwamen er vragen over de schoolvouchers, het milieu en andere lokale kwesties, en toen maakte Lazio een kritische opmerking. Hij zei dat de economie in het noorden van New York 'was omgeslagen'. Maar voor iedereen die daar woonde of daar wel eens geweest was, was duidelijk dat Lazio de plank mis sloeg. Ik had de regio inmiddels vaak bezocht en uitgebreid discussies gevoerd met de inwoners over problemen als banenverlies en de uittocht van jongeren. Ook had ik een economisch plan voor de streek ontwikkeld dat door de kiezers serieus werd genomen.

Toen de campagnespotjes en het gebruik van het zogeheten 'soft money' – lobbygelden besteed door externe politieke organisaties ten behoeve van een kandidaat of een bepaalde kwestie – in het debat ter sprake kwamen, liet Russert een tv-spotje van Lazio zien, waarin een foto werd gebruikt van Lazio als Congreslid tegenover senator Daniel Patrick Moynihan, een ontmoeting die evenwel nooit had plaatsgevonden. De advertentie vertekende de werkelijkheid om te kunnen profiteren van de populariteit van

788

een eerbiedwaardige New Yorkse overheidsdienaar. Daar was voor betaald met soft money, grote bijdragen die door politieke partijen of groeperingen van buiten konden worden gebruikt om een kandidaat te steunen of een tegenstander aan te vallen. In het voorjaar had ik opgeroepen tot een verbod op het gebruik van soft money, maar ik wilde me daar niet eenzijdig aan houden. De Republikeinen hadden geweigerd het soft money-gebruik af te zweren van externe organisaties, waarvan een aantal druk bezig was om 32 miljoen bij elkaar te brengen ter ondersteuning van Lazio's gooi naar het senatorschap.

Tegen het eind van het debat begon Lazio van achter zijn katheder op me in te hakken over de soft money-kwestie en wilde hij dat ik de grote bijdragen van de Democratische Partij aan mijn campagne zou verbieden. Ik kwam nauwelijks aan het woord toen hij over me heen walste en met een stuk papier begon te zwaaien dat de titel 'New Yorks Pact voor Verbod op Soft Money' droeg, dat ik van hem moest ondertekenen, wat ik weigerde. Hij bleef aandringen en riep: 'Hier, onderteken het nu!'

Ik wilde hem de hand schudden, maar hij bleef maar zuigen. Als reactie kon ik nog net één zin uitspreken toen Russert het debat beëindigde. Ik weet niet of Lazio en zijn adviseurs hoopten mij van de wijs te brengen of probeerden me kwaad te maken.

De hele campagne was ik voorbereid op mogelijke persoonlijke aanvallen en ik was vastbesloten me te blijven richten op de verkiezingsthema's, en niet op Lazio als persoon. 'De issues, de issues,' sprak ik mezelf keer op keer als een mantra toe. Want dat vond ik niet alleen nuttiger voor de kiezers, maar ook een nettere manier van campagne voeren.

Toch bleek het debat een keerpunt in de race waarop sommige kiezers mijn kant op werden gedreven, al besefte ik dat niet meteen. Toen ik het podium afliep, had ik geen idee hoe ik het had gedaan en wist ik niet zeker hoe Lazio's confronterende manoeuvre zou worden ontvangen. Zijn campagnestaf eiste meteen de overwinning op en de pers ging daarin mee. In veel van de eerste krantenartikelen werd ingegaan op Lazio's stunt en vrijwel iedereen riep hem uit als winnaar.

Niettemin was mijn team optimistisch. Ann Lewis en Mandy Grunwald hadden het gevoel dat Lazio was overgekomen als een beul en niet als de 'Mr. Nice Guy' die hij probeerde te zijn. Enquêtes en focusgroepen maakten duidelijk dat veel kiezers, vooral vrouwen, zich stoorden aan Lazio's tactiek. Zoals Gail Collins in *The New York Times* schreef, had Lazio de grens overschreden. En veel kiezers konden dat niet waarderen.

Ondanks de reactie van het publiek bleef Lazio een overwegend negatief geladen campagne voeren – op de man af. Hij verstuurde een fondsenwervende brief waarin hij schreef dat zijn boodschap in zes woorden kon worden samengevat: 'Kandidaat zijn tegen Hillary Rodham Clinton'. Zijn campagne ging niet over de mensen in New York, maar over mij. Als reactie vertelde ik de mensen overal in de staat: 'New Yorkers verdienen meer. Wat denkt u van zeven woorden: banen, onderwijs, gezondheidszorg, sociale zekerheid, milieu, keuzes?'

Ook rakelde Lazio de hervormingen in de gezondheidszorg op in een serie advertenties die een gevoelige snaar bij de kiezer moest raken. Maar wat ik in al die maanden onderweg begrepen had, was dat New Yorkers in het algemeen mijn pogingen om de zorg te hervormen wel leken te waarderen, ook al was het me niet gelukt het hele systeem te vernieuwen. In de tussenliggende jaren waren de kosten van de zorg gestegen, en legden gezondheidszorgorganisaties en de verzekeringen nog meer beperkingen op in hun dekking. Tijdens de campagne sprak ik regelmatig over een aantal steeds merkbaarder wordende maatregelen waar ik me sterk voor had gemaakt, en over manieren waarop de Senaat de stijgende ziektekosten door middel van wetgeving kon aanpakken.

Later in de campagne, op 12 oktober, werd het Amerikaanse marineschip USS *Cole* in Jemen beschoten door terroristen. Bij de krachtige explosie kwamen zeventien Amerikaanse matrozen om en werd een gat geslagen in de romp van het schip. Deze aanval werd, net als de bomaanslagen op de ambassade, teruggevoerd op al-Qaida, het ondergrondse netwerk van islamitische extremisten onder leiding van Osama bin Laden, die de oorlog hadden verklaard aan 'ongelovigen en kruisvaarders'. Dat predikaat was van toepassing op alle Amerikanen en vele anderen in de wereld, inclusief moslims die zich tegen gewelddadige acties en extremisme keerden. Ik annuleerde mijn campagneverplichtingen om met Bill en Chelsea op de marinebasis van Norfolk, Virginia, een dienst bij te wonen. Ik had de families bezocht van de slachtoffers van de bomaanslagen op de Amerikaanse ambassade in augustus 1998; nu condoleerde ik de families van onze vermoorde matrozen, jongemannen en vrouwen die het land dienden en die in een gevaarlijke regio in de wereld de vrede probeerden te handhaven.

Ik veracht terrorisme en het nihilisme waar het voor staat, en kon niet geloven dat in de campagne van de New Yorkse Republikeinse Partij en Lazio geïnsinueerd werd dat ik betrokken zou zijn geweest bij de terroristen die de *Cole* hadden opgeblazen. Men deed deze verachtelijke suggestie in een tv-spotje en op een automatische telefonische boodschap aan honderdduizenden kiezers in New York, twaalf dagen voor de verkiezingen. Volgens het verhaal dat ze bedacht hadden, zou ik een gift hebben ontvangen van iemand die tot een groep behoorde die volgens hen terroristen steunde, 'het soort terrorisme dat onze matrozen op de USS *Cole* had omgebracht'. In de telefonische boodschap werden mensen aangezet mij op te bellen om te zeggen dat ik mijn 'steun aan het terrorisme moest staken'. Het was walgelijk. Deze laatste wanhoopspoging mislukte echter, dankzij het krachtige antwoord van Ed Koch, de voormalige burgemeester van New York, die een televisiespotje opnam waarin hij Lazio toeriep: 'Rick, stop nu met modder gooien.'

In de laatste weken van de campagne begon ik er vertrouwen in te krijgen dat ik zou winnen. Maar in de week voor de verkiezingen werd nog één keer campagne-alarm geslagen toen plotseling de kandidaten in de race gelijk op begonnen te lopen. Lazio had een paar keer een tv-spotje uitgezonden waarin twee actrices vrouwen speelden uit de voorsteden, die zich afvroegen waar ik de moed vandaan haalde me in New York te vertonen en voor deze staat senator te worden. We wisten niet of de kiezers reageerden op Lazio's tv-spotje of waren beïnvloed door de telefoontjes over terrorisme, of dat dit slechts een tijdelijke inzinking in de race was.

Tot twee uur in de nacht had ik het hierover met Mark en Mandy en ik besloot nog één poging te wagen vrouwen te bereiken die nog twijfels hadden over mijn kandidaatstelling. Lazio was vooral kwetsbaar, meende ik, op het gebied van borstkankerpreventie, een kwestie waar ik acht jaar lang aan had gewerkt. Sinds Lazio meedeed aan de Senaatsrace, mocht hij van de partijtop in het Huis een belangrijk wetsvoorstel over de bekostiging van borstkankerpreventie op zijn conto schrijven, dat eigenlijk een geesteskind was van de Californische afgevaardigde Anna Eshoo en onder beide partijen brede steun genoot. Leiders in het Huis wezen Lazio aan als de eenzame voorvechter van dat voorstel, zodat hij daar in zijn campagne naar kon verwijzen om te laten zien hoe begaan hij was met vrouwenzaken. Alsof dat niet erg genoeg was, stemde hij, toen het voorstel eindelijk was aangenomen, meteen vóór bezuinigingen op dit programma. Borstkankerbehandeling en -onderzoek gingen mij persoonlijk erg aan en ik vond het verschrikkelijk toen ik ontdekte dat Lazio een politiek spelletje had gespeeld over zo'n belangrijk en emotioneel onderwerp.

Marie Kaplan, die borstkanker had overleefd en pleitte voor behandeling en onderzoek in Lazio's eigen district op Long Island, was inmiddels een van mijn trouwste campagnevrijwilligsters. 'Waarom vragen we Marie niet voor een tv-spotje?' stelde ik voor. Dat deden we. In veel opzichten was dit het beste spotje van de campagne. Marie legde uit wat Lazio gedaan had met die bezuinigingen op het borstkankeronderzoek en zei toen: 'Ik heb vrienden die hun vraagtekens zetten bij Hillary. Dan zeg ik: "Kom daar overheen. Ik ken haar." Als het gaat om borstkanker en de gezondheidszorg, het onderwijs, om keuzevrijheid voor de vrouw, laat Hillary je nooit in de steek. Zij staat achter ons.' Ze somde alles op waar ik mensen over wilde laten nadenken wanneer ze naar het stembureau gingen.

Ik bleef tot de laatste minuut aan het werk en voerde in de ochtend van 7 november, de dag van de verkiezingen, samen met afgevaardigde Nita Lowey campagne in Westchester County. Bill en Chelsea stemden met mij op het plaatselijke stembureau, basisschool Douglas Grafflin in Chappaqua. Na al die jaren Bills naam op de stembiljetten te hebben gezien, vond ik het ontroerend en een eer om de mijne te zien.

Toen 's avonds de resultaten bekend werden, was het duidelijk dat ik met een veel grotere voorsprong dan verwacht zou gaan winnen. Terwijl ik me omkleedde in mijn hotelkamer, rende Chelsea naar binnen om het nieuws te brengen: de laatste telling was vijfenvijftig procent tegen drieënveertig procent. Het harde werk was de moeite waard geweest, en ik was dankbaar New York te mogen vertegenwoordigen en om in een nieuwe rol een bijdrage te leveren aan ons land.

De presidentsrace verkeerde ondertussen nog in onzekerheid. We konden toen nog niet vermoeden dat het nog zesendertig dagen zou duren voordat bekend werd wie de nieuwe president werd. Ook hadden we geen idee van de demonstraties, de rechts- en beroepszaken en de talloze problemen die zouden ontstaan naar aanleiding van de onduidelijke stemmen in Florida, noch van de uitbreiding van ons politieke lexicon met termen als *butterfly ballot* (het vlinderstembiljet) en *dimpled chad*, de niet helemaal doorgeprikte stemvakjes.

De onduidelijkheid in de presidentsverkiezingen temperde mijn vreugde op de verkiezingsavond, maar verpestte geenszins de sfeer op het overwinningsfeest in het Grand Hyatt Hotel nabij Grand Central Terminal in New York City. De balzaal was gevuld met leden van de campagnestaf, vrienden, medestanders en loyale Hillaryland-medewerkers die in de laatste week van de campagne vrij hadden genomen van het Witte Huis om te assisteren bij de laatste activiteiten om stemmen te ronselen. Ik werd overweldigd door de generositeit en openheid van New Yorkers, die luisterden naar wat ik had te melden, me wilden leren kennen en mij een kans gaven. Ik zou er alles aan doen om hen niet teleur te stellen. Met Bill, Chelsea, mijn moeder en talloze aanhangers liet ik de stortvloed van confetti en ballonnen op ons neerkomen.

Tientallen omhelzingen en handdrukken later stond ik op het podium om mijn aanhangers te bedanken. Ik zei: 'Tweeënzestig districten, zestien maanden, drie debatten, twee tegenstanders en zes zwarte broekpakken verder, staan wij hier, dankzij u!'

Na acht jaar met een titel maar zonder portfolio was ik nu een gekozen senator.

Twee dagen na de verkiezingen, terwijl de uitkomst van de presidentsrace tussen Al Gore en George W. Bush nog steeds onzeker was, ging ik terug naar Washington om als gastvrouw op te treden bij het tweehonderdjarig bestaan van het Witte Huis. Gezien de politieke spanning in de lucht kon het een vreemde avond worden. Alle levende ex-presidenten en First Lady's waren aanwezig (behalve het echtpaar Reagan, dat in Californië bleef omdat president Reagan aan alzheimer lijdt) evenals nakomelingen en familieleden van andere presidenten. Het schitterende gala in avondkleding, gesponsord door de White House Historical Association, werd een hulde aan de Amerikaanse democratie toen elke ex-president welluidend sprak over onze nationale volharding in het licht van controverses en opschudding.

'Wederom,' zei president Gerald Ford, 'heeft 's werelds oudste republiek de jeugdige vitaliteit van haar instituten laten zien, alsook het vermogen en de noodzaak om tot elkaar te komen... na een hard uitgevochten campagne. Het is gebleven bij een botsing van partijpolitieke ideeën – waarna snel een vredige machtsoverdracht zal volgen.'

Dit was het levende bewijs dat de basis van Amerika sterker is dan de poppetjes en de politiek, want presidenten, senatoren en leden van het Huis komen en gaan, terwijl de continuïteit van de regering ononderbroken blijft.

Al Gore behaalde uiteindelijk een half miljoen stemmen van de landelijk uitgebrachte stemmen meer dan Bush, maar hij verloor het presidentschap in het Electoraal College. Het Hooggerechtshof stemde op 12 december met vijf tegen vier vóór het staken van de hertelling van de stemmen in Florida en bezegelde daarmee in feite Bush' overwinning. Zelden of nooit is het recht van het volk om hun eigen bestuurders te kiezen door zulk flagrant misbruik van juridische macht tegengewerkt.

Zelfs voordat ook maar geluisterd werd naar de inhoud van het beroep, liet rechter Antonin Scalia alvast de onredelijkheid blijken van de partijdige beslissing die zou komen, door de zaak te schorsen, waardoor op 9 december 2000 in Florida abrupt gestopt werd met het tellen van de stemmen. Doorgaan met tellen zou volgens Scalia 'onherstelbare schade' toebrengen aan gouverneur Bush. Scalia schreef dat het tellen van de stemmen mogelijk een 'schaduw werpt op... de legitimiteit van zijn [Bush'] verkiezing'. Zijn redenering was kennelijk: het tellen van de stemmen moet worden gestopt, omdat de stemmen misschien wel aantonen dat Bush helemaal niet heeft gewonnen. Het besluit in de zaak Bush vs. Gore door het normaal gesproken zo conservatieve Hooggerechtshof was vernieuwend. In plaats van de zaak te laten afhandelen door het hoogste gerechtshof van Florida, dat puur gaat over het staatsrecht van Florida, greep het Hof naar federale kwesties om dit af te wijzen. En in plaats van een strikte visie te hebben op het begrip 'gelijkwaardige bescherming', ging de conservatieve meerderheid naarstig op zoek naar een schending van de gelijkwaardige bescherming.

De meerderheid van het Hof beweerde dat het criterium in Florida voor hertelling, dat vereist dat elk te tellen stembiljet duidelijk de bedoeling van de kiezer moet weergeven, niet streng genoeg was omdat een biljet door iedere teller anders geïnterpreteerd kon worden. De oplossing was om dan maar alle burgers wier stemmen opnieuw moesten worden geteld, het stemrecht te ontzeggen, hoe duidelijk zij hun stem ook op het biljet hadden aangegeven. Verbazingwekkend genoeg waarschuwde het Hooggerechtshof ons dat 'onze overweging beperkt blijft tot de huidige situatie, aangezien het probleem van de gelijkwaardige bescherming in verkiezingsprocessen in het algemeen zeer complex is'. Men wist dat de beslissing onverdedigbaar was en wilde niet dat deze redenering straks ook voor andere gevallen zou opgaan. Het was het beste argument dat de rechters op de korte termijn konden bedenken om precies dat resultaat te bereiken waar zij naar hadden gestreefd. Ik weet zeker dat wanneer Bush en niet Gore door de onvolledige telling gedupeerd was, de vijf conservatieve rechters gezamenlijk ervoor gezorgd hadden dat alle stemmen opnieuw werden geteld.

Het Amerikaanse volk pakte na die controversiële verkiezingen de draad weer op en legde zich neer bij de wet, maar nu we vooruitkijken naar de volgende verkiezingen moeten we ervoor zorgen dat elke burger de vrijheid krijgt zonder angst, dwang of onzekerheid te kiezen in een stemlokaal dat is toegerust met moderne apparatuur en geschoold personeel. We kunnen alleen maar hopen dat het Hooggerechtshof nauwgezetter en objectiever te werk gaat wanneer het ooit nog eens te maken krijgt met een twijfelachtige verkiezingsuitslag.

Bill en ik waren ontzet door de uitkomst van de verkiezingen en vreesden de terugkeer naar het mislukte Republikeinse beleid van vroeger en wat dat voor ons land zou betekenen. Mijn enige troost was dat ik snel aan mijn nieuwe baan kon beginnen en de mogelijkheid kreeg mezelf te laten horen en te stemmen volgens de normen en het beleid die mij het beste leken voor New York en Amerika. Eindelijk was het zo ver. Aangezien alleen leden van het Congres en hun ambtenaren zich op de vloer van de Senaat mogen begeven – en presidenten vormen geen uitzondering – moest Bill mijn beëdiging vanaf de bezoekersgalerij gadeslaan, samen met Chelsea en andere familieleden. De afgelopen acht jaar had ik van boven toegekeken terwijl Bill in ditzelfde gebouw zijn visie op ons land uiteenzette. Op 3 januari 2001 zette ik mijn eerste stap op de vloer van de Senaat en zweerde ik 'de grondwet van de Verenigde Staten te steunen en te verdedigen tegen alle binnen- en buitenlandse vijanden... en trouw de plichten te vervullen van het ambt dat ik op het punt sta te aanvaarden'. Toen ik me omdraaide en naar de galerij boven me keek, zag ik mijn moeder, mijn dochter en mijn man glimlachen naar de kersverse senator van New York.

Drie dagen later gaven wij op een regenachtige zaterdagmiddag in een grote tent op de South Lawn een afscheidsfeest voor iedereen die de afgelopen acht jaar al of niet als vrijwilliger op het Witte Huis had gewerkt. Overal uit het land kwamen gasten aangestroomd om hun vrienden weer te zien en herinneringen op te halen aan hun werk voor de regering. Het was een levendige reünie waarop Bill en ik de kans kregen nogmaals 'dank jullie wel' te zeggen tegen de honderden mannen en vrouwen die lange dagen hadden gemaakt en persoonlijke offers hadden gebracht om voor hun land mee te werken aan Bills regering. Van de drieëntwintigjarige bureauassistent tot de kabinetssecretaris van zestig-plus hadden deze mannen en vrouwen meegeholpen aan het bevorderen van Bills agendapunten en zijn visie op Amerika.

Terwijl iedereen met elkaar de glazen klonk, vergezelden Al en Tipper Gore Bill en mij een aantal uren op dit feest.

'Hier staat de kandidaat die de meeste stemmen kreeg bij de presidentsverkiezingen,' zei ik toen ik Al onder een juichende ovatie aankondigde. Al vroeg of iedereen die tijdens de regering-Clinton was getrouwd of een kind had gekregen, een hand wilde opsteken. De handen vlogen vanuit de menigte de lucht in. En toen – een verrassing die Capricia had georganiseerd – ging het doek op van het podium en kwam vanuit de coulissen Fleetwood Mac op. Toen de band de eerste akkoorden speelde van 'Don't stop thinking about tomorrow', hét lied van Bills campagne in 1992, zong iedereen in koor luid en vrolijk en een beetje vals en jankend het refrein mee.

Die songtekst was me uit het hart gegrepen. Het mag dan wel een cliché zijn, maar de zin die mijn politieke filosofie het beste weergeeft was: 'Het gaat altijd over de toekomst', over wat gedaan moet worden om Amerika veiliger, slimmer, rijker, sterker en beter te maken, en om Amerikanen voor te bereiden op concurrentie en samenwerking in een mondiale gemeenschap. Toen ik nadacht over mijn eigen toekomst, vond ik het weliswaar spannend om straks in de Senaat te dienen, maar werd ik tegelijk overweldigd door heimwee naar de mensen die deel hadden uitgemaakt van ons reisdoel, vooral naar hen die er niet meer waren.

De daaropvolgende twee weken dwaalde ik van de ene naar de andere kamer in het Witte Huis en stond stil bij alles waar ik aan gehecht was. Ik verwonderde me over architectonische details, bleef staan voor schilderijen aan de muur en probeerde de verbazing weer te voelen van de eerste keer dat ik hier kwam. Ik draalde door Chelsea's kamers en kon het gelach van haar vriendinnen en haar muziek weer horen. In dit huis was zij opgegroeid van kind tot jonge vrouw. Ze had veel goede herinneringen aan haar jeugd in het Witte Huis als dochter van de president. Dat wist ik zeker.

's Ochtends en 's avonds zakte ik weg in mijn geliefde stoel in de West Sitting Hall, een comfortabele ruimte

waar ik acht jaar lang Chelsea had opgewacht als ze thuiskwam van school, waar ik personeel ontving, kletste met
vrienden, boeken las en nadacht. Nu genoot ik van deze
bijzondere tijd en deze bijzondere plek, en keek ik hoe het
zonlicht door het schitterende waaiervormige raam naar
binnen viel.

Vaak dacht ik in die laatste weken terug aan Bills eerste
inauguratie in 1993, een gebeurtenis die mij nog als de dag
van gisteren bijstond, maar die tegelijk heel ver weg was.
Chelsea en ik liepen nog eens door de Kindertuin, verscho-
len achter de tennisbaan, waar kleinkinderen van presidenten een afdruk van hun hand in het cement mogen nala-
ten. Buiten op de Southern Lawn keken Bill en ik over de
heg naar het Washington Monument zoals we dat talloze
malen hadden gedaan. Bill gooide tennisballen op waar
Buddy achterna rende, terwijl Socks van een afstand toekeek.

Het personeel op het Witte Huis had het druk met de
komst van de nieuwe First Family, met wie we op 20 januari koffie en taart zouden nuttigen, voordat we met z'n allen naar Capitol Hill zouden rijden voor de beëdiging.
Voor de drieënveertigste keer in de geschiedenis van het
land kon het Amerikaanse volk getuige zijn van een vredige
machtsoverdracht, het ene presidentschap zien overgaan in
het andere. Toen we voor de laatste maal als bewoners van
het Huis van het Volk de Grote Hal in liepen, stond al het
vaste personeel klaar om afscheid te nemen. Ik bedankte de
bloemist voor de bloemen die zij altijd zo kunstig in elke
kamer schikte, de mensen van de keuken voor de bijzondere maaltijden die zij trouw bereidden, de beheerders van
het huis voor hun dagelijkse aandacht voor details, de bui-
tenploeg voor het zorgvuldig onderhouden van de tuinen
en alle andere toegewijde personeelsleden die door hun
harde werk het Witte Huis elke dag weer lieten stralen.
Buddy Carter, al jarenlang de butler van het Witte Huis,
werd voor de laatste keer door mij omhelsd, en maakte
daar een vrolijk dansje van. We huppelden en wervelden

over de marmeren vloer. Mijn man kwam erbij, nam me in zijn armen en samen walsten we door de lange gang.

Toen zei ik het huis vaarwel waar 'mijn verhaal' zich acht jaar lang had afgespeeld.

Verantwoording

Aan de totstandkoming van dit boek heeft een fantastisch team bijgedragen, en ik ben iedereen dankbaar die hieraan heeft meegewerkt.

Voordat ik de mensen ga bedanken die me op een of andere manier hebben geholpen, wil ik stilstaan bij het verlies van een groot Amerikaan, senator Daniel Patrick Moynihan van New York. Toen ik de laatste hand legde aan dit boek, overleed senator Moynihan op 26 maart 2003. Ik bekleed nu de Senaatszetel die hij vierentwintig jaar lang heeft bezet, en maak gebruik van zijn voormalige kantoor. In het najaar van 2002 kwam hij me opzoeken en we spraken over de nieuwe veiligheidsproblemen waar ons land mee te kampen heeft. Ik zag ernaar uit dat gesprek voort te zetten. Onze gesprekken waren altijd levendig, en hij bleef altijd vriendelijk, zelfs als we het niet met elkaar eens waren. Toen hij hoorde dat ik mijn scriptie op Wellesley over Saul Alinsky had geschreven, vroeg hij me of hij die mocht lezen. Met grote schroom stuurde ik de scriptie op. Senator Moynihan was een professor in hart en nieren en stuurde mijn werkstuk terug, voorzien van commentaar en het cijfer 10. Hoewel ik in die tijd First Lady was en ik de scriptie vijfentwintig jaar daarvoor had geschreven, was ik blij en opgelucht. Met het overlijden van Daniel Patrick Moynihan heeft het publieke en intellectuele leven van de Verenigde Staten een van zijn helderste sterren verloren. Altijd stelde hij onze veronderstellingen ter discussie en voortdurend legde hij de lat hoger. Wij zullen zijn wijsheid en brille missen.

Toen ik twee jaar geleden aan dit boek begon, heb ik Lissa Muscatine, Maryanne Vollers en Ruby Shamir gevraagd of zij een deel van hun leven wilden opofferen om met mij samen te werken. Dat bleek de verstandigste beslissing die ik had kunnen nemen: zij hebben geweldig werk verricht door de bergen informatie over mijn leven te ordenen en me te helpen mijn gevoelens over mijn tijd in het Witte Huis tot uitdrukking te brengen. Ik heb tien jaar lang vertrouwd op Lissa's kracht, intelligentie en integriteit. Zij was verantwoordelijk voor veel van de woorden in mijn toespraken als First Lady en in dit boek, dat veel baat heeft gehad bij haar uitgebreide kennis over de Washingtonse politiek; ik had het zonder haar hulp niet kunnen schrijven. Maryanne heeft me geholpen bij de opzet van dit boek, hield het hoofd koel bij alle hoogte- en dieptepunten van het werk en heeft over mij gewaakt wanneer dat nodig was. Elk woord dat ik zou kunnen gebruiken om Ruby en haar rol bij de totstandkoming van dit boek te beschrijven, zou tekortschieten. Ze hield het hele proces van het begin tot het eind op de rails door de miljoenen woorden die over mij zijn geschreven te verzamelen, te analyseren en weer samen te brengen en door elk feitje dat ik heb geschreven te controleren. Haar aandacht voor detail en haar lieve karakter vormen een zeldzame combinatie. Liz Bowyer verscheen eens te meer als reddende engel; met haar vaardigheid en inzicht hielp ze me de laatste hand aan de tekst te leggen en behoede me voor een geestelijke inzinking. Tegen het einde van dit intense proces hielpen Courtney Weiner, Huma Abedin en Carolyn Huber mij de strakke deadline te halen.

Dank aan Simon and Schuster en Scribner, met name aan Carolyn Reidy, Simon and Schuster Publisher en Nan Graham, vice-president en hoofdredacteur bij Scribner. Dit is het vierde boek dat ik onder Carolyns hoede heb geschreven en ook nu weer was het een genoegen met haar te werken. Nan is een betrokken en schrandere professional die haar mechanische potlood van Paper Mate Sharpwriter met precisie hanteert en een geweldig gevoel voor humor heeft. Ook dank aan David Rosenthal, Jackie Seow, Vincent Virga, Gypsy da Silva, Victoria Meyer, Aileen Boyle, Alexis Gargagliano en Irene Kheradi, die het onmogelijke mogelijk hebben gemaakt. Zoals altijd stonden mijn advocaten Bob Barnett en David Kendall van Williams and Connolly met verstandige en praktische raad voor me klaar wanneer ik hen nodig had. David Alsobrook, Emily Robison, Deborah Bush en John Keller van het Clinton Presidential Materials Project hebben veel van de documenten en foto's voor dit boek opgespoord.

Talrijke vrienden en collega's hebben vrijwillig hun kostbare tijd beschikbaar gesteld om te worden geïnterviewd, feiten te controleren, de eerste teksten te becommentariëren en hun herinneringen te delen. Ik ben hen stuk voor stuk dankbaar: Madeleine Albright, Beryl Anthony, Loretta Avent, Bill Barrett, W.W. 'Bill' Bassett, Sandy Berger, Jim Blair, Tony Blinken, Linda Bloodworth-Thomason, Sid Blumenthal, Susie Buell, Katy Button, Lisa Caputo, Patty Criner, Patti Solis Doyle, Winslow Drummond, Karen Dunn, Betsy Ebeling, Sara Ehrman, Rahm Emmanuel, Tom Freedman, Mandy Grunwald, Ann Henry, Kaki Hockersmith, Eric Hothem, Harold Ickes, Chris Jennings, eerwaarde Don Jones, Andrea Kane, Jim Kennedy, Jennifer Klein, Ann Lewis, Bruce Lindsey, Joe Lockhart, Tamera Luzzatto, Ira Magaziner, Capricia Penavic Marshall, Garry Mauro, Mack McLarty, Ellen McCulloch-Lovell, Cheryl Mills, Kelly Craighead Mullen, Kevin O'Keefe, Ann O'Leary, Mark Penn, Jan Piercy, John Podesta, Nicole Rabner, Carol Rasco, Bruce Reed, Cynthia Rice, Ernest 'Ricky' Ricketts, Steve Ricchetti, Robert Rubin, Evan Ryan, Shirley Sagawa, Donna Shalala, June Shih, Craig Smith, Doug Sosnik, Roy Spence, Gene Sperling, Ann Stock, Susan Thomases, Harry Thomason, Melanne Verveer, Bill Wilson en Maggie Williams.

De grote familie van 'Hillaryland' heeft me geholpen het werk te doen dat ik op deze pagina's beschrijf en heeft me bij iedere uitdaging opnieuw gesteund. De volgende mensen heb ik nog niet genoemd: Milli Alston, Ralph Als-wang, Wendy Arends, Jennifer Ballen, Anne Bartley, Katie Barry, Erika Batcheller, Melinda Bates, Carol Beach, Marsha Berry, Joyce Bonnett, Ron Books, Debby Both, Sarah Brau, Joan Brierton, Stacey Roth Brumbaugh, Molly Buford, Kelly Carnes, Kathy Casey, Ginger Cearley, Sara Grote Cerrell, Pam Cicetti, Steve 'Scoop' Cohen, Sabrina Corlette, Brenda Costello, Michelle Crisci, Caroline Croft, Gayleen Dalsimer, Sherri Daniels, Tracy LaBrecque Davis, Leela DeSouza, Diane Dewhirst, Helen Dickey, Robyn Dickey, Anne Donovan, Tom Driggers, Karen Fahle, Tutty Fairbanks, Sharon Farmer, Sarah Farnsworth, Emily Feingold, Karen Finney, Bronson Frick, John Funderburk, Key German, Isabelle Goetz, Toby Graff, Bradley Graham, Bobbie Greene, Jessica Greene, Melodie Greene, Carrie Greenstein, Sanjay Gupta, Ken Haskins, Jennifer Heater, Kim Henry, Amy Hickox, Julie Hopper, Michelle Houston, Heather Howard, Sarah Howes, Julie Huffman, Tom Hufford, Jody Kaplan, Sharon Kennedy, Missy Kincaid, Barbara Kinney, Ben Kirby, Neel Lattimore, Jack Lew, Peggy Lewis, Evelyn Lieberman, Diane Limo, Hillary Lucas, Bari Lurie, Christy Macy, Stephanie Madden, Mickie Mailey, dr. Connie Mariano, Julie Mason, Eric Massey, Lisa McCann, Ann McCoy, Debby McGinn, Mary Ellen McGuire, Bob McNeely, Noa Meyer, Dino Milanese, Beth Mohsinger, Eric Morse, Daniela Nanau, Matthew Nelson, Holly Nichols, Michael O'Mary, Janna Paschal, Ron Petersen, Glenn Powell, Jaycee Pribulsky, Alice Pushkar, Jeannine Ragland, Malcolm Richardson, Stacey Roth, Becky Saletan, Laura Schiller, Jamie Schwartz, Laura Schwartz, David Scull, Mary Schuneman, Nicole Sheig, Janet Shimberg, David Shipley, Jake Simmons, Jennifer Smith, Shereen Soghier, Aprill Springfield, Jane Swensen, Neera Tanden, Isabelle Tapia, Marge Tarmey, Theresa Thibadeau, Sandra Tijerina, Kim Tilley, Wendy Towber, dr. Richard Tubb, Tibbie Turner, William Vasta, Jamie Vavonese, Josephine Velasco, Lisa Villareal, Joseph Voeller, Sue Vogelsinger, Esther Watkins, Margaret Whillock, Kim

Widdess, Pam Williams, Whitney Williams, Laura Wills, Eric Woodard en Cindy Wright.

De logistieke kant van de reizen die ik tijdens de campagnes van 1992, 1996 en 2000 en als First Lady heb gemaakt, viel onder verantwoordelijkheid van een speciaal team dat goed voor me heeft gezorgd en me (meestal) voor problemen heeft behoed: Ian Alberg, Brian Alcorn, Jeannie Arens, Ben Austin, Stephanie Baker, Douglas Band, David Beaubaire, Ashley Bell, Anthony Bernal, Bonnie Berry, Terry Bish, Katie Broeren, Regan Burke, Karen Burchard, Cathy Calhoun, Joe Carey, Jay Carson, George Caudill, Joe Cerrell, Nancy Chestnut, Jim Clancy, Resi Cooper, Connie Coopersmith, Catherine Cornelius, Jim Cullinan, Donna Daniels, Heather Davis, Amanda Deaver, Alexandra Dell, Kristina Dell, Tyler Denton, Michael Duga, Pat Edington, Jeff Eller, Ed Emerson, Mort Engelberg, Steve Feder, David Fried, Andrew Friendly, Nicola Frost, Grace Gracia, Todd Glass, Steve Graham, Barb Grochala, Catherine Grunden, Shanan Guinn, Greg Hale, Pat Halley (die in *On the Road with Hillary* een humoristisch verslag van zijn werk heeft gegeven), Natalie Hartman, Alan Hoffman, Kim Hopper, Melissa Howard, Rob Houseman, Stefanie Hurst, Rick Jasculca, Lynn Johnson, Kathy Jurado, Mike King, Michele Kreiss, Ron Keohane, Carolyn Kramer, Justin Kronholm, Stephen Lamb, Reta Lewis, Jamie Lindsay, Bill Livermore, Jim Loftus, Mike Lufrano, Marisa Luzzatto, Tamar Magarik, Bridger McGaw, Kara McGuire Minar, Rebecca McKenzie, Brian McPartlin, Sue Merrell, Craig Minassian, Megan Moloney, David Morehouse, Patrick Morris, Lisa Mortman, Jack Murray, Sam Myers, Jr., Sam Myers, Sr., Lucie Naphin, Kathy Nealy, David Neslen, Jack O'Donnell, Ray Ocasio, Nancy Ozeas, Lisa Panasiti, Kevin Parker, Roshann Parris, Lawry Payne, Denver Peacock, Mike Perrin, Ed Prewitt, Kim Putens, Mary Raguso, Paige Reefe, Julie Renehan, Matt Ruesch, Paul Rivera, Erica Rose, Rob Rosen, Aviva Rosenthal, Dan Rosenthal, John Schnur, Pete

Selfridge, Geri Shapiro, Kim Simon, Basil Smikle, Douglas Smith, Tom Smith, Max Stiles, Cheri Stockham, Mary Streett, Michael Sussman, Paula Thomason, Dan Toolan, Dave Van Note, Setti Warren, Chris Wayne, Todd Weiler en Brady Williamson.

Deze memoires over mijn tijd in het Witte Huis hebben geen recht kunnen doen aan mijn campagne voor de Senaatsverkiezingen in 2000 en de duizenden gekozen functionarissen, Democratische activisten, vakbondsmedewerkers, contribuanten en betrokken burgers die me hebben gesteund. Ik zou niet hebben kunnen slagen zonder het talent en de loyaliteit van een kerngroep van professionele en vrijwillige leiders die hun toewijding hebben betoond en nog niet zijn bedankt: Karen Adler, Carl Andrews, Josh Albert, Katie Allison, Jessica Ashenberg, David Axelrod, Nina Blackwell, Bill de Blasio, Amy Block, Dan Burstein, Raysa Castillo, John Catsimatidis, Margo Catsimatidis, Tony Chang, Ellen Chesler, Alan Cohn, Betsy Cohn, Elizabeth Condon, Bill Cunningham, Ed Draves, Senta Driver, Janice Enright, Christine Falvo, Gabrielle Fialkoff, Kevin Finnegan, Chris Fickes, Deirdre Frawley, Scott Freda, Geoff Garin, Gigi Georges, Toya Gordan, Richard Graham, Katrina Hagagos, Beth Harkavy, Matthew Hiltzik, Ben Holzer, Kara Hughes, Gene Ingoglia, Tiffany Jean-Baptiste, Russ Joseph, Wendy Katz, Peter Kauffmann, Heather King, Jill Iscol, Ken Iscol, Sarah Kovner, Victor Kovner, Justin Krebs, Jennifer Kritz, Jim Lamb, Mark Lapidus, Marsha Laufer, Cathie Levine, Jano Lieber, Bill Lynch, Chris Marshall, Ramon Martinez, Christopher McGinness, Sally Minard, Luis Miranda, Libby Moroff, Shelly Moskwa, Frank Nemeth, Nick Noe, Ademola Oyefaso, Alan Patricof, Susan Patricof, Tom Perron, Jonathan Prince, Jeff Ratner, Samara Rifkin, Liz Robbins, Melissa Rochester, Charles Roos, David Rosen, Barry Sample, Vivian Santora, Eric Schultz, Chung Seto, Bridget Siegel, Emily Slater, Socrates Solano, Allison Stein, Susie Stern, Sean Sweeney, Jane Thompson, Megan Thompson, Melissa Thornton, Lynn Utrecht, Susana Valdez, Kevin Wardally, Glen Weiner, Amy Wills en Howard Wolfson.

Elke autobiografie is een weerspiegeling van de familiebanden en persoonlijke relaties die iemands leven bepalen. Ik had mijn leven niet kunnen leven zonder de liefde en steun van mijn moeder Dorothy Rodham, mijn overleden vader Hugh E. Rodham, mijn broers Hugh E. Rodham, jr. en Tony Rodham, en een hele verzameling familieleden en vrienden die me hebben gestimuleerd door te gaan en mijn geloof te bewaren ondanks alle grote en kleine problemen die ik zowel in mijn openbare als in mijn privé-leven ben tegenkomen.

Een dierbare vriend, dr. Estelle Ramey heeft eens haar eminente leven als natuurkundige en onderzoeker als volgt samengevat: 'Ik heb liefgehad en ben liefgehad; de rest is achtergrondmuziek.' Bill en Chelsea hebben mij met hun liefde moed en troost gegeven en hebben me gedwongen uit te groeien boven de grenzen der gerieflijkheid. Zij zijn mijn belangrijkste critici geweest en mijn cheerleaders bij deze eerste poging verslag te doen van de tijd die we samen in het Witte Huis hebben doorgebracht. Zij hebben deze geschiedenis samen met mij geleefd, waarvoor ik hen vanuit de grond van mijn hart dank.

Ten slotte ben ik zelf verantwoordelijk voor de meningen en interpretaties die in deze autobiografie naar voren worden gebracht. Deze pagina's weerspiegelen hoe ik de door mij beschreven gebeurtenissen heb ervaren. Ik ben ervan overtuigd dat er vele andere, zelfs tegengestelde, gezichtspunten bestaan over de gebeurtenissen en mensen die ik beschrijf. Maar dat verhaal moet iemand anders maar vertellen.

Fotoverantwoording

Tenzij anders aangegeven komen alle foto's uit de privé-collectie van de auteur, uit het Witte Huis en uit het Clinton Presidential Materials Project. Getracht is alle andere rechthebbenden te traceren. Eventuele aanvullingen zullen uiteraard in een volgende druk worden opgenomen.

Specificatie rechthebbenden:

Pagina 193 onder, 194 boven en 194 rechtsonder: Wellesley; 196 onder: David P. Garland; 198 midden rechts: Donald R. Broyles/Office of Governor Clinton; 202 onderaan; Steven D. Desmond/Desmond's Prime Focus; inzet 390 boven: met toestemming van Lisa Muscatine; 390 rechtsonder: Eugenie Bisulco; 593 onder: India's Park Service; 602 boven: Diana Walker; 605 boven: AP/Wide World Photos ©2002; 608 boven: Alfred Eisenstaedt/TimeLife Pictures/Getty Images.

Personenregister

Abdoellah, koning van Jordanië 756
Abedin, Huma 785
Acheson, Dean 66, 67, 68
Acheson, Eleanor 'Eldie' 66-69
Adams, Abigail 175
Adams, Gerry 494, 731
Adams, John 175
Adams, Ruth 66, 67, 68
Addams, Jane 568
Afwerki, Isaias 629
Agnew, Spiro 75, 119
Ahern, Bertie 657-658
Ahtisaari, Eeva 387
Aideed, Mohammed 292
Ailes, Roger 336
Aishwarya, koningin van Nepal 439-440
Akihito, keizer van Japan 269
Albright, Madeleine 51, 329, 408, 465, 469, 537, 543, 546-548, 610-612, 635, 637, 704
Alema, Massimo d' 661
Ali, Mohammed 551
Alinsky, Saul 65
Al-Marayati, Laila 465
Altman, Janet 24, 48
Altman, Roger 335
Altschuler, Fred 104

Amato, Al d' 334, 461, 462, 503, 504, 534, 592, 736, 738
Ambrose, Stephen 94, 362
Andreson, Belle 17
Annan, Kofi 695, 732
Anne, prinses 333
Anthony, Beryl 124, 125
Anthony, Carl 175, 140
Anthony, Sheila Foster 124-125, 267, 270
Anthony, Susan B. 707
Aquino, Corazon 588
Arafat, Suha 486-487, 773-774
Arafat, Yasir 282, 283, 382, 487, 489, 745, 773, 785, 786
Argue, Donald 704
Aristide, Jean-Bertrand 385
Armey, Dick 694
Artzi-Pelossof, Noa Ben 489
Ashley, Eliza 131
Atkinson, Dick 116
Atwater, Lee 248, 249, 162
Avent, Loretta 173
Aznar, José Maria 641

Bacall, Lauren 218
Baer, Don 657
Bakaly, Charles 693
Baker, James 257
Baker, Jerry 47

Isabel Allende
Eva Luna

Allende beschrijft het veelbewogen leven van de
Zuid-Amerikaanse Eva Luna, die arm wordt geboren,
vroeg haar ouders verliest maar uitgroeit tot een
invloedrijke vrouw.

Rainbow Pocket 696

* * *

Marianne Fredriksson
Volgens Maria Magdalena

Na een gruwelijke jeugd als buitenechtelijk kind komt
Maria Magdalena in een bordeel terecht, waarna zij
Jezus ontmoet en zijn geliefde wordt.

Rainbow Pocket 668

* * *

Ute Ehrhardt
Brave meisjes komen in de hemel, brutale overal

Psychologe Ute Ehrhardt toont in deze bestseller aan dat
vrouwen het heft in eigen handen moeten nemen.

Rainbow Pocket 700

* * *

Heleen van Royen
De gelukkige huisvrouw

Een hilarische roman over geboorte en dood,
zwangerschap en moederschap.

Rainbow Pocket 615

* * *

Hari Kunzru
De poseur

Een magistrale roman over een half-Indiase, half-Britse
jongen die de gave heeft zich als een kameleon aan
te passen aan zijn omgeving.

Rainbow Pocket 722

* * *

Maya Angelou
3x Maya Angelou

In deze schitterende omnibus zijn gebundeld: *Ik weet
waarom gekooide vogels zingen, Dans om het bestaan* en
Zingen en swingen.

Rainbow Pocket 628
(dubbelpocket)

* * *

◢ Rainbow

back door. Then he started running, keeping below the level of the garden wall, through the open gate at the bottom and along the frosted track beyond until he reached the car parked behind a copse of evergreens.

The engine of the Renault was running and Antoine was sitting in the back beside another shadowy figure. LeCat climbed in behind the wheel, closed the door quietly, checked his watch. Sixty seconds . . . He drove rapidly along the track, away from the house hidden by the evergreens. He was turning on to a main road when they heard the b-o-o-m. In the back seat Antoine gave a little cry of horror which LeCat ignored. He felt the shockwave push the side of the car, which he also ignored.

The time-bomb, two hundred pounds of gelignite, had totally demolished the house and little that was identifiable was left of the three corpses which had lain inside it. Six people in Nantes knew that Jean-Philippe Antoine had a dental appointment at ten in the morning – he had been careful to tell them this – and it was obvious he had died in the explosion. The force of the bomb was so great it shattered the patient's body, making it impossible to check identity by the most foolproof method known to science – by Antoine's dental records. No teeth were found to check, and in any case his dental records were inside LeCat's jacket pocket.

There were good reasons for the precautions LeCat had taken. In France the Direction de la Surveillance du Territoire (counter-intelligence) does not like it when key security risks go abroad on unexplained visits. And France had just lost one of her more promising nuclear physicists.

Travelling under different names and carrying false papers, LeCat and Antoine arrived at Dorval airport, Montreal, during a blizzard. There is nothing conspicuous about two Frenchmen arriving in Montreal, a city where French is widely spoken. A car was waiting to take them away the moment they had passed through Immigration and Customs.

LeCat handed Antoine over to André Dupont, who escorted the nuclear physicist to a motel for the night. Dupont and Antoine did not linger in eastern Canada; the following morning they caught a CPR train and stayed aboard until it reached Vancouver on the Pacific coast. On arrival they went straight to a house in Dusquesne Street.

Nor did LeCat linger. Inside the car which met them at Dorval airport was an American, Joseph Walgren, a fifty-year-old ex-accountant LeCat had got to know rather well when he was living in Denver in 1968. Walgren, a round-faced man with wary eyes, had given up accountancy years earlier when he muddled up a client's money with his own bank account. Since then his method of earning a living had not been completely legal. Twenty-four hours after LeCat's arrival in Montreal, Walgren drove him over the border into the States. They were heading for Illinois, a part of America Walgren knew well. They had the man to make the nuclear device. Now they needed the material.

Chapter Three

Extract from transcript of Columbia Broadcasting System's television '60 Minutes' report, August 10 1973:

Dr John Gofman: 'Any reasonably capable physicist, say, getting out of a university with a Ph.D., I would estimate would be able to come up with a design to use plutonium in a bomb in a very short time . . .'

Carole Bannermann was driving too fast for the road, for the weather, for her own safety. In Illinois, ten miles from the city of Morris, the highway was awash from an earlier flash-flood as rain swept across it, great driving sweeps of rain which passed her headlight beams in the night like moving curtains. Recklessly, because she was late for the party, she kept her speedometer needle at sixty, five above the regulation fifty-five.

At nine in the evening in March the highway was deserted; few people took the car out at night during the present energy crisis – not since gas had been rationed. Carole, fair-haired – her mother had named her after Lombard – had no patience with the gas situation. You were twenty only once in a lifetime and she was going to make the most of her natural resources. To hell with the energy crisis. She pressed her foot down, the speedometer climbed, the rain curtains whipped past her headlights probing the darkness.

She was reckless, but she had split-second reflexes, and she believed in watching the road ahead. Beyond her headlights another light was flashing, like a torch waving up and down as it signalled frantically. Hell, some hitch-hiker nut – standing in the middle of the highway. She lost speed, getting ready to pick it up again, to drive round the man in the night when she could locate him precisely. Pick up a guy at this hour, after dark – in the middle of nowhere? He must be out of his crazy mind . . .

Carole's eyes narrowed and she lost more speed, travelling at less than thirty as the headlight beams hit the silhouette of an armoured truck parked broadside on across the highway. It must have skidded, turned through ninety degrees, and then stopped like a barricade across the highway. The beams shone on a driver or guard standing on the highway, wearing helmet, leather tunic and boots, which gave him a paramilitary look. She felt reassured as she stopped and the man walked towards her in the rain, staying inside the headlight beams.

A security truck is reassuring – like a security guard or a highway patrolman. He was still carrying the heavy torch he had flashed as he came closer, rain streaking his visor which hid the upper half of his face. Carole was reassured, but still conscious enough of the loneliness of the place to keep her motor running. She lowered the window as he came up on her side and leaned an elbow on the cartop while he looked down at her. He had, she noticed, glanced into the back of her Dodge.

Rain from his visor dripped on the short, wide-shouldered man's chest as he looked down without speaking. She kept her hand on the brake. 'We hit a flash-flood,' he explained. 'Jo braked too hard and there we were – turned on a dime like you see us. With the motor stopped . . .'

He spoke with an accent she couldn't place and she frowned. What did he expect her to do? She seemed to have heard that these security trucks carried a radio link, so why did he need help? She was still uncertain, not sure why she was uncertain, when the security man moved. He brought down the heavy torch he had been holding as he leaned against the cartop with a crushing blow. It struck her on the temple with such force she died instantly.

Studying her for a moment as she lay slumped in the seat, LeCat opened the door, and hauled her half way out of the car, propping her head against the wheel. Then he stood up and flashed the torch three times rapidly in the direction of the parked truck.

The second armoured truck was moving down the highway at fifty-five miles an hour, keeping inside the regulation limit as its headlights shone on the driving rain. The driver, Ed Taglia, was not wearing his helmet, which lay on the seat beside him, which was against regulations. Beyond the helmet sat Bill Gibson, who always wore his helmet.

'This speed limit chews me up,' Taglia said as he stared at the highway ahead. 'Why build freeways and then make us crawl? Screw those A-rabs . . .'

'There's an energy crisis . . .'

'Screw that. I want to get home . . .'

'With what we have aboard, fifty-five is fast enough,' the older man observed. 'If you turn her over and the truck busts open . . .'

Taglia was tired and didn't reply. When you got old, you got old. You slowed down with women and you slowed down with cars. Gibson was all of fifty years old. Screw Gibson for coming on the trip. On his own Taglia would have pressed his foot down and to hell with it. He squinted through the windscreen where the wipers were just coping with the cloudburst.

'Trouble,' Gibson said quietly. 'Don't stop – just drive slow until we see what it's made of . . .'

'Stop leaning on me – I know the routine . . .'

Like Carole Bannermann had done, he was reducing speed as he came up closer to the flashing torch waving about in the middle of the highway. With one hand he jammed the helmet on his head and snapped the catch under his jaw. Gibson reached for the mike, switched it on. 'Angel One calling Roosevelt . . . Angel One calling Roosevelt . . .' He repeated the call back to base in Morris several times and then gave a grunt of disgust. 'Must be the storm – Goddam thing is full of static . . .'

Taglia was moving slowly now, approaching what lay ahead with extreme caution. Then he whistled. 'One of us . . .' In front his lights picked out a grisly scene. Another armoured truck sat broadside across the highway, its hood tucked inside the rear door of a green Dodge. The front door of the car was open and a blonde-haired girl lay sprawled half in and half out of the car, sprawled on her back with her head propped up against the wheel.

It was a tableau which immediately aroused Gibson's suspicions – the classic set-up for a hi-jack. First, the seeming car accident with the girl lying on the highway, apparently injured. A classic set-up except for two things – the second armoured truck, the sight of which reassured Gibson to some extent, and the appearance of the girl. 'Drive a little closer,' Gibson ordered as he leaned close to the windscreen. The lights played over the sprawled girl and Gibson saw her face. He told Taglia to stop as a helmeted figure appeared from behind the other truck.

'What do you think?' Taglia asked.

'I think it's OK. Look at her face, for God's sake. Keep trying to raise Roosevelt,' he added as he opened his door.

The security man with the helmet and visor waited for him in the rain with one hand behind his back as Gibson jumped down beside him.

Behind the wheel Taglia was getting a lot of static on the radio link. The security man whose face Gibson couldn't see had a shaky voice. 'She was hitting seventy, I swear to God she was. She just came out of nowhere . . .'

'They always do,' Gibson said as rain hit his face. 'And they end up nowhere. She has to be dead, of course?'

'I'm not sure . . .' The security man sounded in a bad way, in a state of shock, Gibson guessed. 'I thought I felt a pulse at the side of her neck. Trouble is we can't get through to the base – the static is hell tonight . . .'

'Same problem.' Gibson glanced over his shoulder to see how Taglia was getting on, then something rammed into his stomach. He looked down and saw the Colt .45 as the helmeted man pulled the trigger. The heavy bullet threw him against the cab as the man stepped back and raised the revolver. Inside the cab Taglia, the mike still in his hand, stared in disbelief at Gibson, at the man holding the Colt. The man whose

23

face they never saw fired twice at Taglia, lowered the gun, fired once more at Gibson. Both men died inside fifteen seconds.

Another man wearing security guard uniform came from behind the truck which appeared to have crashed into the Dodge and ran forward. 'I was monitoring their set – they didn't get through the jamming . . .'

'Stop jabbering, Walgren, and get this thing open . . .'

LeCat found the keys inside Gibson's pocket and used them to open the back of the truck. Rows of steel boxes were stacked along either side of the truck and each box had a legend stencilled across its lid. LeCat started on the difficult task of levering off the padlock from one of the boxes with a wrench. 'Keep an eye on the bloody road,' he told Walgren as he strained at the heavy padlock. Then the hasp cracked. LeCat switched on his torch again, lifted the lid cautiously, stared inside. The box contained two large steel canisters, each protected with foam rubber to minimise travel shake.

LeCat lifted one canister out by its handle, grinning sourly as the American stepped away from the truck. 'Frightened, *mon ami*? This stuff is as safe as milk – until our associate, Antoine, has treated it. One five-kilogram canister should be more than enough, he said . . .'

He slid the canister carefully inside a reinforced carton Walgren had placed on the floor of the truck, a

24

carton which was the right size because the American had known in advance the exact dimensions of the canister. Like the steel boxes, the canister carried the same warning legend. *GEC, Morris, Illinois. Highly Dangerous – Plutonium.*

On the night when LeCat attacked the armoured truck in Illinois the plutonium was flown across the United States border aboard a Beechcraft piloted by Walgren, who had served with the US Army Airforce during the war. So while a huge dragnet was spread out south of the border, the plutonium canister was taken across Canada to Vancouver by car. As a precaution, LeCat kept the canister inside a house in Winnipeg for a few days, then, when it was clear that the Royal Canadian Mounted Police had not spread its own dragnet, he completed his journey across the continent.

Antoine had to wait two weeks for the canister's arrival, but for the French physicist it was a busy fortnight. He constructed his laboratory in the large basement of the house from equipment LeCat had arranged to be delivered there. For a man of Antoine's background it was not too difficult; Walgren, using Arab money, had earlier found the engineering workshop by the simple process of consulting the 'for sale' section in trade magazines. There were plenty to choose from with so many small firms going bankrupt through the mounting energy crisis. And the nuclear physicist had just completed his preparations when LeCat delivered the plutonium late one evening at the end of March.

It took Antoine seven months to make the nuclear device.

During that time he never left the house on Dusquesne Street. He worked a twelve-hour day, working alone except for an OAS engineer, Varrier, who produced the required metal casing and parts under Antoine's instruction. There was one other man in the house, forty-four-year-old André Dupont, the man who had met them with Walgren when they arrived in Montreal. Dupont doubled up as cook and housekeeper. It was a régime most men could never have endured, but Antoine was a scientist who lived only for work and reading the novels of Marcel Proust. And the cuisine was good – Dupont in his youth had once served an apprenticeship in the kitchens of the Ritz in Paris before he was discovered trying to blackmail a wealthy woman of a certain age staying at the hotel.

LeCat had delivered to Antoine no more than five kilograms of reprocessed plutonium – used fuel refined back to its original energy-producing state at the GEC plant at Morris, Illinois. This plutonium had been on its way back to a nuclear power plant when it was hi-jacked by LeCat. Antoine's task was to design a nuclear device and insert the charge inside it. The public, with memories of the vast plant required to make the first atomic bomb, still imagined that something on the same scale was necessary to make a nuclear device. But that vast plant had been required to process the plutonium – and Antoine had in his possession the end-product which came from Morris, Illinois.

Antoine's agreed price for this dangerous assignment was fifty thousand tax-free dollars, together with the passport to enable him to start a new life in the province of Quebec once his work was finished. Being a solitary man, he probably enjoyed the seven months it took him to complete his task.

Following LeCat's detailed instructions, he constructed a device which was the size of a largish suitcase. In fact, when the device was ready, he fitted it inside a specially reinforced suitcase and then plastered the outside with hotel labels from different parts of the world which André Dupont supplied. The case was very heavy – the plutonium charge was packed inside a heavy steel shell to maximise its power on detonation and weighed almost two hundred pounds. But a man of exceptional strength like LeCat could carry it short distances as though he were transporting an ordinary suitcase. When Antoine completed his work in late October, LeCat was informed and flew direct to Vancouver from London on a BOAC flight.

'Show me how it works,' LeCat demanded when they stood in the basement laboratory with the suitcase open on a work-bench.

'This activates the trigger . . .'

27

'I shall need to attach a time mechanism . . .'

'I would suggest . . .'

LeCat listened only to the first part of the explanation. As an explosive and boobytrap specialist, the Frenchman knew before Antoine explained how he was going to deal with the problem – he simply wanted confirmation that he would be going about it the right way. After all, the nuclear physicist had produced a bomb large enough to destroy a medium-sized city.

Antoine had carefully not enquired to what purpose the device would be put; he believed he knew – that it would be handed over to either Israel or one of the Arab states for a large sum of money. The Frenchman had managed to persuade himself that he was going into business like any other armaments manufacturer; if he did not supply the device, someone else would. It was the way of the world, and fifty thousand dollars was a sum he would never have seen all his life had he remained in the service of his own government.

'You are leaving tonight,' LeCat said abruptly. 'You will be driven from here after dark.'

Antoine was surprised at the suddenness of his departure, and a worry he had been nursing for some time came to the surface. 'The fifty thousand dollars . . .'

'I shall bring it here in a few hours. We do not want you travelling back the same way you came – across

Canada. I have to drive you into the States by a devious route to Seattle. From there you will catch a train to Chicago and you will enter Canada again from America. Then we are finished with you.'

Antoine, clever enough at his own job, did not fully understand the reasons for this, but the complexity of the plan impressed him. Except for one question. 'I can enter America without a visa?'

'Of course! You forget – you are now a Canadian citizen with your new passport. Canadians can go across the border as often as they like – they only have to show their passport. I will see you this evening . . .'

LeCat left the house with the suitcase and drove to the ferry point where he crossed to Victoria. He took a cab to the wharf where the trawler *Pêcheur* was anchored and spent some time aboard the vessel. Most of the time he spent chatting to the French captain while the hours passed, and during his stay he enjoyed a typically French meal of endless duration. It was after dark when he arrived back at the house on Dusquesne Street with another suitcase.

'You can count it if you like,' LeCat said, 'but we have a long journey ahead of us . . .'

Fifty thousand dollars. Antoine opened several of the hundred-dollar-bill packets inside the suitcase and checked the currency with a feeling of embarrassment – and relief – which amused LeCat. Then he closed the case, locked it, put the key inside his wallet. 'I suppose I'd better bank it a little at a time?'

29

'That's right,' LeCat said amiably. 'Keep the rest inside a safety deposit. And now, if you're ready . . .'

LeCat suggested putting the suitcase in the boot of the car, but Antoine said he would prefer to ride in the back with the case beside him. LeCat shrugged, climbed behind the wheel, and they drove off, leaving Dupont and the engineer, Varrier, to remove the laboratory equipment Antoine had dismantled and packed up. They drove east out of the city in the darkness, up into the mountains.

LeCat shot Antoine three times through the chest when they had stopped by the side of a lake. He weighted the body with chains he had concealed under canvas in the boot, put it inside a small boat moored to the water's edge, and rowed the boat far out. Antoine was dropped in the lake, which at this point was over one hundred feet deep, and LeCat returned to the car and the suitcase containing fifty thousand dollars.

LeCat did not take the money for himself: it was part of the arrangement with Ahmed Riad – who had hired him in Algiers – that this amount would be used to pay the French crew of the trawler *Pêcheur*; one-third to be paid now, the balance of two-thirds to be handed over when the trawler had served its ultimate purpose.

When he returned to the *Pêcheur*, André Dupont was waiting for him, and a powerful launch was putting out to sea in the middle of the night with the crates of laboratory equipment aboard. Like the man who had used the equipment, the crates would be dropped overboard in deep water. A perfectionist for detail, LeCat checked to make sure Dupont had not overlooked anything.

His subordinate had not overlooked anything. While LeCat had driven off with the nuclear physicist, Dupont had thoroughly dusted the rooms in the house Antoine had used, wiping away all fingerprints. He had then Hoovered the basement and the other rooms to remove any particles or clothing threads a police scientist might find interesting – the police scientist, if he ever came, would himself use a special Hoover in search of the evidence Dupont had so carefully removed. The Hoover went overboard with the laboratory equipment.

Nor was it likely that the police would visit the building on Dusquesne Street for the next few months, because LeCat had taken a year's lease on the premises. After checking the place personally the following morning, LeCat locked it up and went back to the trawler with Dupont.

The cognac has been delivered.

LeCat cabled the message to an address in Paris from where it was sent by a devious route to Sheikh Gamal Tafak who was at that moment at Jeddah, in Saudi Arabia. For 'cognac' Tafak read the phrase 'nuclear device'. Earlier he had received two other similarly cryptic messages from LeCat, one reporting

the 'death' of Antoine in Nantes, the other confirming
the seizure of the plutonium canister. The day after he
had sent his latest message, LeCat flew back to Europe.
It was November, time to bring the Englishman,
Winter, into his stage of the operation.

Chapter Four

Winter.

The background of the English adventurer with whom LeCat had previously worked for two years was totally unknown. He had appeared in the Mediterranean one day, materialising out of nowhere, a man looking for a job which paid well, where the rewards would be tax-free, a job with a hint of excitement to ward off the boredom which was always threatening to assail him. He had first met LeCat in Tangier.

No one ever knew his real name, and no one ever came close enough to call him by his first name, whatever that might have been. In the Mediterranean underworld where this Englishman earned his living he was simply known as Winter.

Over six feet tall, in his early thirties, he was lightly built and walked with a brisk step. There was a coldness in his steady brown eyes his associates found disconcerting, an aloofness of manner which discouraged any attempt at intimacy, but within a few minutes of first meeting him, people formed the impression that this glacial Englishman was clever.

His personality had a certain hypnotic effect; an adventurer, he always seemed to know exactly what he was doing.

At that time LeCat was looking for a partner he could trust, which automatically ruled out all his previous associates. And Winter had reduced the problem the Frenchman outlined to its bones in a few words. 'You want to smuggle cigarettes from Tangier to Naples? Forget powerboats and yachts – everyone uses them. Be different – use a trawler.'

'A trawler?' LeCat had been staggered as they drank wine in a bar overlooking Tangier harbour. 'This is crazy – a trawler has no speed. Anyone can catch you.'

'If they are looking for you . . .'

Winter worked it out for LeCat inside ten minutes, the new twist to cigarette smuggling which proved so profitable. The Italian police and security services knew exactly what type of vessel to look for – as LeCat had said, you used a power-boat or a fast yacht. Winter proposed obtaining a 1,000-ton trawler, a vessel where a large consignment of cigarettes, say as much as one hundred tons, could easily be hidden under eight hundred tons of fish.

No attempt would be made to get the consignment ashore in the dark from small boats, the normal technique – instead they would sail into Naples in broad daylight as a bona-fide fishing vessel. Who would suspect a trawler? As everyone knew, for smuggling you needed a fast boat . . .

When Winter raised the question of finance, LeCat admitted he was an agent for the French Syndicate, a group of Marseilles businessmen who were not always over-concerned with legality. In a very short time LeCat purchased a 1,000-ton trawler, *Pêcheur*, with funds provided by the French Syndicate, and the crew of so-called fishermen were largely made up of LeCat's ex-OAS terrorist friends. The smuggling operation proved highly profitable – until the Italian Syndicate began making menacing noises.

'One night these people will meet us off the Naples coast,' LeCat warned. 'They think we are poaching on their preserve. And their method of discouraging opposition is likely to be swift and permanent . . .'

Again Winter worked out a plan while they sat at a table in the bar overlooking Tangier harbour. The idea was submitted to the French Syndicate whose top men were impressed once more by Winter's plan, a little too impressed for LeCat's liking. By this time the Englishman had organised the smuggling out of Italy, on the return trips to Tangier, valuable works of art stolen from Italy. These paintings fetched high prices from certain American and Japanese millionaires.

Winter had the foremast removed from the trawler and a platform built over one of the three fish-holds. On this platform an Alouette helicopter could land and take off with ease. LeCat grumbled about the expense, but the French Syndicate chiefs over-ruled him, which did not increase his affection for Winter.

The *Pêcheur* made further trips to Naples without incident. No one was worried about the presence of the helicopter on the main deck after Winter had casually mentioned to an Italian Customs man that this was the new fishing technique – the helicopter was used to seek out fish shoals from the air. Then the rival smuggling organisation, the Italian Syndicate, struck.

The *Pêcheur* was within twenty miles of the Italian coastline when Winter saw through field-glasses a powerful motor vessel approaching at speed. It was full of armed men and made no reply to *Pêcheur's* wireless signals. Winter, a skilled pilot – no one ever knew where he acquired the skill – took off in the machine with the most resourceful of LeCat's ex-OAS associates, André Dupont. Flying over the Italian Syndicate vessel the first time, Dupont dropped smoke bombs on its decks. On the second run, while Winter held the machine in a steady hover barely fifty feet above the smoke-obscured deck, Dupont dropped two thermite bombs. The vessel was ablaze within seconds; within minutes the armed smugglers had taken to their small boats. When Winter landed again on the *Pêcheur* he had to exert the whole force of his personality to stop LeCat ramming the helpless boatloads of men. The Frenchman was giving the order to the *Pêcheur's* captain as Winter came back on to the bridge.

'Change course! Head straight for them! Ram them!'

'Maintain previous course,' Winter told the captain

quietly. 'The object of the exercise,' he informed LeCat, 'is to let them see it is unprofitable to tangle with us. Those people are Sicilians – kill them and you start a vendetta. They'll have enough trouble getting home as it is.' He started walking off the bridge, then turned at the doorway to speak to the captain. 'If you don't maintain course,' he said pleasantly, 'I'll break your arm . . .'

The incident was significant on two counts. It set a precedent Winter was later to utilise on a far vaster scale, and it pointed up the vast chasm that opened between LeCat and Winter where human life was concerned. To the Englishman, killing was abhorrent, to be avoided at all costs unless absolutely unavoidable. To the Frenchman it was a way of life, something you did with as little compunction as cleaning your teeth.

A few months later, sensing that so much success could not continue for ever, Winter withdrew from the smuggling operation. Settling himself in Tangier, he proceeded to enjoy the profits he had made; staying at one of the two best hotels, he shared his luxury suite with first an English girl, later with a Canadian girl. To both of them he explained at the outset that marriage was an excellent arrangement for other people, and it was while he was relaxing that the first oil crisis burst on the world in 1973.

Winter observed with some cynicism the way the Arab sheikhs ordered Europe about, telling foreign ministers what they could and could not have, and he admired their gall. What he did not admire was world reaction, the scramble for oil at any price, and personally he would have dealt with the new overlords in a very different manner.

His judgement that the smuggling operation could not last for ever was vindicated when LeCat, having extended the operation to the south coast of France, was caught with a consignment in Marseilles. He was arrested, but only after a flying chase through the streets of the city when he managed to break the leg of one gendarme and fracture the skull of another. He was tried, given a long prison sentence and incarcerated in the Santé in Paris. Later, Winter heard the Frenchman had been released in mysterious circumstances. He shrugged his shoulders, never expecting to see LeCat again.

Winter, who knew his Mediterranean, did hear that the *Pêcheur*, which put out to sea before LeCat's arrest, later sailed through the Straits of Gibraltar for an unknown destination. What he did not know was that LeCat, using Arab funds this time, had bought the vessel off the French Syndicate. The trawler made the long Atlantic crossing to the Caribbean, passed through the Panama Canal, and then made its way up the Californian coast to the port of Victoria in Canada.

It had been anchored in Canadian waters less than a month when the approach was made to Winter.

For several weeks Winter had known he was being watched. He made a few discreet enquiries, a little money changed hands. He learned that the men who shadowed him were Arabs, and since he had never done anything to arouse Arab hostility, he assumed someone was considering making him a proposition. The name of Ahmed Riad was mentioned.

Riad, he had heard, had some link with Sheikh Gamal Tafak, although they had never been seen together in public. By this time Winter's opinion of the West was simple and brutal: it had lost the will to survive. When the sheikhs first cut off the oil the West depended on for its very existence, the European so-called leaders had panicked, scuttling round like headless chickens in a desperate attempt to scoop up all the oil they could find, paying any price the sheikhs cared to fix at their OAPEC (Organisation of Arab Petrol-Exporting Countries) meetings, receiving the sheikhs in their various capitals like Lords of Creation. Seeing the writing on the wall, Winter took his decision – he must make one great financial killing and get to hell out of it.

One million dollars was the sum he had decided on – even with inflation it should last out for the rest of his life. And in the 1970s that kind of money could come from only one source – from the sheikhs themselves. So when Ahmed Riad met him in November, Winter was more than receptive to his approach – providing Riad would pay him one million dollars. From where Riad sat on the Tangier rooftop, Winter appeared to be anything but receptive after thirty minutes' discussion.

'You are asking me to undertake an operation most men would find impossible, Riad,' Winter said coldly.

Riad, wearing western clothes, was a hard-faced, plump little man with sweat patches under the armpits of his linen suit. He sat facing the sun, an arrangement Winter manoeuvred by the simple process of hauling out a certain chair when the Arab arrived. It was not only the heat which was making him sweat: he was uncomfortable in the presence of the Englishman.

Earlier Winter had compelled him to explain what was needed by refusing to discuss terms until he knew exactly what he had to do. Riad had lied convincingly, assuring Winter he would be in complete command of the operation, that LeCat, who had already been approached, would be his subordinate. The plan was, he said, to bring pressure on Britain and America to stop more arms being sent to Israel. A British ship would be hi-jacked off the West Coast of America, would be taken to an American port, and there the demand that no more arms be sent to Israel would be made. The British crew of the seized ship would be hostages until the demand was met.

It was a shrewd piece of power-play, Winter saw at once. The Americans would hesitate to take a strong line with the lives of another country's men apparently at stake – and if they tried to take a strong line the British government would intervene. 'There is, of course, no question of actually harming the hostages . . .' Riad went on. And this, too, made sense: certain Arab statesmen were trying to drive a wedge in between Britain and America, so the last thing they would wish to do would be to antagonise Britain.

'Your idea – LeCat's idea – of how to hijack a ship is, of course, a joke,' Winter pointed out at one stage. He outlined his own idea which had occurred to him while he was listening. The flicker in Riad's eyes told Winter he had just scored a major point. This was the moment when he told the Arab, 'You are asking me to undertake an operation most men would find impossible . . . so the fee must be reasonable,' Winter continued.

'Reasonable?' Riad blinked in the sun. They had said this man was a hard negotiator.

'From my point of view,' Winter said coldly. 'Otherwise it is not worth the risk. The fee for my controlling this operation will be one million dollars.'

'That is impossible!' Riad half-rose out of his chair.

'Are you going?' Winter enquired bleakly.

41

'It is quite impossible,' Riad repeated, sinking back slowly into his chair. 'We could not even discuss a sum like that . . .'

'I agree. I'm not prepared to discuss it myself. Accept it – or forget the whole idea.'

'You insult me . . .' Riad was perched at the edge of his chair as though on the verge of imminent departure. 'You are like all Westerners used to be – before they discovered they would die without oil, our oil . . .'

'It's not your oil. Your ancestors just happened to pitch their tents in the right place. We had to find and dig it out for you.' Winter poured some more black coffee and then left the pot in the middle of the table. 'If you want more coffee, there's some in the pot . . .'

They must need me badly, he was thinking. Arab pride had lately become overweening; had, in fact, reached the stage where only Arab pride existed as far as the sheikhs were concerned. A dangerous combination – supreme economic power allied with fierce pride. Couldn't the West see this?

'We are prepared to pay you a fortune for your cooperation,' Riad said stiffly. 'We are prepared to pay you the sum of six hundred thousand dollars. Not one cent more.'

'If you think my figure of one million is negotiable, forget it.' Winter's manner was icy and Riad, who had been staring into the unblinking brown eyes, looked away. To Riad, a shrewd man, it was beginning to get through: Winter meant what he said.

'You cannot fix the figure just like that,' the Arab said with a show of spirit. 'We are employing you! It is up to us to fix the fee . . .'

'That's right.'

'I beg your pardon?'

'It's up to you to decide what you can afford.' The Englishman paused as the Arab's eyes flickered at the implication that he might be short of funds. 'On the other hand, I don't believe you. To your masters one million is something they could lose on the way to the bank and not bother to go back for . . .'

'It is a fortune . . .'

'To you. Riad . . .'

'You insult me again . . .'

'Then get to hell off this rooftop and leave me alone,' Winter said viciously. 'I'm beginning to wonder whether I want to get mixed up in this thing – the risks are enormous.'

The viciousness of the outburst startled Riad. He had the feeling that Winter himself was about to leave the rooftop, and Riad was horribly conscious of Gamal Tafak's last words to him

'We need that Englishman, Ahmed – an Englishman can operate in the West without suspicion. Our own spies watching oil movements are shadowed everywhere by Western security services. And it is a British ship which must be involved. You must persuade him – if you have to negotiate for a week and in the end offer him the full amount . . .'

A week? They had been sitting on this rooftop for little more than half an hour and already Riad was trembling inwardly with fury and fear – fury at the way he was being treated, fear at the thought he might lose the Englishman.

'I can go up to seven hundred thousand,' he said.

'You can indeed . . .' Winter stubbed out his cigarette in the saucer. 'And you can catch the first plane back to Jeddah and tell them you have failed.'

'I control this negotiation . . .'

Winter glanced at him without speaking – to show how absurd he thought the idea was.

'I must consult a certain committee . . .'

Winter glanced at his watch, took out his wallet and put money on the table to pay for the coffee.

'You cannot expect this to be decided in an hour . . .'

Winter stood up, buttoned his jacket.

'A million. That was the top figure . . .'

The negotiation had lasted exactly thirty-five minutes.

Arrangements were concluded about payment into a Beirut bank; Winter was quite certain that no bank in the western world would be safe, once this operation was concluded. He was provided with one hundred thousand dollars for immediate expenses, given a Paris number where he could contact LeCat. He flew to Paris the next day.

On November 3 he spent an acrimonious morning with the ex-OAS terrorist in a Left Bank flat, tearing up all LeCat's plans and substituting his own. LeCat, a clever and resourceful man when working to a plan put before him, was not capable of originating the plan itself. 'You are playing at pirates,' Winter told him roughly when the Frenchman pushed his own plan for seizing a British cargo ship – plenty of them called at Victoria in Canada and sailed away again. 'This idea of yours of colliding with a vessel at sea is pure moonshine. In any case, the vessel we hi-jack must be an oil tanker. It has a compact crew, about thirty men, ample fuel supplies aboard, but above all it provides a platform we can land the helicopter on while the tanker is at sea . . .'

Winter checked over the terrorist team LeCat had assembled, which included a number of men he had known during the *Pêcheur*'s smuggling operation days. He didn't like some of them, vicious thugs who would have done better to die in Algeria, but it was too late to start switching things around: zero hour for the hi-jack was January. 'Just make sure you keep them under control,' he told the Frenchman. 'No harm must come to the hostages.'

'Riad has already told me that,' the Frenchman replied with his eyes half-closed.

Winter left Paris the following day and flew to London. First he checked the transfer of twenty-five thousand dollars from a Paris bank to a City bank which he had arranged before leaving Paris. The money had arrived, he collected a cheque book, and armed with this he took a taxi to Mount Street where the Mayfair estate agents live. He found the property he was looking for in an agent's window, a glossy photograph advertised as 'Fine Old Manor House, East Anglia. Six Months' Lease'. After a brief discussion with the agent, he hired a car and drove to East Anglia where he put up for the night at King's Lynn.

Next day the local sub-agent showed him over the property. As he had hoped, it was exactly what he wanted. The house itself, Cosgrove Manor, was surrounded with parkland, and the twenty acres of isolated grounds concealed it completely from the road. He concluded the deal at once, explaining that his family would be coming over from Australia in the next few weeks. The six months' rent he paid in advance with a cheque drawn on the London bank in the name of George Bingham.

The following morning he drove back to London, reserved a room at Brown's Hotel in Albemarle Street, again in the name of George Bingham, and then took a cab to the world-famous shipping organisation, Lloyd's of London. Wearing a tweed suit and rimless glasses, he posed as a writer researching a book on the oil crisis.

After making certain enquiries about shipping movements, he consulted the *Shipping Register*, a remarkable publication produced daily which records the present positions of all vessels at sea. It took him several hours to check on ships moving up and down the West Coast of America, but when he left the building he was fairly sure he had found his target ship. The following day he flew by Polar Route direct to Los Angeles, and there he caught another plane on to San Francisco.

Joseph Walgren, the fifty-year-old ex-accountant who had helped LeCat with the hi-jack of the armoured truck in Illinois eight months before, an incident Winter knew nothing about, was waiting for him. In response to a cable from LeCat, the American met Winter off the plane at the International airport. There was an immediate disagreement over the modest-priced hotel Walgren suggested for the Englishman.

'It's too cheap,' Winter said firmly as the American drove him into San Francisco. 'If you stay at a very expensive place the police in any country assume you are respectable. I'll take a room at the Huntingdon on California Street . . .'

For three days he ran Walgren, an energetic charac-ter, into the ground. Constantly on the move, Winter drove round the city familiarising himself with its layout, drifting as far out as Oleum, the oil terminal, scouring Marin County north of the city and then, when Walgren thought he had finished, the English-man hired a launch and explored the coastline of the Bay. Before he left the city – and a somewhat limp

Walgren – Winter gave him certain instructions which included involving the American in a brief trip to Mexico. He also provided him with a large sum of money. On the fourth day Winter left for Canada.

He paid a brief visit to the trawler *Pêcheur*, still moored at a dock in the port of Victoria. Brief as it was, he took the time to make sure the Canadian Port Authority were happy about the vessel's continued presence, and he found that LeCat had handled the problem satisfactorily. Using the Frenchman as an agent, Arab money had not only purchased the *Pêcheur* from the French Syndicate of Marseilles businessmen – it had also formed the World Council of Marine Biological Research with headquarters on the rue St Honoré in Paris, a body nominally headed by a Frenchman, Bernard Oswald.

Marine research was the latest scientific fad, the progressive thing to engage in, so the Canadian authorities gave little thought to the arrival of the trawler and its continued stay in their port. And, as he had once assured an Italian Customs official in Naples about the Alouette helicopter on the *Pêcheur*'s deck – '... a new technique. We use it to spot fish shoals from the air ...' – so he now set about reassuring a Canadian official.

'We shall have a Sikorsky helicopter arriving here before we leave for the Galapagos ... Certain places we want to explore we can only reach by chopper ...'

The Canadian port official found George Bingham,

the British marine biologist, an amiable fellow, and now he understood fully why the *Pêcheur* was still in harbour – she was waiting for the arrival of the helicopter.

While in San Francisco Winter had found time to arrange with Walgren for the purchase and delivery of the Sikorsky, which would be flown to Canada by a pilot friend of Walgren – the man who can fly a Beechcraft cannot necessarily pilot a helicopter. Twenty-four hours after his arrival in Canada Winter was on his way to Alaska.

He spent three weeks in Anchorage, Alaska's largest city, which lies at the head of the Cook Inlet, the site of the state's first oil discovery. Today, people think of the great North Slope field when they think of Alaskan oil, but when Winter was in Anchorage the only oil which flowed from Alaska to California, two thousand miles south, came from Cook Inlet. A shuttle service of tankers – one of them British – was moving backwards and forwards, carrying the desperately needed oil to San Francisco.

During his long journey Winter had seen many signs of the way in which the fifty per cent oil cut controlled by Sheikh Gamal Tafak was crippling the West. Planes nearly always arrived late, due to fuel shortages; the street lights in California were turned off at ten o'clock at night; power blackouts were frequent, plunging whole cities into darkness without warning. And still, so far as Winter could see, there was no effective resistance to the sheikhs' blackmail. It was early December when he returned to Europe.

'Have there been any whispers about the operation?' was his first question to LeCat when he arrived in Paris.

'None so far,' LeCat replied, 'but I have set up listening posts in different countries . . .'

They talked in French, one of the four languages Winter was fluent in, and Winter's question was a key question. When you organise an operation on a large scale, sooner or later there are liable to be rumours of something going on. It was, in a way, a race against time – to get the operation moving before a hint of it reached the outside world. From Winter's point of view, the listening posts would provide a warning if rumours began to spread, but LeCat regarded them in a very different light. If someone began making enquiries and he heard about it, then drastic action might have to be taken. After all, it would probably only mean killing whoever looked like getting in the way.

Chapter Five

Larry Sullivan, thirty-two years old, was in the same age range as Winter, and the similarity between the two men did not end there. Sullivan also was a lone wolf, which was one reason why his career in naval intelligence was brought to a rather abrupt conclusion; Sullivan, with the rank of lieutenant, did not suffer fools gladly – even when they held the rank of admiral. When it was indicated to him indirectly – he hated people who indicated things indirectly – that his route up the promotion ladder was blocked permanently unless he became more flexible, he indicated his own reaction quite directly. 'You can stuff the job,' he told his superior.

With his background and experience he had no trouble finding a job as an investigator with Lloyd's of London. Unlike the peacetime Navy, this unique organisation is anything but hide-bound in its methods; it has, in fact, a reputation for free-wheeling, for observing tradition in the face it presents to the public, while behind the scenes it breaks every rule in the book if that is the only way to get results. Only the

British could have invented such an institution which, deservedly, has a world-wide reputation for integrity among all who deal with it. And Sullivan fitted in well.

A lean-faced, smiling man, lightly built and five feet nine tall, he had a thatch of dark hair which women found attractive; so much so he had postponed any idea of marriage yearly. His job was as unique as the organisation he worked for. Investigating suspect insurance claims which might amount to twenty million pounds for a single vessel, he carried no authority in the outside world. He lived by his wits.

He could lean on no one, give orders to no one, but this inhibition had its advantages. He was not too restricted in the methods he used – or persuaded others to use. He lived by his contacts and friendships, by getting to know people far outside the range of the shipping world. It was important to him to know police officials all over the globe, that he could phone certain Interpol officers and call them by their first names, that he attended Interpol conferences where he never stopped talking and listening. He was also one of the most persistent people who walked the face of the earth. 'Do it, get him off our backs', was a phrase often used behind his own back. Loaned by Lloyd's to their client, Harper Tankships, he started his enquiries about the whisper in January.

One January evening – his diary shows it was Sunday January 5 – Sullivan was in Bordeaux, checking the most efficient grapevine in the shipping world, the waterfront bars where seamen gather and gossip. His style of dress was hardly elegant: he wore a none-too-clean sweater and stained trousers under a shabby overcoat. Not that this choice of clothing fooled the men he talked to, but it helped them to feel less embarrassed at being seen talking to him.

The Café Bleu was the normal, sleazy waterfront drink shop which is reproduced time and again all over the world; layers of blue smoke drifting at different levels like strato-cirrus at thirty thousand feet, lantern lights blurred by smoke, an unsavoury stench compounded of alcohol and smoke and human sweat.

It always amazed Sullivan that men cooped up together in ships for weeks should, the moment they came ashore, rush to coop themselves up again in an atmosphere where oxygen was the least of the chemical elements present. 'Cognac,' he told the barman, Henri, 'and for a little information I could lose a little money . . .'

'Yes?' Henri, a low-browed, fat man in a white jacket which was surprisingly clean, pushed the cognac towards him. 'For a long time we do not see you. M. Sullivan . . .'

'Harper Tankships – British outfit. They could be . . . looking forward to a little trouble, the whisper tells me.'

'This whisper I do not know . . .' Henri leaned forward to polish the counter close to Sullivan's elbow and dropped his voice. 'You ask Georges – with the beret at the far end of the bar . . .'

'You ask him.'

Henri shrugged, finishing his polishing, took the cloth down to the far end of the crowded bar where a small man wearing a black beret sat. He talked with him briefly and then came back, shrugging. 'Georges does not know your whisper either . . .'

'Then why is he leaving so suddenly?'

'Maybe his ship sails, maybe his woman waits. Who knows about other men's problems?'

Henri waited until Sullivan had left the bar, then he used the phone. He couldn't be sure, but he knew a man who occasionally paid to hear who was snooping round the waterfront . . .

Sullivan watched Henri making the call from the almost-closed door of the lavatory. He left the bar by the second exit. It probably meant nothing, but outside he walked close to the shutdown shop-fronts, so he was walking as far away as possible from the harbour edge on the other side of the street. On a foggy evening it really is too easy to ram a knife into a man's back – when there is a ten-foot drop into fog-concealed, scummy water so conveniently at hand to dispose of the body. He visited nine more bars that night.

It went on day after day as Sullivan worked his way north up the west Atlantic coast, driving from port to port, prowling the bars and the brothels night after night, asking the same questions, getting the same negative answers. But not always. There were several occasions when seamen said they might know something, said it in low tones as they glanced carefully round.

A meeting would be arranged, usually in daylight on the following morning, and for a quite different rendezvous. This suggestion was quite routine for Sullivan – informants did not like to tell him things which other ears might register. What was not routine was the outcome. No one ever kept the appointment.

Bordeaux ... La Rochelle ... Brest ... Le Havre ... Ostend ... Antwerp.

They followed his progress all the way up the coast, tracked it on a map of western Europe torn from a school atlas which they had pinned to the wall of the Left Bank apartment in Paris. A phone call came in. Bordeaux. 'An Anglais ... Sullivan. Asking about Harper Tankships ...'

The forty-four-year-old André Dupont, the man who had helped Winter disable the Italian Syndicate motor-cruiser by throwing a thermite bomb, relayed the message to the older man who was short and wide-shouldered, whose cruel, moustached face was only a shadow in the dimly lit room – Paris was enduring yet another voltage reduction. LeCat took the phone.

'Next time, do not mention the firm's name – you do not wish to end up in an alley with a red half-moon where your throat should be? Follow him . . .'

La Rochelle . . . Brest . . . Le Havre . . .

The names were circled on the atlas map and the dates of Sullivan's visits to each port were carefully recorded. 'He will go home from Belgium,' LeCat predicted. 'He will give up and catch the Ostend ferry. He has found out nothing.'

'Who is this man, Sullivan?'

'An agent from Lloyd's of London. He has heard a whisper, no more. Winter said it was inevitable. Why do you think we are paying out all this money to keep loose mouths shut? I would handle it more cheaply – with a knife. But you know Winter . . .'

Ostend . . . Antwerp . . .

'He is not going home,' André said. 'For a man who has had no answers to his questions he is very persistent. What if he goes to Hamburg?'

Hamburg . . .

On January 9 Sullivan arrived in Ostend. On January 9 Ross arrived in Hamburg.

Mr Arnold Ross, managing director of Ross Tankers Ltd, registered in Bermuda, was an impressive figure. Over six feet tall, thin, bowler-hatted, he was faultlessly dressed in a dark business suit which looked as though it had just been collected from Savile Row. His black shoes positively glowed, his gold cufflinks showed discreetly as he shot his cuffs after taking off an overcoat which could not have cost less than three hundred guineas. Certainly he impressed Mr Paul Hahnemann, construction director of the Hamburg shipbuilding firm of Wilhelm Voss.

'A fifty-thousand-ton tanker we would be interested to build in our yard,' he assured Mr Ross.

'Cost, time of delivery – the key factors as usual,' Ross replied, staring out of a large picture window overlooking the yard. 'You do understand that this enquiry is very tentative; also that it is quite secret at this stage?'

'Of course, Mr Ross. We shall use our discretion. You can give us some details of the vessel you have in mind?'

'Something very like a ship you built for Harper Tankships – the *Chieftain* . . .'

Everyone at Wilhelm Voss was impressed by Arnold Ross, the most typical of Englishmen when he spoke in his clipped voice, when he absent-mindedly pulled at his neat, dark moustache. The *Chieftain*, it appeared, was very similar indeed to the ship Ross had in mind. Blueprints of the tanker were produced, spread out on a drawing table, and Ross spent a lot of time studying them, asking questions about *Chieftain*'s design and structure.

Hahnemann, a giant of a man who started work at seven each morning and was lucky to drive home to

57

Altona by nine in the evening, understood the reason for secrecy. Ross had implied the reason. 'For ten years we have built in Japan. The chairman thinks we should continue this policy. I want a complete scheme worked out before I tell him what I have in mind . . .'

Ross thawed a little over lunch, talked about his home in Yorkshire, about the place he kept in Belgravia for weekdays, his love of shooting. It all fitted in with Hahnemann's conception of how a certain sort of wealthy Englishman lived.

During the afternoon a call came through from London, from the headquarters of Ross Tankers. Again discretion was preserved: the caller merely gave her name as Miss Sharpe. Hahnemann handed the receiver to Ross who was bent over yet another blueprint of the *Chieftain*. Ross took the phone, listened, said yes and no several times, then goodbye. 'Always a crisis while I'm away,' he remarked, and went back to his blueprint.

He left the yard at six in the evening to go back to the Hotel Atlantic, the most expensive hostelry in Hamburg. 'I want to think about what you have told me alone,' he told Hahnemann when the director suggested a night on the town. 'Make a few notes. I'm not a great night-clubber . . .' It all fitted in with the image Hahnemann was filing away of a rather austere Englishman who travelled the world but was only really at home on his Yorkshire estate.

'And no estimates yet,' Ross repeated as they shook

hands. 'I don't want any communication from you until I see my way ahead. When I'm ready, I'll need estimates fast . . .'

'You give us the time limit.' Hahnemann grinned. 'Lots of night work and strong black coffee. Incidentally, we did build a twin ship to the *Chieftain* for Harper, a tanker called the *Challenger* . . .'

'You may hear from me – inside two or three months.' Ross was stepping into his waiting car. He did not wave or look back, and the last view Hahnemann had of the elegant Englishman was of the back of his head as the car swept away through the gates.

Paul Hahnemann was not a gullible man. He had been intrigued when Ross first phoned him from London, warning him that on no account must Hahnemann try and get in touch with him: the matter was highly confidential. It was not too unusual, the discreet enquiry, but Hahnemann was a careful man. He checked just before Ross's arrival at his office.

He put in a call to Ross Tankers in London and asked to speak to Mr Arnold Ross. Miss Sharpe, Ross's personal assistant, took the call. Mr Ross was away abroad, she explained. Could she help? Who was speaking? Hahnemann said no, the call was personal, and put down the phone. Of course Mr Ross was abroad – he was in Hamburg, just leaving the Hotel Atlantic on his way to the Wilhelm Voss shipyard.

*

59

'Money for old rope . . .'

Judy Brown replaced the phone after making the Hamburg call and studied her nail varnish critically. She would have to make another application before she went out with Des this evening. She looked round the Maida Vale flat critically; what a dull creep this man Ross was; everything ordinary, dull. The furniture, the decoration. Soulless. She even wondered whether it was one of those flats you could hire by the week for fun with the girl friend while the wife was away. And who the hell was Miss Sharpe?

The job was a bit odd, but Judy Brown had her own ideas about that. As a temporary secretary she was used to funny jobs, funny people, and this was definitely one of the funnier ones. She looked again at the typed sheet of questions she had relayed over the phone, questions Ross had dictated to her. Something to do with a ship called the *Mimosa* proceeding from Latakia and bound for Milford Haven, wherever that might be.

She'd had to ask the questions when she phoned Hamburg, wait for Ross to answer, then ask the next question. And call herself Miss Sharpe. Daft. A kid could have done it. But the pay was good.

Ross had hired her from an agency and then promised her an extra twenty pounds if she did exactly as he asked. The money would arrive by post tomorrow, Friday, if she did the job properly.

'You come here each day at 9.30 and leave at 4.30

for the whole week,' Ross had told her. 'There may be some phone calls – make a note of them and leave it on the table. If my wife comes she may have some dictation for you.'

'Nothing else?' Judy had asked.

Ross, tall and thin, stooped and wearing thick pebble spectacles, had hesitated. 'Don't let my wife know about my trip to Hamburg. She doesn't know I'll be there.' He had snickered. 'Business. You know?'

Judy knew. More like having it off with a foreign bit. But she still didn't see how the Hamburg call fitted in. That was on Thursday. She came each day and there were no phone calls, no sign of Mrs Ross. On Friday, the day after the Hamburg call, Ross phoned her. 'That extra money – look inside *Burke's Peerage* . . .' He broke the connection before she could say anything, rude bugger. She found the big red book, opened it, and tucked inside the front cover was a brand new twenty-pound note.

Evening came and still no phone calls, no Mrs Ross, thank God. A right old bag, Judy guessed. She collected her wages from the agency and bought a new shade of nail varnish. Money for old rope.

Antwerp . . . Rotterdam . . . Bremen . . . Hamburg.

'He has reached Hamburg,' André Dupont said as he replaced the phone in the Left Bank flat in Paris. 'He is staying at the Hotel Berlin. I have the number, the address. He has crossed half western Europe – all the way from the Spanish border to the Baltic, almost . . .'

'You are theatrical,' LeCat said. 'The map speaks for itself. He is in Hamburg. So, now you make another phone call to Gaston whom I sent ahead – just in case. Sullivan must be killed.'

'Winter won't like that . . .'

André stopped speaking as the other man stared up at him with his lips pressed together. André felt frightened, cursed himself for opening his mouth. It was not even comfortable staying in the same room with this man and they had been together for almost a week, tracking Sullivan's progress.

'Sullivan must be killed,' the other man repeated. 'He is in Hamburg. And – like so many things – Winter will know nothing about it. The killing will be an accident, of course. A seamen's brawl in a bar – the Anglais likes to visit bars. Arrange it . . .'

LeCat spoke as though he were arranging for the weekend's meat to be delivered. Which in a way he was. It was Saturday evening.

It was Saturday evening January 11. At the Hotel Berlin Sullivan felt better after a bath. He felt better still after a drink in the bar which contained not a single seaman. very little smoke, and certainly no stench of human sweat that he could detect. For the first time in a week he felt relaxed. He felt even better after eating in the circular dining-room where the service was excellent and the food superb. And the tender fillet steak was from north Germany. It melted in his mouth while he listened to the two businessmen at an adjoining table talking in German about the oil crisis.

'These swines of Arabs ... twisting the screw again . . .'

'No, turning off the tap again. It's that bastard, Tafak. I think they're going to have another crack at Israel . . .'

After dinner he felt so refreshed that he decided to get on with it, to continue the search which so far had yielded him nothing positive. But was that correct? Because he had learned something – that somewhere there was something to learn. You cannot go all the way up the Atlantic coast from Bordeaux to Le Havre, and then go on through Belgium and Holland into Germany, offering to pay for information – not without someone trying to con you, offering you some imaginary piece of information in the hope that you'll pay out good money. You can't do it – but Sullivan had just done this.

As he finished his coffee he went over the past week in his mind. No one had tried to con him, no one had even tried to take advantage of his offer and – more significant still – not one person had asked him the kind of money he was offering. To Sullivan, who

knew his seamen, there was only one explanation.
Fear.

Because of the new fifty per cent cut in oil supplies,
which was strangling Europe, Sullivan had to wait an
hour before a cab arrived at the Hotel Berlin to take
him to the Reeperbahn. He arrived in the night club
district soon after midnight. On his last visit he had
seen the neon glow from a long way off, but now the
glow had gone – the energy crisis had seen to that.

The Reeperbahn is the Soho of Hamburg; night clubs
line both sides of the street, their windows filled with
photographs of provocative girls. The seamen's haunts
are down the narrow side streets, little more than darkened alleys now the street lights had been switched
off. Sullivan paused outside the *New Yorker*, took a
deep breath. Here we go again: smoke, sweat, the lot.

The smoke inside the tiny bar off the Reeperbahn
was thick at midnight, so thick the seamen customers
were only silhouettes. Tobacco from a dozen nations
polluted the air, the background was a babble of
foreign tongues. Max Dorf, the barman, had never
heard of Harper Tankships. 'I don't hear so much these
days, Mr Sullivan,' he explained. 'People don't talk so
much any more . . .'

'Not for five hundred dollars?'

'That's a lot of money, Mr Sullivan. You wouldn't
be carrying it on you?'

'Do I look stupid?'

The burly seaman with the French beret sitting on the stool next to Sullivan lurched sideways, speaking German with a thick foreign accent. 'You look as stupid as they come, brother – and you just tipped my drink over . . .' He had almost knocked Sullivan from his stool but the Englishman regained his balance, stepped back, bumping into people as he cleared a space. 'So, you buy me another one,' the seaman went on as he faced Sullivan, 'before I smash your teeth down your throat . . .'

A short, thick-necked man, he was swaying on his short, thick legs as he shouted the words and behind Sullivan the babble of voices stopped. Without looking round he knew everyone was looking at him, sensing trouble. A little entertainment was about to be provided: someone was going to get hurt.

'You want a fight?' the seaman demanded.

'Don't make a meal of it, Frenchie,' Sullivan said sharply.

The Frenchman's hand blurred and then he was holding a short, wide-bladed knife. People moved back, getting out of the way. The drunken seaman stopped swaying, sobered up in seconds, then lunged forward. Someone grunted, anticipating the penetration of the knife. There was a blur of movement, this time Sullivan's movement. Kicking the seaman's right kneecap, he jumped to one side, grabbed the Frenchman's wrist, twisted it, smashed it down on the edge of the wooden counter. The knife fell from the broken fingers and the seaman moaned.

Normally a placid man, Sullivan went berserk. The seaman was still plucking feebly at the bartop with his maimed fingers when Sullivan kicked his legs from under him, waited until he collapsed on the floor, then grabbed him by the ankles and hauled him round the end of the bar. 'Get out of the bloody way!' he yelled. They got out of his way as he swept the prone, struggling body along the floor. He opened the half-closed door at the end of the bar with a heave of his back and hauled the seaman inside Max Dorf's office.

The office was empty, furnished with filing cabinet, chairs, a table covered with a mess of papers. Sullivan dropped the assassin's ankles, then heaved the Frenchman up on the table and grabbed a handful of long hair. Max Dorf came inside the office and then stopped as Sullivan shouted at him. 'Get the police – or get out . . .' Dorf disappeared, pulling the door shut behind him. Sullivan twisted the Frenchman's hair.

'I want information,' he said grimly, 'and you're going to provide it – unless you want me to break the fingers of your other hand.'

'I know nothing . . .'

'Then you're not going to be using either hand for six months.' Sullivan jerked and half the hair nearly left the scalp. 'Now you bloody listen to me. I've been coming up the Atlantic coast for a week, asking questions, as well you know. You're giving me the answers . . .'

'I know nothing . . .'

The seaman screamed as Sullivan jerked a handful of hair loose, then grabbed another handful. 'Who is after one of Harper's tankers? Who is behind this business? Someone big – the money they must be spending to stop people talking doesn't grow on trees. Whose money is it?'

'Arab money . . .' The seaman's face had turned a grey pallor, he was gasping for breath. 'That's what I heard,' he croaked. 'Barrels of money for this operation . . .'

'What operation? Which tanker?'

'Don't know . . .' The seaman was close to collapse. 'So help me, God, I don't know. Some Englishman, Winter, is running the thing . . .'

'Who is Winter?'

'Don't know. Never met him. Just a name . . .' A cunning look came into his eyes. He was getting his nerve back. 'Can I have a drink?'

'Certainly . . .' Sullivan reached across to a side shelf and grasped a half-full bottle of wine by the neck. Smashing it on the edge of the table he thrust the jagged end towards the seaman who stared at it in horror. 'You're not telling me everything,' Sullivan informed the Frenchman in a strangely quiet voice. 'If you don't want me to use this you'll keep on talking. You tried to kill me . . .'

'I was drunk...'

'Sober as a hanging judge,' Sullivan said softly, 'the way you came at me with that knife. Who hired you to put me to sleep permanently?' He shoved the jagged bottle forward. The seaman raised his left hand, the undamaged hand, to ward off the bottle.

'For God's sake... I was phoned from Paris – by a man called Dupont. I do jobs for him, this and that...' The Frenchman tried to gesture with his right hand and groaned. 'My hand is broken,' he whimpered.

'They would have carried me out of here on a stretcher on my way to the morgue. Who is controlling this operation?'

'Paris... so I heard.' The Frenchman's face twisted with pain as he stared piteously at his limp fingers. 'I don't know who. Just Paris...' He fainted, keeling over heavily until he lay sideways on the table, his head cushioned on a pile of papers.

On the morning of Sunday, January 12, Sullivan phoned the home number of Pierre Voisin of Interpol. The French policeman, who had a private income and was therefore quite incorruptible financially as well as by inclination, lived in the rue de Bac; as it happened only a stone's throw from the flat where LeCat and Dupont had tracked Sullivan's progress through the ports of France.

'How are you, my friend?' Voisin enquired.

'I nearly got killed last night.'

A pause, then, 'You ask too many leading questions.'

Sullivan gripped the receiver a little tighter. With Voisin you could never be sure; sometimes he hinted at things. 'And what does that mean?' he asked.

'It is your profession – to go round asking questions, sometimes, dangerous questions. You are all right?'

'Yes, I'm all right.' Sullivan was still unsure. 'Sorry to bother you at home, but this is urgent – to me. Have you ever heard of an Englishman called Winter? Like the season . . .'

'No, never.' This time there was no pause. 'But I could check for you – this morning, as a matter of fact. We have a bit of a flap on, as your countrymen say, so I have to go in to the office. The records people will be there too.' Voisin chuckled. 'It is an outrage, is it not – Frenchmen working at the weekend? These are difficult days, with our Arab friends, and so forth . . .'

Sullivan gave him the number of the Hotel Berlin and put down the receiver with a frown. Really, you could never tell whether or not Voisin was hinting at something. That reference to 'our Arab friends'. The hired French assassin had referred to 'Arab money . . .'

It was less than a straw in the wind, but a faint theme was beginning to recur – the Arabs . . . Paris. He felt relieved that his oldest friend, François Messmer of French counter-intelligence, would be arriving in Hamburg tomorrow. And that was a strange incident. He had called Messmer at his Paris flat before phoning Voisin, and to his surprise Messmer had cut the call short, saying only that he would be at the Hotel Berlin on Monday morning. It was after the mention of the name Winter. So Messmer, at least, had heard something about him. Voisin phoned back just before lunchtime.

'We have no record on the name of the English criminal you mentioned . . .' Voisin sounded crisper, more businesslike, as though he had adopted his official manner. 'Nothing official at all,' he added.

'Anything unofficial?'

'I mentioned it to one or two non-political friends . . .' His voice had a cynical tinge now. He was referring to men he knew who were without political ambition and who could, therefore, be relied on to tell the truth. 'No one has ever heard of this man. I am sorry.'

'Thanks for calling back . . .'

'Be careful, Larry. You are always going about asking these questions some people do not wish you to ask. *Au revoir*!'

Later in the afternoon of Sunday, January 12, while Sullivan was waiting in Hamburg for the arrival of François Messmer, while Winter had arrived at Cosgrove Manor in East Anglia, Sheikh Gamal Tafak was holding a secret meeting at the edge of the Syrian desert, two thousand miles away from Hamburg.

'I can now reveal the plan,' he said quietly, 'the plan to deliver a terrible shock to the western nations . . .'

Tafak paused as he looked down the long trestle table inside the tent. Five serious-faced men in Arab dress sat round the table, the five leaders of the most extremist terrorist groups in the Middle East. Outside the wind blew off Mount Hermon, shivering the canvas like the flap-flap of a vulture's wings.

They did not look so dangerous, these five men. Three of them had a studious air and wore glasses; they could have been professors planning the curriculum for some new university. But all the men inside the tent – including Gamal Tafak – were on a secret Israeli list of men who must be eliminated before there could be any hope of lasting peace in the Middle East.

'Before our armies engage Israel in the final war,' Tafak continued, 'we must first immobilise the West so no fresh arms can be sent to Israel as they were in 1973. To do that we need an excuse to cut off all oil from the West – all oil,' he repeated. 'That will immobilise them. But I foresee difficulty in persuading all Arab states to agree, so we must create the atmosphere in which they will have to agree. We must make the western countries scream at us, call us again Golden Apes. Then all Arab states will agree to cut off the oil.'

'But how are you going to do this?' the serious-faced man on Tafak's right enquired.

71

'By creating a terrible incident. If that does not make everyone fall into line – if, say, Kuwait, will not cooperate, then the sabotage teams you have organised will fly there and blow up the oil wells when I give the order . . .'

Gamal Tafak was, in his own way, a sincere man. He could not stand the thought that in Jerusalem Arab holy places were in the grip of the detested Israelis, but he was also ruthless, a man who was prepared to bring down the world if necessary to achieve his ends. He did not like these five men he was meeting. He even foresaw the day when they would have to be eliminated if the new rulers in Saudi Arabia and Egypt were to keep their power. This is always the dilemma of the extremist; he looks over his shoulder at men even more extremist than himself. Terror is an escalating movement.

'And how,' the same serious-faced man enquired, 'are you going to outrage the West when this British tanker has been seized? You have given us no details – we do not even know where the incident will take place.'

'I will give you all the details when we next meet,' Tafak replied. 'But I will tell you now that it concerns a very large bomb which will destroy a city.' Tafak indulged in his liking for a theatrical departure. He stood up. 'I am talking about San Francisco.'

Chapter Six

'When Sheikh Gamal Tafak came to Paris one year ago he demanded the release of a criminal, Jules LeCat, from the Santé prison. I think it all began then, Larry . . .'

François Messmer, a member of the Direction de la Surveillance du Territoire – French counter-intelligence – stopped at the edge of the lake to light another Gauloise. The Aussen-Alster in Hamburg is the larger of two lakes in the centre of the city and here, in green parkland, you can talk without risk of being overheard.

On Monday January 13 it was cold in Hamburg. The savage winter, worse even than in the previous year – even nature seemed to be on the side of the sheikhs – had frozen the river Elbe and the lake they walked beside was a sheet of ice. Both men huddled in heavy overcoats and the wind from the north froze their faces.

'Surely that was going beyond the limit – even for a sheikh,' Sullivan suggested. 'We have to stand up somewhere . . .'

'You think so?' Messmer, a small, compact man in his fifties with a face like a monkey's, smiled cynically. 'I think this is a lesson the British still have to learn – that there is no limit where these golden apes are consumed. They have western civilisation by the throat and they intend to squeeze our throat until we are gasping for air – for oil. When total power is available the extremists move in for the kill – they have literally killed the King of Saudi Arabia and the President of Egypt. Tafak is a fanatic – he may well be replaced by an even greater fanatic. So, when he threatened to cut off more oil, our government gave way . . .'

'Released a criminal?'

'Not officially. Officially LeCat, who was arrested in Marseilles for illegal activities, is still in the Santé – in solitary confinement. Which means no one ever sees him.' Messmer grinned sourly. 'It is rather like Dumas' man in the iron mask. Some poor devil is in solitary who is called LeCat – but from what I hear . . .' He shrugged.

'What has this to do with the Englishman called Winter?

'Winter is an associate of LeCat's . . .'

They walked slowly across the snow along the lake shore. A seagull landed on the ice-bound lake and beyond the far shore the apartment blocks and hotels kept their distance. A few cyclists rode along the nearby highway. No cars – not with the fifty per cent oil cut in force.

'Tell me something about this man, Winter,' Sullivan said.

'I know nothing – he is only a name. No record, so no pictures, no fingerprints. He is like a ghost . . .'

'Tell me about LeCat then. And any reference you have heard to Harper Tankships.'

'I do not know that name. As to LeCat, there are rumours – that he has recruited a team of terrorists from his old OAS associates – the secret army organisation which revolted in Algeria, which was beaten. He had many men to choose from, of course – men in need of money who still dream of the old days when life was an adventure.' Messmer became caustic. 'He chose only from the élite – a special team of absolute bastards for this operation.'

'Any idea what kind of operation?'

'None. No one knows anything. The word has gone out – LeCat is in the Santé. Forget him.' Messmer screwed up his monkey-like face to keep smoke out of his eyes. 'You see, my friend, everyone is embarrassed about what happened to LeCat, so they hope it will soon all be over. I have heard that the operation is vast and very expensive, that it is taking a huge sum of money to finance – who knows, maybe Arab money. They are the ones who can do these things now, not us.'

'You're not saying that Paris – the French government – is behind this operation?' Sullivan asked carefully.

'I don't think they know what's going to happen – I heard they put a shadow on LeCat and he shook it off. He would, of course. But they have not interfered with his efforts to recruit a team of terrible men. You know why I insisted on coming here to talk when you phoned me yesterday?'

'No. I was surprised.'

'My phone is tapped.' Messmer gave his wry smile again. 'In France it will soon be a distinction not to have your phone tapped. We are becoming a police state – and I am a policeman. I think they will make me retire soon. I was foolish enough to protest over the Tafak affair – I have been watched ever since. And that is why I came to Hamburg, Larry – I thought that someone ought to know what is happening, however little information I have given you.'

'Thanks.' Sullivan looked round the view of the city. 'You know, François, I came all the way up the Atlantic coast asking questions and no one tried to warn me off – until I got here. I think there is something somewhere in Hamburg, but where, for God's sake?'

'That is your problem. Tell your government we cannot all go on giving in to Arab power for ever. Although I fear they will, they will . . .'

'It is not only the Arab allocation of oil, it is the money. We face a situation without precedent in history – and

when an unprecedented situation arises which threatens to ruin the West financially, then we must consider unprecedented action . . .'
Minute of Prime Minister's comments at British Cabinet meeting the previous November.

On Monday January 13, Sullivan was walking along the shore of the Aussen-Alster as he talked with François Messmer. On the same morning Winter was at Cosgrove Manor, the house he had leased two months earlier during his flying visit to London. Twelve miles from King's Lynn, isolated inside its twenty acres of grounds, it suited his purpose perfectly. LeCat and the fifteen-man OAS terrorist team were with him. The final stage of the operation prior to action – training – was almost completed.

The plan of attack on the British oil tanker *Challenger* had been meticulously organised. From memory Winter had reproduced sketches of the blueprints he had seen in Paul Hahnemann's office of the *Challenger's* twin tanker *Chieftain*. Each of the terrorists had to study these sketches until he was thoroughly familiar with the tanker's layout. And Winter cross-examined each member of the team personally when they had studied the sketches, determined to make every man walk mentally over the vessel as though he were already on board.

'The entrance to the coffer dam is through the hatch on the starboard side of the ship,' he pointed out to André Dupont during one of his briefing sessions.

'No! It is on the port side! The helicopter landing point is on the starboard side . . .'

'Which means you have just transposed everything on the main deck.' Winter unfolded his sketch and showed it to the Frenchman. 'Take the drawing away, start all over again, and make your own sketch . . .'

Winter had the main living-room, which was thirty-five feet long – roughly one-twentieth of the total length of the 50,000-ton tanker – cleared of all furniture and carpets. He had it well scrubbed and then with coloured chalks he reproduced a plan of the main deck. Again Winter trained each man individually, walking round the room with his student, drilling into him the position of the main features – catwalk, foremast, pipes, breakwater, helicopter landing point, loading derricks. It was the main deck he spent most time over – because this was where the helicopter would land.

Inevitably, men not accustomed to this kind of study became restless, so each evening he let them have a party with plenty to drink. Winter himself drank very little and he left LeCat, who consumed enormous quantities and still stayed on his feet, to look after the drinking sessions. And LeCat himself grew restless. 'Is all this necessary?' he demanded truculently one morning as they waited for the team to return from a daily run through the estate grounds. 'In the Mediterranean we just did a job . . .'

'Not a job like this,' Winter said coldly. 'When they land on that tanker's deck they must feel they have been there before. Within five minutes of the helicopter landing we must control the ship – or we have failed. Tomorrow we must help them grasp the scale of the ship . . .'

Oil drums – symbolically enough – which had been brought to the house by truck, were placed at intervals across a vast lawn which ran away from the front of the house into the fields beyond. They were placed at intervals in two rows at right-angles to the house, each row one hundred and ten feet apart – the width of the *Challenger*. Earlier, Winter had paced out seven hundred and fifty feet from the steps of the house and he ended up with the tanker's bow in a field close to an old oak tree. Already several men were muttering about the size of the thing.

From the steps of the house a double row of posts was erected right out to the distant oak tree, and this marked out the catwalk. Other poles represented the derricks and the foremast; a circle of rope on the port bow located the helicopter landing point. Then Winter took the team to the roof of the house which was fifty feet above the ground. They were now standing on the bridge of the *Challenger*, staring towards the distant oak which was the bow of the ship.

'It's bigger than I thought,' LeCat admitted, staring at the distant oak.

'It is a steep drop to the main deck,' Armand Bazin, a younger member of the team commented with surprise as he gazed down over the edge of the parapet.

'Steeper than you think,' Winter warned. 'We are fifty feet up and it's a sixty-foot drop from the island bridge of the *Challenger*. All of you go down now on to the lawn, walk along the main deck, get some idea of what it will be like. And look up at this roof – which is the bridge. It will be like looking up a cliff . . .'

They got ready to leave, but first Winter insisted on a huge cleaning-up operation. The oil drums were hidden inside a wood in the grounds. The sticks and poles which had represented catwalk and derricks and foremast were broken up and burned. Winter personally supervised a thorough scrubbing of the living-room floor to make sure that no traces were left of the chalk marks which had outlined the main deck. Furniture and carpets were put back as they had found them there.

The debris of meals and drinking sessions – cans and bottles – were buried in a deep hole inside the wood, and French cigarette butts also went into the hole. No one had been allowed to smoke outside the house. These precautions LeCat appreciated – he remembered the care he himself had insisted on when the house on Dusquesne Street in Vancouver had been abandoned, when all the rooms had been Hoovered.

And this, of course, was something Winter knew nothing about, just as he never dreamt there was a nuclear device hidden aboard the *Pêcheur*.

Late on the afternoon of Tuesday January 14, Winter counted the sketches of the tanker prior to burning them. Tomorrow they would fly to Alaska.

Because Harper was out of town, Sullivan had to wait until Tuesday before he could phone the chairman of Harper Tankships at his London office in Leadenhall Street. Which meant that while Winter was packing up at Cosgrove Manor, Sullivan was still in Hamburg.

'In a way I've got nothing.' Sullivan told Victor Harper, 'only the fact that a hired thug tried to kill me in a bar when I went round asking about your company. But it happened in Hamburg – as though there's something here they don't want me to find out. What connection has your firm got with Hamburg?'

'Nothing that I can see might have any bearing on this situation.' Harper's precise voice sounded irritated. 'Is this whole business becoming rather a wild goose chase? And who is this friend you refer to so mysteriously – the one who told you this yarn about French terrorists?'

'Can't even hint – certainly not on the phone.'

'I'm inclined to drop the whole thing . . .'

'You've never had any connection with Hamburg at all?' Sullivan persisted.

COLIN FORBES

'Built a couple of ships there, that's all . . .'

'Which ships?'

'Couple of 50,000-tonners – the *Challenger* first, then its twin, the *Chieftain*. Both of them at the Wilhelm Voss yard. Paul Hahnemann is the boss – good chap, typically German; he drives the place like a steam engine. Both delivered bang on time, of course. I don't see how he could help . . .'

'Frankly, neither do I. Where are those ships now? In the Middle East?'

'Neither of them. *Chieftain* is in dry-dock for repairs at Genoa, *Challenger* is on the Alaska-San Francisco run. Better come home, Larry. Call it a day . . .'

'I may see you late this afternoon . . .'

Sullivan put down the phone and yawned. He had made a night of it with Messmer before the Frenchman caught the morning train back to Paris. Paul Hahnemann wasn't going to tell him anything, so why hang about? Yawning again, he began packing his bag.

The telephone message travelled a devious route before it reached Gamal Tafak at the Saudi Arabian embassy in Damascus. Originating from Paris, the call was taken by a man in Athens who then phoned a number in Beirut. From there Ahmed Riad phoned the message to Damascus. Tafak was just about to have lunch when Riad called him from the Lebanese capital.

'Excellency, KLM Flight 401 from Amsterdam to

Paris has just been hi-jacked by terrorists. There is going to be trouble about this . . .'

'Why?'

'The plane is carrying three senior Royal-Dutch Shell executives, including a managing director . . .'

'Keep me in touch with developments.'

Tafak replaced the receiver. If anyone had been listening in to the call, which was unlikely but not impossible the way the American intelligence services were tapping phones all over the world these days, the conversation would have seemed innocent enough.

But the call told Tafak that the diversionary operation was under way. This had been Winter's idea, as was the timing. While LeCat set up listening posts to check on any loose security Winter had come up with a more imaginative plan. To mask the hi-jack of the ship, he had suggested a plane should be seized a few days before the real event, something to keep the newspapers busy, to divert anyone who might have heard a whisper of what was really going to happen.

The hi-jack had been organised by the serious-faced man sitting on Tafak's right at the recent secret meeting in the Syrian desert. The KLM plane would now be kept hopping about from airport to airport while the main operation was under way. It still seemed easy enough to hi-jack a plane; Tafak hoped it would prove equally easy to hi-jack a 50,000-ton oil tanker.

*

'It did strike me that if someone wanted to sabotage one of Harper's tankers they might try and check the layout and structure of the tanker they were after. Can you tell me, Mr Hahnemann, has anyone asked to see blueprints of a Harper tanker recently?'

At the last moment before leaving Hamburg, Sullivan's natural obstinacy had made him stay. He had made an appointment to see Paul Hahnemann very late in the afternoon, so late that it was dark outside, too dark to see the falling snow. A letter of introduction from Victor Harper – 'to whom it may concern' – had got him inside the Wilhelm Voss shipyard. His Lloyd's of London identification had convinced the German he ought to see the Englishman. Hahnemann was a discreet man.

'I find that a strange question,' the German said woodenly. 'You say you have heard vague rumours – about Harper. The shipping world lives on rumours. Surely you know that by now?'

'I withdraw the question.' Sullivan smiled amiably. 'I've told you what I've been doing for the past week – coming up the Atlantic coast. Two nights ago someone tried to kill me in a Hamburg bar. That makes me think there is something – something in Hamburg I'm getting too close to.'

'I don't see how I can help you,' the German replied. 'We have no one suspect here. We are very careful who we let inside this yard – you yourself had to produce proof of identity before you were allowed in.'

Sullivan was in a difficult position. He realised that Hahnemann was too shrewd by half, that he wanted some evidence, that there was no evidence to show him. Sullivan wasn't even sure what he was looking for himself.

'There may be an Englishman in this business somewhere,' he suggested.

'Can you give me a name?' Hahnemann enquired.

'Winter.'

'I have never heard of or met anyone with that name.' The German clasped his hands across his stomach and looked up at the ceiling. 'Perhaps if you could give me a description?'

'I've no idea what he looks like . . .'

Sullivan heard himself saying this. God, how vague can you get? In another minute or two the German would start shuffling papers on his desk, maybe even look pointedly at his watch. It was hopeless.

'Would you like some coffee?' Hahnemann ordered coffee over the intercom and then excused himself. He was gone for thirty minutes by Sullivan's watch and the Englishman wondered whether he was calling the police. When he came back into the office he was followed by an attractive girl carrying a tray with the coffee. 'I will pour it,' Hahnemann said. He waited until they were alone. 'I apologise for being so long, but I decided to phone Mr Harper in London. I hope you don't mind – documents can so easily be faked these days.'

'A wise precaution.' Sullivan was puzzled. Why would Hahnemann take this trouble if he had nothing to say to him? The German took out a photograph which he placed face down on the desk, then he poured the coffee..

'Mr Sullivan, I imagine you know most of the top shipping people in London?'

'Most of them, yes – it's my job.' Sullivan carefully did not look at the concealed photograph as Hahnemann went back and sat down behind his desk.

'Charles Manders?'

'He's an old friend . . .'

'Willie Smethwick?'

'Another friend . . .'

'Arnold Ross?'

'Had lunch with him a couple of months ago.'

Hahnemann turned up the photograph and pushed it over the desk. 'Is that man familiar? Specifically, is he Manders, Smethwick or Ross?'

'No, he isn't . . .'

'He isn't Arnold Ross?'

'Quite definitely not. Ross is a small, well-built man with a face like an amiable gargoyle. This time of the year, he's usually off on a cruise to the West Indies.'

'That man called on me five days ago and passed himself off as Arnold Ross of Ross Tankers.'

Sullivan stared at the picture with fascination, the first picture which had ever been taken of Winter, except for passport purposes when the likeness changed as rapidly as the names. It showed a distinguished-looking man wearing a bowler hat and an expensive overcoat striding up a staircase. He appeared to be staring at the camera without seeing it.

Like a Guards officer, Sullivan thought. Trim moustache, erect bearing, a clipped look about the face. All the clichés. God, he even carried a tightly-rolled umbrella on his arm. The absolute personification of a European's idea of the City Englishman. And he existed – you could see him walking past the Bank of England each morning at 9.30. With nothing to go on, Sullivan had the strongest of hunches: this man was Winter.

'How did you take the photograph?' Sullivan asked.

Hahnemann looked embarrassed, then laughed. 'I am giving away my trade secrets. I have a fetish for security, I admit it. But we live in a dangerous world and one day someone who does not like my customers may try to sabotage a ship I am building. So everyone who comes into the building is secretly photographed. We have your own picture, Mr Sullivan. I hope I have not shocked you – Watergate and all that . . .'

'Thank God you do use a hidden camera. You take just one shot?'

'No, several . . .' Hahnemann took an envelope out of his breast pocket and spilled glossy prints on to the desk. 'I showed you the best, although this is more of a closeup.'

Winter was nearer the camera, probably just turning on to the staircase landing – his head was turned and showed in profile. He had a cold, very alert look. 'Who is this man?' Hahnemann asked.

'Probably a dangerous terrorist.'

'I find it hard to believe – he was in my office, sitting where you are sitting.'

That's probably his secret,' Sullivan commented drily. 'He doesn't look the part. Before I leave Hamburg could I have three copies of the profile shot and the one you showed me first?'

'No problem, as the Americans say.' He used the phone and told Sullivan they would be ready in thirty minutes. 'He spent the whole day poring over blueprints of the *Chieftain*, asking questions about her. He pretended he wanted a ship built to a similar specification.'

'The *Chieftain*? He didn't take any interest in the twin ship you built for Harper, the *Challenger*?'

'None at all. I think I mentioned that vessel once and he wasn't interested.'

So now we know, Sullivan thought. The target ship was the *Chieftain*, lying up in dry-dock in Genoa, a perfect place for an act of sabotage, while the ship was immobile and helpless. He would fly back to London tomorrow and get Harper to have the security stepped up in Italy.

Heathrow Airport, London, Wednesday January 15.

12.15pm Flight BA 601 took off for Montreal, Canada. Aboard the Boeing 707 travelled thirteen of the fifteen ex-OAS terrorists. Such a large group of Frenchmen was hardly likely to excite any interest since they were flying to a city where French is spoken on every street. When they reached Montreal in charge of André Dupont, they would stay there overnight; the following day they would catch another flight on to Vancouver, the Canadian city close to the port of Victoria where the trawler *Pêcheur* was moored. Dupont would take them straight on board and there they would wait, confined to the ship until Winter arrived from Alaska.

Winter himself had watched them go into the final departure lounge at Terminal One, then he hurried to report for his own flight with LeCat and two other terrorists, Armand Bazin and Pierre Goussin.

12.45pm Flight BA 850 took off for Anchorage, Alaska. Aboard the Boeing 707 travelled Winter and LeCat and the two Frenchmen. Ahead of them was a nine-hour flight by the polar route non-stop. They travelled separately, Winter and LeCat occupying separate seats as though they had no connection with each other, while in another part of the plane Bazin and Goussin travelled together, sitting side by side. They all held economy class tickets, although with the huge sums of money at his disposal Winter could easily have afforded first-class seats. Here he was reversing his normal procedure when staying at a hotel – stay at the best and the police will assume you are respectable. On a plane the passenger who is not noticed is the economy class man. While the other three men stayed awake eating, trying to read magazines, then eating again, Winter slept through most of the flight, only waking up when he was within half an hour of his destination.

1.15pm Flight BE 613 arrived from Hamburg. Among the first passengers to alight from the Trident was Sullivan.

Arriving at Heathrow Airport, Sullivan phoned his flat in Battersea, and then wished he hadn't bothered. His charlady, Mrs Morrison, gave him a number to ring urgently, and he knew immediately it was Admiral George Lindsay Worth, RN, the man who had been responsible for his leaving naval intelligence. Worth was now with the Ministry of Defence. To get it over with, he phoned at once and Worth's secretary made an appointment for them to meet at the RAC Club in Pall Mall. At 3pm.

'You can't mean today,' Sullivan protested.

'He said it was very urgent. You are to ask for Mr Worth. No mention of rank . . .'

Sullivan went straight to Pall Mall from the airport, swearing at himself all the way inside the cab; he was still being treated like a naval lieutenant. Why the hell hadn't he said no?

Worth, a crisp, compact man of sixty, was waiting for him in the members' lounge, a vast, empty-feeling room with tall windows at either end. It was cold; there seemed to be no heating at all in the place. Not that this was likely to worry an admiral who had faced hurricane-force winds in the north Atlantic as a matter of course. Worth was sitting against the wall in a dead man's chair, a huge, low arm-chair often occupied by members whose appearance suggested the immediate calling of an undertaker.

'Prefer to sit over there?' Worth enquired, pointing to one of the tables. 'Thought you might . . .' He heaved himself up. 'How's Peggy? She's the latest girl friend, I take it?'

'She is.' Sullivan wondered how Worth managed to throw him off balance each time they met. 'What's all this about? I just came in from Europe and I could do with some kip . . .'

Worth stared across the table, registering the note of independence. 'I know,' he said quietly. 'Asking a lot of questions, stirring things up all down the French coast.'

'How do you know that?'

'Coffee? No? Perhaps just as well – it's lukewarm,

91

anyway. As to your question, it's my job to know things. I asked you here to request you to stop stirring things up.'

'Why?'

Admiral Worth smiled, at least his mouth performed a bleak grimace which Sullivan took to be his version of a smile. 'I can't answer questions, you should know that by now. All this is off the record, of course. Official Secrets Act and all that . . .'

'You should have said that when I came in here, I think I'm going . . .'

'Bear with me a few minutes longer,' Worth suggested. 'You haven't changed, I see. Harper Tankships, isn't it?'

'You said it was your business to know things.' Sullivan was becoming angry, but his expression remained blank. 'If you'll give me a good reason I might consider it – dropping the whole thing. I said consider it.'

'We heard the whisper too – about a hi-jack, or sabotage. It was a smokescreen – to cover something else our Arab friends had in mind. Buy the 4pm edition.'

'Could I ask what you're talking about?' Sullivan enquired.

'Not a ship – another plane. KLM Flight 401 from Amsterdam to Paris. Beggars got on board at Schiphol. Something special about this job – there are three senior Royal-Dutch Shell chaps aboard, including a managing director.'

'That makes it special?'

'I think so. There's already been a demand by radio. Some nonsense about Royal-Dutch must do this, not do that – or their directors get the chop.' Worth stared bleakly at Sullivan. 'So the whisper you were chasing was pure camouflage – it was this plane hi-jack they were covering. It's really another demonstration of Arab power, of course . . .'

'And again, we give in?'

'It's become a way of life.' Worth reverted to his salty, commander-on-the-bridge language. 'They have us by the balls and they enjoy squeezing them. Can't do anything about it – the British government is resigned to an Arab condominium over the West for as far ahead as we can see.' He stared as Sullivan stood up. 'Can we rely on you?'

'You didn't think you could when we last met. I'll have to think about it. Please excuse me, but as I told you, I'm straight off the aircraft . . .'

Sullivan was fuming as he left the club. Prior to meeting Worth he had decided to drop the whole thing – after warning Harper to tighten up on security round the *Chieftain* in Genoa, although at the back of his mind he still wasn't sure. Now, if he did drop it, it would look as though he were falling in with Worth's odd request. He was still fuming when he went on to see Victor Harper.

*

Admiral Worth's view of the British government's attitude was not entirely correct at the highest levels. In the previous September there had been an unexpected change of premiership when the previous prime minister resigned due to ill health.

The new man, who had risen to the rank of brigadier during the Second World War, immediately took a decision which went unreported in the British press. A large area of the west coast of Scotland was declared a prohibited military zone. It was rumoured locally that a new artillery range was being set up. The curious thing was that crofters on an offshore island heard no thump of artillery shells; instead they saw frequent practice parachute landings, some of the airdrops taking place from helicopters.

Another event which was also not reported was the prime minister's secret meeting with General Lance Villiers, Chief of General Staff. Villiers, reputed to be the most efficient and ruthless Chief of Staff for three decades, had only one eye – his left eye had been left behind in Korea in 1952. He wore a black eye-patch and moved in a curiously stiff manner, but he possessed one of the quickest brains in the United Kingdom. His earlier career had been spent with the airborne forces.

Sullivan met Harper in his office at five o'clock and they talked by candlelight while snow piled up in the

Quick Crossword

Across

1 eg "Noises Off" (5)
3 Elder (6)
7 eg table (anag.) (4,5)
9 Departed (4)
10 Fencing sword (4)
11 My pub (anag.) (5)
14 eg Pancras (5)
15 Soup (5)
17 Fruitlessly (2,4)
20 Noblemen (5)
21 Elizabeth (dim.) (4)
23 Feeble person (sl.) (4)
24 Astrologer (9)
25 Henman's game (6)
26 Dorset harbour (5)

Down

1 Terror (6)
2 Native American tribe (4)
3 Slumbers (6)
4 Mark (4)
5 Bird of ill omen (5)
6 Harwich's river (5)
7 Augustus —, (Pickwick Papers) (9)
8 Lightweight sail (9)
11 — Davis (film star) (5)
12 Spun threads (5)
16 Hebridean tweed (6)
17 Homer epic (5)
18 Head (sl.) (6)
19 Concerning (5)
22 Daze (4)
23 Verne captain (4)

■ 8 cell Li-Ion battery (life up to 2.5hrs approx)

■ 3 years warranty (1st year in-home service & 2 years RTB)

ONLY £969 inc VAT

17" Widescreen model available for only £1149 inc VAT

ultra portable

ding 64-bit processor, 128MB graphics & widescreen

Open 7 days a week 9.30am - 6.00pm Sunday 10.00 am - 4.00pm

Click www.evesham.com/tg

Stores Nationwide 0870 160 9800

Order Direct 0870 162 2118

Bournemouth
Nottingham

Bristol
Peterborough

Cambridge
Reading

Evesham
Southampton

Glasgow
Swansea

Leeds
Tunbridge Wells

London

needed as both products
communicate
through the new
PictBridge system.

Bundle ONLY £199.99
inc VAT delivered

In stock now

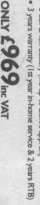

also installing proprietary 3rd party Software to protect against viruses. AMD and Microsoft strongly recommend that users continue to use third party anti-virus software as part
products only PC Price does not include delivery which is £34.00 + VAT (£39.95). UK Mainland only. Notebook Price does not include delivery which is £19.95 inc VAT. UK Mainland
specifications subject to change without notice. Finance is subject to status. Actual products may not match photographic representations. AMD, and AMD Athlon are trademarks
dows are registered trademarks of Microsoft Corporation. For full terms and conditions and legislation on distance selling please visit www.evesham.com or written details available
Saturday 9.00 to 5.30, £&OE.

street outside. The chairman of Harper Tankships, a restless energetic man of fifty with thinning hair, immediately decided he would fly to Italy the following day to sort out the security of the tanker *Chieftain*.

'Of course,' Sullivan remarked at one stage, 'it just might not be the *Chieftain* . . .'

'How do you make that out?' Harper snapped

'Winter – if it was Winter in Hahnemann's office – made it a bit obvious the way he examined *Chieftain*'s blueprints. And I have an idea this chap is clever – don't ask me why.'

'Why?'

'Well, for one thing he's some kind of criminal – maybe adventurer would be the better word. And yet no one has any record on him. On my way here I phoned a chap I know at Scotland Yard and he'd never heard of him.' Sullivan leaned across the desk. 'No one's got him on record, for Pete's sake. You have to be clever to keep the slate as clean as that.'

It was agreed that Harper would still go to Genoa. It was also agreed that if Sullivan came up with something else while Harper was away, he could collect a cheque for more funds from Vivian Herries, Harper's secretary. At the end of a long day Sullivan went home.

It was probably his dislike of seeming to fall in with Admiral Worth's request to drop it which kept Sullivan going the following day. Refreshed by a good night's sleep, he checked every known source he could think of. Somewhere, someone must have heard of Winter.

He first tried a contact in Special Branch. The contact phoned him back later in the day. 'We've never heard of your chap, Winter. Doesn't ring any bells at all. Sorry . . .' He went back to Scotland Yard and his friend there, Chief Inspector Pemberton, told him he had been intrigued by Sullivan's enquiry. 'So, I checked further. Not a dicky bird. Drew a complete and total blank . . .'

Exasperated, Sullivan extended the net, began phoning outside the country. His call to the FBI in Washington was answered within an hour. 'Nothing in the States. In view of what's happening everywhere, I checked with one of the intelligence services. Nothing on a man called Winter. Have you tried Interpol?' Yes, Sullivan had tried Interpol. He phoned his good friend, Peter van der Byll of the South African police. The answer was negative. In the late afternoon he went back to see the one man he had missed when he visited Lloyd's of London before he had set out for Bordeaux.

'It looks as though I'll be off this job for Harper Tankships,' he told MacGillivray. 'Bloody blank wall everywhere. It's beginning to annoy me.'

Jock MacGillivray was one of the backroom men concerned with the general administration of Lloyd's. When asked what he did, he was liable to reply, 'Help to keep the place going – or maybe it helps to keep me going. Never sure which.' He leaned back in his swivel chair and tossed a cigarette to Sullivan. 'So what's the problem?'

'I missed you when I came here at the beginning of the year. As to the problem, no problem as far as I can see. I've checked with just about everybody and come up with sweet nothing.'

'You haven't talked to me.' MacGillivray, freckle-faced and forty, grinned. 'The founthead of all wisdom.'

'I need any scrap of gossip you've heard about Harper Tankships during the past six to eight weeks – however trivial.'

'No gossip . . .'

'There you are.'

'Nothing really . . .' MacGillivray was consulting his diary. 'Except for the chap who came in last Friday. He was doing a series of articles on the oil crisis for an American paper. He came in a couple of months ago, apparently, working on a previous series. He was asking about Harper's ship *Chieftain* – she's in dry dock at Genoa. Said he might go and have a look at her.'

'Was this him?' Sullivan put the photograph of Winter on Hahnemann's staircase in front of Mac-Gillivray who peered at it uncertainly.

'Wonder what he looks like without that moustache?'

'Like this . . .' Sullivan showed him a profile print he had worked on the previous evening in his flat, eliminating Winter's moustache with white paint. 'I doubt if he'd be wearing the bowler this time . . .'

'He wasn't,' MacGillivray said promptly. 'He had a tweedy thing on. That's him. Who is he?'

'Mr X. Did he mention any other Harper ship?'

'Yes. The *Challenger*. Was she exactly like the *Chieftain* – or was there any difference between the two vessels? I said they were twins and that was it, as far as I knew. Come to think of it, he asked quite a lot about that ship.'

'What's quite a lot?'

'How many crew she carried, whether she sailed with one or two wireless operators. What sort of man was the captain? I know Mackay, so I gave him a thumbnail portrait. I got the funny idea he knew most of these things already and he was just checking. That ship is on the milk run, you know – from Alaska to San Francisco and back.'

'And that's a piece of history – a British tanker taking oil from one American port to another . . .'

'Well, they did repeal the Jones Act of 1920 which said only Yank vessels could move cargo from one American port to another. They found they had a terrible shortage of tankers on the West Coast. What's the matter with Mr X?'

'Probably everything.' Sullivan stood up, collected his two prints of Winter off the desk. 'I've got a lot to do in the next hour – collect some money, check with the airlines . . .'

'Going on holiday?'
'That's right. To Alaska.'

Somewhere about this time Sheikh Gamal Tafak had his second secret meeting with the terrorist chiefs in the Syrian desert. Again he arrived in a motorcade of three cars, riding in the rear vehicle alongside his driver. The two cars in front, both of them black Mercedes like his own, also carried a driver and one passenger in the front seat. The waiting terrorist chiefs thought they understood the reason for this precaution: anyone lying in ambush and waiting to throw a bomb at Tafak could never be sure which car he was riding in. The real reason for the motorcade was more sinister.

Tafak detested dealing with these people, but these were the men he feared, whom he was anxious for the moment to keep on his side. One day it might be necessary to lose them; on that day the motorcade of three cars would contain other passengers, men with automatic weapons who would eliminate the terrorist chiefs. Meantime, let them get used to the arrival of the motorcade.

Anxious to get away, he explained what was going to happen in as few words as possible. He had told them before the plan was to create an outrage that would so appal the West that its press, radio stations and TV networks would scream with furious indignation at

the Arabs. This, in its turn, would create an atmosphere in which Tafak could pressure all the Arab oil-
producing states to stop the oil flow completely. Then
they could launch the final attack against Israel while
the West was immobilised. Everything depended on what happened aboard the British oil tanker
once it had been seized.

'Winter, who knows nothing about the final outcome,' Tafak explained, 'is necessary for the hi-jack of
the tanker. He is a better planner than LeCat – and
being British he will know how to handle the British
crew. Later, he will be withdrawn from the operation.
LeCat will control the last stage.'

'And then?' the serious-faced man on his right
asked.

'The negotiations between LeCat and the American
authorities will break down. There will be a fatal
misunderstanding – it will be reported that American
marines attempted to storm the ship.'

'And then?'

Tafak stood up, ready to go. 'It has happened so
many times in history. For the sake of the multitude –
our brethren who yearn to return to Palestine – the
few must die. The hostages – the British crew – will all
be killed.'

Part two

The hi-jack

Chapter Seven

In the United States, as in Europe, the energy crisis was beginning to take on the character of a war – with oil in all forms as the ammunition dumps the enemy sought to destroy. The lights were starting to go out all over the continental mainland – in Texas where oil was moving away from the state to the hard-pressed north-east, so there was not enough oil left for home needs. The recent large-scale sabotage of the Venezuelan oilfields at Lake Maracaibo was turning a tense situation into near-disaster.

No one was sure who the saboteurs were – who had placed and detonated the charges at Maracaibo, who had blown up a section of the Alaskan North Slope pipeline being constructed to Valdez, who had blown up key refineries at Delaware and in Texas – in Britain and Germany and Italy. Arab terrorists were the obvious suspects; extremists employed by remote control by the sheikhs who wished to make their product even more valuable because it was daily becoming a scarcer commodity, already selling at fifty dollars a barrel, free on board Gulf ports.

Inside the States, the FBI worked on a theory that revived dissident groups like The Weathermen were behind the sabotage. Pamphlets were being distributed by the underground press – 'Bring the Capitalist Colossus to its Knees! Burn Oil!' It was not a slogan appreciated by motorists searching for an extra two gallons to get them home. But whoever was responsible, the situation was becoming desperate. Europe – and America – were close to their knees.

The sabotage of the Maracaibo wells meant that, added to the other damage, the States needed ten per cent more oil from outside sources just to keep the machine turning over. The ten per cent was not available – except from Arab sources. As Sheikh Gamal Tafak well knew.

Oil became more valuable than gold – and was guarded with more security than gold. The Mafia was continuing to hi-jack tankers on highways and freeways. To counter this, Washington organised a convoy system not dissimilar to the Allied shipping convoys during the Second World War. It became normal to see huge fleets of petrol and oil tankers moving through the night with armed guards in the front and rear trucks. Freight trains transporting oil carried machine-gunners mounted on their roofs with searchlights playing over the surrounding countryside whenever a train was halted in the middle of nowhere. Like Europe, where similar precautions had to be taken, the United States was moving into siege conditions.

Refineries and pipelines became strategic points to be guarded night and day against the bombers. Bulldozers urgently scooped out tracks alongside pipelines – tracks along which jeeps carrying armed men could patrol. And still America was slowly grinding to a halt as the winter grew in severity, as blizzards swept down into the Middle West and as far south as northern Florida. 'Unprecedented temperatures in the north-east,' the US Weather Bureau reported.

In a locked file inside the White House rested a detailed forecast of the estimated gap between fuel requirements and fuel deliveries – assuming the Siberian weather continued. It was calculated the nation might just squeeze through to spring – with a lot of hardship – providing the Arabs maintained their oil cut at the savage fifty per cent. In the event of a fresh cut the forecast for the United States and Europe was summed up in one graphic word. Catastrophe.

Six thousand miles away in the Middle East terrorist teams waited for further instructions from Sheikh Gamal Tafak – to destroy the oil-wells if certain other sheikhs refused to cut their oil flow to zero when the moment came.

It was snowing when Winter arrived in Anchorage, Alaska, on board Flight BA 850. Because of the wide difference in time zones, although he had left London at 12.45pm he arrived in Anchorage at 11.45am, and it

105

was still Wednesday January 15. In London it was 8.45pm on the evening of the same day and Sullivan had returned to his Battersea flat. He spent part of the evening packing, ready for his departure for Anchorage the following day.

At Anchorage International Airport, Winter presented his passport in the name of Robert Forrest. His profession was shown as geologist, but the Immigration official guessed he had something to do with North Slope oil before he even glanced at the false document Winter casually handed him.

There was the obvious clue: the folded copy of a British Petroleum house journal in the Englishman's sheepskin pocket. The passenger was also carrying looped over his shoulder a device which registers seismic shocks after explosives dropped into a hole have been detonated, a tool of the geologist's profession.

'North Slope?' the Immigration man enquired with a grin. 'We need you guys to checkmate those A-rab bastards.'

'Take more than North Slope to do that,' Winter replied noncommittally. 'Is there a cab outside?'

'If you run – after you get through Customs. Cabs are in short supply these days – you'll have to share . . .'

Winter was passed through Customs with equal good humour and speed. His case was chalked without anyone checking it, as though they were unwilling to hold him up a moment longer than was necessary. He shared a cab with LeCat and two other people, and the Frenchman gave no sign that he had ever met Winter before. Behind them the other two Frenchmen followed in a separate cab.

The Westward was a typical American hotel; tall, shaped like an upended shoe-box, it had a rooftop restaurant. Only half the lights were on in the lobby even though outside it was almost dark; a heavy cloud bank hung over the city whose streets were ankle-deep in slush. Nor, in this state which would one day be knee-deep in oil, was it very warm inside the lobby. Obeying government regulations, the manager had the thermostat turned down to sixty-two degrees.

Winter booked accommodation in the name of Forrest, dumped his bag in his sixth-floor room, and by the time he walked out of the hotel a hired Chevrolet was waiting for him at the kerb. Behind the wheel sat Joseph Walgren, the American Winter had last met in San Francisco two months earlier. In the back was LeCat, whom Walgren had picked up from another hotel.

'Drive me to the Swan home,' Winter said abruptly. 'I want to check the timing . . .'

'I checked it,' the fifty-year-old Walgren objected. 'You got the timing in the letter I sent to Cosgrove Manor . . .'

'Drive to the Swan home,' Winter repeated. 'I'm checking it myself.'

107

The first stage of the operation was the most difficult, the most likely to go wrong. The key man aboard
any ship is the wireless operator, the man who com-
municates with the shore, however distant; Charlie
Swan, the radio operator aboard the *Challenger*, had to
be kidnapped so Winter could put his own man,
Kinnaird, in his place before the tanker made its next
trip to San Francisco.

'The *Challenger* docks at the Nikisiki oil terminal at
six this evening,' Walgren said as he drove out of the
city, 'like I told you in the coded letter. Captain
Mackay will come and stay overnight at your hotel,
the Westward. Swan, the radio guy, drives home and
stays there overnight. He'll drive back to the airport
tomorrow, leaving home at 3.30 in the afternoon. He
links up there with Mackay – who takes a cab from the
hotel to the airport. Then they both get flown back to
the oil terminal in the Cessna piloted by Mackay's
buddy.'

'Do either of them ever vary that routine?' Winter
asked.

'I've been up here a month watching them,' Walgren
switched off the windscreen wipers: it had stopped
snowing. 'That makes three trips for the *Challenger* – in
and out. Those two have schedules like a railroad
timetable – never varies. They get so little time ashore
they do the same thing. It's become a habit. Kinnaird
is shacked up at the Madison downtown – this piece

of paper gives you the phone number, and the Swan number.' Walgren gripped the wheel a little tighter. 'I'm glad the hanging around is over. So we make the Swan snatch tomorrow and we're in business . . .'

He stopped talking when he saw Winter's expression. Jesus, the Britisher was an iceberg, unlike the Frenchie behind who would sit and drink brandy with a guy like any other normal human being. Walgren tightened his thick lips and concentrated on his driving. For thirty grand he could put up even with Winter . . .

Heavy grey clouds hung over the Matanuska valley as they sped north-east along the highway and there was snow on the hills. More snow up in those clouds too, Walgren thought. 'You're exceeding the speed limit,' Winter said icily. Swearing inwardly, Walgren dropped down to fifty-five. Everybody exceeded the speed limit if they thought there was no patrol car ahead. It began to rain, a steady, depressing drizzle which blotted out the surrounding countryside. Walgren switched on the wipers, hunched over the wheel, hating the silence inside the car. He drove for almost an hour.

'That's the Swan home coming up,' Walgren told Winter.

'You're almost ten minutes out on your timing,' the Englishman snapped.

'So, I beat the limit a couple of times. Swan keeps

109

the needle on fifty-five the whole way. At least he did the three times I followed him out here from the airport.'

Winter said nothing, hiding his annoyance. British, American or French, it seemed impossible to find people who were precise. He had the same trouble with LeCat. So he had to check every damned thing himself.

Walgren turned off the lonely highway down a track leading through a copse of snow-covered fir trees. Inside the copse he backed the car in a half-circle until it faced the way they had come. Through a gap in the snow-hung trees the Swan home was clearly visible, an isolated two-storey homestead three or four hundred yards back from the highway with a drive leading up to it. Behind the house stood an old Alaskan barn and a red Ford was parked at the front. In the bleak, snowbound landscape there was only one other house to be seen.

'Won't that car freeze up?' Winter asked as he lowered the window and focused a pair of field glasses.

'They got it plugged into a power cable,' Walgren replied. 'That keeps the immersion heater under the hood going. You forget to plug in your cable and inside two hours you got a block of ice instead of a motor . . .'

It was already getting cold inside Walgren's car; to save gas he had switched off the motor while he parked. From a chimney in the Swan household blue smoke drifted, spiralling up in a vertical column. The rain had stopped and the leaden overcast was like a plague cloud covering the Matanuska valley.

'That house in the distance beyond the Swan place – know anything about it?' Winter enquired.

'Belongs to some people called Thompson, friends of the Swans.' Walgren lit a cigarette. 'Sometimes when Charlie Swan is home the two couples get together – they did on the last trip.'

'Go out, you mean?' Winter asked sharply.

'No, visit each other's homes. The Swans went over to the Thompsons'. When you're home only once in ten days like Charlie Swan is you don't drive into town. You meet up with the folks next door.'

'How did you find out all this?' Winter asked curiously.

'Used to be a private dick. There are ways. And,' Walgren said aggressively, 'I can't see why we came out here – the snatch is set up for tomorrow . . .'

'Trial run,' Winter said brusquely. There was no point in explaining that this was another rehearsal, just as Cosgrove Manor had been a rehearsal for the ship hi-jack. He studied the house for a minute or two longer, then told Walgren, 'Drive back into town.'

On January 15 it was dark in Anchorage at three in the afternoon. Walgren dropped Winter near the Westward and the Englishman had a late lunch at a coffee shop. So that he was remembered as little as possible he would eat only one meal in the hotel restaurant. Walgren, who ate very little – he was badly overweight and had been reading the health ads – dropped LeCat at his own hotel. Next, he picked up Armand Bazin and started the long drive to Nikisiki oil terminal on the Kenai peninsula.

It was six o'clock in the evening when Walgren collected Winter again from the Westward after returning Bazin to his hotel. He drove the Englishman out of the city to an isolated spot where an old barn stood amid a clearing surrounded by evergreens. 'Everything is OK,' he told Winter as they pulled up in front of the building 'You didn't really have to make the trip . . .'

'I like to see things for myself.'

Winter inspected the barn where Swan and his wife would be kept prisoner for a week. Everything, as Walgren had said, seemed OK. The place was secure, new padlocks had been put on all the windows and doors, and there was a Primus stove for cooking and an adequate supply of canned food, milk and fruit juices. The Swans should be as comfortable as it was possible to make them – including the provision of five oil-heaters and enough fuel to last them a month. Winter didn't bother to ask the American whether he had stolen the oil or bought it on the black market.

'Satisfied?' Walgren enquired drily when they were leaving.

'It will do. Get me back to the hotel fast, Mackay should be arriving soon. But keep inside the speed limit...'

Which was a bloody contradiction in terms Walgren thought sourly as he gunned the motor and headed back for the highway. And this was one hell of a long day, the American reminded himself, a day which was by no means over. As soon as he had left Winter at his hotel he had to drive out to the airport, wait for the Cessna bringing Mackay and Swan, the radio operator, from the *Challenger*'s berth at Nikisiki, then follow Swan all the way out to his home in the Matanuska valley.

'Is that really necessary?' he had complained.

'Swan is the key to this part of the operation – we must be sure he has arrived home safely,' Winter had replied.

Winter got out of Walgren's car a short distance from the Westward and walked the rest of the way to the hotel. He had kept the key of his room in his pocket to avoid appearing too often at the reception desk and went straight up in the elevator. Once inside his room he checked his watch and then went over in his mind the present whereabouts of everyone involved.

7pm. Captain Mackay would be landing at the

airport in the Cessna in fifteen minutes; Walgren would be waiting there to follow Swan home. As he stripped off to take a shower Winter went on checking in his mind. LeCat would be at his own hotel ten blocks away, probably in his room nursing a bottle of cognac. Armand Bazin and Pierre Goussin, who would guard the Swans while they were held in the barn, would be at their own hotel, eating dinner provided by room service while they pretended to pore over a pile of papers. No one would leave their hotel tonight – Winter was not risking someone falling on the icy sidewalks and breaking a leg – and Winter would be the only man eating in a restaurant. He turned on the shower. Finally, Kinnaird, the substitute wireless operator, would be keeping under cover at the Madison.

Ten thousand pounds. Every man has an amount at the back of his mind which he feels would give him freedom from the cares and worries of the world. For 'Shep' Kinnaird it was ten thousand pounds. Pulling back the curtain of his bedroom at the Madison he peered through the gap. It looked reassuring: a deserted, snowbound street dimly lit by street lamps which would be turned off at ten o'clock, and no car parked where someone might be keeping an eye on the hotel.

Kinnaird, thirty-seven years old, twice divorced – neither woman had been able to endure his gambling habits – was the wireless operator Winter had hired for the *Pêcheur*'s radio cabin during the smuggling days in the Mediterranean. Prior to that, Kinnaird had been with the Marconi pool of radio operators, working on the Persian Gulf-West Coast run. Now the ten thousand pounds was within his grasp – it was the payment for substituting himself for Swan, the *Challenger*'s regular wireless op.

Less than a mile away inside the Westward Hotel, Captain James Mackay, fifty-five-year-old master of the *Challenger*, was sitting down to a late dinner in the rooftop restaurant. A heavily-built, florid-faced man who was surprisingly quick on his feet, Mackay had been on the shuttle run between Alaska and San Francisco for five months. It was a shade too straight-forward for his liking: Nikisiki is approximately two thousand miles from San Francisco and the *Challenger*, travelling at an average speed of seventeen knots, made the trip to the oil terminal of Oleum on the east side of San Fransisco Bay in a little over four days.

She discharged her precious Alaskan oil in twelve hours and then headed back for Nikisiki. It took a day and a quarter to take on more oil at Cook Inlet – the time in dock could have been shortened but Mackay, mindful of hurricanes in these waters, insisted on meticulous maintenance – and then she started south again for Oleum. So one trip occupied ten days. And it never stopped, the shuttle run. And this, Mackay thought as he studied the menu, was oil from the little

115

known Cook Inlet field. What the hell would it be like when they opened up North Slope?

'T-bone steak and French fries and a glass of beer,' Mackay ordered. He always studied the menu and then always ordered the same food. A widower for ten years, Mackay was a creature of habit, always coming to this same hotel to sleep overnight, always leaving it at 4pm the following day to return to his ship. The vessel then sailed for California at midnight. 'Follow a routine,' Mackay was fond of telling his crew, 'then you'll never forget anything important . . .'

He looked round the almost empty restaurant while he waited for his steak. Four tables away, a tall, thin man wearing horn-rim glasses sat absorbed in his newspaper. When his meal came Mackay ate it quickly – a shipboard habit – and he hardly noticed the man in horn-rim glasses leaving the restaurant just before he finished his own dinner.

In the lobby below Winter was studying some brochures when Mackay stepped out of the elevator and went into the bar. Again, part of the routine Walgren had described: after dinner Mackay always had a second beer in the bar before going up to his room early. The photograph of Mackay sent by Walgren to Cosgrove Manor had been a good likeness.

Winter wondered how Walgren had taken the picture without being seen, then he strolled over to the entrance to the bar, taking off his horn-rims and tucking them inside his pocket. Mackay was sitting with his back to him, reading a magazine. The barman behind the counter looked straight at Winter, who glanced away as though he had changed his mind and went across to a telephone booth.

Phoning Bazin's hotel at the number Walgren had given him, Winter waited to be put through. It was the last thing he had to attend to tonight. Bazin came on the line, confirmed cautiously that he was ready, which meant he was familiar with the Nikisiki oil terminal Walgren had driven him to in the afternoon, that Walgren had handed over to him what he would use – a thermite bomb.

Chapter Eight

At 3pm on Thursday January 16 Winter turned into the drive leading to the Swan homestead and drove slowly through the darkness towards the house; no rush, nothing to disturb the Swans if they noticed the car coming. Snow crust crackled under the wheels.

LeCat sat beside him, Pierre Goussin rode in the back, and when he reached the house he drove round the side where the parked vehicle would be hidden from the Thompson home in the distance. His headlights swept over a blue Rambler standing in front of the house with the power cable plugged into it; Walgren had told Winter that Swan drove a Rambler.

Winter left the car quickly, walked round to the front door, his right hand inside his sheepskin, gripping the Skorpion pistol in its holster. The unexpected happened immediately. The porch light came on and Swan, due to leave at 3.30pm, opened the front door before Winter could press the bell. He was wearing a British Gannex raincoat and carrying a bag.

'Mr Swan?' Winter enquired.

'Yes . . .'

'Don't get excited and no one will get hurt.' Winter pointed the pistol at Swan's chest. 'We just want to use your phone and then we'll leave you in a locked room . . .' He was speaking rapidly, weighing up the slim, thirty-year-old who faced him, guessing his reactions, warning him with the gun, reassuring him with the reference to a phone call.

'Where's he going?' Swan demanded.

LeCat had pushed behind him, disappearing into the house as Winter went on talking, holding his attention. 'Let's go inside and find out . . . No! Don't hurry – no need for a nasty accident . . .' Winter followed him across a hall and into a large, L-shaped living-room. A dark-haired woman in her thirties had her hand up to her throat, her eyes wide with fear as LeCat held one arm round her back and a knife close to her breast. He pressed the knife tip to her throat as Swan started across the room and then stopped. 'Keep away or she's dead,' LeCat warned.

'Take the knife away from her throat. That's better . . .' Winter could have knocked the Frenchman down. The stupid cretin! He could have caused a bloodbath. There was an atmosphere of shock, disbelief in the living-room which Winter had foreseen and was determined to exploit. To counter LeCat's blunder the Englishman became crisp, businesslike. Placing a hand on Swan's shoulder, he pressed him down into a chair; a man sitting down feels less aggressive, is less likely to do something violent. 'Let

119

Mrs Swan sit down,' he told LeCat, 'and stop man-handling her . . .'

'We're expecting friends any minute,' Swan warned. 'They could walk through that front door . . .'

'Which is why you're dressed to go out,' Winter interjected coldly. 'You were leaving to go back to your ship, the *Challenger*, so stop making up fairy tales . . .' He had Swan's measure now: a quick-witted, determined man, he would try to outwit them given half a chance. At the moment he was in a state of deep shock; pale-faced, he couldn't keep his eyes off his wife who was sitting down, hands clasped in her lap.

'What do you want?' Mrs Swan asked quietly. She had, Winter realised, recovered her self-possession. Even quicker than her husband, she had asked the key question. What do you want?

'Your husband's job for a week.' To create a calmer atmosphere Winter himself sat down in one of the Scandinavian-style chairs as Goussin came in from the rear of the house. 'All clear at the back? Good. Now, Swan, you mean nothing to us dead or alive – and heroes make widows in this awful world we live in. I want you to phone Captain Mackay at the Westward Hotel in Anchorage. Tell him you're sick – that you've caught a bad dose of flu. Tell him you have found a replacement wireless operator from the Marconi pool who is on holiday in Palmer. He's visiting his sister who is married to an American. Kinnaird is the replacement's name – he's taking your place on the next trip the *Challenger* makes to San Francisco.'

'What happens to us?' Swan asked. He was still pale but his voice was steady.

'You'll be kept in a place about fifty miles from here under guard for a week. By that time the *Challenger* will have reached San Francisco. Then you will be freed.'

'It won't work. Mackay won't agree . . .'

'Yes, he will,' Winter interrupted sharply. 'Within sixty minutes he'll be leaving the Westward to go back to his ship. When he hears you're sick he'll be appalled – when you tell him you've found a replacement he'll be relieved, more than ready to accept Kinnaird on your say-so. Do you want me to repeat what you have to say to him?'

'No,' Swan looked anxious and uncertain. 'What happens if I . . .' He glanced at his wife and stopped. He looked at LeCat who was standing behind his wife's chair. He had been going to say what happens if I refuse, then he decided he didn't want his wife to hear the answer.

'What about my wife – Julie?'

'She'll be with you all the time. I give you my word . . .'

'Fat lot of use that is . . .'

'Charlie . . .' Julie leaned forward, her clasped hands bloodless with tension. 'Do as he says.' She looked at

Winter. 'The man behind me won't be staying with us, will he?'

'No,' said Winter, his face expressionless. 'I do have some feelings . . .'

'Then tell him to stop staring at her,' Swan burst out.

'Go over by the window,' Winter told LeCat. He pointed his pistol at Swan while he spoke to Julie. 'Tell him, Mrs Swan, not to try and warn Mackay about what is happening – for the sake of everyone . . .'

'Do exactly as he says, please, Charlie,' Julie Swan said. 'For my sake,' she added. She meant for her husband's sake.

Swan looked at the phone. 'Mackay will ask questions . . .'

'You're sick,' Winter repeated, 'so you'll want to get off the phone. You've got to convince Mackay in as few words as possible that Kinnaird is all right, that you've known him in the past, that he'll find his papers in order – because he will . . .'

'This man is a good wireless op.?' Swan asked unhappily. 'A ship's survival can depend on the wireless operator . . .'

'He's absolutely competent and he did once work for the Marconi pool. Mackay will be in a spot,' Winter repeated. 'He sails at midnight and he'll be ready to be convinced.' Part of the problem, Winter had realised beforehand, would be to convince Swan that he could get away with the deception. He repeated his earlier warning. 'In case you've thought of some clever little phrasing to help Mackay catch on, remember we'll have both yourself and your wife for one week after you make that call.'

'What ships has this Kinnaird been on? He's bound to ask me that . . .'

'Ellesmere-Luckman Line,' Winter said promptly. 'He spent three years on the tanker *Maltese Cross*, two years aboard the *White Cross* before that. That was a few years ago but make it sound recent. They're on the Persian Gulf to West Coast run.'

'I know.' Swan stared directly at Winter. 'What is Kinnaird going to do?'

'Charlie! For God's sake do as he asks,' Julie burst out.

'A reasonable question,' Winter replied. 'We have to get a man into the States, a man already known to the American police. The safest way is to put him on a ship as a crewman and let him walk off at the other end. Kinnaird is not his real name, of course . . .'

'It's going to be difficult . . .'

'Get on with it!' Winter checked his watch. 'Dial the Westward now. And make it work – for Julie's sake.'

It was less than five minutes since they had entered the house when Swan made the phone call: enough time for Winter to persuade Swan, not enough time for Swan to think too much. Winter wanted the call made while the wireless operator was still in a state of shock.

Swan handled the call to Mackay well. He even

talked through his nose to fake an impression of flu.
The call lasted less than three minutes. Swan put the
phone down and turned to Winter. 'He swallowed it –
hook, line and sinker . . .'

'Excuse me . . .' Winter carried the phone across the
room to a sideboard, stood with his back to Swan and
dialled a number. 'Forrest here. Make the call. Now!'
He broke the connection, dialled a fresh number.
Again the phone at the other end was answered
immediately. 'Forrest here. Get moving – it's all
right . . .'

The timing of these calls was crucial. The first call
had been to Walgren, waiting in a phone booth outside
the Westward Hotel. Already Walgren would be phoning Armand Bazin, who was waiting at the Nikisiki oil
terminal with the thermite bomb. Walgren would then
wait for five minutes before he put in a call to Captain
Mackay at the Westward. The second call had been to
Kinnaird, already outside Anchorage and well on his
way to Nikisiki. Winter put down the phone and saw
that Swan was standing up with LeCat close to him,
his pistol aimed at the wireless operator's heart. The
Frenchman was showing sense: with the gun aimed at
her husband there was no need to watch Julie Swan.

'Leave my wife here,' Swan pleaded with Winter.
'She won't say anything to anyone – not if I come with
you . . .'

'Not possible.' Winter shook his head. 'It would be

124

too much of a strain on her – wondering what was happening to you.'

'I'd sooner go with him.' Julie Swan was standing up now, a plucky woman Winter had come to admire during the short time he had been with her. 'Can I get a few things – for my face and . . .'

'Jesus Christ!' LeCat stormed.

'You'll never meet him,' Winter observed. 'Go with her and check what she takes – no nail files. Take Swan with you, too.' He waited until he was alone with Pierre Goussin, who had remained silent at the back of the room. He didn't like either Goussin or Bazin, the two men who would stay with the Swans, but both had lived in Quebec after the Algerian débâcle and had the advantage of speaking good English. He stared at the Frenchman, a grim-looking man of the same age as LeCat. 'Let me remind you, with LeCat you will take them to the barn in Swan's Rambler outside . . .'

'I've heard all this . . .'

'You're going to hear it again. You use the Rambler – it would look funny if it was found here by some nosey neighbour when Swan is supposed to have driven back to the airport. One week from today you leave them locked up inside the barn. You fly to Canada and phone the police here telling them where to find the Swans. If anything happens to them I'll come and find you myself . . .'

'What could happen to them . . .' Goussin couldn't

125

hold Winter's gaze and the Englishman was troubled by a flicker of doubt, then LeCat returned with the Swans and Winter was distracted by the next thing to do.

'One more phone call,' he told Julie Swan, 'and this time you make it. You're in a rush – Charlie has just told you Mackay has softened on his rule that no women must travel aboard his ship. So you're travelling aboard the *Challenger* on her next trip to San Francisco. That will explain your absence from the house. I'm referring to your neighbours, the Thompsons . . .'

'I was going to see Madge – Mrs Thompson – this evening . . .'

'So now you're phoning to say you won't be able to make it.' Winter looked at LeCat. 'Take Swan out to the car – we'll be with you.' He waited until they had gone. 'Mrs Swan,' he said quietly, 'you just have to get this right – for your husband's sake.'

'I'll get it right . . .'

He watched her dialling the number with a steady finger. She had nerve, this American girl. Why was it that so often women grasped a spine-chilling situation faster than men, realised that the only way to survive was to cooperate?

Julie Swan handled the call perfectly; she even managed to get a hint of excitement into her voice as she talked about the prospect of her trip aboard the tanker with her husband. So far as Winter could see,

Mrs Thompson suspected nothing. 'That was fine,' he assured her as she put down the phone. 'If you carry on like that everything will be all right.'

'Will it?' She looked at him over her shoulder as she put on her heavy coat. 'You're British, aren't you? Or shouldn't I ask?'

'You shouldn't ask.' He took her by the shoulders as she prepared to leave and saw her mouth tighten. 'It's going to be all right – just so long as your husband does nothing stupid. Another guard will arrive later today and replace the man you dislike. But remember, the men who stay with you will be armed.'

'My husband thinks too much of me to do anything stupid as you put it,' she snapped. Her voice wavered. 'It's no good – I'm scared . . .'

'One week from now you'll be free.'

'I'm praying for the eighth day.'

Captain James Mackay, wearing a parka he had hurriedly put on, carrying the overnight bag he had thrown his few things inside, left the Westward Hotel and went out into the night at 3.30pm. The street lamps were blurred with mist as he ran to where his car was parked by a meter.

Within less than five minutes of receiving the phone call from his wireless operator, Swan, warning him that he was ill, telling Mackay that he had found a replacement called Kinnaird, the phone had rung again. This was in response to the first urgent call Winter had made from the Swans' home.

Walgren's American-sounding voice had complained of a bad connection, saying he could hardly hear Mackay, and the caller had been in one hell of a hurry. A fire had broken out at the oil terminal, close to the *Challenger*. 'You'd better get down here fast,' the man on the phone had warned Mackay, then he had rung off before the captain could ask any questions.

Mackay did not realise it, but he was being subjected to shock treatment by Winter to keep him off balance – to get him moving out of Anchorage, to stop him thinking too much about the substitute wireless operator who was also on his way to the terminal.

Mackay reached his parked car, then swore. 'Bloody kids . . .' The power cable from the meter he had plugged into the immersion heater under his bonnet had been hauled out from the socket, lay useless amid the frozen slush. Useless, quite useless. The radiator and sump would be frozen, the battery dead. Swearing again, he climbed out, locking the vehicle as a car cruised towards him. Walgren pulled up and stuck his head out of the window. 'Trouble?'

'Someone hauled out the cable.'

'It happens,' Walgren commented sympathetically. 'All part of the good neighbour policy. Where to?'

'Airport . . .'

'We're already there – fasten your seat-belt, we're about to take off . . .'

Mackay settled himself in the back seat as Walgren took him at speed through the city and the darkness, well above the regulation fifty-five. He had only one thought on his mind – to get back to his ship, to find out how bad the situation was. He was due to sail at midnight and he had to meet the tanker's deadline for arrival at San Francisco.

The 'cab driver' tried to talk to the British sea captain, and then gave up when all he got was one-word replies. It suited Walgren: he had no particular desire to talk to the passenger Winter had arranged for him to pick up when he found the car Walgren had immobilised was dead. From the moment Swan made his phone call to Mackay, it was important for Winter to keep the captain under his control. And it had worked – Mackay was thinking about nothing except his ship – and leaving Alaska

The fire at the oil terminal was gushing out vast clouds of black smoke, the fire caused by the thermite bomb Armand Bazin had ignited close to the new refinery. He had put this act of sabotage into operation the moment Walgren's phone call came through to a nearby pay booth. The authorities were appalled but not surprised. For them it was simply another outrage in the pattern of bombings taking place all over Europe and America at this time.

During the last few hours before sailing, a ship's

captain is absorbed in making sure he will get away on time. He is likely to be even more absorbed if a fire is raging within a quarter of a mile of where his ship is moored – far too absorbed to take much interest in a replacement wireless operator.

'I'm Kinnaird . . .'

As Mackay hurried along the jetty towards the gangway a thin-faced man in his late thirties, alert, competent-looking, neatly dressed – Mackay noted this swift impression in the few steps it took him to reach the gangway – walked up to him. The deckhand at the foot of the gangway had identified Mackay to Kinnaird, who carried a suitcase and wore a parka and a Russian-style fur hat.

'Come aboard,' Mackay replied briskly. 'Report to Second Officer Walsh. I'll see you later . . .'

In his day cabin, Mackay listened while First Officer Sandy Bennett gave him a brief report on the present position. 'The tanks should be full within seven hours. I estimate we'll be away by midnight . . .'

'We may be away earlier if we can manage it. Better warn the harbour master. I may leave with a couple of tanks empty if that thing spreads . . .' Mackay was looking out of the portside window across a maze of pipes and jetties to where a red glow was breaking through the pall of dark smoke drifting upwards. It was misleading, he hoped, but he had the impression the whole terminal was going up in flames. 'How did it start?' Mackay asked.

'Too early to say yet, sir. We were lucky to get this replacement for Swan so quickly.' Bennett paused. 'How was it we were so lucky, sir?'

'Chap Swan knows. He's just come aboard, by the way. He's from the Marconi pool – happened to be on leave visiting his sister in Anchorage . . .' Mackay sounded impatient, anxious to move on to other topics.

First Officer Sandy Bennett was twenty-eight years old; a man of medium height and medium build, his sand-coloured hair was cut short and reappeared again in his thick eyebrows; under the brows were a pair of shrewd, watchful eyes which rarely took anything or anyone at face value. Mackay thought he overdid things a bit with his habit of questioning everything.

'You saw Swan, sir?' Bennett enquired. 'He introduced you to this Kinnaird?'

'No, he didn't.' Mackay let go of the curtain and turned away from the disquieting view. 'He phoned me from his home out near Palmer while I was at the Westward. Is something bothering you?'

'Not really, sir. It's just such a happy coincidence – Swan falls ill and there's a replacement at hand, here in Alaska of all places. I'll check his papers before we sail . . .'

'Walsh is already doing that. Repeat the process, if you must. And now, Mr Bennett, maybe we can get on with the business of running a ship . . .'

*

It was still Thursday January 16 when Captain Mackay went aboard his ship in Alaska. On the previous day everything had gone smoothly at Heathrow Airport, London. Flights had arrived and taken off exactly as scheduled in the airline timetables. But this was a fluke; in the days of the Second Energy Crisis timetables were printed merely for propaganda purposes, bearing little or no relationship to what actually happened. For Sullivan things returned to normal.

There are no flights from London to Anchorage on Tuesdays and Thursdays, so on Thursday January 16 Sullivan had to head for Alaska by a different route. At 9.30am, London time, he left Heathrow aboard Flight BE 742 bound for Copenhagen. From the Danish capital Scandinavian Airlines Flight SK 989 was due to leave at 3.30pm. It would land at Anchorage at 1.15pm, Alaskan time.

This would mean Sullivan reaching Anchorage almost two hours before Swan was due to be kidnapped. He would undoubtedly have gone straight to see Mackay at the Westward; he would have been there when the phone call from Swan came through. Being Sullivan, his suspicions would certainly have been aroused. Unfortunately it was a normal day.

Due to shortage of aviation fuel, Flight SK 989 took off ten-and-a-half hours behind schedule. When Kinnaird arrived at the foot of the gangway leading on to the *Challenger*, Sullivan was still in mid-air, thirty

thousand feet up, over seven hours flying time away
from Anchorage.

'More trouble. This is not our day, Bennett . . .'

Mackay handed the message he had received from
the radio cabin to his first officer and stood at the front
of the wide bridge with his hands clasped behind his
back, staring at the persistent red glow of the fire
growing in the dark. Bennett read the signal which
had just come in from London office.

*Please extend all courtesies to Betty Cordell American
journalist joining Challenger for voyage to Oleum comm-
encing January 16. Cordell arriving Anchorage airport 1810
hours aboard North West Airlines flight from Seattle. Will
make own way to ship. Harper.*

'It's a woman,' Mackay said from the front of the
bridge.

'I would assume so, sir,' Bennett replied, 'unless the
Americans have gone in for some strange christening
rites.'

'Are you trying to be funny?'

'Merely making an observation, sir,' Bennett replied
respectfully. 'I'd better warn Wrigley to prepare a
cabin . . .'

'No frills,' Mackay snapped. 'She'll have to live like
the rest of us and like it. Aren't there enough men
journalists in the world to go round? If she wants

133

breakfast in bed, she can't have it. You'd better go and tell Wrigley . . .'

Bennett left the bridge before the captain thought of some other way of expressing his feelings. It is not so unusual for a woman to travel aboard an oil tanker; many companies permit officers to have their wives on board occasionally, but Mackay, a widower, would not allow the practice. 'If a man has spent the night in bed with his wife enjoying the normal marital opportunities he is not fit for duty in a hurricane,' he was fond of saying. And he had not overlooked the phrasing of the signal which left nothing to his discretion. Harper had ordered him to take the damned woman aboard. Brian Walsh, the Second Officer, made the mistake of coming on to the bridge as soon as Bennett had gone in search of the steward.

'We've got a woman with us on this trip,' Mackay snapped at his second officer.

'Really, sir?'

Perhaps Walsh, a professional bachelor, allowed a little too much enthusiasm to enter his reaction to this damning statement. Mackay swung round slowly and eyed Walsh with a distinct lack of enthusiasm.

'An American journalist. She will probably be bandy-legged, pigeon-chested and wear horn-rim glasses like twin gun barrels.'

'Yes, sir.' Walsh, twenty-six years old and boyishly good-looking, blinked at his captain's picture of the average woman journalist. 'Any special precautions, sir?'

'Precautions?' Mackay's voice went up an octave. 'What the devil do you mean?'

'Certain areas out of bounds?' Walsh's memory was going back to what his father had told him about life aboard a troopship which also carried WREN officers. 'Where will she eat, sir?'

'In the saloon with the rest of us. She might, of course, miss the sailing,' Mackay went on with a hint of hope. He had already issued orders that the *Challenger* would sail at 2200 hours – two hours before her normal departure. 'London office has asked us to extend all courtesies,' Mackay added grimly. 'She's probably writing some damnfool article on life at sea.'

'Ought I to warn the deckhands about her? Their language . . .'

'No! I'm not having my crew turned into a bunch of nancy boys just because a woman has come aboard. She'll have to take the ship as it is, warts and all. Mackay checked the bridge clock. 'That is if she gets here at all . . .'

'I think she's just arriving,' Walsh observed, staring out of the port-side window. 'And, respectfully, sir, I don't think she has bandy legs . . .'

To keep under the low cloud ceiling Winter flew the Cessna light aircraft at only a few hundred feet above the Cook Inlet. It was dark, the time on the control panel clock registered 10.30pm, and navigation was not easy under these conditions. In the seat beside Winter, LeCat was leaning sideways, staring downwards. 'That will be the fire,' he said into his headset microphone.

It was a heavily overcast night, but there was more illumination below the machine than might be imagined, flying as they were over the area where Alaska ended and the Pacific began its long surge towards Japan and Siberia. Gas burn-offs from the oil rigs glowed like fireballs in the night, like great torches held aloft by giants, and ahead an even fiercer glow lit the darkness. The refinery fire which Bazin's thermite bomb had started earlier in the day was spreading in the terminal where firemen from Anchorage were fighting to get it under control.

'There's the *Challenger* . . .'

Even below them in the night it looked enormous; 51,332 dead-weight tons of ship, seven hundred and forty-three feet long, one hundred and two feet wide, a floating platform of steel with the island bridge close to the stern, the bridge which had been represented by Cosgrove Manor, over four thousand five hundred miles away.

Winter lost a little altitude and pointed the plane's nose so it would pass directly over the navigation lights moving down the main channel. Besides her navigation lights the tanker had her deck lights on and a cluster of lamps attached to the foremast spotlit the forepart of the ship – and it was the forepart Winter was interested in.

136

'On the left side – near the front?' LeCat queried.

'On the port side, yes,' Winter replied as he angled the plane downwards. 'You can just see the landing point – that white-painted circle with the dot in the middle . . .'

'It's a damned small target,' LeCat complained.

'Big enough, and next time it will be daylight.' Winter leaned forward, putting the Cessna into a shallow dive. The lozenge-shaped platform of steel hardly seemed to move as he went down towards the tanker like a pilot on a bombing run-in. 'That's the catwalk down her middle,' Winter observed. 'That's important – so don't forget it. That takes us straight from the landing point to the bridge . . .'

LeCat said nothing, leaning well forward, his eyes taking in every detail, photographing it on his mind. Someone on deck near the foremast was looking up as the plane came in, shielding his eyes against the glare of the lights. There's the foremast with the crow's nest platform,' Winter pointed out.

'I see . . .'

LeCat was totally concentrated on his observation of the 50,000-ton tanker, like a soldier on reconnaissance assessing a fortress he would later have to storm. Winter lifted the nose of the machine so he was well clear of the radar mast, then he waggled his wings as the vessel vanished under them. Above the roar of the engine a faint sound came, the sound of the ship's siren. Mackay, a curious character, so remote in some ways, always acknowledged a salute, however bizarre.

'Now we know what it will look like from the air,' Winter said. 'That was the dress rehearsal – next time it will be the real thing . . .'

Turning the plane in a wide arc over Cook Inlet, he headed back at speed for Anchorage. After they landed, he phoned the reopened United Arab Republic consulate in San Francisco from an airport booth, asking for Mr Talaal Ismail who was waiting for the call. Winter's message was simple: Case Orange has been delivered.

They left Alaska aboard a North West Airlines flight at 11.30pm which would land them at Seattle in the United States. Walgren, sitting apart from them, travelled in the same plane; from Seattle he would proceed direct to San Francisco. At 11.45pm the much-delayed Scandinavian Airlines Flight SK 989 from Copenhagen arrived at Anchorage. Sullivan was the first passenger to alight from the aircraft.

Chapter Nine

The 50,000-ton *Challenger* was rolling gently as she proceeded through the night at seventeen knots. She was now clear of Cook Inlet, heading out into the Pacific Ocean on her way to distant San Francisco. It was six in the morning and most of the crew were asleep, except for those on duty in the engine-room, the officer of the watch and the helmsman.

Seen from the sixty-foot-high island bridge at her stern, this huge vessel was all deck, a vast platform of steel extending seven hundred and forty-three feet from stem to stern with a breadth of over one hundred feet. From the island bridge, five decks high, her endless main deck below was a maze of piping and valves with a breakwater in front of the main distribution area close to the base of the bridge – the area where pipes would be attached to suck out her desperately-needed cargo of oil when she reached the terminal near San Francisco.

A raised catwalk ran down the centre of her main deck to the distant forepeak, a catwalk men could move along when the main deck was submerged under heavy seas, a not infrequent hazard at this time of the year. Two large loading derricks reared up to port and starboard on either side of the catwalk near the bridge; five hundred feet beyond them the foremast loomed up with its crow's nest circular platform close to its summit. And these three vertical structures were the only mast-forms raised above the main deck beyond the bridge.

The *Challenger*, like so many other ships of her kind, was designed as a floating storage tank of oil, a tank divided into eighteen smaller tanks – one row of centre tanks and two more rows of wing tanks to port and starboard. This sub-division of the cargo carrying space was vital because it provided stability and safety in turbulent seas: carried in one single, vast compartment fifty thousand tons of oil could endanger the life of the ship had it been able to sway and slosh about as one huge liquid unit. The weight alone would have become an unmanageable menace. On the morning of Friday January 17 the meteorological report forecast a quiet and uneventful voyage for the *Challenger*.

Betty Cordell stirred in her bunk, switched on the light and saw that it was almost six in the morning. She hadn't been able to sleep for the past hour. First night on board, she assumed. Sitting up in her bunk, she yawned and stretched and then got up sleepily. It might be interesting to see what the ship was like at this hour. Might even make an interesting story angle: *While The Ship Slept.*

Twenty-seven years old, slim and fair-haired, her hair cut short and close to the neck, there was a severity and detachment about her expression as she gazed critically at the reflection in the mirror over the basin. She knew people found her disconcerting when they first met her, that they described her as attractive but cold, and the description pleased her: it made people less inclined to draw her into a crowd. Like Winter, like Sullivan, even like LeCat, Betty Cordell was a lone wolf who preferred to go her own way.

She dressed quickly and without fuss: slacks, sweater and furlined parka. As an afterthought she decided to clean her teeth, then she collected her camera and opened the cabin door quietly. The ship creaked, rolled a little, tilting the deserted alleyway. She closed the door and went silently along the alleyway.

There was a light under the door marked 'Radio Cabin', which struck her as odd at this early hour. She paused, listening to the irregular tapping of a Morse key beyond the closed door, a familiar sound when her father had been a ham radio operator at their home in the Californian desert. She walked on, past the next cabin door, which also had a light underneath it, climbing a companionway, holding on to the rail. Bennett met her at the top.

'Didn't expect to see you up at this hour, Miss Cordell . . .'

'Betty, please . . .' She liked Bennett: he had a quiet

141

sureness of manner she found appealing. 'I thought it might be interesting to get the atmosphere of the ship when everyone was asleep,' she explained. 'This series of magazine articles I'm doing on the energy crisis – I want to get an unusual angle on it.' She smiled. 'In any case, I'm not the only one up – the radio operator is working.'

'Working?' Bennett frowned. 'You must be mistaken . . .'

'I'm not!' Her natural combativeness surfaced. 'There's a light under his door.'

'Maybe he can't sleep. He's new to the ship.'

'He's working,' Betty insisted. 'I heard the Morse key tapping.'

'There's no message to send at this hour . . .'

'He's sending one. Is something wrong?'

Bennett was frowning again, as though he couldn't understand why she was going on about it. 'Are you on your way up to the bridge?'

'If I may . . .'

'It's all right – tell them I said you could come up. I'll be there myself in a few minutes. You'll find Walsh up there – he has this watch.'

'Then what are you doing up at this hour, Mr Bennett?'

'Couldn't sleep.' He grinned, then went quietly down the companionway and along the alleyway. And she was right, he thought. There was a light not only under Kinnaird's cabin door but also under the radio cabin door. He stopped at the second door, listening, hearing nothing but the creak of the woodwork and the faint hum of the engines. He opened the door.

The lean-faced wireless operator jumped, swivelled round in his chair and stared blankly at the first officer. An open handbook lay in front of the transmitter, a notepad with a pencil by its side. 'You should be catching up on sleep, Kinnaird,' Bennett said.

'I didn't know it was your watch,' the wireless operator observed.

'I didn't know you were up,' Bennett countered. 'The bell rings in your cabin if our call-sign comes through.'

'I know. I was memorising what has to be done. The sooner I know all Swan does the better for all of us.'

'You're an old friend of Swan's?' Bennett leaned against the bulkhead, watching the new man. He offered him a cigarette, but Kinnaird shook his head and said he didn't smoke. He waited while the wireless operator yawned before replying.

'I've known him for years. I hope the flu gets better soon. It can lead to complications . . .'

'Kinnaird, what was the message you sent?'

Bennett shot the question quickly and unexpectedly, following his previous domestic enquiry, and he studied the reaction closely. Kinnaird looked bewildered. 'I haven't sent any message . . .'

'The message Miss Cordell heard you sending,' Bennett explained patiently. 'She can't sleep either and

143

she heard the key when she passed this cabin door a few minutes ago.'

'She must have heard this.' Kinnaird picked up the pencil and beat an irregular tattoo on the table. 'I do it when I'm concentrating. Some people have music on – I tap a pencil.'

'Doesn't sound much like a Morse key tapping.'

'How would she know the difference?' Kinnaird shut the handbook. 'I think I will go back to bed. The met. report looks good.'

'It always looks good just before hell breaks loose.'

Because Victoria, Canada, is two hours ahead of Anchorage time, it was eight in the morning when André Dupont came on to the bridge of the *Pêcheur* with a piece of paper in his hand. 'The first position signal has just come through from *Challenger*,' he told the French captain of the trawler.

The captain marked the position and the time carefully on the chart he had already. From now on they would receive a flow of signals as the *Challenger* moved hourly closer to an approximate position two hundred miles off the coast of British Columbia. By the time she reached that position the *Pêcheur* would also be there. This would be the interception point.

*

The North West Airlines flight carrying Winter and LeCat to Seattle landed at that American city close to the Canadian border at 4.25am, local time. Both men were tired now – they had missed a night's sleep – so they took a cab to the Greyhound bus terminal in Seattle. Waiting fifteen minutes inside the bus station – they had now effectively broken any link between themselves and their airport arrival – they took another cab to the most expensive hotel in Seattle, the Washington Plaza.

Booking their rooms independently, as though they didn't know each other, they slept through most of the day. After a quick meal in an outside coffee shop, they took a cab back to the bus station, waited there another fifteen minutes, then travelled in a different cab to the railroad station. Boarding the 5.20pm train to Canada, they arrived at Vancouver at ten o'clock at night. Dupont was waiting for them with a powerboat to take them to Victoria.

By the time they boarded the *Pêcheur*, Winter was in a hurry. It was close to midnight; soon it would be Saturday January 18 and zero hour was Sunday morning. 'I want this ship at sea by midnight,' he told LeCat. 'Tell your French crew to get off their backsides . . .'

'That may not be possible . . .'

'Make it possible.'

LeCat returned to Winter's tiny cabin after carrying

the Englishman's order to the bridge. 'The captain says he may manage it – for you,' he added sourly. 'He has informed the port authority . . .'

'The weapons are aboard?'

'In the explosives magazine.'

Winter went up on deck to check for himself. The marine biological research the vessel was supposed to be engaged in was good cover for this purpose also – concealment of the weapons. Certain forms of research involve the use of explosives, and LeCat had organised the construction of a magazine on deck. A steel compartment was bolted to the deck; painted warning red, it carried the words 'Explosives Magazine' stencilled across two sides.

'Open it up,' Winter told LeCat.

'You want to check everything?'

'Everything. Open it up . . .'

A bank of fog had drifted in during the evening. On deck seamen were moving about in the gloom, preparing for the ship's midnight departure; at the foot of the gangway a fog-blurred silhouette stood on guard. Winter shone a torch inside the magazine LeCat had unlocked. The contents looked innocent and standard, considering their resting-place – until LeCat lifted up several sticks of explosive to expose the Skorpion pistols underneath.

'You remembered the stencils and spray-guns?' Winter asked.

'Under the pistols,' LeCat snapped irritably. 'Customs men don't like fooling around inside here . . .' Which was just as well, otherwise they might have wondered what was going on when they found stencils bearing the legend 'USCG' – United States Coastguard.

'What about the wet-suits?' Winter asked.

LeCat had to show him everything, including the escape apparatus for when the time came for them to leave the hi-jacked *Challenger*. On their way to the carpenter's store under the high fo'c'sle, Winter climbed up into the S.58 Sikorsky now delivered by Walgren's pilot friend and sitting on the platform constructed over one of the fish-holds.

He kept LeCat waiting while he checked the fuel and oil gauges. As soon as dawn came on Saturday morning – when the *Pêcheur* would be well out in the Pacific – he would take off in the helicopter for a trial flight. LeCat would fly with him; also the thirteen-man terrorist team which had flown from London to Montreal half an hour before Winter himself had departed for Anchorage three days ago. These men were now aboard the trawler they had filtered on to in parties of two and three when they reached Victoria. Once again Winter had decided on a rehearsal for the next stage of the operation – the seizure of the *Challenger*.

Jumping back on to the main deck, he looked at the machine. It was painted pale grey, the standard colour of United States Coast Guard helicopters. During the night André Dupont would use the hidden stencils and spray-gun, painting on the necessary insignia; by

147

morning the *Pêcheur* would carry on her platform a perfect reproduction of an American Coast Guard helicopter. Winter led LeCat through the fog to the carpenter's store on the fo'c'sle.

LeCat was sweating as he raised the hatch cover, cursing the Englishman for his insistence on seeing everything for himself, sweating because inside the carpenter's store was hidden the one thing Winter must not find.

The Frenchman went down the ladder first into the cramped compartment where wood shavings littered the floor; the atmosphere was tinged with their odour. 'There,' LeCat said. 'Satisfied?' Winter looked round carefully. An inflatable Zodiac, a large rubber craft to which an outboard motor could be attached, was roped to a bulkhead; the motor inside its casing stood in a corner. Inside several large suitcases – each of which LeCat had to open for Winter – fifteen wet-suits were packed with masks and air bottles. Against another bulkhead a large, box-like seat, made of new wood, was bolted to the deck. 'That wasn't there before,' Winter said. 'What is it?'

'The captain decided the carpenter needed a seat – to keep him off the deck,' LeCat replied.

He held his breath, waiting for the Englishman's reaction. 'Good idea.' Winter went back up the ladder, followed by the Frenchman, who was sweating now with relief. As he closed the hatch LeCat glanced down at the carpenter's seat, a seat large enough to conceal a suitcase-like object made of steel, a case measuring sixty centimetres in length by thirty centimetres in width, an object weighing almost two hundred pounds, its canvas cover plastered with hotel labels from all over the world. Jean-Philippe Antoine's nuclear device.

A fresh signal from Kinnaird confirming the *Challenger*'s latest position came in soon after Winter had arrived aboard the *Pêcheur*. It was added to the chart showing the British tanker's southern progress from Alaska by André Dupont. Winter was studying the chart when the *Pêcheur* put to sea a few minutes after midnight, moving slowly through the fog, its siren sounding one long blast at the regulation two-minute intervals as it headed out past the southern tip of Vancouver Island. The Englishman pointed to a cross he had marked on the chart. 'My guess is we shall intercept *Challenger* somewhere about here – roughly about thirty-six hours from now. It will mean hanging about in mid-ocean, but that gives us a margin for error ...'

Past midnight, it was already Saturday morning, January 18. The cross Winter had marked on the chart stood at latitude 47 10 N, longitude 132 10 W – approximately two hundred and fifty miles west of Vancouver Island.

Chapter Ten

'There is a limit. When a handful of men – primitive men with the minds and morals of bandits – lay their hands on the keys to a whole civilisation's survival, then we have reached that limit. Then is the time to act . . .'

Extract from minutes of British Cabinet meeting when Prime Minister spoke to Inner Cabinet on December 1.

US War Department report to National Security Council in Washington, January 17.

'Satellite surveillance of the Indian Ocean area shows two British supertankers, *York* and *Chester*, leaving the Mozambique Channel, heading north-east towards the Persian Gulf. Photoanalysis reveals canvas-covered cargoes on the decks of these 200,000-ton ships which could be arms (no confirmation of this). Believed Britain may be bartering arms for oil at Abu Dhabi.

Commnent: No recently concluded British oil deals with Abu Dhabi have been reported.'

It was fifteen minutes away from Friday January 17 when Larry Sullivan's Boeing 707 landed at Anchorage International Airport ten and a half hours behind schedule. He phoned the Nikisiki oil terminal from the airport and heard that the *Challenger* was now at sea

Sharing a cab with three American oil men, Sullivan was taken to the leading hotel in Anchorage, the Westward, where he booked a room and went to bed. He gave up the attempts to sleep at three in the morning, got up, shaved and dressed. He was suffering from an overdose of jet lag, the disorientation of mind and body which comes from flying long hours across the roof of the world. Physically exhausted, he was mentally alert, excited as his internal clocks struggled to adjust themselves to the time lag.

At three in the morning in southern Alaska it was noon in London – the States was on daylight saving time. He put through a call to Victor Harper and sat on the bed smoking while he waited. Seen from London, he had felt there was good reason to come to Alaska – Winter had been placed in Hahnemann's office in Hamburg where he had studied blueprints of the *Challenger*'s twin ship *Chieftain*; in MacGillivray's office he had been placed making specific enquiries about the *Challenger* herself. But that was seen from London

Seen from Alaska at three in the morning, enduring the weird after-effects of jet lag, the reasons for making the trip seemed less weighty. For one thing the tanker had sailed safely; in about four days' time she would dock in San Francisco. The phone by his bedside rang.

'Larry, Mr Harper is out of the country,' Vivian Herries, Harper's personal assistant, explained. 'He's still in Genoa, so he can't be reached . . .'

'Damn!' Sullivan said. 'Sorry, not you – I'm reeling from jet lag. Vivian, I just missed the *Challenger* by hours – she's on her way to San Francisco. As far as you know, is everything normal? Nothing out of pattern?'

'As normal as anything is in the shipping business these days – with the energy crisis. Just a minute, there was one thing out of pattern – she has a woman aboard on this trip.' She chuckled. 'Can you imagine that, knowing old Mackay thinks his ship should be run like a St James's club – strictly for men only. But he's got a real live woman prancing about on board this trip.'

'Who is she? Officer's wife?'

'She must be. Mr Harper just mentioned it in passing on his way out. I think it could be the chief engineer's wife – she's been longing to do the trip for months . . .'

Sullivan rubbed at his forehead; for a moment he had felt dizzy. 'Vivian, can you think of anyone here in Anchorage I can talk to about the *Challenger* – apart from the oil terminal people, that is . . .'

'Mrs Swan, the wireless operator's wife,' Vivian suggested promptly. 'She was in the office here about three months ago and she told me she lived outside Anchorage. Would you like the address?'

Sullivan noted down the address, said he might phone Harper tomorrow, said yes, he'd try and get some sleep, and put down the phone. Five hours later, having just eaten his second breakfast, he found Swan's number in the directory, phoned the number and couldn't get an answer. He decided to drive out to the Swan home.

The house had a shut-up look. There was snow on the mountains beyond the Matanuska valley, snow on a copse of fir trees on the far side of the highway. Sullivan rang the bell again and then strolled round the back. A very shut-up look indeed. He peered into a window in the barn and saw a power cable plugged into a red Ford. Anti-freeze measure. It was a wasted trip – he could have been sleeping at the Westward. Sullivan felt he could sleep now.

He walked round the front of the house back to his hired car as a blue Chevrolet came down a distant drive and turned on to the highway. He stood there as the car slowed, then turned into the Swans' drive. A red-haired woman of about thirty who wore a skull-fitting fur cap rolled down the window as she stopped. 'Are you looking for someone?'

153

'For Mrs Swan. Place seems to be shut up.'

'They've gone away – on Charlie's ship. Are you a friend?'

'My company insures the *Challenger*.' Sullivan grinned. 'I'm the best friend they've got. I thought the captain didn't like women aboard too much?' It was something to say. The whole thing was explained now, including Vivian Herries' reference to a woman aboard the *Challenger*. Mrs Swan had struck lucky; she was travelling with her husband on the trip.

'I'm Madge Thompson.' The red-haired woman extended her hand through the window. Sullivan gave her his name. 'Julie – that's Mrs Swan,' Madge Thompson explained, 'was in quite a rush. She phoned me about a quarter after three just before they left. The captain must have mellowed. I gather the whole thing was a last-minute arrangement. She sounded tense . . .'

'Tense?'

'Excited. She's wanted to do the trip for ages . . .'

They chatted for several minutes and then Mrs Thompson left for Anchorage. Sullivan had trouble starting his car – the engine was already starting to freeze up – and drove back to the city. He had come all the way to Alaska for nothing; no one was trying to sabotage the tanker. And he needed some sleep.

'What time did this fire at the oil terminal start?'

Sullivan asked the question as he sat at the bar of

the Westward Hotel in Anchorage. It was 1pm, Friday January 17. Almost asleep behind the wheel during his drive back from the Swan home, he had freshened up the moment he had stepped into the hotel lobby; still another reaction from jet lag. Now he felt strangely alert, hepped up as though he had taken drugs. It was the barman who had mentioned the fire at Nikisiki.

'About a quarter after three in the afternoon,' the barman said as he served Sullivan his second Scotch on the rocks. 'They think it was sabotage,' he went on with relish. 'I guess the A-rabs are behind it – like in Venezuela. They want us to freeze to death. And we could do it here . . .' He glanced behind the bar. 'Thermostat turned down to sixty-two – in this climate, in this state which is swimming in oil . . .'

'Not yet,' Sullivan reminded him, 'not until North Slope comes on tap . . .'

'You British?' the barman enquired. 'Lots of people think the British are Australian, but I can always tell.'

'I'm British . . .'

'You got a car?'

'I managed to hire one – cost me a fortune . . .'

'You remember to plug in the power cable? Guy was here yesterday who forgot to plug in the cable – though he reckoned someone pulled out his cable. He was British – a sea captain.'

'Not Captain Mackay?'

'You know him? That was his name.' The barman

155

chattered on. 'Took a call here at the bar and gave his name. He left in a rush – ran back to his room, then I saw him leave with his bag, still running. About a quarter after three it was . . .'

'You say someone yanked the power cable out of his car?'

'So they say. Well-built guy, your Captain Mackay – with a red face and those blue eyes sailors is supposed to have and seldom do. I got a memory for faces. A guy comes into this bar once five years back, comes in again tomorrow and I'm going to remember him. If he only looks in this bar and I see him, I remember him . . .'

'That was Mackay,' Sullivan said absent-mindedly. Everything seemed to have happened at three fifteen the previous day. The Swans had left home hurriedly at 3.15pm. Mackay had rushed out of the hotel about 3.15pm. The fire at the Nikisiki oil terminal had started at about 3.15pm. And the fire was sabotage.

He blinked, suddenly so tired he could have fallen over. He left the bar and went up to his room, trying to recall an idea which had passed through his head while the barman was chattering away. Something to do with remembering faces . . . Closing the door, he locked it, flopped on the bed and fell asleep.

When it was one o'clock in the afternoon, Anchorage time, as Sullivan listened to the barman at the Westward, it was midnight, Damascus time, as Sheikh Gamal Tafak savoured the cup of black coffee he was drinking.

It probably wasn't quite true to say that Tafak was savouring the taste of the black coffee, because it is difficult to relish two things at the same time. As he sat in his room in the Saudi Arabian embassy in the Syrian capital, Tafak was savouring the message he had received a few hours earlier. *Case Orange has been delivered.* Winter, he was thinking, was an ingenious man; anyone transmitting the message would assume that it was a mistake, that it meant cases of oranges had been delivered. To Tafak it meant that all was going well, that the British tanker *Challenger* had now left Alaska – with Winter's own wireless operator aboard.

He checked his watch. Soon the Mercedes would arrive, the car taking him to a secret headquarters where he would remain until the operation had been completed. He would stay there until the Frenchman, LeCat, had done the job, until all the British hostages aboard the ship had been killed, until San Francisco had been ruined by the catastrophic explosion. Then he would hurry back to Damascus for the next meeting of OAPEC, the Arab oil-producing countries' organisation. At that meeting he would persuade or compel all of them to cut off the oil flow to the West. If any country refused, the Arab terrorist dynamite teams would move in, destroying that country's oil-fields.

Someone tapped nervously on the door. 'Come in,' Tafak called out.

'Your car has arrived, Excellency . . .'

It was 5.30pm on Friday evening when Sullivan walked back into the bar at the Westward. He ordered a Scotch on the rocks. 'Yes, sir!' The barman looked at Sullivan. 'You've changed your suit. Like I said, I notice things . . .'

'You said you remembered people,' Sullivan reminded him

'Never forget a face . . .'

'Test the memory.' Sullivan laid the photo of Winter on the counter, the profile shot where he had painted out the moustache Winter had worn while visiting Paul Hahnemann. He picked up his drink and sipped it while the barman made a performance out of studying the print.

'He's never been in my bar. I'll stake my job on it. Not while I was on duty . . .'

'I'll take your word for that . . .'

'Disappointed?' The barman grinned at Sullivan who shrugged his shoulders. It had been a very long shot indeed. 'Not in my bar,' the American emphasised. 'But two nights ago he was standing in that entrance over there. He looked in, changed his mind and disappeared. Mackay was in here at the time, having a beer. Be about nine in the evening.'

Sullivan nearly choked on his drink. 'You're sure? Yes, of course you are,' he added hastily. 'Was he staying here?'

'No idea. He never came back. Wednesday night it was. You could enquire at reception . . .'

Sullivan drank the rest of his large, neat Scotch in one gulp and didn't feel a thing. Winter was in Alaska.

Sleep was the last thing Sullivan thought of during the next few hours as he stirred up half Anchorage, asking questions, showing the photograph, checking, checking, checking . . . The night clerk at the Westward recognised the picture, confirmed that Winter had stayed there one night, the same night Mackay had stayed at the hotel, that he had registered in the name of Robert Forrest, that meals had been sent up to his room – the duplicate copy of the bill was full of information. Winter had booked out the following day, Thursday January 16, the same day the *Challenger* had sailed from Nikisiki at ten in the evening.

Chief of Police Jo Mulligan of Anchorage took Sullivan's information very seriously when he saw the Lloyd's of London identification. Within one hour – close to midnight – an all points bulletin was circulating throughout the whole of Alaska with Robert Forrest's name and description and reproductions of the photograph Sullivan had supplied. And Sullivan himself was driven in a patrol car to the oil terminal at Nikisiki. He arrived there at two in the morning, hardly able to keep his eyes open.

It was something that Winter, believing there was no photo of himself on record, could never have foreseen – that a photograph taken secretly in a German shipbuilder's office in faraway Hamburg would be transported by a persistent British investigator to Alaska, that it would be identified by a barman whose conceit and hobby was his ability to remember people he saw for only a few seconds.

And Chief of Police Mulligan acted with vigour because he immediately linked Winter's record and presence in Alaska with the firebomb attack on the oil terminal. Who knew – Mulligan might be the first policeman in the world to get a lead on the international terrorist gang or gangs which were blowing up pipelines and oil refineries all the way from California to central Europe? He went to the International airport himself.

Sullivan found nothing at the oil terminal. No one had seen Winter in that sensitive area. The departure of the *Challenger* had been perfectly normal. 'Sure,' the terminal superintendent informed Sullivan, 'the ship left two hours ahead of schedule with two tanks unfilled. But Mackay registered his early departure in advance – he was worried about the fire spreading to the jetties. And no one gets aboard that ship without Mackay knowing about it – he's one hell of a careful guy. There's a seaman at the foot of the gangway until they haul it aboard.'

Dropping from lack of sleep, Sullivan was driven back in the patrol car to the Westward where he flopped into bed at six in the morning and slept through the day. He was consuming a large steak, washed down with a gallon of strong coffee, when the call came through from police headquarters at seven in the evening. Mulligan had found something.

'Thursday, close to midnight, Robert Forrest took the night flight for Seattle. He moved out just as you were moving in, Sullivan. The airport girl who recognised his picture came back on duty an hour ago; hence the delay. Want some more coffee?'

Jo Mulligan was a round-bodied man of fifty, hard-looking and with his still-dark hair cut short to the scalp. A smile rarely crossed his face and he talked quickly. Sullivan liked his businesslike approach to life.

'So, we've lost him,' he said as the chief of police poured more coffee. 'It's curious, you know – he spends twenty-four hours here and he's away.'

'Long enough to detonate that bomb inside the terminal. He could have organised that North Slope pipeline bust we had a couple of months back. My guess is he comes in at the critical moment, sees that the bombs detonate, then moves out. And my further guess is he's on his way now to another prime piece of oil property.' Mulligan leaned back in his swivel chair. 'Maybe Texas. There are some nice targets for him in Texas. We're extending the all points bulletin to cover the whole of the States – the FBI are in on this thing now.'

'So you don't think that tanker – the *Challenger* – is involved?'

'No!' Mulligan was emphatic. 'They're not hitting tankers. Yet. These bastards are going for gut – the refineries processing the oil we so desperately need, the pipelines which carry the juice through our industrial veins. Those A-rabs are out to bring western civilisation toppling – so long as Israel exists. The extremists have got the whole Middle East oil bowl in the palm of their hands.' Mulligan sighed. 'We should have seen it coming after 1973. We should have seen it coming . . .'

'Nothing for me here any more.' Sullivan pushed his empty coffee cup away. 'I'm catching a plane tomorrow.'

'You going back home. To London?'

'No. To Seattle . . .'

The machine landed with a heavy bump, roared forward, its engines filling the interior with vibration. It seemed to be going too fast, to be heading for disaster, and the view beyond the window was a blur. Sullivan pushed a magazine into the pocket of the seat in front of him and relaxed as the Boeing 707 slowed. For the first time in his life he was in Seattle.

It was just after two o'clock in the afternoon of Sunday January 19 when he alighted from the plane. FBI agents Peters and Carmady were waiting for the flight and took him into a private room. They listened to his story without too much enthusiasm when he talked about the *Challenger*, it seemed to the Englishman; perhaps it was because they were so polite.

'You can forget the tanker,' Peters advised. 'This man is sabotaging refineries. After he came off the plane last Friday he spent several hours at the Washington Plaza Hotel here. A reception clerk who booked him in recognised your photograph. And we found a cab driver who dropped him at the bus terminal later. Then he vanished.'

'My bet is we'll never find him again,' Sullivan replied. 'In Europe nobody knows a thing about him – that photo I got from the German shipbuilder is the only one in existence, I gather . . .'

'We'll go on trying,' Peters said reassuringly. 'Interpol have nothing on him – and our Washington records don't have him. But one day, somewhere, he has to surface . . .'

When they had gone Sullivan sat in the airport coffee shop drinking more coffee. The trail had gone dead, and now he was inclined to agree with Mulligan and the FBI agent that the tanker was not involved.

When he had finished his coffee he would put in a phone call to Harper, telling him he was catching the Pan Am evening flight back to London.

Staring through the window he was looking north-west where the sun was filtering through a heavy overcast. Somewhere in that direction, about five hundred miles away, the *Challenger* was proceeding southwards on another uneventful voyage.

Chapter Eleven

Lat. 47.50 N Lon. 132.45 W 1300 hours.

The US Coast Guard helicopter was coming in at no more than a hundred feet above the grey waves. On the starboard wing deck of *Challenger* Captain Mackay focused his glasses and the machine crisped into his vision, filling the lenses, showing the insignia on its pale grey fuselage. *No 5421. USCG.* First Officer Bennett ran out from the navigating bridge on to the wing deck.

'Emergency, sir. That chopper is in trouble. Message just came in from her – permission to land before she crashes . . .'

Inside Mackay's glasses the machine blurred as it passed through a patch of mist, then its silhouette was crisp again. It was impossible to see inside the control cabin. A puff of black smoke was rising from the silhouette now and Mackay thought the engine was coughing.

'Clear the main deck, Mr Bennett . . .' Mackay's expression tightened as the puff expanded into a billow of ominous smoke. 'Turn the ship into the wind. Reduce speed to fourteen knots.' Mackay walked quickly back on to the navigating bridge where Betty Cordell was keeping out of the way, staying close to the front of the bridge. Mackay stood beside her and she was careful to say nothing. The chopper was closer and smoke was pouring off her, plucked away by the wind.

'Fire precautions, Mr Bennett . . .'

Mackay looked grim: fire was something you could do without aboard a tanker carrying fifty thousand tons of oil. And he faced an impossible choice – either to let her land on deck or signal her to stand clear, in which case the chopper might sink before a boat could reach her.

Sixty feet below where he stood by the bridge window with the American girl, men were already evacuating the main deck. The engine throb was slower. The huge vessel was beginning her turn into the wind. Bennett issued more orders for fire stations to be manned. 'Shall I get off the bridge?' Betty Cordell suggested. Mackay shook his head. 'Might be a story in it for you – so long as it doesn't end in tragedy . . .'

The huge ship continued its turn as the helmsman gripped the wheel. Mackay checked the time by the bridge clock. It was exactly one in the afternoon of Sunday January 19. 'Get a message off to the mainland,' he ordered. 'I am picking up your helicopter Number 5421 . . .'

Bennett phoned the radio cabin, instructed Kinnaird to send the signal instantly, then returned to the front of the bridge. 'I wonder where she comes from, sir? We're over two hundred miles from the Canadian coast...'

'Must be off some weather cutter.'

'There isn't one stationed on the chart within five hundred miles. I'm afraid I don't quite understand this...'

'Thank God for small mercies,' Mackay growled. The smoke was disappearing; no more was emitting from the machine which was now turning in a circle to fly towards the bow of the ship. Mackay wasn't too happy about what might happen in the next few minutes. Landing a helicopter aboard a moving ship in mid-ocean calls for a certain skill.

They waited and it was very quiet on the bridge. All the necessary orders had been given. The tanker, originally proceeding at seventeen knots through a gentle swell, had reduced speed to fourteen knots, had turned into the wind. A skilled pilot should have no trouble landing his machine under these conditions – providing his engine kept functioning. Inside three minutes she should have landed.

'Signal final permission to land?' Bennett asked.

Mackay looked down along the main deck. It had been cleared of all personnel except for three fire-fighting seamen on the fo'c'sle – close to the landing point. Visibility was good: the white-painted circle on

167

the port bow where the helicopter should alight showed up clearly. 'Permission to land,' Mackay said. Bennett relayed the message to the radio cabin.

The machine was hovering now, letting the 50,000-ton tanker steam towards it. 'Seems to have his machine under perfect control now,' the sceptical Bennett commented. 'Wonder what's wrong with it?'

Winter maintained his hover, letting the lozenge-shaped steel platform cruising over the ocean come towards him. He had turned off the tap which had fed heavy oil into the exhaust – creating the ominous smoke Mackay had seen from the starboard wing deck.

The psychological timing was important. First he had emitted smoke as they were approaching the *Challenger* to worry the captain, to persuade him to give permission to land. Then he had later turned it off in case Mackay became too worried and decided to refuse permission. The radio cracked and Kinnaird's signal came through. 'Permission to land . . .'

'We're going in . . .'

The *Pêcheur* Winter had flown off was forty miles away, too far away for Mackay to see her even from his high bridge. It had been an anxious time, searching for the tanker even while Kinnaird wirelessed *Challenger*'s position at frequent intervals, a reasonably safe action since this was the time of day when he sent a routine report to the London office. But they had found her.

Seated beside Winter, staring at the ocean, LeCat had heard the final words through his headset. 'We're going in . . .' His stomach muscles tightened. It was always like this just before an attack – the physical and mental shock to the system when you realised it was really going to happen. Just like Algeria . . .

'Remember what I told you,' Winter warned. 'I go out first. You wait until I'm on the catwalk and almost under the bridge. The others stay inside – the sight of a dozen men piling out on deck will alarm them. We must seize control before the penny drops . . .'

LeCat took out his Skorpion pistol, balancing the weapon in his hand. A quite unnecessary gesture, it put a finer edge on his nerves. When they got moving it would be all right: it was the last few seconds before the landing which were unpleasant.

It was Winter who had chosen the Czech Skorpion .32 pistol for arming the terrorists. LeCat would have preferred a heavier-calibre gun. The version which slipped inside a shoulder holster carried ten rounds; another version which would not fit inside holsters carried twenty rounds. It was, up to a point, like a small sub-machine gun. Winter had issued the strictest instructions that there should be no shooting, but in case something did happen a heavier-calibre weapon would have been more dangerous; after all, they were landing on a floating oil tank.

'Going down . . .'

The ocean came up to them hungrily, a grey, white-capped ocean, cold and forbidding. Winter was descending towards the water as the tanker came on at fourteen knots, and it looked as though they could be submerged – with the massive steel bow riding over them. LeCat leant sideways, saw the unstable water coming up.

He disliked the sensation because he was wholly at the mercy of another man's skill. Slipping the Skorpion back inside its shoulder holster, he pulled his parka front together to hide it. Behind him another thirteen men crouched together nervously, not enjoying the experience, not looking at each other for fear their nervousness showed. There was André Dupont, who had flown with Winter the day they had attacked the Italian Syndicate motor cruiser in the Mediterranean, who had phoned through LeCat's order to Hamburg that Sullivan must now be killed. There was Alain Blancard, a veteran of Algeria and a skilled sniper. And there were eleven others.

LeCat, ignoring the intense vibration, the thumping beat of the rotor overhead, pressed his cheek hard against the window. Where was the bloody tanker? They were almost in the sea. Had Winter, despite his pilot's skill, mistimed it? LeCat's stomach ached with the strain and his hands were sweating. Where the hell was the ship? Grey steel slid past below them, so close he felt he could reach out and touch it. There was a bump. They were landing.

'Text book landing,' Bennett observed as the US Coast Guard helicopter hit the deck.

The pilot cut the motor, the rotor-whizz faded, the blades appeared, spinning fast, then more slowly before they stopped moving. The three seamen on the fo'c'sle with fire-fighting apparatus ran down on to the main deck as the machine's door opened and a tall man jumped out, landed in a crouch, straightened up and headed along the catwalk for the bridge.

'Doesn't waste much time, does he?' Bennett remarked. 'Big chap, must be six feet tall . . .'

The pilot was still wearing his helmet and face shield over his eyes and this gave him a sinister appearance as he half-ran along the catwalk, glanced up at the bridge, saluted and disappeared. In the distance Bennett saw two more men jump out of the machine and then start talking to the three seamen. It all seemed very normal, a routine rescue operation. Mackay turned to face the entrance to the bridge where he expected the pilot to appear.

'Five more men have come out of that machine,' Bennett said sharply. 'How many is the damned thing carrying?'

Mackay strode to the front of the bridge and stared

along the main deck. He counted five more men coming out of the helicopter while he watched, but they were all staying close to the landing point, chatting with the three seamen as far as he could see. 'Send the bosun down there,' he said. 'Send him with a walkie-talkie . . .'

'Stay exactly where you are, gentlemen. If anyone moves the captain dies from a bullet – instead of from old age . . .'

Mackay spun round. The pilot stood in the wrong place – he was standing at the entrance from the starboard wing deck. He must have dodged along under the bridge when he was out of sight. He held a pistol in his right hand and the muzzle was aimed at Mackay's stomach. The gun, with only one-and-a-half inches of the barrel protruding from the body of the weapon, had a highly lethal look.

'This is a hi-jack,' the pilot warned. 'We shan't hesitate to shoot . . .'

'Who the hell are you?' Mackay demanded.

'The Weathermen. Stop asking questions. You . . .' The pilot gestured towards Bennett. 'Go and stand at the front of the bridge where my men can see you. Then wave to them – swing your arms round like a windmill.'

The helmsman, a man called Harris from Newcastle-upon-Tyne, gripped his wheel and kept the vessel on course. He had received no fresh orders from the captain. By the window Betty Cordell froze. 'Do as he tells you,' Mackay said quietly to Bennett.

'Move!' The pilot elevated his pistol, aiming it point blank at Mackay's chest. 'Do you want to get your captain killed?'

Bennett moved, went over to the window and swivelled his arms in a windmill motion. A group of men came running down the catwalk at a fast trot, leaving two men behind with the seamen at the landing point. Bennett counted twelve men running down the catwalk, all of them armed, the man in front very nimble in spite of his short height and wide shoulders. They vanished under the bridge.

The pilot waited, holding the pistol very steady, and twice he glanced at the bridge clock as though checking the elapse of a specific number of minutes. The helmsman, a short, dark-haired man with quick eyes, stayed frozen behind his wheel. Betty Cordell stood stiffly, her hands clenched as she stared at the eyes behind the shield. They were stunned, all of them except perhaps Bennett whom Mackay had ordered to obey the pilot, sensing that he might have done something dangerous; so easy to make a quick gesture of resistance, and so easy to get shot when the other man has the gun.

There was a clatter of feet and two armed men appeared from the same direction the pilot had come – from the starboard wing deck. They took up positions on either side of the bridge, aiming their pistols so they had the prisoners in a potential crossfire. The pilot spoke to one of them in French, which Mackay understood. 'Has LeCat gone straight to the engine-room? Good. When I leave the bridge these people are to stay exactly where they are – including the woman.' He looked at Betty Cordell, speaking in English. 'Why are you on board?'

'I'm Betty Cordell, a reporter. I came for a story. It looks as though I've got one . . .'

The pilot smiled bleakly. 'You may wish you had stayed at home. You will remain here on the bridge until I decide where to put you. You are a problem I didn't anticipate.' He looked at Mackay. 'Get your ship back on course, Captain.'

'On course?'

'Yes, for San Francisco. And be very careful what instructions you give. I have a man who can shoot a sextant and plot a course as well as your first officer.'

Mackay grunted. 'You know the penalty for piracy on the high seas?'

The pilot walked towards the captain, stopping when he was a few feet away, leaving a clear field of fire for the guards at either side of the bridge. Stripping off his helmet, he looked down at Mackay who was five feet eight tall, inches shorter than the thin, bony-faced Englishman. 'My name is Winter. I seem to remember I asked you to issue a certain order.' His voice was soft and menacing and Mackay stiffened.

174

'You do value the lives of your crew, I take it?'

'Mr Bennett,' Mackay said crisply. 'Put the ship back on course for San Francisco. Increase speed to seventeen knots.'

Bennett issued the order to Harris, the helmsman, and then the bridge phone rang. 'That may be the engine-room chief, Brady,' Winter told Mackay. 'At this moment there are four armed men in that part of the ship. Warn Brady that he is to carry out any instruction they give him – and that he will continue to receive all navigational orders from you.' He smiled bleakly. 'Engine-room chiefs are notoriously men with minds of their own . . .'

Mackay said nothing as he lifted the phone, then personally gave the order to increase speed. He added his own warning: 'These men who have come aboard are armed and dangerous – do nothing that could affect the welfare of the crew, Chief . . .'

'Very good.' Winter turned to Betty Cordell who had been watching him for several minutes as though trying to assess what kind of man this was. 'I say it again, Miss Cordell – you will not leave this bridge without my personal permission. You are a problem I shall have to work out . . .'

'She is an innocent passenger,' Mackay broke in with a rasp in his voice. 'She is also an American citizen and I would advise you . . .'

'When I require your advice I will request it. If you had let me finish what I was saying I would have said

I am concerned for her safety.' Winter glanced at the French guards who did not understand what he was saying. 'Some of these men are not the best of company for women, so you must not do anything foolish. Later, I will decide whether you should be confined to your cabin for the rest of the trip . . .'

Winter left the bridge abruptly and Mackay stared at his first officer. 'I don't understand that man, Winter, at all. And who the hell are The Weathermen?'

'A particularly savage bunch of American underground terrorists. They blew up a lot of banks in the States a few years ago. I thought they were all dead . . .'

'Someone resurrected them,' Mackay muttered. 'And keep your voice down. I'm not convinced these two thugs with us on the bridge don't understand English. I also don't understand why Winter has Frenchmen with him when you say The Weathermen were Americans . . .'

'The same thought had crossed my mind.'

Mackay looked across at the swarthy, tanned ruffian who was leaning against the starboard bulkhead, one ankle crossed over the other, his pistol barrel resting on his left forearm. The barrel was aimed at Bennett but it was the amused, insolent way the Frenchman was studying Betty Cordell's figure Mackay found most disturbing. 'One thing puzzles me, Bennett,' he said softly. 'Winter said this was a hi-jack – and yet he still wants us to continue on course for San Francisco. Doesn't make sense.'

'It shouldn't be long before they tumble to the fact that something's wrong here, sir – I mean the people on the mainland,' Bennett murmured. 'Kinnaird got that signal off before these swine came aboard – reporting that we'd picked up a Coast Guard chopper. If Winter hi-jacked the machine as well, the Coast Guard will know where to look for it now.'

'So maybe in a few hours we can look forward to a US cruiser looming over the horizon. In which case we shall have a lot to thank Mr Kinnaird for . . .'

Within fifteen minutes of landing aboard the *Challenger* – as soon as he left the bridge – Winter proceeded rapidly with certain precautions. He called Bennett down from the bridge to accompany him on his swift tour of the ship. His first trip was to the dispensary next to the galley. The poisons cupboard, containing drugs – including sleeping pills – was locked up and Winter pocketed the key. 'I wouldn't like the cook to start mixing something with our food,' he told Bennett. 'Most unprofessional . . .'

He then demanded that Bennett hand over the pass-key which opened every cabin door on the ship. Escorted by a guard, the first officer fetched the key from his cabin. Winter pocketed this key and then made his way to the boat-deck with Bennett and a guard. He waited while the guard climbed up into each of the two large boats and heaved the hand-

cranked radio transmitters, part of the standard equipment of a lifeboat, overboard.

'For God's sake,' Bennett protested, 'if something
happens to this ship . . .'

'Something has happened to it,' Winter reminded
him. 'And I don't want spare transmitters hanging
about where some quick-witted seaman can send out
an SOS. Now, I want all the walkie-talkies you use
when you communicate with each other while the
ship's docking . . .'

Winter also reserved the captain's day cabin for
those of the ship's crew not on duty to be kept inside.
This reduced the limited manpower at his disposal
which had to be employed on guard duty. As Winter
had foreseen two months ago when he met Ahmed
Riad in Tangier, the most suitable ship for hi-jack was
a large oil tanker – with no passengers, a compact crew
of twenty-eight men, and the living and working
quarters concentrated in one part of the ship, in the
island bridge, a fact which gradually dawned on
Bennett. 'You've been planning this for a long time, I
see,' he commented grimly as the walkie-talkies were
locked away in the cabin Winter had reserved for his
headquarters.

'I worked the whole thing out in three days,' Winter
told him. 'You must admit we're reasonably well-
organised now. You can't poison us, you can't unlock
a single cabin on the ship, you can't communicate with
the outside world. Have I forgotten anything?'

'If I think of something,' Bennett replied grimly, 'I won't let you know.'

'I'm speaking from Seattle,' Sullivan told Victor Harper when the chairman of Harper Tankships came on the line. 'I tried to call you from Anchorage . . .'

'Miss Herries told me. Have you talked to Mackay?'

'No. The ship left early . . .'

'I know,' Harper interjected irritably. 'There was a fire at the oil terminal so Mackay cleared out – with two tanks empty . . . Oh, bugger it. Wait a minute . . .' There was a pause. 'Just knocked over the damned candle. You wouldn't believe it but we're out of oil for the lamps – and I'm in the oil business. Power cut here, of course . . .' At 3.30pm in Seattle it was 10.30pm at Harper's home in Sunningdale. 'What's all this about the *Challenger*?' Harper demanded.

'I had an idea she could be the target, as you know. I've tracked a man half way across the world almost – from Hamburg to London and then on to Anchorage and Seattle. Now I've lost him. And one or two things I came across made me wonder, but they were dead ends. Like that business about the wireless operator, Swan. It turned out to be nothing more than he'd taken his wife with him on the *Challenger* . . .'

'Taken his wife with him?' Harper's voice had an edge to it. 'Bad enough for Mackay having one woman aboard – and a journalist at that.'

'What are you talking about?' Sullivan asked. 'Who is the woman who went?'

'An American journalist I know called Betty Cordell.'

'And you say Swan's wife isn't on the ship? I think you're wrong . . .'

'I'm not wrong! Swan isn't aboard either – although you seem to think he is. He missed the ship. He's ill.'

'Ill at home, you mean?' Sullivan asked gently.

'Where else would he be?'

'That's what I'm beginning to wonder. Because he's not at home – neither is his wife. I've been out there. They both left for the ship at three-fifteen last Thursday . . .'

'You saw them leave?'

'No, I didn't,' Sullivan said slowly. 'Come to think of it, no one saw them leave – but they're gone . . .'

'Look, Sullivan . . .' Harper's growing impatience came clearly over the line. 'There's a replacement wireless operator aboard. Chap called Kinnaird. So Swan must be at home – unless he's in hospital.'

'Any idea when all this happened? And how did Mackay come up with this Kinnaird so conveniently? In Alaska, for God's sake?'

'Swan knew him, recommended him. He just happened to be there. Short of a job, I suppose. As to the timing, I'll read you Mackay's cable. *1518 hours. Wireless operator Swan taken ill. Recommended replacement*

George Kinnaird. Kinnaird sailing with us this trip. Mackay. Straightforward enough . . .'

'No, it isn't. At three-fifteen Mrs Swan phoned a neighbour from home saying she was just leaving to sail with her husband. At three-eighteen – according to that cable – Swan is ill and has found someone else to replace him. All inside three minutes?'

'Does sound peculiar,' Harper admitted.

'It's more than peculiar, it's bloody sinister. Is there anything unusual about this latest trip of the *Challenger*? Anything at all?'

'Not according to Ephraim – nor from the routine reports coming in from Kinnaird . . .'

'Who the hell is Ephraim?' Sullivan enquired.

'Sorry, I think you were away when I added him to the insurance cover. Ephraim is an automatic monitor I've had installed in the engine-room – one of those mechanical brain things which independently check the engine performance of the ship. And it is quite independent of the ship. It flashes radio signals to a computer at the Marine Centre in The Hague. The computer decodes the signals and the report comes to me by telex. Whole operation takes less than thirty minutes – seconds for the radio signals to get to The Hague, the rest of the time getting the data back here.'

'And how is the world according to Ephraim?'

'Normal. The *Challenger* is moving through a gentle swell at seventeen knots. She should reach the oil terminal at Oleum – that's near San Francisco – on schedule.'

'And according to Kinnaird?'

'Again normal. Routine messages come through on time. It's fascinating to compare notes – to see how Kinnaird's weather reports exactly match Ephraim's . . .'

Latest toy, Sullivan thought. He'll soon get tired of it. 'I'll keep in touch,' he said. 'I may call you from San Francisco – because that's where I'm going . . .'

'I thought you were coming home. Why San Francisco?'

'That's the end of the line for the *Challenger* – and I want to be there when she reaches it . . .'

Sullivan put in another call, this time to Mulligan, chief of police at Anchorage. He told him about the Swans, that they weren't aboard the *Challenger*, that maybe it would be a good idea if a patrol car went out to the Swan home and if someone talked to Madge Thompson, the next-door neighbour.

Mulligan reacted with his usual vigour. 'I think maybe we'll go further – we'll send out an all-points bulletin for the Swans. And I'll send patrol cars to take a good look at the whole Matanuska valley area. Of course, Swan could be faking the whole disappearance himself . . .'

'Why?'

'Supposing the guy reckons he's short on leave,

wants to take his wife for some ski-ing up in the mountains? So he fixes up with a pal to take his place, phones Mackay to tell him he's ill, and then takes off for some ski-ing. How does that grab you?'

'It doesn't . . .'

'Me too neither. We'll check everywhere . . .'

Sullivan broke the connection, then made a fresh call to get information on the next flight to San Francisco. He could have had no way of knowing – at that time – that the call he had made to Mulligan would have enormous repercussions which would reach half way round the world. Within a few days.

Winter had the whole ship sewn up tightly, absolutely under his control as he supposed. Two guards were mounted permanently on the bridge where Betty Cordell was spending most of her time. Three more guards were stationed in the engine-room, the heart of the ship. A sixth guard was on duty outside the locked day cabin where the crew not on duty were kept, and a seventh man kept an eye on the galley where Wrigley, the steward, and Bates, the cook, presided over the mysterious rites of their culinary arts. Yet another armed guard was on duty outside the radio cabin. Including Winter himself and LeCat, this left a reserve of seven men who could rest, in readiness to relieve other men at intervals.

'He's a bloody good organiser, I regret to say,' Bennett whispered to Mackay on the bridge. 'And I have more bad news.'

Mackay grunted. 'Just like listening to the news bulletins at home. What is it now?'

'Lanky Miller told me he saw Kinnaird going inside the radio cabin.'

'Which is where I would expect Kinnaird to be . . .'

'Not while the armed guard stays outside the cabin – with the door closed in his face.'

'Are you sure?'

'Miller is very sure. You see what that means? They would never leave Kinnaird alone in there – with the transmitter – unless he's working with them.'

Mackay sighed heavily. 'So you were right – there was something funny about him.'

'There had to be. I should have realised it at the moment the terrorists came on board. How else could they find us in the middle of the Pacific – unless Kinnaird was sending them regular signals reporting our position? Betty Cordell was right – she did hear him transmitting the other night.'

'At least Winter has let her go back to her cabin.' Mackay glanced at one of the guards. 'I didn't like the way that thug over there was eyeing her. I think we're going to have to get accustomed to bad news on this trip, Mr Bennett.'

'I have more for you already . . .'

'I rather thought you might have.'

'Since Kinnaird is working for them, that means he never sent your last signal – the one reporting to the Coast Guard that we were picking up their chopper. So forget the hope about a US cruiser looming over the horizon.'

'I grasped that a moment ago,' Mackay said sourly. He dropped his voice to a shade of a whisper. 'Winter seems to have thought of everything, doesn't he? But luckily no one is perfect. The one thing he hasn't thought of is the crew member who isn't on the list – Ephraim. Which is ironical, Mr Bennett – that our lives may depend on Harper's bloody mechanical toy locked away in the engine-room – the only crew member who still has freedom of action aboard this ship.'

Ephraim.

Engine Performance Remote Control Monitor – nick-named Ephraim. Quite independent of all other engine-room operations, the mechanical brain installed inside the control panel was relaying radio signals over many thousands of miles to the master computer in The Hague, reporting constantly on the tanker's performance for the duration of the voyage.

Ephraim reported many things – monitoring fuel consumption, boiler pressures, boiler temperatures, which boilers were fired up, which were not. He reported the speed of the engines and the speed of the ship – not always the same thing if an engine was functioning incorrectly. And he reported the degree of the tanker's pitching and rolling – which meant he was sending his own weather report.

In his London office, Victor Harper was never sure whether he had installed an expensive toy, or whether Ephraim might help to make voyages more profitable. And Ephraim was expensive. The signals he was constantly transmitting were received and decoded by the master computer at the International Marine Centre in The Hague; then the information obtained from the *Challenger* had to be re-transmitted to London by telex.

And Kinnaird was cooperating with Ephraim – without having the least idea he was doing so. Part of the ship's routine which had to continue if conditions aboard were to seem normal to the outside world, was for Kinnaird to transmit a radio message to London at regular intervals. This message confirmed the position of the ship – and included a weather report.

All would be well for Winter so long as Kinnaird continued 'cooperating' with Ephraim. But if for some reason Kinnaird was ordered to fake a weather report, to send to London a message pretending they were passing through quite different weather from what they were experiencing, then deep down in the guts of the ship Ephraim would become a mechanical spy, the only member of the crew who could tell London what was really happening.

*

The Armalite .22 collapsible rifle with its 4 × 18 telescopic sight, three spare magazines and a yellow package of fifty spare rounds, lay beneath the underclothes almost at the bottom of Betty Cordell's suitcase. Not that it immediately looked like a rifle since the main object on view was a tortoiseshell-coloured stock which concealed inside it the dismantled elements of the weapon. The stock was fashioned of plastic foam: dropped into a pool or lake it would float.

Alone in her cabin, Betty Cordell picked up the package of .22 hollow point ammunition and weighed it in her hand. It gave her a comfortable feeling, submerged for a few moments the state of terror she was adjusting to slowly. Then she replaced the package, took one last look at the stock and re-packed her case, filling it up with neat piles of underclothing until once again it had the innocent look of a woman's travelling bag.

Since late childhood she had owned her own gun. At her home near Pear Blossom in the southern Californian desert her father, a strange and independent character like his daughter, had trained the girl to use a weapon. 'It's a violent world we live in, pet,' he used to say. 'Look how your mother died in San Diego – and all that murdering thief got was her billfold. Twenty-five lousy dollars . . .'

From the age of eight she was brought up by her father, a farmer, and as the years went by Betty Cordell became skilled to the point of marksmanship with a

187

rifle. She never hunted with it, never went in for competitions, but at twenty-seven she still carried it with her everywhere away from home. Sometimes, driving in the desert, she would stop, set up a line of tin cans as targets and blaze away, working off frustration. Every can was always punctured.

She lit a rare cigarette and stood in the middle of the cabin smoking. The huge tanker was swaying gently as it went on through the swell towards San Francisco, now less than thirty-six hours away. She was thinking that with the mags and the package of spare rounds she had enough ammunition to kill every terrorist on board. The trouble was Betty Cordell had never even shot a bird. She hated the thought of killing live things. Hearing the door open, she turned. LeCat stood in the doorway.

LeCat stood in the doorway holding a full bottle of red wine and behind him the armed guard was leering. LeCat shut the door in his face by leaning against it. Betty Cordell remained standing in the middle of the cabin, staring back at the terrorist with a cold expression which verged on arrogance. She had a constricted feeling in her throat. She was scared and furious with herself at the same time – furious because her heart was thumping and her legs felt weak.

'There is nothing to fear,' LeCat said roughly. 'We did not expect to find a woman on board. But it will only be for a few days, so you might as well make the best of it. The best of it,' he repeated, looking at her closely.

'I don't want to talk. Would you please leave my cabin.'

At least her voice sounded steady, almost insolent. Hearing herself speak, she was surprised that her voice sounded so normal, thank God. I've got to deal with this, she told herself, get rid of him. Quickly. He put the bottle down on a table near the door and walked towards her. There were blobs of moisture on his upper lip below the curved moustache.

'I am a bachelor,' he remarked as he stood close to her. 'My name is LeCat. I have known a lot of women – many beautiful women . . .'

His approach was so ridiculous, so ham-handed, that for one wild moment she wanted to laugh in his face. Waterfront whores, she thought cynically, that's about his taste and experience. With me he doesn't quite know how to go about it, but his bashfulness won't last for long. Then she caught a whiff of his breath. My God, he's drunk . . .

Even though he had consumed a third of a bottle of cognac, LeCat was not drunk. It was simply that his movements were a shade more deliberate than usual. Cognac he could take in generous quantities; he was still capable of hitting a moving target at a hundred yards. She moved casually sideways and stood with her back to the steward's bell. 'I was thinking of taking a bath,' she said. 'Could you please leave the cabin. Now!'

'A bath?' He looked towards the adjoining bathroom. 'Take your bath – then afterwards we can have a drink together . . .'

'Get out of this cabin, LeCat. Get out now or I'll ask the guard to fetch Winter . . .'

'Like myself, the guard is French. He takes his orders from me,' LeCat replied equably.

The longer-term significance of this remark did not strike Betty Cordell – her mind was fixed on only one objective. Survival. She lifted her head and clasped her hands behind her back, assuming a most arrogant posture. The animal likes that, she noted: a peculiar gleam came into LeCat's eyes and he wiped his lip dry with a finger. While he was distracted her own index finger moved towards the bell-push on the wall. 'I think Winter will probably kill you,' she said.

'If you mention Winter again I will hit you . . .' There was a look of fury in his eyes, an undertone in his voice not far from hatred. Shaken by his ferocity, she felt her control going. She took a step away from him and pressed the bell hard. 'Go and get your bath,' he told her viciously. 'Do not bother to dress when you have had it . . .'

He was still standing close to her so she couldn't move towards the bathroom when the cabin door opened and Wrigley, the steward, came bustling in. A tall, stooped, middle-aged man with brisk movements, he carried a tray with a pot of coffee, cream, a cup and saucer. He stopped for a moment and frowned as LeCat glared at him over his shoulder, then, apparently noticing nothing wrong, he began chattering.

'Fresh-made coffee, Miss Cordell – nice and strong the way you Americans drink it . . .' He began laying the things on the table. 'Better come and get it now while it's hot. Helps to keep up your strength under trying circumstances . . .' He glanced at LeCat. 'You may have a visitor any minute, Miss Cordell – Mr Winter was in the galley and said he'd be coming along here to see how you are getting along. Funny chap . . .'

Wrigley paused as LeCat turned his back and left the cabin. The steward glowered and made a forked, two-fingered gesture towards the empty doorway. 'Sorry about that, Miss,' he apologised, 'sometimes my feelings run away with me . . .'

'Thank you, Wrigley,' she murmured as she picked up the pot. 'You were just in time . . .'

Winter heard about the incident within five minutes of its happening. Wrigley met him in the alleyway while he was returning to his galley, escorted by an armed guard, and had no hesitation in telling him about the near-rape. Winter reacted instantly. He summoned LeCat to his cabin.

'I told you to leave that American girl alone . . .'

191

'You want her for yourself . . .'

Winter took three strides across the cabin and LeCat, seeing his expression, grabbed for the pistol in his shoulder holster. Winter's hand closed on the wrist, digging into the nerve centre. LeCat's hand, still holding the pistol butt he had no time to extract, felt paralysed. His limp fingers released the butt as Winter twisted the hand violently and spun the Frenchman round by the shoulder hinge until he was half-crouched with his back to the Englishman. The pain in his shoulder was acute and he dared not move for fear of breaking his arm.

'You will break the arm . . .' LeCat gasped.

'I will break the neck . . .'

Winter trundled the bent man forward until he was close to the edge of the bunk. Releasing his grip a little, he allowed LeCat to lift his head a few inches, then he used his other hand to press the Frenchman's head down over the bunk with his throat resting on the hard wooden edge. The hard edge of the bunk rasped his victim's Adam's apple. 'One sharp movement and your neck is broken, LeCat,' Winter said softly. 'You know that, don't you?'

'Mercy of God . . . Winter, please . . .'

LeCat was terrified. He knew exactly what could happen, what he had done to a man in a similar position in Algeria once. A movement, one horrendous jerk, and his neck would snap. He was almost sick with terror.

'If you even go near that woman again for the rest of the trip, I'll kill you.' Winter's tone was detached, almost conversational.

Grasping a handful of hair, he lifted LeCat's head clear of the bunk, swung his body round and shoved him forward. Off-balance, the Frenchman cannoned hard against a bulkhead and fell on the floor. Getting up slowly, dazed by the impact, LeCat left the cabin. It hadn't made him love Winter any the more, but he felt the cause of his humiliation was the American girl. Added to his crude desire for her was a bitter hatred.

Less than an hour before night fell on the Pacific, the helicopter was flown away from the *Challenger* by the only terrorist – other than Winter – who could fly the machine. Guided by continuous radio signals from the *Pêcheur*, he reached the trawler which was sailing a hundred miles south of the *Challenger*. The moment the plane landed its insignia were covered with canvas flaps specially prepared for the purpose. It didn't matter if a ship or a plane saw the machine sitting on the deck of the trawler, but it would have seemed very strange had it been spotted aboard the 50,000-ton tanker.

Before it flew off, the machine had been unloaded by LeCat and André Dupont. The escape apparatus – the Zodiac inflatable boat, the outboard motor, and the wet-suits – were all stored away in the carpenter's store under the fo'c'sle. And during this work, carried out many hundreds of feet away from the distant island bridge, there was also unloaded a steel case weighing almost two hundred pounds which was transported with some difficulty and carried down the ladder into the cramped compartment.

Chapter Twelve

When Sheikh Gamal Tafak moved to his secret headquarters on the first floor of a building on the outskirts of Baalbek in the Lebanon, it was partly considerations of policy which decided the Saudi Arabian oil minister to go to ground – he wanted to isolate himself until the San Francisco operation had been completed. A man who cannot be found cannot answer any questions, and there were certain statesmen in the Middle East who were already very worried by Tafak's extremist views.

But that was only part of the reason. The other part was more simple and human – Tafak was frightened that he might be assassinated. There had been too many rumours that Israeli gunmen were on the move; there had even been a whisper that British and American secret service men were cooperating with the Israeli intelligence service. In Baalbek, a place he had never visited before, he felt safe.

The first message he received at his new headquarters was from Winter. Within thirty minutes of seizing the *Challenger* a brief radio signal was transmitted anonymously to the United Arab Republic consulate in San Francisco. *Avocado consignment has been delivered.* Inside a locked room in the consulate Talaal Ismail reached for the phone and put in a call to a Paris number. From here the message was transmitted to Athens and on to Beirut. The man Ahmed Riad had placed in a flat in Beirut made one bad slip when he phoned Tafak. He referred to him as 'Excellency' while he was reporting the message confirming the tanker's seizure. 'No titles,' Tafak snapped and slammed down the phone as soon as he had heard the message. Not that he really believed the phone would be tapped.

The girl who worked as switchboard operator in the block of flats on Lafayette Street in Beirut waited until both receivers had been replaced before she turned down the switch. Then she started attending to the incoming calls she had kept waiting.

She was nervous. It was the first time she had listened in to calls for money. To pass the time of day, to listen to a woman making a furtive and erotic call to her lover while her husband was out; that was another thing. Most switchboard operators did that, or so Lucille Fahmy consoled herself. But this, she suspected, could be dangerous. And who was 'Excellency'?

She went off duty half an hour afterwards, saying very little to the young man who took over her night shift. Then, clasping her handbag tight, she walked to the Café Leon. The mournful-faced man arrived less than a minute after she had sat down at a corner table.

'Good evening, Lucille . . .' He greeted her like an old friend, leaning close to make himself heard above the racket of the juke box which was playing the latest Tom Jones record. At six in the evening the place was filling up with Lebanese teenagers. Despite the chill in the air outside it was hot and stuffy in the Café Leon. Plenty of oil for heating here; oil coming out of their ears. The mournful-faced man ordered coffee and cakes.

'He made a call . . .' Lucille had to repeat what she'd said as she lit a cigarette with a shaking hand. 'The first in five days. When do I get some money?' she asked.

He patted his breast pocket. 'I have the fifty dollars with me. Was it a local call?'

'No. To a Baalbek number. I have it in my bag.'

'Give it to me.'

She hesitated, then opened her bag and took out a folded banknote with the number written inside which she handed to him. Anyone watching would have assumed he was short of cash, that his girl friend was paying tonight. He slipped the folded note into his wallet, next to another note he had folded earlier. He would pay with that note – just in case someone was watching him.

'Can you trace the telephone number?' she asked.

Again it showed nervousness – she was talking for the sake of talking. Of course he could trace any number in the Lebanon, and find the address – because it was the address which interested him. She waited until the waiter had brought the coffee and cakes and then leaned towards him. It was about some avocados – he just said the avocado consignment has been delivered. Oh, and he called the man at the other end Excellency . . .'

'He might . . .' The man who had told her his name was Albert appeared to know all about it – or this was the impression he deliberately gave her – and now he understood her nervousness. Like so many people in the Middle East she was frightened of the powerful. He went on sipping his coffee, hiding his shock, his hope. It looked as though they had found Tafak.

One Fleet Street newspaper in London caught a hint of a whisper of a rumour – and had a 'D' notice served on it – an edict it could not ignore, so the story went unpublished. As it happened, the story was true.

The British Prime Minister had driven secretly to Lyneham air base in Wiltshire, one of Britain's remoter airfields in the Salisbury Plain area. His timing was good: as his car sped towards the airfield buildings a Trident dropped out of the grey overcast and cruised along a nearby runway.

When the machine had stopped, the Prime Minister

was driven close up to the aircraft, so close that it pulled up at the foot of the mobile staircase which had been hastily rushed into position. He waited inside the car as a man appeared at the top of the mobile staircase, ran briskly down the steps and climbed inside the rear of the waiting car.

Had a photograph been taken of the man who stepped out of the plane he might well have been mistaken for Gen. Villiers; he was wearing a black eye-patch. But at that moment Gen. Villiers was many thousands of miles away from Britain. The secret visitor, therefore, had to be someone else. He did, in fact, look very like another general whose picture had often appeared in the pages of the world's press, a certain Israeli general.

It was the afternoon of Sunday January 19, the day when Winter seized control of the *Challenger*.

Winter took his decision to let Betty Cordell move freely round the ship immediately after the incident with LeCat. He had been appalled to find a woman on board, knowing the character of some of the ex-OAS terrorists, and now it struck him she might be safer wandering round the ship rather than locked away in her cabin. He came to the cabin to tell her his decision. 'You can roam round the ship as much as you like, but you are to report to the officer of the watch on the bridge every hour. Understood?'

She stood quite still, studying his unusual face, the boniness of his hooked nose, the wide, firm mouth, the steady brown eyes which were so remote and disconcerting. 'Why are you doing this?' she asked quietly.

'Because it appears you may be safer not hidden away in a cabin.'

'I meant why are you taking part in this horrible hijack?'

'Money.'

He left her abruptly and a few minutes later she started moving about the ship which was still proceeding through a gentle swell. It was a nerve-racking experience which she never got used to – walking down an alleyway while a terrorist in the distance watched the fair-haired girl coming with a pistol in his hand; turning a corner into what she imagined was a deserted passageway beyond, only to find another terrorist guard just around the corner; being followed down another alleyway by a man with a gun, who, it turned out, was merely checking to see where she was going.

Her mind was working at two levels – noting everything that might be copy for the story she hoped to write one day – *Eye-Witness Account of Terrorists' Hi-Jack* – and noting the precise position of all the guards, information she intended to pass to Bennett at the first available opportunity. There were no signs that the British crew were planning any resistance; outwardly they seemed still stunned by what had happened. But she detected an odd atmosphere, particularly in the engine-room.

A guard with a blank expression stood aside to let her go inside the engine-room – Winter, with his usual efficiency, had passed the word to the entire terrorist team that she was allowed to move round the ship freely. Stepping over the coaming she stood on the high platform, already sweating a little in the steamy atmosphere as she gazed into the bowels of the ship. The noise was appalling, like the thunder of steam-hammers, and everywhere things moved; pistons chomping, machinery which meant nothing to her. She went down the vertical ladder.

The steep, thirty-foot drop behind her as she descended didn't worry her – she had climbed near-precipices in the Sierras – and then she was threading her way among the machinery, seeing men she had earlier met and chatted with before the seizure of the tanker. Monk, a burly, thirty-four-year-old engine-room artificer, a very tough-looking character indeed, his dark hair plastered down over his large skull, nodded to her as he wiped his hands on an oily rag but he seemed abstracted, as though his mind was on something important.

Bert Foley, a small, bald-headed man of forty, another artificer, did speak to her after glancing up to make sure the guard on the high platform couldn't see him. 'Things might turn out better than you imagine, Miss. Have patience . . .' Feeling better in the presence of the British seamen, she explored further. There was something here she couldn't put her finger on, a smell of conspiracy in the air. It didn't seem possible: Winter had severed all communication between one part of the ship and another. Then she saw Wrigley, the steward, coming down the ladder into the engine-room.

The steward, carrying a tray with one hand while he used the other to support himself, reached the floor, hurried to the control platform where Brady, the chief engineer, was directing operations. Brady, a stocky, grey-haired man in his early fifties, took a mug of tea from the tray, helped himself slowly to a ham sandwich. Nothing strange there that she could see. She checked her watch; soon it would be time to report to the officer of the watch, to tell him the present position of every terrorist guard aboard the ship. She still couldn't rid herself of the feeling that something was going on under the surface. She climbed up on to the platform beside Brady, then pointed to a black box embedded into the control panel. 'What does that do – or do you keep your sandwiches inside it?' She was smiling; it was something to say. A man in trousers and spotless white vest standing close to the chief swung round with a startled expression.

'Get on with your work, Wilkins,' the chief said calmly. He grinned at Betty. 'Just a standard piece of equipment, Miss.' He patted his ample stomach. 'I store my sandwiches in here.'

It was unfortunate. The black box she had pointed to was the only outward evidence that Ephraim existed, and by now the chief had realised that the mechanical man was their only outside contact with the world – even if the communication was purely one-way.

'It's like being back in my old prisoner-of-war camp,' Mackay murmured to Bennett in the chart-room. 'My own ship has become the cage. At least we've set up a communications system – the first thing to do when you're inside the cage . . .'

The system of communication between Mackay and his crew hinged on Wrigley, the steward, who was being kept constantly on the move supplying food and coffee to both the British crew and their terrorist guards. Winter had foreseen this nutriment problem; he had placed a permanent guard outside the galley to escort Wrigley as he trotted all over the ship.

What Winter had not foreseen was that Bennett would exploit Wrigley as a means of passing messages to anyone Mackay wished to communicate with. The messages were scribbled on small pieces of paper which Wrigley concealed under plates of sandwiches, under pots of coffee, under anything he happened to be carrying on his tray. Another development Winter neither foresaw nor noticed was the increase in the thirst of the man on the bridge; drinking far more coffee than ever before, they provided Wrigley with more opportunities to pass messages.

Another change in the ship's routine which went unnoticed was the frequent discussions on navigation Mackay and Bennett felt compelled to indulge in during visits to the chart-room behind the bridge. The first time this happened the guard was suspicious.

'We are going to the chart-room,' Mackay informed the guard, a man called Dupont, who understood English. 'We have to check our future course . . .'

He walked off the bridge with Bennett and Dupont followed them into the chart-room. Mackay stood by the chart-table and stared at the Frenchman. 'Look, plotting a ship's course is a complex business – it calls for concentration. I can't work while you stand there pointing that gun at me. If you want us to get this ship to San Francisco you'll have to wait outside . . .'

'You've searched this place,' Bennett pointed out, 'and you've locked the other door. Our only way out is back on to the bridge. If you don't leave us alone we're not taking this ship anywhere.'

Dupont, who had been with Winter on the *Pêcheur* in the Mediterranean, who had been with LeCat in Paris when they tracked Sullivan up the French coast, hesitated as Mackay picked up a pair of dividers while Bennett concentrated on studying a chart. It was intimidating: both men were acting as though he were no longer there. He went back on to the bridge and took up a position where he could watch the open doorway.

'Mr Bennett,' Mackay said quietly, 'the system of communication is working well. I'm not so sure about your idea of arranging for a man to go missing.'

'We can't just stand around and let them get away with it,' the first officer murmured. 'Ultimately I want to organise a mass break-out. Subtracting the man who flew off in the chopper, there are fourteen terrorists and twenty-eight crew – we outnumber them two-to-one . . .'

'But they have the guns . . .'

'So we need to cut down the odds – by getting rid of one or two key terrorists. I don't think we'll aim to tackle Winter yet – he's the only one you can talk to, and I don't think he'd be an easy man to catch off guard. My plan is to go for LeCat – he's a very nasty piece of work and seems to be second-in-command.' Bennett unrolled a fresh chart as Dupont peered inside the chart-room, then disappeared. 'I had a word with the chief down in the engine-room while the guard was boozing wine. Brady says Monk would be more than happy to go after LeCat – if Monk can go missing and stay missing without Winter knowing . . .'

'I don't like it,' Mackay objected. 'Violence begets violence . . .'

'The ship was seized with violence,' Bennett argued. 'LeCat was close to assaulting the American girl when Wrigley turned up in time. Some of these men are killers, LeCat certainly, I'm sure. And men do go overboard frequently at sea . . .'

'I'll think about it.'

'Dirty weather would help – and I think dirty weather is on the way.'

'That typhoon should miss us . . .'

'My bet is it won't, sir. Typhoons have a nasty habit of changing direction. I think we ought to be prepared – which means we must organise Monk's disappearance if we can.'

'You could be right . . .' The captain stared down at the chart, weighing pro's and con's. If something happened to Winter and LeCat assumed control, he wouldn't give twopence for the lives of his crew. 'All right,' Mackay said, 'we'll give it a try – but warn Monk to be very careful . . .'

'It will look like an accident,' Bennett said.

At ten o'clock at night the *Challenger* was still proceeding through calm seas. Within two hours it would be Monday January 20.

Typhoon Tara came out of the spawning ground of the most hellish and violent weather in the world – out of the north Pacific. A US weather satellite first spotted her menacing growth; a US weather plane confirmed that something enormous was building up north-east of Hawaii.

Winter was the first man on board to receive all weather reports coming in from the mainland; receiving them from Kinnaird, he read them and promptly passed them to Mackay. After all, Mackay had to get the tanker to San Francisco. When the captain had absorbed this new signal reporting on Typhoon Tara, Winter took it back to the radio cabin where Kinnaird, increasingly nervous about the job he had undertaken to lay his hands on his dream bonanza – ten thousand pounds – sat in front of the transmitter. It was five o'clock on the morning of Monday January 20.

'When does the next routine report go off to Harper in London?' Winter demanded.

'Within the next hour . . .'

'Submit this weather report . . .' Winter was writing out the report in a quick, neat hand. 'Alter it to conform to technical jargon, but this is the gist of it.'

Kinnaird stared at the message. 'I don't understand . . .'

'Because you can't think ahead – like so many people. Our great problem may be to persuade the authorities at San Francisco to let this ship enter the Bay as soon as we reach the entrance. There could be a delay for any number of reasons – a lot of shipping in the channel, fog . . . The port authority is far more likely to let us steam straight in if they think we're in trouble – if we have men aboard injured while we were fighting the typhoon.'

'You could be right . . .'

'I have to be right – ninety per cent of the time – if we are to survive.'

The signal Winter had written out was simple and

graphic. *Moving through typhoon conditions. Two seamen injured and out of commission. Main deck awash. Speed reduced to eight knots effective. Wind strength one hundred and ten miles per hour. Mackay.*

Deep down in the engine-room, not one hundred feet from where Winter stood as he handed the signal to Kinnaird, the mechanical man, Ephraim, went on flashing out radio signals to the master computer a third of the way across the world in The Hague, diligently reporting on present conditions. *Speed seventeen knots . . .*

Just as the similarity with a prisoner-of-war camp had occurred to Mackay, so it occurred to Winter to reinforce security on the ship by checking the numbers of the British crew at frequent intervals. He had put this idea into operation within thirty minutes of coming aboard, and it was the engine-room which most concerned him. While at sea, and including the chief, Brady, there were seven men on duty inside the vast and cavernous engine-room. So easy for a man to go missing.

It was six in the morning – the tanker was less than twenty-four hours' sailing time away from San Francisco – when Brady made a gesture to Monk, the engine-room artificer, and Monk disappeared behind a steel maintenance door flush with the wall. On his platform Brady wore his normal grim expression: he was taking a calculated gamble. This time it was LeCat who was going to check the seven men.

The gamble lay in the fact that the Frenchman had spent little time in the engine-room; he was quite unfamiliar with the crew who worked there. The risk lay in the fact that it was LeCat himself who would personally count the crew. Brady watched him descending the vertical ladder backwards, hopeful that the terrorist might slip and plunge down to land crushed on the steel grilles below. It was an empty hope: LeCat descended swiftly and agilely, then gestured to one of the armed guards to come with him.

'We will count the crew,' LeCat announced as he reached the control platform and stood looking up at the chief. 'Everyone will stay exactly where he is . . .' He had his Skorpion pistol in his hand and it amused him to point it at the chief's large stomach. 'If anyone moves, he will be shot.'

Brady exploded, shouting to make himself heard above the din of the machinery. 'If you want this ship to reach San Francisco you will get your bloody count over with and get to hell out of my engine-room.'

'So?' LeCat climbed very deliberately up on to the platform and beside Brady his assistant Wilkins was sweating. Not that it showed particularly; in the engine-room everyone sweats. LeCat himself was sweating enjoyably with the heat – it reminded him of summer in Algeria. He touched the chief's stomach with the tip of his Skorpion. 'One twitch of my finger and you are meat for the sharks . . .'

Brady stood quite still, looking down at the pistol. 'One twitch of your finger and you'll never reach the mainland. I keep this ship moving – not even the captain can do that.'

LeCat smiled unpleasantly, withdrew his weapon. 'You are right, of course,' he agreed. 'But when we do reach California we shall no longer need you, shall we?' Leaving Brady with this unsettling thought, he began counting the crew.

They were scattered round the engine-room and LeCat had to thread his way among the machinery to find them. He didn't mind; he was convinced that his threat to shoot any who moved would keep the British motionless. He counted three men and then found Foley round a corner, bent over a machine-guard, wearing vest and trousers, his bald head gleaming with sweat as he stood with his back to the Frenchman. 'Four . . .'

LeCat moved on with the guard, went round another corner, and Foley moved. Hauling off his vest so he was naked to the waist, he grabbed a soiled cap from behind the machine, jammed it on his head, then he crawled on his hands and knees along the gratings until he was under the control panel. On the platform Brady, who was watching the catwalk guard above, made a signal. Foley stood up, walked five paces to stand beside Lanky Miller. Pulling a pair of large horn-rimmed spectacles out of his pocket, he put them on.

Thirty seconds later LeCat came round a corner and stopped to look at the two men carefully. 'Six ... seven.' The full complement of engine-room staff. Lighting a cigarette, LeCat continued studying the two seamen. Lanky Miller was the tallest member of the crew, six foot two inches tall. Beside him Foley's height seemed to have shrunk. LeCat stared at him, frowning.

Up on the control platform Brady's hand moved so swiftly no one saw the slight movement. Above the pounding of the machinery hammering at LeCat's eardrums the Frenchman heard a sudden, hissing shriek. Steam billowed into the engine-room. 'Emergency!' Brady roared. 'Boiler overheating!' There was a clatter of feet across the gratings as the crew dispersed all over the engine-room. Miller and Foley rushed past LeCat and disappeared. The Frenchman looked round irritably, shrugged, went to the ladder and climbed up out of the hideous bedlam.

The chief, a resourceful and determined man, noticing that LeCat had left the engine-room, that the guard above was still on the catwalk, increased the volume of steam until soon the entire engine-room was filled with a gaseous white mist which blotted out everything. He sent Wilkins to the storage compartment where Monk, who had missed the count, was hiding.

Looking down from the catwalk above the guard could see nothing and it worried him. Anything could be happening below inside that seething white cauldron. Were they on the edge of disaster? Was the ship about to blow up? Should he warn Winter immediately? Then he heard a horrible scream just underneath him, a scream so penetrating it travelled up to him above the hammering of the machinery and the hissing of the escaping steam.

He went down the ladder quickly, found himself at the bottom, enveloped in steam, but he was also resourceful. A seaman loomed up out of the mist and the guard grabbed him, forced the man to walk ahead of him with the Skorpion pistol pressed into his back. If anyone attempted to attack him as they moved through the steam clouds the seaman would be shot. He guided the man to the control platform and yelled up at Brady. 'What is this that happens?'

'Just getting it under control,' Brady roared. 'Boiler got badly overheated . . . Nothing to worry about.'

And it seemed that Brady knew what he was doing. The steam was beginning to thin out, the sinister hissing sound had stopped. The guard made his way back to the ladder and climbed up to the catwalk he had left unguarded.

On the platform Brady wiped his mouth with the back of his hand as he watched the guard leaving with grim satisfaction. The trial run had worked: they could fool the terrorists when the next man-count came. They had to fool them, in fact. Because next time there would only be six men in the engine-room. While the ladder was smothered in steam Monk had gone up it and was now hiding in a storage cupboard well clear of the engine-room.

On the mainland some people took a swim each day even in January. Les Cord, a student at Stamford University near San Francisco, parked his car and went down on to Ocean Beach. The Pacific was grey, the heavy overcast hanging close above it was grey, and the combers coming in were large. It was the morning of Monday January 20.

Cord was sitting on the beach, taking off his shoes, when he first noticed it, a disturbing sensation as though some massive force were approaching. Slipping his shoes back on again, he stood up and stared at the sky. It had a stormy look, but he had seen stormy skies before. A few yards away the giant combers coming in hit the beach. He looked out to sea.

There was a storm swell now. Far out to where the grey horizon almost lost itself in the ocean he saw an enormous swell building up, great windrows of endless width sweeping towards him. They had come in over vast distances, these windrows, and now he became more aware of the power of these combers crashing down on the beach. He felt their vibration through the soles of his shoes and the whole beach almost shuddered under the impact. Vaguely, he realised that this was what had first disturbed him, the

213

massive thump of these great waves as they hammered down on the beach.

He changed his mind, still unsure of what precisely was so disturbing, went back to his car and drove away to the city. He had broken his record of a swim a day, but it didn't worry him – he was just glad to get away from that beach, from that unnerving sensation.

Les Cord didn't realise it, but what had shaken him was the rhythm of the incoming combers – they were advancing onshore at the rate of four waves to the minute instead of the normal seven. Nor did he know that at that moment seismographs as far away as Alaska were registering the massive shock of these waves, recording them as they would have recorded earth tremors. Typhoon Tara was coming, reaching out her fingers to tap a warning on the beaches of mainland America.

At about the same time as Les Cord decided not to take his daily swim from Ocean Beach, a few miles away on the other side of the peninsula Sullivan was putting in a call to the chairman of Harper Tankships.

Sullivan had arrived in San Francisco from Seattle late on Sunday afternoon, had waited one hour at the International airport for a yellow cab – owing to the gas shortage – and had been driven to the St Francis Hotel on Union Square. As the phone rang he was looking down from his bedroom window on the roof of a cable car heading up towards California Street.

'Sullivan speaking. I'm at the St Francis in San Francisco . . .' He gave Harper the phone number. 'When does the *Challenger* get here?'

'Estimated time of arrival at the moment is eight o'clock tomorrow morning – your time. Frankly, I wouldn't bet on it.'

'Something's happened?'

'I don't know, Sullivan . . .' Harper sounded perplexed. 'It probably doesn't mean anything, but Ephraim seems to have gone off his head . . .'

'What does that mean?'

'We have the usual bulletin from Kinnaird on the ship's position, etc. – plus the weather report. According to Kinnaird Typhoon Tara has got them – just a minute, you probably don't know but there's a typhoon coming in from the north Pacific . . .'

'I do know – I picked up a weather bulletin in Seattle. I don't get the point . . .'

'You would, if you listened to me. According to Kinnaird the *Challenger* at this minute is riding out this typhoon – there's been some damage and a couple of men injured . . .'

'And according to Ephraim?'

'Ship is still proceeding at seventeen knots through a gentle swell. I just don't understand it. Kinnaird, by the way, reported speed reduced to eight knots.'

'Have you wirelessed Mackay?'

'I was just going to do so when your call came through . . .'

'Don't! Don't send any signal to the ship referring to Ephraim.'

'Why on earth not?' Impatience was creeping into Harper's voice.

'I'm not sure why not – but don't, at least not yet. It's just a feeling,' Sullivan replied. 'How long ago was your mechanical friend put on board?'

'Six months ago.'

'During those six months has there been any other instance of conflict between a wireless operator and Ephraim?'

'None at all. These computerised systems do snarl up though.'

'What time lapse would there be between Ephraim's report and Kinnaird's?'

'Hardly any – I checked that point . . .'

'So the two reports are damned near synchronised? Harper, have you a number where I could call the International Marine Centre people at The Hague?'

'Wait a minute.' Harper read out a number. 'You could get someone there now – or later. They run a twenty-four-hour service. Typical Dutch efficiency. You'd really rather I held off contacting Mackay?'

'Yes, I want to find out if there's a chance Ephraim has gone on the blink . . .'

'He must have. There's no other explanation . . .'

216

'Yes, there is. Ephraim hasn't got hiccups and the ship is still moving through nothing fiercer than a gentle swell. In which case Kinnaird is sitting in his tight little radio cabin drunk as a lord – but he thinks it's the ship that's drunk . . .'

'Is that some kind of a joke?' Harper asked waspishly.

'It could be a very grim joke.'

A Miss Van der Ploeg, very precise and crisp, knew all about the master computer and Ephraim. No, there was no possibility of Ephraim transmitting misleading data. He might send a nonsense report, but it would be a nonsense report – a jumbled mess.

Yes, Mr Sullivan, she had made a check while she kept him waiting on the line. The system was functioning perfectly. If Ephraim said the ship was proceeding at seventeen knots through a gentle swell, then that was what the ship was doing. Sullivan got the impression that she was slightly incredulous that he might think a mere human wireless operator could be superior to Ephraim . . .

Sullivan thanked Miss Van der Ploeg, put down the phone and lit a cigarette. It was the first time he had been on the West Coast and he had no contacts out here. He'd better phone Bill Berridge of the New York Port Authority to get some local names. Alone in a strange city, Sullivan was in his element now he had one tiny indication suggesting that something weird was happening aboard the *Challenger*. The trouble would be to convince other people.

By three o'clock in the afternoon Sullivan had tried everything he could think of. Using the introduction from Bill Berridge of the New York Port Authority had got him in to see Chandler of the San Francisco Port Authority, and that was all it had got him. Chandler, a large, friendly man, had listened to his story and had then pointed out that he hadn't one solid piece of evidence that anything was wrong aboard the incoming British oil tanker.

'Except that the wireless operator aboard reported they were caught up inside a typhoon while the monitor, Ephraim, said the ship was in a gentle swell . . .'

'There is a typhoon and it's just changed course. These mechanical devices can go wrong, Mr Sullivan,' Chandler pointed out politely as he lit his pipe. 'Now, my bank has a computer . . .'

'I told you, I checked with the Dutch people at The Hague,' Sullivan said obstinately.

'Naturally they'd have faith in their own system . . .'

After all, Holland was a long way from San Francisco. And Chandler wanted more to go on before he pressed any panic buttons. 'Give me a real emergency and I'll report it fast enough,' he explained. 'In a real emergency I could escalate.'

'How high?'

Chandler counted it off on his fingers. 'First, O'Hara, my boss. The next step would be the mayor. He might contact the FBI. The Coast Guard would come in early, of course. If it was very big we might contact the Governor of California. That's Alex Mac-Gowan. He's due back from vacation in Switzerland soon . . .'

The next step Sullivan took was to call the FBI. Rather to his surprise two men called to see him at the St Francis within half an hour. Special Agent Foster – Sullivan didn't catch the other man's name – was very polite and listened without interruption. Then he used almost the same words Chandler had used. 'If you could provide us with any real evidence . . .'

It was four o'clock in the afternoon when the FBI men left the St Francis and Sullivan knew he still hadn't lit a fire under anyone. And the *Challenger* was due to arrive in sixteen hours' time.

'Intelligence reports from Beirut indicate that the Gulf states are on the verge of drastically reducing oil output below the present fifty per cent cut. The reports, emanating from a source close to Sheikh Gamal Tafak, say this decision will be put into effect one week from today . . .'

The report was delivered to the British Inner Cabinet on Monday January 20. 'We need four more days,' the Minister of Defence commented. 'So long as they don't advance their decision we may be just in time. I think there is a danger they will not only shut down the oil wells – they may dynamite them. The other report is highly worrying . . .'

The 'other report' was a message received from the British military attaché in Ankara. 'New attack on Israel appears imminent. Syrian tank forces have moved up overnight close to the Golan Heights. There is intense radio activity behind the Egyptian lines in Sinai . . .'

In Israel at this time the population was depressed. In the streets of Tel Aviv and Haifa and Jerusalem men and women openly wondered how much longer they had left to live. And in the higher echelons of Israeli leadership there were bitter recriminations. *We should never have withdrawn from the December 1973 frontiers.*

Because now – yielding to pressure from the western nations – the Israeli army was well east of the Suez Canal. And the Egyptian army commanded by the fanatical General (self-promoted) Sherif was closer to Tel Aviv.

As Tafak had said during a secret meeting with Gen. Sherif and the president of Syria in Damascus, 'Diplomacy squeezed the Israelis far enough back for the last strike to be launched. But first the stage must be set to guarantee that this time no reinforcements reach Israel at the final moment of truth. This is the operation I have already set in motion. The Israeli state will be destroyed on the West Coast of America – in San Francisco . . .'

Chapter Thirteen

At ten o'clock on Monday evening the outriders of Typhoon Tara closed round the *Challenger*, great waves which rolled towards the ship at regular intervals. It was this irregularity which bothered Mackay. If the giant combers grew in size they could be very dangerous indeed.

The British crew's counter-attack against the terrorists was due to be launched at the height of the typhoon. Hoping that sooner or later Mackay would remove his veto on the plan, Bennett had worked out the details meticulously, almost as meticulously as Winter had planned the seizure of the tanker.

The total crew numbered twenty-eight men. Of this complement six men were on duty in the engine-room – excluding Monk – three more on the bridge (Mackay, the officer of the watch and the helmsman), and the cook and steward were on almost permanent duty in the galley. So eleven men were on duty while the remaining sixteen – again excluding Monk – were under guard in the captain's day cabin. It was this reserve of sixteen men cooped up in the day cabin which Bennett had his eye on.

'First we get rid of LeCat,' he had suggested to Mackay during one of their frequent trips to the chart-room, 'then Monk helps me deal with my own escort guard when I go back to the day cabin – before I get there. The two of us then set about dealing with the armed guard on the day cabin . . .'

It was a planned escalation of release. And Bennett had also considered the problem of weapons. One pistol would become available when his own escort had been disposed of; a second pistol would be in their hands when the day cabin guard was eliminated. And other weapons could be improvised from the storage cupboard where Monk was still hiding. Ropes, for example, could quickly be converted into nooses for strangulation. In his own way, Bennett could be as ruthless as LeCat.

But everything depended on the elimination of LeCat. If a fierce struggle developed for control of the ship and Winter died, LeCat must not be alive to assume control. With LeCat taking over command, the reprisals would be atrocious, both Mackay and Bennett agreed. LeCat must go first.

The captain had listened to his first officer's pro-posal with some misgiving; he disliked violence and he mistrusted the odds against them – with the terror-ists holding the guns. For the moment he had given approval for Monk to try and get rid of LeCat, but he had reserved judgement on the rest of Bennett's plan. This was the state of Mackay's thinking when Typhoon Tara began to close in on the *Challenger*.

And already another part of Bennett's plan was taking shape – the guards were beginning to feel the effects of sea-sickness. This was why he had planned the break-out for when the typhoon was at its height; he could expect maximum disorganisation of Winter's carefully-planned security system.

The wind began to rise. LeCat, who had come on to the bridge where Bennett stood with Mackay, disliked the wind – it was so unpredictable. He stood at the front of the bridge as the wind rose, heaping up the seas in moving mountains which rolled all round the tanker. In the darkness there was a feeling of endless movement – the tanker pitching and tossing, the bridge tilting so LeCat had to spread his feet to counter the movement.

Beyond the bridge window as LeCat peered out, wavetops loomed, their crests wobbling unsteadily, the waves bearing down on the ship like a roller-coaster collapsing. Everywhere – movement. Great sliding seas, high crests dimly seen, which made them even more terrifying. Mackay raised his voice loud enough for the French terrorist to hear him. 'It hasn't really reached us yet. Inside an hour we'll see this 50,000-ton ship shifting about like a rowing boat . . .'

'You'll cope with it though . . .' It was Winter's

voice. He had come quietly on to the bridge, had heard the remark, had seen that it was directed at LeCat. Mackay swung round and stared at the tall Englishman.

'Winter, have you any conception of the power of a Pacific typhoon? Have you ever experienced one before?'

'No, but I have sailed in the Aegean.'

'The Aegean can be choppy, I grant you,' Mackay said grimly, 'but this is the big ocean. Out here nature has elbow room to marshal her power – and all the power man has harnessed in the atom bomb is like a match-flame compared with what we may see to-night . . .'

The 'rowing boat' remark had frightened LeCat; now the inadvertent reference to a nuclear device reinforced his fears. The Frenchman was staring towards the distant fo'c'sle which contained below decks the carpenter's store. Inside that tiny compartment he had stored away something which might have only the fraction of the power of a typhoon, but the thought that he might not have stowed it safely, that it might already be shifting about the bulkheads, cannoning against them under the impact of the rising storm, was making his hands sweat so profusely that they were running with moisture. And Mackay had said far worse was on the way.

*

'Inside twenty-four hours we shall have left this ship,' Winter warned Mackay. 'We shall be no more than an unpleasant memory – so I advise you to nip in the bud any mad ideas Bennett may have about organising resistance. It's not worth it.'

To hide his astonishment Mackay walked to the front of the bridge, walking upwards as the ship tilted. Winter's intuition was diabolical, as though he had guessed the first officer's plan, which was impossible. Quite apart from the growing fury of the typhoon as it came up to midnight, the atmosphere on the bridge was strained.

Once again he had asked Winter what was going to happen when the ship reached San Francisco and once again the Englishman had refused to tell him anything. And there had been a violent argument about turning out all the lights – including navigation lights. It was criminal, Mackay had said bitingly, to sail in mid-ocean without navigation lights.

But Winter had insisted; the lights had been turned out. The trouble was they were within only a few miles of the US weather cutter *Champlain* which was on two weeks' station in this part of the Pacific. Winter wanted no communication between the *Challenger* and this vessel, and if they sailed without lights the chances were they would pass her by unseen. Unless they collided with her in the dark . . .

Storm, collision, explosion, shipwreck – these were the four hazards the master of a seagoing tanker feared. And two of them now faced the *Challenger*, Mackay thought grimly as he stared down at the main deck. They were caught up in Typhoon Tara, and as if that were not enough to worry about, this madman, Winter, had seen to it that they might face collision with the weather cutter *Champlain* somewhere out there in the heaving ocean. Bennett was right, Mackay told himself: we have to make some effort to rid ourselves of these gangsters before they destroy us.

With no lights on except the one over the wheel and the illumination from the binnacle, Mackay's night sight was exceptionally good. He almost stiffened, but held himself motionless when he saw a shadowy figure moving along the catwalk sixty feet below on the main deck. He immediately recognised the short, wide-shouldered figure from the agile way he moved. LeCat. Why the hell was he heading for the fo'c'sle in conditions like these?

For most of the day Monk, the seaman who had escaped from the engine-room when Brady filled the place with clouds of steam, had survived undetected inside a large storage cupboard for cleaning materials on the deck below the bridge. It was close to midnight when Monk opened the door cautiously, no wider than a crack. He saw LeCat walking away from him down the alleyway.

Monk had just finished consuming the iron rations

he had taken with him inside the roomy cupboard; two bottles of beer and sandwiches provided by Wrigley before he left the engine-room. Hemmed in by the large collection of brushes and buckets inside the storage cupboard, Monk was stiff from staying in the same cramped position for so many hours. He would have to watch that if it came to a hand-to-hand grapple with LeCat. Air supply had been no problem; ventilator holes had been drilled in the door to prevent a musty atmosphere building up, and the manic pitching and tossing of the ship was nothing new to Monk. He opened the door wider.

The alleyway was deserted except for the diminishing figure of LeCat walking away from him. Monk waited until LeCat vanished round a corner and then left the cupboard, closing the door behind him. The alleyway tilted at a surrealist angle as Monk moved along it, splaying his legs to counter the motion. Somewhere, not far away, LeCat was moving ahead of him and Monk approached the corner with caution.

In his right hand he held a marlinspike, as vicious a weapon as can be found aboard a ship. And he was dressed to merge with darkness; a thick, dirty grey pullover, a scarf of much the same colour, and heavy trousers. His boots were rubber-soled. Close to the corner he paused, listening. The overhead lamps in the alleyway were dim, the shadows moved with the tilt of the ship, moved sometimes like a hunched, waiting man crouched behind a corner. The ship creaked and shuddered with the impact of the ocean. As he went round the corner a door began slamming.

Thud-thud-thud . . . The slamming door was caused by the ship's movement, by the wind blasting into the alleyway Monk was looking along. Only seconds earlier LeCat must have stood in this alleyway, seconds before he went outside and down the ladder on to the main deck. Monk was surprised. Where could the French terrorist be going on a night like this?

A bleak smile crossed his severe face. Couldn't be better: LeCat had gone down on to the open deck. In a typhoon a man could get washed overboard just by being in the wrong place at the wrong time. He crept towards the slamming door, held it open only a few inches. The wind pushed at the door, screamed through the gap in his face. He had to press his shoulder hard against it to hold it.

He waited for his night vision to develop. Sharp-eyed from watching the quiver of gauge needles, the engine-room artificer watched the blurred shape below him on the main deck where sea was washing over it. In the darkness he caught movement rather than the outline of a man, the movement of the Frenchman climbing up on the catwalk. For some crazy reason LeCat was going away from the bridge, heading along the catwalk towards the distant fo'c'sle. Monk took a firmer grip on the marlinspike. Couldn't be better.

Monk waited until LeCat had disappeared along the catwalk, then he went out, closed the door and shinned rapidly down the swaying ladder. He reached the bottom as an inundation of sea swept inboard, swirling round his knees. Ignoring it, he held on to the ladder, staring up at the bridge. No glow of light, the whole vessel was in darkness. The bridge didn't worry him – he guessed that the guards were sea-sick and that the last place they would look was out over the ocean. If Mackay saw him it didn't matter. Monk was puzzled about the lack of navigation lights, but he assumed there must have been some temporary power failure. He headed for the catwalk as the water subsided over the rail.

Instead of following LeCat up on to the catwalk, Monk moved along its outer edge on the port side, staying down on the main deck, hanging on to the lower rail. It was very dark and Monk, soaked to the waist, was creeping forward with extreme caution, relying entirely on his eyesight to locate the Frenchman. It would be impossible to hear him – the slam of the waves, the surge of the water and the howl of the wind muffled any sound LeCat might make. It worried Monk that the Frenchman had vanished. If he were waiting inside one of the curved, open-ended shelters spread along the catwalk at intervals it would be impossible to see him.

He continued moving forward with the wind in his face, sucking the breath out of him, drenched to the skin, his hair plastered to his skull, his hands and feet growing numb with the penetrating chill, his marlinspike tucked in his belt so he could use both hands to cling to the rail as the vessel pitched and tossed with increasing violence. Still no sign of LeCat. He had just passed a shelter when he heard something behind him. He swung round, holding the rail with one hand, grabbing for the marlinspike with the other, and heard the same sound – the slam of the water against the breakwater which protected the distribution area for'ard of the bridge.

Monk waited a moment, swearing under his breath, his heart thumping. He was still determined to find LeCat without having any idea how much was at stake. He had volunteered to finish off the Frenchman, but it was only later in the day – long after Monk had hidden himself inside the cupboard – that Bennett had developed his plan for a mass break-out. And the key to this plan was the elimination of LeCat. Monk moved on towards the fo'c'sle.

The bloody ship seemed to have stretched out, all seven hundred and fifty feet of her, and it took him an age before he passed the last shelter, and then he was under the fo'c'sle, staring up as the bow climbed a huge comber, the whole deck heaving up as though some huge underwater creature was lifting the tanker out of the ocean. It was a freak wave. Monk's stomach warned him that the trough beyond would be one hell of a drop.

Monk went on staring up at the fo'c'sle as the wind tore at him, trying to wrench his hand off the rail, as spume struck him in the face with a stinging slap like the cut of a whip, as the deck went on climbing like a lift going up non-stop. One bloody hell of a drop beyond this . . . Then he saw LeCat.

Monk stared up, stunned. The Frenchman must be mad, clear out of his mind, couldn't possibly know anything about the sea. He had just come up out of the hatch leading down into the carpenter's store and was perched on the fo'c'sle. The Pacific was going to do the job for him.

LeCat was a courageous man – if courage is defined as doing something which scares the guts out of you. Sometimes one fear submerges another – and scared as LeCat was of Typhoon Tara, he was even more scared by his dread of the nuclear device coming adrift, cannoning from side to side against the bulkheads of the carpenter's store.

Reaching the fo'c'sle, he clawed his way up the ladder, drenched in spray, the wind screaming in his ears, threatening to tear him off the ladder and hurl him overboard. Here, up on the fo'c'sle, he was even more exposed to the wind than he had been below on the main deck. Getting the hatch open was an ordeal of strength, and he chose a moment when the tanker was climbing out of a trough, mounting the glassy wall of another huge wave. Opening the hatch, he went down the ladder inside, closing the hatch cover above him. The smell of wood shavings filled his nostrils. He switched on his heavy torch.

He was inside a large cell, a working cell. A carpenter's table was clamped to the deck, some shavings were neatly stored in a wooden box, the Zodiac inflatable boat was roped to a bulkhead ring alongside the outboard motor. The large suitcases containing the wet-suits and air bottles were wedged in between table and bulkhead, roped to each other and then to the table legs clamped to the deck. Underneath the pile was another suitcase-like object, the nuclear device.

There had been no movement, everything was as he had left it. He heaved a sigh of relief. God, he was earning his two hundred thousand dollars. Time to get back on deck, to get back to the bridge. The sense of instability was worst at the bow of the tanker, quite terrifying. LeCat went back up the ladder and out on deck.

Buffeted by the blinding wind and spume, LeCat closed the hatch and hung on to the starboard rail. The ship was climbing steeply, going up and up at so acute an angle he had trouble staying on his feet. His experience at sea warned him that this was a very big wave indeed. He lifted his head and saw beyond the bow a cliff of water sliding down above him, a grey, massive wobble which seemed about to collapse on top of him. LeCat froze.

This was the sight Monk saw as he looked up, the

sight of LeCat holding on to the starboard rail and staring for'ard with his back turned to the main deck. Monk hesitated, saw that he had a unique opportunity and hauled himself up the ladder on to the fo'c'sle as the ship reached the crest of the giant wave.

LeCat heard nothing. He reacted to instinct as it struck him how vulnerable he was. Monk was almost on top of him, his marlinspike raised, when LeCat swung round. LeCat's right hand flashed out, the fingers stiffened. His left hand held on to the rail. Monk was too close to dodge and his other hand was grasping the rail. The nails of LeCat's stiffened fingers slashed across Monk's eyes and he was blinded as the Frenchman grabbed for the flailing marlinspike. Twisting his wrist, the Frenchman forced Monk's body backwards against the rail. The marlinspike dropped, going over the side as the tanker hovered on the wave crest and then fell into the green chasm below.

They were both holding on to the rail with one hand, knowing that if they let go they were overboard. LeCat let go of Monk's sprained wrist and his clawed hand flew upward, grasping Monk by the throat, squeezing, pushing the seaman over backwards as the ship went on dropping. With his sprained hand Monk tried to locate LeCat's eyes, crawling upwards over the powerful chest. LeCat dropped his head, bit the exploring hand savagely. As Monk began to choke LeCat released the grip on his throat, grabbed a handful of clothes and heaved the seaman upwards and outwards. Hoisting his feet clear off the deck, he bent him over the rail, gave one fierce heave – and Monk was gone.

LeCat knew how he had been fooled now. Returning along the catwalk after killing Monk, he had gone to his cabin where he changed into dry clothes, then he had gone straight to the engine-room where he spent some time. After studying each member of the crew, he made a fresh head-count. This time Foley had not tricked him with his quick-change act; LeCat spotted the disguise, the seaman naked to the waist with the greasy cap and horn-rimmed spectacles. But he had not appeared to notice. 'Six . . . seven.' Then he left the engine-room, much to Brady's relief.

LeCat had no intention of reporting to Winter what had happened; he would not even let him know that one of the British seamen was missing. LeCat disagreed violently with Winter's methods of controlling the prisoners: terror was the only effective method of controlling men, of keeping them under. And chance had given him such a weapon. From now on the British crew would be wondering what had happened to that seaman; uncertainty, the unknown plays havoc with men's nerves. He would fray their nerves to shreds so they were pliant when he took over command.

*

235

Inside her locked cabin – Winter kept the key in his pocket – Betty Cordell had no sleep. She lay awake in her bunk, fully dressed in slacks and sweater, listening to the ominous creaking of the woodwork, the horrifying smash as the ocean shuddered the bulkhead, the endless howl of the wind outside the porthole where at times it seemed it was about to burst the glass.

Earlier she had made her final report to Mackay – who made one of his frequent visits to the chart-room – on the exact position of every guard on board. She had the impression that they were checking her information against data supplied by Wrigley, that for some reason the information was valuable to them, but they had thanked her and told her nothing.

She checked her watch. 4am. The typhoon seemed to be getting worse – her cabin was being tilted at angles she never imagined it could assume while the ship remained afloat. The noise was terrible – the wind, the ocean – almost deafening as though she were outside on the main deck. She comforted herself with the thought that maybe this often happened, that on the bridge Mackay regarded it as almost routine for this part of the Pacific in January . . .

She was wrong. On the bridge at 4am Mackay regarded what was happening as anything but routine. They were moving close to the eye of the typhoon, but they had not reached it – and Mackay was beginning to fear for the survival of the 50,000-ton vessel.

At 4am the watches changed and Bennett, who had

overstayed his watch at midnight, was urgently recalled to the bridge, relieving Second Officer Brian Walsh. Mackay had taken an unprecedented decision. 'Sorry to bring you up again,' the captain remarked, 'but the situation makes me thoughtful.'

The situation makes me thoughtful ... For Mackay this was the equivalent of ordering panic stations. Bennett, who trusted his master's judgement, also began to wonder whether they would survive the night.

From the bridge window the view was horrific. The *Challenger* was labouring amid a world of violence which never stopped moving, so the mind could never adjust as the ship wallowed amid waves ninety feet high – as high as a nine-storey building – from crest to trough. There was no moon, no sky, only the massive cauldron of seething ocean as the ninety-foot waves bore down on the vessel from all quarters. Mackay was standing close to the window when the wave struck.

The wind strength was now one hundred and ten miles an hour, the strength Winter had noted down in the signal he had earlier handed to Kinnaird for his imaginary typhoon. As a prophet Winter was being vindicated with a vengeance. The wind's scream was now so ferocious that it had drowned out the thump of the labouring engine beat, a manic scream which chilled the guards as they stared at each other across the width of the bridge. Then the scream was momentarily lost as another sound penetrated the bridge, a tremendous whoomph as a giant wave struck the port side.

A great column of surf and spume climbed for'ard of the port side of the bridge, then a white shadow broke full against the bridge, blinding all vision as the vessel shook under the impact. The thought flashed through Mackay's tired mind that they were caught between two powerful and competing wave systems, then there was a second whoomph as a second wave exploded, far too close to its predecessor. The wave rhythm had gone, the ocean had gone wild, the wind strength climbed to one hundred and twenty-five miles an hour as the bridge plunged and toppled like a building collapsing floor by floor.

The quartermaster damned near lost his grip on the wheel, the stocky guard on the port side let go of his grip on the rail and was thrown clear across the bridge, vomiting all over the deck as his pistol slid ahead of him. The other guard retrieved the weapon as it slid over and touched his boots. A head-breaking crack like a gun going off resounded inside the bridge. But it wasn't the head of the guard which had cracked – as the spray ran off the armoured glass of the window the captain stared at a zigzag fracture which disfigured the window. Carried forward at the speed of a projectile, the sea had struck the glass like lead shot. Walsh, who had lingered on the bridge, wanting to stay near his captain, winced.

'My God, sir,' Walsh gasped. 'I've never seen that happen before . . .'

'Calm yourself, Mr Walsh, this is going to be quite a night . . .'

Winter came on to the bridge as he was speaking, as the stocky guard hauled himself to his feet, reaching out for his pistol with a trembling hand. 'I'll take that,' Winter said crisply, 'go get yourself cleaned up . . .' He waited until the tilting deck was momentarily level, then went across to join Mackay by the bridge window.

Winter had not been expected back on the bridge, for the simple reason that no one knew when to expect him. Tireless, he roamed all over the bridge structure from one level to another, checking, checking, always surprising people by his arrival – both the terrorists and the British crew. He deliberately followed no set routine because it kept them off balance, and never more than this night of the typhoon which he foresaw could be the time of maximum danger. If the crew – spearheaded by Bennett, of course – attempted a break-out it would be at the height of the storm, while the guards were disabled all over the ship with sea-sickness.

'What is the position?' Winter demanded.

'It will get worse,' Mackay said in a monotone.

Wind speed rose to one hundred and thirty miles an hour – almost without precedent. Winter clung to a rail, watching Mackay, knowing that this man was the real barometer of the extent of their danger. Sixty feet below the bridge there was a surge of sea – the main deck vanished under the teeming ocean, was below water level. Catwalk, breakwater, pipes and valves – all had disappeared. Only the two derricks and the distant foremast showed above the raging surface. It was as though the ship had gone down except for the island bridge which floated like a remnant of a submerged ship. For two more hours Tara battered the *Challenger*, and then she turned away, heading southwest into the vast reaches of the Pacific.

As dawn came at 7.12am, it was a time of relief and bitterness for Bennett; relief that they had survived, and bitterness that they had lost their last chance to take back their ship. Monk had never reappeared after Mackay had seen him moving along the main deck after LeCat. The French terrorist had reappeared later in the engine-room when he had sprung his surprise head-count. There would, Bennett felt sure, never be another chance. If they hadn't managed it at the height of the typhoon when half the guards were seasick, they were unlikely to pull it off in broad daylight. And the *Challenger*, though much delayed and thrown off course by Tara, was now little more than twelve hours' sailing time from San Francisco. Winter had won the game.

Chapter Fourteen

'*Challenger* (t), British, Nikisiki, Harper Tankships, Oleum.' *Shipping notice under heading 'Arriving Today'. From* San Francisco Chronicle, *January 21*.

The idea came to Sullivan when he was returning from breakfast at a coffee shop on Geary Street. He was going up inside the glass elevator at the St Francis Hotel, an elevator which moves up an open shaft attached to the outside of the building, so he had an unobstructed and dizzy view of Union Square far below. Turning the idea over, he hardly noticed the view.

He hurried to his room, took off his coat and threw it on the bed. He was going to do something he had urged Harper not to do; he was going to communicate with the *Challenger* while she was still at sea. It might be illuminating to see what reply he received – whether, in fact, he received any reply at all.

It took him a few minutes to work out a message on a scribble pad, a message which could do no harm if there was something seriously wrong aboard the tanker, and the message would have to pass through the replacement wireless operator, Kinnaird. When he had composed the message to his satisfaction he picked up the phone and spoke to the operator who relayed messages to ships at sea. The message was quite short but it compelled a reply – if everything aboard the *Challenger* was normal.

Suspect contraband was taken aboard at Cook Inlet. Possibly drugs. Please confirm immediately whether new personnel joined ship at Nikisiki for present voyage. Will expect immediate reply to Sullivan, St Francis Hotel, San Francisco. Repeat expect immediate reply. Sullivan.

When the *Challenger* was within twelve hours' sailing time of San Francisco it was almost a year to the day since the Gulf states, led by Sheikh Gamal Tafak, had cut the flow of oil to the West by fifty per cent. The reaction to this event inside Soviet Russia was strangely muted.

The Soviet government, which in the past had urged the Arabs to use their oil weapon, was appalled by the revelation of what it involved, by the sheer immensity of Arab power. It suddenly dawned on the Russians that they had spawned a monster. A Golden Ape was now stalking across the face of the earth, an ape which could destroy the great industrial machines of the West on which Russia depended for aid to develop her own industrial machine.

So, the Soviet government absorbed the shock, recognised the potential danger of the situation, and waited. While Sheikh Gamal Tafak remained convinced that he held all the trump cards, to the north of the Arab oil bowls the Russian colossus loomed like a giant shadow, patient, watchful, waiting.

Moving ever closer to San Francisco, the *Challenger* limped out of the embrace of Typhoon Tara. On the morning of Tuesday January 21, as the sun broke through a heavy overcast, the British tanker was a grim sight.

Her funnel was bent at a weird angle, although still functioning. The port derrick was twisted into a bizarre shape. Hatch covers had been blown away in the night. The port-side lifeboat had been wrenched clear of its davits and lost in the ocean. Three port-side portholes with inch-thick glass had been smashed in. The bridge window which Mackay had heard crack was gone, blasted into the bridge interior by a later wave, and it was only by a miracle that the men on the bridge at that moment hadn't been cut to pieces by flying glass. The bridge structure itself had a lopsided tilt. The *Challenger* looked a wreck but she was still steaming for California at a speed of seventeen knots.

From the main deck Winter looked up at the ruination with quiet satisfaction. In this state he had no doubt the port authority at San Francisco would permit

Challenger immediate entrance into the Bay beyond. It was a sentiment he was careful not to share with Captain Mackay. He looked up as LeCat called down to him from the battered bridge. 'A signal from the mainland has just arrived . . .'

Winter went up on to the bridge quickly and LeCat handed him the signal Kinnaird had just received. Reading it with an expressionless face, Winter stared critically at Mackay. The captain was grey with fatigue. He had been on the bridge all night, guiding his ship through the worst Pacific typhoon in thirty years.

'Ever heard of someone called Sullivan?' Winter asked.

Mackay stared back at Winter with an equal lack of expression. The only Sullivan he could think of was Larry Sullivan, the man from Lloyd's he had once invited aboard the *Challenger*. Something told him to be careful.

'Yes,' he said.

'He's connected with Harper Tankships?'

'Yes.'

'What's his job? And don't be so monosyllabic . . .'

Mackay blew his top. 'Damn you!' he roared. 'I've taken my ship through one hell of a typhoon. I've done that with you bastards aboard, standing around with your popguns in your hands, getting in the bloody way when my whole attention should have been concentrated on saving my ship . . .'

'Take it easy . . .'

'Jump over the bloody side! I've just about reached the end of my tether with you swine. If you talk to me like that again on my bridge I'll order the engine-room to stop the ship and you can do what you like . . .'

'You will shut up . . .' LeCat began, raising his pistol.

'No, you shut up!' Mackay roared. 'You can shoot every man jack aboard and where will that leave you? Floating around out here in the bloody Pacific not able to sail one mile closer to San Francisco . . .'

Winter pushed down LeCat's pistol arm, told him to shove off the bridge. Mackay, driven too far, was on the verge of calling his bluff. Shoot us all . . . Winter wasn't prepared to shoot anyone. 'I withdraw the remark,' he said quietly. 'I think you ought to get a few hours' sleep in a minute. But first, could you tell me who this Sullivan is?'

'Senior man on their staff.'

Tired out as he was, Mackay had had time to think while he raved on at Winter. He wished to God he knew what was in that signal. He sensed that there could just be a chance to warn the mainland of the terrible situation aboard his ship. If only he could get a look at that signal – before he replied to Winter's questions.

'Does Sullivan travel about much?' Winter asked.

'Most shipping people do – from time to time . . .'

'So it wouldn't surprise you to hear that Sullivan was at this moment in San Francisco?'

'Not particularly,' replied Mackay, who was astonished.

Winter handed the signal to him. 'What do you make of that?' Mackay took his time absorbing it while Bennett read it over his shoulder. *Suspect contraband was taken aboard at Cook Inlet. Possibly drugs. Please confirm immediately whether new personnel joined ship at Nikisiki for present voyage. Will expect immediate reply to Sullivan, St Francis Hotel, San Francisco. Repeat expect immediate reply. Sullivan.*

Mackay's expression remained unchanged but his mind jumped backwards and forwards. Contraband? New personnel? Was it even barely possible that Sullivan, who had turned up in California, had even an inkling that something was wrong? In a turmoil, Mackay felt he was treading through a minefield.

'Well?' Winter demanded.

'Well what?' Mackay growled.

'Why doesn't he know Kinnaird is a replacement wireless operator? Why the question about new personnel being taken on board? Isn't he in touch with head office? Didn't you tell Harper about Kinnaird?'

'I sent a message to London about Kinnaird before we sailed,' Mackay said shortly.

'Then why doesn't Sullivan know about that? Isn't he in constant touch with head office?'

'How would I know? Sullivan roams about a lot . . .'

'What about the reference to drugs?' Winter asked.

'No idea – except for smuggling There are too many

places aboard a vessel this size where you can hide a small package . . .'

'It's happened aboard the *Challenger* before?' Winter asked casually. He gave no sign that this was a trick question. If Mackay said yes, all he had to do was to question another member of the crew to check the captain's story.

'Not while I've been in command,' Mackay replied.

'I don't think I'm going to reply to this,' Winter said.

'Do what the hell you like.' Mackay stretched his weary shoulders. 'Mr Bennett, take over command on the bridge – I'm going to get a few hours' sleep. Call me if there's trouble of any kind,' he added.

'No, wait here a minute,' Winter said sharply.

He was in a dilemma. If he didn't reply to this Sullivan they might think something was wrong on the mainland, but he was suspicious. It seemed such a strange coincidence – that on this particular voyage there should be trouble of an entirely different nature. On the other hand, Mackay didn't seem to care whether he replied or not, which was exactly the impression the captain had struggled to convey. But if he didn't reply to this urgent request . . .

'I've changed my mind,' he told them suddenly. 'We will reply . . .'

He watched the two officers closely as he made the remark. Mackay looked out of the bridge window, bored. Bennett took out a packet of cigarettes and lit one. 'I'll word the reply myself,' Winter went on, 'telling him a search is being made of the ship and that you'll report the result when we dock at Oleum ...' Mackay, who had hoped to word the reply himself, managed to hide his bitter disappointment. He started walking off the bridge.

'Just a minute,' Winter called out. 'Sullivan is a pretty common name – and I want this message to reach him at the St Francis. What's his Christian name?'

'Ephraim,' Mackay said promptly. 'Ephraim Sullivan.'

The signal signed Mackay reached Sullivan at the St Francis at eleven in the morning of Tuesday – eleven hours before the *Challenger* was due to dock at Oleum. *Message received and understood. Am instituting general search of ship. Will report result on arrival at Oleum.* Sullivan stared at the signal he had taken down over the phone on a scribble pad, stared at the address. Ephraim Sullivan, St Francis Hotel ... He stood up, feeling almost light-headed, as though the jet lag had come back. I was bloody right, he said to himself, bloody right all the way from Bordeaux, and now I'm going to get some action.

After a lot of persuasive talking on the phone he was put through to the Mayor's secretary. Sullivan soon realised that she was well-chosen for her job of protecting the Mayor from crank callers. He went on talking and she was like a Berlin Wall. Taking a deep breath, he went overboard.

'I'm trying to warn him about a threat to the whole city of San Francisco, an imminent threat – as from about ten o'clock tonight . . .'

Mayor Aldo Peretti was a handsome-looking man of forty who smiled easily and frequently. Dark-haired, smooth-skinned, he had propelled himself upwards in the world from lower than zero as he was fond of putting it. Which was quite true; his father had been a fruit-picker from Salinas in the Salinas valley. Because of this background, Peretti was a man deeply interested in all forms of modern technology, in anything which could take the muscle-power out of work. He was especially interested in computers.

'Let's go over it again, Mr Sullivan,' he said with a pleasant smile from behind his desk. 'You checked with the Marine Centre people in The Hague and they were sure the signals had to be accurate – that if Ephraim had crossed his circuits the result would be a mess, not a clear message?'

'That's right . . .'

'Which is my understanding of the way computers work – we're installing them this year in several more departments in the city. Frankly, what convinces me we ought to check is Ephraim – and the use of his name in this signal you got back from the ship. It almost suggests that someone, maybe the captain, was trying to tell us something is wrong.' He smiled again. 'You won't mind if I check myself with the Marine Centre at The Hague? Before I start raising hell I'd better make sure I have some kind of launch pad under me . . .'

It was one o'clock in the afternoon in San Francisco, nine hours before the *Challenger* was due to dock at Oleum.

As the *Challenger* steamed steadily towards San Francisco at seventeen knots, a battered, bruised, mishapen ship, but still with her engine power unaffected, an edgy tension grew on board. Which was strange because it might have been expected that morale would rise as they neared their ultimate destination which should see the end of their ordeal. Quite the reverse was happening.

The British crew and officers were badly affected by the unexplained disappearance of Monk, the missing engine-room artificer. Brady, the engine-room chief, tried to keep up the morale of his men by suggesting that Monk was hiding somewhere. 'It would take more than one of these froggie terrorists to put paid to a man like Monk,' he assured Lanky Miller. 'He just didn't get his chance to sort out LeCat, so he's gone to ground somewhere . . .'

Mackay and Bennett had taken a more realistic view

in the chart-room when they discussed it early in the morning before dawn. 'I think the cat got him,' Bennett said. They had taken to referring to the French terrorist they most feared as 'the cat'.

'I think you're probably right,' Mackay had replied. 'What I don't understand is why Winter has made no reference to it.'

'And we can hardly ask him. How would we go about it? "Mr Winter, we sent one of our men to kill your second-in-command and he's gone missing. Any news?" It's getting on the men's nerves, too. You know what seamen are – a man dying at sea rouses superstition, but a man disappearing, that's enough to send them round the bend . . .'

So LeCat's method was working, which was ironical. Winter had kept the crew under control earlier by being forceful but not brutal. He had, in fact, more than justified Sheikh Gamal Tafak's judgement that it would take an Englishman to control a British crew. Now, without anyone being aware of it – least of all Winter – LeCat's use of the terror weapon was also working, grinding away at the morale of the crew only a few hours' sailing time from San Francisco. LeCat observed what was happening through habitually half-closed eyes without apparently noticing anything. Soon Winter would leave the ship and he would assume control; meantime the crew was slowly losing its guts.

The tension on board was not confined to the

251

prisoners; the ex-OAS guards themselves showed signs of mounting tension as they came closer and closer to the American mainland, and this showed itself in a stricter, more irritable, trigger-fingered attitude. Nor was Winter, cold and detached as he was, free from tension. It was not the approach to California which plucked at his nerves; the closer he came to the climax the more icy he became. It was the unexplained incidents which warned his sixth sense that something was going wrong. First, there was the second signal from the mainland which arrived at 2pm.

Please confirm urgently that all is well aboard your ship. I require a fully worded signal in reply. Certain of your signals have not conformed to normal practice. O'Hara. San Francisco Port Authority.

Winter immediately showed this signal to Mackay who had just come back on to the bridge after sleeping for four hours. 'I want to know what this means,' Winter demanded. 'You'll agree you wouldn't normally receive this kind of signal? What has aroused O'Hara's suspicions?'

'You have, I expect,' Mackay replied bluntly.

'What does that mean?'

'Since you seized control of my ship you have sent all the radio messages. Somewhere, it seems, you blundered . . .'

'So what answer would you send?'

'I'm not dictating a reply,' Mackay said firmly. He turned his back on Winter and stared through the smashed bridge window. Betty Cordell stood beside him, noting all that was going on. Because there were always two British officers present, she was now spending most of her time on the bridge; there was an atmosphere of rising tension on the ship which worried her. Beyond the window the ocean was incredibly calm, a grey, placid plain under a grey, placid sky. Typhoon Tara was now ripping her way south causing havoc on the sea lanes to Australia, while *Challenger* approached San Francisco from the south-west. This route – normally the tanker would have come in from the north-west – was being followed under pressure from Winter who planned to arrive unexpectedly at the entrance to Golden Gate channel.

'You must work out your own reply,' Mackay repeated when he was asked a second time.

Winter let it go, decided not to make an issue of it with Mackay. Within a few hours' sailing time of his objective he was going to be very careful not to stir up more trouble. He wrote out the reply himself and then took it to Kinnaird.

'Does this mean that they know something?' Kinnaird asked nervously as he read the message. 'Are we in trouble?'

'Send the message,' Winter ordered him. 'Did you think getting into San Francisco was going to be a cake walk?'

He left the radio cabin, locking the door behind him and handing the key to the armed guard outside.

Kinnaird began transmitting. *All is not well aboard my ship. Between 0100 and 0500 hours we passed through the eye of Typhoon Tara. Bridge structure extensively damaged but vessel seaworthy. Engine room unaffected. Proceeding on course for Oleum through calm waters at seventeen knots. Cannot understand your reference to my signals which have been transmitted as usual at regular intervals. Estimated time of arrival at Oleum still 2200 hours. Mackay.*

Winter, who had catnapped for short periods later in the night when the typhoon subsided, became more active than ever, turning up unexpectedly all over the ship. He noted the edginess of the guards, but that was to be expected – as they came very close to the Californian coast they were bound to be apprehensive, and most of them were recovering from sea-sickness.

What puzzled him was the sullenness of the British crew. Hostility he could have understood – expected – but there was something furtive in the way they looked at him when he went down into the engine-room, some mood he didn't understand. He checked to make sure that no man had been injured by LeCat. He questioned LeCat himself.

'Have you been threatening them?' he demanded when he was alone with the French terrorist inside the cabin he had taken over for his own use. 'There's a feeling growing on this ship I don't understand . . .'

'What kind of feeling?' LeCat enquired.

'A feeling of murderous resentment. If we're not

254

careful there'll be an explosion just when I don't want it . . .'

'I'll warn the guards . . .'

'I'll warn them. You'd better get back on the bridge.'

Edgy as he was inwardly, Winter still remembered to send a guard to escort Betty Cordell off the bridge and back to her cabin; with LeCat now stationed on the bridge it was better to keep the American girl out of the way. At three o'clock in the afternoon there was a third incident, when the tanker was only forty miles off the Californian coast, something far more disturbing than the arrival of a fresh signal.

The US Coast Guard helicopter arrived at exactly 1500 hours, cruising in towards the tanker so close to the ocean that only a man with LeCat's sharp eyes would have seen it so quickly. He used the phone to call Winter to the bridge. Winter reacted instantly, ordering three seamen to be brought up from the day cabin.

'You will go out on to the main deck,' he told them. 'Take those cleaning materials the guard has brought and pretend to be working. If you make any attempt to signal for help to this chopper three men in the day cabin will be shot. Their lives are in your hands . . .'

At the front of the bridge Mackay was looking sour; Winter was the devil incarnate. He thought of everything. At the moment the deserted deck had an

255

abnormal, naked look. By the time the helicopter arrived it would look as though nothing were wrong.

'Now let's all be quite clear about what's going to happen,' Winter said grimly as the three seamen were escorted off the bridge. 'Mr Mackay will stay where he is. You, Bennett, will go forward beside him. If the chopper flies alongside us you will wave to it. I shall be out of sight at the rear of the bridge, watching you...'

Mackay, still tired, tried desperately to think of some way he could indicate to the chopper pilot what was happening, but the problem defeated him. He watched this representative of the outside, sane world, the first representative he had seen since the terrorists came aboard, flying towards him. It was an anxious moment. For Winter also, as he stood well out of sight with LeCat beside him. The armed guards couldn't possibly be seen no matter how close the machine came.

It was heading straight for the bow of the ship, and through the open window they could now hear, above the throb of the *Challenger*'s engines, the lighter, faster beat of the helicopter's engine. There was no doubt about it: the machine was coming to take a look at them, maybe even attempt a landing where, two days earlier, Winter himself had landed a Sikorsky which in appearance was the twin of the one approaching them.

*

Inside her cabin Betty Cordell had her porthole wide open. With her acute sense of hearing, sharpened by a childhood spent in the desert, she had heard it coming a long way off. At first she thought it might be the terrorists' helicopter returning, but when she poked her head out of the open porthole she saw the tiny blip just above the sea, flying in from the east, from the direction of the mainland. She decided to take a chance.

Grabbing one of the white towels from out of the bathroom, she used her felt-tip pen to inscribe the three letters large-size on the towel. SOS. She went back to the porthole and waited. It was much closer now, she could tell from the engine sound, although the bow of the ship concealed how close it was. If only it would fly along the port side, along her side of the ship. The engine beat became a sharp drumming staccato. She leaned out of the porthole again and still she couldn't see it. She licked her dry lips and waited with the towel in her hands.

The air coming in through the porthole was almost warm; the tanker was now moving through far more southerly latitudes than when it had sailed from Alaska. The engine beat of the incoming Sikorsky was rising to a roar when the cabin door behind Betty Cordell opened and the armed guard came inside. He ran across to the porthole, slammed it shut, pulled the curtain over it and dragged the towel out of her hand. 'You sit over the bed,' he said in halting English. She sat down on the edge of the bunk and clasped her trembling hands in front of her.

'You are bad,' he said, looking at the marked towel. 'Le Cat will not like . . .'

'Tell Winter,' she said in a weary voice. 'He won't like it either . . .'

Inside the day cabin the seamen not on duty were lying face down on their stomachs while three guards stood close to the walls pointing pistols at them. The curtains were drawn over the portholes. The same scene was taking place inside the galley where Wrigley had joined Bates, the cook, on the floor. It was a further order Winter had issued on the bridge when he saw the Sikorsky coming – that the prisoners above engine-room level must be put in a position where it would be impossible for them to signal to the US Coast Guard plane.

The Sikorsky reached the bow, flew at fifty feet above the ocean along the port side of the tanker. 'Wave!' Winter shouted from the rear of the bridge. 'Do you want your helmsman to get a bullet in the back?' Bennett waved without enthusiasm, and then Mackay noticed something – the helmeted pilot inside his dome was not waving back. Which was damned odd.

The machine flew past the stern and Winter watched it going through the rear window. 'Doesn't the pilot normally acknowledge your wave?' he asked. 'I didn't see him wave back . . .'

'They don't always,' Mackay lied. 'If they're near

the end of a patrol they're only interested in getting back home . . .'

'He's coming back!' LeCat shouted.

Half a mile beyond the tanker's stern the Sikorsky was circling; then, squat-nosed and small, it headed straight back towards the tanker steaming away from it. As it came closer Winter gave a fresh order. 'Don't wave at it this time. Just watch it go. Do they ever communicate with you by radio when they're as close as this?'

'Not often,' Mackay said neutrally. He wasn't at all sure what was happening. The machine flew past them again, this time along the starboard side, still only fifty feet above the waves, which meant it passed below bridge deck level. On the main deck one seaman was hosing down the open areas while the other two seamen swabbed with brushes. They had decided to use the hose on their own initiative, to make it look good. As one of them said, 'Even if it lands and has Marines aboard those buggers will shoot our lads before they can get to them . . .' Mackay, as he watched, had never seen them work harder. He thought he understood why. Kinnaird, pale-faced, came running on to the bridge a moment later. He handed a message to Winter.

'I decided to bring it up . . .' Because you were scared, Winter thought, because you had to see what was happening. 'They've requested permission to land . . .'

Mackay swung round, his face grim and alert. And how are you going to cope with that, you bastard? Winter stood quite still for only a few seconds, watching the distant Sikorsky as it circled a mile ahead of the tanker which was now steaming towards it. He caught Mackay's expression and smiled bleakly, then gave the order to Kinnaird. 'Refuse permission to land. Tell them the deckplates under the landing point were weakened by the typhoon, that we have two injured seamen aboard – not seriously – but they will need to go to hospital for a check-up when we reach Oleum . . .'

The Sikorsky flew over them once more, making this last run directly over the tanker at a height of one hundred feet, then it turned away and headed on a due east course until it was out of sight. 'Where would it have come from?' Winter asked.

'Off some weather cutter, I suppose,' Mackay lied. 'How the devil would I know?'

But he did know. There was no chance of a weather cutter being stationed so close to the Californian coast. And the machine had flown off due east, heading straight for the United States mainland.

The helicopter was coming back.

At 4.30pm on Tuesday, half an hour before dusk, Winter leaned out of the smashed window on the bridge and watched the blip coming in from the south on the starboard side, the Sikorsky returning from the trawler *Pêcheur*.

During the height of the typhoon Kinnaird had exchanged frequent position messages with the *Pêcheur*, so they each knew where the other vessel was. And because the *Pêcheur* had steamed through the night over a hundred miles south of the tanker she had escaped the typhoon. Which was just as well, Winter reflected: had the trawler endured only a quarter of the tanker's ordeal the Sikorsky would undoubtedly have been ripped from her deck and hurled into the ocean.

Winter had deliberately left it as late as possible before summoning the Sikorsky to return. A helicopter sitting on the *Challenger*'s port quarter would hardly have heightened an impression of normality if they had been seen and reported on by a passing ship – let alone by the genuine US Coast Guard machine which had circled them three times. Winter was still worried about that incident, as he was about the unprecedented signal from the San Francisco Port Authority. He turned round as Betty Cordell came on the bridge.

'How long before we reach San Francisco?' she asked Mackay.

'We'll be standing off the Californian coast in less than an hour,' he told her soberly. 'We are scheduled to dock at Oleum at twenty-two hundred hours. Don't count on it,' he warned her.

'What's going to happen?'

COLIN FORBES

'Ask him . . .'

'What's going to happen to us?' she asked Winter coldly.

'Within forty-eight hours you are likely to be ashore – in San Francisco – with the story of your life,' he told her cynically.

'Why is your chopper coming?'

'Part of the operation . . .'

Winter went down off the bridge to meet the machine when it landed. The sky had changed during the past few minutes, and now an overcast from the north was spreading itself above the tanker as it continued heading direct for San Francisco. Winter, secretive by nature, had not felt inclined to answer Betty Cordell's last question. In less than an hour he had to fly away from the tanker, leaving LeCat in sole command.

'So we stop her where she is now – about ten miles off the coast,' Mayor Peretti said. 'We order her to stay in her present position and send out a vessel with Marines aboard. Is that agreed, gentlemen?'

The table in the mayor's office was large and there was just room for everyone. Seated on Peretti's right, Sullivan looked round the table and marvelled. God, what a change in only a few hours. Gathered round the table was a representative of almost every law-enforcement agency in the States. Karpis of the FBI

262

was there. Next to him sat Vince Bolan, police commissioner. Col Liam Cassidy of the US Marine Corps sat beyond him, and beyond him was Garfield of the Coast Guard and O'Hara of the Port Authority. Several other men whose functions Sullivan hadn't grasped made up the balance.

The Coast Guard helicopter which had circled the *Challenger* three times, which had flown past her twice at lower than bridge level, had no sooner landed when its cameras had been rushed to the processing laboratory where technicians waited. It was the enlarged prints taken from these films, infra-red films which had penetrated into the shadows on the bridge of the tanker, which had brought these men rushing to the mayor's office from all over the city, from the Presidio itself. The prints clearly showed men with guns standing at the rear of the bridge, guns pointed in the direction of the officers at the front of the bridge.

Sullivan had tracked a whisper all the way from Bordeaux to Hamburg, had then crossed to London, finding nothing concrete, nothing he could put his finger on, but he had gone on – all the way to Alaska, then down to Seattle and on to San Francisco. 'If only you could provide some real evidence . . .' the FBI agent had said to Sullivan at the St Francis Hotel. Sullivan looked at the blown-up prints scattered across the table.

The three men with guns had come out with remarkable clarity, although the face of the tall, thin man was blurred. Was this Winter, Sullivan wondered? The face was too blurred to make any real comparison with the prints Paul Hahnemann had given to him in Hamburg of his very English visitor, Mr Arnold Ross. The pistols the men held were clear enough, so clear that Col Cassidy had guessed they could be Czech Skorpions. That's only a guess,' he had added, 'but goddamnit, they're pistols, that's for sure . . .'

The signal was drafted for immediate transmission, the signal ordering the *Challenger* to cease steaming ahead, to stay where she was. The signal ended on an ominous note. *Any further progress towards the Californian coast will be interpreted as a hostile act.*

Dusk was gathering over the Pacific as the *Challenger* continued steaming for the coast of California at seventeen knots. The signal from the mainland had been received and Winter had shown it to Mackay, who gave no sign of elation as he read it carefully, then handed it back.

'What are you going to do now? You've been rumbled . . .'

'As I expected to be, sooner or later,' Winter replied coldly. 'Our great achievement has been to get so far undetected – right under the eyebrows of America. You will maintain present course and speed, Captain Mackay . . .'

'You must be mad. Get it through your head, Winter – the whole operation is over, finished. Any minute now I expect to see a US destroyer on my starboard bow . . .'

'That is highly unlikely. As I have just said, we have done better than I expected. Do you really think I did not foresee this contingency?'

Mackay felt a pricking of doubt. The supreme self-confidence this strange man had displayed from the moment he came on board was still there. At the front of the bridge, Betty Cordell, who had gathered the contents of the signal from their conversation, was studying Winter's cold expression to see how he took this overwhelming defeat. She couldn't understand his calmness, his detached aloofness. You might almost have thought he was seeing his plan working out . . .

Making a gesture to LeCat, Winter walked out on to the port wing deck where the two men could be alone. He started scribbling a reply for Kinnaird who was waiting, pale-faced inside the bridge. 'That should do it,' Winter said, showing the reply to LeCat.

'Also no underwater surveillance,' LeCat suggested. 'They may try and track us with a submarine . . .'

Winter completed the message, handed it to LeCat to take to Kinnaird, then looked along the main deck in the fading light where the helicopter was waiting for him. The signal should be clear enough to the men waiting on the mainland. They'll get the bloody message, Winter thought.

We have had complete armed control of the Challenger

for two days. We are proceeding for San Francisco Bay at a speed of seventeen knots. The British crew are hostages. Ransom of twenty million dollars is demanded for their safe release. In the event of any attempt to board this ship the twenty-eight hostages will instantly be shot. No surface ship, no aircraft, no underwater craft must approach this vessel. Any non-cooperation will be treated as a hostile act. The Weathermen.

Mackay was a very frightened man as he left the bridge and went down to the main deck as quickly as he could. Then he was running along the raised catwalk with the armed guard chasing him behind, shouting to him to stop. Mackay hoped he wouldn't get a bullet in the back, but he was even more scared of Winter leaving the ship. Ahead he saw Winter, close to the helicopter, turn and roar out an order in French to the guard running behind him. Had the terrorist aimed his gun? Had Winter shouted a command not to fire? Mackay kept on running.

Winter waited for him on the main deck under the dropped helicopter blades. It was getting dark now. A misty dusk which foreshadowed the onset of night was closing round the tanker. Someone turned on the lights at the head of the foremast ready for the take-off. Mackay, breathing heavily, was startled by the sudden illumination as he reached the machine.

'You are not leaving?'

'That was a damned silly thing to do – you could have got shot.' Winter snapped.

'You are not leaving the ship?'

It was very strange. There was no hostility in Mackay's voice, only an undisguised concern and anxiety, as though he were seeing a friend leave for ever. Winter caught the note in the captain's voice and smiled. 'I should have thought you'd be glad to see me go, maybe even pray a little that my engine failed over the Pacific . . .'

'Tell him to get away from us.' Mackay glanced back at the guard. Winter spoke briefly in French and the guard went back along the catwalk. 'You are not leaving us with LeCat?' Mackay demanded. 'Not with that animal . . .'

'We have a plan which must be carried out. Part of that plan means I must leave the ship . . .'

'You are British,' Mackay persisted. 'All right, you have taken my ship, the one thing no master can forgive. But you are British and I have a British crew to protect. If you stay, I shall remember it if things go wrong for you – I give you my word I shall speak up . . .'

Winter looked hesitant, the first time Mackay had ever seen even a hint of indecision in that cold, severe face. Mackay pressed home his plea. 'And there is the American girl – you know there has been one incident in her cabin already. I warn you, Winter, if you leave this ship there will be multiple rape . . .'

'LeCat will have his work cut out to cope with what's coming. In any case, I have spoken to him. He knows he needs the co-operation of your crew to get the tanker into San Francisco . . .'

'We are still going into the Bay?'

'Yes.' Winter was studying Mackay's drawn face. 'Look, it will turn out all right. There will be negotiations with the authorities to secure your crew's safe release . . .'

'You sound very confident.'

'I'm a confident chap.' Winter grinned. 'Always have been.' He swung round as he heard a boot scrape behind him. LeCat was standing near the nose of the machine, his pistol dangling from his hand. He had come quietly down from the fo'c'sle, creeping round the far side of the machine, and now he stood watching.

Mackay was appalled. Had the Frenchman heard all they had said? Winter climbed up inside the machine, slammed the door shut, and the slam sounded like a death sentence to Mackay.

LeCat sent Mackay back to the distant bridge with an armed guard. The foremast lights were switched off as soon as Winter's machine had taken off. So it was almost dark when LeCat descended alone into the carpenter's store, beaming his torch over the stacked suitcases wedged behind the table. He was sweating several minutes later when he went back up the ladder, carrying the two-hundred-pound case by its reinforced handle, then he transported it down on to the main deck.

Opening up the hatch cover of one of the empty tanks which had remained unfilled since the ship left Nikisiki, he went carefully down the almost vertical ladder leading to the depths of the tank. He rested for a moment on a steel platform, then went down the next ladder. Once, he caught the case a glancing blow on the ladder. Its hollow echo reverberated inside the immense metal tomb. LeCat was sweating horribly as he continued his descent. He had almost dropped his burden, dropped it from a height of twenty feet to the floor of the tank below.

His expert knowledge of mechanisms told him that nothing would have happened, the hellish thing could not possibly have detonated – the timer device wasn't activated, the miniature receiver was useless until the radio signals reached it, but LeCat was still sweating horribly. Reaching the bottom, he lifted the case, activated the magnetic clamps, and the case was attached to the hull of the ship.

He spent more time down in the bowels of the tank, fixing up the boobytrap – the anti-lift devices – he had earlier left at the bottom of the tank. And before he climbed the ladder he once again wiped sweat off his hands. When he returned to the main deck he closed the hatch and looked towards the bridge. No one could possibly have seen him in the darkness. Now there was only one other man on board who knew his secret; André Dupont, the man who had helped him bring the atomic physicist, Antoine, to Canada; the man who had watched over Antoine while he worked in the house on Dusquesne Street in Vancouver. And the nuclear device was in position, ready to be activated when the time came.

Part three

The San Francisco experience

Chapter Fifteen

No one notices the postman.

Everyone along the Californian coast is familiar with the sight of a US Coast Guard helicopter – these machines make daily patrols up and down the fore-shore, often flying low over the beaches. So who would think the appearance of Winter's Sikorsky strange?

It was deep dusk when Winter came in sight of the coast close to Carmel-by-the-Sea. From the chart spread out over his knees he identified Point Lobos, then he turned due north. There were lights down in Carmel, in Pacific Grove on the Monterey peninsula, and in Monterey itself. All the lights disappeared suddenly. Another power failure. Sheikh Gamal Tafak's oil weapon was biting deep.

The helicopter flew on over a dark and quiet ocean, flew on until vague clouds blotted out the sea. Fog. The moon rose and shone down on greyness, a shifting greyness of thick fog banks which made Winter feel he might be thirty thousand feet up in a Jumbo jet, speeding at five hundred miles an hour from Heath-row to Anchorage. That was only six days ago; to

Winter it seemed a whole lifetime. Ahead he saw the twitch of a flashing light exploding through the fog.

One million dollars . . . Time to retire, to get out like a racing driver before the world caught up with you, detonated in your face with a blinding flash and billowing clouds of black smoke. He checked his chart. The twitching flash would be Mile Rocks lighthouse at the entrance to Golden Gate.

He flew past the lighthouse on his right as the moon shone on slow-rolling fog which revolved like steam in a cauldron, on coils of fog which filled the entrance channel. Soon the *Challenger* would have to move through that cauldron. For a few seconds the distant fog lifted; a chain of lights crawled over the fog, barely moving it seemed, then the blanket closed down and his glimpse of traffic crossing Golden Gate bridge vanished.

He turned inland, away from the ocean, over Stinson Beach, still flying at a thousand feet with the fog three hundred feet below. Over Marin County – north across the bridge from San Francisco – the fog thinned, and now he was moving at minimum speed, staring down into the night, searching. He circled the area north of Novato once and then he spotted lights – alternate red and white flashes. He lost altitude and the lights came up to him amid a blur of dark trees and scrubby hill slopes. Walgren, the American who had shadowed Swan, the wireless operator in Anchorage, had not let him down.

Descending vertically towards the slope, he saw the lights were inside a tree-enclosed oval clearing, saw a small shadow which could be a parked car. The machine landed on hard earth inside a tangle of undergrowth, landed with a bump and then he cut the engine and the rotors slowed, stopped. It was 6.30pm. Walgren was waiting when he opened the door and dropped down on to the hill slope. 'Welcome to California,' Walgren said. Winter had arrived inside the United States.

They left the helicopter where he had landed it, concealed inside the copse of trees. And Winter had prepared for the possibility that it might be discovered within a few hours. Inside one of the seat pockets was a paid bill from a cheap hotel in Tijuana and a pack of Mexican cigarettes, some of the items Winter had instructed Walgren to obtain while he was in San Francisco the previous November. There was a thriving smuggling trade between Mexico and California, so when the FBI examined it they would conclude that this machine had come in from Mexico, probably with a haul of drugs.

Walgren, who had earlier obtained both hotel bill and the cigarettes, had also spilled a minute quantity of heroin on the floor of the pilot's cabin. The Drug Squad's Hoover would pick up these traces; their laboratory would analyse them. And these were extreme precautions Winter had suggested: the helicopter might well not be discovered for days.

At Winter's insistence, Walgren drove him first to Richardson Bay, where, under the treed lea of a headland, a small seaplane rode on the water. This was the escape vehicle. Later the terrorists would leave the ship under the cover of darkness or fog, speeding across the Bay inside the inflatable Zodiac, equipped with the outboard motor. The choice of this craft by Winter was deliberate. Made of rubber, it would not register on a radar screen, and he had foreseen the possibility that while the tanker was stationary in the Bay the harbour police might establish radar lookout posts onshore.

When the time came the terrorists inside the Zodiac would make for the seaplane and this machine would fly them either to the *Pêcheur*, waiting out at sea, or across the border to Canada And even if the seaplane was noticed in this remote spot there was little danger it would cause comment. Only a few miles further up Richardson Bay there was a seaplane base near Marin City. The wet-suits taken aboard the *Challenger* were for an emergency, so the terrorists could drop off the Zodiac close to the shore and swim the rest of the way. Winter hoped it wouldn't come to that – the currents out in the Bay can drown the strongest swimmer.

'Now drive me to San Francisco,' Winter told Walgren as he came ashore from examining the seaplane.

His main concern had been the fuel tanks, and these were full. 'No trouble getting gas for this car?' he asked Walgren as they approached Golden Gate bridge. 'Every trouble,' the American replied. 'Cost me two dollars fifty a gallon on the black market. Mafia premium grade . . .' Winter made him stop at the far end of Golden Gate bridge while he went back alone along the sidewalk.

He studied the bridge where within a few hours the *Challenger* would pass under the huge span, leaning over the rail to stare down into the fog. The highway span seemed to be floating on the fog, as did the seven-hundred-foot-high towers which, in the moonlight, looked like temples in a Chinese painting.

Carrying out Winter's instructions, Walgren dropped him at the Trans-Bay bus terminal in the city. Taking the bag which Walgren had brought for him off the back seat, Winter said goodnight, and walked inside the terminal. He spent only ten minutes there, then he ran out and grabbed a yellow cab which had just delivered passengers, and told the driver to take him to the Clift Hotel on Geary Street.

Precautions, precautions . . . Winter never stopped taking them. Hotel doormen have retentive memories and it would look just a shade more normal if he arrived in a cab. Giving the cab driver the usual fifteen per cent tip, he walked past the coloured doorman and followed the bell-boy across the lobby to reception.

277

Keeping to his normal routine, he was booking in at one of the most exclusive hotels in San Francisco; the police always assume such visitors must be respectable.

'You have a room reserved for me for one week. Mr Stanley Grant – from Australia . . .'

He would be staying for only three days, when he would pay the bill for one week, saying he had been called back urgently to Los Angeles. But if the hotel register were checked by the police there is a certain unhurriedness, a respectability about a one-week reservation. He followed the bell-boy into the elevator and went up to his room on the tenth floor. Alone in his room he felt a certain surprise. He was in California.

. . . *Any non-cooperation will be treated as a hostile act. The Weathermen.*

Mayor Aldo Peretti was not smiling as he looked round the table in his office at the men gathered there. Again, Sullivan was on his right and beyond him were the same men who had attended his previous meeting. No one was smiling. For over an hour they had been arguing about the threatening signal which had come in from the *Challenger*. It was 6.30pm.

'I don't believe it,' Sullivan said. 'That reference to The Weathermen, I mean. This isn't a gang from the American underground. For some reason they just wish to hide their real identity from us. It's too much of a coincidence,' he went on. 'I traced Winter to

278

Hamburg. Someone high up in France told me he was involved with LeCat, who had recruited a team of ex-OAS terrorists. I then traced Winter to Alaska just before the *Challenger* sailed again. I think that French terrorist team is aboard – and they were financed by Arab money according to my French contact . . .'

'It sounds like a simple ransom demand,' Peretti pointed out. 'And in any case, what is at stake are the lives of twenty-eight British seamen – and one American girl. I'm not prepared to risk the lives of those innocent people.'

'We're not going to let that terrorist ship into the Bay, I hope,' Col. Cassidy protested.

'We could negotiate with them in the Bay,' Peretti said firmly. 'Once they pass under Golden Gate bridge we have them at a disadvantage. They can't get out of the Bay again if we don't want them to – they're trapped . . .'

'I don't like it,' Cassidy snapped.

'I don't too much like it either,' Karpis of the FBI agreed.

'And I don't like risking twenty-nine people – including one American girl – getting shot,' Peretti replied forcefully. Aldo Peretti was a very humane man; something of his humanity had undoubtedly impressed enough voters at the previous election to make him mayor of San Francisco. He was, a lot of people agreed, a pleasant change from the tough and ruthless Governor of California, Alex MacGowan. The recent Grove Park scandal, involving corruption at a high level, had hammered the final nail into Alex MacGowan's political coffin.

The argument swayed backwards and forwards for another hour; whether or not to let the terrorist ship inside the Bay. If he put it to the vote, Peretti calculated, they would split evenly down the middle, the humanitarians against the rest, as he privately put it to himself. He was on the verge of taking a decision when the phone rang. He listened, asked a few questions, then replaced the receiver, his face grave.

'I don't understand what's happening, gentlemen, but it just became a political matter. A fresh signal has come in from the *Challenger* – and for some reason I also don't understand, the people aboard her seem to want maximum publicity. They radioed the signal to the United Press wire service. The news will race round the world within hours. Now they are demanding two hundred million dollars – yes, Col. Cassidy, I did say two hundred million – to be paid into the account of a bank in Beirut. The signal was signed by the Free Palestine Movement. Sullivan was right – we are dealing with the Arabs, maybe by remote control with the Golden Apes themselves . . .'

At ten o'clock at night inside the Clift Hotel Winter sat in front of the colour TV set holding a glass of Scotch.

He was reading the newspaper, not listening to the FBI thriller, not looking at it. His role now was to remain inside the city as a one-man Trojan horse, checking on the authorities' reactions to the terrorists' demands, then warning LeCat if he considered a change of tactics was called for.

His means of communicating with the tanker had been organised by Walgren; a mobile transmitter had been set up inside a truck which at the moment was hidden inside a nearby garage. The moment Winter wished to get in touch with LeCat, he only had to phone Walgren at the number the American had given him. The truck would then be driven to a remote part of Marin County across Golden Gate bridge, Winter would transmit his instructions, and the truck would be driven away before it could be located by any radio-detection equipment the Americans might be operating.

The news flash came through at 10.05pm. 'Terrorists have seized a British oil tanker off San Francisco ... demand two hundred million dollars for the lives of the twenty-nine hostages aboard, one of them an American girl ...'

Winter drank some more Scotch and waited for the comment. LeCat was working exactly to the plan he had devised – to keep the Americans off balance with a series of alarming and confusing messages. The real demand would come later – after the next subterfuge, after the Americans had let the tanker enter the Bay . . .

It was ten o'clock at night in San Francisco when Winter heard the flash. In Baalbek, seven thousand miles away, a fresh day was dawning where it was seven in the morning. Sheikh Gamal Tafak lit another American cigarette and switched off the radio, then walked over to the lattice-work window which looked out over the anti-Lebanon mountains. In January there was snow along the crests.

It was the news item which had rattled him: the Americans were still discussing whether to let the tanker inside the Bay. It was time LeCat played his next card. He had to get the timing right, to hit them before they took a final decision. With his eyes half-closed, Tafak recalled the personal briefing Ahmed Riad – who would shortly land in San Francisco – had given LeCat.

'They will not decide to let you in at once. There is bound to be a delay while they think about it. But they are a sentimental people, the Americans. So, choose your moment, then play the big card . . .'

By now Tafak had completely forgotten that it was Winter who had fashioned the big card, the incident which would persuade the Americans to let the ship pass through the Golden Gate narrows. Taking his cigarette out of his mouth, Tafak looked at his hand.

He was sweating. He would go out and get a breath of fresh morning air. It was not the atmosphere which was making him sweat. To bring about the final catastrophe it was vital that the Americans let the tanker inside the Bay.

As Sheikh Gamal Tafak stood in the front doorway, breathing in the morning air, his head and shoulders filled the telescopic sight, the vertical crosshair split him down the middle, the horizontal crosshair guillo-tined his neck. The target was in view, thirty metres from where the Israeli marksman lay sprawled out on a table inside a first-floor room.

The rifle was propped on a sack filled with sand and the muzzle pointed through an open window. The room was in shadow because the sun was aimed in the same direction as the rifle barrel. The marksman, Chaim Borgheim, took the first pressure. A second squeeze and Tafak was dead.

Albert Meyer, the man who had quietly intimidated Lucille Fahmy, the switchboard operator who had provided a telephone number in Beirut, sat at the back of the room with an automatic weapon across his lap. He jumped when the phone rang, jumped because it could have disturbed his colleague's aim. He moved very quickly, scooping up the phone by his side. 'Albert here . . .' His eyes widened as he listened, then he said 'understood,' put down the receiver and moved swiftly and quietly across the room. Albert was sweating.

'No, Chaim . . .' He extended one finger carefully across the top of the rifle barrel, being very careful indeed not to touch the weapon. He could feel sweat dribbling down his back. 'Jesus Christ . . .' Chaim released the first pressure, looked up with a blank expression.

'I had him . . . what's wrong? You look terrible.'

'I thought I was too late. They just phoned through – not yet. Not yet, they said.'

'They bloody near had it – so did he.'

'Some crisis – in another part of the world. They cannot yet assess its implications. We must wait.'

'So, the world is normal – some crisis, somewhere . . .'

Through the fog the men on Mile Rocks lighthouse at the entrance to Golden Gate channel saw the *Challenger* burning.

It was dark, it was foggy, but the glare of the flames broke through both darkness and fog, a hideous half-seen conflagration which chilled them even more than the night air round the exposed lighthouse. They immediately signalled the Port Authority, which transmitted their signal to the mayor's office, and this signal arrived at almost the same moment as a message from the tanker.

The meeting in the mayor's office, which had gone on for hours, with a brief break for refreshments, was breaking up. Peretti listened on the phone, said wait a minute, then called out to the men leaving the room. 'Hold it! Something else is just coming through . . .'

They waited while he went on listening, scribbling notes on his desk pad. They were tired, worn out with arguing, and Cassidy, by sheer force of character, had persuaded the mayor to wait until morning before he finally decided – whether or not to let the terrorist ship inside the Bay. There had been more threats from the ship, now signed by LeCat, and Peretti was racked with anxiety that he might be responsible for the violent deaths of twenty-nine innocent human beings, one of them a woman. Reluctantly, he had given way to Cassidy.

In his shirtsleeves despite the low room temperature – to save fuel the thermostat was turned down to sixty-two degrees – Peretti felt soiled and rumpled and badly in need of a shower. That was, before the phone rang. Now he had become alert again, staring at Cassidy while he listened on the phone. He put down the receiver, glanced at his notes. 'Get back to your seats, gentlemen, this thing isn't finished for tonight. It's only just beginning.'

'What's happened?' Cassidy demanded crisply.

'Two more signals – one from Mile Rocks light-house, one from the *Challenger* herself. There's been a serious explosion aboard the tanker, then a bad fire. Nine people have been very seriously hurt – five of them hostages, and one of them is Miss Cordell. They're asking for immediate permission to steam into the Bay so the casualties can be taken off. Four of them are terrorists . . .'

'That's the signal from the *Challenger*?' Cassidy asked.

'Yes.'

'It could easily be a trick. I don't believe it . . .'

Peretti exploded. How like the goddamn military . . . 'You may not believe it – or want to believe it – but I have a message here from Mile Rocks lighthouse confirming that they have seen the tanker ablaze,' he rasped. 'The fire has gone out now, thank God. And I'm giving permission for that ship to enter the Bay . . .'

'We could lift the casualties off the tanker by chopper maybe,' Garfield, the Coast Guard chief, suggested.

'The message repeats the earlier threat – if any aircraft, surface or underwater vessel approaches the tanker all the hostages will immediately be killed . . .'

'I still don't like it,' Cassidy said.

'Colonel, no one is asking you to like it,' Peretti snapped. 'You just haven't thought this thing through. One wrong move on my part and those people on that tanker may die. I have to think of the British crew, helpless men with guns pointing at them. When we

take off the casualties we shall have four terrorists in
our hands for questioning. Some human contact even
with terrorists is better than . . .'

Even while Peretti was speaking they were hauling up
the side of the hull of the *Challenger* the remnants of
the two Carley floats which had been attached to her
with cables. The floats, crammed with petrol-soaked
rags, had earlier been lowered over the side, each with
a tiny thermite bomb and a timer device aboard, so
when they drifted with the current they were well
clear of the tanker as they exploded and ignited the
floats, creating the two separate blazes which had been
seen from Mile Rocks lighthouse.

'. . . human contact even with terrorists is better than
trying to communicate across a void through the
medium of radio signals,' Peretti continued. 'These
misguided men are not necessarily all wild beasts . . .'

'You could have fooled me,' Cassidy said, then
regretted the remark. It had sounded damned rude.

Peretti sat up straight at the head of the table and
spoke without rancour. 'You are a soldier, Colonel
Cassidy. You have been trained to shoot at the enemy.
Sometimes that is necessary, but here we have hostages from another country – from Britain – to think
of. I am not putting this to the vote, I am taking the

decision myself. The tanker *Challenger* will be given
permission to enter the Bay . . .'

It was close to midnight when Governor Alex
MacGowan's Boeing 707 approached the runway at
San Francisco International airport, his flight much
delayed owing to a petrol shortage which had kept
him waiting for seven hours at Heathrow Airport,
London.

Chapter Sixteen

Extract from photostat of confidential report from Marshal Simoniev to First Secretary of Union of Soviet Socialist Republics handed to Ken Chapin of CIA by Soviet defector, Col. Grigorienko.

'From the point of view of the Red Army, if the western nations attempted to break the Arab stranglehold on their economies, then a favourable situation might arise whereby the Soviet Union could secure for itself certain oil reserves essential in the event of a future confrontation with the People's Republic of China . . .'

'After a night in bed with his wife, Peretti is the kind of guy who has to be helped out of it in the morning . . .'

'No need to be coarse, Alex,' Miriam MacGowan said quietly.

'Before this thing is finished I'm going to get a whole lot coarser,' the Governor assured his wife. He peered out of the window into the dark. 'Where the hell is the airport?'

The Boeing 707 was losing altitude rapidly, coming in to the San Francisco runway from the north-east – all planes had been routed away from their normal entry over the Pacific so they wouldn't pass over the tanker *Challenger*. It was the flying moment Miriam MacGowan hated most – the downward drop at speed towards a solid concrete avenue somewhere out of sight. MacGowan's attitude was more brutally fatalistic – either we hit the deck and cruise along it – or we burn. He was careful not to express the sentiment.

MacGowan was fuming. Half an hour ago, while the plane was flying over San Luis Obispo, he had received a radio message from an aide Col. Cassidy had spoken to. Occasionally, in the States, when a military man does not agree with a decision, he has been known to leak the decision to a political friend whose views equate more closely with his own. MacGowan now knew that the terrorist ship he had heard about while changing planes at Los Angeles was going to be allowed inside the Bay. It was, of course, a typical Peretti decision. Milk in his spine and jello in his guts. MacGowan couldn't stomach the bloody matinée idol.

The wheels touched down, bumped. Miriam swallowed, waiting for the hideous thing to slow down. It always seemed it was going straight through the airport buildings. MacGowan undid his seat belt before the green light came on. A stewardess leaned over to reprove him, but he forestalled her. '*You* are supposed to be seated while we're landing – and don't forget I'm the first off this aircraft . . .'

'Yes, Governor.'

He was on his feet as the machine taxied to a halt, a short, heavily-built man with a large head, thick hair and thick eyebrows and a wide, grim-looking mouth. In build he was not dissimilar to LeCat. He ran down the mobile staircase and past a group of reporters. Inside Miriam apologised to the stewardess.

'He's terribly worried about what's happening . . .'

MacGowan used one of the phones in TWA's back office – the reporters had run after him, intrigued by his haste. His first call was to Peretti. 'I want that ship stopped. It's not coming into the Bay with an army of terrorists aboard . . . Don't argue, Peretti – if I have to, I'll call out the National Guard . . .'

He called in rapid succession General Lepke at the Presidio, the US Coast Guard, the Harbor Police, and finally, Police Commissioner Bolan. Nobody had a chance to express an opinion; nobody really tried. But he did explain to Bolan what he was doing, telling him to phone Peretti the moment the call was over. This was simply to bring more pressure to bear on the mayor.

'I want this thing put on ice till I get a grip on it. So the ship stays where it is for the moment. I've told Peretti to signal those bastards that there's been a collision – that no ship can enter or leave Golden Gate till the channel is cleared. They may not believe it but they won't be sure. And it will throw them off balance – first they get permission, then a temporary refusal. I'm coming in now . . .'

It was typical of MacGowan to be in a fury but still to be thinking clearly – to freeze the situation and throw his opponent off balance at the same time. 'I've stuck my head in a political noose,' he told his wife during the drive into the city, 'but I don't care. I know I'm doing the right thing.'

'Peretti will pull the skids from under you, give him half a chance,' she warned.

'You've forgotten something – politically I'm finished anyway after the Grove Park business. Now I'm thinking of the hostage problem.'

'Peretti probably feels he's thinking of them, too . . .'

'In the wrong way, in the Peretti way – let's all sit down over a cup of coffee and talk things out. I've got a hunch about this thing . . .' They were passing through Brisbane and he saw her looking at him. 'I mean we may have to kill every terrorist aboard that tanker . . .'

Ten miles ahead of them a yellow cab was moving into San Francisco with four strangers sharing the vehicle. On the back seat was a passenger off the same flight as MacGowan, but whereas MacGowan had travelled first class this passenger – to avoid being conspicuous – had travelled economy. Ahmed Riad sat upright, very tense on his first visit to the United States.

When he arrived in the lobby of the Hotel St Francis on Union Square, he reserved a room in the name of Seebohm and was taken up in the glass elevator which crawled up the outside of the building. The experience terrified Riad as he gazed down at the tiny rooftop of a car turning into the car park under the square. Riad had a pathological fear of heights. Still, he would only be in this place one night. In the morning he would inform the Englishman of the change of plan, telling him to catch the first plane back to Europe.

Aboard the *Challenger* LeCat had waited confidently for Mackay to receive permission to enter the Bay when the burnt embers of the Carley floats had been hauled up on the main deck. The signal granting permission had arrived later; the captain had prepared to sail into the channel; the next signal – refusing permission – had arrived just after midnight. It had been a thunderbolt for the Frenchman. His face working with fury, he waited on the bridge while Mackay absorbed the message.

'You will take the ship into the Bay at once,' the terrorist ordered.

'Impossible.' Mackay handed back the signal to

LeCat. 'I cannot steam inside Golden Gate until they have cleared the channel. You've read it yourself — there's been a collision.'

'I do not believe it! This is a trick the Americans are playing on me. First they say yes, then they say no. They cannot do this to LeCat . . .'

Mackay glanced at him, careful to conceal his growing anxiety. The Frenchman's personality seemed to be changing — these constant references to 'me', to 'LeCat', as though a power complex which had remained submerged was surfacing now Winter's restraining hand was gone. He tried quiet reason.

'Listen to me. The moment they give permission I will take the ship in through Golden Gate. If I take it in now — without permission — we may well collide with those damaged ships somewhere in the channel . . .'

LeCat raised his Skorpion, aimed it point blank at Bennett. 'If you do not immediately sail this ship to San Francisco I will shoot three of your men . . .'

'If I sail this ship in now and there is another collision — which there will be in this fog, for God's sake — *Challenger* may go down, taking you and all your men with you. We would go down as well. So, shoot every hostage on this ship if you like, but I will not sail my ship through fog under these conditions.'

Mackay turned his back on the terrorist and went to the bridge window. For the second time in only a few hours he felt his back muscles brace themselves for a bullet. Behind him LeCat's eyes flickered. If there was a collision the whole operation was finished. He left the bridge and went to his cabin. To soothe his fury he began drinking cognac.

LeCat stood in the open doorway of Betty Cordell's cabin. He had opened the door quietly and she was lying full length on her bunk, exhausted, half asleep. When she saw him she whipped her long legs over the edge quickly. 'Well, what is it?'

He closed the door, locked it, came swiftly over to the bunk and looked down at her. She tried to stand up but he placed a spread hand over her chest and pushed her hard. She fell back into the bunk, caught her head on the woodwork and was dazed. 'If Winter finds you here . . .' Then she remembered that Winter had gone, flown away. She tried to keep calm but the blow on the head had addled her, she was having trouble focusing on the heavily-built figure which loomed over her.

'Winter isn't here,' LeCat reminded her.

'Oh, my God . . .'

'Scream – and I'll cut you . . .'

The knife point tickled her cheek and the full horror of what was coming hit her. The blurred figure came closer, lowered itself, then his hand ripped her blouse down the front. She clawed for his eyes but he moved his head and again the knife pressed against her cheek.

'Ruin your good looks for life,' he whispered. She sank back and he came on top of her.

She tried to think of something else – anything – to think that she was at home, that this was only a nightmare, to switch her mind to anything accept what was happening It didn't work, she knew where she was, what was happening. The bloody gun . . . far too far away. 'Scream and I'll cut you . . .' One day she would forget it, pretend to herself it had never happened, that it had all been a nightmare . . . Oh, Daddy, you made it sound so easy – looking after yourself. It went on for eternity.

LeCat climbed off the bunk. She lay with her eyes shut, trying to control her breathing. She pulled a handful of sheet and blanket over herself, her eyes still tightly shut. He was moving about the cabin. She heard the clink of the water carafe, a loathsome swallow. She kept her eyes shut very tight indeed.

'You tell Mackay . . .' LeCat paused, still whispering, somewhere close to her. 'You tell Mackay and I will kill little Foley. I will shoot him low down and he will die slowly – if you tell Mackay . . .'

The knife tip touched her cheek. 'Answer me, you cold bitch. You heard what I said?'

'Go away.' She swallowed, her eyes still closed. Anything to be alone again. 'I heard you. Now go away . . .'

The cabin door closed. She had not even heard him unlock it. She opened her eyes only a fraction, frightened he was still there. The cabin was empty. Very faintly she heard the slap of the ocean against the hull, a strangely peaceful sound.

She lay in her bunk a long time before she got up and went under the cold shower. Then she peeled off her sodden clothes, screwed them into a tight bundle and dropped them out of the porthole. She went back again to the shower until the cold water made her tremble. Drying herself automatically, she carefully selected new clothes and put them on. Fresh underclothes, slacks, two sweaters.

She wouldn't tell Mackay, wouldn't tell anyone – she decided that while she was under the shower. And not entirely because of poor Foley. Going to the door, she tried the handle carefully and the door was locked. She pressed her ear to the door and listened. No sound of a guard stirring restlessly. She went to her suitcase, opened it, extracted the rifle under the spare clothes.

She stood with it in her hands for a long time, resisting the temptation to assemble it. In this suddenly confined world where the past no longer seemed to mean anything the weapon was her only friend. Life had closed in, had become only the ship – and the men on board. She had no feeling of panic or hysteria, only a dead sensation, and she had come to a decision.

No one, however clever, was perfect – because you couldn't be sure of what would happen next, however much you planned things. At some unguarded moment LeCat would make a slip, a slip which might last for no longer than a minute, but he would make that slip, she felt sure of it. So she would have to wait and watch and use any feminine skill she had to deceive them, to make them forget her, to think that, being a woman, she was of no account at all. She would live for that moment, then she would kill as many of them as she could.

At nine o'clock on Wednesday morning January 22, Winter picked up the *San Francisco Chronicle* which had been delivered to his bedroom with his breakfast and started reading. The *Challenger* was headline news. TERRORISTS SEIZE BRITISH TANKER OFF SAN FRANCISCO. The detailed story which followed was garbled, mostly inaccurate, but that was to be expected at this early stage. Winter read with interest that Governor Alex MacGowan had arrived dramatically in the city at midnight, that he had countermanded the mayor's permission to let the tanker into the Bay, that he had now established a headquarters in his offices in the Transamerica Pyramid building. The fact that the ship was still outside the Bay didn't worry him; he was prepared for setbacks and it might soon be necessary to radio LeCat fresh instructions.

Half an hour earlier Winter had received a phone call from the Hotel St Francis, from a Mr Seebohm. He was expecting the call because two months earlier it had been agreed that Ahmed Riad would come to San

Francisco at this stage of the operation – to receive an on-the-spot report of progress which he would then fly back with to Beirut. Winter suspected that Riad might try to linger, to jog his elbow, and had already decided that if this happened he would have to persuade Mr Seebohm to catch an early plane back home. He went on drinking his coffee, turning to the inside pages.

The news item which made him freeze with his cup half-way to his mouth was tucked away at the bottom of an inside page. His reflection in the dressing-table mirror showed a man whose features might have turned to stone, the bones sharp in the morning light coming through the window, the jaw rigid. He sat perfectly still, re-reading the news item, then he put the coffee cup down carefully on the table without drinking.

He sat there for some time, staring into space, then he got up and looked out of the window. The window carried a security device allowing it to be opened only a few inches – to discourage suicide cases – but Winter, who liked a lot of fresh air, had used a certain tool he always carried to neutralise the device, so now it was wide open. Geary Street yawned ten storeys below. Winter went on staring at the strange, mosaic-like panorama of San Francisco stepped up in a series of terraces towards Nob Hill, an intricate collection of buildings of varying heights so close together they resembled some bizarre jigsaw. Then he went back for the *Chronicle* and read the news item for the third time.

Charles Swan, British radio operator, and his wife Julie were found murdered late today in a remote barn on the outskirts of the city. Both victims were discovered by the police with their throats cut. – Anchorage, Alaska.

He sat down again, lit a cigarette, checked his watch. Ahmed Riad, travelling under the name Seebohm, would be arriving in a few minutes. Winter waited, sat in the chair for a quarter of an hour, smoking, his eyes cold, showing nothing of the terrible fury inside him. Then the phone rang. A Mr Seebohm was waiting in the lobby. Winter asked them to send up Mr Seebohm.

The Englishman closed the door, locked it as Riad, a careful man, walked into the bathroom, checked behind the door, then came out again and walked over to the window. Glancing down at the sheer, ten-storey drop into Geary, he shuddered and turned away. 'These American buildings are too tall. They have a megalomania for height. Perhaps it is something sexual . . .'

Winter stared at the Arab. 'Are you feeling all right?'

Riad assumed an air of command. He had arrived to give the Englishman his final instructions. 'We have no time to waste. Is everything correct on board the ship? Is LeCat reacting correctly? I would have expected the ship to be in the Bay by now.' The Arab, always nervous in Winter's presence, was wearing sharp-pointed, highly polished shoes and they squeaked when he moved.

'Everything is the way you want it, the way you planned it,' Winter said slowly.

Riad thrust both hands inside his raincoat pockets, hands which had been fluttering as though unsure who they belonged to. Standing stiffly, he spoke in what he imagined was a voice of authority. The feet also, Winter observed, seemed unsure where to put themselves.

'There has been a change of plan, Winter. You are no longer needed in San Francisco. You are to take the first available flight to Los Angeles. There you will board a plane for Paris.'

'Just like that?'

Winter sat down, sprawling out his legs and looking up at Riad with a cigarette in his mouth. 'Why?'

'You do not question me . . .'

'I'll break those shiny teeth of yours and poke them down your throat – if I feel like it. Actually, I feel just like that.'

Winter spoke so mildly that for a moment Riad could not believe he had understood. He moved forward and Winter lifted his foot. The movement was so quick Riad had no time to dodge. The heel of Winter's right foot smashed down on the shiny shoe and Riad squealed. 'I like people who keep still,' Winter remarked. 'Seen today's newspaper?' He folded the paper to the Anchorage news item and shoved it at the Arab. 'Read it! That bit at the bottom.'

Riad read it and the newspaper rustled as he tried to hold it steady. Then he dropped the paper on the table, took out an airline folder and handed it towards Winter. 'These are your tickets – in the name of Stanley Grant . . .'

'You haven't commented on the news item.' Winter stayed flopped in his chair, making no attempt to take the folder Riad was holding.

'They must have tried to escape,' Riad muttered. 'I do not wish to discuss this thing . . .'

'What you wish doesn't matter any more . . .' Winter stood up, walking towards Riad who backed away and then realised he was moving towards the open window. 'No one in Anchorage tried to escape,' Winter told him. 'Swan wouldn't have risked it – not with his wife being there. So, what happened?'

'I was not there . . .' Riad was trembling, trying not to catch Winter's blank gaze as he backed into an alcove which contained a writing desk. 'I have to leave at once . . .'

'For the United Arab Republic consulate?'

'I did not say that . . .'

'And you didn't say you knew this filthy thing in Anchorage was going to happen – but you did know. You weren't surprised or appalled when you read that paper – you were just worried that I had found out about it.'

'I know nothing about Anchorage . . .' Riad's arrogance had dissolved. Backed into the alcove by the cold-eyed Englishman, his nerve was going rapidly. He pulled at his collar which felt like a noose round his neck, his legs were trembling, there was a sharp pain of tension in his chest. Behind him he felt the wall; there was nowhere else to go and Winter kept coming towards him. 'I know nothing about Anchorage,' the Arab repeated. 'Nothing . . .'

'What is going to happen aboard that ship?

'They will make the demand, the Americans will accept . . .' He choked on his own words as Winter grasped him by the throat, dragged him towards the open window. Riad, quick-witted, immediately understood. 'No! No! Please! I beg you . . .' Winter had both hands round his throat now, ignoring the frantic beat of Riad's fists, dragging him closer and closer to the wide-open window. The Arab obviously had a horror of heights. Winter stood Riad with his back to the window and bent him at the waist over and outwards, his own legs pressed hard against Riad's which were supported by the lower wall. Riad's upper half went further and further outwards over the ten-storey drop until his head was upside down and above the thump of blood pounding in his ears he heard the blare of traffic horns over a hundred feet below. He saw the sky, the drunken slant of buildings and felt Winter's hand on his throat pushing him down and down. Bile came into his mouth, the pain in his chest was appalling, the pounding in his ear-drums was like a drumbeat, then he felt Winter's other hand grasping his belt,

COLIN FORBES

lifting his feet off the bedroom floor and he knew he was going down into the chasm – hurtling through space – until his skull met the sidewalk and was crushed and he was dead for ever and ever.

Winter hauled him back inside, shook him like a child's doll while the doll drooled with terror, hardly sane at this moment as he saw Winter's bony face through a shimmering mist of near-faintness. 'What is going to happen aboard the ship?' the Englishman hissed through his teeth. He shook him with cold intensity. 'What is going to happen aboard the *Challenger* that I don't know about?'

Riad was now choking for breath like a drowning man as his heart pounded so fast and heavily it felt it would burst out of his rib cage. He tried to speak, tried to tell Winter to stop shaking and he would speak . . . He gasped, started talking in such violent, wheezing gasps of air that Winter was alarmed that he would faint so he held him still. The Arab looked up at him with a pathetic look of a child. They were both human beings, caught up in a plot of unimaginable violence planned by a man a third of the way across the world who thought nothing mattered but the freeing of sacred Jerusalem from the grip of the intruder.

'They are . . . going to kill . . . all the hostages . . .'

'Whatever happens?'

'They are going to . . . kill . . .'

Riad collapsed, went limp in Winter's grip, sagging while the Englishman still held him up, more of a weight than Winter would have imagined, but a dead man is always heavy.

Ahmed Riad had not been well when he alighted from the plane at Los Angeles after his eleven-hour flight from London. The tension in the United States did nothing to improve his condition. The ordeal of hanging out of the window brought on the final, massive coronary which killed him – before he had a chance to say a word about the nuclear device which LeCat had smuggled aboard the tanker now waiting to enter the Bay.

Believing that Riad had only fainted, in a great hurry to make a phone call, Winter left the unfortunate Arab lying on the carpet while he lifted the receiver. The operator came on the line at once and Winter was mopping his forehead with a handkerchief when he spoke.

'Get me the Transamerica building, please. I want to speak personally to the Governor of California . . .'

305

Chapter Seventeen

It was 9.30am when Ahmed Riad died. Winter had been very brief on the phone. 'I'm not waiting here while you trace this call,' he told MacGowan's assistant. 'You have exactly forty-five seconds to get the Governor on the line and then I'm breaking the connection. I can tell him the complete structure of the terrorist team aboard that tanker outside the Bay . . .' MacGowan's growling voice had come on the line within thirty seconds – Winter had timed it by his watch.

His call to MacGowan had been brief: Winter knew that if he was to carry any weight at all he had to get to the Governor as a free man, going to see him voluntarily. If they were able to arrest him first, they would never believe him.

Realising now that Riad was dead, Winter hung a 'Do Not Disturb' notice on the outside door handle before he left his bedroom. Riad's diplomatic passport – trade representative of some obscure Persian Gulf sheikhdom – was in his pocket as he hurried along Geary and found a cab just emptying itself of its passengers in Union Square. Arriving at the Transamerica building, the strange, pyramid-shaped edifice overlooking the Bay – if your floor was high enough – he went straight up to the Governor's floor. It was high enough for a view of the Bay, and plain-clothes detectives were waiting for him.

He had gambled on MacGowan's character, on the little he had heard about him, gambled on the independent-minded American wanting to see him. MacGowan came into the room while they were still searching him for weapons. They found nothing on him; Winter had dropped the Skorpion pistol and holster from the Golden Gate bridge while Walgren had waited with the car. You don't, if you are staying at a good hotel in a city, arrive with guns. MacGowan, who had been watching Winter while they searched him, ushered the Englishman into his private office and shooed the police away. 'Hell, you searched him. I can take care of myself . . .'

The interview between MacGowan and Winter behind closed doors went on for one hour – a long time for both men who were quick-witted and incisive, who went to the guts of a problem immediately. Part of that time was taken up by MacGowan, once a trial lawyer, grilling the Englishman. At the end of the hour MacGowan was convinced Winter was telling the truth. Others – when he held a full meeting of his action committee – were less easy to convince. Peretti, backed by Col Cassidy, was particularly sceptical. 'We have to be sure there are no explosives aboard that vessel,' he insisted. 'Winter should be subjected to a lie-detector test . . .'

'Bloody waste of time,' MacGowan snapped. 'A scientist's toy for the enjoyment of idiots. Twenty years of criminal practice taught me to assess a man face to face. Anything that whirrs and flashes, Peretti, and you think it's God's answer to the human problem . . .'

They subjected Winter to the lie-detector and they were all there, firing questions at him. Karpis of the FBI, Police Commissioner Bolan, Garfield of Coast Guard, Col Cassidy . . . It was while he sat in the chair, with the electrodes on his arms, answering questions, that his almost hypnotic personality began to have an effect on the Americans. Sullivan, who had talked with him earlier at MacGowan's request, who had then agreed that Winter was telling the truth, watched the inquisition with growing fascination.

'Your name?'

'Winter . . .'

The machine registered 'lie'.

'You need something to check your box of tricks,' Winter observed.

'How many terrorists aboard the ship?'

'Thirteen – now I'm here!'

Truth.

'Did you intend to give yourself up when you arrived in San Francisco?'

'Certainly not . . .'

Truth.

'Did Ahmed Riad tell you before he died that all the hostages will be shot whatever happens?'

'Yes . . .'

Truth.

After fifteen minutes Cassidy asked the question which was worrying them all. 'Winter, you led the hijack of this ship and now LeCat is in control. Are there any explosives aboard that vessel?'

'No . . .'

Truth.

Which, although no one knew it, exposed the limitations of a lie-detector. It may be able to tell when a man is telling the truth or lies – but it cannot tell when a man gives a reply which is a lie although he believes – it to be the truth. It was not apparent at that moment, but the holding of this test probably made it inevitable – in view of what happened later – that the *Challenger* would be permitted to enter the Bay, bringing with it twenty-nine doomed hostages, thirteen ex-OAS terrorists, and one nuclear device.

By three in the afternoon they had still found no even half-safe way of storming the oil tanker. They considered every possible approach but each time they were defeated by the conditions LeCat had imposed if the hostages were not to be shot – that no aircraft, surface or underwater vessel must come near the oil tanker. And, as MacGowan pointed out, they were running out of time. So far he had managed to keep LeCat at arm's length with a series of delaying messages. 'This can't go on much longer,' the Governor warned. 'From what Winter has told me LeCat is going to lose patience – he is going to start shooting hostages to prove he means business . . .'

MacCowan was secretly planning his intervention very carefully. They had to have enough time to realise there was no apparent way of tackling the terrorist ship – because what he was going to propose was so outrageous they would reject it out of hand – unless they had reached the stage where they would grasp at any straw. Even Winter's straw.

The Governor was now convinced that Winter was genuine. He had said as much privately to Cassidy. 'You mean he's undergone some kind of recantation – that he's sorry for what he's done?' the Marine colonel asked sceptically.

'No! He's out for blood. First, he's been double-crossed, and that kind of man you don't cross with impunity. Second, he's not a killer. The death of that couple in Alaska has hit him hard, I think, but he doesn't say much about it.'

And there were certain hard facts which reinforced MacGowan's conviction. Winter had handed over Riad's diplomatic passport to the Governor, warning him there could be one hell of an international incident

310

over the obscure death of an Arab diplomat. Winter's solution to this problem was simple: lose the passport. It was still locked away in MacGowan's drawer and he had not yet informed Washington of its existence.

More than that, an emergency autopsy had been rushed through on the body of Ahmed Riad. The bruises on the neck and the condition of the corpse had confirmed Winter's story of the incident at the Clift. Riad had died of a massive coronary. It was five in the afternoon when MacGowan decided to take the plunge.

'We're not getting anywhere,' he announced, 'and I can't hold LeCat off much longer. I think it's time we took a look at a plan for getting aboard that ship – Winter's plan.'

Waiting until the protests had subsided, MacGowan began talking forcefully, making no concessions to anyone, staring at them grimly from under his thick eyebrows as he pointed out that after hours of discussion they hadn't come up with even the ghost of a plan to tackle the situation. 'The one man who knows the real position aboard that ship is Winter, the one man who knows how the terrorists are liable to react is Winter, and . . .' he lifted his voice, 'the one man who might just get an adult team aboard the *Challenger* is Winter, whether you like it or not. In fact, I don't give a damn what you like – I want results . . .'

'Having talked to him,' Sullivan intervened, 'I think the Governor is right. Winter managed to seize that ship, to get it right under the coast of California. Now, because he was tricked, he's ready to put the same energy and brain power into reverse – into getting the ship back.' Looking round the table where twenty men sat in a state of indecision, he smiled bleakly. 'You know, gentlemen, there is no more dedicated man than the convert to the opposing side. Winter, as an anti-terrorist, could be very formidable indeed . . .'

Winter was brought into the meeting, escorted by the police lieutenant who had become his permanent shadow. There was no humility in his manner, Cassidy noted as the Englishman sat down on MacGowan's left. His face was as cold and distant as when he had been subjected to the lie-detector test. He looked critically round the table, as though assessing each man, wondering whether he was any good. He's a cool bastard, this one, Cassidy was thinking; maybe a good man to go into the jungle with. But, as yet, the Marine colonel wasn't sure. The mayor immediately expressed his disapproval of the whole idea.

'I propose he's sent out of here under armed guard,' Peretti snapped. Sitting on MacGowan's right, he faced Winter who studied him with interest. 'You are the guy who sicked this thing on to us,' Peretti went on. 'I don't agree with your even being in the same room with us . . .'

'You want the hostages – including one American girl – to die?' Winter enquired. 'Because I'm sure now that LeCat will kill every hostage aboard that ship . . .'

'You knew that when you started this thing?' Col Cassidy demanded, testing his reaction. 'Because if you did my vote is we put you in a cell and throw away the key . . .'

'Belt up,' Winter told him.

'You said what?'

'Belt up – and listen. I know these terrorists – which is more than you do. When I was flying in over Marin County I saw a way to get men on to the ship – I was trying to look at it the other way round, to see how we might be stopped. You have to drop on to the tanker from the air . . .'

'Hopeless.' Cassidy sounded disappointed. 'We've thought of that – and rejected it. The chopper would have to land on the main deck. It would get shot to pieces from the island bridge and so would anyone coming out of the machine . . .'

'We don't use a chopper,' Winter explained. 'A small team of heavily armed men waits on Golden Gate bridge. We give LeCat permission to enter the Bay – to pass under the bridge at night. As the tanker sails under Golden Gate the assault team drops on to her in the dark. If the fog lasts, the chance of success is that much greater.'

'The fog thinned this morning,' MacGowan interjected, 'but it could come back again tonight.'

'That's a crazy idea,' Commissioner Bolan objected, 'that tanker will be moving . . .'

'Very slowly, if we box clever,' Winter said. 'I

313

understand the tide will be flowing out to sea strongly in the early hours. Can someone tell me what its flow-rate will be?'

'Seven-and-a-half knots until ten in the morning,' Garfield, the Coast Guard chief, said promptly.

'So, we radio Mackay to come in at eight knots – which means moving against the tide, his actual speed will be only half a knot.'

'That's a thought,' Cassidy said slowly. 'Go on, I'm listening . . .'

'The main problem is dropping three or four heavily armed men off the bridge span – off the highway level – down on to the ship as it passes under the bridge. We have to lower them ahead of the tanker coming in . . .'

'Some kind of mechanical cradle?' Sullivan suggested.

'No, a scramble net,' interjected Cassidy.

'Exactly,' Winter agreed. 'Or a cargo net – whatever we can grab hold of. Something men can cling on to during the long drop.' He looked round the table. 'How long a drop is it from the highway span?'

'Two hundred feet . . .' O'Hara, the Port Authority chief, sounded dubious.

'It can be done,' Winter said emphatically. 'For lowering the net we need a mobile crane – with a foot counter . . .'

'A what?' someone asked.

'Foot counter,' Cassidy repeated. He had been whispering to an aide by his side who was making notes. 'The guy operating the crane has to know how far he's dropped them – so he holds them just above deck level as the tanker comes in . . .'

'And a weight indicator,' Winter added.

'So he knows when the men have dropped off,' Cassidy explained. 'Three men in the net weighing a hundred and sixty pounds apiece – makes four hundred and eighty pounds of manload. The indicator loses that amount, the crane operator knows they're down, he whips the net back up out of sight. That way, if they get aboard unseen in the fog, they have time to assemble on the fo'c'sle and reconnoitre the ground before they go in to the attack.'

MacGowan, who was unusually silent, sat with his chin in his hands carefully saying nothing as the technical side of the plan was worked out. Earlier, Winter had privately outlined this plan to the Governor, who found it possible – just possible if the fog was thick enough. It was a wild, audacious plan, but so had been Winter's previous plan to hi-jack the *Challenger* – a plan which succeeded because it had been so totally unexpected. And it was unlikely that LeCat and the other terrorists would foresee men dropping down on top of them like spiders suspended from threads.

Its greatest virtue, as MacGowan saw it, was that it got round LeCat's insistence that no aircraft, no surface or underwater craft must approach the tanker, on pain of shooting the hostages. The tanker itself would sail up to the airdrop point. And there was no other possible plan – God knows they had chewed that over long enough.

MacGowan found it fascinating as the discussion of the plan continued – the way Winter was gradually dominating the meeting. Personality, he decided, of a rare order. A man who was so sure of himself, so compelling, that they were all, reluctantly, falling under his spell. MacGowan had once known another man like this in his early days as state prosecutor, a man he had known as guilty of the charge brought against him. MacGowan had lost this case, the defendant had gone free – because of his cold, clinical personality, the way he had swayed the jury.

'How will you know where to place that mobile crane?' the Governor asked ultimately. 'It has to be positioned exactly over the tanker's deck *before* she reaches the bridge?'

'Radar,' Winter said. 'We need mobile radar positioned on the bridge to track the *Challenger*'s approach. When Mackay sets a course he keeps it – and he won't start weaving about inside that channel . . .'

MacGowan leaned forward, his hairy hands clenched on the table. 'As we work it out, we should start setting it up. We can't keep LeCat outside for ever.'

*

. . . Golden Gate channel will be clear within a few hours. Await next signal which may well authorise your entry into San Francisco Bay. Arrangements have been made to take off your wounded.

It was the fifth signal LeCat had received which was signed MacGowan, Governor of the State of California. This did something to soothe his irritation at the constant delay in permitting the tanker to proceed. And when daylight had come earlier on the morning of Wednesday January 22, when the sun had dissolved the fog in the channel, LeCat had reluctantly accepted the idea that there had been a collision.

About three miles from where the tanker stood off the coast, close to the distant Golden Gate bridge, two cargo ships were apparently locked together in mid-channel while another ship with a crane was close by. MacGowan had arranged for this tableau to be set up before dawn and O'Hara of the Port Authority had organised the 'collision'. Any doubts LeCat might have had about the genuineness of this scene were dispelled when he asked Kinnaird to tune him in to mainland news bulletins.

Peretti had issued a statement, reporting the 'collision', and this had been broadcast across the world as an adjunct to the reports of the hi-jack. For LeCat it was a satisfying day, receiving signals from the Governor of California, listening to bulletins from as far away as London, England, where always the main and lengthy news item was the terrorists' hi-jack. For the first time in his life, Jean Jules LeCat was world news.

'I think they are now taking me seriously,' he told Mackay, after showing him the fifth signal late in the day. 'If, however, we do not start moving soon, I will shoot two of your crew and throw them overboard. You understand?'

'I only understand that there has been a collision which you can see with your own eyes . . .' Mackay stared out of the smashed bridge window. It looked as though the fog wouldn't be coming back this evening, which was just as well if he had to take his ship through Golden Gate tonight.

It was dark in San Francisco at six o'clock, it was chilly inside MacGowan's office where the thermostat was fixed at the obligatory sixty-two degrees. And it had been decided that a three-man assault team would be dropped from Golden Gate bridge, a figure both Winter and Cassidy agreed on. 'Send down more men on to a fogbound deck and they'll end up shooting each other,' Cassidy warned.

They had been meticulous about the weapons the three men would carry. 'A gun with great stopping power,' Winter had insisted, 'the terrorists on board have to be picked off one by one as they are found. And a silent weapon, too. The DeLisle carbine would be ideal, but you don't have it over here . . .' Karpis of the FBI had found three DeLisles – by checking with the Alcohol and Tax Division which had registered four of these guns in Hollywood, of all places. A firm supplying the film and TV industry with weapons had the guns in stock. MacGowan had phoned a police chief in Los Angeles, a patrol car had sped to the firm on Hollywood Boulevard, and within one hour the carbines were aboard a plane for San Francisco.

Over at Fort Baker on the far side of Golden Gate bridge, a mobile crane was already on the move – in response to a call from Cassidy's aide. The Coast Guard people were bringing in radar, two scramble nets were already stored near the bridge, Commissioner Bolan had warned a number of patrol car drivers they would be needed that night, and a detachment of Marines were engaged in last-minute firing practice. At six-fifteen Cassidy looked round the table and asked the big question.

'Who goes on the one-way trip?'

There was silence for a moment and then Cassidy spoke again. 'I'm making the trip. I need two more people who know that ship – I don't.'

'You'll be taking me,' Sullivan said quietly. 'I've come all the way from Bordeaux to sit in on this meeting. But I'd like a little practice with the DeLisle gun when it arrives.'

'Ex-naval intelligence,' Cassidy said. 'You qualify. That leaves one more volunteer . . .'

Winter for once said nothing, feeling he would be

319

excluded if he pushed himself forward. He lit a cigarette and stared at the Marine colonel with a blank
expression. Cassidy smiled unpleasantly. 'You started
this thing, so it's up to you to help finish it . . .'

'That I won't sanction,' Peretti protested violently.
'He could still be tricking us . . .'

'How, for God's sake?' MacGowan burst out. 'Or do
you want him to have another session with your
bloody lie-detector? This is a job for somebody who
knows that ship well – for Christ's sake, Peretti, we're
not going down the rope into the fog . . .'

'There isn't any fog,' the mayor pointed out. 'Do
they go down it if it's a clear night – with the moon
shining down on them like a spotlight?'

'We've already decided,' Cassidy snapped. 'If
there's no fog we can't make it. But we have to send
the signal bringing the tanker in soon – it will take it
hours to get there, moving at only half a knot.' He
looked back at Winter. 'As I was saying, it's up to you
to help us finish this thing. Have you any objection?'

'Yes,' Winter said, 'we're wasting time. I want to
get out to Golden Gate to take a closer look at that
bridge . . .'

The fog came at 8pm.

It came in a great solid bank, sliding down the
channel towards Golden Gate bridge like a siege train,
sending out long fingers of grey vapour across the

silent ocean surface. Rolling in from the Pacific, the fingers wrapped themselves round Mile Rocks lighthouse, enveloped it, then stretched themselves towards the bridge. Standing on the sidewalk of the six-lane highway span Winter saw it coming by the light of the moon. It reached the bridge, rolled underneath Winter, spread north along the Marin County shore, south towards the city. It a very heavy fog indeed.

For the first time since the great bridge had been opened in 1937 no traffic flowed across it – it had been closed at both ends. A huge mobile crane was positioned close to where Winter stood near the centre of the span. He could see the radar operator a few feet away. A telephone link had been set up between the radar operator and the crane driver, and the crane, normally bright orange, had been converted to a neutral grey with quick-drying paint.

'Satisfied?' MacGowan asked from behind Winter.

'You've got the dummy traffic organised?'

'Waiting – at either end of the bridge.'

Because there had to be traffic moving across the highway span as the tanker approached Golden Gate bridge – a deserted bridge might strike LeCat as abnormal, and if he saw it above the fog there must be nothing to attract his attention to the span. Winter walked over to the crane and leaned over the sidewalk rail. Suspended from the crane a large scramble net hung over the invisible drop – invisible because there was nothing below but fog. This was the transport which would carry them one hundred and eighty feet down into the depths until they were suspended just above *Challenger*'s deck height.

'The way that tanker will be crawling in towards us,' MacGowan said, 'she should pass under this point at about one in the morning.'

'You realise, don't you,' Winter warned, 'that when we land on the fo'c'sle we may have to hide for some time – to wait for the right moment to attack the bridge?'

'I just pray it won't be too long,' the Governor commented. 'The longer it is, the more time for something to go wrong.'

Wearing the same grey combat fatigues as Winter and Cassidy, Sullivan came back from the Marin County end of the bridge at a brisk trot. Limbering up, stiff with sitting in on so many meetings, he had plenty of space for his exercise – the bridge is over a mile-and-a-half long from shore to shore. Leaning over the rail, he peered down where he was going. 'Like pea soup,' he remarked. 'Let's hope to God it stays that way.'

For over half an hour Winter moved restlessly about with Cassidy, checking everything, asking questions, repeating the performance he had carried out when he had gone on board the *Pêcheur* in Victoria, Canada. The *Pêcheur*, waiting out in the Pacific, would soon be under observation from a submarine which had been despatched from San Diego. The seaplane moored in

Richardson Bay was also under observation by a concealed detachment of Marines and a small artillery piece was trained on the aircraft. All escape hatches which LeCat and the others might use had now been closed.

'Something will go wrong, of course,' Winter remarked at one stage to Cassidy. 'There's always something you didn't foresee no matter how carefully you plan an operation . . .'

'So, we change our minds fast – maybe while we're hanging in mid-air.'

And they had planned it carefully. Two cars without lights were parked close to the crane and inside were six Marines, marksmen with their rifles who had been hand-picked by Cassidy. MacGowan had insisted on the precaution: if the fog cleared suddenly as the tanker came up to the bridge the men inside the scramble net – suspended in mid-air – would be sitting ducks for any armed terrorists on the main deck. If this happened the Marines would dive out of their cars, hang over the rail and pick off as many terrorists as they could.

At either end of the bridge a man waited with a cine-camera equipped with a telephoto lens. If the fog cleared even for a moment they would take as much film as they could of the tanker – they might just photograph something vital. Other men had gone up inside the elevators which ran up the towers and now they were perched five hundred feet up above the highway span, just below the airway beacons, men with powerful night-glasses and walkie-talkies through which they could communicate with O'Brien, the bridge superintendent. They had, Winter decided at the end of his inspection tour, done everything possible. Until one o'clock . . .

Extract from Minister of Defence's comments to British Inner Cabinet, Wednesday January 22.

'The whole thing could blow up in our faces unless *York* and *Chester* reach the Persian Gulf in time . . . And I'm not happy about that British tanker *Challenger* at San Francisco. Our military analysts think there could be a connection – between the massing of Syrian and Egyptian troops and the outrageous demands of the terrorists aboard that tanker . . .'

Nine hours away across the world from where Winter and Cassidy had just completed their inspection of the bridge, Sheikh Gamal Tafak was pacing about restlessly inside the room he was beginning to regard as his prison. Baggy-eyed, he had stayed up all night, listening to the news bulletins, waiting for the report which should tell him the Americans had allowed the tanker inside the Bay.

Instead, they had cancelled the permission – something about a collision, which Tafak did not for a moment believe. Nor had he received a message from

Ahmed Riad confirming that Winter was flying back to Paris, from where someone else would instruct him to fly on to Beirut. Patience, he told himself, there will be good news soon . . .

The news of the hi-jack of the British tanker had captured the world headlines. It was the main item in all news bulletins from Washington to Tokyo. 'First major ship hi-jack . . .' And in Israel it had not gone unnoticed, where secretly the military chiefs suspected some link between this event and the disappearance from public view of Sheikh Gamal Tafak. It was a time of waiting – everywhere.

They were engulfed in damp, clammy fog, so dense they could hardly see one another as they clung to the large scramble net like men scaling a wall, their feet balanced on rope rungs, their hands gripping the net above them, their DeLisle carbines looped over their shoulders, their .45 Colt revolvers tucked inside shoulder holsters, their knives tucked inside their belts. Winter also had a smoke pistol attached to his belt. When they were lowered inside the fog the temperature dropped and the net began swaying. They could see nothing above them, below them, ahead – nothing but dense grey fog.

The net was in front of them, pressed against their

chests, and behind them there was nothing but space and fog and the ocean far below. The crane driver dropped them at a rate of one foot per second, sixty feet per minute. He had to hold them in mid-air precisely twenty feet above the ocean, which should mean they would just clear the oncoming forepeak of the vessel they couldn't see, couldn't hear. It had been pointed out to the crane driver that if he miscalculated by only a few feet, held them, say, sixteen feet above the water, then the oncoming steel bow would hit them like an express train – not in speed but in impact. They would be battered, torn from the net and dropped into the water while the 50,000-ton ship cruised over them.

The drop went on. It would take three minutes precisely. Providing the crane driver dropped them accurately. Pinned against the net, his face running with moisture, Winter tried to see the illuminated second-hand on his watch. Two minutes to go.

They went on dropping through the grisly fog, clinging to the net with numbed fingers. They seemed to be dropping at an alarming rate, plunging towards the ocean as though the crane mechanism was out of control, dropping, dropping, dropping . . . And the sway of the net was bad, worse than Winter had anticipated. Above them, attached to the hook which held the net, was a lead weight, a weight which was supposed to minimise the sway factor. It was like being on a swing, swaying backwards and forwards slowly through nothing, with nothing under them.

Attached to the net, close to Winter's mouth, was a walkie-talkie linked direct with the crane driver now far above them in the clouds. If he saw something going wrong he might have time to shout a brief warning, which might reach the crane driver before it was too late. So many 'mights' he preferred not to think about them. At least they would be over the tanker when it passed below – the pinpoint accuracy of the radar set, Mackay's seamanship in keeping a steady course, and the one-hundred-foot width of the tanker practically guaranteed this. But when the hell was the descent going to stop? Winter peered at the watch on his wrist. Ten seconds left and they were still going down like a lift. Had the footage counter – the instrument which told the driver how far he had lowered them – gone wrong? They went on dropping.

LeCat had taken two precautions the men on Golden Gate bridge knew nothing about. He had placed one man – with a walkie-talkie – at the top of the foremast. A second armed guard stood at the forepeak of the tanker. Both men were peering into the fog as *Challenger* approached the bridge.

Inside the wheelhouse it was no warmer than at the top of the foremast – the window smashed in the typhoon was letting in the fog. LeCat stood near the window, holding a walkie-talkie, irritated by everything – by the regulation blast of the siren sounding its fog warning every two minutes, by the vessel's incredibly slow movement. Obeying MacGowan's signalled instruction – which he didn't understand – Mackay was taking his ship through the channel at eight knots, which meant they were moving 'over the ground' at half a knot. 'We can hardly be moving at all,' LeCat snapped. 'I still do not see why we have to move like a snail . . .'

'Fog.'

The reply did nothing to quieten LeCat's nerves. They were, he guessed, close to the point where the cargo ships had collided. He was even wondering whether the diabolical Americans had left the cargo ships in the channel – so the tanker would hit them, go down, and it could all be passed off as an accident, problem solved. LeCat need not have worried: at dusk the three 'collision' vessels had been withdrawn to the east side of the Bay.

Mackay turned his back on LeCat, went to stand by the helmsman. The steering was on manual, the engine beat was slow and regular, and for all they could see they might have been in mid-Pacific. Mackay went to the radar screen and stared down at the sweep as LeCat called up to the man at the foremast on his walkie-talkie.

'André, any sign of the bridge yet?'

'Nothing but fog.' The voice sounded sullen. 'Wait a minute – I can see something moving . . .'

High up to the left the fog was thinning, opening out a hole in the grey curtain. André pressed his glasses hard against his eyes. The fog swirled, the hole grew larger and his night-glasses picked it up, something moving – the blur of moving lights, car headlights. He adjusted the focus and saw the silhouette of a car.

'I can see the bridge!' André sounded excited. 'I can see the bridge! We are close . . .'

'How close?' LeCat asked.

'Three hundred feet . . .' It was Mackay who had answered as he came away from the radarscope. 'We shall pass under the bridge within a matter of minutes . . .'

On the bridge thin traffic proceeded steadily in both directions, traffic composed of cars driven by police patrolmen in plain clothes. They were moving along an elongated ellipse, driving off the bridge at either end, turning round and coming back again. There was even a Greyhound bus appearing at intervals, a bus with a handful of passengers who were Marines out of uniform and with their rifles lying on the floor. They were proceeding along the four inner lanes, leaving the outer lanes clear for the cars parked close to the sidewalks without lights.

Mayor Peretti, muffled in a topcoat against the night chill, leaned over the rail, straining to catch a glimpse of the huge tanker somewhere below. The moonlight shone down on the rolling fog and he couldn't see anything – except the crane's cable dropping into the vapour.

A Marine threw open the door of his parked car and ran along the bridge to where MacGowan was standing close to the mobile crane. 'Guy on the Marin tower just came through on the radio. The fog broke and he thinks there's a lookout top of the foremast . . .'

MacGowan climbed up to the crane driver's cab. 'Warn them,' he shouted. 'There's a lookout at the top of the foremast . . .'

One hundred and seventy feet . . . one hundred and seventy-five feet. The driver heard MacGowan without replying, his eyes fixed on the footage counter, the instrument which warned him how low the net had gone. One hundred and eighty feet. He stopped the descent, spoke into his walkie-talkie. 'Winter, you're twenty feet above the ocean. From now on I'll be listening for any instructions to drop you further. And, Winter, I've just been informed they have a lookout top of the foremast . . .'

The driver switched his walkie-talkie to 'receive'. He had one more vital operation to perform. He sat in his cab, staring at the weight indicator gauge. When that lost about five hundred pounds, the approximate weight of the three men, he would whip the net back up through the fog. The assault team would have gone aboard. Or into the ocean.

'. . . a lookout top of the foremast.'

Which is what we didn't foresee, Winter thought grimly. He was in the middle of the net with Cassidy on his right, Sullivan on his left, the three of them pressed together shoulder to shoulder, like men stretched on a multiple rack. The net was swaying gently, stopped in mid-air, enveloped in fog so like porridge that they couldn't see anything, let alone the ocean twenty feet or so below. They turned slowly below the invisible hook above them. The distant dirge of a foghorn was the only sound as they hung and twisted on the net. There was not a breath of wind, only the clammy feel of the all-pervading fogs, the clammy sweat of fear.

'They have a lookout on the foremast,' Winter whispered to Cassidy. 'Which is too damned close to where we'll land for comfort . . .'

'Can't shoot him,' Cassidy said, 'that would alert them on the bridge before we could get anywhere near it . . .' Cassidy's voice sounded strained and unnatural in the fog. Winter was just about able to see him. How the hell was he ever going to see the ship's forepeak if it did pass below them?

'Carpenter's store,' Winter said. 'We may have to

331

wait in there a bit – it's on the fo'c'sle. Did you hear that, Sullivan?'

'Too true I did,' Sullivan replied without enthusiasm.

Winter peered up at his watch. Bloody thing should arrive any second now, all 50,000 tons of it, gliding across the water like a moving wall of steel ... He tensed, he couldn't help it. The fog warning, one prolonged blast, sounded to be in his ear, going on and on and on. He gazed down. Porridge, nothing but porridge. Any second now and they would feel the ship – as it slammed against them. It was close enough, dear God – the ship's fog warning blast was still deafening him. Where the hell was the bloody tanker –

'Jump! Now!'

The fog was not as dense as it had seemed. Less than six feet below a grey, blurred platform had started to glide past under them. Like a huge revolving platform. Winter thought he saw a man. Then he was gone. And Winter was gone. Dropping. With the others.

Two hundred feet above, the weight indicator needle flashed back over the gauge. Four hundred and ninety pounds. Gone! The driver pressed a lever. Full speed. The scramble net whipped upwards, out of sight. 'They've gone!' he shouted to MacGowan.

Winter hit the deck like a paratrooper, rolling, taking the impact on his shoulders as he slammed against the port rail. He came to his feet with a knife in his hand. A blurred figure came out of the fog, wearing a parka. Terrorist ... The figure stopped, his head bent over backwards as Cassidy, behind him, clamped a hand over his mouth. Winter rammed in the knife, high up in the struggling man's chest. Still holding the knife handle, he felt the terrorist's last convulsive spasm, then the man slumped in Cassidy's arms. Sullivan helped the American carry the body to the rail where they heaved it over the side. They heard no splash, only the steady beat of the ship's engines as *Challenger* glided in towards the Bay under Golden Gate bridge. Winter left the Skorpion which had fallen from the Frenchman's hand close to the rail – it would help convey the impression the man had fallen overboard.

'Follow me,' he whispered, 'and keep close. The fog's thinner already ...'

'Too thin to risk moving past that foremast yet,' Cassidy agreed, 'and that lookout may have walkie-talkie communication with the bridge ...'

Winter found the hatch, began unfastening it while Cassidy looked aft, watching anxiously for the fore-mast. The fog was thinning – as it so often did east of Golden Gate. He swore under his breath as he saw the lower part of the foremast coming into view, but the top was still blotted out. What the hell was Winter playing at?

Winter was unfastening the hatch carefully, making sure he made no noise. It was well-oiled, thank God, but this was a British tanker, not one of your Liberian efforts. He opened the hatch and let the others go down the ladder first, then he followed them, pausing when the hatch was almost closed, peering out through the inch-gap. The fog was still too thick to see the breakwater, let alone the bridge, but it was drifting away from the top of the foremast. Winter, peering through the narrow gap, saw the lookout clearly, staring south with night-glasses pressed to his eyes. Winter closed the hatch cover very slowly.

On the bridge of the *Challenger* Mackay was having a violent argument with LeCat as the ship moved towards Alcatraz Island which was already clear on the radarscope.

'LeCat, I will not take this ship near San Francisco. We're bound for Oleum – that's near Richmond on the east side of the Bay . . .'

'Then we will shoot Bennett in front of you on this bridge.' Second Officer Brian Walsh gulped as LeCat gave an order in French for one of the guards to fetch Bennett. Then LeCat told the guard to wait as the captain protested. 'You cannot murder a man just like that. It's inhuman . . .'

'You will be murdering Bennett – you have it in your power to save him. Come into the chart-room with me . . .' LeCat led the way and inside the chart-room he pointed to a chart on the table. 'You will take the ship to this position – where the cross is ...' He was indicating the mark Winter had made on the chart before he left the ship.

'I must know what is going to happen before I agree,' Mackay said grimly.

'I want to be close in so I can use the ship-to-shore to conduct negotiations with the authorities. When they have agreed to my demands we shall go ashore to this pier. There we shall board a bus they will have supplied and drive to the airport where a plane will be waiting to fly us to Damascus.' I have, LeCat thought, as he watched Mackay's face, made it sound convincing. 'Now you know what will happen,' LeCat continued, 'get on with it. I have no desire to shoot anyone – it would complicate matters.'

'To this point?' Mackay put his finger on the cross LeCat had indicated on the chart. That is barely half a mile from the San Francisco waterfront.'

'That is correct. Now, will you do what I say or do I have Bennett brought to the bridge? Time is not on my side so I have no patience left ...'

Without a word Mackay went back on to the bridge and gave instructions to the helmsman personally. Then he went to the front of the bridge and stood there with his hands behind his back, looking down the full length of the main deck where the fog cleared until he could see the distant fo'c'sle. He went on staring in the same direction, never giving a thought to the fact that under the fo'c'sle lay the carpenter's store.

Chapter Eighteen

At 3am the *Challenger* – which had increased speed inside the Bay – was anchored half a mile from Pier 31 on the San Francisco waterfront. Ship-to-shore radio-telephone equipment had been set up in MacGowan's office in response to a signal from LeCat that he wished to establish direct contact with the Governor of California. Foreseeing long hours ahead of the action committee, MacGowan had brought in beds which now occupied adjoining rooms. It appeared that the three-man assault team had gone to ground – as Winter had warned might happen.

Watchers along the waterfront and high up on the Bay bridge linking San Francisco with Oakland across the Bay had scanned the stationary vessel through powerful night-glasses. There were no lights aboard the vessel, no sign of movement anywhere. 'It must be the thinning of the fog which stopped them,' Mac-Gowan told General Matthew Lepke of the Presidio. 'They dare not try and storm the bridge until the fog provides cover – there's six hundred feet of exposed deck between the fo'c'sle and the bridge at the stern.

All the hostages would be murdered before they got there – and they would probably be shot down before they ever reached the bridge structure . . .'

Gen. Lepke, fifty-five years old and rumoured to be moving into the Pentagon over the heads of fifteen other generals, was a spare, wiry man with a bird-like face and restless eyes. 'Cassidy will know what he's doing,' he observed. 'Trouble is he may have to wait till tonight – another sixteen hours – before there's chance of more fog. You'll just have to spin out the negotiations with this terrorist chief, LeCat . . .'

'Except that we're pretty certain that at some stage he's going to shoot the hostages anyway,' MacGowan commented.

The first message came through on the ship-to-shore minutes later. The Frenchman sounded confident and decisive as his voice came through the speaker. He repeated his warning.

'All the twenty-nine hostages – including the American girl – will be shot instantly if the *Challenger* is approached by any aircraft, surface vessel or underwater craft . . .'

'What about the casualties?' MacGowan demanded. 'Your earlier signal said you had nine injured people aboard – including Miss Cordell . . .'

'There have been no casualties yet,' the Frenchman shouted. 'That was a mistake. Now, no more interruptions. I will only say it once . . .'

LeCat went on to say that his ultimate demand

337

would be made in due course; in the meantime a Boeing 747 must be made ready to stand by at San Francisco International Airport with full fuel tanks; a Greyhound bus must be requisitioned, its windows painted over black, and then driven to Pier 31; finally, the sum of two hundred million dollars must be assembled at the Bank of America within five hours. 'You will be informed of where to take the money later,' LeCat ended.

MacGowan tried to protest, then realised LeCat had switched off the ship-to-shore. He had tried to intervene while LeCat was speaking, only to be talked down by the Frenchman. 'When I want you to speak I will tell you. Now, you will listen! If you interrupt again First Officer Bennett will be shot . . .'

A traumatic moment had followed. There was the sound of a single shot being fired. MacGowan glanced at Lepke sitting alongside him. The general's mouth had tightened. LeCat came back on the ship-to-shore. 'That bullet went out of the window. The next one goes into Bennett . . .'

'He's a bastard,' MacGowan said when he had switched off the speaker. 'Is it possible that Winter got it wrong? Is he really going to negotiate? He made it sound damned convincing – the demand for a Jumbo, for the bus . . .'

'And what, I wonder,' Lepke said grimly, 'is the ultimate demand he's holding back on?'

MacGowan began using the phone at once, making

arrangements about the bus, the Boeing 747, and enquiries about the money. It was important to appear to be cooperating at this stage – to keep LeCat in a state of suspension as long as he could, to buy time until the assault team aboard the ship could make a move. And still he was unsure about the genuineness of LeCat's demands, about whether Winter had been wrong.

Winter raised the hatch cover slowly, then held it open a few inches and peered along the main deck. The ship had stopped, his watch showed the time as 3am, a transparent trail of fog drifted across the fo'c'sle, but the main deck was clear. His night vision was good – he had switched off the light in the carpenter's store a few minutes earlier to get his eyes used to the dark. And the foremast was highly visible.

Something moved on the circular platform at the top of the foremast; a man was walking round it slowly, his back turned to Winter for a moment. The Englishman thought he recognised the man's movements, that it was probably André Dupont. He pressed the pair of miniature field-glasses he had brought with him to his eyes, adjusting the focus with one hand. The lookout was holding a box-like object in his right hand, probably a walkie-talkie. Cassidy had been right; there was communication between Dupont and the distant bridge.

He closed the hatch while the lookout was staring in the opposite direction, felt his way down the ladder in the dark, switched on the light. Sitting on the floor with their backs against a bulkhead, Sullivan and Cassidy looked up at him anxiously, a question in their eyes. 'No good,' Winter said. 'The deck is still practically free from fog – and the lookout is still on the foremast. He's carrying a walkie-talkie, I'm sure. He'd be reporting our presence before we even got off the fo'c'sle. Every hostage would be dead before we were half-way to the bridge . . .'

'Where are we?' Sullivan asked. 'Where have they stopped?'

'I can't be sure – there's a heavy belt of fog obscuring the shore, which means the people on the mainland won't be able to see the tanker. My guess is LeCat has stopped where I told him to – half a mile off Pier 31.'

'Jesus!' Cassidy stretched a leg which was stiffening up. 'Looks as though we could be here for hours.' He looked round their cramped quarters. 'You say the escape apparatus was in here?'

'Was . . .' The inflatable Zodiac was no longer in the store. The outboard motor had gone. The cases containing the wet-suits were no longer there. Everything pointed to LeCat opening up the planned escape route. It also destroyed Winter's first plan – to wait inside the carpenter's store until one or two of the terrorists arrived to collect the equipment. They could have eliminated the men quietly below deck, taken their outer clothes and then marched openly along the main deck in the dark. Now they would have to wait. It was an unnerving prospect and already tension was building up inside the carpenter's store.

On the bridge of the *Challenger* LeCat had let Mackay hear him talking to MacGowan over the ship-to-shore. Now he was in control, it seemed sensible to the Frenchman to keep the British crew quiet, especially its captain. As he ended his dictatorial monologue with the Governor and switched off, he thought he saw relief in Mackay's face at the reference to providing a bus, a plane. He checked his watch, noting when he must call up MacGowan again: the timing was important.

Earlier, as the tanker was passing Alcatraz Island, Dupont had reported to LeCat that the lookout on the forepeak was missing. LeCat had hurried to the fo'c'sle as the fog was thinning out. He had found the Scorpion pistol lying near the rail, and near that he had found an empty wine bottle. Cursing the lookout for drinking on duty, he had concluded the feeble-minded idiot must have toppled overboard. He had forgotten him as he went to his cabin to collect the miniature transmitter with an extendable aerial. From now on this instrument would accompany him everywhere he went.

Attached to the nuclear device now planted deep

inside the empty oil tank was a timer mechanism – also a miniature receiver of the type used by aircraft model-makers. The receiver, which would set the timer mechanism going, could only be activated when a radio signal reached it. The radio signal would come from the miniature transmitter LeCat was now carrying with him. One turn of a switch and nothing on God's earth could stop the nuclear device detonating at the pre-set timing.

There was tension also in Paris, over five thousand miles away, where it was eleven in the morning, where an emergency meeting of the Cabinet had been called at the Elysée Palace. Earlier, Karpis of the FBI, after obtaining agreement from Washington, had phoned through direct to Paris, asking for information on a certain Jean Jules LeCat. The request – because of the world news bulletins – travelled like an electric shock through the upper echelons of the French government.

At first ministers considered telling Karpis that there must be some mistake, that LeCat was still in the Santé prison, that the San Francisco terrorist was clearly an impostor. French logic, however, prevailed – this was far too big an issue to risk any kind of deception. They argued about it for some time – the record shows that the meeting went on for over two hours – and then a realistic decision was taken.

The Sûreté Nationale transmitted to Inspector

Karpis a detailed technical report on LeCat's known criminal activities – the political side was omitted. Reading this report in San Francisco, Karpis found it illuminating and not a little frightening. The man they faced was no common thug; he was a man of enormous experience in the more violent aspects of human activity, obviously had some skill as an organiser, and had at one time lived in the United States. The FBI man skipped some of the technical data, so he saw no particular significance at that moment in the reference at the end. 'Also expert in the remote control of explosives, that is, detonation by radio signals . . .'

The next communication from LeCat over the ship-to-shore came at 4am. Again, MacGowan was warned not to interrupt. 'You will warn the American ambassador to the United Nations that he should stand by to receive a message from you later. There will be a time limit for you to decide whether or not you will agree to my demand. If you do not agree, all the hostages will be shot at the expiry of the deadline . . .'

The entire action committee was assembled inside the Governor's office as LeCat began talking. They watched MacGowan as he sat grim-faced in front of the speaker, knowing that he just had to sit there and take it while the French terrorist lectured him, told him what he had to do, that he must not interrupt. MacGowan interrupted.

'If you shoot them now you won't have any cannon fodder left for the deadline,' he said brutally. 'I've listened to you – now you damn well listen to me. I'm providing a bus . . .'

Peretti winced, certain that this was not the way to handle it, that there was going to be a disaster, that MacGowan had the wrong approach altogether. LeCat's voice burst in, filled with venom.

'You will stop talking and listen to my demand . . .'

'As I was saying,' MacGowan interrupted, 'transport for you to escape is being provided. Whether we will ever let you use it is another matter – it depends entirely on what you propose, whether we agree. Now, get on with what you were saying . . .'

'I will shoot two of the hostages,' LeCat screamed.

'We will board the ship immediately. And I will not speak with you again unless you give me some proof that all the hostages are at this moment alive and well – alive *and* well. Put Captain Mackay on the air if you want me to speak to you again . . .'

MacGowan's voice was a growl, Peretti was pale-faced with apprehension, the other men inside the room were leaning forward in their chairs, their expressions tense. Gen. Lepke had his head on one side like a bird, listening, watching MacGowan. They were waiting for the sound of shots to come over the speaker.

There was a pause, some static crackle, confused noises at the other end on the bridge of the *Challenger* half a mile from Pier 31. MacGowan had his head down, staring fixedly at the speaker from under his thick eyebrows as though he could see his opponent, as though he were facing a hostile witness in the box. The seconds ticked by and the tension inside the room became almost unbearable. They were all still waiting for the sound of shots, their bodies tensed as though they might be the targets.

'Captain Mackay speaking . . .'

Firm, steady, unemotional, this was Mackay's first contact with the outside world since the terrorists had seized his ship four days earlier. It was, MacGowan thought, remarkable. 'Are all your crew still alive and well, Captain?' he asked. 'I want to know the position aboard that ship . . .'

'We are all alive, we are all well, at the moment. And that includes our American passenger, Miss Betty Cordell.'

'We will do everything we can to see you are released safely,' MacGowan said slowly and deliberately. 'We shall continue negotiating for that end,' he went on, knowing that LeCat was listening. 'But no one must be harmed or I shall immediately stop all negotiation . . .'

There was a flurry at the other end, a grunt of pain which every man inside the room felt, then LeCat repeated his instruction once more that no aircraft, no surface or underwater vessel must approach them and abruptly went off the air. Someone in the room let out

a deep sigh and then everyone started stirring restlessly, getting up and walking about to ease the tension
out of their muscles.

'I don't think you handled that too well,' Peretti said.
'Because unlike me, you never were a trial lawyer.
That man out on the *Challenger*'s bridge is an egoman-
iac – I'm beginning to get to know him and I can hear
it in his voice. For the first time in his life he has a
huge audience – everything he says or does is reported
across the face of the earth. He knows it, he likes it.
His only trump card is he holds the lives of those
hostages in his hands . . .' MacGowan leaned across his
desk. 'He's not throwing that away – yet. And the
main demand is yet to come – he'll not shoot anyone
until he's made that demand. My bet is we still have a
few hours left . . .'

'Your bet is on the lives of twenty-nine people,'
Peretti snapped. 'I'm not that much of a gambler.'

Gen. Lepke had been staring across the room with a
faraway look, as though something had just struck
him. 'Has he always made that reference to no underwater vessel approaching the tanker?' he asked. 'I'd
like to see the transcripts of all the exchanges you've
had with him so far – and the radio signals, too.'

'You've thought of something?'

'Yes, something curious – possibly even frightening . . .'

*

346

Gen. Lepke moved very quickly when he left the room. He knew he had little over an hour to act because soon after seven it would be sunrise. Alone in another office, he put through a call to the Marine base. The dolphins, which had been brought from San Diego for training in the Bay, were sent out within a few minutes of his making the call.

At 6.25am Mac the dolphin slipped away from a Marine launch anchored offshore and began swimming strongly into the Bay. Jo, the second dolphin, followed him almost immediately. They swam at a depth of ten feet under the surface, heading for the only ship within half a mile, the tanker *Challenger*, with Mac in the lead. He came to the surface for air at regular intervals, a graceful creature who had a great affection for his trainer, Marine Sergeant Grumann. It was dark, steamy and fogbound above the surface at that hour, and he went under again with a sense of relief, at home in his natural element as he came closer and closer to the motionless ship.

Attached to his nose was a sucker-like disc, rather like a compass set in a rubber base. He had got used to having this strange contraption fixed to him; for days recently Sergeant Grumann had taken him out into the Bay, had then released him and 'pointed' him in a certain direction. He knew exactly what he had to do and he enjoyed the work; even more he enjoyed returning to the launch when Grumann would reward him with a fish. He swam on, a menacing shape moving through the water with a power and sureness no Olympic swimmer could have emulated. The hull of the tanker loomed ahead, an oscillating shape seen from under water.

Slowing down, he cruised towards the hull. He was hardly moving at all when he reached his objective and pressed his snout forward gently. The magnetic field inside the Geiger counter did the rest, hauling itself close against the steel hull. Plop! The sucker was attached to the hull. The dolphin paused, feeling the tug of the tide against his huge body. He paused for only a few seconds, then he bobbed his nose hard against the hull. The magnetic field was neutralised for thirty seconds.

Released from the hull, Mac turned in a great sweep, his tail swishing against the immovable steel. Then he was swimming hard again, leaving the tanker behind, moving like a projectile through the dark water, heading back for Grumann's launch moored close to the waterfront. Within a few minutes he was swallowing fish while Grumann checked the Geiger counter as the other dolphin reached him. Grumann's hand was unsteady as he picked up the field telephone which linked him to the shore.

It was close to sunrise when Gen. Lepke took the call in the outer office. He listened, said, 'Are you absolutely certain?' Replacing the receiver, Lepke walked unhurriedly into the Governor's office where early breakfast was being served to the action committee from a kitchen adjoining the main conference room. The mixed aroma of bacon and eggs and strong coffee did not make Lepke feel hungry. He spoke very quietly to MacGowan so no one else could hear him, and then the two men went into the office Lepke had just left and shut the door behind them. The Governor asked almost the same question Lepke himself had asked over the phone. 'You're sure?'

'The Geiger counter was positive. They have a nuclear device aboard that tanker.'

Thursday January 23 was a nightmare for MacGowan as he fought to keep control of the situation in his own hands. There were plenty of other groping hands trying to influence him, to turn him in another direction. Two State Department officials had come in from Washington, one of them George Stark, a lean-faced, precise man who urged the Governor to 'negotiate flexibly ...' There were international implications – if there was a catastrophe, a wave of anti-Arab feeling might sweep across America. And there were already rumours that the Golden Apes were considering a further cut in the oil flow to the West ... The Atomic Energy Commission experts arrived secretly in the city at ten in the morning – to assess the extent of the threat to the city posed by the nuclear device aboard the tanker.

Operation Apocalypse.

Dr Reisel of the Atomic Energy Commission flew in from Los Angeles where AEC experts had been attending a meeting on the future of nuclear power stations. He headed the team which would play the grim projection game, Operation Apocalypse. A room had been set aside on the floor below MacGowan's office in the Transamerica building and the team went into immediate session.

The team comprised experts from the US Air Force, from the US Weather Bureau, Coast Guard service, Planning Division of the Pentagon. US Navy and, above all, radiation specialists. Aboard the Boeing 707 from Los Angeles – they had started discussions while in mid-air – Dr Reisel had emphasised one point over and over again.

'Gentlemen, the thing we must not do is to underestimate the size of the catastrophe. On the basis of the report we draw up the authorities will take certain precautions . . .' He paused. '. . . which may include mass-evacuation. If we underestimate the area which could be affected we might all have to leave this country for ever – people would never forgive us. The hell of it is we have to make certain assumptions – as to the likely size of the nuclear device aboard that British tanker. I have made an assumption myself – based on a device manufactured from the five kilograms of plutonium hi-jacked from Morris, Illinois, ten months ago . . .'

It was Karpis of the FBI who had earlier pinpointed

a possible source of the material used to make the device. At 7.30am he had phoned Washington; the reply had come back within thirty minutes. During the past year there had been only one reported case of a sizeable amount of plutonium going missing: the brutal hi-jacking of a GEC security truck in Illinois ten months ago when a canister containing five kilograms had been stolen.

The Apocalypse team was rushed from the airport by special bus along Highway 101 with an escort of police outriders and a patrol car, its siren screaming non-stop. Peretti informed the Press that a team of anti-terrorist experts had arrived in the city. Arriving at the Transamerica building, they went up to the room set aside for them and started at once on their macabre exercise.

'Algiers . . .'

LeCat came back on the ship-to-shore at 10am while Apocalypse was in session, his voice full of confidence as he spoke to MacGowan who sat in his shirt-sleeves despite the morning chill.

'What about Algiers?' MacGowan demanded.

'The Jumbo jet waiting at the airport will have to fly us to Algiers. Inform the pilot so he can prepare his flight plan . . .'

Ask the bastard something, MacGowan reminded himself, make it sound like I believe him, for God's sake. He was beginning to feel the strain of being up all night and his face was lined with fatigue. He cleared his throat. 'We need to know what is going to happen to the hostages . . .'

LeCat sounded surprised, impatient. 'They come with us to the bus on Pier 31, of course . . .'

'After that?'

'They will be released at the airport when we are safely aboard the plane. All except one man – he flies with us to Algiers.'

'Which man?'

'You will be told later.' LeCat sounded very impatient. 'Inform the airport at once . . .'

He went off the air before MacGowan could reply. The Governor looked round the room. In a desperate attempt to keep secret the fact that there was a nuclear device aboard the ship the action committee had been slimmed down to six men – MacGowan, Peretti, Karpis, Commissioner Bolan, Gen. Lepke and Stark, from the State Department. 'Don't let's underestimate our opponent,' the Governor warned. 'That LeCat is clever – if I didn't know about the nuclear device I might almost believe him, the way he keeps on checking details.'

'He made no mention of the so-called ultimate demand,' Stark pointed out, 'and you didn't ask him about it . . .'

'Deliberately. He's holding that back to keep us on a high wire. Why should I jog his bloody elbow?'

The Apocalypse report was ready in two hours – a task which normally would have taken as many days – but as the men in the room below conferred more than one pair of eyes strayed to the window overlooking the Bay – because that was where it would come from when the nuclear device was detonated. The proximity concentrated their minds wonderfully. MacGowan went down to see them alone at noon.

'Nothing as definite as I would like,' Reisel warned, 'but I assumed a crash analysis is better than a detailed report after . . .'

'The thing has blown you to bits,' MacGowan completed for him. He knew it was bad the moment he entered the room; one look at the grave faces waiting for him told the Governor the worst. Or so he thought.

Reisel pointed to a map opened out on the table. 'That tells you better than I can – the circle . . .'

'Oh, my God . . .' MacGowan recovered quickly. 'You mean it's going to take out nearly every city in the Bay area – Oakland, Richmond, Vallejo, Berkeley – even San Mateo?'

'I'm afraid so . . .'

'This circle – it's your radiation limit?'

'God, no!' Reisel sounded shocked. 'That's just the area of total annihilation from blast . . .'

MacGowan sat down in the chair vacated by Reisel and looked round at the fatalistic expressions of the men gathered at the table. He didn't like the atmosphere. 'And San Francisco?' he asked quietly.

'Forget it – that's gone.' The man who replied was a gnome-like figure who sat opposite MacGowan, placidly puffing a pipe. MacGowan didn't like the look of him either: too detached and sure of himself.

'That's Francis Hooker,' Reisel whispered. 'He's putting in a minority report. Of one,' he added waspishly.

MacGowan stared at Hooker who was watching him through rimless glasses as though he found politicians inexpressibly comic. The Governor had heard of Hooker, a scientist with a unique reputation, the only man who had warned Washington of the risk at the San Clemente nuclear power station just before the plant nearly ran wild.

'This minority report of yours, Hooker,' he said. 'You disagree with the majority assessment? You feel they overstated their case?'

'No. They've understated it – badly. I think the blast could easily destroy San José, which is many miles outside that circle . . .'

'And radiation?'

'Radiation depends on the wind, of course. I estimate that if an average wind for this time of the year comes along – and the device detonates – half California could be at risk.'

'So now we know . . .'

'Not yet . . .' Hooker was holding the floor, building up a head of steam. 'The geography of central

California is well adapted to maximise the catastrophe. You see, we have a long valley – the San Joaquin – with population centres scattered along it to Bakersfield. With the wind in the right direction the radiation would be funnelled straight down the valley, so we have to start thinking of Fresno and Bakersfield . . .'

'That's two hundred and fifty miles away . . .'

'Raise your sights. It might well reach Los Angeles in lethal quantities. On the other hand, if the wind comes off the Pacific we can assume Reno is in trouble,' Hooker went on. 'I'd assume Salt Lake City would be safe . . .'

'That's five hundred miles away . . .'

'It had better be,' Hooker replied. 'I'm only guessing at the size of the device, but I could tell you more if I knew who had made it. The degree of competence is a crucial factor.'

'I may be able to help you there,' MacGowan said slowly, 'even if it is a very long shot. Earlier this morning Karpis of the FBI phoned Paris for information on LeCat. He lit a fire under government circles over there, I gather. Half an hour ago he had a call from a François Messmer, a French counter-intelligence man. A couple of days ago, in some way, Messmer linked LeCat with a missing French nuclear physicist called Jean-Philippe Antoine . . .'

'I know Antoine's work,' Hooker said. 'I met him once at an AEC meeting in Vienna. I thought he was dead. He was an innovator. If he designed the device we must be prepared for a very special kind of holocaust . . .'

At 1pm on Thursday January 23 MacGowan closed the Golden Gate bridge. At 1.30pm he closed the Bay bridge to Oakland. Half an hour later he shut down the BART – Bay Area Rapid Transport – subway. By two in the afternoon San Francisco, which stands on a peninsula, was isolated except for the roads going south through Palo Alto towards San José and along the coast.

The official reason for these unprecedented steps was that there were terrorists in the city connected with the men aboard the *Challenger*. To back up this explanation, all roads south had police road-blocks set up to check all traffic which might be transporting these fictitious men. For this measure, at least, there was unanimous approval from the Apocalypse men, including the maverick Hooker. 'When the device detonates,' Hooker said, 'both bridges will go, no doubt about it. And if it happened when they were carrying rush-hour traffic . . .'

They also agreed that the five other Bay bridges would be knocked out by the enormous shock-wave from the detonation. 'The blast will destroy all communications,' Hooker stated. 'Whatever is left of the

Bay area after it happens will be isolated from the rest of the country . . .'

They had, these grim, spectacled men, MacGowan noted, begun talking about the catastrophe as a near-future inevitable event. This change had taken place after Karpis had referred to the French report on LeCat, a remark he made soon after yet another debate on whether the tanker should be stormed by a detachment of Marines.

'I can't back that,' Karpis said. 'This Paris report says LeCat is, I quote, expert in the remote control of explosives, that is, detonation by radio signals, unquote. My guess is that at this moment LeCat is on the bridge of that ship with some kind of radio mechanism that can flash a signal to the nuclear device. If I'm right, he only has to press a button and . . .'

So far, by restricting the knowledge to only a few people, MacGowan had managed to keep secret the terrifying news about the nuclear device. He knew that, sooner or later, this news must leak out. If it reached LeCat, whom they assumed was listening to radio bulletins, it might just cause him to detonate the device at once; it depended on the degree of his fanaticism, a completely unknown quantity. If it reached the city, God knew what would happen.

MacGowan, a very tough man physically and mentally, was slowly being worn down by the massive weight of his responsibility, although outwardly he showed no signs of this. There was constant debate about whether or not to try and storm the ship, and each time MacGowan vetoed any such suggestion. 'We already have a team aboard – even if they are still pinned down somewhere in the for'ard area. If fog comes tonight, they'll have their chance . . .'

'If San Francisco is still here tonight,' Peretti snapped.

There was constant debate about whether to start a mass-evacuation of the city. The Apocalypse men were again unanimous in their decision that people should start moving out at once. 'Do that,' MacGowan pointed out, 'and it will be screamer news in the radio bull-etins, which LeCat must be checking on. He'll know then that we know – about what he has on board. He might press that button . . .'

More disturbing news had come in about LeCat's character. Winter had earlier told the action committee that the Frenchman had once lived in both Canada and the United States and a massive enquiry had been set in train. About the time MacGowan closed the Bay bridge a report came in from Quebec. A woman believed she had once rented a room to the terrorist; if it was the same man he had frequently expressed bitter anti-American views. Both decisions were postponed – about storming the vessel, about evacuating the city. At three in the afternoon LeCat came back on the ship-to-shore and made his ultimate demand.

*

Conditions inside the carpenter's store on the fo'c'sle of the *Challenger* were not good. The three men had now been confined below deck for fourteen hours, with only vitamin pills and a diminishing supply of water from one water-bottle to sustain them. They had foreseen that they might be there for several hours, but not for anything like this period. They already hated the sight of each other.

The fog had never completely left the Bay, the sun had never penetrated the heavy overcast which drifted above San Francisco for the whole of the day. But there had been no chance to leave the cell and approach the bridge. A fresh lookout had just climbed to the top of the foremast – there had been two changes since they came aboard. And each time Winter cautiously raised the hatch a few inches the view was always the same – an exposed, fog-free deck, a lookout with a walkie-talkie on the foremast.

'This is worse than a foxhole in Korea,' Cassidy remarked as Winter came back down the ladder, shaking his head. The Marine colonel was crouched on his haunches, exercising to ease the stiffness out of his limbs. 'Sooner or later we have to risk it – shoot the lookout on the foremast and head for the bridge . . .'

'Better wait for dark,' Sullivan advised wearily. 'That's only two hours away. Two more hours . . . Jesus Christ . . .'

They had used a bucket they found in a corner for performing natural functions. They had covered it with a piece of canvas, but a stale, urinal odour was seeping into the stuffy atmosphere. The only relief came during the few minutes when Winter had the hatch open. They agreed they must wait; the lookout could report their presence within seconds of their emerging from the hatch and all the hostages would be shot before they had covered half the distance to the bridge. They settled down to more waiting, until dark, until the fog came. If it did come.

'Unless the American ambassador to the United Nations makes a statement by six o'clock tomorrow morning that the American government will send no arms – not one single tank, gun or aircraft – to the State of Israel for the next six months, that is until July 23 this year, all the hostages aboard this ship will be executed . . .'

It was LeCat's ultimate demand. The time was exactly three o'clock. The Frenchman had spoken in a monotone, as though he were reading from a piece of paper. There was complete silence in MacGowan's office as the six men listened, knowing it was quite impossible to accept the ultimatum. Stark, the State Department official, scribbled a note and pushed it in front of the Governor, who brushed it aside without looking at it. As it happened, he asked the question Stark had written.

'What about the money – the two hundred million dollars?'

'We have dispensed with that demand. We are not interested in money. Is the Greyhound bus in position?'

'Waiting. On Pier 31 . . .'

'The Boeing 747?'

'At San Francisco International Airport . . .'

'With full fuel tanks?'

'LeCat, if one single hostage is shot we shall immediately board the tanker . . .'

A muffled 'Oh, God . . .' It was Peretti.

'If one single hostage is shot,' MacGowan repeated, 'I will not transmit your message . . .'

The sound of a shot came over the speaker. The men inside the room froze. MacGowan sat with fists clenched on the table. Gen. Lepke quietly picked up a phone which now had a direct line to the Presidio. Somewhere, a long way off, the sound of a foghorn came through the open office window. Karpis checked the exact time by his watch. The speaker crackled.

'Next time you threaten me,' LeCat shrieked, 'a man dies.'

The hysteria in his voice shook the men in the room. LeCat had played the same trick a second time. The impact had been just as shattering as on the previous occasion. MacGowan's voice was steady, aggressive, giving not an inch.

'Now I want to speak to Mackay again before I'll take any action at all – certainly before I think of transmitting the demand you just made . . .'

'The man who will be killed,' LeCat screamed, 'is Engine-Room Artificer Donald Foley who lives in Newcastle, England. Tell that to his parents, to his wife . . .'

MacGowan fought for self-control, his facial muscles tensed with cold fury, his wide mouth tight. He waited for a moment while the others watched him. He said – quite calmly – 'I'm waiting . . .'

'Mackay speaking . . .' The voice was crisp, firm. Had he slept for a few hours since they last communicated, MacGowan wondered. 'That shot went through the window. Miss Cordell is still alive and well . . .' The captain was talking fast, as though any second he expected to be dragged away from the ship-to-shore. 'All my crew are alive and well. We hope that . . .' They didn't get to hear what he hoped; they heard LeCat's voice say, 'No more . . .' The speaker went off the air.

The city had been in a turmoil since one o'clock when the first bridge was closed. Men who lived in Marin County knew they would not get home that night; it was too far to drive right round the Bay and they hadn't the gas. Then the Bay bridge was closed, then the BART system. Foreseeing what was coming,

MacGowan installed a traffic controller, a man called Lipsky in one of his outer offices. Those who could, left early, driving to their homes, or the homes of friends, south of the city. By 2.30pm, as Lipsky relayed the traffic reports to MacGowan, it seemed as though the whole of San Francisco was on the move.

'I'd never have believed it,' he said to Lipsky.

'You wouldn't have believed they'd be coming in, too . . .'

'Coming in?'

'On Highway One and One-o-One. Steady build-up of traffic coming north – into the city. They must be using up the last of their gas . . .'

It went on growing through the afternoon. Soon it became clear that despite the exodus and the influx the majority of citizens were staying inside the city, were refusing to get caught up in the cauldron. Then a fresh movement began – towards the waterfront, to try and see the terrorist tanker.

Seeing what was happening, MacGowan reacted quickly with the mayor. A huge cordon of police was thrown round the waterfront, was extended across the top of Nob Hill, along the full length of California Street. Patrol cars formed barriers. The cable cars were stopped. Van Ness Avenue was closed. The bus station was open only for outgoing traffic, with orders that no bus must stop this side of Daly City.

The direction of the movement changed: people remembered the high-rise buildings. There was a concerted rush for any building higher than ten storeys which overlooked the waterfront. Men and women crammed inside elevators, headed for the top floors. The premium positions were the tallest buildings – with windows facing the Bay. MacGowan issued a fresh order which was phoned round the city by a corps of telephone operators, talking non-stop.

'Close the high-rises, put guards on the street doors . . . close off the high-rises . . .'

The ingenuity of human beings determined to get somewhere was endless. Those with money in their pockets decided to take a hotel room. 'Providing it faces the Bay . . . as high as you can go . . .' The great towers on Nob Hill sold out their accommodation within fifteen minutes. The desire to see the terror ship had increased when news of the latest demand became public. LeCat had radioed his ultimate demand to the UP wire service.

MacGowan became more and more grim-faced as the news poured in. He had hoped people would leave the city when he was compelled to close the bridges; now they were flooding into San Francisco. And he dare not make a broadcast, appealing for them to stay away – if LeCat picked up the broadcast when it was repeated in news bulletins he might guess the reason for it, he might press the button . . .

*

Eight thousand miles away from San Francisco the British supertankers, *York* and *Chester*, were moving through the Strait of Hormuz, leaving behind the Gulf of Oman, steaming into the heart of the Persian Gulf, heading towards 'the Saudi Arabian coastline. The huge crates which had intrigued American photo-analysts were still on deck. There was one odd aspect about their apparently innocent passage. Against all regulations, they were proceeding at seventeen knots through the darkness without any navigation lights.

Within one hour of LeCat making his ultimate demand – that the United States should stop supplying arms to Israel – Sheikh Gamal Tafak heard the news in Baalbek where it was 1am. He immediately made a phone call, triggering off a series of messages summoning all Middle Eastern oil ministers to an emergency session of OAPEC (Organisation of Arab Petrol Exporting Countries). The climax was near.

At 5.10pm on Thursday January 23 dusk descended on San Francisco and then it was dark. At 5.10pm the cluster of lights near the top of the foremast on the *Challenger*'s main deck were switched on, illuminating the forepart of the ship. The information was relayed to MacGowan within a few minutes by observers with powerful night-glasses. He told Gen. Lepke.

'That means the assault team can't get from the fo'c'sle to the bridge along the main deck without being seen – unless we have very thick fog.'

The US Weather Bureau man gave them a qualified report. There might be fog; then again, the Bay area might remain clear all night. 'You don't bet on horses, do you?' MacGowan said savagely. 'I'm just glad Ike didn't have you on D-Day.'

MacGowan was in an evil mood. Stark, the State Department man who had taken up permanent residence over his shoulder, was in the other room on the line to Washington. He'd be back soon, with more urgent advice the Governor could do without. And MacGowan had just had his third session with Major Peter Russell, British military attaché in Washington, who had also taken up permanent residence in the Transamerica building. There was something odd about Russell's attitude.

Russell, who was acting as liaison with the British Ambassador in Washington because he happened to be on the West Coast when the *Challenger* entered the Bay, had probed MacGowan about his intentions. 'I suppose,' he said, 'your policy is to spin out the negotiations as long as possible in the hope that the situation will break your way?'

'We are doing everything we can to save the hostages' lives,' the Governor had replied.

'Deeply appreciate all you are doing.' Russell had paused, looking at Gen. Lepke. 'I imagine this will go on for days. No chance it will all blow up in our faces, say tonight?'

'It's impossible to forecast the outcome . . .'

Blow up in our faces? MacGowan had managed to retain a blank expression; Russell, of course, had no idea there was a nuclear device not one mile from where he was sitting. MacGowan couldn't rid himself of the feeling that Russell, worried as he was about the lives of the twenty-eight Britishers on board, was even more anxious that the negotiations should drag on for a few more days. It was odd.

At seven o'clock in the evening MacGowan, whose ration of sleep during the past twenty-four hours had consisted of no more than a few catnaps, heard that his secret had leaked – it was spreading through the city that there was a nuclear device aboard the tanker lying half a mile from Pier 31.

It was a switchboard operator who passed the night hours listening in to calls who alerted MacGowan. Pretending she had someone on the line who could give vital information – 'He says he won't speak with anyone except the Governor . . .' – she found herself with MacGowan at the other end.

'It's not that I listen in to calls,' she explained, 'but I just caught . . .'

'Get on with it,' MacGowan snapped.

'I thought you ought to know there's a lot of unusual activity ... more calls than I can remember at this hour ...' She took a deep breath. 'They're all saying there's an atom bomb aboard that British ship out in the Bay ...'

'All?'

'I listened in after I caught the first call ...'

MacGowan thanked her, told her it was a ridiculous rumour, nothing more, then Police Commissioner Bolan came running in from another room. Reports were flooding in from all over the city, a mass exodus was under way; for the moment it was confined to certain districts, but it was spreading.

People began moving out of Telegraph Hill first, out of the packed rabbit warren below the hilltop where wealthy men paid a fortune for houses over-looking the Bay. It began to look as though the money had been badly spent – because Telegraph Hill now overlooked the British tanker anchored offshore. Here it was a quiet exodus. Taking any valuables they could grab, the inhabitants got into their cars and drove up Nob Hill to where the barricades had been erected along California Street. They were allowed through – but no one was allowed to go back. One woman who had taken the wrong jewel case – the one with paste gems – had a hysterical scene with an Irish cop. 'Officer, I have to go back – I've left a fortune in my bedroom ...'

'Lady, that tanker is half a mile from where we stand now – you see yourself wearing rubies – stretched out in the morgue?'

Some people with cooler heads exploited the situation. A gas truck, which had been parked in a garage before the barricades went up on California Street, prowled the lower slopes of Russian Hill. Three armed men sat in the cab as they watched for expensive cars parked by the kerb. They found a fresh victim standing by a Cadillac with an antique vase in his hands, loading up the car. The driver of the truck pulled up, lowered his window. 'Need any gas, buddy?'

'I'm down to one gallon. But you won't have a pipe . . .'

'We got the pipe that will stick it into your car,' the driver said coarsely. 'Top grade . . .'

'How much?'

'Fifty dollars a gallon. You heard about the atom bomb?'

'Why the hell do you think I'm leaving? I'll pay you twenty-five . . .'

The driver made a lot of noise loosening his brake and the man ran up to the cab, shouting hysterically. 'Fifty is OK, fifty is OK . . .'

If you have only a few hours left to live, what do you do with those hours? Arthur Snyder, insurance salesman, knew he'd never get out of the city: at this moment his car was stripped down in a repair shop a mile away. The nagging wife he'd come to hate over the years was upstairs in the bedroom, still screaming at him. 'Do something, you bum, do something...' He slammed the front door and made his way down the hill. It was convenient to have your mistress on the same street; it was a bloody life-saver now. Reaching the right door, he stuck his finger on the bell and kept it there until Linda, in pyjamas and robe – she had been going to bed early – opened the door on the chain. 'Who is it...'

'Me, Art. Let me in quick. Mildred's gone out to Letty's...'

He guessed she hadn't heard about the nuclear device – she'd have mentioned it by now, probably lost her fool head and phoned him. He went inside the dimly-lit hall and pressed the door shut behind him. 'Art...!' He practically raped her in the hallway while she gasped, first with alarm, then with pleasure as he shoved her hard against the wall. Snyder had thought it out while he hurried to her doorstep. She might go off the idea if she heard the news first. So, this was it. Fuck now, talk later...

Haight-Ashbury and the Western Addition were on the move. Haight-Ashbury is to San Francisco what the East End is to London, and here the panic was more brutal. But it was still the same instinct for self-survival which had infected Telegraph Hill; it simply took a different way out. A Greyhound bus, full of people, found itself blocked by a barrier of trucks – out of gas and dragged across the street. The driver got out of his seat, opened the door and stared at a man holding a Colt .45. 'Get out,' the man said. The driver protested. The man shot him in the stomach and jumped aside to let him fall to the sidewalk. He got back inside the bus and waved the Colt around.

'We need this bus to get clear. Get off this goddamn bus – all of you. Anyone stays on it gets a pill in the guts – like the driver . . .'

There was a scramble to leave the bus and the ordeal heightened as they reached the sidewalk. A huge crowd of evil-looking youths crowded round the exit, leaving only a narrow passage for the passengers to move through. As they left the bus hands grabbed for their bags, their wrist-watches. 'For Christ's sake . . .' one male passenger protested. An iron bar descended on his skull, his bag was grabbed, his body hauled out of sight. Someone spat on it.

The reports continued flooding into MacGowan's office as he presided over a meeting of the action committee, for once letting others do the talking while he turned the decision over in his mind. On the far side of the room Karpis was watching the TV set in case something came through they ought to know about. Once again the TV cameras played over the illuminated Boeing 747 waiting at San Francisco International. 'This is the escape plane . . .' They switched to the waterfront, showing the Greyhound bus with black-painted windows waiting on the deserted Pier 31. 'This is the escape bus waiting for the terrorists to board it . . .' Finally they showed the large police launch moored at the end of the pier in the darkness. To MacGowan it had the look of a funeral launch waiting to transport corpses.

He took his decision in a few minutes – because it was the only one to take. They had, in any case, reached the stage where San Francisco was in a state of siege. Many hours ago all shipping approaching the port from as far away as Australia had been diverted to other anchorages – to Canada, to Seattle, to Los Angeles. No planes at all were landing at San Francisco any more. Amtrak passenger and freight trains on the east side of the Bay had been stopped.

The problem was as simple as it was enormous. If word got through to LeCat that they knew about the nuclear device he might instantly press the button. Occasionally, the news media do not hear about a major development as soon as it happens, and MacGowan had already personally phoned local radio and TV stations asking them to clamp down on this item. But it would be broadcast soon – by someone – if they had the facilities. 'I've decided, gentlemen,' MacGowan said suddenly. 'It has to be done.'

'Could create a panic.' Peretti pointed out.

'We already have one. We have to buy every minute of time we can, hoping Cassidy's assault team can make it . . .' MacGowan gave the order. He blacked out the whole of central California, cutting all communications.

The Reuter news flash, dated January 23, came through just before the TV screens went blank.

It has just been reported that Russian airborne troops are boarding their transports all over Roumania . . .

Remarks made by Sheikh Gamal Tafak during meeting with Arab terrorist leaders, January 15.

'The negotiations between LeCat and the American authorities will break down . . . it will be reported that American Marines attempted to storm the ship . . . the hostages . . . will all be killed.'

'You will recall instantly the Marine boat coming towards this ship or all the hostages will be shot now! I tell you, MacGowan, I will shoot them all and throw the bodies down on to your men . . . You hear me? You hear me? You hear me?'

It was the voice of a man gone berserk, a raving, screaming voice coming out of the ship-to-shore speaker into the silent room. MacGowan felt chilled, stupefied. It had started like this the moment LeCat

373

came back on the air. No preliminaries, no demands, just these ravings of a maniac . . .

At the first mention of a Marine boat, Gen. Lepke went into the next room, picked up the phone. There were Marine assault craft – full of Marines, too – hidden at strategic points behind Alcatraz Island and further back along the waterfront, well away from the tanker. But none of them could have been seen, none of them could have put out into the Bay. Lepke was appalled, intensely worried as he spoke to the Presidio, told them to check immediately while he waited.

He returned to the main office in less than two minutes to hear the sound of a shot coming over the speaker. LeCat was playing the same trick a third time, the sadistic bastard. MacGowan, shoulders hunched forward, sat staring at the speaker. He raised a hand to stop Lepke saying anything. A voice came over the speaker. Mackay's, very subdued, the voice of a man stunned with shock.

'They have just shot Foley . . .'

Lepke scribbled on a desk pad, pushed the note in front of MacGowan, who glanced at it, looked back at the speaker. *No Marine craft has left the shore. Positive. Impossible LeCat could have seen one.* Mackay was speaking again in the same disembodied voice.

'They are putting his body out of the bridge window . . . it just went down . . .' The voice changed, became something between a strangled roar and anguish. 'No!

For God's sake, not again...', Sounds which might have been a scuffle, then LeCat's voice faintly ... 'Stay where you are, Bennett – or we shoot Mackay...', Another shot, deafening, very close to the speaker, then another, strange, younger voice.

'They've shot Wrigley ... the steward ... the fuckers. For Christ's sake, MacGowan, storm the ship before it's too late...' The voice ended in a grunt, a groan, as though its owner had just been clubbed on the head. Then there was a terrible fusillade of shots, a whole magazine being emptied. Lepke scribbled another, shorter note. *Storm the ship!* MacGowan shook his head. He could count. Two men dead, but twenty-seven hostages still alive – unless that fusillade ... LeCat came back on the air.

'Those last shots went out of the window. Mackay!'

Mackay's voice came over the speaker again. 'They shot Foley and Wrigley...' His voice was firmer. 'The other shots went out of the window. There are twenty-seven of us still alive. LeCat says he will not shoot any more...'

'Not yet!' LeCat again. 'The Marine boat has turned away. If it does not come back the hostages are safe. I warned you, MacGowan, I warned you again and again...'

'No Marine boat has approached the *Challenger*,' MacGowan said in a steady monotone, keeping the fury out of his voice. It could be that LeCat's sanity

375

was trembling in the balance. 'No boats at all are in the Bay. The Port Authority will not permit any craft to leave its berth . . .'

'You are lying! You were testing me! Had I not shot those men your Marines would have stormed this ship! You have killed those men . . .'

MacGowan sat quite still, his face blank as he listened to LeCat raving on. He didn't sound insane, he decided, just savage, a terrorist, a man from a world the public found hard to take in, so he had the advantage – the advantage of brutality. LeCat suddenly seemed to calm down. The unexpected switch to reasonableness was in itself unnerving.

'Why have the lights gone out all round the Bay?'

'Massive power failure . . .'

'Is the bus waiting for us on Pier 31?'

MacGowan clenched his fist, digging the nails into the palm. 'It has been there for many hours,' he said in the same monotone.

'And the plane? At the airport?'

'Like the bus . . .'

'They are considering my demand in Washington?'

'The President is holding a special Cabinet meeting at this moment . . .' Soothe him down, play up to his monstrous ego, keep his mind on something else – while twenty-seven hostages are still living. LeCat went off the air quietly, and even that was disturbing.

In the tension – made worse because none of it was seen, it was only heard, coming through the metallic, neutral speaker – no one noticed MacGowan's personal secretary, sworn to secrecy, slip inside the room and leave the met. report in a tray.

What everyone had hoped for, prayed for, was happening. The siege train was returning. It moved past Mile Rocks lighthouse – which sent the report – filled Golden Gate channel with dense fog, reached the bridge, surged under it to spread out into the vast Bay beyond, along the Marin shore to the north, then it advanced southwards and to the east, heading for Alcatraz – for the point where *Challenger* was at anchor half a mile from Pier 31. Judging by its progress, it would envelop the fo'c'sle first.

Winter, grimy with dirt, his jaw stubbled with beard, had the hatch open a few inches when he heard the first shot. With very little food in his aching stomach his hearing was exceptionally acute and he thought he heard a moment later a distant thud, like a body hitting the main deck, dropped from a height. He decided he had imagined it when he heard the second shot, then a fusillade, much louder than the previous muffled reports, so loud he instinctively ducked thinking they were firing at him. He waited, felt Cassidy's hand impatiently tugging at his thigh. He waited a little longer, then closed the hatch and went back down the ladder.

'Not yet . . .'

'What the hell is going on? Are they shooting hostages?' the American demanded. 'By God, we'd better make a move . . .'

'Not yet,' Winter repeated. 'The foremast lights are still on, the lookout is in his perch, there's no fog yet to cover us . . .'

'I agree with Cassidy,' Sullivan said. 'I don't like it . . .'

'You don't like it!' Winter exploded. 'You believe I like it? I think they just shot two hostages to show MacGowan they mean business. But I can count. That means twenty-seven people are still alive . . .'

'There was a fusillade,' Cassidy snapped.

'Which was a whole magazine being emptied out of the window, I'm sure. It was much louder than the first two shots. Look, there are only three of us. It doesn't matter what happens to any of us, but we have to do the job first time or we're dead – and so are the hostages. We've been stuck in this stinking hole for over eighteen hours – we can stick it out a bit longer . . .'

The carpenter's store did stink by now. The stench of stale urine mingled with the stench of sour sweat. All three men were filthy, thirsty, bone-weary. Whatever awaited them, it would be a pleasure to get to hell out of this cesspit. Winter checked the hatch five minutes later, came back down the ladder, shaking his head, but Sullivan thought he saw a change of expression. 'Is something happening?'

'Give it a few more minutes . . .'

'Come back to the bridge immediately, André . . .'

Having recalled the foremast lookout, LeCat put the walkie-talkie down on to the table he had had brought on to the bridge. He was eating all his meals up here now, living in the wheelhouse. Since the *Challenger* entered the Bay the Frenchman had slept no more than MacGowan, and like the Governor his face was pouchy-eyed and strained, but his eyes were still alert.

They would be leaving the ship within an hour. LeCat looked at the miniature transmitter resting on the table beside the walkie-talkie. That would be his last job before they left, to turn the switch which would activate the timer mechanism. LeCat also had been waiting for heavy fog to obscure the ship; under its protecting cover they would leave in the Zodiac which was now waiting on the main deck with the outboard motor attached.

Most of his team, like LeCat himself, had now changed into wet-suits. Several of them stood around on the bridge, sinister figures in the gloom – only the binnacle light gave a faint glow, otherwise the bridge was in darkness. LeCat was confident his plan was working. Two hostages had been shot, which would deter MacGowan from launching any attack – he still had the remaining twenty-six hostages to think of. And it was twenty-six, not twenty-seven, but only LeCat knew that Monk, the man he had pushed over the side, was dead.

It would take fifteen minutes to reach the seaplane waiting in Richardson Bay. But first, the rest of the crew had to be taken to the day cabin. That was where it would be done. He looked round the bridge. Mackay was standing by the window, hands clasped behind his back as he watched the fog rolling in. Bennett, the man who had shouted into the speaker, warning MacGowan that Wrigley had been shot, was lying near the wheel, still unconscious. LeCat checked his watch as André Dupont, the lookout on the foremast, came on to the bridge.

Betty Cordell was ready. She had opened her shirt down the front, exposing her breasts. Get on with it, she told herself, don't think about it or you'll never do it! She walked to the cabin door, started rattling the handle. 'Come quickly! Please! Do come quickly! For God's sake open the door . . .'

She was hysterical, terrified – so it sounded to the guard in the alleyway. He fumbled for the key, shouted back at her in French, words she didn't understand as she went on calling out, begging him to open the door. His first thought must have been that the cabin was on fire.

He pushed the door open, his pistol drooped in his hands. She was a woman, useful for cooking, for bed, so he had no fear of her at all. He came in and stopped, gaping at her open dress, then his mind churned. She threw the open pepper pot from her lunch tray full in his face and he took the powder in his eyes. He cried out, dropping his pistol, pressing both hands against his agonised, burning eyes, stumbling about. She grasped the wine bottle LeCat had left, the bottle she had never thought of opening, so it was a lethal weapon – she grasped it by the neck. Without even a hint of hesitation she smashed the bottle down with a terrible force on the back of the guard's head and the fury of her blow split his skull.

He collapsed on the cabin floor. There was wine like blood all over him, mingling with the blood of his smashed skull. She looked down at him coldly, watching only to make sure he didn't move. Then she dragged him further into the cabin like a sack of dirt, left him in the bathroom and ran back to close the cabin door. It was the fusillade of shots which had jerked her into action and she was in a hurry.

It took only a few seconds for her to button up the shirt, to slip on the coat, to grab the assembled rifle from under the bedclothes. She kicked the shattered bottle out of her way and opened the door again. The alleyway was empty, the key still in the outside of the door. Without knowing it, she had chosen the perfect time for her killing run – LeCat had called many of the guards to the bridge. She closed the door, locked it, pocketed the key and went slowly down the passage, listening, the Armalite rifle held in both hands at waist level. She was heading for the bridge. LeCat, she felt sure, would be on the bridge.

Winter stood clear of the hatch cover as the other two men came up behind him. The fog was thick now, pressing down on them like a smothering blanket. They went down off the fo'c'sle cautiously, one man behind the other as Winter had suggested; Cassidy behind Winter, Sullivan behind the Marine colonel. Their DeLisle carbines were at the ready, Winter had the smoke pistol tucked inside his belt, they went down on to the main deck.

Winter avoided the catwalk, kept to the port side of the huge tanker where the deck was less cluttered with piping and valves, moving along close to the port rail. It was very silent in the misty darkness, the fog drifted in their faces, the only sound was the slap of water against the hull where the two dolphins, Mac and Jo, had earlier pressed their snouts up against the steel plates. Winter kept moving, creeping forward on his rubber-soled boots, alert for the slightest sound which might tell him something about the situation sixty feet above him at bridge level. Then something loomed up in the fog.

It was the port-side derrick, which told him he was close to the island bridge, still lost inside the swirling grey vapour. He waited for Cassidy to draw level with him, then looped the carbine over his shoulder and pulled the smoke pistol out of his belt. The fog was thinner, ebbing for a moment, and by now their faces and hands were chilled with the touch of the clammy moisture. The island bridge loomed above them as an insubstantial shadow.

They were within twenty feet of the five-deck bridge and these twenty feet were a death-trap. With the thinning fog any terrorist above, leaning out of the bridge window, could pick them off as they moved across the exposed space. And there would be more than one terrorist waiting up there. Possibly even LeCat himself. Then Cassidy plucked at his arm, pointed. A huddled corpse lay only a few feet away at the base of the bridge. Foley's.

Winter took his time, raised his left arm, using it as a rest to steady the smoke pistol, took careful aim, sighting the muzzle of the pistol at the centre of the bridge, away from the smashed window. The bridge was a blur, very high above him, and the angle of the shot was steep. He remembered looking up at the roof of Cosgrove Manor from the steps below, so many thousands of miles away, so many years away, so it seemed. He steadied his aim. He fired . . .

The smoke shell spun upwards, out of sight, lost in a swirl of fog. He heard it strike the bridge. He took two steps forward. Black smoke billowed, spread a curtain of darkness masking the bridge windows. Cassidy had run into the open. He fired three times at the heads of two men which appeared over the edge of the port wing deck. One of them slumped forward, toppled, landed almost at the American's feet. He waited, carbine aimed upwards. The second man reappeared, as Cassidy knew he would, bloody idiot. Cassidy fired again and the man fell over backwards out of sight.

It was happening so quickly it was like a film being run at high speed. Blurred images. Sullivan flying up a ladder. The smoke obscuring three decks of the bridge. Cassidy going up a companionway. vanishing inside the smoke. Shots firing repeatedly, a steady drumfire of shooting, the ship coming horribly alive. Winter had long ago disappeared up another ladder. Entering an alleyway, Winter saw a guard who, seeing Winter, threw up his hands. Winter shot him twice through the chest. MacGowan's orders were explicit. 'No prisoners, no phoney trials with some gabby mouthpiece crying over them. Shoot the lot . . .' Winter ran down the alleyway, heading for a certain objective, the day cabin where so many seamen had been kept prisoner. He turned a corner, saw the entrance to the day cabin. A terrorist, Lomel he thought, had just kicked open the door and was standing back with his Skorpion aimed, ready to shoot the unarmed hostages inside. Winter shot him twice. When you are hit by a .45 bullet the sensation is like collision with a charging rhino. Lomel was hit by two .45's. He was carried over sideways, slammed against a bulkhead where he slid to the floor. Winter kept on running, trod over him, kept on running . . .

Betty Cordell moved very cautiously, like a hunter stalking a beast whose whereabouts are uncertain, straining her ears to catch the slightest sound as she moved up the companionway step by step. The ship seemed eerily silent, the alleyways oddly deserted, as though she were moving through an abandoned ship. She was going the long way round to get to the bridge, to approach it from the starboard wing deck.

The Armalite .22 survival rifle she had assembled was equipped with a ten-shot magazine. The ammunition was high-speed hollowpoint. The rifle was single-shot, with two trigger pressures. And she was carrying two spare ten-shot magazines in her coat pocket.

She reached the top of the companionway and another empty passage stretched ahead of her. Where had all the guards gone? She would walk into someone when she least expected it. She took a firmer grip on the rifle. Then she heard rifle shots, an irregular fusillade. She began running . . .

On the bridge LeCat grasped instantly what was happening when he saw black smoke – that an attack was coming. He shouted a warning. 'Shoot down through the smoke – to the base of the bridge . . .' He swore when nobody did anything. The guards at the window were choking, their eyes running, coughing and spitting black smoke, staggering like drunken marionettes. 'Fools!' LeCat screamed. 'Get to the window – shoot down . . .' The guards at the rear of the bridge rushed forward, leaned out, firing through the smoke at random, all of them, including LeCat, bunched together as a cannonade of shots and a reek of cordite filled the bridge and then LeCat remembered Mackay and swung round as the captain was moving towards him.

Betty Cordell came on to the bridge from the starboard wing.

Her rifle was waist-high, held the way her father had taught her to hold it. 'In an emergency shoot from there – keep the barrel straight and shoot . . .' She came on to the bridge and saw half-a-dozen terrorists close together at the front. She saw LeCat. LeCat saw her.

The terrorist leader was stupefied. The woman. With a gun. His reflexes, faster than most men's, failed him for one fatal second. Betty Cordell held the rifle hard against her hip, her finger on the trigger. There was not a split-second's hesitation. She was firing, her trigger finger moving non-stop, bullet after bullet, killing live targets for the first time, a ten-shot magazine, moving the muzzle in a slight arc, right to left, firing – firing – firing ... Three bullets struck LeCat. Four other terrorists died instantly. The barrel was angled slightly upwards. One man wasn't hit at all. Turning from the window, hauling up his pistol, he was thrown off-balance by a body falling against him. Betty Cordell rammed in a second magazine, began firing non-stop again. The uninjured terrorist, lifting his pistol, was struck by two bullets. She swivelled the rifle.

Mackay stared at her, astounded, frightened by her expression. No nerve, no fear, she stood as if not caring if she were killed, cold, ice-cold, her eyes narrowed against the smoke as LeCat staggered across the deck towards the table where the radio detonator lay. She fired twice at his back and he took two more bullets, then her rifle clicked, empty. LeCat fell over the table, reached out for the detonator.

LeCat, veteran soldier, veteran terrorist, now had five bullets inside him, but it is on record that men have moved carrying more bullets. His hand was clawing its way across the table like a crab walking because he could no longer use his shoulder hinge. There was smoke and confusion and screaming from a mortally wounded guard and the clatter of running

387

feet. Winter came on to the bridge, saw what no one else had seen, saw the crab-like hand close over the radio-detonator. He guessed what it was, couldn't understand why it was there, raised his gun, fired twice. Two bullets struck the sprawled terrorist – .45's, not .22's – and his body jumped as though jerked by an electric charge. It could have been a reflex – his index finger pressed the switch down.

Winter grabbed hold of him by the back of his hair, lifted his head and stared down at Le Cat. 'Why the detonator?' The Frenchman's eyes were still open. Winter shook him roughly. 'Why the detonator? What have you done?' LeCat hardly seemed to recognise the Englishman whose face was stubbled and smeared and smoke-blackened. Winter shook him again. 'What the hell have you done?'

'Nuclear device ... ten minutes ... San Francisco goes.' LeCat's face twisted into what might have been a hideous grin and then the eyes rolled and the head flopped.

Ten minutes. The nuclear device was activated.

Chapter Nineteen

'The ship-to-shore?' Winter turned round and looked at Mackay. Under the bridge windows was a grisly sprawl of men and blood. One terrorist, André Dupont, was wheezing and panting, bent forward over his stomach. No one took any notice of him. Betty Cordell had gone limp and Sullivan was holding her up, talking the rifle away from her gently.

'Chart-room . . .' Mackay led the way, turned on the ship-to-shore.

'MacGowan has a chopper standing by,' Winter said. 'Medics, Marines, the lot. Did you know about this nuclear device? Could he have been bluffing?'

The ship-to-shore crackled. A familiar voice, tired but still steady, rasped into the chart-room from the mainland. 'MacGowan here . . .'

'Winter speaking. We've taken the ship. LeCat is dead. Before he died he said something about a nuclear device . . .'

'We know. We've known – lived with it – for hours . . .'

'He activated it before he died – with a radio detonator. We need a bomb squad . . .'

'Bomb squad is aboard the chopper already on the way to you.' MacGowan paused. 'You're sure he activated it?'

'Certain. I saw him do it.' Winter paused as he heard the distant beat of a helicopter's rotors. 'He said we had ten minutes before it detonates. I don't believe him – he needed time to get well clear . . .'

'How much time?' MacGowan's voice was tense, abrupt.

'My guess – I warn you it can only be a guess – is maybe up to two hours. I told you we had a second escape plan in case the seaplane didn't work. Walgren would have driven LeCat to the coast near Stinson beach. He had to get there, radio the *Pêcheur*, wait for the chopper to pick him up. He wouldn't want to be on the mainland when the nuclear device detonated. I still say two hours . . .'

'You know where the device is?'

'No one does. The only chance is to try and get the tanker into the Pacific before she detonates . . .'

'Nothing in your way. We've been planning for this contingency.' MacGowan sounded calmer. 'There's a Captain Bronson aboard the chopper who can take over from Mackay. He'll get the ship out, if anyone can.' He paused. 'Assuming your guess on timing is correct . . .'

'I'm not issuing any guarantee,' Winter snapped.

'But they needed time to get away. On the other hand, LeCat was dying when he said ten minutes. What does a dying man say?'

'God be with you – with us all,' MacGowan said. 'I'm signing off – you'll be busy . . .'

Mackay had left the chart-room, was already on the phone to the engine-room. LeCat had kept the engine-room chief at his post, had ordered him to maintain boiler pressure in case, for some unforeseen reason, he had wanted the ship moved to another position in the Bay. Mackay replaced the phone as Winter came back on to the bridge. 'Brady will get her moving as soon as he can.'

'An American tanker master is aboard that chopper coming in,' Winter warned him. 'He's coming because MacGowan assumed you'd be exhausted . . .'

'MacGowan is not taking over this ship,' Mackay snapped. 'If this is her last voyage, I'm taking her out. Did you say something about a bomb squad?'

'They won't be able to do anything, I'm sure. LeCat was an expert. He'll have boobytrapped the device.' Winter turned as he heard someone talking in French.

Cassidy was bent over the injured terrorist who was now sitting up and babbling. He looked at Winter. 'He's trying to tell us something, I guess – but I don't know the language . . .'

Winter crouched down beside Dupont, putting an arm round his shoulders and speaking quietly in French. 'Take it more slowly, André, and then we'll get you ashore into a comfortable hospital bed. What is it you are trying to say?'

He crouched close to André's face, telling him to repeat it, slowly, please, then he looked up at Mackay. 'The device is at the bottom of an empty oil tank, and LeCat did plant boobytraps – anti-lift mechanisms. I think the bomb squad will confirm they can't touch it.'

'Which means,' Cassidy said quietly, 'that we'll be steaming out on top of a floating volcano, but we have to get the ship clear of the city – if we can . . .'

The helicopter came aboard a couple of minutes later and Mackay led the bomb squad to the empty wing tanks. The dead terrorists were collected from different parts of the island bridge and put into the police launch which had arrived from Pier 31. At Winter's suggestion – there was no time to waste – the corpses on the bridge were heaved out of the window and dropped to the main deck. Dupont was carried aboard the helicopter on a stretcher, but he died on his way back to San Francisco.

The machine also flew away Betty Cordell who had gone into a state of shock, and the dead bodies of Foley and Wrigley. Kinnaird, the wireless operator, was the only terrorist who survived; hearing the shooting, he sensibly locked the door of the radio cabin and only came out when Winter ordered him to. He was taken off in the helicopter, guarded by a Marine. Within ten minutes of coming aboard, the leader of the bomb squad, a Captain Grisby, reported to Cassidy. 'It's as bad as can be. We daren't even breathe on it. The device is rectangular in shape, measures sixty centimetres long by thirty centimetres wide, and is attached to the hull at the bottom of the tank by magnetic clamps. It also has two separate anti-lift mechanisms linked to it which we can't neutralise. No way. So, while you get the ship moving, we'll plant our own explosives . . .'

'Your what?'

Grisby outlined the plan he had decided on before he came aboard. Some kind of immovable boobytrap had been foreseen by Grisby – after he read the report on LeCat's technical expertise which Karpis had obtained from Paris. If the device couldn't be moved the ship must be moved – as far out into the Pacific as they could make it. Every effort would then be made to ensure the device exploded underwater – so the tanker had to be sunk quickly. The only way was dangerous but MacGowan and Gen. Lepke had agreed it was worth trying – anything to try and minimise the radiation hazard to San Francisco and other communities. Grisby was going to lace the hull of the ship with jet-axe explosive charges of enormous power; he was going to try and blow the ship apart so the front section of the tanker – which contained the device – would sink first and fast.

'The charges will be set off by time mechanisms –

timed to detonate after we've been lifted off. I brought in with us on the chopper enough explosive to blow up the Presidio. The trouble is,' Grisby explained with a humourless smile, 'the charges could just detonate the device – but since that's coming anyway, we figure we have nothing to lose . . .'

He left Cassidy to join his team who were already setting about their grisly task. Bronson, a tough-minded forty-year-old from San Diego, who had come aboard to take command of the ship, had changed his mind after talking to Mackay. 'He's haggard, tired, keyed up,' he informed MacGowan over the ship-to-shore, 'but he's still twice as capable as I am of taking out his own ship. And he'll get more out of the crew. I'm staying aboard – strictly as a passenger, courtesy Captain Mackay . . .'

The mainland was still blacked out when the *Challenger* began moving. In the late evening radio and TV stations all over the States were reporting on the massive blackout which extended from Yuba City in the north to Santa Barbara in the south, from San Francisco to the Nevada border. It was exceptional, the scale of the blackout, but by now the States was becoming used to power failures. This was simply a very big one, and the news of the nuclear device had not yet leaked.

The *Challenger* moved through the fog and the darkness, building up speed. And this too, as Grisby had pointed out, was a risk which was not calculable.

It was unlikely, but not impossible, that the mounting vibrations of the engines might trigger off the device. Mackay's reply was that he would move through Golden Gate at maximum possible speed. Inside the steel tomb where the device lay, LeCat's clock mechanism was moving down towards zero.

They were heading through the night for Golden Gate bridge, which was still closed to traffic, and this was MacGowan's next nightmare as the ship began to move away from the city, the most scenic and beautiful city in America which Sheikh Gamal Tafak had chosen for devastation. As he waited in his office, lit by an emergency generator, MacGowan knew that it was highly possible the device would detonate as the tanker was passing under the great bridge. He was now waiting for radio reports from the American operator, Petersen, who had accompanied Bronson and replaced Kinnaird. The ship was within two minutes' sailing time of the bridge.

The siren sounded every two minutes, one prolonged blast which carried faintly through the fog. Before she had left, Mackay had spoken over the Tannoy, giving any member of the crew who wished to, permission to leave in the helicopter. No one had boarded the machine. Mackay's final comment before he switched off was characteristic. 'It's your funeral...' The fog thinned enough for them to see the huge span overhead as they came up to the bridge. 'And this,' Bronson thought to himself, 'would be just the moment for the device to detonate ...' He stood two paces behind Mackay with his moist hands in his pockets.

Winter stood close to the bridge window between Sullivan and Bennett, whose head was bandaged; the first officer was still dazed from the blow he had received after he had rushed to the ship-to-shore when Wrigley was murdered. Winter was trying to locate the choppers. The *Challenger* sailed out of the Bay alone, but not alone in the air. A small fleet of American helicopters, ready to take off the crew, was escorting the ship, flying far too close to her in Mackay's opinion. If something happened now they would be liquidised. *Challenger* went under the bridge, headed down the channel.

Winter, always restless, always wanting to see for himself, started moving round the ship. It was a very strange atmosphere because the crew were unusually silent, attending to their duties. They glanced at him curiously – Mackay had told them briefly over the Tannoy what Winter had done – but he didn't think it was his presence which was keeping them so quiet. To every man on board on that last trip the engine beat sounded louder than it ever had before, as though it were pounding the hull only a few hundred feet away where there was a steel tomb containing a single object.

Mackay left it too late. Appalled that his ship, carrying this obscene thing, might be responsible for hideous casualties on the mainland, he insisted on taking her well out at speed. He took her ten miles out, close to the twenty-fathom line, before he gave the order to abandon ship. Petersen, the American radio operator, in constant touch with the helicopters, signalled them. There was a nervous, controlled rush to get down off the bridge, up out of the engine-room. Mackay remained on the bridge – with Winter. 'Join them, Mr Winter,' he said stiffly. 'I shall be coming . . .'

'Since I am responsible for this,' Winter replied coldly, 'we shall leave the bridge together. I am in no hurry.'

The crew assembled at the emergency landing point on the port side of the main deck – the normal landing point was too close to the empty wing tank. A Sikorsky was coming down through thin fog with a roar, its rotor whizz a blur above the fuselage. Bennett checked his watch. 'How long have we got?' he asked Grisby, the bomb squad leader. 'Less time than I care to think about . . .'

The Sikorsky landed, bumped on the deck, a crewman opened the door, the waiting men piled aboard. Bennett counted them again with Cassidy and Sullivan, and the counts checked. They were waiting now only for Mackay and Winter who were expected any moment. The first jet-axe charge detonated prematurely – close to the bridge.

Mackay left it too late. Appalled that one ship, carrying this cargo, might be responsible for

*

The charge detonated in a wing tank under the distribution area behind the breakwater on the starboard side. The thunder of the explosion was deafening, like an express train passing over the ship. The deck opened, a huge round jagged hole, and from the hole a stream of oil jetted upwards, curving through the fog in a shallow arc. The blast went away from the helicopter, but the machine shuddered. Inside it the men froze with fear; they thought the nuclear device had detonated.

On the bridge Mackay took the shock of the blast. It lifted him, threw him against the binnacle, and he stood up shakily with blood dripping from his forehead. He looked dazed, not sure what had happened. Winter, who had just missed the blast although he had stood not three feet from the captain, grabbed Mackay and took him off the bridge. He had to man-handle the half-conscious master down a companionway, using a fireman's lift, and when he reached the main deck everyone was aboard the Sikorsky. Bennett started to climb out of the machine. 'Get back inside the bloody machine! I've got him,' Winter yelled. He moved along the deck unsteadily.

Everything was confused. The fog was lifting, lifted perhaps by the detonation of the first charge. There was a stench of oil, oil lying on the deck, oil hissing weirdly as it poured out of the ruptured tank. Despite the explosion the choppers were still buzzing round overhead, searching for survivors. Cassidy was shouting, some warning about the oil lying on the deck. The pilot was shouting behind his controls, anxious to lift off. Winter heard nothing above the hammering beat of the rotors, the hissing of the escaping oil. He reached the machine.

He had wrenched his back, carrying Mackay, and now it was agony to straighten up a little, to hoist the captain up to the hands stretching out to take him. He took a deep breath, jerked himself up, felt as though his back had split in half, then the burden was removed from him as they hoisted Mackay inside the cabin. Winter relaxed into a stoop, bent over like a man playing leap-frog, his head twisted so he could see the machine. 'Next chopper!' The pilot didn't hear him but he saw the upwards gesture of Winter's finger, indicating the helicopter which had just flown over the ship. Cassidy was still protesting in barrack-room language as the pilot took off.

When Garfield, the Coast Guard chief directing operations, flew over the ship at a hundred feet, he could see Winter clearly on deck by the lights from the bridge which were still functioning on the port side. A tiny figure, he seemed to be hobbling about as another Sikorsky descended to take him off. Garfield adjusted his night-glasses, saw the helicopter's fuselage blot out Winter as it was within ten feet of the deck. The second jet-axe charge detonated. There was a flash in the lenses which nearly blinded him, a roar, his machine shuddered under the shock as the pilot fought for control. When he recovered his vision there was only a huge hole with oil pouring out where Winter had been standing. The rescue machine had gone too.

Garfield sent away every machine but his own, ordered them back to the mainland. Below him the stern of the *Challenger* was lost under a seething mass of black and oily smoke, but the bow projected from it. The forepart of the ship was still afloat, the nuclear device was still above the surface. He told the reluctant pilot to keep circling. Then three charges detonated simultaneously with a flash and a blasting roar which convinced Garfield the device had exploded. He told the pilot to get the hell out of it. As the machine was turning he saw the forepart of the ship going, the bow rising up like a shark's snout, hovering, then it was sucked under. Seismographs registered the nuclear device's underwater detonation ten minutes later.

The depth of the water, the direction of the blast – mainly south – and the fog, minimised the amount of radiation reaching the mainland, but the sea was polluted. The oil pouring out from the *Challenger* flooded ashore at Carmel-by-the-Sea where sand dunes link the town with the ocean. For six months the only people seen on Californian beaches from San Francisco to San Diego were white-uniformed, helmeted men with Geiger counters. The white whale, which heads south along this coast to its spawning ground off Lower California, was not seen again for five years.

Fifteen minutes before dawn on Thursday January 23 the two British supertankers, *York* and *Chester*, were steaming slowly just north of the Saudi Arabian coastline. The canvas coverings had been stripped from the huge crate-like structures, the skeletal frames which had faked the crate-like shapes had been removed. On board *York* the strike aircraft were lined up, the pilots in their cockpits. On board *Chester* the Sea King helicopters were in position, the airborne troops already inside them. Dummy pipes and catwalks had been removed from the decks, leaving natural runways.

On the bridge of *York* Gen. Villiers, Chief of General Staff, stood alongside Brigadier Harry Gatehouse, airborne commander. It was very dark, it was fifteen minutes to dawn . . .

Round the delta of the Danube in Roumania all military airfields had been closed to traffic. Soviet communication experts had taken over the telephone exchanges in nearby towns. Soviet airborne troops were already aboard their aircraft, had in fact been inside their cramped quarters for several hours. Each pilot had his flight routing which ended in Iraq, close to the Mosul and Kirkuk oilfields, close to Baghdad. The Soviet air commander was smoking cigarettes in an airfield building while he waited for the signal from Moscow . . .

The British Foreign Office believed it had calculated correctly. When an Anglo-French expedition had once landed at Suez, the Russians grasped their opportunity to take over Hungary. If it became necessary to occupy the Saudi Arabian oilfields as custodian for the West, the Russians would see their opportunity to take over Iraq, and Arab power would be broken. If it became necessary . . .

The news raced across the world. All the terrorists have been killed, the British tanker *Challenger* is steaming out of the Bay. It reached Baalbek, where Sheikh Gamal Tafak listened to two separate radio bulletins before he believed it. It also reached Tel Aviv.

At nine o'clock in the morning in Baalbek a certain Albert Meyer lifted the phone seconds after it had begun ringing. He listened for a moment, said 'understood,' then replaced the receiver. 'That was the go-ahead,' he told Chaim.

'He may be coming out – there's a Mercedes pulling up outside the house . . .'

Chaim was sprawled out on the table as Albert opened the window and then moved out of the field of fire. The closed doorway filled the telescopic sight, came up so near he felt he could reach out and touch it. Albert was at the back of the room, packing the Primus stove inside a canvas satchel. When they left, there would be nothing to show they had ever been there.

The black Mercedes turned in the street, parking a dozen yards from the door with its nose pointed the way it had come. Chaim waited, the rifle nestled against the sandbag, which would also be taken away. The door opened, became a shadowed opening. Sheikh Gamal Tafak came out. The door closed behind him.

His head and shoulders filled the telescopic sight. In Arab garb he was hardly recognisable as the Oil Minister for Saudi Arabia; all the newspaper photographs showed him in European dress. But it was Tafak: the magnification of the 'scope was powerful enough to identify him to Chaim who had studied every photograph he could find of the Arab. Tafak was about to go down the first step when Chaim pressed the trigger.

The magnified image of the Arab blurred. Chaim fired again, P-l-op . . . The head disintegrated, thrown back and plastered all over the closed door in a welter of smashed bone and brain and flesh and blood. The upper half of the door was now a reddish smear. The Arab's body toppled down the flight of steps and rolled in the road. The Mercedes drove off at high speed, disappearing in a cloud of dust which settled on the still form lying in the road. The Year of the Golden Ape had ended.

—Say, Perfessor, said a little man thrusting forward, and presenting his head for inspection. Feel that there. What do you think of that?

With obliging hand the Professor palped the back of the little man's skull and whistled.

—Hey, Perfessor, how about me? another man said. Feel that.

—Now, wait a minute, folks, the Professor said, suddenly walking back to the platform and grabbing an armload of books. Much as I would like to, I can't subject each and all of you to a personal scrutiny, but this book here will answer all your questions. For those whose various organs and faculties are underdeveloped, rules for enlargement are given. Know thyself, said the great philosopher Socrates to the Athenians in the Golden Age of Greece. And I say to you, Know thyself, fellow Americans, in this great age of Progress and Perfection, in this greatest and fairest republic the world has ever known. God bless her on the day of her birth and glorious founding! One dollar, folks, just one round dollar—reduced from a dollar and a half!

As if by prearrangement, the band exploded with 'Hail, Columbia! Happy Land!' and with moisture in his eyes, the Professor began to distribute books as fast as he could, at the same time dropping dollars into a box on the table. Johnny sat for a while watching from the platform how the people all rushed up and pulled dollars out of their pockets, rudely grabbing for books in their haste.

—While they last! While they last! the Professor said. One dollar, friends, while they last! One hundred and fifty-four illustrations. *Phrenological Self-Instructor.*

People who hadn't even heard what the Professor said fought their way through and bought a book. The pile was almost gone, and Johnny Shawnessy began to feel alarmed.

—Know thyself! Know thyself! One dollar. While they last.

The pile was gone.

—One moment, folks, the Professor said. I have a small reserve supply that I had hoped to save for sale in the great city of St. Louis.

He disappeared in the tent and reappeared immediately with another armload of books. When the last sale had been made, there were still some books left. Johnny went up to the man and put down seventy-five cents.

—It's a dollar, my friend, the Professor said.

—But you said I could have it half-price. Half of a dollar and a half is——

—Unusual development of the bumps of Calculation and Eventuality, the Professor said.

He laughed at his own good joke.

—Here's your book, boy, all marked. You've a good head on your shoulders there, son. What is your name, my boy?

Johnny told him, and the Professor took a pencil from his coat pocket and on the title page where it said THE CHART AND CHARACTER OF he wrote on blank lines provided for the purpose:

John Wickliff Shawnessy

As Marked By

Professor Horace Gladstone,

July 4, 1854

—I predict a great future for you, my boy, the Professor said, tossing the three quarters deftly into the air.

He bit the tip off a cigar.

—Smoke?

—No, thanks, sir.

—Never start it, said the Professor. Filthy habit. Yes, a great future, my boy. Tell me, son, is there a place around here where one can obtain a little liquid refreshment for the stimulation of a jaded physique?

—The Saloon is right over there.

—Good day, boy, the Professor said and walked off briskly, landing smartly on his heels, his toes turned slightly up and out.

—Ladies and Gentlemen, said at that moment a rich, oily voice from the other side of the Square, spare me a little of your precious——

Johnny walked away holding the little book in his hand. For a few bright coins, dropped in a wooden cigar box, a future of wonderful self-mastery had been opened up. In the presence of the people he had become a child of prophecy; his consecration had been sanctified by the majestic adjective 'scientific' and the formidable epithet 'phrenological.' Here, suddenly and by accident on the Court House Square, there had been a confirmation of something Johnny Shawnessy had always secretly believed—that he was destined to be a great man and to find one day the key to all knowledge. For a while, he felt jealous of all the other people who had purchased the same cheap ticket to intellectual beatitude, but when he saw the innocent, shy joy on their faces, as they wandered somewhat confusedly like himself in the Court House Square, clutching their *Self-Instructors,* he was thrilled to think that he was to be one of a whole community of Americans working together toward the creation of a perfect republic.

He didn't have time to look over the book at all, because the Program for the Day was beginning. He and Zeke went over and found seats in a big space in the assembly ground south of the Court House, and all the people sat and listened to a man read the Declaration of Independence. Then the chairman of the program introduced the outstanding boy orator Garwood Jones. Talking in a thundering, artificial way and waving his arms, Garwood brought the crowd down with gems of American oratory, including the peroration of Webster's Reply to Hayne.

Wearing his Mexican War uniform and all his medals, Captain Jake Jackson, Raintree County's war hero, got up and gave a very dramatic speech about the security of the Nation. He was a virile young man, of open, fearless countenance. He stood very straight with one leg slightly forward and spoke with chest expanded. He said that the Union was threatened from within and without, but he reminded his hearers that the last bunch who tangled with the sovereign authority of the United States of America had got one devil of a drubbing, in which he, Jake Jackson, had taken, as they knew, a humble part. And he was there to say that although he was a man who loved peace, he, Jacob J. Jackson, would personally Gird on the Sword and once more Bare his Patriot Breast to the Sleet of Battle ere he would permit one corner of the Dear Old Flag to be Dragged in the Dirt. Johnny applauded violently and was angry when an older man close by said he was getting goddam tired of young Jackson's heroics and fuh Christ's sake, did he think he fought the Mexican War singlehanded?

The Honorable Somebody or Other was introduced for the Address of the Day. He spoke for two hours, beginning in the usual vein but getting louder, hoarser, and more eloquent all the time as he talked about slavery and the South.

In those days everyone was excited about the Kansas-Nebraska Bill. The word had come through only a day or so before that Congress had made the bill a law. Johnny wasn't exactly certain what the bill said, but it appeared that land once saved for freedom was going to be opened up for slavery. The Orator of the Day made it out so that you thought of a poisonous black flood boiling up out of the South, and here were people trying to build walls against it, and then one of the people—and a Northerner to boot—Stephen A. Douglas, had gone yellow on them, and let the flood come through, and now there was nothing to stop it anywhere.

Those days, there was a strange spirit abroad in the land. It was not uncommon for families to stop talking to each other over political questions. T. D., who was always fighting some kind of evil or other, talked with a singular fierceness about certain people who were perfectly willing that part of the human race should be in chains, if it meant a few more dollars in *their* pockets or if they didn't have to see it happen under *their* noses. The problem was spatial, geographical—like Phrenology. In a section of the country below a certain line people kept slaves. You could draw a line across the Nation, and half of it was white and half was black. And now that they had passed the Kansas-Nebraska Bill, it was all right for the black part to go over into the white part if it could.

The man on the platform said that that was exactly what would happen.

—Fellow Americans, he said, I am addressing you in one of the darkest hours that has confronted our great republic since those glorious days when Washington was nursing the tiny flickering flame of our freedom in a tattered tent in the windy wilderness of Valley Forge. It is a time when, if necessary, a man should put aside wife and child, leave the hearth of his home, and go resolutely forth to do battle for the preservation of those great principles upon which this republic was founded and which we have just heard read to us from that immortal document, the Declaration of Independence.

—Let them alone, and they'll leave us alone, shouted a voice from the crowd.

—Throw that guy out! yelled other voices.

—It is a time, said the speaker, to gird on armor and the sword. Our most pious blessing and our most fervent hopes must go with those courageous spirits who are at this moment giving up all they have to rush into the newly opened territories of Kansas and Nebraska to insure that when those territories are petitioning for membership in the Union of the States, no shadow of that cursed blight whose ancient crime has stained the otherwise perfect beauty of our institutions shall sully the virginal banners of their statehood.

The orator went on and on, and the afternoon waned, and when he finished, the formal program was over. But men kept on making speeches. One of them said that he was just passing through on his way to Jackson, Michigan, where a gathering of publichearted citizens was going to talk very seriously about the growing threat to our free institutions and consider the feasibility of creating a new political party. Another man got up and said that the existing Whig party was adequate to meet the threat to the security of the Nation, but he was booed and heckled by Democrats all the way through. A Democrat who succeeded him could not get halfway through his speech and became so angry that he leaped off the platform and got into a fight with one of his persecutors.

Johnny and Zeke rushed over to the neighborhood of the disturbance, and the crowd stormed and shouted. Johnny got lost from Zeke and never did get close enough to see the fight, but he saw some people leading off a man with a bloody mouth, who was weeping and shaking his fist and yelling,

—I'll beat his goddam head off, goddamn him!

Johnny finally found Zeke, who showed where his knuckles were skinned and said earnestly,

—I just got that there from beating up on a damn Democrat.

Later they saw T. D. standing in the middle of a group of men, including the man who was on his way to Jackson, Michigan.

—Friends, the man was saying, I am not just using a figure of speech when I say to you that here in the North we are going to all hang together or hang separately. The South has opened this question up, and they mean to keep it open. It has become a sectional issue. Men, there will be bloodshed before this thing is over.

—God forbid! T. D. said. Personally, I take a hopeful view of the situation. I don't think it will ever come to that. Americans will never fight one another.

—Pardon me, my friend, said the man, a sober white-faced person in a tailcoat and a high black hat. But I'm afraid you take too bright a view of the whole thing. They're fighting now in Kansas, and the whole nation will be at war unless something is done to keep the hotheads of the South in check. It's getting to be all or nothing with them.

—Personally, said another man, whose face was working with anger, I think we'll just have to go down there and beat the hell out of 'em.

—That's just what they're saying about us, the man said. How long do you think we can exist as a nation, pulling two separate ways and fighting over the new territory? Something has got into the life-blood of the Nation. It's a poison, and a black one, and it has diseased the whole body politic. What it will come to I don't know, but I see dark days ahead.

—Say what you will, T. D. said, speaking calmly and brightly, but Americans will never fight each other. We will resolve our difficulties peacefully.

—I hope so, friend, said the man in the top hat. But what will you do if the South prefers to secede from the Union rather than submit to laws that don't protect her peculiar institution?

—They may talk of it, T. D. said, but they will never do it.

Johnny agreed with his father. It really didn't seem possible that a part of the country could separate and not be a part of the country. How could that be? Could an amputated leg grow a new body? T. D. was right. Yes, it was all only words spoken in the Court House Square. None of those words seemed so important as the word 'Phrenology,' which provided a clearcut, scientific route to individual and social perfection. He was hoping to get an opportunity to read his *Self-Instructor* and see what all the words meant that were parts of his head, but the next thing he knew, Zeke ran up, yelling,

—The race is starting!

Naked to the waist and barefooted, Flash Perkins stood in the middle of a crowd at a street intersection one block from the Square.

—What do you think this is, Flash—a prize fight? someone yelled as the two boys came up.

For answer, Flash struck a pose, balled fists up. The muscles of his cocked arms bulged circularly. The afternoon bathed his body with a young radiance. He seemed stronger and more real than anything else in the exploding vortex of the Fourth of July.

—God, don't he think he's some punkins! said a man next to Johnny.

—Struttin' aroun' like a damn bull on show, said another man. I hope to hell he gets beat and beat proper.

—Pud Foster'll beat 'im, damn 'im, said the first man. They say this here Perkins has been drinkin' his guts full all day and can't hardly walk.

—Seems to me he walks all right, the first man said.

—Yeh, but can he run?

—If he's drunk, maybe it'd be smart to take some of his money, said the first man.

—Damn right it would be!

It got around the crowd that Perkins was filled to the ears and could hardly stand, and a lot of men began to take some of the Perkins money.

Meanwhile Flash Perkins had gone over to a nearby buggy and then back to the starting line. His hairline jumped up each time he smiled. His eyes, full of drunkenness and goodnatured insolence, had never lost the childlike, excited look.

—They's a young lady over here, he said, wants to bet somebody five dollars a certain galoot name of Orville Perkins, better known as Flash, will win this here race. Person'ly, I respect the sex too much to doubt this young lady's opinion, and I'll add another five dollars to her bet and bet anybody here that I can beat any man in Raintree County—or anywhere else, by God!—and let's see the color of his coin.

—Christ amighty! he's drunk! the first man said.

A rather dowdy girl in the buggy fanned herself vigorously.

—It must be her, that one over there, Zeke said. She's some looker.

—I'll bet he gets her regular, a man in the crowd said.

Those days, there was always someone in the crowd who took a cynical view of things.

All of a sudden a man walked into the street with a pistol in his hand.

—Ladies and Gentlemen, he yelled, the Annual Fourth of July Footrace is ready to start. The contestants are . . .

The runners lined up, the crowd began pushing out of the street, the starter's pistol went off, and everyone yelled and pushed and shoved down toward the Square where the race was to end. Johnny got a passing glimpse of Flash Perkins, white teeth bared, fists churning, far ahead of his competitors as he ran toward a distant string.

There was a vast yelling in the Court House Square, and several cannon crackers blew up simultaneously. The band played 'Hail to the Chief.'

When Johnny and Zeke got to the Square, they saw Flash Perkins on the shoulders of a throng. He was borne toward a platform where a girl sat holding a ring of oakleaves. Bare to the waist, sweating, magnificent, he accepted the circlet of victory and fitted it down over his tangled hair. His teeth were clenched on an unlit cigar.

—Speech! yelled the crowd.

—It was easy, folks, Flash said. They give me a good race, but like I said, I can beat any man in Raintree County.

—Hello, Johnny.

It was his mother. She had been standing at the finish line. Her eyes were still shining with the excitement of the race.

—That Perkins boy is the fastest runner I ever seen, she said.

She looked a little wistfully at the broadshouldered victor sitting on top of a crowd of men and boys, puffing his cigar. Perhaps she was remembering her own fleetfooted days. It had been a long time since Johnny had seen his mother run a race.

Everyone was crazy with excitement. Johnny and several other halfgrown boys organized races on the court house lawn. Johnny ran wildly through the crowd, hoping someone would notice how fast he was for his size.

Later he saw a man who was walking through the streets with a big sign saying,

GIVE A PENNY FOR WASHINGTON'S MONUMENT!
MAKE YOUR COUNTRY BEAUTIFUL!

The man gave a short speech:

—The Washington Monument has reached a height of 154 feet of the projected 500. A national appeal is being made to the people to finance the erection of this beautiful and costly monument. Contribution boxes will be found here and there all over the Square. Remember the Father of Our Country on the day of our Country's birth, and let us all contribute generously and freely to the erection of this great shaft. First in War, First in Peace, and First in the Hearts of his Countrymen.

That night there was a fireworks display on the court house yard. Rockets rose over the dark town, burst into sparks, and went down, feebly flaming, in distant fields. Some exhibition pieces were hung on trees, and the climax of the whole day came with a contraption called 'The Glorious Union.' It was supposed to burn like a lot of stars and stripes in the shape of a shield, but it fizzled at first.

—It ain't goin' to go, everyone said.

Then it did go after all; in fact it caught on fire and blew up all at once with a terrific bang.

As they drove home that night, Johnny told T. D. about the book on Phrenology.

—What do you think about it, Pa? Is it any good?

—Sounds scientific, T. D. said. I seen the man giving you a going-over. Of course, it might of been a fraud. You shouldn't of spent all that money for it, John. You could of looked at someone else's book.

Rob, the oldest boy, said he heard a fellow say that the phrenology man and the vender of hair tonic had both been at Middletown just a day or two before and that they had put on the same act they did in Freehaven. The baldheaded man had pretended to buy hair tonic from the vender just the same way, and they made the same remarks, and the baldheaded man was just as bald now as he was then, no more and no less. Johnny was a little disturbed at this, but T. D. took a serene view of the matter.

—Probably just a story, he said. Why would anybody want to do that? Besides, he was practically giving those bottles away at that price. I have spent my life studying the beneficent effects of botanical medicines, and the ingredients in those bottles sounded good.

T. D. talked a good deal about the condition of the country.

—This here new party they plan to form up there in Michigan may be just what we need, he said. I've voted the Whig ticket faithful for twenty-five years, but it seems to me we need stronger stuff now.

If they can just get some big man to head the new party up, someone, say, like John C. Frémont, who is, in my opinion, the Greatest Living American, why, we might bring the country right out of the fix it's in.

—Things will work out all right, Ellen said.

Johnny Shawnessy looked up at the purple night thicksown with stars that brooded warm and yellow over Raintree County. Yes, things would work out all right. He closed his eyes and seemed to see, ascending in a starless night, the thin, bright streaks of rockets. So would the years go speeding through the purple night of time and bring him all good things before they dropped, feebly flaming, in the distant meadows of the future. So would he too some day know fame and fortune and a great love, and the people in the Court House Square would cheer him. Time and the secret earth of Raintree County would bring all good fruits to him who knew the secret. One day, he would be the fastest runner in Raintree County, because he willed it to be so. One day he would stand with breast expanded, bright with medals, and the crowds would cheer the savior of the Nation. One day he would have the lucid self-understanding that would enable him to say and do everything that he desired, and he would become greater than Charles Dickens or Thomas Carlyle or even William Shakespeare, and he would speak and write words that would resound along the corridors of time forever. And the Court House Square would give place to a more spacious arena, there would be domed tremendous buildings, steps ascending, a platform bigger than was ever seen in Freehaven. And a tall monument would pierce the sky, erected in his memory. All things could be accomplished by him who had the key, who knew the secret, who could pronounce the talismanic word. And in that shining future, he would stand among the greathearted citizens of a perfect America, their heads would be bright with lush and streaming locks, they would all be superbly phrenological in the greatest republic the world had ever seen. And somewhere too in that golden day a vaguely beautiful girl was waiting, her bright hair streamed on delicate shoulders and steep breasts, and on her fruity lips was the highly personal and softly uttered word 'Johnny.'

When they went to get out of the wagon at the Home Place, Johnny knocked something over.

—Careful there, John, T. D. said. Here, let me have that stuff.
It was a couple of bottles of

MRS. ALLEN'S WORLD HAIR RESTORER AND
DR. HOSTETTER'S CELEBRATED
STOMACH

WATERS of the Shawmucky River flowed beneath the clattering board bridge. The surrey passed over and, jogging southwest, started along the quarter-mile stretch through the valleyground in the great bend of the river. Reeds, swampgrass, thistles grew where the town of Danwebster had been before the War. Across the river, due south, Mr. Shawnessy could see the hill and the white stones of the graveyard.

—Well, children, he said, feeling old and inarticulate, here's where I used to shine when I was a boy. Here's where the old town was.

—I don't see a thing of it, Will said.

Weeds, swampgrass, thistles, and the river. All is gone. And where is the young Shawnessy, the lover of the river, the budding bard of Raintree County? Where are the *Complete Works* in a single volume, with biographical preface and notes? Where are the pilgrim thousands and the graven stone beside the river? *Good friend, for Jesus' sake forbear——*

—All around here, Mr. Shawnessy was saying, motioning vaguely with his hand, his voice fading, was the little town of . . .

DANWEBSTER ON THE SHAWMUCKY
(Epic Fragment from Preface to *The Complete Works of John Wickliff Shawnessy*)

A vague rapture fills the breast of the pilgrim, as he approaches the very earth which was the birthplace and burial spot of the greatest bard of all time. And indeed these pastoral glades seem as undesecrated by the hand of man as erst they did, so many years ago, when an obscure stripling sauntered through the rural glades, never dreaming that one day his name would be the brightest and loftiest star in all the constellations of the great.

Let us follow a little with reverent feet and pensive tread the windings of this little stream. Each bend and shallow is sanctified to the memory of a great name. In this deep pool beneath a hoary oak, we muse, the young Shawnessy perhaps did plunge and swim. Here his shouts mingled with those of his village companions. Perhaps he came to this haunt sometimes to escape the vigilant eye and stout ferule of the village scholarch, never dreaming that his own name would become both bane and blessing to generations of schoolboys. On the limb of this ancient oak, beside the circling waters of the Shawmucky, perhaps he swung in sportive play. In this open space, he urged the festive ball. How often, too, did he not walk, solitary and pensive, beside the river, bearing perchance a few stray leaves of paper and a quill, stopping now and then to indite the first utterances of a muse that has had no peer in all the annals of mankind!

Then let us proceed farther until we reach the thrice-enchanted ground where stood in ancient days the little village of Danwebster, in whose purlieus the young bard must often have walked, a beardless stripling upon whom, even then, we must believe there dwelt some halo of potential greatness. What unrecorded words, flung random on the ears of laughing comrades, betokened the genial humor, which, running the entire gamut from rude and ridiculous to subtle and sophisticate, was destined to be a perpetual wonder and entertainment for the generations of mankind?

Here, too, along the meanderings of the dulcet Shawmucky, he must have felt the first raptures of love—love, the most holy passion of the human breast, love, which he was later to express in the immortal verses of his great productions.

Aye, it is sacred ground, every inch of it. And we are happy indeed to make one with the thousands of reverent pilgrims who pay each year this tribute to the eternal greatness of the human spirit, which can cause to flower unexpectedly the rarest growth of all the ages on the banks of . . .

The Shawmucky River went south from the road, making its great bend, and returned to meet the surrey at the second bridge. The river flowed beneath the bridge, it was choked with bushes and mudbars, it was a length of savage, swarming life through the cornlands of the County.

—I thought you were going to stop at the graveyard, Wesley said.

—On the way back.

He looked up and down the river, sniffing. The bridge was like a crossroads. The lazy highway of the river beckoned, luring down banks and shoals of memory. Now briefly, the river lay again across his life, opaque and green, a serpent water.

On the banks of the Shawmucky, I had a vision of beauty. I held the river deity between my hands, it was a white flesh and lovely, its eyes were green, but this was long ago.

Little river of the blurred and murmurous name, you still rise from your Delphic cavern in the northeastern corner of the County and come uncoiling to the lake, with greater and greater divagations. Curious fleshes squawk, shriek, spout seed, die, and decay in your reedy marge. But where is the brighthaired boy who lay beside your waters, beholder of beauty in the antique summertime before the War? Where is the innocent young man, beloved of the gods, whose name was secret like your own and carried from afar?

On the banks of the Shawmucky River, I had a vision of beauty. I slept near the earth of the three mounds. I slept and dreamed beside the Indian river.

Yes, I remember now how I came down from haying in the long summers before the War—the smell of the clover was sweet on the upland meadows—and gave my body to your cold arms. O, circling goddess tracing a word of prophecy on the earth of Raintree County, you took the warm seed and the sweat from my body, you loved the plunge of mortals in your cool waters.

I had a vision of beauty on the banks of the Shawmucky River. What dream was that I dreamed of summertime and cities far away, and of corn growing in the valleyplains? What civilization of the maize did I introspect beside the little snakeriver of Raintree County?

On the banks of the Shawmucky, I had a vision of beauty. I lay at the brink of the river. I shut my eyes against the greening brightness. I lay in soft grass. I was sleeping.

I had a vision of beauty

was a place of archaic lifeforms and primitive sounds, and it was a cold green flowing and a place for beautiful nakedness that summer. That summer Johnny Shawnessy was seventeen years old. His body shot up like a stalk of July corn, he got his man's height of six feet, his shoulders widened, his arms and legs lengthened and were covered with light hair, his beard had to be shaved. Often in the afternoon, when he had finished working on the farm, he would go barefooted, dressed in blue jeans, shirt, and straw hat down the road to where the river approached from the north, and then cutting across a field would come out on the bank of the Shawmucky. He was free then from the geometry of fences, roads, and railroads, and he plunged naked into the river, re-entering some ancestral part of himself.

The river was the oldest pathway of the County, a place of frogs, fish, waterbirds, turtles, muskrats, coons, wildcats, groundhogs. The life within and upon its banks had not changed for centuries. And the river's name was the oldest name in Raintree County.

In fact, 'Shawmucky' was the only Indian name left in the County. No one knew for sure what the original Indian word was or meant. Some agent of the first land-office in the County, writing the name of the river on the earliest land-deeds, spelled it Shawmucky. In this disguise of English misspelling and mispronunciation lurked a vagrant Indian word, a name never spelled but only spoken, a relic of pure language, the utterance of a vanished people. For within two or three years after the settlers came to the County, the Indians were forever gone.

Johnny Shawnessy probably had a better guess about the river's name than anyone else as he was the only person in the County for years who made any research into the Indian culture. He finally decided that the river's name was related to the Indian word 'Shakamak,' meaning long fish or eel. There was a Shakamak River in southern Indiana; and in the northern part of the state, an Eel River, which in the Miami tongue had been called the Kenapocomoko, or River of Snake Fish.

The only drawback to Johnny's theory was the fact that he never found an eel in the Shawmucky River.

Johnny's interest in the Indians was stimulated by the poem *Hiawatha,* which he read not long after its publication in 1855. He wished to emulate Longfellow by writing an epic of the people who had given his state a name and who had left the music of their forest language on most of the important rivers of the Middle West, from the Ohio to the Mississippi. Yet the Indians, who had lived less than fifty years before in Raintree County, had vanished utterly, leaving only a few traces, almost all, as it happened, along the Shawmucky River and close to Johnny's home.

In that summer when he acquired the form of a man, Johnny found a favorite place on the river where it veered away from the road not far from the Shawnessy farm and ran northerly more than a mile as if it intended to flow out of the top of the County. Here on both banks of the stream, he used to find arrowheads and stone heads of tomahawks. As there was no record that the Indians had ever had a city on the banks of the Shawmucky, it was believed that these were relics of a battle that had been fought beside the stream perhaps long before the white men came. Johnny called the place the Indian Battleground.

Still more mysterious were the three symmetrical mounds on the right bank of the river near this place, relics of a much older people than the Indians, who were known simply as the Mound Dwellers.

Hardly anyone visited this part of the river except Johnny Shawnessy. The spot to which he came most often was halfway up the long northerly arm, on the right bank, close to the lowermost of the mounds. There was a place near-by where he would ford the river, book in hand. He would undress and swim in a deep, quiet pool under an oak, whose gnarled roots reached down into the water and fixed themselves in the bank like a giant hand clutched in the coil of a snake. Lying in the shade, he could see up and down the water a halfmile either way. And here he lay and thought about the river.

Then, indeed, he seemed closest to the secret of the County.

It was, he was certain, a water secret in the beginning. What secret lurked in the reedy, fishy, muddy word 'Shawmucky'? Was this name the memory of a strange creature that the first man discovered in the river? For the river had been there before any man had come. The river was there when the great icesheet withdrew and left the land virginal, dripping, devoid of life. The river was there when the first green life surged up from the south. The river was full of shining fleshes when the first man came wandering into the forest country that was now called Raintree County. And with him man brought names, and the river became a name.

Who was the first man who named the river? Ancestor of the Indian, he had come from those obscure migrations in which mankind, rootless wanderers on the earth, had left their Asian homeland and wandered east and west. They had come across the island bridge from Asia to America and down into a manless continent, bringing the already complex tongue and culture of their homeland. The first man who named the river was not an Indian, nor perhaps even a Mound Dweller. He was, however, a man. He made a husky sound as he saw in the river—or imagined that he saw—a fabulous creature. But the first man standing by the river was himself a fabulous creature. And the word that he pronounced was, like all words, a fabulous sound. He had brought it with him from the far-off source of humanity, which, like the Shawmucky River, had risen from a mysterious place and flowed down between widening banks in huge divagations, seeking for a lake. Words were the music of this murmurous water. All language was a stream flowing from distant to distant summer. Perhaps it all was sprung from some parent word, the first word uttered by the lips of man in the oriental garden of his birth. And the name of Raintree County's Indian river was thus a palimpsest upon a palimpsest, a wandering, ancient, mutilated sound, a pilgrim from remote shores like man himself.

As the boy lay dreaming beside the river that summer, he thought of the miracle of names. What was his own name, Shawnessy? What did it mean? Whence had it come? It too had come a devious way, and if the sounds and the meanings that it once had were traced back far enough, it too perhaps would return into the primitive garden of the race, back to the parent Word.

For Johnny had always been vaguely aware of the likeness of his name to the name of the Indian river of Raintree County. Perhaps he was only a more belated wanderer from the Biblical homeland of humanity, who had found here in Raintree County an echo of himself, a murmurous reminder of the common source and common destiny of man.

East and West had met on the earth of Raintree County. Language had flowed around the world and met in intermingling waves. The men who had no spelling had given a sound to the men who spelled. And now in summer afternoons a youth named John Wickliff Shawnessy stretched his white body beside a river called the Shawmucky, in the central, streamdivided earth of America.

The Indians had left in Raintree County one other memorial of their vanished culture, its proudest achievement. This was the plant called maize, or, as it was known to America, corn. It was the County's chief crop. Even T. D., who never seriously turned his hand to farming, put in a field of corn each year. In May the first tender tips were through the black loam. In June the little plants were a hand high. Kneehigh by the Fourth of July in a good year, the stalks were thick as a child's arm, and the few blades were inchbroad. During the hot July the corn grew with fantastic speed, sometimes four inches in a single day. By August, the stalks were higher than a man, not rarely shooting ten feet up. Leaves like voluptuous swords stirred in the moist air, drinking light. The bared roots grappled manyfingered at the crusted soil, tassels formed at the tall tips, the stalks made ears. Warm rains of late July and August fattened the kernels. In early fall the ears broke at the stalk, hung heavy for harvest. Then came the cutting of the corn and the piling in shocks. The huskers ripped the sheath and the silk from the hard ears. And the bared fruit was piled yellow in cribs.

This was the great festival of the corn in Raintree County, perhaps the County's richest image, bequeathed it by a vanished race.

In these years when Johnny Shawnessy became a man, he spent a great part of his summers working on his father's land and helping with his brothers on neighboring farms. For the big harvests, the ablebodied men in the County travelled about in work gangs. Harvest, of wheat or corn, was a prodigious festival of hard work, huge dinners, rude fun. Day after day, Johnny helped at taking the County's bountiful yield and loading its cribs. In this work, he developed a body hard and swift, capable of daylong exertion in the hot sun. No one was faster at shucking the corn than he.

He lost himself in this work with pagan identification, came home from it drunk with the good fatigue of a strong young man, his mind full of the tranquil images of harvest—the great mounds of shucked ears, the fodderstacks, the creaking wagons, the loaded harvest tables.

What did it mean, this immense ritual of growth and harvest, this rending of ripe seed from the earth? Perhaps the secret of life reached its climax in the festival moment when armies of harvesters attacked the standing corn.

Properly enough, the season of the harvest in Raintree County was called for the people who had discovered and nurtured the corn. In Indian Summer, the blue bright days flooded the harvest fields with mellow warmth. And at such times Johnny Shawnessy, student of the County's vanished cultures, bethought him of a legended Indian goddess whose bare, bright limbs slipped deeper and deeper into the nodding leaves as the cornknives felled her guardians one by one. Perhaps the low shriek of an ear of corn cleanly husked was the wail of her spirit as it suffered at last the delicious rape. Then he would wonder at the immense achievement of that old race who named the river, and of all primitive humanity as well, which had somehow learned the lesson of the seasons and the seed. And as he saw the swollen ocean of the corn sweeping to the very rim of the river, as he smelled the rank odor of the green corn's milky juices, he knew that the cultivating stick had been greater than the tomahawk.

He would always remember homecoming at evening with his brothers, Zeke, Rob, and Bill. Ellen Shawnessy would have a big hot supper waiting, and while the boys ate, telling the feats and pranks of the day, she hovered over them, the maternal spirit of the feast, loading the table with pork, roasting ears, butter, mashed potatoes, apple pie, milk.

Such was the harvest in Raintree County, that ancient valley threaded by an ancient water.

When he came to the river in summer afternoons from working on the farm, Johnny would strip off his clothes and plunge matted with seed and caked with dust into the water. After a swim, he would lie naked in soft grass reading or writing. His skin felt itchy from the hot air and the touch of the tingling grass. His youth was

in his blood and on his skin and in the burgeoning parts of his body
like a low fever.

That summer, he brought only one book to the banks of the Shawmucky, a copy of *The Complete Works of William Shakespeare* in a
single volume. Summer light ate fiercely around the finely printed
words; the little words in turn ate fiercely into Johnny's being. Like
the river itself, this book was a place of life, the columns of the
bordered pages were full of streaming, vivid forms, the little words
were seeds proceeding from a lifeplace, a magical productive name
—William Shakespeare. So on the banks of the Shawmucky the
naked American boy, seventeen years old, read in the pages of the
greatest poet of all time. He was drunk in the sunlight of Raintree
County. He was drunk too with the creative fury of the book, which
was for him a book of prophecy revealing himself to himself.

As he read and wrote and mused beside the river in summer afternoons, he thought much of that other gifted child of nature, Willie
Shakespeare. Willie Shakespeare, living at Stratford-on-Avon, had
been a boy like Johnny Shawnessy, familiar with the course of country waters, growing unheeded like a flower beside a little river whose
name was then unknown beyond the speech of those who lived and
loved and died along it. Doubtless this Willie Shakespeare had the
same stripling form, the adolescent beard and blemishes, the hair
long, unshorn, mussed by wind. Doubtless, he felt the fevered, mute
desires of youth, had the same inquisitive, beautyseeking mind, made
the same shout of sound when he meant mother, father, sun, seed,
water, love, and beauty, smiled by the same wrinkling of the face,
shook with the same spasmed laughter. Doubtless he yearned after
the maids who lived on neighboring farms, lay often tossing on his
bed at night, thinking of their saucy breasts, sleek buttocks, velvet-
muscled thighs. Doubtless he found, when first he tried to make
words in rhythmed sequence, that the world rushed in upon him and
peopled his mind with images and filled his ears with rich, strange
language. And as he lay beside the sinuous river, Willie Shakespeare
must have dreamed how one day he would go to the City and be
famous and tup the most exciting woman and make much gold and
come back at last to Stratford-on-Avon and buy the finest house in
town.

Sometimes it seemed that in some occult way Johnny Shawnessy was Willie Shakespeare, and that the Plays were still waiting to be written and that everyone was somehow Willie Shakespeare and everyone and everything was Johnny Shawnessy, and that life was discovery and not creation—it was permitting oneself to be a great poet and not forcing oneself to be a great poet.

For as he lay on the bank of the Shawmucky, he knew that he too would be a great poet. It seemed to him that he must be a greater poet even than Shakespeare because there was some essence of what he was that Elizabethan England couldn't possibly compose. He, John Wickliff Shawnessy, was perhaps the bearer of the sacred fire of poetic genius that is given from mind to mind like a regenerating torch. It was he, child of the sunlight, the corndense earth, the simple beliefs of Raintree County, who would become the great American poet. Son of his greathearted mother, of his energetic, sanguine father, he was perhaps a chosen seed, brought from far places.

Johnny Shawnessy didn't so much read Shakespeare as he read a vaguely imagined book of himself. In Shakespeare's luxuriant language, strong rhythms, terrific metaphors, Johnny was groping toward a new language of himself, a vocabulary equal to the dramas, characters, ideas, events that only America could produce. In Shakespeare, he discovered not the created but the creating thing. From a source fruitful like the earth, the crowding creatures of the dramas came. Their language was life itself, had life's variety and rhythm, and at times its senselessness, fury, imperfection. The tears, the terrors, the ecstatic loves, the vast, vulgar laughters were of life itself. And under the lavish veil of Shakespeare's words, the secret shape of beauty was more truly shown than anywhere else.

Johnny Shawnessy didn't think he would have to wait long to become the great poet. A whole world of creation seemed waiting. He had only to set pencil to paper in the sunlight of the Shawmucky. And wandlike, the pencil would touch immortal poems into being. Putting a pencil to the coarsegrained paper of a notebook was exciting to him like the touch of a young man's flowering nakedness to the body of a pretty girl. His whole being then was drained into feeling at one quickening point. Through the wand of the pencil he would jet the rivering lines of life.

He had already discovered that he had a gift for verse. Without effort, he could shape the language of his fancies in any of the English meters. The very resistance of the poetic medium seemed to stir up his word-horde. During that first summer of his great desire to be a poet, he wrote hundreds of verses that seemed to him no less good than Shakespeare's. In the summer of his body's maturity, he had become expressive like a god, and like a god, he would ravish beauty by the mere wishing. He already contemplated a lifetime of immortal words, which would one day be treasured by the world in a single volume entitled *The Complete Works of John Wickliff Shawnessy.*

This was a season of gorgeous dreams by day and night. Achieving all at once a man's full vigor of body and mind, Johnny Shawnessy lived in a continual torment of desire—desire to know, to possess, to make. He memorized whole books of poetry, read everything he could find, aspired to have all human knowledge, allowing himself a few years at most to accomplish it all. At night, his dreams, always vivid, were enriched with his bardic obsession. He wandered in a world of old enchantments, peopled a sleeptime Raintree County with the memories of all mankind, enacted dramas that seemed to him more passionate and fanciful than Shakespeare's. What did it signify, this world of sleep? Who was this protean being who borrowed the semblance of a waking self and strove through a self-created world in quest of beauty and high achievement? He didn't know, but to these sleeptime visions he resigned himself with eager yearning, hoping that they would yield him the consummations denied him during the day.

At this time he began to write a column for the *Free Enquirer,* one of Raintree County's two weekly newspapers. He called his articles *Meditations from the Upper Shawmucky,* and in the pen name Will Westward managed to conceal his identity from everyone, including his own family and the editor of the paper, Niles Foster. The column soon awakened great interest in the County. It contained everything from philosophical musings to political disputation, and in it from time to time Johnny imbedded the poems that he had been writing. The most popular feature was a fictitious rustic philosopher, poet, and amateur politician whom Johnny called Seth Twigs. The scholarly author of the articles, Will Westward, talked frequently with this denizen from the banks of the Shawmucky and reported his sayings in their unvarnished Hoosier dialect. The political bias of Johnny's articles was Republican, like that of the newspaper itself. Eighteen fifty-six was an election year, the rising young Republican Party was making a strong bid for the Presidency behind the candidacy of John C. Frémont, and partisan feeling ran high in Raintree County. Soon in the Democratic paper of the County, the Freehaven *Clarion,* a column similar to Johnny's began to appear, purporting to be written by one Dan Populus and retailing from time to time the wit and wisdom of a backwoods raconteur Rube Shucks. Dan Populus was no mean antagonist for Will Westward, and after a while the rumor went that Dan Populus was none other than the rising young orator Garwood Jones.

Wanting to keep his authorship of the articles a secret, Johnny always composed them at his favorite haunt beside the Shawmucky. For the river drew him to itself. All that came from it fascinated him. Whenever he hooked a fish and jerked it wriggling from the water, he had a momentous feeling of discovery. Was it the sacred being of the river, the Shawmucky itself, goggle-eyed, scaly, gilled, panting in the thin, destroying air? But it always turned out to be a familiar variety of fish and seldom larger than a man's hand. And yet people said that in the river a catfish had been seen big as a man.

Or he would watch cranes standing in the shallow water. Now and then, he managed to get very close to one, and it seemed to him that if he could catch in his arms the great kingcrane, rank-feathered, gaunt, bony, and throw him down, it would be as if he caught a colossal birdgod, who belonged only to the river.

Or he would hunt for frogs in swamps and shallows of the river. For a while he sought them with as much passion as a prospector hunting gold in California waters. Sometimes at night, he would hear, sounding all the way across the fields to the Home Place, the deep belch of a frog. It was perhaps the biggest frog of all time, hundreds of years old, as big as a man's head. Whoever caught that frog would have in his hand the rinded, mossy secret of the river. Once Johnny saw a big frog wedged in among rushes near a place where he was swimming. Furiously excited, he grabbed the torpid thing and plucked it from the river. For a moment he felt as though he had the legendary Shawmucky. Held in both hands with legs extended, the frog was shaped grotesquely like a man, had the long slender legs, the toed feet, the tight rump, the white belly, the wide shoulders, the two arms with spread hands, the head. Part for part, it was a man in a forgotten shape. It was an antique man who had stayed too long in the Shawmucky River and had never suffered the air change.

But the river itself was the most mysterious creature of all. It lay like a coiled body on the land. It had its secret source in distant summer and its sinklike goal in distant summer. Johnny had always had a wish to explore the Upper Shawmucky up and down its length, and in that summer, he nearly had his wish fulfilled.

One day, setting out by himself, he walked northeastward along the river to see if he could find the source. He went for miles, following the river as it grew smaller until it was only a few feet wide. But it kept flowing on strongly between fields and past rockstrewn hills, cutting its deep sharp trace through the County. The sun went steeply up at noon and down its western arc, dying at evening in clouds of purple fire, and still Johnny Shawnessy hadn't reached the source of the Shawmucky River. At dusk, he asked a farmer in a field how far it was to the river's source, and the farmer said he didn't recollect ever hearing anybody say. At this, Johnny cut over to the closest road and started home. It was ten o'clock at night and he was weak all over when he staggered into the yard of the Home Place.

Sometime later, he discovered an old boat, foundered in the river. In secret he repaired it, proposing to row down the river to Paradise Lake, which he had never seen. One day in late June, early in the morning, he started out near his favorite haunt beneath the oak. Rowing strongly, he went up the long northward-flowing stroke of the river to where it bent sharply back upon itself. From there on, he was amazed at the great slow vistas of the Shawmucky. After rowing nearly four miles he crossed under the two bridges at Danwebster, only a mile by crowflight from the place where he had started. When he got beyond the town and was veering northwest toward the lake, it was already afternoon. The air seemed more moist and heavy with the rank scent of the widening river and its flowers. The boat grounded many times on mudbars, and Johnny had to get out and shove it loose. Water and air were dense with life. He had never seen so many birds, fish, turtles, frogs, bugs in all his life before. The country too was savage, with acres of forest and swampland on every side. The river spread out among islands so that the main current was hard to follow. Bushes, waterweeds, willows, swampoaks were so dense in places that they nearly choked off the river's course. The water seemed to Johnny to be flowing the other way in places, as if the lake were the river's real source.

Meanwhile, he kept looking about him to see if he could see any unusual tree that might be the celebrated Raintree, but he gave up the hunt as hopeless, so thick and various was the thrust of life in the last mile. The boat leaked more and more, and finally in the hot blaze of midafternoon, it stove and foundered in the very middle of the shallow river. Johnny swam and waded toward the shore, but there seemed to be only swampland and water everywhere. He felt that he must be very close to Paradise Lake, but he was so exhausted with coming down the river that he wished only to get home again. Blundering through banks of waterweeds, he tried to find firm ground. More and more, the solid substance of the earth dissolved with life. The creatures of the river swarmed, shrieked, swam, coupled, seeded, bloomed, died, stank around him. He appeared to be in the very source of life, a womblike center. River and shore were one; leaf and flesh, blossom and genitalia, seed and egg were one cruel impulse. All the creatures of the river were fecund, shining, perfect, each one a paragon of the image that all the members of its race embodied. Farther away in the summer afternoon, this furious fecundity became enfeebled—there was a genteel creature called man. But here there was no man, except only Johnny Shawnessy, half naked, an intruder, his body scratched and itchy, his shirt torn by branches, his pants ripped half off, his hair stiff with seed.

Suddenly, as he lurched and stumbled through this vortex of life, his foot slipped through a mesh of vines and he dropped neckdeep into a pool. A thick net of roots and lily stems laced his body. A bottomless ooze drank his feet and legs heavily, heavily. His young strength twisted and sprang, not for a moment admitting that it was in danger. Yet he moved hardly an inch. His hands clutched and tore at roots and stems.

A gigantic willow presided calmly over his struggle, one root fantastically bared within six inches of his hand.

The pool heaved slowly, enveloped him in constricting coils. He was going down surely. The change was so cruelly slow and his body so completely engaged that his mind ran free with skipping alacrity, observing, recording, and a hundred times over reminding him of the grimness of his situation. Slowly a phrase formed in his memory, writhing in green letters.

The Great Swamp. The words of his father spoken long ago ran sluggish and half-submerged in his memory.

—Folks call it the Great Swamp. Why, a man went in there once and never came out again.

Johnny Shawnessy struggled mutely for life in the embrace of the Great Swamp. A few seconds ago he had been a free, happy, purposeful human being on his way back to one of those little firm brown roads that were so reassuringly frequent on the landscape of Raintree County. He had intended to go home and have a good supper and maybe read a little poetry before he went to bed. Now he gasped and fought for dear life, his head thrown back, drowning in a private universe of mud and light. There was no one to know where he was or what had become of him. If his head disappeared under this shining surface, he would be gone forever from the sunlight of Raintree County, sunk without a trace.

He kept his eyes fastened on the willow root still six inches from his hand. The water was over his chin, touched his mouth, covered it. A thick vine looped his neck and prevented the forward thrust of his body. He made a furious effort catching the vine with both hands, trying to push it over his head. As if all his contortions up to this moment had been a grotesque joke prolonged for the amusement of an immensely superior antagonist and now ended with brutal suddenness, his whole body, head and all, plunged under: the vine twisted muscularly in his hands, and his own strength had driven him out of sight.

That instant, freed from the vine, he made a forward lunge in the deep muck groping under water. His left hand touched the submerged willow root, coated with slime. His hand slid on it, but he had drawn himself forward by inches. Blinded and choked, he shot his right hand from the water and caught something dry and firm.

The white hand of Johnny Shawnessy stuck from the surface of the Great Swamp, holding an exposed willow root.

With ridiculous ease, he drew himself from the pool and lay on the roots of the willow, gasping. The whole thing had lasted perhaps half a minute.

He looked about him. He had almost died in the middle of Raintree County. Hundreds of people who loved him, who would willingly have caught his hands and pulled him out, had gone on securely about their work while he wallowed in the gripe of death.

He clung to the willow, gasping with a fear he hadn't felt during the struggle. Around him, impassive, secret, beautiful, the Great Swamp shimmered and stank. With a brutal indifference, his own earth had nearly killed him.

Finally, he got up from the willow and cautiously hunted for a way out. After a while, he found firm ground and breaking through a screen of rushes, discovered himself on the edge of a lonely, rutted road.

A snappy two-seater spring wagon was coming down the road from the direction of the setting sun. As it approached, the two couples in it giggled and pointed. In the driver's seat a nattily dressed, broadshouldered young man boomed jovially,

—Look! It's Johnny Appleseed!

The girls tittered.

—Why, no, Garwood, said the girl beside him. It's Johnny Shawnessy!

Johnny Shawnessy, who had just come from the Great Swamp, gazed at the improbable creature who had just spoken. Wideapart eyes shone like green jellies in a small white face. The mouth was a red fruit. It moved, made sibilant sounds, lingered huskily on the name 'Johnny.' The yellow hair, blooming rankly around a hairless forehead, was pulled back to show the little shameless ears. The white long neck was a supple stem joining the flower of a human head to a white hairless body.

But, after all, this creature had a name, as nothing in the Great Swamp had a name.

—Hello, Nell, he said.

Everyone was laughing at him except her.

—I was out walking, he said weakly.

He hated them all. He had nearly drowned, and here they sat clothed and tittering.

—I nearly drowned in there, he said.

Garwood roared at this, and even Nell smiled a little. Johnny himself began to feel that he had said something absurd.

—For goodness' sake, what for, Johnny? Nell said.

—A little botanical excursion, he said.

His panic was giving way to a much more human emotion, embarrassment.

—Let's take him in and get him home, Nell said. Goodness gracious, Johnny, how you are mussed up! But come on, you can sit between us if you're dry enough.

Johnny climbed up and sat between Nell and Garwood. He was surprised to see Nell coming from the direction of Paradise Lake. It was well known in the County that a certain type of social activity went on in the wild neighborhood of the lake which was not reported in the society columns of the *Free Enquirer*. Besides, the couple in the back seat were a notorious pair, who had been going steady for some time, and rumor had cast doubt on the chastity of their connection.

—Say, how far is it to the lake, anyway? Johnny said.

—It's right over there, John, Garwood said, pointing into the very region through which Johnny had floundered.

All the way home, Nell was very maternal. She pulled away at Johnny's tangled hair with a comb, blowing her breath like warm mist into his face, while he kept his eyes down in an agony of shyness. He kept noticing her hands. It was as though he had never looked carefully at a pair of human hands before. He marvelled at their five fingers, their naked palms, blunt nails. They were swift, slender hands, woman's hands, knowing and maternal. Suddenly he imagined them like his own, sticking from the surface of the swamp, while below them in the green dusk, enmeshed in vines, a curious white creature lurked. The image made him faint and almost sick.

Nell meanwhile brushed off his shirt, pointing out various rips and tears.

—You poor dear boy, she said, you're nearly undressed!

Her pert face maintained its composure, but the couple in the back seat sniggered vulgarly. Johnny was glad when Garwood stopped the buggy at the Home Place. He felt like a fool and disliked Nell for mothering him. He had hardly looked at her face after that first

le panted with the anguish of a desire that had not even acquired
ie image of possession.

He had done it with his own eyes. With his eyes, he had suddenly
tripped the costume of Raintree County from its most lovely flesh.
With his eyes, he had possessed the white secret of Helen and the
Greeks. With his young eyes, he had learned the lesson of the deepfleshed loins of Venus.

For the face had been the face of a Raintree County girl. But the
form had been the form of a goddess foamborn and beautiful,
sprung from the waters of the inland ocean. That vision of the supple back incurved to the small waist, outcurved to the abundant hips,
softly recurved down the greatmuscled thighs to the small knees,
gently outcurved to the long calves, distinctly and yet softly returned
and tapered to the ankles—that white vision of curves recurrent, so
thoroughly unmasculine, so delicately made for erotic and maternal
uses, so tranquilly seductive—that vision was Johnny Shawnessy's
first overwhelming awareness of Woman. The small bare face of
Nell Gaither, a familiar face which had always risen serenely from a
Raintree County dress, had appeared on the nakedest, the most seductive creature that he had ever seen.

In that one vision, the old Nell Gaither was gone. In her place
was a woman almost cruelly beautiful, seen through the green mesh
of the reeds, with the sigil of her uniqueness delicately staining her
beauty. She had risen from the little Indian river of Raintree County,
and her name now coursed through Johnny's mind with a new music,
full of love's precise anguish.

He tried to remind himself of the girl who belonged to the prim
world of Raintree County, who wore its highnecked bodice and its
formdisguising skirt and petticoats, who spoke its evasive language,
worshipped in its little church whitely puritan upon a hill, sedately
walked under the taut dome of a parasol. But beneath all these
images now, looking warily from under wet gold hair, was the river
girl, whose impudent nakedness had stunned him.

Beneath her puritan ways, she was not afraid of life: she had come
down to the green prolific river and placed her skin in contact with
it. How fortunate would be the hero—how like a young god—who
would win for himself the gift of that triumphant nudity, the sweet
candors of the river girl!

moment when he came from the swamp and saw her in the

His mind was still absorbed with the secret that had wh
sung, buzzed, squawked around him in the fierce sunlight c
swamp. He was afraid to say what the secret was, even to hin
yet he had penetrated almost to its core.

Part of the secret was that all things that came from the Sl
mucky River were one thing, and all were subtle reminders of h
self, and all were perfect in their way, and all had been forever
the river, and the river was the ancient valley of his being, and eve
thing that came from its waters was intolerably beautiful.

But the river still had its last, most amazing disclosure to make.

One day in late August during a sweltering heatwave, Johnny ha
gone to his favorite place on the river. As usual he plunged in fo
a swim. Then he stretched on grass at the water's edge, listening to
the spiral music of cicadas. The river burned green in sunlight. He
lay on his back and let the notebook and pencil he had brought lie
untouched beside him. He shut his eyes and felt heat and light rain
like soft arrows on his fluttering lids. He slept.

Awakening, he turned over and looked through the reeds that
screened his hiding-place. Not twenty yards from where he lay was
a skein of gold hair floating backward on the current.

Then while he watched in sleepy bewilderment, a fabulous creature rose slowly from the Shawmucky, walking from midriver to the
far shore. Glistening whitely from the green water, the neck
emerged, the long back, the stately buttocks, the smooth-fleshed
thighs, the tapering calves, and at last the long slender feet. On the
left of the deepfleshed hemispheres was a brown mole, pennysized.
Then as the creature half turned a moment and stretched up its arms
full length in the sunlight, he saw the brightnippled breasts, the
wide, smooth belly, and three gold tufts of hair.

He saw also the precise face, the wideapart eyes warily looking up
and down the banks, the pert nose, the mouth panting.

While he watched stonestill, the creature ran quickfooted behind
some bushes and a few moments later came out barefoot, wearing a
loose summer dress, and disappeared in the barky shadow southward
down the river.

Johnny Shawnessy opened and closed his eyes several times and
shook the sleep out of his head. A sweet tumult beat in his veins.

In the days that followed, Johnny Shawnessy was not quite sane. He wandered around the County in long walks that had no plan and came out nowhere. He lay sometimes all night till dawn without sleeping a wink. Sometimes he could eat nothing at all. Sometimes he stuffed ravenously. But his craziest impulse caused him to write for the *Free Enquirer* the queerest meditation that had yet come from the Upper Shawmucky. It awakened a good deal of comment.

NEW SPECIES FOUND IN THE SHAWMUCKY
WILD EXCITEMENT IN DANWEBSTER
SPECULATION RIFE

(Epic Fragment from the *Free Enquirer*)

August 20. Danwebster has been stirred up with the biggest furore since the Great Comet. A new species of water-creature has been seen in the Shawmucky River. It is well known that the river abounds in rare varieties of flora and fauna that merit the interest of the saunter-ing naturalist. But judging from the scanty descriptions now avail-able, the new find has never before been classified. A very pretty specimen was observed no longer ago than last Tuesday by the naked eye of a gentleman whose scientific objectivity there is no reason to doubt.

Last Tuesday afternoon, we were lying in our backyard engaged in our favorite pursuit, when suddenly we were awakened by a sound like thunder on the pike. Looking up we saw the form of Seth Twigs flying across a field from the direction of the river. Without a pause, the excellent Seth (whom we do not remember ever seeing run ten steps in his life before) pigeonwinged over the fence and arrived panting in our midst. After resting for half an hour our rural Phidip-pides was able to gasp out his story. It appears that Seth had been swimming in the Shawmucky and had retired to the bank for a good snooze, when awakening he espied something in the river.

Now precisely what Seth saw is still a question hotly argued these days wherever two minds meet in the northeastern quarter of the County. If Raintree County were ancient Greece and Seth's bony figure resem-bled that of the noble hunter Actaeon instead of a scarecrow, we would have no hesitation in saying that the strange new visitant in the waters of the Shawmucky was none other than the goddess Diana or at very least the nymphic deity of the river. But as we are living (ac-cording to the best authorities) in the middle of the Nineteenth Century, it is pretty certain that nothing in the shape of a woman, god-dess or otherwise, will ever be seen by any Raintree County man bathing in the radiant garment of Nature. The creature seen in the waters of the Shawmucky was, according to Seth, definitely devoid of the outer integument that universally adorns human beings of her sex in Raintree County (Seth's exact words were, 'She was nekkid as a shucked ear'). Besides she appeared to have two distinct 'legs,' and everyone knows that no woman in the County has anything of the kind that she will admit to.

Many contend that Seth saw the great white fish for which, some say, the Indians named the river, and others that he saw the famous mudcat, big as a man, that is supposed to lurk in the deepest pools of the river. Others say that Seth Twigs never yet told a plain truth in his life and there's no reason to suppose he deviated into honesty in this particular.

Your correspondent does not intend to let the matter rest here. He is aware that recently in a rival newspaper he was accused of being 'a lazy no-account who made all his reports from Danwebster without exerting himself any further than to walk between his own back porch and the outhouse or occasionally to join the group of retired gentle-men whose principal occupation in life appears to be the self-appointed task of glazing with the seat of their britches the bench in front of the General Store.' This statement not only contains a misspelled word, but is too palpably false to deserve the compliment of a formal refuta-tion. In order to put it in the category of repulsive slander to which it clearly belongs, it is only sufficient to remark that it appeared in the *Clarion* over the name of Dan Populus.

If any doubt can remain in the mind of anyone as to the tireless energy with which at the expense of his own health (not of the strongest) this correspondent pursues the task of reporting the news from the Upper Shawmucky, let it be known that he was the first to catch hold of the exciting development recorded in this article and that he has every intention of devoting his time and his talents, such as they are, to running the whole business to the ground.

As for the ambiguous libeller who imagines that he can with im-punity throw his loathsome epithets on an untarnished reputation, be it known that his foul machinations go not unobserved, that his identity is fully known to this correspondent, and that if any further feculence is spewed from that hideous receptacle of filth and fetidness which he possesses in lieu of a mind, this correspondent will openly brand him with the ignominy which he deserves.

Your correspondent intends to keep himself fully informed on this situation, and he hopes to have the whole thing well in hand at the next writing.

WILL WESTWARD

At about the same time, Johnny also told a friend what he had seen and where he had seen it. He concealed the identity of the girl, saying that the distance was too great for recognition, and he exacted an oath of absolute secrecy.

A few days later when he repaired to his favorite nook on the river, he was surprised to find five young men sitting under his oak in such a way as to be able to look up and down the river from ambuscade. One of them was Garwood Jones.

—Hello, John, he said. Sit down and have a smoke.

—No, thanks, Johnny said glumly. I don't smoke.

—Filthy habit, Garwood said. Never start it.

He put a cigar between his moist, full lips, touched a matchflame to the tip, puffed.

—Beautiful view, he said. I love Nature.

Some of the other boys sniggered.

—What brings *you* here, John? Garwood said.

—Just out for a walk, Johnny said. I don't remember seeing you here before.

—My interest in Nature has lately been stimulated, Garwood said, by a certain article appearing in the *Enquirer*. Perhaps you've read it too.

Garwood's blue eyes gazed shrewdly through cigar smoke.

There was a noise of someone walking through bushes across the river.

—Down, men! Garwood barked.

He ground out his cigar and crawled on his belly toward the reeds.

On the other side of the river, three young men appeared, walking stealthily. They approached the bank and looked up and down the river.

—Goddam! Garwood said, sitting up. What the hell is this—a political convention?

The next edition of the Freehaven *Clarion* contained the following article by Dan Populus:

THE NYMPH OF THE SHAWMUCKY
SETH A LIAR
RUBE CHECKS UP IN PERSON
(Epic Fragment from the *Clarion*)

August 27. Well, we have been checking the facts in the sensational report that came out in the *Enquirer* a week ago over the name of Will Westward. The facts are simple and they all add up to one fact: Seth Twigs is the biggest liar since the snake fooled Eve.

We should know better by this time, but we sent our deputy, that lovable rustic, Rube Shucks, out to check the story for us. Rube went to the bank of the Shawmucky, intending to get a glimpse, if he could, of the seraphic creature Seth Twigs says he saw there. Here are Rube's own words for it: 'They wuz a hull goldern army of men and boys along that thar river. I kept a-flushin' one out of ever bush. I reckon they ain't bin sich a scientifick intrust showed in Raintree County since the Widder Black dissolved her faithless husband in a barl of assid. I sot down in a nice private spot with fifty other gennul-man and wotched the river. I sot and sot. After a spell, down kum Seth Twigs. He wuz not the least bit drunker than usual, that mutch I will say fer him. "Seth," sez I, "whar's this here mermaid you seen?" "Rube," he sez, "you jist set thar, and I guarantee you'll see her." Well, I sot and I sot. I got stang by skeeters and stuck with nittles, but along about five o'clock in the afternoon, my patience and persistunce wuz rewarded. I hurd a noise in the bushes acrost the river. Hyar it kums! thinks I. "I see suthin white," a man sez. Then and thar we wuz all treated to the excitin' spectacle of Horace Perkins' cow Jessica, who kum down to the ford fer a drink. I wish to report to yure readers, Mr. Populus, that Jessica wuz clad only in the coztoom of Natur and that she is an onusual attracktive and well-preporshuned annimule, whooze daily milk-output is unsurpassed in these parts.'

                                                                    DAN POPULUS

It was plain from this that Johnny Shawnessy had been found out as the author of the Will Westward articles and therefore also as the beholder of a Raintree County girl naked in the Shawmucky River. In a subsequent article, Will Westward reported that the repentant Seth had confessed the whole thing a fraud, insisting that the vision he saw was caused by 'guzzlin' a pint of pure pizen that Rube Shucks wuz sellin' in the County fer corn likker.' But the hurt was done. Nell Gaither must have guessed that she was the now celebrated nymph of the Shawmucky and must know, as everyone else seemed to, that Johnny was the author of the article in question. For two weeks, Johnny didn't go to church or any other place where he might see Nell.

But this cowardice of his couldn't last long. T. D. had planned a Temperance Rally for September, and the members of the Cold Water Army had enlisted to give a temperance drama. Johnny had agreed to write it, and Nell Gaither and Garwood Jones were both cast in leading parts.

It was on a Sunday at the Danwebster Church that Johnny and Nell met again for the first time since the famous emergence from the river. Johnny was standing at the door of the church handing out some private printings of a new hymn by T. D. called 'Wash me in the Jordan.' Just before time for the service to begin, Nell and her father and stepmother arrived. Nell was in a new green dress. Johnny took one look at her getting out of a surrey and then kept his eyes averted. He felt as though he would choke while she climbed the pathway up the steep bank and approached the door.

—Hello, Johnny.

—Hello, Nell. Have a program.

—Thanks, Johnny.

He didn't look at her, but her voice, low and musical, pronounced the word 'Johnny' in her special way. Only now, the touch of her tongue on his name went through him in a tide of sweet anguish. As she went down the aisle, he studied the point where her hair, piled up in a mound, dwindled to a wispy peak on her neck.

While the service was going on, Johnny sat on the front bench, holding a hymnbook. Under his oak on the Shawmucky he had lately memorized the most exciting passages from Shakespeare's *Venus and Adonis*. In his mind he had repeated unweariedly the assault of a sultry goddess on a shy boy, and all the time against all reason he had endowed the goddess with the fullflanked form, small piquant face, and golden hair of Nell Gaither. He, too, on the fierce tide of this new love had tried his hand at an erotic poem, in which a swain beheld a rustic maid bathing in a woodland water. But there was something in the puritan perspectives of Raintree County or his

own fledgling inexperience that had prevented a free, fine handling
of the subject in the spirit of his lusty precursor.

T. D. had insisted that Johnny lead the singing of the original
hymn. While the congregation was in full cry, Johnny stole a glance
at Nell. Her mouth was making pleasing O's, her eyes were oval
pools of rivergreen, she seemed entirely chaste and inaccessible. An
innocent young republic had labored to clothe her in her puritan costume, had given her moral serenity and comely speech, had instructed
her in the means of hiding the victorious nudity that the river had
bequeathed her. (The river flowing out of distant summers, the river
coiling past the beautiful twin mounds, the river twisting in slow
anguish by reeds and rushes, tarn and tangling swamp unto the lake
where life began.)

> Wash me spotless in the Jordan,
>   Cleanse my soul of earthly sin,
> For I've wandered from the pathway
>   That my fathers put me in.
> Lead me back unto the river
>   Where I strayed in happy youth
> And array my limbs forever
>   In the radiant robe of truth.

(The river, older than Helen and the Greeks, older than the Indian
peoples who left the relics of savage warfare on its banks, older than
man himself, and concealing in its course through Raintree County a
fabulous, forgotten secret, of life that buzzed, sang, murmured,
flapped great rushing wings, and shouted from the shallows.)

> O, wash me in the Jordan,
>   And I'll climb the happy shore
> Where the blessed band of angels
>   Bathe in bliss forevermore.

In rehearsals for the temperance play and elsewhere during the
next few weeks, Johnny saw Nell often. In no way did she betray
the secret that she and Johnny shared. After a while, he wondered
if he had seen wrong.

Meanwhile, he returned as often as he could to the banks of the
Shawmucky. For his desire was of the river. Those days, through all
his waking dreams it ran, rank with curious fleshes, to the lake. It

had given him beauty and desire. Some day, he must find again forbidden whiteness in the river and become the joyous fisherman, the proud possessor of the river's most curved and radiant flesh.

He never went to sleep without hoping that he would dream of Nell. And in his sleeping as in his waking dreams, the river ran. He was rowing a rotten boat on the Shawmucky or wading through a fetid swamp. The river shimmered on its mudded floors. Sometimes, he would find a young woman in the reeds. He wanted to look directly into her green eyes, and persuade her to become again the goddess of the river. But in the climax of the dream, as he sought her skin under a green dress, he would find himself entangled in rushes, her slippery body writhed whitebellied and flaggyfooted, escaping in the yellow reeds, and then the spasmed jet of his desire would stream off his body in the night, finding no place for its delicious anguish except the river. He would awaken lying in his bed at the Home Place, drenched with the mystery of his own young seed. Summer night was on the breathing earth. She whom he loved lay somewhere in this night, her curved, pale body stretched in darkness close to the river like his own. They were the children of the rivered earth, meant for each other. And yet there lay between him and this fabled whiteness all the green mesh of Raintree County, a net of names and words, a costume of puritan restraints, and he must be

BOLD LIKE A YOUNG GOD WHO WOULD BREAK
HIS WAY PAST ALL
THOSE

BARRIERS BURNED AWAY

The gilt words were stamped into a green cloth binding.

—Yes, I've read it, Mr. Shawnessy said.

He handed the book back to Eva, who became instantly reabsorbed in the story.

Brief résumé of the Sentimental Epic of America:

Between green cloth covers, on yellow faded pages, an upright young man from the country goes to the wicked city of Chicago to seek his fortune. There he falls in love with a rich girl, innately good but unredeemed by the Christian faith. Scenes of love, misunderstanding, danger, sickness, and death follow each other with dramatic vividness. In the climax of the book, the Great Chicago Fire bursts catastrophically upon the world of private lives and loves. The hero saves the heroine from a villainous rape amid spectacular scenes of fire and death and converts her to Jesus on the shore of the lake while around them the corrupt wealth and social inequalities of the City are leveled by the purging fire, and all barriers between the lovers are forever burned away. The congregation is requested to stand on the last verse.

The river was far behind. The roofs of Freehaven were visible a straight half-mile down the road. The Court House Tower stood in a haze of distance directly from the line of the road, a square stem of red brick, capped with a dull green roof ascending to a blunt point. A clockface recessed in the roofslope was too distant to be read.

He sifted the faded pages of himself.

Beautiful and lost was the secret he had sought to find long ago in a green cloth binding. In the greatest of the sentimental novels, he too had lain beside the river of desire, had been the hero of a sentimental epic—a legend of barriers unburned away. For America was always an education in self-denial. And Raintree County was itself the barrier of form imposed upon a stuff of longing, life-jet of the river.

In a way, all stories, no matter how badly written and printed, were legend—and eternal. Each book was sacred, a unique copy that had somewhere in its crowded pages the famous misprint, the cryptogram, or the lithograph of a beautiful woman whose nudity was signed with the faint signature of her mortality. Wherever paper was covered with print, the papyrus rush shook down its seed again by the river of life, the music of Nilotic reeds was carried on the air of summer. The strange linkage of a sound and its visual symbol was invented by men who lived beside a river, saw a cursive shape written on the earth, heard the continuous sound of flowing water.

And again he was making the memorial journey from the river to the Court House Square, from the random curve of water to the rectilinear stone. It was the pathway of the hero of a legend, of one who rose from the Great Swamp and rode a horse of godlike appetite to the summit of Platonic forms.

Mr. John Wickliff Shawnessy shook the reins over President's back. He took a deep breath to still his big excitement as the surrey passed the red barn at the edge of town where travellers went abruptly from the open road into the shade of a wide, treebordered street.

Instantly, it seemed, the sound of the firecrackers became multitudinous and intimate. A powdersmell drifted up the sleepy streets, incense of holiday. Flagbright, the broad street stretched between diminished tree trunks to the far enclosure of the Square.

Make way, make way for the Hero of Raintree County! For he is coming to pluck the golden apples! Down with the ancient prohibitions! None shall restrain the intemperate young man with the sunlight in his hair! Make way, make way for . . .

Mr. Shawnessy drove the surrey to a place on the east side of the Square and tied President up to the hitching rail. A firecracker burst in the alley near-by, scattering children. The clock in the Court House Tower showed six-forty.

—I've got two or three places to go, Pet, he said. It shouldn't take me over fifteen or twenty minutes. Keep the children around close.

Atlas under arm, he crossed the street toward a tall, sourfaced brick building. Sandstone steps led up to a door over which a legend was carved into the sandstone arch:

HISTORICAL MUSEUM
ANTIQUITIES OF RAINTREE COUNTY

'Footprints on the sands of time'
H. W. Longfellow

He hesitated at the foot of the steps and looked around the Square. The Court House was a recumbent beast couched on the curled paws of its balustraded stairs. The four walls of the Square were holed with a hundred immutable doors to a hundred immutable desires. The old pomps and prohibitions of Raintree County were enacted into the shapes of this enclosure.

Yet all this had been pulled like a mask over the naked beauty of an ancient human want. This mask quivered on the secret thing that it concealed. And soon all the holiday hundreds would be pouring into the enclosure, wearing their ritual costumes. All would enjoy the sacrifice and the incense, the invocation of the sainted names. All would share in the feast and the communion.

But only the consecrated hero could enter the inmost shrine where a young woman waited with a book of revelation.

He mounted the steps to the museum door.

A few mornings before, the body of an old man had lain on these steps, his face pressing the cold stone, his heart exploded, while in the lock stood his unturned key. An imperturbable god had curved cold lips and had forbidden the old man a last cold lust of killing. For Waldo Mays, Custodian of the Raintree County Historical Museum, had meant to kill the shape of beauty. Priestlike, in the name of the dourly orthodox god of Raintree County, he had meant to make a sacrifice most pleasing to his deity.

Now there came one younger, with a golden key, a hero capable of getting golden apples.

Mr. Shawnessy straightened his poet's tie in the mirror of the glass doorpane. His reflection exactly filled the statuary niche over the Main Entrance of the Court House across the street.

Entering a little hallway, he sniffed a faint stink of stuffed pelts. Antiquities of Raintree County filled up the four floors of the narrow building: relics of Indians and Mound Dwellers on the first floor; pioneer relics and implements of agriculture on the second; weapons and other mementoes of four American wars on the third; and an exhibit of natural history on the fourth. Metal stairs ascended in spiral from floor to floor. He stood, waiting and listening, in the place where the accumulated residue of life in Raintree County had been preserved. Relics of more than fifty years were crowded into rows of glass cases that walled the gloomy rooms. They had all achieved (these pistols, books, bundles of beribboned letters, daguerreotypes, pioneer cradles, primitive scythes, tallow lamps, candleholders, slates, spinning wheels, arrowheads, tomahawks, moccasins, stone knives, belts of wampum, firebows, cultivating sticks) the antiquarian repose.

This was the land of shades. An elder American bard, the celebrated Longfellow, had met a young aspirant at the portals and ushered him into these fuscous circles.

A sound of high heels started up and tapped smartly toward him. Peering into the brown dusk of the corridor, he saw a young woman approaching. Her hair was tawny yellow, her figure abundant, her face fair, lightly freckled, with wide blue eyes, a large but pretty mouth, and a look of radiant freshness and health.

—Mr. Shawnessy! I'm so pleased to see you again!

The impulsive gesture with which she took his hand was made with her whole body.

—Well, well, he said, you've grown a good deal since I saw you last, Persephone.

The remark made him more fully aware of the ample yet classic proportions of her figure, which he now saw was clothed in an attractive green dress, asserted by puffs of cloth flowers over the breasts and by a saucy bustle.

—You hardly change at all, Mr. Shawnessy.

—The light isn't very good here, he said, smiling with lifted brows. Is it possible that it's been twenty years!

—Yes. In 1872 I left for the East and haven't been back until Uncle Waldo took ill a few weeks ago.

—I was sorry to hear of your uncle's death, he recited. But it's nice to know that the Museum is to be in such good hands. Do you mean to become our Lady Custodian?

—I really don't know. I haven't any plans. I've been a widow, you know, for two years now.

As he spoke to her of circumstances and changes, he kept wondering at the inexorable rhythms that had fulfilled themselves in her. She had been a lank stick of a girl when last he saw her; now she stood before him, a mature woman who had known vicissitudes of travel, love, marriage, death. But at this instant of reunion, she brought to him the adoring schoolgirl he had last seen, and he brought to her the youthful yet paternal teacher. And this reunion was for both of them a delightful anachronism among the other antiquities of Raintree County.

It required an act of desperate boldness for him to say,

—I know your time is precious, Persephone. What have you decided about the—the book? I'm to meet the Senator around ten o'clock in Waycross. The Senator is a man of curious tastes and has expressed a keen interest, as you know, in this volume because of its—its rarity.

—Let's get it out, she said, and have a look at it.

Mr. Shawnessy's heart paced nimbly after as she walked before him down the corridor, a weaving, fullflanked form, into the office of the defunct Waldo Mays.

In the glass case beside the old man's desk, the *Atlas* lay on a bed of red velvet, its gilded letters brightening in the dark oakpaneled room. The young woman seemed studiedly casual as she turned a key in the back of the case and lifted the book out.

—Well, here it is, she said, opening the cover and laying the *Atlas* on top of the case.

The title-page contained a picture. On the wooded bank of a river, underneath a widebranching tree, a bearded gentleman sighted with a surveyor's level at a pole held by another gentleman some distance off. Seated near-by on a rock, an artist sketched the scene of a train crossing a river trestle in the background.

Mr. Shawnessy was relieved to see no woman standing in her pelt, ankledeep in the river under the bridge. The picture was exactly like the one in his own copy. Then he felt a depression of spirit as if this one refutation of an idle rumor proved the whole story a fraud.

Lifting the heavy load of the leaves between index finger and thumb of her left hand, the young woman let them sift down slowly as she said,

—It's a lovely book, isn't it? I'd never seen a copy until I came back. I've been looking through it since I got your letter. It seems to be in good condition.

He watched the earth of Raintree County blurring past in a shower of familiar images. The eyes of the woman were speculative and distant, he thought, as she closed the *Atlas*. He followed her gaze through the window, which framed a portion of the Court House Tower above the Main Entrance.

Pedestaled in the deep niche thereof, blindfolded, leaning on a sheathèd sword, the Statue of Justice stood, a granite woman sternly pectoral, holding bronze scales, her stony features spattered with pigeondung.

Mr. Shawnessy blushed, bit his lip, fought an irrational desire to grin, then gasped as Mrs. Persephone Mays herself laughed in a clear, bubbling contralto.

—O dear, she said. Pardon me, I—I was just remembering our pageant on the court house lawn in '68. You remember how my corn-costume came off just as I recited the line

> So yearly doth the sturdy husbandman
> Strip the dry husks from ranks of standing corn.

O dear, and just then the belt or whatever it was held it together came loose and left me standing there in my petticoat.

Mr. Shawnessy's answering laugh was too loud. He laid his own copy of the *Raintree County Historical Atlas* on the glass case.

—Shall we exchange worlds?

—Why, yes, she said, handing him the coveted, mysterious book.

He took it gingerly, as if he expected a strong vibration from it, a flood of that dangerous force which primitive man detected in sacred objects.

—The Senator can let me know if he wants it, she said. I *would* be a little reluctant to part with it. But I'll keep yours on display while I'm waiting.

He thought her eyes had a veiled glint as she walked past him down the corridor into the entrance hall. Baffled, he followed her, wondering what treasure he held under his arm. At the door, he took her hand and bowed.

—By the way, he said, three weeks from now I'm conducting a

tour of schoolchildren to scenes of historic interest in the County. May I bring them here on the twenty-fifth?

—Of course, she said. Come often—sometime when you can stay longer. I'd love to talk to someone about the County. I've been away so long, and people back here are so nice.

He was certain as he stepped out of the door that she would stand a moment watching him from behind the glass pane, her hair gorgeously alive against the dusky inward of the Museum.

Cheeks burning, *Atlas* clutched under arm, he picked his way carefully down the steps. A man had died on these steps not many days before, reaching a stiffened claw to destroy the thing that Mr. Shawnessy now carried out into the sunlight of the Fourth.

He had saved a thing golden and strange. He hugged the living myth of Raintree County under his arm.

He made a sudden plan to carry the *Atlas* into the Court House where perhaps he would have leisure to examine it, but he must show no unseemly haste. He crossed the street, walked through the gate onto the court house lawn, approached the Main Entrance, feeling himself watched by thousands of accusing eyes.

Just as he reached the steps, an aging man with white closecropped hair came out of the Court House. It was Niles Foster, founder and editor of the *Free Enquirer.*

—Hello, John! I'm surprised to see you here.

—Hello, Niles. Had a little business to transact.

—With that big program in Waycross, I should think you'd be too busy. John, I'm counting on you to send me the story of the day there. Much as I hate to, I've got to stay here in Freehaven for the program. Say, if you have a minute, come on over to the Office with me, and I'll give you a copy of the Semicentennial Edition.

Mr. Shawnessy turned and walked with Niles to the south side of the Square.

—Be sure to remember me to Garwood, Niles was saying. Say, I see the Saloon's open early today. How about a glass of beer with me in honor of the Old Days? Or are you teetotaling?

Mr. Shawnessy eyed the swinging invitation of the batwing doors. A slow sense of joy and power came over him. He had plucked a forbidden fruit and had achieved the wisdom of a god. Bright rivers of intoxication flowed through the Court House Square. He would enjoy strong temptations, be life's young victor.

—I don't know, Niles. Have to be back by nine. Wife and children waiting in the surrey and——

—I recall, Niles said, gently rambling, how your pa, old T. D., was dead set against drinking. I hadn't thought for years about the big Temperance Rally he put on in '56 and the fire and all that until I read your story of it in the 'History of the County.' Say, that reminds me—they're putting on quite a show at the New Opera House tonight. Anyway, we old-timers call it new.

He thumbsigned at theatre bills pasted on the alleyside of the Saloon.

UNCLE TOM'S CABIN

A Great Experienced Cast

Also

THE GEORGIA JAMBOLIERS

Famous Minstrel Comedians

With

ASSORTED SHORT FEATURES

See Those Burlesque Queens!

Fullfashioned ladies pranced across the poster on tiny toes.

—Sure you won't have a glass of beer with me, John?

The Saloon was a brown dusk beyond curved halves of the door. Clutching a golden bough, the hero twin lunged over a forbidden threshold, through memories of innocent wickedness, intemperate dreams. Voices gaily accusing pursued him singing, O

were the words on the crude sign hanging from the wagon. Johnny
Shawnessy drove onward past the exhibits at the County Fair until
he reached a point opposite the Saloon on the south side of the
Square. There he stopped and as the crowd walled him in stood up
on the wagon seat and said:

—Ladies and Gentlemen, come to the Opera House tonight, and
bring your friends. The Play is a good one. I ought to know because
I wrote it.

The crowd laughed.

—Give the boy a drink, a hoarse voice yelled.

Someone threw a tomato. Johnny ducked and drove on, one street
north of the Square to the Opera House, a frame building made with
wooden columns in front to resemble a Greek temple.

In front stood T. D. talking with a smartly dressed young man of
middle height, who was leaning against the hitching rail, cigar in
mouth, thumbs hooked in vest, thin legs crossed. He had a soft dark
beard, thoughtful brown eyes, a small derby hat.

—Hello, Pa. Hello, Cash, Johnny said, pulling up.

—John, the young man said, I just been telling your pa that we
ought to charge admission to this here Rally. Look at this crowd.
We could clean up maybe fifty dollars.

The young man's eyes were christlike as he spoke. He unlipped
his cigar and tipped the ash delicately.

—No, T. D. said. We ain't selling reform. We're offering it.
Virtue ought not to be priced.

—Just a nominal sum, the young man said. Ten cents a ticket.
People are likely to take it more serious if they have to pay for it.
Besides you'd keep the undesirable element away.

—The undesirable element is what we desire, T. D. said.

—You got to have money to run your organization, the young man said.

—Cassius, you got natural money sense, T. D. said amiably. No getting around that. But I don't want the taint of money on this purely humanitarian venture.

In those days, Cassius Carney was already known in Raintree County as a comer. Although he wasn't much more than twenty, he had managed to get a controlling interest in the local feedstore. He had been keeping the books for the outfit when the owner died, leaving a business saddled with debt and an attractive widow, age thirty. Cash and the widow exchanged condolence of sundry kinds, and in a few weeks Cash was in the saddle and driving things with a tight rein. At the end of a year the business was his, lock, stock, and barrel.

—That there's a longheaded boy, men said. He'll go fer.

Johnny had met Cash in connection with the Temperance Drive, to which Cash had volunteered his services. One day Cash had said,

—John, you and I are some cuts above the other hicks. Frankly, I like you, and when I like a person I tell him so. Have a cigar?

—No, thanks, Cash, Johnny had said. I don't smoke. My pa would croak if I took up smoking. He's against it, you know.

—Never start it. Filthy habit, Cash had said, lighting up. I like your pa too. With all his contacts and energy, he ought to be rolling in dough. But frankly, he don't know the first thing about money. He isn't hardboiled enough. He can't make collections. I took a look at his books the other day, and I said to him, T. D., what's the use of all these fine columns of figures? You never collect half. He took a hopeful view of the thing, but he'll never see any of that money. Still, he's a nice old guy, and I like him. That's why I agreed to help him out in this Temperance Drive.

Some people said Cash was really in the Drive because he wanted to see the local saloon closed so that he could start a ginstore of his own. But T. D., who was President of the Raintree County Temperance Crusaders, was convinced that Cash had come into the Drive in response to the most virtuous impulses.

—Now that young feller, Cassius Carney, T. D. said, he's gone and joined up to the Crusaders and offered to keep our books for us and be a sort of business manager for us. A fine young feller, and I have no hesitation in saying to you that he's got as long a head on his shoulders for business at twenty as I had when I was thirty.

But Cash's real interest was the railroad. In 1855 a singletrack branch was run from the main line at Beardstown to Freehaven and on east. It passed just below the southernmost bend of the Shawmucky, between the river and the Danwebster Graveyard, running behind the Home Place. Cash would point to the railroad and say,

—There lies the future.

Those days, Johnny didn't think the future lay down the railroad at all. The railroad was a lonely, manmade thing piercing bleakly through halfcleared forests. Once a day a chugging woodburner engine and a few cars went by.

—Where you going now, John? T. D. said, when Johnny had left the wagon behind the Opera House.

—Back to the Square, Johnny said. I thought I'd look the Fair over.

—If you see Nell and Garwood, T. D. said, tell 'em to be sure to get over here at seven-thirty tonight. Wouldn't hurt us to have one more quick rehearsal of the Play.

The Square was a tented town within a town. Excepting a cleared space for the political rallies, tents were everywhere on the court house lawn, and venders had set up stands along the curbs and sidewalks. Barkers for sideshows and amusements advertised their wares. One whole side of the Square was roped off for exhibitions of livestock. Bulls bellowed, cows mooed, chickens clucked, pigs snorted from wooden enclosures in the unpaved streets. Crowds flowed by to see the biggest bulls, the gaudiest cocks, the heaviest ears of corn in Raintree County.

—Ladies and gentlemen, spare me a minute of your precious time.

It was a vaguely familiar voice booming across the tented confusion, pouring bright oils of hope on the Square.

—I trust you all perceive the object that I hold in my hand. It is only a plain, unadorned, ordinary . . .

—Fatima, barked a vibrant voice, is the biggest hunk of human flesh on the face of the globe. And yet, friends, she is as bee-ewtiful as she is big. And along with this, friends, I have inside this tent six other impossible, unbelievable freaks. You can't afford to miss . . .

—Hucko the Strong, a man with a megaphone was shouting from the exhibition ground, is the winner of last year's prize competition in the yearling class. Notice his unusual . . .

Pointer raised, a bespectacled man standing beneath a tree indicated areas on the Phrenological Chart.

—To each and all of you, I want to put this question. Are you all that you hoped to be in the bloom of your youth? Do you possess . . .

FREE SOIL, FREE SPEECH, AND FRÉMONT

were the words printed on a large sign carried by a belligerent man in a stovepipe hat who was leading a snakedance of citizens through the Square. He disappeared among the tents while the trail of his followers dissolved in confusion.

—What's this here line formin' fer? a citizen asked.

—I don't rightly know, a second citizen said. I hear we're gittin' free beer tother end of the Square.

—How's that? said a third citizen. Ain't this a demonstration agin Frémont?

—No, it's *fer* Frémont, the first citizen said.

—Way I heard it, the second citizen persisted, we was goin' to git . . .

A VOTE FOR BUCHANAN IS A VOTE FOR THE UNION

appeared on a placard carried at the head of another line, which mingled with the first.

A man stood on the sidewalk beside a metal chair that dangled from the hook of a weighing apparatus. While a crowd watched, a woman sitting in the chair pulled the pointer up to a hundred and forty-five.

—Sorry, Madame, the man said. No surprise box of Bonafee's Bon Bons for you. Next! Guess your weight! Guess your weight! If I miss by more than three pounds, you get a box of . . .

—Hello, Johnny.

Nell was standing beside him, revealed by a shifting of the crowd. She was wearing the green dress he had seen at the Danwebster Church. Her hair was pulled hard to the shape of her head and was rolled up into a huge bun that rode the back of her neck. It gave her little face a bare look and seemed to magnify the big eyes which, when he turned, gazed thoughtfully into his. Except for the caressing way in which she had said the word 'Johnny —a word that seemed to invite vocal caresses—she was studiedly proper, as indeed she had been all through the play rehearsals.

—Hello, Nell, he said. Say, I was looking for you.

Along the Shawmucky, the summer reeds are yellow, leaves are falling in the shallows, the waterbirds are crying. I waited by the deep pool close to the twin mounds. I was behind rushes watching all afternoon. But you didn't come again.

—Smoke, John? Garwood Jones said.

He had been standing on the other side of Nell.

—No, thanks, Johnny said.

Garwood made a fat curl of smoke around his fat lips. His face was smooth and creamy.

—Guess your weight, the weightguessing man said.

—How do you tell? Nell asked.

—We can't tell about the ladies, the man said. God made 'em, but Godey did 'em over. We just guess the ladies and hope we get within a hundred miles.

Nell put out her tonguetip and fluttered it between her teeth while her eyes studied the apparatus.

—Well, I'll try, she said.

—Step right up, young lady.

The man was a brash scoundrel with a fox face. He touched Nell's bare arm and turned her in the street.

—In Kentucky, he said, we feel the ladies. But of course, in Indiana——

The crowd laughed. Nell allowed herself to be turned. Nothing seemed to disturb the green composure of her eyes.

—Brother, said Garwood Jones, if you guess it, I'll take it away.

—You get the better end of that deal, the weightguesser said.

Who will guess the weight of the most beautiful exhibit at the County Fair? In Kentucky, we feel the ladies. But in Indiana, we hide behind rushes and watch them in the river. Who will guess the weight of the river nymph? Add in, too, the beautyspot, on the left cheek of her saucy tail. Without that, you'll be a little short.

—Well now, young lady—— the weightguesser said.

He ran eyes of shrewd appraisal all over her body, then back again to her face.

—Chum, I'll bet you a cigar I can guess it closer than you will, Garwood said.

—Taken, chum, the guesser said, unless you have special advantages. Does this young man know this young lady?

—Not that well, Nell said.

—We have to allow a lot for the things we can't see, the weightguesser said. With the women, it's pure magic.

—I say one hundred and thirty pounds, Garwood said.

—I see, my boy, the weightguesser said, that you're a lame hand at this sport.

The crowd laughed.

—All right, the weightguesser said, I guess this young lady's weight to be——

He hesitated.

—Let me guess too, Johnny said impulsively.

—No fair, Nell said.

—One hundred and thirteen pounds, shouted the weightguesser, for the young woman and seven for the accessories. One hundred and twenty pounds. Now, young lady, if you'll just park yourself in this chair and lift your dainty feet off the ground.

Nell sat down, gravely gathering her skirts about her. The pointer squeaked up and stopped at a shade over one hundred and twenty pounds.

—Ha, ha, laughed the weightguesser. Wonder what I left out? Well, do I get to keep her, boy?

The crowd applauded.

—Here's your smoke, chum, Garwood said in his grand manner. Now don't forget to vote for James Buchanan for President.

Nell sat swinging gently a moment under the scales, hands folded in her lap. Her eyes were enigmatic.

Had she at last confessed their naughty secret? But she looked slowly away, patting the bun of hair, and stood up.

Johnny gave the message about the rehearsal and then walked away into the crowd. He had seen the arithmetic of gravity applied to the most beautiful thing in Raintree County. For some reason it made him faint with love.

Weigh me a hundred and thirteen pounds of Raintree County earth. Weigh me the loamy, lively earth from the river valley. Weigh in the river and the color of the river and the lazy curve of the river. Weigh in desire.

Johnny slouched around on the fringes of a crowd listening to a political speaker. The man was a Republican candidate for the State Legislature, but his topic was the State of the Nation. He spoke at some length about the fighting in Kansas between the slavery faction and the free-soilers, who were being led by a man named John Brown. He said that the Republican Party was the defender of the Constitution and didn't seek to kill slavery but only to prevent its spread. He quoted someone he referred to as the Honorable Abraham Lincoln of Illinois as having said,

—Slavery is founded on the selfishness of man's nature—opposition to it in his love of justice. These principles are in eternal antago- nism, and when brought into collision so fiercely as slavery extension brings them, shocks and throes and convulsions must ceaselessly follow.

There was a big crowd in the Opera House at eight o'clock that night when the Temperance Rally began. T. D., Cash Carney, and members of the cast peeked out from between the drawn curtains and were appalled by hundreds of faces.

—If we'd charged fifty cents admission, Cash said, we'd of been able to buy the Saloon and then burn it down.

T. D. had a hard time bringing the crowd to order. Some ladies vocalized a few temperance songs. T. D. gave a speech, but was heckled all the way through by a hoarse voice in the back of the house. When T. D. made the first call for volunteers to come up and take the Total Abstinence Pledge, a young man came down the aisle aided and encouraged by a group of companions. Watching from the wings, Johnny saw that it was Flash Perkins, the unde- feated champion runner of the County.

—I wanna take pledge, Flash said in a loud, hoarse voice.

—My dear boy, T. D. said mildly, I want no one but sober men to take this pledge.

—If yuh wan' no one but sober men, what's use havin' 'em take it? Flash said.

The crowd applauded. T. D. tried to explain.

—Then I wanna make testimonial, Flash said. Wanna testify that I been drunk fer two weeks. I have drank beer, wine, whiskey, and hair-ile. Friend, I'm drunk. I defy any man here to drink much as I have and walk straight. I can still outrace any man in this here County.

—Please, T. D. said, you're disturbing the Rally. Will some friend of this young man's please——

—I ain' disturbin' no rally, Flash said. Wanna make lil testimonial. Wanna tell folks how I got into thish disrespectibubble condition so's they can avoid same mistake.

—Well, all right, T. D. said. Go ahead.

—When I small boy, Flash said, I sick of the colic. My parents took me emminunt physician in these parts, I mean respected gennulman now on stage fore y'all, Mr. T. D. Shawnessy. Medicine he give me contained brandy, folks, at least a halfpint. I drank it then, when I small and unsuspectin' infant, and I been drinkin' ever since.

The crowd laughed. Flash laughed too, baring his white bright teeth. He held his hard belly and laughed a high, hooting laugh that ended in an Indian whoop. Laughing with head thrown back, he walked up the aisle. No one touched him.

Cash Carney reached out, caught T. D.'s coattails, and pulled him gently through the curtain.

—Dim the lights, Cash said. Let's have the Play. Meanwhile, I'll go down and get those hoodlums out of here.

T. D. went back out and read the playbill to the audience.

FATHER, COME OUT OF THAT OLD SALOON
or
Drink, Crime, Adultery, Poverty, Death,
and Damnation
by
John Wickliff Shawnessy

BELLE BRAYDON, a beautiful spirited girl........Miss Nell Gaither
WILLIAM WORTH, a virtuous young man from the
    country......................Mr. John Wickliff Shawnessy
FERDIE FAIRWEATHER, a villainous fellow......Mr. Garwood Jones
PEACHES MONROE, a Girl of the Town.........Miss Fanny Rider

MR. WEBSTER WEAKLY, an intemperate
Father...............................Mr. Ezekiel Shawnessy
PHOEBE WEAKLY, his hapless daughter........Miss Faith Shawnessy
BARNEY BILGE, a bartender......................Mr. Jake Dryer
Habitués of the Saloon....................Messers Bob Parsons,
           Ezra Joiner, Nat Franklin, and Waldo Pierce
Male Quartette composed of: Messers Jake Dryer, Nat Franklin,
           Bob Parsons, and John Wickliff Shawnessy.
Original Lyrics by Mr. John Wickliff Shawnessy and sung by members
           of the cast and the Male Quartette.

ACT I
In Barney Bilge's Barroom

ACT II
Scene One: A railroad track in a lonely part of the country
Scene Two: Back at the Barroom

ACT III
Down by the Railroad Track

The hollow womb of the Opera House rumored applause as Johnny Shawnessy walked out of the dressing room and into the darkened wings, wandering vaguely toward the other side of the stage where the ladies' dressing room was.

For weeks, he had envisioned to himself an impossibly beautiful thing. It was that some time he would be hunting behind the scenes in the Opera House, when no one else was there, and he would find his way to a forbidden room where the ladies changed their clothes, a neglected closet where costumes and greasepaints were stored. There through the halfopen door he would see Nell Gaither in among the hanging costumes, river-naked in the glow of the gaslight. Her hair, parted in the middle, would be bound up to show her ears, her face would be smouldering with a thin mask of paint and powder. Invitation would be in her eyes as she looked back at him over her shoulder allowing him to see the supple column of her back.

In fact, he now saw Nell coming out of the door of the ladies' dressing room. She walked over to him.

—Johnny, she said, I'm so scared. Feel my hands.

He took her hands. They were cold and sweating like his own.

—If I remember my first line, I'll be all right.

—Think how I feel, Johnny said. I wrote this darn play. I wish now I never had.

—It's a wonderful play, honest! How do you like my costume, Johnny?

—Very becoming, he said.

—Is my make-up on straight?

She held her face up, tilted toward a weak illumination shed through joints in the scenery. Her face, pertly composed with paint and powder, filled him with despair. It was not the face of the loving one, shy, with averted eyes.

—You look beautiful, Nell, he said, but laughed a little to show he didn't mean anything by it.

Garwood Jones was stomping around through the angles that held up the scenery. He wore a big black mustache with oiled points and a black derby. T. D. was calling from the front. The crowd was applauding. Johnny ran to the left wing. The curtains rolled back. The Play was on.

The scene was the interior of a Saloon, where habitués leaned against the bar, among them an old man who laughed drunkenly and rolled his head on the counter:

WILLIAM WORTH

entering, addressing the old man,

—You seem happy, sir. But consider that there are doubtless those who are rendered desperately unhappy by your behavior.

FATHER

—Ah, yes, alas! Poor little Phoebe! But then I'll not think of that now. Give us another glass, bartender. Fill it up, and let's forget our troubles, boys. Laugh with me, boys, laugh!

WILLIAM

moving to front of stage with piano accompaniment and singing,

—Laugh if you will, and drink your fill
Of the cup that is crowned with foam.
But the day will come when the demon rum
Will lay you in the loam.

Some day a girl with a little curl
Who once to you was dear
Will point to that den of degraded men
And say, as she drops a tear:

From the wings entering came Phoebe, thin, forlorn, her corn-colored hair down and trailing.

PHOEBE

singing in a high sweet voice,

—O Father, come out of that old Saloon.
They say you are full of gin.
They say you've been drinking there since noon,
And are sunk in the sink of sin.
O Father, hearken, dear Father, 'tis I,
And my heart will be breaking soon,
Unless you list to my plaintive cry:—
Come out of that old Saloon!

From this classic opening in the best and purest tradition of the American Temperance Drama, Johnny Shawnessy's play proceeded according to a well-defined formula. So in the Raintree County Opera House, in a box of quaint and timeless postures called a stage, the Honest Country Boy made his visit to the Wicked City to find his beloved engaged in a Menial Capacity. In the name of the Cold Water Army, he refused the Proffered Glass. The Little Golden-haired Girl came seeking her Drunken Father, and the Male Quartette assisted her in captivating waltztime. The Bigamous and Glittering Villain proposed marriage to the Virtuous but Misguided Heroine, who was estranged from her True Love by an Unfortunate Misunderstanding. Down by the Railroad Tracks, the Hissing Villain dragged the Unwilling Heroine into the path of the Approaching Train to Force her Virtue. Meanwhile, the Inept but Upright Hero was tempted by a Girl of the Town to Drown his Sorrows in the Lethean Wine. Warned by the sound of the train whistle, he appeared in time to Foil the Villain, who even with a pistol was no match for the Intrepid Strength of Indignant Virtue. The cardboard train ran swiftly across the scene, missed the Shrieking Heroine, and mangled the Prostrate Villain. And back in the barroom, the Play achieved the classic ending:

WILLIAM

to assembled cast, minus Ferdie,

—And I attribute whatever success I have had to my inflexible resolution never to touch a drop of intoxicating beverage.

Father and others promised to reform, and the two lovers discovered that their correspondence had been intercepted by the bartender.

BARTENDER

—I destroyed all those letters before the young lady had a chance to read them. I am heartily sorry for my nefarious conduct, and in retribution I am going to turn my saloon into a respectable eating house.

WILLIAM

taking Belle's hand and singing,

> —I came to the City, a vagrant day,
>   In the bloom of my blithesome youth,
> And I sought in the City great and gray
>   The beautiful bird of Truth.
> I sought her along the wide, wide streets,
>   The glimmering parks and lawns,
> Through all of the City's dim retreats
>   And under its lonely dawns.

CHORUS

entire cast,

> —O beautiful, beautiful singing bird
>   That I sought in my happy youth.
> O marvellous song that touched and stirred
>   My heart with the love of Truth.

WILLIAM

second verse,

> —And many a year I spent at last
>   In the City's swallowing void,
> Till it seemed that my youthful dream were past
>   And its delicate form destroyed.
> Then I decided no more to roam,
>   And I turned me with a will
> Back to the hills of my native home
>   Where the bird was singing still.

FATHER

coming forward, after second chorus,
   —A toast to the lovers!

PHOEBE

—But, Father, you promised!

FATHER

with a subtle smile,
   —A toast to the lovers in that most beneficial of all beverages, that most excellent of elixirs, that plenteous and replenishing draft, that transparent restorer of our strength, which God has lavished upon mankind in such copious quantities. Bartender, bring me a glass of water!

Now while the Play lived its brief existence before the footlights, life had pressed darkly around it from behind the scenes. Between the first two acts, while the scenery was being shifted, unknown to the audience who watched the Play, the Playwright and Principal Actor had climbed a winding metal stair hung like a ladder from the loft of the stage. From the crow's nest at the top, in a tangle of old curtains and cables, though well hidden himself, the Playwright had looked down on the whole cluttered world behind the scenes, musing, while puppet-like the figures of the stage crew and the cast moved on grotesquely shortened bodies below.

From his perch he had seen Nell Gaither emerge from the ladies' dressing room in a far corner of the backstage area. The steep angle of his vision had emphasized the feminine bulge of hip and bustle line. Her shoulders and waist had swayed slenderly as she hesitated a moment by the door and then walked slowly toward an obscure corner of the stage, where she appeared to be alone, standing in silhouette against an unused sceneshift of woodland and river scenery. But she had hardly come there when as if by appointment a figure, whose bulky shoulders were hugely enhanced by the downward angle of vision had moved confidently out of a near-by maze of partitions and found its way into the same corner. There the first figure had melted passively into it. The Playwright had heard a stifled giggle and a mellow bass chuckle.

There had been no doubt about it. Garwood Jones was kissing Nell Gaither in that obscure corner of the Opera House, as no doubt he had done many times before during rehearsals. And even at that distance, the Playwright could tell that Garwood's hands were not unfamiliar with the place where a slender back began its downward curve into Raintree County's most beautiful twin mounds.

In greasepaint, bowtie, and straw skimmer, simulating the honest boy from the country, Johnny Shawnessy had clung unhappily to his lofty perch and watched the villain of the Play kiss the willing heroine. So life, an intemperate comedy, had giggled and guffawed at his genteel little temperance farce.

He had felt all along that he had miscast the parts. He had early begun to envy Garwood the role of villain. It was much the more exciting role—or perhaps Garwood himself made it that way with his authoritative baritone and his big sleek body, which was now masterfully pushing and throbbing against the little Venus with a Raintree County face.

And at that moment Johnny Shawnessy's love had reached such a furious peak of unfulfillment that he had felt like shutting his eyes and hurling himself down from his high mast upon the little backstage world to shatter it to bits.

Instead, he had watched until Garwood and Nell separated, then carefully shinnied back to the floor to await the opening of the Second Act.

Now that the Play was over, the curtain opened again to reveal the entire cast singing 'O Father, Come Out of That Old Saloon.' T. D. was out before the crowd exhorting them to come forward and take the Total Abstinence Pledge. The gasyellowed walls of the Opera House rang with young joyous voices. In greasepaint and green gown, Nell Gaither swayed in time to the music between Johnny Shawnessy and Garwood Jones, who were holding each a hand. And for this rhythmical moment, it seemed to Johnny that the anguish of his frustrate love became an ecstasy, as of possession.

—O Father, hearken, dear Father, 'tis I,
And my heart will be breaking soon,
Unless you list to my plaintive cry:—

—Fire! Fire! yelled a red-faced man who had been standing on the stage like an actor, waving his arms and trying to make himself heard above the song.

This too was a dream of something implausible like the Play, and a dream too was the deadheavy hush that fell on the Opera House, and like a dream the lazy drift of smoke from the wings, and like a dream the crackling sheet of flame.

As fire roared from the vague world of the wings, the pit of the Opera House became a whirlpool of faces and frenzied arms. Johnny, Nell, Garwood, and the other performers ran wildly about looking for water. There was nothing but some jugs of colored water that had been used to simulate liquor in the Play. Johnny threw it at the flames, but the next moment he was driven clear off the stage. As he and the other performers climbed out through a rear window, he heard gas explode, wood smash, glass splinter, women scream.

And then there was running to and fro, the sound of firebells ringing, the sight of the firemen coming down the street pulling their new wagon and unrolling hose. The last few people came out of the darkened, roaring womb of the Opera House with singed hair, torn clothes, bleeding faces.

Apparently no one had been seriously hurt, but there was nothing anyone could do about the Opera House except to watch it burn. The whole County seemed to be there in a vast circle filling up streets and yards for blocks back, cheering the newly organized fire department. Everyone looked happy and excited. Men performed prodigies of valor and strength. Flash Perkins, who an hour before had been almost too drunk to stand, risked his life over and over. Everyone was vastly pleased with the new firewagon. It added a great deal to the interest and excitement of the occasion.

Johnny stood close to Nell and several other members of the cast, all talking excitedly.

—Ain't the new firewagon a beauty! someone said.

—It's wonderful, Nell said.

—No building in Raintree County ever burned down so efficiently, Johnny said.

The Opera House was a big broad torch roaring straight-up and casting light down the roads for miles.

—It's like a pillar of fire by night, T. D. said.

Johnny felt that he must devour this spectacle and possess it all, the dense firelit faces of the crowd, the gay terror of the springing fire, the glistening helmets of the firemen, the shining perfection of the new firewagon. The Play itself had been leading to this great torch of flame in which the yellow interiors of the Opera House were consumed forever.

It was late at night before the Opera House collapsed in ash and smoking timbers. People began to go home, agreeing that the fire was by far the most successful exhibit at the County Fair.

—It was a wonderful play, Johnny, Nell said. I enjoyed being in it.

She was leaning out of Garwood's buggy. Her face had rivulets of sweat through the greasepaint, her hair hung wispily around her cheeks, her eyes had stains of darkness under them, and her fruity mouth above her small pointed chin looked particularly luscious.

—Let's go, my proud beauty, Garwood said.

He shook the reins and took her away.

T. D. came up with a small shabby man.

—I want you all to meet Mr. Gruber, T. D. said. He came around after the fire and took the Temperance Pledge. He's the only one that did.

They all looked at Mr. Gruber. He was little, and he had a red nose and watery eyes. He took off his hat and shook hands with Ellen Shawnessy.

—Well, T. D. said, it's a start.

As they were driving home, T. D. said,

—People are more interested now in politics than anything else. And of course the fire broke up the whole shebang just when it was about to do the most good.

In the back seat the young people were singing songs from the Play.

> —I went to the City, a vagrant day,
> In the bloom of my blithesome youth. . . .

Johnny heard the whistle of a train coming along the branch line behind the Home Place and past the south bend of the Shawmucky. He thought of the river running in the night, treebordered, faintly shining; of the alien engine passing close to its waters, screaming alarm, emergency, disaster; of Nell Gaither's pretty calves beneath her dress; of her candid face upturned and smeared with greasepaint. And of Garwood Jones, that enormously competent young man, so vigorous in obtaining his objectives, crowding his face against her face.

Then there came to him a terrible image in which Garwood Jones achieved the very conquest that Johnny Shawnessy had dreamed a hundred times for himself. Strangely, this vision was not entirely unpleasant to him—he had some fierce joy in it, or else why did he repeat it obsessively?

And now it seemed to him that he must never love or pursue Nell Gaither again, for she was certainly another's and laughed at him and cared nothing for him and never could understand his great soul.

And in that thought his love achieved its hopeless climax of desire.

This desire had acquired new backdrops for its tireless make-believe. In the interiors of an extinct Opera House, the ghost of his play lingered, aspiring to be something high, tragic, and meaningful, the Great American Drama, more wondrous than the plays of Shakespeare. It hovered wistfully, all entangled with something confused, remorseless, yet beautiful, the Comedy of Life. Unpencilled and unvocalized, scenes of this greater Play crowded against halfopening curtains of Time. Some day he would write this play, the image of his great desire.

His day would come.

For him, deepfleshed thighs waited in the night under velvet costumes, up stairs that the sceneshifters mount. For him (the intemperate young man), the City great and gray. For him, kisses like alcohol, green inundations of desire.

His desire was of the river, but it was also of the train and its quavering whistle in the night and of the City to which the train was speeding. Desire hunting through the rooms of an old opera house had found its way into a bigger opera house and behind the scenes of an immense stage where the firstnight audience was a lake of murmuring faces. And here Mr. John Wickliff Shawnessy, the greatest playwright of the age, sought a green-eyed girl up the most winding stairs and into the most neglected room, where no one else ever came. Desire was of the river, but the weedy Shawmucky flowed from Raintree County to a joining with greater rivers gemmed with cities in the night! And if not now, then some day, the river nymph would yield herself to a more sophisticated Johnny. He would find on a certain deep, mysterious mound a little hieroglyph, the birthmark of the river. Then, he too would be erring, he too would drink a drink that maddened, a beverage of kisses and of fame, and it would be running in his veins like this fever of the river that he couldn't lose, and it wouldn't be at all like the effect of that purest and most excellent of all beverages,

THAT TRANSPARENT RESTORER OF OUR
STRENGTH, BARTENDER, BRING
ME

—A GLASS OF WATER, Niles, if you don't mind. I'll just step into the office with you and get the paper.

They stepped through the door of the newspaper office, and Niles went to a stack of fresh papers.

—Here you are, he said. I've had a lot of fun putting it together. It stirs up old memories. By the way, thanks for your 'History of the County.' No one else knows it so well.

Mr. Shawnessy took the fat memorial newspaper and turned the pages.

—If I could have four or five extra copies, Niles, I'd like to give them to friends at Waycross. The Senator will want a copy. Cash Carney is going to stop off for a little while on his way to Pittsburgh. I'd like to have a copy for him.

—Help yourself, John. Be sure to give one to General Jackson too. I understand he's going to lead a march of G.A.R. veterans to point up the pension issue.

—Garwood thought of everything.

—Are we ever going to stop fighting that damn war? Niles said from a back room.

He returned with the water.

—I've given nearly the whole front page, he said, to the big doings in Waycross. Did you ever stop to think, John, how many great men Raintree County has given to the Nation? Here's Garwood Jones, a distinguished U.S. Senator for eighteen years and favorably mentioned for the Presidency in the next election, and here's Cassius Carney, a big railroad magnate, one of the richest men in the country, and of course General Jackson, an outstanding hero of the War—all three of them returning to the County today for this big celebration. I don't suppose anything like it ever happened before. And to think that you and I knew all those people in the Old Days!

Niles looked out of the front window at the Court House, through the reversed letters of the paper's name.

—How the face of the County has changed since I founded the *Free Enquirer* fifty years ago! Just take, for example, those illustrations accompanying your article—the Old Court House, the Old Methodist Church, the Old Opera House, and the Academy. All gone now.

—I thought the Academy Building was still up.

—Only half of it. Up to two years ago it was a cheap hotel. Then the railroad decided to extend the yards into that lot. They ripped off the front half of the old building and put a platform on. I think they're using it for storing grain and coal now.

Mr. Shawnessy had found the picture on page eighteen over the words:

THE OLD PEDEE ACADEMY

—Say what you will, John—those were the Good Old Days! I still remember as clear as anything how we brought higher education to Raintree County.

Standing in the office of the *Free Enquirer,* sniffing the odor of damp newsprint, Mr. Shawnessy ran his eye over the manycolumned 'History of Raintree County,' a mist of fine words flowing around the stiff engravings of buildings old and new and scenic views. He remembered then the old Academy Building, a place of young voices and tattered books. He remembered chalked words, light in the little lecture hall, changing with the changing seasons of the County. And he seemed to remember also the frustrate dream of a young republic, an academic dream of pillars and perfection, which had thrust itself to flower in the dark chaos of time and had left a white remembrance on the lips of men. There came to him a noise of waters beating on leaguelong beaches. Undraped forms rose from a shrine in Raintree County, as from a womb of fair and fecund issue.

A forgotten youth sprang toward the forms of that adolescent republic, with a copy of Ovid's *Metamorphoses* in his hand.

He remembered reeds made vocal by the passion and pursuit of nymph and god down by the riverside.

And he remembered especially a winged visitor from the direction of the sun, who had alighted walking on the fields of that republic, teaching a forbidden music on his unusual lyre.

Mr. Shawnessy folded the papers and piled them on the face of the *Raintree County Historical Atlas*.

They were all gone, slain by a smoky dragon, driven from their groves beside the river. The beautiful young gods had abandoned Raintree County. He remembered

A QUAINT VISITOR
ARRIVED IN THE GARDEN OF RAINTREE COUNTY

bringing much learning from the East. In September of 1857 the following article appeared in the *Free Enquirer:*

AN INSTITUTION OF HIGHER LEARNING

Raintree County is to have an institution of higher learning. This temple of Minerva, which at the request of its financial sponsors will bear the dignified and not unsonorous appellation of Pedee Academy, is to be instituted in the large brick building formerly known as the Taylor Boarding House. The new college is to be conducted upon the most progressive modern principles. Female as well as male students are desiderated. Courses in Latin, English Rhetoric, Philosophy, Natural History, Mathematics, and Ancient and Modern History will be offered with a diploma after two years of study. Also classes will be conducted in which adults may learn to read and write.

The principal of the new college, Professor Jerusalem Webster Stiles, has studied in the best schools of the East, including Harvard, and has spent some years abroad. A native of the County, he was born on the very day, January 28, 1830, on which Webster delivered the classic reply to Hayne. Hence the name bestowed upon him by his pious and patriotic parents. Professor Stiles is conversant with several languages and is a man of great personal amiability.

Republican Institutions cannot be maintained without universal enlightenment. Let all the intellect and enterprise in Raintree County flock to the new Academy and demonstrate to the world that we have as much gray matter under our hats as the next fellow.

Johnny Shawnessy was among the dozen Raintree County citizens who answered this challenge. During the year that had passed since the Temperance Play, he had been teaching at a school—his first—at Summit in the north-central part of the County. He had lost sight of Nell Gaither, but heard that she had returned to live in the East. It seemed unlikely that he would see her again in Raintree County.

Meanwhile, he had gone on writing for the *Enquirer*, reading all the books he could get his hands on, versifying, and in general preparing to be a Great Man. As winter passed and spring and summer came again, he was annoyed at times by an inability to call up a precise image of Nell's face. For diversion he attended the usual taffy pulls, square dances, husking bees, barbecues, and ice-cream socials by means of which the County placed its young people in legitimate proximity. Johnny was popular on these occasions and began to lose a little of his shyness. In fact, he kissed and was kissed by several Raintree County girls, who showed great interest and proficiency in the sport. All of them talked a good deal in his presence about friends of theirs who had been recently married.

On the day of his enrollment in the new college, Johnny walked to the Academy building, two blocks south of the Square, finding a comfortable two-story brick house set in the middle of a wide lawn shaded by elms. He walked up onto the verandah and through the front door into a hall where several prospective students were waiting to see the new professor. Among the young men, Johnny recognized Garwood Jones and Cassius Carney.

—Well, look who's here, boys! Garwood said. High time someone connected with the *Enquirer* learned to read and write.

Just then a door opened, and from a side room where Professor Stiles was interviewing candidates a young woman appeared.

—Hello, Johnny.

The word was softly uttered and highly personal.

Instantly, as if it had only slept to increase its strength, an old passion came alive. The young woman who looked demurely up at him had not changed from his earlier memory of her.

—Hello, Nell, he said. Are you enrolling in the College?

—Yes, I am, Johnny.

—It's awfully nice seeing you again, Nell.

—It's nice seeing you again too, Johnny.

They were shaking hands and smiling in the best Raintree County tradition.

—Next! Come in, my boy! said a pleasant, high-pitched voice.

Blushing from this reunion with desire, Johnny Shawnessy walked through the door to his first meeting with Professor Jerusalem Webster Stiles.

The man who stood in the little office room of the Pedee Academy made Johnny Shawnessy think of a huge, vivid insect that had flown from unknown parts and lit walking in Raintree County. Surely there was nothing else in the County like him. He was tall and thin. Black hair, split exactly in the middle, was slicked flat to a long, narrow head. The nose suggested a cutting instrument. Small piercing black eyes, not quite in focus, peered through pince-nez glasses. From that moment on, Johnny always had an uneasy presentiment that Professor Stiles was not there to stay. Sometime, in the very middle of a sentence, abruptly remembering whence and why he had come, he would rise to the points of his toes, his black coat-tails would erect themselves into shining wings, and his angular brittle body would shoot off the ground and go whirring down the air to some other temporary lodgment on the American earth.

Just now he was holding out a cigar to Johnny.

—Sit down, my boy. Smoke?

—No, thanks, Johnny said. I don't smoke.

—Filthy habit. Never start it. Ah, to be innocent once again, my boy, as you are now, before women, tobacco, and bad whiskey ruined me!

The man behind the desk showed his even white teeth and shook soundlessly as if his body were being subjected to a series of galvanic shocks.

Johnny was quite certain then that he had never in his life seen anything or anybody remotely like the new teacher, and he had no reason to change that opinion in the weeks and months that followed as he became better acquainted with Professor Jerusalem Webster Stiles.

From the beginning Raintree County called him 'the Perfessor.' Johnny Shawnessy, some cuts above the other hicks, as Cassius Carney had said, was careful always to preserve the first syllable pure, but the rest of the County said it perversely wrong; and even to Johnny this quaint distortion had an ideal fitness. For it was the same title that had been applied from time immemorial in the County to all the glib, fraudulent creatures who appeared at carnivals and festive anniversaries to sell hair tonic, quick success, and brand-new sexual potency to the common folk. Each of these egregious fakirs was known to his assistants and to the unschooled yokels as the Perfessor. It was a title of respect for an itinerant wizard who robbed the people by sheer power of language. Johnny had seen it happen a hundred times and never failed to enjoy the magnificently comic spectacle of a victory won by cunning from human hope and greed. So, too, Professor Jerusalem Webster Stiles, most glittering and gifted of all the Perfessors who ever came to Raintree County, understood the aspirations and appetites of mankind. Quack and genius combined, he perpetrated on the citizens of Raintree County a continual farce, whipping and stinging them with the scorn of his incomparably superior intellect, yet in a manner so subtly ironic that they never perceived how entirely they were bilked. As for his Raintree County title, the Perfessor accepted it, as he accepted all things, with tolerant cynicism. In a way he belonged to Raintree County himself, and if he ever had a home, it was there.

For the Perfessor had been born in Raintree County, had left it during his childhood, and had not returned until the opening of the Academy. He still talked the County's tongue, though in some ways his speech had been slightly altered as if through contact with an older, more sophisticated culture. Often the words he used seemed not wholly spontaneous but as if recollected and put quaintly together from the pages of innumerable books. Exceptional was the Perfessor's memory for quotations, which he would toss out in the course of lecture or conversation, with skipping irrelevance and a shy smile from his unfocused eyes. Johnny was not always sure whether the Perfessor was quoting or extemporizing. Once after he and the Perfessor had become well acquainted, Johnny asked him about it, and the Perfessor admitted that he wasn't always sure himself.

—What is all speech, John, but a quotation? When we are not quoting from books, we are quoting from Nature.

Perhaps because of his youth—he was only twenty-seven—the Perfessor placed his students on a basis of entire equality with himself. The boys used to go up to his quarters on the second floor of the Academy and sit around talking literature, philosophy, and politics while the Perfessor presided like a scurrilous and skeptic Greek, sometimes dispensing corn liquor and always cigars. Everyone smoked and drank but Johnny.

The Perfessor imported a great many shocking ideas into Raintree County. In sex, religion, politics, and literature he was a radical departure from everything the County taught. In the classroom, he curbed himself, but in private talk he gave out heretical doctrine. Exchanging his classroom pointer for a cane, he would swing down a country road with one of his disciples—more often Johnny Shawnessy than not—quoting from the incredible grab-bag of his memory, skipping from theme to theme, casting off words and ideas that fell on the County's fertile soil like seeds of exotic, fastgrowing flowers. His private talk was a mixture of the learned and the colloquial. When he was in vein, his speech was a ceaselessly bright torrent of ideas and witticisms. At first Johnny listened as if charmed. Later he found that he himself became more eloquent than usual in conversation with the Perfessor. It was a little like reading Shakespeare and then becoming one himself. For the Perfessor included among his gifts the power to follow the will-o'-the-wisp of ideas without rancor or arrogance wherever the chase might lead. It seemed to Johnny that in the Perfessor he had discovered an alter ego. His teacher's words often came to him like queer half-recollections of something he himself might have been or thought a long time ago. The Perfessor, for his part, regarded Johnny as a special being.

—John, he said once, you don't know how gifted you are. All ideas seem to exist in you already and to await only touching into life. You understand by hints, where someone else must read whole books and live a lifetime. Yours is the poet's mind—but not your little simpering metrist and maker of sweet parlor verse. No, you make me think of the young Plato, eager for ideas. Or Homer, hearkening to legends. Or the genial young Elizabethan himself, steeped in life. But Raintree County has added something American—a touch of innocence that is like the earth, the sunshine, and the river. Never lose, my boy, this eagerness for life and this primitive innocence. As, alas! I did long ago! Perhaps I should never have left the County.

And the Perfessor's eyes acquired a look of fake sadness.

Most of the time his words were curling and crackling around ideas that shocked even such enlightened beings as Garwood Jones, Cash Carney, and Johnny Shawnessy.

—The Christian Religion, the Perfessor remarked once, is the product of a dreadful mistake. Somehow the mind of humanity got obsessed with the bloody Hebrew legends and has been lugging around ever since the burden of this vindictive old man called God, who is equally repulsive in his rages and in his self-glorifying love! Pass the cigars, John.

Slightly stunned, Johnny would pass the cigars.

—Perfessor, Garwood said, if one word of that got out to the wrong parties in the County, you'd go out of town on a rail. In fact, I wouldn't mind daubing on the tar myself.

They all argued with the Perfessor about these matters. Garwood, in particular, appealed to a strict construction of the Bible, as he did of the Constitution in the political debates held at the Academy.

—As for the Bible, said the Perfessor, it's just a lot of old Jewish myths and archives, some of it pretty dull stuff. If we have to believe in myths, what's wrong with selecting something beautiful. I would rather contemplate Venus' cute behind than old Moses' withered puss. Not that the Hebrews didn't toss off some wonderful poetry now and then. They were wise, those old beards, and they knew the wine and the roses of life, as well as the ashes. *Stay me with flagons, comfort me with apples: for I am sick of love.* By the way, did you ever know any Jewish women, Garwood?

—Not since the six I had last New Year's Eve, said Garwood, always a fast man with a comeback.

—Well, did I ever tell you, the Perfessor went on, about the time I outflanked a Jewess in Vienna. She was the original Assyrian harlot—though of quite good family, understand—a vast, dark beauty who mauled your fragile mentor all of a winter's night. Ah, those great Babylonian thighs! Jesus and Jacob, what a woman! John, pass the cigars.

Stunned, Johnny would pass the cigars, and the Perfessor would lean his thin, virile body back in the chair and smoke reflectively.

From the Perfessor, Johnny got his first acquaintance with the teachings of Ralph Waldo Emerson. Fresh from New England, the Perfessor was steeped in Transcendentalism and full of definitions peculiarly his own.

—Study Emerson, lads, he would say, our foremost American.

Sometimes I think he's just an ancient Greek with a bad memory. His philosophy, you know, is anti-Christian. It restores Beauty to Nature and Man. The tree resumes the fatal apple. It is the pre-fall Paradise, boys—America another Eden. Of course, as a person, Waldo lacks warmth and flesh. He's an old woman with a bisected skirt. He may have something lively in his jeans, but I doubt if he ever transcendentalizes it. Still, I consider him by all odds the Greatest Living American. John, dispense some more of the vile weed.

On every subject where Raintree County had a fixed opinion, Professor Stiles could be counted on to express the exact opposite. During the early part of 1859, he came very near getting himself into trouble by his reaction to the celebrated Sickles Murder Case. The principals in the case, as it broke in the newspapers, were the Hon. Daniel Sickles, the Late P. Barton Key, and the Beautiful Young Mrs. Sickles, all prominent in Washington Society. The Hon. Daniel Sickles shot the then not quite Late P. Barton Key for illicit relations with the Beautiful Young Mrs. Sickles. The case made a deep impression on Raintree County, as on the whole nation. For months under the cloak of outraged morality, the County had an excuse for discussing love-making, murder, secret appointments, guilty passion, and other forbidden topics. The judgment of Raintree County was expressed accurately by an editorial in *Harper's Weekly:*

> There can be no excuse for the adulterer. He commits a three-fold crime: a crime against the woman whom he misleads, a crime against the man whom he dishonors, a crime against society which he disorganizes. Each of the three calls for condign punishment. In these latter days experience proves that in all such cases society will justify the infliction of the last penalty by the husband.

Professor Stiles openly flaunted public opinion in the case. Privately, among the young blades of the Academy, he was overheard to say:

—When did two lovers ever really hurt anyone? Because a woman tires of her gamecock of a husband (who, by the way, was fluting around all he could on the side) and lets another man have the enjoyment of her body, shall the husband have a right to kill?

That's lynch law. Besides, Nature puts no premium on chastity. My God, where would the human race be if it weren't for the bastards? Wasn't Jesus God's? Pass the perfectos, John.

Completely stunned, Johnny passed the cigars.

When all the preachers in the community, with the exception of T. D., condoned the murder from the pulpit, the Perfessor remarked that he never saw a clergyman yet who would practice more than one commandment at a time.

It was the Perfessor who taught Johnny Greek and Latin. Here again were secret words, these the oldest Johnny had yet seen, older than the Indian names, older than the word 'Shawmucky.' On the banks of an Indian river, Johnny studied the plastic rhythm of Homer, the togaed majesty of Virgil. What gave these languages their sculpturesque beauty, like words encircling stone columns? They had ceased to be the living speech of men and had acquired the tranquil beauty of ideas. And yet they had once been exclamations of young republics, rhythmical speech of men who loved the earth, the waters, and the sun and peopled their surfsurrounded lands with gods.

Here too in Raintree County was a young republic; here too were shining waters and much sunshine. Here too was a young worshipper of the earth and its inexhaustible life. And it was one of Raintree County's most meaningful conundrums that the tongue spoken there contained manifold reminders of the speech of those extinct republics.

Would this America also produce an epic speech, the language of humane poets, philosophers, and statesmen? Would they include in their number the mystical name of John Wickliff Shawnessy, child of the riverpenetrated earth of Raintree County? And then would the visible world of Raintree County, its boundaries and belongings, crumble into nothingness at last, leaving a legend and a name?

Under the tutelage of Professor Jerusalem Webster Stiles, Johnny Shawnessy discovered classic columns beside the Shawmucky River and a memory of pagan peoples who worshiped the undraped human form beside the inland ocean, that fecund womb of ideas, before man had put on the garments of Hebraic morality.

All this the Perfessor accomplished by his words. For he had brought more words to Raintree County than had been there before.

Those days, the secret of all things still seemed to Johnny to reside in words. No tongue could pronounce the living language of the ancient Greeks and Romans, but the words remained, visual, plastic, like graven coins. The Perfessor himself was a man of words. Ideas seemed often less important to him than the words in which he framed them. He had thousands—and perhaps hundreds of thousands of words. And Johnny believed that if he himself possessed all words, he would possess all things. Then he would be expressive like a god, more expressive even than that parochial deity, Professor Jerusalem Webster Stiles.

As time went on, Johnny learned that in the Perfessor's museum of quaint words there lurked a faunlike, baffled creature. This creature was perhaps the real man, a nameless deeper self, who gave blood and being to the words. It gave a flirt of its tail in wild, witty vulgarities. It showed sometimes its yearning, halfsorrowful face under the Perfessor's pince-nez glasses. It was tender and wistful. It was made distraught by beauty. It was neither good nor evil but was pure feeling and wished to be pure expression.

For curiously, Johnny felt from the beginning—and never quite lost the feeling—that the Perfessor, Raintree County's most unexpurgated talker, wasn't really a wicked person. His excesses of speech and idea had their own vigorous rationale. His gods were simply not the gods of Raintree County. And with all his faults, in all the time Johnny knew him the Perfessor remained a strangely gentle, humane person who never deliberately hurt anyone's feelings and was never vain, hypocritical, petty, or malicious.

During the summer of 1858 Johnny and the Perfessor often went together to the bank of the Shawmucky where they swam, talked, and versified. And because they were close to the river, where life was undisguised, they had few secrets from each other. To the Perfessor, Johnny described the vision he had seen in the Shawmucky and the desire that it awakened. The Perfessor laughed tolerantly.

—My dear boy, he said, you're an incurable idealist. A little country girl with nice breasts and a cute bottom takes a dip in the river on a hot day, and you act as if it's Venus reborn from the foam of the inland ocean.

But later the Perfessor told of a forbidden fruit that he too had seen temptingly displayed in the garden of Raintree County.

Lydia Gray, one of the students at the Pedee Academy, was the wife of the Reverend Ezra Gray, who had come to Raintree County from another state not long before. No one ever knew how this chilly January had got such a blithesome May, for the Reverend Gray was at least fifty and had withered lips and eyes like balls of blue flint, while his wife was young, artless, blonde, and endowed with a conspicuously lush figure.

In the Academy, Mrs. Gray was touchingly eager for knowledge. She adored the Perfessor, as did all women without exception. The Perfessor always addressed her formally as the Reverend Mrs. Gray (although the students called her simply Lydia), and adopted in her presence a sanctimonious air shot with flashes of ribald humor, all lost upon her.

—She's just a bucolic girl, pure and impulsive, the Perfessor said lightly during one of the boarding-house symposiums. Fate loves a paradox and so hitched her to that old frock, her husband, who can't even beget offspring in that fruitful garden of all delight. Have you noticed her bust, boys?

—I've been too busy parsing my Latin, Garwood said, always a fast man with a comeback.

—Plump twins of love, the Perfessor said. Really very nice—and I speak as a connoisseur.

After a while, the Perfessor no longer made fun of Mrs. Gray. He said nothing about her at all.

Then one day on the bank of the Shawmucky, when Johnny was translating from the *Aeneid,* the Perfessor, who had been lying in the sun with nothing on but his pince-nez glasses, suddenly sat up and spoke an irrelevant word.

—Ach! John! Think of her ripe body in bed with that ugly priest.

—Uh—what's that, Professor?

—When she sits there in the front row with those two softnosed fawns trembling under her blouse and her big blue eyes watching me, I melt, boy, like wax in a flame. I lose voice and utterance. I become inarticulate.

—O, Johnny said.

The Perfessor laughed a brief and bitter laugh and adjusted his pince-nez.

—Go on with your Latin, John.

That was the last thing he said to Johnny on the subject for a long time.

Thus for two years Johnny Shawnessy sought the answer to life's riddle in a little shrine of bookish words presided over by the wistfully pagan spirit of Professor Jerusalem Webster Stiles. He had discovered a new place and a new person in Raintree County and at the same time had renewed an old craving. The whole conundrum of the County was now embodied in the person of Nell Gaither.

For Nell was nothing if not Raintree County. It had made her what she was, given her grace, demureness, tenderness, quick sympathies, strong enthusiasms, purity, endeavor, moral delicacy, religious fervor. Yet she was so habitual and easy in the ways of the County that she could doff the whole costume like a dress and return into her passively seductive attitude of Venus in the river. The more demure and sentimental she seemed, the more, by paradox, did she become to him a woman made for erotic and maternal uses, a strange meeting of the eternal feminine river with the illusory rectangle of Raintree County.

To him she was the unconquered paradise called Woman. He had glimpsed only the white gates of it in the river. He had discovered a strange thing—that nakedness is the most mysterious clothing in the world. When Nell Gaither doffed her dress, she put on a garment that concealed, while half suggesting, the secret of life itself.

What gave his whole dream of her a touch of mortal pathos was Johnny's knowledge that the ideal she embodied was subject like all things human to plunder and ruin in the random collisions of life. Johnny was Raintree County's one true aesthete and somehow managed to erect all things beautiful and ugly into an ideal existence. But the rest of the County went on living the old remorseless comedy, and the knife that had been driven into Johnny's heart behind the scenes of the Opera House was cruelly twisted from time to time.

Once during the harvest season of '58, Johnny had gone for a swim in the Shawmucky with some farmhands who along with him had been helping get in wheat on the Gaither farm. The boys were usual rural types, goodhumored, unlettered, lusty. When they had finished washing the seed and sweat off, they stretched out naked on the bank, smoking cigars and chewing tobacco, and the talk turned on girls. Someone mentioned Nell's name. One of the boys was in the act of lighting his cigar.

—D'yuh—puff, puff—spose ole Garwood Jones has—puff, puff—been in there?

The words had the callous brutality with which boys in Raintree County often spoke of girls with whom they weren't very well acquainted.

—Reckon he would if he could, another boy said. If he ain't too busy stayin' on top a that girl what's-her-name over to Summit.

—Lizzie Franklin?

—Yeh, that one.

—Ole Garwood sure gits 'em.

—Garwood thinks he's some punkins.

—You'd think you was some punkins if you'd of had as many pretty janes under you as old Garwood.

—Them girls is all alike. Any of 'em ud lay down fer a guy with money and smart city talk.

—I'd like to roll in a haystack with that there Nell Gaither. I got as much as Garwood Jones any time.

—Hell, she wouldn't let a rube like you touch her little finger. She's too fancy for you.

—Hell she is. Garwood Jones—puff, puff—ain't got a—puff, puff—thing I ain't got.

While Johnny lay and listened, the frogs squawked hoarsely in the reeds, and the dialogue of life along the river went on and on, verbally stripping and pawing his beloved. It seemed cruelly proper that this pillage should occur on the banks of the Shawmucky, where life was conscienceless.

Johnny wasn't the only person who had detected the paradox of Nell Gaither, the image of erotic and spiritual beauty. Professor Jerusalem Webster Stiles had taken special note of his star girl student, helped thereto, no doubt, by Johnny's vivid account of what he had seen in the river.

—There, he said, by your leave, John, is the most passionate little piece in Raintree County. She's so poised and invulnerably pure. Such women are always volcanoes of passion when aroused. There's something about her that reminds me of those old Greek statues which were painted in pure colors. It's marble, and it's also life.

Good thing you've staked out your claim to it. By the way, you don't
suppose Garwood's been in there?

Some time later the Perfessor told Johnny that in his, the Perfessor's, opinion he, Johnny, could set all doubts to rest as to Nell's
chastity.

—My word for it, he said, the young lady is—if not imperfora-
ble—at least imperforate.

—What makes you think so?

—A small bird, the Perfessor said.

He was gaily evasive, and Johnny didn't find out exactly what had
given the Perfessor this assurance, unless perhaps he had gained it
from some of his very private conversations with Nell in his office,
where he sometimes remained closeted with his more promising female students after hours.

Meanwhile, Johnny went on loving in secret, hoping that one day
he might find the river girl again. And in fact not long after the comic
dialogue with the farmhands, he did see Nell again in the Shawmucky River.

A wave of holiness swept through the County in the summer of
1858 on the tide of a Great Revival Program to bring everyone back
to the arms of Jesus. Almost everyone was taken back during this
time except Johnny Shawnessy, who was not aware that he had ever
left the arms of Jesus, and Professor Stiles, who had apparently
never been there in the first place.

The Revival featured a succession of mass baptisms in the Shawmucky. Even T. D. yielded to the popular demand for total immersion and three times under. One Sunday night, almost the whole
congregation of the Danwebster Methodist Church went from the
church to the near-by river for baptism. Johnny stood on the bank
watching with the Perfessor, who delivered a running fire of comment on the operation. Wearing nothing but sheets, a hundred people filed barefoot down the bank to T. D. standing hipdeep in water.

—God is doing his laundry, the Perfessor said.

They all sang 'Wash me in the Jordan,' and what with the flaring
torches and swung lanterns, the flickering shape of the church on its
high bank, the wild stream of the river, the splashings, gurglings,
stampings, snortings, cries of penitence, shouts of hosanna, everyone
had reached a state of violent excitement.

Toward the end of the line came Nell Gaither. Her face was meek and mild. Her gold hair hung to her hips. Her long, graceful feet were bare. She carried a taper.

—This is your chance, my boy, the Perfessor said. Take her home after the baptism. When they're christbitten, girls will do practically anything. You might even get a kiss.

—Probably Garwood's waiting around somewhere, Johnny said. She's crazy about him.

The Perfessor held up his hand and recited,

—*I cannot praise a fugitive and cloistered virtue unexercised and unbreathed, that never sallies out and seeks her adversary, but slinks out of the race, where that immortal garland is to be run for, not without dust and heat!*

In the confusion of the night, Nell's voice was perfectly audible as she stepped into the water.

—Dear Jesus, I have sinned and am repentant. O, dear Lordie Jesus, wash my sins away.

After she had come out, the Perfessor and Johnny went around to help her. She was shivering, the sheet was soaked to her body, her hair was plastered to her neck, but she looked happy and excited. The Perfessor arranged it so that Johnny put her in a buggy and took her home.

—Why don't you get baptized, Johnny? she said.

—I don't exactly believe in it, Nell.

—O, I do, Nell said. For sinners, that is. But then I suppose that wouldn't include you, Johnny.

She was tranquil and sincere.

—And are your sins so very great, Nell?

—O, yes, Nell said, smiling up at Johnny with her radiant and innocent smile. I'm afraid I'm not a very good person, Johnny.

She looked out at the warm purple night brooding with mist of stars on Raintree County.

—I feel so wonderful, she said. You have no idea, Johnny, what it will do for you. Garwood was baptized yesterday at my suggestion. But then he needs it more than you.

—I don't know, Johnny said. Maybe not.

That night he lay in his bed at the Home Place and wondered what were the mortal stains that Nell had tried to wash away in the waters of the Shawmucky. Did they include a little misprint on the white nudity with which she had ravaged the heart of Johnny Shawnessy?

Johnny Shawnessy ached with the insufficiency of youth. He was never more erotically in love with Nell Gaither than that night when he saw her soaked in a sheet in the name of Raintree County's puritan religion.

Thus there was too much youth and love and wishing in this whole era of his life. All things were touched with sadness and beauty by this first erotic passion of his young manhood.

The most delicious and frustrating hours were those spent at the Academy, where Johnny and Nell often studied together in the little library. Both spent a great deal of extra time there. It was not unusual for Johnny to come over in the evening and find the library open and only one other person in it—Nell. The Perfessor abetted Johnny's hopeless passion by assigning to his two prize pupils extra readings in the Greek and Latin texts. Garwood Jones was, as everyone knew, too smart for his own good, but he never aspired to be, as the Perfessor once remarked, either a scholar or a gentleman, so that Nell was, next to Johnny, the best student in the Academy, especially in language and rhetoric. Gifted in versification, her muse was not so vigorous and facile as Johnny's, but it was fashionably feminine, specializing in affecting compositions about departed beauty, spent passion, withered roses, tombstones, dewy flowers, and unreturning springs. When she read these verbal confections, her face and voice were pleasingly mournful in the approved fashion of the time.

Sometimes she and Johnny would sit in the library to late hours in the evening studying together. They shared each other's passions in literature, and would sometimes read aloud, but each was too shy to read original poetry to the other. Their great common enthusiasm for a long time was Lord Byron.

—I think Lord Byron was the most fascinating man who ever lived, Nell said once while they were alone in the library. He seemed so much in need of a good woman to love and to love him, and he never really found one. What's your favorite passage in Lord Byron's works, Johnny?

—I like the opening sections of *Don Juan* best, Johnny said.

—I haven't read that yet, Nell said. My favorite is 'Fare Thee Well.' I'll read the opening passages of *Don Juan* if you'll let me have the book.

Johnny had been using the Academy's unique copy for some time past. He gave Nell the book, but as it made him a little uncomfortable to see her sit down and become absorbed in the exquisitely beautiful canto in which the young Don Juan falls from innocence with Julia and is apprehended and sent off on his travels, he got up and left the Academy. Some days later, Nell gave him the book back, with one of her radiant smiles mixed with a trace of bepuzzlement and concern. Inside the book in the Juan passage, he found a note for him.

Dear Johnny,
    I'm surprised at *you*. But the poetry *is* very beautiful.
                                                            Nell

The happiest hours in Johnny's life during this time were those spent in translating some of the *Metamorphoses* of Ovid with Nell. They were both deeply touched by the myth of Daphne and Apollo. Both had been essaying a translation of it and met one evening to compare their respective efforts. They sat at the table in the library where they had done so much of their work together. The Perfessor, who was usually hovering about somewhere like the resident deity of the place, had obligingly retired to his quarters upstairs. In the gaslight, Nell sat across from Johnny, wearing the green dress that he had come to associate with her in all his daydreams. She seemed more than usual remote and pensive as her hands nervously played in the loose sheets of her manuscript.

—You read yours first, Johnny.

His composition was in blank verse. In the yellow light of the oakpaneled library, walled in with the softly glowing backs of hundreds of classics, his young voice, which understood so perfectly the music of English verse, re-created the legend of the sungod who sought and was denied the love of a river nymph. The little library was peopled with the Ovidian images—the love-pursuit beside the river, the fleeting nymph, the ardent god. Some of the musical passion of the old republic which had given this myth to the world crept into Johnny's voice. He too had known the rhythmed pain of love along the river, had seen a white flesh in the reeds, had felt the barky shadow climb up forbidden limbs and cover them from view. He too had come away with a laurel branch to requite him for a frustrate love. His voice was husky with the poem's music of renunciation and farewell.

He had hardly finished when Nell said in a trembling voice,

—O, Johnny, it's beautiful! Yours is much better than mine.

A sudden moisture in her eyes increased their green brilliance. Her parted mouth was a scarlet stain on her white face, which had two flushes of scarlet high on the cheeks. Her voice was husky with earnestness.

—Johnny, you know what I think? I think you will be a great poet some day.

She sat across from him, her eyes full of admiration and humility.

—You are the best of us all, she said. I know it.

—No, you are the best of all, Nell.

—No, no, Nell said. You have a gift that can't be learned. It's something sacred. To see beauty and to say it—like Byron or Ovid or Shakespeare. It's really so fine to have known you, Johnny.

He was startled by this strangely elegiac expression.

—Well, he said. Which is better—to express beauty or to have it?

She looked puzzled, and he felt that perhaps he had said more than was wise.

—How now! said a voice from the library door. Up so late, children?

It was the Perfessor, leaning into the door. He came in and bent over Nell's shoulder.

—The Ovid—eh? How did it go?

—Johnny has a beautiful translation, Nell said.

She was blushing.

—Our boy John, said the Perfessor, has the golden touch. Let me see.

He picked up Johnny's translation and ran his eyes over it.

—Not bad, not bad, he said. Though rather too full of alliteration.

Garwood came shortly after. Johnny and the Perfessor stood at the gate of the Academy and watched Nell leaning out of Garwood's buggy smiling her radiant, tender smile, full of Ovidian enthusiasm.

—We'll have to work out the next *liber* together, Johnny!

Garwood took Nell away.

—Is there such a thing, Professor, Johnny said, as one man possessing a woman's soul and another her body?

—You read too much, John, the Perfessor said.

Johnny watched the buggy receding. How well that wise old Roman poet of the protean earth and its mixing and mating forms had understood the only possible reward for the lover of ideal beauty! He shall pursue a lovely flesh and be rewarded with a branch of laurel.

During those years the lyrics of Stephen Foster, especially the more romantic ballads such as 'Come Where My Love Lies Dreaming' and 'Jeanie with the Light Brown Hair,' became the musical image of Johnny's love. This love could have existed only in an adolescent republic that tried to dream itself to perfection by ignoring the realities of life's remorseless comedy. This love could have existed only in a sentimental America of bright, running streams and high, grassy lawns, where girls in shimmering gowns walked with their lovers hand in hand till starlight faded into morn.

Meanwhile, the real republic of the slave and free controversy, growing ever closer to open conflict, loomed menacingly on the horizons of Johnny Shawnessy's private universe of Raintree County. The students at Pedee Academy gravely debated the issues of the great struggle. Lincoln and Douglas, the western champions of the opposing camps, were quoted everywhere during their contest for the Senate in 1858. But for Johnny Shawnessy, the issues of that day— slavery and emancipation, free lands in the West, senatorial and presidential candidates, new states, supreme court decisions—were shadows and echoes compared to the image of a girl with enigmatic green eyes in a small piquant face, sitting at a table in the Pedee Academy, making pagan polysyllables with her fullflown mouth.

Her image suffused the whole of Raintree County, until the County was changed from what it had been. Somewhere along the way, the County of Johnny's childhood had been lost. In that County, which would always lie beneath the rest as the parent stratum, his mother, Ellen Shawnessy, had been the dominant image. Then he had been the favored child whose quest was to solve the secret of his origin; and Raintree County was the garden of this quest, an auroral and maternal earth. Now this earlier earth and the myths that embodied its secret (myths not of Eros but of Oedipus) had changed with the changing body and mind of Johnny Shawnessy. He was no longer the child of this earth—he had become its aggressive lover. The old myth of origins—the Raintree in its primitive garden—had temporarily lost its place to the myth of the love-pursuit and conquest of beauty.

Yet the secret of the County was still feminine. It had taken for its image the Venus Callipygos in exchange for Mother Eve in her figleaf.

For this love, which was so intensely ideal that it had absorbed to itself the whole being of Johnny Shawnessy and the whole landscape of Raintree County, was also fiercely erotic, dreaming over and over the image of possession and endlessly inventive in the technique of this possession. And of these dreams the most persistent involved the Academy itself. Pedee Academy enshrined then, as it would forever, the image of his young desire.

Now this was the favorite daydream of Johnny Shawnessy in the days of Pedee Academy and Professor Jerusalem Webster Stiles: He imagined that he came some time of a winter evening to the Academy Building to get a book. Sleet and fine snow were blowing on the fields and roads. He opened the door and found that the Perfessor was not in and that the building was empty. He went back then into the lecture room and along the passageway to the little library where he turned up a lamp and looked for the book. In the Academy the air was close and warm, redolent of ink, varnish, and books. Then he was surprised to see that someone else had entered from the winter night. It was Nell Gaither, who was standing at the library door muffled in her long furcollared coat. As he looked at her, the lamp burned out, and he could see her face, a pale stain in the dark. She held up to him this face with parted lips and unaverted eyes and by a motion of her body invited him to help her off with her wraps. He began with the coat and then, assisted by her, slowly removed her garments one by one. All this they did together without a single word, while she looked back over her shoulder at him. At last her tranquilly seductive form was posed in entire nudity, like a tinted marble in the warm murk of the Academy Building. Her demure face and bound-up hair were strangely in contrast with the pale, deepfleshed mounds, on one of which he saw the tiny imprint of the river. And then among the benches and the books, where their young mouths had said the antique words of the rivered earth, love, death, beauty, and the gods, here in the very center of Raintree County, in its most Delphic cave, here where only a faint light shone, while all around them in the blustering night the fields and roads were swept with sleet, he too became naked, like a young god, and his mouth would touch at last her warm mouth. And love would be tall and imperious, it would be a young man seeking, it would go into the most secret places in Raintree County, where lake and river met and shore and shallow were hardly to be told apart. And his desire, clothed in eager flesh, would find at last the secret source and secret destination, would ache in the anguishingly tight caress of the river girl, her warm breath would beat upon his halfshut lids, her slippery body would writhe in his arms, and she would

DRAIN FROM HIM THE POOLED-UP ANGUISH OF HIS BODY,
TOO YOUNG, TOO AMOROUS, TOO BESET

WITH

—LONGING, said Niles Foster, as he and Mr. Shawnessy stepped out into the street, won't bring those days back. Sure you won't have a glass with me, John?

—Sorry, Niles. Have to be back in Waycross in time to meet that nine-thirty train.

He walked past the Saloon and turned in at the Photographer's. The stair was rickety and dark. The building had a stale smell of tobacco and chemicals.

There was no one on the stair. He stopped, hugged the bundle of papers under one arm, opened the *Atlas,* and flapped the leaves swiftly to page 37. A block of brick business buildings started into life, all the familiar legends and doors of the south side of the Square (including the one he had just entered), little changed in the seventeen years since the artist had drawn the picture.

But the gracefully made lady just stepping into the drygoods store was fully clothed, like all the other precise little figures in the picture.

Nevertheless, this flat, inactual world of light and shadow seemed about to do something, mean something. Buggies passed on wheels of finedrawn spokes, haunches of horses gathered into lumps of muscle, the clock over the jeweler's read eighteen minutes past eleven. Enmeshed in a thin web of pencil marks was a lost America and a departed Raintree County, struggling for expression. And in the middle of this web, an imagined lady stood, clothed in the possibility of all feminine nakedness. The coil of her dark hair swung between bare shoulders, the long furrow of her back was faintly curved with the walking motion of her body, the palm of her right foot was arched and thrusting from the toes.

With a rush of desire, he seemed about to pluck away a veil of light and shadow and lay bare the shape of beauty and forever.

The door banged open, a rush of light blinded him, and a blocky woman in a hideously white dress burst in.

He slapped the book shut and sprang three steps at a time up the stair to the Photographer's Shop. He entered a little reception gallery and laid the *Atlas* on a table, concealing it under the newspapers. He listened as the woman mounted the stair, paused at the landing, breathing audibly, then entered another room.

From oval frames along the wall, the tinted faces of young women looked at him wistfully. He had a mission this day to resurrect the past in pencil sketches and faded photographs.

The door opened at the end of the gallery, and a sallow man of middle age looked out.

—Hello, John. See you made it.

—Morning, Bill. Sorry to get you out so early. Well, what luck?

—I found the plates all right, the man said, preceding him into a room flooded with white light from a glass window slanting from roof to floor.

—I can't thank you enough, Bill, Mr. Shawnessy said. Did you——

—I'm sorry, John, he said. I didn't get the prints made. I didn't have time.

—It was my fault for not writing sooner. The idea occurred to me at the last minute. I'm delighted that you found the plates.

—My father, the first Mr. Huddleston, the man said, kept everything. I dug into some old things in the cellar and found the plates last night stored away with the date of exposure and name of subject on each one.

He opened a package and took out a half-dozen glass plates, three by five inches, each with a strip of paper glued at the bottom edge containing a name and date in ink.

—Perfectly preserved, he said. The old wetplate process. I've used it myself.

Mr. Shawnessy picked them up one at a time and read the captions. They had all been taken on the same day, May 26, 1859.

—These are the six I wanted, he said. I had copies of them once, but lost them all.

He carried them to an open window and held them up to the light. Through a glass darkly, he saw one by one four men and two women, hovering in chemical prisons.

—The Senator and Mr. Carney will be pleased to see themselves as young men, the photographer said. As for Mr. Stiles, I don't remember him, and the two women are unfamiliar. Any relation?

—No, not exactly, Mr. Shawnessy said.

He dwelt a long time on the images of the two women, holding them side by side. Under one picture was the caption N. Gaither; under the other, S. Drake.

Bodies of beautiful women floated in a pale river of remembrance, white flesh dissolving in green acid of years. Traced on the plate of memory with a finger of light, their lost forms wavered, a vaporous smoke on the sullen and triumphant earth.

N. Gaither. Ovidian statue starting into life, Daphne in a mesh of Raintree County reeds. *We parted in the springtime of life, Nell and I.*

A sweet anguish vexed him, and he turned to the other plate.

S. Drake. Little sleepwalker from an alien earth, bearer of a scarlet mark. *O, Susanna! Do not cry for me.*

J. Shawnessy. Lost boy whom girl mouths once called Johnny, just risen from the tumult of the Square where all is sunlight and the greatest athlete in Raintree County stands with cocked arm bulging. O, innocent and unforgotten boy!

But where were all the other images that mixed on the plateglass windows of the Square, each window recording the image of a clockless Court House?

He held a vitreous world, the creature of a god whose radiant finger wrote all the legends that were ever written. Musing, he studied a vanished Raintree County reflected on

in a golden prism, including the form of Cash Carney, who leaned
against the window reading a copy of the *Clarion,* and the form of
Johnny Shawnessy, who had just stopped to say hello.

—Had your face friz yet, John?

—My appointment's for three o'clock, Johnny said.

—I've had mine, Cash said. To while away the time, listen to
Garwood's latest potshot.

He read aloud:

—A report comes from the Upper Shawmucky that Seth Twigs got
kicked in his think-box by a mule and sustained a slight injury (the
mule cracked a hoof). Seth has been having delusions of grandeur
since and has got the idea that he can beat any man in this county
footracing, including the great Orville (better known as Flash) Perkins of Freehaven. Now we do not want to discourage the roseate
dreams of youth. Nor do we wish to underestimate the speed of foot
Seth may have acquired keeping away from various citizens he has
slandered in the *Enquirer.* But when we mentioned this matter to
Rube Shucks, Rube said, 'Seth Twigs is the laziest critter in Raintree
County. He never runned a step in his life. Seth Twigs once let a
hive of bees swarm on 'im ruthern break out of a shuffle. Flash Perkins kin run faster backways with a pianner on his neck than Seth
kin frontways. If Seth Twigs beats Flash Perkins in a footrace, I will
personly plunge my haid into the Shawmucky and swaller the fust
big ole stinkin' catfish comes along, horns and all.'

—Garwood isn't going to like that catfish, Johnny said.

He had been looking at his reflection in the plateglass window.
He was twenty years old and had gained a good deal of weight in
the last year. He was six feet tall. His hair was dark and wavy and
shot with red. His face had lost its pimply, boyish look. He had on
a new suit bought especially for the Graduation Exercises at the

Academy. His legs in the tight pants were lithe and long. The knobs of his new shoes shone. A bowtie was poised on his throat like an irrelevant butterfly. It had been two years since anyone had beat Johnny Shawnessy in a race, and his friends had been encouraging him to try his speed against Flash Perkins, Raintree County's most famous athlete, in the annual Fourth of July Footrace.

This day, a Saturday, he had come into town to get his picture taken. The Graduation Exercises were only two weeks away, and the graduates had all agreed to exchange images of each other in the *carte de visite* size.

Cash unlipped his cigar and tipped the ash. His eyes were soft and visionary.

—It's been five years since anyone laid a bet against Flash Perkins. John, if you could beat Flash, we could clean up the biggest pot a money ever bet in Raintree County.

—I wouldn't want my friends to lose any money on me, Johnny said.

—I got a plan, Cash said. You remember the race two years ago when Flash was so drunk they practickly had to carry him to the starting line?

—He nearly got beat.

—By a secondrate runner too—a man you could whip with your legs tied in a potato sack.

—If Flash Perkins is drunk next Fourth, he's a gone goose, Johnny said. I think I can beat him sober, and I know I can beat him drunk.

The image of Johnny Shawnessy in the window stood with shoulders well back. The bowtie appeared just ready to wing its way off.

—I got a plan, Cash Carney said.

As always when he was dreaming up a good plan, his eyes became soft and christlike.

—I got a sure-fire plan for getting Flash Perkins to the starting line pig-drunk. Listen to this! About an hour before racetime, you go and find Flash. He'll be here at the Saloon showing his muscles and bragging. You go up to him, and you say, Perkins, I've heard enough of your blow about how you can beat any man in Raintree County drunk or sober. I can beat you drinking or running. Now everybody knows Flash Perkins never turned down a dare in his life.

He'll take you up in a second. You and he'll walk into the Saloon here and call for raw whiskey, the barkeep fills them up, and to the amazement of the crowd you drink with Perkins glass for glass.

—Don't forget, Johnny said, I'm a member of the Cold Water Army. I never touched a——

Brown eyes upcast, waving his cigar, Cash ignored the interruption.

—Meanwhile, I and some of the boys will have covered every Perkins bet we can get at odds of two to one. Come racetime, they'll carry Flash Perkins, the Pride of Raintree County, to the starting line, and you'll beat him all holler.

—Who'll carry *me* to the post? Johnny said. Besides, T. D. and Mamma would skin me alive if I did such a thing. I won't touch any alcoholic beverages.

—Who said anything about you touching any alcoholic beverages? Cash said. Suppose that the bartender pours colored water in your glass and straight stuff in Perkins'.

—He'd never do it.

—He *might* do it, Cash said, before he'd lose his job. If the Boss asked him to, he might.

—The Boss?

—I don't want it generly known, John, Cash said, tipping his ash, so keep it under your hat. But I own this joint now.

Johnny argued with Cash about it, but Cash pointed out that T. D. wouldn't have any kick coming if Johnny touched nothing but colored water, and it would be all in favor of the temperance movement if Flash beat himself by drink.

—Serve him right, Cash said. We'll take some of our winnings and put them into the next temperance drive.

Garwood Jones, who also had an appointment at the Photographer's, joined the two in front of the Saloon. He had just come from the barber's and stood a moment glancing at himself in the plateglass. Pleased, he opened his coat, extracted a cigar, and put a foot up on the low windowsill.

—Well, boys, he said, did you see it go by?

He put the cigar in his face. His handsome blue eyes crossed slightly as he touched matchflame to tip. He puffed, laughed gently. His hair was black and wavy. He palped his newly razored faceskin, soft like a baby's. His shoulders were bulky and sleek in his dandy coat. He exhaled fragrance of face lotion and hair oil, aroma of success. He reminded Johnny of a well-groomed prize bull.

—What a lovely pair!

Garwood's voice was deep, and he had a manner of speaking slowly so that every word told.

Professor Jerusalem Webster Stiles crossed the street and joined the group in front of the Saloon.

—Good afternoon, gentlemen. I hope the subject under discussion is sufficiently elevated to engage my interest.

—The Perfessor knows her too, Garwood said.

—Are you referring, the Perfessor said, to our charming little visitor from below the Mason and Dixon Line?

—She just went by the barber shop while I was in the chair, Garwood said. Boy, what a dream!

—Do you think your tone is strictly avuncular? the Perfessor said.

—What's it all about? Johnny said. Let us country boys in on it too.

—We have a new girl in town, the Perfessor said, affecting a stagey Southern accent, from the great and gran' old state of Lou'siana —Noo Orleans, Lou'siana, that is. Son, have you evuh visited in Dixie? Well, Ah'm heah to tail you, son, thet those accustomed tew the pinchin' and penurious weathuh of the Nawth cannot possibly *im*agine, until they have *ex*perienced it, the softness and fragrance of the Southuhn air. Below the Mason and Dixon Lahn, one passes impercetibluh into anothuh——

The Perfessor broke off and resumed in his normal voice.

—The new girl has already been closely scrutinized by the local experts and pronounced a very passable specimen of her sex. Just ask Uncle Garwood here, whose protective arm has so far guarded her against all contact with the raucous elements of the County.

—I'm not her uncle, Garwood said. Just a relative of a relative of hers. When I made that trip to New Orleans recently, I met Susanna, and since some of her relatives call me Uncle, goddamned if she didn't start calling me Uncle too just for a joke.

—Susanna who?

—Susanna Drake, Garwood said.

—Where'd she get all the money? Cash asked.

Apparently Cash knew about her too. Only Johnny Shawnessy was unaware of this exciting new arrival in Raintree County.

—The money, as I understand it, Garwood said, is an independent income which she has received ever since she was a kid and orphaned. Her folks had a big plantation near New Orleans, owned a lot of land and niggers. She was an only child and inherited a pile when they died. Her father's sister came here to Freehaven and built. She brought Susanna with her. Then Susanna grew up a little and went back South and stayed there. But when Auntie died last year, the house became Susanna's. It stayed empty for a while, but now Susanna turns up—just why I don't know.

—By herself? the Perfessor said.

—Couple of nigger girls with her, Garwood said. But I'm surprised at you asking *me,* Perfessor. *You* ought to know all about her.

The Perfessor laughed soundlessly and smoothed his already glueslick hair with sidelong glance in the plateglass.

—The boys are referring to a little fatherly conversation that I had with the young lady last Saturday.

—Fatherly, hell! Garwood said. A bunch of us went on a swimming party to Lake Paradise and took the Perfessor along for a chaperon. Goddamned if he and Susanna didn't disappear for hours.

—Marvellous swimmer, that girl, the Perfessor said.

—What's she look like? Johnny asked.

—Well, Garwood said, studying his cigar, I sure would like to put *my* head between 'em.

—Don't be crude, Uncle, the Perfessor said. But they are lovely.

—Wish she wouldn't cover 'em up so with those highnecked dresses, Garwood said. It seems a shame to have all that beauty blush unseen. She has jet black hair, John, big round eyes, olive complexion without a blemish——

—You'd be surprised, though, the Perfessor said.

—O, Garwood said, I suppose she showed you her birthmarks and everything on that swim.

The Perfessor tipped his ash with an appraising eye.

—It's a shame, he said. I hate to tell you, boys, but she has a large scarlet scar on her beautiful left breast. It starts right here—

He drew a line with his finger across his skinny chest.

—And it ends right here.

He ended up complacently scratching his left nipple.

Garwood watched through smilingly skeptic eyes.

—What's the diameter of her navel?

The Perfessor contemplated his cigar.

—*There is no excellent beauty*, gentlemen, he said, *that hath not some strangeness in the proportion.*

—She isn't as fast as she acts, Cash said. Rob Peters, that has the big gray and the new spring buggy, took her over to Middletown two nights ago, and when he took her home, he tried to get fresh with her, and she slapped his hat off. He said he never saw anything like her to lead a man on and then give 'im the back of her hand.

—It might interest you guys to know, Garwood said, that it's Uncle Garwood who's taking her to the Decoration Day Program next week.

Garwood paid a sly glance to himself in the plateglass mirror and caressed his backward-flowing mane.

—Boys, he said, that little lady is a fast filly, a high-steppin' little thoroughbred, and Uncle Garwood is just the boy that can ride 'em. You fellas wouldn't believe it if I told you the truth about her. I heard some stories about her down in New Orleans that'd make this County stand up and take note. I'm telling you right now, boys, we're kinda slow stuff around here compared to the set she's been——

—Here's the boy now!

A hoarse, high voice stung Johnny like a slap in the face. Advancing up the street, the first of a throng, came Flash Perkins, Raintree County's greatest athlete.

By this time whenever Flash Perkins walked through the Square, small boys followed at a reverent distance pointing. He was generally in the middle of a gang of secondrate imitators who enjoyed moving in the reflected glory of the man who could outrun, outdrink, outfight, outlove, and outcuss any other man in the County.

It seemed to Johnny that if anyone had found the secret of pure expression, it was Flash Perkins. Everything Flash did was sheer affirmation. He never analyzed, worried, debated. He fought, worked, drank, and talked with the same sublime physical gusto. Johnny had never seen Flash angry. Flash never took the trouble. His motto was, Hit fust and argeefy after. He was a born clown and played to every crowd like a gallery. His blue eyes were those of an excited child, and one had the feeling that if a single moment of tranquillity were to set in, they would become naïve and baffled. He acted always from sheer impulse, but his impulses were predictable, for he had a code.

It was because of this code that everyone in Raintree County, including Johnny Shawnessy, understood and, after a fashion, adulated Flash Perkins. It was the code of the early Hoosier, the backwoodsman or river man, a type already becoming extinct in Indiana. The code of Flash Perkins was the code of a people who had become great fighters and talkers in a wilderness where there was not much else a man could do for diversion except fight and talk. It was the code of the tellers of tall tales who tried to live up to their tales. It was the code of a competitive people, who had fought the Indian and a still greater antagonist, the wilderness itself, the stubborn, root-filled pioneer earth, the beautiful and deadly river, the sheer space of the West. It was the code of breezy, cocky men, who had no fear in heaven or earth they would admit to. The code involved never hitting a man who was down, never turning down a drink, never refusing to take a dare, never backing out of a fight—except with a woman. The code involved contempt for city folks, redskins, varmints of all kinds, atheists, scholars, aristocrats, and the enemies of the United States of America.

Actually, every Raintree County man had a little of the code in him. It was simply the Code of the West, and though the West had already passed over Raintree County and left it far behind, nevertheless the County had once been and would always be a part of the West. As Professor Jerusalem Webster Stiles was wont to say,

—To the true Easterner, everything on the other side of the Alleghenies is the West. And in a way that's right.

Now as Flash Perkins walked toward the Saloon, chest thrust out, arms swung wide from his hips, feet flung strongly forward, teeth bared in the insolent smile that always preceded the fight, the tall tale, or the dare, Johnny Shawnessy realized that he had arrived at one of the mythical encounters of his life. He had always known that one day he would stand chest to chest with Flash Perkins in the Court House Square, and Flash would suddenly take notice of him. For years he had watched Flash win the applause of the County by swiftness and strength, the all-conquering beauty of execution. He, too, Johnny Shawnessy, a child of the word and the dream, had always secretly intended to excel as an athlete. Only so, he felt, did one wholly win the applause of Raintree County and its most beautiful women. Only so did one become the completely affirmative man.

For Johnny Shawnessy too had the West in him, the amiably pugnacious West, where a man wanted and meant to get everything the best he could have, where a man meant to be first if he could in everything—from shucking corn to catching the loveliest girl. And because of his great speed of foot, Johnny Shawnessy had long had a special vision of achievement. One day in the Court House Square he would defeat Flash Perkins, and a beautiful girl would fit the crown of oakleaves on his own suncolored locks.

—Are you Jack Shawnessy? Flash said, coming up and standing hands on hips and feet wide apart.

Johnny continued to lean against the plateglass window with a pretense of unconcern. No one had ever called him Jack before.

—I might be, he said. Who wants to know?

—Hear that, boys? Flash said to his crowd. Shall I tell this here kid who I am?

—Go on and tell 'im, Flash.

—Son, Flash said, it gives me great and pecoolyar satisfication and gratifaction to interduce to you and this handsome and intellygent company that emminunt gentleman, Mister Orville—better known as Flash—Perkins, the fastest runner in Raintree County.

—Never heard of him, Johnny said. Who is he?

—Son, Flash said, I'm the originiffical yellin' Yahoo from the banks of Clay Crick. I'm half horse and half alligator, and rastle bulls in my spare time. I've smashed more skulls, drank more corn pisen, and raped more virgins than any other janejumper on the phiz of the arth. I can run like a horse, fight like a barl of wildcats, yell like a skun cattymount, and make love like a bull. I chaw little boys like you up with my terbaccer and I spit holes in walls. Who're you?

—Son, Johnny said, I'm the cer-tee-fied, gen-u-ine, ripsnortin', rag-tearin,' ringtailed, headbustin' mankiller from the banks of the Shawmucky. I fight all the time exceptin' when I'm eatin', and I eat all the time exceptin' when I'm fightin'. I strangle bars with my bar hands fer a livin', I chaw wildcat tails instidder terbaccer, I've slept with ever widder under forty in the County and some of 'em twicet,

and I kin run like a colt with a redhot cob under his tail. I use
minners like you to bait muh hook with when I go fishin'.

For answer, Flash Perkins jerked off coat and shirt. He threw his
hat on the ground. It looked as though he was going to hit Johnny.

—Fight! Fight! someone yelled.

A big crowd had already gathered. But smiling all the time,
Flash sat down on the sidewalk and pulled off his shoes.

—Come on, Jack, he said. No use waitin' till Fourth of July. I'll
race you right now from here to the Baptist Church, or anywheres
else you wanna run to.

—Make it the church, Johnny said.

He pulled off coat, tie, and shirt. He sat down on the ground and
pulled off shoes and socks. Bare to the waist, he shoved through the
crowd to Flash Perkins.

In the saloon window, the reflections of two young men leaned
slightly forward. The sun shone on the hard, broadshouldered body
of Flash Perkins, who stood in stocking feet a trifle shorter than
Johnny, shone on the shag of his brown hair, his curly beard, his
smiling teeth, shone on the lean ribs and sinewy shoulders of Johnny
Shawnessy, shone on his massy chestnutcolored hair. There was a
faint prismatic light around both figures.

—Sot us off, Fred, Flash said.

—Just a minute, Cash Carney said, stepping up. Put your duds
on, John.

—What fer? Flash said.

—This boy ain't racing today, Cash said. He's under contract to
me, and he don't race for any but big stakes.

—If he don't race me now, he's a yallerbellied coward.

—He's not racing, Cash said. That's final. You're afraid to run
him regular and official, Perkins, because you're afraid of losing
money.

—Get a hat! Flash Perkins yelled.

—Here's a hat! somebody yelled.

—I'll give 'im odds of two to one, Flash said.

—You just say that, Perkins, Cash said, because you know nobody'll bet you. If someone came along with a little hard coin, you'd
try to weasel out of them odds, and you know it.

—Try me and see, Flash said.

Cash Carney reached in a back pocket and coolly took out a leather snap-purse. The crowd became reverently silent as Cash took five gold coins out of the purse and held them in the cup of his hand.

—That thar's gold, a citizen said.

—It ain't horse manure, a second citizen said.

—Here's fifty dollars says you're a liar, Perkins, Cash said.

—I'll cover it, Flash said, or if I can't, my sidekicks will before the Fourth of July.

—I'll take some of that, myself, Garwood Jones said. Friendship is friendship, John, but a bet on Flash Perkins is a sure thing.

Johnny began to put on his clothes. He fixed his tie in the plateglass window, where the suncreated images of the crowd mixed incessantly. The hard, high nasal talk rasped in his ears.

—I'll see you racetime, Jack, Flash said. I promise not to beat you more'n a city block.

Flash Perkins walked straight into the batwing doors of the Saloon without bothering to put out his hand. The doors slapped back and forth. Johnny could hear the high, goodhumored voice yelling for a drink, the sound of obsequious laughter.

It was three o'clock as Johnny walked down to a door that had a sign over it reading

PHOTOGRAPHS, DAGUERREOTYPES, and AMBROTYPES

Entering, he climbed a rickety stair to a hall on the second floor. The old building smelled of tobacco, urine, chemicals. Johnny had never been up this stair before, and he didn't know which way to turn for the photographer's. He was half expecting to meet Nell Gaither, as she too had an appointment. Through an open door on the left he saw a dimly lighted gallery, hung with oval pictures. He walked in toward a closed door at the far end, watching his own image grow larger and larger in a full-length mirror hung on the door. He laid his hand on the knob and opened the door.

Light drenched him, a white radiance without warmth, as if he were inside a camera whose shutter had just been opened. He blinked and narrowed his eyes.

The room was bathed in light. A skylight of milky glass slanted almost to the floor on the left wall. The young afternoon flooding in bathed each object in shadowless purity.

A young woman stood posed for a picture. Her jetblack hair was shaken out over her shoulders and down her cloudy white gown, which resembled a nightdress. She leaned against a cardboard column, holding an artificial lily in her left hand. The backdrop showed a riverscene: a landing in the foreground piled up with cottonbales, a steamboat in the middle distance, and in the background pillared ruins beside the river.

The photographer had just slipped the cap over the lens. The girl relaxed from her pose and turning looked right at Johnny. Instantly she gave a little shriek and clutched her throat with her left hand.

—O, it's you! she said.

Her olivecolored skin blushed scarlet and she began to laugh.

—O, hello, Johnny said, and backed out and closed the door.

The girl had spoken as if she had recognized him or had even been waiting for him, but he knew that he had never seen a face like hers before. Seen bare and sudden in the white light, the face in the studio had burned its image so brightly on his memory that it was more like an afterimage than a recollection as he paced in the dark little gallery.

In this face innocence was strangely confused with sensuality. The upper part of the face, the patrician brow, the delicately limned eyebrows and the great blue eyes, childlike and almost unnaturally vivid, suggested purity and romantic sadness. But these qualities were lost in the barbarously lovely lower face. The cheekbones were wide. The jawlines swept in to a precise little chin. The nose flared from a fine bridge to wide nostrils. The mouth though not big was deep-lipped and protrudent, and challenged the eyes for dominance. It was in a perpetual pout, as if about to offer itself for a kiss. Yet it too, this savage little mouth, when he had first seen it, had been touched by an expression childlike and tender.

Later, the door opened, and the girl came out. She was dressed in a white satin gown, chastely high at the neck and completed by a scarlet neckband, matching her parasol. Her hair, bound up to show her ears and brushed down in bangs over her forehead, emphasized the sensual breadth of her face. Her skin was a beautiful smooth olive, firm and free of blemish. Johnny couldn't help thinking that the same olivecolored skin covered her whole body, including the breasts, which had been admired by the local experts. They did indeed command admiration, tilting steeply under the white satin.

—I didn't mean to scream, she said. I saw you all down in the street getting ready to run, and I didn't expect to see you in the studio. Why didn't you run?

Her slight drawl was pleasantly Southern and vaguely querulous.

—We're going to postpone it until the Fourth of July, Johnny said.

—Are you a fast runner?

—Pretty fast, ma'am.

—I'm a good runner myself, the girl said.

—How about a race sometime?

—You don't believe me, do you? the girl purred. You'd be surprised how fast I can run. I'm as quick as a cat.

She gazed candidly into his eyes, her face turned up just at his shoulder, her eyes drinking his. Her lashes were long and coarse. The whites of her eyes were veined with little violet lines.

—I wouldn't be at all surprised, he said.

He would not have been surprised. Doubtless, this olivecolored softness could be curved and sudden with catlike muscles.

The girl was still looking at his face when the voice of the photographer broke in.

—Come in, young man.

Johnny went in and had his picture taken. When he came out ten minutes later, the girl was still in the gallery, posing in front of a portrait with both hands on a femininely thrustout hip.

—Hello, she said.

—Hello.

—You're John Shawnessy, the girl said.

—Thanks for letting me know, Johnny said, grinning.

To his surprise, the girl didn't smile at all.

—You're Susanna Drake, he said.

—How'd you know?

—From Uncle Garwood.

This time the girl laughed. Her laughter was like that of an excited child. While she laughed, she put her left hand on her throat.

—What did he say? she asked.

Johnny began obediently to recite what Garwood had said, omitting certain personalities. They walked down the stair together, and it was natural for Johnny to ask her if he might take her home.

—I'd be hurt if you didn't, she said.

Outside in the Square, her scarlet parasol bloomed suddenly into a taut dome. Johnny was aware of hundreds of eyes turning to watch him. She took his arm, and they walked past the Saloon. She had a cute, bouncy way of walking, moving her shoulders with little thrusts and swaying her hips.

—Hello, Uncle Garwood, she said archly.

Garwood pursed his lips and nodded his head approvingly like a judge at the County Fair appraising a well-proportioned heifer. Cash Carney unlipped his cigar and delicately tipped the ash.

—I think I'll go in and get *my* picture took, Garwood said. They give away such nice prizes.

—That boy is definitely ready to graduate, the Perfessor said.

—By the way, how did you know *my* name? Johnny asked.

—O, I've heard of you, the girl said. You write for the newspapers, and you're very shy around girls, and you're the most gifted boy in this County, and you're very idealistic.

—Who told you?

—A friend of yours.

—Ah, the Professor, Johnny said.

—He's the funniest man!

Susanna Drake began to laugh again, touching her throat with her left hand. Then suddenly serious, she said,

—I'm very idealistic too. Have you read *St. Elmo?*

—Yes, I have.

—Don't you think that's just the most wonderful book! I think it's just marvellous the way she works for the redemption of that man's soul! I could really *love* a man like that marvellous St. Elmo. Isn't Mrs. Evans about your most favorite woman writer?

—I prefer Mrs. Stowe, Johnny said.

The girl stopped short and thrust him away with a violence that shocked him.

—That dirty slut! she hissed.

Fury poured up and down her body as if a big angry snake were coiling and uncoiling inside the satin. Some of his amazement must have shown in his face, for this voluptuous fury subsided as swiftly as it began, and the girl leaned against him affectionately.

—Don't pay any attention to me, honey. I just can't stand to hear that woman's name. It makes my flesh crawl. It really does.

In fact, her whole body went through a quick convulsion beginning at the knees and flowing up through her back and hunching her shoulders. She shivered violently and shook her head. That appeared to end it, for she emerged from her fit smiling sunnily and talking about other things.

—This is where I live, she said, when they had walked a block south of the Square.

They were standing at the bottom of a steep flight of stone steps that led up a high lawn to a house. Johnny thought he must have noticed this house before, as it looked vaguely familiar. It was not like any of the other houses in town. It was three stories high, and the front had five windows on it in the pattern of a five-spot in a deck of cards. The corniced roof had one little round window under the peak. There was a long, low verandah with small pillars.

—I just love this house, Susanna said. I always have ever since Aunt and I came to live here when I was a little girl.

—Do you live here all by yourself?

—I have two Nigro girls to do the work, she said. I'll say good-by now.

She held out her small hand, and he took it, supposing that he was about to say good-by. But she allowed her hand to stay in his and remained standing on the first step, so that her head was on a level with his own. From there, she candidly studied his face, her mouth pouting.

—Where did you get that nice smile? she asked.

—That's my St. Elmo expression, Johnny said, embarrassed.

That was just the beginning of it. It was half an hour before he had trailed her step by step all the way up to the door. Meanwhile they talked of a hundred things, Johnny listening for the most part, enchanted by this alien speech that flowed into his ears like a music vaguely remembered. Every word that she spoke and her manner of speaking, he reflected, was a legend of an alien way of life. This girl had been ferried through languorous days and nights and now stepped down into Raintree County, a barbarous creature with a stately name.

—You must come and visit me sometime.

—I'll do that, Miss Drake.

—I'm Susanna to special friends.

—May I count myself among that select number, ma'am?

—You may.

—Susanna. It's a beautiful name, he said. By the way, people call me Johnny, though it's not special like your name.

—Johnny, she said, pronouncing the name in a special way. It happens to be a name I love, Johnny.

He watched her go in and saw her face a moment looking out at him through the glass doorpane, the pouting mouth touched with an expression of tenderness. As he walked back toward the Square, he remembered the measures of an old tune, racy, yet vaguely unhappy.

> I come from Alabama
>   With my banjo on my knee,
> I'se gwine to Louisiana,
>   My true love for to see. . . .
>
> O, Susanna,
>   Do not cry for me;
> I come from Alabama,
>   With my banjo on my knee.

He found himself thinking of those steep breasts nodding a pointed invitation from below the Mason and Dixon Line.

But his yearning wasn't directed toward the girl he had just seen. Those days, all beauty reminded him of Nell. He was entirely faithful to this love that was entirely faithful to him by remaining in the image of unattainable beauty. Soon his innocent love-communion in the polysyllables of an antique tongue would end. Graduation Day was near. And besides there was a report abroad that Garwood Jones and Nell were going to be married.

As for Johnny Shawnessy, he had that day thrown off a garment of shyness. He had stood stripped to the waist in the Court House Square, shoulder to shoulder with the fastest runner in Raintree County. Who could say

WHAT IMMORTAL GARLAND WAS TO BE RUN FOR,

NOT WITHOUT DUST

AND

HEAT of the sun filled up the valleyground of the river. Mr. Shawnessy, climbing out of the surrey, carefully laid the *Atlas* face-down on the seat and covered it with a copy of the *Free Enquirer*.

—Might glance through my article, Pet, while I run over here and have a look at things. You children can amuse yourselves hunting for relics of Danwebster.

He opened a copy of the paper to an inside section. Sunlight on the white sheet smote the fine print into a mist under the headline:

HISTORY OF RAINTREE COUNTY, INDIANA
by Prof. John W. Shawnessy

He took a sickle and a covered cardboard box from the floor of the back seat, opened the gate, and stepped into the deepgrassed field.

In my best historical style, a language of inscriptions.

The origin and early development of Raintree County . . .

He stepped over the ribbed and rotten skeleton of a picket fence. Flies whirled from dried cowpads. Weeds boiled rankly from a filled-in cellar. He walked through a tiny stonehenge, the still vaguely human arrangement of a foundation. He picked his way through tufts of marsh grass approaching the river bank. In a far corner of the field, some cows gazed tranquilly at the intruder.

Quo vadis? Whither goest thou, disturbing this earth? In the marketplace of Rome, we ruminate the summer grass. We drop peaceful dung on the memory of Caesar. *Hic jacet* the noblest Roman of them all.

Among the earliest settlements in Raintree County was a community in the great south bend of the Shawmucky, a thriving town on the eastern approach to the County Seat, quaintly called Danwebster, in honor of the greatest name of the Ante-Bellum Republic. The swift decline and disappearance of this little town during and after the War is perhaps attributable to . . .

A pig thrust snogging and snorting from a hole under the remains of the mill.

Who goes there, bearing a sickle and a box of cut flowers? Where feet of lovers trod, our snouts grub roots.

He walked warily out on the remains of the dam and leaping from rock to rock crossed the river. He climbed the low bank on the other side, pushed into the river's fringe of trees, and plunged through nettles and horseweeds, unsettling mists of mosquitoes. He broke from the cool shadow of the river-bordering leaves. Heat and light dizzied him. The waisthigh weeds clung to his clothes. He leaped a marshy ditch, wetting his heels. He paused for breath at the base of the railroad embankment.

Who goes there with a hook of iron and the damp corpses of flowers?

Historian of a vanished culture. Who lies here, sleeping by the river?

Here lies the memory of a little town, of golden and agrarian days and sainted elders on the porches in the evening talking of the Union. Here lies the white republic, founded foursquare on the doctrine of universal law. Here lies a preflood name, Danwebster. Who goes there, with memorial flowers?

A maker of inscriptions. *Ave atque vale!* Hail and Farewell! What path is this, cutting through the cornlands of the County?

Here lies the clean bright knife that slew an old republic. Here lies the sickle-armed castrater of the elder gods. Tread warily, crossing the pathway of new gods.

He scrambled up the embankment. The slight elevation raised him cleanly above the river-valley. The railroad was a long line rising in a gentle grade from the east to the point where he stood and waning in a gentle grade to the west.

Who goes there hunting for memorial stones?

An archeologist of love. I hunt old mounds beside the river. Who lies there sleeping in a hill of earth?

Level with the railroad, south, some fifty yards away, rising from the waves of a vast cornfield like an island in the corn, was a mound of grass and flowers.

Here lies the enduring bone, more lasting than historians of cultures. Here lies a white bone held in a bracelet of bright hair. Who goes there, bearer of a golden bough?

The hero of a lost inscription, the guardian of a talismanic name, an answerer of riddles. Who lies there buried in the earth of Raintree County?

He saw the stones grayly protruding from the grass and weeds, some nodding to the ground, and on their tranquil forms frail lines of at the Pedee Academy marked the close of Johnny Shawnessy's schooling in Raintree County. The Graduation Ceremonies were the occasion of much sprightly newspaper comment. But no newspaper was ever to record an interesting thing that happened to Johnny on Graduation Day.

That spring, in nights of feathery leaves and sweet odors, Johnny lay awake thinking of the coming Graduation Exercises, the Class Picnic, and the Fourth of July Race. Waves of languor succeeded by waves of tumultuous energy made him mad with a springtime madness, and during these days, he decided that he would reveal to Nell Gaither that he was in love with her.

The way he did it was undoubtedly in the purest Johnny Shawnessy tradition.

The Graduation Exercises were in middle June. Everyone agreed that the write-up the following day in the *Free Enquirer* expressed with unusual felicity the spirit of the occasion. The article went in part as follows:

YOUTH FACES THE WORLD
(Epic Fragment from the *Free Enquirer*)

Frankly, we were touched at the sight of the blooming and blushful company of young academicians gathered for the final exercises in the yard of that little Parnassus of the West, Pedee Academy. We felt our own wasted boyhood resurgent in our breast as we looked upon those faces steeped in the immortal dreams of youth!

Before the conferring of diplomas, each graduate stood up and delivered an original composition. Mr. John Wickliff Shawnessy, Valedictorian and Class Poet, recited by heart a long ode in which he bade farewell to classmates and academy. Friends and relatives of this upright young citizen were pleased to perceive that his poetical maturity has in no wise belied his early promise. Garwood Jones, Class Orator, delivered a bang-up oration in which he promised that the future of the Republic could be safely entrusted to the graduating class of Pedee Academy. Miss Nell Gaither, the Salutatorian, than whom no fairer flower ever adorned with its cernuous and supple stem the bedded banks of the Shawmucky, read an original composition entitled 'A Rose of Remembrance in the Faded Garden of Love.' This verbal bouquet, ornamented with some of the most odorous peonies of rhetoric, acquired no little of its charm from the circumstance of its being uttered by a young woman who unites in her person all the blandishments of beauty with all the witcheries of wit. At the end of this composition was a poem, which, we later learned, had been unexpectedly added by Miss Gaither. As we consider it a flower that ought not to blush unseen, we secured the author's permission to print it.

LINES COMPOSED IN MELANCHOLY REMEMBRANCE

In the day when my heart will cease beating
  In the echoing cell of my breast,
And its music so fervid and fleeting,
  Has forever subsided to rest,
If ever thou look'dest with longing
  On her who has passed from thy ken,
O, believe that her heart was belonging
  To thee, though all secretly, then!

O, then, when thine eyes shall discover,
  Too late, how she doted on thee,
When the turf is upmounded above her,
  And her love-fettered spirit is free,
O, then wilt thou pensively hover
  And beweep by her desolate grave,
Thy pale, yet unpenitent lover,
  Thy rejected, yet passionate slave!

So ardent was Miss Gaither's rendition of this empurpled effusion that both she and the audience were visibly moved, and the young lady delivered the last few lines in a scarcely audible voice before retiring in a pretty confusion amid the plaudits of the crowd.

Finally, from the hands of Professor Jerusalem Stiles, diplomas were dispensed to . . .

The graduates gathered in the Academy Yard after the formal exercises to converse with friends and relatives and to exchange gifts, signatures, photographs, and scraps of sentiment in keepsake books.

In everyone's book, Johnny inscribed the following statement enclosed in a border of ornamental penmarks:

A Concluding Specimen of my Writing with Jerusalem W. Stiles at Pedee Academy, Raintree County, Indiana, June 1, 1859.

John Wickliff Shawnessy

Johnny received a similar inscription from the other graduates. Additional sentiments, original or borrowed, were optional.

The Perfessor signed all the keepsake books. In Johnny's he wrote:

To John Wickliff Shawnessy, the budding bard of Raintree County,
Life's eternal young American,
Ave atque vale
J. W. Stiles

The Reverend Mrs. Gray came around sniffling and wrote in Johnny's book a wistfully inappropriate sentiment:

Many the changes since last we met.
Blushes have brightened and tears have been wept.
Friends have been scattered like roses in bloom,
Some to the bridal and some to the tomb.

Johnny retaliated with:

Lydia, now I've heard your accents please,
I know what is meant by Lydian melodies.

In Garwood Jones's book, Johnny wrote:

This is tew surtyfie that I Seth Twigs of the County of Raintree, State of Injianny, in the Yewnited States of Amerikee, am acwainted with the owner of this book, and I have no hezzitation in sayin to all and sundry that he kin read, spel, and rite (tho not ellygant like myself). Single men without funds can employ him with the utmost confidents that they hev nuthin to looze by the transackshun.

Signed,   Seth Twigs

Garwood, always a fast man with a comeback, wrote in Johnny's book:

Tew hoom it may consurn:
The owner of this book is wun of my closest pursonal ennumies. I hev no reluctuntz in recommending him fer enny kind of ordeenary

household work, inclooding ginneral carpentry (his fabreekations are noomerous and unsurpassed), but vurgins over fiftee wood dew well to keep him out of there drawers.

Signed,   Rube Shucks

After a half-hour or so, Johnny found that he had collected the following additional posies in his keepsake book or on the backs of photographs:

> Remember me as your friend
> From now until time shall end.   Sarah Peters

. . .

> A place in thy memory, Johnny, is all that I claim.
> Wilt thou pause and look back when thou hearest the sound
> of my name!   Matilda Thackett

. . .

> Forget me not.
>
> Bob Fraser

. . .

> Remember well and bear in mind
> A constant friend is hard to find.
> And when you find one that is true,
> Change not the old one for the new.   Cassius Carney

. . .

> Remember me, when this you see,
> Your righthand man at old Pedee.   Thomas Smith

The weakest scholar in the graduating class had polished a special gem for the occasion which he inscribed in all the keepsake books:

> O, may your pathway ever gleam
> With sincere love and joy supreme.
> May Him whose eye is felt, not seen,
> Bless you with thousand blessings e'en,
> With all that fairest love could dream.
> Such is the wish of your friend, T. F. Greene.

Then by prearrangement all the graduates gathered in a ring around Professor Stiles, and Mrs. Lydia Gray blushingly presented him with an ornamental cigarbox, which Johnny and Garwood had driven all the way to Middletown to buy. The graduating class had pooled its resources and paid thirteen dollars for it. Lydia's presentation speech started out bravely enough:

—We the members of the First Graduating Class of Pedee Academy wish to tender to you, Professor Stiles, our beloved mentor and friend, this little token of our deep admiration and abiding esteem. May . . .

From here on Lydia's voice steadily diminished in strength so that Johnny never heard the concluding words.

—Madame and members of the First Graduating Class of the Pedee Academy, the Perfessor said, accepting the box and gingerly peeping into it like Pandora expecting troubles, I am deeply touched by this manifestation of your affection, which I hope I may have deserved. Let me only say . . .

The Perfessor went on with a shameless collection of clichés and delighted everyone with the classic roundness of his periods and the aptness of his sentiments. The applause was loud when he finally concluded his remarks and began to pass out the cigars.

At that moment, standing in the shade of the Academy Yard, a tall youthful form, his brilliant black eyes glancing about him, Professor Jerusalem Webster Stiles reached the summit of his popularity in Raintree County.

In a short time, Johnny himself had collected the following gifts: four beautifully bound and illustrated gift books entitled *Friendship's Album, Autumn Leaves, The Heart's Treasure,* and *Pearls of Memory;* a framed picture of a farmhouse with a mother standing in the doorway and waving to her departing boy, whose earthly belongings were bundled to a stick on his shoulder; a framed picture of a farmhouse with a mother standing in the doorway and waving to her returning boy, whose good success in the world was reflected in the neat city clothes and fine suitcase he held in his hand; a handful of *carte de visite* photographs variously inscribed on the back; and a large blue bowtie. He had also been kissed violently by a young girl graduate, whose great passion had kept itself in hiding until then, and by a dozen female relatives from various corners of the County, some of whom he had never seen before in his life. Most of the girl graduates were weeping here and there on the Academy grounds from emotions of farewell.

Johnny himself had distributed various keepsakes, pictures of himself, and gifts. But the most important sentimental remembrance had not yet been exchanged.

He had watched Nell Gaither all the time after the Exercises were over. It was essential for his plan that he catch her alone and suggest that she come with him to the library where he had something to give her. She had been peculiarly quiet and pale as if she hadn't yet recovered from the emotion that had betrayed her while she was giving her Graduation Composition. At last she walked away from the crowd and stopped under an elm in a remote corner of the yard, but before Johnny could react, Garwood Jones walked across the lawn to join her.

Garwood had something in his hand which he presented with a courtly motion. In her white graduation gown and bonnet trimmed in green, Nell seemed untouchably aloof. Yet she smiled up at Garwood in a very lovely way. Garwood fastened a necklace around her neck, and she gave something to him which Johnny couldn't make out; but whatever it was, he could imagine Garwood's voice mellowly throbbing with gratitude.

At that moment, a relative came up and hit Johnny on the back and shook his hand, and Johnny didn't see the climax of the scene. When next he looked, Nell was alone, walking along the fence. Then abruptly, as if remembering something, she turned and went swiftly to the porch of the Academy. Just before entering, she swept the yard with her eyes, which rested finally on Johnny Shawnessy. She looked at him a long moment with lifted brows, lips parted. Then she turned and went into the Academy Building.

—Excuse me, Johnny said, rudely leaving the group he had been with.

His chance had come, the moment he had rehearsed in fancy so often that the actuality became many times more exciting than an improvisation. Heart pounding, he followed Nell into the building and down the dim corridor to the library. She was inside, sitting at the table with her head on her hands. He picked up a big book which some hours before he had carefully hidden in a corner of a bookshelf. He put the book on the table in front of her.

—Here's a little graduation remembrance, Nell.

It was a brandnew leatherbound giltedged copy of *The Complete*

Works of William Shakespeare. It had cost Johnny seven dollars and fifty cents and weighed six pounds.

—Sort of *in memoriam,* he recited in a hoarse voice, for all the good times studying together, Nell.

Nell raised her head. Her eyes were wet. She picked up the huge book and held it helplessly. It struck Johnny that he had done a touchingly brave and also quite pitiable thing. Nell ran her hands wordlessly a few times over the big book, looking up at Johnny and then down at the gilt words on the cover. She tugged at the book, and it opened suddenly, the pages, newly gilded, sticking. Where it opened, the picture of a young man looked out from a *carte de visite* photograph which had been inserted in the book under the printed words

VENUS AND ADONIS

It was the picture of a youth of twenty in a dandy suit. The shoulders were well back, the chest well forward, the arms fixed at the sides but thrust a little back, the left foot slightly advanced. The head was held high as if forced up by the bowtie at the throat. The eyes were steeped in visions. The mouth was firm but gentle, as if about to smile. The heavy eyebrows were slightly raised as if touched upward with a mild surprise. The whole image had a quality of youthful, affectionate charm.

Johnny winced as he saw this sudden image of himself planted in the immense book of William Shakespeare.

—Please don't let anyone else see what I wrote on the back of that picture, Nell, he said.

Then he walked swiftly out of the door and down the corridor.

On the back of the picture he had written:

ACTAEON

One day a vision was vouchsafed to me,
    That filled my burning heart with bright emotion,
A sight more fair than Venus was when she
    Came streamingly from the Ionian ocean.
I had been lying by a riverside
    And as I lay, I slept and dreamed a dream,

And then awaking, from my covert spied
  A girl—and beautiful—bathed in the stream.
Like one enchanted, swooningly I lay
  And watched her. She was naked. And her bare,
Brightlimbed, and slender body was at play
  With the green water dropping from her hair.
Her name, which even now I dare not tell,
Rang in my stricken heart a lovely kNELL.

John Wickliff Shawnessy,
June 1, 1859.

No one else had yet seen this sonnet, upon which Johnny had expended all his technical resources, except Professor Stiles, who had remarked,

—Shall the Shawmucky be another Avon? I see our rural bard has been *sleeping, by a virgin hand disarmed.* You may get your face slapped for that poem. Undressing Raintree County damsels even in pentameters is a pretty risky business.

The summerclad forms of the graduates and their friends bloomed suddenly on Johnny's vision as he burst from the dusk of the Academy into the sunlight of the yard. The white dresses hurt his eyes; the blithe voices stung his ears. He walked slowly out into the lawn, appalled by the exquisite wickedness of the thing that he had done.

At this very moment, the girl in the Academy Building held in her two hands the soul of Johnny Shawnessy, a throbbing, vulnerable thing. Words were more naked than flesh, and he could never get them back. He had once held her white beauty imprisoned in his cruelly eager eyes; but now she was returning the favor with a vengeance. He had tried to be life's young Greek in Nineteenth Century America. His poem was wellnamed 'Actaeon.' Like the hunter who beheld Diana bathing in the stream and was changed to a stag and hunted by his own dogs, he could hear howling after him already the bloodhounds of Raintree County's puritan conscience.

—Here's the boy now, Garwood said, his booming voice calling everyone's attention to Johnny emerging from the building. Garwood walked importantly through the crowd and taking Johnny by the arm led him to a group of men near the front gate.

—This the boy? one of the men said.

Johnny shifted uneasily. The whole crowd turned to watch.

—Think you got any chance to whip Flash Perkins on the Fourth? the man said.

—I mean to try.

—Garwood here has been offering me odds of three to one Perkins'll beat you. I thought you and Garwood were friends.

—Garwood and I hate each other affectionately, Johnny said.

—Tell 'em how good you are, John, Garwood said. I'll give you half my winnings.

—A bet on John Shawnessy's a sure thing, mister, Johnny said.

—Sure to lose, Garwood said. Ha, Ha, Ha.

—Johnny! Yoo hoo, Johnny! Come here.

It was his mother calling. He walked over to her. As Valedictorian he was a noteworthy object and was expected to show his face and say bright things. Ellen was very proud of him, her great, handsome, likeable Johnny, who had led his class and had been called by the distinguished Professor Stiles 'the most gifted young man I have ever had the good fortune to teach, Madame.'

—This is Cousin Hurlbut Shawnessy from Middletown, Ellen said. He's quite a scholar himself and has similar interests to you, Johnny.

—O, is that so? Pleased to meet you.

—Pleased to meet you, young John, Cousin Hurlbut said.

Cousin Hurlbut obviously favored the bigframed, fatfaced, bucktoothed branch of the Shawnessys. He had jawlength sideburns and a portentous manner.

—Cousin Ellen tells me you're the author of the Will Westward articles in the Freehaven *Enquirer,* young John, Cousin Hurlbut said.

—Yes, I guess so, Johnny said, watching the door of the Academy.

—I have read your inditings with interest, Cousin Hurlbut said. Maybe you've seen some columns appearing in the Middletown *Radiant* under my numdyploom, Peter Patter.

—Uh, yes, I believe so, Johnny said. Very fine.

He had some memory of having seen some clippings from Cousin Hurlbut's muse, which specialized in poems about looking backward down the years and realizing that one's youth was spent.

—John's the scholar of the family, T. D. said, rocking pleasantly.

The boy always had a knack for saying things from the time he was a little shaver.

Johnny excused himself and withdrew from the crowd. He skirted the edges of the yard. He thought of slipping through the side gate and going down to the train station. He had always wanted to go West anyway. In the West, a man could do as he pleased. In Raintree County there were too many barriers and too much beauty.

He was standing alone under the big elm by the side gate when Nell came out of the Academy and picked her way sedately through the yard coming directly toward him. Under her arm was a huge book.

It was clear that she was returning his present.

—Here's something for you, Johnny, she said in her low, soft voice, lingering her mouth along his name.

As she gave him the book, she put her head to one side in one of her unconsciously statuary attitudes, the sidepoised head communicating its evasive gesture musically down the length of her body and somehow suggesting the emotion of farewell.

The book was a brandnew leatherbound giltedged copy of *The Complete Works of Lord Byron*.

—I knew you didn't have a copy, Johnny, and I thought you might want one to keep. Your poem was beautiful.

She turned and walked away with the same undulant, unhurried step and, accepting the arm of Garwood Jones at the gate, climbed into his buggy. As she gathered her dress in, she looked over her right shoulder and her eyes found Johnny's in a lingering look.

Someone was coming toward him. He walked hurriedly to the Academy and ran up onto the verandah and through the door. The library was still empty. He carried the book over to the recessed window. He pulled at the stuck gilt leaves. Where the book opened, the picture of a girl looked up from a *carte de visite* photograph underneath the poem 'Fare Thee Well.'

It was the picture of a young woman standing with her body in profile, so poised that she appeared to be just rising to her toes. Her face was in half-profile, her eyes looking back over her right shoulder and directly out of the picture. The whole pose was an unconsciously classic attitude. It was the river nymph inviting the love-pursuit.

On the back of the photograph were the words

Johnny, please keep forever this image of her who has been for longer than you guess

> Your pale, yet unpenitent lover,
> Your rejected, yet passionate slave.
>   Nell

To his ears came the distant sound of voices and laughter. They beat softly on the brick walls of the Academy Building, echoing in its empty shell. They were like the sound of surf, a blue surf churning on immemorable shores. They poured languor and sweetness of love over the listening soul of Johnny Shawnessy.

On the way back to the Home Place, T. D. kept talking about the significance of higher education.

—Yessirree, John, he said, I wish I had had just half your advantages when I was your age. I always did want to know a little Latin and Greek. I tell you, with Latin and Greek, and your natural aptitudes and faculties, John, I take a very hopeful view of your future. I'm sure I express and echo the sentiments of your mother too, when I say that we're very proud of you.

YOU HAVE A BRIGHT ROAD AHEAD OF YOU, MY BOY,
AND WE EXPECT YOU TO

GO

FAR around on three sides the ocean of July corn undulated toward the Danwebster Graveyard and broke, a gentle surf, against it, ebbing from the wire fence. Mr. Shawnessy opened the gate and stepped inside.

The graveyard, abandoned like the town, was a hundred stones beside the river. In the middle of orderly cornlands, it was an island of disorder. He kicked up crowds of grasshoppers as he walked through uncut grass, gravemyrtle, wild carrot, white top, blackberries, poison ivy.

He stopped and shaded his eyes, looking for familiar stones. In the place of death he felt overwhelmed by life. Life rushed up from the breasts of the dead in a dense tangle of stems that sprayed seeds and spat bugs. As he thought of other memorial journeys to the graveyard, the stones seemed to him doomed and huddled shapes around which green waters were steadily rising. He stood up to his knees in grass and weeds, holding in one hand a box of peaceful cut flowers and in the other a sickle, his eyes hurting with sunlight.

They lie beside the river, lulled by the music of its waters. They lie beside the river.

Where are the forms and faces of my pagan youth? Where is the hunger of the shockhead boy who saw a white flesh in secret waters? Where are youth and maiden?

They lie beside the immemorial river.

Where are the generations of those who loved beside the river? Where are the generations of grass and flowers that bloomed and seeded by the river?

Bare feet of lovers, thudding on the roofs of mounds, press lightly on these crumbled hearts.

There are many mounds beside the running river, become beautiful and secret by the lapse of years. There are entire eras of lost lovers who have left only mounds full of bright boneshards beside the river. All the people who ever lived here were lovers and the seed of lovers. Where are all those who ever beheld beauty in bright waters?

They lie beside the river. They lie beside the river.

He walked a little farther into the graveyard and bent over a stone that rose slenderly from the grass, completing itself in a tranquil arc. He began to tear at the dense grass with his sickle.

O, beautiful, springing hair from the flesh of the dead! I will remember long gold hair around a face that was like no other. I will remember boats that moved in gala procession far down between widening shores. And oars that made languid wounds in the pale flesh of the river.

What difference now does it make that love was a tall, imperious bloom beside the river? What difference if face touched face beside the river?

There was no guilt or recollection of guilt. There was only love that is desire for beauty. We were like flowers that seduce each other without memory and without guilt.

He stood up leaving the base of the stone softly revealed by the sickle. He had put very far from him, he knew, the anxieties of the coming day. Very far from him now was Waycross, on the periphery of the County, where before long he must participate in patriotic ceremonies. He stood in a place of classic stones. Halfshutting his eyes, he felt his body drenched in sunlight. He listened to the murmur of cornleaves swayed by the wind and the music of the river passing through its vocal reeds.

This was the earth of riddles, this was the earth from which had sprung all myths, memories of passion. He shut his eyes entirely. Something white and graven with a legend was approaching him on a sundrenched water. There were words that he had meant to remember, a legend of his life in one of its memorable springtimes.

Then he had a sharp, clear memory of the lecture room of the old Academy Building. He was sitting at his desk, pencil in hand, among the other students. It was the Final Examination in 1859. Across the board a tall, blacksuited man chalked slantingly

A QUESTION IN RHETORIC

Compose an essay suggested by the following incident:
One day a poet walking on the shores of the Mediterranean picked up a broken oar washed in by the sea. These words were graven on the blade:

Remembering the cryptic line, he heard again a sound of surf—
young voices, laughter, beating on brick walls.

I see the blue mass of the seamounds shifting in. O, little blade,
naked and smooth, borne in from untumultuous seas, I hear the
slanting music of your legend.

My body is whitely reclined on leaguelong beaches. O, plastic
Mediterranean forms!

What is this white tower of beauty? I see it slenderly arisen from
bright waters.

O, goddess, you were borne to me by a white oar sandward washed
in summer. Foamborn, with young unpendulous breasts, far from
your ancient shores you came to me, forgetful of your old fruitions.
We were together youngly before great wars.

I the child of a young republic reached hands of a young desire to
your body clad in the archaic garment of nudity. Did we not weary
ourselves in a rhythm of rowing, daylong on the inland waters?

Our arms were interlaced, our sobbing breaths beat on each other's
eyelids under the seedenlivening light of eternal day. O, bright anni-
hilator of lines and minutes, o, ceaseless undulator of curves recurrent, o, visual and unvestal goddess, *Oft was I weary when I toiled
with*

June 18— THE —1859

only in the *Free Enquirer,* and even then not until several days after the excitement had died down. The article, a remarkable one, was published as coming from an unknown pen. It began:

THE EPIC PICNIC

Most of those who have written of the late picnic have told nothing but lies, monstrous fabrications on a thin scaffolding of truth. This observer had hoped that the whole thing would escape the pitiless light of the press, which could only serve to keep wounds open and passions inflamed. Since the lid is off, however, he feels incumbent upon him the melancholy duty of giving a full account of the entire episode which, as it happens, he is in a position to know better than anyone else. And as, except for its unhappy dénouement, the picnic will remain a fadelessly blithe memory in the hearts of most of those who were there, let us paint it for posterity with an impartial pen, gay where gaiety is apposite, grave where, alas! the events that transpired upon the banks of the Shawmucky require such a style. So that those who live after us may have the picture in all its light and shadow, long after hearts that are now embittered have ceased to beat, let us for a little withdraw the curtain and then lower it forever on the events of that memorable and melancholy day. Say, then, Muse, what was the beginning of . . .

The picnic began at the Academy Building, where the students assembled and set out noisily in buggyloads. The Perfessor led the way, driving a black spring buggy belonging to the Reverend Ezra Gray, which his wife Lydia had procured for the afternoon. Johnny, Lydia, and Cassius Carney were squeezed into this buggy. Garwood Jones's buggy followed with five people wedged in, including Nell Gaither. The third buggy brought the rest. There were thirteen altogether, counting the Perfessor.

—Thirteen, the Perfessor had said at starting. Which is the marked man?

Startled, Johnny Shawnessy had kept his eyes down. It had been a week since he and Nell Gaither had exchanged certain keepsakes. Two nights after, he had decided on a bold move and had walked down the road to Nell's house. A buggy passed him on the way and turned in at the Gaither drive. When Johnny reached the house, Garwood Jones was giving Nell's father a cigar on the front porch. Johnny walked back home without paying his respects.

At the Academy, Nell had turned up in Garwood's buggy, wearing her green dress, her gold hair pulled back to show her ears under a wide white sunbonnet. Stepping down from the buggy, she had fluttered her hand at Johnny, and a smile touched the corners of her mouth, this mouth with the pointed red tongue, so fullflown and sensual and, alas! so often kissed—but never by Johnny Shawnessy.

—Hello, Johnny, it said, lingering on the word. It's hot, isn't it?

This remark seemed to Johnny somehow the most exciting and subtly meaningful thing he had ever heard.

But Nell's eyes gave no special sign. Johnny felt a cold and not wholly irrational fear. Girls were mawkish sentimentalists and would write almost anything in a keepsake book.

On the way over to Danwebster, where picnic tables had been set out beside the mill, everyone laughed and sang. The Perfessor was full of quips and quotations. Johnny Shawnessy kept leaning out of the Reverend's buggy and yelling things at the Garwood Jones buggy. Each time he did so, Garwood solemnly thumbed his nose, and Nell stuck out her tongue in a very ladylike manner. Johnny deliberately fell out of the Reverend's buggy once and raced the horse for a hundred yards to loud applause.

When they reached the bank of the river, they put their picnic baskets on the tables and engaged in a new sport that the Perfessor had introduced into Raintree County.

THE BASE BALL GAME

(Epic Fragment from the *Free Enquirer*)

Arriving on the banks of the legendary Shawmucky, the young men promptly divested themselves of their coats and laying out a 'base ball diamond' proceeded to urge the sportive ball hither and thither in the somewhat complicated evolutions of this new game only recently imported by Professor Stiles from the East into Raintree County. Cassius Carney demonstrated a baffling speed and precision in the exacting art of wafting the ethereal sphere across the spot denominated 'home plate.' Professor Stiles showed extraordinary agility in snatching the bounding pellet off the ground or stopping it in mid-air, whenas with one graceful sweep of his arm he would propel it to the appropriate spot on the 'diamond.' John Shawnessy, he of the limber legspring, shot around the 'bases' like a comet whenever he got a chance, which, be it remarked in passing, was not often, as he showed a marked inability to engender that contact between bat and ball which is necessary for a 'hit.' The game was marred by a few altercations, at the bottom of which one could invariably expect to find that rising young politician, Garwood Jones, whose ignorance of the rules and regulations of 'base ball' did not in the least diminish his readiness to argue about every moot point.

The final score could not be exactly ascertained for a variety of reasons, especially as the rules were scandalously relaxed from time to time in favor of several young ladies who were invited to play in order to make up two 'teams.' It is believed that about thirty or forty legal 'runs' were scored by each side.

One amusing mishap involved the person of the aforesaid Mr. Jones, who mistook for 'second base' a certain circular adornment that is oftentimes found in places where members of the bovine species ruminate.

After the game of 'base ball' had terminated, several of the young gentlemen were pitted against each other in a test of fleetness of foot. In all these encounters, John Wickliff Shawnessy, that poetic young denizen of the Upper Shawmucky, dismounted from Pegasus long enough to demonstrate to the assembled company a velocity of pedal locomotion not seen in these parts for many a moon. This young man is being groomed by his supporters as a challenger to the honors now so long held by Orville Perkins of Freehaven, better known as 'Flash,' who has been undisputed champion of the County for five years. When asked by your correspondent whether or not he thought he could obtain the victory over the redoubtable Mr. Perkins in the Annual Fourth of July Race in Freehaven, our modest young hero said without a moment's hesitation, 'Shucks, it won't hurt to try. Someone ought to beat that old guy before he trips on his beard.'

Personally, we should like to see the veteran velocipede from Freehaven match his stuff against this brash beanpole from the banks of the Shawmucky. Five dollars will get you one of ours that youth will not be denied and that Mr. Perkins' venerable years (he is now, we understand, a senile twenty-two), if not the fleetness of his challengers, will at last get the better of him.

But now we approach that part of our recital from which the Muse shrinks in trembling anticipation. It was about three o'clock in the afternoon that . . .

It had been Johnny Shawnessy's idea that the picnic include a boating excursion down the Shawmucky River. A half dozen rowboats had been procured and rowed laboriously up the river from Danwebster the day before by Johnny and others to a spot where the river looped behind the Gaither Farm. Here the picnickers could break up into twosomes and row the loops of the river back to the picnic ground at Danwebster, arriving in time for supper and a bonfire before breaking up and going home.

On the mile walk over to the river, the girls collected around Professor Stiles, who led the way, while the young men brought up the rear, falling farther and farther back. Near the river Garwood Jones pulled out a bottle of corn whiskey and passed it around. Everyone took a drink but Johnny. Garwood stopped, passed out cigars, and told a hearty joke, while Johnny lingered uneasily, watching the Perfessor and the girls climbing into boats at the water's edge. Nell hadn't yet entered a boat but stood as if waiting for someone. She shaded her eyes and, as it seemed to Johnny, looked directly at him. She slowly raised her hand and gently beckoned.

While Garwood roared loudly at his own good joke, Johnny began to run. When he reached Nell, he took her hand, which he hadn't held since they were children, and together they stepped into a boat.

—Hey! Garwood yelled. What's the big idea?

He was standing on the bank now, feet wide apart, hands on hips, staring at Nell. Nell bit her lip in confusion and turned her head away. As for Johnny, he stood up, planted the oarblade in the bank squarely between Garwood's legs and with one shove sent the boat skimming to the middle of the river.

ROWING DOWN THE RIVER
(Epic Fragment from the *Free Enquirer*)

Their boats dispread upon the river were like swans on classic waters. With a languorous lifting and falling of oarblades, the gala procession floated on the widening stream. In romantic twosomes, they lingered on between green walls. Did they stop to think, in the midst of their gaiety and laughter, that they were passing burial places and battlegrounds of vanished peoples? Did they think that the winding river was the highway of extinct races, whose skimming light canoes did cleave the same waters in centuries long ago? Did these maidens in wide bonnets, these lads in straw skimmers and bowties, dream of aught but innocent love and beauty and desire as they drifted on languid oars down waters of youth and summertime! Ah! let us behold them this brief while, floating on the classic river of Raintree County, with all their gushing joys in their bloom. . . .

Johnny dug the water with slow oars. On the breast of the slow-flooding river, he was floating with Nell Gaither, who sat in the stern of the boat, her feet together, her hands on the sides of the boat, her wide bonnet buckling with the breeze that freshened fitfully along the river. Languor and desire flowed from the fullbodied river. Looking past Nell, Johnny could see the broad road of water curving distantly in the haze of afternoon. The air was moist with the odor of the river and its flowers. Nell Gaither's body in the green dress was curved like the river; her face in the bonnet was an incredible, lush flower swaying on a supple stem. Her eyes glowed with a curious light in the brightness of the river air. Turning now and then, Johnny saw the other boats spread out upon the water. In the farthest boat Professor Stiles, paired with Lydia Gray, rowed fiercely toward the bend.

Garwood Jones and Cash Carney, forced by the shortage of women to row down the river together, hung around Johnny's boat. Just opposite the place where Johnny had seen Nell in the river, his boat grounded on a mudbar. Everyone else had missed it by yards, but Johnny, who knew that part of the river by heart, drove straight onto it. Garwood, slightly ahead, laughed grimly and stood up in his boat.

—You'll have to push off, John. Need any help?

—I can manage, Garwood. Thanks.

—Be glad to help, Garwood said grimly.

—No, thanks. I can manage.

Johnny, looking over his shoulder, watched the last boat coasting toward the bend. He and Nell were alone on a mudbar in the middle of the Shawmucky.

Eyes thoughtful, Nell sat with her feet primly together. She reached up often to push a wisp of hair off her forehead, and sometimes she trailed her hand in the river.

—This boat is here to stay, Johnny said, until we push it off. I drove it on hard.

Nell laughed.

—You sure did, Johnny, she said. I thought you knew the river.

—I do.

—O.

—You in any hurry to get to Danwebster? Johnny said.

—Not a bit. This is nicer right here.

Johnny raised the oars and laid them up along the sides of the boat. Nell put her hand on the left oar, still dripping from the river.

—I feel so funny, she said, and the sun's so bright.

She ran her fingers along the thin blade of the oar.

—Remember the line from the Final Examination? she said. I don't know why I thought of it.

She took off her wide bonnet and shook her hair. Her eyes were nearly shut in the brilliant sunlight. Johnny watched her mouth as she recited in a low voice, rhythmical and pensive:

—*Oft was I weary when I toiled with thee.* I wonder where the Perfessor got it?

—Probably he made it up, Johnny said.

—*Oft was I weary when I toiled with thee,* Nell said. I wonder what it means. It sounds so—so pagan.

She kept running her hand along the smooth oarblade and trailing her other hand in the river.

—Is it wrong to be pagan, Johnny?

—I hope not, Johnny said.

—*Oft was I weary when I toiled with thee,* Nell said.

Her large, lovely mouth moulding and murmuring these words was itself a legend, a series of plastic attitudes. What she said no longer seemed important. But this flowerlike mouth, against which he wished to press his own mouth with undissuadable hunger, seemed important.

—I feel so strange. Johnny, did you ever see the river so beautiful?

The air seemed filled with a mist, through which nevertheless all things were seen with peculiar distinctness. Johnny Shawnessy felt islanded in languor, as the river flooded past on its journey to the lake. Somewhere far down on the greenwalled waters, boats were floating in a gay procession. He could hardly open his eyes against the greening brightness. He was tired with rowing on the river. He had dipped white oars a long time in the pale stream of the river.

—My hair keeps falling down, Nell said, pushing it back. Did you mean to sit here a long time?

—We might go ashore, Johnny said.

—We'll have to wade, Nell said. But I don't mind. I feel so funny, Johnny.

They took off their shoes and stockings and left them, along with Nell's bonnet, in the boat. They stepped out into shallow water close to the right bank of the river and made for shore, where they sat for a while on the bank under Johnny's oak, their feet trailing in the water. They talked in half sentences about the picnic and graduation. The afternoon ebbed and flooded around them in waves of warmth and stridulous sound. The murmur of the river was constant on its shoals and among its rushes.

It was Nell who suggested that they walk over and see the Indian mounds.

—I've never really gone up on them, she said. I guess they're so close to our own land that they never interested me.

—The two on the river here, I've seen often, Johnny said. And there's another, isn't there, across the field there?

SCENIC VIEWS ALONG THE SHAWMUCKY
(Epic Fragment from the *Free Enquirer*)

The banks of our own not unclassic river vie with any in the world for scenes of historic and poetic charm. To those who celebrate the Tiber, the Euphrates, and the Nile, we say: When Rome first rose in templed splendor on her many hills, this river ran as now upon her centuried pathway to the lake, part of a mighty system of waters going to the gulf. Before the Parthenon was, this river was. When Babylon rose and fell, this river was. Its shores were dense in summer with crowding vegetation. Green frogs and greatwinged birds, more ancient structures than Egyptian columns, peopled its water and the circumambient air. What is older than the antiquity of life itself? We know not what ancient empires rose and flourished on these banks, or how often the syllables of lovers mingled with the vocal passion of the river running in the shallows. This river, too, has its human shards, and we dare to suggest that the true archaeologist of beauty will feel a deep, peculiar charm when he beholds the twin mounds upon the river's banks, lonely undulations, mysterious hummocks, sole relics of races that flowered and faded on the Shawmucky without a Bible or an epic poet to keep their names alive. . . .

Barefoot, they walked downstream to the twin mounds. The mounds were fifty feet apart and almost perfectly round—smooth humps fifty feet in diameter and ten feet high.

—Think how long these have been here! Nell said. Hundreds of years maybe.

A curious light hid living in her narrowed eyes. Pinpoint pupils burned in green pools, fringed by her lashes, each lash shiny and distinct. Scrambling up the slope of the mound, Johnny took her hand. It was warm and responsive. The odor of her hair and skin was in his nostrils.

Thick grass covered the mounds. The dirt on top was brown and looked somehow old and pulverized. As they stood on top of the left mound, Johnny had a feeling that it was slightly resilient, as if roofed. The ticklegrassed earth was warm to the palms of his feet. He watched the river, a shining sheet of greenness.

He started a little, hearing a train on the branch line. For a moment he felt like an anachronistic ghost from the antiquity of human days. He remembered suddenly the County, its fences and its boundaries, its sickleshaped railroad, its orderly farms, and its thousands of figures in suits and bellshaped dresses. He felt faintly sad and uneasy as the train made a quavering, distant cry. The cry expired slowly, drowned in vistas of afternoon. Frogs shouted from the shallows, the rushes swayed, the waterbirds were crying.

When they left the mound, they walked out upon the bulge of a neighboring clover field. The hay was newly cut, but the fresh stubble didn't hurt their feet. It was a small field, and on the far side, tufted with flowering weeds, was the third mound.

They never quite got there.

When they reached the haypile in the middle of the field, they stopped. Johnny was panting as if he had been climbing a steep hill.

Absurdly, he felt as if it was the grass and clover-stubble on the bottom of his feet that took his breath.

—My hair keeps coming down, Nell said.

She stopped and plucking out a pin let the whole left side of her hair down around her face. She put the pin in her mouth and started to bind the hair back up again.

—Let it fall, Johnny said.

His voice was husky with the heat. Nell leaned back against the hay.

—I don't know what to do with it, she said. It's such a nuisance.

She looked directly at him and slowly took the pin out of her mouth. Her lips were parted.

—I haven't played in hay since I was a kid, Johnny said.

—Me neither.

He put his arms around her to lift her up and his hands sliding down to get a better hold felt her smooth flesh in the Raintree County dress. He touched his mouth to hers as she leaned deeply back in the hay. Her mouth was warm and alive. Her eyes were halfshut, watching him, and her breath came and went in little quick gasps, drinking his. He put his arms clear around her and squeezed her hard, feeling her go limp. Suddenly, she was slipping away from him. He saw her bare feet and legs under her dress as she scrambled halfway up the new soft stack of hay.

—Come on up, Johnny, she said, shaking out her hair.

He sprang up and caught her and put his arms around her again. Her hair was all shaken down now, it touched his cheeks and shook around his face. In this dense hair was the warm, kissing mouth of the river girl, her white powderscented skin, her vivid eyes. He was amazed by the passion of her kisses.

She still breathed with the quick little breaths, but when she lay back and shook the hair out of her face and looked up at him, she was strangely serene.

—O, Johnny, she said. This was a long time happening. I thought you didn't care for me.

—I thought you didn't care for me.

—Who wouldn't care for you, Johnny?

She put her warm, bare arms around his neck and drew his face down to hers She knew ways of kissing that had never occurred to him. He didn't know how long they lay in the warm sunshine. Much later, Nell said,

—I feel so funny, Johnny. I don't know what gets into me sometimes. I want to do crazy things.

—Like swimming in the river with nothing on? Johnny said.

—Yes, Nell said. I've done that a lot. I always liked to swim that way.

—Were you mad when I wrote that thing in the *Enquirer?*

—I should've been. But I wasn't. I wondered if you liked me.

—You were beautiful, Johnny said. You don't need to feel embarrassed.

—It's all right, Nell said. Besides I saw you too.

—Me?

—Yes, Nell said, blushing, with eyes averted. Two can play at that game.

—When? Johnny said, blushing furiously.

—O, several times, Nell said.

—You mean—uh—before I saw you?

—O, don't ask so many questions, Johnny.

Later when they left the haystack and walked back to the river, the sun was far down over the western bank, but the air seemed moister and warmer than before. Johnny's face felt swollen with heat, his body itched, he was covered with haystems.

They sat at the river's edge again and dangled their feet in the water.

—It's so hot, Nell said. Doesn't the water feel good to your feet?

The riverpool was a depth of green and clear. He leaned over the water, aching to plunge his hot face into the river, to hide a thought that was too bold for Raintree County.

—If we could only have a swim now, he said.

—It would be sinful, Nell said. What if someone saw?

The way she said it, he knew that she had said yes.

—No one ever comes down here but us. Everyone else is way down the river by now. We could just go in for a little while and get cool.

—I wouldn't do it with anyone but you, Johnny, Nell said.

When they undressed, she stood on one side of the great oak by the river, he on the other. Undressed, he wished he hadn't done it.

—How are you, Nell?

There was no response behind the tree.

—If you'd rather not——

—Here I go, Nell said.

She stepped down the bank and into the water. And before he himself plunged desire into the cold pool of evening, John Wickliff Shawnessy, the budding bard of Raintree County, intently watched a rippling mark like the stain of a pressed flower on a page of verse, a signature of mortal beauty

ON ONE OF RAINTREE COUNTY'S

MOST EXCITING

TWIN

MOUNDS and a mound and lettered stones, the Danwebster Graveyard was a formal garden of death, which life was slowly reclaiming
to formless fecundity.

Mr. Shawnessy listened—he had heard a distant sound and at the
same time a rush of voices by the river. Perhaps the children had
cried out, but he had thought that the voices called his name, not as
he was called today but as he was called in the old days before the
War.

—Johnny!

The name had formed suddenly from mixing sound. It had been
uttered in a warmly personal way, with a touch of sadness and even
of alarm. He listened, his ears still troubled with the sound.

He had remembered love, bare arms embracing, nakedness and
young mouths kissing; he had remembered a mythical and seldom
remembered boy.

He listened to hear if the imagined call would be repeated, to hear
if some voice speaking from the lost days would say again the talismanic, youthawakening word.

But instead there was a troublous sound, a rhythmical and rapid
sound across the land.

He watched for the first appearance of the train. Standing among
the stones of the Danwebster Graveyard, he was in the attitude of
one who listens, a little fearful, for a necessary thing. His heart beat
quick and hard, he felt as though the visual impact of the train
would be an unendurable violation. He listened, hearing from the
archaic valley of the Shawmucky, voices of urgency and faint alarm,
calling

CREATURES PLAYING WHITELY
IN A RIVERPOOL BY THE TWIN MOUNDS

stopped and held themselves half-submerged, listening. Great birds plunged squawking into flight from feeding places near shore. Frogs sprang among reeds in quick flat leaps.

The name 'Johnny' echoed between the walls of the river, up and down the milelong valley, ebbing and dwindling, renewed, insistent.

The two white ones now swam and waded from the river to the shore. The voices calling 'Johnny' called also now the name 'Nell,' and the names mixing and blending reverberated on the twilight river.

The two from the river now asserted their fundamental difference, the one by pulling a pair of trousers up his legs, the other by pulling a dress down over her head. There were a few moments of panting speechlessness while Johnny Shawnessy and Nell Gaither resumed the garments of Raintree County. Johnny had a brief view of Nell bending over and pulling up pantaloons beneath her gown while from the unfastened top of her bodice, her left breast spilled out silkily. Then for the first time, though almost clothed, she looked to him naughtily nude.

—O, dear! Johnny! she said, in a forlorn small voice, my hair's soaked.

—Get out to the boat, Johnny said. Get yourself wet on the way. We'll upset it and say we couldn't right it.

They waded to the mudded boat, grabbed out their shoes and stockings and Nell's bonnet, pulled the boat off the bar, and tried to upset it. It wouldn't upset.

The calls were close. Johnny recognized the voices of his brother Zeke, Garwood Jones, and Cash Carney. Three figures were barely visible in the fading light walking along the left bank.

—Here we are! Johnny yelled.

He helped Nell into the boat, took the oars, and rowed toward the three boys, who stood waiting on the far shore.

—Where've you been? Garwood said. We thought you were drowned.

Johnny said something about walking back from the river to find the mounds, getting lost, and upsetting the boat.

—We got all wet, Nell said.

She laughed, nervously touching her soaked hair. But Johnny could see that the boys on the shore were not amused.

—Better come out of there, John, Zeke said. Just leave the boat tied here.

—What's the matter? Johnny said.

He heard voices over by the road, men talking, boots in the underbrush.

—What's the matter, anyway? Johnny repeated. What's everyone excited about?

—Come on out, Garwood said, and we'll tell you. I can see you don't know.

—You better take Nell home first, Zeke said.

—We better get out, Nell said.

They had been putting on their shoes and stockings and now climbed out of the boat. Lanterns were flashing in the underbrush. Several men were crashing down a path to the river. A strange voice called out,

—Did you find 'em?

—Here they are! Cash yelled back.

—We better tell 'im now, Garwood said. Nell might as well hear too. Before these guys get here.

However, the men were already there, at least a dozen in the dim light, and they all had guns. A heavy, blunt-featured man thrust a lantern from face to face. Johnny shrank back from the blazing light, hair dripping. He didn't remember ever having seen this man before. He couldn't identify the other men. He blinked sheepishly.

—Is this young Shawnessy? the man said.

—What's the matter? Johnny said.

The man thrust the hot lantern in Johnny's face while the other men all crowded in close, breathing hard.

—Listen, young Shawnessy, the leader said menacingly, if you know anything about this, you better come clean.

Johnny felt the flesh on his face crawl. His fists knotted.

—I haven't told him yet, Garwood said.

—Listen, Shawnessy, the man said, if you had anything to do with this, you'd best tell, or by God, we'll beat the livin'——

—Say, what the hell! Zeke said, shoving the man back with an openhanded blow on the chest. What makes you think the kid had anything to do with it? Lay a hand on that boy, and I'll smash hell out of you.

—Take it easy, Zeke, the man said, angrily, but he stayed back.

—What's the matter? Johnny said.

—It's the Perfessor, Garwood said. He's run off with Lydia.

At first Johnny felt a wild desire to laugh. Then he went all weak in the knees.

—How do you know?

—They were seen, Garwood said. They tried to catch the train at Three Mile Junction. You two disappeared, and some folks thought you might be in on it. We said no, but they had to know for sure. What were you doing anyway?

—I told you, Johnny said. We upset in the river.

—It looks funny to me, the man said. Young Shawnessy, they say you're a good friend of this bastard's. You have any idea where he might've gone?

—If you mean Professor Stiles, Johnny said, no, I haven't the slightest idea. Maybe it's all a mistake.

—It's a mistake all right, the leader said. Nobody can come into this county and run away with a preacher's wife.

—They have sinned, a mournful voice said, and they shall be made to pay for it.

The Reverend Ezra Gray was standing to one side. He had a shotgun on his arm. His eyes glowed with a cold, determined light. He looked strangely happy.

—I don't think this boy knows anything, another man said. Let's git out of here.

The men went away from the river toward the road.

Garwood, Cash, and Zeke stayed with Johnny and Nell.

—The Perfessor's gone and got himself into a hell of a mess, Garwood said. There's at least a hundred men out looking for him.

He listened until the footsteps of the posse were faint.

—You got any idea where he is, John?

—No, Johnny said. Honest.

—I got a plan, Cash said. Let's get another horse at John's and see if we can find him. If he's in the County, he'll be killed sure unless somebody helps him. The Reverend's out for blood.

—They've got every road around Freehaven covered and men planted in the train stations, Garwood said. The Perfessor hasn't got a chance in a hundred of getting out alive. He and Lydia missed the train at Three Mile Junction and went back east from there. That's the last anyone's heard.

—First we got to get Nell home, Johnny said.

—Please don't bother, Nell said. I know the way.

She turned and plunged into the bushes, running.

—Wait, Nell! he cried.

He ran after her and caught up with her.

—Please, he said. I'll take you home.

She whirled around facing him, breaking his hold on her arm.

—Let me go, Johnny! Don't touch me!

The small face with the wet hair plastered around it had an imperious, tragic look, though it was hardly more than a pale stain in the darkness and the eyes pools of shadow.

—I can get home by myself. Good-by, Johnny.

The words were a command. He could hear her running and running in the forest fringe of the river. He rejoined the three boys on the bank.

—Let 'er go, Garwood said. This is serious. We got work to do.

—What'll we do if we find them?

—Try to bring 'em to the Saloon, Cash said. Through the back way. If we can get 'em upstairs there, they'll be perfectly safe. The sheriff's practically in my pay, anyway.

Horsed and galloping in the warm night, the four boys rode into Freehaven, to make inquiries at the Square.

For the first time in Johnny's memory, murderous passions were unleashed in Raintree County. Through this warm night, where the foliage of the young summer shook out moist odors on the air, armed men like blind projectiles thundered through the County, and somewhere in that maze of dark roads a buggy fled toward dark intersections.

And all this was only because love was a flower that wanted to tear its tassel and scatter its ecstasy of seed in spring beside the river.

He remembered certain columns of print in *Harper's Weekly,* stiff engravings, facsimiles of letters.

Finally, the injured husband may take the life of him who has injured him. This is the American system: and latterly it has been followed in many parts of Europe. Terrible as homicide is, this method must, on the whole, be admitted to be the most effectual, the wisest, and the most natural revenge of an outraged husband.

All the way to Freehaven Johnny carried a singularly vivid image. He kept seeing the two lovers in bed together somewhere in the County, enlaced in their forbidden love. Then in the night heavy-booted feet stamped on boards, a door splintered, blackbearded faces, glittering eyes, hoarse male breath filled up the room suddenly. The lovers, clinging to each other, sat up in bed, blinking in the flare of the torches and the swinging arcs of the lamps. The men stood hushed a moment, fully clothed in thick pants, broadbrimmed hats, heavy boots. Then blast after blast of lead seed tore the frail bodies of the lovers, still warm from each other.

Hundreds of people were in the Square talking about the flight of the two lovers. Johnny had seldom seen so many happy, excited faces. Rumors ran wild everywhere. One man insisted that he had heard someone say that the lovers had been caught in bed together down in the southeastern part of the County and that the Reverend had blown the Perfessor's head off with a shotgun. Another man said, no, he heard that they caught the Perfessor and Mrs. Gray in bed together up in the northwestern part of the County, and that the Perfessor had blown the Reverend's head off with a shotgun. A report came that a man with no clothes on was seen driving a buggy in the western part of the County. Soon a dozen people swore that they had seen the now fabulous buggy with their own eyes in a dozen different parts of the County.

—Godamighty! Garwood said. The Perfessor sure is travelling fast. Why doesn't he just stop somewhere and enjoy what he's got until they catch up with him and blow him to Kingdom Come?

There seemed to be no way of getting the truth from this welter of particulars. Even the original testimony about the buggy's appearance at Three Mile Junction could be collected in a dozen different versions. Meanwhile, parties of pursuers were beating up and down the County like mad. The four boys decided to wait until they had something definite to go on.

The break came around midnight. Most of the posses had come back to the Square by that time to compare results. The main party, including the Reverend Gray himself and the heavy man who had flashed a lantern in Johnny's face, had just ridden up to the Saloon and dismounted. The heavy man had a hempen rope in his hand, and the Reverend still cradled the shotgun. While they were trying to get news, a man came up and said,

—Reverend, is that 'ere buggy of yours black with a scroll on her tailboard?

—It is, brother, the Reverend said.

—Is it a black mare with a white mark on her forehead?

—It is, brother, the Reverend said.

—Well, they's a horse and buggy just like that a-settin' in front a your house right now not two blocks from here. I just came by there and seen it with my own eyes.

No one said anything. The Reverend's dry lips opened and snapped shut. He set off the safety on his shotgun and started walking down the street in the direction of his house, which was just one block west from the Square on the same street. A hundred men formed behind and around him and walked with him in a silent, purposeful wedge. The Reverend's eyes shone like balls of blue flint. He licked his lips. The skin on his forehead jerked.

Suddenly, someone broke into a run. With one impulse the mass of men around the Reverend and the Reverend himself began to run. Without a word, scores of people, mostly men and boys, ran through the Square.

Far ahead was Johnny Shawnessy, who had been the first to think of running. He ran hard, doubling his fists. He felt his coat split at the shoulder seams. He could hear the feet of the crowd behind. He had the sensation that they were chasing him. He kept expecting a blast of gunfire from the voiceless, pursuing crowd. He reached the house. He saw the buggy, covered with dust, one wheel sagging and nearly off, and the horse, lathered and jaded. He bounded to the porch in a single leap and flung open the front door.

—Professor, he yelled. Professor! They're coming!

The downstairs hall in the large frame house was dark, but a faint light came from upstairs. Johnny called again and listened. He thought he heard someone going down a back stair and a door shutting somewhere in the back of the house, but he couldn't be sure, for already twenty men were on the porch and through the front door, shoving and shouldering their way into the hall and pouring through the lower floor.

—Try upstairs! Johnny yelled, to divert the crowd.

He himself ran up the stair.

In a room at the head of the stair, sitting in a chair that faced the door, was Lydia Gray. Her head hung to one side, and her eyes were closed. Her yellow hair was unloosened. Her face was flushed but tearless. She had on the dress that she had worn to the picnic, and in one hand she held her widebrimmed hat trailing to the floor. The room was small, and there was obviously no one there but Lydia.

At the door, Johnny was shoved aside by the Reverend and half a dozen other men armed with shotguns.

—Woman, the Reverend said, where is your lover?

Without changing her position, the woman opened her eyes and said,

—He's not here.

Johnny had expected tears, entreaties, protestations of innocence— anything but this beautiful indifference. The men removed their hats and looked sheepishly at each other.

—Woman, the Reverend said, what can you say for yourself?

—I have nothing to say, she said. I don't want Mr. Stiles hurt. He isn't guilty.

The men shuffled their feet uneasily and began to try to put their guns where they couldn't be seen.

—Ma'am, the heavy man with the rope said in an absurdly courteous voice, could you tell us the whereabouts of Mr. Stiles?

—I don't know, the woman said.

—Yes, ma'am, the heavy man said. Don't trouble yourself, ma'am.

—Let's go, a man said.

All but the Reverend began to bow out of the room. Heavy-booted, they pushed clumsily through the door, replacing their hats. The Reverend stayed in the house, but all the rest of the men went out into the yard. Some of them were giggling like girls with embarrassment and relief.

—Reckon we ought to spread out and comb the town, boys? the heavy man said without conviction.

—Spread out yourself, one of the men said. I'm goin' home.

There was a vague feeling of disappointment in the crowd.

—You reckon he did? a citizen said.

—Does a cat have claws? a second citizen said.

As he rode home, Johnny was remembering the woman in the chair, trying to recall where he had seen such a thing before. Then he remembered. It was a picture that had appeared in a *Harper's Weekly* about the time of the Sickles trial, an engraving of a statue 'Eve Repentant,' by the young American sculptor Bartholomew. The beautiful naked woman was seated, her long hair trailed over her shoulders, her gentle head was bent over and slightly averted, and her eyes were closed. In her hand she held the half-eaten apple, and on the ground beneath the seat coiled the serpent.

Johnny felt a hot, choking sensation that made him want to go off and hide his face, but it was shame for himself and himself only. For Lydia and the Perfessor, he felt only pity. They had been lovers and brave. Now they were discovered. And that was over. No, the shame was for himself, as if the hunt had really been for him, the obscene guns for him, the glaring torches for him.

As for Lydia, she was a woman lost, sitting, it might be, on the chair still, her hat trailing the floor, her hair touching her cheeks, and her husband flapping his withered lips at her.

When Johnny and Zeke got home, they had to tell the whole thing to T. D. and Ellen. Johnny felt the shame come back hot and strong as these things were talked of in the presence of his mother.

—Isn't it terrible! Ellen kept saying. Poor woman! Well, I must say, I blame Perfessor Stiles. Look at all the trouble he caused.

Johnny felt as if he had personally planned and executed the whole thing and as if everyone secretly suspected it.

—If, said T. D., there was only just some way to prove that there wasn't any uh physical uh any—well, people make such a point of such things.

Johnny went outdoors to put up the horses and get the cold night air on his skin. He kept telling himself that he had, after all, only kissed a girl and swum with her in the Shawmucky River. But it was no use. The feeling of guilt persisted strong as ever.

When he stepped into the barn, a tall figure stood in the gloom.

—Hello, John. Fancy meeting you here.

The Perfessor still had his cane, his straw hat, and his glasses, but he was dusty and sweaty, and his clothes were torn. He looked as if he had been crawling and rolling all over Raintree County.

—Professor, Johnny said, you've got to get out of the County!

—This idea has also occurred to me, boy, the Perfessor said. But tell me, what about Lydia?

Johnny told him how they had found her.

—Wonderful woman! the Perfessor said, rapping the barn wall sharply with his cane. I really wanted to carry her away. If we hadn't missed that goddam train at the Junction, we'd've been a hundred miles away by now. Damn buggy wheel nearly came off when we turned in a ditch. We drove all the way down to Beardstown to get the train there. I left the buggy a block from the station and walked in. First man I saw said, You hear about the guy ran away with a preacher's wife in Freehaven? I'm a stranger in these parts, myself, I said. They telegraphed down here to watch for them, he said. I looked out of the window and saw three men with guns marching up and down the platform. On my way back to the buggy, I passed a whole platoon of God's cavalry going by hellbent for the station. I got in the buggy, turned her back to Freehaven, deciding I better take Lydia home and put a good face on the thing before somebody got shot. We rode high and handsome all the way back to Freehaven, and not a soul stopped us. I parked the buggy right in front of the Reverend's house and went upstairs and thought up a beautiful lie to explain the whole thing. Then I heard the yelling and saw that mob of righteous citizens roaring down the street. I hesitated for a minute, and then I heard you yell, and I lit down the backstair. That's about all there is to it. I guess you think I'm a scoundrel—eh, John?

—I don't know what to think, Johnny said slowly.

—Ah, John, John! the Perfessor said in his slightly fake tragic manner, love is a strong thing. I loved that woman, boy. Believe it or not, this skinny breast is capable of a generous emotion. I loved and pitied her, and I wanted to carry her away. Don't think too badly of me, my boy.

—I don't, Professor. Somehow I can't. I want to help you get away, if I can.

—I suppose the heroic thing would have been for me to stay around when that mob came thundering up and let the outraged husband discharge his righteous fury by blowing off various parts of my anatomy with his shotgun. But I hate that sanctimonious bastard too much to give him the satisfaction. Besides, I was scared.

—What are you going to do?

—I haven't decided yet, the Perfessor said. The more I think about this, the madder I get. O, goddamn the injustice of it all!

The Perfessor seated himself in the hay.

—One thing really hurts me, John. I didn't get a thing. But the hell of it is that no one will ever believe that. Every old venom-dripping hag in the County will have it that I raked the lady fore and aft, and her damned old he-whore of a husband will think the same, and dammit, John, if they're going to think it, there might as well have been some truth in it.

—I wish there was some way to prove——

—No chance, the Perfessor said. I could go before the Reverend and make a virtuous denial. I'd get my head blown off, and no one would believe it anyway. Well, I managed the whole thing badly. You see, John, I'm a very impetuous man. It all happened in a flash this afternoon.

—But, couldn't you have waited, Professor, for some legal remedy?

Professor Jerusalem Webster Stiles shook his head sadly and recited,

—Of guilt or peril do they deem
    In that tumultuous tender dream!

He and Johnny talked a long time, but there seemed nothing to do except that the Perfessor would have to get out of the County and go back East.

And thus, in the early dawn, Johnny Shawnessy and Professor Jerusalem Webster Stiles rose from a ditch at the base of the railroad embankment beside the Danwebster Graveyard. Somewhere down the track they heard the train coming along the branchline on its way out of Freehaven, and they knew it would be moving slow enough for a man to hook on when it reached the top of the upgrade.

The tall, skinny figure of the Perfessor stood up against the eastern sky. His black eyes looked at Johnny intently.

—John, my boy, the Perfessor said, holding out his hand and adopting his rhetorical manner, at this affecting moment I find myself inarticulate. What can I say, my boy, that shall convey to you my deep and genuine fondness and admiration? Let me only say that I expect great things of you. Don't let the world nail you on the cross of respectability. You and I are alike in only a few ways, but those are fundamental. We both love life and beauty. If a series of misadventures have made me a cynic, that need not happen to you, my boy. You have a beautiful girl who loves you and whom you love. By all means, my boy, marry her, love her, beget broods of happy cherubim, go on, my boy, to greater and better things, and in the years that are to come let your mind sometimes revert, not without a feeling of affection, to that amiable miscreant, your misguided but perhaps not wholly misguiding mentor. Your hand, my boy. A scrap of verse may not be unfitting at this moment, if I can lay my tongue to one. Well, perhaps this will do.

The Perfessor winked and, arms gesticulating in his best classroom manner, recited,

—O, may your pathway ever gleam
With sincere love and joy supreme.
May Him whose eye is felt for miles,
Bless you with Nellie's brightest smiles
And all that fairest love can dream:
Such is the wish of your friend, Jerusalem Webster Stiles.

The train was drawing abreast, a lantern swinging from the cowcatcher. The Perfessor climbed the bank. With brittle agility, black coattails flapping, he leaped upon the rear of the ultimate car. Johnny heard a high voice crackling above the sullen rumble of the train:

—*Ave atque vale!*

—Good-by, Professor! Johnny called, waving.

He saw a long, thin arm shaken obscurely against the dull sky. Then the Perfessor was gone in the grayness of the just beginning day.

Johnny's eyes were blurred with tears. It was because a beautiful, mournful dawn was breaking in the sky, it was because he felt that there had just been a great departure in his life, it was because in this parting he knew that he had not only said good-by to the departing one but to a portion of himself as well. An era of his life was ending. He had discovered that the earth of Raintree County was not only full of beauty but of peril, and that its Hesperian fruits were guarded by dragons breathing fire. All this he had learned in part from the gifted but erring creature who had just gone down the track to eastward, but he knew that he had always suspected it himself.

When he finally got back to the Home Place and in bed, beneath his shut eyes the day just passed sprang to life again. Dreaming, he relived it in bizarre distortions. This dream, like many of his dreams, disturbed him with strange, savage encounters and adventures. And yet his dreaming self passed through the dream's protean, erotic landscapes somehow always in the best Johnny Shawnessy tradition, pursuing an eternal quest for beauty and the good. This night, more vividly than usual (and his dreams were always vivid) the remorseless comedy of life streamed on; and just before awakening, he dreamed perhaps the most delicious, if frustrating, dream that he had ever dreamed.

He was, it seemed, coming into Freehaven along the oldest pathway of his childhood. Down the road, he saw the redbrick structure of the Court House in a clearing stubbled with stumps. It was some vision of early times in Indiana when the founders of Raintree County imposed their austere dream of freedom on the forest earth. Riding in the wagon with T. D., Ellen, and the other children, he felt as if the scene had been conceived and colored by his own verbal magic, he the budding bard of Raintree County, who like William Shakespeare would write the epic dramas of his people. For him, lusty dialogues in the manner of the elder poets, bards of deathless dramas!

Everyone was waiting for a certain important personage to arrive so that the program might begin. The sky darkened. Over the roofs

of Freehaven shot a fiery streak, perhaps the burning stick of a
rocket, descending till it became a train pulling into the station.
Someone sprang lightly down, turning a somersault in the air, black
coattails stiff out behind, eyes compounded by brilliant lenses, black
hair slicked flat to a reptile skull.

PROFESSOR JERUSALEM WEBSTER STILES

bowing gracefully to crowd, twirling malacca cane,
    —Greetings, one and all, from foreign parts. As I was about to
say before I was so rudely interrupted by the Protestant Reformation,
I trust you all perceive the object that I hold in my hand.

THE REVEREND MRS. GRAY

blushing, speaking with grave and sweet decorum,
    —Your majesty, as representative of the ladies of Raintree County,
I wish to tender you a cordial token of our gratitude for your ardent
efforts in our behalf.

PERFESSOR

with malacca cane expertly flipping Mrs. Gray's back skirts up and
gravely reading an inscription embroidered across her bloomers,

        —When this you see, remember me,
        And all our fun at Old Pedee.

Madame, I accept this festive offering in the spirit in which it is ten-
dered. Henceforth it shall occupy a prominent place in my home as
a reminder to me of happy days spent in the old Pedee Academy.
And now, folks, time for our geography lesson.
    He touched his pointer to a phrenological chart hanging on a
tree; and as he did so, the chart, changing slowly, became a varnished study of the human anatomy and then a map of Raintree
County.

PERFESSOR

in best classroom manner,
        —Beware, my boy, the Peak of Penis!
        Beware, beware the Mount of Venus,
        The Wandering Isles of Genitalia!
        Beware the Roman Saturnalia
        And all the Paphian Penetralia.

GIRLS

naked, dancing with maenad fury, venereal mounds adorned by the ripe tobacco leaf,

> —Some do it chew and some it smoke,
> Whilst some it up their nose do poke!

JOHNNY

declining proffered cigars,
—Sorry. No, thanks. You see, my pa—— Besides, they tell me it's against the law.

GARWOOD JONES

bulky and sleek in new suit, handsome blue eyes smiling, exhaling odor of lotion, holding whiskey bottle,
—Pure yellow corn that comes by the cup! Come on, fellers, drink up, drink up!

PERFESSOR

through megaphone,
—Ladies and gentlemen, yes-sir-ee, we're ready to start the huskin' bee! Workin' fast on the middle row is young John Shawnessy. Go, boy, go!

He husked his way down a corn row growing through the court house yard past a series of exhibits while the crowd cheered him on. Nearing the finish line, he was surrounded by girls in costumes of the corn, swaying with cernuous motion.

CORN MAIDENS

—Shakamak! Husky lover! Shawny, shockheaded boy! Reder of riddles!

VOICE

husky and rehearsed, from within a shrine of pillars, walled with stalks of the ripe corn,

> —With yellow and unloosened hair,
> Clothed in a garment white and fair,
> Inside a green and guarded keep,
> A lovely lady lies asleep.
> No key can turn the twisted lock;
> Yet love comes in and tears her smock.

He burst through a wall of laughing girls into the shrine where an ear of corn tall as a maiden grew from a treebroad stalk. He tore the green husk down, laying bare the yellow tresses, ripe redtipped breasts, round white belly of

NELL GAITHER

entangled in green cornstalks, looking back at him with wistful eyes, in low voice, musical, receding,

—Let's do the next *liber* together, Johnny. *Oft was I weary when I toiled with . . .*

He was lying on the bank of the Shawmucky, where he and a great many other young men had been hunting for the fabulous white creature lost in country waters and reported in a famous article of the *Free Enquirer*.

WILLIE SHAKESPEARE

sharpfaced stripling in overalls, straw hat, shirt open at neck, chewing a grass-stem, writing on coarsegrained paper,

—William Shakespeare, his hand and pen.
He will be great—but God knows when.

JOHNNY SHAWNESSY

—Say, Bill, if it's not being too personal, what's the lowdown on your affair with Ann Hathaway? According to the records, she was twenty-six and you were eighteen when the marriage took place, and the first child was born just six months after——

WILLIE

—By cock, John, you're sharp at your sums. Alackalas and welladay, 'twas midsummer madness with too little method that tumbled poor Will in the hay.

As you like it—and what doth it skill—
Ann Hathaway—and also a Will.
Everyone knows poor Will was to blame
For taming the shrew—and for shrewing the dame.

GARWOOD JONES

lying on back, hands under head, blowing smoke rings,
—Ain't Nature grand?

WILLIE

peering through rushes, pointing at a girl standing naked in green sedge across the river,

—Ain't God good to Indiana—fellers, ain't He, ain't He though?

PERFESSOR

—By the way, Bill, do you think John's been in there?

WILLIE

—Don't be banal, boy.

PERFESSOR

standing up, baseball bat in hand,

—It's about time I instructed the local primates in an ingenious game. Now, folks, I trust you all perceive . . .

The bat in the Perfessor's hand had shrunk into a starter's pistol. In the Court House Square, hundreds of people crowded to the starting line.

OFFICIAL STARTER

tall black hat, pistol in air,

—After several delays, folks, we're ready to start this here dash. Emulate Adam, folks. He set sich a blisterin' early pace that he started—and dern near finished—the race. (Struggling with pistol) This doggone shootin' ar'n ain't wuth a dang. I cain't seem exactly to git the——

PISTOL

—BANG!

Everyone was running in the Court House Square. Children and dogs ran under the wheels of carriages. Old men ran, waving crutches and shouting hymen. Grandams ran, holding up petticoats and making bony legs blur with speed. Girls in summer dresses ran, emitting high squeaks of excitement, backs gracefully erect, necks and shoulders held with fashionable stiffness, parasols maintained primly over heads.

FLASH PERKINS

running a shade ahead of Johnny, white teeth clenched in an insolent grin,

—Five times runnin' I won that dash—Perkins, Orville—better known as Flash!

SOUTHERN BELLE

shaking her shoulders and twisting her hips,

—Come on, honey, the weather's fine down below the mixin' and the dazin' line.

GIRLS

flinging ecstatic flowers,

—Goddess, give of your gracious bounty, to the fastest runner in Raintree County!

Running, his feet were all daubed with mud. He seemed unable to stay up with the other contestants. He was ashamed to see that he was running unclothed like the ancient contenders in the Olympic games. Beside him in the fastgathering murk of the Square was his mother, Ellen Shawnessy. Her white feet glimmered beside him, as she tried to lead him along some darkening path at the end of which was a face of stone or perhaps the mythical Raintree. But he had failed her somehow. He had committed an unpardonable crime. He had done and said pagan, fleshly things and he had known desires that were of the flesh only. For this, he dared not look at her.

ELLEN SHAWNESSY

her face a pale stain in the darkness,

—A great man is a man who does good for other people. What's this I hear, Johnny, about you and——

A crowd came by yelling the lustful shout of the mob. At first, Johnny thought that they had come for him, but then he saw that they were full cry in pursuit of a buggy in which a man and woman rode naked.

PERFESSOR

lashing horses, chanting in thin sardonic voice above the sullen fury of the mob,

> —Woodman, spare that tree!
> For my head am bendin' low!
> My country, 'tis of thee!
> Goddammit, Dobbin, go!

The whole grostesquely comic vision swept past into darkness, and then with a tidal rhythm came flowing back again from darkness. Now the mob bore aloft the body of the Perfessor tied on crossed rails, dripping hot tar, bestuck with feathers. The lean, terrible body began to change form, flapped vast birdwings, tore loose from its rotting cross, began to rise slowly over the river.

PERFESSOR

beating his condor wings,
——To John Wickliff Shawnessy, life's eternal young American, *ave atque vale.* Awk. Awk. Shawkamawk.

> Green be the grass above thee,
> Friend of my better days.
> None knew thee but to love thee.
> But whiskey never pays.

It was night along the river. Beams of lantern light accused the darkness. He remembered now why he was here. He had stolen a famous statue by a young American sculptor and had hidden it in his favorite nook beside the river. No doubt the whole County knew of it and was coming to chastise him. In deep grass he tugged at the antique stone and slowly unearthed the marble breasts and back and buttocks of the Venus found in Melos. Pulled loose, it seemed to come alive in his hands, a mature young woman. He strove against her warmfleshed nudity, impeded by a white oarblade, broken, which she held between them. Her green eyes watched him, pensively calm. Her hands played with the planed wood, tracing with featherlight fingertips a legend carven in an antique language. Their slight touch on the oar gave him a remote pleasure, but suddenly the visual pain of beholding their delicate caress became the anguish of his own body, betrayed into spasms of desire. Smiling, the young woman leaned her mouth to his, grazed his lips lightly. The very fury with which he seized her drove her from him. Beneath his hands her twisting waist was barky and rough, her hair was a branch of oak-leaves. And she was gone beside the dark river in which he swam and stumbled through mucky pools and webs of waterweeds. Shocks of corn in near-by fields were flooded with the gray waters. . . .

He awoke into the risen day, the full sunlight of the morrow. He awoke from the dream with something like relief, for it had been, after all, less innocent than the realities of the day preceding. The Perfessor was safely gone. Best now to laurel this strange being and the memory of his stay in Raintree County with elegiac words and turn resolutely to the future.

HAIL AND FAREWELL
(Epic Fragment from the *Free Enquirer*)

That a foolish lark ended in unnecessary anguish for many cannot be denied. But this commentator will stake his own honor for it that the lady was returned to the bosom of her spouse as chaste as when she left it. The whole thing appears to have been a sudden improvisation, a mad lark, in which, it is true, the lady acquiesced, but which had for its object nothing more serious than a little frolic at the expense of owl-visaged respectability. The open letter which Professor Stiles addressed some days ago from parts unknown to the columns of this and other Raintree County papers should place the integrity of the lady's honor beyond any possible suspicion, except such as will always rankle in base minds. And so let us draw the curtain of merciful oblivion upon the name and memory of a man, who whatever . . .

Professor Jerusalem Webster Stiles left his mark on Raintree County. He left, among other things, columns of print in soon-forgotten newspapers, anguish in some hearts, a dozen pieces of printed skin called diplomas, a defunct institution of higher learning that soon began to be referred to as the Old Academy Building, and some unforeseen complications in the life of Johnny Shawnessy.

But it was still early summer in Raintree County. The Fourth of July Footrace was coming and had awakened more excitement than any athletic event for years because it appeared that at last Orville (better known as Flash) Perkins had met a challenger worthy of his mettle. Soon everyone was talking about the Race, and the Perfessor began to be forgotten. Johnny Shawnessy put the guilty memory of an afternoon on the banks of the Shawmucky in the back of his mind. Great preparations were forward for the Footrace. Susanna Drake, a Lovely Southern Belle, visiting in the County, had been selected to make the award of oakleaves to the winner. And Johnny had heard from a roundabout source that she had secretly expressed a preference between the Champion and the Challenger.

A few days before the Fourth, Cash Carney came around and told Johnny that Miss Drake had expressed a desire to include Johnny Shawnessy in an excursion of young people to Paradise Lake in the afternoon of the Fourth, following the Footrace. After perhaps insufficient reflection, Johnny accepted this invitation, the more readily because a few days after the Class Picnic and the Perfessor's disappearance, he had received a note in the mail, reading:

Johnny,

Never try to speak to me again. I will try to forget you, and I beg you to put from your mind

FOREVER ALL RECOLLECTIONS OF

YOUR UNWORTHY BUT

REPENTANT

NELL

In the timesoftened valley of the Shawmucky, he stood, retracing
with his finger a carven name. From the letters, he dug out a hundred little gray cocoons, blind dwellers in a legend unperceived, a
hieroglyph that love and sorrow had wrought in stone.

The last car of the train rumbled by.

He opened the cardboard box and laid a handful of cut flowers,
roses and lilies, on the mound. Backing away, he gazed at the stone.
Its stately form tranquillized the emotion of farewell. Curved whiteness from the river had become a lapidary attitude. By Ovidian
magic, young love was changed to stone.

He walked quickly over to the Shawnessy lot, sickled the five
mounds, dropped the remnant flowers by the family monument.

The train, westward diminishing, wailed at a crossing. He pulled
out his watch and read the dial. Eight-five.

Train doesn't know the earth it passes over. Train thunders daily
down the stretch behind the Old Home Place. Train is a tumult
passing. Hoarse voice of train wails in the valley of Danwebster.

Sleepers in the earth, do you hear the train passing? Do you any
longer hear the sound of its diurnal course, beloved sleepers in the
earth of Raintree County?

Listen to the voice of train. The way for it is straight and far
across the land. It rushes far and fast across the Nation, passing
westward, passing through Raintree County.

(O, blithe days, o, early agrarian days on the breast of the land!
O, Eden of bland repose!)

Listen! There is a voice of thunder on the land. It is the voice of
years and fates, crying at intersections; it is the bullhead beast, who
runs on a Cretan maze of iron roads and chases the naked sacrifices
hither and thither. The bullgod comes up fast out of the east, under
the churning of his round rear haunches. Smell of a blackened ash,
odor of hot metal, the frictioning iron parts, blows across the earth
of memories.

(O, sweet young days of the aching but unripped seedpurse. O, tall endeavors. O, innocent, fragrant time.)

Listen! What voice is calling now, voice of the grooved wheels on the roads of the hurrying days! It is the thunder of the big events. They are coming, full of malice and arrogance, they are coming on hooves of iron, wounding the earth of Raintree County. They will travel straight and far, through the light barriers of the corngold days. Lo! they will drive the young gods, the beautiful young gods, from the river's reedy marge.

The day becomes brighter and hotter. In court house squares, the streets of the Nation, the people gather. The train bears its streamer of black smoke, a banner of progress fast and far across the land. Lo! we must keep our appointments. The clock on the Court House Tower is telling the time of day. We have a rendezvous in a train station, there where the thundering express stops a moment in the bright day and lets down out of its smoky womb a procession of remembered faces.

Listen! great voice of thunder and urgency, voice of titan yesterdays and of still more titanic tomorrows! Do you still bring me tidings, have you still a bundle of headlines to throw down for me, will the face of the most beautiful of women look unexpectedly from a window of the trembling coaches for me? Or do you bring again, as so often before, a somber freight for me, who hearken the voice of your passing here on the breast of the land?

He walked back through the tangled grass of the Danwebster Graveyard, trying not to step on graves.

He sighed as he pushed through the gates of the graveyard. He was tired. He had rebuilt the classic stones of a lost republic. He had dreamed again the fabric of an antique Raintree County. His eyes smarted from the sweat of this endeavor.

Hundreds and thousands had travailed at the task. Now they were dead, sleepers in the earth. What did it avail a man, the labor long and hard, the weary road, and many years?

He climbed up the grade of the railroad, plunged longstriding down the far side, retraced his own trail to the riverbank, crossed on the dam, slightly wetting his feet.

In the valley of a vanished name, two boys loitered, hunting for relics. In a surrey by the road, a young woman with grave dark eyes looked down the road in motionless profile.

What creature is it that in the morning of its life . . .

What were the days of a man? Where did the small brown roads lead him at last? Who could preserve the ancient verities of Raintree County?

Mr. John Wickliff Shawnessy replaced a sickle, wet with blood of grass, in the back seat of the surrey, where a girl sat lost in a sentimental legend between green cloth covers. Like the forgotten boy named Johnny, he saw her as given to a quest, believing that all books are somehow legend and eternal, each one containing somewhere the talismanic word, the lost engraving, peace. All the intersections of his life had been necessary so that she too might have her morning on this road of memories and be the child and cherisher of Raintree County, his daughter

Eva

CLOSED THE BOOK. It had been a noble last page. All the barriers had been burned away.

The surrey had left the site of Danwebster and the river far behind. She had meant to get a good look at the Old Home Place, where she had been born twelve years ago and had spent the first five years of her life, but she had been too much absorbed in the climax of the story. Now the surrey was almost to Moreland.

—Through with the book, Eva?

—Yes.

She handed the book to Wesley, feeling how precious was the thing she surrendered in a gilded cover. But she would linger in a golden world.

She would linger in the world of the sentimental novels, where it wasn't necessary to be Eva Alice Shawnessy, a girl of twelve beginning to be ungracefully a woman. She would linger in the world of her namesake, the most famous child of the Nineteenth Century. In this world, unknown to all, she would be the heroine of beautiful adventures and beautiful deaths. By purity, courage, faith, she would save lives, free races, win the deathless admiration and love of all who knew her, and at last expire in a circle of weeping friends and relatives with the sun lighting a halo around her pale, thin face. *Farewell, beloved child! the bright eternal doors have closed after thee; we shall see thy sweet face no more. . . .* Then she would have a hundred resurrections of herself like all those other sunny, deathless little girls who appeared in book after book, narratives grave and gay, intended for the entertainment and instruction of all the wellbroughtup little girls of America.

OUR HEROINE INTRODUCED
(Epic Fragment from the *Eva Series*)

It was a summer's day, and it was summer too in the heart of a certain small person, who at this commencement of our tale, we find sauntering idly by herself along a country road. And who is this girl whose hair is like finespun gold, whose eyes are the color of the cloudless skies? Some of our little readers have already guessed her name. She is, of course, none other than Eva, that delightful child, heroine of so many happy and instructive tales. At the time of our present story she is about twelve years old, her form foretelling already the graceful proportions of the woman, while retaining the delicate lightness of the child. And where is Eva going? That, my inquisitive little dears, will be discovered to you all in good time. . . .

—Have you finished your book, Eva?
—Yes, Mamma.

Austere and vaguely accusing, the question had shattered the golden dream, and instantly Eva remembered the nightmare she had dreamed just before waking up in the morning. Then as now it had been the earth of Raintree County over which she travelled, but she had been alone, walking, forlornly hunting for her home on roads diminishing in mournful silence to the far horizons. Yes, these were surely the small brown roads of Raintree County, and the houses that she saw at a great distance were surely the plain board houses of Raintree County. But she had somehow become lost in her own familiar earth. She couldn't even remember what home the family was living in from among the many homes she had had in Raintree County. And what season was it—summer, winter, autumn, spring? Or was it some seasonless and timeless landscape, one in which it was impossible to return to the right home at the right time? If only she could find a familiar landmark—the plain board buildings of the Old Home Place, or perhaps the brick tower of the Greenville house, or the steeple of the Moreland School, or the lonely structure of Waycross Station—she would have her bearings and be instantly at home. Somehow she had got lost from an earlier dream in which small golden flowers had sifted on her eyes and she had floated on a lake at evening, and it was summer and the days were long. Or was that all the legend of another girl, a fabulous, forgotten little girl, the little dreamer of a summer dream?

Then while she wandered in that dawncolored landscape, she remembered about the crazy woman. Right now, the crazy woman might be hiding behind a hedge watching. Looking over her shoulder, Eva saw a tall woman with black hair and bright black eyes coming swiftly across the field behind her.

—Papa! Papa!

Her screaming was a tortured small moaning in her throat. Her legs were glued with earth. The crazy woman came up behind her and raised the knife in her rigid arm; her indianstraight hair was shaken with fury. . . .

—Eva! Time to get up.

It had been her mother's voice, thrusting into the dream and bringing her back into real life.

Her father shook the reins over President's back.

—How time passes! he said. It seems only yesterday, children, that we walked along this road on the way to school.

—It seems a long time ago to me, Papa, Eva said.

It was clear to her that her father didn't measure time as she did. Already she divided the twelve years of her life into distinct periods, according to where she had lived. It made her uneasy to think that perhaps her father regarded the entire fourteen years since his marriage to Esther Root as a single period, in which Eva was a minor—if somewhat noisy and persistent—accident.

She looked at the green earth swimming by her as the surrey passed like a lazy boat rocking on a lazy river. She was passing down one of the oldest pathways of her childhood, a way to school. She was remembering summers of long, slow trips in the surrey from town to little town. In all these memories, her father was a presence mystical, pervasive. The years of his life—those lost years before there was any Eva, years of his boyhood, his youth, and his young manhood—spoke to her with indistinct, soft voices. The legend of her father waited for her to rediscover it between the green covers of a sentimental novel inscribed with a golden legend. In that story, she too would have a part. Unseen, she must have been there all the time, travelling the little long brown roads of Raintree County, tracing on the earth a vast initial, hunting for her home. A hundred bright eternal doors opened for her. Her ways and times were neither before nor after his, but woven with his own in the same gold myth of summer and the earth. Welcome, beloved child, heroine of an endless series! Yes, she would linger in a golden world, remembering

ONCE UPON A TIME
A LITTLE GIRL LIVED BESIDE A ROAD

that went somewhere and somewhere and how she had a father and a mother and a brother and had always been a little girl in a house beside a road.

Her great desire was to travel on the road that went somewhere and somewhere. Often the family would go together in the surrey and start along the road, and it would be a long day in the summer, and they would go a long way and visit another house beside a road. And sometimes it was night and she slept as the surrey passed along the road, and always she was back at last in the house beside the road.

Behind the big house was a little house where she and her brother Wesley played. The little house was piled with old things, and it had a strange spicy smell that came from glass-stoppered bottles with black words on them. This little house was taken down when she was still very small. It was called the Office, and it belonged once to T. D., who was dead long ago. She and her brother played Explorer too, and sometimes they went to the end of the South Field and watched the train go by. A few big oaks partly hid the hurrying train on its high embankment. Close to the railfence was a scarred boulder, higher than a man, lying like a big egg halfsunk in the earth.

—This is the oldest thing on the Home Place, Eva, her father told her once. Older than you and I.

—Or T. D.?

—Yes, much older.

—Or the road?

—Yes, even than the road.

She tried to think of the time when there hadn't been a road. But she couldn't do it. She couldn't even remember being a baby.

There was a picture of the baby Eva. The baby Eva was a fat, bald, bugeyed thing that looked something like a toad in a dress. It was too bad, because this baby had been given beautiful names. She had been called Eva from a little girl in a book called *Uncle Tom's Cabin,* and one time her father told her that the word 'Eva' meant Life, and that it was the noblest name a little girl could have. Her other name, Alice, had come from another book called *Alice's Adventures in Wonderland*. It had been written by a grown-up man for a little girl who really lived and whose name was Alice.

> Child of the pure unclouded brow
> And dreaming eyes of wonder!

It had taken great courage for her father to call the baby Eva by these noble, beautiful names. Eva would have to become a famous and beautiful woman to justify these names.

But when she got bigger, she was still squatty and plump with large staring blue eyes and peculiar brown hair. When people called, they never said, Isn't she pretty! but instead, Well, I'll bet this one isn't sick much! Then Eva would almost cry for rage and shame, and especially for pity of her father, who had given her the names.

People called her father Mr. Shawnessy—or, rarely, John. But one time a woman Eva didn't know called him Johnny. Eva was shocked. Her mother had never called him anything but Mr. Shawnessy in front of other people and had never in her life used his first name in any form. Perhaps that was because she had gone to school to him when she was a little girl, years before they were married.

Eva's father had the school in Moreland, to which he walked every day of the schoolyear. At home he was almost always reading or writing. Eva would think back and back, and it seemed to her that the oldest memories she had were of her father sitting in the yard of the Old Home Place, feet propped on a rock, reading a book or writing in a tablet. She would look over his arm and study the curved, softflowing marks. Her father never got tired of making them. He said that they were poems.

It bothered Eva that she knew so little. The big trouble was that she didn't know where she came from. Once her father said,

—You came from those two photographs on the wall, Eva. They belong to the Pre-Eva Age.

The two photographs on the parlor wall were a picture of the Shawnessy family and a picture of the Root family, grouped in the respective front yards of the Old Home Place and the Old Root Farm.

These pictures had been taken at about the same time, two weeks before a famous Fourth of July in 1878, when Eva's father and mother had run away to get married. In the middle of the Shawnessy group was T. D., Eva's grandfather, a tall brittle old man looking vaguely happy about something, as he sat with his three daughters and four sons. He had died a year before there was any Eva, and they had put him into the ground in a hill by the river. In the Root picture Eva's other grandfather, Gideon Root, sat blackbearded, bigheaded, immense in the middle of his children. On his right, with her hand in his, stood Eva's mother, Esther Root, in half-profile, her eyes like her father's, dark and sad.

For a long time Eva never saw her Grandfather Root except in the picture. Then one day he rode hugely out of the picture—or rather Eva rode into it.

The family had been visiting in an unfamiliar part of the County. As the surrey topped a gentle rise, Eva's mother pointed to a lonely farmhouse on the left, set close to the road.

—That's where I was brought up, children, she said. That's the Old Farm.

Then a fearful thing happened.

A buggy came into view as if it had sprung from the ground. It rolled swiftly along a lane from the barn behind the house to the main road. It was a black shiny buggy pulled by a big black horse. It turned onto the main road and came toward the surrey. There was a low thunder of hooves and a squeaking sound. The buggy came closer and closer, and Eva could see a big face under the hood, and a black beard with jags of gray, and a thickfleshed nose ending in a sensitive tip, and eyes black and big that looked right into her eyes.

A few yards away, the man in the buggy jerked the reins and shouted,

—Whoa!

His voice was so loud and terrible that buggy and surrey stopped side by side. Eva's father could have reached out and touched the man in the buggy.

The big man sat, knees close together. He held the reins in one hand, and in the other the crop of a coiled whip of woven leather. He looked at Eva's mother as if she were the only one in the surrey.

—Esther, he said, the old home's waitin' for you. Come on back.

Eva's mother looked at the man. Her eyes were dark and sad like his own.

—Pa, she said, I'll come back as soon as I can bring Mr. Shawnessy and the children.

There was a dead hush. The man and the woman looked at each other. The man's eyes burned with dark hunger, and the woman's were brooding and sad. The buggy and surrey and their occupants side by side on the narrow road were as still as a photograph. And the lonely little farmhouse was still. And the long acres around it were still.

Then the man's face changed. From deadwhite, it turned red, bloating with blood. The man looked at Eva's father and then at herself and her brothers in the back seat and again at her father. The man's bluntfingered hand bulged on the crop of the black whip, the knuckles of his balled fist turned blue, his mouth opened, he panted, half rose in the buggy, and swung the whip. It went crashing out along the flanks of the black horse. The black horse lunged as if it had been shot, President reared in the stays, and in the same instant, buggy and surrey shot forward and down the road in opposite directions.

After that one meeting with her Grandfather Root, Eva never again felt quite the same sense of peace and security when riding on the County roads. As for why her grandfather hated her father, no one would tell her the reason. It was one of the secrets of the Old Days.

The Old Days were full of maddening secrets. Once while Eva was digging things out of a box in the attic, she found two photographs—one of a woman holding a little boy and another of the same woman holding a doll. The woman was very pretty, but she looked sick or frightened. Eva took the pictures to her father and asked him about them.

—That was my first wife, he said, startled. A long time ago— before I married your mother, Eva.

—Where is she now, Papa?

—She's dead.

—Whose little boy is that?

—That was my little boy, he said. Here, Eva, we'd better put those pictures away. It makes me sad to look at them. You don't want to make Papa sad, do you?

Another secret thing from the Old Days was the biggest book in the family bookcase, the Byron book, which Eva once got down, finding these words on the flyleaf in a pretty hand:

For Johnny,
    In memory of happy days together at Pedee Academy,
                                                    NELL

Between the pages of the book were wisps of flowers plucked in some summer of her father's youth, weightless little corpses that left faint stains and fragrance on the fine black print.

—Who was Nell, Papa? Eva had asked her father.

—Someone I knew in my youth, Eva, he said, closing the book and putting it back into the top row of the bookcase.

In the Old Days, everything was either Before the War, During the War, or After the War. The War had been fought to free the slaves and save the country. President Lincoln was a kind good man with a sad face and a black beard. He had had a small boy named Tad and had been shot in a theatre. Their own father had come home sick at the end of the War with a scar on his left shoulder.

Before the War her father had been a great runner and had run a famous race against someone named Flash Perkins in the Court House Square. Sometimes the surrey would go by an old brick building in Freehaven, and her father would say that it was the old Pedee Academy, where he went to school when he was a boy Before the War. As for the Old Days After the War, they were more mysterious even than the others. One day Eva and Wesley found in the attic a little red book with black words printed on the outside:

VISITOR'S GUIDE
TO THE
CENTENNIAL EXHIBITION
AND
PHILADELPHIA
1876

Their father said that it was a guidebook he had bought in Philadelphia, where they had a kind of fair like the County Fair, only much bigger.

All through the Old Days her father had taught school in Raintree County. Eva was always meeting people who had gone to school to him, and some of them looked older than he. But then he never changed much, and it was hard to believe that he was eighteen years older than her mother.

Her mother was sallow and slender and had a red smooth mouth and jetblack hair. Her face in repose was sad and almost stern. In her mother's presence, Eva always felt vaguely guilty of something. When Eva was naughty—which was not seldom—it was her mother who punished her, switching her legs with a rattail plaintain while Eva yelled without shame, being unable to take punishment like Wesley.

—Wesley's an Indian like his mother, their father would say. They never show their real feelings.

That was a good one of her father's about Wesley being an Indian. There was something about Indian blood in her mother's family, but Wesley had blond hair and skyblue eyes. He was a boy, and boys had it better than girls. Their mother always favored him, and everyone looked upon him as the bright light and shining star of the family because he had such a wonderful memory.

Her other brother, Will, was born at the Old Home Place when Eva was five. One morning, not long after his birth, their mother was down on her knees going along the edge of the carpet pulling up tacks, and all the time the tears ran down her cheeks and fell on the floor, but she didn't make a sound. It was in the late summer, and all their things were loaded into two big wagons, and they all got into the surrey and rode away down the road that went somewhere and somewhere.

The road brought them by evening to a little town called Greenville, and they took an angling street to the outskirts, and in the declining light, across the pastures and the fences, standing in isolation beside a pond, its redbrick sides glowing with a living warmth, its upper windows reddened by the sun, a house stood waiting.

—Why, it's like a tower! Eva said.

A lonely form, unlike any other in all Raintree County, the house in Greenville where Eva lived for two years was a kind of sixsided brick tower, the whole mass pierced with narrow windows and crowned with a mansard roof rising to an observation platform. A small greenhouse attached to the back of the house and extending to the pond was full of glistening plants. A queer doctor, whom Eva never saw and whose name she couldn't remember, had made the house, the greenhouse, and the pond.

Her father had the school at Greenville, and except for the new house, his life was as before, with reading, writing, and teaching. But for Eva the life at Greenville was a changed life. The dominant image of this new life was the pond mucky and green, full of spooling and spawning forms of fish and frogs and snakes scaringly beautiful. Deeply puzzled by the miracle of life and the mystery of the sexes, Eva was a moody, jealous little girl during the years at Greenville. It was here that she committed the greatest crime of her life, the murder of the boy doll.

This was a lovely doll that was given to her little brother Will on his second birthday. Eva coveted the doll, and when Will wouldn't let her hold it and their mother scolded her for taking it away, Eva wished the destruction of the doll. In the afternoon, taking her old rag doll she dipped it into the pond to baptize it, and as she had hoped, Will dipped his doll. As the beautiful new doll slipped out of his hands into the pond, Eva felt a terrible pang of joy and remorse mingled. She took a stick and snagged the doll and brought it to the surface muddy and ruined. Crying, the children laid the soaked dolls at their mother's feet. As Eva had expected, no one was punished since the harm had come to the doll through a religious motive.

Soon after this, the family left Greenville. But all her life, when she would think of Greenville, Eva would think of how the little blue-eyed human form went down into the green waters of the pond and came up drowned and dead, and then she would think of the house itself with the greenhouse projecting from its base, the house that was like a tower, of a mysterious and significant origin.

And then slowly the image of her father would come to her, prevailing above all the other images, and she would remember her talks with him beside the pond where he had told her the meaning of life and had explained to her the ineffaceable difference that she carried on her small body, source of her darkest speculations and jealousies. She would remember then how she had come home in the evenings from school (for it was at Greenville that she began her schooling) and had seen the house down in its lowlying field far back from the road. The picturesque thrust of it, the piercing uniqueness of it, the quaint distinction that sat upon its lonely form blended somehow with the memory of her father in those ancient years of the life in Greenville. This towerlike house beside a road became with the Old Home Place one of the landmarks of her life, rising mystic and serene above the green pondwoven shapes and passions of her childhood. It was one of the temples of her father's spirit.

From Greenville, the family returned to the Old Home Place and after a year moved into Moreland, where her father had the school again. Now for the first time, Eva went to school to her father.

Moreland. It was a word forlorn and tender, like the sound and aftersound of a distant schoolbell. This word and the meaning that it came to have for Eva pervaded the plain of her life with a sweet and strenuous sound. Moreland. It called into being a new Eva, who, like a princess imprisoned in a toad, had been waiting to shed her drab skin. The blind little creature of the Greenville pond was touched with light and became a human being with divine aspirations. From the moment that she saw her father at the front of the schoolroom and heard his gentle, leisurely voice, a hunger possessed her to press beyond the barriers of her own existence into her father's world. It was the world of eternal life, and it called to Eva, the child of life, in the familiar accents of her father's voice. To find this world, to understand its principles, strong and certain, to learn its language supremely musical and strange, became a religion for Eva.

The temple of this new religion was the Moreland Schoolhouse, standing symmetrical in its wide yard, two equal wings and a tower holding a bell. And the way to school from the Home Place to Moreland became to her the most memorable pathway of her childhood, the most beautiful and secret road in Raintree County, the same road which had gone somewhere and somewhere in her infancy.

She and her father and Wesley would walk together in the early morning to school and in the evening home. The way was very pleasant in the fall, when grass and weeds in the ditches were beginning to toughen and turn color. Later the road froze hard, and sometimes it was snow all the way, so that their eyes hurt, and their faces were red and raw in the soft white world of winter. Then came the first thaws and windy skies of spring, and then gray days of rain and rivulets running, and during this time their father carried a black umbrella. Then blades and buds rushed from the rainsoaked earth, and a faint flush of green lay shimmering down the road from tiny spears of grass in the soft May. Their father always had time to let them loiter and examine things. In season, they would strip the black haw trees while he leaned on a fence, reading a book or perhaps simply regarding the sky as if he owned it and understood it.

During these years of her schooling at Moreland, Eva acquired a clearer image of her father, one that she would never greatly change. He became for her a sacred object toward which she had a special duty greater than that of mere daughter to mere father. The manuscript on which he worked in his spare time contained the most precious words in the world. Her favorite daydream was that the house would catch on fire, and she would climb in through a window, crawl through flame and smoke, grab the huge, sagging pile of her father's poem, fight her way back through smoke and flame, and come staggering out into the yard, where her father would find her pitiful, dead form, with the great manuscript clutched safe on her breast.

The great reverence which she felt for her father was shared by other people in the County, who sought her father's advice on all sorts of things. Whenever the family made a progress through the County in the surrey, they were almost certain to have some quaint encounter that testified to the special reverence in which her father was held. Once a man stopped beside them in a buggy and leaning out said,

—John, I've had two lines of a pome runnin' in my head for days. I can't git rid of it, and I can't finish it. I says to myself, I'll see John Shawnessy, and he'll finish it.

—Let's hear it, her father said.

The man recited:

> —Adam, the first of humankind,
> He had music on his mind.

Her father thought a moment and recited,

> —But in that great and dreadful Fall,
> He lost his musicbook and all.

The man sat thoughtful in his buggy a long time, following the surrey with his eyes.

Eva did not entirely conquer her spiteful, envious self during the years at Moreland. It nearly wore her out trying to keep up with her brother Wesley in school. She never hoped to hold her own with him in literature and history, but Wesley had no mind for arithmetic while Eva was a whiz at it.

—Eva has a scientific mind, her father said.

She treasured this statement, a consolation to her in her unending strife with Wesley. The image she made of her brother in this period became fixed like the one she made of her father, and she put it away in her mind along with the shape of the Moreland school-house and other eternal things and never greatly altered it. It was the image of him as going into the contest, whether racing to victory in the schoolyard games or fighting bigger boys to a standstill, his tongue between his teeth, his blue eyes shining with a peculiar light, not anger but more like someone seeing a vision. He was the eternal competitor, ruthless in contest, generous in victory.

Eva must have walked thousands of miles with her father and Wesley on the roads of Raintree County on the way to and from school in the early years of her life. And as always, these roads held for her a promise of strange encounters and discoveries.

One afternoon in the spring, returning without their father from the Moreland School to the Old Home Place, the two children stopped to pick violets and spring beauties where the road turned outside Moreland. Close by in the ditch, Eva saw a pile of trash and right on top the fist-sized bust of a man. But Wesley beat her to it and got the little statuehead, on which as he held it up Eva could see the word BYRON on a scroll at the base. It was a beautiful head, like old marble, virile, with clustering curls, and the only flaw a nick in the left shoulder. Eva, who had seen it first, wanted it more than anything else she had ever seen. She tried to grab it from Wesley, and when he refused to give it up, saying that he planned to put it with his other treasures in a box at the top of a big maple that Eva was afraid to climb, she lost her head completely. There was a scuffle and Wesley broke away and ran down the road with Eva in pursuit, bawling and shrieking. He easily outdistanced her and left her out of breath and blind with tears. At home, she broke out afresh, while Wesley as usual remained stoically calm. Her mother told her to quiet down before they settled the matter. But Eva couldn't quiet down. She went on sobbing and yelling dreadful things about how she hated Wesley and her mother and how they always hung together. At last, her mother switched her, and Eva went into a bedroom and wished outloud that she were dead. When her father got home, he came in to see her, holding her hand and smoothing her hair. She was aware of herself as a small squatty girl, her face dirtied with crying, her hair mussed, her dress stained, her stockings down, her nose running, while her father sat there looking tired from teaching all day and talking with her a little about the value of things. Eva couldn't explain to herself now why it was that she had wanted the little head so badly. But gradually she grew calmer and felt horribly ashamed of the whole affair. At suppertime, Wesley came around and offered her the statuehead, and the strange thing was that now she didn't want it and wouldn't take it and started to cry again. All her sorrow seemed to come back upon her, but without the angry feeling, and she felt as if she could weep whole rivers of tears and never get over the sorrow that she felt.

It was some time after this episode that she dreamed the most terrible nightmare of her life. In her dream she had just left the schoolhouse to go home. In the quiet time of day, alone and homeward going, her schoolbooks in a strap over her shoulder, her lunchbox in her hand, passing the last houses of Moreland, she was tracing on the earth the silent letter of her being. She thought of the jog in the road, the faces of the few houses along the way, arrival in the evening. She had reached the turning, she was about to turn.

Just then across the fading day a single lone, lorn, clear, compelling bell of sorrow sounded, and her gaze was lifted and prolonged by the sound so that it fell just on a place beside the road where she and her brother sometimes picked violets in the spring.

A human head was lying there among the flowers. She walked slowly to the spot, bending over to see more clearly.

It was her father's head, cleanly severed at the neck, eyes shut, mouth open. It had been chewed by dogs. She stood rooted, her tongue glued to the roof of her mouth so that she couldn't scream. Her father's dark reddish hair had been trampled and mussed, the skin had been worried by dogs' teeth, but the face retained its warm coloring against the dank earth.

Unutterable sorrow flooded her with an emotion stronger than any she had ever felt before. She began to moan and shake her head. Hot tears ran down her cheeks. With the absurdity of desperation, she wondered if there might not be some way of sewing the head back on the headless trunk, as one might repair a sawdust doll. But then it was necessary to find her father's body. She turned and with outstretched arms began to run down the road crying,

—Papa! Papa! Papa! . . .

From this dream, her father's own voice awakened her to the knowledge that the thing was not so. Yet her grief could not have been more real if she had really seen her father's head lying on the road. And the dreadful image haunted her for days and even weeks so that she was afraid to go to sleep lest she behold it again, an ambush for her soul lurking on some road of Raintree County. What fate, she wondered, pursued her with this sinister image? What guilt required a self-chastisement so terrible? For after all, she alone was the dreamer of these dreams.

But most of the time during the years at Moreland, she was very happy and seemed to be getting the best of the spiteful, passionate Eva of earlier years. Into her great effort to learn everything and to be good and worthy in the eyes of her father, she threw all her strength. She had a secret hope that if she persevered and never admitted defeat, the time would come when Eva Alice Shawnessy would be a great name, equal to those of the world's most famous women. She would make her father proud, and the name of Shawnessy the equal of any other name down the ages.

Several times she had heard her father say that there would one day be a genius in the family. From time to time, he would have the three children line up, and in a half-humorous way would examine the bumps on their heads. They would all stand solemnly waiting for his pronouncement, and he would say something about Bumps of Calculation, Memory, and the like. Eva would stand with eyes averted while her father examined her head. She hoped that her bumps were right so that some day she might be greatly worthy of her father.

—What do you think, Papa? she would say hopefully.

—A *very* remarkable head, her father would say. Perhaps Eva will be the best of us all.

It was very kind of her father to say it, because secretly he must have known that he was the best of all in the whole world and also he must have known (what she, Eva, secretly knew, but hardly admitted even to herself) that Wesley was smarter, and that everyone expected Wesley to be the bright light and shining star of the family and not Eva, who was, after all, only a girl.

Eva sometimes wondered if she ever got very far beyond the great enlightenment of those first few years when her father was her teacher and she learned that all things were founded on fundamental principles and that the process of knowing was a matter of grasping those principles and keeping them steadfastly in mind.

The feeling of deliverance from a prison of ignorance made the years at Moreland unique among her memories. Then it was that she discovered the plan of an Eva noble and intelligent. This Eva was the Moreland Eva.

The Moreland Eva had lived in a world of time and longing but now remained forever in a world of eternal images, a world of small brown roads and plain board houses.

The Moreland Eva walked on an ancient road between the Home Place and the Moreland School. She made the turn into Moreland, crossed the tracks, went down the street between the houses, turned left into the grassless playground. The Moreland Eva walked through the single door of the Moreland Schoolhouse and hung her wraps in the cloakroom. She sat at her carved familiar desk, she smelled the odor of chalk and children's bodies, she saw through the window a lasting shape of earth. She saw her brother Wesley sitting in his place. And at the front of the room in his old black suit, standing at the blackboard holding a piece of chalk, her father stood and moved his lips, his eyes had a remote and sweet expression, words and numbers grew mystically beneath his hand. And after school, the Moreland Eva (a small stocky girl with large blue eyes, straight, strong features, and indecisive brown hair) would go forth from the Moreland School and set off along the road, tracing again

AND EVER ON THE EARTH OF RAINTREE COUNTY

THE PATHWAY TO

HER

—HOME in plenty of time to meet the Senator's train, her father said, consulting his watch.

Looking for the roofs of Waycross, Eva saw something like a vast brown bladder swelling on the south horizon. The unfamiliar became instantly a vague fear.

Then she remembered what it was.

She was wondering if she would see her Grandfather Root at the Revival Tent. He had come to some of the earlier meetings, and Eva had even walked past him, almost touching him with her dress once. Of course, as usual, he didn't speak to her, although he did go over and talk with her mother awhile.

There was something ominous about the big Revival Tent. Eva knew that her life had always been pierced with flashes of anxiety, just as sometimes on a blithe summer day a black cloud would roll down on Raintree County, the air would split with jags of fire, thunder would bound in heavy balls up and down the County, and then the rain would fall. Raintree County was itself a vast four-sided tent, under which might rush at times the four winds of the Nation.

Among the few parked buggies, Eva looked for the shiny black horse of her Grandfather Root, or for her grandfather himself, standing massively apart, his beard shot with jags of gray, his big head pivoting slowly on the motionless block of his body.

Just past the Revival Tent the surrey had to stop behind a line of vehicles waiting to enter the National Road.

—The children and I will just get out here, Esther Shawnessy said, and walk down to the Station. Then I'll come back alone for the service at the tent.

She and the children climbed out.

—I'll drive home, their father said, and put President up for the day. I suppose I'll be busy from then on looking after the Senator. Have a good day, children.

—Pshaw! Did you ever see so many people! Eva's mother said.

She walked ahead of the children past the stalled vehicles, her straightbacked form moving with grave purpose, her feet planted exactly parallel.

Eva hadn't stepped on firm ground since they had left home at sun-up. The rocking motion of the surrey still governed her body. She felt languidly aswim in light. For hours, she had floated on the calm ocean of summer and had enjoyed an immense, passive possession of herself and the earth. Now the earth surprised her by its immovable substance. She looked at the sky, walled by far clouds east, but cloudless over Raintree County.

EVA'S ETERNAL HOME
(Epic Fragment from the *Eva Series*)

Yes, little blue-eyed Eva, you raise your eyes toward the eternal sky. What do you see there, Eva, child of the summer day? Look deep and far, Eva, our favorite little girl, and see if you can read upon the face of this ocean of God's universe any tracing of your own life in huge characters. Do you see there the far, beautiful realms of peace and love where joy forever dwells, the cloudbuilt ramparts of your heavenly home awaiting, when all earthly barriers have been burned away? Little tempestuous and tender spirit, our own dear Eva of the childlife series, our little heroine of so many episodes fraught with grave and gay, entertainment and instruction for the well-broughtup little girls of America, do you see there some haven of eternal peace, where all your dreams come true, in the arms of a beneficent Creator, your Father and your God, when the slow-pacing years have carried you home at last along

The Great Road of the Republic

PASSING through Waycross made a sound like a prolonged chord, dissonant but not unmusical. It aroused in Mr. Shawnessy an old excitement. It was the sound of humanity in crowds.

As he drove nearer to the Road, the tonal ingredients of the chord emerged. Bandmusic spouted, firecrackers crumped, wheels ground on gravel, hooves clanged, horses whinnied, human throats bubbled.

Beyond the intersection, the long aisle of the street was swollen with parasols, derby hats, flags, blurring and brightening around the railroad station. Stranger even than Mr. Shawnessy's prophetic dream of the early dawn was this glut of people on the wide and quiet crossing.

At the intersection, he felt the pull of the Great Road. It sucked him out of the narrow county road, picked him up, flung him about in a whirlpool of traffic. Engulfed in the Mississippian stream of the Republic, he navigated the surrey carefully against the tide. He reached his own yard, went into it between parked buggies, and drove into the barn, where he quickly unharnessed President and put him into a stall.

He picked up the *Atlas* and the newspapers, planning to run into the house and tidy up before going down to the Station. As he went around to the front porch, he saw a man in a white linen suit sitting on the porchswing.

—Mr. John Wickliff Shawnessy, I presume?

The voice was a pleasant, hissing sound.

—Yes? Mr. Shawnessy said, tentatively.

The man stood up and walked briskly down the steps, plucking the cigar from his mouth and switching it to his canehand.

—Glad to see you again, my boy.

—Professor! Mr. Shawnessy said, taking the thin, strong hand.

Nodding amiably, Professor Jerusalem Webster Stiles exhaled aroma of distant places and metropolitan manners.

—Don't you grow old like other people, my boy?

—You haven't changed much yourself, Professor.

—I grow old, the Perfessor said. Deep scars of thunder have entrenched, and care sits on this faded cheek. But happily I still have my teeth. Both are sound and sometimes leave a signature of senile passion on the shoulders of the most beautiful women in the City of New York.

The Perfessor shook soundlessly. His skull was bonebright under thin hairs that were still defiantly—almost obscenely—black, slicked back from a middle part. His long, narrow face seemed all features and wrinkles. But the tall form was still erect and jaunty, the malacca cane swung with practised ease, the black eyes darted restlessly about. The essential Perfessor was still there, seen as through a frosted glass.

—You fooled me, Professor. Your letter didn't say——

—At exactly seven forty-five this morning, the Perfessor said, trainborne I crossed the borders of Raintree County. I haven't been back since that day thirty-three years ago when the preacher's shotgun goosed me over the border. When did we last see each other, John?

—Fifteen years ago. July of '77. Night of the Grand Ball at Laura Golden's in New York.

—Ah, yes, the Perfessor said. The night you ascended the Great Stair. I envied you that night, John. Tell me the truth, my boy, what did you do up there?

—I was hunting for the exit.

—Hmmmmmmm, the Perfessor said. Won't tell, eh?

He looked around, twirling his cane.

—So this is where the Bard of Raintree County has elected to spend his declining years. Really, John, isn't it a bit bucolic for a man of your talents?

—I have a good pure life here.

—Unavoidably! said the Perfessor. What in the devil is that big book under your arm, John?

The Perfessor peered keenly at the *Atlas,* covered up with news-papers.

—Something I promised to get for the Senator. By the way, is this a professional visit?

—Strictly, the Perfessor said. I persuaded my paper to let me cover this thing. These days, when Garwood moves, the stars zigzag in their orbits, the stock market fluctuates, and the virgins bedew themselves with ecstasy. What an opportunity, I thought, to return unobtrusively to Raintree County, drop a tear once more on the soil that gave me birth, and touch again that magical, mystical time, John, when you and I were young, Maggie.

—Does Evelina know you're coming?

The Perfessor shot a quick glance at Mr. Shawnessy.

—I did write her a letter, he said. How is our little poetess?

—Lovely as ever, Mr. Shawnessy said.

—Where does she live?

—An improbable big brick mansion just outside town, Mr. Shawnessy said, pointing east. You can't quite see it from here.

—I've never forgiven you, John, for luring the little woman away from New York.

—I had nothing to do with it, Mr. Shawnessy said.

—Of course, I blame myself too, the Perfessor said. You two got together in my column. By the way, do you read it these days?

—It's been scintillatingly naughty of late, Professor. How do you get away with it?

—The secret is this: The truth, the real truth, sounds so preposterously false to the average citizen of the Republic that he thinks I'm kidding. So they let me go my lonely way as the New York *Dial*'s Special Reporter on Life, the only man in America who reports the news as it really is.

—Some time, Professor, I want you to publish a newspaper of your own and call it the *Cosmic Enquirer*.

—Right now I'm cosmically thirsty, the Perfessor said. Where's the local hell?

—The town is teetotal.

—How lucky, then, that I happen to have a little on me, no?

From a backpocket, the Perfessor pulled a flat bottle of corn-colored fluid, uncorked, lipped, gurgled.

—Have some?

—No, thanks, Mr. Shawnessy said, looking warily to see who watched.

—By the way, would you conduct me to the Chair of Philosophy?

On the way back, Mr. Shawnessy said,

—The Senator arrives in a few minutes. I'm supposed to be at the Station to meet him.

—What kind of country is it, the Perfessor said, pushing back the crescentcarved door, that permits itself to be run by such bastards! If we're not careful he'll be the next President. Hi, there, Apollo invades the Privy!

The interior walls of the little twoseater were covered with clippings from books and newspapers.

—Wherever Socrates and Plato converse, there is the abode of the Muses, Mr. Shawnessy said.

RURAL PHILOSOPHERS CONGREGATE
(Epic Fragment from the *Cosmic Enquirer*)

Some of the brainiest savants in this section of the country assembled recently for high metaphysical discourse. The scholarchs are reported to have sought out a meetingplace suitably quiet for their deliberations. Occupying the Boylston Chair of Oratory and Rhetoric was that engaging wiseman and wit . . .

Professor Stiles adjusted his glasses and read aloud from one of the clippings,

—Government, like dress, is the badge of lost innocence. The palaces of kings are erected upon the bowers of Paradise.

We have a text. Mr. Shawnessy, will you elucidate to the goodly and handsome company assembled?

Mr. Shawnessy consulted his watch.

—To be naked is to be either god or beast, he said. Eden is man's memory of godlike appetite and animal satisfaction, uncurbed by moral law. The forbidden fruit is the act of love resulting in discovery of another and not simply affirmation of oneself. In this act, man becomes man—moral, responsible, parental, and the Republic is born. By the way, Garwood's train is about due. I have to tidy up a little. Meet me in front of the house.

Walking up the back path, he glanced at the sundial. Inside the circular inscription, *I record only the sunshine,* the sharp shadowhand darkened the numeral IX. He reflected that in the *Atlas,* which he carried under his arm, the same hour was fixed forever on the face of the Court House Clock. A radiant god was writing nine o'clock all over Raintree County. With his golden finger he traced a hundred images on great soft sheets of earth, and all proclaimed the magical, morning hour of nine. Without selection or distinction, he traced all legends with a brush of light and shadow. In his bright book of simultaneously existing images, was one thing more forbidden than another?

In the house, Mr. Shawnessy spent a few minutes running through the *Atlas,* but without success. Remembering the Senator's request, he carried the book outdoors, sandwiched in copies of the *Free Enquirer.* On the sidewalk, the Perfessor waited, intoning words for the music which the band at the Station was playing.

> —Blow ye the trumpet, blow
> The gladly-solemn sound!
> Let all the nations know,
> To earth's remotest bound,
> The year of Jubilee has come.

—John Brown's favorite hymn!

—John Brown! the Perfessor said. How well I remember those days! All that summer and fall of '59, when the War was coming on and no one knew it. Those were the days of our paradisal innocence, John. Let me see, what were J. W. Shawnessy and J. W. Stiles doing that summer?

—That summer, Mr. Shawnessy said, J. W. Shawnessy left the estate of youth and innocence and entered upon the estate of manhood and bitter wisdom.

—That summer, the Perfessor said, J. W. Stiles left the County of his Birth lest it become the County of his Demise.

—That summer, J. W. Shawnessy discovered the Source of Life.

—And where is that? said the Perfessor.

—Where the river joins the lake.

—That summer, J. W. Stiles remained a small name and alive, while John Brown prepared to be a great name and dead.

—That summer, J. W. Shawnessy became an agriculturist of love, and worried about his crops.

—Ah, and I remember, too, said the Perfessor,

THAT WAS A SUMMER
OF DROUGHT IN THE MIDDLE STATES.

The crops were dried and stunted. In the dark earth lay the rejected seed. It was a summer, too, of catastrophe and violence. In the prolonged heat men did strange deeds. The deep of the national character was troubled and cast up monsters. The newspaper columns were filled with rape cases. A woman was said to be running about a desolate part of the country naked. Members of a certain religious sect were reported to be waylaying and violating women with organized efficiency. A man fell into the vault of a privy and suffocated. Trains leaped trestles. The crops in the Middle States were stunted. In the dark earth lay the rejected seed.

On the morning after the Fourth of July, Johnny Shawnessy woke up slowly and reluctantly. He was troubled by a pagan memory. There had been a young man bold like a god. He had bestridden a whiteloined horse and had ridden beneath the sun. Winged and triumphant, he had taken no thought of the morrow. He had been naked, and he had no name.

Johnny kept telling himself that he had had one of his vivid dreams, and now he was waking up from it, and everything was all right. But he kept remembering new details. A sequence of sundrenched images hovered in his mind and refused to be dispelled.

He had a memory of swimming on still waters toward a wooded shore in the region where lake and river met. Of a sleeping in bright sunlight. Of an awakening on a bed of grass. Of a nude form reclined upon his own. Of mouths meeting in more and more perilous kisses. Of a young woman, garmentless, seen running toward an unguessed place. Of a pursuit and of an overtaking. And of a tree with a slender trunk and a shapely roof of foliage from which there sifted a rain of yellow pollen. And it had been as though the two beneath the tree, seizing the supple trunk, had shaken down (at first languorously and then more and more violently) forbidden fruit.

Fully awake, Johnny didn't want to get up. He himself had a name known and respected. He didn't want to have any responsibility for a nameless scamp who had acted as though time and causality didn't exist.

Nevertheless, when the naked ones of that memory had put on their clothes, they had put their names back on too. They were called Johnny Shawnessy and Susanna Drake. They had ridden back from Paradise Lake into Freehaven and had begun to look at each other with thoughtful looks. They were strangers again.

A few weeks before, Johnny Shawnessy had been the most innocent young man in Raintree County. Now he was the most guilty. In the space of a few weeks he had done incredible things. He had told a girl that he loved her and had promptly gone swimming with her naked in the river. Two weeks later he had gone with another girl, an almost total stranger, to a place where he had never been before, and he and she had performed the act of love.

It was useless to point out that by a freak of fate, which was by no means entirely his fault, he had been drunk the second time on whiskey and hard cider. That was merely another crime.

Apparently he had a fatal talent for picking out girls who liked to take off their clothes by lonely waters.

The thing that happened to him at Paradise Lake on the Fourth of July hadn't seemed evil at the time. Indeed, while he was in full career, he had felt like the Hero of the County, life's young American, who had discovered beauty by secret waters. He would no more have plucked himself from that terrific happening than he would have plucked himself out of existence. The feeling of guilt came afterwards when he returned to the familiar part of the County and the effects of the cider wore off. Guilt had not been in the act itself. It was superimposed upon the immutable act, as the map of Raintree County was superimposed upon the immutable earth.

He felt that he had always participated in two worlds. One was the guiltless earth of the river of desire, the earth big with seed, the earth of fruit and flower. The other was the world of memory and sadness, guilt and duty, loyalty and ideas. The two worlds were not antithetical. They were flesh and form, thing and thought, river and map, desire and love. Now the second world had reclaimed him with a vengeance, and he was sincerely penitent.

But his sense of guilt was not religious. If a huge voice had thundered down at him from the summer sky and had said, John Wickliff Shawnessy, thou hast lain with a woman named Susanna Drake for thine own lewd pleasure. Why hast thou done this evil thing, my son? Johnny would have been impressed, of course, but he wouldn't have had any strong sense of guilt. His answer would have been respectful, something like, I'm awfully sorry, Sir. I just drank too much cider and made a slip. I beg Your forgiveness, Sir.

This would be easy. God was impersonal. But Johnny couldn't even imagine a conversation that he might hold with his mother on such a subject. The mere thought of it made him want to climb into a hole and die.

—A great man, Johnny, is a man who does good for other people.

As an innocent child he had understood what Ellen Shawnessy expected of him—to be a good man, to be pure, to combat human suffering and wickedness. During his whole memory of his mother, she had been an angel of purity and good hope, standing at the gates of life and death, secure in the age-old faith that she and T. D. had conferred upon their last child and emphasized by the name they had given him. In his mother's Raintree County, there was no official recognition of the strong desire by which life cunningly furthered itself. There was propagation—but not pleasure. There was love—but not the act of love. Eros and his flametipped arrow had abdicated in favor of Jesus and the cross.

And yet Ellen Shawnessy's most gifted child, John Wickliff, bearing the name of the great reformer and Bible translator like a trumpet-peal of righteousness, had done the Unpardonable Thing. For pleasure, he had stripped the garment of shame from the body of beauty, for pleasure and pastime of his body, had clasped the forbidden whiteness of a young woman in his arms. This he had done in the formrevealing brightness of a July afternoon. Under the circumstances, God, whom T. D. and Ellen were always locating in the sky directly over Raintree County, couldn't have had any trouble seeing the trespass. Johnny might as well have done it on the court house lawn for all the world to see.

The guilt was peculiarly aggravated by the fact that he had committed this trespass with a young woman whom he scarcely knew, an alien from beyond the County. If he had fallen from the path of righteousness with someone like Nell Gaither, a marriage could be quickly gotten up and the fault condoned by official sanction. Johnny had often heard T. D. say,

—High time them youngsters got married.

The truth was that something about the climate of Raintree County or the resilience of its haystacks encouraged the nuptial embrace before the nuptials. And in such cases, the County was inclined to be smilingly tolerant.

—Guess they just couldn't wait, was a common expression when a seven-months' baby had nine months' fingernails.

But there was nothing to condone what Johnny Shawnessy had done. The only rueful satisfaction that he could derive from his sin was that it had the quality of genius about it. An ordinary sinner couldn't have conceived and carried out such a brilliantly successful piece of self-damnation.

For nearly two weeks, Johnny holed up at the Home Place. Then, he received two letters at about the same time. The first said:

Dear Johnny,

I take my pen in hand and seat myself to say that I am as well as a distressed heart will let me be. Johnny, why haven't you come to see me again? Since a certain afternoon, I have thought about you a great deal. I'll be at home for you next Saturday afternoon, if you care to renew an acquaintance that has already meant more to me, Johnny, than it would be modest in me to say. Johnny, I have been worried and unhappy at not seeing you again. Please come if you can.

Yours trustingly,

SUSANNA

The other letter said:

Dear Johnny,

I take my pen in hand and seat myself to write you something that a more discreet, but, alas! less wounded heart would not disclose. Johnny, I have paid dearly for my foolish pride since I wrote you a certain note last spring. If I have hurt you, please forgive me, and believe, Johnny, that to see you again would gladden the grieving heart of

Your disconsolate

NELL

All over the County the rain was falling, as he drove through Freehaven to call on Susanna Drake. The rain came down, big drops vertical in dead air, and ran in rivulets on the sunhardened earth. He thought of all the seeds that lay wet in their tombs, beginning to feel an impulse stirring in hard rinds. The rain came as a kind of relief. It was a washing if not a purification.

Susanna's house on its high lawn gleamed palely under vast, rainy skies. Green branches of trees near-by dripped noisily against it. The gutters of the high roof spouted gray water. The house there on its lofty lawn was a shell of riddles, inscrutable against the veined and hovering skies. As he sat a moment bleakly in the raindrenched buggy looking up at it, a strong excitement possessed him. What waited up the stone steps, in the hollow rooms of the house beyond the five front windows to catch the soul of Johnny Shawnessy in a satin snare?

At the door knocking, he had an involuntary image of himself entering a room whose walls were scarved with scarlet; a naked woman whose olive body curved with sleek muscles pounced on him with catlike fury and thrust him upon a couch while her deeplipped mouth purred and stung his face with savage kisses and her black hair lashed his shoulders. He visualized himself as sturdily resisting this assault in the name of his late—and lamented—innocence.

When Susanna's face appeared at the glass doorpane, it was the eyes that dominated the face, those soft childlike eyes with their violet veins, which could be, he knew, all misty with passion. The black hair was now pulled back and chastely bound to show the ears and emphasize the forehead. The lips had their perpetual pout, of course, but suggesting now the wistful child rather than the barbarous little voluptuary who had drunk his kisses with such inexhaustible appetite on the shore of Lake Paradise.

The door opened.

—Hello, Johnny.

The girl in the doorway was chastely attired in black with just a few scarlet ribbons at the neck and shoulders. She held out her hand with a gracious ladylike gesture, and he bowed stiffly into the house.

—Won't you sit down, Johnny, and I'll have the maid bring tea.

A silent little Negress brought tea, while Johnny sat in a deep chair. Demurely lovely, Susanna poured two cups.

—You like tea, don't you, Johnny?

—I hardly ever have it, Johnny said.

—You'll *love* it, she said.

The expression disturbed him. She had said the same thing on the shores of Lake Paradise, and he had wondered about it ever since, though at the time he hadn't stopped to consider what it implied. Since then he had thought more calmly of it, wondering at the history of amorous pastime in which this elegant figure in the black dress must have participated. Perhaps he, Johnny Shawnessy of Raintree County, had merely contributed the latest chapter in a legend with the tantalizing title *You'll Love It.*

He heard the same phrase many more times that afternoon, applied to a variety of things that were not his things, most of them things Southern, from New Orleans architecture to steamboat excursions on the Mississippi River. The phrase was clearly habitual with her; and indeed it did disclose a vivid, lush, romantic world to Johnny, a world he had always wanted to explore. Susanna dominated the conversation, and it soon appeared to Johnny that only thus was conversation between them possible. Her talk was an incessant self-exposure, candid, vivid, artless—yet somehow never giving a satisfactory explanation of anything. No girl in Raintree County, he was sure, had ever talked as Susanna Drake did that afternoon.

Sometimes he was charmed by her romantic views of life and love and, again, shocked by crudities of speech and anecdote, as when she got off on a whole repertoire of stories intended to show that the Negro was not a human being and that there was no use to talk of emancipating him, people who had any other view were just black abolitionists with Negro wives, and hussies like Harriet Beecher Stowe who didn't know a thing about the good old South, you had only to come down there and you would just love it. Some of the most offensive stories concerning black people were told in the presence of the Negro girl who carried the tea service in and out. To Johnny this was an inexcusable breach of good taste, and he blushed for it, but it was clear to him that Susanna didn't regard the Negro girl as a person.

She seemed to have a peculiar relish for sexual atrocities,

—The good Nigroes are just like children, she said. But if they once got equality ideas, we would all be raped in our beds. They're just like beasts in the jungle. Johnny, I could tell you stories about Nigroes assaulting white women that would make your hair stand up. Why, a few years ago a girl in one of the finest families in New Orleans was out riding in a buggy, and she was attacked by a big run-away Nigro, he made her get out of the buggy, and he tore all her clothes off, and she had to submit to him to save her life. And finally he let her go, and the poor thing drove back into town naked.

Johnny winced and put his head down at this torrent of invective against the immorality of the Negro, creature of the jungle and the Great Swamp. All the time he was remembering how he and Susanna Drake had rediscovered the Great Swamp in the middle of Raintree County, steaming in the sunlight.

A more charming manifestation of Susanna's absorption in herself was the album of pictures that she brought out toward the end of the afternoon.

—O, here's the picture taken the day I met you, he said, opening it.

—No, she said, that's another one.

It turned out that the album was full of pictures of Susanna in romantic attitudes like the one in which he had found her in the Freehaven studio. Usually her black hair was unloosened and her body was buried in a cloudy white robe.

Enclosed in the album separately was a daguerreotype of a house, a Southern mansion pillared and stately with a corniced roof. Standing on the porch were three people, a bearded man, a woman, and a little girl. Behind them, half in shadow, was a tall, imperially lovely woman.

—That's my mother and father, Susanna said, and there's me. And there's Henrietta. She was a mulatto, but you couldn't tell it to look at her, could you?

—No, Johnny said, barely able to distinguish the faces of the picture because of the fading light in the parlor.

—We lived right by the Mississippi River, Susanna said. That house burned.

She made her habitual gesture, touching her throat with her left hand.

—That's how I got my scar, she said.

Her voice was low and thrilling and her childlike eyes looked down wistfully at Johnny as she bent over his shoulder.

He was remembering the scar then—how he had awakened on the shore of Lake Paradise and had seen the scar, the whole of it, six inches long, beginning at the base of her neck and making a curious, curving pattern through her olive flesh until it stopped just at the roots of her left breast, as though it shrank from disfiguring anything so exquisitely formed. It was not a deep scar, and there were times when it was hardly visible. There were times too, when the blood beat it crimson, and it glowed and throbbed on the olive smoothness of her body, which had no other blemish.

She had spoken of it then, too, saying simply,

—I hope you don't mind my scar, Johnny.

She had pronounced the words exactly as a woman of good breeding might refer with quiet pride to a costly necklace.

Remembering what had followed her reference to the scar that other time, Johnny blushed.

—I've got to go now, Susanna, he said.

—I'll show you to the door, she said, her voice pensive, her face turned away and lost in shadow.

And so he left the tall house south of the Square. Except for the mention of the scar, no other reference had been made to the wanton encounter on the shores of Lake Paradise. Nor had any word been said either to release him or to bind him more closely to this mysterious girl. He strongly suspected—indeed almost hoped—that he wasn't the first to explore her tawny nudity. Johnny wished he could confide his trespass to his erstwhile mentor and get a frank opinion from the Perfessor, who shared with Johnny precise knowledge of a secret anatomical detail. Had that perceptive young man also discovered a pollendropping tree on the shores of Lake Paradise, and had he too made unexpected forays below the Mason and Dixon Line? But Johnny remembered that the Perfessor, who was nothing if not exact in matters of fact, had in describing the scar prolonged it beyond its actual range. Perhaps he was not so deeply seen in this subject as Johnny Shawnessy after all.

So Johnny went on home through the still falling rain. He was a prisoner now in his own beloved earth of Raintree County. All these corridors through sheets of rain led to and from the person of a darkhaired girl whose body had a hidden scarlet mark. Try as he might, he couldn't fathom her secret. A talented little voluptuary—yes—but she had also been a little girl who once lived in a house beside a river. And in spite of her probable experience, he was convinced that her passion for him had been genuine. It had been tender and undissuadable that afternoon at Lake Paradise; both he and she had been the victims of it and of his own triumphant manhood. She too had fallen—it had been a mutual seduction, and he couldn't force from his mind the feeling that the woman who had taken the first young giving of his love had a powerful, enduring claim upon him.

Meanwhile, he took no action on Nell Gaither's note. But the strangest part of his situation was that his passion for Nell had been intensified by all that had happened. What he had begun with her when they swam together in the Shawmucky had been meant to reach its consummation at the lake. It was a damnable piece of luck that somehow, in the moment of discovering the lake, his true beloved had changed her name and the color of her hair, and instead of an imprint on one of Raintree County's most beautiful twin mounds, there had been a scar like a scarlet letter.

At times, he even indulged the guilty dream of repeating with Nell what he had done with Susanna. He thought of going to the lake and seeking out with Nell the same spot beneath the same tree. He was not at all sure that he could find his way to it, but he played with the fancy that the tree he had only vaguely seen (what with the cider and his amorous excitement) was the celebrated Raintree. At the time it had seemed to him dimly that he had thrust his way to the secret heart of life. And but for a slight error induced by Fate, it would have been so. But now such fancies only added to his sick, unhappy feeling that by one willful act he had cut himself off forever from all the good things of life in Raintree County.

During the next few days, he simply waited for something to happen. He lost all appetite for his usual pursuits. He stayed away from the County Seat. He sent nothing to the newspapers. He did, however, get hold of both the *Clarion* and the *Enquirer* every week. Each time he picked up a copy of the papers, his hands trembled, and his heart beat furiously. Perhaps in this paper he would find the article that told his crime to everyone. He read each paper avidly before any other member of the family got hold of it, devouring column after column and finishing with a feeling of exhaustion and relief, which promptly began to dissolve as he thought of the next issue of the paper, in which the fateful article might really appear and brand him for what he was.

The news in general was not important that summer. The country was apathetic on the great issue of the day. No one seemed to care very much what was to be done about the slaves. Editorials complained a little of the speeches of Alexander Stephens, Jefferson Davis, and other important Southerners, who made it manifest that the South was acquiring a unified point of view on the question of slavery and the Union. There was little doubt that the African slave trade would be renewed and that the South's peculiar institution would continue to expand and require more and more political power and land for its furtherance. But in the heat and stillness of the summer of 1859, the issue was buried in the editorial pages, and nothing indicated that the Republican Party would find the leadership necessary to overthrow the immoral concessions of the Dred Scott Decision and the compromise legislation, or that the South would remain content with them.

In fact, the Republic was deceptively calm, and instead of political explosions as the election of 1860 approached, people concerned themselves with fashions in dress, the Daniel Sickles Murder Trial, rape cases, railroad accidents. The leading news event was the day-by-day account of how a Frenchman named Blondin, balancing himself with a great pole, walked on a tightrope over the chasm of Niagara Falls, defying death again and again in more and more ingenious ways to the shocked delight of thousands of Americans.

Here was danger that could be overcome by skill and determination. But Johnny Shawnessy was up against something that courage couldn't control. For the first time in his life, he had become the fool of time and its blind processes. There was no person he could surpass, no work he could do, no barrier he could leap. He could only wait. This young agrarian had planted some seed, and after that, it was all a question of time and the earth.

About three weeks after the Fourth, the absence of news from the Upper Shawmucky aroused a comment. Johnny read the following note in the *Clarion:*

GREAT MYSTERY!!!

WHERE IS SETH?

Well, we don't hear anything these days emanating from a certain sportive individual who used to contribute to the columns of the *Enquirer*. What has happened to Seth? All his friends and admirers are genuinely alarmed. Both of them admit that they haven't seen or heard anything of Seth since the famous footrace last Fourth of July. Some say he kept right on running, fell into the Shawmucky River, and was swallowed by the mythical beast, which never forgave Seth for the misrepresentations made about it in the *Enquirer* a few years ago. If so, we hope Seth didn't stick in the monster's craw. He always did in ours.

                                                          DAN POPULUS

At about this time, Johnny made another visit to the tall house south of the Square.

When he knocked at the door, a plain, workworn woman with a cleaning rag in her hand opened.

—Hello, Johnny said. Is Miss Drake in?

—No, she's gone, the woman said.

—When'll she be in?

—She won't be in. She's gone back South, the woman said.

—You mean she's left town?

—Yeh, she left all of a sudden last Tuesday.

—You—you live here now?

—I'm just to keep the place up for her, the woman said.

—You—you don't know why she left?

—I don't know anything about it, the woman said. But I was here to close up when she left. She and them nigger girls and all the trunks went out a here on three wagons.

—Did she say when she'd be back?

—She said it might be a year or two. I'm to come in every month and dust the place and check up on it. It's a mighty queer house. You ever see it inside?

—No, not especially, Johnny said. Thanks a lot.

He walked back to the Square, where he hadn't been since the Fourth of July. He wanted to see faces. He wanted to shake people by the hand. He wanted to be able to say, Look, it's me, Johnny Shawnessy. He that was dead has risen.

He found Garwood Jones in front of the Saloon. He went up and violently shook Garwood's hand.

—What the hell's the matter? Garwood said.

—Nothing, Johnny said. I'm just glad to see you, that's all.

—I don't know why, Garwood said. I've been giving you one hell of a going over lately. Don't you ever read the newspapers?

—O, that? Johnny said. They were sweet articles, all of them, Garwood. Really sweet—like you.

—What *in* the hell's come over you? You must be saving up something big.

—I'm darn glad to see you again, Garwood. That's all. I really am.

Johnny stood pumping Garwood's hand and hitting him on the back.

—By God, I think he means it, Garwood said several times.

The next issue of the *Free Enquirer* carried the following intelligence from the Upper Shawmucky:

SETH IS BACK
Rejoice, ye virgins, o, make sport, ye maids.
Bid Error reinvest his dirty den.
Once more a genial shadow haunts the glades:
Lo! Seth is vocal on his hill again!

Greetings one and all! Your correspondent is glad to report that after a brief sojourn in foreign parts, once more the amiable Mr. Twigs adorns with the tenuous architecture of his frame the shades and shallows of the Upper Shawmucky.

We have been titillated by the several speculations that have come to our ears purporting to explain the disappearance of this kindly bumpkin, and we are frankly at a loss to say exactly what happened to him. Some say that while snoozing in a hedgerow one day, he was discovered by a nearsighted farmer, who mistaking Seth for a scarecrow, tied him to a post, where he dangled helplessly until blown down by the recent storms. Others insist that his well-known weakness for the opposite sex caused him to follow an attractive widow all the way out to California, where, when he at last plucked up nerve enough to make his proposal, the widow replied in the following vein, to wit: that if she were the clinging vine type, she would not know where to find a better beanpole, but that she was more than half persuaded it was not her person so much as her purse the amiable Seth was after, and that she would be willing, if necessary, to dispense all the contents of the second to prevent him from obtaining possession of the first; that she had heard much of the romantic prowess of the gamesome sparrow, but was not under the impression that any poet had composed odes to the amatorial proficiencies of the longshanked crane; and finally that it was better in the whole scheme of things that feckless sorrow should devastate one matronly bosom in California than that it should ravage twenty virginal ones in Raintree County. Acknowledging the cogency of this last argument, it is reported, Seth returned once more to his native haunts.

We cannot in all conscience pretend to be a friend to Mr. Rube Shucks, as though not overly finicky in our tastes we draw some lines, but the sentiment of pity which universally animates the human breast bids us warn him that Seth looks much refreshed, and woe to him who in his absence has taken liberties with the name of Twigs.

WILL WESTWARD

It now seemed to Johnny that he had passed safely through the most dangerous trial that life could offer. He had dreamed a dream of guilt and had awakened to find that it was only a dream. The days and weeks slipped past. By October, hearing no more of Susanna Drake, he became convinced that he had been needlessly alarmed from the beginning. He began even to lose his feeling of uneasiness in the presence of his mother. He now looked back with a certain detachment on the superb young man who in the space of two weeks in early summer had accomplished such notable feats. After a wobbly start, he took up again the unfinished work of becoming life's American, the completely affirmative man, and plunged headlong into plans for composing an epic poem based on American History. A lingering anxiety kept him from making up right away with Nell Gaither, and he was a little nervous when he called for the family mail. But Time, which had been his enemy for a while, was becoming his friend again. And he was beginning to recall with more envy than guilt a pollendropping tree beside the lake, and a companion who had waited for him there as if to teach him

AN INGENIOUS AND FORBIDDEN GAME AND THEN RETURN

TO THE ALIEN EARTH FROM WHICH SHE

HAD

—Come, Mr. Shawnessy said. The Great Man will soon be here.

—I see why you stay here, John, the Perfessor said. One is not confused about human beings on this little crossroads. One has only a few neighbors, and all of them are innocent cretins. It's a good naked life. Perhaps you are trying to regain Paradise here.

—You err, Professor. The Republic is established here in all its sophistication. We are very far from the Edenic nakedness. A Waycross housewife would endure whipping before she'd let the man next door see her bottom bare.

—Thus, the Perfessor said, over Raintree County, the backside of creation, is draped the majestic garb of the Republic.

—Yes, the State is the Individual writ large. The Republic is only people.

Mr. Shawnessy made a vague gesture with his arm at the intersection, which he and the Perfessor had just reached. On foot and wheel, the citizenry of Raintree County converged on the street leading south to the Station. A band of business men, flushed and cherubic, marched in the street bearing a banner:

HOWDY DO, SENATOR!

FROM

THE SOLID MEN'S CLUB OF FREEHAVEN

Behind them marched a deputation of Civil War veterans, falsely vigorous men in faded, tightfitting uniforms, bearing a banner:

HURRAH FOR COLONEL JONES

AND THE SOLDIERS' PENSION

Behind them marched a delegation of healthy ladies, bearing a banner:

THE SITTING AND SEWING SOCIETY

GREETS YOU, SENATOR!

Behind them rolled a score of bicyclists, teetering crazily on their seats atop the huge front wheels, bearing a banner:

WHEELCOME, SENATOR!

FROM

THE WHEELMEN OF MIDDLETOWN

Every now and then a band went by, blaring foggily. And all the time small boys broadcast firecrackers on yards and sidewalks.

—Look at them! the Perfessor said. Aren't they pitiful! All confidently believing that they are going to see the greatest man of the age. Is this your republic of enlightened individuals?

—Here, Professor, are hundreds of republics. And here, too, is one Republic. *E pluribus unum,* as the emblem on the coin has it.

—How is that? the Perfessor asked.

—*Show me the man who can solve the problem of the One and the Many, and I will follow in his footsteps as in those of a god.*

—If Socrates were living today, the Perfessor said, he'd be reduced to sitting on a crackerbarrel outside Joe's Saloon chewing tobacco and telling dirty stories. That's what America does to greatness. The Greeks were way ahead of us. They never made the mistake of attaching undue importance to the Individual. And they were right. We Americans make the modern error of dignifying the Individual. We do everything we can to butter him up. We give him a name, we assure him that he has certain inalienable rights, we educate him, we let him pass on his name to his brats, and when he dies, we give him a special hole in the ground and a hunk of stone with his name on it. But after all, he's only a seed, a bloom, and a withering stalk among pressing billions. Your Individual is a pretty disgusting, vain, lewd little bastard—with all his puling palaver about his Rights! By God, he has only one right guaranteed to him in Nature, and that is the right to die and stink to Heaven.

Conscious of having come an effective climax, the Perfessor snorted and puffed eloquently on his cigar.

—As for your Republic, he went on, what is it but a brute aggregate of these pointless individuals, all of them worshiping the same illusions, trampling each other in their haste to applaud a fourflusher like Garwood B. Jones!

—You don't get the Republic by adding bodies together, Mr. Shawnessy said, beginning to be pushed about by the crowd. The

Republic is an image that men live by. All life is a self—but in the Republic this self finds a greater self. The Republic begins with love and possibly guilt. In accepting the Republic, man gives up—a little regretfully—brute, naked selfishness. *Government, like dress, is the badge of lost innocence.*

—Well, then, John, isn't it a good thing to lose one's innocence? Is there any virtue in virginity?

The several bands had all taken up their stations around the Station, and in vying with each other all were defeating music.

Blow ye the trumpet, blow!

—Here where the two roads cross, Mr. Shawnessy said gently, I study and study the riddle of the Sphinx, the intersection of my life with the Republic.

—Your little town seems a solid and steadfast institution, the Perfessor said, with its Bank, its Feedstore, and its Post Office. But all this is a frail mist hovering precariously over the Great Swamp. Only Nature with her blind fruitions is finally meaningful. Nothing can save us from the swamp at last.

—Professor, I consider you definitely worth saving, and I won't let you go back into that swamp.

—Thank you very much, the Perfessor said, for keeping me out of that great dismal place.

He made a jaunty movement with his malacca cane.

Near the Station, the crowd was so dense that Mr. Shawnessy and the Perfessor could hardly get through. Women in dowdy summer gowns jockeyed the Perfessor's nervous loins. Citizens with gold fobs and heavy canes thrust, lunged, cursed. The bands blared tunelessly. Firecrackers crumped under skirts of women, rumps of horses. From the struggling column of bodies, bared teeth and bulgy eyes stuck suddenly.

Mr. Shawnessy stopped by a small board building.

—Just a moment, Professor, I see the Post Office is open.

He stepped into the little room and looked into the postmaster's cage.

—Anything for me, Bob?

He studied the fat, steaming face of the postmaster, dispenser of the government mails.

—Just a minute, John.

The postmaster ran his eye along the pigeonholes.

Out of the ocean that beats forever on the walls of my island self, a few words—like manuscripts found in a bottle or a legend graven on a broken oar.

He remembered hundreds of letters and newspapers. He reached into the pigeonholes of hundreds of lost days and pulled out hundreds and hundreds of lost sheets of paper, and the shimmering mist of their words poured over him from the brightness of departed summers.

Dear Johnny, I take my pen in hand to . . . Dear John, I seat myself and . . . My dearest Johnny, It is a painful task for me to . . . John Wickliff Shawnessy, Esq., Dear Sir, We are in receipt of . . . Dear Son, It pleases me to hear that . . . My dear Professor Shawnessy, We wish to bring to your attention a . . . My sweet husband, Do you miss your . . . Shawnessy, you goddam nogood bastard, if you think nobody's on to . . . My Darling, It's been a long time since . . .

Did you want to assure yourself that I was still there? Were you reaching out for me with frail words across the vast spaces of the Republic? (There are no vaster spaces than divide next to next.) But did you want to touch me with words and find me out and reassure yourself that I was there, that I moved somewhere beneath the same day as yourself and that my eyes, falling upon these curved forms dropped on whiteness, would remember you and be touched?

Out of the time that was not my time, out of the world I never knew—fragments of the immense puzzle of myself, letters and newspapers. They brought me tidings of myself and told me what I was and what I must do, brought me the noise of great names and roared them over and over in my ears to be certain I couldn't forget.

—Nice of you to stay open on the Fourth, Bob.

—Just till the train comes in, John. I'm shutting up right away. I want to see the Senator arrive. Here they are. A letter and your newspaper.

Mr. Shawnessy gave a quick glance at the envelope and then stuffed it along with the rolled newspaper into his pocket, for he had heard a distant whistle. Joining the Perfessor, he stood a little apart from the crowd near the station platform.

—John, said the Perfessor, what *in* the hell is that big book under your arm?

—Mr. Shawnessy! Yoohoo!

A woman's voice shrilled at him from the station platform.

—Yes?

—Time for the train. The committee is assembling.

—Hold this for me, Professor. Amuse yourself by examining the beautiful and secret earth of Raintree County. Perhaps you may find something here to delight your pagan soul.

—My God! the Perfessor said, flapping pages. Look at all the pictures of cows, manure piles, and Raintree County citizens.

—Yoohoo, Mr. Shawnessy!

—Coming.

Mr. Shawnessy and the Perfessor pushed through the crowd to the station platform where a place had been reserved for the official Welcoming Committee.

The Perfessor pulled a pencil and a notebook out of his pocket.

—Be sure to say something memorable, John. Something that the world will not willingly let die. I'll see that it appears in tomorrow's *Dial* misquoted and with typographical errors.

They joined the rest of the committee on the platform. A woman from Freehaven, wearing a large badge on her breast, stood holding a horseshoe of flowers. A man in Civil War uniform stood holding a box containing a gold medal. A solid-looking citizen, talltophatted and tailcoated, stood holding a large mantel clock, which showed the time to be nine-twenty-eight.

—My Gracious! Mr. Shawnessy, the woman said, I'm so flustered. How does a person act anyway in the presence of a great man like Senator Jones?

—Just don't accept any cigars, Mr. Shawnessy said. Confidentially, I always found that Garwood's cigars were the worst I ever smoked.

—O, Mr. Shawnessy! You're such a tease, the lady said, arching her back and giving him a sidelong glance. But honestly, I wish the Sitting and Sewing Society had chosen someone else to make the presentation speech.

The man standing there holding the clock said,

—I feel a little silly standing here, holding this clock.

—For my part, I find it much easier to use a pocket watch, Mr. Shawnessy said.

—This is a gift of the Solid Men's Club, the man said. It cost one hundred and thirteen dollars, the best that money could buy in the City of Indianapolis.

—Are you giving him anything? the lady said.

—Just a bouquet of rhetoric, Mr. Shawnessy said.

—When did you last see Garwood, John? the Perfessor asked.

—It's been nearly twenty years. I haven't seen him since '72, when he and I were opponents in the election for Congressional Representative.

Senator Garwood B. Jones impinged from the East in the guise of a blacksnouted locomotive, pulling three special cars, draped with red, white, and blue bunting. When the train was a quarter of a mile distant, the band began to play 'Hail to the Chief.' The crowd strained and stared for a first glimpse of the statesman whose name was a household word throughout the Republic. People moved almost directly into the path of the train, waving the banners of welcome. Professor Stiles was making curves fast in his notebook.

Mr. Shawnessy was deeply unprepared for the man who stood on the platform of the third coach. In a few seconds, he had to make revisions to the form of Garwood Jones that time had taken twenty years to make. The Senator had the belly sag of a fat old man. His hair was a yellow white. He had a stained look as though he had been in too many smokefilled rooms. The famous cigar in the left corner of the mouth pulled the whole face down and left, as if the features, recognizing their true center, were trying to regroup themselves around it. The head was still leonine, but fraudulently so, a mask worn too long without retouching. The eyebrows, thick and black, had a dyed look; and when the Senator, without removing his cigar, smiled his famous smile, his teeth were marmoreal in their chill perfection. It was reported that he had several plates in reserve and that he used now one, now another, depending on his mood and the acoustical situation like an expert violinist changing his Stradivarii.

Only the handsome blue eyes, that always had a faint cynicism in their depths, were unchanged.

The train stopped and left the figure of the Senator gesturing hugely, close to the startled crowd. The head jerked up and down, the teeth clenched hideously on an unlit cigar, the great, grotesque thing smiled, winked, stretched out its arms, incredible in its black senatorial coat and loose black Lincoln tie.

Shocked and disturbed, Mr. Shawnessy stared at the big Greek mask of Senator Garwood B. Jones and wondered about the ego beneath it, putting on this costume with cynical unbelief, no longer caring if the crowds were at first a little shocked by the greasepaint and the theatre hoarseness of the voice, before they slipped into the suspension of unbelief necessary for the enjoyment of the play.

Yet this voice had shaped the future of the Republic from platforms where faces converged in dim banks and shifting masses. And this mask concealed a baffling human being who had come back out of triumphant years to the valley of his humble beginnings, Raintree County.

Briefly the Senator bobbing on the train platform, the environing faces, the little station, the banners, and the bands achieved a pictorial fixity, and over this image was shed the antique, golden light of the Republic.

—Hello, John, the Senator said, stepping down from the platform.

His big voice boomed jovially. His blue eyes had the faint mockery that was neither friendship nor contempt but an indefinable mixture of the two that Mr. Shawnessy had never wholly understood. The Senator's entourage swarmed out of the car, flanking the Great Man and walling out the crowd. A half-dozen reporters pulled out notebooks and began to make notes.

—Glad to see you, Garwood, Mr. Shawnessy said.

He and the Senator clasped hands, as the crowd applauded. Mr. Shawnessy cleared his throat. His voice was high, uncertain, tremulous.

Senator, he said, we have . . .

IMPRESSIVE WELCOMING RITES
FOR THE GREAT JONES

(Epic Fragment from the *Cosmic Enquirer*)

One of the highlights of the Senator's Homecoming Day was the reception in the little station at Waycross. Visibly moved by this return to the haunts of his childhood, the Senator recognized and called by name several old friends and acquaintances. Among these, the local schoolmaster, a Mr. J. P. O'Shaughnessy, who had been a schoolmate of the Senator's in the old Pre-War days, came forward as the head of the Reception Committee and delivered a quaintly humorous address of welcome, most of which could barely be overheard because of the commotion in the Station. The Senator, calling upon his celebrated gift for impromptu discourse . . .

—John, said the Senator, in a hoarse whisper when Mr. Shawnessy had finished his speech, give me a little information, will you? Is there anything left in the town that was here in 1850?

—The church was here then, Mr. Shawnessy whispered.

—Where is the goddam thing?

—Right on this street.

—Ladies and Gentlemen, the Senator said in a great voice. The emotion I feel as I . . .

VIEW OF CHILDHOOD HOME
FILLS STATESMAN WITH
EMOTION
(Epic Fragment from the *Cosmic Enquirer*)

In his reply, the Senator described the emotion in his breast as one that could find no fit utterance in words. He showed an amazing memory for the most minute details of his old stamping grounds, accurately recalling in his speech one of the oldest buildings in the town, the church, which he said he had often passed on his way to buy eggs from an old widow who resided a little way out in the country. The Senator found a few wellchosen words to express his feeling for his parents and especially his mother, than whom, he asserted, no finer or more virtuous woman ever lived. He concluded his short talk by saying that he was tired after his long trip and must be excused from a lengthy address as he intended to speak more fully of the weighty matters on his heart in the Address of the Day, which he would deliver in the Fourth of July Ceremonies that afternoon. Pursuant to this speech, the Senator listened to short addresses by three other members of the welcoming committee, who . . .

—Senator Jones, the Sitting and Sewing Society of Raintree County wish to tender you this token of their esteem, a symbol of good luck from the Gardenspot of Indiana and America, beautiful Raintree County. To a weaver of immortal garlands of eloquence, I give this garland of living and lovely petals, taken from the very soil that sired a great man.

—Madame, said the Perfessor in a low voice, is the Senator a horse or a flower?

—Madame, the Senator said, dropping shy lids on his beautiful eyes, I accept this lovely floral tribute. Believe me, Madame, I shall treasure this beautiful bouquet and shall be by it reminded that no more beautiful flowers grow anywhere in the world than those which are to be plucked in our own Raintree County, Gardenspot of the Universe, home, as you say, Madame, of beautiful flowers and, Madame, with your permission, of beautiful ladies.

—Your Excellency, the man with the clock said, as Delegate of the Solid Men's Club of Raintree County, we have a little gift here we would like to uh tender unto you, in appreciation and uh token of uh our esteem and cordial uh appreciation of uh the uh cordial and friendly uh feeling uh you have always uh manifested and shown and uh demonstrated toward the business men of our county, and which we appreciate it very much.

The Senator accepted the clock and, holding it like a bulky baby with soiled diaper, replied,

—My friend, this beautiful clock will occupy a prominent place on the mantel of my home in the Nation's Capital, Washington, D.C. I assure you, sir—and I wish to extend that assurance to each and every member of your enterprising and forward-looking organization—that I shall never gaze upon this clock without remembering the happy hours which I have spent with old friends, business acquaintances, and rural people in Raintree County. And you may be sure, my friend, that this clock shall record no single second during which my every thought, my every endeavor shall not have been devoted to the furtherance of Raintree County's best interests.

—Colonel Jones, the uniformed man said, the members of the Raintree County Post of the Grand Army of the Republic wish to give you this little medal commemorating your valiant efforts in their behalf. As the poet laureate of this organization, I have composed a little pome I would like to read:

> In the forefront of the battle
>   For Union and Freedom and his Nation's Life,
> He fought, nor once was daunted
>   In that fierce and bloody strife.

And when the battle's breath was through
      And scream of shot and shell,
Did he forget his soldier-comrades true
      Who for their country's flag had fought and fell?

The Good Old Cause he fought for
      He never did let lag,
But fought right on in Congress and Nation
      For the rights of the men who saved the dear old Flag.

Mr. Shawnessy swallowed audibly, and the Perfessor winced visibly.

—Comrade, the Senator said, deeply moved, I am deeply moved. I have no prouder recollection than the fact that I had a small, humble, and inconspicuous part in that Great War for the Preservation of our nation and for the perpetuity of Human Freedom. And you have my word for it, sir, which I hope you will transmit to my comrades-at-arms all over this County, that I do not mean for the Nation to forget the men who saved the Union. You, sir, have touched me more than I can express by the tender lyric which you have seen fit to dedicate to me.

Mr. Shawnessy could not get close to the Senator, who strode down the street shaking hands, swatting backs, and dispensing cigars.

—We have fallen upon degenerate days, John, the Perfessor said. Is this the heir of all the ages?

—Pardon me, gentlemen, said a young attaché of the Senator. I have here some little pictures of the Senator which I would like to circulate unobtrusively during the day. No political motives involved. Only the Senator's desire to gratify old friends who might be interested in a likeness of the most illustrious statesman of our time.

—Let me see, Mr. Shawnessy said, as the Senator's secretary lifted from a briefcase a bundle of cheap prints, three-by-five leaflets bearing a bold engraving of the Senator's face and the simple caption:

GARWOOD B. JONES, THE MAN OF THE PEOPLE

—I'll leave the distribution of these entirely up to you, Mr. Shawnessy said.

—I'll take a pad, the Perfessor said. I am positive I can put them to good use.

When the secretary had moved on, the Perfessor said,

—I have an idea for a vast promotional stunt. Suppose Garwood contracted with leading toilet paper manufacturers to have his likeness faintly impressed upon every sheet of——

The Perfessor began to shake soundlessly.

—Thank you very much, said the President of the Sitting and Sewing Society, accepting a leaflet from the Perfessor. By the way, what does the B stand for?

—Give you one guess, said the Perfessor.

Mr. Shawnessy holding one of the likenesses in his hand walked on, smiling faintly. From the paper in his hand stared vacantly the face of Senator Garwood B. Jones, Bumwiper Candidate for the Presidency of the United States.

A face fluttered down on a republic of his memory, raining grayly on hundreds of court house squares in the time of the prophets and martyrs.

Blow ye the trumpet, blow!

Blow the lone far bugle of the conscience abroad in the Republic in ancient days! Send the hornnotes crowding in the court house squares all over the Republic! Awaken the conscience of the sleeping North! Blow ye the trumpet, blow, and let the blind walls crumble.

I saw the bitten granite of the face. I could not bear the bitter sadness of those eyes in the Court House Square.

Blow ye the trumpet, blow the gladly-solemn sound!

But (you will remember) I was he who lay with one of the daughters of those Babylonian valleys. Let all men everywhere know that I was forgetful of duty. Beneath a tree in summertime, I was held long, long on the flanks of a daughter of Egypt. The precious seed of the chosen I gave to guilty ground stained by the bondsman's blood. Let all men know how I slunk from the bosom of my parents, guilty and afraid.

Let all the nations know, to earth's remotest bound . . .

Let it be repeated by word of mouth, by letter, by items in the corners of the inside pages of the wellthumbed weeklies how I sinned with a daughter of the Philistines.

Who was it then that I took by the supple waist? With whom did I taste of a scarlet fruit close to serpent waters? Whence did they come, those darkskinned patient generations, to bear witness to my guilt? Was my flesh their flesh?

The Year of Jubilee is come! Let it be known all over the Republic. Let it be told by trumpets and by proclamations and by

LETTER AT THE POST OFFICE
WAS ALWAYS A BIG EVENT IN RAINTREE COUNTY,

and on being advised that there was one there for him, Johnny had lost no time getting into Freehaven. But as he came through the Square, he saw the big crowd around the railroad station a half block north. The excitement there seemed so unusual that he went up to see what it was.

At the depot the crowd was even bigger than he had thought. There were scores of people sitting in buggies or standing in little groups. The telegrapher at his table just inside an open window was taking a dispatch. Garwood Jones and Cash Carney were in the group of men crowding around the window.

—It was a fool thing to do, Garwood was saying, and I hope they string him up.

—String who up? Johnny said. What's going on anyway?

Garwood turned and took the cigar out of his mouth. His sleek face was streaked with sweat and flushed with excitement.

—I keep forgetting you hillbillies don't get into town but once a month, he said.

Cash Carney, impeccably dressed as usual, said with an air of detachment,

—There's been a big insurrection of slaves at Harper's Ferry in Virginia. A man named John Brown that used to do all that feudin' in Kansas seems to be at the bottom of it. This old Brown, near as we can find out, got a band of armed men and captured the Federal Arsenal at Harper's Ferry. They plan to give out arms to the slaves and spread a revolt through the South. But according to the last report Federal troops have surrounded the place. Brown and his men have been holding out for two days.

—By God, I hope he succeeds, a citizen said.

—That's talkin', Bill, a second citizen said, thrusting his way into the crowd near the window.

—Say, what do you fellows want, anyway? Garwood said. Civil war?

—Civil war! Shucks! What are you talking about! Civil war!

—Why, man, Garwood said, didn't you hear? He attacked the Federal Arsenal. That's an attack on the People, on the Government of the United States, on the Constitution.

—It ain't an attack on any government I want any part of, a man said.

—Why, man, Garwood said, that's treason. Much as I feel for the lot of the Black Man, I can't see any justification for a deed of bloody violence that will hurl the whole country into civil war. Things can't be settled that way.

—If they won't *give* the niggers their freedom, seems like the niggers ought to have the right to *fight* for it, the man said doggedly.

But Garwood got much the best of the argument, and a majority of the people on the Square seemed to agree reluctantly with his point of view.

Meanwhile Johnny got hold of the latest paper and read the reports of the raid. He remembered how he had read years ago of this same John Brown fighting in Kansas. There had been an undeclared war between slave and free elements, but it had been beyond the Mississippi where men were always fighting something anyway— Indians, buffalo, Mexicans, the earth itself. That wound in the flank of the Republic had closed; the arid West had drunk and dried the gore of those old fights as if they had never been at all. Their distant tumult had dwindled and become lost in the headlines of onward-pressing days. And yet the name 'John Brown' had been a tough seed waiting in darkness. Now it had sprung to bloodier fruition in Virginia, Mother of States and Presidents. It was almost as though the deed had been done in Raintree County, so vast and instantaneous was the shock.

Someone had dared to defy the most anciently rooted wrong in the Republic, a wrong grown sacred in the very measure of its age and enormity. Someone had shed blood on the porch of the Republic.

One man had taken the jawbone of an ass to shatter an army. It was sheer act, founded on sheer faith. It restored the age of miracle. The people of Raintree County waited for word of this amazing madman in the hope that an enterprise of such grandly crazy proportions would have a success equally grand and crazy.

—Say, he's a tough old scoundrel. By God, it wouldn't surprise me any did he cause a lot of trouble, men were saying on the Square.

—A few more men like him, and we'd see about all this talk of slavery and disunion.

—By God, we need more men with gunpowder in their guts.

—Walked right into a United States Arsenal and held the place up. In my opinion, John Brown is the Greatest Living American.

Around four o'clock in the afternoon, Johnny walked back to the Post Office.

—Do you have a letter there for John Shawnessy?

—Just a minute, the postmaster said.

He sorted through some letters and brought one over. It had a New Orleans postmark. Johnny took the letter and started out. There was a dark passageway between the office and the street, where he stopped and turned the letter over and over in his hands.

—One against a thousand, a citizen outside said. But they'll hang him as sure as shootin'!

—What's the latest? a second citizen said.

—Still hemmed in and fightin', I guess. The whole goldern U.S. Army! What's a man to do?

Johnny began to tear the letter open. It was only words, inklines on an envelope. It had come to him from beyond the walls of Raintree County. It had come from a remote earth, jasmine-scented, where it was always summer. He unfolded the letter and read it over once quickly. He felt as though he could have written the words himself, so often had he dreamed them. The words said what he had always feared, what he had known would come to pass.

He didn't want to leave this passageway. Outside there were a thousand eyes. People who had no worries were on the lookout for a tender flesh to crucify. He fumblingly put the letter in his pocket, drew it out again, minutely inspected the outside of the envelope, put it back into his pocket and felt—but conquered—a burning desire to take it out again. He stuffed a handkerchief down on it. He leaned against the wall and waited. Someone would come in and find him leaning insanely against this wall and would know that he was guilty of something. He panted, trying to breathe the hot blush of guilt from his face. Footsteps approached. He walked swiftly out of the door, almost ran into someone.

—Hello, Johnny.

It was his mother.

His mind had just been filled with the exotic image of Susanna Drake. He had been thinking of her young pouting face, her love-talented body in a costly gown. Now suddenly this image was shattered by the apparition of Ellen Shawnessy in her drab little farm-wife's dress. He saw as never before his mother's small weathered face, her bony, workroughened hands, her skyblue eyes, her slender body, which to him was neither masculine nor feminine—but simply maternal, this body which had had its anguish of childbirth many times and which was now saved from it by the blessing of the life-change.

—Any mail?

She peered blithely at him, her face heavily lined in the sunlight. She wore a fussy little hat that she had had for years.

—I—guess not, Johnny said.

—The news is exciting. I suppose you've heard.

He pressed his hand on the letter in his pocket.

—What? he said. You mean——

—The raid. This man Brown.

—O, Johnny said. Sure.

—I'm afraid nothing can be mended that way, Ellen said. Still it was the act of a brave man. God rest his soul.

—Is he—is he dead?

—Dead or dying. News just came over the wire.

As his mother walked slowly away, he saw a picture of an old man dying heroically from gunshot wounds. It was sweet to die a hero for the right, in an absurdly brave act. In the Act there was no remorse for things past. In the Act, there was only the living present.

A throng of people came up the street. In the middle Garwood Jones was shouting, sweating, waving his arms.

—I tell you, Garwood said, they'll hang 'im. What else can they do? The local courts will have jurisdiction since a number of people were killed right there in the town.

—It was a foolish thing to do, Cash said. The old guy didn't have a chance. There's no future in that kind of thing. Seventeen men or so against the country! The niggers'll never revolt. What did he expect to accomplish? It was blood thrown away.

—A few more men like that would blow things wide open in this godforsaken country, a man said.

Garwood Jones began to sound more and more like an orator. He drew apart from the other men, and they turned their faces toward him and formed a group.

—Fellow Americans, Garwood said gravely, it was treason. Technically, legally, what he did was directed as much against the North as the South. It was an affront to the whole country. I personally yield to no man in my desire to see the Negro gradually acquire as many rights as he is capable of exercising intelligently, but just to shove a gun in his hand and say, All right, Sambo, go out and start shooting every white man you see, why, men, that's madness—or—what's worse—coldblooded murder. I'd like to know what the Republicans——

—Who said anything about the Republicans? a man said hotly. The Republicans never had anything to do with this.

—Well, Garwood said hotly, what have they been doing all along but inflaming the minds of people and keeping this issue alive! No, sir, Douglas is right. Let them——

—O, the hell with Douglas! a man said. By God, if we had more politicians from the North with a little of John Brown's guts, we'd not be allays backing down when——

—All I say is, Garwood said, his big handsome face flushed with anger all I say is that——

—What a story! Niles Foster said in passing. I'm getting out an extra. First time in the paper's history. Folks are demanding it. I guess I can do it.

—What kind of trial will he get down there! a man said.

—If they give him justice, Garwood said, he'll get hanged. Nothing can save that man but a war.

—Justice! a man said. What was he trying to do but free some slaves?

—He killed some people, didn't he? Garwood said. He tried to overturn the Government. He broke into a United States Arsenal. You talk about justice. Why, the man's a murderer!

—Some people have a funny idea of justice, by God!

Words had never been so hot and fierce before in the Court House Square.

—Cash, Johnny said, pulling him aside, I want to talk with you.

He got Cash Carney out of the crowd, took him to a quiet place off the Square, and told him everything.

—I just had to tell someone, he said. What am I going to do?

—Jesus, John, Cash said, you're in a mess!

—I know it, Johnny said.

The muscles of Cash Carney's face twitched. He looked as if he had just got hold of a fat deal for making some money. He rubbed his hands together and puffed happily on his cigar.

—Jesus, John, I didn't know you had it in you.

He gave Johnny a quick look in which respect, sympathy, and a kind of veiled pleasure were mixed. He threw away his halfsmoked cigar, bit off the end of a new cigar, and covered his face with his cupped hands.

—You got raped, he said.

—No, Johnny said. It was both of us.

—By God, I thought there was something queer about that dame. Here, let me see that letter.

He read it over.

—One-Shot Johnny! he said. Why'd she put it off so long, telling you? Three, four months already. My God, she's no right asking a man to marry her after that. She'll stick out.

—I know, Johnny said.

—Now, don't worry, Cash said. We can lick this thing. We'll think of something. What if your folks found out?

—I know, Johnny said.

—But don't worry, Cash said, throwing away his second cigar and biting the tip off a third. Yes, sir, she'll stick right out. What kind of a marriage would that be, John?

—I know, Johnny said.

—That little dress has been off before. You can bet your bottom dollar on that. Say, do you suppose Garwood's been in there?

—I don't know, Johnny said.

Cash finally got the cigar burning. He leaned back against a fence, opened his coat, hooked his thumbs in his waistcoat, and considered the situation calmly. It appealed to his imagination.

—I see just how it happened, John. On top of that whiskey, which under the circumstances wasn't exactly your fault, you drink cider, which happens to be hard. You swim a little, and you're a little tired and dizzy, it's hot, you lie down, you find this girl on top of you, and you——

—I know, Johnny said.

—It could have happened to anyone, John.

—I know, Johnny said.

—Listen, Cash said. Why'nt she write sooner? Why'd she go South? There's something fishy here.

—I don't know, Johnny said.

—Now, listen, John, Cash said, don't worry about this thing. It can be fixed up. There *must* be a way to get you out of this. Does anyone else know?

—Not that I know of, Johnny said.

—Good, Cash said, as if that solved the whole problem. Fine! Now let me think. Jesus, John, you should have been more careful.

—I know.

—Coming back in a couple of weeks, she says. That gives us some time. Now let me see.

Cash chewed his cigar thoughtfully, but he didn't say he had a plan.

Nevertheless, Johnny felt much better to have someone else sharing the burden and thinking about it along with him. Good old Cash! It was good to have a man that bit down hard on his cigar and figured out ways to beat the game and come out on top, a practical man, a business man. Cash Carney would grab hold of a problem like this and whip it. Personally, he, Johnny, was helpless.

In the following days, the only relief Johnny Shawnessy had from the burden of his guilt came from reading about the famous raid and its aftermath. The trial of the wounded old man dragged on for two weeks. The Nation was drenched with rivers of black words in narrow columns—questions, counterquestions, legal jargon, names of witnesses, conspirators, friends, innocent dead. One day Johnny went into Freehaven and heard that John Brown had been sentenced to die. He read the record of the old man's last words to the Court, words that would remain in the Republic's memory after all the hundreds and thousands of words of that year had been washed away in the acid bath of time.

. . . I say I am yet too young to understand that God is any respecter of persons. I believe that to have interfered as I have done, as I have always freely admitted I have done in behalf of His despised poor, I did no wrong, but right. Now, if it is deemed necessary that I should forfeit my life for the furtherance of the ends of justice and mingle my blood further with the blood of my children and with the blood of millions in this slave country whose rights are disregarded by wicked, cruel and unjust enactments, I say, let it be done.

Also at that time, Johnny saw in the Square pictures of John Brown, which could be bought in lots of a dozen for a dollar. During those days the face of the foremost American of the hour loomed above the land like a face of stone. Looking at that face, men knew that the appointed time was nearing when John Brown would go out and the rope would be tied around his neck and the trap would be sprung and his body would drop jerking at the rope's end and the face with the accusing eyes would be the face of a dead man. Men had a little time to wait and think how and why this death was being done. It was only a question of time.

For Johnny Shawnessy, too, it was only a question of time. Time had become again a real duration that had a seed in the past and a flower in the future. In the Court House Square, he had had his being sown with small black words, and they had become a promise he could neither alter nor diminish. They would remain within him and grow upon him in magnitude and terror.

Always and for all men, he knew, time had been bringing dark events to birth. Some men were passive and let time bully them. But brave men acted. John Brown was such a man. He had performed the living Act and had dared the consequence. Like an Old Testament prophet, in whom trembled the fury of an avenging God, he had made the people mindful of themselves, awakened them from slumber. Somewhere now in darkness and agony, jailed, wounded, spat on, lay John Brown's body. It was a tough seed that couldn't be killed. And all men felt that when that body was given to the grave, it would be only that it might go on in darkness preparing for a mightier birth because that name, that body, and that face were chosen.

History had thrust a torch into John Brown's hand. He had become an image-bearer of the Republic.

The night after hearing of John Brown's sentence, Johnny Shawnessy got out of bed and silently putting on his clothes, slipped down to the place beside the tracks where he had said good-by to the Perfessor. A train approached, coming from the east. The lone red eye blinked at him, the train chugged up the grade, flame flared from the smokestack in the dark. Johnny Shawnessy rose and ran toward the embankment, slipping and scrambling through dead vines and withering grasses by the river. For an instant, he saw in the engine's scarlet glare the vision of a new life for him. California, on the Golden Shore! There rushed over him the images of a future of achievement, such as he had always dreamed. He saw himself among the intrepid thousands who went west with the Republic. He would take up again the Quest of the Shawnessys. One of that restless, messianic seed, he would push on and leave the past behind. He would say good-by to Raintree County and go forth and fearless to a land where purple hills were drenched with golden fire at evening.

For a tumultuous instant, the necessary words were rising to his tongue, the words that said farewell and made it possible for him to turn his face from the faces of his people. In that instant, as the last car rolled over the crest of the hill, he looked backward. The river flowed in darkness making its great south loop. On the Home Place leaf-fires were charring in the darkness, and a lonely rock lay at the limit of the land. Then all the summers of his life rushed back upon him. He remembered his mother standing at the back door and calling the boys in from the fields for dinner. He remembered T. D.'s tall, gentle form in the cluttered Office among the squarecornered bottles. Johnny Shawnessy's voice made a hoarse cry in his throat, and at the same time he heard the lonely wail of the departing engine. Then all that he was and all that he had been, like a hundred feminine and pleading hands, held him fast; he lay entangled with the vines and grasses of the autumnal earth beside the river. He knew then that he could no more uproot himself from this memoryhaunted earth than he could pluck body from soul. He lay in wet weeds at the base of the embankment and wondered at the image of himself departing from himself, of the disinherited one whom he had just sent down the tracks to westward and never would behold again

THE EARTH WAS ODOROUS WITH AUTUMN;
ACROSS THE FIELDS DRIFTED A SCENT
OF

SMOKE curled up from the cigars of three men seated in front of the General Store.

—Let's try page 65, the Senator said.

He was wedged into the middle one of three chairs. The Perfessor on his right and Mr. Shawnessy on his left were bent over to see the *Atlas* lying open in the Senator's lap. The Perfessor licked his lips. His eyes were beady.

—I must say, he said, I never thought I'd take so much interest in the face of Raintree County. What a priceless opportunity that artist had!

—I'm beginning to think that the whole thing was the figment of an old man's diseased mind, Mr. Shawnessy said.

—It must be here somewhere, the Senator said, studying page 65. If there weren't so many interruptions——

Page 65 showed the farm residence of Robert Ray. Hugely passive in the foreground stood Jocko the Strong, blueribbon bull, surrounded by lesser bovine gentry.

—There goes another possibility, the Senator said. Doggone it! Let's see—have we looked through it carefully?

—Let me try for a while, the Perfessor said.

He began to flap through the pages, holding the book at various angles and removes. He had the air of slipping up on the pictures before something could run away.

—I guess that story was too good to be true, the Senator said.

He tipped his chair back against the wall of the General Store, and nodding pleasantly at a group of hovering pedestrians, began to light a new cigar.

—John—puff, puff—how do you stand living in this little—puff, puff—burg? When I was a—puff, puff—kid, I couldn't wait to get out.

He sat back breathing hard, triumphant possessor of a lit cigar.

—These are good smokes, he said. I burn about fifteen every day.

—This is the first smoke I've had for weeks, Mr. Shawnessy said. My wife doesn't like the odor.

—Ten o'clock, the Senator said, consulting his watch. What do I do now, John?

—Just sit here and let the people gaze on the Man of the People.

All three men tipped their chairs back against the wall of the General Store.

—John, I remember how your dad, old T. D., was deadset against tobacco, the Senator said. What was that famous couplet of his?

> Some do it chew, and some it smoke,
> Whilst some it up their nose do poke.

He quaked with senatorial laughter.

Drinking the strong aroma of the cigar, Mr. Shawnessy felt heady and full of words.

Garwood the Great. Occupying the throne. And I in shadow sucking on a borrowed smoke. Well, I was too ambitious to be a great man in this age. We are definitely in the Garwood B. Jones Period of American History.

—Gentlemen, said the Senator, hooking his thumbs under his armpits, where would America be without the cigar?

Mr. Shawnessy watched the crowd go by in the thin mist of his cigar, incense of the Republic.

How will you find this manyness in one, this oneness in many, the Republic? It hovers in the smell of all the pullman cars and diners, and all the lobbies, court rooms, courthouse toilets, and all the senate chambers, hotel rooms, and statehouse corridors. The Republic is rolled up in thin brown leaves and smoked all over the Republic.

I will spend five cents and buy the earth. I will buy the subtle fragrance of sorghum, rum, molasses, dung, and dark flesh from below the Ohio River. For they have taken Alabama, Mississippi, Georgia, Louisiana, and the Carolinas, they have taken Old Virginny, and distilled them into smoke.

I saw a halfburned butt beneath a vaudeville poster. The street outside the drugstore was littered with chewed fragments of the Old Kentucky Home.

Have a smoke, brother. Thank you, Senator. Give me a light, will you? Here's a good cigar. And don't forget, brother, I stand for free soil, free speech, and the rights of men.

Can I get more for a nickel anywhere than the memory of all those great white domes and statehouse yards on Independence Day and summer streets and sainted elders reading their papers in the evening?

The cigar is mightier than the sword. Our thin smokes curl upon the summer air, tracing the legend of an elder day. Our thin smokes curl upon the summer air, our thin smokes curl upon, our thin smokes curl . . .

—By the way, men, the Senator was saying, I am eager to have the opinion of two such erudite gentlemen on a book I am writing. As time and the pressure of public duty permit, I have been working on a little *magnum opus,* a record of my life and the crowding pageant of the Nation's history during my career as a servant of the people.

—Garwood, Mr. Shawnessy said, for goodness' sake, get off the platform and talk English. You're among friends now—not voters. You never got a vote of mine, and by the gods, you never shall.

—That's what I like about you, John, the Senator said. You make me feel right at home again. Remember how we used to maul each other in the partisan weeklies? Well, what I want you two smart bastards to do is to prod me a little, stir up my ideas about these things. I figure on calling the goddam thing

MEMORIES OF THE REPUBLIC IN WAR AND PEACE

What do you think of that?

—Why don't you just call it frankly

WHY I OUGHT TO BE PRESIDENT

the Perfessor said.

—I admit, the Senator said, that the appearance of this book, about two years from now, won't hurt my candidacy for the Presidency in '96. But all joking aside, boys, I have been turning over in my mind the whole question of what the United States of America stands for, and where we have been heading in the last fifty years. Or in the last four hundred years, for that matter. Do you fellows realize that we are in the Quadricentennial Year of the Discovery of America by the well-known Wop?

—America, Mr. Shawnessy said, is still waiting to be discovered.

America is a perpetual adventure in discovery. I've spent my fifty years of life trying to discover America.

—That sounds rather good, the Senator said. Whom are you quoting?

He made a lazy ring, fat breathing of the senatorial lips.

—Well, what is America? Mr. Shawnessy said.

The Senator laughed gently, became silent. At last he said,

—America is the most perfect form of government ever devised by man.

—A lawyer's definition, Mr. Shawnessy said.

—America, said the Perfessor, is where a great many beasts try to live under a government perfectly devised for men.

—A cynic's definition, Mr. Shawnessy said.

—We need a poet's definition, the Perfessor said.

—See my forthcoming opus, Mr. Shawnessy said, which, if the pressure of public duty permits, will appear just in time to strengthen my bid for the Presidency in 1948.

—John, the Senator said, where in Christ's name *is* that great book you were always going to write?

A deputation of citizens approached to greet the Senator, who got out of his chair and began shaking hands.

Mr. Shawnessy drew deeply on the cigar.

America is a memory of my pre-Columbian years. America is a cabin in the clearing and a road that scarcely ruts the earth. It is the face of my mother in the sentimental doorway of our home in Indiana. America is an innocent myth that makes us glad and hopeful each time we read it in the book of our own life. It is the same myth each time with multiple meanings. It has the same homeplace in the county, the doorway and the face in the doorway, the cabin made of logs, the spring and running branch, the fields around the house, and it has the same rock lying at the utmost limit of the land at evening.

—Boys, the Senator said, resuming his chair, whatever America may be, I'm sure of one thing—that in fifty years we have seen a radical change in this country, as much so as if we had adopted a different form of government.

—For good or bad? the Perfessor said.

—Why, for good, the Senator said.

—For my part, the Perfessor said, I think we live in the period of the Great Betrayal.

—How so?

—We've betrayed the martyrs of the Civil War. We've betrayed the Negro. We've betrayed the working man. We've betrayed the immigrant millions. We've betrayed each other. We've betrayed the early dream and promise of America.

Mr. Shawnessy drank the strong aroma of the cigar.

Betrayals. The saddest moment of our life is the moment of betrayal. To love someone is to betray someone.

Anguish welled up, a brackish water from dank cisterns. A thin smoke curling had lured him to this pitfall of memory.

Apostate sucking on a borrowed smoke in the Main Street of the Nation, reclaim your heritage. Decayed shell, incapable of tears. My God, how I wept in the old days! The terrible rivers of remembrance streamed from my eyes. Wandering, I went to the farthest limits of the land at evening.

Listen, I did not betray you. I remember you, though you are many years buried in the seed-dense earth. I remember your purity, your hurt eyes, and how I fled to the verge of our land in the evening. I remember the waning light of autumn day, all the land was a conflagration of the fallen and falling leaves, and I remember

THE ROCK HAD LAIN
THERE ALWAYS AT THE LIMIT OF THE LAND,

immutable and lonely. Eggshaped, part-sunken in the ground, yet higher than a man, it lay in the South Field just short of the rail-fence. The land rose gently behind the farmhouse and then fell like a wave of waning strength to the limit of the field where the rock lay. The rock's immensely solid mass was tinged with red, and sometimes on summer evenings the great scarred shape would glow dull scarlet after the land had turned to gray. The moveless mass of it had been there before the settlers came, had been there when Columbus saw the flowering shores of western islands, had been there when the first man, wandering through the forests of the middle continent discovered a river winding to a lake. Centuries had flowed and faded around the rock as seasons did around the life of Johnny Shawnessy. And yet it had always seemed a stranger in this earth, a stranded voyager from other climes.

He could be sure that in the periphery of all his memories the rock had lain there at the limit of the land. If he had wished, he could have gone there at any time and put his hand on it. Perhaps he would have found the rough rind of it faintly warm.

But one day it seemed to Johnny that perhaps he discovered why the rock was there and what it waited for.

For the rock had been there too during that triumphant spring when Johnny Shawnessy had thrust himself to the inmost recesses of the County. When he lunged through the pollenous air of Lake Paradise and lay with one beautiful and alien, the rock had been there at the utmost verge of the Home Place though he had never given it a thought or wondered how it could be there at that same instant, or how it could be so abidingly at all.

And the rock had been there too when Susanna Drake went back to her own earth, and it was there when she came back to Raintree County.

In early November, Johnny got a letter that read:

> Dearest Johnny,
>   I'm back.
>   Your own
>   SUSANNA

Grass was withering in the fields, and the rock at the limit of the Shawnessy land was a dull dome of color in the gray afternoon when he walked into Freehaven to see Susanna Drake. As he approached the house, standing white and mournful on its high lawn, his imagination involuntarily wished fire upon it, fire that would burn a vacant place against the sky and purge this shape and the memory of it from his life forever.

But after all he wasn't so badly off, if it came to that. He was not going to have his neck wrung like John Brown.

At the door, he was met by the Negro girl, who ushered him into the parlor. He sat down and waited. While he was waiting, he picked up the album and gloomily conned its pages. There were two or three new pictures of Susanna in various romantic attitudes. Susanna with Child, he mused, mournfully.

The daguerreotype of four people before the old Southern mansion was still there. He examined it more closely than before. When held to avoid reflection, this primitive legend of light and shadow had a precision of detail that more modern methods couldn't achieve. There were more than four faces in the picture after all. If you wanted to be pedantic, there were five, for the little girl was hugging a doll whose tiny features were clear like a cameo.

The father was a tall, lanky, bearded man, gentle and distinguished in appearance. The mother appeared to be a brunette, her face oval, her body fattish, her eyes distrustful, her mouth twisted. The little girl was a lovely, eager child, her face all eyes and mouth, as she clutched her doll with one hand and held her father's hand with the other.

Here was a fragment from the lost days of a little girl—innocent, scarless days, bathed in a brown light of arrested time. A secret lurked here in pools of shadow, like the lovely mulatto woman standing on the porch.

—Johnny!

He sprang up just in time to catch Susanna's half-naked body as she fled across the room in a white nightdress.

—O, Johnny! she said, don't leave me. I've been sick.

She was sobbing. It was no ordinary sobbing fit: it lasted a good hour by the clock. She clung to his neck, and when he sat down, she sat on his lap and wept on his coat and face. It was a fit of passion as violent in its way—and as seemingly authentic—as the one at Lake Paradise. Perhaps it was intended to have the same climax, for Susanna kept trying to press her mouth against his between fits of sobbing. But the superb young god of July had given place to a young man with gloomy November scruples. Johnny was terrified to think that he had caused a woman to weep in this way, and he found himself muttering reassuring affirmatives. When at last she seemed a little quieted, he started to say,

—But why didn't you let me know sooner, Susanna? Now it's——

At this point, the sobbing broke out afresh and with it an incoherent tide of explanation. She hadn't wanted to hurt him, she had tried to forget him, she had been very sick and unhappy, mysterious people—her own relatives and friends—had all turned against her in New Orleans, there had been shameful plots to get her property and her good name away from her, he had no idea what she had been through.

It was another half-hour before she subsided again, lying quiet in his arms with her head on his shoulder, like a heartbroken child, soothed but occasionally catching her breath and ready to break out afresh. He decided that the best thing he could do was to get away, if he could, and talk with her when she was calmer.

—I want a little time, he said, to think things out. I'll come back and see you again, Susanna.

The figure in his arms didn't stir, but continued to cling to him. Brusquely decisive, he stood up and lifted her to her feet. She offered no resistance, passively allowing him to use her as he pleased. Her eyes were faraway, mournful, pensive.

—I'll come back and see you again, Susanna.

She didn't say anything. He moved indecisively toward the door as she stood where he had set her, a picture of forlorn resignation. He felt ashamed of himself.

—Good-by, he said. And try not to worry. Things will work out all right.

She didn't say anything but threw herself down as if collapsing on the divan, and lay there, silent, with her face down, and hidden by the tumultuous black hair. In falling, the nightdress somehow was pulled up to show her bare thighs. Her feet were pointed to prolong the olive flowing length of her legs. Even in his distress, Johnny couldn't help noticing how beautifully formed she was. It seemed a little curious that no unsightly bulge marred the slenderness of Susanna's waist.

—Good-by, he said.

The figure on the couch merely drew a long, quavering breath. He went to the door, opened it, and started down the steps. He felt like running, but he took his time until he reached the street. There was no sound from the tall house. He turned his back on it and began to walk away. He turned a corner and drew a deep breath. He must have been holding his breath, for he was panting. He felt as though someone had been slapping his face.

He stopped in town for his mail. There was a letter for him from New York.

Dear John,

I am personally writing to the proper governmental authority requesting that a bronze medal be struck to commemorate your extraordinary achievement. It shall be engraved with the image of Venus bestowing a garland on the kneeling hero, the circular inscription to read:

Uno fulmine, terram perturbavit.

Seriously, my boy, I'm sorry this happened to you, and especially with the female in question. Under the circumstances, I feel I should reply to your highly personal query, if it will set your mind at ease. Yes, I saw that mysterious scar under the following auspices: You will recall that I was acting as duenna to a party of young people at that peculiar little pond in the middle of the County. Everyone was partaking freely of a poisonous compound supplied by Garwood Jones, and after a while I found myself in the water with Miss Drake. The lady is a perfect little hellcat when liquored up—but why tell you! Though I am but an indifferent swimmer, she and I arrived on the far shore, where we amused ourselves by frolicking in the water. The lady swims like a fish and insisted upon ducking me several times and goddam near drowning me. The last time she pushed me under (squealing with lust) I took a good firm purchase on her bathing costume and ripped it open, whereupon I got a peek at Elysium. I guess I was doing the dress rehearsal for your performance.

Don't believe any other version you may hear of this incident.

As for Miss Drake, I think she's morally, emotionally, and politically problematical—to say the least. I have even darker suspicions. At any rate, boy, don't imagine that you seduced anybody. The seduction, if any, was strictly bilateral. My own impression is that you were the only virgin in that brawl.

Get out of it any way you can. Maybe a money settlement would do the trick, but I doubt it—she seems to have plenty of money.

Why are you so perplexed as to her motives? From among the various candidates for the honor of legitimizing the bulge, she elected you—understandably.

Maybe you could talk her into switching her attentions to someone else. By the way, do you think Garwood's been in there?

Yes, I'm in New York beating up news for the *Dial*. Would you care to have me run an item on your accomplishment? People are getting tired of balloonists and funambulists, and maybe a series on the Hoosier Hotshot (He only fars once, folks!) would titillate the jaded sensibilities of the *polloi*.

Apropos, New York is a nice place to get lost in. Better join me there if things get too hot in Raintree County. I firmly believe that the age of prophets and martyrs is over. Better be live Judas than dead Jesus.

Well, think I'll run along and get Under the Raintree myself. Her name is Agnes, and she stands five ten in her bare feet.

Fraternally yours,
JERUSALEM WEBSTER STILES

Johnny walked down to the Saloon. It was late, but Cash Carney was still standing in front talking with the boys. Johnny hadn't seen him for two weeks. He gave him the sign, and Cash walked over. The two of them went down a sidestreet.

—She's back, Johnny said.

—How's she look?

—You wouldn't know it.

He told Cash about his reunion with Susanna.

—Now, look, John, Cash said, I've given this a lot of time and thought. I've personally milked Garwood for everything I could find out. I got some names of some folks down there to write to. I've wrote some letters and received some replies. The more I see of this thing, the more I don't like it.

—I hope you conducted all this in secret.

Cash was lighting a cigar.

—Naturally, John! Of course, Garwood is a smart—puff, puff— bastard, and I think he smelled a mouse.

He exhaled a quantity of smoke.

—First I tried to draw Garwood out to find out how far he went with the girl himself. He wouldn't tell me a thing. Kept swatting me on the back and saying, Hell, I wouldn't do a thing like that to my own niece, Ha, Ha. There are laws against that, son, Ha, Ha. But I dug up a lot of dirt about the girl. She's only twenty-two years old, but she's been a wild one for years. According to Garwood, she ran off with her cousin's husband a year ago. They disappeared completely, and the rumor in New Orleans had it they'd run off to Jamaica. He come back a month or two later, very contrite, and Susanna come up here for the scandal to blow over. That was when we first saw her last spring. It seems that when she went back there this summer, people forgave her out of curiosity. She went to a lot of balls and parties and was seen everywhere with a lot of different men and there were rumors of engagements and so on, but nothing come of it. Nobody seems to know down there why she come back up here.

—What can I do?

—Just tell her you have no intention of being the sucker in this situation. Tell her she can't prove anything anyway, and the best thing she can do is to go back to her own people and try to catch someone back there.

Johnny felt a lump of sickness forming in his stomach and rising in his throat.

—I couldn't do it, Cash.

—I'll do it for you, Cash said. I'll go talk with her.

—I'd rather you'd not, Johnny said. Wait till you hear from me.

They talked some more, but to no purpose.

When he drove back home, he didn't know what he would do. In the far field of the Home Place under dripping skies, the rock lay, immutable and lonely. And the thought came over him that only the rock and the gray earth were lasting and that the tortured world of conscience, guilt, and consequence in which he lived was really nothing but a kind of mist that passed as seasons did over the immutable and mournful earth.

Meanwhile, the rock lay there lonely at the verge of his ancestral earth; and he didn't know it then, but in a sense it was waiting for him to discover it.

Only a few days later, he was driving his mother home from Freehaven, where he had arranged to meet her after some work at the *Free Enquirer* office. As they drove out of town on the old road east, he noticed that she hadn't said anything but was sitting with her hands folded in her lap and her eyes looking down the road. Ordinarily Ellen would have detailed all the adventures and encounters of the morning in a girlish, ungrammatical narrative. He gave her a quick slantwise glance. Her eyes were hurt, puzzled. She looked aging and pathetic. Her fussy old bonnet was tied on askew, her dark coarse hair had fallen in wisps and strings down her forehead and around her cheeks.

He drove gloomily in silence, waiting. At last, she said,

—Johnny, I want to talk with you about something.

In that one moment, the question was settled forever. He knew then that he would marry Susanna Drake. Thus only could he still the great voice of conscience, which was the voice of Raintree County.

—Yes, Mamma.

—I got a letter from someone today trying to tell me something that I hope isn't true. I got it right here.

She handed him a short note written in an unfamiliar scrawl, huge, childish letters that looked forged. 'Dear Mrs. Shawnessy,' it began, 'I think you should know that your son John . . .' It was signed, 'From a Well-meaning Friend.' It was explicit, accurate, completely damning.

—That isn't true, is it, Johnny?

A bitter emotion welled up in him. He wanted to be able to tell his mother that somehow he hadn't been disloyal to her belief in him, that he was still at heart the virtuous and fortunate Johnny, that there was still possible for him that great, good life to which long ago he had pledged himself on the breast of the land. But as he was aware of her sitting there, waiting, a woman no longer young, her face seamed with the passing of the years, her body clothed in the shapeless mother's garb of the County, when he thought of the shattered image in her heart, he realized that there could be no real explanation or communion between himself and her. He understood her Raintree County, but she could never understand his. She could never understand the young man's omnivorous appetite for life. To her, the young man's pagan world of beauty and desire, which no doubt God had intended for the perpetuation of life, would seem only vulgarity and lewdness.

Johnny Shawnessy bled helplessly in the old tragedy of the son's rebellion and couldn't say a word. But his silence was itself an answer.

—If it's true, Johnny, please tell me so. I want to know.

Now his emotion became so strong that he had to defend himself from it.

—It's none of your business, Mamma. Please stay out of it.

The words were said the only way they could be, short and bitter.

What she said after that and what he said were merely the truncated mouthings of the Oedipean agony. During the last halfmile of the road from Freehaven to the Home Place, mother and son drove in a shocked silence, which grew more and more terrible. When at last they reached the Home Place and he had driven the buggy up the drive, he wanted nothing more than to get out and run. In fact, he did get out and started walking swiftly across the land, striking off through the South Field as if he had a definite place to go. He felt as if he must get away from the Home Place and from his mother forever if he was to achieve manhood and independence. As he reached the curve of the earth, he heard the train passing on its way behind the woods toward the great bend of the river. It made its disconsolate wail of parting and farewell; the naked little engine and one passenger car were cleanly visible through the thinning foliage of the oak forest. It was evening. Leaves were falling in the woods as he approached the limit of the land.

—Johnny!

He turned. Ellen Shawnessy was coming down the long slow hill, an erect small person picking her way, halfrunning to catch up with him. He knew then that she was coming because she feared that in his grief and anger he might do himself some injury.

He had reached the rock that lay solid, faintly tinged with red just short of the railfence. He stopped and bent his head against it and said,

—Please go away, Mamma. I'm all right.

—I just want you to know, Johnny, that anything I've done or said was because I love you. If I done anything wrong, tell me what it was. I know that whatever you do'll be the right thing.

—Please go away, Mamma.

He hid his face against the rock. He was crying. He couldn't control the violent sobs that shook him. He hadn't cried since he was a child, but now he cried and didn't see how he could get hold of himself again.

After a while Ellen had gone back across the land, and it was night. The tears were all gone out of him then, the river of his being had dwindled to its source, the waters had retreated into distant and deep caverns. He stood a long time yet there at the limit of the land, leaning on the rock, and wondering how it was that he had come to be upon this land in the fading evening of the years beside a rock that knew no tears or time or laughter, love or passion or regret. And then he felt deeply stilled and strengthened, and he felt that he could never be hurt again by the world's opinion. Then he turned and walked back across the field

TOWARD THE YELLOW WINDOWS OF THE HOME PLACE
BECAUSE HE KNEW THAT THERE
WAS

—NOWHERE ELSE TO GO, the Perfessor was saying. That's why they came to America. This nation is the love-child of History. Dame Clio bore the others of a paternity known and acknowledged, but America was a lusty by-blow.

—There's a good deal to be said for the bastards of men or of nations, the Senator said. The bar sinister is a badge of vitality.

—All life is casually begot, the Perfessor said, but the bastard birth is less casual than the other kind. A certain amount of resolution goes into the fathering of your bastard. Believe me, as Willie Shakespeare says, some woman has to screw her courage to the sticking place—and vice versa.

The Perfessor leaned over and, using the tip of his malacca cane, began to draw lines in a patch of dusty earth between the store and the sidewalk.

—Behold the diagram of Life! he said. At the base of the diagram, there's an immense swamplike womb, and from this rises a giant tree, the umbilicus, through which saplike pours for aeons the stuff of life. Then dangling from this tree in its maturity would be a tiny seedpod, your post-natal individual, whose separation from the parent tree is, biologically speaking, a brief period. Actually we so-called mature individuals are only the pods of the tree, quaintly contrived to seduce one another so that the precious impulse that we carry, the immortal seed, may again and again be shaken back into the swamp of life.

The Senator got up and shook hands with a large lady from Indianapolis. He bowed, waggled his head, fondled her hand.

—There, said the Perfessor, the seedpod is shaking on its invisible tree. By a million winds of chance, the seed is sprinkled back into the womb of humanity, and the process goes on. Out of this swamplike womb grows the terrific tangle of the family trees and swinging briefly from some branches thereof are those little flowers of life, Jerusalem W. Stiles, John W. Shawnessy, and that big fulsome flower, Garwood B. Jones, the Senator from Indiana.

—Pure Darwinism, Professor. Where is History in this view? What is the life of a nation? And who—or rather what—is God?

—These questions I will leave to you, said the Perfessor.

—You were talking about genealogy, boys, the Senator said, sitting down again. I've been looking back into the family past of the Raintree County Joneses in connection with my forthcoming little opus. I'm proud to say that there isn't an earl or a duke in the family. Just a bunch of barefoot farmers and horsethieves. I recently got a letter from a fourflusher offering to hunt up a suitable coat of arms for me. I told the skunk to go ahead and see what he could find. What would you suggest for a heraldic device, Professor?

The Perfessor thought for a while.

—*An ass ascendant and about to bray,* he said.

—I have one for you, Professor, Mr. Shawnessy said.

—And what's that?

—*A serpent pendent from a branch of bay.*

—And for you, John, the Perfessor said, how about: *A Raintree rampant in a field of hay.*

Golden tree, never labelled by arborealists, I look far down from one of your topmost swinging branches to the shadowy trunk. Here is a good tree, tawny with shocks of shaken flowers, the Shawnessy Tree, spreading on the amorous air of summer the seedburst of its golden bloom. Here is a rare seed, brought overseas in old migrations. Beware, ye virgins! It was made for deep plantings. It will spring in your dark wombs with a fierce leaping, blindly hunting the channels of the future.

Seedtime, summer, and bearded harvest. O, young sporespreader, I lift a wisp of memoryladen smoke to you, fragrant with

November 22— THE —1859

where Johnny waited for his father to begin. T. D. sat finger-drumming on his desk. After a while he said without looking up,

—John, this marriage that you've announced. I uh ought to tell you that I don't entirely approve of the precipitate but uh under the circumstances necessary haste with which you have gone into it. I have found out something about the whole thing, and I am deeply pained, and——

T. D. looked out of the window at the gray November earth. Johnny stared at the anatomical chart on the wall. He hadn't seen T. D. so incoherent and pedantic since the time many years before when he had ushered Johnny into the Office to tell him the Facts of Life. At that time, he had taken a pointer and made certain indications at the anatomical chart on the wall. Eyes fixed on the chart now, Johnny saw, under the yellowing varnish, a man's body laid open to show the internal organs. The genitalia were a wrecked mass of blood vessels and tubes. Johnny felt only a dry resentment and a wish to get the thing over with.

—John, T. D. was saying, maybe I've got this whole thing wrong. I hope I have.

—I guess it's the way you heard it, Johnny said.

—You mean, T. D. said, stealing a glance at Johnny, you mean that you uh that you and this young woman——

—Yes, Johnny said. Yes, we did. I haven't any excuse. I got drunk on cider. It was after the Fourth of July Race.

—Fourth of July! T. D. said, reflecting. Jerusalem! boy, that was uh—that was——

He tapped his long fingers quickly——

—nearly five months ago!

—Yes, I know, Johnny said. I'd rather not talk about it, Pa. I was wrong. I'm trying to make it right.

—But this young woman uh, I saw her, you know. I went to see her, after someone wrote me an unsigned note and uh I didn't see any visible outward indication that she uh was in that uh shall we say advanced state of uh the gestatory process which reveals itself uh externally—that is, I——

—I know, Johnny said, feeling sorry for T. D. I don't know how to explain it. She *says* she's with child. It doesn't make any difference. I'm going to marry her anyway.

—She's uh she's quite an attractive young woman, you know, T. D. said, drumming on the table. She uh—that is, I understand how a man might—that is uh, given the circumstances, and the fact that, as you say, you had partaken of what I presume you thought was a harmless beverage—uh, I can see that—but of course, you understand, John, nothing can condone your uh headlong behavior. I had thought that of all my sons—that you——

—Yes, Johnny said, I know. I've been a terrible disappointment to you. I'm sorry.

—Not that I entirely blame you, T. D. said. You're after all only a boy—what?—twenty years old? At twenty, I myself—but then that's another matter. Still, I want you to know that I understand your feelings and I wish to express to you my uh——

At this point, T. D.'s verbal process broke down completely, and he stood head down before the lone window. There was a long silence.

—John, he said, more quietly, there's something I might as well tell you right now. I've told the three older boys, and it's been my intention to tell each of my children when they reached the age of twenty-one. Under the circumstances I think I might as well tell you now since you have uh after a manner of speaking reached the age uh—the age where uh——

Johnny had the strange feeling that somehow his own and his father's role had been subtly reversed and that he, Johnny, was now in the position of the judge and his father in that of the accused.

—I have a special reason for being glad, John, that you've done the manly thing in this case—though a bit late—and have decided to make it up to this young woman, whom you have uh—with whom you have——

—Yes, Johnny said.

—You might as well know it, John, T. D. said, turning around and squaring his shoulders. There is a stain on the name of Shawnessy. Do you know what I mean?

—No, I don't, Johnny said.

—You've never heard me speak much of my father, have you, John? I've always told you that he died in Scotland when I was very small and that my mother came to America with me. You don't know much about my life in Scotland, do you?

—No.

—Well, the truth is, T. D. said slowly, that Shawnessy is not the name of my father. My father's name was Carlyle. Shawnessy is my mother's name.

Johnny felt that he ought to understand now, but somehow he couldn't grasp the significance of what T. D. had said.

—No use mincing words, T. D. said. I was the issue of an illegitimate union.

T. D. squared his shoulders and turned around, looking a little belligerent. His blue eyes flashed. His rabbity mouth worked under his immense blond mustache.

—In plain English, my boy, I'm a bastard. Just a good cleancut bastard.

—O, Johnny said. Is that a fact?

It was the strongest word he had ever heard T. D. use. He felt relief and also a new respect for T. D., who was (the word was somehow comforting) a bastard.

—Yes, sir, T. D. said. I bear what men might call a dishonored name. But I have never been ashamed of the name of Shawnessy. It's the name of my mother, a superb woman.

—Yes, sir, Johnny said, coming crisply to attention.

—As for my father, T. D. said, he bore a name which has since become famous in the world.

Then Johnny understood why it was that T. D. had so often told the children that they were related to a name famous in letters. He had never been explicit about the closeness of that connection, saying only that it was through his father's side of the family.

—Yes, sir, T. D. was saying in his old brisk voice, as if he had suddenly got back all his old assurance, yessirree, and when I got to be old enough to understand my situation, I swore I'd make the name of Shawnessy as great as the name of Carlyle. Here in America, in a virgin wilderness, where a man's name and past mean nothing, I meant to make the name of Shawnessy a great one in the world.

Johnny nodded. T. D. began to walk back and forth, vibrant with the preternatural energy that seemed to flow into him at times.

—I can't say, T. D. said, that I've entirely realized all my ambitions. I suppose I've been handicapped by a want of education, and perhaps I lacked the native ability to realize my hopes. Not that I consider my life a misspent one. Not at all.

—Of course not, Johnny said.

—I come west with the country, T. D. said. I married young and had children to support. I've grown up with this great country, and I've been one of those who made it grow. I was one of the first settlers in Raintree County. When I come here, this was a wilderness. I've saved the lives of many Americans. I've done my small part for the spiritual welfare of the people of this republic. And if the name of Shawnessy don't become famous in the land, as famous as the name which by rights I ought to bear is in England, I am not in the least ashamed of it. I'm proud of it. And I want my children to be proud of it. I'd rather be Timothy Duff Shawnessy in America than a king in England.

—Certainly, Johnny said.

—In America, T. D. said, nobody cares about a man's past. If I've not become a great man, I've only myself to blame. But I want my children to know that I pass on to them a great name, my mother's, and I'm still confident that in generations to come people will speak the name of Shawnessy with reverence. I take as yet the most hopeful view of my own future and that of my children.

T. D. paused then, with one long arm outflung, and seemed to reflect upon something that he had forgotten.

—But that brings me to say, John, that there's—well—a kind of curse on the Shawnessys. I've noticed it in myself, and I'm afraid that you and perhaps other members of our family bear the mark of it. We're a passionate people, John, us Shawnessys. We are at one and the same time seekers after knowledge, scholars, poets, teachers, and preachers—and also, alas! lovers of beauty. And this second trait is the fatal one. I know, my boy, that you wrestle under more extreme temptation than most men. I know, because I myself have uh in my youth felt that fatal uh susceptibility. It's hard for a Shawnessy to resist a beautiful woman. It's our curse, my boy, an amiable one—and one, may I say, which I'd be very unhappy not to have, but just the same a curse.

—Yes, sir, Johnny said.

He found it easier to bear his sense of guilt, when he discovered that he had come by it honestly from his grandmother. The fault had acquired a certain dignity and family standing.

—All my younger life, I fought against this legacy of my noble mother, T. D. was saying. I think I may say that I fairly mastered it. By the way, don't breathe a word of this to your mother.

—Of course not, Johnny said.

—Who are we, T. D. said, beginning unconsciously to adopt his pulpit manner, to judge of these moments of weakness? The father and mother of the race sinned. They knew each other in guilty passion after they did eat of the forbidden fruit. 'Tis an ancient curse. Yea, my son, who are we to question the weakness of a woman who surrenders to her desire? No more virtuous woman lived than my mother. She loved and sinned. That was all. But I beg you to take notice, my boy, that if she hadn't, where would you and I be?

T. D. and Johnny looked shyly at each other for a split second and lowered their eyes.

Who shall assign a value to the event or to its consequence? Life has its own inscrutable ends to serve. My grandmother, I am glad that you were once an amorous girl and had the weakness—and the courage—of your love. I am glad, my grandmother, that you allowed yourself to be tumbled in a hayfield beside the little town of Ecclefechan in Scotland years ago. Who knows but even then you fell under the compulsion of the springing impulse that was I! Did you not sin and suffer that I might one day flower and be fair? It was a great gift that you gave that day, my grandmother, in your desirous girlhood. You were one of the makers of America, my gay and guilty paternal grandma. And a woman who gives herself for love only, and without hope of moral security, is she not more courageous than the other kind? O, peerless, antique little Scot, you deserved to give your own great name unto your children and your children's children. Now it can never die. Another of your line has been busy to that end, in your own inimitable style, my wee, un-virginal grandma.

—I hope, T. D. was saying, that you don't take this thing too hard.

—Not at all, Johnny said. I'm glad you told me. It makes me feel a little better.

—As for your own case, my boy, T. D. said, you've done the manly thing. I hope this young lady is all that she appears to be. *Judge not that ye be not judged.*

—Yes, sir.

—Marry her, my boy, T. D. said, standing up erect and tall and holding out his hand, and be happy. Do you need money?

—No, I believe not, Papa.

—When is the wedding?

—December 2, Johnny said. Susanna's choice.

He shook his father's hand and left the Office.

Later on in the evening, he was aware that T. D. was still out in the Office, with no light on. Undoubtedly, he was pacing there in his cluttered cage, a distinguished-looking gentleman with a large blond mustache, marching back and forth surrounded by the Botanical Medicines. He had come to America to make himself famous, and somehow he had got lost in the land. It was strange now to think how some fifty years ago there had been a casting of seed in a putative hayfield in Scotland, and the vital impulse in it was strong, so very strong, that it was carried safely over the sea and so very, very strong that it was carried west and west. Along the way it had lodged in fertile earth, and now there were many vessels, bearers of seed, many and many on the breast of the land.

O, strange little swimmer of so long ago, o, little immortal! What difference is it to you what name you bear! What do you care for a name! O, little lifegiver, you only are eternal. We exist only for you, and you pay us back by faint repetitions of our features, for you never forget anything. You remember us,

YOU REMEMBER OUR FACES, AS YOU PROCEED

UPON YOUR WAY, JETTING

EPHEMERAL

FACES on the Great Road of the Republic floated through the haze of Mr. Shawnessy's cigar, rising out of vacant time and fading into vacant time. He thought of all the faces of mankind that had passed briefly through the world of time and space. Flowerlike they rose—like flowers springing and like dense flowers falling and fading back into the swamp.

—Did you ever stop to consider what a face is, Professor?

—Isn't it bad enough to have one, the Perfessor said, without having to explain it?

—It's a strange fact, Mr. Shawnessy said, that a woman carries her face naked for all the world to see and thinks she's respectable because she hides the rest in clothes. The hidden part is, after all, very simple, but the face is delicate, mobile, passionate. The flesh of it moves, the eyes glance about, the lips make sounds. If like Hawthorne's minister or the Moslem women, we veiled our faces, we'd learn to value the secrecy and mystic beauty of these big lush flowers.

—The face is merely a traffic center for sense organs, the Perfessor said. For economy's sake, it got crammed together. A face is really a pretty loathsome proposition, you know.

—The face is a human discovery, Mr. Shawnessy said. Other animals don't think of themselves as having separate faces. And only human beings make love face to face. What an exciting discovery that must have been for some dawn man!

—An ancestor of yours maybe? the Perfessor said. His name should go down to us along with Cadmus, who invented the alphabet. Perhaps the name Shawnessy is a direct lineal derivative and means He-Who-Made-Love-Face-to-Face.

—A face, Mr. Shawnessy said, is also a memory of a million other faces. Our faces are palimpsests. Like all things human, faces are both synoptic and unique.

—Have you ever stopped to figure, John, how fearfully fouled up our family trees are? Each human being is fifty thousand kinds of cousin to the stranger he passes on the street. Each time we make love to a woman we're committing infinitely multiplied incest. Nothing is more certain.

—How is that? the Senator said. I'm damned if I follow that.

—It's a simple question of arithmetic, the Perfessor said. Each person is the child of two. Each of these was the child of two. That makes four. Each of these was the child of two. That makes eight. Each of these was the child of two. That makes sixteen. Now, go on in that fashion, and assume that there's no intermarriage of relatives back to the time of Charlemagne. That would be about fifty generations only. On that basis, do you know how many human beings were living in the time of Charlemagne to form the base of the pyramid of which you are the apex?

—I give up, the Senator said.

—Roughly about six hundred trillion. Just for you—mind you. That's leaving out of account other human beings now living. Think of all the incest near and far there must have been in order that the few hundred million human beings actually living in Charlemagne's time could sire the much greater number living now. A few generations back and our family trees get so damnably scrambled that individual names and faces no longer have any importance at all, I assure you. Let me remind you, too, that this does not even take us back to the time of Christ. And even two thousand years is only a quarter of a mile in the Mississippi of human descent. Man has been more or less man for two hundred thousand years. In all this muck of human beings, what is an individual face?

The Perfessor adjusted his glasses and stroked his brows with sensitive fingertips.

—Biologically, the Perfessor went on, there's just one face—with the standard fixtures. All the fuss people expend on their damfool faces is part of the fuss they make over themselves as damfool individuals. The life-impulse doesn't really care anything about faces. The ugliest people I know have the most children, and they're all ugly like their parents. Very beautiful women often have no issue, or ugly issue. Ugly and beautiful, like moral and immoral, are unknown to the Republic of the Great Swamp, which really doesn't give a hang who your forebears were. It only cares that the seed be sifted back into the muck so that the little faces will pop out again, year after year, generation after generation, and seduce each other like flowers, innocently and promiscuously.

The Perfessor snorted and puffed on his cigar.

—What do you think of that, John?

—I think that you don't understand faces. Your remorseless logic leaves out the most significant fact about faces.

—What's that?

—That a face is a map.

—You speak in parables.

—It takes some explaining and involves my whole philosophy, but——

He was interrupted by a chord of male voices from the door of the barber shop. A quartet, calling themselves the Freehaven Chanticleers, were beginning a brief program of popular airs to entertain the Senator.

> —Don't you remember sweet Alice, Ben Bolt?
> Sweet Alice, whose hair was so brown. . . .

Faces of his life rose on the pale stream of the years, like images on cards turning slowly over and over in riverpools. Slowly the white flesh dissolved from the bone. The faces were gone, lost in winter nights. But there had been a republic in which these faces had seemed immortal. Shimmering, it had risen from the Great Swamp, and even the Great Swamp was one of its immortal images. Was this republic really the fool of time? Where was the fading ruin of all its faces?

The Chanticleers had begun another song.

> —Beautiful dreamer, wake unto me,
> Starlight and dewdrops are waiting for thee. . . .

Wake unto me, faces of an old republic. Where did you come from, children of a golden god? Like big lush flowers, you briefly swayed in white seductions.

> —Over the streamlet vapors are borne,
> Waiting to fade at the bright coming morn.
> Beautiful dreamer, beam on my heart,
> E'en as the morn on the streamlet and sea;
> Then will all clouds of sorrow depart. . . .

Beautiful dreamer, wake unto me! It was in a cold dawn of the unreturning years, and our tears and kisses mingled on our cheeks. There was a path that time never took, down ribboning rails to the great and golden West. Beside the little river that flows into the lake, on the banks where we played in childhood's golden summer, we two were torn apart long ago, and your pale face glimmered down the vistas of the morn, long ago, long ago, and o, I remember, I remember, your sweet face fading in the mists above the river till the purple haze of morning wreathed it from my view.

The Chanticleers were singing an encore.

—I remember the days of our youth and love. . . .

Mr. Shawnessy ached with love-desire, as there awakened, within the shell of middle-age, the young Shawnessy, the shockheaded boy, tender and sentimental, the adolescent god of early American days.

—Nevermore will come those happy, happy hours,
    Whiled away in life's young dawn;
Nevermore we'll roam thro' pleasure's sunny bowers,
    For our bright, bright summer days are gone.

Listen! are you there, face of the young Shawnessy, face that is only half of the archetypal human face, seeking for the other half that will make up the sum of ideal beauty, hunting down the lanes and over the cornfields of an infinite number of hypothetical Raintree Counties! I see you momentarily—a young god, tall. Your hair is shaken into sunlight. You hunt a tree beside the river where you will find at last the face that you were seeking.

—How we joyed when we met, and grieved to part,
    How we sighed when the night came on;
How I longed for thee in my dreaming heart,
    Till the first fair coming of the dawn.

She has risen from the river. Hurry, be fleet, for the bark is closing on her whitemuscled loins, her face is covered up in leaves. And it is dark, dark, dark in the woodlands of all the Raintree Counties that never were, it is a long, long time till the first fair coming of the many hours distant as Johnny Shawnessy rode home from Freehaven to the Home Place, returning from a bachelor's dinner given him by Garwood Jones and Cash Carney. On the morrow he was to be married.

The night was cloudy, raw, and moonless but not dark. He could see the wet road palely dissolving in the bleak night; he could see damp fields, dark masses of forest, and the mute farmhouses, lightless at this late hour.

Crossing the bridge at Danwebster, he looked down at the river, a cold, cheerless water. Around him was the immutable and mournful earth of Raintree County, and beyond, the great plains rolling east and west and north and south, the valleys, mountains, deserts of America; beyond that the limitless, cold oceans, and the whole waste of earth, slowly revolving in the night of human time. Was it his earth? Did he hold lasting title to a single handful of it?

He thought of people wandering in the night or making love or dying—all over the Republic. Was one any more important than another? Did any of them possess anything that they could keep forever? Did the lovers really possess each other in the night? Did they really become one? Did the bride and groom really marry and belong forever to each other?

He was thinking then of John Brown, who had fought for the freedom of a few million nameless black men, shadowy projections of the Southern earth where they toiled. What good had it done John Brown to believe, to labor long and hard, to go up and down in the land? Now he would have one brief, reluctant morning. He would have one long farewell.

Perhaps it was better to make a few concessions and live a little longer than to be once brave and forever dead.

But then did it really matter so much if the neck snapped at a predictable time? Wasn't each sleeper in his bed condemned and merely enjoying a stay of execution? Light was coming always, in great beams up the eastern marches of the earth. No one could keep the old man from the rope. John Brown must die, terribly alone as all men must.

But John Shawnessy was alive. He would go tomorrow to far, strange places. He would escape and pleasure himself with a barbaric love while the old man went down to a dirty grave.

On a clear, cold day in mid-November, Johnny had gone back to the tall house in Freehaven to ask Susanna's hand in marriage. Ushered in by a Negro girl, he had waited on the divan in the parlor. After a very long time, the maid returned.

—Miss Susanna will receive in her room upstairs.

He followed the maid up the stair from the hall and into a huge bedroom occupying most of the secondfloor front.

The room was shaded by gorgeous red curtains closely drawn over the single window, which was the middle one of five on the front of the house. At first Johnny couldn't see very well, but slowly his eyes made out a canopied bedstead scarlet-draperied like the window and closed on all sides. Except for mirrors placed at intervals along the walls, the rest of the room was almost empty of furniture.

The maid stopped at the door.

—Here's the young gentleman to see you, Miss Susanna.

—Come in, Johnny.

It was Susanna's voice, plaintive and remote from the depths of the bed. The draperies faintly stirred on the side nearest him.

Johnny walked over to the bed.

—How does a person get into this thing?

—Just pull that cord there, the voice in the bed said. I haven't been well, Johnny.

—I'm sorry, Johnny said.

He jerked the cord, and the curtains parted and shot back on his side.

In the darkly scarlet depths of the huge bed he could see Susanna's face looking at him from under a sheet. But what startled him was that a hundred other faces were peering at him from the shadowy corners and walls of the bed—tiny, motionless faces, grotesquely fixed at a hundred different angles.

The bed was aswarm with dolls.

Dolls were sitting on the head and foot of the bed, dolls were lying in the corners of the bed, dolls were propped against the head and footboards, dolls were hanging by their coats on hooks. There were all sizes from one as small as a thumb to a monster with a fat, creamy face, leering happily from a sitting position at the foot of the bed. All the dolls stared with a horrible, waxy fixity at nothing at all. Most of them were male.

—My word! Johnny gasped. Are they all friendly?

In the middle of this asylum of hideously diversified little human heads, Susanna lay voluptuously alive, softly moving her shoulders, but only her face showed above the sheet, peculiarly broad and lush in the reclining position. She looked savagely healthy. A shy smile curved her lips.

—Sort of a hobby, she said.

—How—how many are there?

Susanna looked gravely around at the dolls.

—One hundred and sixteen now, counting Jeemie, she said. This is Mr. John Wickliff Shawnessy, children.

—Pleased to meet you, fellows, Johnny said, bowing formally. Nice day, isn't it?

The dolls continued to stare fixedly at nothing at all, a hundred lidded, mysterious little faces.

—They've been sick children today, Susanna said, and they've all had to go to bed.

—My word! Johnny said. Don't tell me you move this gang around with you!

—O, yes, Susanna said. Sometimes we sit on chairs, and sometimes we play on the floor, and sometimes we dress and undress ourselves, don't we, children?

Susanna looked entirely pathetic and adorable in the great bed as she gravely harangued her dolls. Johnny sat down on the edge of the bed and took one of her hands. She allowed him to have it, extending her naked arm from under the sheet.

—Susanna, I have come to ask your hand in marriage.

She lay for a long time merely looking pensively at the dolls, not changing her position. At last she said in a forlorn, low voice,

—You don't have to marry me, Johnny. I release you. As for the child——

—I don't care about the child, Johnny said fiercely. I have asked your hand in marriage, and I expect a reply.

Susanna turned and looked a long time into his eyes with her violet eyes. Then with her free hand she pulled the sheet down a little from the pillow revealing a doll Johnny hadn't yet seen lying with its little head on the pillow beside her. All the other dolls were beautifully clean and newlooking, but this doll had evidently been through a fire. Its clothes were charred and browned, and its head was blistered and blackened.

—What about it, Jeemie? Susanna said to the doll. Shall we marry this gentleman? He's a very lovely young man, and I love him very much, Jeemie. I love him much, much, much more than any of the rest. What do you think, Jeemie?

She looked inquiringly at the firepuffed face on the pillow which in the darkness looked like a little Negro's.

—What does he say? Johnny said, grinning in spite of himself.

—We accept, Susanna said.

Her large lovely eyes were suddenly filled with tears. She squeezed Johnny's hand and let her free arm bend loosely over his neck so that the open hand swung back and forth languidly at his throat. It was surprising how heavy this hand was, pulling his head down toward hers. Her deep lips pouted and parted under his. She was shuddering with sobs.

—O, Johnny, she said, I *do* love you so much.

—And I love you too, Johnny said, thinking that perhaps after all he did love this strange, passionate, wistful, wandering child who had come back to him from the Deep South.

But his position was an awkward one, as he still sat on the bed with his head bent all the way down.

—Here, get in with us, Susanna said, and lying on her side, with a quick motion she flipped the sheet back.

She was completely naked. She touched her hand delicately to the everpresent scarlet scar that burned cruelly into the beginnings of the left breast, which—downtilted, tipped with rose—swung softly from the motion of her shoulders.

Confused, Johnny accidentally put his hand on the burnt doll. He picked it up.

Susanna stopped sobbing and watched intently. Johnny carefully put the doll at the top of the pillow. Susanna looked at him and then looked at the doll, sitting stiffly at the top of the pillow.

—There now, Jeemie, how's that? Johnny said. You can see everything from there.

Susanna smiled sweetly and sank back on the pillow.

—I'm glad the family likes me, Johnny said, feeling as though he had successfully passed an examination of some kind.

—We *love* you, Johnny, Susanna said.

And with her catlike strength she pulled him violently down upon her, where he lay fully dressed in a tweed suit, stiff collar, and shiny knobtoed shoes. Disturbed, the doll population shook on their hooks and nodded vigorously and in unison from their perches on the head and footboards. One fell down and sat astraddle Johnny's neck. The big one at the foot of the bed bent over and tackled him heavily on the calves. Another fell with a faint squeak on the small of his back. For a moment, he felt as though he was being attacked by hideous dwarfs, while his face was only three inches away from the dreadful, seared face of the doll Jeemie.

Suddenly, Susanna began to laugh, and Johnny laughed too, as it was all rather absurd and delightful. Susanna laughed with little high shrieks and sobs, and while she laughed her sinewy arms and legs seemed to envelop him in a net of nudity. She laughed and laughed, and the doll heads laughed too, all gently nodding in happy unison.

That was how Johnny Shawnessy had proposed marriage to Susanna Drake, and that was how his proposal had been accepted.

The day following this adventure with a sick girl and a hundred and sixteen dolls, Johnny had his approaching marriage announced in the newspapers. When he dropped in at the *Clarion* office, Garwood Jones, who had become the editor-in-chief a few weeks before, was busy filling the copy hook.

—Hi, sprout, he said, when Johnny showed up.

Garwood kept on writing. He was in shirt sleeves and bowtie, and his lush dark hair was attractively mussed. His big mobile, sensual mouth pursed at the pencil as he studied for the next word.

—I'm getting married, Garwood, Johnny said casually. Here's an item on it.

Garwood didn't bother to look up.

—Go away and be funny somewhere else, he said. I'm busy as hell.

—I really am, Johnny said. And I expect a little better treatment than this from my in-laws.

—Huh? Garwood said. All right. You're getting married. Who is it?

—This will give you all the needful information, Uncle, Johnny said, dropping the item on Garwood's desk.

—Well, I'll be goddamned! Garwood said, as Johnny went out of the door. Susanna!

In the newspapers, the announcement sounded very official and correct. The *Clarion* in particular laid itself out to do the thing right.

APPROACHING NUPTIALS ANNOUNCED

The long and happy engagement of Mr. John Wickliff Shawnessy and Miss Susanna Drake will soon be consummated in marital union, the prospective groom disclosed today. This festive event, toward which the friends and relatives of the blissful pair have long been looking with keen anticipation, has been set for December 2 and at the bride's request will be held at the Danwebster Methodist Church, with the groom's father, the Reverend T. D. Shawnessy, presiding. Among the many unusual and romantic features of this genuine love-match is the fact that the bride is a former resident of the Sunny South. Her frequent visits to friends in Freehaven began the friendship which soon ripened into reciprocal esteem and at last achieved the full flower of mutual love. The groom, a young newspaperman and writer of promise, is well-known throughout Raintree County as the author of . . .

A good deal of mischief was circulated at Johnny's expense by his male friends, but the female contingent of his own family bravely conducted a series of parties at which the bride and groom appeared sometimes singly, sometimes together.

The most embarrassing moment in all the hectic days before the marriage, came when Johnny presented Susanna to his parents. At the appointed time, he brought her from town and ushered her into the front parlor of the Home Place, which was always kept cool and

closed, with the shades drawn except for special visits. Ellen Shawnessy had on a new dress, and T. D. was togged out in his one good
suit. Susanna had been very nervous on the way over, but when
she came in she was all grace and loveliness. Her manner toward
Johnny's mother was a mixture of girlish humility and ladylike reserve. Johnny could tell that Ellen was pleased, and as for T. D. he
rocked violently on his heels, yawned, blinked, smiled, bowed, and
chuckled with satisfaction. Susanna insisted upon hearing him recite
the famous 'Ode on the Evils of Tobacco' and listened attentively
without a single trace of amusement even on the two celebrated
lines:

> Some do it chew and some it smoke
> Whilst some it up their nose do poke.

She talked with Ellen very diligently about the preparation of certain Southern dishes, admired her dress, which was too large for her
bony little figure, and remarked that she saw now where Johnny got
his beautiful smile and hair. She also met some of Johnny's brothers
and sisters and was very sweet to them all. There wasn't a single slip
on anyone's part, except that Zeke whistled when he first saw Susanna.
It was a wonderful performance, and Johnny was as grateful and
proud as under the circumstances it was possible for him to be.

After it was over and Johnny was taking Susanna home, she said,

—I just *love* your folks, Johnny. They're awfully sweet. I see
now why you're the way you are. Johnny——

She had said the name suddenly and plaintively.

—Yes.

—I want to tell you something.

—Yes.

—I'm not going to have a child after all.

—O.

—I lied about it, Susanna said, dropping her eyes and nervously
smoothing her left coat lapel.

—What for?

But he was so immensely relieved that he couldn't feel angry at
the imposture.

—Because I wanted you more than anything I can remember since
I was a little girl.

As far as Johnny was concerned, this was the perfect excuse. The admission proved one thing conclusively—that for some reason Susanna Drake was really in love with him. Now, suddenly, he felt very cheerful and innocent, as if, after all, everything had been scrupulously correct from the start.

—Tell me something, Susanna. With your money and looks, you could have married a lot of different men. Why did you want me?

—I never cared much for the men I met before, except in a passing sort of way. But the minute I laid eyes on you, I fell in love.

—Why? What was it?

—O, I couldn't explain it to you, she said, smoothing and smoothing her left coat lapel. Any woman would know.

She turned and touched his cheek near the mouth with her right hand and looked intently at his face with the wistfully childlike look of her photographs.

—But you'd look better with beard and mustaches, Johnny, she said. More manly.

In the days preceding the marriage, Ellen Shawnessy threw all her energy into preparations for the event, and in general Raintree County rose heroically to the task of making everything conform to its ancient canons of respectability. There was a great deal to do. Everything was complicated by Susanna's decision that she wanted to go away immediately after the marriage ceremony. The happy pair were to catch the train at Freehaven and follow a tight schedule which would bring them by nightfall to the city of Louisville, Kentucky, on the other side of the Ohio River from Indiana. This was to be the start of a long honeymoon in the South. The loving pair were going to go by steamboat down the Ohio to the Mississippi, and from there to New Orleans, where Johnny would have a chance to meet Susanna's relatives. It all sounded lustrous and magnificent and helped give a respectable air to the whole undertaking. In fact, all of Johnny's friends began to consider his precipitate marriage a step up in life for him. He had married money, beauty, and culture. Raintree County's fairhaired boy was making good after all.

There were some clouds, of course. Another letter from the Perfessor failed to sound very exultant. One part of it in especial disturbed Johnny.

As for a dark suspicion you say I mentioned in my last letter, I can't even remember what it was, so it must not have been very important. Forget it, my boy, and be happy. You have a beautiful girl who loves you and whom you love. By all means, my boy, marry her, love her, beget broods of happy cherubim, go on, my boy, to greater and better things. . . .

This stereotype sounded vaguely familiar and thoroughly insincere to Johnny, and besides it was out of tune with the rest of the letter, which made merry at the expense of the sacred human institution of marriage.

As for the evasive remark concerning a dark suspicion, Johnny was perfectly well aware that Professor Jerusalem Webster Stiles never forgot anything.

The worst thing about it all was that Johnny hadn't stopped loving Nell Gaither. Everything he had done with Susanna and even Susanna's beauty had merely inflamed the passion that he had for his own privately created Venus with the Raintree County face. In a way he felt that he had not been unfaithful to her. What had happened to him had been a strange accident of fate, caused by occult events and surroundings.

In that wild taking in deep grass under the tree, where the sun fell steeply slanting on two stones, and the leaves had dropped a thin brightness like sifted sunshine, and the tree had swayed, a slender and great reed, and he had seen not very far away the river where it was hardly to be told from the lake (or the lake where it was hardly to be told from the river—green waters swollen with beautiful lifeforms), then he had known that the secret of Raintree County was indeed a secret of water and earth and tree, stone, and the living golden seed, and he had known too that it was a shared secret and could only be carried in the vessel of a woman's body, and he knew also that it must be brought from afar and bear a rhythmical (though, for the moment, a forgotten) name and that she who brought it must be likewise a creature of the river, though whether her hair was black or brown or golden did not greatly matter, and he had known too that she must bear upon her body a secret imperfection and he had known too, even in that savagely sweet moment, he had known already by anticipation that to learn the secret was also to learn duty and hot tears.

As he rode home in the night to the Home Place after the bachelor party, that secret plagued him with a delicious sorrow. The secret of human love and desire was to discover something that was at once universal and particular—beauty and a person. At Lake Paradise, he had been lost in the universal. It was only later that he realized that all life is personal beyond escape.

Ever since the Fourth of July outing, he had avoided seeing Nell and had allowed her note of reconciliation to go unanswered. Of course, it had been necessary to go to church, where she appeared without fail, imperially calm as usual. When he reminded himself that this person had once been naked in his arms and that her flower-like mouth had clung to his in long, long kisses, he was sick with love.

It was not mere longing of the flesh; it was a total longing to possess someone. To him, Nell Gaither was an entire republic of beauty and nostalgic memory, which now he had to relinquish.

When he reached the Home Place, it was after midnight, and everyone else had gone to bed. He went to his room and undressed in the dark. When he pulled back the covers and lay down, his face touched something pinned to his pillow. It had been concealed under the cover. He lit a lamp and unpinned an envelope addressed, 'To Johnny.' Inside was a piece of letterpaper beautifully inscribed with a message:

> One for whom you once professed affection would esteem it a generous action on your part, though undeserved on hers, if you would see her once again before you leave the County. She will be waiting near a certain spot sanctified to the memory of a profane but sweet encounter. Let your heart and the memory of a blissful hour (perilous, yes, but alas! all the more precious in recollection to one at least who shared its raptures) tell you the name of her who penned these lines.

He reread the note several times, savoring its stylistic beauties, which were as good as a signature. Probably one of his sisters (who were not very happy about the coming marriage) had connived in placing it on his pillow.

With perhaps insufficient reflection, he dressed again and started to slip out of the window, which was on the ground floor. Then he crawled back in and got a big volume out of the bookcase. He hunted among some private papers and keepsakes in a drawer and put something in the book. Then he climbed out of the window again and slipped out to the road. He crossed it and walked through a field following a lane that led to the river. He stayed out of the forest fringe of the river but followed it north along the Indian Battleground. Halfway up the long northwardflowing arm, he cut into the forest, walking among the leafless trees. The ground was deep with damp leaves. There was a cold, dripping mist in the air, almost a rain. He could hear the river trickling between dissolving banks. As he neared the bank opposite the Johnny Shawnessy oak and the pool where he and Nell had swum together, he made out the form of a young woman muffled in a long furcollared coat. She stood by the trunk of a big tree. She was hatless, and she had a large dark object under her arm.

—Hello, Nell.

—Hello, Johnny.

—I got the note, he said. It—it was beautifully written. I—I appreciate your thinking of me, especially at this time.

The tree under which they stood had extinguished the smaller trees within its widebranching circumference, and now that it stood in wintry nudity, the space beneath it was less dark than the forest around. The river swirled not five feet below them. He could make out Nell's face, small and piquant at the top of her muffled form. It had a pensive, distant look.

—I have something, Johnny, I feel I ought to return to you, she said. I thought probably you would want it back, now—now that I don't mean anything to you any more.

She held out the big dark object. It was no doubt *The Complete Works of William Shakespeare.*

—And I've left in it your image, she said, which I would like to keep, but considering the poem on the back, feel I am no longer entitled to.

Her voice had a sweet, trailing, rehearsed sound.

—I won't take it, Johnny said. I'm entirely at fault in this thing, and for that reason I feel that I ought in all honor to return something to you which is more precious to me than life itself but of which I have shown myself unworthy.

He held out the book he had brought with him, a large dark volume. Doubtless, it was a copy of *The Complete Poetical Works of Lord Byron.*

—And I've left in it your image, he said, the image of your

beautiful face, which I will always remember with love and admiration.

—I won't take it, Nell said.

They stood in darkness awkwardly presenting these two huge volumes, some twelve pounds of words, Johnny reflected, by two of the greatest poets of the English language, twelve pounds of distilled, passionate, violent, rhythmical, confused language, the outpouring of man's desire for life, beauty, and the good, words of the wonderful tragi-comedy of human life.

—I really don't want to give mine up, Nell said, her voice beginning to sound more and more dim and rehearsed. It's just because I know you don't care for me any more and because you're being married. I just wanted to say to you, Johnny, in the words of that dear book which you gave me and inscribed to me, *If ever thou didst hold me in thy*——

Her voice, which had been getting smaller and higher, suddenly dissolved in a little shriek of anguish. Johnny tossed his book on the ground and put his arms around Nell. He turned her face up to his, and when he did, this face, which he had always seen (except once) so deceptively composed, was all wet with tears, and the flowerlike mouth kept turning down at the corners and emitting cries of sorrow. Then the mouth found his mouth and kissed him again and again as if it would devour him with hunger. *The Complete Works of William Shakespeare* fell on the ground. The two bodies tightened to each other. He kissed her mouth, her eyes, her forehead, her hair, her cheeks, her chin, her throat, and again and again her mouth, which melted into his with a taste of passion and farewell.

The old image of escape flashed into his mind. It would be so easy. He knew with a tempting certainty that he had only to say the word. Together they would slip away in the night. They would catch the early morning train at Three Mile Junction, and by morning they would have left Raintree County far behind. Somewhere in the West, the great and golden West, a man might begin life all over again and——

But he knew that he couldn't say the word. Somehow the whole thing had been decided when he stood by the rock at the limit of the land. One betrayal was enough. Then he had said good-by to an older, sunnier County. Then the borders of his private little earth had dissolved into something called the Republic, full of duty and the memory of a crime.

—Nell, he said, I love you, and will always love you. I tell you now in the most absolute secrecy that my marriage is the result of an error on my part. My wife-to-be is a lovely woman whom I admire and whom I hope I may learn to love, but I wouldn't now be saying good-by to you—forever—if I hadn't made a slip. It was the afternoon of the Fourth of July, I had drunk all that whiskey, which wasn't exactly my fault, and then we went on that picnic and——

—Everyone knows about that, Johnny, Nell said. O, dear! Johnny, why do you have so much conscience!

This remarkably feminine statement, so subtly illogical, startled him and brought him more or less to his senses. If everyone knew, then he was indeed right in pursuing the path of rectitude and in clearing his honor and good name before the County.

—That's just like you, Johnny, Nell said fiercely, beginning to cry again with sharp intakes of breath after every few words. Why can't you be a little bit bad like me! Maybe that's why I love you so much! O, dear heaven, I wish I didn't love you so much! O, Johnny, I *do* love you so much!

The turn of the last phrase twisted a cold knife in his heart. He began trying to get control of the situation. At last, after an interval during which her face had been hidden on his shoulder, Nell stepped back. There was a mournful dignity in her manner.

—We can always be friends, Johnny, she said in the best tradition of Raintree County.

—Sure, he said.

Now he was the one who felt like crying.

—I want to tell you, Johnny, that I haven't lost my faith in you. Some day you will be a great man.

After the events of the last hour, Johnny tacitly agreed.

—Since we won't either one of us take back the things, Nell said, maybe we'd best destroy them.

—Not the books, Johnny said. We'll keep our books.

Even for a romantic gesture, he knew he couldn't do malice on the *Complete Works* of Lord Byron and William Shakespeare. Besides there was nothing incriminating in the books.

That was why Johnny Shawnessy and Nell Gaither, both twenty

years old, standing on a bank over the Shawmucky River at three o'clock of a raw December morning, opened their hands and allowed two stiff little cards to flutter into the cold pool of the river. That was why the eponymous monster of the river, the legendary Shawmucky himself, squatting goggle-eyed at the bottom of that wintry water, perhaps saw the innocent faces of a boy and girl fixed in attitudes of a lost republic, turning over and over and trailing lightly and sadly away in the pale stream.

And that was why Johnny Shawnessy stood in the twilight of early December dawn and watched the figure of a girl in a furcollared coat disappear in the forestfringe of the river.

Then he turned and walked home.

It was somehow in the best Johnny Shawnessy tradition that he was not exactly sad at this moment. He was filled with a young exultation neither joy nor sorrow. A wondrous secret had been almost shown to him. It had come to him out of cold and darkness and across fields of gray December and had thrust itself upon him, feminine and pleading. It said, I waited for you here beside the river, I am still waiting, I will always wait. It said, I love you, I love you, I have always loved you. This secret was a face from which he parted in the springtime of life. It was the bright little smiles of Raintree County that he would never see again. It was millions of such faces in the night, all wishing and waiting for the morrow and trying to find each other in the dark maze of time.

On the morrow he would rise and go forth and marry himself to a strange, wistful girl from the Deep South, and John Brown, too, would go forth to an equally ancient and mysterious wedding. Who were these two men and who were these millions waiting for the dawn, these citizens of the Republic, wounding and loving, losing and finding each other in the human landscape of time and fate? So long as John Wickliff Shawnessy could spring up joyous in the springing day, John Brown could never die, no one could ever die, and one heroic soul was enough to sustain the whole mass and fabric of the world. One hero who had found a white face in the night and had heard warm lips

THAT SHAPED HIS NAME, COULD BRING THE WHOLE RACE
AND THE WHOLE REPUBLIC
TO

—'A NEW LIFE,' read the Senator, 'began for me with my marriage at the close of the War, a life, which, alas, was fated to endure only a short time when the incomparable woman who became my wife was taken untimely to her . . .' And so on and so on. I'll skip a little in here.

The Senator shuffled the manuscript of his *Memories of the Republic in War and Peace* and stopped to relight his dead cigar.

—You know, boys, he said, it's been a great political handicap to me not to have a wife and family.

—Your Midas touch has made ballot gold even out of that, Garwood, the Perfessor said. I'm planning to give that recent romantic gesture of yours a special column when I get back to New York.

The Senator wheezed amusement through the shattered stalk of his cigar, as he slowly pulled it into flame.

SENATOR KEEPS FIRE BURNING
IN HOLY SHRINE OF RECOLLECTION
(Epic Fragment from the *Cosmic Enquirer*)

In a private upstairs room of his palatial mansion in the Nation's Capital, Washington, D. C., the distinguished Senator from Indiana was for a long time understood to keep the portrait of a mysterious woman, before which a flame perpetually burned. As the Senator has been for many years one of the most dashing bachelor attractions of Washington society, this rumor awakened a violent curiosity among Capital gossips. Several ladies were nominated by themselves and their friends to this secret niche in the Senator's room. At last a malignant story gained wide circulation that the lady of the portrait was the wife of a foreign diplomat and that in the periods of her absence from Washington, the romantic Senior Senator from Indiana solaced himself by pagan rites before the image of his beloved. Unable any longer to ignore these invasions of his private life, the Senator invited the Washington press to his house, where, in a voice trembling with sorrow and indignation, he said:

'Gentlemen, for thirty-five years, I have endured in silence every species of abuse that unscrupulous enemies could heap upon me to discredit my long, and I hope honorable service to the Republic. But now that the venom of partisan hatred has crept into the most sacred recesses of my life, I can no longer be silent. I invite you to examine my home and satisfy your curiosity as to its contents. Go, gentlemen, I give you leave. Open the door. Enter. And, if you are so inclined, report what you see to the World, that the World may not again dare to invade the sacred privacy of a grieving human heart.'

Here, unable to continue, the Senator flung wide the door into the famous chamber. There, the gentlemen of the press beheld the portrait of a beautiful young woman, before which was a lamp burning with a clear white flame.

'This young woman,' said the Senator, 'was my wife, who died in childbirth in the year 1865 when I was an obscure young lawyer in my home state of Indiana.'

Like men caught in the commission of a foul crime, the newsmen slunk in shame from the room. Though all were members of a profession scarcely notorious for indulgence in the softer emotions, several eyes were observed to be filled with a sentimental moisture. This moving drama has touched the heart of the Nation and will, we believe, have no little effect in winning a tremendous victory for Senator Jones and his Hoosier supporters in the coming election. . . .

—I never had a wedding night, the Perfessor said. I must say I wouldn't relish it. Marriage, I always thought, was a kind of funeral, in which we bury a part of ourselves.

The Senator laughed gently at this macabre witticism, but Mr. Shawnessy winced.

—Great institution, marriage, the Senator said. I remember my wedding night well enough.

He plucked from between his lips the halfspent cigar and holding it between his two fingers tipped the ash.

Mr. Shawnessy blushed, inhaled too much cigar smoke, coughed.

—Youth is a great thing, the Senator said. Ah, to be young again, gentlemen!

—Beauty is Youth, Youth Beauty, the Perfessor said.

—I remember the day of your first marriage, John, the Senator said. I'm afraid I was cockeyed. We sure gave you a hell of a sendoff. Of course, no American then living will ever forget that day anyway. One of the most fateful and dramatic days in American History! That was the day they sent that damned old murderer and fanatic

December 2— —DOWN —1859
THE RIVER FOR YOU,
MY BOY, GRAMPA PETERS SAID,

as he walked fatly up the bank to the churchyard. Johnny was lean-ing against a wagon surrounded by male friends and relatives. Fifty feet away, the church of Danwebster was whitely beautiful in the clear December morning.

—I'm plumb winded, Grampa Peters said. Must be a-gittin' old. Had to come up, though, and see this boy hitched. Got yourself a fine looker, I hear. How long is it yit?

—About fifteen, twenty minutes, Cash Carney said, consulting his watch. Bride and best man haven't showed up yet.

People were still driving up and entering the church. Niles Foster, small, quick-eyed, with bright black hair, got out of a buggy and walked briskly up to the yard. He had a folded newspaper in his hand.

—Hello, Niles, Grampa Peters said. What's the latest on the hangin'?

—We're just waiting around for the news, Niles said. I've got out several special editions already, and I'm all set up and waiting for the dispatch.

—Reckon anything can save him? a man said.

—You can't tell, T. D. said. They may relent at the last minute, or the Governor pardon him. Of course there's talk too of his being rescued.

—Not a chance, Cash Carney said. They want that man's life. They won't be satisfied till they crack his neck.

Several more buggies stopped close to the church.

—Quite a power of folks here for your weddin', son, Grampa Peters said. It won't be long now until . . .

TIME OF EXECUTION BRINGS WILD EXCITEMENT
(Epic Fragment from the Free Enquirer)

Many people are coming from all over the country to this little

Southern town. The excitement is beyond all comprehension. This correspondent has found it impossible to get a private room in a hotel. A remarkably stout gallows has been constructed especially for the occasion a little way out of town. To this spot hundreds of people gather as if unable to take their eyes off a spot soon to be the scene of an event whose consequences may be fraught with a somber significance in the time to come. As for the several reports that an attempt will be made to rescue Old Brown, this correspondent has been unable to verify any of them or to find anybody who has the slightest information as to any agent whereby such a rescue could be effected. Nevertheless the reports persist and have reached fantastic dimensions. Some say the Negroes are plotting to revolt and to bring off their would-be redeemer. Others say that an Army of Abolitionists will materialize from the crowd surrounding the scaffold. But there is nothing to indicate that such a move is seriously contemplated in any quarter or that, if it is, there is any possibility of its success. John Brown is a doomed man and no one seems to be any more clearly aware of it than he. He does not talk or act like a man who expects or even desires to . . .

—Live and let live, I say, said Grampa Peters. We'll git along with the South if we just hang enough of these nigger-lovin' abolitionists.

—I'd best go in and see if everything's all right, T. D. said. Anyway, it went off good in rehearsal.

—Right smart of you to marry your own boy off, T. D. That's a sure way to keep 'em respectable.

Grampa Peters wheezed, belched, and shook Johnny by the shoulder. T. D. walked off toward the church, plucking nervously at his mustache.

—Now don't be skeered, boy, Grampa Peters said. Women is all alike after you git 'em untied. This is the wust part of it right now. What gits you is the waitin'. Now I like to see a . . .

PRISONER CALM AS LAST HOUR APPROACHES

(Epic Fragment from the *Free Enquirer*)

As the time of execution nears, the prisoner's calm resignation is the admiration even of his gaolers. Still weakened by the wounds received in his audacious undertaking, he is constantly busy talking with visitors and writing letters to friends. There is no reason to suppose that the dignity and calm which he has so far exhibited will desert him on the scaffold. He is reported to have said to one of his visitors: 'I am far better now to die than to live.' As for the preparations for the execution proper, much thought has been given to such questions as . . .

—What do you want done with the body? intoned a deep, familiar voice.

It was Garwood Jones, coming up the bank, sleek and radiant, chewing a fat cigar, thumbs hooked in a flowered vest.

—When does the crucifixion start? he said. When do we nail the Hope of Raintree County to the cross?

—Twenty-five minutes, Cash said. Anyway, we got the best man now.

—Floral tributes, Garwood said, may be left at the sidedoor of the funeral home. What's the matter with you, John? You aren't talking much. Whassa trouble, boy? Nervous?

—Leave 'im save his strength, Grampa Peters said. He'll need it. I recollect muh own weddin' night. I reckon it won't hurt to tell it, bein' as how they's only men present, though the woman'd be fit to be tied if she knowed it.

—Go on, Grampa, a man said. I heard it a hundred times anyway.

—Well, sir, Grampa Peters said, there I was a-stampin' and a-pawin' and a-roustin' and a-rootin' fer that there cerrymony to be over. I was gittin' so wolfy about the head and shoulders, they had to nearly put me in a salt barl to keep me from spilin'. Young and strong—say, I was a prize bull in them days, boys, and don't you fergit it.

—Still pretty good, ain't you, Grampa? one of the men said.

WILL HE TALK?
(Epic Fragment from the *Free Enquirer*)

It is noised around through the town that Brown will make a speech on the scaffold. It is reported, also, that he has prepared a last will and testament and has given directions for the disposal of his body. He spent the last few hours writing and praying. leaving this last message to his friends:

'I, John Brown, am now quite *certain* that the crimes of this *guilty land: will* never be purged *away:* but with Blood. I had *as I now think: vainly* flattered myself that without *very much* bloodshed; it might be . . .'

—Done left me so etarnally exorsted, Grampa Peters said, that when the boys arrived around two o'clock in the mornin' to give us a chivaree, I could hardly lift muh shotgun. Wellsirree, they come right up on the front porch a muh cabin—we sot up housekeepin' over on Bar Creek—and they hollers, Come out a there, Jack Peters, before we pull ye out. Out I come with a shotgun on muh arm. Clear out a here, boys, sez I, do you want to keep all yer parts. I no sooner stuck my head out a the door than somebuddy jumped me from the side and grabbed muh gun. They got me down and tore off what little I had on, and damn if they didn't ride me on a rail right down to the Crick and in I went. Next thing, here they come and brang the woman down and throwed her in too, leavin' her nightgown on out of spccial rcspcck to thc scx. When we got out a there, some-buddy had sot fire to the woods behind the house, and smashed all the winders a the cabin. The boys was drunk and hogwild, and I didn't know if I was goin' to git out a there alive. Wellsirree——

Grampa Peters stopped to pant and light a cigar.

—In the old days, a man said, it was barely wuth a man's life to git married. Still, I heerd of a boy got married last summer, he was so bad hurt in thc chivarcc hc couldn't do his dooty as a husband for three weeks. Reckon they don't aim to do nothin' like that to you, John.

—We mean to deliver him intact, Garwood said. Besides we won't have a chance. They're catching a train right after dinner.

He put his arm over Johnny's back and winked at Cash. Johnny could smell whiskey.

—What's keeping Susanna? Cash Carney said, consulting his watch.

—Well, I don't want to be responsible for any wild rumors, Gar-wood said. It's just something I heard.

—What's that?

—They say she ran off with another fellow, Garwood said.

—Now don't be nervous, boy, Grampa Peters said. They's lots wuss things ahcad of you than gittin' married.

Zeke Shawnessy came out of the church and walked over to the group at the wagon.

—Women are in a fearful fuss in there, he said. No use you goin' in yet, John. Place all stuffed with flowers in pots.

A surrey drove up from the direction of Freehaven and stopped. Two Negro girls got out. Susanna stepped down from the back seat. She had a black hooded mantle drawn so close around her head and body that one could see only her face and the train of her gown, which the two Negro girls carried into the church. Small girls gawked, squealed, clapped their hands trying to get a glimpse of the bridal gown but without success.

—Goddernit, there they go, Grampa Peters said, gittin' the bride so all fixed up a man cain't hardly tell what he's gittin'.

—Is there any advice you'd like to have, sprout? Garwood said. Matrimonial matters openly discussed. Highly important to both sexes.

—Maybe you better take him along, John, Cash said.

—At your disposal, son, Garwood said. Perhaps a little demonstration on the new missus by an expert might not be amiss.

—You better hang out your shingle, Cash said.

—Skillful deflorations at small charge to the client, Garwood said. Our work is guaranteed unconditionally. If entire satisfaction is not had, we will repeat at no extra charge. We are available at any time. Please do not hesitate to call us in. Anything for a friend.

—Garwood, you're drunk, Cash said.

—By the way, maybe the boy here would like a little slug of this himself. It might help him through.

Johnny shook his head as Garwood pulled a large flat bottle from his hip pocket.

—All right, said a woman's voice from the door of the church. Bring him in.

—He's all ready, Garwood said, for . . .

THE LAST RIDE

(Epic Fragment from the *Free Enquirer*)

The streets of Charles Town were lined with hundreds of people as they took John Brown to the place of execution. Few people said anything, and it was impossible to tell by the silent faces, intently watching the old man, what the sentiment of the crowd was. Brown rode in a cart, sitting on his own coffin. As they drew out of the town and into the open country, approaching the place of execution, he looked about him and said, 'This is a beautiful country.' The procession finally stopped. . . .

At the church door, several women crowded around Johnny and Garwood whispering instructions, fixing flowers in buttonholes.

—Any last words, Garwood said, folding his hands preacherwise and rolling his eyes, will be appreciated. Some little message that might help others to avoid the same fate.

When Johnny stepped inside the church, the preliminary strains of nuptial music were wheezing from the footpumped organ downfront. The groom and the best man went along a side aisle, picking their way through the crowd. Johnny had never seen the church so packed: the benches were filled; the side aisles were jammed with people standing; more people were coming all the time and, being unable to get in, were waiting before the church to see the bridal couple come out. Faces of small boys kept goggling through the windows.

Johnny stood at T. D.'s left with Garwood, waiting for the bride to appear. Since her arrival, Susanna had been closeted with her two attendants in a little cloakroom off the entry hall. It was she who had planned the wedding and directed the rehearsal.

—I want Uncle Garwood to be best man, she had said, and I want to walk down the middle aisle all by myself.

The wait was a long one. The white light of the church made Johnny's eyes smart. He let his gaze wander nervously over the crowd. The women looked peculiarly intent. Their eyes were beady; they licked their lips, leering expectantly.

Suddenly he realized that this ceremony was not really for him. It was for Raintree County. The Perfessor's comments on marriage in a recent letter came to his mind. To this ancient human usage, Raintree County conformed with a peculiar ferocity. All these women had come here to reassert their subtle dominion over the conscience of the County. They had come in their great gowns and petticoats and fussy hats to reaffirm the County's most sacred institution, the Family. The mystic rite of marriage, in which Johnny Shawnessy seemed to himself hardly more than a stage-prop, was a guarantee that the Family would survive triumphant and that everything which tended to undermine its dominion would be put down.

In the beginning, God had said, Let there be the Family, and there was the Family. But God had also said, Let the Family be brought forth in sorrow, for the crime of lustful love. And even today in Raintree County, it must not be admitted that life was conceived in an act of pleasure. To admit that might endanger the existence of the Family. The County sanctified procreation, but not the procreative act. The Christian religion, which ordained the Family and guaranteed its preservation, had been founded by the virgin birth of an immaculate conception. Thus, deep in the County's culture was the belief that all sexual congress was a crime, and those who were permitted to indulge that pleasant and necessary crime must be implacably reminded of its consequences, perquisites, and responsibilities.

Let the girl that is now become a woman no longer flaunt her young body before the eyes of the young men. Let her no longer make herself too beautiful, too alluring. Unsex her, and let her get quickly to the production of children. Let her now become a mother, symbol of the home.

Let the young man who enters into this pact no longer look with longing on the form of beauty. Now he will have one brief, reluctant morning. He will have one long farewell.

Yet the old pagan frenzy was still there and not to be concealed. The County gathered for this mystic rite to gratify an ancient craving. It forbade the nuptial embrace before the nuptials, but as soon as they were consummated the embrace became mandatory and unavoidable. Half the women in the church were now permitted to remember how they had themselves been victims of a legal rape on the marriage night.

All these faces that Johnny now saw, these leering, gleaming, happy faces, reflected the intense human curiosity in the mystic rite of love. They replaced a more ancient assemblage in which the community actively took part in the joining of lovers.

In Raintree County, we are civilized. Let there be no more of the laying on of hands and the sacrificial rupture of the hymen by the priest, attired in the habit of a god with great bird beak or costume woven of corn. Let the lusty males of the tribe, themselves initiates, not assist in this violation, one after another, while the cheated groom beholds the ritual defloration of his beloved. In Raintree County, we are civilized and refined, and though there may be a little rough fun after the ceremony, we do not permit ourselves to run amuck.

So they all sat and waited with Johnny for the entrance of the bride-to-be, albeit in this instance the County didn't look with entire favor on the proceedings because the bride was an out-of-county girl. The nuptial embrace, in which the whole congregation was assisting in fancy, was not quite so intimately communal as if it had been Nell Gaither or someone like that. Besides there was a rumor that the ceremony wasn't the only part of the marital adventure which the lovers had rehearsed in advance.

The organ went on wailing and squeeching, and Garwood and Johnny began to shift from foot to foot.

—Goddammit, Garwood said under his breath, what's keeping her?

Just then there was a disturbance in the crowded entryway. The organist took a quick look and plowed through a series of painful discords into the opening strains of the wedding march. The congregation unashamedly craned heads around and stretched necks to see.

A gasp went through the crowded little church of Danwebster.

Susanna was coming through the back door and down the aisle. Her glistening coarse black hair fell in waves down her back. But the real sensation was her dress. The skirt was enormously emphasized, a circular bell of cloth and froth, whitely wound on bone and wire. Out of this shot cleanly the supple stalk of Susanna's waist, sheathed in white satin that flowed plastically on the lithe contours of her flesh, just catching the soft points of her shoulders and barely containing the abundance of her nodding breasts. Exposed for all to see was a faint scar extending from her throat in a curious curve to the left breast.

—*Dearly beloved,* T. D. said in a far, foggy voice, smiling sweetly and rocking so far back on his heels that Johnny was afraid he would fall down, *we are gathered together . . .*

ON THE SCAFFOLD

(Epic Fragment from the *Free Enquirer*)

The condemned man mounted the scaffold with little assistance from his attendants. He did not make any speech. He did not delay his executioners. But the swinging off was unaccountably delayed for many minutes while troops of the Virginia militia paraded os-

tentatiously in the open space before the scaffold. During this time
Brown maintained a stoical calm. Then the deathcap was fitted over
his head, and the rope was placed around his neck. He stood on the
greased trap. His time had come. The State of Virginia was about
to close its case against John Brown. A man stood with hatchet
raised ready to cut . . .

—That cord ought to hold good, Grampa Peters said. Your pa
tied it good.

Standing inside the churchdoor with Susanna, Johnny stuck his
finger into his high collar, which was much too tight. While he
shook hands with Grampa Peters, Garwood Jones, heading a line of
grinning young men, kissed the bride with prolonged zest. As the
other young men came off the kissing line, Garwood gave each one a
snort from his bottle, meanwhile shouting exhortation and encourage-
ment.

—Get a good long one, Bob. John won't mind.

—Don't let go yet, Ezry. There's plenty more where that came
from.

—O.K., Slim, that's enough. After all, you're not her uncle.

Garwood went around and got another kiss on the strength of his
avuncular relationship.

—After all, I am the best man, he said, and everyone applauded
and laughed because everyone in Raintree County considered Garwood Jones a wonderful guy.

There was a big dinner afterwards at the Shawnessy home for
relatives and friends. The bride and groom were given seats of honor
where they sat blushing in bridal costume and hardly eating. Around
them, a great many hungry people gobbled the fat of the County—
huge plates of fried chicken, platters full of steaming mashed potatoes, gobs of butter, pots of greasy vegetables, slabs of pie. Johnny
had never seen so much eating before except at funerals. Dozens of
people he had never met or only vaguely remembered came up,
wrung his hand, hit him on the back, claimed relationship with him,
and introduced squads of frecklefaced, mat-haired children, as if to
impress him with the implications of the thing that he had done. In
this wreak and wrangle of faces, voices, laughter, food, handshaking,
backslapping, kissing, crying, and singing, Johnny felt that he and

his bride were in danger of being swamped. It seemed he had not simply married an alien girl with black hair and a scar on her breast, but the whole of Raintree County.

Confusion, noise, and excitement increased as the time neared for the goingaway.

Susanna ran up a stair and turning threw her bridal bouquet to a crowd of girls, who fell upon it shrieking and clawing. The bouquet burst and flowers scattered everywhere. Girls ran screaming after the fragments, like hens pecking at corn.

Johnny waited downstairs with Zeke, who was in charge of getting the married couple safely onto the train.

—Now don't worry, John, Zeke said. I got an extra buggy hid out in the barn and all ready to drive off. They think we're goin' in the family buggy, but we're goin' to fool 'em.

Zeke looked worried when he said it. Garwood Jones, Cash Carney, and some of the other boys were reported to be drinking heavily and hadn't been seen for an hour. After a while, Zeke said he would slip out to the barn and guard the buggy himself. He left and didn't come back.

Johnny couldn't imagine how he and Susanna were going to get away from the house. Rooms and doors were packed with people. Dozens of buggies stood in the lane and along the road. The yard was jammed.

After a while, he was called upstairs, where he found Susanna and his mother and sisters. Susanna was in a dark goingaway dress, trimmed with red velvet. She gave Johnny's hand a quick squeeze, but otherwise they had been like strangers to each other ever since the ceremony had begun.

When the time came to run downstairs and out of the house together, Zeke was nowhere to be found. Johnny and Susanna ran down the stair anyway. People flung rice at them as they went through the door. Faces rushed at them shouting. Someone tripped Johnny so that he fell headlong, scuffing his knee. A lot of half-grown boys stung him with handfuls of rice and wheat while he was down. He got up laughing, and he and Susanna ran back toward the barn pursued by a screaming pack. In the barn they found the buggy, but no sign of Zeke. Garwood Jones and some of the boys stood there grinning.

—We've been guarding it for you, John, Garwood said.

The buggy was covered with signs, most of which betrayed Garwood's pungent muse. Cleverest was one that read:

> O, my banjo! do not cry for me.
> I'se gwine to Louisiana with Susanna on my knee.

Johnny and Susanna started to climb into the buggy, but there was a great dungy pig sitting in it. Johnny gave the pig a kick, and half a dozen chickens flew out of a box on the buggyfloor, squawking and flinging feathers. A big frenzied hen flew into Johnny's face. Waves of bellylaughter came from Garwood and the others, who stood around the buggy in a cordon preventing anyone from helping the groom.

—Where's Zeke? Johnny said.

—He went fer a walk, someone said.

There were stifled sounds from a back stall, where three young toughs were sitting on Zeke and trying to hold him down.

—Let him up, Johnny pleaded. He's got to drive us to the station.

Someone shoved Johnny from behind and threw him to the floor.

—Come on, boys, pile on sacks! yelled a big lout whom Johnny had never seen before.

Johnny struggled to his feet and knocked his assailant down. Another strange person jumped off a stall onto his shoulders and rode him down again. Two others jumped on, and the boy he knocked down got up rubbing his jaw and snarling,

—Let's throw him in the horse trough, boys.

—Who are these guys? Johnny yelled to Garwood, who was leaning on the stall looking in, cigar in mouth, grinning broadly.

—Just some boys—puff, puff—from the Clay Crick neighborhood, Garwood said, shaking out the match.

Johnny struggled wildly on the ground while drunken bodies wallowed on him, kicking, squeezing, gouging, butting. He felt as if his very life was in danger. Everyone, even his friends, wanted to inflict injury on him. Apparently the marriage ceremony wasn't over until the blood sacrifice and the dionysiac frenzy.

Into this wallowing sty of male bodies flew a wildcat fury, snarling and clawing. It was Susanna. She tore one boy's cheek open and bit another in the thumb till he screamed. Ellen Shawnessy appeared and shamed the roisterers. Johnny's other brothers pitched in, and Zeke got loose and knocked out one of the boys who had been holding him. The boys from the Clay Crick neighborhood were routed.

Johnny stood on the side of the buggy and kicked the pig out. He was almost crying with anger and indignation. Susanna was sobbing as he pulled her up beside him.

—Gangway, he yelled, whipping the horse.

The buggy lunged forward, and a wheel rolled off. The horse began to buck and plunge, and for a moment it looked as though he might run away with the crippled buggy. While Johnny was fighting with the reins and the rearing beast in the middle of a big crowd, Garwood and others who had assisted in unbolting the wheel stood around hitting their knees and holding their bellies. After quieting the horse, Johnny got into the Shawnessy buggy, but wasn't permitted to start until strings of old shoes and assorted junk had been tied on behind. Zeke took the reins for the drive into Freehaven to catch the train. Johnny had a last glimpse of his mother waving with one hand and holding a handkerchief to her face with the other, and then the buggy rolled out and down the road.

A dozen other buggies full of shrieking young people set out in hot pursuit. Garwood Jones overtook the bridal buggy and driving alongside tried to force it off the road. Everyone shrieked and laughed as if unaware that lives were in danger. Johnny could see Garwood's flushed, healthy face, eyes gleaming savagely, as his buggy kept drawing abreast, its wheels locking and catching on the bridal buggy's. Finally Zeke reached out and lashed Garwood's horses, and Garwood's buggy nearly upset. Someone fell out of the buggy and lay in a ditch screaming, but Garwood didn't bother to stop. The whole procession roared into Freehaven and went once around the Court House Square, while a crowd of glum citizens looked on in disgust.

Reaching the station, Johnny began to feel as though he and his bride were not meant to go away together. There seemed no limit to the cruelty of this frenzied mob. But the train was waiting, and he and Susanna grabbed their suitcases and ran toward a coach, with the crowd following. As Johnny handed his wife up, something hit him a blow on the side of the head and nearly knocked him down, bringing tears to his eyes. It was a big old dirty boot. He smiled, pretending not to be hurt, threw a kiss in the general direction of the crowd, and was knocked through the coach door by a shower of shoes. A glass shattered, and an angry conductor had him by the collar, saying,

—Someone will have to pay for this.

—It's all right, Johnny said, I'll pay.

He gave someone a dollar, and someone told him that it was too much.

—Have fun with those hundred and fifteen dolls, John! Garwood yelled as the train got up steam.

—Hundred and sixteen now, Uncle, Johnny said, grimly.

—Counting you, sprout? Garwood yelled.

The train began to pull out, and even now as it ran slowly parallel to the road trying to get up steam, the buggies followed, while two rough characters amused themselves by aiming rifles at the train windows and raising the guns slightly just as they fired. Several of the passengers lay on the floor of the cars, and the conductor pulled out a pistol and threatened to fire back.

After a while, the train veered away from the road, and the buggies all stopped, and the occupants sat waving and laughing in wonderful spirits, while the two roughs fired several parting salutes.

Even when the buggies were lost to view, Johnny couldn't recover from the feeling that he and Susanna hadn't yet got off safe. He kept expecting some last, most fiendish trick of all to catch them, perhaps just at the border of the County. But they made the change at Beardstown without molestation. A few minutes later they were crossing the western border of the County, and turning then to Susanna, he said,

—Well, honey, I guess we're safe.

As he put his arm around her, he felt more alone than he had ever felt in his life before.

It was a significant moment for Johnny Shawnessy when late that night he and his bride crossed the Ohio River at Louisville. The broad water shimmered from lights on either bank as the wallowing ferryboat brought them slowly to the southern shore, which was lined dense with shacks in which the black people lived. He turned to the girl beside him. She was looking out of the window at a steamboat swimming on a wash of yellow light. He studied the proud silhouette of her face and shoulders against the window. She was like these rivers and this earth—proud and scarred and beautiful and strange.

—You're South, she said, turning toward him, impulsively. You'll *love* it, honey.

They were very tired when they reached the hotel in downtown Louisville where they had reservations. Johnny felt pensive and uprooted. Alone in a room on the second floor, they opened their hand luggage and were surprised to find a variety of things that they hadn't packed themselves. There were two dolls, a boy doll and a girl doll, with their arms tied around each other and a paper pinned on inscribed with a poem in Garwood's hand. Johnny started to read it aloud:

> —Then, where is Seth, ye rocks and streamlets, say,
> For whose sweet note Aurora erst did long?
> He doth disport him with a lovelier lay,
> And ringeth in the day with merry—

—Aren't they cute! Susanna said, holding up the dolls. Isn't that just like Uncle Garwood!

A bottle of applejack brandy had a note appended,

> Remember the hard cider. Ha, Ha.
> CASH CARNEY

—Ha, Ha, Johnny said.

Susanna was pleased.

—Let's have some of it, she said. To celebrate.

The brandy was excellent. After a while Johnny and Susanna began to review the events of the marriage, which at a distance became very comical. They both talked and laughed volubly. Johnny imitated Susanna's Southern accent, and they began to have a very good time. It seemed to him that perhaps this was a good chance to get something off his conscience.

—I ought to tell you something, Susanna, and I should have done it before. My family has a skeleton in the closet.

—What is it?

—My father's an illegitimate child, Johnny said. I learned about it myself just recently.

—O, is that all? Susanna said. There's lots worse things than that, Johnny.

—O?

—Like having Nigro blood in you, Susanna said.

—Well, Johnny said, laughing, we're all white in my family except for one of my grandpas, who was as black as the ace. They captured him on the Congo after a terrific fight, and——

—Mustn't joke about it, Susanna said gravely. Just one little teeny drop, and you're all Nigro. Think of it. One little teeny-weeny drop makes you black. And you can't always tell whether you are or not. Some of the octoroons in New Orleans are as white as I am.

—I hear they're very pretty, Johnny said irrelevantly.

—It makes a person very passionate, Susanna said, to have just a little of it in them. Think of it. One teeny-weeny drop. You heard about the woman, she was all white, and one of the best families of Louisiana, and she married a fine man, a sailing captain or something. He was from one of the wealthiest and most respected families in New Orleans. When they had their baby, it was a Nigro.

—O, Johnny said.

—Men are so careless, Susanna said. Would you want a Nigro woman?

—I? Did I ever tell you about the time I——

But Susanna was not amused.

—O, Johnny, she said, suddenly taking his head in both hands and putting her deep lips to his, I *do* love you so much. I have a feeling that nothing can happen to me as long as I have you, honey. You won't let anything happen to me, will you?

She snuggled up and put her head on his shoulder. It was all very sweet and romantic. But abruptly she sat up.

—Now let's undress you and put you to bed, she said.

It seemed to be a whim of hers to reverse the situation in which they had been once before, and it wasn't long until Johnny was entirely without clothes and shone upon by gaslight, while Susanna sat fully clothed on his lap, laughing with little excited shrieks and tickling his ribs.

—Enough of this nonsense, Johnny said.

He picked her up and tossed her, still laughing, on the bed.

—No! she shrieked. You can't see my scar! Protect me, Jeemie!

Earlier she must have hidden the charred doll under her pillow. Now she pulled the hideous little thing out and hugged it to her breast, shaking her head, and laughing helplessly. In a way it was charming.

—Does this little personage go everywhere with us? Johnny asked, tugging at one of Susanna's shoes.

—Naughty boy! she shrieked, kicking and twisting. Trying to ravish us! I'm going to keep everything on!

However, in a short time, Susanna had nothing on but her wedding ring and her scar. Johnny threw the last stocking on a chair. Feeling victorious, he grabbed, none too gently, the doll in Susanna's hand.

There was a terrible shriek. It seemed to come from the doll. Johnny sprang up, his flesh crawling. People were shouting and yelling, and over all rose the unearthly screeching of the doll.

Only it wasn't the doll after all—it was a siren right under the hotel window. Someone began to pound a gong. A woman screamed. People were running on the street. Doors slammed. Fear, guilt, shame rushed over him. He and Susanna both ran and peeped out of the window. Around a lighted building across the way, a growing crowd churned excitedly. Several small boys ran out of the building waving papers and yelling in hoarse voices.

—What is it? Johnny yelled down.

No one paid any attention. A little while later, someone pounded on the door of the room. Johnny opened it a little way, and it was a newsboy with an armload of papers. Johnny gave him a dime and took one of the papers.

—What is it, honey? Susanna asked.

—They hanged John Brown.

—Serves him right, Susanna said.

Johnny read the headlines.

THE EXECUTION OF JOHN BROWN

HE MAKES NO SPEECH

HE DIES EASY

THE BODY HANGS HALF AN HOUR

BROWN FIRM AND DIGNIFIED TO THE LAST

THE BODY GIVEN TO HIS WIFE.

—O, I don't know, Johnny said wanly. He believed he was doing right.

—He was a damned old murderer! Susanna said, her face broad, flushed, wild-looking in a shower of loose black hair. I only wish the whole race of nigger-lovers and abolitionists had got hung along with him.

They listened a moment. People were trampling around in the rooms of the hotel. A sound of boots approached their door, and someone knocked.

—Who's there? Johnny said.

—They hanged the son of a bitch, a drunken voice said. Come on out'n have lil drink.

—Go away, Johnny said.

The man went away. Johnny looked at the paper again and saw the words:

> The old man was swung off at 11:15 precisely, he having remained firm and dignified to the last.

—Come on to bed, honey, Susanna purred.

He looked about him in the wavering gaslight, and he wondered how he had come to be so far from home in this hollow, rambling, echoing old hotel somewhere in the Southern city of Louisville on the Ohio River, while a naked girl lay on the bed, her body glowing olivebrown in the rich light, her proud eyes closed as if in sleep already, her wide nostrils flaring and falling with her breath, her deep lips parted.

—Come on, Johnny, she said in her small child's voice. I'm so tired.

It turned out that she wasn't tired at all. Far from it. And as for young John Wickliff Shawnessy, the life was strong in him that night, so strong that even when at last he slept (while the gasjet burned on weakly through the dawn), he continued his marriage day in fevered and strange dreams that were like a climax and farewell to a life that he had left forever.

In his dream, he was late to his wedding, and besides he hadn't yet obtained a marriage license. Riding into the Court House Square, he drove up the south side. The Square was jammed with people so that he could hardly get through.

NEWSBOY

shoving newspaper into Johnny's hand,

—Read all about it. Git yuh papuh, heah! Biggest dern newstory of the yeah!

JOHNNY

stepping into doorway of Post Office, reading from headlines printed in jasmine-scented ink,

—LAST OF THE PURITANS SUNK IN SHAME. SCARLET LETTER REVEALS HIS NAME. POET INVOLVED IN WHISKEY RING. ONE-SHOT JOHNNY IS GOING TO SWING.

The Square had darkened. Some great catastrophe had overtaken the County. Portions of it had been ravaged by fire and flood, and in the darkness crazed multitudes streamed past. Broad waters were flowing through the County, washing away beloved hills. Perhaps it was the last deluge, the flood intended by God to purify a guilty earth, stained with the lust and folly of mankind. Familiar roofs, fences, buildings were slowly sinking in the flood.

NELL GAITHER

turning over and over in December waters, her voice trailing back to him, with a dim, rehearsed sound,

—One for whom you once professed affection, Johnny . . .

He ran along the bank of the river, touched with a great sorrow. What was it that had happened to his beloved earth? It was all dissolving in the flood. The Shawmucky had overflowed its banks and become a torrent of disaster. Who was it that had struck this mortal blow at the old County and its way of life? And how could the bloody wound be healed?

A great assemblage had gathered around him. He was standing on a kind of scaffold overlooking the Ohio River. Softspoken but brutal Southerners were fitting a noose to his neck. In the crowd, he saw his own friends and relatives, waving handkerchiefs. His mother was crying. He remembered then that he had been guilty of a great betrayal. It was he who had uprooted a sacred rock and had caused the dark flood which had come upon the land.

GARWOOD JONES

prosecuting attorney,

—The State of Virginity versus John Brown Shawnessy. The

prosecution charges that this man did wilfully and willingly beget the said child upon the said woman in the said state at the stated time in the state of the Union, a Union of States, wherefore we do hereby denounce them a man and his life forever redescended into slavery.

JOHNNY

—May it please the court, I have a few words to say. My only purpose was to free——

T. D. SHAWNESSY

reading from family Bible,

—*Dearly beloved, we are gathered together here in the sight of God and in the face of this company to join together . . .*

A girl was sitting on his shoulders, her nude legs wrapped around his neck. He had a tenfoot pole in his hand and was teetering on a wire cable stretched from the Indiana to the Kentucky shore of the river. His performance had something to do with reconciling the split between North and South. That was why thousands on both banks were cheering him as he swung perilously above the yellow flood.

GIRL

tightening her legs,

—You'll *love* it, honey. You'll just l-o-o-o-o-ve . . .

He was strangling. The cable thrashed back and forth. He was falling, falling, falling. . . .

The steamboat going to New Orleans was a fat, wallowing hotel, honeycombed with rooms. He wandered through endless interiors blazing with gaseous light, opulent with scarlet curtains and ornamental mirrors. All the men and women were fashionably dressed. Their faces were unnaturallv white, and they all smiled with radiant, fixed grins.

Suddenly from this gay throng there burst a man with a black, blistered face. He seized Johnny and attempted to strangle him. He threw Johnny down, and his knees ground on Johnny's chest. All the men and women gathered around.

JOHNNY

—Help! Pull him off!

No one seemed to understand that this dreadful person was a

murderer and fugitive. No one seemed to understand that this broad palace concealed a crime so dark and a secret so dreadful that it had never been put into print. The men and women began to run here and there, waving their arms, swinging their canes, but all still smiling happily. They didn't seem to know that the boat was sinking from a gash beneath the water line. No one tried to help Johnny, grappling with the stuffed body of his assailant, who uttered fiendish grunts and shrieks.

He saw then that all the men and women were dolls, jiggling and bouncing on hooks and ledges. They began to tumble down on him, shrunken, disintegrating, in a dreadful rain. He was floating down the river in a canopied bed, which was gradually sinking in the yellow water, dolls and all. He held the doll Jeemie, in fact a dead child with faintly negroid features. The bed was sinking; he was going down fully clothed in cold water.

A woman swam nearby, her dress soaked to her body. The flood flung them together. She rose and threw her arms around his neck. He struggled to keep his head above. His hand gripping her dress tore it away exposing . . .

The marriage license which he held in his hand was wet as he floated downstream, turning over and over like a *carte de visite* photograph. The script was still legible on the fleshlike parchment.

This is to certify that I have this day joined in the bonds of holy matrimony John Wickliff Shawnessy and . . .

The print ran and blurred. The parchment was a map of Raintree County. A red gash had been torn in it, the wound was bleeding, the whole map was covered with dark blood, staining his hands and covering him with shame and a hideous fear from which he kept trying to awaken with small choked cries. . . .

He awoke. He had no idea where he was. A face was leaning over his face, almost as though it had been drinking his breath.

—Johnny, what in the world's the matter? It's me, honey! Wake up!

In gaslight enfeebled by the gray dawn coming through the window, he recognized the face of his wife Susanna, lips, eyelids, and cheeks faintly swollen by love and sleep.

And that was how Johnny Shawnessy, in a single day and night, left Raintree County for the first time in his life, crossed the river that divided North from South, and came to his marriage bed at last a long way from home and in an alien earth. And that was how he discovered a dark land and a dark sweet love together in the night, and, in the days that followed, great rivers going to the gulf, majestic steamboats stacking to the piers, music on bright waters, rank odors rising from off swamps, and a city at the river's mouth, the Mistress of the Delta, languorous and enchanting, steeping in beauty and incantation the oldest, darkest crime in all the world; that was how he found white columns beside the river, and eternal summer like a memory of his prehistoric childhood—a dark land and a dark sweet love together. But he found also that he couldn't wholly forget a leafless tree that waited for his return in the cold December of Raintree County beside the little river, nor a face with wide green eyes that made hot tears of love in the night, nor a stone at the limit of the land—no, he couldn't have forgotten them though he had steeped himself

IN THIS DARKBLOODED AND DELICIOUS LAND

NOT ONCE,

BUT

—SEVEN TIMES, the Senator said. Laugh if you will, gentlemen, but back in those days I was a brute of a boy.

Somewhere down the street a boy touched off a cannoncracker. Mr. Shawnessy jumped, felt unhappy. The Senator was approached by delegates of the Sitting and Sewing Society, whose hands he pumped for a while.

—I used to pull a pretty mean oar myself, the Perfessor said. By the way, John, what is that godawful yelling over there?

For some time, a great voice had been booming over the trees, getting louder and angrier. Now and then a stentorian shout soared above the rest, grating hoarsely like a horn blown too high and too hard.

—That's God, Mr. Shawnessy said.

—What? said the Perfessor, crossing himself. Is he here today too?

—It's the Revival preacher, fellow named Jarvey. One of these Kentucky evangelists. He confuses himself with the Deity—and understandably, too, if you saw him. From June to August, he's the most powerful man in Raintree County. The ladies come back every year to get converted all over again. He's been pitching his tabernacle on the National Road here for the last three summers. No one knows just why. When I first came to Waycross in the summer of 1890, he was already here. Your little friend, Mrs. Evelina Brown, has been very friendly with him. She considers him a magnificent primitive personality, which in a way he is.

—That's just like Evelina, the Perfessor said. Like all thoroughly erotic women, she begins by falsifying an aesthetic type. I hope it didn't go any farther than that. Where does he go for the winter?

—Nobody knows. Back to the Kentucky mountains, I suppose, after restoring heaven to the local souls.

—I suppose like all these Southern ranters he's a goat in shepherd's clothing.

—So far he's escaped criticism of that kind, even though he's a bachelor. But he's a brutal converter. Built like a blacksmith, he brandishes his great arms and beats the ladies prone. He has a great shout that scares everybody into the arms of Jesus. You ought to hear him.

—I *do* hear him, goddamn him, the Perfessor said.

—Still he's a man of God, Mr. Shawnessy said resignedly. My own wife regularly attends his revival meetings. She's over there now.

—I'd like to meet the little woman, the Perfessor said. Are you happy with her?

—Entirely, Mr. Shawnessy said. My wife Esther is that rare thing —a good woman. Speaking of faces, hers will interest you. Though the family denies it, it's strongly suspected that great-great-grandma something or other was a fullblooded Miami.

—How did you finally manage to get a good woman, John?

—Fashioned her myself, Mr. Shawnessy said, and Pygmalionwise fell in love with my own fashioning. She went to school to me when she was a little girl. I'm eighteen years older. Like Eve, she sprang from a bone of my breast.

—Raintree County girl?

—Yes.

—The homegrown tomatoes are always best, said the Perfessor. I'm eager to meet her. Let's see, your marriage——

—Was on a Fourth of July fourteen years ago. This is our anniversary, as well as the Nation's.

—Of course I remember about your courtship, the Perfessor said. That must have laid the old county by the ears. You certainly worked to get this philosophical existence at the Crossroads of the Republic, John. You deserve it. Funny, isn't it, how you had to go through hell to get here. Now you have a wife whom you love and who loves you, a brood of happy cherubim, good health, and a steady source of income. You have achieved the good life. How does it feel to be perfectly secure and serene?

The big voice a quarter of a mile away shot up in a high wail and came down with a snarling crash. Mr. Shawnessy felt vaguely insecure and unserene.

He saw the fabric of his life a moment spread out like a map of interwoven lines. Across this map trailed a single curving line, passing through its many intersections. Source and sink, spring and lake existed all at once. One had to pass by the three mounds and the Indian Battleground to arrive at the great south bend. One had to pass by the graveyard and the vanished town of Danwebster to reach the lake. And one had been hunting the source all one's life. The forgotten and perhaps mythical tree still shed its golden petals by the lake.

Beyond this map, the earth dissolved into a whole republic of such linear nets, all beaded with human lives. Then all these lines dissolved, and there—without north, south, east or west—was the casual republic of the Great Swamp, a nation of flowers black and white, brown and red and yellow.

We were great men in our youth. It was one life and the only. We strove like gods. We loved—and were fated to sorrow. But from our striving and from our sorrow we fashioned

The Oldest Story in the World

FOURTH OF JULY SERVICES
Rev. Lloyd G. Jarvey, *Officiating*

Esther Root Shawnessy, returning from the Station, walked to a place midway in the tent and sat down. She looked around, but Pa wasn't there. His shiny buggy and fast black trotter weren't among the many vehicles parked along the road. Pa had been coming regularly to the revival meetings, since the Reverend Jarvey had converted him a few weeks ago. He would sit in a back seat, and after nearly every meeting, he had come up and said,

—How are you, Esther?

—Just fine, Pa.

—The old home is waitin', Esther. You can come and visit any time.

—As soon as I can bring Mr. Shawnessy and the children, I'll be glad to come back, Pa.

Pa would bow his head slightly and kiss her cheek and drive away.

Years ago, not long after Esther had left the Farm, Pa had taken a second wife and had begot nine children upon her before she died. Nevertheless Esther thought of Pa as being alone in that now never-visited part of the County. As for her, whenever she saw him, she had the feeling that Pa still had the power to take her back, though she was thirty-five years old and had three children.

The tent now filled rapidly as the excitement over the Senator's arrival subsided. A great many people who wished to remain in Waycross for the Patriotic Program in the afternoon dropped in for the revival service, not a few attracted by the fame of the Reverend Lloyd G. Jarvey.

Sitting under the vast foursided tent, the crowd watched the little tent adjoining in which the preacher customarily remained in prayer and meditation until the hour for the service. The flap of this tent was closed. A murmur of expectation ran through the revival crowd. Two ladies were talking in the row behind Esther.

—Do you think he'll turn loose and convert today?

—I don't reckon he will. He'll just preach. I hear he converted a hundred people last Thursday. They say he converted one a minute after he got started.

—He converted me two Sundays ago. I didn't think he could do it, but he done it.

—Where'd he convert you, Fanny? Big tent or little tent?

—He converted me in the little tent. All the women said it was better that way. They said in the little tent it was harder to resist the Lord. They said to go around after service, and if he wasn't too tired he'd convert you.

—I like it better that way. More private-like.

—When I said I didn't like to do it in front of everyone, they kept tellin' me to go and do it in the little tent. I kept sayin' no, I didn't feel like it. I didn't know if I was ready to let Jesus come into my heart. Finely one night I waited around after service, and nearly everybody was gone, and he was still in the little tent and the flap down. I was terrible skeered. Finely I felt the spirit in me just a little bit, and I went up and raised the flap a little. He was in there all right, convertin' Lorena Passifee.

—Lorena Passifee! I thought he converted her last summer. In the big tent.

—He did, but I guess she slipped.

—She slipped all right. How'd he convert her?

—It was real good. When I raised the flap, Lorena was on her knees, moanin'. I'm a sinner! she yells. Hosanna! he yells, and he laid her flat on her back and converted her right before my eyes. He did the layin' on of hands, and he shook her to let the spirit of the Lord come in. She was like a ragdoll in his arms.

—Lorena's a big woman too.

—I know that, but she was like a ragdoll when he shook her. Then he saw me, and he broke right off as courteous as you please. I'll come to you directly, Sister, he says. Just wait outside. I waited, and pretty soon Lorena come out of there lookin' all shook to pieces. I was that skeered I could hardly move. Come on in, Sister, he yells in that big voice of hisn. God's waitin' for you. Don't keep God waitin'! I went in, and from then on I hardly knowed what happened to me. I kept throwin' my arms around and pretty soon, he picked me up and shoved me right up in the air as if I was goin' straight to Jesus. I never felt such strength in anybody's arms. Take her, Jesus! he yells. Jesus, she wants to come to you. Zion! I yelled. Then all of a sudden down he brung me and flat on my back, and the first thing I know I'm proclaimin' my sins and acceptin' the Lord, and he converted me.

—He sure works you up. He converted me two summers ago and agin last summer. Mine was both little tent ones. Ain't he the most powerful man!

—But it's too bad about his weak eyes.

—Has he got weak eyes?

—They say he's blind with his glasses off.

—I just love to watch him convert. June, they say he converted the whole Sitting and Sewing Society three weeks ago in one afternoon.

—I believe I'll have to let him convert me again, June said thoughtfully.

Esther was remembering Preacher Jarvey's attempt to convert her. Two summers ago, she had gone one day after a Sunday morning service to see him about a program of the Ladies' Christian Reformers. He was alone in the little tent.

—Come on in, Sister Shawnessy.

While she was explaining her mission, he had peered down at her queerly—he didn't have his glasses on. Suddenly he had caught her hands.

—Sister, I feel the presence of the Lord in this tent.

—Well, I hope so, Brother Jarvey.

She allowed him to hold her hands. Men of God had always seemed to Esther an elect breed, with peculiar privileges.

—Sister Shawnessy, have you been converted?

—O, yes, Brother Jarvey.

In fact, her conversion at age sixteen had been a dreadful and exhausting experience. She had been broken up for days before and after. She never expected to be converted again, and didn't understand people who got converted over and over.

—Sister Shawnessy, I think you ought to get converted again. I think you ought to let the sweet light of Christ to shine on your soul again. Sister, I feel that we are both bathed and beautified by the radiant presence of Jesus at this very moment.

—I will never be converted again, Brother Jarvey.

—Let us pray! Preacher Jarvey had shouted. Down on your knees, Sister. The Lord is comin'.

Obediently, she had gone to her knees and had placed her hands in the attitude of prayer. Brother Jarvey had then prayed with wonderful fervor for half an hour, exhorting the kneeling sister to search her heart out for all impurities, to consider well whether or not she was entirely pure and perfect for God's kingdom.

She had repeated with infinite patience that she didn't consider herself perfect—no one in this mortal sphere, Brother Jarvey, was perfect except her husband, Mr. Shawnessy—but she had never once swayed from the teachings of Christ, at least since her conversion. It had seemed to her that it would be a blasphemy to the memory of it, the second greatest experience she had known, if she let herself be converted again.

But Brother Jarvey was not easily put off. He had persisted with a force that she would have deemed brutal except for the holy purpose behind it. He exhorted and sweated. When everything else had failed, he finally resorted to his godshout.

—Go-o-o-o-o-d, he yelled suddenly, his voice attaining a trumpet pitch of exultation, grating hoarse like a horn blown too hard.

His powerful body shot straight up with the cry, towering above her. He prolonged the shout on a high pitch and then came screaming down:

—is here!

This treatment could be repeated as many times as necessary. But usually one godshout was enough. Most of the ladies caved in and allowed themselves to be thrown bodily to Jesus. But Esther had continued quietly in her attitude of prayer through six successive godshouts, each more triumphant than the last.

After his failure to convert her in the little tent, Esther had observed a coolness toward her in Preacher Jarvey, even though she had been most helpful to him in his work and had attended the services regularly.

Her experience was not typical. As far as she knew, only one other woman in the County had been able to resist that thundering call to Christ. Mrs. Evelina Brown had held out too, though for different reasons. She was a freethinker, and though she was very much interested in Preacher Jarvey as a personality, she didn't believe in the Christian religion. Nevertheless, she had often gone for talks with the Preacher in the little tent, and he had made mighty efforts to convert her. He had spent hours discussing theology with her, a field of knowledge in which he had a surprisingly deep learning. Preacher Jarvey had publicly remarked that the abiding heresy of Mrs. Brown was the greatest sorrow of his life. Mrs. Brown had privately remarked that she had once lived through twelve godshouts without capitulating.

The highpoint of a revival service in the big tent came when Preacher Jarvey finally unwound and let his voice hit the sky with the godshout. The longer he postponed it, the more devastating it was.

—Go-o-o-o-o-o-o-d is here!

With that tremendous cry, he unleashed the thunderblast of divinity on the unshriven sheep, and down they came in flocks trembling to the altar.

—I sort of hope he'll turn loose this morning, one of the ladies in the back row remarked.

It seemed unlikely to Esther that he would, but the Reverend Lloyd G. Jarvey wasn't easy to fathom.

It was after ten when without warning the flap of the little tent flew up, and Preacher Jarvey appeared in the opening, clad in a long black preacher's coat, reversed white collar, tightfitting black pants and hookbuttoned black shoes.

A man of perhaps forty, he stood six feet tall, but seemed less because of his great shoulders and arms. His head had a wild, lawless look; hair and beard made one brown shag that nearly buried his ears and mouth. His brown eyes were savagely restless under frowning brows. He had the look of a huge, primitive god, poised on the brink of some tremendous act.

Instead, he reached into the pocket of his coat and took out a pair of spectacles, which he perched on the bridge of his fleshy nose. All the forbidding grandeur of his aspect was undone by the little thick round lenses, through which the Reverend Lloyd G. Jarvey peered, a great strength imprisoned.

Now he walked under the flap of the big tent and up the steps to the platform, leaning slightly backward, heavily swinging his feet and arms but taking a rather short stride for the effort involved.

Once behind the pulpit, he plucked off the glasses. His brows unbent, and his face assumed a look of majestic displeasure mingled with sorrow. He leaned his head farther back. His eyes closed. He paused.

The congregation became raptly still.

—Let us pray.

The lips flapped slowly, as if themselves immobile but moved by the action of the jaws. The voice was a harsh baritone, monotonous and trumpeting, quavering with sanctity. The Southern accent gave it a faintly barbaric sound to Northern ears. The Preacher's language was a bastard fruit produced by the grafting of Biblical phrase on the speech of Southern hill people.

The introductory services passed with prayer and hymn-singing. At length, Preacher Jarvey opened the black Bible on the pulpit.

—Brothers and sisters, we are celebratin' today in pomp and pride the birth of our Republic. It's a beautiful day that God has given us to remember our beginnin's. Look about you, and see what the Lord has given you. He has given you this green and pleasant valley teemin' with all good things. The trees drop their abundance on the earth. The kine return at evenin' with full udders. The corn is as tall as the knee of a virgin. It is a beautiful mornin', and the day is all before you.

Beware! Holy and terrible is the voice of the Lord. Beware! lest you hear His awful voice at evenin' in the cool of the garden.

Brothers and sisters, on just such a day as this did the father and mother of mankind wander in that beautiful garden which God in His great beneficence bestowed upon them. On just such a day as this they heard the sound of the clear fountains flowin' with perpetual balm, and the voice of the lion roarin' was like the bleat of a lamb. Alas, on just such a day as this they sinned and knew not God and turned from His teachin'.

On this great day of our national beginnin's let us remember an older beginnin'. I come before you today to remind you of the origin of mankind. If every word made by man were lost and the first leaves of God's Book remained to us, man would still know his sinful history and his sorrowful heritage. The oldest story in the world is the story of the Creation and the Fall of Man. Hit's a beautiful story, o, how beautiful it is, for hit is full of the beauty and the terror of the Lord.

As he warmed to his subject, Preacher Jarvey had spoken with longer cadences, the hoarse chant of his voice achieving higher climaxes before the trumpeting doomfall at end of sentence. Now he plucked the glasses from his pocket and put them on his nose. His brows made their ferocious pucker as he easily lifted the big pulpit Bible and held it close to his eyes, his face hidden by the book.

—*In the beginning, God created the heaven and the earth.*

Esther listened as the hoarse trumpet of the voice behind the Bible blew on and on. She had often heard these beautiful words, the oldest in the world; they were like a language of her soul, telling her a forgotten legend of herself. As she listened, images of her life in Raintree County crowded through her mind, bathed in the primitive light of myth—pictures of sorrow, love, division, anger.

—*And the Lord God formed man of the dust of the ground, and breathed into his nostrils the breath of life; and man became a living soul.*

And the Lord God planted a garden eastward in Eden; and there he put the man whom he had formed.

And out of the ground made the Lord God to grow every tree that is pleasant to the sight, and good for food; the tree of life also in the midst of the garden, and the tree of knowledge of good and evil.

Now, brothers and sisters, I ask you to imagine this primitive garden in the midst of the earth, bloomin' with the first freshness of creation upon it. How beautiful is the garden before the great crime! Here the first man walks in innocence. He knows not that frail defect called Woman.

Meanwhile, in the midst and middle of this garden two trees are growin'. Some people say that they were apple trees. Some people say that they were pomegranate trees. The Bible does not say what they were. And the reason why the Bible does not say what they were is that they were alone of their kind. Those trees did not bear fruit for seed, after the manner of natural trees. They had no name except the Biblical name. One was the Tree of the Knowledge of Good and Evil, and the other was the Tree of Life.

The Tree of the Knowledge of Good and Evil—brothers and sisters, hit was no ordinary tree. Hit was God's tree. Hit was many cubits thicker at the base than the greatest natural oak. The bark of the tree, hit was a thick scale. The leaves of the tree, they were broad and polished. The fruit of the tree, hit was a scarlet cluster of sweetness, burstin' with juice.

And what was that other tree like? O, dearly beloved, the mind of man is not able to picture hit, and the voice of man, hit is not able to declare hits kind. Hit was called the Tree of Life, and hit grew in the darkest and oldest part of the garden, guarded by dragons breathin' fire.

And the Lord God commanded the man, saying, Of every tree of the garden thou mayest freely eat:

But of the tree of the knowledge of good and evil, thou shalt not eat of it: for in the day that thou eatest thereof thou shalt surely die.

Disturbed by the sound of a buggy approaching, Esther looked up, but it was not Pa's buggy.

—And the Lord God caused a deep sleep to fall upon Adam, and he slept: and he took one of his ribs, and closed up the flesh instead thereof,

And the rib, which the Lord God had taken from man, made he a woman, and . . .

Under the great tent filled with the trumpet of Preacher Jarvey's voice, Esther was sad, remembering

IN HER OLDEST AWARENESS

OF BEING ALIVE SHE WAS STANDING

in a field back of the farmhouse. She was very close to the earth as
if she had just come out of it. It had a brown soft look in the light,
and the light was like early morning in the spring. The earth of the
field had been freshly turned by the plow. The ribbed furrows
seemed to spread from a point far off and come undulating toward
her, widening and widening until they engulfed her where she stood,
her bare feet pressed down into the earth. Pa came up the field following the plow, the horses became bigger and bigger straining at
the lines, she heard the heavy shout of Pa as he tugged at the lines,
she saw how he swung the doubled reins crashing against the horses.
The sharp share of the plow turned the earth with a digging sound,
the team and the plow and Pa came up close, Pa's bare arms bulged
from his grip on the handles, he was grand and terrible in his anger
as he made the circle around the place where she stood.

Pa was a black thick beard, a broad pink face streaming with
sweat, fierce black eyes, a big nose ending in a delicate tip, a mouth
shouting strong words at the horses.

This was a sharp clear memory, but there were a lot of other vague
memories of the earth, the plowing, and Pa. She could remember
times when Pa would curse the horses so loud and fierce that her
mother would shut the back door and cry.

Pa never went to the church on Sundays, but he expected Esther
and the other children to go. Her mother got them all ready, and
they all went to the church, nine of them after Mollie came along
and grew to any size. They took up considerable room in the church.
On Sunday Pa dressed in a black suit and left the fields and rested
from his work, but he didn't bother to go to church. It was a thing
for women and children and the other people of the countryside, but
not for Pa, who was so grandly angry and violent.

When Pa cursed, he sounded a little like the preacher at the church. He swung his arms about and used some of the same words. Only Pa was much broader and stronger and louder even than the preacher.

Of the girls, she liked Ferny the best. She hated Sarah, who was bigger than she and always having it in for her. Sarah was always jealous because she had to work in the house and help their mother. As far back as Esther could remember, all the girls had chores to do in the house except herself. Pa always took her to the field with him, and she would watch him plow. When she was bigger, he would let her help sometimes in little ways.

Her mother told stories to them in the evening before they went to bed. Pa never told any stories but merely sat and listened without saying whether he thought it was a good thing or not. Her mother had round dark eyes and dark hair and skin. She was fat and always a little wistful and tired-looking. But she knew all kinds of stories, for telling or reading. Most of the stories came from the Bible.

The Bible was the big book with stiff covers that lay on the parlor table. It was all full of words that told about the Creation and God and Jesus and many ancient people who did strange things in the earth a long time ago. These things did not happen in Raintree County or even very close to it and did not seem to have a direct connection with anybody or anything she knew. All of the people in the Bible had died a long time ago except God.

God had always been alive. He lived above the earth in Heaven. He had a terrific temper and was big and broad, but his beard was probably white instead of black. He had made the earth a long time ago and had rested from his labors.

All people who died were buried in the earth. There was a place in Raintree County, just a little way down the road from the Farm, where Grandpa and Grandma Root had lived. They had been buried in the earth behind the house on a hill under a tree. Their names were on white stones, and God had them now.

All people that ever lived on the earth, except God, had died and been buried in the ground. Esther was terribly afraid of being buried in the ground like her two little brothers that had never got beyond being babies. But she was very strong, and it did not seem possible that she could ever die.

When they went to school, she proved to be the smartest of the girls. The teacher was a tall, stern man with a bald head. He whipped the ones who didn't have their lessons or were naughty in school. Esther was afraid of whipping more than anything else, because Pa had said that when they got whipped at school they would get another whipping at home. That was how she happened to remember a Fourth of July when she was six years old.

One day in the spring, one of the older girls at school had teased her about being descended from an Indian.

—I ain't descended from an Injun, she told the girl. My pa says it ain't true. We ain't any of us descended from Injuns.

—My ma says you're part Injun, all you Root kids got Injun blood in you. Squaw blood. Look at your hair and eyes. Halfbreed! Halfbreed!

Esther had turned and run at the girl, and in her desperation hunting for a word she had called the girl the worst word she knew.

—You're a *nigger,* she said.

In their part of the country, that was the worst thing you could call anyone. The niggers were black people and slaves. The War was being fought in those days to free the slaves, and a lot of the men had gone off to the War.

When she called the girl a nigger, the girl had gone and told the teacher.

—Esther, did you call Mabel Coombs a nigger?

The teacher had a switch, and his voice was thin and dry in his throat. The other children sat listening, and the whole room was quiet.

—Yes, Esther said and began to cry.

What she had said and done now seemed so evil that she had forgotten to mention the provocation.

The teacher struck her a few times lightly on the arm with the switch, and it had hardly stung at all. But that was not what worried her.

When they were outdoors, Sarah said,

—Wait till Pa hears. You'll catch it good.

She begged and pleaded with Sarah not to tell on her.

—Promise you'll do the dishes in place of me, Sarah said, and anything else I ask you, or I'll tell Pa.

—I promise, Esther said.

She was very unhappy for weeks after that, afraid that Pa would find out about the whipping she had got at school. Pa had a big black buggy whip. It was terrible to see how he would lash at the horses when he became angry. She had heard him whipping the boys in the barn a few times, and it had made her white and weak so that she would go off and cry to herself.

For weeks, she did everything that Sarah asked her to do. She washed the dishes for her and carried things for her.

—Just you fail to do one little thing I ask you, Sarah said.

Then one day at supper table, Pa had called Sarah down for something, and Sarah had talked nasty and said that their father favored Esther and everyone knew it.

—Sarah, don't let me hear you say that again, Pa said, standing up, so that they all shrank in their chairs.

His face was red and his little moist red mouth worked inside his beard. He reached a hand across the table toward Sarah.

—I don't care, Sarah said. I never been whipped in school, and Esther has. She called a girl a nigger, and the teacher whipped her. She made me promise not to tell, but she done it, and he whipped her.

Esther became very still, and her heart beat so hard she thought it would burst.

—Is that true? Pa said.

—Yes, Pa.

—Why did you call the girl a nigger?

—She said we had Injun blood in us, and I called her a nigger.

—Did the teacher whip you for that?

—Yes, Pa. And I promised Sarah I'd do her work for her if she didn't tell. But she told anyhow.

She was crying now, and she thought she had never seen Pa that angry before. He grabbed Sarah and dragged her out of the house and took her to the barn. Esther ran off to the stormgrove and hid, and she could hear Sarah screaming and Pa whipping her. She thought it would surely be her turn next.

Later on, Pa came out and found her there. The sweat stood out on his head, but he didn't seem angry with her.

—You done right to call that girl whatever you wanted, he said.

There ain't any Injun blood in our family. That's a lie. That teacher ain't in the County any more. If he was, I'd tear him limb from limb. Did he hurt you when he whipped you?

—No, it didn't hurt a bit.

—If he had hurt you, I'd of gone to find him no matter where, and I'd of taken the hide off of him with a rawhide whip. Anybody ever goes to whip you or hurt you, you let me know.

—Yes, Pa.

The next day was the Fourth, and Pa took her to Freehaven with him, just the two. It was the first time she ever remembered being at the County Seat. She was dressed in her Sunday best, and Pa had on his black suit and looked very fine and terrible and strong. He only cursed a little bit driving the horse into town and seemed to be in a good mood.

In town, it was a big day. Everybody talked about there being a battle in a place called Pennsylvania. Esther walked all around the town with Pa. It was fun to see their faces in the windows of the big stores on the south side of the Square. There were orations and fireworks, and Pa took her around to see everything.

In the evening, Pa put her in the buggy and told her to wait for him. She must have gone to sleep, and when she woke up, there were a lot of people running past the buggy and yelling fire. She got out to see, and there was a big house close to the Square—it was on fire, burning like a tall torch in the night. Pa came and found her and took her hand and led her down to where they could watch the fire. People said that a woman and a little boy had got burnt in the fire.

On the way home, Pa told her never to play with fire, or she might get burnt like the little boy in the house at the County Seat. She felt awfully sorry about the fire, but it had been a wonderful, exciting day, the town was so full of new strange faces and beautiful women in long dresses and handsome men, some of them almost as big and strong as Pa. She went to sleep wondering how they would ever bury the little boy if he was burnt completely up, and

HOW HE COULD GO TO HEAVEN AND GOD HAVE HIM,

IF HE HADN'T

ANY

—Body and soul, the Woman was made out of Man. Body and soul the Woman belongs to Man. God made her to be Man's partner and helpmeet, and o, sisters of the congregation, how woefully she betrayed His trust!

Preacher Jarvey shook his shaggy head and bent his brows sternly against the good ladies of Raintree County, who made up the major part of his audience.

—Now, let us consider this Woman. In makin' her, God put a new thing into creation. He made a frail defect. He did it with a purpose because the Lord God Jehovah does everything with a purpose. He made it to try the Man, to test him. And o, brothers of the congregation, how woefully Man betrayed his Maker's trust!

But I am gettin' ahead of my story. Now then, after the Lord made Woman, she wanders alone in the garden. The shinin' of the sun of that eternal summer, which is the only season of Paradise, shows her body to be without all habiliment or shameful adornment. Sisters of the congregation, she had no other garment than her innocence. God gave it to her, and she needed no other.

The good ladies of Raintree County shifted uneasily in their bustles and great skirts. They patted their flouncy hats and poked at their twisted hair. Preacher Jarvey's savage eyes glared displeasure on their finery. Then his eyes became remote. He departed upon a point of pedantry.

—Some depict the Mother of the Race as wearin' a figleaf before the Fall. Fellow Christians, this belief is in error. Hit is against Holy Writ. The Book tells us that she was nekkid, and nekkid she was.

Behold her then, the first Woman, cowerin' in the dust before her Father and her God. In that first blindin' moment of existence, she recognizes on bended knee the majesty and godhead of her Maker.

Esther followed a buggy with her eyes as it approached from the direction of Moreland. It was not Pa's buggy.

—Yes, the Woman knew her Father before she knew her Husband. Then the old story tells us that havin' made the Woman, the

Lord brought her unto the Man. O, sweet encounter! Brothers and sisters of the congregation, hit is the dawn of love before Man knew Woman in carnal pastime. They reach out their arms to each other, not knowin' that they are the parents of mankind but only knowin' that the loneliness of the garden has been overcome. Behold them standin' in in warmth as she waited in the yard of the Stony Creek School on the last day of the school year. Esther had a gone feeling inside, and her heart went at times like a bird jumping in a cage. Perhaps she could be the first to reach Mr. Shawnessy when he appeared on the path through the woods. Many of the girls were inside the schoolhouse arranging their books and things because it was the last day of school.

She hated the older girls who could run faster than she. The one who reached Mr. Shawnessy first got a kiss and could walk along and hold his hand all the way to the schoolhouse. Usually it was one of the bigger girls, though it was understood that the very biggest girls didn't play the game. Not that they didn't want to.

She was afraid that some of the girls would notice her hanging on the bars and see how limp and funny she looked. It seemed to her, though, that if she didn't get to Mr. Shawnessy first today she would never get over the gone feeling she had inside. It was the last day of school, and she wouldn't see him again all summer.

Then when no one was watching, she did something that she had thought about before but had never dared to do. She slipped through the bars and started down the path, intending to lie out along the way and watch for him. That way she would get a head start. Once away, she didn't look back, but her breast was crazy with excitement, and she felt as though she would die if one of the girls yelled out,

—Look at Esther! She's gittin' a head start!

Then she was out of sight past some bushes, and no one had seen her.

She walked down the path in the woods. Just beyond the woods on her right she could see a field set in early wheat. The earth was soft from the recent rains, and the air was full of earth odor, the smell of flowers and damp wood. Violets and spring beauties were thick beside the path. She walked very slowly, hidden from all sign of human habitation, from all looking of human eyes.

She walked for about two minutes until she could see the stile across a railfence. Then she sat down in a bank of grass, half hidden behind a fallen log. Sunlight filtering through leaves made warm splotches on her body.

It was warm in the sunlight. The green grass of Raintree County was rushing up around her, a dense hair growing. The precise faces of flowers were close to her face. Shiny insect forms, looking impossibly clean and perfect, were in the thick growing of the green world around her.

The sunlight drenched her naked legs with warmth. She was all alone in the woods beside the little path. She was all alone and waiting in the green murmurous garden of Raintree County, a small girl, nine years old, weak with love and waiting.

Even now she could not banish a fear from her breast—the fear that some of the other girls would notice her absence and come down the path looking for her.

Here when she was lying with the soft hair of the earth brushing against her legs and face, the world was an easy thing to understand. God had made the earth, and he had made Raintree County as a place apart. And he had placed in it the wisest and tenderest of his creatures, Mr. Shawnessy. He had put Esther Root here too, and surely he meant that she should be happy in this beautiful place.

There had been a while months ago when she didn't know whether she ought to like Mr. Shawnessy. That was early in the year when she had first heard people say he was an atheist. An atheist was a person who did not believe in God. It was the greatest of all crimes not to Believe. She, Esther Root, had never for one single moment doubted or disbelieved in God. She was afraid to think what God would do to her if even for one little moment she were able to Disbelieve.

But it was plain to her very soon that Mr. Shawnessy wasn't an atheist or anything else bad. In fact, he seemed to her the kindest and best man she had ever seen in her life. She had known only a few men, and none of them were like Mr. Shawnessy. Her other teachers had been stiff, ugly men whom she feared and secretly hated. Mr. Shawnessy, who knew many times more than they did, was never loud or stern or overbearing.

She could remember a thousand things from those few months, which seemed as much as all the years of her life before. Always before, she had been happy when summer came. Now it hurt even to think that there would be no more school for months.

School was Mr. Shawnessy coming along the path in the morning. It was the fierce rush of the small girls to reach him and hold his hands. It was all of them laughing and leaping around him as they went into the schoolhouse door.

School was Mr. Shawnessy telling a story during the Opening Exercises. He told the most thrilling stories, some of them being continued from day to day for weeks. One story that he told during the year was about the War and how a young soldier fought through the Southland and helped emancipate the black people and saw Lincoln's assassination. It taught them more about the War than any history book, and Mr. Shawnessy said it was a true story, too, about a person he had known.

Mr. Shawnessy had also been in the Civil War. He had come back from the War in 1865, just the summer before the school year opened. People said he had been sick and wounded and had fought in Sherman's Army, but he never said anything about his own part in the War. Yet he must have been in some of the great battles and seen men killed, and maybe that was why he so often had the sad look that was in his eyes when he wasn't smiling.

Or maybe he was sad because of that other thing that people said about him. He had been married, and there had been a terrible tragedy, and now he lived alone.

It was very sad and sweet to think of Mr. Shawnessy living alone. Esther would have been only too happy to live with him and help look after him. She could have done the cooking and the housework and everything that would make him comfortable. She could be as good as a wife to him any day. Always she thought of Mr. Shawnessy alone in Raintree County, walking about on lonely roads and streets, remembering the War and his tragic married life, and no one to love him and care for him.

School was also Mr. Shawnessy telling a funny story. At such times, his long blue eyes would light up and flash, his face would become really handsome with his longmouthed, shy grin, he would make people come alive with the way he talked, and the children would just split with laughter. There wasn't a boy or girl in the school who wouldn't have gone to the stake for Mr. Shawnessy. Anyway, she, Esther, would have gone to the stake and gladly, and they could have tortured her with whips and put burning splinters in her skin. She would have saved him as Pocahontas did John Smith, putting her own neck in the way of the axe.

Those days, her life had got divided into two worlds. There was her family and Pa, and there was the school and Mr. Shawnessy. She was going to have to give one world up for a summer.

None of the other girls were coming along the path after all. She was lying here limpsy and weak in the mild air, and all of Raintree County was a blurred, beautiful garden in the spring with good things growing, and in this place there were only two people who mattered, Mr. Shawnessy and Esther Root.

Then a new fear came. Suppose that for the first time all year Mr. Shawnessy didn't come down his accustomed path. After all it was a special day, the last day, and it must be getting a little late now. Suppose he were to come another way.

She sprang to her feet and looked wildly up and down the path. Perhaps school had begun, and she had failed to hear the bell. Sarah would tell on her at home, they would ask her why she was late, and because she wouldn't dare tell the real reason, Pa would whip her.

Just then, she saw Mr. Shawnessy. He was still a long way off coming along the railfence on the far side, approaching the stile. He had his coat over his arm and was chewing a grass stem. Crossing the stile, he stopped and looked back at the field that he was about to leave.

Esther began to run down the path, afraid now that some of the other girls would come at the last moment and, racing past her, would get to Mr. Shawnessy first. She ran wildly through the woods, teeth clenched, eyes shining, pigtails flying around her shoulders.

—Mr. Shawnessy! Mr. Shawnessy! she cried, panting hard, her voice shrill with love.

Mr. Shawnessy looked a little surprised to see this small girl with the intense brown eyes, who had apparently been running along the path by herself and who now stood beside him gasping and holding up her small, determined face.

—Why, Esther, he said, how you have run!

Then, as if remembering, he smiled a little vaguely, and leaning over put his one free arm around her and brushed her cheek with his mustaches. She put her arms around his neck and held on passionately as long as she dared. His coat fell off on the ground. He leaned over and picked it up and then began to walk absently toward the school.

She could think of nothing to say and so walked along beside him holding his hand. She kept measuring the distance to the schoolhouse and wishing she might slow the walking down. He seemed lost in thought. To herself she was wondering whether he knew,

WHETHER HE HAD THE FAINTEST SUSPICION

THAT SHE WAS SO

HOPELESSLY

—IN LOVE WITH HIM, as he with her, Preacher Jarvey was saying, what a picture she makes, walkin' there hand in hand with her beloved!

And Adam said, This is now bone of my bones, and flesh of my flesh: she shall be called Woman, because she was taken out of Man.

Therefore shall a man leave his father and his mother, and shall cleave unto his wife: and they shall be one flesh.

And they were both naked, the man and his wife, and were not ashamed.

This, brothers and sisters, is the brief period of the innocence of the race. O, transports of love and fellowship with the Lord God Jehovah in the dusk and sunlight of the Garden! O, rapturous evenin's and mornin's!

I pause to remind you that scriptural time is different from our own. One day, brothers and sisters, one day in the dawn of Creation is the equal of years of sinful life today. O, how they enjoyed the fruits of that beautiful garden, the yield of wildgrowin' trees, o, how they plunged and swam in the limpid streams of Paradise! Their bed at even was the pressed grass. God tempered the air to their nekkidness. And reachin' up they plucked the grapes of Eden that fell to their hands. Truly, brothers and sisters, truly, they fed on honeydew and drank the milk of Paradise!

This is the time of the testin' of the Woman. And the Lord God Jehovah walks unseen in the Garden a-watchin' this last work of His hand. He considers it His best job. Hit is a beautiful and wellproportioned bein', and He is well pleased. But as yet hit doesn't have a name. Hit is only Woman, bein' made out of Man. Hit is the time before the Woman became Eve. Hit is the time before she sinned against her wellbeloved Father.

Esther was filled with somber pleasure to remember the time when the Woman was at peace and without sin, alone in the world with her Father and her Husband, and beloved of both.

—Hit was the time of the testin' of the Woman. Hit was not the time of the Great Temptation. That time was to come, o, hit was to come, brothers and sisters, hit was to come. Hit was the time of the Lesser Temptation. For durin' all this time, the Tree was still there and the red fruit a-hangin' out of it, and the Woman a-walkin' there. And she let the red fruit of the Tree brush against her nekkid back and breasts, and she brushed her face against the boughs smellin' the sweet smell of the fruit, and often she just touched her curved lips to the rind—just to test herself, not to eat.

The Reverend Lloyd G. Jarvey perfectly mimicked the Woman's temptation, twining and twisting about as if he dallied under the branches of a tree laden with forbidden fruit. His voice was louder, more rhythmed in its chant.

—She longed to eat of it, o, how she longed for that forbidden taste, but the time was not yet. The time was not yet, but hit was to come. O, hit was to come. Her womanly nature was sorely tempted. Hit couldn't be satisfied with the fruit of the other trees of the garden. Yet hit was good fruit, but hit didn't look as good to her. Hit was the old womanly failing. No daughter of Eve is free from it today. Hit's what we don't have that we want the hardest. Makes no difference to a Woman how good the old is, in her weak and womanly nature she longs for

Esther had ever seen. Below and behind the great tower, which stood out from the east wall, the main building was a strong rectangle of brick trimmed with stone at the corners, doors, windows, and eaves. The Main Entrance was through the base of the tower, where Justice, a life-sized woman with scales, stood in a niche above the door. The tower rose to a height of one hundred and ten feet, having at the top a foursided steep roof, dwindling to a small observation platform, fenced, from which stood a masted American flag. Each of the four faces of the tower roof had a clock.

The New Court House had been seven years building, after the Old Court House had burned down during the War. In the years when there was no court house in the middle of the Square, Esther and everyone else had felt as if a sacred object containing the innermost meaning of life in Raintree County had lost its tabernacle. But as the New Court House had begun to rise, slowly the feeling of security returned. It was good once again to be able to walk on one side of the Square without being able to see across to the other. The feeling that had been associated with the Old Court House crept, subtly changed, back into the walls of the New. For a while, only the main building itself was completed, but the tower, slowly taking form above it, so captured the imagination of the people that they quite forgot the Old Court House, which had had no tower. When at last in 1872 the tower was completed and the flag fluttered from an iron mast at the top, visible for miles around, a new era had begun in the life of Raintree County.

Children who had never seen the Old Court House were already referring to the present building simply as the Court House. For Esther, however, and for all the older people, this building would keep forever an indefinable look that connected it with the days when it was a brave new edifice, the finest in the County.

Esther had been in the Old Court House a few times but had never been in the new building until the day she went in for the Teachers' Examination. It was in the summer of the Centennial Exposition. She was nineteen and had decided to teach. A vacancy had occurred at the country schoolhouse where she had got all her learning, and there was a chance that she might have the place if she could pass the Teachers' Examination. She was nervous and excited, and it was good to have Pa with her as they hitched the horse on the east side of the Square and walked up to the Main Entrance of the New Court House.

As Esther started up the steps into the great building, she felt wobbly and scared. The Court House was a place of men. Any man might go into it or hang around outside of it, jetting tobacco juice. But a woman went into the Court House only for a very special purpose.

When she got inside the New Court House, she smelled tobacco and urine, the immemorial odor of all American court houses, the masculine odor of civic probity, justice, and official function. There was, however, a difference, perhaps a subtle remnant of the New Court House's newness.

Her anxiety increased, and she clung hard to Pa's big arm as they mounted the steep iron stair just inside the Main Entrance. In these gloomy rooms and corridors, the ancient rites of civic administration were performed. The priestlike titles, blacklettered on the door, awed her. Here were the County Commissioners, the Clerk, the Treasurer, the Judge, the Superintendent of Schools, gods who could make their faces benign for the humble aspirant and admit her to the select sisterhood of those who dispensed the sacred mysteries of education. Somewhere in these odorous, secret rooms reposed the State. The Court House was the Republic. The Capitol in Washington was only a greater and grander court house.

She and Pa hurried on up to the Court Room on the second floor, where the examination was to be held. Around the door were several girls and men, all laughing and talking. She looked in vain for her friend Ivy Miller, who was also taking the examination. Inside the Court Room, people were already finding places.

—Now, Esther, Pa said, just you go right in and don't be afraid. You'll do fine. You're as smart as any of them.

He held her hand in both of his, and some of his strength and bigness came into her. His big bearded face was serious, proud, a little flushed from the drive in. He was a handsome, powerful figure of a man, and being a man, felt no weak, womanly fear.

—I'll do the best I can, Pa, she said. I wish you weren't going away.

—I'll stay right here, he said. I'll be just outside the door. I'll get a chair and wait. Now go right in and do your best, Esther.

She left him then and went in through the door and took a chair at one of the tables brought in for the examination. The Court Room occupied most of the second floor of the building. Tall windows let in light from two sides on the gilded ornamental walls. Esther was so scared that she hardly dared look around. It would have been better had she stayed at home on the farm to tend the garden and help Pa in the fields. There were so many things that she didn't know.

Her friend, Ivy, a tall blackhaired girl with an aquiline nose, a big expressive mouth, and vivid brown eyes, came in and sat next to her.

—I'm scared to death! How about you, Esther?

They squeezed each other's hands and waited. Several men were there, looking supernaturally intelligent. One had spectacles, greased black hair, and a bowtie. He talked with a loud nasal twang and was very sure of himself.

—It's nothing to be afraid of, girls. It's a mere formality for a person of intelligence.

There was a fluttering of dresses, pens, and papers as a man came down to the front of the room bearing the examination books.

Esther started violently. It was Mr. Shawnessy. She hadn't seen him since that single year long ago when he had taught the school near the Farm. In the flood of emotion that came over her, she felt as though she were a little girl again, and she was ashamed for Mr. Shawnessy to see her here, a pretender to knowledge, presuming herself able to take the school that he had once taught.

Standing at the front of the room, Mr. Shawnessy said a few words about the examination and began to distribute the books. After that he wrote the questions on a large, moveable blackboard at the front of the room.

Mr. Shawnessy had changed very little, it seemed to her, since the year 1866, when she had seen him last. His temples were a little higher, but his hair had no gray in it, and despite his heavy auburn eyebrows and mustache, his face had a youthful look, much less than his years, which she thought must now be about thirty-seven. His eyes, she saw, had the same remote, sad expression that she had remembered of old.

She was so excited at this revival of an old emotion that she couldn't hold her hand still to write her name on the outside of the Examination Book.

The examination lasted for four hours. After her first panic passed, she found that she could answer most of the questions. From time to time, she looked up at Mr. Shawnessy. He was reading a book most of the time, although often he went over to an open window and stood leaning on it and looking at the Square. Once or twice in answering a question from a bewildered candidate, he smiled a little, and his face was so kind that she forgot her fear and wondered how it was that she had ever been afraid.

Once when she glanced up, she found him looking at her, and she wondered if he remembered her. But his eyes were remote and sad, and she hurriedly looked back at her paper.

As the examination drew to a close, several of the girls went up to hand in their papers. They giggled and joked with Mr. Shawnessy. Some of them, Esther noticed, were wearing earrings in the fashion then sweeping the County. Their round eyes, white teeth, and sharp, whispering voices, their jeweled heads, powdered faces, summerclad bodies assaulted the shy, lonely form at the front of the room as if to overwhelm him and bear him off a prize. Esther felt her face flushing with envy as she thought of her plain dress and her hair chastely bound over her ears.

Around five-thirty in the afternoon, Esther was the last one in the room with Mr. Shawnessy. She was violently excited as she took the paper up to the front of the room and handed it to him. She was going to turn away and leave without looking at him, but he smiled and said,

—Pardon me, but aren't you Esther Root?

—Yes, she said.

—You were a pupil of mine at the Stony Creek School back in '66?

—Yes.

—You had forgotten me?

—O, no, Mr. Shawnessy.

—Well, he said, it's nice to see you again.

She held out her hand gravely, and his strong hand closed around it for a moment.

—I hope you get your position, he said. Was the test hard?

—I think I passed it, she said. I don't really know a great deal. I think I learned more the year with you than I have ever since.

—You were a bright student, he said, the best in the school. I have no doubt you'll pass the examination.

They talked a little of the school system and the examination, as Mr. Shawnessy began to gather up the papers. She turned to leave. It was late afternoon, the light in the Court Room was changing, and the air held an odor of cigars, varnish, ink. She was very tired now that the examination was over. She said good-by and went to the door.

When she stepped out, Pa was there. She had completely forgotten his promise to stay for her. She was so glad to see him that she threw her arms around his neck and kissed him on the mouth.

—I think I passed it, Pa!

—I been here all the time, he said, thinkin' about you, knowin' you was makin' out all right.

—I was the last one through, she said. I stayed to the very last.

They were both strangely moved.

Esther's voice was low, sweet, and fast as she and Pa walked down the stair to the lower floor of the Court House.

All that day on the way home and that evening, she felt an unnatural calm as if some great thing had happened to her and passed before she had had time to appraise it.

She had come up from the country in the June weather. A slim and consecrated maiden, she had gone into the place of examination, the masculine place. In the New Court House, she had found again one whom she hadn't seen for ten years. She had seen his face and had touched his hand, she that was now a mature, comely girl with smooth red lips and budded breasts and jetblack hair.

But she had noticed a sad hunger in his eyes at the coming and going of all the girls in their flowery dresses. She was thinking that perhaps she ought to take more pains with her person, and perhaps adorn herself with some kind of jewel as the other girls did.

At night she stood before her mirror and looked at herself unclothed, at the slender outline of her body in the mirror, the dark shower of hair around her shoulders, her shining black eyes. She was thinking that she might be taking in the eyes of a man if she had an earring, a little globe of brightness just under each ear. Then with her hair bound back she might raise her face to that of Mr. Shawnessy (if she ever saw him again) and the light of his long blue eyes would flow over her face and catch the sophisticated glint of the earrings. Yes, she would have to get her ears pierced for earrings.

She wondered if it would ever be possible in this world that she would one day hold her face up to his and they would look directly into each other's eyes. It seemed to her that his eyes would look at hers with such a warmth and brightness that she would faint away, being as someone who had emerged from a dark place into a flood of sunlight.

As she lay in the bed, she repeated the long afternoon in the New Court House, the questions that had been asked on the examination, the way the rooms and corridors looked and smelled. She repeated with infinite care the details of her brief conversation with Mr. Shawnessy. Then she thought of how she had come out of the examination room, and how in a sudden fit of wildness she had thrown her arms around Pa, finding him there, and had kissed him, and how his hands and voice trembled.

It seemed to her that she still smelled on her smooth arms the odor of the New Court House, and that she held upon her spirit the whole mass of the building with its terrific ornamental tower. And it was peculiarly right that she had found, in the very quick and core of this stately building in the civic center of Raintree County, the living form of her teacher, Mr. Shawnessy, who had been away from her life for ten years.

Asleep at last, she dreamed of the New Court House. She was wandering through its brown corridors hunting for the room where the examination was to be held, but something was wrong. The New Court House was not as it should be. It appeared that the tower had collapsed, and the wreckage had exposed once more the walls and corridors of the Old Court House, which had been hidden all the time within the New. Vaguely, she remembered the wonderful tower which had risen above the County in some earlier, happier time. She had gone there for a special purpose then. But more timeless, more enduring, musty, dirty,

SMELLING OF TOBACCO AND URINE, THE OLD

DETESTED RAMPARTS ENCLOSED

HER

—Now the serpent was more subtil than any beast of the field which the Lord God had made.

Preacher Jarvey removed his glasses. He was beginning to breathe hard.

—Brothers and sisters, behold the Serpent! Hit is no ordinary serpent which I am about to describe to you. Hit does not go upon its belly like the common run of snakes. God had not yet cursed it down. This serpent is as big as a man. Hit has the arms and legs of a man. Hit has a long dartin' head. Hit makes a hissin' music with its tongue. O, there is somethin' remarkable familiar and delightful to the eye about this serpent. Hit is a huge, charmin', and deceitful creature, and here it is lyin' in wait for the Woman.

The Reverend Lloyd G. Jarvey had undergone a remarkable change. His body was beginning to writhe voluptuously behind the pulpit, his head made rhythmical darts and withdrawals, his eyes glared fixedly.

—When did the Woman first see this damnably beautiful serpent? Maybe it was when she was swimmin' alone in one of the beautiful rivers or lakes of Paradise, and all of a sudden there it is! Hits green eyes smile at her, hits tongue plays in and out, hit slides through the water beside her. When the Woman touches it with her hand, hits great back shoots up out of sheer pleasure. The Woman is charmed by this talented serpent, and it becomes her constant companion and plaything.

Alas! little does she know what it is. Hit is no ordinary serpent.

And now brothers and sisters of the congregation, we are approachin' that fateful moment which plunged the world into darkness. For the Woman and the Serpent find themselves one day beneath the Tree. And the fruit is hangin' low, a-temptin' the Woman. And the Serpent beguiles her. O, he beguiles her and he seduces her with soft talk about the Tree. Look at it! he says. Hit's wonderful fruit. Why shouldn't you eat of it? But the Woman still has some slight stirrin' of conscience. She is not yet completely seduced and corrupted. The Lord has forbidden it, she says. But let us see what the Book says upon this subject:

And the serpent said unto the woman, Ye shall not surely die:

For God doth know that in the day ye eat thereof, then your eyes shall be opened, and ye shall be as gods, knowing good and evil.

And when the woman saw that the tree was good for food, and that it was were the earrings worn by the young women of Raintree County.

—Esther, Pa said, I absolutely forbid you to git any.

—But why, Pa? All the girls have had their ears pierced.

—I don't want any daughter of mine gittin' herself cut up so she can hang gimcracks in her ears.

Pa spoke with an energy unusual even for him, and Esther didn't pursue the subject further. But inwardly she felt a violent rebellion, such as she had never felt before. She was nineteen and ready to support herself with teaching. She felt that she had a right to be attractive.

On a Saturday two days later, she saddled a horse and rode into town and went to a back room of a jeweler's shop where the girls got their ears pierced.

While she sat waiting for the operation, panic seized her. For the first time in her life, she was openly rebelling against Pa's will. None of the other girls had ever dared to do it, and now she, his favorite, dared to do it.

She watched the jeweler, a small uncertain man, fumbling in a drawer for his instruments. The back room was dark and cluttered with bottles and boxes. Esther began to feel that she might have fallen unawares into a nest of iniquity. The silence of the man hunting in the drawer became unbearable.

—I don't know whether I want my ears pierced after all, she said weakly.

—This will hurt only a little, he said as he bent over her.

His plain, drab face over her shoulder became, she thought, fiendishly intent, his eyes glowed, he seized her ear and touched it with a cold instrument.

At the touch, she began trembling violently, and the courage all drained out of her. She bit her lip to keep from screaming. She shut her eyes. It seemed to her that she had fallen into the hands of a fiend who was about to plunge an infernal weapon into her and rob her of her purity, her religion, perhaps her life.

At the same time, she foresaw Pa, the blackening skin of his face, his terrible anger.

Suddenly and forcibly a hard point of pain pressed against the lobe of her ear. The ravished flesh stung under an implacable assault. Instantly, the pain was unbearable, and she screamed. But already, it was hurting less. She felt unwashably polluted, as the thin, warm stream of her own blood ran down her neck onto the linen cover he had tied there.

A second time the hot pain stabbed her, and again there was the hot flow of the blood. The man dabbed at her ears with a cloth and tied a gut string in each ear to keep the apertures open. She was sobbing uncontrollably with pain and fear.

—There, he said, a little alarmed. It doesn't hurt now, does it?

Suddenly she stopped crying. She felt that if she didn't get out of the man's office she would swoon.

—How much is it? she said nervously.

She gave the man a dollar and, dabbing at her ears with a handkerchief, walked hastily to the street.

—Esther! someone said.

It was Ivy Miller. Esther didn't know whether she was glad to see Ivy or not. But she stopped and told her what had happened.

—That's nothing, Ivy said. I'm engaged to be married, and you must be my bridesmaid.

She told how she was going to marry Carl Foster, and she began to run on about the arrangements for the wedding, which was to be in two weeks. One thing that she said came clear to Esther Root, whose ears sang with confused tongues.

—Carl wanted to have John Shawnessy for his best man—you know, Mr. Shawnessy, the famous teacher. But he's gone off to New York, and won't be back perhaps ever.

—Mr. Shawnessy has gone to New York? Esther said.

Her ears stopped singing, and she felt cold and quiet.

—Yes, Ivy said. He's gone clear to New York, to be a great writer or something. I reckon the County ain't fast enough for him. We're just small shucks around here to a man like him. He went about a week ago, and there ain't any certainty he'll ever be back.

Esther began to untie the horse. She climbed up and said something about having to go on home now because her ears were beginning to hurt. She rode off in the direction of home. She no longer thought of her pierced ears. Her stomach had a queer hot feeling, and her heart was very high in her chest. If he's gone to New York, she was thinking, then I'll probably never see him again. We'll never see him again back here. It seemed to her as if all joy and promise had gone out of Raintree County.

A half-mile from home, she decided to leap the fence and ride the path along the creek. The horse barely cleared the fence, stumbling a little, but she held him up and, tearing a limb from a tree, switched him into a gallop. Along the creekbank, tree branches brushed at her face, but she hardly noticed. Then she was almost torn from the horse by a violent jerk at the left side of her head. She kept her seat, but her left ear burned with pain. A branch had caught in the tied gut and had jerked the earlobe open, so that the flesh hung trembling warm.

When she got home, she went upstairs crying. There was no use trying to conceal the affair from Pa, and somehow or other she didn't care.

When he learned what had happened, he was angry even beyond what she had expected. He had never spoken to any of the girls as he now spoke to her.

—See what you've done, Esther Root! he thundered. I told you not to git your ears pierced! What in the devil has got into you? There must be some young man meetin' you in secret, like a common whore, and he must have put you up to it!

She had got over crying now and kept her eyes lowered and said nothing. The rest of the family looked on in silent anguish. Even Sarah was abashed by the torrent of passionate language that Pa gave vent to. After a while, however, he shifted his attack to the jeweler.

—What is the name of this goddam butcher of young girls? he said.

Sarah told him who it was.

—He's done a lot of girls that way, Pa, she said.

—By God, I'll have his heart's blood, Pa said.

He fairly burst through the back door. Esther's mother and several of the children went out and tried to stop him but there was no use.

—I'll cut the bastard in two for this, he shouted, so help me God, lurin' young girls up to his place and cuttin' 'em up! I'll give 'im a cut with my whip he'll not soon forget. I'll whip that bastard till he hollers for mercy. See that Esther don't leave the house.

He thundered off in the buggy, leaning far forward in the seat, his face flushed, his black eyes set hard on the road and glittering like obsidian. The whip went crashing over the horse. James and Ransome, the oldest of the boys, both saddled horses and rode after him.

Before the day was over, it was known all over the County how Gideon Root strode into the office of the jeweler and cursed the man by every oath he could lay tongue to and how the jeweler pulled a pistol out of a drawer and threatened to shoot his assailant if he so much as put a finger on him and how James and Ransome Root finally managed to get their father downstairs, and a big crowd gathered, and lawyers and policemen closed in on the thing, and both parties threatened to carry it to the courts. It was one of the big stories in the County papers for weeks.

The upshot of it was that some of the young men who had been thinking of paying court to Esther Root were warned to be careful, her old man was a terrible Turk, and would thrash hell out of them if they tried anything fresh.

—That old bastard is tough as nails, the boys around the Court House said, and would just as soon blow your head off as pick a melon.

As for Esther, little by little, the feeling of shame and mutilation left her. And the ear healed. But the flesh of the left lobe was badly torn and hung loosely with a gash clear through. She never wore earrings in her ears, and she knew now that she would carry to her grave this only blemish

ON HER BODY AS A REMINDER OF HER FIRST
ILLSTARRED REBELLION
AGAINST

—HER FATHER is watchin' her, but He doesn't attempt to stay her hand. Hit is by her own free will and accord that she does what she does. And the evil and the sin is hers. Hers and the Serpent's. For now, brothers and sisters, the Woman is about to do it. She is lingerin' there on the brink of that dreadful act which plunged us all to perdition. She reaches out her hand to take the fruit. She is about to take it. No, she draws back. She fondles the fruit. She is sorely tempted.

Esther had been watching the road. Her eyes still swam with the nooning brightness of the day as she looked back to the Reverend Lloyd G. Jarvey, who was half-rejecting, half-accepting an invisible something on the platform. She closed her eyes and beheld the Woman standing naked under a tree beside a lake. Words came swimming up to her from the picture, alive and blackly writhing like serpents in a place of sunwarmed waters. She could hear voices calling of young men and women by the lake in beautiful, fatherless summertime.

—Down from that tree, all of a sudden the Serpent shoots his hissin' face and thrusts a big cluster of the fruit upon the tremblin' hands and lips of the Woman! And his voice is loud in her ears: Eat! Eat! Eat!

Brothers and sisters of the congregation, the fatal hour has

August—   'COME   —1877
TO PARADISE LAKE,'
THE LITTLE ADVERTISING BOOKLET HAD SAID.

Come to Paradise Lake, situated in the geometrical center of Raintree County. Summer tourists, fishermen, honeymooners, whoever is
seeking a happy sojourn in a lovely natural setting will find the realm
of their heart's desire at this little beauty spot, replete with all the
charms that Nature can bestow. When the sun is slanting down across
the water between gigantic trunks of ancient titans of the forest, and
the fish are leaping in the lake, when the songs of amorous couples
come wafting through the glades, and the zephyrs of evening fan
your relaxed and dewy temples, you will agree that this gardenground
of the Universe is indeed, as its name imports, a very Eden. And
while there, don't fail to put up at THE BILTMORE HOTEL, a
brandnew edifice, offering the most stylish modern accommodations
at reasonable prices.

> O, come ye now, and bring your children,
>> Bring your wife and sweetheart true,
> To the earth's most lovely garden
>> With its treasures just for you.
> Come to Paradise, ye tourists,
>> And for years thereafter tell
> How you spent a week in Heaven
>> At the grand Biltmore Hotel.

Though Esther Root had lived in Raintree County all her life,
she had never seen the lake until the summer of 1877 when she
went to the Raintree County Teachers' Institute, which was held that
year at Paradise Lake for the first time. Her excitement was partly
engendered by the folder she had read but mainly by the fact that
her two weeks at the lake were to be her first long visit away from
home.

It was early afternoon in mid-August that she set out in a buggy
with Carl and Ivy Foster from the level acres of her home. It was
late afternoon, as the sun sank on the burning horizon, that she ap-

proached the secret hills in which the lake was waiting. The earth here was fissured with ravines and strewn with rocks. Elsewhere in the County, the land was level, or gently rolling, sieved with running streams. Here only, remote from any town, the earth had an old scar and a green, smooth water. She was deeply thrilled to think that somewhere in these hills lay a pooled-up essence of the County's life, a lake.

Come to Paradise Lake, in the very center of Raintree County! What trees grow on the slopes that rim the waters of Paradise Lake! What plants and flowers nod at the water's edge of Paradise! See how daylight sinks down flaming to the west over the green waters of Lake Paradise in the very center of Raintree County!

The road seemed half-obliterated as they came nearer to the lake. Signs of human habitation disappeared altogether. Now and then there were low places where rushes grew. There was perhaps a sinking of the land now, a moistening and enriching of the earth as it approached the stagnant pit of Lake Paradise. The air was perceptibly cooler. Any moment they might come around the hump of a hill or through a fringe of dark woods and see the lake.

Then they went down a succession of sloping hills, and at last below her in the spent day Esther saw the lake itself. It was a small lake, not more than a quarter of a mile across, and yet Esther had never before seen so much water all at once. Almost to the road, arms of the lake extended, green and scummy, choked with rushes. Beyond fringes of trees, she saw smooth waters. Frogs piped greenly in the shallows.

A single rowboat stood motionless in the very center of the lake; a single fisherman sat in the boat, line in water.

On the south shore where the road ended was a white wooden building with many windows fronting the lake—the Biltmore Hotel. There were a few cottages near it, but at least two-thirds of the lake shore was a dense tangle of bushes and trees.

On a hill overlooking the water's edge were the tents of the Teachers' Institute, clustered around a large building with open sides. A sign said:

REVIVAL TABERNACLE

A pier extended shakily on waterrotten piles into the lake. On and around this pier were a dozen cavorting figures of young men in bathing suits, plunging and splashing in the shallow water by the shore. Soaked heads stuck from the water farther out and moved slowly to handsplashings.

When the buggy stopped by the pier, people crowded around to greet the newcomers. Several young women came down from the tents of the Teachers' Institute, and several of the men came up from the lake. Esther turned her face aside at the sight of dripping mustaches and bony feet. She was both shocked and excited with this glimpse of a new world. Everyone called her Esther, and several hands were laid upon her modest luggage. The air was loud with harsh voices of young men and shrill, yolky laughter of girls. Esther stepped down from the buggy.

It was evening on the lake; waterbirds were flying flat on the waveless surface. Shoulderdeep at the end of the pier, slowly from the lake emerging, a man came. The slant red rays of the sun were on his head and shoulders as he stood up streaming. His big mustache was dripping, and his hair stuck lankly to his forehead. His face had a remote, sad look as if while swimming he had been thinking of something else besides the swimming. As he came closer to the shore, his body was clearly defined in the soaked bathing suit; he was lean with wide shoulders, narrow hips and slender, longmuscled legs made for swiftness. The skin of his arms and legs and of his chest at the neck was white and firm. There was a scar on the top of his left shoulder.

She had known immediately that it was Mr. Shawnessy. She had thought him hundreds of miles from Raintree County and was so amazed to see him here that she could hardly make coherent replies to the bantering talk that went on around the buggy.

O, come to Lake Paradise, ye virgins, and watch from the shy reeds. The young men bathe along the shore, plunge their hard bodies out of sight, emerge with streaming hair. The lifegiving waters are odorous with the flesh of fish and trees rotten with rains. And the virgins lie at night haunted by memories of the nature gods halfnaked, swift runners with sad eyes. . . .

The first night at the lake was as long as any week of Esther's life before. When at last she was lying in bed, she could not sleep for thinking of how the sun went down on the lake, how the young people clustered about and sang and joked and yelled, how they all ate together in the Biltmore Hotel in a room especially reserved for them during their two weeks at the lake, how Mr. Shawnessy came in to dinner, dressed in a light summer suit, his hair all carefully brushed, and sat down somewhat to himself, and how late in the evening when they were going to bed, Ivy Foster told her about the sudden loss he had suffered that had brought him back unexpectedly from New York.

—It was Carl and I, Ivy said, persuaded him to come to the Institute. He's going to teach some of the classes. We thought it might take his mind off his grief. I think we all ought to go out of our way to make him happy, get him to join in the fun and all.

When Esther went to sleep the first night, she was pondering how she might go out of her way to make Mr. Shawnessy happy.

On the following morning, Esther found that Mr. Shawnessy was teaching two classes at the Institute—Natural History and the English Poets. She signed up for both and found them attended by nearly all the teachers at the Institute. Mr. Shawnessy was widely known at that time as the best teacher in Raintree County. Besides that, all the unattached young women were in love with him. They chattered endlessly about his blue eyes, his boyish, lanky look, his pleasant grin, his sense of humor, his sadness, his marital status, the smouldering passion of which they fancied him capable. They reported variant stories of the famous tragedy that people said had wrecked his life during the War. The second day, a girl swooned in his class, and everyone said it was from excitement over a compliment Mr. Shawnessy paid her, though the girl herself claimed it was because she was laced in too tight. Esther never joined in this talk, but she slaved at her work and tried to outdo everyone in the Natural History and Poetry classes, working so hard at them that her performance suffered in the other classes.

The Natural History course was conducted informally as a Nature class, and the students spent much of the time outdoors in biological excursions, learning the names of plants and insects and the principles of their growth. Often the class was continued unofficially in the evenings as the students sat on the front porch of the Biltmore Hotel or on the lawn slanting down to the lake. Many and spirited were the controversies over the origin of life, the doctrine of evolution, the descent of man, the story of Adam and Eve.

In these discussions, Esther entered fully into a world she had halfglimpsed years ago. She acquired a new vision of the earth on which she lived and so of Raintree County. This new Raintree County was a microcosm of the eternal dream of life, a mystical symbol of the human soul invested with the changing, perishable flesh. She learned how the land here had been formed in ages inexpressibly remote when the earth cooled and contracted from a flaming sphere of gas, and how the waters at length withdrew, and how aeons passed with bucklings and crackings of the earth's surface, and how oceans had lain at one time over this place, and how ice formations had advanced from the north in successive conquests, until the last recession left the rough contours of what was now Raintree County moist and dripping in the great mild age that was to bring the human race to flower. She learned how during this endless process of the alteration of the earth, life had sprung up in a place of waters, and living forms had begun to people the waters, and at last the land had swarmed with life. Here too in Raintree County, stuff of the earth had felt anguish and festered into form. During remote ages archaic monsters had moved in the forests and plains of what was some day to become the County, huge reptiles had swum in lake and river, vast carboniferous forests had swayed their succulent stalks above the earth and silted down their big yellow spores into the swamp of life. And then by dryings and coolings and coverings and depositings, the earth had become firm here, the waters had shortened and shrunk, and now there were only the softened outlines of the scars of old convulsions, there were the rivers, there was the lake in the center of the County, there were the few hills and the lonely boulders and the pebbly silt, relinquished burden of the last glacier.

And then man had come to Raintree County, a form already formed, an impulse already impelled from the remote source of humanity, the Asian womb. He had come and had brought consciousness, memory, conscience, language. One day human eyes had looked on the lake and on the river that fed the lake, and this earth became for the first time, in some sense, Raintree County—the place of names.

She learned then of the history of man on this earth, of man the wanderer, the homeless one. She learned of the races of pre-

Columbian man, the peoples who became the Indian peoples, mysterious races, how they had left their traces on the earth of the County, mounds beside the river, and shards of implements, old battlefields where young men fought for the preservation of now forgotten cultures.

And she learned how the white man had come here and only fifty years before had drawn for the first time on the ageless earth the four lines that bounded Raintree County. She learned the theory of how the County had received its name, the legend of the fabulous preacher, Johnny Appleseed, who had planted a tree from seed brought overseas a devious way. She was flung into speculations about this mysterious tree that no one had ever positively seen. She learned of the coming of the settlers, and the naming of Freehaven in the liberal, confident spirit of the eighteen-twenties, when Robert Owen's New Moral World had been established at New Harmony on the Wabash. Then there had been the schools, the teachers and the books, politics, the controversies over the fate of the Republic, there had been the churches and the homes, the farms, the fences and the roads.

And at last Raintree County was Raintree County, its way of life had been fixed—as if forever—and those who had emerged upon its breast and wore its clothing and spoke its speech felt that they had been born into an eternal way of life.

Then Esther Root, whose descent was the descent of man, had been born upon this earth.

Esther felt that she was in the presence of a mystical secret. Mr. Shawnessy was the poet, the priest, the prophet—perhaps the god—of this holy feeling. All the words he said were eloquent with the language of it, and even when he was drawling along in the late afternoon classes, in his amiable and sometimes slightly bored fashion, she felt that what he said was wondrous because he said it. He was the final embodiment of the magical fact of life in Raintree County, he who had emerged for her with lank hair streaming from the waters of the lake at evening when first she had come down the hills to the little ancient pool of Paradise. The feeling she had toward him was so strong—and, for her, new—that she hadn't even given it a name like love. It was an ecstasy of adoration in which she was lost.

And indeed she was like one lost out of time and almost out of space during her days at Paradise Lake. She seemed to discover herself for the first time by an immense loss of herself in which she found all human life and history and all meanings near and far. The lifeplace in the center of Raintree County had taken its inarticulate child and had breathed all of its great secret into her, had filled her with its holy mystery.

What was this mystery? What was this life? She could only say that life was the lake and the faintly luminous forms in its green depths. Life was the seed and the burst bloom and the withering flower. Life was also the words, the names, the poems that man, the wanderer, had brought to Raintree County.

Every word that Mr. Shawnessy spoke, every book in which she read during those fleeting days at the Teachers' Institute at Paradise Lake were graven upon her memory with a stylus of flame. Nature, Humanity, Liberty, Poetry, Passion, Love, these became meaningful concepts to her and summarized eternal images of life on the earth.

Come, o, come to Paradise Lake in Raintree County. There you will see Humanity in the guise of a lanky man of thirty-eight, clad in a wrinkled summer suit, his mustaches are long and roughly trimmed, his skyblue eyes are sad, he recites Byron to the solitary glades, he rows the young girls out across the lake at evening, and they wish he might express to them the Great Passion of which he is capable. Come to Raintree County, and behold primal forms of man and woman against a background of quiet woods and the long upland fields where clover fragrance floats upon the wind of summer. Here is Passion become serene, as among the most tranquil gods, here is life's purpose made clear, here are Truth, Virtue, Poetry, and Love—Love exalted and purified above all carnal contact.

After a few days, Esther began to have a strong desire to cross the lake to the other side and explore the marshy ground around the region where the Upper Shawmucky emptied. Mr. Shawnessy and others had spoken of the perils of this place and had warned the women not to attempt to find their way through it. But all week there had been a contest on to see who could find the greatest variety of tree leaves for the nature notebooks, and Esther had made up her mind to plunge into the steaming world of the lake's northern shore where perhaps she would be able to find for Mr. Shawnessy rare leaves that no one else had found. She even played with the thought that she might by persistence and strength find the Golden Raintree in this wild region where the river joined the lake. Mr. Shawnessy had shown them pictures of the raintrees of New Harmony, Indiana, and she was certain that she could identify the leaf. A little after noon, then, on a cloudless day, she took one of the boats from its anchorage and rowed alone across the lake while the other students were relaxing from the heat in the shade of the Revival Tabernacle.

Before she had reached the center, she was half blinded by the brilliant reflections that leapt from the sheeted lake. In her white dress and swaybrimmed bonnet, she felt herself a great flower floating on the water. She saw now that the hotel and the buildings and tents around it were only a random collection on a small part of the shore and that all the rest of Paradise Lake was primitive, green, savage. She saw the low hills sloping to the water's edge on one side, the marshes and reeds where water birds flapped and cried, and at either end the inlet and outlet rivers, the Upper and Lower Shawmucky, flowing torpidly through shallows choked with rushes and the green paving of the lily pads. And then she thought of the great age of the lake and of the things that grew within and around it, and it seemed to her that it was a living pit, the soft navel-scar left by some old birth of long ago.

Come, o, come to Lake Paradise, the oldest scar upon the earth of Raintree County. See how the soft green hair of life blurs the old scar that is in the very center of Raintree County! . . .

She had a hard time finding a place on the opposite shore where she could run the boat in easily, but she finally tied the boat up to a tree branch and climbed ashore. The hotel looked impossibly small on the far side of the lake. She began to push eastward, finding herself immediately involved with nettles, rushes, berry bushes. But she was not at all afraid. From the moment she set her foot on this side of the lake, she had felt a wild excitement as if she were about to discover something hidden to everyone else. She was a strong walker and had often boasted that she never tired out, and she didn't intend now to turn back.

All along this side of the lake, the ground was lower. It seemed to her that the leaves were greater, greener, thicker. She found several new plants and placed leaf, bloom, and bits of stalk in a little wooden box with a hooked lid, which she carried for her specimens. She saw big butterflies, amazing dragonflies, and again and again turtles and frogs that slipped from bank to water as she approached. Her luck with leaves was so great that she began to dream of herself as the discoverer of the Raintree, which she pictured as an incredible trunk whose fanshaped burst of foliage towered in isolation above the other trees.

Come, o, come to Raintree County and to the central gardenground thereof, where hills slope circularly to form the ancient scar. Here was an old uprooting. Here grew perhaps the Tree that flowered above the garden in ancient days. O, little transplant from the Asian homeland and heartland of the race! O, Biblical tree! O, mysterious seedling, lost and only vaguely remembered!

She pushed on toward the eastern end of the lake, finding her way ever more difficult. She was obliged to make wide detours to avoid swampy places and thickets; and as she tried to make her way back toward the lake, the water had somehow passed beyond the seeming shoreline and deep into the region where she was hunting. She finally took off her shoes and stockings, and holding up her dress, she waded on, feeling more and more determined to reach the place where the river emptied into the lake. She began to lose her bearings. Great waterbirds sprang shrieking into flight, the sunlight poured a furious brightness into open pools, frogs slithered away in troops of hundreds, green bugs buzzed by her, blind as bullets. She began to be afraid. She had come too far. She didn't know where she was. Her white dress was stained with the green blood of life, her bonnet was being continually knocked off her head, her feet were stung and bruised by stones and stalks. O dear, she thought, I'll have to go back. I'll have to give up. But then she saw not a hundred yards farther on, across bunches of horseweeds and rushes, a clump of trees, cleanroofed and stately as if rising from an island of firm ground.

Halfway there, she began to fear for her life. There was something sinister about this place. Savage and endless variety of forms, each form endlessly and savagely repeated, smote her with the frail uniqueness of her own form. A slender, sallowskinned girl with black hair, she felt foolish, lost, helpless in her white dress and bonnet, but she clutched her shoes and stockings and her specimen box and pushed on.

Then it was that she stepped on the snake, a long lewd fellow, writhing under her very feet and slithering away in the water with a gay fury. She had touched this green and yellow monster with her naked foot, and here she was now helpless in his domain, in the very sink and center of it. She began to run blindly through the water toward the high ground where the trees were.

Just then she saw something that shocked her almost as much as the snake had. It was a man sitting on a wide, flat rock beneath the trees.

Involuntarily, she called his name in a voice mingling surprise and relief.

—Mr. Shawnessy!

He turned and watched her, as, feeling very faint and foolish, she stood motionless, wishing she were miles away.

—Come on up here, child, he said. What in the world are you doing in this swamp, Esther?

It was the first time that week he had called her by her first name. She came up obediently and laid her belongings on the rock.

—I was hunting specimens, she said.

He shook his head and laughed.

—Have you found any?

—Some, she said.

—Well, you can add me to the collection.

He smiled, but Esther had always been of a humorless turn of mind like her Pa and made literal interpretations. She blushed violently and tried to think what Mr. Shawnessy might mean.

—How in the world did you get through the swamp there? What way did you come?

She told him, and again he shook his head and laughed.

—There's a path, he said, that you might have followed to this point. It curves wide around and comes out on the north shore about where you tied your boat. We can go back that way. My boat is tied along there too. Well, I suppose you're wondering what I'm doing here.

Strangely, she had not wondered, having immediately accepted his presence on the wild side of the lake as inevitable and right.

—No, Mr. Shawnessy.

—Why don't you call me by my first name? After all, we're fellow teachers now. People call me John.

—O, no, Mr. Shawnessy, she said. No, I wouldn't want to do that.

She knew that she could never under any circumstances call him by his first name.

—As you wish, he said, a little sadly. I forget how young you are.

—Not so young either, she hastened to say.

He looked at the surrounding tangle of grass, reeds, swamptrees, padded pools, mucky places, lost arms of river and lake, mudbars, thickets, flowers, weeds, all bathed in light and heat and stridulous with sound.

—A good place to get lost in, he said, and never found again.

—You seem to know your way.

—This isn't the first time I've been here, but I don't know my way. Few people have ever been through this place. It's a strange earth here. From here on to the river, it's even worse than where you were.

—You've been there?

—Once—long ago. I never came back until I came back today hunting for someone.

—Someone? she said, surprised.

—Yes, he said. A boy. A boy twenty years old, a joyous youth. He swam over here eighteen years ago and found his way into this region and never came out again.

He looked at her curiously to see what she was thinking. Later when she repeated this conversation over and over in her mind, she was amazed at what he had said. Now, in the savage light and beauty of the place, as they sat together on the rock, she with her bare feet chastely drawn up under her dress, she was curious to know his meaning but not shocked.

—He's lost here somewhere, this boy, Mr. Shawnessy went on in a low, pleasant voice that she thought was thrillingly sad and sweet. He's still here, I suppose, wandering around trying to find his way out. He was a very remarkable boy, you know—perhaps the Hero of the County. Do you know why?

She kept her face turned up to his and shook her head.

—Because, if I'm not mistaken, he's almost the only person who has seen the Raintree.

—O! she said. You think it's here then?

—I think it *was* here, he said. I think the boy found it but didn't know it at the time.

—Why not?

—He had drunk too much cider. He had swum too far. He was occupied with other things. Only later did he realize that he had seen the Raintree. It was then a slender tree with a rooty base, and it dropped its pollen on the boy's naked arms and shoulders and into his hair, for that was the season of its blooming.

—But if it was here then, it's still here.

—Maybe so, he said. But of course, everything changes here. Islands of solid earth dissolve, trees are rotted out and crowded away by others.

—Did—did he find it on firm ground?

—I think he found it on a little island of firm ground closer to the river. There were two stones for markers at the base with rude letters chipped on them—perhaps the initials of the man who planted the tree.

—This boy, she said, watching him intently, he came back?

He shrugged his shoulders again and smiled in a way that showed sadness rather than joy, and then he turned and looked at her a moment as if studying her face.

—I'll tell you about this boy, he said, if you won't think it foolish.

—I'd love to hear.

—I'd tell you his name if I could, but in fact he had no name. He left his name on the cultivated side of the lake. It was a hot, bright afternoon like this. He was a good swimmer, and he entered the water somewhere on the southern rim of the lake and began to swim across. This was in a time when few people came to the lake and there were no buildings around it. He swam for a while and landed here, but he found that there was no definable shore here where the Shawmucky flows into the lake. There was someone with him. A girl.

He turned and looked at her, and there seemed to be a gentle question in his eyes. He waited.

—Go on, Mr. Shawnessy, she said. What did he do?

—He didn't know precisely what he was doing, but at the time this youth believed that he had found the source and secret of all

life, beauty, and desire. He thought that he had found all wisdom
and had become superior to good and evil. He thought that he was
about to pluck the fruit of the tree of everlasting life. Do you understand?

—Maybe, she said.

—He was perhaps a beautiful young man—beautiful because he
was young—his hair was thick and tawny and caught the sunlight,
he was like a young god, and he had the living present in his hands.
The girl was naked like himself and very beautiful. These two slept
and awakened beneath a tree. They lay for an incalculable time between the two stones. They ate of a forbidden fruit.

He waited for a while.

—Yes? she said.

Her voice trembled a little, and she felt that for some foolish reason she was going to cry.

—That was when the boy was lost, he said. He never came back.
He was nameless anyway, and it didn't matter if he was lost. But
in the evening, a young man who had a name swam back across the
lake with a girl and put on clothes and with them shame and a sense
of guilt.

She felt a great anguish, because of the thrilling sadness of Mr.
Shawnessy's voice. She understood that he was referring to something in his own life that had happened long ago and had changed
everything for him.

—But it was long ago, she said. And it's all right now, isn't it?

—Nearly twenty years ago, he said. I wonder if the tree the boy
found is still there.

—Let's go and see, she said.

He looked at her curiously again, and she turned her face away
because it seemed to her that she simply couldn't bear to let him see
her eyes. After all this was her teacher, Mr. Shawnessy, whose
wisdom and passion were greater than anything else in Raintree
County.

—We'd better not, he said. It's a perilous business, and we're not
dressed for it. Besides, I don't know that it would do any good to
find it. It's funny, but I've made a myth out of that tree, and I don't
want to destroy the myth. Somehow, that tree embodies the secret of

life, the riddle of Raintree County, and yet I know it's not the physical tree itself that embodies it, and I don't want to disillusion myself. If I found the tree, I should remind myself that in the principle of its growth it's no more nor less miraculous than any other tree—and all trees are miraculous. I should see that the two stones were like all the other deposits of the glacier—having mass and form, and that the initials on the stones were just chipped letters, no more nor less remarkable than any of the billions of letters that mankind has strewn upon the earth. No, the tree is not the secret, but is itself, like the letters chipped on the stones, part of the secret only. There *are* secret places in the earth. Every county in America has its secret place and every American life its Delphic cave.

Esther sat very quiet now in the still, bright air, wishing that this time would never change. She felt certain that Mr. Shawnessy had just confided something to her that no one else knew.

—You've always lived in the County, haven't you, Esther?

—Yes, my father's father was one of the first settlers in the County. And then you know, they used to say that there was Indian blood in our family, but I don't think it's true.

—You don't say! Mr. Shawnessy said.

He studied her face.

—It might very well be, he said.

—I don't know why I told you, she exclaimed, shocked at herself. It probably isn't so. I was always ashamed of it. I don't know what got into me to tell you.

—You should be proud of it, he said. Perhaps that's the unique quality of your beauty.

—My beauty! she said, surprised. O, Mr. Shawnessy, I never thought—— O, pshaw, you don't really think I'm pretty! Why, I never——

—Pretty! Why, my dear child, he said, of course you're pretty. Didn't you know that?

Esther had known that she was prettier than most girls, but she had never supposed that Mr. Shawnessy would notice it. It was not a usual type of prettiness, what with her sallow skin, her high cheekbones, her dark round, haunting eyes, and her austere, almost stern expression.

—Why, yes, he said, speaking with surprising energy. You're

very beautiful. I always thought so. I should think many a young man would have told you that.

—I've not been courted much, she said. Pa doesn't favor it.

They talked for a long time, and after a while they took the long path around, leaving the solitude of the wild side. Esther had put her shoes and stockings back on and had brushed off her dress. But she was still dizzy from the strange things that had happened to her across the lake. She kept thinking of the young man who had been lost there beneath the Raintree and had never come back. She knew who this young man was, he was just her own age, twenty years old, and to be pursued by this young man and to lie with him unclothed beneath the Raintree would be to . . .

Come to Lake Paradise, o, wandering one, come in the summertime and cross the lake to the wild side. Here you will lose the name and garments that you had in Raintree County. Come and seek the place where, amorous and young beneath the tree, the young god waited for you. For you, a long time there he waited, and only you can find him and restore him to himself. O, little wanderer from a dark earth, o, little vesselbearer from the Asiatic heartland and homeland of the race!

After their afternoon together on the wild side of the lake, Mr. Shawnessy was often in Esther's company. He went walking with her and sometimes boating with her. He sought out any party of young people which included her. He seemed to like to talk with her, though he didn't speak again of the daring young man who had been lost on the wild side of the lake, nor did either of them say anything about their afternoon there. He spoke, however, of many things— old days in Raintree County and his experiences in the Civil War. He now always called Esther by her first name, and she of course continued to call him Mr. Shawnessy. Gradually he seemed to recover from the remoteness and gloom of his first days at the Institute, and some of the sadness went out of his handsome eyes. He smiled and joked more frequently.

There were hours of fun at Paradise Lake such as Esther had never known in the world of Pa, who had little laughter and lightness in him. Esther herself didn't often participate in the funmaking, being by nature stoical and humorless, but she was excited by it and by the part which little by little Mr. Shawnessy took in it.

Some of the best sport was the swimming. The girls wore yards of frilled stuff designed to conceal the shape of their bodies. The lake and the surrounding hills echoed squeals and screams as the young men and women frolicked in the water, splashing and ducking each other. Mr. Shawnessy avoided the more boisterous fun and undertook to show Esther how to swim. She learned to make patient, rhythmical gestures with her arms under the water, pointing her hands as if in prayer and stroking out from her breast like the figurehead of a ship cleaving the water. But her bathing costume was so heavy that these motions never served to keep her afloat, and she went down beneath the water again and again, still stroking stoically as Mr. Shawnessy had shown her. Each time, he would reach down and pull her out.

—Esther, my word, child, you'll drown! You don't have to go on doing it after you sink.

—I was doing it all right, wasn't I?

—Perfectly, he said. Only you always sink. If it weren't for your suit, you could swim.

He blushed.

—After all, he said, a fish couldn't swim dressed like that.

One night, the girls went to a remote part of the lake in boats and took off their clothes and bathed and soaped themselves. While they were giggling and dipping their pale forms in the water, they heard a shout from across the lake and a lantern flashed. Some men were rowing in a boat toward them. The lantern palely illumined the white bodies of the young women beside the lake, and they all screamed shrilly and put their hands over their breasts and the dark mound hair.

There was a loud chorus of song, a confused shouting of male voices, the boat drifted slowly farther out on the lake, and the girls spoke in loud voices indignantly as they dried themselves and dressed.

The next day there was much speculation as to what men had made up the party.

—From what I hear, John Shawnessy got the whole thing up, Carl Foster said, winking.

—Mr. Shawnessy is too much of a gentleman to do any such thing, Ivy said. It sounds like some of your doing, Carl Foster!

—The boat was loaded exclusively with married men, someone said.

—More's the pity, Ivy said. Why waste such a sight on married men!

—Give me a boatload of lusty bachelors any day, said another lady, slightly past forty and of redundant outline.

—The whole thing was the doing of John Shawnessy, Carl Foster said. That's what I heard.

—What about it, Mr. Shawnessy? several girls said.

—I know nothing of all this, Mr. Shawnessy said. I do, however, recollect rowing out on the lake for a quiet pipe yestereve with a party of kindred spirits, when chancing to put our boat in close to a sequestered arm of the lake, behold! we saw what seemed to be mermaids bathing in the water. More lovely were they than mortal maidens, and like Ulysses we were hard put to keep from beaching our boat there, but as luck would have it, an illomened breeze sprang up and bore us away. Can any rede me this riddle?

The affair was a subject for mirth days afterward, but as for Esther, she was wondering if Mr. Shawnessy had really been in the boat, and if his long blue eyes had been able to spy directly out her own naked form through the lanternlit darkness.

Come to Lake Paradise, ye nymphs. Ungarb and stand beside the lake, brownlimbed, with dark hair down. Plunge deep and cleave the glaucous depths and watch the frogs go by with long legs trailing. On the floor of Lake Paradise, the waterweeds are a dense mat. Be a white form fishlike in the vitreous waters while the god is watching from the glades.

So the days passed at Lake Paradise in the deep of that mythical summer in which Esther Root first left her father's home. It might have been ages since the evening when she had come down the sloping hills to the lake. So precious was this new existence to her that she had ceased to count the time, for she didn't wish to remind herself that only a few days remained of the Teachers' Institute. Nor did she seek to analyze her association with Mr. Shawnessy. She was teased by the other girls because of his obvious preference for her company, but she didn't dare to imagine what his kindness toward her meant. Perhaps in his mood of bereavement he preferred her stern simplicity to the lighthearted frivolities of the others. She lived lost in the wholeness of the experience and waited for time to tell her what to do.

All week, plans had been in the making for a big picnic which was to be held far up the river at the site of the Indian mounds, whence the picnickers were to row down to the lake. The whole affair had been planned as a climax to the first week's activities. For two or three days the girls talked of it continually among themselves at night. When the great day arrived, the weather was clear and fine. Already most of the young people had paired off.

At breakfast in the hotel, someone asked Mr. Shawnessy if he intended to go along.

—Why, no, he said. I guess that's just for the young people and the lovers.

He smiled, but not with his eyes. At the morning class, his voice was very gentle and remote, and it was only by a severe effort that he kept his attention on the wavering responses of the students. Esther didn't know when she had felt so much pity and love for anyone. She wanted to tell him that she, Esther Root, would be pleased to have him go along on the boating excursion and that to her he was as young as anyone there, no older than a boy of twenty who in some legendary summer had swum boldly across the lake and lain beneath the tree of life. The more she thought about the situation, the more upset she became, until she was annoyed by the excitement and laughter of the other students as they prepared for the picnic. She turned down two invitations from older men who wanted to escort her on the ride back. Just before they were all ready to leave, Carl and Ivy Foster came around for her. They were talking about Mr. Shawnessy.

—Maybe we could persuade him to go now, Ivy said.

—No use, Carl said. He just hasn't got over his sorrow. You can't get him now anyway. He left the camp a little after the class, and I don't know where he went. He hasn't been back since. John Shawnessy's a queer cuss in a lot of ways. He told me he was going out for a walk and not to worry about him. I asked him where he was going. I'm going to try to find someone, he said. Someone to love. We have to replace the old loves, Carl, don't you think? He was smiling and yet I never saw a man in tears look as sad as he did smiling.

When they were all getting into the buggies, Esther said to Ivy,

—I'm not going.

—Why not, honey? Come along.

Esther, who was no good at subterfuge and never lied about matters of fact, merely said,

—I can't tell you why. I'm just not going.

Carl and Ivy soon gave up trying to persuade her, and the party went off without her.

It was then about two o'clock in the afternoon. Esther ran back to the empty tents. She was wearing her white dress again, newly washed and ironed since the day she had stained it on the far side of the lake. She carefully washed her face and tied up her hair. Then she studied her face in the mirror. It was a slender face with smooth red lips, large liquid-brown eyes, high cheekbones. It had two spots of heatflush just under the eyes, and there was a burning excitement in the eyes. Then she went down to the lake, and taking a boat which didn't even belong to the Institute—all that did had been taken up the river the day before—she began to row across the lake.

Her stomach was all weak, and she was faint and dizzy. She had eaten little breakfast and no dinner at all. In what seemed an absurdly brief time, she had run the boat against the bank on the far side of the lake. When she climbed out, she was panting and the palms of her hands were red and hot from gripping the oars. She now set off on the wide path that skirted the swamps leading to the little neck of firm ground where she had met Mr. Shawnessy a few days before. She hoped that she would be able to follow the path, but as she went over it in the opposite direction, all was changed. Indeed the whole northern side of the lake seemed different. There was a kind of white soft mist in the air; leaves and grass had a vapory look. It was certainly the hottest day they had had yet, and her handkerchief was soon drenched with wiping her forehead. In a few minutes, she had quite lost her way and began to go on as best she could, pushing through the thickets and wading through low ground in the general direction of her goal.

All the time she kept telling herself that she was foolish and bad to do the thing that she was doing. Nevertheless, she kept on going and looking all the while for the trees. At last she felt sure that she had overshot them, for she was wandering and floundering in a wide marsh of swampgrass and reeds, and began to think that she would have to turn back. She took off her shoes and stockings and stood for a moment looking about her. She was panting, her hair had come down, and her slight body was drenched with sweat. Her heart knocked at the top of her chest. She thought she might faint out here in the cruel sunlight: the bubbly substance of the swamp would close over her, and she would be like a flower destroyed before it could bear its seed. Once again, she saw the insouciant gaiety and swiftness of the water-creatures. A snake swam in a pool not far away. The shining green-shouldered frogs were everywhere. Noon, splendid, uncaring, blazed and buzzed around her.

She decided to go on. For perhaps half an hour she wandered completely lost. She didn't know what trees she passed, what stones she stumbled over, but at last she saw the familiar headland and the boulder—only she was approaching it from the other direction. There was no one there. She had a great sinking of heart. She began to run on the firm ground toward the boulder. When she reached it, she stopped and put her shoes and stockings down. She had heard steps coming along the path.

Instantly Mr. Shawnessy appeared. She had beaten him to the rock.

She stood, watching him, her lips parted, unable to take her eyes away from him. He walked swiftly up the path, watching her all the time, and when he reached her, he put one arm out as if to steady her, for in fact she was swaying like a great flower bending on its stalk. She put her arms up over his arms, knocking his coat to the ground, and she clung to him so tight that she nearly pulled him off balance. His face was very close to hers. Then she was touching her face against his face. She felt his mustache on her cheek and against her neck as she held to him, shutting her eyes to the unendurable sunlight. Her body seemed to tip backward and sway as if her head had become too heavy for the rest of her.

Come to Lake Paradise, in the very center of Raintree County, o, come, come, come to—o, come to Lake Paradise in the very lifegiving warmth and brightness of—o, come, come, come to——

Esther couldn't talk, and he put her down on the rock where she sat, still clinging to him.

—I had no idea, child, that you felt this way, he said.

—O, yes, she said, I've always loved you, ever since I was a little girl. There was always only one man for me.

He began to tell her something about his marital situation. She nodded her head, but just then this information didn't seem important to her. He went on explaining something to her with great care, and she kept nodding her head, and still holding to him. She kept shutting her eyes and then opening them hastily as if she were afraid to find that all her happiness was a mirage. Finally, he said,

—Well, what about it, Esther? Do you want me, knowing all that?

—O, yes, Mr. Shawnessy, she said.

He smiled and said,

—Don't you think you could call me by my first name now?

—I'll think of something, she said.

She didn't want to leave the wild side of the lake and return to Raintree County, but about four o'clock Mr. Shawnessy said they must be back before the picnickers.

—We'll have to be careful, he said. We mustn't tell anyone, of course, until I have a chance to work this out and find a way to make it all right.

It was hard to be careful, though, during the next few days. The rest of the people at Paradise Lake had become as though they didn't exist for her. She smiled at them, listened to them, even sometimes said something, but she wasn't sure afterward what she had said and whether it made any sense at all. In a single hour, the real world had been enormously contracted and by the same token enormously expanded. There were only Mr. Shawnessy, herself, and the lake, and the hours that they spent together. All other hours were a vague dream of waiting to be alone with him. And if some afternoon the mythical youth had suddenly disclosed himself to her, she knew that she would become his companion in ecstasy beneath the Raintree. But he remained lost and didn't appear, and neither of the two lovers ever referred to him.

—Esther, Ivy Foster said to her sharply one day while they were dressing and no one else was around, what's happened to you?

—I don't know, Ivy, Esther said, smiling tranquilly. Why, what do you think has happened?

—I think you're in love, Ivy said. You silly little fool, you *are* in love!

—Well, Esther said. Yes, that's it. I'm in love.

—You're in love with Mr. Shawnessy, you crazy little thing!

—Yes, Esther said, smiling a sweet smile of resignation and candor. Yes, I am.

—Is he in love with you?

—Yes.

—Don't you know, Ivy Foster said, her eyes brilliant at the pleasure of having discovered a real passion and a shocking one at that, don't you know that he was married and has a wife and——

—Yes. Yes, I know. It doesn't make any difference. I always did love him.

—We mustn't tell anyone, Ivy said. Maybe it can be arranged. Maybe the woman will die, or something.

—Maybe so, Esther said.

She was hoping that the woman would die. It seemed the only decent and honorable thing that the woman could do. Surely if the woman knew the great love that was between Esther Root and Mr. Shawnessy, she would understand the importance of gracefully dying and permitting that great love to have its course.

—What about your Pa? Ivy said.

At this, Esther came suddenly to her senses. Here was the thing that she had been hiding from herself. Here at Lake Paradise, she had denied that other world.

—I don't know, she said. I dasn't tell him.

—He'll hear, Ivy said.

—He mustn't, Esther said. We must hide it.

—You aren't hiding anything, Ivy said. Anyone can tell you're sappy about Mr. Shawnessy. Everyone's talking about it.

Next day, a mature maiden lady who had spent a good deal of time thrusting a bounteous bosom under Mr. Shawnessy's perceptive nose during the earlier days of the Institute, took Esther aside and said in an ardently friendly way,

—Esther Root, I'm goin' to tell you something for your own good, because I'm your friend and a friend of your family. Everyone knows the goings on between you and Mr. Shawnessy. Now, you're headin' for trouble, dear. It's nothing to me person'ly, but I take a personal interest because of your family and all, and I know how your pa would take it, just to mention one. You must know that John Shawnessy is *not* a free man, dear, and his reputation isn't anything to shout about. Besides, child, he's twice your age, even if he doesn't look it. Now, I say all this in the warmest spirit of personal friendship, and I'm a little older than you myself, dear, and take this sisterly interest in your welfare, out of my personal friendship for you and your family. What I say is you'd better not have anything more to do with him. That's just my personal advice to you, and you can do what you want with it.

Esther didn't feel anger or any other very definite feeling except foreboding and sadness. She thanked the lady and said it was kind of her to say tactfully and honestly what she thought about things.

That afternoon she and Mr. Shawnessy went walking as usual.

The night before the Institute was going to end, there was a big dance in the dining room of the Biltmore Hotel. Esther danced all the dances with Mr. Shawnessy. It was a hot, hushed night on the lake. Parties of young people came out from Freehaven, and there was a tumult of buggies coming and going in the darkness. A sound of singing came from across the water, and someone said that some of the young men at the dance were drunk.

Around ten o'clock, while she was dancing with Mr. Shawnessy, she looked up and saw Pa standing at the door of the hotel. He had his riding whip in his hand, and his big face was stern.

Then she knew that she had sinned a sin so blissful that the penalty must be proportionately severe. She kept her eyes on the floor while Pa walked across the room in his great boots.

He didn't look at Mr. Shawnessy. He held out his hand to her. Putting her hand in Pa's, she walked toward the door, but just before leaving the hall, she turned and looked once at Mr. Shawnessy. His eyes had a curious brightness.

Then she was following Pa out, and they got into the buggy, and Pa laid his whip to the horse, and they were riding away.

—Esther, Pa said after they had ridden for a long time in silence and had at last reached a main road, I know you didn't know what you was doing. It wasn't your fault. You're only a child after all. I know I've only to tell you what kind of man this feller is to make you see the light. This John Shawnessy is plain no good. If it were anyone else in the world, I don't know as I would stand in your way. But in this case, I feel it my fatherly duty to protect you. This feller comes from a nogood family, and he's no good himself. He has a weak streak in him, always had. Besides, he's married and had a child by his wife years ago. They's a big mystery about what ever happened to her. He's a queer sort of feller—folks say he's an atheist. Any which way you look at it, Esther, he's not fit to lick your boot. Now, I want you to know that I don't blame you at all. I blame him. And by the livin' God, if ever I catch him hangin' around you again——

Pa's deep voice rose and trembled violently; his body seemed to bulge as if enlarged by passion.

—You're wrong, Pa, she said. He's a good man.

She couldn't remember ever before saying to Pa in so many words that he was wrong. But Pa's voice was deceptively gentle as he said,

—You're just a child, Esther. I don't blame you at all. You just don't understand about these things. I'm your pa, and I know what's good for you. In this case, you'll just have to take my word for it. I think I know how you feel. This man is much older than you, child, why, he's about as old as I am, old enough to be your—your father.

She was crying then, sobbing hopelessly as the buggy went on through the night farther and farther from Lake Paradise and back across the level part of the County toward the Farm, from which, as it now seemed, ages ago she had . . .

Come to Lake Paradise. It is—it is in the very center of Raintree County, and here (but o, so long, so many years ago) the father and mother of mankind walked alone and naked. O, come to Paradise Lake in the center of Raintree County! Here was planted the tree from which the County takes its name. O, did we not eat long ago of the fruit—of the delectable flesh of the fruit of the golden tree? It was so long ago, and now the tree is gone, only the scar remains, and the fruit is stricken from our hands. Come back, come back to Paradise Lake, from the wrath of the allseeing father, come back, my darkhaired child,

SOME DAY TO THE STILL WATERS AND

THE CIRCLING HILLS OF

LAKE

—Paradise lost in one willful act! For the Woman takes the fruit and bursts it between her lips. And she finds it delicious. And she's not satisfied to have a little of it. O, no! She takes down whole armfuls of it, and she and the Serpent both eat of it and gorge themselves on it, and then she goes out and finds her husband. O, I've just found the most wonderful thing, Adam! Here, take a taste. Poor Adam suspects what she has done, deep in his heart he knows, but the Woman beguiles him to sin with her. And Adam takes a taste of it too. Hit is good, he says. Hit's wonderful! she says. And the taste of that fruit maddens them. They look at each other with new eyes. And, o, I'm afraid, I'm very much afraid, that the father and mother of mankind give rein to lewd and improper desires. Anyway, such is the interpretation of Milton, the great Puritan poet. Let us draw a curtain of reticence on them, poor, sinnin' creatures wallowin' briefly in the pleasures of their lustful discovery. Hit *is* good, Adam says. O, hit's wonderful! she says.

Preacher Jarvey's voice was elaborately ironical. His small eyes glared lustfully around as he plucked and tore imaginary fruit from an imaginary tree.

—. . . *and they knew that they were naked; and they sewed fig leaves together, and made themselves aprons.*

And they heard the voice of the Lord God walking in the garden in the cool of the day: and Adam and his wife hid themselves from the presence of the Lord God amongst the trees of the garden.

Esther had been so absorbed in the Preacher's discourse that she had failed until this moment to observe a buggy approaching on the road from Moreland. Now, looking up, she saw what looked like Pa's big shiny black pulling a buggy, though dust and distance obscured the face of the driver.

—*Unto the woman he said, I will greatly multiply thy sorrow and thy conception; in sorrow thou shalt bring forth children; and thy desire shall be to thy husband, and he shall rule over thee.*

And unto Adam he said, Because thou hast hearkened unto the voice of thy wife, and hast eaten of the tree, of which I commanded thee, saying, Thou shalt not eat of it: cursed is the ground for thy sake; in sorrow shalt thou eat of it all the days of thy life. . . .

The buggy was only a few hundred feet now from the tent. In the seat, Esther saw Pa's erect, broad form, his broadbrimmed black hat, his patriarchal beard.

—*In the sweat of thy face shalt thou eat bread, till thou return unto the ground; for out of it wast thou taken: for dust thou art, and unto dust shalt thou return.*

The buggy began to slow down. Esther could see Pa's black eyes searching the rows of heads under the Revival Tent. His right hand gripped the handle of a whip.

—*And Adam called his wife's name Eve; because she was the mother of all living.* . . .

—*And the Lord God said, Behold, the man is become as one of us, to know good and evil: and now, lest he put forth his hand, and take also of the tree of life, and eat, and live forever:*

Therefore the Lord God sent him forth from the garden of Eden, to till the ground from whence he was taken.

So he drove out the man; and he placed at the east of the garden of Eden Cherubims, and a flaming sword which turned every way, to keep the way of the tree of life.

Preacher Jarvey put the book down and closed it resoundingly. He removed his glasses. His great hairy head dripped sweat. The front of his shirt was soaked. The horn of his voice had been muted to a pitch of resignation and sadness.

—So endeth, brothers and sisters in Adam and children of the errin' mother of mankind, so endeth the Oldest Story in the World. *In Adam's fall we sinnèd all.* The highest wisdom is to know that we are sinners. In the pride and pomp of this day on which we celebrate the birth of our nation, let us not forget the birth of our race. With one hand, God giveth, and with the other He taketh away.

The citizens of Raintree County picked up their hymnbooks. The ladies, daughters of Eve, fanned themselves briskly, looked shrewdly around at each other, twisted uncomfortably in their cloth, bone, and metal cages, badges of lost innocence.

The service over, Esther found Pa waiting for her outside the tent.

—I'd like to have a word with you, Esther, he said. I'll drive you to where you're goin'.

—I'm going to the schoolhouse to help fix the G.A.R. Banquet.

She got into the buggy with him and they drove slowly through parked vehicles to the National Road. Pa plucked at his black-veined beard and played with the handle of the whip coiled in his lap.

—Esther, he said finally, weighing his words, you know my second wife has died and I'm alone at the old farm. Supposin' I was to say that you could come and bring the children, and I was to say that I'd take them in and help care for 'em like they was my own, and——

—I'll come back and visit any time, Pa, when I can bring Mr. Shawnessy.

Her father went on plucking at his beard. His voice was a heavy monotone.

—Supposin' you was to find out before the day was over that he wasn't a fittin' husband for you. And supposin' you was to regret marryin' him and runnin' away from your old pa the way you done fourteen years ago.

—That never could happen, Pa.

They sat in the buggy, side by side, the broad figure of Gideon Root, the slim figure of his daughter Esther. Both looked straight ahead. Their black eyes had the same look of stern endurance.

—It might happen, Pa said. And if it does, you remember what I said. The old home is waitin' for you, Esther.

They were turning west at the intersection. She could see Mr. Shawnessy sitting in the middle one of three chairs backed against the wall of the General Store. The buggy proceeded west toward the schoolhouse. A vague anxiety had touched her for the tall form in the black schoolmaster's suit. Was he entirely safe there sitting beside the Great Road?

She realized that she had never felt quite secure in her possession of this strange, wise, godlike creature who had ruled her life from childhood on. She had never quite severed herself from the dark earth of her origin, the obscure, violent parentage embodied in the figure on the seat beside her. Part of her was still living with a divided heart back in the era of a

House Divided

MAY RESULT FROM COMING ELECTION
SENATOR WARNS ON EVE OF DEPARTURE

Washington, July 1. On the eve of his departure from the Nation's Capital to mend political fences back home, the Hon. Garwood B. Jones, Senior Senator from Indiana, expressed his belief that the issues at stake in the present election are the gravest faced by this country since the Election of 1860. 'Unless an intelligent citizenry registers an overwhelming voice of disapprobation against the forces of anarchy which are abroad in the land, we may face the prospect of a House Divided, such as that which confronted the immortal Lincoln in 1860. The opposing points of view are fundamental and irreconcilable. Our Union is threatened as never before, by a more insidious foe than open rebellion.' The Senator declined to elaborate further on this statement made in the course of some impromptu remarks during a little farewell gathering at the home of James C. Parks, longtime friend and supporter of the popular statesman from . . .

The *Indianapolis News-Historian* smelled damp and gray. Mr. Shawnessy glanced at the front page and reached the paper to the Perfessor. The Senator was still talking with the ladies of the Sitting and Sewing Society.

—Time for our history lesson, children, the Perfessor said, shaking out the paper and running his eyes over the front page. Let's see how the Supreme Being is ruling his creation in A.D. 1892. Hmmmmmm. I see by this that the Senator left Washington amid kisses and tears. If there were truth in print, this article ought to read as follows:

SENATOR FEASTS SELF AT WHORE'S HOUSE
WOOS NEW VOTES AND OLD DRAB
(Epic Fragment from the *Cosmic Enquirer*)

Garwood Jones, the Senator from Indiana, who is solicitous of keeping his seat (size forty-six) in the Senate, threw a farewell party for himself at the home of his current mistress, that versatile and available female, Mrs. Petronia Parks, whose alleged husband seems to be chronically and cornutely absent from the City on business. The party was well attended by a great many people whose political eggs are in the Senator's basket. The Senator delivered an impromptu speech, of which advance copies were available to the press. There was a great deal of fun, festivity, and other fricatives. The food was passable, the liquor was plentiful, Petronia was a bad girl again, and a good time was had by all.

The Perfessor flapped pages of the *News-Historian,* folded it neatly, dropped it on the ground, and plucked a notebook from his coatpocket.

—It's impossible to report the news as it really is. But, if you're interested, John, here's my digest of the news in the year of our Lord 1892, as compiled from the *News-Historians* of our Nation. I amused myself doing this on the train down.

He adjusted his pince-nez and read in a metallic monotone:

—LIFE IN OUR TIME
(Epic Fragments from the *Cosmic Enquirer*)

We the people of the United States in the year 1892, four hundred years after the Discovery of America, one hundred and sixteen years after the Declaration of Independence, seventy-two years after the founding of Raintree County, and nine years before the beginning of the Twentieth Century, have produced the following commentary on the great documents under which we are governed:

A MORE PERFECT UNION

The various political factions by which our Republic is controlled began to hate each other with official ferocity. The Republican Party, representing money and the main chance, held a convention in June and nominated Benjamin Harrison for the Presidency. The Democratic Party, representing money and the main chance, held a convention in June and nominated Grover Cleveland. The Populist Party, representing the people against their will, met in convention on July 4 for a result not yet known. All over America, government was conducted by the few for the few.

ESTABLISH JUSTICE

A colored man was jerked to Jesus in a lynching jubilee down in Memphis, Tennessee, to remind the Negro in an Election Year that the Constitution like the Decalogue is a Sunday instrument.

DOMESTIC TRANQUILLITY

The domestic manners of the Americans exhibited the usual spicy variety. A wife beat her husband's actress whore with a whip. An actress beat her stage-manager paramour with a whip. Jack the Ripper cut throats. A Boston man drowned his pregnant sweetheart in the Mystic River. Lesbian love crept into America's papers when Alice Mitchell, a nice little Southern girl of good family, jealously cut the throat of her sweetheart, Freda Ward, another nice little Southern girl of good family. In North Carolina, the hill people went on swapping wives according to a time-honored custom.

THE COMMON DEFENSE

Secretary of State James G. Blaine, the Plumed Knight, assisted by Sancho Panza Benjamin Harrison, Twenty-Third President of the United States, ran a course against various windmills. Little Chile talked sassy to Uncle Sam after Chileans beat up American sailors in Valparaiso. Sam made a fist. Chile yelled Uncle. The Eagle and the Lion engaged in controversy over sealing rights in the Bering Straits. The Seal, interested third party, was not consulted. As Election Day drew on apace, Ben and Blaine tugged vigorously at the Lion's Tail. While protecting Home Industries, the McKinley Tariff stifled economic recovery in America and free trade everywhere.

THE GENERAL WELFARE

Victims of youthful error of either sex were earnestly besought in all newspapers to use Sanativo, sure cure for nervous debility, early decay, and lost manhood, without the aid and publicity of a doctor.

THE BLESSINGS OF LIBERTY

In Pittsburgh, on the Fourth of July, the workers at the Homestead Mill prepared to defend their practical right to feed and clothe themselves and their families, while the employers prepared to defend their sacred right to accrue wealth by the enslavement of men. Three hundred miners were entombed somewhere. Strikes spread as Americans, the richest and happiest people in the world, starved.

GOD AND THE WORLD

The Reverend Lyman Abbott affirmed that God's Word was a typographical error and that Christianity was civilized paganism. He recommended the marriage of Darwin and Jesus for the salvation of the world. Little blind and deaf Helen Keller asked her instructor, Miss Sullivan, the following questions:

1. Who made God?
2. Where is God?
3. What did God make the universe out of?
4. What is a soul?
5. If God is love, why does he permit sin and suffering?
6. If God made all things, did he not also make the evil in the world?

Dozens of doctors and divines, rushing eagerly into print, flunked the exam.

SPORTS AND GAMES

A female heavyweight wrestler subtly illustrated the general trend of the Nineteenth Century by flattening a succession of males and planting her broad rump on their chests. Thomas Lake Harris was alleged to be conducting a sex community as naughtily nude as Oneida, with Edenic baths and other pastoral pastimes.

LOST AND FOUND

Various nude, ravished, dead girls' bodies in various parts of the United States.

MODERN ENLIGHTENMENT

At the suggestion of friends, a man dug up the corpse of his consumptive wife and cremated it lest her diseased lungs feed upon her children's.

CIRCUS MAXIMUS

Trains jumped trestles, rivers flooded, ships foundered, and hotels burnt to kill thousands and entertain millions.

LITERATURE AND THE ARTS

People went to the theatre to see *Shiloh*, a play about the Civil War; *Around the World in Eighty Days*, a play about the speed of modern transportation; *The White Patrol*, a play about the Haymarket Bombing; *The White Slave*, a play about prostitution; *The Lost*

Paradise, a play about a factory owner and a factory waif; and *Cleopatra,* a play about Madame Sarah Bernhardt. In addition, they saw Lillian Russell, Shakespeare, the Vaudeville, and a Program of Gems, Varieties, Specialties, and Minstrel Comedians. A lionmaned Pole named Paderewski made a majestic assault on America's concert keyboards. Stoddard lectured. Mark Twain, America's most famous living writer, hacked out *The American Claimant.* Americans continued to read *Looking Backward, Progress and Poverty,* and *The Young Mail Carrier of the Rockies.* In Camden, New Jersey, Walt Whitman died obscure. Last words: 'Warry, shift.'

SCIENTIFIC NOTES

Anthropology: John L. Sullivan, Boston Strong Boy, Heavyweight Boxing Champion of the World, in training for his title defense against Challenger Gentleman Jim Corbett, had his right biceps muscle measured and recorded a circumference of seventeen inches. Biology: A twoheaded boy was exhibited talking German on one stalk, Italian on the other. Technology: Reporters were admitted for the first time to an electrocution in Sing Sing. Mineralogy: There was a gold rush near Denver.

FINANCIAL PAGE

Bulls and bears butted and cuffed each other on Wall Street while the Nation ran down hill to another depression.

OURSELVES AND OUR POSTERITY

The Dove of Peace spread its wings on a world becalmed in one of its rare seasons of tranquillity, a blessing conferred upon humanity by the Industrial Revolution, bourgeois enterprise, and Queen Victoria. In Russia, millions were starving, and Count Leo Tolstoi, well-fed, bled for them. In America, on Memorial Day, people laid flowers on the graves of young men who died in the Civil War thirty years ago. Cash, not beauty or intelligence, ruled society. It was generally agreed in pulpits, newspapers, books, barrooms, brothels, congresses, caucuses, schoolrooms, and the Home that humanity had never been so blessed and that the Cosmos was infallibly moving toward a millennial century of Peace and Prosperity.

The Perfessor closed the notebook and returned it to his pocket. —There, he said, is Life in Our Time. What do you think of it?

Mr. Shawnessy picked up the *News-Historian* and rubbed a sheet of it between his fingers.

—Fifty years from now, this paper will be a brittle dust. No rag content.

The Hon. Garwood B. Jones was making senatorial faces for the members of the Sitting and Sewing Society. Through the mist of Mr. Shawnessy's cigar, the Senator in his duckbottomed suit became a stiff cartoon on faded paper. Fat men made word balloons about forgotten issues. Around them swirled brittle bits of headlines. Brown dust of the year 1892 settled slowly in guts of old libraries.

—Remember the papers of the sixties, Professor? Much better paper. Life had an epic quality in those days of the rag content. There was something worth preserving. Thirty years ago the great issues were the Union and Human Slavery. Today, the main parties electioneer over the protective tariff and the free coinage of silver, both artificial issues. But down underneath, the great issues wait to be recognized again. They are still what they've always been in human affairs—Union and Human Slavery.

—The Republic has to relax, the Perfessor said, after its moral and military orgies. These are the brown decades. No doubt in a few years we'll get excited about your so-called great issues again. Meanwhile, we have the *Indianapolis News-Historian* to remind us that we're living in a new age, the age of the Modern Man, or perhaps still better, the Common Man—common because he's becoming commoner all the time and more and more like every other man. The reason for this is that through the free press and the blessings of literacy he shares the atrocities of mankind more fully with his fellows. The newspaper is the true epic of this modern Odysseus, the Common Man. He's the most exciting hero of all time. The world's his oyster, and he opens it every morning over his coffee. In the space of a few minutes, he lays the Atlantic Cable, wins and loses wars in Europe, abdicates thrones, treads a tightrope over Niagara, and rapes an unidentified woman on a deserted part of the New York waterfront. For this, he's lynched from the nearest limb and cured of impotence, baldness, old age, and the piles. His heroic form is carried in pomp and ceremony to the vault of the Vanderbilts in a casket that weighs a ton. Resurrected, he goes off a trestle at ninety miles an hour and around the world in sixty-nine days. He lives a life of gilded ease on Fifth Avenue in New York and makes a pile on the stock market. Taking a vacation from respectability, he murders innocent bystanders with anarchist bombs and assassinates Presidents. The jungle fascinates him, and he buys a sun helmet and bustles off to Darkest Africa, where he emerges into a clearing, bland face smiling, hand outstretched, and greets himself, bland face smiling, hand outstretched, after living two years among the aborigines. Despite his emaciated condition, he has his chest measured for all the world to see, is admired for the bulge of his biceps and the size of his triceps, and wins the heavyweight boxing championship of the Cosmos. All this the Common Man accomplishes by the expenditure of a penny, while sitting squarely on his prosaic beam in the Main Street of Waycross, sucking on a five-cent cigar.

—Meanwhile, Mr. Shawnessy said, the real world goes on, the world of the only possible fact.

—What is this fact?

—A human life. That's the only thing that ever happens, whereas the *News-Historian*, like History, deals with something called the Event.

—What is this Event? the Perfessor said, cooperatively.

—The Event is something that never happened. It's a convenient myth abstracted from the welter of human fact. Events happen only in the newspapers and history books. But life goes on being one human being at a time, who is trying to find that mythical republic in which he can live with honor and happiness.

—Just so, the Perfessor said, and thus the Republic's a lie and History's a lie and the newspaper's a great lie. Culture's an inherited lie with which we hide from the human beast that he's only an ape with nightmares. All the world's a lie, and all the men and women merely liars. And with these lies we divert and deceive ourselves while our life-stuff goes through its little fury of growth, orgasm, and decay. Confess, my boy, that there's nothing real but the nature of Nature.

—But that's just the most primitive of all the lies.

—How does one get out of your chamber of mirrors? the Perfessor said, smiling pleasantly.

—It's better than your chamber of horrors, Mr. Shawnessy said, smiling pleasantly.

The Senator returned to his chair through a series of deep bows, proposing his backside to the Perfessor's contemplation.

—Thirty years ago, the Perfessor went on, we all murdered and sang and whooped it up for Liberty and Union here in the U.S.A. But the Southern Negro's still a slave and the Northern Worker's still a slave. Gentlemen, we grow old in a land of greed and lust.

The Senator, settling himself solidly in his chair, cleared his throat and looked around to see if he was observed.

—Gentlemen, it's perfectly true that the Southern Negro is still a slave.

He lowered his voice.

—And what of it? I always thought and still do that the South was morally in the right during the Civil War. As a political entity, the South had a right to be independent from the North, as much so as America did from England. As for slavery, Southerners believed —and by God, they were right—that the Negro was a being inferior to a white man as a horse is, though in lesser degree. They believed that because of his jungle background and his native physical and mental characteristics he wasn't a man in the same sense that the white man is a man. The proud people of the South wouldn't live on a basis of equality with these pitiful black brutes, because such equality would finally mean that Sambo's seed was as good as a white man's and could go where a white man's could. If Northerners had as many black men around them, they'd feel the same way. Before the War, the South had a system that kept the nigger in his place and yet took care of him. God knows, as a race, the nigger hasn't been any happier since. I tell you, morally and politically the South was right.

—This Republic, the Perfessor said, will never achieve anything resembling real equality until the mixture of the bloods is complete. It's too bad we don't all have a big black buck swinging from a branch of the family elm—we'd all get over our pride of race. Really, the human beast'd be a lot happier and wiser if he returned to the morals of the Great Swamp. Let the seed go where it pleases. It's all only a little passion and the earth.

—I will say one thing, the Senator said. The hottest women in the world are those famous octoroons. During a brief sojourn in

New Orleans lately, I had occasion to—shall we say—observe some of them again. They have just enough black blood in 'em to make 'em boil.

—The loveliest faces in the world, if it comes to that, the Perfessor said, are good old Anglo-Saxon mixed with nigger. You take that noble Northern look, and you taint it with the jungle. For this erotic masterpiece, we're indebted to the Old Southern Planter. I always thought he was well named. He planted. There was a lot of good black soil handy, and that fahn ole gemman put in a crop.

—I have a real fondness for the South, the Senator said. It gets into your blood.

The Perfessor raised his cane and recited:

—O subtle, musky, slumbrous clime!
O swart, hot land of pine and palm,
Of fig, peach, guava, orange, lime,
And terebinth and tropic balm!

Mr. Shawnessy, brooding and sad, lounged back in his chair and sipped through slow nostrils the black fragrance of his cigar.

Our thin smokes curl upon the summer air
Tracing a legend of an elder day.

Land of perennial summer woven with rivers, lost Eden of America, darkened with memory of a crime! I wandered in your old magnolia swamp and touched my face to one of your most sensual flowers. And a jovial, greatbearded God brooded above us watching. Lost pillars of a Southern paradise enshrined us where we sought a tree.

All this was long ago, the history of a lost republic. In sentimental vistas, we hid our nakedness for shame of old remembrance.

All this was long ago and far away, in the old Kentucky homeland of our soul, where 'tis summer and the darkies are gay, all this was on the river, down upon the river, way down upon the Mississippi River the river brought him on its broadening flood. Days and nights, he and Susanna travelled in one of the big river boats south, a floating hotel paddled by a huge wheel. The boat's lobby sparkled with cut-glass chandeliers. Carpets paved the floor with a soundless softness. Mirrors in mahogany frames swarmed with the images of a fashionable throng making the winter journey down the river.

It was a lazy, lavish voyage; yet there was a constant sense of danger.

From what?

It was hard to say. In part, from the yellow river and its snags, shallows, hidden bars, treacherous channels, shifting shores; in part from the leashed fury of the boilers roaring with pine fires in the boat's entrails; in part also from the glittering crowd that swarmed along the river—gamblers, roustabouts, planters, Negroes, whores, fine ladies, soldiers, statesmen. These and a hundred other vivid types of humanity, most of them entirely new to Johnny Shawnessy, sought the river with a strange devotion. Down the Mississippi, the oldest highway of the Republic, these pilgrims travelled toward a sensual Canterbury. Its name was woven through all their conversations. And always this name meant exciting, sinful, dangerous, much desired.

It was at night that the boat carried Johnny Shawnessy and his wife Susanna into the harbor of New Orleans on the Mississippi Delta. Herds of boats, shrilling and baying, wallowed to their stalls. Down five miles of masts and funnels, light blazed from rows of floating windows. Orchestras played familiar Southern airs, and voices drifted across the water in nostalgic tunes.

As for the City, lying there on its silty bed, it winked, hovered, trembled, breathed, sighed, and stank. Mainly, it stank.

It stank of fish, tar, rum, cess, garbage, horse dung, human beings. It stank appallingly, and this stink as they neared the docks in the windless night almost choked Johnny. He looked in embarrassment at his wife leaning against the rail, eagerly watching the levee. Was it possible that she wasn't aware of this stink? What about all these others—habitués of New Orleans—didn't they smell this great stink? As for him, he never would be able to live in this stench. Even if he closed his nose to it, the mere thought of it would gag him.

Yet before long his nostrils had accepted it; and later he had to remind himself that this great human stink was there, always there, and that it would envelop everything he saw and did in New Orleans during the next few months.

—There they are! Look, Johnny! Aren't they sweet!

The levee, as they approached it, was alight from lanterns and the boat's own blazing battery of windows. Among the many people waiting there for friends, relatives, and loved ones, Johnny saw a group of young men and women, perhaps a dozen in number, who at this distance looked oddly prim and stiff, bristling and fluttering with canes, hats, curls, ribbons, handkerchiefs. Their faces were all upturned, the women's in bonnets tied under chin; the men's under tall, dandy hats. These creatures nodded, waved, smiled in happy unison, jerking their chins.

—Aren't they wonderful! Susanna shrieked. O, Johnny, you'll just *love* them! Hi Bobby! Dody! Barbara! Judy!

As they came nearer, Johnny became uneasily aware of their eyes, all fixed upon him with a brilliant intensity.

But as soon as he and Susanna had descended the gangplank, all these figurines dissolved into real people and overwhelmed the bridal pair with kisses, handshakes, backslaps, hugs, tears. Everyone was delighted to meet Johnny. Though Susanna had posted him ahead of time, so many young women gave him cousinly kisses that he could only distinguish Cousin Barbara Drake, a tall, languid blonde, who said in a voice mingling pleasure with surprise,

—My! Isn't he nice!

and Cousin Dody Ransome, a plump brunette with big shy eyes, who said in a sweet voice,

—Why, Sue, I'm *so* pleased with your new husband.

Of the men, he instantly picked out Dody's husband and Susanna's favorite relative, Robert Seymour Drake, with whom the honeymooners planned to pass most of their sojourn in New Orleans. Cousin Bobby, as Susanna called him, was in his middle twenties, a tall, lean man with a delightfully casual air. He had kind, handsome blue eyes and a dry, humorous mouth.

—So this is the lucky man, Sue, Cousin Bobby said, holding Johnny by the shoulders at arms' length. Children, I'm downright proud of you.

Johnny instantly liked Cousin Bobby, and all the others too, for that matter, as they swarmed around him, drenching his ears in an accent musical and mannered almost to lewdness. At first, he felt that he could no more adjust himself to its barbarous exaggerations than he could to the great stench of New Orleans; but in a short time, the whole party had poured into barouches, and with a feeling of enchantment and abandonment Johnny was swallowed up into the malodorous night and the soft voices of Susanna's people.

Later it seemed to him that during his sojourn in the South, he had lived in the scenes of a new *Uncle Tom's Cabin,* starring in the principal role Mr. John Wickliff Shawnessy from Raintree County, Indiana. And indeed this life in which he steeped himself was a delightful, barbarous, cruel old melodrama which for some reason or other all the actors and the audience passionately believed in. Johnny himself was constantly alternating between wholehearted participation and amused aloofness during his time there—and he was there a long time before he finally disentangled himself from that dark sweet land.

From December to the following August, he and his bride were entertained in New Orleans and the country up and down river. Those months were a procession of parties, balls, picnics, river excursions, and country week-ends. As Bobby Drake said when he ushered Johnny into his big winter mansion in New Orleans, a pile of brick, stucco, and iron reflecting the mongrel Spanish-French-English descent of New Orleans,

—Son, we'll try to show you a little of that famous Southern Hospitality.

The everblooming South showered warmth and fragrance on him from the beginning, beguiled him with beauty and leisure. You'll *love* it, honey, Susanna had said. And the truth was that he did love it. For young Johnny Shawnessy at the age of twenty-one was a rare mixture of poet and moralist. Moralist, he stored his memories for another day. Poet, he drank the warm milk of this existence and tasted its dark, exquisitely flavored honey. He had the poet's insatiable appetite for life, and New Orleans and the downriver country were everything that Southern life was—distilled to a dark quintessence. He saw it all. He saw its chattering blend of races, Spanish, French, Creole, Indian, Negro, Anglo-Saxon, a welter of tongues, bloods, manners. The river had lured them down its broad stream, had carried them along with centuries of silt, and dumped them on the Delta.

He saw the French Quarter, its Place d'Armes and whitewashed cathedral, the cafés where swarthy men and vivid brunette women sipped exotic drinks—*eau sucrée*, cognac, orange-water.

He saw the glittering amusements of the City, bullfights, cockfights, dogfights, horse races, operas, acrobats, melodramas, farces, gambling, *bals masqués*.

He saw the levees, miles of manmade walls to hold back the river, the levees crowded with commerce from all over the world, pouring the lavish wealth of the South into the Gulf and so to the ports of the world. He saw the molasses, sugar, tar, rum, timber, furs.

He saw especially the cotton, fat bales piled high on the docks waiting to be shipped. He saw that it was cotton which made this City the fourth port of the world, filled it with its glut of races, gave it wealth, beauty, seduction, sin, and death.

And as the months went by, he saw the wealth, the beauty, the seduction, the sin, and the death.

The young people of New Orleans with whom Johnny Shawnessy mainly consorted during his sojourn there were not like the people back home. As a class, they enjoyed something that didn't exist in Raintree County—leisure. Leisure to be fashionable, charming, and —on occasion—exquisitely sinful. The young men seldom read anything or performed any visible labor. They drank, danced, rode, gambled, whored. In the process, they laughed and cursed and talked like gentlemen. They were young Southern gentlemen.

The young women were in general a lively, pretty, romantic lot, completely dominating the men before and after marriage by a posture of defenseless womanhood requiring adoration and protection. The attitude was pretty and natural; they had been educated to it, and their mothers before them. They were young Southern ladies. And if they seemed during those months somewhat more daring than most young ladies of their class in the South, there were no doubt good reasons for it.

The Southern education of Johnny Shawnessy began early with an exposition of the phrase 'Southern Hospitality.' The young women of New Orleans, who presided over its hospitality and dispensed its blandishments, were much interested in Johnny for some reasons that he could fathom and some that he couldn't. At the first balls and parties, he felt himself watched by feverishly brilliant eyes. Later, the interest became more specific and personal. As Susanna had said, there was something about him. Perhaps it was a mixture of virility and gentleness, conscience and humor that could come only from Raintree County. Perhaps it was his dark hair shot with red, his expressive mouth and quick smile, his blue eyes watching the world with a mixture of innocent excitement and serene evaluation under their slightly lifted brows. At any rate, he had a peculiar effect on the young women whom he met in New Orleans—Susanna's own relatives and friends, some of whom carried the principle of hospitality rather far.

There was, for example, Cousin Barbara Drake. Cousin Barbara was tall, slender, and blonde in a languidly voluptuous way. Perhaps because she was thoroughly wearied of her young husband, who was a gamecock and a bore, she spent a great deal of time with Johnny on social occasions and was always coaxing him out for talks on lawns and balconies. As much the same group went to everything, Johnny was thrown with her constantly, a circumstance that pleased him as she was the most intelligent and witty woman he had met in New Orleans. But he hadn't become fully aware of the trend of things until one night when she said abruptly,

—Johnny, why did it have to be you?

—Yes?

They were sitting alone in an alcove off the ballroom at a home of mutual friends. Cousin Barbara, who had perhaps taken too much wine, was very languid and relaxed beside him.

—I mean, she said, you're just so darn nice. Tell me, weren't you ever in love with anyone but Cousin Sue—some girl up there where you live?

—Well, yes, I was, Cousin Barbara, he said.

She took his hand and gently pressed it.

—And was she in love with you?

—Well, she did in a way reciprocate my youthful passion, Johnny said, more and more embarrassed.

—No wonder. With that smile and those eyes. There's something about you, Johnny.

For a moment, he thought that that something was going to be the long, slender arms of Barbara Drake, but some other couples drifted by, and after a while Susanna came around and found him.

Johnny had no idea how far the thing had gone until the day he got an unsigned note in elegant script telling him to come, if his heart so prompted him, to a certain street corner in a remote part of New Orleans at dusk where a certain person, whose identity he could perhaps divine, would be waiting in a carriage to impart to him something of value. This invitation savored so finely of all the romantic stories he had read about the romantic South that he kept the rendezvous just out of curiosity. A carriage drove up, and the door opened. A lady in a veil beckoned him in with long, slender hand. When he was inside and the carriage was driving away, the lady in the veil said,

—O, Johnny, you must think me an evil woman. I had something I felt I must tell you.

Before she told him, however, she swooned in his arms and clung languidly to him, staining his shirt collar through the veil with tears and cosmetics. It was a very delicate situation.

—We really mustn't do this, he said. After all, Susanna's your cousin, and—uh—that makes you my cousin.

Along with this, he smiled lamely and held the slender trunk of the lady, which was quivering with sobs.

—O, dear, Johnny, she said. What have you done to me?

—We wouldn't want to hurt Susanna, Johnny said. After ˄ll, it's my honeymoon, and I want to remain worthy of her.

The lady in the veil sat bolt upright.

—O, I wish someone else would tell you, Johnny!

—Tell me what?

—Cousin Sue just isn't the right type for you, the lady in the veil said evasively.

—Why not? Johnny said, inwardly agreeing.

—Surely you know you're a very desirable young man, Johnny. You could pick and choose.

—Well, it strikes me that Susanna's a very desirable match. Money, culture, beauty——

—But why do you suppose she didn't marry down here? She had enough affairs.

—I don't know. Why?

—I didn't mean to get on this subject, the lady in the veil said. I feel so nervous.

She swooned again. Puzzled, he hung on through another storm, and after a while, she became very contrite and murmured some words about a moment of indiscretion and her certainty that a man of Johnny's character would not betray a heart which had never before deviated from the path of rectitude but which had been in this one instance, alas! too susceptible.

—As for those other things I said, Johnny, she remarked, angrily removing her veil and talking in a suddenly practical little voice as he stepped out of the carriage in a remote part of New Orleans, I was overwrought and no doubt jealous. I ought to hate you. But I don't. Good-by.

Whatever it was of value she had intended to impart, he never got it.

There was also the time he and Susanna went on a privately chartered steamboat excursion. In the middle of a night of wild festivity and much going about in other people's cabins, Johnny finally went to bed in what he took to be his own room. The room was unlighted, and when he started to climb into his bunk, a lady in the dark rose up and enveloped him.

—O, dear, Johnny! she whispered. My God!

—My God! Johnny whispered. I'm in the wrong place.

He stumbled out and wandered around all over the boat trying to find his stateroom and Susanna. Later he became convinced that he had been in the right room after all. Next day, the lady in the dark (whose voice he knew perfectly well and who had always seemed very sedate in his presence) was exceptionally noisy at the dinner table.

But the worst shock of all came just a few days before they left

New Orleans. Susanna made an overnight visit downriver with Cousin Bobby to attend to some legal matters involving an estate in which she had a part interest. Johnny stayed in New Orleans and along with Bobby's wife, Cousin Dody, represented the family at a lustrous *soirée* which he and Susanna had earlier agreed to attend. Sometime during the night, Johnny woke up suddenly in the huge bed which Dody had lovingly draped for the bridal couple. A woman was standing beside the bed with her arms at her sides, her eyes staring straight ahead.

It was Dody in a silk nightdress.

—Dody! Johnny said. What's the matter, dear?

Dody said nothing but looked at him with her large dark eyes somberly blazing. She slowly collapsed on the bed where she lay on her back, inert. Johnny picked her up and carried her to the door. He looked up and down the hall. It was empty. He carried her to her own room and put her on her bed, which was made.

—Dody.

She said nothing, but her arms clung around his neck.

—Dody, are you awake?

She said nothing but pulled gently at his neck.

—Go to sleep now, dear, Johnny said.

She appeared to be in a trance, and in fact he recalled something that she had said the day before about sleepwalking being a failing in the family.

The following morning at breakfast, she said,

—I think I must have walked in my sleep last night, Johnny. I didn't disturb you, did I, dear?

—Not at all, dear, Johnny said. I sleep like a log.

The Drakes and related families had large holdings upriver in the cotton and sugar plantations. The most enjoyable part of the honeymoon for Johnny was his visit to some of these great homes, which represented the finest flower of Southern life. Here in the loamy earth behind the levees was the South he had fashioned from all the romantic books he had read and the old nostalgic songs. It was all there—the everblooming summer; the levees holding back the mile-broad river; the cottonfields; the pillared mansions; the Negro quarters, shacks and cabins clustering close to the river; the fine manners; a way of living gentle and proud.

This earth had a kind of voice for him which seemed to say: Young man, you were mistaken. Forget your rigorous square of Raintree County. We give you your archaic dream, perennial summer and the lenient gods. Child of a vigorous northern parentage, stay with us here, and listen to our homeremembering songs. 'Tis summer and the days are long. Listen to the husky music of the darkies singing on the levees. Fondly we embrace you. We are not angry with you for your wrong contempt. White arms will cling about your shoulders, and you will press your lips to scarlet blossoms and delicious fruits. Have we not builded you the republic of your dreams? See how it stretches over slow lawns through gardens of cypress and magnolia to tranquil columns. We waited for you here with soft arms and voices a long time. Stay with us, wandering child and restless seeker. Fondly, fondly we embrace you.

He saw also the black people. In all Raintree County there had been hardly a dozen Negroes; but on the Lower Mississippi there were more black faces than white. In a way, he knew that he had come South to see this nameless swarm. And now he saw them— everywhere—streets, docks, levees, boats, houses, fields. He heard their mutilated tongue, English tainted with the jungle. He heard their music sung in darkness by the river where they lived in little cabins. Their songs were sometimes frenzied like the dances in which they whirled to syncopated rhythms, but more often muffled and sad with the inenarrable misery of their bondage. Few could remember the jungle home. Most had been born to cotton and the river.

They were all slaves, human beings whose dark skins made it legal for other men to rule them. They were also all Christians.

There was nothing South that wasn't impregnated with their presence. Black had builded this republic. Black had bled and labored for White and borne the casual lust of White so that this republic might lift its Doric columns from the Great Swamp. Black had planted and picked the white cotton that made White wealthy. Black had dressed the pampered bodies of White in satin gowns. Black had built the levees that held the dreaded river at bay. Black had bred and trained the swift horses with which White won the stakes at New Orleans. Black had distilled the fine whiskeys and the syrup rums that White sipped on long verandahs. Black had picked and dried and rolled tobacco leaf for White's long smokes. Black had dug the ditches and tied the bales, had reared the houses and built the roads. Black had erected the court houses and the state houses. Black had made White strong and proud and warlike, leaders of men, statesmen who shaped the course of empire South and West. Black had done it all, nameless and unrewarded, and would go on doing it, nameless and unrewarded.

So the secret of this culture, white and proud, was that it had all been built over the stinking marsh of human slavery. Often when Johnny was driving through New Orleans, in a maze of old streets, he would notice green scum in the gutters bubbling with gas. And when he had gone a little way beyond the City, he would see, heaving up to the very rims of the negrobuilded roads, the swamp from which the City had been rescued. The delicate iron festoons and romantic walls of New Orleans had in a few miles given way to Spanish moss swinging in soft scarves from the trees. Roots of twisted willows bulged from the unreclaimed, unreclaimable muck.

Yes, it was there always, a dark secret. When he lay in bed at night, it throbbed in the warm dark that settled like a mist, scented, miasmal, on the City. Here, in the American Republic, men openly committed the darkest of all crimes. The bought flesh lay forever beneath whiteblossoming summer.

From this old harlotry came the stained beauty of the South. This was the South's peculiar essence, this was what Susanna had meant, without knowing it, when she had said in her husky voice,

—You'll *love* it, honey.

He understood dimly why the songs most beloved by the white culture of the South were all simulated darkie songs. Through them all, a nameless darkie toted a weary load and longed for the old plantation. He was the South's primitive, simple hero, laden with his chains. White and Black seemed to find artistic satisfaction in this image of a human being sold downriver into exile and slavery, growing old in a land that was not his own, wandering on the earth and hunting for a lost Eden of peace and security. Thus the master race found its supreme symbol in the beautiful patience of its slaves.

So also Johnny noticed the slurred indolence of Southern speech, which was in some measure the result of long verbal contact between White and Black. The tongues of lost generations of slaves murmured in the speech of the South's most beautiful ladies.

Trained in disputation at the Pedee Academy and himself a staunch advocate of Republican principles in the press and elsewhere, Johnny Shawnessy made a tactful effort to present Northern views during his sojourn in the South. Now and then the book *Uncle Tom's Cabin* came up for mention. Without exception, Johnny Shawnessy's new friends cursed it for a tissue of monstrous lies, foully misrepresenting the institution upon which the South was founded. They justified slavery in a hundred ingenious ways.

Whether slavery was right in the beginning, they maintained, it was unavoidable now. The slave was described as shiftless, ignorant, immoral, dishonest, incapable of taking care of himself. In slavery he found security and protection against disease and poverty. He was happy and satisfied with his lot if only the abolitionists would let him be. The whole thing was justified from the same immortal documents which were the Scriptures of Raintree County. The Constitution didn't forbid black slavery and on the contrary protected the slaveowner in his property. The Declaration of Independence declared that all men are created equal, but the Negro wasn't a man. The Bible justified slavery, as any Southern minister could show by countless quotations.

In these discussions, Johnny Shawnessy remained uniformly good-natured, but his antagonists did not always manage to do so. On the subject of their peculiar institution they were likely to lose all detachment, amiability, humor. If pushed hard, the most cultivated, like Cousin Bobby Drake, would gently chide the young man from Raintree County for his lack of information about the real relationship between Negroes and whites in the South. They would appeal to the obvious workability of the present state of affairs, the danger of upsetting it. If there was a crime here, none now living was guilty of it. Let the Northerners explain their own institution of wage slavery, whose workwrung victims lived in greater misery than the Southern Negro.

Less gentle Southerners became dangerous on the subject. A light like lust or fear crept into their eyes. They appealed to the brute fact of force and *status quo*. That was the way the South was, and no goddamyankee had better try to tell them how to run it.

As for the question of Union, Southerners everywhere openly

expressed their belief that before they would endure any restrictions on the practice or extension of their peculiar institution, they would withdraw from the Union. If the existing government couldn't or wouldn't protect their rights, then they had a sacred right to form a government of their own.

When Johnny attempted to reason with his new friends on this subject, he had the feeling that he was plunging into a great dismal swamp of human prejudice and error, in which there was no path for reason to follow. Slavery had been enthroned through so many generations of complete acquiescence on the one hand and complete mastery on the other that nothing conceivable would ever unseat it. What he saw made him deeply suspicious of some Northern claims that slavery was doomed to extinction and would die of its own weight in a score of years.

Indeed, there was evidence that exactly the contrary was true. Southerners everywhere in newspapers, at public meetings, on long verandahs, were talking openly of a revival of the slave trade. Cotton was a landkilling, mankilling crop. It had already ravaged its way from the Atlantic coast to the Mississippi and beyond, crowding out all other crops, leaving a trail of exhaustion behind. It had to push on, get more soil, more slaves. Territories not yet admitted to the Union must be open to this dynamic, self-devouring economy.

—What's it all leading to? Johnny sometimes asked the more intelligent people of his acquaintance. Where will it stop?

He never received a satisfactory answer to this question. Here he touched one of those blind, earthen walls that Southern life had been slowly building for a hundred years to keep the great yellow river of slavery within bounds.

Nevertheless, there was a goal toward which this proud race tended. The masters of the South had dreamed an enchanting dream. They had dreamed of a Greek republic on the soil of America. In its pillared homes would dwell the most beautiful women and the most distinguished men in the world, women with honey voices, glowing eyes, voluptuous bodies, men like jolly modern gods. The ports of the world would be open to this new republic and her imperial crop. Controlling the mouth of the Mississippi, Cotton Diplomacy would control the continent of North America and in time the world. This culture of power, wealth, and leisurely democratic traditions would be erected on the toil of ten million slaves. From the inexhaustible human mines of Africa, they would be imported once again. South and West, by the brilliance of her diplomacy or the might of her sword, the new State would expand, and the cotton would go with her, and the black man, and the pillared mansions. Let men beware how they placed any further barrier against the South! For this dream was dreamed with the religious consecration of proud spirits; into it they wove the poetry of names more beloved to them than the concept of Union. Those names were the long, the sibilant, the river-murmurous names of the Southern earth—Louisiana, Alabama, Mississippi, Texas, Arkansas, Georgia, Carolina, Florida, Virginia. Let all beware how they spattered the sovereign beauty of those names!

At the time, Johnny had little leisure or inclination to subject these views to the cold process of dialectic. He was exploring this life built on the Great Swamp, and he found that it had terrifying depths.

There was the time, back in New Orleans, when several of Susanna's male cousins invited Johnny to go on a stag dinner at the Gem, perhaps the City's most fashionable drinking house. The dinner slowly turned into a prolonged drinking bout, from which Johnny abstained, the better to hear what went on. At first the talk revolved largely on horses. Slowly, however, it turned from horses to women—and not white women but colored. In response to a hesitantly worded question about the famous octoroons, Johnny was drenched in a torrent of sensual detail. The stories grew richer, the epithets more brutal. Faces became flushed, eyes glowed, white teeth clenched in hard bursts of laughter. These young white men were banded in a collective verbal rape on the women of another race.

A little while after midnight someone stood up and suggested that they take young Johnny Shawnessy, that goddam no-account Yankee, and show him a little of the real South. Johnny looked inquiringly at Cousin Bobby Drake, who had smiled affably during the talk, contributing sometimes a gentle observation but always keeping the tactful, gentlemanly air that Johnny admired him for.

—Come along, Johnny, he said. I'll protect you. It's something to see, son. Downright educatin'.

They started out at a *bal masqué* in the Ponchartrain Ballroom, where the masqued women were all quadroons.

—Lots more men here on the nigger nights, one of the cousins explained.

There was some dancing and one or two of the cousins dropped off, but several robust characters had taken their place, and there was nothing for it but they must plunge deeper.

—How about takin' Johnny to the Swamp? one of the men said.

Through murky old streets the cabs plunged, spiralling deeper into the nocturnal muck of New Orleans as if to reach its lowest circle of depravity, which—the name was peculiarly right—was called the Swamp.

—They don't call it that much any more, Cousin Bobby explained to Johnny. They've cleaned it up a lot since the old days. But it's still the hottest part of town. You can hardly get a white woman there.

Not long after, Johnny followed the mob into a decayed hotel called Madame Gobert's, on whose name, pronounced *à la française,* indelicate puns were made. The interior main room of the building, which they reached through a tunnel with leaking walls, was under street level. Yellow light blazed shamelessly on walls once ornamented with gilt statues and scarlet scarves but now befouled by time, like the rouged old white woman who met them at the door.

She was the only white woman in the place.

The night was far advanced at Madame Gobert's. The place seemed alive with women of all shades from obsidian black to light olive, and costumes in all degrees from full ballroom attire to stark nudity. White men chased giggling Negresses up a broad stair carpeted with filth fading into a murk of upper rooms. In this hell of decayed magnificence, it seemed to Johnny that the whole paradox of the South had come to detestable flower. He sat there, defended on one side by Bobby Drake and on the other by a wall oozing sweat, and watched. Here the white masters came as if to hurl themselves back into the morass from which they had reared their City. They talked the vilest words they could summon up, clenching their teeth and excreting drunken epithets with savage zest. These obscenities, devoid of imagination, were brutally repeated like the blows of a whip. The women for their part giggled fatuously and called the men Mister Jack and Mister Jim and Mister Bob.

—You mustn't get the idea, Johnny, Cousin Bobby said, that all

Southerners are like this. Of course, a lot of the planters will have a Nigro concubine or two. But these boys are kind of wild.

—Hello, Mister Bob, one of the girls said.

—Hello, Jewel, Bobby said. Well, I see the other boys have snaked upstairs on us. S'pose we get out of here, Johnny, and get a little fresh air.

But before they left, some of the other men rejoined them, and when Johnny finally did get out and gulped gratefully at the stinking, warm dawn of New Orleans, his friends swarmed around him with an account of their erotic achievements.

—Johnny, one of them said, trying to give him a true-blue look from drunken eyes, I like you, son, and I wanna do you favor. Now, I got lil mulatto gal shacked up right here on Girod Street. I'm rentin' her to another fella for twenty-five dollars month, which is damn high, boy, but she's worth it, ever' cent of it. She's a good clean girl, came right off my own pappy's plantation, and the old man had a lot of it himself. She ain't any blacker than that wall there, and son, she kin git a wiggle on. If you'll come with me, I'll take you in there right now.

Johnny thanked him a lot and managed with difficulty to get away. He tried to understand the significance of what he had seen. It wasn't ordinary prostitution. The white master was doing a thing so obscene and yet, for some reason, so desirable that he had to defend himself from conscience by an extra brutality. Here in a Black Mass of sensuality, he acknowledged the forbidden secret—his equality with the slave. But this acknowledgment was such that it was a baser indignity than the whip and served more than the bloodhound to keep a race in subjection.

Such was the darker side of that gentle whoredom called slavery, by which a whole race had to prostrate itself for the pleasure of another.

As for the more openly published aspects of the Southern trade in human flesh, Johnny saw that too. He went to the Arcade, where the best slaves were auctioned. They were treated with great care, for a good black would bring fifteen hundred dollars on the block. Slavery was getting more expensive all the time, and a cheaper source of supply was getting more imperative every year.

Johnny saw almost nothing of the beating and murder of slaves, so vividly depicted by Mrs. Stowe. In fact, all the time he was there, he saw only one instance in which a slave was struck.

It happened one afternoon when he and Susanna had driven out to the Drake plantation upriver with Bobby. As they got out of the buggy, Susanna dropped her bonnet and bending quickly over, picked it up. Her pretty breasts tipped against the rim of her blouse and the scarlet scar darkened suddenly. The Negro holding the horses, a boy of fourteen, watched in fascination. Susanna quickly caught up with Johnny, who took her arm and started up the lawn to the verandah.

Just then there was a thud of fist on flesh. Johnny turned around to see the Negro boy sprawling on his back, hands up, and Cousin Bobby Drake standing over him. Cousin Bobby ran his eyes around the yard; then, coldly purposeful, stepped over to a woodpile and picked up a broadaxe leaning against the logs. His shoulder muscles hardened under his loose coat and his long white hands bulged on the axe handle.

The Negro boy licked his lips but didn't move.

Without a thought, Johnny sprang forward and grabbed the axe handle. Cousin Bobby's lean, pleasant face, which had been entirely calm before, turned suddenly white, his eyes burned, and he exerted all his strength to tear the axe loose from Johnny's grip. The two men struggled furiously in a dead silence.

—Now stop that right now! Susanna said in a querulous voice from the porch. I'm downright ashamed of both of you!

Instantly, Cousin Bobby laughed and let go of the axe, which dropped between them. He adjusted his soft tie.

—Take it easy, son, he said. Can't a man scare the liver out of his own nigger? I wasn't going to hit 'im. I never in my life killed a nigger, and I wouldn't start before a lady.

He smiled and took Johnny's arm. He was breathing heavily, and his hands trembled.

—I'm sorry, Johnny said.

—Anyone else would've killed that nigger, Cousin Bobby said, his voice gently chiding, though his face muscles worked. I only aimed to teach 'im a lesson. He's lucky to be alive.

He hadn't even looked back at the Negro boy, who still lay where he had fallen as the two men and the girl walked up the verandah to the door.

As soon as they were inside, Susanna put her hands on her hips.

—Johnny, you ought to be ashamed of yourself, shaming Bobby that way in front of his own Nigro. Don't you know Bobby's the best master on the river! His slaves love him.

—Take it easy, Sue, Bobby said, smiling.

Johnny stood looking at his wife Susanna, whose left hand now nervously touched the scar on her breast, while her violet eyes glared indignation at him, her little foot stamped, and her breath panted through her pouting lips. Something hot gripped his entrails, and he felt like vomiting. A man had almost lost his life for looking at a scar on the breast of this girl. He stood, appalled at himself and the black moment that had sprung upon him from ambush in this genial place, among these hospitable people who loved him and had been so good to him.

—Hell, Cousin Bobby said, if Johnny wants to wrastle me in the sight of my own hands, I don't give a goddam. I want the boy to have a good time.

Later, after a couple of tall rum punches, Cousin Bobby remarked privily to Johnny,

—I assure you, son, I wouldn't kill a thousand dollars' worth of nigger just because the boy looked a little too long at my cousin's lovely tit. Frankly, I think the boy showed good taste. But you have to learn 'em young, as my old man used to say.

The thing passed over very well, and Susanna even made it up to Johnny privately that night. She crawled across his knees and said,

—Give me a good spanking, Johnny. I deserve it. Go on and hit me *hard,* honey.

He looked at her back in the warm dark—soft olive, with its graceful furrow. Suddenly, he imagined it covered with long, cruel gashes.

He didn't sleep at all well that night, and for the first time he began to want to leave the South.

During all this time, he had been absorbed in a highly personal preoccupation with the woman he had married. All the blind stirrings, hungers, and subtle lusts awakened in him by the feverflower of New Orleans seemed to embody themselves at last in her. Upon her catlike body, a creature of this earth, this South, this river, and this city, he sought to exhaust and still them. Through the long days he yearned for her and for the night as she for him.

Susanna had returned to her home as to a conquest. In its congenial air, her beauty acquired a hectic emphasis. Everywhere she attracted attention. But she remained entirely true to Johnny and exhibited him everywhere with open pride. Her whole effort during their time in the South was to make him accept and love this life in which she had been reared and from which, curiously, she had fled to find her love.

It was almost at the end of their stay in the South that Susanna made a special trip with him.

—It's a surprise, she said. I won't tell you where we're going.

They drove for miles north of the city and at last turned into a narrow lane overgrown with grass. There was a smell of rottenness and the river. In places the swamp oozed across the road.

—They haven't kept the levee in repair here, Susanna said.

The path they were following became lost in marshy growth, though now and then they found surviving traces of the way. At last close to the river, they passed through an ornamental gate into the remains of a once classic garden. Rare flowers and rank weeds grew thickly together around chunks of old statues and sections of fence. They passed pools of dark water, misted with mosquitoes. As they walked in the insufferable, still heat, a peculiar smile kept tugging at Susanna's pout.

At last they reached stone steps going up to a charred verandah. They stood on the roofless, uncolumned porch and looked down into a rectangular pit like a huge sunken grave, boiling with weeds so dense and tall that Johnny could scarcely see to the base of their stalks.

—Here's where I lived when I was a little girl, Johnny, Susanna said.

As she stood looking down at this great, festering grave of something that had once been her life, Johnny reconstructed the mansion in his mind, building it up from the shadow-smudge of an old daguerreotype. The desolate tangle of the garden became once more barbered and coolly lovely. An old black gardener worked among the roses and the lilies. The house reared its white walls from a verandah shaded with slender and tall columns. On the steps stood a little girl with black hair and violet eyes clutching under her arm an unburnt doll. Father and mother stood beside her, and in the shadow of the porch, leaning against a column, was a darkskinned woman with tragically lovely eyes.

—How did it burn, Susanna?

—No one knows, she said.

She stared fixedly into the grave.

—How—how many died?

—Three, she said. Mamma and Daddy and Henrietta. You saw their picture.

—Only those three?

—Yes. Only those three. I was lucky to get out alive. I slept next to Henrietta's room, and she was burnt.

—How old were you then?

—Just seven, she said.

—You remember it, of course?

—Yes, she said evasively.

—Why wasn't it rebuilt?

—I don't know, she said. There was a controversy over ownership. No one wanted to build again.

Later, she walked back in the direction of the river and hunted around a long time for something.

—There used to be a little cabin here, she said, but I guess it's gone.

After that, they drove away and, returning to the main road, stopped some distance down at a small but wellkept cemetery. Susanna led the way through the filigree gates and down a walk shaded with lindens to a little marble fountain featuring motifs of resurrection. She stopped by two stones near-by, enclosed in a rusty iron fence.

—Here's where my daddy and mamma are buried, she said.

Johnny read the inscription:

JAMES SEYMOUR DRAKE

and

wife REBECCA

Died August 16, 1844

—August 16, Johnny said. Why, that's today!

Susanna had the same strange little smile as she studied the grave. She kept glancing shyly at Johnny as if to see if he approved. Confining himself to cautious banalities, he followed her to a less pretentious plot, set clearly apart from the rest of the cemetery. Here there were many mounds but few stones. Johnny read some of the inscriptions in passing:

Here Lies Old Ned, A Good Slave

. . .

Eliza
Gone to Heaven

. . .

This Stone Is Erected to the Memory of Dred
Who Was Brought to This Country from
Africa
in 1780
and Died a Christian in the Arms
of His Master, John Drake
at the Age of 82.

There were no last names on these stones. Then Susanna stopped before an exceptionally fine stone on which was the following inscription:

Here Lies HENRIETTA COURTNEY
Died August 16, 1844.

—Here's where they buried Henrietta, Susanna said. She took care of me. You can't imagine how lovely she was, Johnny. She was like a great lady. In fact, she *was* a great lady. I'm not ashamed to say it. Of course, she *was* a Nigro.

—Was—was she a slave?

—O, no! Susanna said. She came from Cuba—Havana, that is. That's where I was born. Daddy was there several years, and Henrietta came back with us from there. It's funny now to think of her lying there. That is, if she *is* lying there.

She paused and looked almost shyly at Johnny.

—How's that? Johnny said.

—Some people say the graves were mixed. It's sort of a family scandal. I had an aunt several years ago said she wasn't sure but that nigger hussy Henrietta was sleeping in Mamma's grave.

—How could that be? Johnny said.

—O, they could hardly tell the women apart they were burned so bad. Though it's funny, because Mamma was kind of fat and Henrietta was slim.

—How could they make the mistake then?

—O, I don't know, Susanna said. You know how some people will blab. This particular aunt had never spoken to Daddy anyway for years. It's funny, isn't it, to think of them lying down there. And here I am. Is that you, down there, Henrietta?

Susanna cocked her ear prettily to the silent grave.

Johnny studied the grave. A woman lay beneath this earth, hair, eyebrows, eyelashes seared off by fire, the same fire that had touched the shoulder of the girl beside him. He and Susanna looked silently a long time at the grave, but the earth gave no sign, except to remain beautiful with summer. It had taken back the white flesh and the black, made no distinction between them. Now they lay beside the river, all passion stilled.

The following day he took Cousin Bobby aside.

—Bobby, he said. There's something I thought maybe you could tell me. What's all this about Susanna's family and that darn fire and the identification of the bodies?

Cousin Bobby laughed disarmingly and took Johnny affectionately by the arm.

—Just one of these old family skeletons, John. You know how crabby and suspicious women are! After all it was a pretty gruesome situation, those bodies burned beyond recognition. They hadn't any trouble identifying the man, but the women were another matter. Of course, I was just a shaver then. It all had something to do with the location of the bodies when found—I think they'd fallen through to the cellar. It was a hell of a mess, John, especially, you see, when one of the ladies was nigger. But there's no use digging all that up again.

—Still I'd like to know. After all, I'm married into the family and might as well be privy to its secrets.

—What did Sue tell you?

—She won't talk about it much.

—Well, Cousin Bobby said, weighing his words with an air of studied casualness, it was Sue's Aunt Tabby, sister to Aunt Becky, Sue's mother, who raised special hell over it. You see, Susanna's father was a queer sort—marvellous guy, everyone loved him, especially the women—but he was headstrong, and then he had a hell of a bad piece of luck. The woman he married—that was Aunt Rebecca—was from one of the finest families down here, and well, to put it brutally, she wasn't all there. She went loony, and it was a pretty bad life for him. You'd have found that out sooner or later, anyway. But don't let it worry you. Most families have a nut in 'em somewhere.

—But about this fire, Johnny said.

Cousin Bobby slowly lit a cigar.

—Well, John—puff, puff—to get back. After the fire Sue's Aunt Tabby charged into the mess, and there was a fight between her and Aunt Prissy—that was Uncle Jim's sister. Why, they couldn't even bury the bodies for a while. There *were* some odd wrinkles to the case. Two of the bodies were glued right together by the fire—sort of morbid—no use going into that.

He puffed on his cigar.

—So? Johnny said.

—So, Cousin Bobby said, what the hell!—it looked like there might have been foul play. I mean, why didn't they wake up? Everyone else did.

—I don't know, Johnny said. Why didn't they?

Cousin Bobby got interested in the story. It was evidently something he knew a lot about. He drew hard on his cigar and began to talk a little more freely.

—That's just it. Why didn't they wake up? And then as I said before, there was this question of identifying the bodies. Which was the odd woman?

—I don't know, Johnny said. Which?

—She was found some distance away from those two. What with coroner's autopsies and Aunt Tabby getting into it, and Aunt Prissy—that's the younger sister who always idolized Uncle Jim—trying to hush it all up, it was some story. There was some talk of Uncle Jim and—and the woman he was found with being shot in their bed.

—The woman he was found with?

—Act your age, John, Cousin Bobby said. Anyway, the thing was hushed up, and Uncle Jim was buried with the woman he was found with, and that was that. Probably, the whole thing was a lot of petticoat gossip. Aunt Tabby had it in for Uncle Jim ever since he beat the hell out of her husband.

Cousin Bobby stopped, laughed, and shook his head.

—You sure are getting a dose of family skeletons, John, he said.

—Go on, Johnny said. What for?

Cousin Bobby paused a moment, but the story was clearly too good to keep.

—The way they tell it, he said, Uncle Jim walked into a saloon in downtown New Orleans and took Uncle Buzbee by the collar and pulled him up. Neither man said a word. Uncle Jim had his horsewhip in his hand, and he started in hitting Uncle Buzbee. He hit him and hit him—on the face and the chest—and Uncle Buzbee stood there and took it till he dropped. Uncle Jim walked out, and no charges were brought. But after that Uncle Buzbee was a broken man and never showed his face in public again. He was a loose talker when he was drunk, and he must have said something. That wasn't so very long after Uncle Jim came back from Havana. Well, after that, people didn't talk—at least openly.

—Talk? Johnny said. What about? O, I suppose about Uncle Jim and Henrietta.

Cousin Bobby looked blandly at Johnny and made a smoke ring.

—I suppose so, he said. You know how women are. And this family is worse than most. I don't want to scare you, boy, but you won't lead a quiet life with that little woman, God bless her.

—Does Susanna know all this? Johnny asked.

—Well, of course, people don't talk about it around her. But since Aunt Prissy ran off with Susanna up to your country and sort of looked after her for years, she probably gave her the lowdown on it.

—Thanks a lot, Johnny said, for clearing things up.

He was more confused than ever. And somehow he didn't want to pursue the subject any farther.

That night, he lay a long time awake thinking of many things. Around him lay the putrid flower of the City of New Orleans, rankly nodding its head above the magnolia swamp. The languid stream of the river, draining all the waters of middle America, found its way here through many changing channels to the sea. Mingled with its yellow tide was the water of a little river far away in Raintree County, the legendary Shawmucky. The girl beside him lay in a characteristic posture, her knees drawn up, her head resting on her two hands pressed together. Her deep lips were open, the heavy lids lay lightly on her violet eyes. Susanna! *I had a dream the other night when everything was still. . . .*

It seemed to him then that she lay there couched in mystery like a sphinx, and that her presence and her musical name meant something tragic and mysterious which was at the heart of all human existence. Surely a strange fate had ferried this scarred, lovely creature up the great river to his arms.

It was during this night that Johnny definitely decided to go back to Raintree County. When he suggested it to Susanna the next day, to his surprise she said,

—Let's do, Johnny.

He couldn't imagine what it was that had changed her mind, especially now in late August with the political campaign roaring to white-hot fervor. Men and women were openly cursing the Republican nominee, Abraham Lincoln, and predicting a Southern secession if he was elected. Johnny was getting more and more uncomfortable, and he was delighted when Susanna seemed as eager as himself to go back to Raintree County.

Lately she had seemed listless during the day and unquiet in her sleep. He was distressed about her, wondering if perhaps she had caught the yellow fever. This pestilent monster from the swamp was making his annual summer visit to the Lower Mississippi and was killing his thousands. It was a good time to leave New Orleans.

The day Johnny and Susanna left was close and hot. As they boarded the steamboat in the crowded harbor, Johnny heard a voice husky and plaintive above the tumult of arrival and departure.

—Lost child! Lost child! it wailed over and over.

The source of this cry became apparent when an old Negro passed through the crowd beating a little muffled drum, repeating the strange, monotonous call. Leaning over the railing of the steamboat, Johnny and Susanna waved to friends and relatives who had come to see them off, perhaps a dozen in all, smiling and nodding and jerking their heads in charming unison.

—Aren't they sweet? Susanna said pensively. They all love you so much, Johnny. Good-by, Dody! Good-by, Judy! Good-by, Bobby!

Cousin Barbara wasn't there. She had died the week before of the yellow fever. Johnny had bravely volunteered to go and see her in her last sickness, but she had forbidden it. No doubt it was because the fever had blackened and shrivelled her long, lovely body with a touch like fire and corruption.

—She just literally burnt up, Dody had said. Poor Barbara.

—The fever kills that blonde kind fast, Cousin Bobby had said to Johnny. There are some advantages in being black. The niggers hardly ever die of it.

Some of the women were in tears as they watched the honeymooners leave. Dody stood waving her handkerchief and crying heartbrokenly. It was only a few nights before that she had been sleepwalking into Johnny's room.

Indeed, it seemed to him now that the whole structure of that delicious life had been swiftly decaying around him in the envenomed summer as yellow fever smote many with death, and election fever smote all with a rabid disease, and men and women did mad, lewd things.

A mist crossed Johnny's eyes; his throat felt big as he leaned there on the railing and watched the city and the crowded harbor dwindle until the figures on the pier were a line of dolls nodding and fluttering in the tremulous heat. He remembered how when he had come into this harbor months before, he had smelled a great stink. It must be here now, the same stink, even more detestable than when he had come down from Raintree County, because after all it was summer, the yellow fever was on the city, the slave pens near the Arcade must be fetid with their black stock. But he couldn't smell it any more.

Strange grief smote him. He leaned against the rail and turned his face away from Susanna so that she wouldn't see how moved he was. He felt that he was leaving something archaic, beautiful, and doomed. In the main room of the boat, the orchestra was playing. The music drifted across the yellow flood of the Mississippi streaming through summer to the Gulf.

All de world am sad and dreary,
Ebrywhere I roam,

O, DARKIES, HOW MY HEART GROWS WEARY,
FAR FROM DE OLD
FOLKS

AT HOME, thoroughly, in the middle of a good hot argument, the Senator stopped long enough to suck life back into his cigar.

—Between you, me, and—puff, puff—the outhouse, he remarked, looking around to see if he was observed, Abe Lincoln was the greatest charlatan in American History.

The Senator made a satisfactory smoke ring and let his last remark sink in. Then he said,

—Lincoln was just what the Democratic sheets called him—a clownish country lawyer. He had honest convictions about the Union and slavery all right, but does that make him a Great Man? Hell, no. Several thousand abler men than Lincoln had the same convictions, and hundreds of thousands died for them. Lincoln was a political accident. The Republican Party needed a man from the West in 1860. As for the way he fought the War, no war was ever fought so badly as the Civil War. As for the freeing of the slaves, did Lincoln do the Nation or the Negroes a real service by the Emancipation Proclamation? Because of that great mistake, this Nation will go on bleeding for centuries to come. Lincoln was a freak of history. The popular mind made Lincoln into a symbol of the Common Man because Lincoln himself was so goddam vulgar and common. Besides, everyone loves a bleeding martyr. Booth made Lincoln great.

—Garwood, Mr. Shawnessy said, you never recognized Lincoln's greatness because you never understood his time. Only a very great President could have subdued the South. And all through the War Copperheads like you in the North kept the councils of the Union divided. You couldn't heave a rock in Raintree County without winging a Southern sympathizer. The greatness of Lincoln was the greatness of America in his time. America in the years 1809 to 1865 was capable of creating a great man.

—This is all hindsight, John, the Senator said. Lincoln *is* a useful symbol; I don't deny it. God knows, I've made as much capital out of him as anyone. I acknowledge the debt. But when I allow myself to be swayed only by the hard facts of history, I can't admit that Lincoln was a truly Great Man.

—There are few if any hard facts of history, Mr. Shawnessy said. But there are some words in the right context. Perhaps the real office of the historian is to rebuild an accurate context around the few great words that survive.

—I suppose, the Senator said, that we're about to recite that admired classic of American oratory—the Gettysburg Address!

His stub was out again, and he bit savagely at a new cigar and spit the tip into the street.

—Lincoln had some power of phrase all right. But we exaggerate even that. If Booth hadn't made Lincoln the Great Martyr, no one would have dug out the Gettysburg Address, which was a flop when delivered. Let's not forget that the Civil War was a time of general eloquence anyway. There were themes to inspire it. At least a dozen men in the country were speaking more eloquently than Lincoln during the War. But of course Lincoln gets the historic limelight.

—Great words, Mr. Shawnessy said, come only from great men. Almost every public utterance of Lincoln's has a touch of greatness. He had the power to see issues clear and to make others see them clear. He was the voice of America long before the fighting began, of South as well as North. He defined the situation so clearly that even the South accepted his definition, and knowing exactly where she stood when Lincoln was elected, she threw down the gage. As early as 1858, this obscure lawyer from Illinois found the epoch-summarizing phrase, *A house divided against itself cannot stand.*

—What was so bright about that? the Senator said. Millions of Americans knew that the Nation couldn't exist half slave and half free. *A house divided against itself cannot stand.* Just a Biblical quotation.

Mr. Shawnessy smoked quietly, waiting for the sound of those words to stop echoing. The fabric of a house rose silently and stood waiting to be recognized, all murmurous with voices and footfalls, its upper chambers filled with filtered sunlight.

Once long ago in a time discrete from time I lived in such a tall house with a beautiful woman from the Southland. And I think I can remember how she moved in the upper chambers of the house in twilight, and I think I can remember how this was in a time before a time of terror and devastation, and I wish I could remember what it was that happened to that antique life.

—Well, what are you thinking, John? the Perfessor said.

—Of farewells, Mr. Shawnessy said. I'm thinking—oddly—of how Abe Lincoln took leave of his fellow townsmen in Springfield,

Illinois. While Southerners were screaming for blood and taunting the supineness of the old Union, Lincoln said:

> My friends, no one, not in my position, can realize the sadness I feel at this parting. To this people I owe all that I am. Here I have lived more than a quarter of a century. Here my children were born, and here one of them lies buried. I know not how soon I shall see you again. I go to assume a task more difficult than that which has devolved upon any other man since the days of Washington. He never would have succeeded except for the aid of Divine Providence, upon which he at all times relied. I feel that I cannot succeed without the same Divine blessing which sustained him; and on the Almighty Being I place my reliance for support. And I hope you, my friends, will all pray that I may receive that Divine Assistance, without which I cannot succeed, but with which success is certain. Again I bid you an affectionate farewell.

—Stop showing off that famous memory, sprout, the Senator said. I don't want to brag, gentlemen, but I could beat that speech every day of the year, from the back of a train getting up steam, with a squawling baby in my arms, and a boy lighting a firecracker under me.

—You couldn't have pronounced a single phrase of it, Garwood, Mr. Shawnessy said. It's the only utterance of the period that sounds right to us now. Lincoln, as usual, had the moral gravity to understand the tragedy of the hour. Compare it with the oratory of the South or of other Northerners during that time, and you'll see what I mean.

—I don't see at all what you mean, the Senator said, rising to greet an approaching delegation, but for the time being, I bid you an affectionate . . .

Farewell. Farewells echoed up and down the streets of country towns in Raintree County years ago, those little streets that lay like channels of eternity beneath the sugar maples. Farewells were spoken on verandahs of houses long ago. Farewells echoed in the vague, lost years before the War (these darkstained memories were all of the years before the War). And in these memories a young man walked along the pre-war streets. And if he followed far enough, these streets would bring him again through the memory of old farewells back to a certain street in Raintree County long ago, and looking up he would see once more on a steep lawn the mournful face of became the home of the young married couple after their return from the South. These were troublous times for Raintree County and the Republic, and troublous too for Johnny Shawnessy. On his return, he became a full-time assistant to Niles Foster on the *Free Enquirer,* which was now a Republican daily paper, engaged in a desperate fight with the Democratic elements of the County and growing rapidly in circulation and influence as the election of 1860 approached. On the side, Johnny tried to work at an epic poem on the history and meaning of America, but for some reason it didn't go very well.

His life was dismally complicated by the fact that he was living in his wife's house and that she was a Southerner. In the savage reprisals of a political campaign this domestic paradox was not overlooked by the rival newspaper. Only two weeks after Johnny's return, the following editorial appeared in the *Clarion:*

WHAT'S THIS ABOUT HYPOCRISY?

Those who charge the Democratic Party in this County with the mote of hypocrisy in their stand on the slavery question had best look to the beam in their own eye. It is, we believe, only too well known that a certain young man from whose pen emanates three fourths of the inflammatory and seditious doctrine now appearing in the Republican organ of this community, has recently returned from a summer in the South, where he was feasted by the very people whose institutions he is now attacking with such venomous ferocity. Not only that, but we have it on unimpeachable authority that the imposing mansion which he and his lovely wife, a girl from Louisiana, inhabit near the Square includes in its domestic arrangements two colored people whose status with respect to those freedoms for whose protection the Republican Party claims a monopoly, is, to say the least, questionable. Now we, for our part . . .

The appearance of this article forced a showdown between Johnny and Susanna.

—How about it, Susanna? Are Bessie and Soona slaves? Johnny asked her, holding a copy of the *Clarion*.

—O, I wouldn't call them that, she said listlessly.

They were at the breakfast table. Susanna, who hadn't been feeling very well, was in a velvet morning robe, her black hair dishevelled. She had come down late, having spent so much time talking with the dolls in bed and dressing them that she hadn't yet dressed herself. Johnny had finished eating and was ready to leave for the office.

—Susanna, you'll have to free those girls or get rid of them, he said.

—They've been in our family since they were born, she said. They'd be unhappy anywhere else.

—I've got to stop this criticism, he said. You can see the position I'm in.

—I don't see why you got yourself in such a position. Honestly, Johnny, after being South with me, I don't see how you can go on being a Republican.

—It's useless to argue about it, Susanna. Those are my honest convictions. You can go on thinking your way, and I won't quarrel with you. When you're South, you can have your slaves. After all they're your property, like this house. But this is free country up here, and as a Republican and a newspaperman, I've got to be able to repudiate this attack.

—I wish we hadn't come back then, Susanna said.

—You didn't have to come back, Johnny said, turning pale.

—Johnny, I wish you wouldn't pick on me now. I don't feel well.

—I'm not picking on you, dear. I just want to be able to say that those girls are not slaves.

—You *are* picking on me, Susanna said. I wish we could go away from here.

—We can't do that, Johnny said. Not now.

—Sure we could, honey, Susanna said pertly. I have plenty of money. We could take a trip. To Europe—or somewhere.

Johnny bowed his head. Yes, Susanna had plenty of money.

The house was hers, and the Negro girls were hers. With what he made, he couldn't even buy her clothes.

—I can't go now, he said. I'm in a crusade for something I believe in. Don't you understand, Susanna?

—I don't see why you're so stubborn about it, Susanna said. What did anybody South ever do to hurt you? Why, you know how sweet and nice they all were to you, and you know you *loved* it. And now——

—That's not the point, dear. Those are personal matters. This is a contest of ideals.

—But it *isn't,* Susanna said, triumphantly. That's just where you're wrong, Johnny. What the Republicans really want is to take our slaves away from us and try to make us live in a different way. But we don't *want* to live in a different way. We want to live in our *own* way. Besides, Johnny, I just don't see how you can go out and electioneer for a man like Lincoln. If it was somebody else—why, all right, but *Lincoln!*

She made a sound of disgust. She hunched her shoulders and shook her head. Something colubrine seemed to flow up and down under the velvet robe.

—What's the matter with Lincoln?

—No selfrespecting person could vote for him, Susanna said, beginning to lose her petulant tone for one of strident conviction. Now surely you know that, Johnny.

—Why? Johnny said, grimly watching the gap widen in the thin walls that they had maintained so long against the great boiling river of their sectional difference.

Susanna stood up and began to walk lithely back and forth, thrusting her shoulders, shaking her hair, and stroking her neck.

—I mean—well, it's a wellknown fact, and you must have heard about it too.

—What?

She turned defiantly, standing at bay.

—I mean the fact that Lincoln has Nigro blood in him!

It was one of the notorious undercover smears of the campaign, growing out of the obscurity of Lincoln's maternal background. But coming in all seriousness from Susanna, the statement somehow struck him as funny. He began to laugh.

—He does too have Nigro blood in him! Susanna said, her eyes blazing. You don't have to laugh. It's so! I know it!

Johnny laughed harder.

—Lincoln's mother was—was the issue of an illegitimate birth, Susanna said. Some Southern planter and a Nigro girl. Just ask Uncle Garwood.

This really was too funny in a dreadful sort of way, and Johnny laughed helplessly with tears in his eyes.

—What's so funny about it? Susanna said, her voice getting higher. If you want a Nigro for President, go ahead and elect him. Anyway, anybody that'd vote for Lincoln and abolition the same as says I'm no better than a nigger girl.

—Don't be ridiculous, Susanna. All I ask is that you get rid of these poor colored girls or pay them wages or something, and we'll keep our political views to ourselves.

—I know you don't love me! Susanna shrieked. You never did! You've been asking questions about me! And you hate me! I know you do! Your mother and father hate me because I'm Southern!

—Take it easy, Johnny said, his desire to laugh suddenly gone. All I——

But the levees were gone, and the angry waters poured through. For the next few minutes he watched whitefaced while Susanna pointed her finger at him and shouted wild, incoherent things. At last he got up.

—Look, he said, do what you please about the girls, but if they're not free by tonight, I'm not coming back to this house.

He walked out and down the long steps to the street and over to the *Enquirer* office.

He was covered up with work all day. Several times, he went to a back window of the office and looked out toward the house, which was just hidden by a shed built close to the newspaper building.

It was after dark before the special issue on which he and Niles were working was ready for press. With cold misgivings, he left the office and walked to the alley from which it was possible to look up a long, slanting shaft between buildings to Susanna's house on its high lawn.

What he saw shocked him.

The house was ablaze with lights. All the windows, front, side, and rear, were streaming light into the quiet September evening. It reminded him of something, but he couldn't say what. He ran down the slope of the alley and crossed a street and began to climb the gentle grade that led up to the house. Just as he set foot on the steps, there was a shattering sound like the bursting of a thousand wire strings. He realized then that his nerves were overwrought. What he had heard was someone letting both hands fall on piano keys. He ran up the steps and opened the door.

—Surprise! Surprise!

The house was full of people. Most of them were friends, but some were people Johnny had never seen. Someone was pounding the piano in the parlor while couples sat on the stair and sang or danced in the hall. Johnny could even hear sounds of merriment from upstairs. He walked into the parlor.

—Well, I'll be hornswoggled! Look who's here! jocundly boomed a familiar voice.

Garwood Jones was in the front room by the piano, a drink in his hand and one arm lovingly embracing Susanna, who giggled shyly.

Johnny stood blinking, trying to keep from looking like a man who had just come home late at night to find more people than he expected in his bed.

Susanna ran over to him and threw her arms around his neck and kissed him. She was in a dark winecolored gown he hadn't seen before. Her eyes shone, and her cheeks had a hectic flush. Her mouth made little pouts and smiles.

—It's a party for you, honey, she said. Uncle Garwood helped me do it.

—I'm sorry you ever came, chum, Garwood said. We were having fun till now.

Someone swatted Johnny on the back, and someone shoved a glass into his hand.

—I mixed the punch myself, John, Garwood said. An old Indian recipe. Pure corn and just the least lettle bit of pure lye.

Johnny put his worries at the back of his mind and became the life of the party. He danced with all the girls and executed some new Southern steps with Susanna. He had never seen her so innocently lovely. She laughed and danced and drank and prattled at a rate that would have exhausted ten ordinary women. The climax of the party came when she threw her hands up in the air and began to shriek,

—Hush! Hush! Everybody hush! I have an announcement to make.

Everybody hushed. Susanna went over to Johnny and took his hand.

—I want you all to know, she said, that I don't keep any slaves in this house. That was a wicked article, and, Uncle Garwood, I'm ashamed of you!

—Don't mention it, honey, Garwood said, looking surprised but quickly rising to the occasion. I'd slander my own grandma if it'd beat the Republicans at the polls.

—I have freed both of those girls, Susanna said, and they work for me on wages.

Bessie and Soona, the two colored girls, standing in the door and obviously a party to this charade, nodded their heads and grinned widely.

—Hurrah! someone said weakly.

There was even a little applause. Horribly embarrassed, Johnny tried to get the party started again, but the life had died in it. Pretty soon, people were bowing out of the door. When they were all gone, Susanna held out her arms.

—Now, she said, you see how much I love you, Johnny.

—My dear child! he said, putting his arms around her. Susanna, I——

She had not yet completed her elaborate gesture of conciliation, but slipping out of his arms ran up the steps.

—Come and find me in our room, she said. I'll be waiting for you.

When he went up later to the front room on the second floor where the bed with the scarlet drapes was still enthroned in lonely splendor, he didn't know what to expect. Opening the door, he looked apprehensively in. It was even better—or worse—than he had expected.

In the light of a candle, a naked woman was on her knees beside the bed, with head, arms, and hair flung forward in an attitude of slavish surrender. The flickering candlelight made dusky shadows in the hollows of her back. She had somehow twisted a scarf around her wrists and pinioned them loosely to the bedpost. There was a leather whip lying on the floor beside her.

—My God! Johnny said involuntarily.

The figure on the floor sighed and said mournfully,

—*Whip* me, honey. I deserve it.

Johnny picked up the whip and tossed it into a corner of the room.

—Get up, you crazy little thing, he said.

—Go on and *lash* me, she said with savage intensity. You're too *good* to me, Johnny, and I don't *deserve* it. I wish you'd *beat* me good and hard.

Johnny leaned over and pulled her to her feet. She was crying and kissing him at the same time.

—I'll do anything for you, honey, she said. I love you so.

Johnny looked around.

—There *is* one thing——

He jerked the scarlet draperies aside and picking Susanna up, put her not very gently on the bed. He found himself talking between clenched teeth.

—Let's start by getting rid of these damned dolls!

He picked them up one at a time from their precarious perches around the bed, and one at a time he threw them.

—Take that! he said. And that! And that!

Their little waxy heads and stuffed bodies smashed against the walls of the room. Each time he threw one, Susanna gave a shriek of laughter and clapped her hands.

He started picking them up by the armful. They fell around the bed. He kicked them. He plucked the big fat one from the base of the bed and holding him by one leg threw him the length of the room. Finally, he grabbed the burnt doll.

—You, too, he said, you hideous little devil.

Susanna gave a particularly loud shriek of excitement as the doll Jeemie rebounded from the wall.

—Now, Johnny said, at last we can have a little privacy in this bed.

That was a wild, sweet night, but there never was another that good in the tall house south of the Square. In a way, it seemed to be a turning point. The following morning Susanna was very sick. She moped in bed for several days, and the dolls all had to be collected and put back in place, and Johnny, Bessie, and Soona waited on her hand and foot. But she refused to have a doctor.

—Maybe you're going to have a child, Susanna, Johnny said at last.

—No! she said bitterly. I'd rather die.

That night, he awoke vaguely alarmed. He sat up suddenly.

A woman was standing before the single great window of the bedroom. Dressed in a long white vaporous robe, she turned her head from side to side, eyes shut, as if rejecting something. Then her lips parted, her eyes opened and stared in terror at the pale square of the window, she thrust her arms out several times with the palms forward, writhing her body fantastically backward in attitudes of loathing and rejection. She was breathing hoarsely like a person in the grip of strong passion—love or terror.

Johnny got out of bed and started toward her.

—Susanna!

Instantly she put her hands clawlike to the sides of her face and screamed. He caught her wrists, intending to awaken her and lead her back to bed. She fought frantically. She spit and snarled beastlike. Her nails raked his face and chest. He hugged her, pinioned her arms to her sides. She went on twisting and screaming. He shook her violently, and at last she went limp. He carried her to the bed where she lay silent, refusing to say anything, turning her head away as if ashamed.

—What was the matter? he said, lamely. Bad dreams?

Instead of answering, she gave a long, shuddering sigh and began to cry. She cried helplessly and loudly like a child. He tried to quiet her, and at last she stopped.

—Tell me what's the matter, Susanna. Please.

—O, she said, it's—it's that I've been having such awful dreams. I've been so afraid. I think—I think maybe it's because I'm going to have a child, Johnny.

—Well, why in the world didn't you tell me? It's nothing to be ashamed of. When do you think it happened?

—In August just before we came back, I guess. I've known it for quite a while.

—No use to be alarmed, honey. Having a baby's the most natural thing in the world.

It was something he had often heard T. D. say.

—I suppose so, she said.

They talked for a while and finally she said,

—I remember now what I dreamed if you'd like to hear it.

—Sure. Go ahead.

—I thought I was back in our old home—you know, before it was burnt. Everything was just the way it used to be, except that the house was all covered with dust as if it had been closed up for a long time. And it was all silent like a tomb, nobody else in it but me. There was some kind of mystery about it, and I was trying to find out what it was. I went up the main stair to the second floor and walked over to the window and looked out. There was the garden just the way it used to be, but it was getting dark. Then I could see a steamboat on the river coming up to the landing. It was all lit up, and there were hundreds of people on board singing and waving their hands. There were men and women and children, and about half of them Nigroes. They were all happy and excited, and then the steamboat blew two blasts of the whistle and all the little Nigro and white children came running down the gangplank to the levee. I was walking across the garden then toward the river. It was dark, and there was a celebration of some kind, slaves singing and dancing by the river. I turned and went down a lane and through the trees till I reached the little cabin where Henrietta used to stay and where I played doll. I thought I'd left something there that I must be sure to get. I went in the door, and everything was dark. I had a lamp in my hand, and I went over and climbed the ladder to the loft and went over to the window and looked out. Big red fires were burning by the river. Then I thought I was in the bed there or somewhere else, and it was pitchdark, and suddenly I realized that it was a plot to kill me. Somebody was trying to get in at the window and I tried to move, but I couldn't, and a big black thing covered my face and throat and was trying to strangle me. That was when I woke up.

On following nights Susanna woke Johnny often to tell him dreams that she had been having. More often than not they were grotesquely distorted incidents of her childhood in the South, before the death of her parents. Little by little, he explored a Southland of her soul, from which a portion of herself had never been withdrawn. In the sleeptime, dark hands carried her back and back, and she was again a little girl in a landscape of dream-illumined rivers, rotting cabins, old plantation homes. Often in her dreams she saw the dug earth yield bodies of women dead in childbirth or children, mothlike, with crusted eyes, whose little pinched faces were faintly negroid.

As autumn advanced, she awoke often from this tainted land and would cling to him like a scared child and talk solemnly for hours in the night telling him stories of her childhood, as if by these recitals she could discharge at last the whole of a sick burden and be rid of it forever.

—Mamma was very queer, she told Johnny one night. When I was little, everyone said that Mamma wasn't well. I know now that she was crazy. I hated her.

—Was she that way when your father married her?

—Soon after, I guess. Aunt Prissy said that Mamma made life unbearable for Daddy. I think her madness must have had something to do with his leaving Louisiana and taking her to Havana. He was there several years, and I was born there.

—Were you the only child?

—Mamma had another baby before they left Louisiana. It was a little boy, born dead.

—Do you remember anything about Havana?

—I was only four when we came back to the plantation. But I have some memories of when we lived in Havana. That was a happy time. Henrietta had more of the care of me then.

—Where did Henrietta come from?

—According to Aunt Prissy, she belonged to a rich man in Havana, and Daddy bought her freedom. She was a famous beauty, the most beautiful woman I ever saw. She was very gentle and sweet, and I loved her much more than I did Mamma. When I was very little in Cuba, we had a house in the country, and Daddy would come and visit sometimes. Henrietta was like a great lady and had her own servants. Those were the happy days.

—What made your father go back to Louisiana?

—Daddy was the only son, and when his father died, he went back to take the plantation. That was his great mistake. Everything changed. Not that I wasn't happy at first. When we first came back, Henrietta lived in a little cabin not far from the main house. She had a girl to wait on her. I used to stay at the cabin with Henrietta most of the time and play dolls there.

—Didn't your mother ever take care of you?

—No, Susanna said. Mamma had a room of her own on the third

floor and a special girl to attend to her. Every now and then, Daddy would take me up to see her. In fact, my earliest memories of Mamma are always the same way. She would be sitting in a chair looking at an album of pictures. She was a fat, darkhaired woman, not pretty any longer. When Daddy took me up, he would say, Here's your mother, Susanna. She would like to see you again. Mamma would smile as if she knew a secret no one else knew and would go on turning the pages of the album, hunting for something all the time. She never touched me, never said anything, never showed any sign that she recognized me or cared anything about me. Once she laughed in a way that frightened me. Your mother isn't well, Susanna, Daddy would always say when we left the room. That's why she acts the way she does. Then the bad time came.

—How was that?

—It wasn't very long after we came back that there was some kind of trouble. Aunt Prissy has told me more about it since. It seemed as if Mamma's relatives made a protest of some kind and wanted to take Mamma away. Aunt Tabby—that was Mamma's older sister—was at the bottom of it. Anyway, that was when Henrietta went away, and her cabin was shut up. I was terribly lonely. And for a while Mamma got better and came downstairs more. Daddy had a girl to look after me. But Mamma would sometimes watch me in her peculiar way and smile, and sometimes she would laugh at me. I believed that she had driven Henrietta away, and I began to hate her and fear her then.

Susanna's voice trembled. She turned restlessly in the bed, trembling.

—That was when I would go down to Henrietta's cabin, and I found a way of getting in through a loose board on the back door. And I would go upstairs to Henrietta's bedroom, where the window looked out on the river, and get on the bed and play doll and pretend that Henrietta was there. Then one day, Daddy came to the house and said, I have a surprise for you, Susanna. He took me down to the cabin with him, and there was Henrietta. I was so happy I cried. Daddy just smiled in his sad sweet way. He was the most wonderful man, Johnny.

—Then Henrietta stayed—for good?

The phrase seemed unluckily chosen.

Susanna's voice was hushed and solemn.

—Yes. Only, after awhile, she stayed up at the house and had the large front bedroom next to mine. That was when Mamma was so much worse, and two people had to watch her all the time.

Susanna began stroking her throat as if to rub away the memory of the thing that had suddenly devoured this tangled skein of love and madness. For these conversations between Johnny Shawnessy and his wife always ebbed into silence against one now nevermentioned scarlet fact, a night of fire whose secret was impenetrably lost on the river of years.

These verbal debauches came all at night. During the day, Susanna talked little. She became pale and almost ugly during this time, looking somehow younger, like a haggard child in the grip of an incurable disease. She was pathetically dependent upon him and the Negro girls. She could hardly bear to have him leave the house, and when he returned she was avid to hear of everything he had done and of everyone with whom he had spoken.

—Did they inquire about me? she would ask.

She was especially inquisitive about members of his family. When his parents called at the house in Freehaven, he felt constrained in their presence, knowing how entirely he had been taken out of the old life with them. He felt that they too were ill at ease in this house. Somehow he couldn't talk with Ellen and T. D. about Susanna's condition, and once when he suggested to her that T. D. might handle the delivery of the child, Susanna objected so violently that Johnny didn't mention the subject again. Indeed, it was months before she consented to see a physician at all.

During this time, the summer and fall of 1860, the year of the great campaign, Johnny Shawnessy felt that he had passed entirely from his years of sunlight and young aspiration into a somber maturity. At Susanna's insistence he had grown a mustache and beard, and in other ways she caused him to feel much older—by her utter dependence on him, her sickness, and her jealousy when she discovered some part of his present life denied to her. Her childishness became so complete that it dominated their relationship to each other and filled him with emotions that he couldn't define. At this very time when he had made her a woman fruitful, she had become to him most like a passionate, irresponsible child. And he in turn became in his own mind like a father, grave, full of brooding anxiety and a persistent feeling of guilt. He felt that he was transgressing some ancient, most austere prohibition.

The only good thing about Susanna's illness was that she ceased to care about the political contest that was now shaking the land to its foundations.

Election Day, 1860, was the most memorable in the history of Raintree County as well as the Republic. For the first time, North was openly pitted against South on the question of slavery extension. The Republican Party had become the party of the North, reflecting the widespread moral and economic opposition to slavery, which had grown steadily greater for fifty years and had now swollen to an irresistible flood. The Democratic Party, which had until that time tried to remain the party of compromise—of North, South, East, and West—was hopelessly split and enfeebled. In separate conventions, the Southern branch of it, abandoning all compromise, had nominated its own candidate, while the Northern-dominated branch chose Lincoln's old senatorial opponent, Douglas. A fourth party, calling itself the Union Party, merely increased the confusion. In this chaos the Republican candidate, Abraham Lincoln, presented a clearcut opportunity for voters to elect a President who stood firmly for the preservation of the Union at all costs and against the spread of slavery as a moral and political evil.

On Election Day the Republic made the fateful decision that it had been evading for fifty years. In Raintree County, the people went down to the polls all day long in a tide unprecedented, overwhelming, irresistible, and voted for Abraham Lincoln in the belief that they were voting for the future of America as one Nation indivisible, with liberty and justice for all.

Johnny Shawnessy, twenty-one years old, cast his first vote that day. He had never seen such wild excitement in the Square. As the dimensions of the Republican victory gradually became clear from reports pouring in from other parts of the land, the elation in Freehaven mounted until it broke all bounds.

One of the great moments in Johnny's life came on the night when Lincoln's victory was assured and had been posted in the windows of the *Free Enquirer* office. Johnny and Niles Foster were standing at the door watching a Liberty Parade go around and around the Square waving banners, shouting Republican songs, ringing cowbells. Thousands of people were weeping, laughing, singing.

—We helped cause this, John, Niles said. I guess we have a right to enjoy it.

—We want Foster! We want Foster! the crowd chanted. And then,

—We want Johnny! We want Johnny!

A dozen hands reached out and lifted the two men up. They rode around the Square in the light of the victory bonfires. When Johnny finally managed to get back on his feet, dozens of men came up and shook his hand, and women hugged and kissed him.

In the midst of this emotional frenzy, outdoing even the Great Revival of '58, Johnny came face to face with Nell Gaither. She had apparently been marching with the crowd. Her furcollared coat—for it was a chilly evening—was pulled close around her chin. Her bonnet was knocked awry, and strands of her bright hair had come down. Her cheeks were streaked as though she had been crying. Her eyes were full of green excitement.

—Hello, Johnny, she said. Isn't it wonderful!

—Sure is, Nell.

They stood in the crowd unconsciously gripping each other's hands and arms, both trembling with excitement. They hadn't seen each other since Johnny's marriage.

—How is—how is everything with you, Nell?

—Just fine, she said. Johnny, you have a beard.

—I know it, Johnny said. We—we change.

—How is everything with you, Johnny?

—Just fine.

—I'm so glad, Nell said. Well, I guess this is a good time to say good-by, Johnny.

—Good-by?

—Yes, I'm going back East, Nell said. To stay with Mamma's people.

—O, I'm sorry, he said, without sufficient thought.

The crowd was all gone for him. The Election was forgotten. The bonfires had died away. The hundreds of faces pressing around him, shouting and singing, were all phantoms and unreal. Johnny touched his beard and smiled his wistful, affectionate smile.

—As the Professor would say, he said, I guess it's time for a little quotation, if I can lay my tongue to one. In the words of that dear book, which you inscribed to me, Nell, *Fare thee well! and if forever*——

—*Still for ever, fare thee well,* Nell said, smiling her bright smile.

Her hands tightened on his arms, and his on hers, and they let go of each other, and smiling, both were lost in the vast, victorious crowd that wound endlessly around the Court House Square.

Of course, there was an awakening from all this jubilation, as Johnny had known there would be. Raintree County had scarcely been elated by the news of Lincoln's victory when it was shocked by news of another kind. The Southern States were quitting the Union. Secession started with South Carolina and spread fast, engulfing, one after another, the great names below the Mason and Dixon line. Federal forts and arsenals were seized. Southern orators began to proclaim the New Republic in sonorous, confident phrases. They were through with the old Union, and they offered to the North peace or a sword. In contrast, the Northern leaders seemed pitiably inept. President Buchanan and his expiring administration watched impotently as the breach widened. The President-elect, Abraham Lincoln, whiled away his time in Springfield, Illinois, saying nothing much except that he expected the Union to hold together. Johnny began to doubt the wisdom of the political compromise whereby an obscure, untried Westerner had become President of the Republic in her most critical hour. In Raintree County, there was a feeling of complete paralysis, which deepened as weeks and months passed. The Republic appeared to be mortally wounded without ever having begun to bleed.

On February 18, Jefferson Davis became the President of the Southern Confederacy. In the harbor of Charleston, South Carolina, an island fortress called Fort Sumter became a stormcenter of discussion as it continued to hold out with a small Federal garrison while the South demanded its surrender. Everywhere in the North men were asking themselves the same terrible questions: Would Sumter be evacuated by the incoming administration and a clear case of Northern acquiescence to the seceding states be established? Would Lincoln be inaugurated on March 4? Would there be a capital in which such a ceremony could take place? Would Washington, D. C., an old Southern City, remain a part of the Union? Would Virginia, lingering and indecisive, go with the seceding states? What would become of the border states between North and South, like Tennessee, Kentucky, Missouri? What of the Far West, which the South was trying to win to its banners?

On February 11, Abraham Lincoln left Springfield for Washington. A little less than a month later, the new President was inaugurated at Washington without bloodshed. Johnny took some heart from the tone of the President's inaugural. He hoped that Lincoln's wise plea for reconciliation would be hearkened to, but in the following weeks no overt act, either of violence or concession, occurred on either side to change the situation. The most exciting headlines continued to feature Fort Sumter, still holding out in Charleston Harbor. The newspapers were filled with contradictory rumors: The Federal troops were to be withdrawn. They were to be reinforced. They had been bribed. Lincoln had sold out the Republic. Lincoln would stand firm. The South would give in after certain concessions to her hurt pride. The South was secretly preparing to attack the North. No one knew anything for certain, and everyone had a different idea as to what ought to be done.

In Raintree County, Indiana, the voice of compromise was louder all the time. Even Johnny Shawnessy felt the infection. For his part, he was married to a Southern woman, he had spent some time in the South, and he understood better than most people in the County the sectional pride of the Southerners, the things they were saying, their old, compelling dream. Besides, he had personal problems that left him precious little emotion to expend on the Republic.

Susanna was coming to her time.

One day late in March, Johnny met T. D. and Ellen on the Square. He hadn't seen them for several weeks. When they asked him how Susanna was, he said,

—All right, I guess.

—You're expecting around the middle of April? T. D. said.

—Yes.

—Well, don't worry, my boy. Having a baby's the most natural thing in the world. By the way, if you need us for anything, just call.

—Sure, Johnny said.

He smiled and talked a little with his parents about the national situation, toward which T. D. took a hopeful view. Johnny said good-by, still smiling to reassure them.

He didn't tell them about Susanna's absolute refusal to let T. D. have anything to do with the case. He didn't tell them how she had been pleading with him to let her have the baby without medical assistance. He didn't tell them how Susanna kept to her bed almost constantly, except when she wandered forlornly in the upper rooms of the house. He didn't tell them how he had awakened a few nights before to find her gone from the bed and had discovered her on the top floor leaning from an open window, looking down fixedly at stone steps dropping steeply to the street two floors below. He didn't tell them how he had hardly slept at all lately, for fear of some violence she might do herself. He didn't tell them how she lay in her bed restlessly stroking her throat and watching him with scared eyes, while together,

IN THE HOUSE ABOVE THE SQUARE
THEY WENT ON WAITING,
WAITING,

—WAITING for the War to start, the Perfessor said, was one of the most exhausting ordeals this nation ever had. Sumter was a positive relief. I was reporting it for the *Dial,* you know, and I saw the iron seed sown in Charleston Harbor.

—Speaking of Sumter, the Senator said, resuming his seat before the General Store, it illustrates my point. Do you realize that the *casus belli* of the Civil War didn't occur until the sainted Sucker had held office for over a month and after seven Southern States had seceded! Lincoln was either cowardly or inept.

—Sumter! the Perfessor said. How in your theory of history, John, do you encompass this bloody name on which the Republic foundered? Take away the flagwaving and the patriot shrieks, and what do you have?—a few hundred iron balls bounding on brick walls from which a dyed rag fluttered! For this, the Republic resorted to four years of mass murder. And all from a word—Sumter!

—The whole Nineteenth Century willed Sumter, Mr. Shawnessy said. Lincoln was merely a wise doctor to Time's bloody birth. He knew that he couldn't prevent the physical fact of Sumter, but he gave moral direction to the Event. If you want to understand Sumter, go behind it to Lincoln coming across the Nation to Washington in the days before his inauguration. Listen to the voice of this ungainly Western lawyer speaking to crowds in the railway stations, outdoor assemblies, and torchlit halls. Once he said:

> If the great American People only keep their temper both sides of the line, the trouble will come to an end, and the question which now distracts the Country be settled, just as surely as all other difficulties, of a like character, which have originated in this Government, have been adjusted.

—That illustrates Lincoln's lack of sand, the Senator said. Goddammit, the War was inevitable. A fighting President wouldn't have made such a Christlike martyr in retrospect, but he'd have got the War over with sooner. Jefferson Davis was no genius, God knows, but even he was an abler man than Lincoln. I said so then. I say so now.

—Read the Inaugurals, Mr. Shawnessy said. Davis did a mediocre piece of sword-rattling. Lincoln said:

> Physically speaking, we cannot separate. We cannot remove our respective Sections from each other, nor build an impassable wall between them. A husband and wife may be divorced, and go out of the presence and beyond the reach of each other; but the different parts of our Country cannot do this. They cannot but remain face to face; and intercourse, either amicable or hostile, must continue between them.

—You know, the Perfessor said, I have an idea that Lincoln's fondness for this marital image was caused by bitter personal experience. Death had surely no sting for a man who had to bear the American Civil War publicly and Mary Todd Lincoln privately.

—Lincoln was really a sordid fellow, the Senator said. What does it do for the hero-image people have of Lincoln when you think of this big, ugly, rawboned bastard getting into his dirty nightgown every night and going to bed with that crazy little fat chattering bitch, Mary Todd!

The Senator wheezed with laughter and bit savagely at the end of his cigar.

—By God, I've always hated Abe Lincoln, he said, and still do. He's the cross I have had to bear for becoming a Republican.

—Your hate, Garwood, Mr. Shawnessy said, trying to keep emotion from his voice, is part of the great human enigma of Abraham Lincoln. Out of those stale bedrooms filled with the nagging spirit of Mary Todd Lincoln and out of smokefilled law offices where men cursed and told dirty stories and discussed old trials, came somehow the mind that distilled the First Inaugural. How do you explain the wise, tragic tolerance that Lincoln alone showed, of all the leaders North and South?

> I am loath to close. We are not enemies, but friends. We must not be enemies. Though passion may have strained, it must not break our bonds of affection. The mystic chords of memory stretching from every battle-field and patriot grave to every living heart and hearth-stone, all over this broad Land, will yet swell the chorus of the Union, when again touched, as surely they will be, by the better angels of our nature.

He said the last words hastily in a low voice. Unexpectedly, as he spoke them, he had beheld the President. Lincoln stood on a platform erected from the steps of the Capitol in Washington. The living light of time sculptured the lined face, coarse black hair, long body in a lank black suit. This man had been.

—Lincoln, the Perfessor said. What is Lincoln? Who knows? Lincoln is one of your Events, John, that we together, good mythmakers all, have labored to build.

The three men smoked inscrutably. Firecrackers burst in the Street of Waycross. Faces, wheels, hooves passed on the National Road.

In the Garwood B. Jones Period of the Republic, let us remember the great names of our youth. Hail and Farewell!

Abraham Lincoln is a photograph by Brady. Or a memory in the mind of an old, old citizen, whose eyes are gleety with the gray discharge of time. Or a mist of print in old newspapers stored in the tombs of great metropolitan libraries. In these we touch the man Lincoln, the seamy, memoryhaunted face, the fabulous flesh of Sangamon County, Illinois, Spencer County, Indiana, Hardin County, Kentucky.

Where are the days of the life of Abraham Lincoln?

They are yours, Republic! They are yours, American earth dense with the roots of prairie grass! They are yours, mythjetting Time, in which the centuries go and go in ranks of streaming headlines.

What was the man Abraham Lincoln?

He was a memory and a hundred thousand memories, mostly of the earth.

He was a memory of the western earth, its clay-dissolving rivers in the springtime, its red tobacco flats, the young saplings in the raw weather and their perfect buds of green, the wet flaw and shining mud of crude little roads from house to house in the early springtime. He was a memory of big trees felled for clearings, of hands handling the broadaxe. Trees fell crashing and were hewn into rails for fences. He was the memory of divisions of the prairie earth, of western names, the names of counties.

Abraham Lincoln was a memory of Hardin County in Kentucky, of a cabin made of logs and clay, a cut between the hills, a spring and a running branch, of a mother whose name was a sound of the ancient English ancestry of these people. Abraham Lincoln was a memory of Nancy Hanks.

Abraham Lincoln was a memory of Spencer County, Indiana, and how you got to Indiana by crossing the Ohio. Indiana was North-of-the-Ohio; it was the United States of America, and when you crossed the broad water you crossed from slave land into free. Indiana was the new nation in 1816, the people spilling westward, a free earth. In the rocky soil of southern Indiana, there were hills of small trees, there were ravines of rotten leaves, there were cold rains, it was a raw, wet country, winter and spring. Abraham Lincoln was the memory of days and ways in early Indiana. He was a memory of his mother's thin, ruined body in the February earth of Spencer County.

Abraham Lincoln was the memory of Sangamon County, Illinois, green fields, the prairie land divided by rivers. He was a memory of a young man's strong desire of love and fame, he was the memory of a young man's days and nights of dreaming and of learning out of books in leather bindings. He was the memory of a big strength looking for a weight to swing. He was the memory of girls' faces against green lawns and going to the County Fair.

Abraham Lincoln was a long memory of the American earth. And in the time of the testing of the Republic, the West gave Abraham Lincoln and his memories to the Nation. And we in turn, Humanity, give him down the Ages as a memorial of our culture, we give you his words and his memories, we offer you his long figure in the black suit to be placed in the mausoleum of the great, beside the few men who deserve to be remembered. We give you him to be remembered because he is all of us, being what we were and are, because we fashioned him, and he is like us when we are most like unto ourselves.

—Every people has a rendezvous with destiny, the Perfessor was saying. After an Event happens, we get the feeling that it had been waiting there like an ambush. Sumter was the bloody ambush of the Nineteenth Century. I never have ceased to regret the Civil War. It's silly of me, of course. Perhaps I ought to take the attitude of a character in one of Mrs. Stowe's later novels: *Wasn't everything topsy-turvy for a time!* But the War was the end of a rather gentle, rich old life and the beginning of something nobody really wanted.

—Spare the tears, Professor, the Senator said. As I see it, nothing great is accomplished in this world without letting a little blood.

Yes, there shall be blood on the earth. There shall be a dark hour when men meet on the streets and shake their heads and hurriedly pass on. There shall be a dawn when the sun spouts blood on the fringe of night.

—So we came to Sumter, the Perfessor said. For better or for worse.

So we came to Sumter. So we came to Sumter down all our different ways. So we came down streets of old American cities and down the roads of countless summertimes and on the swollen backs of rivers, and at last, at last, we came to Sumter. So we came through the days of our strong, blithe youth, we heard the voices of the talkers talking from the platforms erected in the clearings, we heard the voices ringing in the liberty parades, we were not afraid, we marched with long legs swinging into step, rawboned, greatchested, with fiercely tender smiles, with hornloud laughs and lips that talked of beauty, whiskey, tobacco, and the Rights of Man.

So we came to Sumter. We came, our name was legion, we came, we had been coming. We had been coming there for fifty years. We had been moving there and never knew it. When we crossed the Alleghenies and struck across the forests of Ohio, we were coming. When we poled our flatboats down the western rivers to the Gulf and saw the big hands sold at auction on the blocks, and the girls with ebon thighs and the planters with white appraising fingers, we were coming on our way, we were on our way to Sumter. When we crossed the burning plains, when our wagons shrugged and staggered in the passes, when we reached the far slope thin and dying and demanding food, we were coming down to Sumter.

When we laid the rails across the prairie, when we put the bridge across the river, when we rolled at forty miles per hour down the grade, we were coming down to Sumter.

When we lay together in the dark, my unforgotten darling, when the rose of love was blooming in the dark, because we both were mortal, when we touched our bodies in the night and made that fatal crossing of the seed of North and South, when we lay dreaming by each other in the night so long and long, my darling, we were coming down to Sumter. *O, Susanna, do not cry for me,* we were coming down to Sumter he awoke with a feeling that something terrible had happened. At first he thought that he was in his old room at home. Then he saw the pale rectangle of the window that looked north to the Square and remembered where he was.

Asleep beside him, Susanna stirred uneasily. He wondered if she was dreaming of her old home, going down forgotten lanes hand in hand with some elder person, reprieved for a little time from fear of the heavy, feeding guest in the dark of her body.

As he watched her, she rolled her head from side to side on the pillow. The dawn grayly sculptured her face into the look of a child about to cry. Her pale, deep lips opened and drew down at the corners. She moved her mouth as if making sounds of negation, but the words strangled in her throat.

—Susanna! Wake up!

Surprised under the translucent veil of flesh, the thing that wakened in her sleeping body paused, expressed itself in a series of little whimpering cries and sorrowful contortions of the face, then abruptly withdrew into silent depths. Susanna's eyes opened. She was wide awake.

—You were dreaming, he said. You called out.

She turned her head to one side.

—I think it's come, Johnny.

—You mean——

—The pain. I felt it all night.

—I'll go for the doctor, he said, smiling to show an assurance that he didn't feel.

She lay without speaking and stared at him, her eyes dilated and expressionless.

—Now don't worry, honey, he said. Having a baby's the most natural thing in the world.

The words gagged him. She didn't say anything but rolled her head away, staring at nothing.

He dressed hurriedly and called the Negro girls.

—Now, Bessie, he said to the more intelligent one, you look after your mistress until I come back. I want you to stay in the room with her. Don't leave her.

—Yes, sir.

—And, Soona, you run any errands that are necessary. I'm going for the doctor.

In the latter stage of Susanna's pregnancy, he had finally persuaded her to see a doctor whose house was in the northern part of Free-haven, almost a mile away.

As he rode through the pale dawn, all things seemed strange to him. He beheld a world that no man ought to see, a world of gray streets, houses, yards. Sleep had fixed batlike on this scene and sucked it bloodless. Dawn beat around it in a lonely tide, trying to engulf it to all eternity. All things seemed alien to him, devoid of relevance, drawn back to namelessness.

There was no other person in the Square as he passed through, the horse's hooves echoing off the blank faces of the business fronts. No man ought to behold this world devoid of human faces and mean-ings. No man ought to see the discarded husk of this huge stage, after the actors and audience had gone home.

Yes, all things were strange in this dawn. But strangest of all was himself, a bearded, haggard young man, shivering in a thin coat, rid-ing as if his foolish haste could change the thing that had come to pass. The tide of years had stranded him on this bleak shore of morning, and he couldn't say how he had come here. He only knew that he was afraid and desperately alone.

There could no longer be concealments and evasions. A new life pressed against the gates of time. The enormous mystery in which Raintree County floated like an island in oceanic dawn had sent an-other wanderer to the shore of Names, Boundaries, and Events. It had come from Unspace and Untime. It was as old as the world, and yet it would be called a child. It had woven into its dark fabric the memories of ages. It had never forgotten anything.

No, whatever it was, it had never forgotten anything. And it was necessary that it be received and seen and that its paternity be acknowledged and that it be given a name.

It was gray morning when Johnny reached the house that he was hunting. He knocked a long time at the front door. A woman opened.

—Is Doctor Howard in?

—No, the woman said. I'm sorry. He was called out to the country. He left an hour ago.

The woman suggested that Johnny might ride out and find the doctor and take him directly to Susanna. She told him how to reach the place, which was close to Moreland.

—You'll probably catch him on the way back, she said. Since it's her first baby, she may not have it for a while. I think you've got plenty of time. It might be a false labor.

Johnny thanked her and rode off. He cut through the outskirts of Freehaven to the familiar road east. The sun was up when he passed the Home Place. He felt a little foolish riding by and hoped that neither T. D. nor Ellen had seen him.

At the house near Moreland, he found that the doctor had left an hour earlier and had taken the road north, ostensibly to call on someone before returning home. Johnny rode some distance up the road, making inquiries, but without success.

He turned around and rode hard back to Moreland and turned for Freehaven. As he neared the Home Place, he made a sudden decision. He turned in, rode up to the back gate, dismounted, and went to T. D.'s Office. There was a sign on the door:

Have went to town. Be back in the afternoon.
T. D. Shawnessy

The house was empty like the Office.

He galloped the horse all the way back into town. It was already ten o'clock. To his surprise, he kept passing people, more and more people as he neared the outskirts of Freehaven. He tried to remember if it was a holiday. The street into the Square was full of vehicles.

When he reached the Square, he looked around him, vaguely surprised to see that the empty mask had been filled with life. Apparently most of the County had come in for the day. He tied up the horse to the hitching rail and began looking for members of his family.

Almost immediately, he saw Ellen and T. D. in the middle of a group of citizens. T. D.'s hands were clasped behind his back, his chin was up, he was talking with animation, though no one was listening very closely except Ellen.

Johnny motioned to Ellen, who left the group. He started to tell her what had happened and explained how he had been unable to get the doctor.

—I wonder if you and Pa could come right over, Mamma. I should tell you that Susanna doesn't want T. D. and you to—to have to help. She's been—well—a little upset. She may seem a bit strange —but if you could come over in a little while——

—Why, sure, we'll be right over, Johnny, Ellen said. My, you picked a bad day!

Then for the first time in hours, Johnny looked about him with seeing eyes. The Square was packed with people. A band was striking up somewhere. Everyone was talking, gesturing, laughing. Businessmen had left their counters and were standing in the street. Knots of citizens grew thicker until around the telegraph window at the station north of the Square they were a solid mass of heads.

—Say, what's going on anyway? Johnny asked.

—Haven't you heard? Ellen said. They've fired on Fort Sumter.

The mythical words had come at last. And with these words, he knew, as all men did, that an era was done. These few words had slain an old republic.

A throng of men and women marched into the Square behind a band. They were singing:

—Blow ye the trumpet, blow
The gladly-solemn sound.

And indeed, everyone looked jubilant. Even T. D. kept smiling from sheer excitement.

—Well, he said, after he had come over and learned Johnny's predicament, you picked a solemn day, my boy. This means war as sure as anything, though I don't think it can possibly last long. Perhaps this was the only way to settle the matter.

—The Southerners have made a big mistake, a man said. This was all we needed. Now we'll go down there and beat the time out of 'em.

—Ain't no two ways about it, a man said. They fired on the flag.

—Come over in about ten minutes, Pa, Johnny said. I'm going home now.

He picked his way through the thickening crowd to the alley on the south side of the Square. The old sick anxiety coursed through him stronger than ever as he approached the house.

Inside, he met Soona on the stair coming down.

—Nothin's happened yet, Mistuh Johnny. She's just havin' the pains, tha's all.

Johnny went up stairs, and sitting down beside Susanna, took her hand and gently broke the news to her that T. D. and Ellen were coming.

To his surprise, she said only,

—It doesn't matter who comes.

She clung to his hand and watched him with frightened eyes. Her face was pale; her deep lips were deadpale. Her hair looked coarse and lifeless like an animal's. Her eyes were dilated by fear and pain. She seemed a stranger to him. Her suffering had stricken off her beauty, her sophistication, and her stately name.

With sad wonderment, he realized that this moment was indirectly the consequence of a golden afternoon beneath the tree on the shore of Lake Paradise. Then too she had lost her name, her clothing, her sophistication. Then too she had been wholly woman and without shame. Now for this candor, she must have an equal candor. For this namelessness, she must suffer the suffering without a name.

Like a rhythm of waters was the tidal recurrence of the birth contractions as he sat and watched with her. From the fetid swamp of life beneath the time and space of Raintree County, dark rivers flowed, dark waters bore their burden to the shores of time. He was filled with pity as he watched her lying there exhausted, waiting for the empty pool of her anguish to fill up again. But she hardly made a sound. She had the same expression in her eyes that he had sometimes seen there when he discovered her walking in her sleep.

Johnny was relieved when T. D. and Ellen came in and took charge of the situation.

—Now, John, you stop worrying, T. D. said. Having a baby's the most natural thing in the world.

Susanna didn't have her baby that day. Toward night the pain lessened, and T. D. pronounced it a case of false labor. He and

Ellen decided to stay for the night. All night and the following day, which was Saturday, the vigil continued.

—I don't know what the trouble is, T. D. said. She ain't quite made up her mind yet to have this baby.

Then about midnight the strange old tide in Susanna's body began to reach the full.

—I think her time is here, T. D. said.

—Johnny, I think it'd be best if you waited downstairs, Ellen said. You'd just be in the way, and besides it might be hard on you. Bessie and Soona and T. D. and I are enough to handle this.

Pacing back and forth in the empty first floor of the house was also hard on Johnny. He heard unidentifiable sounds from upstairs, crisp orders from T. D., exclamations from the Negro girls. The periods of silence were worst of all. Now and then Bessie or Soona would come down the stair to get something from the kitchen. Johnny would stand, haggardly watching the descending face to see what he could read there.

—Miss Susanna sure is brave, Soona said once. She don't hardly call out at all, poor thing.

Later, however, the cries from upstairs were louder; and shortly after that, his mother appeared at the head of the stair.

—It won't be long now, Johnny, she said. She's had the breaking of the waters.

Back to Johnny's mind there flashed a scene from years ago. An old song throbbed in his brain with sad, insistent rhythm:

> I had a dream de udder night,
>   When eb'ryting was still;
> I thought I saw Susanna dear,
>   A-comin' down de hill. . . .

Like yesterday, he remembered the day he had driven into Danwebster with T. D. and Ellen and had stood before the General Store, listening to a woman cry in an upstairs room, while men discussed slavery, compromises, and the western lands. Now thirteen years had passed. He had drifted down the incredible great labyrinth of time for thirteen years. And it was strange to think that without that elder scene, this scene could never have been. That old scene had been the parent of this scene, that child had been father of this man, and every word spoken before the General Store, the haunting westward song, the Doniphants and their infant boy (lost child, bearing a name of Raintree County toward purple mountains), the fat bulk of Grampa Peters, the newspapers, and the election—all had been necessary. But who then could have charted Johnny Shawnessy's voyage on the webbed waters of the Republic? Who could have guessed the reunions and farewells that were to bring him and the Republic to this perilous day? So the waters of life were breaking, mystical waters, on the shores of Raintree County in vast propulsions and withdrawals, bringing events and souls to birth.

Dark questionings, suspicions, memories coursed through Johnny's thoughts. Alas! for guilty seed brought overseas in old migrations! Alas for the inscrutable Swamp from which had risen a stately, mongrel City! Did anything guarantee that each time a woman's womb became fruitful it would give back a repetition of the parent forms? What was the child of a man and a woman?

Johnny Shawnessy stood in darkness, and the darkness had the head of a sphinx, and from its moving lips the riddle of life was propounded. This riddle couldn't be solved except with a cry of pain in the night, with a priestlike laying-on of hands, with a violation of beauty.

> O! Susanna,
> Do not cry for me;
> I come from . . .

He was slowly aware that the moans and cries from upstairs had ceased. A silence hung over him batlike, descended, clung to him, enveloped him in horror. Cold sweat drenched him. His heart beat violently. He wanted to run up the stair, he wanted to force his way past the watchers in the room, he wanted to tear the hideous veil of his fear and behold whatever it was that had caused this silence.

—Johnny!

It was Ellen's voice. His mother appeared at the head of the stair. She leaned over. She had something in her arms wrapped in a blanket. He heard a thin, piping cry.

He began to walk up the stair, trying to see his mother's face in the darkness. His tongue was glued to the roof of his mouth.

—You're the father of a fine little boy, Ellen said.

At the head of the stair, he plainly saw his mother's face. What he saw there reassured him. Tears started to his eyes. He looked down at the thing she cradled in her arms.

All that he could see for certain was that it was red and raw like the other babies he had seen in his time and that it had the imprint of humanity on its little ancient face.

—Magnificent child! T. D. said, coming out of Susanna's room. And the little mother is all right. Came through fine. There's nothing to worry about.

They all went back into the room where Susanna lay, her eyes closed in deep exhaustion.

—I think this calls for a little prayer, T. D. said.

Johnny, Ellen, and the two Negro girls bowed their heads. The baby in Ellen's arms went on crying. T. D. closed his eyes, leaned back, extended his arm, and said,

—Dear Father in Heaven, we ask Thee to bless this little child who is this day born unto this young man and woman. May he grow to manhood in a land free from the troubles with which Thou, in Thy all-seeing and beneficent judgment, hast seen fit to visit upon this poor distracted nation. May . . .

The baby went on crying. The Negro girls and Ellen joined in. T. D. went on praying. Susanna slept like one dead.

Later, Ellen took Johnny aside.

—You'd best be with Susanna when she wakes up, she said. She had a hard time of it, poor thing. I think she was nearly out of her head, but she'll be all right.

It was dawn when Susanna finally stirred in her deep sleep and opened her eyes.

—Susanna, it's me, Johnny.

She stared at him mournfully, and her hands began to trail slowly down the blanket.

—You're a mother, Johnny said. We have a fine little boy. Everything's all right.

She watched him with mournful, suspicious eyes.

—Listen to him, Johnny said. You can hear him.

The baby was crying in a little cradle near-by.

—Is it all right?

—Fine, Johnny said. T. D. says he's a perfect child.

Susanna's eyes burned with a steady intensity.

—I want to see him, she said.

He brought the baby and showed it to her. She spent a long time looking at its little hands and feet and its blue eyes.

—You sure there wasn't another? she said.

—Another?

—Yes, Susanna said, fixing him with the same truth-demanding gaze. A twin. I thought I remembered that there was another.

—No, I'm positive. You just imagined it. What'll we call him?

—Sure there wasn't another? Susanna said, watching him narrowly. One that wasn't—that wasn't right? One that was thrown away?

—Absolutely not, Johnny said.

But Susanna was so solemn and persistent in her questions that he began to wonder. When T. D. and Ellen got up later in the morning, he spoke to them about it.

—Pa, there was just this baby, wasn't there? There wasn't—there wasn't another one—I mean born dead?

He watched T. D. narrowly, wondering if he and Ellen were concealing something.

—What's that? T. D. said.

His clear blue eyes were innocent and bewildered. Instantly, Johnny's doubts dissolved. He described Susanna's memory that there had been another child.

—All women worry about their baby not being perfect, Ellen said. The poor dear was out of her mind with pain. It was a hard labor.

When he returned to Susanna's room, he found her suckling the child. As she didn't ask any more questions about it, he decided that she must have recovered from her anxiety.

—What'll we name this kid? Johnny asked.

He had thought about names before, but when he had approached Susanna with the question, she had always said to wait until the child came, and then they could name it. Now she said,

—If you don't mind, Johnny, I'd like to call it James Drake Shawnessy. After my father.

—All right. That's a fine name. I like it.

—James, she said thoughtfully. Jim. Yes, that's what I want to call him. Jim. Little Jim.

—Little Jim, Johnny said.

He laughed. But Susanna didn't laugh. Instead, she looked up at him with a curious smile. Then whispering to him as if they were conspirators, she said,

—You're absolutely sure? You can tell me now.

—Sure about what?

—That there wasn't another.

—Absolutely, Johnny said. Now, you go to sleep. You just need a good rest.

He kissed her then, said good night, turned down the lamp, left the room. He went downstairs and, feeling unable to sleep, asked T. D., who was going back to the Home Place, to let him drive. Ellen intended to stay and help look after Susanna for a while.

—I'll walk back from the Home Place, Johnny said. I'm not a bit sleepy. I feel like walking.

—Better get some rest, T. D. said. You got a new responsibility.

But Johnny drove his father home. The earth was bright and cool in the early morning. It was April in Raintree County. Johnny Shawnessy felt strong and confident again as he strode out resolutely along the road from the Home Place back to Freehaven.

Yes, all would somehow be well with him now. It was necessary to have courage and conviction and to find one's people at the right time. All would yet be well, too, with the Republic. Even if it came to war, there were brave men in Raintree County and throughout the Nation, and they would fight to see the Union sustained in Liberty and Justice. It mattered after all whether one was right or wrong. It mattered about slavery. It mattered about the Union. This was the springtime of a solemn awakening of conscience.

He looked about him at the earth of Raintree County, a dark earth on which the little flowers were putting into bloom. He saw the gentle hills and shallows lying away to north and south. He passed through the town of Danwebster, huddled in the crook of the river, he saw the river running clear and clean on its pebbly bed. He drank the young day scented with the flesh of flowers and colored with a mist of buds bursting on winterblackened trees and bushes. He loved this earth, which had been somehow sundered from him by the parting of the Nation.

For Raintree County, he felt, lay far beyond the four borders which contained its span of dirt. It was also the Republic, a peerless dream. The war that had come was being fought for Raintree County and its way of life. It was for the soul of Johnny Shawnessy and his wife Susanna. It was for the future of his son.

At about nine-thirty, he reached the office of the *Enquirer*. Niles Foster was out in front talking with several other men. Although it was Sunday, the Square was crowded.

—Hi, Niles, Johnny said. I have an item I want you to print tomorrow.

—Tomorrow be damned! Niles said. You can print it today if you want to.

—I thought today was Sunday.

—It is, Niles said. My boy, we're putting out a special edition. Come on in and help.

—You mean——

—I mean we've struck the flag on Sumter. Pulled it down this morning, and surrendered with honor after a heroic defense. The Rebels shelled the place for two days steady. No telling how many brave men lost their lives. By the living God, the traitors will have to pay for it. Starting today we nail our colors to the masthead, 'Down with Treason. The Union Forever.'

—We'll fight then?

—Sure we'll fight. This town's crazy right now with war spirit. I never saw anything like it. They sure have pulled in their necks down at the *Clarion*. Every boy in Raintree County with red blood in his veins is itching to volunteer and get into the fight.

—They'll have to have it without me, Johnny said. I've just had a baby.

—Congratulations! Niles said. Leave the facts inside, and I'll write it up. Boy?

—Yes, sir.

—You'll never get into it then, a man said. War'll be over before that kid uncrosses his eyes.

Johnny had a hard time getting through the Square. In front of the *Clarion* office he found Garwood Jones.

—Hi, John, Garwood said. Hear you've gone and had that baby. You picked a bad time.

—What's the Democratic line on this Sumter matter? Johnny said.

I suppose it's all just a mirage in the minds of victory-drunk Republicans. Like Secession and all the rest.

—I cannot pretend, Garwood said, clearing his throat and looking around to see how many people were listening, that I am not deeply moved by this insult to the Flag. We are men of generous breasts and slow to anger, we of the North, but——

—Save it for the *Clarion,* Johnny said. So you're doing a turntail?

—Hell, no, Garwood said, talking low in his informal voice through the shattered horn of his cigar. After all, can you blame the Southerners? But if the people up here want war, war there will be.

Later, Johnny ran into Zeke.

—Well, John, Zeke said, you better take a last look at your favorite brother.

—How's that?

—I'm volunteerin', Zeke said.

—Folks know?

—Not yet. They been too busy gittin' that brat of yours born.

—How long do you think you'll be gone?

—Maybe a month, maybe two, Zeke said. Long enough to chase those skunks into the Gulf. Yippee!

His big redbearded face was flushed, eager, happy. He laughed, rubbed his hands together, slapped his knee.

—Who's organizing the volunteers? Johnny asked.

—Jake Jackson is takin' a company over to Indianapolis next week. They say Lincoln will issue a call for volunteers any time now.

A band went by playing 'Yankee Doodle.' A lot of hysterical citizens, men and women, were marching behind it.

Down at the telegraph office, a talkative mob was taking the news apart as it came in.

—Hell, a heavyset middleaged man said, if you boys have half the guts that we had back in '46, you'll have the damn traitors whipped by the Fourth of July. I wish I could git into it myself.

The crowd was making fun of an old man, who was the town's only veteran of the War of 1812.

—How about it, Pap? Goin' to git into it?

—Demn right, the old man said. If they'll let me.

They thumped the old man on the back, his eyes watered, he laughed happily—an old man's idiot, toothless laugh. All the young men were being slapped on the back too. Veterans of the Republic's last war kept feeling the youngsters' arms and giving them advice. The young men grinned goodnaturedly and looked vaguely shy and heroic. They were the chosen.

Almost everyone seemed elated and confident about this war, which had begun with a defeat.

Cash Carney had one thin, trimtailored leg on the top of a hitching stone and was evolving plans.

—The key to the situation is railroads, he was saying. When you get right down to it, railroads will win the War. And we got more and better ones.

—Think it'll last long, Cash? Johnny said.

—It can't last long. Not the way people feel about it up here.

Before he left the Square, Johnny picked up a copy of the *Enquirer*. The news from Sumter filled the important space. Down in the lower lefthand corner of the last page was an item under Personal News.

NEW BABY
(Epic Fragment from the *Free Enquirer*)

The union of Mr. and Mrs. John Wickliff Shawnessy has been happily blessed with a male heir, who was ushered into this valley of tears, turmoil, and trouble at 4:00 this morning. The new cherub will carry the cognomen of James Drake Shawnessy, and a finer little fellow, it is reported, has never yet gladdened the eyes of doting parents. He weighed eight and a half pounds, and the mother is doing quite well, thank you. The father, a young man of prominence in the community, is resting easy and is expected to pull through. Interviewed just after the Happy Event, he stated that the arrival of the child would,

AT LEAST FOR THE TIME BEING, MAKE IT IMPOSSIBLE

FOR HIM TO GO

TO

—WAR, said the Perfessor, is the most monstrous of all human illusions. All ideals worth anything are worth not fighting for.

—War, gentlemen, the Senator said, is one of the world's necessary evils. This nation grew strong through battle. The Civil War was the college in which the young men of this country learned how to do big things.

—War is just plain killing, the Perfessor said. You understand, I'm not sentimental about it. God knows, unless we drew a little blood now and then, there wouldn't be room on the globe for us all. What's pitiful is how men murder each other and then glorify the crime in song and story. The real issues of the Civil War always seemed simple to me. The Civil War was fought quite simply because some men are darker than others. In a way both North and South were fighting the Negro—the South to keep him a slave and productive, the North to keep him from being too productive, which meant making him free.

—There's a lot of truth in that, the Senator said. No use pretending that either side fought the War on moral grounds. Two economic systems were pitted against each other—railroads against cotton. When I changed over and became a Republican, it was in recognition of that fact. Economically, the South was behind the times. This country was meant to be one Nation, one big industrial and political bloc. It was Fate, and the South had to give in to Fate—and the bigger battalions.

—The Civil War, Mr. Shawnessy said, was fought because man will be free. Both sides fought it as a holy war.

—But you see, John, the Perfessor said, you and I were part of the War, and we can't get away from its fine old fervors. All that cant about Liberty and Union was part of our youth, and a man will cling to as much youth as he can. But was it so important after all that a certain hunk of the earth be called by one name instead of two? Which side fought for God and the Right? Well, I'll tell you. God doesn't care about these things. God was quite untroubled by the Great American Civil War. God, the God of Nature, is a great brute impulse. He laughs at our romantic ideals of love and war. I tell you, John, the farmboys went out and died merely because they had the goddam rotten luck to be born one side or other of a river. There's no absoluteness in these things. War is neither moral nor immoral, just as life is neither moral nor immoral. War simply happens to men, they're blind victims of it, it's a clash of forces ruthless and natural, like the unconscious strife between the dinosaurs and the little early mammals who ate their eggs and destroyed them. Only our everlasting glorification of the individual makes us believe in the epic heroism of war. We get completely lost in a swirl of proper nouns. Sumter, Fredericksburg, Antietam, Gettysburg, Lincoln, Lee, Sherman, Grant, Washington, Richmond, the 134th Indiana Volunteers, the March to the Sea, Shiloh, Vicksburg—what are all these names? Words only, I assure you. All this is simply the romantic human being trying to deny that he's an animal. It's because we all try so hard to be immortal and distinguish ourselves from every other individual who ever lived that we have so much sorrow and so much poetry. We'd be happier if we practiced the same ethics toward ourselves that we do toward flies. What is the death of one hundred thousand flies? Just a natural phenomenon. A fly is not an individual. A fly is simply the representative of a species. No one but that sentimental sap, Uncle Toby, cares about what happens to a fly.

—Perhaps the fly himself dimly resents it, Mr. Shawnessy put in.

—But, the Perfessor continued, the death of a million men in a series of bloody explosions and stinking camps is called the Civil War and each man is lamented and remembered for a time, and people have banquets for fifty years, and Congress votes pensions, and schoolboys recite the Gettysburg Address. But *sub specie aeternitatis,* this is all nothing. Strictly speaking, there is no past. That which no longer is never was. Events, as you say, John, are something that never happened. The dead are simply nowhere. The new generations will look back on the Civil War with great calm. It's hard to feel sorry for folks who died a hundred years ago.

—The Civil War, Mr. Shawnessy said, drawing a deep breath and weighing his words, was fought for the Republic—or what Lincoln called the Union. The Republic transcends boundaries, triumphs over space. In America, a man not only possesses his home and his local gods, but he possesses the Republic, which is a denial of tribal boundaries and tribal prejudice. The Republic is the symbol of man's victory over the formless earth. It may be an illusion, but to be human is to accept the human illusions, which were created by centuries of struggle. This Republic is, in Lincoln's phrase, *the last, best hope of earth.* It affirms that a portion of America—this earth discovered, adorned, and named by human labor—shall not be the property of a single generation to wrest it away and shape it to new things at will. The North didn't fight through a desire to acquire the South, to possess it, to invade it, to enslave it. They didn't even fight to destroy slavery within it. They fought to preserve the Republic, a mystical concept that affirms the humanity of man. The Southerners threatened to destroy the Republic on a point of inhumanity—the perpetuation of slavery. Thus their moral position was hopelessly weak from the start. The ante-bellum South was a proud, feudal, voluptuous dream. In their blind way, the Southerners imagined that they too fought for freedom. But it was freedom to enslave other human beings. Their so-called right was not the world's right nor humanity's right. Thus a war came to be, in which the North was lucky to find great moral leadership in the person of Lincoln, while the South—significantly—found great military leadership in Robert E. Lee. As a series of physical facts, we know how terrible the War was. As a series of Moral Events, it was necessary and even sublime. It had to be fought and won for the future of humanity. If the Civil War had been lost by the North or had never been fought at all, Balkanization of the American Republic would have resulted, and the last, best hope of earth would have been lost for a time.

—Will you philosophers pardon me while I do a little vulgar politicking, the Senator said, rising to greet an approaching delegation.

—Well, said the Perfessor, this may all be true. But what of the martyrs who fought and died for this noble dream, the Union? Where are the young men who died in the first battles? Where are the heroes of First Bull Run? For them—and forever—

Awakening sometimes in the summer night, Johnny would have this phrase on his mind, and he would remember that the War had been a long time fighting. In these awakenings, he would come back from dreams of better days to the dark, highceilinged room, the pale square of the window that looked down on the town, the recumbent body of his wife Susanna, and the child sleeping in its crib.

Then he would remember names of battles. They were old names already, belonging, as they did, to the first years of the War when it was believed that every battle might mean the end of hostilities. Sumter, First Bull Run, Shiloh, Corinth, Island Number Ten, Forts Henry and Donelson, The Seven Days' Battle, Second Bull Run, Antietam, Fredericksburg. Each of these names had swum slowly into the columns of the papers, had lain there wallowing bloodily for days, had swum slowly out again.

The Civilian's War had long ago assumed a pattern of uniformity in chaos that made it tolerable to the general public, North and South. Its landscapes, costumes, trappings had achieved the familiarity and fixity of myth. It had its epic rhythms, epithets, heroes. It was a newspaper Iliad of seasons, maps, and proper nouns. Antietam, Fredericksburg, Bull Run, Shiloh, Second Bull Run.

Summer (and this was the beginning of the third summer of the War) was the season of battles. It would be time, then, to have a map on the front pages of the more enterprising dailies. The map would be called the Theatre of Operations. On it, two mythical cities, Washington and Richmond, would confront each other across a tangle of rivers, roads, little towns. The roads would be firming now in the Theatre of Operations. The air would be warm and clear.

It would be necessary, then, to have a battle in the newspapers. There would be a certain keenness of anticipation on the editorial pages. Armies were moving now in the Theatre of Operations, were reported here and there. But armies never moved as masses of soldiers. Only the heroes moved. McClellan, Burnside, Pope took up positions, advanced their flanks, forded rivers, fought sharp skirmishes. Lee, Jackson, Beauregard, Johnston, Stuart became alert, made cautious penetrations, conducted raids.

Then there began to be reports of a battle. Towns and streams were tentatively named. In the space of a few days, there had been a battle, there had been no battle, there had been a success, there had been a minor rout, there had been a glorious victory, there had been a partial setback, there had been a sharp skirmish. Lee was beat. Lee was bested. Lee was battered. Lee was prostrate. It was all up with Lee. Lee was still fighting. Various Union Generals had accomplished the impossible. A name would begin to be mentioned more often than others as the location of a battle. There began to be eyewitness reports.

Finally someone wrote confidently of the Battle of Such a Name fought on such a day. Thus long after the fighting, a battle had become the Battle. But the Battle was by no means over in the newspapers. Like a festering wound, it flowed on in crowded columns— with recriminations, conflicting claims, disappointed expectations, removals of leaders (who had accomplished the impossible), and finally the long, backwardwinding processions of wounded and dead.

Then the next battle began to fester in the newspaper columns, and men realized that the last battle was a museum piece enclosed in a glass case called History. Shiloh, Antietam, Fredericksburg, Bull Run, Second Bull Run.

But the battles were only the heavy stresses in the rhythm of the Great War. They were only crests of the waves. The troughs were the periods of waiting. *All's quiet along the Potomac,* said the newspapers.

All's quiet along the Potomac. This phrase distilled the Civilian's War, which was the atmosphere of Johnny Shawnessy's life in the first years of the Civil War. Along a mythical Potomac, in the arena where the fate of the Republic was going to be resolved, in the eternal Theatre of Operations, usually all was quiet if not well. But this quiet was the time of gestation; this quiet was the womb from which vast, blooddrenched Events were born. This quiet was the unpictured swarm of life in camp and hospital, the letters home that said that everything was all right but I'm homesick, the plaintive songs around the campfires, the families waiting for news of sons, the long labor in the factories, the audible hopes and silent despair of millions. *All's quiet along the Potomac.* This phrase would always recapture the hue and weathering of the years when the destinies of the Republic were being worked out in darkness. It would mean great dedications North and South; for the whole Republic, North and South, in its divided camps, shared a Potomac of human hopes and longings, courage and loyalty, a beloved earth threaded with rivers of Indian names.

During this time, the child was growing.

At first Johnny didn't love his son He had a strong feeling of pity and a sense of responsibility—but no love. He examined the little raw form with some care to see if he could find any evidence of a human soul. In the beginning, the Baby, as it was called during its first year of life, didn't even have any particular look. It was like some furtive creature pulled out of a river, halfdrowned, mysterious, mute, unidentified. This moist little visitor from silence and the fruitful night had not yet made itself a place in Raintree County. Johnny was embarrassed even to call it by a human name.

This, then, was the beginning of a human life. His own beginning must have been like this, for once he, too, had emerged from the river of darkness and had lain on the bank stranded, waving tiny fists of frustration, blinking in the strong sunshine of Raintree County. From among the millions and millions of little faceless swimmers, seeds that never found a principle of growth, he had won through, struggling to warm arms and summer. What was he, back in that time of namelessness, where had he been then, did he have any memory of the great deep from which he had swum? 'John Wickliff Shawnessy,' they had called him in order that he might instantly be rescued from chaos and formlessness. The name had been the beginning of his education and the origin of Raintree County. In the beginning was the Word.

Now he had a responsibility to rescue another little swimmer from the void and make it human. 'Little Jim' he would call it until at last somehow it *became* Little Jim.

The child lost its birthflush and was gradually a fairskinned little boy with thick reddish hair, clear blue eyes, and regular features. He was a beautiful child, alert, quick-eyed, expressive. In a few months, if anyone rose up suddenly over the edge of the crib, he would laugh violently. There were times, too, when he would lie in his crib clenching his fists and turning red as if strangling for breath. He began to babble and to imitate the sounds of others.

By the time he was a year old, he had ceased to be called the Baby and was called Little Jim. His coloring was Shawnessy—vital, darkening hair with a touch of the sun in it, a softness and roughness of eyebrow, long lashes, fair skin. His eyes and the contours of his face and body were his mother's. He was gracefully formed. His eyes were dark blue, round, proud, intense.

At ten months he had begun to walk, and at a year he would run several steps, dropping lightly to his hands, only to rise and run again.

—He'll make a runner like his pa, everyone said.

Before he was a year old, he had a vocabulary of half a hundred words, among them the words 'Daddy,' 'Mamma,' 'rock,' 'tree,' and 'Grandma'—variously mispronounced. By this time Johnny was very proud of his son. He spent hours with him, talking with him, teaching him the names of things, carrying him around the town on his shoulders. It got so that he didn't like to leave Little Jim at the house but preferred to have the child with him wherever possible. He lost all personal vanity in this son. He was delighted when Ellen observed to all comers that Little Jim was even brighter than Johnny had been at the same age. It was a common sight in the Square of Freehaven those days to see Johnny Shawnessy walking around with a little boy perched on his shoulders.

Often Johnny would take the boy out into the yard of the house in good weather and put him down to run barefooted in the grass. The child hardly ever walked. His straight feet seemed to be made for running; his legs were slender and for a child's long. While his father worked at a table, writing or reading, Little Jim turned, danced, trotted tirelessly in the summer weather, exclaiming, pointing, asking questions. Johnny was never too busy to answer the child's questions, and the Great American Epic suffered in proportion.

When Little Jim was a year old, Johnny began to tell him stories, short narratives repeating the child's own experience. From the outset, Little Jim was fascinated by stories. He would lie and listen attentively to the image-creating sounds; his round blue eyes would be earnest, all-believing, innocent. He soon learned to ask for a story and wouldn't go to sleep without one.

Johnny didn't suspect the depth of his love for Little Jim until a series of happenings seemed to imperil the child's safety.

After Little Jim's birth, Johnny had hoped that Susanna's morbid fears would be expelled with her pregnancy. She stopped walking in her sleep, and for a few weeks seemed greatly improved as she went about the business of taking care of the child. Then at the return of menstruation, she became pale and haggard, violent in temper, complaining of her hardships, finding no good in anything. During this time, Johnny and the Negro girls began to assume more and more the care of the baby, until it very largely devolved into their hands, while Susanna moped by herself hours at a time in the upper chambers of the house. Instead of establishing a bond between husband and wife, the child had erected a greater barrier. Johnny became gradually conscious that he and Little Jim were drawing apart from Susanna, that she regarded them as belonging together and not to her. He tried to break down this estrangement between mother and child, but Susanna clearly wished to give him the responsibility for Little Jim. Not that she disliked the boy. She was pathetically fond of him and would often come to him and do something for him, hold him and play with him, as if she were an older child who didn't quite know how to act in the presence of a little brother.

—Isn't he cute! she would say, as if in some surprise, as if she hadn't noticed it before, as if paying a compliment to Johnny for being the father of such a child.

It was rather charming to hear her at such times prattling at the child like a precocious little girl, mock-scolding him, hugging him, and calling him Jeemie.

Much of her strangeness, he ascribed to the fact that she felt herself alone in the North, away from her own people when they were fighting for what they considered their national existence. But although there were many Southern sympathizers in the County, Susanna took no interest in them and very little in the War either.

In the spring of 1862, she expressed a sudden desire to 'go about,' to organize parties and entertainments. Johnny encouraged her, even if Susanna was a little feverish and hectic about it.

But excessive gaiety was almost always paid for by periods of extreme depression during which she would remain alone for hours in the secondfloor bedroom. Once when he peeped in noiselessly, believing her asleep, he was shocked to see her lying in the bed, restlessly turning the pages of her picture album. It came to him then that the album was always kept on the dresser in this room and that perhaps she spent much of her time looking at it.

One day in the early fall of 1862, he returned from the office to find Bessie and Soona waiting for him with worried faces. Susanna was gone. She had left in the early morning carrying a little suitcase and dressed in her best. She had refused to tell them her plans. Johnny made cautious inquiries around town and even tried to get in touch with Garwood Jones for help, but Garwood was nowhere to be found. At the train station, Johnny discovered that Susanna had bought a ticket to Indianapolis. Late at night, she came back, flushed, excited, talking volubly about a thousand little things that she had seen and done. When Johnny told her of his anxiety, she scolded him for it.

—I left you a note, Johnny.

—Where?

—Why, upstairs on the dresser.

He followed her upstairs. She went to the dresser in the bedroom and showed him the note. She had carefully wrapped it around the old daguerreotype of her home in Louisiana and laid it on the open pages of the picture album.

—There, you see! she said triumphantly.

When he made a motion to take the note, she laughed shyly, crumpled it up, and danced away from him, her eyes brilliant and excited.

—No, you can't read it!

That night, she didn't sleep at all, and she remained in a condition of unnatural elation for several days.

During this time, in the winter of 1862 and early spring of 1863, she began to sleepwalk again. Several times he awoke to find that she wasn't in bed. He would jump up and, hardly daring to think what it was that made him so sick at heart, would run into the next room, where Little Jim slept. After reassuring himself that the child was all right, he would go from room to room and floor to floor to find Susanna. He would discover her walking in the hall with a stately, regular tread, or standing at a window, or even crouching in the cellar. He soon learned that it was wisest to approach her quietly and lead her back to bed without waking her up.

One night, awakening to find her place in bed empty, he went softly down the stair, aware that a light was burning on the lower floor. Susanna was in the parlor, bending over a table on which the lamp was lit. He was fascinated by what she was doing and remained at the door of the room watching her.

She was examining the photograph album, which apparently she had carried downstairs. With quick, restless gestures, she sifted the pages, bending over them and staring at the pictures with sightless eyes. She appeared to be in a great hurry as if she had only a short time in which to find whatever she was looking for.

When he stepped toward her, she seemed instantly aware of his approach. She turned, appeared to recognize him, smiled.

—I can't find it, she said.

—What?

—The letter. I left it here, you know.

—I know, he said. We found it. Don't you remember?

She searched his face with sorrowing eyes. She reached out and touched his beard with a childlike, delicate gesture.

—She didn't read it then? You don't think she read it, do you?

—I'm sure she didn't, he said.

A look of inexpressible relief softened her features. But it faded as quickly as it came. Emotions of confusion, anxiety, terror fled across her face.

—I must find it. Before it's too late.

—Perhaps you'd best go to bed now and look for it later.

—No, I must find it now.

She began to sift the pages of the album again.

—What was written on it? he asked.

She looked at him again, her eyes dilated, and smiled a fugitive, distrustful smile.

—I could never tell you, she said. I promised not to. You believe me, don't you?

—Of course I do.

—You see, I have had a great loss.

—I know, he said.

—The dearest thing in all the world.

She said the words with a lingering sadness that made him ache with pity.

—The dearest thing in all the world, she repeated mournfully. The dearest thing in all the world. The dearest thing in . . .

It was a long time before he could persuade her to give up the search. She kept looking through and through the pages of the album, these pages covered with images of herself posed in cloudy nightrobes. In his effort to win her back to quietude, he felt that he was battling something enormously persistent, rooted in the bedrock of her being, ineradicable, impervious to reason, sinisterly alive.

Another night, he found her holding a lighted lamp and standing before one of the two front windows on the third floor. She made elaborate ceremonial gestures, approaching the hot chimney so close to the curtain that the cloth began to smoke.

Instantly, he started toward her. She seemed to know him, appeared not to be sleeping at all. She smiled, put her finger to her lips, and leaning toward him, began to whisper hoarsely like a tragedienne in a crude melodrama.

—They're probably hiding in here!

—Who?

She came up to him and examined his face closely, then apparently satisfied with her scrutiny, withdrew a little, and narrowing her eyes to slits, said,

—Of course, I know about them.

—Of course.

When he spoke, she appeared startled and held the lamp close to him. As so often before, the inchoate emotions of her dreaming self stirred and faded in her face.

—Now where *is* that doll? she said, irritably.

—It'll turn up, Johnny said. It's late, you know. Let's go to bed. We can talk about it there.

—No, I must find it, she said. I came up here to find it.

—There isn't any doll here.

She seemed to reflect upon what he had said. He gently took the lamp and led her away from the window and down the stairs. She went obediently enough until they were about to get into bed. Then she began to cry out with terror, and it was some time before he could wake her and quiet her. He tried scolding her about the lamp.

—You might have burnt down the house and killed us all, Susanna, he said. You must simply try to get hold of yourself.

She wept distractedly and held him very tight.

—What did I say? she asked him.

—You were hunting someone. You thought they were hiding somewhere in the house. You asked about a doll.

She had stopped crying and was listening attentively.

—Is there something you would like to tell me, Susanna, something about your childhood or your parents. Maybe it would relieve your mind.

He had asked her the same thing before, but always in vain. Now, however, to his surprise, she said,

—Yes, there is something.

She expelled her breath in a long sigh.

And suddenly he was afraid.

He was afraid of what this woman could tell him. He wished almost that he might have remained in ignorance. He wanted to say, No, don't tell me, Susanna. No good can come of telling me. Perhaps what you are about to tell me ought not to be told at all—to anyone—ever.

—It's—it's about the fire, she said. Something I know about it that no one else knows. I never told anyone—not even Aunt Prissy.

She paused. He didn't encourage her.

—It was something that happened not long before the fire. You remember I told you that Henrietta had been away, and then she came back?

—Yes.

—Well, the day she came back to the little cabin, I stayed and played there, and I left my doll there—Jeemie, you know.

—Yes, Johnny said.

He knew only too well the doll Jeemie. Perhaps he was going to get at last the secret of that hideous little idol from a stained and tragic era, and the secret, too, of all his bright little successors.

—Well, that night, the night Henrietta came back, I was very much excited, and I lay in my bed in the big house and couldn't sleep. I wanted to have my doll, who usually slept with me, and I remembered that I had left him in the cabin. I wanted to see Henrietta again too. The doll was sort of an excuse. So when everything was still, I slipped out of bed and crept down the stair and went outdoors. It was a warm night, and it was a holiday, the Fourth of July. The Nigroes were all singing down by the river, and there was a big scarlet fire burning on the river bank just over the woods from the cabin, and the cabin was all lit up scarlet from the fire. Well, I went down there to the cabin, and I tried the front door, but it was locked, and then I went around behind and slipped in the back door. It was all dark in the cabin except that the light of the fires outside flickered through the windows. I listened and didn't hear anything. Then I crept up the stair because I had left the doll upstairs. There was a light of some kind burning up there, and I could see myself in the mirror at the landing. I had on a white nightgown, and my hair was all shaken down. And then——

She paused, and he was afraid that she wouldn't finish and afraid that she would. But she was entirely in the spell of her own story and had paused as if to contemplate her child's image in the mirror. Her voice had slipped down to a low swift monotone as if it automatically recorded an experience that she was reliving in a center of consciousness far removed from the present in which she lay.

—And then I peeped up over the landing into the upper floor of the cabin, and there were two people on the bed together, and the light from the big fire on the riverbank burned right in through the window, and it made the woman's skin all dusky and scarlet like wine, and the man's skin pale white against it. I don't think I'd ever seen grown people without clothes on before then. I didn't quite understand at the time, but I knew I oughtn't to be there, and I slipped down the stair and went back to the house, and no one ever knew what I saw.

She paused, and Johnny waited. In the night over Raintree County, this other archaic night had made itself a place, and the two figures in the flaring darkness of it were tragically real to him, more real than the great war fighting beyond the borders of the County, on far rivers of the Republic, where armies lay in siege. These two figures embracing in forbidden love were the emblem of a lost republic;

flames licked and flared suddenly around them; they turned in his mind, twisting and twining in their exquisite torment.

—So then, Susanna went on, still talking swiftly to the dark night, I had some dim notion of what it was like between Daddy and Henrietta. And I was proud and glad because I loved them both. I didn't feel so strong then the difference between the races. That came later. Then, a few days later Henrietta came up to the house to live— Daddy was that headstrong—and she had the room next to mine— she was like the lady of the house. And that was when Mamma was so violent. She had had the house by herself while Henrietta had been away. And one day when Daddy was away, Mamma came down and found me in Henrietta's room, and there was a terrible scene, Mamma called her a nigger whore, and screamed and carried on, and said dreadful things to me, and all the time Henrietta just stood there and put her arms around me. And some of the men came and Mamma was led off.

Susanna began to stroke her neck.

—So then, that was when I hated Mamma, and I wanted to hurt her. And I had been reading a novel in which a person wrote an unsigned letter to hurt another person, so I wrote a letter and I managed to slip into her room once when she wasn't there, and I put it in Mamma's picture album that she was always looking through. It was just a little note. It said, 'Daddy loves Henrietta. Yours truly, A Well-meaning Friend.' Wasn't that silly?

Neither one laughed, and Susanna went on, talking faster all the time as if she had to tell it all now and get rid of it.

—So then I wished I hadn't written it. But it was too late to get it back.

—Of course it couldn't have made any difference, Johnny said. Your mother knew about it anyway. Down South, it wasn't an uncommon thing for——

But Susanna hadn't heard him. She drew another deep breath, and her voice was now so low he had trouble hearing it.

—So then after that awful scene with Henrietta, Mamma was shut up more carefully, and she was very violent for a while, and then for a while she must have been much better, because Daddy took me up to see her again. And she became so much better that Daddy had a photographer come and take a picture of us all in front of the house —you know, the picture I have in the album. That was just a day before the fire, and three of the people in the picture never even got to see the picture. And Daddy was planning some big change, I think we were going to go away again back to Havana. There was a lot of packing and excitement. And then that night I was in bed and asleep and all excited about us all going to go away, and sometime in the night I woke up, and someone was in my room with a lamp. I couldn't see who it was, and I leaned out of bed and said, Who's there? I thought it might be Henrietta as she often went through my room at night and her room was next to mine with a little hall between. And whoever it was put the lamp out. I listened and heard a door shut, but no one said anything. There was a lot of noise outdoors that night, there had been a barbecue for the slaves because Daddy was going away again, and they were singing and making a lot of noise. And then all of a sudden I heard something like firecrackers, sort of low and muffled in the next room or maybe in the hall. I couldn't say for sure, and at the time I hadn't any way of knowing what it was. Then I must have gone to sleep. And the next thing I knew, I woke up coughing. It was terribly hot in the room, and I could hear a crackling sound, and my doll was on fire. I began to scream and tried to beat the fire out on the doll, and someone kept saying, Get her through the window! and a man came in through the window, it was one of our Nigroes, and wrapped me up in a blanket, and there was a lot of yelling and a timber fell down on us, and I felt a terrible burning pain across my neck and chest. Then somehow I was out in the yard and they said, She still has her doll, and I had this burn on me. And then I said, Where's Daddy and Henrietta? and they just told me not to worry and took me away. Then they took me to stay with Aunt Prissy to get well from my burn, and she didn't tell me about Daddy and Henrietta and Mamma until quite a while later. Then finally Aunt Prissy took me away, and that was how I first came up here, and Aunt Prissy had this house built—she and I were Daddy's heirs—and we lived here.

—Did you tell your Aunt what you heard the night of the fire?

—Yes, I did, and she said not to say anything about it. It wasn't anything, and no one could do anything about it. But I didn't tell her about seeing Daddy and Henrietta. She worshipped Daddy, and I thought maybe she oughtn't to know. And I didn't tell her about the note I left in Mamma's album. I thought maybe I had caused their death some way. I cried and cried, and no one knew what I was crying about, they thought it was just because of the fire, but it wasn't just that.

—You don't think—— Johnny started to say.

—She *killed* them!

The words were said through clenched teeth. Johnny could feel the bed tremble.

—She killed them! Susanna said again. She planned it all with the cunning of a fiend. I *hate* her! I still hate her, and I hate myself for what I did!

—But, you didn't do anything, child, he said. You didn't have anything to do with it. You were just the victim of the whole situation.

Susanna was suddenly very still. He waited, trying to find something else consoling to say, something that would undo the confession that lay a sickening weight between them. He waited and listened almost afraid to breathe, afraid that there might be some further admission even more terrible—if such a thing could be—than what he had just heard. Here in the night beside him, momentarily lay the real being of his wife Susanna, a child that had come farwandering across the years out of the brown shadows of an old daguerreotype, reaching out her arms to him in the night, holding up her small pathetic face, asking him for help, for consolation, for pity, for reassurance.

—You have been hurt by all those memories, dear, he said. You live back there too much. All that is past now.

He felt how enormous was this brave lie as she lay there in the darkness stroking her throat where a tragic hour had left its signature of flame.

The next day she avoided him and kept to her room. At night when he came to bed, he could tell that she had been drinking. In spite of his efforts to prevent her, she had begun to keep brandy in the room, to bolster her spirits, as she expressed it. While he was preparing to come to bed, she said,

—I lied to you.

—Yes?

—About the Nigro girl and my father. I made it up. It never happened.

She had a defiant, sullen smile on her face. Her eyes stared drunk-enly.

—What did you tell me for then?

—O, I don't know, she said. You asked me about it, and I just made up that story. My father wouldn't have touched any Nigro girl.

A few days after that, Soona came over to the *Enquirer* office to tell him that he had best come home at once. When he got home, he found Bessie in tears trying to prevent Susanna from coming downstairs. Susanna had on her hat and coat—it was a chilly April day—and she was carrying Little Jim, who was just a few days past his second birthday.

—If I was home, Susanna shrieked at Bessie, I'd have you whipped.

She saw Johnny in the door and appealed to him.

—She's been trying to keep me from leaving! she said furiously. Am I mistress in my own house, or do I have to let a nigger wench tell me what to do!

Her eyes blazed, her face was flushed, she staggered and nearly fell with the child in her arms. Johnny ran up the stair and took the child. Little Jim looked back at his mother with scared eyes.

—Daddy! he said. Mamma cwied.

He clung with small strong arms around Johnny's neck, like a child drowning.

—Where were you going? Johnny said to Susanna.

—My own business, she said defiantly.

—Don't you know you might have dropped him, Susanna!

—It's this house! she said, her voice breaking into hoarse sobs. It's this awful house!

—Why, what's the matter with it? Johnny said.

—No, no, you don't understand! she said. He might die in here. Something terrible might happen to him!

—Nothing will happen to him! Johnny said fiercely. What could happen to him! Are you crazy?

The words had slipped out. They stood looking at each other. Susanna's mouth opened, her eyes dilated, the blood left her face as if he had slapped her. She lay back against the banister. She began to laugh then; the laughter came bubbling up out of her chest, changed to a low, tearless sobbing, while Johnny stood holding the little boy and listening.

And soon it was the third summer of the War, June of 1863. The Union Armies were reeling back slowly through days of confused headlines and columns of drivelling words. The name Chancellorsville began to emerge, first as a place where a battle might have been fought, then as a place where the Army of the Potomac under Fighting Joe Hooker was reported to have whipped Bob Lee at last after a magnificent effort, then as a place where another inconclusive, bloody fracas had occurred, then as a temporary setback for Northern arms. At any rate the Army of the Potomac was backing up, and Lee was reported to be advancing in the Theatre of Operations, where battles were being fought again over the bones of men dead in battles two years old. At Vicksburg on the Mississippi, the Army of General U. S. Grant, in which Zeke Shawnessy was a soldier, was reported to be closing in at last for the kill, so that the Father of Waters might flow unvexed to the sea. But the capture of the Confederacy's river fortress had been anticipated in preceding years and sometimes falsely reported as accomplished. In January Lincoln had issued the Emancipation Proclamation, so that now the War was being fought not only to preserve the Union but also to free a race. Summer had come back again, the War was still on, and the end was not in view.

During these years of battle, death, sickness and division in the Republic, Johnny Shawnessy had remained out of the fighting. But the War, this brute continuing event, was the somber atmosphere of his life during that time. The remote din of its battles, its names of little towns made reluctantly immortal by bloodshed, its controversies on the home front, its scandals and corruptions, its few great utterances buried in battle-glutted papers, its hundred thousand deaths of young men in battlefield, camp, and prison-pen, its books and poems, songs and sayings, its shibboleths, its ephemeral heroes, its brass bands and banners, its sorry pomps, its nameless, unreported heroisms—all this was the somber background of what Johnny Shawnessy was in those years.

But what he most truly was had nothing to do directly with the War. During this time, long after the physical fact of parenthood, he became a father by touching the form of a little boy, by dressing him, holding him, carrying him, watching him run, telling him stories. The red days rolled on; battles came and went with summer.

But he was touched by the contemplation of a new fact in Raintree County: the flowering of a little being who had come to him out of darkness and terror and had held out tiny hands. In a tall house close to the Square, he watched this being grow from a collection of blind impulses to an intelligent, gifted person, Little Jim Shawnessy, who, because of his unusual origin, was more precious than any other child, and therefore more to be feared for.

Often in the evenings and mornings of those long years, Johnny would go to the crib and look down on the little boy lying in partial darkness, would see the eyes closed, the translucent lids, the lips faintly smiling, the breast moving ever so slightly with a steady respiration.

It was as though the father wished to assure himself that the little visitor had not been taken back into the deep water from which he had risen.

This child had come bearing a great gift, he was irreplaceable, only once could he have come to Raintree County, only one path had existed for him in the fearful complexity of all the labyrinthine paths of life, and that one path he had taken so that his life might be entwined with that of Johnny Shawnessy in the house in Freehaven during the Great War for the Preservation of the Republic.

No caution was too great, no tenderness too deep, no loyalty too lasting, no patience too enduring, for the saving and education of this little being. All life, all time had gone into the forming and the fashioning of this mysterious little man, and now that he was here, it didn't seem possible that there had been a time when he was not. For him, the good life of Raintree County, even as Johnny Shawnessy had often dreamed it for himself. For him, great days on the breast of the land. And one day, the War must end, the Republic would be one nation again, chastened and purified by its great passion. In that time perhaps Susanna would recover from her fears and walkings in the night, and Johnny would all at once complete the Great American Epic, and Little Jim Shawnessy would be the most splendid affirmation of all his father's dreams.

THAT DAY, WHEN AT LAST IT CAME,
WOULD BE

A

—WONDERFUL DAY! the Perfessor said. I never see a day like this but I think, Good battle weather! So the War leaves us.

He paused to relight his cigar.

—Exactly twenty-nine years ago, he said, on the Fourth of July, 1863, the armies were at Gettysburg. The earth is so peaceful now. Hard to believe Americans were killing each other there in the fat Dutch farmland not so long ago. Gettysburg! My God! what a battle! Generations and republics crowded at the gates of time, while Lee's ragged infantry charged up the slopes of Cemetery Hill. I saw it, you know. Of course, it wasn't anything like the storybook accounts. No one knows what a battle was or is. Soldiers making a battle are just poor lost bastards trying to improvise out of smoke, fear, and confusion something that a bunch of brassheads called generals can agree upon as won or lost. The Battle of Gettysburg, that great Event in the History of the Republic, is the sheerest myth. It seems to us now the classic battle of all time, with its neatly contrived stage, its monuments for fallen dead, its two Round Tops, its Seminary Ridge and Cemetery Hill, its heroes, its storybook gallantries, its consequences. We think of the little town of Gettysburg as having existed for that battle. Yet no battle was ever more the farce of brute chance. The armies blundered into each other, blundered into their positions, and blundered for three days trying to discover where they were and what was really happening. Lee, the greatest military genius of the War, achieved the murder of ten thousand men by blindly and brutally pounding away at an impregnable position. Let anyone go to Gettysburg—I mean the place itself—to realize what a froth and frenzy human life is. Here was a little town lying in its peaceful valley where roads met in summer. Here were the hills and the local picnic spots and the little college and the cemetery ground. It might as well have been Freehaven and the country surrounding. Then came the young men, a hundred thousand tired boys marching. Somebody heard there were shoes at Gettysburg, shoes for blistered feet. Gettysburg was fought for those shoes, because both sides discovered that they needed sizeable armed corps along to get the shoes—namely the Army of the Potomac and the Army of Northern Virginia. I remember well enough how I rode into Gettysburg on the first day, just as the First Corps of the Union Army was engaging the Rebels beyond the town.

—And I remember only too well where I was, Mr. Shawnessy said. I fought the Battle of Gettysburg too, though I was hundreds of miles away.

—How is that? the Perfessor said.

—By the implacable law of the continuity of being. I have a peculiar feeling that I will always go on fighting the Battle of Gettysburg in a remote part of myself. If I had enough will, perhaps I could reach down into that world I never knew and find the whole insanely complex happening out of which we built this Myth, this Memory of the Republic, the Battle of Gettysburg.

Professor Jerusalem Webster Stiles shut his eyes and hummed the 'Battle Hymn of the Republic.' He was remembering no doubt a certain young Perfessor with thicker, blacker hair who was riding along a road in the landscape of Gettysburg, a Fourth of July many years ago. What had become of that young Perfessor, and what had become of that landscape and that battle?

Mr. Shawnessy smoked, remembering his own private Battle of Gettysburg, the one that never got into the history books.

He searched the sky and the faces, the day clamoring and spacious. Once more it was July on the breast of the land. Trains hurried west, roads made the same old intersections, the bannered corn waved in the fields, the Shawmucky was filled with flowers and floating seed, the lake was rank with lilies, it was summer.

But where were the tumultuous drums, the cannons, and the tired young faces that poured into the cauldron of Gettysburg? Where was this archetypal battle in which a faceless swarm advanced through mythical summer in a mythical republic, climbing forever from Seminary Ridge to Cemetery Hill? And where were the faces of two children to whom no bronze memorial was erected, but who were also lost in that great battle for the Preservation of the Republic and the Emancipation of a Race?

In the deepest landscapes of his life, he hunted them. Surely they were still there somewhere, flying along their phantom trail. Perhaps he could still find them in the rush and tumult of the trains, in the stations where the cars were changing, among the million lost faces and the decayed landscapes of eighteen-sixty-three. He hunted them, hearing on the horizons of his past the sad old tumults of his personal Gettysburg. It, too, had had its gallantries and its despairs, its random collisions, its varying tides, its shifting incidental terrains, and its dread climax of disaster for the to him, the people whom he saw on the roads and in the fields of Raintree County as he returned to Freehaven on the train from Beardstown, where he had been on business for the *Enquirer*. Those days, like the whole week or so preceding, had been dark with disaster for the North. Lee's Army of Northern Virginia, victorious in the Battle of Chancellorsville, was on the move. The headlines for days had reported

THE INVASION OF THE NORTH

Just where the main Rebel Army was, no one in the North could tell. It seemed strange that an army of one hundred thousand men could be lost sight of for days, and yet that was the impression created by the newspapers. In the North it was generally agreed that this daring advance marked the supreme effort of the Confederacy, flushed with victory, to win a decisive battle and the War. The reports, confused and tentative as they were, made one thing clear: Lee's infantry were choking the roads of Pennsylvania and flowing northward with little yet to stop them.

In Raintree County, Indiana, far from battles, these days were blue and lovely, and Johnny Shawnessy had the civilian's feeling of paralysis more strongly than ever before. He continued the old routine of his life, nodding at familiar faces, climbing familiar steps, entering familiar doors, while his future and the Republic's were being shaped for better or for worse in a distant valley of rivers, roads, and sleepy towns. There had to be men somewhere who would be willing to die with skill and resolution in a field of corn or behind a railfence lest the Republic be dissolved and something indefinable and holy lost forever to Raintree County.

He had been away for four days; and returning now to Freehaven on the morning of Thursday, July 2, he had an uneasy feeling. Susanna's condition had grown much worse in the last few weeks, and the situation had been badly complicated by the sudden departure of Bessie and Soona, who had at last taken advantage of their freedom and left for parts unknown. Then had come this trip for the newspaper. When Johnny had suggested that Little Jim be left at the Home Place during his absence, Susanna had flown into a violent passion, and he had been obliged to hire a woman to stay at the house with Little Jim, a seemingly dependable widow named Mrs. Gray, who lived near-by. He had told Mrs. Gray that Susanna wasn't well and that he wanted someone to stay and help her.

—You'll be responsible for the child, he said. Just look after him. My wife has been upset lately. The War is very distressing to her and has affected her nerves. It's better not to leave her alone with the child.

As he spoke, he watched Mrs. Gray to see if she had any inkling of the seriousness of Susanna's condition.

In fact, he had told no one, hoping that somehow or other matters would improve. He couldn't imagine a greater indignity than to go before Raintree County and confess that he was married to a crazy woman. In fact, he could hardly bring himself to admit the gravity of Susanna's condition. He told himself that it was a case of overwrought nerves and would improve, especially when the War was over. For some reason, no one else was aware of her illness; he himself had been slow to realize the extent of it. With other people, she was gay and talkative. She sometimes accepted invitations to social functions that Johnny was unable to attend and had been escorted by young bachelor friends of Johnny's, like Garwood Jones and Cassius Carney. Johnny knew that Raintree County was critical of such wandering from its age-old way of complete marital respectability, and he himself wouldn't have approved under ordinary circumstances. But now he was almost glad for Susanna to have these diversions. The one encouraging thing about her illness was that she had shown no further desire to leave town or to take Little Jim away.

On the train, he kept craning his neck to get sight of the house. He always got some kind of comfort after absence from seeing its elongate front and the pattern of the five front windows. It was as though he feared that the house would change and reveal some new shape of itself, the old one having been only a mask with which for a long time it had deceived him. But he wasn't able to see the house from the train. It wasn't until he walked the block from the station to the Square that he saw it on its high yard a block away. He decided to stop at the office on the way and pick up his mail and report to Niles.

Niles was glad to see him.

—Have you heard the latest news? he said. There's a battle in Pennsylvania.

—Where?

—It's not clear, Niles said. Rebels were last reported heading for Harrisburg, the capital. There's been a skirmish of some kind, and the Army of the Potomac may be making a stand. Several little towns are mentioned—Chambersburg, Emmitsburg, Gettysburg, and so on. I have a feeling this may be the showdown battle of the War. If Lee wins this one, we're through—that's all. On the other hand, if we can whip him and trap him that far from the Potomac, the Rebs are through. Hope you can give me a lot of help the next few days, John. Folks are making a big demand for papers—news of any kind. This invasion has the whole county in a tizzy.

Johnny found some letters on his desk, among them one from Professor Stiles. He read it hastily. The Perfessor, now a war correspondent attached to the Army of the Potomac, gave a discouraging picture of the War in the East. The letter ended:

. . . Sorry to hear about your domestic troubles, John. Bear up as best you can, my boy. But whatever you do, for God's sake don't get into the Army.

Martially yours, J. W. STILES

He poked hastily through the rest of his mail. One letter arrested his attention. The handwriting on the envelope was a large, almost childish scrawl. His name was misspelled.

Mr. John Shaunessy, Esq.

He tore the letter open and read it, while Niles went on talking about the news of the battle.

Dear Frend,
Peraps its none of my bizness, but I think somebody shold tell you your wife is in Indianapolis with another man, they are staying in the Maddon Hotel and frend I am not lying to you when I tell you she is having herself one hell of a time. A well-wisher

—God, it gets you, sitting around waiting for the dispatches to creep in, Niles was saying. Right at this very moment the greatest battle of all time may be shaping up a few hundred miles east of here, and we sit around on our backends, twiddling our thumbs and waiting for the news. Doesn't it make you feel queer?

—Yeah, Johnny said. Excuse me, Niles. I've got to hurry home. I'll see you later.

He left the office and ran down the alley to the house. He ran up the stair and threw open the door.

—Mrs. Gray! he called several times and then, Jim! Jim! Susanna!

The house was empty.

He was about to leave when, remembering something, he ran upstairs to the bedroom. Sure enough, the album on the dresser was open, and several pages of letter paper had been wrapped carefully around the daguerreotype and tied with a ribbon. He picked the little package up and ran downstairs and out of the house, breaking the string as he went and hastily glancing over the letter. In a minute, he was at Mrs. Gray's, only a block east on the same street.

—Why, hello, Mr. Shawnessy, Mrs. Gray said, startled to see him breathing hard and obviously worried.

—Where are Susanna and the child?

—Why, it was just the day after you left, Mrs. Gray said. Your mother called at the house and talked with your wife. A little while after she left, Susanna said that she had been invited to come out to your Home Place and bring Little Jim with her.

—How—how did she seem when she said that?

—Why, very sweet, Mrs. Gray said. And a little excited too. She acted as if she was going off on a trip. She took a suitcase with her. Did I do wrong?

—No, Johnny said. But I did.

When he reached the Home Place, a half-hour later, T. D. and Ellen were out on an emergency call, but one of his sisters was at the house. She said that neither Susanna nor Little Jim had come to the Home Place and that so far as she knew Ellen had merely stopped to say hello three days ago in Freehaven.

It was about noon when Johnny got on a train at the Freehaven station. He found when he was aboard that he still had Susanna's letter and the daguerreotype in his coatpocket. He now took time to read the letter over carefully. It was several pages of coarse notebook paper hastily scrawled, running on at great length, full of repetitions and becoming more crowded and incoherent at the bottom of each page as if the writer had felt a barrier approaching at that point and had attempted to say everything before reaching it, and then had decided to go on, bursting over onto the next page with a huge, wild scrawl and gradually cramping it again as the bottom of the page loomed up. Thus the letter was like a series of convulsions. It said in part:

> Don't be alarmed about me, darling. They can't follow me. I am outwitting them this time. They thought I would stay longer and they will not be watching the station now if I go right away. I have thought this whole thing through carefully and am doing exactly what I know is best to do. If you saw it the way I do and knew what had happened, you would understand, darling. Johnny, I know now that if I had gone down to the station with you, they would have seen me and my life would not have been worth a puff. You have simply no idea the things that I have seen and heard just since you left. That woman is one of them, I instantly suspected it, and I am perfectly convinced of it now, but I think I have her fooled at least for the time being. For myself I don't care, you know that, it's the child I am worried about, especially after what I know, and as I have friends in Indianapolis this is the best plan. If you knew how I have schemed and what I have had to do to get the best of them, you would never believe it. They will go to any lengths now, I can see that, just as I told you, and they will stop at nothing, simply nothing. My life is simply not worth a puff now, I know that, but this way I know I can give them the . . .

As he read the letter again, he pictured to himself his wife Susanna boarding the train with the child. Doubtless she had been smiling her little crafty smile as she slipped down between the seats carrying the child. Doubtless she had looked furtively out of the window to see if They had followed her.

But of course she had soon discovered that They were on the train too. They had been sitting toward the back of the car pretending to read a newspaper. They had been watching her with deceptive amiability from the bland face of the conductor. They had walked down the car as if to get a drink from the watertank, but it had been really to make sure that it was she. When she had got off at the station in Indianapolis (assuming that she had really gone there), of course They had been waiting for her there. They had pretended to be in conversation with someone at the gate but had turned after she passed and had begun to follow her at a distance. And when she reached the hotel (assuming that she had gone to the hotel), of course They had taken the room down the hall from hers. It was useless for her to try to escape Them now. She had tried it several times, and it hadn't worked. They were everywhere.

It was touching in a way that she no longer thought he belonged with Them. For a while, she had thought that he might be in collusion with Them. During those weeks life had been intolerable. She had accused him of gross sexual infidelities with Them, of going to meet Them when he went out walking with Little Jim, of inviting Them to the house when she was gone. During those days he had argued with her about Them, trying to prove to her that They were the figments of her imagination, but she had a thousand excellent reasons for believing in Them.

—See, she would say, there is one of Them now.

And going to the window, he would see someone perhaps standing under the tree on the Square doing nothing at all.

—He's not even looking this way, he would say.

—That's just it, she would say. He *was* looking, but *now* he's pretending he doesn't know anything. You didn't see the signal he made.

—What signal?

—A motion he made with his hand.

They all had their signals. The women had a way of touching their pocketbooks, and the men a way of touching their hats. They were infernally clever, persistent, tireless, innumerable, sleepless, implacable. They watched the house at night when she was asleep. They followed her when she went downtown. They pretended to nod and smile at the child, but in reality They were watching her. They were incredibly gross beings, who said and did the vilest things imaginable when she wasn't close to Them. They had gradually formed an organization for the purpose of observing her activities and keeping a full record of them.

Sometimes when he listened to her describing Them, her voice low and fluent, her eyes dilated, They seemed almost real to him too. There was a horrible plausibility about Them, the intricacy of their manoeuvres, the relentless tenacity of their persecution, the weblike ramification of their system.

This last acute phase of her illness had begun with her belief that members of his own family and some other people in the town disliked her for her Southern origin and Copperhead sentiments. Like a malignant growth, the system of accusation had spread. His own family and other known individuals were soon lost sight of or became of secondary importance. She no longer directly accused anyone that he knew of being a part of the huge conspiracy to do her harm. Strangers, newcomers in the neighborhood, passers in the street, employees in public places, these became the favorite objects of her accusations. They multiplied their numbers with a hideous rapidity. There were a million indications of their ingenious malice. And all these she noted and assembled in her mind and repeated over and over, spinning out of herself ever more swiftly the enormous web of her delusion.

For a very little while, he thought she was faking the whole thing and consciously lying, but he soon knew that she was utterly sincere. That was the horror of it.

He had tried his best to reason her out of the delusion, but he had soon found that the chance to talk about it only confirmed her in it. Her energy in the construction of this vast empire of persecution was appalling. When he subjected any one of her bits of 'evidence' to the clear light of reason, she produced others equally convincing. At last he gave up attacking the fabric in detail.

The monster spawned twenty heads where one was cut off.

Just before leaving on his trip to Beardstown, he had said,

—Why, Susanna, child, what makes you think that so many people would want to spend so much time and money on one poor little Rebel? Believe me, honey, the United States Government has better things to do.

She immediately corrected his remark in several ways. To begin with it wasn't just the United States Government—*that,* she had known for a long time. In the second place, it was not just herself

that They were after—Goodness, she had no vanity on that point!—
it was what she *stood* for and what They thought They could get her
to *tell*. *She* was just an instrument in their loathsome designs. It involved the *child*, too, and *Johnny* was involved in it too. She had
warned him *many* times, and *some* day he would learn to value the
intelligence, courage, and foresight of his little wife.

—Why, honey, I'm not in any danger from anything, Johnny said.
Honestly, I never see any signals or anything. I——

—Hmmmmm, she had said. Then when you were talking with
Mrs. Gray this morning, you didn't even notice?

Susanna sucked in her cheeks and regarded him knowingly with
raised brows.

—Notice? What?

She looked at him intently. She spoke clearly, enunciating every
syllable sharply.

—She—closed—her—purse—and—put—it—under—her—left—
arm!

Johnny waited, mouth open. But that was all.

—Well? he said.

—But don't you see! Susanna said, shaking her head impatiently
at his stupidity. Don't you understand! That shows she's in it too.
Don't you remember? I told you.

—Mrs. Gray is *not* in it, Johnny said. She——

Then he realized how hopeless it was. Here he was trying to acquit
Mrs. Gray and thereby tacitly admitting the existence of the whole
thing.

—Not *directly* in it, Susanna said. But They're *using* her. She
doesn't know it herself.

As for the letter apprising him of her alleged visit to Indianapolis,
he had no idea what to make of it. After all, in her condition
Susanna might be capable of anything. And yet with the onset of
her derangement she had shown extraordinary sexual reticence.
Lately, she had been convinced that They had designs on her person.
In particular, They were determined to see her scar, and so she had
recently taken to wearing only highnecked dresses again, as before
their marriage, concealing even the beginnings of the ancient fire-
mark on her breast.

But perhaps now in a climax of her illness she had flung herself into an orgy of lustful abandonment. He pictured his mad little wife in an Indianapolis hotel, drunk, shrieking with laughter, pawed by lechers who winked at each other and passed the news around. Under the circumstances, he hoped it was some acquaintance of his.

But most of his anxiety was spent on Little Jim. Since he had picked up the letter at the office, he had avoided thinking that any real harm could come to the child. Somehow, Little Jim would pass through the horror of these days and come back safe at last. The stationmaster at Freehaven had said that the boy was smiling and apparently happy when Susanna boarded the train, three days ago.

Johnny Shawnessy bowed his head. Somehow, all had gone wrong for him. Two helpless children, entrusted to his care, had been lost. As in the old poem, they had wandered away on a bright summer's day. Bitterly, he reproached himself.

At Beardstown, where he changed to the main line for Indianapolis, he saw Cash Carney waiting to board the same train. Johnny would have preferred to go on alone, but Cash saw him and came over, and they rode to Indianapolis together. After a little hesitation, Johnny told him the purpose of his trip, omitting some details. He expressed his fears for Susanna and the child, explaining that his wife had been upset with a case of nerves and was really not responsible for her actions.

—Don't worry, John, Cash said. They'll turn up. What could happen to them? Susanna probably went up there to get in on that Copperhead Rally they're having. Garwood's up there and will probably look after her. You know yourself Susanna's a worse Rebel than Jeff Davis.

Cash had clearly been doing well for himself. He had acquired interests in railroads operating out of Indianapolis and had got his finger into the munitions pie as well, where there were scandalously fat plums to be had. His soft brown eyes glowed; he waved his cigar like a wand of pelf and power.

—This war is changing our ideas, he said. We're learning how to do Big Things. The railroad and Northern industry are coming into their own. After we whip the South——

—Do you think we'll whip them? Johnny said. How about this invasion and the battle in Pennsylvania?

—We can afford to lose battles, and they can't. The squeeze is on here in the West. Grant is about to take Vicksburg—I have that on very good authority from a private source high up. That'll free the river to the Gulf and turn their flank, goddam 'em. Of course, our great advantage in men and materials has been sadly misused. I wouldn't say it publicly, but Lincoln is a damn backwoods bonehead and has no more idea how to choose generals and fight a war than you have, John. If we had just one general like Lee, we'd of been in Richmond a year ago. Nevertheless, the Republican Party is the War Party, and the War must be won. And the War *will* be won. We have the enterprise, the skill, and the goods. The War's being won right now on the trunklines of the Nation, in the factories, in the places the lunkheads back home would never think of looking. They think it's all bayonets and glory charges and the boys in blue.

—Somebody has to have the guts to stand out there and stop Lee's yelling infantry, Johnny said. Don't forget that.

—Of course, Cash said, I don't forget that. God knows, poor bastards, they've suffered. I could tell you stories that would make your flesh crawl. These poor dumb farmboys have no idea what they're getting into when they join the Army. No wonder Indianapolis is full of bountyjumpers, deserters, and Copperheads. For Christ's sake, John, whatever you do, stay out of the Army.

—Sometimes I don't see how we can pull through, Johnny said, with all this Copperhead sentiment.

—If I had my way, Cash said, we'd hang 'em all in the nearest orchard and get on with the War. And the first fat neck I'd tighten the noose to would be that of our mutual and esteemed friend, Garwood Jones. Imagine the folks back home electing that traitor to the State Legislature! I suppose with so many loyal men in the Army, the Copperhead vote was overwhelming.

Chatting with Cash about the War, Johnny had hoped to lull his anxiety a little, but it only increased as the train went on mile after mile toward Indianapolis. All the things he believed in were smutted with disloyalty or threatened with destruction. A few short years ago he had lain on the banks of the Shawmucky dreaming of a fair republic in which he was to be the great sayer, the maker of poems. Now, here he was, a haggard young man, assistant to the editor of a smalltown newspaper, going toward a wartorn city, full of traitors, deserters, bountyjumpers, wounded veterans, speculators, thieves, cut-throats, tramps, pimps, whores. And somewhere in this corrupt city his poor mad wife and his little son were at the mercy of depraved people. A few hundred miles away in the summer weather a horde of grayclad men, speaking a speech that was not of Raintree County, were perhaps shattering the proud Army of the Republic and realizing at last their dream of a separate nation. And so the country would become two, the Mississippi would flow through alien lands, and the institution of slavery would be perpetuated for centuries.

At the station, he said good-by to Cash, who had an important conference, and inquired the way to the Maddon Hotel. On his way over, he told himself that his fears were baseless. Now that he was here, the Capital City of the State appeared to be after all only a greater Freehaven, a rather crudely constructed, messy collection of hotels, places of business, public buildings.

People were all stirred up over the news of the battle in Pennsylvania. At the window of a newspaper office, Johnny saw bulletins announcing that a sharp skirmish had been fought the day before at an undisclosed place. It was clear that no one knew yet what had happened.

Just before he reached the hotel, a Copperhead parade went by. Men and women carried transparencies with pictures of an apelike monster, supposed to be Lincoln, and Copperhead slogans.

ABE, WE WANT JUSTICE

• • •

NO MORE BLOODSHED FOR NIGGERS

• • •

PEACE NOW

Men boiled out into the path of the marchers, fists flew, men cursed each other, the parade poured brokenly on.

The Maddon Hotel was a dingy framebuilding about three blocks from the Capitol. From the open door a stale breath gushed. Johnny found the lobby emptied by excitement over the parade. The air stank of beer and tobacco. The floor around the brass cuspidors was stained with spit. Flies swarmed in the diningroom. The desk was empty, the clerk having gone out to see the fun. Johnny opened the register and ran his eyes over the entries. Close to the bottom he saw

Susanna Shawnessy and child

The room number was 34.

He ran up the stair. The thirdfloor hall was dark, the floor sagging with age. As he hunted for the room, something started along the wall and scrambled through a half-open door at the end of the hall. It was a fat gray rat.

Johnny found the door and thundered on it with his fist.

—Susanna!

No answer.

—Jim! It's Papa. Jim!

There was no sound. He tried the door. It was locked.

He ran down the hall, down the stair, into the lobby. People were pouring back into the hotel now. Johnny shoved through them.

—Where's the clerk?

A little man whose yellow teeth jutted longly from under big pale lips, said,

—What can I do for you, friend?

—I want to know if a Mrs. Shawnessy is here. With her son. I saw their names in the register. But they don't seem to be in their room. Room 34, I believe it is.

The clerk turned back to a man he had been talking with.

—If Morton calls out troops, he said, he'll have a rebellion on his hands right here in Indianapolis. The people'll stand for just so much.

—Listen, Johnny said, I want to know if——

The clerk's voice was querulous and ugly.

—This draft call's the last word. They're makin' slaves of us to fight for slaves. By God, I——

—Listen, Johnny said.

He had the ratfaced man by the arm and pulled him around.

—Are you the clerk here or not?

—What's the big hurry? the ratfaced man said.

He moved slowly around behind the counter and fumbled with the keys.

—What's the name?

—Shawnessy, Johnny said, opening the register. Here it is.

The man's teeth slipped out of the pale flaps of his lips, smiling.

—O, that one! he said.

—You remember them?

—I'd hope, the man said. Was that your wife?

He winked at the man he had been talking with.

—Yes, Johnny said. For God's sake, tell me where she is if you can.

—I don't know where she is, the little man said.

He smiled and spat a brown stream prolongedly on the floor. He wiped his mouth with a handkerchief.

—But you better look after her, friend.

—Did she leave here?

—O, yes. Yes. O, yes, the clerk said.

He winked and smiled at his friend again.

—Did she have the child with her?

—Yes, come to think about it, she did. That wasn't all she had either.

Johnny controlled himself.

—Let me share that room, will you? he said. I'll pay the charge already on it and whatever else it comes to.

—That'll be four dollars so far, the clerk said. Here's the key.

Johnny went back upstairs and opened the door. The little bare room had a stale smell of perfume and breathed air. The bed had been slept in and left unmade. The usual cheap fixtures were in the room and nothing else. Susanna's suitcase was gone. The view from the window was a jungle of backyards and alleys. The city appeared to be decaying in a sticky heat. Johnny went downstairs and left a note at the desk for Susanna, telling her if she returned to the hotel, to wait for him there.

At the hall where the Copperhead Rally was being held, guards stood at the door, stopping and questioning people and keeping the soldiers out.

—Name?

—John Shawnessy.

—Party affiliation?

—I just want to see if my wife's here, Johnny said.

Everyone within listening range laughed.

—Better get 'er out a *there,* a man said. She won't come out pure as she went in.

The crowd laughed.

—Go on in, the doorkeeper said, laughing.

In the convention hall, the program was already started. Johnny scanned the crowd for Susanna's face but without success. Speakers took turns expressing sympathy for Vallandigham, the arch-Copperhead. Once when Jeff Davis' name was mentioned, several people cheered. On the platform among the notables was Garwood Jones, looking fatly pontifical.

Johnny stood helpless through the speeches. He was stunned by the openly treasonable character of the meeting. Here within a few blocks of the Capitol Building, within earshot of hundreds of furloughed veterans who had risked their lives to preserve the Union, people openly expressed their contempt for the Cause. Here were hundreds of people, most of them respectable and well-to-do, who hated Abraham Lincoln, opposed the War, sympathized with the South, and favored a peace at any price, even if it meant the dissolution of the Union and the perpetuity of slavery.

It was well along in the afternoon before the Convention broke up and Johnny got to talk with Garwood. As he told about Susanna's disappearance with the boy and her overwrought condition, he watched Garwood narrowly. Garwood occupied himself with lighting a cigar. His eyes were remote, impassive.

—Why, yes, John, he said, puffing deliberately, watching the cigar take smoke, why, yes—goddamn this cigar—yes—puff, puff—I did see her.

A red circle blazed at the cigartip, and Garwood's face was dimmed behind a fog of smoke. His voice was his oratorical voice, measured, deliberate, affected.

—Why, yes, I saw her yesterday, I think it was, for a little while. To tell you the truth, she *did* seem a bit unstrung. Said something about coming up for the Convention, talked a bit—goddamn this cigar—puff, puff—talked a bit wild. If I were you, I wouldn't put too much trust in—goddamn these goddam wartime smokes—put too much trust in anything she might tell you. War's getting on her nerves—all this goddam killing and murdering for niggers, and after all she's a sensitive—puff, puff—woman, and she's unstrung.

—Did she have the boy with her?

—No, I didn't see the boy. She didn't say anything about him. I just saw her a little while in passing. I think it was day before yesterday, I got a note saying she was in town, and I dropped over to her lodging to pay a courtesy call and invite her to the Rally today, but I haven't seen anything of her here. I wouldn't worry too much, my boy. I think you're unnecessarily alarmed. The Big City has frightened you.

Garwood attempted a jovial laugh and put one arm affectionately around Johnny's shoulder. There was a look of real anxiety in the usually cynical eyes.

—Anything I can do for you, John, let me know. By the by, what do you think of our Rally?

—I think it stinks to heaven, Johnny said. You traitors picked a fine time to have your meeting, with the Union Army fighting for its life in Pennsylvania.

Normally Garwood, always a fast man with a comeback, would have had a retort, but now he merely shrugged his shoulders.

—Who can say where the Right is? he said. God Himself must have a hard time choosing sides in this poor distracted nation. Both camps pray to Him. Whatever you do, for Jesus' sake, John, don't get into the Army. Now let me know, boy, if I can do anything for you.

Outside the Convention Hall, in the hot late afternoon, crowds were crushing in around the windows of the newspaper offices. Reports were still coming from Pennsylvania. Newsboys sold papers as fast as they could peel their packs and make change. Johnny bought a paper, with a sick misgiving that there might be something in it about a lost child or a mad woman. But he found only the latest reports of the battle in Pennsylvania and miscellaneous news. The fighting had continued. Several places were mentioned—Emmitsburg, Chambersburg, Gettysburg. It was impossible to tell who was winning or what was happening, whether the main battle had been joined or was about to be joined. But it was clear that fighting had begun deep in Northern territory, and the tension of a great battle had somehow shot in waves outward from its fiery center across the Nation.

Before it was dark, Johnny had reported his case to the police station, where he had trouble making the situation understood to a tired sergeant at the desk. The sergeant told him to keep in touch with the Force.

Leaving the station, Johnny spent a long time walking with crowds. Buggies, wagons, carts ground past him on loud wheels. the nameless faces of the city passed him by, there were no faces to which he could appeal, there were no remembered faces. His panic grew stronger by the hour. He only kept it down by redoubling his efforts, halfrunning, halfwalking for hours in the streets of Indianapolis. He returned several times to the police station and to the hotel, but there was nothing to report. Belatedly, he thought of having the police post someone at the train station, and late at night he spent several hours there himself, hunting among beggars and bums, decayed monsters whom the retreating tides of the city left stranded on the shores of night.

Johnny got no sleep that night. Several times, in the small hours of the morning, he passed the newspaper window where tomorrow's headlines were being manufactured. The bulletins had changed a little. Now they said:

DEFINITE REPORTS OF BIG BATTLE AT GETTYSBURG

. . .

LEE ATTACKING HEAVILY

. . .

VAST LOSS ON BOTH SIDES

. . .

ACTION CONTINUING

Johnny kept going. He hardly felt his fatigue. As before in moments of crisis, he found a reservoir of strength that seemed to have no bottom and on which he drew as need required. Tirelessly all night long, he walked between the railroad station, the police station, and the hotel. But there was no further news.

The next day, Friday, July 3, it was the same story. Susanna didn't return to the hotel. There was no news from the police. The papers carried the little notice that Johnny had requested on a lost last column of the inside pages. Buried in the epic terror of the battle news, it was a piteous little item. It said only:

LOST

A young woman, black hair, blue eyes, pretty, medium size, scar above left breast, talks with Southern accent, may be demented, name, Susanna Shawnessy. May be accompanied by child, James, two years old, blue-eyed, reddish brown hair. Both well dressed when last seen. Report to police station.

Johnny continued to hunt the City. He bought a little breakfast, his first bite in twenty-four hours. Eating it, he was reminded that only the day before he had stopped at the office of the *Enquirer* and had picked up the fateful letter.

He kept up the hunt all that day and into the night. Like a somber background for his search was the growing news of battle. There was no doubt now that a great battle was in progress. Reports were that on both the first and second of July, heavy actions had been fought, but a decision had not yet been reached. The fighting was now located beyond a doubt in the little town of Gettysburg in Pennsylvania.

So then they were still fighting that great battle. It began to seem to Johnny that the battle and his own search were enduring things, lasting for centuries, ages, perhaps forever. As the second night wore on and he found himself a hundred times in the same places, asking the same questions, retracing his steps from hotel to police station to train station, getting the same responses, smelling the same foul air, looking at the same halfdead human faces, seeing the same nighttime shabby cityscapes, gasillumined walls, sooty curtains, bleared windows, he knew that he was building himself a solid hell of memory.

Toward one o'clock in the morning, it began to rain, and he decided that he might as well go back to the hotel as the rain might drive Susanna in. He went upstairs to the room and lay in the bed and listened to the rain drumming on the flimsy roof. He wondered if it were raining so on the distant battlefield. Toward morning he dropped off to sleep and dreamed a brief, dreadful dream. He dreamed that Little Jim was in the hands of lechers and diseased people, a helpless child lost somewhere in a wasteland of dirty hotels, poolrooms, saloons, whorehouses. In the dream it was raining too, a dreary, sopping rain, and at the end of his dream he saw thousands of rainbloated corpses lying on the familiar fields of Raintree County, bodies of young men fallen in battle. He thought that he approached one of these bodies, and was about to pull away the dead hand from the rainsodden face and discover who it was, when he awoke to see the gray curtain at his window flapping in gusts of rain.

He got up and looked out on the drenched backyards of the city swimming in filth. It was dawn. He was careful not to go to sleep again. Besides, there was a noise of firecrackers in the streets, growing louder and louder until it was almost a continuous roar as of battle. When he went out, he found that the skies had cleared.

It was the Fourth of July, 1863.

He went down past the newspaper window. The reports of the battle were confused and contradictory. The latest dispatches reported that the bloodiest battle of the War or a series of battles had been fought on the first three days of July around the town of Gettysburg, reaching a climax on the third day. The Rebels had attacked violently and the outcome of the struggle was still in doubt.

There were still no reports of Susanna. The sergeant at the police station was beginning to be openly uncivil. After all, the Force had better things to do than to be plagued every halfhour by a hayseed who had gone and lost his wife and child in the Big City. This was the Fourth of July, and there were important speeches and celebrations. Cops would be needed to control the crowds. The watcher had already been taken from the train station.

Johnny kept looking. Dizzy with sleeplessness and lack of food, a little after noon he found himself wandering on the fringes of a crowd on the grounds of the Capitol Building, listening to scraps of oratory. The speaker was someone who had led a charge in the Mexican War. He reviewed the Growth of the Nation and the Progress of the War. He expressed it as his opinion that the present battle would be Crowned with Victory and that the War would soon be over as the God of Battles would not endure any more defeats at the hand of Bob Lee. The speaker said that he wished he were right out there in the Front Lines with the boys but the Heavy Responsibilities of Public Office prevented it. The speaker said that the Rebels had underestimated the Power of the North. He verbally brandished the Grand Old Flag and said it would never be Shot Down while he had a Breast to Expose to the ruthless rending of Bloodyfanged Rebellion. The speaker affirmed that the Union was Undying while there were men to defend it and that the Starspangled Banner was yet Waving over the Land of the Free and the Home of the Brave. There was a volley of applause for every other sentence.

Johnny got up and started back to the hotel. He was dripping sweat, dirty, unkempt. He hadn't been out of his clothes for two days. He shut his eyes; the hot sun rained on the lids like fire. He was afraid he would faint. He hadn't eaten since yesterday morning. Yesterday morning. They had been fighting a battle then in Pennsylvania. He opened his eyes.

Somewhere in this same brilliant day, they were perhaps still fighting. Two armies were lying around a little town not even named on the map. Two hundred thousand men had rushed at each other, finding and giving death on the green earth of some rural county where brown roads met in summer. This was History, this was the Shape of the Future, here was the Destiny of the Republic, tossed on the horns of the herding armies. At this moment, that mythical being, the leader of the Confederate Armies, General Robert E. Lee, was studying maps in his headquarters and checking the disposition of troops. His voice was making edges of sound in the hot air. Men listened, rode away, gave orders. Flags advanced and receded. Maps, maps, maps, and the shape of the earth, the lay of the land—this was the whole thing. Everything depended on it. The Battle was for a little theatre of hills and roads called Gettysburg. Whoever won this earth won republics of the future, fair and fecund republics, which, alas, might also be split with endless war in summers to come.

Yet all was chance. Blind chance decreed the battle, the bullet, and the patriot grave. What made chaos a Battle? What made ten thousand murders a sublime Event? Who had agreed to disagree? Who was it that decided to come to these decisions? What gave meaning to the Battle?

And why must he, John Wickliff Shawnessy, be torn with fear because a darkhaired woman with a scar on her breast wandered somewhere carrying a little boy? What business was that of his? Weren't all human beings forever shut off from one another? Had he ever really known or understood her? Was the touching of their bodies any true exchange of themselves, one for the other? Was he the father of this child? Suppose those two were really lost, suppose their poor ruined bodies were found in some back alley of the City? Must he weep for that—he, the young god with sunlight in his hair? Couldn't he simply turn his conscience back like a clock to the time exactly four years ago when he had just run in the Fourth of July Race but hadn't yet gone to Lake Paradise with a girl from the South? Why must he suffer for this thing? What gave it meaning, except to this weakness called a conscience and these faint nothings, composed of shadow and unsubstance—memories?

Then he told himself that he had to acknowledge this connection and these meanings because these lost children had names. They had his name. Perhaps then it was only the names of things that rescued them from utter vacancy, appalling chaos. Only because he could give a comfortable name to this city, to himself, to all the objects that he saw, did they have any meaning at all for him or for anyone else. Without the names, they would instantly slip back into incoherent, frightening nothingness. No, not nothingness, because all these things *were,* they horribly and palpably *were,* and would go on *being,* but they would go on being without any care for one another. They would merely be *things,* nothing would integrate them, they would be forever meaningless.

Names, names, names. Susanna, Little Jim, Ellen, T. D., Raintree County, Indiana, United States of America. Names, names, names. Vicksburg, Mississippi River, Chancellorsville, Gettysburg, Pennsylvania. Names, names, names. Lee, Longstreet, Sherman, Grant, Hooker, Meade, Davis, Lincoln. All were names only, senseless deformations of the lips and tongue, vague cries shaking down clusters of memories. How could one justify the vast structure of names except by the names themselves? If one pulled the words away one by one, the edifice would crumble altogether, and no two things would hold together any longer.

Perhaps John Wickliff Shawnessy was only a transparent awareness in a universe of chance and blind fruitions, an odd sort of newspaper in which certain mythical Events were reported.

It seemed to him then that he was groping helplessly outside his own world and trying to get back into it. He must not give up. He must go on bearing the burden of the whole implacably connected universe of himself.

—Hello, Johnny.

The name was softly personal, like a caress. The voice that uttered it was low and sweet and touched with infinite concern and kindness. He blinked owlishly at the faces around him.

Nell Gaither was standing just at the door of the Maddon Hotel. She was coolly lovely in a green summer dress. A pert straw hat teetered on her upswept curls. She gently swung a green parasol. An anxious, tender smile curved her mouth and made her green eyes peculiarly moist and bright.

—Nell! he croaked. Where did you come from?

—I've been waiting here for you, she said. Garwood told me about your trouble. I've been back in the State for about two months, living here in Indianapolis with relatives and doing war work. I thought I'd come over here and see if I could help in any way.

He told her about his search and failure so far. As they talked on the crowded sidewalk, he felt how far he had come from the older Raintree County of before the summer of 1859. Probably it had gone just as far from him. This poised young woman was after all not the one whom once he had seen like Venus in the river, had saved from a cardboard train in the Temperance Play, had paganly loved in the old Pedee Academy, had rowed down the Shawmucky River in summertime; she was not the one whom he had kissed in a haystack long ago, whose naked form had touched his own, whose long wet hair had fallen on his shoulders, whose teardrenched face had looked up to his in a December night, whose mouth had said, I love you, I will always love you. Those words had been said in the older Raintree County before his term of duty and slow endurance had begun. Those words had meant that he would be loved, yes, always, but always in the older Raintree County, now gone forever, and in the memory of it. There was no certainty that the Nell Gaither standing before him now was the one who had said those words.

Nevertheless, he had a wild, foolish rush of affection, not only for Nell but even for Garwood Jones, who had sent her to him, who was helping out, even if he bore a dubious role in the affair.

Being ashamed of his dirty, unkempt look, Johnny kept his face averted as he talked with Nell. He said that if she didn't mind, she could watch the train station for Susanna.

—I'd love to, Nell said.

—I'll come around and see you there after a while, Johnny said.

Back at the police station, the sergeant had news for him.

—Woman at a novelty store thinks she saw your wife. You can call on the lady at the store now. It's closed for the Fourth, but she said she'd be there and open it for you.

—Was the boy with her?

—I don't think so, the sergeant said. But you go and see this woman. I didn't take the message. Another fellow did.

Johnny ran the few blocks to the shop. The woman was a sharp-featured, talkative person of middle age.

—It was yesterday afternoon about this time, she said. This lady was a young woman in a highnecked dress, kind of wine color. I didn't see if she had a scar. She was very pretty but all run down. She kept smiling and looking around her while she was making her purchase. She had a Southern accent.

—Did she have a child with her?

—No, she was all alone. Her dress was sort of mussed. She did have a suitcase. She was very kind and genteel. I could see right away she was a lady. You'll never guess what she bought.

—Well?

—It was a doll. She handled it for a long time and finally said, I believe I'll take this one here.

—What kind of doll?

—Just like these here, the woman said.

The dolls on the counter were all alike, boy dolls with blond hair and blue suits. The woman went on:

—For your child, Ma'am? I said to her, trying to make talk. Why, no, I need it for something, she said. She paid for it then and left. This morning I read the item in the newspaper and right away remembered her. Do you think it was your wife, mister?

—Yes, Johnny said. When she left the store, which way did she turn?

—Left, I think, the woman said.

He questioned her further, but didn't find out any other important facts.

Leaving the store, he turned left and walked up the street. Susanna had been here only yesterday at about this time. It was agonizing to repeat a fragment of her ghostly trail twenty-four hours too late.

He ran over the conversation in his mind. I need it for something, she had said. Not for someone—but for something. I need it for something. She had walked up this street in this direction. He must still be retracing that lost trail. He stopped and looked around.

Directly in front of him was a large sign hanging over a door:

PHOTOGRAPHS, DAGUERREOTYPES, AMBROTYPES

A temporary card underneath said,

OPEN ALL DAY ON THE FOURTH

Johnny Shawnessy felt the flesh on his back tingle as if a cold wind had blown on him. He turned in at the open door and climbed the steps of the Photographer's Shop. Two at a time, he ran up, as he had done once long ago from the Square in Freehaven. He walked down through the gallery of the shop, which was lined with oval portraits. He opened a closed door there, wondering if he were about to repeat an earlier scene tragically rewritten.

There was only a man in the room working at a chemical bath. Johnny explained himself, described his wife and boy, asked the photographer if he had seen anyone answering that description.

—Yes, the man said, looking at him quizzically. Yes, I did. They were in yesterday at about this time or a trifle later. Lady in a dark red dress and a little boy. They sat for individual portraits and one together.

—Did the—did the young woman act a little strange?

—Yes, she did. She wanted to be posed holding a doll. I thought it was a little queer, but she said it had a sentimental significance. She was Southern all right. She posed by herself, holding the doll, and then she posed herself with the boy, but not the doll. I asked her if she planned to be in the City for the Fourth, and she said, no, she was going home. Home, I said, joking. If I'm not mistaken, lady, home for you is a long way from here, judging from your accent. Yes, it's a long way, she said. She was a lovely woman, beautiful eyes, hair, and complexion, but she looked sick.

—She is sick.

—I have those plates, the photographer said, but I haven't printed them. They came out good. You might be able to tell. I have them here.

He began to run through a box of labelled plates, pronouncing the names.

—Here we are, he said. Henrietta Courtney and boy James.

—What was that name? Johnny said.

The man repeated it.

—Isn't that right? he asked.

—Let's see them, Johnny said.

The photographer held two plates, of the usual *carte de visite* size, up to the light. There, as through a veil darkly, sat Susanna and Little Jim—and the doll.

—My God! Johnny said.

They were there, in his hand, imprisoned in a glass murky with chemicals.

—If she calls for the pictures, hold her here some way and get in touch with the police. By the way, when you finish the pictures, send them to me.

He gave the photographer his address and, not finding any more information, hurried out of the shop and back down the stair. He began to feel like someone running down hill on a path that got steeper all the time.

Back at the hotel, the clerk said,

—A young woman called for you. A Miss Gaither. Said to see her at the train station as soon as you could.

Johnny got his suitcase, paid his bill, and ran on through holiday throngs toward the police station. It was late afternoon as he went in. He told the sergeant his findings.

—Well, what do you think? the sergeant said.

—I don't know, Johnny said. I have a hunch she may have left the city and gone back. I'm on my way to the train station now.

—Well, the sergeant said, we could drag the river. That's where a lot of these cases end up.

—Thanks, Johnny said, tossing a scribbled address on the table. If you find anything, get in touch with me by telegraph there.

He left the police station and ran toward the depot. A cold word trickled in his mind. The River. Yes, the River. Where would she go at last, except the River? The River that ran forever in the background of her life, with the steamboats stacking to the piers and the Negroes working at the levee loading cotton bales. Where would she go at last except back home to darkness and the River! So there were two things here contending, Raintree County and the River. Yet she had said that she would go home. Where was her home? Had she meant the County after all and the tall house below the Square? Where was home now to the uprooted, wandering soul of the little mad Susanna? Would she come home to her last great hope, to the one other person in the world whom she had loved and trusted? Would she come back again to Raintree County, bringing the child safe with her?

He ran through the streets of the city. At the station, he found Nell in the waiting room.

—Johnny, she said, I think she's been here and taken the train. One of the ticket agents remembers selling a ticket this morning around ten o'clock to a woman like Susanna who had a little boy with her. A ticket to Freehaven.

—Thank God! I can't ever thank you enough, Nell.

—I'll go back with you if I can help any, she said.

—No, you've already been an angel. When's the next train out?

—Trains are all jammed up, she said. With this big battle East, everything's messed up. I took the liberty of asking the telegraph operator here to put a dispatch through to Freehaven to Niles Foster, telling him to look out for Susanna. The man said he'd try, but couldn't guarantee it would go through tonight. The wires are full of news all the time of the battle.

Johnny and Nell sat down on a bench in the station and waited. They talked a little and after a while had a bite to eat. It was eight o'clock before a train east was ready to leave.

—Good-by, Johnny, Nell said, standing on the platform and waving to him as the train began to move. And the best of luck.

He waved from the window, watching her small lovely face and stately form recede. In the clanging depot, standing in the classic attitude of farewell, she slowly faded; trainsmoke closed over her; the remorseless, strange river of his life had carried him beyond another anguishingly brief intersection.

Now there was nothing to do but wait. The train was bringing him back across the fastdarkening land. His pursuit had been a circle, returning upon itself. He listened to the lonely whistle of the train at crossings. It couldn't be long now. Two hours at most. He would be back in Freehaven by ten o'clock.

Curiously calm, he was thinking then of the last time he had seen Susanna and Little Jim. It had been a week ago, just before he left for Beardstown. A week—and yet since then the pattern of a whole life had almost unfolded to him. He was beginning to understand, to get it clear. He was beginning to grasp a dreadful, ancient, and significant fact about his wife Susanna and himself and Little Jim. He was about to grab the Sphinx by the throat and pluck the riddle from its tongue of stone.

When he had said good-by, it was in the evening. He had gone into Little Jim's room on the second floor. The little boy had stood up and put his arms around Johnny. At that moment Johnny had felt a strong impulse to lift the child from the bed and take him away forever. The slight form of Little Jim had clung to him thus in the night, and he had said good-by. He had gone downstairs then, and had thought to leave immediately, but he had talked a moment with Mrs. Gray, and then on an impulse had turned and gone up-stairs again. He had opened the door to the child's room and stepped inside and had gone over to the bed. It was very dark then, but a little light came in from the window. The child was asleep already. The little breast faintly respired. Again he had wanted to pick the child up, awaken him, and take him away forever. But he had had that impulse many times. There was no use taking it as an evil omen.

Then he had gone downstairs. Susanna had been waiting at the door, and he had kissed her, and she had watched him with almost frightened eyes, while her mouth kept making its little crafty smile. She had squeezed him very hard and had said, with peculiar in-tensity,

—Now don't you worry about a thing, Johnny! I will look after everything!

No doubt she had already been planning this grand gesture of escape and flight.

From what?

A man got on at Greenfield and took the other half of Johnny's bench. He kept talking, as everyone else did, about the battle. He had a late paper and insisted on sharing it with Johnny. It appeared that the battle had ended in a great Union Victory.

—This time, we got Bob Lee where it hurts, the man said. What's more, Grant has taken Vicksburg. That old river is free at last.

Johnny read some of the reports from Gettysburg. It appeared that the last great day of the three had been July 3, when Lee had launched a tremendous assault on the Union center north of the town. This attack had been repulsed in the bloodiest fighting of the War, and Lee's army was broken and believed retreating, perhaps routed.

He put the paper down. Sleep dragged his chin down. His head ached and buzzed. But he kept automatically reviewing memories, which he tried to put together like the fragments of a puzzle. He remembered that he had some of the pieces in his pocket. He pulled out the two notes he had received on July 2, starting him on his quest. In the dim light, he could hardly read the writing.

Yes, the handwriting on the note telling of his wife's infidelity was very much like that of the note he had found on the album. Now that the bad light dimmed the individual letters, he could see the same pattern in the large, childish scrawl of both notes.

There was no doubt about it; the note apprising him of Susanna's infidelity had been written by herself in a badly forged scrawl and mailed to him from Indianapolis.

He groped for meanings. Was there a dreadful reason in Susanna's unreason? Did her insanity have its own remorseless logic? Why did she want him to believe her unfaithful? Why did she tell upon herself, betray herself to him, become shameful in his eyes? Why did she wish to be undone by her own hand?

And why did she fly from the house in Freehaven taking the child with her, following a trail of madness in which she bore the name of a woman who had died in fire, a woman beautiful and stained, the black Helen of an epic rape? What ancient crime did she thus expiate by self-chastisement? And what was the goal of this fury-driven self-pursuit which turned upon itself in an immense circle?

He sat, musing these questions. Meanwhile the fumes of the little train and the steady jostling motion aggravated his fatigue. He felt sick, as though he had been poisoned. His eyelids kept sticking together. He shook his head and pulled his beard. He felt that if he slept now, relaxed his vigilance, something might happen, he would lose control of the situation, would never again see the lost faces.

The fat man was saying something to him, and he kept trying to listen. Words drifted misty and meaningless on a broad yellow flood of sleep, pulling him strongly downstream. Gettysburg . . . Lee . . . Lincoln . . . Mississippi . . . Downstream, downstream, on a great slow river of sleep . . . Downstream to ancient days and far away . . . Lost child and wandering Susanna . . . Lost child . . . Lost . . .

The steamboat rocked slowly in toward a levee thronging with faces. In his dream he was leaning on the rail, looking at a scene timemellowed, tinted in nostalgic colors: fat bales piled for loading on the levee; slave cabins inland on the verge of the cottonfields; Negroes in attitudes of work and play—supplebacked pickers diminishing to specks and pickaninnies waving at the boat; in the background the old plantation home. The murmur of a million tongues drifted down a rhythmic river of departed summers. He remembered a legend of his youth.

There had been gentle and dark faces; a little white girl had died that a race might be free. He too had loved the earth and the great yellow river. Alas! and a tragic name hissed in the music of those voices. Gone were the days when hearts were young and gay, all gone, he knew, all lost on the river of the years, a dream recaptured in the greatest of the sentimental novels or perhaps in the poem of a lost young bard of Raintree County. . . .

A lane of green lawn dwindled to a distant tomb.

PROFESSOR JERUSALEM WEBSTER STILES

dapperly pedantic, sinking a spade into a mound of earth,

—The skin of the Negro, though black in the womb, is transmuted to white by the touch of the tomb, while the skin of the white in the grip of the grave is black as the black of an African slave.

JOHNNY

digging frantically,

—You really do believe then, Professor, that by untombing the body of this woman we are unwombing the secret of the lost child?

PERFESSOR

leaning on spade, lighting cigar,

—I have a dark suspicion, John, that all is not well in the Old Kentucky Home.

The smoke of the cigar spread with a stink of fever and the river; the valley darkened where they dug.

PERFESSOR

riding away on a broomstick, black hag's hair shaking,

—White is black, and black is white.
Hover through smoke and swampy night! . . .

On the stage of an old Opera House, the play was about to begin, a tragedy of vengeance and incestuous love, more richly implausible than *Hamlet*. The house was filled with people, but behind the curtain all was confusion. Perhaps he ought to warn actors and audience how this old play had ended in fire.

VOICE

of a woman filling the Opera House with a thrilling sound,
—*Think of your freedom, every time you see UNCLE TOM'S CABIN; and let it be a memorial to put you all in mind to follow in his steps, and be* . . .

The hero of an Old Southern Melodrama, he stood in pale dawn before a house. To this calm mansion, he remembered, a woman had been stolen whose dusky limbs and nodding breasts and beautiful, proud face had made men mad to fight for generations. They had fought here where the river flowed past an adulterous city to the sea. For the rape of this dark Helen, blood had darkened white columns by the river; time had turned the blood to pools of shadow. And a woman with a twisted mouth avenged the old crime—so went the ancient story. But now the memory faded, and he couldn't remember the names, names murmurous of the earth enriched with a charred dust.

Like one passing into the brown shadows of a daguerreotype, he entered the house. Through the deserted hall, a dress trailed audibly.

WOMAN

ascending the broad stair, lamp in hand,
—Follow and you will find a lost child, the tragic issue of a house divided.

JOHNNY

—Who was the mother of this child? Who fired the shot that slew an old republic? What is your earthcovered name, a legend of the Southern sun?

WOMAN

with head averted, wringing her hands,

—Stained. By guilty lust and careless seed. Where can we wash it out except in darkness and the river, the river tinged with the color of our crime? For this, we died, we two. For this our blood made brown shadows on the earth of an old republic.

The audience in the unseen pit of the Opera House applauded as he climbed the stair. It was an old cabin of logs hewn from the great oak forest that once covered all these river valleys. In the rum-and-tobacco-fragrant darkness, a mirror on the landing showed his face faintly negroid, and he remembered the old taint in his bloodstream, which his father had privately spoken of. A woman waited for him in a fourposter bed hung with scarlet curtains, her flesh like a dark wine glowing from logfires on the levee.

BLACK JOHNNY

—It is all a legend of the earth. You and I were the same and are the same always, being children of the same dark loins. Tell me your name, a phrase of music and of strangeness——

WOMAN

—Had you forgotten all our fabled life beside the river? Had you forgotten the names of rivers and the great rich names of steamboats? Had you forgotten why they fought so long and long, my darling? For from our union came the Republic in blood and anguish springing. Had you forgotten? Fondly, fondly I embrace you!

His lips touched hers, drinking a taste of earth. Light lay scarlet on the naked hills, deep shadow in the hollows of her flesh. He knew then that he must repeat the rape of this dark Helen, his eternal sister, wife, and wandering child, weave out a tragic legend until he found again the lost charter that would give them back to purity and innocence. His desire clothed in the dark flesh touched her with . . .

Beams of swung lanterns shot across the room.

ROBERT SEYMOUR DRAKE

breaking through door, axe in hand, speaking pleasantly through white lips,

—It's just an old Southern custom, John.

Fine fat bullyboys in fancy clothes, stinking of whiskey, rum, and tobacco, hugged him hard and hurled him down, squeezed the breath out of him with their buttocky bodies, gouged him with pistolbutts, clubs, knifehandles.

BLACK JOHNNY

struggling,

—Help! Bobby! Help!

COUSIN BOBBY

—Hell, boy, you got to learn 'em young, as my Old Man always said.

OLD SOUTHERN PLANTER

white linen suit stained with tobacco juice, cotton sideburns and mustaches, winey complexion, fat cigar, whiskey voice.

—Jest take it easy, son. Y'all lun to lub the Suthen way of lahf as much as the rest of us. Seh, we Suthun gemmen have a big stake in the well-bein' of ouah slaves. Those were good days, seh, when we used to go daown theh to the little Nigro cabins bah the rivah and pick out the blackest, the sleekest, the puttiest, and shiniest little gal, and then, seh, by Gad, we planted the good old plantuh's seed. Pawt of ouah duty, seh, to stud foh the propuhgation of the labuh supply, seh, in the soft ole nots daown bah the rollin' rivah. Yassuh, way daown Souf in duh lan' of cotton, ole times dah am not fuhgotten. . . .

The Old Southern Planter and a dozen young Southern gentlemen fell upon the cringing form of the mulatto girl and raped her with practiced ease.

T. D. SHAWNESSY

shaking an accusing finger over the rapists, crouched on the fallen girl and pretending to shoot craps,

—Gambling's a sin before the Lord, boys.

T. D. fell through a trapdoor, out of which there sprang a huge dark tree, dripping medicinal gums. . . .

It was night in the Great Dismal Swamp. Stage sets representing typical views of New Orleans were sinking in the foul muck. Bloodhounds bayed in the distance. Lanterns flared. Shotgun blasts ripped the still leaves. A bloodred moon hung low on the horizon. The heaving muds of the swamp shimmered and stank. He was stumbling through the inky water, trying to find a way to freedom. The mulatto girl with him was going to have a baby. He was trying to remember how he had come by this unhappy burden. At any rate, it was a sacred charge, and he must find the underground railway and get her to safety on the northern shore.

The river ran broad and yellow in the semi-darkness. Artificial cotton snowflakes sifted noiselessly down. Floating icechunks swam slowly on the flood. The bloodhounds were just behind.

JOHNNY

sinking with the girl on a rotten raft,
—Help! Help! Save this poor woman!

AUDIENCE

excursionists leaning over the rail of a steamboat, politely clapping their hands, singing,

—O, Father, come out of that old lagoon.
They say you are drowned in——

HARRIET BEECHER STOWE

nightgown, hair in curlpapers, sitting on deck, baby in lap, blowing on her hands from time to time, writing with whispering lips line after line and page after page,
—Calvin, mind the baby. *With wild cries and desperate energy she leaped to another and still another cake.* . . .

JOHNNY

sinking up to his chin, trying to keep the girl afloat,
—Mrs. Stowe, for God's sake, hurry up and get us out of here! We're drowning, Mrs. Stowe! We're drowning! We're——

MRS. STOWE

raising her hand in benediction,
—*Farewell, beloved child. The bright eternal doors have closed
after thee; we shall see thy sweet face no more. . . .*

VOICE

of a woman, husky, wailing, lost on dark waters,
—Henrietta Courtney! Henrietta Courtney!

JOHNNY

choking in the yellow water, holding a child in his hands,
—Help! Help! Somebody save him. Before it's too late.
The body of a woman floated in the pale chemical of the river,
her flesh washed white as lilies and slowly dissolving from the bone.
The child in his arms had turned to a burnt doll. He heard a

VOICE

calling, monotonous, insistent, with a note of sadness,
—Raintree County! Raintree County!
It was the voice of the journeying years, the trainman calling the
cars to home. He was calling the names of intersections on the land,
of little towns in Raintree County, he was calling names of old re-
publics, he was . . .
Somebody was shaking his shoulder. Johnny woke up and stared
through bleared eyes. The fat man was peering at him with a mixture of concern and disgust.
—Son, you better git home and git some rest. You were groanin'
in your sleep.
Johnny looked around. The train had stopped.
—Where are we? he said dully.
—Beardstown, the fat man said.
—I have to change trains, Johnny said.
He got off and went into the little station at Beardstown. It was
ten o'clock before he left the Beardstown station on the train to Freehaven. In fifteen minutes he would be home. He sat bemused, still
holding the pieces of the torn letters in his hand like fragments of a
crazy puzzle that he had not yet succeeded in fitting entirely together.
He was looking for the missing part.

Reaching now into the pocket of his coat, he took out the daguerreotype around which Susanna had wrapped her letter. That, too, must have been part of the sad design, a plan unknown even to herself, in which she obeyed the bidding of a little dark remembered hand behind her hand. He stared at the daguerreotype. In the dull light he could hardly see the people in the brown shadow of the porch.

But he could see with a dreadful distinctness, rising, filling up the background of that ancient scene, the shape of a tall white house, in whose whiteness (because of the dimness of the light) the white pillars almost were dissolved. The shape of this house (destroyed in fire) was familiar: it had three stories and a corniced roof, and on its face, its doomed and tragic face, there were five windows looking out upon the river,

FOREVER LOOKING OUT UPON THE RIVER,
IN A LEGEND WRITTEN BY THE
SOUTHERN

SUN, nooning, filled up the Main Street of Waycross with light and heat. Faces moved thickly on the Road of the Republic.

—It's eleven-four, the Perfessor said, returning watch to pocket. Phew! it's hot! What's next on the program, John? Can't we have a little excitement around here? I've been squatting here so long I've got bedsores.

—We're to meet Mrs. Brown at eleven-fifteen at the site of the Senator's birthplace. The Photographer's probably down there now.

The Perfessor studied a fullpage lithograph on page 41 of the Raintree County *Atlas,* his sharp nose pointing delicately at a rural landscape, twice-illumined by a summer morning sun.

—You see, he said, it is all sunlight. Farmhouse, barn, roads, brook, cattle, horses, trees, fences, buggies, people—it is all sunlight. We are all sunlight.

Mr. Shawnessy folded his copy of the *News-Historian.* Events of the year 1892 flattened obediently against each other, mist of ink on sheets of perishable sunlight. Older Events, elder brothers of those in the *News-Historian,* stirred in their illusive realm, dry dust of History that never happened. Somewhere through this sifting wordseed of old newspapers, telling of births, marriages, deaths, elections, sports, crimes, wars, pestilence, floods, a woman went holding a lamp in her hand, sleepwalking in the chambers of a house divided, still hunting sunlight and the river.

The Senator shuffled *Memories of the Republic in War and Peace* into a neat square pile, which he then folded and stuffed into his coatpocket. A westbound freight screamed up its sunbright highway to the crossing and went longly by, following the path of the sun toward distant sheds of smoke and tumult. The voice of the Trainman sounded in stations of the far years, calling the cars to home, to home. In the valleys of a lost republic, the cars were changing in the stations. When did the great trains come to rest!

—Tell me, John, the Senator said. Is Evelina as lovely as ever?

—Don't tell me you know her too! the Perfessor said.

—Why, certainly, the Senator said. Mrs. Brown has been in

Washington several times over the last decade to lobby for woman's rightful position in the world.

The Senator wheezed, and the Perfessor shook soundlessly.

—Did you help her achieve it? the Perfessor said.

—Did my best, the Senator said. How do you happen to know her?

—She and I collaborated in certain feminist propagations in New York.

The Perfessor shook soundlessly, and the Senator wheezed.

—Well, I'm glad to have her in charge of the program, the Senator said, standing up. Where does the little lady live around here?

—She lives, Mr. Shawnessy said, standing up, in a lavish mansion just at the edge of Waycross. There are castiron nymphs in her shrubbery. She's the bewilderment of the local ladies.

—Evelina, said the Perfessor, standing up, *Atlas* under arm, is a darling. She writes dear, bad poetry which now and then over the years I have printed in my column.

—What in the devil is she doing *here?* the Senator said.

—Frankly, the Perfessor said, I can't fit her into this picture either. But I'm responsible for her being here. Some years ago, she got acquainted with our boy John through the instrumentality of my column. She admired the philosophic pearls now and then dispensed by the Poet Laureate of Raintree County. She was looking for a place in which to withdraw from the world for the contemplation of her navel—one of the most cunning in my wide acquaintance —and she selected Raintree County.

—How long's she been here? the Senator asked.

—Two years, Mr. Shawnessy said. She bought, rebuilt, and landscaped an old brick house just outside Waycross here. She wanted a house by the side of the road. Something like that. Solitude. Meditation.

—Where did she get her money? the Senator said. Who was her husband? I've always wondered.

—I don't know, Mr. Shawnessy said.

—Nobody knows, the Perfessor said. She turned up in New York ten years ago, a young widow with a baby girl, a pile of money, and a lot of feminist ideas. Who her husband was, she never would tell. She's a figure of mystery, and the biggest mystery is why she sheds the sunlight of her lovely countenance on John and the local anthropoids.

He lowered his voice.

—A number of whom I see approaching.

A halfdozen farmers in Sunday suits shifted uneasily in shiny shoes and tried to rub smiles from their faces. Their leader was a middleaged fat man with a chin beard.

—Howdydo, Senator.

—Howdy, Bill, the Senator said.

He shook hands around, permitting it to be known that he and Bill Jacobs had been close friends in the Old Days and that there wasn't a better farmer in Raintree County, or in the whole nation, by God, than Bill Jacobs.

—Uh, Garwood, while you was waitin' around fer the program to start this afternoon, Mr. Jacobs said, we thought you might be interested in seein' a little special attraction fer men only. Now me and these fellers is all members of the Raintree County Stockbreeders Association, which I am the president of. Now, I don't know as you'd be interested, but I happen to own the bull that took first prize at the State Fair last summer, and Jim Foley here, he has a Jersey heifer he wants bred, and I told him we might hold it as a special attraction on the Fourth over to my barn. If you'd care to come, it's going to be right soon.

The Senator cleared his throat.

—All aspects of farm life interest me, he said. How about it, John, have we got time for this?

—We'll get the pictures taken first, Mr. Shawnessy said. Bill's farm is close. I suppose we'll have time. Want to go along, Professor?

—All aspects of farm life interest me, said the Perfessor.

Leaving the General Store, the three men walked slowly under elms and maples toward the site of the Senator's birthplace. Peering ahead, Mr. Shawnessy could make out a young man setting up a black box on three legs just beyond the shadetrees at the point where the sidewalk ended.

He had been entangled in an Old Southern Melodrama, reshuffling memories of war and peace in a lost republic. Time now to find again the everliving present in which a radiant god was zestfully tracing images of forbidden things. With a finger of light, there where the shadow ended, he drew his legend, forever new, forever old—a garden of strange delight where nymphs were hiding nude in balls of shrubbery watching the motions of

A White Bull

STOOD in a small pasture a little way from the National Road. On three sides he was imprisoned in barbed wire, on the fourth by a tall iron fence flanking an unseen garden. His large brown eyes were fretful and melancholy. North and south, the July corn was an ocean of soft arms in which he was islanded, a great strength formed for love and strife. Brutely propulsive from tight rump to mounded shoulders, he stood lovetortured peering at a world without depth. He did not know what festive day it was. He did not know what month or year it was. He did not know his name. He did not know that he was bull.

. . .

THE REVEREND LLOYD G. JARVEY, shaggily virile, strode back and forth in the little tent beside the Revival Tent. The flap was down. He was alone. Even with his glasses on, he could see nothing clearly except that the sun blazing on the canvas dome filled the tent with a brown mist. Dripping with sweat, back and forth he strode, his eyes glaring savagely with a penned-in, fretful look. Through dull walls he could hear a liquid rush of voices, laughter, wheels. It was a sound like surf beating on an island in which love-tortured a god lay pinioned in a shape of earth.

. . .

MRS. EVELINA BROWN stood in the lower hall of her mansion east of Waycross. Looking into her mirror, she saw a gracefully formed woman in a modish green gown with emphasized hip lines. A small green hat perched on her titiancolored hair. Her face was fullcheeked and fair. The large graygreen eyes and finely drawn uplifted brows gave to her face an eager girlish look though there were faint lines on the forehead and in the corners of the eyes. Nose and chin were pert. The mobile, shining mouth had the full under-lip of passion.

Around her gloomed the brick broad walls of her Victorian home, stocked with twisted chairs, bewildered sofas, sentimental pictures in writhing frames, grotesquely antlered light fixtures, flowersplashed wallpapers, and glassdoored bookcases ranked with gilt volumes of Tennyson, Dickens, Byron, Bulwer-Lytton, Victor Hugo, and a great deal of libertarian literature, calculated to achieve woman's rightful position in a thoroughly reformed world.

The house which enclosed her small lonely form looked as if ten different architects had begun work on ten different projects in the same place and had been obliged to reconcile their conflicting de-signs as best they could. Thin windows pierced thick walls; a green mansard roof looking like elephant rind squatted on the confused pile; ironwork bristled along the eaves. Across the front was a manycolumned verandah. A round tower was rooted obscurely in the gloomy mass. A fence of iron spears enclosed a vast lawn, full of clipped balls of bushes and topiary shapes of bulls, deers, archers, gods. Nymphs stood nude in the shrubbery, castiron buttocks wound in vines. To the rear were a servant's house and a gardener's shop, both brickly respectable. In the back part of the lawn was a little summer house, a roofcone on slender columns. In the east front corner of the yard near the road a fountain made a flower of spray over two bronze children, whose naked forms were halfsubmerged in a pond of waterlilies.

In this house and lawn, Mrs. Evelina Brown, a figure of mystery, had built herself a place apart, from which she looked forth upon a flat world of cornfields and frame houses. In Raintree County, she had constructed something pagan and contrived, an island of wistful feminine aspiration in the corn.

.   .   .

A CHORUS of loud guffs and snorts followed the Senator's virile remark. The Raintree County Stockbreeders Association withdrew to a respectful distance still savoring the senatorial wit in wheezy chuckles. The Senator, the Perfessor, and Mr. Shawnessy had mean-while stopped at the site of the Senator's birthplace, where the Photographer under a hood sighted through his box at a big gnarled halfdead appletree standing in a vacant lot at the edge of town. Drawn up to the curb was an odd hooded wagon with the black legend:

E. R. ROSS, PHOTOGRAPHER
Freehaven, Indiana

—Here it is, the Senator said, hooking his thumbs in his armpits and looking sad.

—The humble spot of a heroic birth, the Perfessor said, removing his hat.

—I suppose it was a log cabin, Senator, Mr. Shawnessy said.

—Matter of fact, it was, the Senator said.

—Garwood B. Jones, recited the Perfessor, was born in 1835 in a little log cabin, which he built in the year 1892.

—Some people have no poetic feeling, the Senator said.

—Now, Garwood, Mr. Shawnessy said, if you'll just distribute yourself under that tree, this young man will preserve your outline for posterity.

The Photographer was a pleasant young man with unusual blue eyes, shiny darkbrown hair, and dimples, who did not seem at all disturbed by the confusion in which he worked. People kept coming up and asking him questions about his apparatus, and every now and then, while he was under the hood correcting the focus, a small boy would come up and peer into the lens. Unperturbed, the Photographer waved him away and went on with his work, walking swiftly back and forth from his covered cart to his camera, carrying plates, making adjustments, bobbing in and out of the hood. In this scene, he alone was the artist-contriver as he prepared to trace with a radiant pencil a legend of light and shadow, some faces on the great Road of the Republic.

.　　.　　.

The flap lifted. A blurred head pushed through the opening. As Preacher Jarvey walked forward to greet the visitor, the head swam into focus, hovering in a vitreous world like a fish seen through a glassbottomed boat.

Nodding hugely in at the tent flap was the broad bald head of Gideon Root, seen with monstrous precision through the Preacher's thick lenses.

—Praise the Lord, Brother Root!

—Praise the Lord, Brother Jarvey!

The two big voices filled the tent with a harsh, booming sound. The two big bearded faces wagged solemnly at each other.

—Brother Root, I am ready to bring these two sinners before the bar of God.

—When?

—The Literary Society is havin' a meetin' tonight at the home of this errin' woman, and I have gathered a select group to march in a procession, bearin' torches. We will apprehend them in the midst of their profane rites.

—I don't care how you do it, Brother Jarvey, just so you show this Shawnessy up for the rascal he is. I'm not a wealthy man, but I'll gladly contribute another hundred dollars to the cause of God in Raintree County if you can pull this thing off.

—Of course, it would be better, Brother Root, if we caught the guilty pair *in flagrante delicto.*

—What's that, Brother?

—Brother, that means in the livin' act. That means couplin' in lust!

—I reckon that would be hard to do.

—Brother, we will have to proceed without the full evidence of things seen, but we have the evidence of things unseen to prove their lustful love. Sister Lorena Passifee, who lives close to the home of this errin' woman, has observed things and heard things. I have a note from her here to the effect that he was seen in the late hours of last night leavin' her guilty embrace, and the woman was seen in the nakedness and confusion of her shameless passion. O, Brother Root, lust is a terrible thing. Praise the Lord!

—It is a terrible thing.

—Hit is a terrible thing, and hit is tenfold more terrible when hit is embodied in the person of a beautiful woman like Sister Brown. Such beauty ought to be bestowed on the altar of God, but, alas! hit is turned aside and polluted by atheistic doctrine and pagan heresy. Praise the Lord!

—Praise the Lord!

—O, hit is a dreadful thing, hit is tenfold more dreadful when the seeds of lust are sown in a beautiful garden that ought to have been matured to Christ. I had hoped to save this errin' female from her fate, but the emissary of Satan in this County, by name John Wickliff Shawnessy, toils day and night to undo the work of God. But their hour has come, Brother Root. Their hour has come. Hosanna!

—Hosanna!

—For the Lord will not long permit this sinful dalliance. He will chastise it with a whip of flame. He will requite it with a scourge of fire. Praise the Lord!

—Praise the Lord, Brother Jarvey. I'm afraid we'll be heard outside, Brother.

The monotonous horn of Preacher Jarvey's voice had begun to blow high and hard, with a more and more rhythmical rise and fall. Now he muted it down to a hoarse whisper.

—I'm about to go to Sister Passifee's now, Brother Root, to inquire further into this matter with her. Tonight at eight o'clock I'll expect you in this tent. There will be some other men of God from this and neighborin' counties present, who will lend their wrath to ours when we expel these guilty creatures from the nest of their iniquity. Tell you the truth, the local people are not to be relied upon. They worship this scoundrel.

—I think it best, Brother Jarvey, if I keep kind of in the back.

—As you say, Brother, as you say.

Preacher Jarvey lifted the tent flap for Gideon Root and leaning out watched the broad form blur into a mist of green and gold.

He was alone once more in a craving void. Instantly he hungered to hurl himself upon it with voice and fist and starting eyeball and wrest from it some form of beauty that would still the hunger. Perhaps he could lure it by a savage cry, prolonged like a trumpet blown into the void, and name it into being. . . .

.   .   .

Evelina gave a last pat to her hair. As she turned away, watching her mirror twin sweep large-eyed into a duplicate world, she remembered her dream of the night before. She had lain awake a long time, thinking about many things: her long consultation with Mr. Shawnessy reviewing the last details of the program for the Fourth; the strange letter she had received from Professor Jerusalem Webster

Stiles; her plans for the day—picture-taking at the Senator's birth-place, a studied plea to the Senator for aid in obtaining woman suffrage, her chairmanship of the Program of the Day, and arrangements for the picnic of the Literary Society at her home in the evening. When finally she had slept, she had dreamed a wondrous, strange rehearsal of the day to come. Scenes from this dream, forgotten in the excitement of awakening (for she had risen to this day as to a contest), kept rising unexpectedly from limbo and untime, impinging on her day with a quaintly duplicate day in which a stately twin, more daring Evelina, made an immortal progress through the streets of time.

Carrying her pamphlets in a thin bundle under her arm, she opened the door, stepped forth to the verandah, went down the steps. The day assaulted her with heat, rising in soft globes rolling from the long lawn, shimmering over the cornfield across the road. Bouncing nervously on the springy substance of the path, she walked to the iron gates and into the National Road. Shading her eyes, she looked east into the flagbright Main Street of Waycross lined with wheels, alive with faces. She walked sedately in her peculiar undulant manner feeling the heatflush on her cheeks. A tall man detached himself from a group at the Senator's birthplace and nodded to her. It was Mr. Shawnessy, his eyes narrowed to slots of liquid blue. She made a little motion with her free arm and smiled. Another man with a huge black book under his arm waved to her and advanced, a tall, distinguished person with hawksharp face and glittering black eyes.

—Well, well! here she is, the Perfessor said, a figure of beauty and mystery, that very feminine feminist, Evelina!

Smiling with excitement, she held out her hand to the Perfessor, suddenly remembering . . .

EVELINA'S DREAM

She had been dreaming of preparations for a ritual day. Standing before her hallmirror she had put the last touch to her costume, pinning on a feminist pamphlet like a figleaf. When she opened the door, a flood of light and music struck her. Professor Stiles, dressed like a herald, rakethin legs in ceremonial tights, shouted through a megaphone:

—Introducing, Ladies and Gentlemen, our favorite woman of tomorrow! Mrs. Evelina Brown, that distinguished poetess whose lyrical talents have often embellished our column!

She stepped to the front of a platform in a vast park ornamented by castiron statuary and surrounded by distant buildings, awesomely hideous and vaguely resembling photographs she had seen of Queen Victoria.

—Welcome, lords and ladies gay, she said in a thrilling sweet voice. This meeting of all the ladies from Aurora to dewy Eve has been arranged by the Waycross Literary Society to celebrate the completion of a Century of Progress in the attainment of woman's rightful position. . . .

Under the old appletree stood Senator Jones, in an authoritatively senatorial pose, left foot out, chest and paunch well forward, head and chin thrown back, hands holding coat lapels, thumbs up.

The Photographer pressed the bulb. Melting from granite into flesh, the Senator walked over to the road and swept broad hat from freeflowing locks.

—So this is the little lady who is going to handle the Grand Ceremonies this afternoon! I am honored and charmed to see you again, Mrs. Brown.

The Perfessor relinquished her hand.

—You can have it for a while, Senator. But remember, I want it back.

The Senator enclosed the small hand in his two great hands.

—It seems years since you were with us in Washington, dear, he said. You haven't given up the good fight, have you?

—Not at all, she said. I find I can carry it on here as well as in the Nation's Capital, that's all.

—How lovely you look, dear, the Perfessor said. Don't you agree, Senator, that Evelina ought to stop wasting all this charm on John and the local plowheads?

—Indubitably! the Senator said in his mellow bass.

—Let's have some more pictures under the appletree, Mr. Shawnessy said to the Photographer. With the lady included.

—By all means, the Senator said, leading Evelina over to the tree. Come on, Professor and John. You get into it too.

—May we look admiringly at the lady? the Perfessor asked the Photographer, who had said almost nothing so far.

—Of course, said the Photographer, ducking under the hood. What else?

—A perspicacious young man, said the Perfessor. He will go far in his profession.

Evelina leaned back on the old tree, looking up into the branches, through which the sifted sunlight fell. For a moment, she and the three men became quite still, as the Photographer reappearing from under the hood looked at them with a solicitous expression on his young face and pressed the bulb.

Their forms fled to the dusky inward of his mysterious box, written with a pencil of light upon a stuff of shadow. All else was lost on the Main Street of Waycross, the color of the thronging, curious faces, the boys with fists of firecrackers, the buggies passing. But in a timeconquering photograph four figures stood: a broad gentleman in a cutback coat with wideflung arm indicative of a tree; a longheaded gentleman in pince-nez dapperly leaning on a cane, the sly beginning of a smile on his thin, dry lips; a darkhaired gentleman with pensive, innocent eyes; herself, a lady in a green dress, hands folded coyly over the figleaf zone, eyes looking wistfully upward at the branches. . . .

EVELINA'S DREAM

The Perfessor, leaning forward like a traveling salesman, showed pages from a fashion magazine.

—Could I interest you, Madame, in the latest Stiles? *The Goddess Ladies Book,* featuring the newest Paris fashions. To the most stunning costume since Eve, we are awarding——

Mr. Shawnessy appeared with a golden apple in his hand, attired in his usual schoolmaster's costume. She perceived then that the apple was really the bulb-release of a camera. Mr. Shawnessy was setting up the oddshaped apparatus to take her picture, as she posed in a huge picture frame made of trellised roses.

—Latest Continental dispatches, he recited, record a breathtaking retrogression to fashions popular in the first centuries of this era. A certain notable lady whose mode of apparel has vitally affected all feminine adornment since her time was the first to adopt this charming *ensemble.*

Except for her Princess Eugénie hat, she was posed in entire nudity. With shyly downcast eyes she studied the flow of her wellfleshed thighs and calves to the prim little feet, one slightly advanced and both prettily turned out. There was a flash of rosecolored light, and as the fading fragments floated dreamily around her . . .

The Photographer closed the shutter.

—Young man, the Perfessor said, you have made us immortal.

—Senator, Evelina said, peeling off a pamphlet from the top of her bundle, could I have a word with you?

—The pleasure is mine, dear, said the Senator, looking at her with eyes of shrewd appraisal. I received your charming letter, by the way.

—I hope you will come out strongly for woman suffrage in the present campaign, Senator. The Populist Party, as you know, is going to make it a plank in their platform. Surely it's time that women were conceded equality on this point. If my personal wish can have any weight, I hope you will see fit to raise this great issue above partisanship. A statesman of your stature and popularity would have great weight.

—At a rough estimate, the Perfessor said, two hundred and fifty pounds.

—I assure you, Madame, the Senator said, his voice becoming measured and louder, that I shall give this matter every attention within my power.

—Please take this pamphlet, Evelina said, in which I have summarized a century of striving toward our great goal. Senator, I earnestly beseech you to give us your backing.

The Senator accepted the pamphlet and adjusting a pair of glasses read stagily,

—A CENTURY OF PROGRESS IN THE ATTAINMENT OF WOMAN'S RIGHTFUL POSITION IN THE WORLD. Well, I shall certainly go into this with the utmost interest. Be sure to look me up the next time you're in Washington, dear, and we'll try to work something out.

—For my part, the Perfessor said, I think the ladies, God bless 'em, already rule us entirely. It's a woman's world and getting more so all the time. The books, magazines, and poems are written about, for, or by the ladies. Society is tied securely to the hump of milady's bustle. She queens it here, and she queens it there, she queens it covered, and queens it bare. It's no accident that this great century will be called in history by the name of a fat empress, whose penchant for covering her flabby body with a hideous rind of respectability has been imposed upon the whole sex from the throne down. They have us where it hurts, gentlemen, and, believe me, we trot along briskly enough. For the ladies are in the sidesaddle and ride mankind. They let us go out and graze a little wild oats now and then, but it's only to slap us about the ears and lead us back firmly into the great stable of respectability, where we end up by nosing docilely into our stalls so that government of the ladies, by the ladies, for the ladies, goddamn 'em, shall not perish from the earth.

It was hard to be angry with the Perfessor, but Evelina felt her cheeks burning as if she had been caught in a peculiarly feminine deception. . . .

EVELINA'S DREAM

There was a loud flourish of trumpets. The Perfessor handed her up to a throne atop a carriage shaped like a pumpkin, drawn by six men in mouse costume.

—I crown you Evelina Regina!

As befitted a queen, her gown was a ceremonial costume stiff with jewels. Ladies in identical gowns stood in dense ranks along a wide way colorful with pennants. It was apparently the diamond jubilee of her reign. The Perfessor, assuming more and more the look of Lord Beaconsfield, led the singing:

—Lovely and glorious!
Our Queen Victorious,
Long to reign orious!
(God save the King.)

With gracious mien and little motions of her sceptre, an ivory stick with gaudy ball of gold bestuck with diamonds, she spoke in queenly accents:

—My subjects, it is now fifty years since the great discovery was made by one of our leading female novelists that the words describing the sexes had been exactly reversed by some philological error in the dawn of iniquity and what we have been calling men are actually——

Walking down the boulevard, Evelina Regina set her heels down primly on the necks of prostrate men, who licked her little glittering boots and squealed with pleasure at every touch. Somehow she felt a little dissatisfied with the progress of . . .

—Reform, the Perfessor was saying, leaning on the appletree and gesturing in his old classroom manner, is a feminine invention. The male of the species doesn't give a hoot for reform. In so far as he's male, he wants to destroy, rape, gorge, kill, revel, and rove at will in a world of selfish self-expression. But the female of the species finds it to her advantage to keep alive the old pathetic dream of remodeling humanity. All this is intended to make the obstreperous male a better mate and provider. The American woman, who is the most dominant of her sex since Theseus raped the Amazonian Queen, is especially talented along these lines. She's forever plucking the drink from our hand and the cigar from our mouth. Fact is, Evelina, really enlightened females like you are not doing the sex a service, as your more conventional sisters know. Equality in politics, love, and work may cause woman to surrender her subtle dominion in other things. And where will that get you? In the end?

—Our Evelinas, Mr. Shawnessy said, are a guarantee that tomorrow America will be more beautiful than today. They insure that the earth will be forever feminine—that is to say, mysterious, lovely, provocative.

—Amen, said the Perfessor. What rot I've been talking! For God's sake, Senator, give the bustle a ballot.

—I place in nomination the name of Mrs. Evelina Brown for the First Petticoat President of the United States, the Senator said.

—How about a drink to that, the Perfessor said, in yon healthful beverage?

The ladies of the Mystic Country Cookers Society were dispensing free lemonade at a stand built near the edge of the Senator's birthplace. The Perfessor ordered four lemonades.

—It's on me, he said. Come and get it.

He sneaked a flask of corncolored fluid from his hip pocket and holding it cleverly inside his coat, uncorked, tipped a little into the glass, corked, and slipped the flask deftly into an inside coatpocket. To Evelina, he confided,

—As President of the W.C.T.U., I have a little confession to make. Until the age of twenty-one, I touched nothing stronger than pure gin. But one day in the company of a slicker from the city, I allowed myself to be persuaded to drink a glass of water. Friends, I'm here to tell you——

—Professor, you know I have no objection to liquor.

—I know, child, that your feminism is of a peculiarly amiable type. I sometimes wonder, dear, what the new America will be like when, according to your formula, the ladies have completely emancipated themselves and exchanged corsets for contraceptives. Well, believe me, I'm for it and trust I'll be there. That gives me a rime and a toast.

He held his glass aloft.

—To the World of Tomorrow, a Feminist Fair,
Where the Liquor is Free and the Ladies are Bare!

As she drank the sugared lemonwater, Evelina looked over the rim of her glass at the three gentlemen bowing to her. She had come surely a wondrous and far progress to stand here in her green gown sipping free lemonade on the Main Street of Waycross in the year 1892. Was it possible to cast off caution like a garment, be very simple like a child, say only the most true and eternal things? Was it possible to still the longing of summer nights, to gain reprieve from fevered dawns? How much truth could the world stand? . . .

EVELINA'S DREAM

At first, it seemed to be a meeting of delegates for a convention in a large park. But as she walked among old buildings of the little town and saw in the distance the winding river, she felt sure that it was New Harmony, Indiana, on the banks of the historic Wabash, or perhaps some Fourieristic Community. She remembered the summery lawns of all the would-be utopias, free moral worlds, communist experiments, free-love cults, and nudist societies that had flowered and faded along the pleasanter margins of American History.

She now perceived that hundreds of Americans were walking about the park with almost nothing on against a background of marble statuary and spouting fountains. Their eyes were elevated, and they were all busy conversing of Humanity, Perfectibility, and Universal Suffrage. She herself, decked out in highlaced boots, recognized a grave, bearded gentleman costumed with a copy of the *Paradiso*.

—My dear Citizen Longfellow, she said, how pleased I am to see you! Are there any other distinguished poets present?

Citizen Longfellow spoke vaguely:

—Citizen Whittier and Citizen Holmes are taking the Edenic baths and the Celestial Radiation Treatment. You'll pardon me, dear Citizen. I see two of my friends coming for me.

Giggling in unison, Alice and Phoebe Cary approached and catching Citizen Longfellow each by a hand, began to run lightfootedly through the park with him, he now and then executing a pigeon wing with commendable grace.

—Among Mr. Longfellow's many fast friends, explained the Perfessor, erect and tall in malacca cane and pince-nez, Alice and Phoebe Cary will be remembered as the fastest.

Senator Garwood B. Jones, wearing a cigar, took her arm and walked beside her discoursing with magniloquent gestures.

—Citizen Brown, I promise to do all I can for your cause in the National Sexual Congress of the Uniting States of . . .

She hunted through the great concourse of Americans, and after a while saw a number of ladies exclaiming over a statue. It was Mr. John Wickliff Shawnessy posing as the Apollo Belvedere, thighs turned slightly out, lines of the body idealized, an image of virile repose.

He smiled at her over the heads of the exclaiming women, but there was such confusion that she became lost in . . .

The crowd was getting thicker all the time around the lemonade stand. Both the Senator and Mr. Shawnessy were talking with Mr. Jacobs and some farmers of the vicinity.

The Perfessor, apparently watching for the chance, offered his arm and led her somewhat apart under the appletree at the site of the Senator's birthplace. He had left the large black book in a crotch of the tree.

—Evelina, for Christ's sake, how do you stand living in this little burg?

—It has its compensations, she said. I have my lovely house and garden and my work and studies, and of course, Maribell.

—How old now?

—Twelve.

The Perfessor shook his head.

—Shall we give but one copy of this loveliness to the world?

Evelina smiled pensively and shifted her bundle of pamphlets to the other arm.

—I had intended to pass these out, she said evasively.

—Don't tergiversate, the Perfessor said. Evelina, I've never seen you look so beautiful. You must be in love. Are you waiting for someone?

—Of course, she said, smiling.

—Why didn't you tell me sooner? the Perfessor said, irritably. I'm a shy man and never caught on.

He looked sharply at her.

—You got my letter?

—O, yes, she said. It was an utterly charming and completely wicked letter, and what you suggested was quite implausible. At your age! Really, Professor! Anyway, I don't think I would like Bermuda.

The Perfessor leaned his head against the bark of the appletree.

—Ah, God! he said. I grow old.

He rallied quickly.

—I only said Bermuda for fun. What I really meant was New York. I see it all clearly now. You go charmingly through all this absurd flooflah today. And then right after the picnic this evening, you clap your hands once, and make all these cretins disappear like phantoms of an uneasy sleep. We pack our grips and catch the midnight train, and back we go to New York. How about it?

The Perfessor leaned forward with lifted brows. His black eyes glittered with excitement.

—I really must distribute my pamphlets, Professor. Won't you help, please?

—If only you weren't so damn rich, the Perfessor sighed, I could offer something substantial. As it is, I have only myself.

Resignedly, he took a handful of the pamphlets and began to pass them to various farmers and housewives who walked in the vicinity of the Senator's birthplace. She watched him accosting them with ceremonial courtesy, calling their attention to the title of the pamphlet and no doubt elaborating on its contents, which he hadn't read. . . .

EVELINA'S DREAM

—Farewell.

The cars rumbled and shook; the train was starting. It appeared that she was to have the upper berth, but there was considerable confusion about who was to sleep where and with whom. Hundreds of men, women, and children, all the backwash and breakup of that famous and forlorn experiment, including Mr. Shawnessy, the Perfessor, and the Senator, were hunting through the car for places to sleep. It appeared to be a great excursion to New York, just as the Perfessor had written in his letter.

—I suppose, Mr. Shawnessy said, handing her up to her berth, that the time will come when the whole process will be controlled better than now. But the dispatcher seems to have lost the lists.

In bride's sheer nightdress, long hair down, she clung to his hands.

—I have been waiting with my taper, dear Lord, for your second coming.

The great train roared and wailed, passing like a projectile through a darkening landscape of lawns and lakes and rivers. In the dim car rocking and swaying, she saw his beloved, wonderful face and she tried to pull him aloft into the berth with her, but there was some kind of confusion, for it turned out to be the Perfessor instead, whose long face looked intently into hers, and whose breath hissing slowly turned into the wail of the train, a melancholy diphthong of sorrow and farewell, renunciation, feminine bereavement, and of lost days and faded gardens that were once purple with summer. Farewell . . .

To the old appletree the Perfessor returned for the large black book, which in the meantime she had been idly examining.

—What in the world are you carrying this about for? she asked.

—It's all a delightful hoax that John has played on us, the Perfessor said, hugging the book under his left arm. I'll tell you about it later. Now, if you're ready, I'll see you home.

Passing the senatorial group on the Perfessor's arm, she leaned back.

—Senator, may we hope for the pleasure of your company at the picnic of the Literary Society this evening?

—Alas, my dear, I have an engagement in the great city of St. Louis tomorrow. I'm taking a train right after the Program this afternoon.

—John, I'll be back in time for a certain rural exhibition, the Perfessor said. Reserve a ringside seat for me.

Walking home on the Perfessor's arm, she had a sensation that she was being watched, and when she turned nervously as if she might have forgotten something, she saw that the Senator, Mr. Shawnessy, and a dozen other men were walking down the road behind, their eyes curiously intent upon her.

—Where are they going? she asked.

—To see a painting by Titian, the Perfessor said.

Instantly she thought of the painting 'Sacred and Profane Love,' in which, according to the Perfessor, that duplicate lady, clothed on one side of the fountain and naked on the other, bore a striking resemblance to herself. She blushed, feeling dizzy in the noon heat. The great eye of the sun blazed intently at her and filled her with delicious shame. . . .

EVELINA'S DREAM

It was a medieval storybook setting. Gabled roofs leaned over a crooked cobbled street in which all the men that were in Christendom lined the way, silently watching. Naked, she bestrode the great white horse in the masculine fashion, pleasantly chafed by the smooth column of the back. Her hair unloosened hung in braids of massy gold around her tipping breasts. With rhythmical motions of his head and clopping hoof, the horse wound forward through the predestined way, while she, holding a book in her hand, read gravely to the multitude.

—Then she rode forth, clothed on in chastity.

She had to re-enact the old story of Lady Godiva's indignity to save mankind from oppression. For this she was to make a medieval progress in the jogging meter of the nursery rimes that filled her little book:

—Ride a cockhorse to Funbury Farce,
To see a fine lady . . .

Senator Garwood Jones in guise of a rich burgher in bejewelled gown stood on a platform, rubbing his chin. Gently chiding, she recited:

—Pussycat, pussycat,
Where have you been?

The Senator's face assumed slowly the aspect of a big tomcat's. He pulled his whiskers and licked his lips. . . .

A white cat big as a man was lunging along the street, frightening everyone out of his wits. The veiled purpose of this fantastic spectacle was beginning to be clear to her. It was a trick to rob her of her virtue. Her horse galloped wildly down the crazy thoroughfare frightened by the caterwauling of the cat. She clung for dear life, expecting at any moment to be thrown. Then the remembered climax of the old fairy tale suddenly disclosed itself in a most delightful way, as the heroic form of the young blacksmith stood athwart her path, be-aproned, hammer in hand. It was Mr. Shawnessy, at sight of whom her horse came sedately to a stop. Everyone began to dance and clap his hands with pleasure as the Perfessor, wearing cockscomb and rooster's tail, recited,

> —Cockadoodle doo!
> My dame has lost her shoe!
> And master's lost his fiddling stick
> And doesn't know what to do.

Meanwhile, Mr. Shawnessy bent courteously to the task of shoeing her horse, though through some quaint mistake he was nailing on a lady's high heel to the hoof of . . .

—A great white beast is pastured around here somewhere, the Perfessor said, passing Mr. Jacobs' barn. I'm supposed to drop back in time to see him perform in that wellknown museum piece 'The Rape of Europa.'

He was looking at her hair.

—You might have posed for Titian's loveliest paintings, my dear. You belong in the workshop of old Cellini or the *Memoirs* of Casanova, anywhere rather than in Mrs. Mitford's *Village*.

She glanced back again.

—Stop being so mysterious, she said. Where are they going?

—Mr. Jacobs has a bull, the Perfessor said, and somebody else has a heifer. And the Senator has a warm interest in all aspects of rural life.

—My goodness! she said. Are they going to do that again today?

—Evelina, the Perfessor said, isn't there anything I can do to persuade you?

—Professor dear, I seem to remember that we have been all over this ground before.

—In the pursuit of beauty, the Perfessor said, I have no pride. Think how much fun we could have in the great City of New York. Don't you have any secret debts that I could pay?

—No. Professor dear, there isn't anything that you can offer me.

—Don't be always thinking of yourself, the Perfessor said. Think of me. I don't ask love, you understand. All I want is your pity— and unselfish compliance.

The Perfessor as usual seemed only half in earnest, as he walked along jauntily swinging his cane and taking in the scenery around him with his roving, perceptive eye.

—Come, Evelina, he said suddenly. Out with it. You're in love with him.

—What in the world are you talking about?

—Good morning, Madame, the Perfessor said, bowing pleasantly.

A woman was standing at the back of her yard, a roseclipper in one hand and a few cut flowers in the other, her figure buxomly protrudent in a white dress. She had been studying the Perfessor with a shrewd green eye.

—Good mornin', she said, distrustfully.

—Who is that colossally voluptuous creature? the Perfessor whispered.

—Mrs. Lorena Passifee. I'm afraid she doesn't approve of me. It's amusing, too, because she used to entertain men regularly over there, and everyone would get tight on dandelion wine for a purpose which I will leave to your own tender charity. Her dandelion wine is famous.

—How delicate! the Perfessor said. Dandelion wine!

—Then last summer she got religion, and the parties stopped for a while. About time, too, because the good people of the community were ready to run her out. Now she's a prop of the church and the watchdog of virtue in the community—mostly my virtue.

—By the way, I've heard of your interest in the local Revival Preacher, the Perfessor said. Really, Evelina, don't you think you're getting a bit bucolic?

—He's a magnificent primitive specimen, she said. You know, I've had a lot of talks with him, and he's told me a great deal about himself in an effort to convert me. Lloyd—that's his name—came right from one of those Southern hillfamilies. He had congenital myopia that amounted almost to blindness, and they never put any glasses on him. But in spite of that he grew up to be a shrewd, powerful, ignorant young man. He was a terrible sinner. He gave rein to the lusts of the flesh. He's handsome in a savage way, you know. He drank, swore, gambled, and goodness knows what besides. Isn't that interesting?

—Hmmmmm, the Perfessor said.

—It was an incredibly backward environment. The people in those hills live just like the old clans, feuding and killing and carrying off each other's women. There were ten sons in Lloyd's family. The father was a tyrant, and his word was law to his sons and their women and the whole clan. Lloyd was the oldest son, and in spite of his blindness was hated and feared more than anyone except his father. He was called the Blind.

—My God! the Perfessor said.

—Then when Lloyd was about twenty, he and his father had some kind of terrible fight. He won't tell me much about it, but anyway he left the hills. Then a missionary got hold of him and put some kind of special glasses on him, and for the first time in his life he saw the shapes of things. It was like an awakening. Along with it he got religion and became a wonderful preacher, and——

—Don't tell me any more, the Perfessor said. I can see the whole thing for myself. What you have described is the very process out of which our Old Testament religion came. In the beginning, the hill and desert anthropoids who later became the ancient Hebrews were an incestuous, lustful, dirty collection of families, like the rest of primitive mankind, clothing their filth in skins and killing and raping each other like beasts. The son lusted after his mother and the father after his daughter. The head of this hideous delegation was of course the patriarch, the strong man, who maintained his power through brute force and low cunning, and after the force was gone, through the loudness of his voice and his old prestige, beating and cowing his rebellious sons and leading them in rapine. The only law was the law of the family. Whatever the Old Man did was right, and any crime committed in the name of the family was right. The sons had the choice of staying and submitting to the Old Man's rule or getting out on their own and starting their own family clan. The only way the Old Man could be succeeded was by murder. So some particularly rebellious son would finally kill the old bastard with a club, taking a guilty delight in pounding his sire's gray skull to a pulp. Then all the women became his. From some such background, slowly evolving over centuries, emerged the Jehovah religion: the tribal patriarch was elevated to deity, and the crime of parricide and incestuous lust became the memory of an original sin, for which mankind waxed penitent. So morality was born, which was merely tribal law created to strengthen the chosen people against their enemies. No more incest, no more lust. But the object of worship and the source of power remained the same, a violent, lustful, self-glorifying old despot-god, who punishes his children for his own crimes and whom they worship because they hate him and fear him. Now, the hillpeople of America, especially the Southerners, have a special fondness for Old Testament Christianity because they've degenerated into the very savagery from which it came. Paganism made a much more beautiful adjustment of this old crime of mankind, our memory of being beasts. As for your preacher, for God's sake never get alone in the same room with him. The man is dangerous and quite probably insane.

—I've never invited him to my place, Evelina said. And I haven't been to see him for a long time. Of course, he's made an amazing transformation. When he left his people, he studied and read widely and even attended a little theological seminary in Kentucky. He quotes Milton and the Greek and Latin classics. Naturally the essential crudeness remains, a sort of primitive frenzy. You should hear him preach.

They were just about to pass the iron fence which marked the western boundary of Evelina's lawn, when the Perfessor stopped short.

—Jesus! What a brute!

He was looking across a cornfield at a white bull fenced in a small pasture.

—I have nightmares about that thing, she said.

Looking back, she saw the Senator and his entourage turning in at Mr. Jacobs' place.

—Frankly, the Perfessor said, you don't belong here at all, Evelina. What the devil do you want to stay around here for, providing food for local gossip? If you want to reform something, start with me. You can do a lot more for the world from my apartment in New York City than you can from your house in Raintree County. It's a weeping shame that a lovely, eager, warmhearted girl like you ever left New York.

He looked at her shrewdly again.

—Be as objective as you please about your amusing hillbilly preacher, Evelina, but you've become a religious fanatic yourself.

—It's true, she said, looking down.

—And this religion, he said. It is——

—The religion of humanity, she said.

The Perfessor looked somewhat sadly about him.

—So you have found your gentle god at the crossroads. Well, it's a strange martyrdom—and it will pass. My God! When the world isn't crucifying us, we crucify ourselves!

She said nothing but, nunlike, kept her eyes down lest he should see a sudden mist that was in them. . . .

EVELINA'S DREAM

The dungeon cell had a single window, singly barred, through which fell a single ray of light. She stood in her long gown, *décolletée,* hands tied before her, reciting,

—Eternal spirit of the chainless mind,
Brightest in dungeons . . .

It had something to do with the French Terror and the execution of all the fine people who believed in liberty. What her own crime was, she couldn't exactly remember, except that it was a very romantic one, for which society would never forgive her. The other woman in the cell was Mrs. Stowe, who sat at a writing table, adding and subtracting dates, juggling the names of children, making marginalia in a complete volume of Lord Byron's *Works.*

—My dear, it's no use, Mrs. Stowe said. You know you slept with him, and that's all there is to it. Not that I blame you. But you might have considered his wife and the nearness of your relationship. Nothing for us to do now but wait for the carts. But haven't we been tumbriled in a worthy cause!

Metal doors clanged. She arranged her little cap so that the painter David might make an offhand sketch of her on her way to the knife. There was a distant rumbling of drums. The executioners passed in the connecting corridor leading Mr. Shawnessy, his hair damp curls on a marble brow, his white shirt open at the neck. He walked with a slight limp, his eyes flashing with soft fire. Looking back at her, he said,

—My sister! my sweet sister! if a name
Dearer or purer were, it would be thine. . . .

The rolling drums grew louder. She was riding through massed thousands in the streets of New York, London, Paris, or some other great

city. As she approached the platform, she saw Mr. Shawnessy walking
up the steps toward the guillotine. He smiled his gentle, pensive smile
and lifted his hand in farewell.

The crowd intervened, she was lost in the confusion of faces and
savage shouts, but she could hear his voice ascending and ascending,
highpitched, slightly nasal, reciting,

—*It is a far, far better thing that I do than I have ever done; it is
a far, far better rest that I go to than I have ever known.* . . .

Before her home she and the Perfessor had stopped between the
flungopen gates.

—If you find anything in the *Atlas,* let me know, she said. It
would go well with the Senator's collection. He showed it to me
once in Washington.

—I trust he didn't add you to it, the Perfessor said.

He ran his eyes over her house and garden.

—Lovely place you have here, he said. It's so like you, dear. It's
so—so charmingly bewildered. May I come in?

—You'd better hurry back for the Titian, dear, she said.

—Too bad you can't see it, dear, the Perfessor said.

His voice was somewhat remote and his eyes kept playing over the
lawn sloping longly up to the brick house.

—Who built the house?

—I did.

—What for?

—To live in, silly.

He smiled sadly, preparing to leave.

—My dear, it's just as I told you in my letter. At the age of
thirty-five, you've become a museum piece.

EVELINA'S DREAM

She had on a little torn frock that came barely below her knees as
she stood in the slave mart. The auctioneer, bullwhip in hand, ripped
her dress off with a brutal jerk.

—*And there she stands. Will't please you sit and look at her?*

While she stood clasping a Bible between her breasts, the planters
crowded around feeling the flesh of her calves and thighs. Senator
Garwood B. Jones eyed her with shrewd appraisal.

—I bid one thousand dollars. This ought to go well with my

collection from the old masters, *Neptune, taming a seahorse*, thought a rarity.

Other poor colored people standing near her had been turned into little statuary groups mass-reproduced by machine lathing. Buyers and connoisseurs wandered through the rooms of the museum (which resembled a private home), inspecting its treasures. Professor Stiles approached her as she stood in an alcove, her body painted bronze, in her hand a lamp burning smokily.

—Exquisite craftsmanship, he said. In the Italian fashion. Perhaps one of old Cellini's lost pieces.

She maintained her heroic attitude, reciting,

—I lift my lamp beside the golden door!

She had hoped that among all the people thronging through the vast metropolitan museum, Mr. Shawnessy would take particular notice of her and buy, but already the crowd was thinning out, and he was gone with the others into the murky night, gone in the long train snaking across the land and carrying people home from brown decades and metropolitan adventures, and she hadn't even touched his hand for a last . . .

—Good-by, dear, she said to the Perfessor. I'll see you this afternoon. I will keep the *Atlas* for you if you insist, and you can pick it up later.

With the *Atlas* under her arm, she walked swiftly to the house and up the steps to the verandah. Entering, she continued without pause walking up the steps from the hall to the second floor, turned and walked to a door at the front end of it, and began to climb a spiral stair ascending the squat tower rooted in the foundations of the house. Panting with heat, exertion, and excitement, she came out into a little circular room at the top of the tower and going over to a halfmoon window looking west, she peered down at a foreshortened world. . . .

.   .   .

In flagrante delicto! Preacher Jarvey pacing restlessly in the tent was tormented by the words. He saw them writhing on a ground of scarlet flame, fiendishly alive, their heads darting and hissing. The flames withdrawing disclosed two forms, a man and a woman naked, turning round and round, their lips and hands and yearning limbs touching and twining.

Preacher Jarvey walked with a rapider stride. He was panting. His eyes glared viewlessly. A vision of profane love tormented him with a whip of shrewd lust as often it had when he lay at night waiting for sleep. In this vision, a hated figure walked through Waycross in the hovering darkness, looking covertly to left and right. Arriving at stately gates east of town, it paused a moment, then darted into a contrived garden that Preacher Jarvey himself had often passed but never entered. And the sinful intruder glided stealthily past vague balls of shrubbery on the lawn, reached a verandah prickly with filigree, knocked stealthily at a door. And the door opened. And the stealthy form was lost in the dark and scarlet depths of a voluptuous mansion. *In flagrante delicto!*

—Hosanna! the Preacher panted under his breath. The hour is here. Hosanna! Hit has come!

And suddenly he burst through the tentflap.

The day was hostile with radiance, walling him in with green and golden mist. He set out walking toward the intersection. As he approached it, laughter, cries, clangs, explosions enveloped him. Wheels and trampling hooves threatened him. The lightfilled intersection of Waycross, which had endeared itself to him by its visual simplicity (four beginnings of streets losing themselves in peaceful summer), erupted with strangeness.

The time had come to destroy this disobedient world and its multiplying eyes.

The Preacher turned east at the intersection. As he walked, he pulled out his watch and held the face of it close to his own. Black hands and numerals swam into the green globe of his vision and wavered there, enormously precise. Eleven-thirty.

Hosanna! The hour had come!

Like sadness and tears, a traitorous feeling surged up from the mist around him. The way here was magical with soft anticipation. Many times in vanished summers he had gone along this street in the late morning and had passed Mrs. Evelina Brown on her morning walk into Waycross. Often and often (for he had learned to depend upon the regularity of this walk) his yearning eyes had plucked her from the oceanic void of the increate and held her, softly writhing, flushed, exhaling a mist of breath. He would exchange a few amenities with her, as the godshout raged unuttered in his breast, and then reluctantly he would let her gracious form slip once more into the stream of the inactual.

The faces were a thinning stream. The sidewalk ended. He plunged into golden heat. He was on the empty road passing the Jacobs farm. He looked neither to right nor left. He wouldn't stop at the Widow Passifee's, despite his promise to Brother Gideon Root. He would go on past. Hosanna! The hour had come!

Suddenly, he was aware of someone approaching in the white roadway, coming closer and closer to the minute pebbles and brown dust on which he walked. The black twisting shape stood suddenly before him like a jinnee in a glass bottle, writhing, fantastic, dreadful. The creature was incredibly tall and thin, black eyes stabbing through pince-nez glasses, face long, lined, grinning with malice and amusement. It made a ceremonious bow, leaning on a cane. A thin tongue of derision licked its hissing lips.

—Have I by chance the honor of addressing the Reverend Lloyd G. Jarvey?

—You have, Brother! Praise the Lord!

The words were hurled like an accusation, quavering and frustrate.

—Praise the Lord! shouted the intruder in a highpitched, nasal voice crackling with sanctimony. Pleased to meet you, Brother.

—Who might you be, Brother?

—A visiting preacher, Brother, the thin intruder said. The Reverend Jerusalem Webster Stiles from New York.

—Pleased to meet you, Brother.

He bowed his head and fairly butted his way past this hateful rival.

—One moment, Brother. What is the status of sin these days in Raintree County? Enough to go around, I trust?

A malicious, cackling laugh pursued him as he went on. Confusion warred with rage. Someone had set this foreign dog upon him.

Nevertheless, he went by the Widow Passifee's and continued until he saw the blurred lines of an iron fence on his left. He slowed down, panting as though he had been running. He listened. His ears cropping from the shaggy brown hair were sickly sensitive to every sound, but there were no footsteps on the road. He walked slowly to the iron gates. They stood open, the ironwork designs drawn on his vision with painful exactness, while beyond them a brown walk faded into a lake of green.

He stopped. He had come to a threshold of decision.

Yes, the time had come. Perhaps he might forestall God's vengeance by an act of loving kindness. Wasn't this woman after all the one most worthy to be saved? Who but Lloyd G. Jarvey, he that had been called the Blind and had been blessed with vision, he that had killed and ravaged in his great hill-strength, who but he was chosen to tame this sophisticate daughter and teach her submission, even in the chambers of her scarlet palace?

My daughter, had you forgotten your God? What have you been doing in my absence, my loving daughter? Did you suppose that I did not foresee this invention, that I was incapable of this pleasant pastime of mortals? Erring and beautiful daughter, God is able to do anything, possesseth every power and pleasure. In one of my earlier shapes, when I was several and not one, I too was Begetter. But I had forgotten this earlier self, until you reminded me of it. You discovered it without permission, my intuitive daughter. You entertained false forms of myself, obsolete deities, in this garden which I gave you to tend. And should you not therefore endure the chastisement of a jealous God?

The Reverend Lloyd G. Jarvey walked through the gate, heavy-footed, his powerful arms not swinging at his sides, but slightly lifted as if appealing. His eyes in the thick glasses had a fixed expression.

But then I am not wholly displeased with you, my daughter. You have reminded me of myself. And what if I should now return, and forgiving you for this evil knowledge that you have acquired, should supplant your mortal lover, and in my infinite power and mercy, take back to my own breast the erring daughter?

Only for God and the gods, the most beautiful mortals.

And if then I should find you here hiding in the garden and hugely should come upon you, and you should stand before me with eyes averted, beseeching my forgiveness and admitting your guilt, and you should stand before me in the stolen garments (but I know your white flanks and the little applefirm breasts tilted for love), then might there not be for you a majestic revealing of Godhead? Then, o, then, might there not be for you the hard, bluff strut and the bullgreat weight of . . .

Preacher Jarvey was standing at the base of the brick house. He saw clearly the clumps of columns supporting the roof of the verandah, and beyond that a dull red mass of walls. He breathed heavily; his breast swelled up as if it would burst with the anguish of a wish that had no name. This wish tore him with fury and anger; he opened his mouth as if to give voice to it.

A sound pierced his ears, at first muted and reedy, then swelling to a trumpet blast and ending in a harsh wail of amorous fury. Male laughter volleyed. Feet scuffled. A gate creaked.

In confusion, Preacher Jarvey turned and ran. Along the path of his flight the garden started into life around him. Naked women with sightless eyes stood suddenly from nooks of shrubbery. Blurred shapes of bulls, archers, chariots formed and faded on waves of lawn.

Harried by scurrilous laughter and scuffling feet, he ran through the gates and stopped in the road. The noises had lessened to a murmur. He peered at the garden from which he had just been driven in confusion. What had he come to do there?

Once more dull fury burned in his chest. Against the old walls of his blindness a thousand stridulous noises beat, surf of an oceanic world beyond his grasp. He was sad as never before. His breath labored. The hot sun smote him without mercy. He knew the anguish and sorrow of the one god who may not be loving of beautiful mortals.

Now he held his eyes up to the yellow light that blazed directly above him. It entered him with splendor, destroying all vision but itself. It poured hot gold and frenzy into his breast. He staggered west, incarnate with a radiant god. . . .

. . .

—Jupiter is his name, Mr. Jacobs said in answer to the Senator's question. Won first prize at the State Fair last year.

—Young? The Senator asked.

—Just a boy. Three years old.

The Senator and his entourage had stopped for a while in Mr. Jacobs' front yard. Now they walked past the barn on their way to the bullpasture.

—John, the Senator said, raising his voice and spreading abroad his eloquent arms, were it not for my obligations to the people, I should have asked nothing better than to be a tiller of the soil of Raintree County. What better life is there, gentlemen, than that of the simple farmer? Who is closer to God than he who gathers by his toil the fruits of the earth? Sturdy, honest, industrious, independent, the farmer is the backbone of the Republic. Without his matchless virility, how many of her wars could America have won? Without his manly valor, what freedom would she possess?

—And without his manifold vote, the Perfessor said, catching up from the rear, what President has she ever elected?

He took a flat bottle from his pocket as he and Mr. Shawnessy fell somewhat behind the others.

—Your farmer, he said, is a poor brute. But I acknowledge his usefulness. Without him there would be no corn. Without corn, there would be no corn whiskey. And without corn whiskey, there would be no sacred frenzy.

The Perfessor put the bottle to his mouth. Mr. Shawnessy watched the antic, tall figure tilted against the green earth.

—I trust you all perceive, the Perfessor said, catching up with the Senator, the object which I hold in my hand. It is, as you see, a bottle, a plain, ordinary, everyday bottle. But this bottle, friends, contains the wonderworker of our age. Here, Senator, have a slug of this.

—To please an old friend, the Senator said.

He lipped and pulled.

—My God! he said. Is this the stuff they fuel the Muse with?

—The Heliconian fount, said the Perfessor, whence all my verse proceeds.

The bottle went around and came to rest in Mr. Shawnessy's hands.

—First liquor I've touched in months, Mr. Shawnessy said. The good ladies of Waycross are teetotalers, except for the annual vintage of the dandelion.

He tasted sun, noon, and the summer earth. The cornjuice throbbed slowly through him as they turned east beyond the barn and started down a lane running parallel to the National Road.

—Well, where's this bull, boys? the Senator said. I haven't seen a heifer heeled since I was a kid. Whose house is that?

—Mrs. Brown's, Mr. Shawnessy said.

The lane led them straight toward the round brick tower of Mrs. Brown's house.

—Good corn crop, the Senator said. Kneehigh by the Fourth of July.

—Mooooooooooo—uh!

The white bull had seen them coming and had made a cry half-human with rage and desire.

—Jove, he's big! the Senator said. I trust that fence is strong. He might be a Democratic bull.

Male laughter volleyed. Feet scuffled. The crowd stopped at the long plank gate giving on the little bullpasture wedged into the corn-fields next to Mrs. Brown's yard. Dense shrubbery and trees concealed all but the top of a brick tower. Apart stood the Perfessor and Mr. Shawnessy.

—Jupiter! the Perfessor said. A classic bull. But where is Io?

Mr. Jacobs and another man had stopped at the barn, and were presumed to be bringing up the heifer.

—He reminds me of someone, Mr. Shawnessy said.

—'Tis a senatorial bull, the Perfessor said. Judging from current models, it hath the congressional cut.

The corn was an ocean of softly brandished arms, in which, is-landed, the bull was a great strength formed for love and strife. From tight rump to mounded shoulders brutely propulsive, he stood, love-tortured, staring at a world without depth.

—Maybe, said Mr. Shawnessy, he remembers his epic past, the white flanks of the beloved of Minos—that was a sweet begetting—or Europa, who bestrode his shoulders, and her naked calves teased his little pricked ears, or Io, whom ox-eyed Juno envied. Argos of a hundred eyes couldn't prevent his jovial rage. Does he know that he was Dionysus, god of the wineborn frenzy of love and creation? The celebrants hung garlands of flowers on the thick column of his neck; he walked like a man on his hindlegs. He was not always a prisoner in barbed wire where love is rationed to him in brief allot-ments while lecherous mortals lean on the gate and laugh. He was a god once and loved a beautiful mortal. . . .

.   .   .

Rear protrudent, the Widow Passifee was at the back of her yard, cutting away a load of flowers with her yardshears. Colossally volup-tuous in a white dress, she bulged silently on Preacher Jarvey's vitre-ous world still stricken with the sun.

Mrs. Passifee's yard had none of the studied formality of Mrs. Brown's. It was tangled and frenzied. The old picket fence surrounding her little frame house sagged with unpruned vines. The outhouse behind was both visible and odorous.

—Sister Passifee.

She squealed and whirled.

—Brother Jarvey! You plumb frightened me.

He glared fixedly at her broad, heartshaped face, green eyes, young wide mouth, small pointed chin. She was flushed in the noonheat. Her neck and the white roots of her breasts were shining with sweat. Her arms were full of torn flowers.

—Won't you come in, Brother Jarvey?

—I will, Sister, I will.

He followed her into the dark cool parlor. She started to put up the shades, which were drawn to within a few inches of the sills.

—Just leave them drawn, Sister. The light hurts my eyes.

He sat on a horsehair sofa and closed his eyes. Instantly, his inward vision swam with golden splendors, splintering afterimage of the sun. Women with great white glowing limbs and golden hair stood in nooks of green, twisting ropes of flowers.

—Make yourself to home, Brother Jarvey. It's hot, ain't it?

—It is, Sister.

She bit her lip and studied the floor with a frown.

—Maybe you'd like a little refreshment. To cool you off.

—As you please, Sister.

A waning gold gilded a garden of clipped lawns, beds of tossing flowers. Flinging their golden hair, whitebodied, with musical cries, the bare nymphs ran.

Returning, Mrs. Passifee had a stone jug from the earth-cellar. Clear yellow wine guggled from stone lips. She filled two glass tumblers.

—Just a little dandelion wine, she said. Practickly no alcohol in it. It'll cool you off. If you don't mind.

For answer, Preacher Jarvey leaned forward, picked up a tumbler, drained it.

He leaned back again and closed his eyes. There was a sharp sweet taste in his throat, of summer lawns, of the sunwarm faces of dandelions.

—Goodness! Mrs. Passifee said. You drink fast, Brother Jarvey. Giggling nervously, she filled up his glass on a little table beside the sofa and then sitting down beside him sipped at her own.

—It *is* good, she said. A body's a right to a little nip now and then on a hot day, don't you think?

For answer, Preacher Jarvey leaned forward, picked up his tumbler, drained it.

—Goodness! Mrs. Passifee said, filling it up again.

She studied her glass.

—I got news, Brother Jarvey, she said. I mean about him and her. Something that happened last night. Be perfectly frank, I don't think we had much to go on before. But if you really mean to accuse 'em of sinnin' together tonight, why, I seen something that will int'rest you.

—Sister, he said. You may speak to me without reservation. Don't let your feminine delicacy prevent you from givin' a full story of what you saw.

—Well, she said, putting down her glass, he come past here about seven o'clock in the evening, and he had a sheaf of papers in his hand. He turned in at the gate there and went up to her house. I could see plain from the corner of my yard.

—Yes, the Preacher said.

A sweet sadness throbbed in his veins. Sipping the cool wine, he leaned back and shut his eyes. Blood of the dandelion drenched his throat.

—He went up to the house there, and they was there all evening. I come out to my gate again and again, and I knowed he hadn't left. They was no one else in or out of that there gate all evening. They was hardly any light at all in the house—I know because I walked down the road once to see more clearer, and they was only a little low light burnin' in a front room. I says to myself, I bet I know what's a-goin' on in there.

Preacher Jarvey felt his hand squeezed. He opened his eyes. The Widow Passifee was talking fast. Strands of loose yellow hair had fallen around her heatflushed cheeks. Her eyes glittered, and her wide young mouth made sounds that were husky and musical.

—Of course, I hadn't no proof of it, she said. Just what I suspicioned. But a course I never dreamed what was a-goin' to happen.

Well, it was about eleven o'clock at night, time for any selfrespectin' body to be in bed, and I crept up to her fence and got in among some sumac bushes that was right by the fence so's I could have a good view of the house. I was even figgerin' maybe I might climb over and see if I could have a real good see. I guess curiosity got the better of me. But just then, I heard their voices, and the front screen opened and shut, and here come Mr. Shawnessy walkin' down off the porch, he never looked back once but just went right down the path and out into the road and toward town. I was just about to climb out a there and go home myself when I seen it.

The Preacher filled his own glass and the Widow's from the jug. Heartshaped, the wide face of Mrs. Passifee was very close to his own. His thick lenses were washed with yellow waves of light. He watched her soft mouth trembling with excitement.

—Go on, Sister, he said.

—So then there I was ready to go, when all a sudden I heard the screen door open again—mind you it wasn't ten minutes after he'd left—and all a sudden here *she* come right down the steps of the verandah and out on the lawn. Well, she was nekkid as the day she was born. Her hair was all let down. The woman's plumb crazy, I said to myself.

—Praise the Lord! the Reverend said. Go on, Sister.

—She was just a little slim thing, hardly nothin' to her, compared to a woman like me. Well, she took out and begun to run around the lawn and to throw back her head and dance. She went here and there all over the yard and threw up her arms, never sayin' a word or makin' a sound. It was warm or she'd a caught her death a cold. After a while she run to that there fountain down in front a the house where them two nekkid children is and stepped right down into it. She's goin' to drownd herself, I says. But no, not her. She puts her face right up in the spray a the fountain and stood right there and let the water run over her nekkid body. She looked jist like a statue, Reverend, white and still in the starlight. There I was—not more'n twenty feet away, a-layin' there sweatin' and scared I was goin' to make a noise. It was so close I could see a birthmark she had on her body. Then she ran out on the grass again, her body a-shinin' from the water, and she run and threw herself on the grass and rolled back and forth like a child, and then she begun to cry or laugh, I couldn't tell which, and then there was some kind of a noise from that field next to her place where Bill Jacobs keeps that big bull a hisn, and she heard it, and she jumped up and run like she was shot up to the house and went in.

—Sister Passifee, lust is a dreadful thing! O, hit is a terrible thing! Praise the Lord!

—Praise the Lord! Sister Passifee said, sipping thoughtfully at her glass and allowing the Preacher to squeeze her hand.

—Sister, the Lord means for us to chastise these errin' creatures. But let us not be too hard on them, Sister. Judge not that ye be not judged. A man may be tempted by too much beauty, Sister, and the Devil may rise in him. Alas, I have known what it is to sin, Sister.

—Me, too, Sister Passifee said, sipping thoughtfully. More wine, Brother Jarvey?

Brother Jarvey's eyes were closed. He was beginning to wag his big head. His voice had become loud like a horn, monotonously chanting.

—Let us pray for these sinners. They were sore tempted, Sister, and they sinned. Down on your knees, Sister. Hosanna!

—Hosanna, Sister Passifee said, obediently going to her knees. Maybe you can't blame 'em too much. Sometimes it's pretty hard to resist the Devil.

—Let us pray, Sister, the Reverend said, dropping to his knees before her and winding his arms around her.

Sister Passifee nestled meekly in his embrace.

—Lord, you have placed this poor weak woman in my arms, Preacher Jarvey said. What shall I do with her?

—Just go on and pray as hard as you want, Brother Jarvey. My daughter Libby's down at the school and nobody'll bother us.

—I lift up my eyes unto thy hills, O Zion, he shouted.

His eyes, opening, perceived the triumphant twin thrust of Sister Passifee's bosom in the white dress.

He felt a momentary sadness that left him stranded and deprived of strength. He waited. Thin sap of the earth smitten into bloom by the sun flowed in his veins, a soft fire. He closed his eyes.

An island of white sands and trees darkfronded enclosed his vision. A tall stone column stood in Cretan groves, and the young women gathered at the base to pelt the shaft with petals. Light hands and flowery lips made adoration and ecstasy at the base of the column in Crete.

The hour has come. Lo! it is here! Now I will prepare for the feast. I will make myself known unto you. It is the joyous noon, and the celebrants dash flowers and wine on each other's faces. Naked, they run on Cretan lawns. They do not know that the god himself is waiting in a green wood. His large savage eyes have selected the whitest of the nymphs, whose lips are wet with the wine of festival. He shrugs and lowers his wrinkled front, the loose folds of his breast are shaken with desire. He rakes the ground with great feet. He is amorous of the most voluptuous nymph, her of the twin disturbing hills. He has remembered his ritual day, the noontide rites of the wine, the flung flowers, and the shaken seed. He is approaching, he will make himself known in the form of a . . .

. . .

—Bull is worth more than man in the sum of things.

The Perfessor lit a cigar and leaned on the fence, looking over at the white bull with a happy expression.

—Where's this heifer? the Senator said. Let's have some action around here.

—The Greeks, the Perfessor went on, addressing his remarks to Mr. Shawnessy, were right to make a god of bull. Christianity debased God by making him a grieving and gibbeted Jesus. Fact is, man may well envy bull. Bull is pure feeling, has no silly moral anxiety, exists entirely for the propulsion of life.

—Bull doesn't know love, Mr. Shawnessy said. Look at him. He's just a phallus with a prodigious engine attached.

—Love? the Perfessor said. What is love? Why, John, your bull is your perfect lover. His sexual frenzy is much stronger than man's. Man's a popgun to him.

—Love is moral, Mr. Shawnessy said. Passion's a form of discrimination. From among a thousand doors, it chooses one. There's no great love without great conscience. But your bull's no picker and chooser. To him, one cow's as good as another. *Jupiter erectus conscientiam non habet.*

—Let's have some action around here, jocundly bellowed the Senator. Where's this heifer?

—It's true, the Perfessor said, that love and sex desire have nothing in common. The sex impulse is a vicious appetite like hunger. We brought it with us out of the jungle and put some clothes on it, that's all. In its pure form, i.e., anywhere below the human level, sexual congress is always a criminal attack. The female of the species is coerced with hooves, claws, horns, and anything else necessary. The male's bigger for a good reason—he has to whip his snatch before he can have it. The female submits, hating it. Wolves love snarling, cats clawing, horses biting. Female spiders eat the male after the sex act, to get even. All mammals without exception use their teeth when they love. The human kiss, that remarkable perversion of Nature, is descended from the love-bite. By the way, did I ever show you my scars?

The Perfessor shook soundlessly.

—Bring on this heifer, the Senator said. Professor, how about another drink?

The Perfessor obliged by passing his bottle up and down the fence.

—As for love faithful unto death, and so forth, the Perfessor went on, all that's a late development in the human race. It's derived not from the sex act but the mating impulse. The only unselfish love exhibited by Nature in her unspoiled—i.e., non-human—form is that shown by the mother for her child. She attaches the male to her during the family period not because she loves the big tramp but because it helps provide for and protect the babies. From the softening influence of mother love transmitted to the male offspring come all the noble passions of mankind—tenderness, devotion, fidelity, glorification of the love object, and so on. In short, romantic human love is an invention of the ladies.

—To the ladies, then, Mr. Shawnessy said gallantly, God bless them. For the garden they have made and adorned with their hands and in which you and I are permitted to wander.

—I've enjoyed my picnics in it, the Perfessor said. But I've never found sexual chastity one of the requirements for admission. It's only necessary that the park be beautiful. But let's not have any gatekeepers. Nature doesn't award any blueribbons to chastity. The prizewinning bull of Raintree County is a bastard and a begetter of bastards. Look at the beautiful flowers. They are all bastards. All the beauty in the world was made by Eros, who is blind.

—Professor, you're a poacher in the human garden. To you this great preserve is like the king's park in which the deer are all alike and fair game. There's nothing in Nature to forbid you, but you haven't made the most delicious of all discoveries.

—And what is that?

—That the human garden in which one wanders is occupied by only one other person, that good and beautiful and passionate and faithful woman to whom we all aspire. In her, we rediscover Eve and regain Paradise.

—How many Eves have you been Adam to?

—One Eve in several reincarnations.

—I suppose, the Perfessor said, falling amiably into his vein of self-criticism, that I have known too few good women.

He looked shrewdly at the top of the brick tower standing above the iron fence and narrowed his eyes.

—Matter of fact, John, he said, I have known in my time the wildest assortment of bitches that God in His wisdom ever permitted one poor old boy to be bullied withal. But I have no regrets. They were gallant girls all. I loved them all as hard as I could, and I refuse to make any distinction between them and the so-called good women. To our immoral part and our only path to immortality, each one was just the happy valley where the wandering one came home.

—It's about time! the Senator said.

Raintree County's prize bull raised his head and peered at a festive procession.

Mr. Jacobs and another man were bringing a pretty brown heifer down the lane. The men began to talk in hearty voices. The Perfessor produced a fresh bottle, which went up and down the fence and came back empty.

—I wonder, the Senator said, if she has any idea what's going to hit her.

He passed out cigars, and all the men lit up and smoked. Mr. Jacobs opened the gate, and the other man led the heifer through, retaining his hold on the halter.

The great white bull watched the intruders. He pawed the ground.

—He's getting up steam, the Senator said.

—The contestants will please take their respective positions on the playing field, the Perfessor said, taking out his notebook. Spectators are requested to hang on to their hats.

—Here we go! the Senator said.

SENATOR JONES GUEST AS STOCKBREEDERS HOLD MEET
ONLY ONE LADY PRESENT

(Epic Fragment from the *Cosmic Enquirer*)

The Raintree County Stockbreeders Association today held a meeting at which the Hon. Garwood B. Jones was the guest of honor, sharing the limelight with . . .

A great white bull, eight feet tall, walked on his hindlegs like a man, stabbed the air with blind hooves. Guttural shouts shook the fence. The Senator's cigar fell from his mouth. The heifer staggered. . . .

. . .

Squealing delicately, Mrs. Passifee upset with a motion of her arm the little table next to the sofa, and looking sideways watched the stone jug and two tumblers scatter on the floor.

—It's all right, she whispered. Nothing's broke but one of the glasses.

Preacher Jarvey made no reply. His brows were bent into a majestic frown.

Listen, I am the god. I was waiting in a cavern of this island. From among all the vestals, I select you. Do you run from me, little frightened sacrifice? Do you hear the thundering hooves of the god behind you? Do you feel the hot breath of the god on your slight shoulders? Listen, I hear your cries, your virginal complainings. Our island is small, and you cannot escape me. You shall be made to feel the power of the . . .

—Lord help me! Mrs. Passifee sighed resignedly. I'm a poor weak woman.

The Preacher said nothing, but closed his eyes.

Who can love god as god would be loved? Only the most beautiful of mortals. Only the most tender and compliant. But who can love god as god would be loved?

—Sakes alive! Mrs. Passifee said, gasping for breath. You're a strong man, Brother Jarvey.

O, I remember how they reared the great stone shaft in the sacred isle. I remember the sweet assault of all the unwearied dancers. Pull down over the column garland after garland of flowers. Wreathe and ring it with tightening vines. Dash wine and the petals of roses against it. Dash it with waves of the warm sea.

Even the god shall enjoy the pastime of mortals. Great is his rage, he is tall in his amorous fury, goodly Dionysus. Bring grapes, he tramples them, raking the ground with his horns. Let him forget that he is god, goodly Dionysus. Let him be only desire on the peak of fulfillment. Let him be only feeling and fury in doing . . .

. . .

—The act of love, said the Perfessor, leaning on the fence and watching intently, bottle in hand, is an extraordinary thing. At such times we are like runners passing a torch. We pant and fall exhausted that the race may go on.

—Gentlemen, the Senator said, his mouth open, his cigar dead between his lips, I am reminded of my youth. How often does he get to do this?

—Not as often as he likes, I can see that, the Perfessor said.

—Listen to her squeal, the Senator said. Christ, wouldn't you hate to be a woman!

—Pull him around again, boys, the owner of the heifer said.

He held the bawling heifer steady, while three men struggled with the bull, who reared blindly and kept falling clumsily and jarring his jaw on the heifer's back.

—Help 'im there, Bob, Mr. Jacobs yelled.

—I'm tryin' to.

—Pull 'im around, Pete.

—My God, the Perfessor said, the old brute's a terrible artist.

The four men, the heifer, and the white bull sweated, struggled, shouted, panted, heaved under the noon sun. The bull was like a hero betrayed. His noble strength had been tricked into this mortal weakness. Now he was beset by pestering inferior creatures who used him according to their own designs.

—No wonder they gave him first prize, the Senator said.

—I wonder if he'd trade with me, sight unseen, the Perfessor said.

—I feel sorry for them, Mr. Shawnessy said. But they don't seem to mind our watching. I suppose it's only human beings who make love in secret.

—We miss a lot that way, the Perfessor said. It's part of the great human denial of origins. We prefer the dark. But in our beginnings, like the gods we made love by day. Noon is the best time for it, high noon, in the drench of the sun. Let all the world behold. What cares bull! *Io Hymen Hymenaee!*

—That ought to do, Mr. Jacobs said, after a while, shoving the bull down. Think that's enough, Jim?

—Should be, the man holding the heifer said.

They talked like two businessmen discussing an order of feed.

—Are they kidding? the Perfessor said. I predict quintuplets.

Mr. Jacobs opened the gate, and the heifer's owner pulled her through. The white bull followed and, in spite of blows, reared at the whole struggling mass of men around the gate. The gate was shoved to in his face. He nudged it with his horns.

—He looks sad, the Perfessor said.

—So would you, the Senator said, if you knew that you might have to wait weeks for another piece. Well, that was some show, Bill.

All the men walked slowly down the lane except Mr. Shawnessy and the Perfessor.

—Behold! the Perfessor said, leaning on the fence, life's a great white bull, beating itself to love's ecstatic death.

He looked sharply up at the tower protruding above the iron fence and the trees of Mrs. Brown's garden.

—A face at the window, he said. Naughty girl.

Mr. Shawnessy, who had also noticed the face at the window, lingered indecisively.

—There she is, the Perfessor said, immured in her private garden, watching from time to time the love-frenzy of a bull. What has humanity gained by putting the bull in his pasture and Evelina in her tower? Have you ever stopped to think, John, that the progenitors of mankind were once all amoral like the bull? Today we cluck with horror at the degraded hillfamilies down South because father consorts with daughter, brother with sister, and the hired man with grandma. Yet the human race was all once more degenerate than these trolls and troglodytes. They were filthy, they were incestuous, they were lousy. They lived contentedly in their own muck. From that universal sink came every man and woman living today, king and commoner, president and prostitute. Our own little Evelina is the product of God knows how much violence, incest, murder, rape, pillage, an incredible history of the corruption called life extending back to the first cell in the dawn slime. Strip away her dress and let down her hair, knock the nonsense of feminism out of her head, unlearn the letters in her brain, and what do you have? A healthy little she-ape of a hairless sub-variety.

The Perfessor shook soundlessly.

—Make a damn cute pet too, he said.

—But what an achievement! Mr. Shawnessy said. In her tower, Evelina has risen above the muck of the Great Swamp. It cannot, will not reclaim her. From her tower, she looks down on a garden of classic alignments. She has achieved beauty—and some of the sadness that goes with it. Perhaps she knows love there too, love which gives her the world. From her tower, she exercises all the dearly bought feminine virtues. She can be tender and sad and piteous. She pities bull, who pities not himself. She pities Professor, who is loveless and forlorn. This feminine pity, this love, she fixes as a beacon there at the top of her tower. This light must not be extinguished, for it equals the sun.

—Do you know, John, the Perfessor said with his usual candor, I think I'm in love with that woman. Now, tell me, what do I love?

. . .

A lady in the window of a tower looked steeply down at two gentlemen slowly walking away from a bullpasture, leaving a white bull stupidly standing. Walking on the National Road, a senator with an entourage of farmers and hangers-on entered the shade of the town, sauntering slowly. Somewhere in town, a band played martial airs. She had not yet returned into herself. Through her window she had been possessed by sunlight. She had been smooth and grassed like the lawn beneath her and rounded with delicious hills. She had run naked in the wondrous garden of herself, had known wild passions, excessively visual pleasures. And still her lover went down bright lanes of her garden in noontime, and shook down on the ticklegrassed lawn a rain of blossoms.

EVELINA'S DREAM

Her garden was very dark now. She was standing like the other nymphs in an ivied recess, a special one near the front of the lawn, with a fountain playing on her body. At her feet bronze figures of a man and a woman were all interlaced with each other among the lily stems. Lonesome, faroff was the sound of the train, for everyone had gone and left her alone with her statues and the vague balls of shrubbery on the lawn. Now at this lost late hour of the night, might she not conjure up her beloved by an old enchantment! Warm water gushed over her as, with a slow bending leap, she sprang from her pedestal and began to run on the lawn, with gestures of conjuring.

Somewhere in the darkness there was a sound of something coming, a fabulous beast—perhaps the unicorn with a wondrous white body and a single great horn in the middle of his head.

She was running up the steps of her house, laughing and sobbing together. She was running up the circular stair of the tower while someone followed her. She was running, fearing that she might awaken before she reached the place of rendezvous, then turned to accept this strong, white-muscled visitor, this father and preserver, eternal triumpher and maker of legends. . . .

. . .

—God, said Mr. Shawnessy, is the object of all quests, and love is the desire with which we seek Him.

—I have been winding through the labyrinth, lo! these many years, the Perfessor said, as they came out on the National Road, and my clue has led me to the Answer. God is a Minotaur, who demands the blood sacrifice from us all.

Mr. Shawnessy saw his two oldest children, Wesley and Eva, standing with Libby Passifee and Johnny Jacobs, peering into a front window of the Passifee home. As he watched, they all turned and ran through the gate to the road. He stopped, waiting for them. They looked startled and shy.

—Hello, children. Oughtn't you to be at the school?

—We came home with Libby for a book they were supposed to have for the rehearsal, Wesley said.

They went on rapidly toward town. Mr. Shawnessy saw no book.

—The Answer, he said, is in us, around us, everywhere. The Answer is every moment of ourselves. The Answer is a single unpronounced and unpronounceable Word, that could at one and the same time denote everything and connote everything.

—Sometimes, John, the Perfessor said, your reasons are better than reason. What's next on the program? Must be after twelve.

They were entering the shade of the town. In the middle of the distant intersection, several men in blue coats and queer hats were awkwardly milling around.

—The G.A.R. Parade is forming up there, Mr. Shawnessy said. As soon as General Jake Jackson shows up, we march, and then we eat.

—Fine, the Perfessor said. I have the devil's own appetite. I've seen a cow climbed, and now I want to fill my belly. After that, maybe I can see somebody killed. Thus in a single day, I shall have participated in the three main pastimes of man, fluting, feeding, and

Fighting for Freedom

FROM SHILOH TO SAVANNAH

is the name of the goddam thing, the General said. I happen to have a few hundred pages of it stuffed into my coatpocket here, Shawnessy, and if you have a little time, I'd like to have you glance it over and tell me frankly what you think of it. There you are.

—Thanks, General. Be glad to look at it.

—By the way, you were in the War, weren't you? the General said.

—Yes, Mr. Shawnessy said.

He and some fifty other members of the Raintree County Post of the Grand Army of the Republic were standing in a shapeless mass at the middle of the intersection, waiting to form ranks and march down to the Schoolhouse for the outdoor banquet. General Jacob J. Jackson, Raintree County's outstanding military figure, a hero of two wars, had arrived in Waycross only a few minutes before to lead the march.

The General, a hearty man in his middle sixties, was a little shorter than Mr. Shawnessy. Broadshouldered, deepchested, he was built like an athlete except for the hard bulge of his belly. Freeflowing gray hair fell thickly from his thinning dome to lie upon his shoulders and blend over his ears into the great ball of a beard. Out of this beard his voice blew like a horn of cracked brass, having no variations in pitch or volume between a hard bray and a hoarse whisper. The General was now standing in one of his characteristic postures, arms folded over chest, head thrust back, left foot forward. One could see the bulge of his right calfmuscle in the army trousers. His small blue eyes glared. The muscles around his cheekbones twitched as if under his beard the General were gritting his jaw teeth. A dress sword and two Colt revolvers hung from his belt. He held a broad Western hat adorned with military cord.

The General made everyone else look like a supernumerary. Most of the other veterans were in uniform too, but only the General seemed clothed in heroic dignity.

—I'm a practical man, the General was saying, a man of action, and I hate like hell to write.

—For a man who hates to write, General, you've ground out a lot of copy in your time, Mr. Shawnessy said. Let's see, how many books is it now?

The General's chest swelled, and there burst from his throat a series of distinct hahs, of exactly the same timbre as his speaking voice.

—Well, let's see, he said. I began with *Fighting for the Flag,* and followed it up with *Memoirs of a Fighting General.* Then there was *Four Years at the Front or Fighting for the Cause* and of course *A Fighting Man's History of the War in the West.* I've also done that series called *Fights I have Fought from Chapultepec to Chickamauga or Tales of Two Wars.* Then, there's that goddam thing my publishers have had me doing called *Fifteen Historic Fights from Marathon to Manassas.*

—I hadn't seen that one, General, Mr. Shawnessy said. I didn't know you went in for the European battles.

—Once you understand war, the General said, one goddam battle is like another. By the way, it's time to march, isn't it?

—Just about, Mr. Shawnessy said. I think the band's about ready.

—Fall in, boys! the General barked.

A little sheepishly, the veterans formed in a column four abreast. Senator Jones stood in the front rank. Mr. Shawnessy stepped unobtrusively into the last row with other men in civilian garb. The General strode strongly to the head of the column, took a stance twenty paces behind the band, and drawing his sword shouted,

—Ready, boys! Column, Harch!

The cracked brass of the command set off a series of explosions from the horns, unsynchronized at first, and then acquiring a noisy pattern that Mr. Shawnessy recognized as the 'Battle Hymn of the Republic.'

He marched briskly with a shortened stride, walking as he never walked in ordinary life and as he seldom had in the Army. His arms swung stiffly. His chin jerked. A troop of small boys marched much more smartly alongside. One of them tossed a lit firecracker into the middle of the veterans' column. A half-dozen men broke ranks, and the whole column lost step and alignment at the explosion.

—Hi, Grandpa! a boy yelled. Playin' sojer again?

Mr. Shawnessy kept his eyes front. The column soon reached the schoolhouse yard, turned in, and marched to a position in front of the banquet tables, which had already been set with plates of food.

—Column, Halt! brayed the General. Fall out for mess!

Professor Stiles, Mr. Shawnessy, the General, and Senator Jones took their seats in that order from left to right, facing west at the main long table, reserved for the veterans. Since for some reason the Reverend Lloyd G. Jarvey hadn't turned up yet, a visiting minister was called upon to say a grace, and the meal began.

—Let me see, Shawnessy, the General said, I don't seem to remember your war record. You *were* in the big fight, weren't you?

—Yes.

The General brandished a drumstick and bit bigly into the bulge of it. His teeth, still strong and white, cut cleanly to the bone.

—Goddammit, the General said, those were the days. The Nation had some guts then. I've never been as happy since. What fights were you in, Shawnessy?

—I fought in your corps, General.

—The hell you did! the General said.

His teeth crushed the big end of the legbone for the marrow.

—Say, then, you'll enjoy reading this book. The whole history of our corps is in it. Everything. Shucks, Shawnessy, don't you long sometimes for the old Army life? I tell you, this generation lacks sand. Hell, if they had another war now, we wouldn't have enough Army to defend Raintree County. Say what you will, goddammit, those were good days.

Mr. Shawnessy looked up and down the table. The fifty veterans were talking soldier talk, reviewing battles, marches, incidents of camp life, reciting names of dead comrades. The words and emotions of 1865 were a little tattered and faded like the blue uniforms that covered the aging bodies of 1892. He was reminded of the collection of Civil War books he had bought at secondhand a few years before, of the sonorous titles, the pomp of language, the repetition of

once memorable names and phrases, but all on yellowing pages in gilt
bindings.

Mr. Shawnessy looked at the General's manuscript lying on the
table. These words too would find their way into thousands of American homes and go sifting down from generation to generation, on
yellowing pages, until they dropped at last into the deepest vaults of
the biggest libraries and at the bottom of the pile in a back room of
the secondhand bookshop. Like a hundred million other words
written about the Great War, they were not great words. Yet they
were steeped in the sadness of the greatest of all wars; they were the
costumed, pompous words in which the War had become an epic in
the Republic's memory. Intuitively, Raintree County's soldier-general,
a man of practical energy and profane tongue, had put on the mantle
of the grand style. He did it as well as a thousand others who had
written books about the Civil War.

Mr. Shawnessy ran his eyes over the first page:

OFF TO THE WARS
(Epic Fragment from *Fighting for Freedom*)

. . . Who can forget the simple pageantry of the enlistment ceremony and the strong pride that animated the patriot's breast as he
swore the oath to preserve and defend his country's honor! Who will
forget his last day of civilian life, his leavetaking for the wars! Perhaps his final memory of the old life was a mother's face at parting,
wet with tears, perhaps the memory of a girl who promised forever to
be true, perhaps the strong hand of a comrade in his own, the pat on
the shoulder, the wordless wish that he might return soon and safe
from battle. But whatever the manner of his going, go he must and
go he did, for . . .

—Goddammit, Garwood, the General was saying to the Senator
on his far side, we're countin' on you to put some guts into that next
pension bill.

—Jesus, Jake, we already let more blood from the taxpayer with
those pension bills than the Army gave on the altar of Freedom.
However, you can assure all my old comrades-at-arms that I won't
let 'em down. Do you think the Army is solidly behind Harrison?

—No one can deliver the G.A.R. vote, Senator, but the boys were
pleased by the last pension act.

—The General's still fighting a good war, the Perfessor whispered to Mr. Shawnessy. I suppose in time of war, the Republic needs these muscular bastards, but they're an expensive luxury in peacetime, with campaign medals on their tits and pension bills in their mitts. Every cowardly finagler who managed to get his name on the rolls can live forever on a fat pension—and his widow and his orphans. The heroes of the Republic! And half of 'em never got any closer to the front than the cathouses of Louisville. It hurts when you think that boys like you fought, bled, and squittered from Chattanooga to the Sea, and now you get less than some guy who did his combat duty in a brothel and earned a lifelong disability pension for a case of the clap.

—Well, it was all part of the War, Mr. Shawnessy said. The Republic is generous. After all, the War was more than a big fight. It scarred us all, one way or another.

—By the way, just how much combat did Garwood see?

—He was a Copperhead till after the Election in '64. Then with the issue of the struggle no longer in doubt, he bared his breast to the sleet of battle—five hundred miles behind the lines. He whipped up a volunteer regiment and sneaked out with a colonelcy—and a conspicuous absence from all major engagements.

—Shawnessy, the General said, turning around for a moment, have you been in Indianapolis lately?

—No, sir.

—I've clean lost track of the Monument there. How far along is it, anyway?

—A year ago, the State Legislature appropriated another hundred thousand dollars, and I guess that heaved the shaft a little higher.

—I hardly been back since the dedication ceremonies, the General said.

—What monument is this? the Perfessor said.

—The Soldiers' and Sailors' Monument in the middle of Indianapolis, the General said. The only memorial in the world erected to the private soldier.

—I had a humble part in getting it started, the Senator said.

—How high is it? the Perfessor said.

—It'll be over two hundred and eighty feet, the General said, counting the puss on top. Greatest monument in the world.

—They'll have to hurry it up, the Perfessor said, or the generation that sees it completed won't remember what it's for. In this country, we're always about fifty years behind in our monuments. Just a plain shaft, or ornamental?

—Ornamental as hell, the General said. You've seen the plans, haven't you, Shawnessy? As I remember it, they'll have a Peace Group on one side with a great big gal about a hundred sizes bigger than real in the middle holding up a flag. A lot of symbolic figures will be grouped around her—a farmer, a blacksmith, a veteran, and a dinge at her feet holding up a busted chain. Another woman is floating through the background shaking a wreath and an olive branch, and the sun is rising way in the back. On the other side is the War Group. I helped plan that one myself. In the middle is a female with a torch in her hand, and all around her are men dying, shooting, dead, a guy on a horse behind with sabre raised, guns, a broken drum, horses' heads, and a woman flying in the background with a flag and a mittful of arrows. Say, just one of the soldiers in that group is as high as this schoolhouse. We tried to crowd every typical figure of the War into that tableau and damn near succeeded.

—How about a private squittering and a Chattanooga whore? the Perfessor asked mildly.

The General's chest swelled and from his throat burst a series of spaced hahs.

—After all, he said, this is for beauty and the ages. The main entrances at the base are guarded by four heroic-size figures representing the various branches of the armed forces. Then out from the main groups are a couple smaller groups. One is a soldier boy just leaving the homefolks. Paw is sitting on the plow and holding out his hand to the boy, and Maw has her arms on the boy's shoulders, his gun is laying on the ground, and he's just about to give 'er the farewell kiss. Very spirited group.

—I thought that was to be a soldier coming home, the Senator said.

—Tell you the truth, I forget which it is, the General said. You can take it either way. On the other side are three of the boys sitting in the middle of a battlefield, one of 'em wounded. There'll be fountains and cascades and wide stairs leading to the base and a stairway inside that brings you to the balcony at the top.

—You mentioned a lady on the summit, the Perfessor said. Who is that?

—Victory! the General said, shaking his white locks and digging himself a gob of mashed potatoes. Thirty-eight feet tall, but up that high, they tell me she'll look like a kid's doll.

—It makes you proud of the State, Senator Jones said, pulling out all the lower stops in his great organ voice, to think it will have the most impressive shaft ever erected by mankind.

Mr. Shawnessy was thinking of mounds beside the river, forgotten battlegrounds, and cities piled on cities. He was thinking of a great war long ago, the young men who fought it, its causes and consequences, the dwindling memory of it in tattered books and broken stones.

Forgotten. Forever lost—memories of a war on the land in ancient days. Forgotten—faces of bearded boys, hellraisers, hard marchers, the anonymous architects of History. Forever lost.

But I will build a monument to the private soldier greater and more costly than any ever builded by mankind. I will build a private monument out of memories of comrades.

O, stony and stately magnitudes! Immense fragments of myths, simple and strange with the attitudes of an old war. From these, the ten thousand gilded books in which the Republic remembers that it is One Nation Indivisible with Freedom and Justice for All.

Then did you fight in that Great War for the Preservation of the Union and the Emancipation of a Race? Were you South in that long marching? Did you fight in those battles? Were you a soldier and brave?

Now I will go to a place where the roads of the Nation converge like spokes to the hub of a wheel and walk around and around the vast memorial and find the forgotten faces.

They shall be stone! They shall be a hundred times natural size!

And I shall find the face of one who departed from Raintree County in his twenty-fourth year. I shall see the colossal tears of stone on the colossal stone face.

Did he not fight and die in that old war to preserve the Union and free a Race? Did he ever come back again? And who in a thousand days of the years will remember

SHAWNESSY'S DEPARTURE FOR THE WAR
RECEIVED THE FOLLOWING NOTICE IN THE FREE ENQUIRER:

LOCAL BOY OFF TO THE WARS
(Epic Fragment from the *Free Enquirer*)

A large company of friends and well-wishers was yesterday assembled at the railway station to see one of our most promising local boys off to the wars. Young John Wickliff Shawnessy, whose life was recently saddened by a bereavement that has touched the whole community, has decided to rally to the grand old flag and do his part in quelling the hideous hydra of rebellion. Mr. Shawnessy, whose amusing and informative compositions have frequently titillated the readers of these pages, repaired to the railway station at nine o'clock. Most affecting were the farewells exchanged upon this occasion, so that hardly an eye refused the tribute of a tear. The most indurate bosom could not repress a sigh at this scene so oft repeated in these melancholy days, and never was the pathos of parting more poignantly expressed than in the words of Mrs. Shawnessy, the boy's mother, who remarked that a better boy never lived and that this was the fourth son whom she has seen consecrated to the sacred task of preserving the Union. As for us, pained as we are by the sorrow of departure, we can better spare this young Cincinnatus than can the Republic for whose existence, never more gravely imperiled than now, he is girding himself to fight. And we say to him, 'Farewell and hail, brave young heart. Would we could join you in the contest! Raintree County loses for a time a shining citizen. The Republic gains a gallant warrior. Go, and God bless you. Hail and fare . . .'

—Well, well, well! Cash Carney said, coming into the station. So you're going to get into the fuss after all, John! What time does the train come in?

—Any time now, T. D. said.

Johnny was sitting beside Ellen on a bench in the station. The great thing was to cut clean and not to cry. He would simply not think of anything.

—John, you'll have to send us some articles from the front, Niles

Foster said. How does it feel, Mrs. Shawnessy, to have your last son go to the War?

—If they need him, I suppose it must be, Ellen said. Johnny wanted to go.

Johnny didn't look at her.

—I think I hear the train, Cash said.

Johnny stood up and fumbled at his suitcase, but Niles Foster already had it. Everyone stood up around him as if to shield him from something.

—Yes, it's the train, T. D. said, looking nervously through the station window. Well——

Johnny looked at his father's face. The mild blue eyes blinked at him. T. D. rocked back on his heels and attempted a smile.

—John, he said, his voice quavering, here's something to help you out a bit.

It was a twenty dollar gold piece. Johnny wondered how in the world his father had managed to get so much money all in one piece. T. D. blinked harder.

—Now take care of your health, John. Be sure to let them know about your medical experience with me. After this big victory at Gettysburg, I don't think the War can last much longer, and I expect you'll be back to us any time. I take a hopeful——

T. D.'s voice was drowned in clanging. The black body of the train slid past the window and stopped.

T. D. looked around, confused. He held up his hand.

—Let us pray, he said.

Niles and Cash removed their hats. Johnny put his head down, swallowing hard.

—Dear Lord, T. D. said.

He stopped. People were pushing through the door, talking loudly.

—Please bring this boy back safe. Amen.

It was the shortest prayer T. D. had ever given.

Johnny shook T. D.'s hand and, turning, looked at his mother for the first time since they had come to the station.

—All aboard, came the voice of the trainman calling. All aboard for Beardstown, Indianapolis, and parts West. All aboard, all aboard.

With a movement quick like a bird, Ellen Shawnessy pressed her small grieving face against Johnny's and hugged him fiercely. Briefly he had seen her eyes sightless with tears. He held her small body, felt it shaking. He kissed her, getting his cheek wet.

—Good-by, Johnny. And come back safe.

—Good-by, Mamma! Good-by, everyone! he said. I'll come back.

He got his luggage from someone and climbed into the coach. As he sat down, the train started. The station was flowing backward, the platform was passing. He put his face to the open window and leaned out. On the platform stood a tall, fragile man with sparse, whitening hair and a small, bony woman with dark reddish hair, bonnet askew. They waved, smiled, wept, they slipped backward, their faces became indistinct, a green water flowed over them, their forms were smaller, smaller, still waving. Abruptly a block of buildings thrust them from view.

Johnny Shawnessy, twenty-four years old, turned his face to the back of the wooden bench in the nearly empty coach. He wept.

He wept for the farewell that he was saying.

Farewell to Raintree County. Farewell to all its lost horizons in spring and summer, brown roads of peace, broad fields flowing with grass and corn.

Where had the long days gone? It had seemed that they would be forever. But the train passing behind the land at evening had been calling to him all the time, calling him beyond the private square of young illusion. Awaken, it had said. Did you think that you could be a child forever on the breast of the maternal and sustaining earth? Arise to the call of your brothers gone before. Arise, young man, bearing the shield of conscience, badge of your ancient heritage.

And now farewell. The days of blood and iron may give you back again, but it will never be the same. The train will pass at evening and make its wailing diphthong of danger and adventure beyond the great oak forest, but it will never be the same. Where is the thing that you were seeking? Perhaps you have already known and lost it. Perhaps you knew it all the time in the long summers before the War, in the peace of the wide meadows of your home. Perhaps you knew it always in the birdlike swiftness and quick voice of your mother, who was young once on this changing earth called Raintree County. Perhaps you knew it in the devotions of your father, a gentle minister of grace and good. Perhaps you found it in the noisy holidays, election days, Saturday nights, cornhuskings, harvestings, barbecues.

Farewell to that more innocent and youthful Raintree County. And to its lost young hero. For he is there—he hunts the shape of beauty by the river, ignorant of defeat and death.

But farewell, too, a long farewell to a house divided and to the memory of two children, lost in the woods a long time ago.

What is the source of all these tears? They are risen from a secret place, a brackish river drowning in its flood the seeds, cries, tumults of a thousand days. Alas for all that is lost on the human river, the mortal and repentant river!

Farewell! The dispassionate train is chugging through the stations, leaving the land behind. Perhaps you will come back. Didn't you hear the prayer uttered to a just God to bring you home again?

And so farewell to Raintree County, farewell to your great home! Your love was deeper than you knew. The river of your life flowed from a more distant source than you suspected. It rises still, a devious flood between green banks of summer. It is there forever, tracing a prophecy across the earth.

Farewell. These tears dissolve the ancient boundaries. The old words blur and flow. Farewell.

At Beardstown, his eyes were dry. He felt unnaturally calm. By the time he had reached Indianapolis, he might as well have been weeks away from Raintree County. The violence of his emotion at parting had made him free. The memory of the last time he had been in this station only a little over a week ago, hunting two lost children, briefly chilled his new excitement. But that memory, like the tears of the morning, could never be any more distant than it was now.

In the best Johnny Shawnessy tradition, he began to see a certain grandeur in his act of departure from Raintree County to the wars, and a certain humor.

SETH A SOLDIER!
WAR CAN'T LAST LONG NOW!
(Epic Fragment from the *Free Enquirer*.)

Those who have followed the fortunes of that congenial cornstalk, Seth Twigs, will be eager to know that the fabulous bumpkin has at last offered his services to the United States Army. To be more exact, the long arm of the draft finally found him in his hide-out on the Shawmucky, where he had planned to sit out the War with a barrel of cider, an old bird dog, and a pack of greasy cards.

Tuesday last, it is reported, Seth made his way to the great Western metropolis of Indianapolis. Descending in the station, he was at first somewhat bewildered by the beehive bustle of the City, but with characteristic rustic acumen, he quickly adjusted himself to the situation. Standing on the steps of the State Capitol and indicating with a sweep of his scrannel arm the metropolitan vistas of Indianapolis, Seth was delivered of this pungent epigram: 'Danwebster warn't nothin' to this. To be puffickly frank, I am consterbobulated.'

Surrounded by reporters and well-wishers, Seth answered several questions with all his usual pith and point.

'How long do you think the War will last, Mr. Twigs?'

'I figger it'll take me at least three weeks to git muh fightin' gear in order,' Seth replied.

'Do you have any particular strategy for bringing the Rebels to their knees?'

'From what I heerd, the Southerners is all frightful chivillerous. I sidjest we put our purtiest gals in uniform and arm 'em with banjos and handcuffs. They can't do no wuss than the men has.'

'What is your candid opinion of the draft?'

'The feller that caught me was the fastest runner I ever seen.'

'Are you for or against Lincoln?'

'Who's he?'

'The President.'

'What in blazes happened to old Andy Jackson?'

Later, it is reported, Seth spent an interesting and instructive day visiting sites of historic and cultural . . .

Confusion filled the city. A few days before, the Rebel raider, John Hunt Morgan, had crossed the Ohio River and had begun a daring cavalry invasion of Southern Indiana, closely pursued by a troop of Union cavalry. The Governor had made a hurried call for emergency militia, and the entire state south of Indianapolis had risen in arms. The raid had already been diverted from the State Capital and was visibly weakening as it approached the Ohio border. But there was still tension and excitement in Indianapolis.

In the Recruiting Office, a number of men, mostly younger than Johnny, were standing around waiting to interview an officer who stood behind a desk. Johnny took his place at the back of the line.

Something hit him solidly between the shoulders, knocking his hat off, and a hornloud voice brayed laughter into his ears.

—Well, hogtie me, if it ain't Jack Shawnessy!

—Hello there! Johnny said.

He turned around, still trying to get his breath, and there stood Flash Perkins, grinning in a great arrogant beard. His forehead shifted into ridges of excitement. His fierce blue eyes were childishly happy.

—Well, I'll be skinned and stretched on a board! Flash said. Put 'er there, Jack!

No one else had ever called him Jack. Johnny stood and wrung Flash's hand as hard as he could to keep his own from being broken.

—What are you doin' here, Jack?

—Enlisting.

—Well, I'll be a ringtailed jackass! So am I. Hey, Corporal, look here, we want some action around here.

The officer behind the counter was a tired-looking sergeant.

—Keep in line and take your turn, boys, he said.

—Hell, git a move on! Flash said, we want to git into your goddam war.

—If you're so anxious, why didn't you get into it before? the officer said.

—Shucks, we on'y jist found out about it in Raintree County, Flash said. It'll soon be over now, boy.

—Where you been, Flash? Johnny said in a low voice, trying to get him quieted down. I don't think I've seen you since the Fourth of July Race in '59.

—I been West, Jack. Hell, I been doin' a little ever'thing. Minin', scoutin', fightin' Injuns. I finely decided this war gone on long enough, so back I come to the County. Figger me enlistin' on the same day with you! Maybe we'll git into the same cumpney.

Johnny was sorry that he had run into Flash. In a way, he had hoped to make a complete break with everyone and everything he had known. But he seemed fated to pick up reminders of himself wherever he went.

Flash hadn't changed much. Apparently nothing had happened to knock the wildness out of him. He had a big Western hat, spurred boots, a pearlhandled revolver on his hip.

—I don't know why you want to go into the Army, boy, the officer said to Flash, when he reached the desk. They'll start by disarming you.

—I mean to keep this tool on me, General, Flash said.

The officer shrugged his shoulders.

—Sign here, boys, and come back tomorrow morning same time. You'll get your medical examination then and swore in.

—Jack and I want in the same cumpney, pardner, Flash said. Be sure to write that down.

Johnny didn't remember expressing this wish, but he let it pass.

Outside, he felt embarrassed as he saw that Flash intended to stick with him. Everyone they passed turned and stared.

—Boy, am I glad to git back to Indiana! Flash said. Shucks, they ain't got no civilization nor nothin' out there, Jack. You wouldn't believe it. Cuss it, they ain't a beautiful gal west a the Mississip. You have to pay as you enter, and then they're all leather and cusswords. Christ, I been dyin' to git back to God's country. That rough life is O. K. for a while, but soon or later, Jack, you feel a hankerin' for the cumpney of culteevated people. Hi, girls.

Two young women, passing, dipped their parasols and walked swiftly by with fluttering eyelids.

—Say, maybe we could hitch onto them fancy fillies and git our trunks hauled, Flash said. Ha, Ha!

He hit Johnny between the shoulderblades and turned around. The girls were looking back with genuine alarm.

—That reminds me, Johnny said, I'll have to say good-by now, Flash. There's a girl here in the city I want to get in touch with. I'll see you tomorrow morning.

—If she's got a friend, I don't mind comin' along.

—No, this is private. Thanks just the same.

—Listen, I got a room at the Greer House, Flash said. If you ain't got no place to stay, you can come in there with me. Shucks, bring your woman along if you want to.

—Thanks, Johnny said. I may turn up tonight—but alone. So long.

It seemed to Johnny that life was full of repetitions and corrections of itself as he walked to an address on Pennsylvania Avenue and knocked on the door of a plain white house, set back a little from the street.

The door opened, and Nell Gaither appeared. She was stunningly got up, cool and pale in a green dress with an immense hoop. She looked imperially ladylike, her head held proudly and tilted a little to one side in a gesture of gracious condescension. Her fullformed, lovely mouth made a shining contrast with the powdered whiteness of her cheeks.

—Hello, Johnny.

She stepped out and put her hand in his. Her mouth curved into a smile of tenderness and pleasure, showing her fine white teeth; and her eyes, suddenly green as she stepped from the dusk of the house into the warm light, glowed with veiled excitement. A feeling of warmth and sweetness coursed through him as he touched and held the small passive hand.

—Hello, Nell. Did you get my letter?

—Yes, just this morning, Johnny. I'm glad you wanted to see me before you left for the War. By the way, Garwood's here, dropped in unexpectedly. We've—we've been practically engaged, you know, have been for over a month, and I——

Johnny was still holding her hand and looking at her. As he listened to her measured, low voice and watched her small face in the summer light and smelled the faint, flowery odor of her powder, he felt a little dizzy.

—It's all right, Nell, he said. I just wanted to see you before I went.

—Johnny, I'm terribly sorry about what happened.

—It's all right, Johnny said. It's all over now.

There were footsteps in the hall, and Garwood Jones came to the door.

—Jesus, John, how are you, boy! Garwood said.

Johnny shook hands with Garwood and went into the parlor, listening to some sonorously delivered condolences. Garwood was sleekly splendid in a new suit. He had a diamond stickpin in his cravat. He had a cane and gloves. Apparently, being a young Copperhead congressman was a lucrative calling.

—Well, I hate to see you get into this mess, sprout, Garwood said affectionately. You're just throwing your life away, but I suppose you know what you're doing. Say, I got an idea.

Garwood took his arm from around Johnny's shoulders and lit a cigar.

—Nell, suppose we take this boy out and show him a good time before the Army gets him. God knows it'll be the last fun he'll have for a while. Send him off with a beautiful memory.

—I think that would be nice, Nell said. If Johnny would like.

—Now then, Garwood said, suppose we get another woman—one of the girls who works with you at the Christian Commission, Nell, and——

—No, Johnny said. I don't want that. Just the three of us.

—Well, all right, Garwood said. If you want it that way, Nell and I would be delighted. We'll take the boy out, buy him a dinner, get him good and drunk, and turn him over to the Army rarin' to go. I want it understood that this is on me, every bit of it. I'll pay till it hurts. Nothing's too good for our boy John.

It started with a few drinks at a place Garwood knew. Then they walked over to the Capitol, where Garwood wanted to hear some speeches. In the yard of the Capitol Building, hundreds of people milled around a makeshift platform on which some dignitaries, military and civilian, were speaking to honor a volunteer regiment about to entrain for active duty on the front.

In the young afternoon, as he walked with Nell and Garwood on the lawn of the Capitol Building, all bitterness and sorrow drained away from Johnny Shawnessy. He was having one of his epic moments. He was walking with a beautiful woman of Raintree County, whom he loved and who had loved him once, and with a friend, who was also a competitor. They were with crowds close to a building that embodied in its tranquil form the wisdom and eternity of the Republic. It was a day of grave portent for the Nation, and words of public men sounded across the bared heads of the throng. Indiana's exultant summer rolled up in waves of heat from littered streets that narrowed to the heat-hazed distance. The city made a low continuous sound like surf. From the vast day, seductive touches came. More beautiful than any fabled flesh, the loveliest woman in the Republic walked in her great bellskirt beside him, dipping her parasol and laughing. The blended image of the erotic and the spiritual, which Nell Gaither had always embodied for him, found somehow its ideal setting here among the scenic attractions of the Capital City of Indiana.

—A call to arms, boomed a great voice from the platform, an

appeal to courage! In this momentous hour when our very homes are threatened, the sanctity of all we hold dear, the honor of our loved ones, can any patriot breast refuse the stirring summons of . . .

Nell and Johnny sat on a bench by themselves while Garwood stalked around the yard, looking important. Gloved hands folded in her lap, Nell gazed at Johnny gravely.

—You look awfully nice with your face all shaved, Johnny.

Johnny rubbed his lean jaws and grinned. It was not right to feel so happy. What had he to feel happy about? Yet something about the scene appealed to that inextinguishably young poet in him, who was always trying to live in a privately lovely universe. The summer drenched him with waves of languor and memory. He remembered the lightswollen stream of the Shawmucky, boats drifting, Nell in a wide white bonnet and a green dress, her fingers stroking the oarblade.

—Where is the Professor now, Johnny?

He told her, and they reviewed what they knew about the lives of others whom they had known together in the old days at the Pedee Academy. Two of the boys were dead, one at Shiloh and the other of camp fever during the training period. They sat talking gravely and hesitantly about these old things, drifting closer and closer to forbiddenly sweet memories, circling, touching lightly, retreating. Nell removed her left glove and began to trace a series of little curves on the wooden arm of the bench.

—Do you keep up with your reading and study, Nell?

—Not as well as I should, Nell said. Now and then I read a little Shakespeare.

She blushed. Her finger continued to make its delicate tracery on the wooden arm.

—Drive them back, I say, the great voice boomed from the platform, drive them back to the crimestained and slaveryblackened earth from whence they have arisen, till they are brought redhanded and trembling before the bar of universal justice. And were it not for the heavy responsibilities of . . .

—I was looking at my copy of *The Complete Works of Lord Byron* the other day, Johnny said offhand, and I found a page with a pressed flower in it. It left a very delicate stain on a poem I've always loved. Maybe you remember it:

So, we'll go no more a-roving
  So late into the night,
Though the heart be still as loving
  And . . .

—Who would not be young and a soldier of the Republic? shouted the voice from the platform. Who would not fight God's and his country's battles on distant fields? Be kind to these departing boys, young women of the Republic. They go forth to fight for you and the homeland. They are about to bare their young and amorous breasts to the miniéball and the Rebel bayonet. Embrace them fondly, young women of the Republic, for they go to battle and an unknown . . .

Nell opened her purse and found a handkerchief. She touched her nose and dabbed at her eyes.

—I cry so easily these days, she said. •Everything is so sad with everyone leaving for the War.

She put her ungloved hand on Johnny's.

—Isn't it terrible, Johnny! The War and what's happened and everything. I don't know when I've felt so unhappy. Do you think we'll ever get straightened out?

Johnny studied the shining green eyes in the upturned face.

—Just now, I take a fairly hopeful view of the situation, he said.

They both smiled at this phrase which had been said so often in the pulpit of the Danwebster Church, and Nell slipped her hand back into her lap and began to glove it.

—Well, children, Garwood said, stopping in front of the bench, let's go have some fun. These blowhards are going to spend all afternoon sending those poor boys to the slaughter. I suggest we have some more drinks and dinner at the Savoy-Rialto, a new sort of dancehall-beerparlor combined where ladies go.

The Savoy-Rialto was one of the fanciest spots Johnny had ever got into. It had a downstairs dining place with orchestra, and the walls were covered with gilt and draperies. Garwood ordered champagne, and both he and Nell insisted on keeping the glasses full.

—What's the matter, Nell? Garwood said once. Never saw you drink so much before.

Turning to Johnny, he said,

—You know, John, usually Nell's trying to keep me from sopping this stuff up, but tonight she just keeps pouring. We consider this a special occasion, sprout.

He patted Johnny's shoulder affectionately.

—We want you to remember us, he said.

Nell looked at Johnny over the rim of her glass, and her eyes were shining. She seemed very gay for a person who had never felt so unhappy before.

—Fill sprout's glass up, Garwood said, while I talk to the waiter. I feel like drinking something strong. This champagne's just fizz water.

He got up and walked unsteadily away and came back shortly with the waiter and more glasses.

—Got a bottle of choice bourbon, he said. Ripe stuff. I drink it like a baby. Never affects me.

Garwood waved to some friends at another table. He was beginning to leave out the short words when he talked.

—Folks, he said, developing his big voice and striking an easy pose, hand in coat, want you meet my friend, young John Wickliff Shawnessy, hope the Republic. Boy's enlisting the Army morrow. Drink around honor of our boy, John, and s'on me, Ez.

Johnny took a bow while the orchestra played 'The Battle Cry of Freedom.' Everybody began to sing. Johnny put his hand below the table and it touched Nell's hand, which was ungloved and deliciously passive in his. On the stirring rhythms of the chorus it gave his hand tender little squeezes. Garwood got funnier and funnier, and Nell and Johnny laughed more and more. Johnny couldn't remember when he had been so happy. There was no doubt about it—Garwood Jones was a great guy, when he wanted to be.

Some time later, Garwood went off for another bottle of bourbon.

—I reckon you think I've got pretty wild and wicked since the old days in the County, Nell said.

—You never could be wicked, Nell. Of course, people do change.

—Not every way, Nell said.

Her voice was husky. A wisp of her hair kept falling down over her cheek. Johnny had her hand again under the table. It was all right in a way because, after all, everything was meant to make him happy before leaving for the wars.

—This bourbon is really ripe stuff, Garwood said, solemnly trying to fit himself into his chair. Never affects me. I can drink it all night like a baby.

Nell filled his glass, and when Garwood tossed it off to confirm the statement just made, she filled it up again.

A little later Garwood was standing and trying to make a speech, though the Savoy-Rialto was beginning to be very noisy, with a number of officers on furlough singing regimental songs.

—Garwood's pretty tight, isn't he? Johnny said.

—Terrible, Nell said, thoughtfully, as she refilled Garwood's empty glass. I've never seen him this way before.

—I don't think he can stand much more, Johnny said. Do you think we can get him home?

It was around twelve o'clock that Nell and Johnny helped Garwood up the steps and out into the street where they hailed a carriage. Garwood peeled a greenback from his roll and told the driver he was hired for the night.

—I feel like riding, he said. O, night, o, stars! Nothing's too good for our boy John.

Five minutes later, he was out cold. Johnny and the carriage driver deposited Garwood at his bachelor's quarters, where a young lawyer received the body with equanimity.

—Just put it over there, boys. Never saw Garwood so pied before. You know, he really doesn't drink much. Too golderned ambitious.

When Johnny and Nell were alone in the carriage, they didn't say much for a while.

—I guess you—you intend to marry Garwood, Johnny said.

—He keeps asking me, Nell said. But I don't know——

They put their heads back on the seat of the carriage and let the wind stream over them as they rode on rivers of the night toward the place where the gaslamps came together.

—I *wish* you weren't going off to the War, Johnny.

—Going off to the War seems to be one of the nicest things I've ever done, Johnny said.

—Maybe they'll put you in camp around here, Nell said, at Shanks or somewhere.

—Would you like that?

—Yes, I would, Johnny, Nell said gravely.

Her hair had been blown down by the wind, and she raised her arms to lift it and put it back. As they passed a gaslamp, her eyes glowed greenly and then darkly. She took a pin from her mouth. He put his arms around her little waist and felt how gently her face swayed toward him. Her bare arms circled his neck and pulled his face down to hers.

Desire. Desire was of the river and the pale flesh that moved in a green pool of the river. Desire.

He had come back to Raintree County sooner than he had expected, had come back briefly to his older memory of it, had become again the poet and possessor of its beauty. The river ran, a sinuous green, swelling and swelling between treebordered banks to heat-blurred horizons. He would climb up again with a slow stroking of oars to the summit of that serpent water, glide upward in the swooning heat, upward to where the river joined the lake, to where with a slow anguish the strong waters found their way through marsh and shallow, tarn and tangling swamp into the tepid pool of Paradise, in the very center of Raintree County. *Oft was I weary when I toiled with thee.*

Desire! He would know desire, noontide young desire beside the river. O, he would dig his hands into the tingling earth of the twin mounds. He would breathe grass and warm earth in the sunshine, clover and cut hay and dandelions. He would rise and run through cloverstubble toward the third mound, the flowering one a little way off. His cheeks would be raked with a thousand tingling tips of shaken hair beside the river.

He would return to Lake Paradise. Somewhere here the tawny tree was standing, bright pollen fell at noontime by the river.

He would also be the runner through a public place, the string-breaker, applauded by thousands. He would not stop but keep right on until he reached the place of secret waters, thrust to the very quick of life, his form softly flayed and flung by the vines and the beautiful flowers, the tall tough weeds and the odorous grasses in the place where the Raintree grows.

Make way, make way for the Hero of Raintree County! Make way for the young god with sunlight in his hair! He has humbled himself and performed great labors, he has been chastened, he has starved and wanted food—shall he not have at last the golden apples? Make way for the Hero of Raintree County!

Johnny and Nell held on to each other as if they were afraid something was about to separate them forever, and even when he handed her down from the carriage in front of the little white house on Pennsylvania Avenue, they couldn't say good night.

—Do you think your aunt will mind your being out so late, Nell?

—Aunt loves Garwood, Nell said. I'll tell her it was Garwood that had me out late.

—This is pretty hard on Garwood, Johnny said. Not that he doesn't deserve it.

—He said the evening was on him, Nell said. Poor Garwood.

—Tell me one thing, Johnny said. Are you going to go on saying no to him?

—Yes, I will, Johnny. For a while.

—You understand, Nell, my marriage still stands in the eyes of the law. There isn't anything that can be done about it, even if Susanna is hundreds of miles away from here, and I never see her again. She's started back to her family already, you know. We managed to get a passage for her through the lines. It was her own wish. It's all a closed book, but I can't forget having read it.

—I understand, Johnny.

They walked silently arm in arm to the back of the house. When he started to kiss her good-by, she clung to him.

—I don't want to let you go, Johnny, she said. I'm afraid.

—So am I.

—Where are you going tonight?

—I don't know. I haven't a room yet.

—I hate to let you go. I'm afraid something will happen to you.

—Nothing will happen to me, dear.

—Johnny, I love you so much. Why don't you come in with me for a while? If Aunt isn't awake, we can slip in. I have my own place up the back stair.

It seemed to Johnny Shawnessy, standing in the July dark, that life had decided to be good to him again. It was time to be affirmative and forget conventions. Let the wounded republic of war and moral obligation reclaim him on the morrow: tonight he would lose himself in the sweet republic of love. He would have a reluctant, last good night, a long farewell.

They slipped around to the back of the house, and Nell went up on the back porch stealthily and pushed open the door.

Aunt was up. She turned up a huge lamp, and Johnny could see a wattled, proper face peering out into the night. Nell gave a sharp gasp, and then said,

—O, dear, Aunt, I'm so glad you're up. Just a minute, and I'll tell Mr. Shawnessy. We've been working late at the Commission to get off a rush order of bandages. Garwood was busy and had his friend Mr. Shawnessy bring me safe home. Aunt Hepzibah, Mr. Shawnessy.

—Good evening, Ma'am, Johnny said. Pleased to meet you.

—Good morning, young man, Aunt Hepzibah said.

—I'll be right in, Aunt, Nell said. Mr. Shawnessy, I think you have my purse.

She stepped down off the porch, while Aunt retired.

—I'm sorry, Johnny. Isn't that bad luck! But you'll call on me again, won't you?

—Sure. Of course, the Army gets me today.

—You'll get a leave or something, Nell said. And the War can't last forever. Especially now that we've found each other again, Johnny.

Johnny didn't get Under the Raintree that night; yet he had the most intense possession of a person he had ever known. He walked for ten minutes before he remembered that he didn't have a place to stay for the night. A memory of the afternoon came punctually back to him, and he hunted up the Greer House.

It was a dive.

Inside, the clerk was sound asleep on a couch, and the lobby was empty. Johnny found Flash Perkins' name and room number in the register. He walked up to the second floor and knocked on a door. He could hear voices and laughter in the room.

After a significant pause, the door opened, and Flash Perkins stuck his face out. He had on his big Western hat and from what Johnny could see, nothing else.

—Jumpin' Jehosaphat! Flash said. Jack Shawnessy!

He looked perplexed for a moment, his eyes childlike and troubled. Then the fierce smile came back, and the skin on his forehead ridged up.

—Listen, I got a dame in here.

—O, Johnny said. Excuse me, I——

—Shucks, no bother at all! Flash said. She's a good sport. Mabel, meet my old friend, Jack Shawnessy, same place I come from, one a the smartest son-of-a——

—Don't bother, Johnny said quickly. I just came to tell you I've got a place to stay for the night and I'll see you tomorrow, so long.

As Johnny walked down the hall, he heard Flash Perkins yelling after him,

—Hey, come on back, pardner! Have a little drink with Mabel and I. Cuss it, it's our last day, ain't it, before we sojer! Hell, I figger we're entitled to . . .

A SOLDIER'S FAREWELL

(Epic Fragment from the *Free Enquirer*)

It is a heart-warming and spine-tingling sight to see, this leavetaking of young men for the unpredictable hazards of war. The most pulchritudinous damsels of the community attired in their Sunday best come down to the station to see them off. And many manly young brows receive the chaste kiss of parting, the tribute due

TO THOSE WHO ARE ABANDONING

ALL THAT THEY

HOLD

—DEAR me, whispered the Perfessor, the General goes right on acting as if he were in the middle of a Civil War battle.

The banquet was over, and the General was addressing the crowd. He stood like a boxer, left foot forward, right shoulder back. His words came in short hard bursts, as though he were barking commands or trying to shout above cannon. His pauses were decisive and rhythmical, but often without conformity to the grammatical pattern of his sentences.

—I am reminded—he was saying, looking at my old—comrades of the Grand—Army of the Republic——

Applause came from the two hundred people who had been eating at the banquet tables. As the sound of the clapping roared and subsided, the General kept his chin high, his martial eye fixed on a distant point. His right hand crept to his coat and slipped two inches inside.

—I am reminded of—the great effort necessary—to form and fashion—the noble instrument—with which in her hour of peril—the Republic was saved. In these days of peace—it is hard to conceive—the monstrous labors—by which this country was preserved one Nation—indissoluble—with Freedom—and Justice for All!

The General thrust his hand unashamedly all the way into his coat and waited for the applause to die.

Then did you fight in that old war to preserve the Union? Were you a soldier and . . .

—Brave men are not—moulded in battle only. The fashioning of a soldier—is a long and costly—and strenuous process. We had to take men—from every walk of life—shopkeepers, farmboys—teachers, students, factory workers—and hammer them into shape. In the sanguinary glories of combat—we are likely to forget—the long hours of drill—the frequent sickness—the prolonged watches—the rough comradeship and complete democracy—of the training period. Perhaps we even complained a little——

Laughter began at the Veterans' Table and ran lightly over the swaying faces in the schoolhouse yard.

—But somehow there emerged—from this period—the survivors —the strong of heart—the sound of limb—the men who fought— for freedom and the flag—from Shiloh to Savannah!

Applause in the schoolhouse yard was a brief beating of hands in the immensity of the plain through which the National Road pierced thinly, its progress marked by telegraph lines that distantly touched the earth.

—Those hours of camp were not—without their memories of fun —and boisterous comradeship—and in the alembic of time—even the dark—shines with a kind of brightness—as we—veterans now of the greatest armed—force ever assembled on—the face of the earth—the lone survivors of—those scenes, remember . . .

Tents beside the river, and faces of soldiers on green plains beside the river. Remember.

Faces of dead men, you are gone like light words or the forms of flowers, you that were once young in the harsh day beside the river.

Faces of comrades, faces of tenters, I remember your mobile and changing expressions. For you I shall build a private monument of recollection. For you the greatest shaft ever erected by mankind! For you great wreaths of stone and the stone mouths of cannon and petrifactions of beauty!

Say, did you fight in that Great War for the Preservation of—— Did you know such a one named—— Did you camp by the river called—— Did you know so and so who is——

I remember swimmers in rivers, bodies of young men stripped of names, bathing in the webbed waters of the Republic. I remember beauty, corruption, death beside the river. I will strike a tableau that never appeared on stone. I will wind the river through it, and there shall stand upon it a city of tents that is gone forever, the little city of a homely name.

You shall have your poet and your sculptor of forms, you lost young men, whose names I remember. You shall not any one die. You shall be stone, and the tides of the Republic will flow forever past the base of your shaft.

Tell me then, did you—fight in that Great—War for the Saving of—the American Republic and—do you remember what names he heard, what jokes he laughed at, what hours and hours he lay at night on a hard cot wishing, what letters he wrote and received, what endless talk he listened to of home, girls, food, politics, news—all this was recorded in the diary of his memory, day by day, during the summer that he trained for the fighting. All this was part of the gray debris of the War as he knew it, all this was part of the process by which confusion became a kind of form, by which the Republic made men into soldiers. During this time he became almost as nameless as when he crept out on the savage side of Lake Paradise and sought desire Under the Raintree, flaying it down with a branch of golden pollen. By that other namelessness he had lost Raintree County for a time, but by this namelessness, he became more fully than ever before a creature of the County, or of that vast extension of it—the Republic. The clothing that he wore was the badge of his alliance to the County, as surely as nakedness was the badge of his alliance to the earth. In his soldier suit he acknowledged oneness with the Republic and with his comrades. He lost himself in them as they in him. He lived for them and was in some measure indistinguishable from them. A whole republic of Raintree Counties had bequeathed these integers to the sum of the Army. And though there was a part of him that remained deeply rooted in the old life, he was amazed by how quickly he blended into the colorless, inchoate mass of the Army. Only so could a soldier be soldier and survive. Only so could the Republic be served. For a time he ceased to be critical of the beliefs that he had set himself to defend. He became naïve, acquiescent; he was content for a while to be the instrument of an idea, instead of its engenderer.

And yet it was an intensely individual experience that he had in the Army. It was somehow all conducted in the purest Johnny Shawnessy tradition. And if he had been obliged to choose from his memories of the training period one to be graven into stone, as worthy to survive from all the others, it would have been a casual and rather unsoldierly experience that he had about three weeks after he began his training.

That day five tentmates had been set to digging holes in the ground at the far side of Camp Shanks. Several hundred yards distant were buildings and tents, an orderly pattern lying beside the river outside Indianapolis. In the heat of the August afternoon, he could see the first lowlying houses of the city, farmhouses on an entering road, and trees along the river. Through the trees, the cold green water shone.

For three weeks he had been living in the camp, eating, working, drilling. He and the other soldiers walked in long rows together with poles on their shoulders and moved their hands, heads, feet all together at barked commands. They wore suits that were all alike, got up and went to bed all at the same time, touched their stiffened hands to their foreheads in the same way. Everything was punctual and precise. There was a way to do everything. But today this rigorous pattern of life was clearly ephemeral, like the brown tents and wooden barracks that would some day vanish, giving the earth here back to itself. For that matter, the distant city had a temporary look. Only the land looked permanent, and the river flowing among the trees.

—Cuss it! Flash Perkins said. You even have to crap by the book. I don't know about the rest of you bastards, but I'm fed up with the Army. Right now, I'd sure like a souse in that river.

The soldiers stopped working and looked at the river. Besides Johnny, there were three other men, tentmates. Thomas Conwell was a calm, thinfaced boy from an upstate farm. Nate Franklin was a husky, beardless boy from a farm close to the Ohio River. Jesse Gardner was a city-bred boy from Indianapolis, where he had been a bankclerk and an exemplary member of the Methodist Church. Like the majority of trainees, they were all three under eighteen. Johnny felt old by comparison, and Flash Perkins, who was twenty-seven, was referred to sometimes as Pappy and the Old Guy.

Jesse Gardner was having a hard time. At first he had endured the vulgarity of camplife in shocked silence. Then he had begun to object to the rough fun and strident nakedness with which he was surrounded. Soon, he was called 'Mamma's Boy' and 'Sister Jessica' by camp wits like Flash Perkins. During the last week, he had gone silent again and had eaten little. He kept hanging around Johnny, who was the only person to befriend him. The night before, Johnny had heard Jesse crying in his cot.

Flash Perkins had been having as hard a time becoming a soldier, but for different reasons. While Jesse was prompt in accepting discipline, Flash was incapable of taking orders. He had spent hours in the guardhouse. He talked in ranks, wore his uniform in improper ways, and played crude practical jokes, preferring officers as victims. Whenever he obeyed an order or accepted discipline of any kind, he had an insulting grin on his face. He would take any kind of punishment rather than wipe off the grin or curb his tongue. He had upset three officers on a latrine, had set fire to the commanding officer's bed, and had had a woman named Velma in his tent. At night, he woke up the whole camp by imitating screech owls, loons, crows, cows. He had left signs in the latrines reflecting on the ancestral purity and moral character of the commanding officer.

All this was not merely an expression of a fun-loving nature. From the start Flash was deeply contemptuous of the Army or at least that part of it he had seen. He hated the captain of his company, a man named Elmer Bazzle, who had been selected for the position because he had been a lawyer and had booklearning. In reality, Captain Bazzle was a precise, earnest officer, who took his duties to the Republic seriously. But he was a small, pale, nervous man, he had never fired a gun in his life before, his voice was high and uncertain, and he had made some laughable mistakes by sometimes adhering too closely to the book.

As for Johnny Shawnessy, he felt sorry for the Captain and sincerely wished that Flash Perkins would get out of the Army.

But on the day they were digging the ditch, he had been quick to second Flash's suggestion about a swim in the river. He hadn't had a good swim for a year.

—Let's go, he said. They've forgotten about us here. We'd have time to take a dip and get back.

—It's a breach of regulations, Jesse Gardner said. They'll put us all on special duty.

They argued with him, but he maintained his point with finical persistence.

—All right, Jessica, Flash said, you stay and we'll go.

—My name isn't Jessica, Jesse said.

—Reckon it oughta be, Flash said. Maybe you're scared to swim naked. Think you was a girl the way you cover and yelp around. I'm sick of you cryin' around, Jessica.

—My name isn't Jessica, Jesse said.

—Come on, boys, Johnny said. Let's all have just a little dip. Do us good. Come on, Jess.

Jesse put down his spade and followed the other four down to the river. He didn't say another word for a long time.

On the bank of the river, they peeled off hot woolen uniforms and heavy shoes and plunged in. Swimming breaststroke, Johnny could see the pale sheet of the river dwindling to a railroad trestle. The white bodies of his soldier-comrades splashed in the water around him. They had taken off their soldier skins. For a little while, they had resigned from the Republic.

He listened to the sound of cicadas in the trees, watched turtles sunning themselves on distant stones, smelled the fishy smell of the river. He had become primitive, fully at home. The river purified him from soldiering.

—What do they call this yere river? Natie Franklin asked. 'Tain't the Wabash, is it?

Flash Perkins laughed brutally.

—No, son, it's the Mississip, he yelled.

—It's the White River, Johnny said.

—Don't look white to me, Natie said, swimming away to cover his embarrassment.

White river—Wa-pi-ha-ni. He thought of the continuous web of the Indian waters drawn southward to the huge ventricle of the Gulf —Shawmucky, Wapihani, Wabash, Ohio, Mississippi. Somewhere down the woven republic of these shining streets of water, Rebel soldiers were swimming too, splashing the water, smelling the cold green smell, making jokes and laughing.

After a while, the five soldiers swam across the river and climbed up the bank on the other side. They lay down to sun on the soft grass and talked. They felt hungry, discussed food, agreed that they got better cooking at home, expressed a general discontent with the Army.

—No wonder we ain't winnin' this war any faster, Flash Perkins said. You can't win it by diggin' privies. Fide known what a hell of a time it takes to git into the fightin', I'd a never volunteered. Why don't Lincoln git some generals with guts!

—We'd better get back to camp, Jesse Gardner said.

—What was the last time you had a woman, Natie? Flash said.

The boy laughed uncertainly.

—Shucks, I don't know.

—Fie don't git a woman before long, I'm gonna desert, Flash said.

Flash described in some detail what he would do with a pretty girl if he had one. He lay in the sun, talking endlessly, cursing, laughing, teasing the others. Nothing seemed to appall him or give him pause. He was still the most affirmative being Johnny Shawnessy had ever seen, his blue eyes glancing insolence, his forehead ridging up as he laughed his hard, wild laughter. The Army hadn't tamed him. He shook off discipline like the pale water from his supply knit arms and shoulders. He seemed to have no past for regret or future for anxiety. Rarely, during the training period, Johnny had seen a shadow of perplexity touch Flash's face, the eyes go suddenly blank and childlike. But a moment later the bearded, mocking mouth would bare its locked teeth, the forehead would ridge up, and there would follow the crude jest, the horselaugh, or the blow.

The talk of women, food, homefolks, and soldiering went on and on. It was an old talk, this talk of soldiers, destroyers and founders of republics. But older still was the river itself, and the language of its stream drawn from a remote source and distant ages. The river was eternal fixity, container of eternal change. The same bare forms had dropped their clanking weapons and swum in the Rubicon, the Tiber, the Danube, and the Nile. Man bled, lusted, fought, swam, coupled, shrieked, died, decayed in his old battlegrounds and camps beside the impassive waters. Lover and beloved, killer and killed—deep mounds claimed them all. Beyond, on the upland was a camp rectangularly Latin, an ancient formal ground. The legionaries of a new republic were preparing to add white bones and rusty weapons to the old debris of war along the rivers of the world. What did men seek in the fierce pastimes of war and love? What palely lovely flesh whose murmurous name was lost in the conundrum of the river?

A week after Johnny had begun soldiering, on an afternoon when visitors were permitted, Nell Gaither and Garwood Jones had come to camp to see him. Garwood had made some robust jests about Johnny's uniform and had stopped to talk with the commanding officer about legislation for improving the lot of the Brave Defenders of the Flag.

Meanwhile, Johnny had shown Nell around the camp—that is, they had walked through it and out of it and down to the river. Once out of sight, they held hands and walked to the trestle. There they put their arms around each other and made a number of vows. Nell would wait until Johnny got out of the Army, and some way they would work things out. They would write to each other faithfully and regularly. Meanwhile when Johnny got a leave, he would let her know and call for her at the house on Pennsylvania Avenue.

They were so entirely lost in one another that they could hardly talk but simply stood in the deep green shadow under the railroad trestle and held each other tightly, while Johnny kissed Nell's curved red mouth over and over. Her eyes were a swimming greenness close to his own in the river air. Her whitefleshed body twisted in his arms, tenderly responsive.

Johnny was aware that it was one of his epic moments, with nothing to mar the perfection of feeling. He knew that his humble uniform was a badge of valor to Nell; in her arms he became in truth, briefly, what he was supposed to be—the young preserver and defender. They had found each other thus momentarily in a greater Raintree County. Now they wore a costume called the Civil War, but it was summer, and the river made its old reedwoven music near them.

Later on, a train came thundering toward the trestle. They remained wordlessly embraced, as Johnny leaned back against one of the huge uprights of the trestle and watched the black wheels grinding over. Soot dropped in the still air. Stink of coalgas killed the subtle life-scents of the river. The valley of the river was filled up with the iron unhappy shriek of the whistle. Johnny felt the woman in his arms tighten and tremble. But when the train had passed, she laughed, and then, as it was very late, they had walked back to camp.

Back in camp, Garwood had thumped Johnny on the back and had said,

—John, you sure look a scream in that monkey suit.

Johnny and Nell gravely shook hands at parting. Garwood drove off in a fancy buggy, and Nell leaned out and waved her parasol at Johnny. Her small face receding in the summer evening had reminded him of a photographic image that he had tossed into the Shawmucky some years before on a December night. The eyes shone mistily. The mouth, curved with love and compassion, was like something painted on marble and made to come alive. The parasol gently rose and fell. The face leaning out had finally withdrawn into the buggy, and Johnny had gone back into the camp.

Now he remembered all this as he lay with his comrades in the sunlight by the river. He was also thinking about the leave that was promised him for that evening.

—If a woman come walkin' down that path, Jessica, Flash was saying, what would you do?

—What path? Natie said.

—That path, Flash said, rising on his elbow and pointing down a path that wound away from the river toward a road junction and some houses.

He remained pointing, his eyes naïve and troubled, and then his forehead made ridges, his lips curled, and he said,

—Jehosaphat! they *is* a woman walkin' down that path!

The five soldiers stood up and ran down the bank and plunged into the river. When they came up puffing and blowing, hiding in water up to their chins, there were two women standing on the bank looking at them. The women were garishly dressed. One, a thin, homely girl, who was pulling back on her companion's hand, didn't appear to be over seventeen. The other was a well-fleshed young woman in her twenties. Only her bold, hard look, Johnny thought, kept her from being pretty. Her mouth was permanently turned up on the left side, more sneer than smile. Her eyes, large with distinct lashes, stared with unashamed interest.

—I told you we shouldn't have come, Jesse Gardner said.

—Come on in, girls! Flash yelled. The water's fine!

The older of the two girls stood smiling and tapping her right shoetoe with her parasol. She nodded her head and wrinkled up her nose derisively. Johnny noticed that her shoe was all scuffed and old. He could see her ankle.

—You boys soldiers? she said.

—We aim to be, Flash said, acting as spokesman. You like soldiers?

—Maybe, the girl said.

The younger girl whispered something to her companion, and they talked in low voices heatedly for a moment.

—Those girls are no good, Jesse whispered.

His teeth were chattering, and he was very pale.

—You know what I think? he said. I think they're——

—Say, girls, how about a little fun? Flash said.

He was standing up with his shoulders clear of the water, his teeth bared, his beard dripping.

—Whadda yuh mean? the older girl said, appraisingly, still tapping her shoetoe.

—You know what I mean, Flash said.

The younger one engaged the other in another whispered discussion.

—Not me, Johnny said. Leave me out of this, Flash.

—Me too, said the other boys.

—I'm just stringin' 'em along, Flash whispered. Shucks, this'll be fun.

The woman said,

—You really mean it? You ain't just kiddin'?

—Do I look like I'm kiddin'? Flash said.

The girl looked thoughtfully up and down the river.

—You got any money?

—Sure, Flash said. How much you want?

—O, I don't know, the girl said, tapping her shoe. All of you— or just——

—Sure, sure, Flash said.

—Five dollars maybe? the girl said. That's just . . .

SOMETHING FOR THE BOYS
(Epic Fragment from the *Free Enquirer*)

The local citizenry have done everything in their power to make the soldiers feel at home. Literally nothing is too good for 'the boys,' as they are universally called. With one common charitable impulse, the people of the City have agreed to show their gratitude for the lads who are risking their all so that the folks at home may still enjoy those creature comforts to which they are accustomed. . . .

Flash suddenly gave a loud, savage laugh.

—Hell, where would I git five dollars!

He bared his teeth and laughed louder, beating his ribs.

—Five dollars! Hell, I didn't say the whole camp. Five dollars!

Johnny hated Flash. He blushed with shame and pity for the girls on the bank and for himself and all mankind.

—Come on, Flash, he said. Let them go.

—Five dollars! Flash yelled. Jesus, whadda yuh think we are—generals!

The woman slowly blushed through her painted cheeks. Her underlip protruded like an angry child's. The skinny younger girl plucked at her sleeve, saying,

—Come on, Lizzie, let's go.

The older girl shook herself free.

—Goddamn you! she said. You goddam soldiers are no good!

—What language! Flash yelled. Five dollars! That's a good one. I was goin' to charge you.

—That to you! the girl said, with an upswung motion of her skirt.

—You girls go away from here, Jesse Gardner said in a loud, high voice. Go on away. Can't you see we haven't got any clothes on?

—You tell her, Jessica, Flash said, still laughing.

—Listen, runt, the woman said to Jesse, I hope you and loud-mouth don't desert before the Rebs gits a chance at yuh. You're all yeller, all you soldiers.

—Aw, shet up! Flash said. Go on and git out a here.

—I'd like to see you make me leave, the girl said.

—Stick around then, Flash said, if you want an eyeful.

He started swimming and walking toward the opposite shore where the uniforms were, and reaching the shallow water, stood up and walked out.

The other girl had moved on down the path, but the talkative one held her ground and laughed, squeezing her sides. She screamed with laughter. She beat her ribs.

—Aw, shet up, Flash said.

—Come on, Tom Conway said, let's make a rush for it.

Johnny, Tom, and Natie followed Flash out and got behind some bushes. The girl was still standing on the far side laughing.

—Go home to your maws, you runts, she said.

—What a whore! Flash said. Say, look at Jessica, would yuh!

Jesse Gardner was still in the river.

—Go on away, he said pleadingly to the girl. Please go away.

The girl stood and looked at him.

—Please go away, he said. Haven't you got any decency?

Flash began to laugh again.

—Come on, boys, let's git dressed. We got to dig those craphouses. Hey, Jessica!

Jesse looked at Flash. His blue lips trembled.

—Listen, Jessica, Flash said, we got to go now. If the Captain asks about you, I'll jist tell 'im that the last time I seen you, you was down here with a couple whores.

—Please go away, Jesse said to the woman.

—Why, you little chickenbreasted runt, the girl said, I wouldn't even *spit* on you!

—Come on out, Johnny called. It won't kill you.

—I won't do it, Jesse said. Make her go away.

—Do you think I want to see you! the girl said. You soldiers are no damn good.

She turned and walked away without looking back.

Jesse came out of the water, trembling with indignation.

—Why—why—why—those girls would as soon look at a man naked as—as—as——

Flash doubled up laughing.

—Put yer dress on, Jessica, let's go back.

Jesse made a rush at Flash and hit him in the face. Flash grabbed him by the arm and flung him down hard in a clump of bushes. Johnny and the others kept Jesse from trying to renew the fight. There was bad feeling all around except for Flash, who was still laughing as they went back to the camp.

When they reached the place where they had been digging, Captain Bazzle was standing there waiting for them.

—You men disobeyed regulations, he said. Where were you?

As usual, he was deadly in earnest, his voice high and nervous.

—We went swimming, sir, Johnny said. Just a dip to cool off.

—It doesn't seem like a big matter to you, the Captain said, but how do you expect us to win this war if soldiers disobey regulations whenever they want to? What if the frontline soldiers felt they could run off any time they wanted a little recreation?

—If we was frontline soldiers, Flash said, we'd be doin' somethin' besides diggin' holes.

—Watch your language, Private, Captain Bazzle said sharply.

—Keep your shirt on, Captain, Flash said, his forehead ridging, or I'll take a hand to you yet.

—You're under arrest, Perkins, the Captain said. Report to the guard.

Flash stepped across one of the open ditches toward the Captain. His fists were clenched, and his teeth were bared smiling. His eyes glared fixedly at the Captain's face.

With a quick, nervous movement, Captain Bazzle pulled a pistol out of his coat. His lips were bloodless and set. He cocked the pistol and took deliberate aim at Flash's chest. Smiling, Flash took another step and another, his eyes fixed on the Captain's face. The Captain's cheek muscles twitched. He closed one eye and sighted.

Just then Johnny leaped on Flash and knocked him down. Tom and Natie helped, but it took five minutes of hard fighting to wear Flash out and hold him. Johnny got his face bruised, and Natie Franklin got kicked in the stomach. Flash cursed all the time and fought like a wildcat, but he never stopped smiling. They carried him back to the camp, where his hands and feet were tied and he was put into a small shack on a cot. Johnny looked in at him through the window.

—It was for your own good, Flash, he said. The Captain would have shot you sure. You'll just have to learn to take orders.

Flash didn't seem to bear any grudge.

—Shucks, he said, I wisht I hadn't got so goddern fresh with that gal down there by the river. I sort of took a shine to her. When I git out of here, I'm gonna look her up.

The Captain came out of a tent and spoke to Johnny. His forehead was beaded with sweat. His cheek twitched. He gave a short, nervous laugh.

—I thought I was going to kill that man, he said. Thanks for helping out. I never killed a man before, and I don't want to start with one of my own men. I'd've been court-martialed. By the way, I might as well tell you now. The command here has been watching you, Shawnessy. They consider you a first-rate soldier. You've been promoted to corporal.

—Yes, sir, Johnny said. Thank you, sir.

—And another thing. All leaves have been cancelled for tonight. There's been a change of plans. General Jake Jackson is in camp, just back from the front. It appears they need men bad down in Tennessee. Big operations under way. We may see action sooner than we thought.

That night, the soldiers in Johnny's camp and all the others were told to make ready to leave. Johnny found time to look in on Flash. It was so dark in the shack, he couldn't see Flash's face.

—Hey, Flash, he said.

—Yeah?

—We're breaking up camp and going south tomorrow.

—You mean we're goin' to fight?

—Sooner or later. We're going south.

Flash gave a cowboy yell and kicked the sides of the shack with manacled feet.

—You'd better be a good soldier and get out of there, Johnny said.

—Tell 'em I'll be good, Flash said. This is what I jined up fer.

That night Johnny lay awake for a time. Would it be such a strange thing, he wondered, if he got up from his cot and left this foolish collection of shacks and tents by the river, and walked through the night until he found Nell waiting for him in the breathing darkness on the porch of a house in Indianapolis?

Always there had been barriers. If it wasn't the Army, it was something else. Men were always fencing themselves in with rigorous Raintree Counties. Men were always drawing lines on the earth and daring each other to cross them. Men and women were always wearing uniforms of some kind, by which they proved their enlistment in the great militia of respectability, piety, duty, temperance, morality. For a brief while in the afternoon, he had touched the primitive source of life again, had lain innocent by the river. But the soldier couldn't really take off his uniform, couldn't really purify himself. In becoming a soldier he had multiplied the barriers. The soldier could have no love, except with a painted face and costing a coin. Evil, hatred, and killing were almost as old as the river. In a casual afternoon, he had seen the oldest corruption of life and the almost corruption of death. Suddenly out of the unwilled sources of himself the red passion flared!

And now long trains were passing in the night, crossing the trestles that crossed the rivers. They were bearing him away from another brief intersection with his love. Where did the great trains come to rest at last?

Suddenly, beneath his shut eyes, with piercing intensity he repictured Nell's face leaning out of the buggy as she waved good-by, and there came to him the words of a recent song by Stephen Foster that had run much in his mind during the past year, because by coincidence it bore the name of his beloved.

> We parted in the springtime of life, Nell and I,
>   With all our gushing joys in their bloom.
> But now we've met the world's busy strife, Nell and I,
>   And suffered from its dark, chilling gloom.
>   But my heart will sigh, for those days gone by,
> That dwell in my memory's soft refrain.
> We parted in the springtime of life, Nell and I,
>   And I'll never see her bright smiles again.

Johnny had a feeling that his love-affair with Nell had happened long ago and was already enshrined in memory.

> We built our little huts by the shore, Nell and I,
>   And we covered them with bright colored shells.
> We gathered moss and fern from the moors, Nell and I,
>   And we plucked the dewy flowers from the dells.
>   But the days rolled round, and the dark world frowned
> As Time with its bitter cares fled on.
> We left our little huts on the shore, Nell and I,
>   And we left our brightest hopes in their dawn.

It was the music of an innocent love of two childlike creatures living in a world of their own exalted fancy in which all was summer, misty and nocturnal.

> We wandered by the bright running streams, Nell and ı,
> And we gamboled on the wide grassy lawn.
> And met again in light sportive dreams, Nell and I,
> When the weary hours of twilight were flown.
> And our love was true, but a coldness grew.
> 'Twas caused by an unrelenting foe.
> We'll play nevermore on the lawns, Nell and I,
> Nor wander where the bright rivers flow.

The sad melody of this song haunted him into his sleep, and his dreams that night were woven with emotions of farewell, as the face of a girl leaning from a buggy receded down the long streets of his sentimental youth.

The following day, the men were assembled to hear General Jake Jackson. The General, one of the famous fighting officers of the War in the West, gave a fighting speech. He stood out in front of the ranks, hatless, his coat covered with medals. He was set like a fighter just ready to deliver the knockout punch. He talked with his mouth, his bearded chin, his fists.

—Hot darn! Flash Perkins said. There's the man I wanna serve under.

—Boys, the General said, you're being moved out today. You'll get some more training in Tennessee, and then some of you'll be attached to my corps. We need men and we need 'em bad. We've got the damn traitors on the run now, and we mean to keep 'em that way. I don't want anybody in my corps that isn't ready to go in there any time and fight like hell. We mean to run those bastards right into the sea before the summer's over. It won't be any tea party. The Reb is a goddam good soldier, damn his guts. I ought to know—I been fightin' 'im for two years. But he can't stand up to a real hell-raisin' Westerner. His cause is rotten to the core. I know you men don't like this camp routine, and I don't blame you. They tell me you're spoilin' for a fight. Well, I'm here to tell you that

BEFORE YOU KNOW IT YOU'LL FIND YOURSELVES IN

THE GODDAMNDEST FUSS THAT

EVER

—ALMIGHTY PROVIDENCE DECREED, the General was saying, the Battle, and the Battle was joined. Which among us can—forget the first shock—of actual combat—the energy and resolution—with which the green and untried—defenders of the Flag—hurled themselves upon the foe! Many of those here assembled—have fought in several of those great—battles by which the safety—of the Republic was assured. How proud you must feel—to have had some humble part in the—forging of those great—events! To name the several—and separate actions in which—these men have participated—would be to call the roll—of all the great—battles of the West—Shiloh—Donelson—Corinth—Vicksburg. . . .

Mr. Shawnessy turned the General's manuscript unobtrusively, hunting for a certain chapter.

Then did you fight, comrade—in that great war in the West, were you—one of those legions? Were you a part of——

(Epic Fragment from *Fighting for Freedom*)

Those vast operations on which so many hopes were founded, those intricate manoeuvres in the Fall of 1863, whereby Rosecrans hoped to trap the Confederate commander Bragg and hurl the Rebel forces staggering back from the bastion city of Chattanooga, the Gateway to the South, had finally brought about, sooner than either commander had expected and in a manner anticipated by no one, that two days' bloody conflict which took its scarlet name from a . . .

Who can tell now the names of the rivers we crossed and the mountains we scaled! Those were our first marches. Who can tell how we pulled the guns through the passes, how we tramped on the rocky roads, cursing the grades, we that were men of the plain, how we burst our bootleather taking the bastion city! Who can show now—what sculptor of battles—how we saw for the first time the city of scrofulous shacks on the lip of the river, beneath great mountains! Who can tell with what ardor we sought the battle! Who will show how at last we came together, two armies of thousands of half-bearded boys! The young recruits ran to their first battle, and some were chosen. An inch or a second's wavering, a twist of the body, a slip of the trigger, a flash of the sun, a diverting branch, and one went on to take his place with the dotards of battle, the fighters-over-and-over of old campaigns, and one was chosen to fall and be young forever, lost and covered up in the words of the books about battle.

Dead or alive, they are here beside this . . .

(Epic Fragment from *Fighting for Freedom*)

. . . little stream that joins the Tennessee River just below Chattanooga, and which, by that ironical providence whereby the earth sometimes seems to anticipate and mock the follies of mankind, had borne for centuries an Indian name signifying in the Cherokee language 'The River of Death' and commemorating perhaps some legendary battle of the Indians before the white man brought civilization and the weapons of civilization to this savagely beautiful land of rivers and mountains. Here in September of 1863, along the wooded slopes and banks of the little river, two great armies ran head-on, and there ensued a contest of courage, skill, and endurance which has made mournfully appropriate forever the dark and musical name of

THE STAFF OFFICER SAID.
Chickamauga Creek. Anyway, that's what
they tell me. The woods over there on the far side are lousy with
Rebs. We'll be fighting for sure in the morning.

He saluted and rode off. In the pale dawn, Corporal Johnny
Shawnessy could see the campfires reflected in the creek. He rolled
up in his blanket and tried to sleep again. But he kept thinking of
the name Chickamauga. After days of marching, he had arrived at a
name. Things were coming into focus.

On the far side of this creek, there was perhaps a man now sleeping who would kill John Wickliff Shawnessy of Raintree County,
Indiana, or be killed by him. This man was maybe cold, tired,
bruised, wet, lonely, unhappy, and hundreds of miles from home
just like himself. This man was the Enemy. He and Johnny Shawnessy had been slowly approaching each other all their lives. Now
they had almost met in some impersonal, terrible meeting called a
battle.

Here was how the Battle had been shaping. A month before, his
regiment had moved from Camp Shanks to Louisville, Kentucky.
There they were brigaded with veteran soldiers and moved on. They
had seen depots and Army bases choked with men and supplies, going
south through Kentucky. With less than a month's training, they
had become part of the Army of the Cumberland, in the Corps commanded by General Jake Jackson. For weeks, then, they marched.
They marched up and down in the land and back and forth. They
hauled their artillery and supplies up and down beautiful mountains.
They forded rivers. They rode in troop trains. They marched,
bivouacked, marched, bivouacked, marched. They performed prodigies that would never get into the newspapers. Just pulling a heavy
gun out of a mudhole, over the hump of a Tennessee mountain, or
across a river was an epic of ingenuity. One night's sleep in the rain
was a saga of misery. A twenty-mile march through mountainous

country was an anabasis of endurance. When you put millions of such deeds together, you got the campaign that led to the taking of Chattanooga.

For somewhere in this process of marching, during which they hadn't seen a single Rebel, Chattanooga fell, a Great Victory.

Meanwhile, Corporal Johnny Shawnessy had begun to hate this earth that made him suffer so much. He was a man from the flat country, and he now perceived a new beauty in the level of Raintree County. It tranquillized the spirit, it was the image of space, it suggested civilization and good roads. It meant peace and plenty and contentment. Flash Perkins expressed the opinion of them all when he said,

—Why in the name of Ole Hippopotamus anybody'd fight as hard as the Rebs have for a country like this beats the hell outta me!

Two weeks before, they had marched out of Chattanooga south through a wide valley between Lookout Mountain and the Tennessee River. They were supposed to be outflanking Bragg. Then, less than a week before, in the night of September 13, they had been awakened and commanded back to Chattanooga by forced marches. The word went that Bragg was concentrating unexpectedly in front of the town and that their Corps had to get back before the rest of the Army was smashed in detail. For three days, they had retraced their steps over the narrow mountain roads, dragging artillery and supplies with them. Two days before, on the 17th of September, they were closing in. On the 18th the word was that the Rebels had not yet launched their main attack. On the night of the 18th and 19th of September, they had been brought up through a wood, still many miles from Chattanooga, and in the darkness, hungry and exhausted, had made camp.

They were in contact with the main Army. They had got there in time for the Battle.

Wrapped in a thin blanket, Johnny had fallen asleep, vaguely aware that he was close to a little stream winding through wooded and hilly country. He hadn't slept well: all night long the roads and passes were choked with artillery caissons, supply wagons, guns, cavalry, troops, a tide of confusion moving toward a battle.

In the dawn, he had awakened and seen the little creek and heard its name, and after that he couldn't sleep. Before it was fully day, the brigade was up, and the men ate. Mist was rising from the creek. It might have been early morning on the Shawmucky in some of the wilder parts of Raintree County.

Some distance to the right, a road approached and forded the stream, and at that point stood a white frame building with clear black letters on it:

LEE & GORDON'S
MILLS

Across the creek, Johnny could see a long, low mountain.

The cold, pale waters of Chickamauga Creek run on over dead stones in the dead light of the beginning day. Across the river were cornfields and a long, low mountain and the Enemy. To this place the Hero of Raintree County had come, life's American, John Wickliff Shawnessy. Here or somewhere near in a few hours, a piece of iron might hit him and tear the life from his body, and here he might fall, absurdly stiff and still, in the sight of this little creek, this cornfield, these trees, this mountain. In all the designs he had ever had of his life, he had never allowed for such a thing. He had never supposed that he could really expire on an unfamiliar earth, hundreds of miles from Raintree County.

He was cut off from all human help. He looked at his comrades and no longer knew them with human warmth and knowing. Their names were Flash Perkins, Jesse Gardner, Natie Franklin, Thomas Conway, and so on, but in this moment they had ceased to be persons with names. They were nothing to him. They couldn't help him. Each would be wholly preoccupied with himself. Each would be wishing that he personally could emerge safe from the Battle, no matter what else might happen. Now the mannerisms and personal whims of each one didn't matter. It didn't matter that one was more handsome or intelligent than another. Each was simply a man facing death.

He was sick with fear. He lay weakly on the ground, flat on his belly, and kept his face down so that no one would see how scared he was. He hadn't even seen the Enemy, he was for the moment perfectly safe, and yet he was despicably scared. How would he ever be able to endure actual combat? How would he ever be able to stand up to wild men yelling and rushing at him with bayonets? Did he really want to defeat the Enemy so badly?

Johnny tried hard to think of the Cause. Now he must be a soldier, the anonymous instrument of a great idea. All memories of himself as an individual with a name were gratuitous hardships now.

But it was no use. Now for the first time the Enemy had acquired a personal meaning. The Enemy was a heartless something that cared nothing at all for the personal sanctity of John Wickliff Shawnessy. It was now really possible that a complete stranger from the South would thrust a bayonet into Johnny Shawnessy and destroy the precious thing that he was.

This would be the most pitiful murder since the beginning of time. To do this would be wantonly to destroy the earth and explode like a child's balloon the whole structure of the Republic.

He kept staring at the other side of the creek but could see no movement in the woods, no sign of the Enemy. But the word all up and down the line was that the Rebels were going to attack.

By eight o'clock with the sun already high and bright, the brigade had been moved to the rear of another brigade, where it would remain in support. The mill was lost sight of. All through the woods troops were marching, guns were being unlimbered, officers came and went, bearing dispatches, supply wagons moved. For nearly two hours, the men of Johnny's regiment remained in a deep wood, where they couldn't see the creek. It was fine weather. The foliage was a rich summer green. The men sat or lay at full length, talking in low voices.

After a while, Johnny tried to fix his attention on what was happening around him. On a road near-by that went down to the mill he could see troops marching. From the shouted orders and the haste, the springing steps, the drawn, excited faces of the men, it was evident that they were expecting to fight. Now and then a wagon train came through and was driven up a road to the right in the direction of Chattanooga away from the creek. Regimental flags appeared in the woods on either side. Staff officers galloped through and through the trees. The flags, the horses, the hurrying, cursing soldiers streaming along the road, the calls from the forest on either side, the bright morning sunshine, the swarming of uniformed men in the hills and hollows, the turning of all the hundreds of faces toward the creek made Corporal Johnny Shawnessy feel that the battle which was about to be fought was like a gigantic celebration. Except for the anticipated shock of the fighting, he might be on a picnic somewhere. It didn't seem possible that all this color and movement was about to result in killing.

Meanwhile there was a good deal of talk up and down the lines.

—When do you reckon they'll hit us?

—Maybe we'll hit them first.

—I wisht I was home on the old farm.

—Elmer, you be sure to mail that letter fer me, if I git hit.

What disturbed Johnny most was the fact that nothing seemed to be planned. Nothing was settled. No one knew anything for sure. Obviously the Union position had been an improvisation—else why should thousands of men be marched fifty miles away from the scene of the Battle and then fifty miles back so that they arrived bewildered and exhausted? Why were men still pouring along the roads beside the creek when the Rebels were expected to attack at any time?

One thing he was appallingly sure of. If every soldier in the Union Army felt as milky, sick, and helpless as he did, the game was up. The Republic was finished.

About nine o'clock, General Jake Jackson came riding along the lines with his aides. Instantly a cheer went up, in which before he knew it, Johnny had joined. Here at least was a completely confident figure.

General Jackson was hatless, black locks streaming out behind. He bestrode a beautiful, fast horse, and he was smiling as if he expected something wonderful to happen. He stopped a short way from where Johnny was.

—Boys, he said, we may have an attack any time now. We aren't just going to sit around and let 'em come on. We'll meet 'em head-on. Aim for their guts, and give 'em hell.

He stopped and exchanged a few words with an officer. Then he rode up to Johnny's regiment and said,

—I understand you men have never been in battle before. That right?

—Yes, sir. That's right, General, several voices said.

—You're not scared, are you?

—We ain't skeered, General. We're just frightened to death.

The General laughed, and everyone in hearing distance laughed. Johnny laughed too, dismally.

—You boys will be all right, the General said, shaking his chin and his fist at the creek. You're from Indiana, I hear. Well, Indiana boys don't break under fire. Let's give those bastards a thumping they won't forget!

The men gave a cheer. As it faded in the woods, there came from the left a series of deep throaty sounds that rolled in thick waves along the valley of the Chickamauga.

The General jerked his horse straight up, whirled and . . .

(Epic Fragment from *Fighting for Freedom*)

The battle began with heavy shelling of the Union Center. The Rebels followed with an infantry assault in their characteristically impetuous manner, as if they expected to carry the field in a single charge and go thundering right on through to Chattanooga. The fighting began to move down the line to the right, where the Third Corps, not yet fully in position after the forced marches of the days preceding, was lying on its arms. The Union right now sustained an attack of great magnitude, the details of which it would be fatiguing to recite, but suffice it to say that . . .

Corporal Johnny Shawnessy tried to see beyond the distant fence, but trees and bushes blocked his vision.

—Can you see anything, Jack? Flash Perkins said.

—Not a thing.

—Hey, Captain, where are the Rebs?

—You'll see them soon enough.

The noise of the shelling had become louder. Johnny and the others were yelling at the tops of their voices.

A staff officer rode up and said something to the brigade commander. They held a map in their hands and pointed excitedly. The commander jerked his chin up and down forcibly several times. He pointed toward the creek. The staff officer nodded vigorously, saluted, and rode off down the line to the left.

The brigade was ordered forward in line of battle.

—Hell, it's about time, Flash Perkins said. They're fightin' right where we was this mornin'. How come they moved us away?

No one else said anything. The men walked forward through the woods. Johnny's company was to the left of the regimental colors. The brigade went forward in two lines, the men almost shoulder to shoulder. The noise from the creek grew. Smoke began to roll up the hill. Rifle fire was continuous.

Men are being killed there, Johnny said to himself. Men are being killed down there by the creek where I was this morning.

He had never in his life before seen a man killed.

Bullets sang through the forest like angry bees, socking trees. Johnny hunched over. He wanted to throw himself on the ground and dig under. A round shot crashed through near-by trees, a brutal chunk of pure chance, lopping off branches. Johnny saw the spent ball, as big as a man's head, roll harmlessly down a little hill.

—Gosh! a boy said. That might've hit somebody.

No one laughed.

Every now and then a spray of leaves suddenly relaxed and sank to the perpendicular or floated gently to the ground.

At the edge of the wood, the brigade halted at a railfence and everyone went to the ground. A battery of Union guns was firing from a little hill about fifty yards to the right. Around the nearest gun the men made quick, methodical movements, then broke away to left and right. There was a stiff white stream of smoke standing out from the muzzle of the gun. A second later the report struck like a slap on the ears. The gunners ran forward, laid hold of the handspike and spokes and ran the gun back into position.

Johnny lay on the ground, mouth open, panting, though he had only been walking. He felt that if the noise should all abruptly cease, his fear would become audible. But, in a way, the noise of the Battle was the noise of his fear.

There was a little fluttering sound seemingly in the air overhead but growing louder. It ended suddenly, and a hundred feet away in front of the fence, the earth spurted in a fountain mixed with black smoke. Dirt rained all over the men in Company A.

—What the hell! Flash Perkins yelled at Johnny, as if he had a personal grudge against him, what're they doin'! How come we don't git in there and whop 'em? We ain't jist gonna sit here and let 'em shell hell out of us, are we?

Johnny lay at the base of the railfence, panting and praying. The fluttering, whining sound came again and again as more shells fell in the field in front of the brigade.

Any one of these shells, Johnny was thinking, any one of these bullets might be for him. He seemed to have an infinite capacity for being afraid. He feared each shell and bullet and he feared them all. He feared them before they were shot and while they were being shot.

Suddenly he was lifted and thrown by the ground. A strong stink and blinding flash stunned him. A shell had landed close by. Someone was hit. He could hear a man saying in a low voice over and over again,

—Please. Please. It's me.

—Stand up, boys! Stand up!

Men were getting to their feet all up and down the line. Johnny got up. The officers were standing in the intervals of the companies.

—They're comin', someone said.

The open field in front sloped to a wood on the far side. Out of this wood men came running, stopping now and then to fire their muskets back toward the creek, then biting cartridges and ramming as they ran. One of the men lay down gently on his face. Another stopped abruptly as if he had just seen a yawning hole at his feet. He teetered exactly like a man reluctant to go over a precipice, dropping his gun and swinging his arms for balance. Then he collapsed backward.

—Them's our men.

—Yeah, but the Rebs are back there too.

Men in Union uniforms kept coming out of the woods. They were not withdrawing straight back toward the Third Brigade, but to the left and right.

Suddenly, Johnny realized that he was seeing men killed. While he had been standing here, half a dozen men had lost their lives in the field before him.

—Load! Load at will!

The word went up and down the line.

Johnny bit a cartridge and rammed it down the barrel. All up and down the line the rammers rang in the barrels, the gunlocks clicked.

—I don't see anything.

—Where are they?

—I don't know. I can't see a thing.

Just then Johnny saw several men in gaps of smoke, approaching the fence at the far end of the field. His first impression was that they didn't have uniforms. There were twenty, and then fifty, and then a hundred, and then all along the line of the fence, coming up from the creek, hundreds of them. Flags emerged from the woods. The men were in groups rather than lines.

Johnny took a rest on the railfence and sighted on a man approaching the distant fence. The figure became incredibly small at his rifle's end and was blotted out by the sight.

—Fire!

He squeezed off, and the buttguard socked his shoulder. He coughed with smoke in his eyes, and started to load again. He bit the twist of the cartridge too close, and dropped his rod. Panic rushed over him. He bit another cartridge and managed to ram it home.

He was aware of a thin, high, human sound above the firing.

The Rebels were over the fence and running; they seemed to be sweeping forward in a great V with the point aimed at Corporal Johnny Shawnessy, but with more men at the wings. They were about three hundred yards away. They were yelling. Their bayonets flashed in the sun.

Johnny worked the musket frantically. He got in two more shots and then missed his ramrod. He must have left it in the gun and fired it. He turned around, frantic.

Flash Perkins' body jumped with the kick of his rifle. Natie Franklin was lying on the fence with his forehead touching the lowest rail, as if he were ashamed of something. A black puddle of blood was spreading out around his face. Johnny grabbed the extra rod and loaded again.

A hundred yards away, the Rebels had stopped. The officers were waving swords and pistols. The battery on the hill played directly on the Rebel lines. The Rebels fired a volley at the fence. It was like a gigantic whip flaying the ground around the fence. The whole Rebel line disappeared in the smoke. Johnny fired into the smoke again and again. His lips were caked with powder; his hands were blackened and smeared with sweat and powder. His eyes smarted, and one kept closing up with sweat and powdergrime, where he had run his finger through it to clean out the sweat. He had no idea how many shots he had fired, but the gun barrel scorched his hands, his fingers were blistered.

A man on a horse appeared incongruously in front of the line. It was General Jake Jackson but not the same horse. He was shouting and shaking his chin at the creek and whipping the air with his sword. The officers were out in front and were all beating the air with hands and swords. Out of the corner of his eye, Johnny saw an officer make a gesture toward his company so strongly that he threw himself down and flung his head free of his body and lay, neck spurting blood.

—Forward!

The men stepped over what was left of the fence and went through the field, running and walking. The smoke seemed to dissolve. The Rebels had withdrawn to a fence at the far side. Johnny fired at the fence and stopped to reload. The man on his right stopped too, put the butt of his gun on the ground and leaned on it. His mouth was open; blood spurted in a thin, wavering jet from his neck. He let go of the gun, and one hand went slowly toward his neck. He went down to his knees as if to pray, his head dropped, he pitched over. Johnny fired again and kept on walking.

In front of him, now, he could see the Rebels retiring from the fence; then they were all out of sight in bushes, rocks, trees.

He was at the fence. The brigade stopped and went to the ground under heavy fire. Several bodies lay among the broken rails. Bushes, grass, and weeds were trampled and dabbled with blood. Where Johnny crouched behind the fence, a boy was lying on his back, shirt open at the neck, head rolled back, neck soft and flexible with a clear blue vein showing. His relaxed right arm with halfopen hand was flung out behind his head. His young face was stubbled with blond hairs. His eyes were open, moist and blue, but rolling out of focus. He was barefooted. His wellformed body, dressed in crumpled gray pants and a torn shirt, was lying across a rail, bending gracefully just at the point of the spine. He had only just then been alive. His voice had been making a sound in his throat as he ran up through the woods from the creek to this fence. He had been shot through the heart and lay like an animal newly felled. He had come a long way from somewhere to a little creek in Georgia and had run to a rail-fence and had got his death there in the autumn sunshine.

He was the Enemy.

Corporal Johnny Shawnessy was appalled. It was the first Rebel soldier he had seen up close. Here lay his gun and his broad hat. He was perhaps eighteen years old. The Battle took no account of him. For a little while, he had been in the Battle, he was the Battle, now he was gone from the Battle.

At any moment, at any unforeseeable point of time, Corporal Johnny Shawnessy might be plucked out of the Battle and out of the bright sunshine. The whole fabric of memories that made him a person beloved to himself and others would be torn up.

He had his second great moment of fear. He looked wildly around. General Jackson came riding up the line with his staff. He smiled and kept shouting in a hoarse voice,

—Fine work, boys, you restored the line!

Johnny was wondering what line.

A staff officer rode up. The General dismounted, knelt on the ground, and studied a map. He issued some orders and rode away.

Johnny began to fire across the fence into the woods. Now and then through an interval in the trees, when the smoke thinned, he could see where the road ran down to the creek. There was a white building there, and through the smoke he could see at times big black words on the front of it.

LEE & GORDON'S
MILLS

They touched him with an incredibly ancient memory, and he knew that it was the same mill he had seen before the fighting began in the morning.

Just after that, the brigade was ordered back from the fence.

—What fer? asked Flash Perkins.

—To restore the line, an officer said.

As far as Johnny could see, their new position didn't bear any clear relation to any other they had occupied, and they were immediately obliged to abandon it and move back again. Someone said the Rebels were outflanking them and trying to get in their rear.

—What's the matter? What are we goin' back fer? Flash Perkins kept saying.

He was still on Johnny's right and close to the regimental colors.

His face was black as a devil's, his eyes bloodshot and glaring, his cap gone, his coat torn.

As soon as they began to go back, the little coherence and order that had been maintained up to that time disappeared altogether. The wood was full of walking wounded, stretcher-bearers, dazed stragglers, riderless horses, gun crews toiling with their pieces. In the thick bush and the crisscrossing ravines, what was left of Johnny's regiment got lost from what was left of the brigade.

As far as Johnny could see, the Battle was over on his part of the line. He staggered on through the woods, his head aching, his mouth full of the black taste of powder, his ears singing. He was so tired that what he saw no longer shocked him. He merely recorded it all for future reference. Already he had become accustomed to beholding war's insult to the integrity of the human form. He had seen heads blown off, lying with tongues out and eyes blackened. He had seen legs and arms lying separate from bodies, he had seen men flung about by shellbursts as if they were bags of old clothes. He had seen men die with a singular ease, as if nothing were so fragile as a human life. He had seen men living and walking with unbelievable wounds, one with what seemed the whole side of his chest sheared off, another holding an armful of his own guts. He had seen a man trying to say something with most of his face blown away.

In Raintree County, human blood had been an ichor. He had never before seen even a pint of it at one time. But on the banks of the Chickamauga, he had seen puddles of it, and men lying in them.

Back near the base of a ridge, the broken divisions were reforming. There had been a withdrawal of the Union right. General Jackson came through in the evening, riding a third horse. His head was bandaged. Dismounting, he strode among the troops. His eyes glared and his voice was strong as a bull's. He laughed and joked with the officers. He said that tomorrow they would show the goddam Rebs something. He said that his whole Corps was intact and never would have fallen back but for a miscalculation in the Center.

Johnny was so exhausted he could hardly eat. He lay on the ground feeling almost as broken as the bodies he had seen along the Chickamauga. He put his memories away, raw and bleeding, knowing that he would have to deal with them sometime. He went to sleep almost immediately and slept like one dead.

And yet he was somehow aware that all night long wagons were rattling on the roads in the darkness, men were marching up and past the bivouac, horses were thundering by. Apparently this volcano of violence and horror called a battle had not yet spent its eruptive force. The canvas had not yet been sufficiently daubed with blood to make it palatable to that great art critic . . .

(Epic Fragment from *Fighting for Freedom*)

History records no more savage conflict than that which raged all day at the crossings of the Chickamauga. By imperishable gallantry our forces had contrived to maintain their line intact before the impassioned charges of the Rebel hordes. Bloody but unbroken, the whole line retired at nightfall to the base of Missionary Ridge, leaving many a brave comrade lying by the little river of death. As those tired legions who had borne the brunt of the Rebellion's fanatical attack waited in the brow of the long ridge in the waning night, little did they know what fresh encounters of deadly consequence they would be forced to sustain upon the morrow.

On the following morning Nature was resplendently beautiful in ironical contrast with the dark human drama which was about to be reenacted in the valley of the Chickamauga. The sun was bright and warm, and fair soft breezes touched the cheeks of soldiers still weary from the extreme ardors of the preceding day's battle. The Rebels, greatly reinforced and outnumbering the Unionists nearly two to one, resumed the attack. In three columns they hurled themselves against the Union right only to melt away before the massed accuracy of the patriot fire. But then occurred one of those incalculable freaks of chance whereby battles and sometimes nations are lost and the whole course of History altered. While the exhausted troops who had stood the whole fury of the Rebel onset were being relieved and fresh troops brought up, the hordes of Treason, perceiving the confusion behind the Union lines, made a single irresistible rush and in the space of a few minutes . . .

Corporal Johnny Shawnessy was thoroughly confused. Somehow during the past half-hour, while he had been firing from a rocky nest at the head of a ravine, the brigade had melted away from around him. Flash Perkins was still with him, but something had happened. The firing had lessened down the line.

—Hey, Flash.

—Yeah.

—Hadn't we better fall back?

—Where's the Captain?

—I don't know. The brigade's retiring. If we don't go along, we'll get cut off.

The regiment had been fighting hard and holding its own all morning, cooperating in the repulse of several Confederate charges. Now, however, it seemed time to fall back. The Union lines were getting thin or non-existent in the woods here. Johnny and Flash started to the rear, hunting for a solid line. There were other men in squads and whole companies, moving slowly back through the woods. A sound of firing and yelling came from the right and the rear.

Johnny didn't know just how it happened.

He had lost the feeling of alignment, of solidarity with the Army, of coherence. As far as he could see, he was aligned on Flash Perkins and Flash on him, and the rest of the Army was swirling around in confusion. As they went back through the woods, instead of finding the brigade they were pushed out of the way by fresh companies who came up eager for the fight. Then a vast yelling and firing broke out in their rear and on both flanks. Johnny got out on high ground near a road. He was not even sure which direction the Enemy was coming from. He and Flash stopped and looked around.

They were surrounded by artillerymen, walking wounded, stretcher-bearers, dismounted cavalry, infantrymen who had not yet seen combat, officers looking for their commands, commands looking for their officers. The whole mass seemed vaguely worried, and although there were counter-currents, the tendency was to go back and find a point of reference farther to the rear.

Just where withdrawal became a rout Johnny didn't know. But there was a time when he ceased to believe that he and Flash Perkins were going to find a solid line of resistance. And there was a point where he stopped thinking of being a useful part of the Army and started to think of saving his skin. Somewhere along in there, he got separated from Flash Perkins. When that happened, he seemed to lose all ties with what had been the Battle and the Army. From then on he resumed his importance as an individual. He was persuaded that he had done his best. He seemed absolved from blame. When men around him began to run, he began to run. Somewhere along the way, he threw down his musket. He realized then that he had thrown away the last symbol of resistance. He had admitted defeat. He ran faster then.

About four o'clock in the afternoon, he came out on a road which someone said led into Chattanooga. Along this road the whole right flank of the Union Army appeared to be trying to retreat all at once. Haggard bands of soldiers were herding down the road, cursing and reeling. Artillery caissons, ambulance carts, supply wagons, riderless horses, walking wounded jammed the road with a solid stream of agony and panic, constantly swollen by broken companies coming up from the battle area. Men said that whole divisions had been overrun, that there were thousands of yelling Rebels in pursuit, that they had seen whole companies bayoneted in a few seconds. Everywhere there was candid admission of defeat. Here and there, officers tried to curse order into the fleeing mass, but they were helpless.

Some way the hinge of the Army had been broken, and the Battle had been lost. The loosely integrated mass called 'the Army' had ceased to touch in the important places. Now there was no Army at all, there were no regiments, there were no brigades, there were no divisions, there were no privates, there were no officers, there were only a lot of scared, desperate, wounded, sweating, cursing, unhappy men, absurdly dressed in blue uniforms, struggling along a road and trying to get to a place of safety.

Johnny didn't see why the Rebels didn't attack and annihilate the whole frightened mass.

As he went on, completely weary and exhausted, he had a dull feeling of despair as if he himself had been personally responsible for the defeat of the Army. Somewhere along the way, he had failed in courage or initiative. Somewhere along the way, he had agreed too easily to be defeated.

He kept wondering if this was the end of the War. Surely the Union couldn't stand a defeat like this. All the elaborate order and contrivance that had been a third of an Army had been destroyed.

Battle appeared to be a process in which order sought to defeat order with the weapon of confusion. Defeat was simply utter bewilderment.

Late at night Corporal Johnny Shawnessy was wandering through the groaning darkness of improvised camps in and around Chattanooga. No one knew where anything was. Everyone was looking for his command. About twelve o'clock he found a part of his regiment encamped in the corner of a field. There was a fire going, and Flash Perkins and Captain Bazzle and a few others were there.

—Here's Jack Shawnessy! Flash said, as Johnny came up and peered at their faces in the night. We outrun you, boy.

Johnny threw himself down on the ground by the fire. He heard much talk of the Battle. It appeared that the Army had been saved by a heroic rearguard stand by General Thomas on the left wing.

So then this was the way it had to be done. This was the way mankind settled its problems. These were the glamorous chapters of history.

My God, what difference did it make if men called a hunk of earth one name instead of another! What difference did it make if a few million simple people were called slaves instead of free! Was it worth the extinction of a single life along the Chickamauga? My God, there were thousands of young men who were stiff and dead around that little creek and all for nothing.

Not even the Rebels had won anything by the Battle. No one had anything that he hadn't had before except wounds, sickness of spirit, gutache, exhaustion, death. What difference did it make! Might as well go back to Indiana, and to hell with the whole war. Might as well go back and let the goddam Rebels have their goddam land. What did a man get by fighting? Could a man get anything by it, anything tangible or important? The Rebels had the field, and the Federals had the town of Chattanooga. And he, John Wickliff Shawnessy, had a bellyache and wished he had never been damfool enough to enlist in the Army. It was a terrible thing, a pathetic, crying thing to think of all those boys lying around Chickamauga Creek, boys who had been alive and strong just two days ago. He might be down there himself and no one give a goddam, except some folks back home, who would find out about it in a roundabout way with typographical errors and never know the crazy, unheroic agony of his death.

Here he lay then—the Hero of Raintree County, who had meant one day to be the poet of his people. Here he lay, who on the banks of a little river in Raintree County had dreamed of a fair republic. Here he lay, who had believed in justice, beauty, progress, love. He had just spent two days of complete selfishness, of abject fear. He had been thoroughly whipped. He had run like a craven from the field, buried in the blissful anonymity of panic and mass retreat.

One thing was certain. War was the craziest damfool madness that ever was. It was everything vile, absurd, brutal, murderous, confused. Mainly it was just confusion—bloody, stinking, noisy confusion with death as a casual by-product. How anyone ever won a battle, he couldn't imagine. This fight, which had no name and ought never to have a name, had been simply the result of two blind forces launched from vast confusion and colliding in vast confusion. What he had seen today was so incredibly evil and foolish that it baffled classification. No one man or idea was responsible for the evil. It was something in which men got trapped through a lack of foresight. All of them hated it while they were in it, and yet all had agreed to be in it.

Later, Flash Perkins came around and handed him a stewkit full of hot soup. Flash's face had a set, baffled look. He kept shaking his head.

—Shucks, Jack! he said, it ain't anything like I thought it'd be. Cuss it, we din't hardly have a chance to git at 'em. Hell, that was jist pure murder.

WE SURE BEEN IN ONE HOLY
JUMPIN' HELL OF
A

GRAND PATRIOTIC PROGRAM

July 4, 1892

Waycross, Indiana

2:30 P.M.

The Star-Spangled Banner.................................All
Prayer...................................Rev. Lloyd G. Jarvey
Declaration of Independence (Reading)....General Jacob J. Jackson
The Gettysburg Address (Recitation)...........Wesley Shawnessy
The Battle Cry of Freedom................................All
Address of the Day....................Hon. Garwood B. Jones
Medley of Patriotic Airs................................Band
    Tenting on the Old Camp Ground
    Tramp, Tramp, Tramp
    Marching Through Georgia
When Lilacs Last in the Dooryard Bloomed
    (Recitation).........................Mrs. Evelina Brown
Medley of Popular and Patriotic Airs......................Band
    Old Folks at Home
    My Old Kentucky Home
    Dixie
    Battle Hymn of the Republic
My Country 'Tis of Thee.................................All
Benediction...........................Rev. Lloyd G. Jarvey
Program Chairman: Mrs. Evelina Brown

Mr. Shawnessy consulted his copy of the program. Following the banquet, the space before the platform had been cleared of tables and filled up with benches and chairs. Promptly at two-thirty, with several hundred people in attendance, many of them standing out in the road, the Grand Patriotic Program had begun. Mr. Shawnessy, who, with Mrs. Brown, had been mainly responsible for arranging the program, sat in a back row with Professor Stiles. The Reverend Jarvey had at last appeared, looking a little tired, the opening anthem and the prayer had gone off well, and now General Jackson, who had shouted himself hoarse in his short banquet address, was thundering through the opening bars of the Declaration of Independence.

—When in the course of human events, it becomes necessary for one people to dissolve the political bands which have connected them with another, and to assume among the powers of the earth, the separate and equal station to which the Laws of Nature and of Nature's God entitle them, a decent respect to the opinions of mankind requires that they should declare the causes which impel them to the separation.

—From these words, the Perfessor whispered, the origin of firecrackers.

—We hold these truths to be self-evident, that all men are created equal, that they are endowed by their Creator with certain inalienable Rights, that among these are Life, Liberty and the pursuit of Happiness.

From these words, the Republic. From these words, Raintree County, a rectangular dream.

—That to secure these rights, Governments are instituted among Men, deriving their just powers from the consent of the governed. That whenever any Form of Government becomes destructive of these ends, it is the Right of the People to alter or to abolish it, and to institute a new Government. . . .

From these words, cannons and cockades, constitutions and congresses. From these words, the Court House and the Court House Square, the clock in the steeple telling the time of day and the flag of many stripes. From these words, the granite lady with the scales over the court house door and the spittoons in the court room on the second floor.

From these words, the enormous geometry of the railroads, trains that pass by day and night making banners of gray smoke on the land.

From these words, the manswarm of New York, Chicago, San Francisco. From these words, the march of States across the Nation in musical procession, New Jersey, Pennsylvania, Ohio, Indiana, Illinois, Kansas, Colorado, Utah, Nevada, California.

From these words, Main Street, the post office on the corner, the

general store, the barber shop, the schoolhouse, the church with a
steeple holding a bell. From these words, the plain board houses in
the tidy lawns, the old plantation home, the mansard roofs, the tene-
ment houses hung with washing, the farmhouse, and the great red
barn.

From these words, an infinitude of sounds, vibrations of wire,
whistles at crossings, rock and jostle of strings of cars crossing the
lonely prairies where the buffaloes stand at gaze, roar of the churning
and changeable machines, voice of great cities assaulting the summer
night with prayers, oaths, death cries, songs.

—We, therefore, the Representatives of the United States of
America, in General Congress assembled, appealing to the Supreme
Judge of the world for the rectitude of our intentions, do, in the
Name, and by Authority of the good People of these Colonies, sol-
emnly publish and declare, That these United Colonies are, and of
Right ought to be Free and Independent States. . . .

From these words, statues in the Square for the boys who fell at
Lexington, Chapultepec, and Chickamauga.

—And for the support of this Declaration, with a firm reliance on
the protection of divine Providence, we mutually pledge to each other
our Lives, our Fortunes and our sacred Honor.

From these words, the place called America and the people called
the Americans. From these words, the brooding and gaunt form of
Abraham Lincoln at Gettysburg. From these words, tumult of many
wars (old wars and half-forgotten), unceasing dedications and re-
dedications. From these words——

Mr. Shawnessy's oldest child, Wesley, was standing before the
crowd, a blue-eyed boy, blond head close-cropped, new suit somewhat
too large. His solemn, tense voice began:

—Fourscore and seven years ago our fathers brought forth on this
continent a new nation, conceived in liberty, and dedicated to the
proposition that all men are created equal. Now we are engaged in

this basin of plain beside the river, this rash of shacks and dingy buildings called Chattanooga, and it had brought with it barricades, trenches, riflepits, gun emplacements, pontoon bridges, tents, barracks, whores, booze, siege, famine, and Corporal Johnny Shawnessy.

It was afternoon as Johnny walked away from the postal depot toward his camp on the fringes of the City, having had a special leave to see why the regimental mail was delayed. For two months now, the Army of the Cumberland had holed up in Chattanooga trying to recover from Chickamauga. The Rebels had followed and besieged the town, and even now, as Johnny looked south up the street, he could see thin smokes of Confederate fires on Missionary Ridge and Lookout Mountain. For weeks, the Union Army had been almost cut off from supply, but at last a lane had been cleared, and the Army had begun to eat again. Then General Grant, the Hero of Vicksburg, had taken command, the Army had been reinforced, and a campaign to break the Rebel siege was promised.

Meanwhile, the mountains had been the abiding companions of Johnny Shawnessy's days and nights in the autumn of 1863. Thin smokes of Confederate fires on Lookout Mountain and Missionary Ridge had burned away this autumn of his life in bitter waiting. He knew that these mountains would remain part of the august scenery of his life, great breasts of earth, colossally feminine and passive. For the possession of this couched shape, immense, brooding, silent, he and his comrades must fight, retch, shriek, bleed, die. On earth's indifferent ramparts, like blowing sand, the battle must swirl and pass with fine abrasion. Men would shout victory with advancing banners. But in the end the earth alone would remain unaltered and victorious. A hundred years hence, picnickers would strew gay wreckage on the slopes of Lookout Mountain and Missionary Ridge,.

and perhaps their feet would tread the crumbled heart of Corporal Johnny Shawnessy. These old hills would have their solemn immortality, fashioned from his bloody anonymity.

These were his musings when a voice calling his name caused him to look back along the street.

A tall, thin man was walking toward him. A long arm flapped violently. Sharpkneed legs strode briskly past knots of sauntering soldiers and civilians. The approaching figure was dressed in a wide-flapping civilian coat, a checked vest, pants stuffed into jackboots. Beneath a wide hat, Johnny saw a long head, a sharp nose, a spade-shaped beard, glittering black eyes.

—Well, well! said Professor Jerusalem Webster Stiles, that was a long train ride you sent me on, John.

Johnny shook the Perfessor's bony hand. The sharp face hacked up and down hatchetlike. The Perfessor was laughing.

—Jesus, John, he said, I thought at first you weren't going to recognize me. I just blew into town two hours ago. Well, I suppose you're wondering what brought about our reunion on the field of Mars. It's very simple. The paper sent me out here to get a slant on the way you boys are fighting it on this side. Not much difference. They seem to make the same kind of corpses on both fronts. Same old stink, same old waste, same old war. Well, how's everything in Raintree County?

Johnny didn't know where to start, but before he had said ten words, the Perfessor cut in.

—Let's go where we can talk. Where's the local ginmill?

—I don't know, Professor, I——

—There must be one, the Perfessor said.

—I'm not sure, Johnny said. I——

—In fact there *is* one, the Perfessor said. I'll show you where it is. Friend of yours tipped me off. I visited your camp. Chap named Perkins brought me back in and told me to look for you at the Post Office. Showed me the booze house on the way. Said he had a woman lined up there and would try to fix you and me up too. Obliging bastard. Suppose we drop in there for——

—If it's the place I've heard Flash talk about, the whiskey's rotgut and the women are terrible.

—I trust they have the standard equipment, said the Perfessor, albeit a bit battered, no doubt. It's been a long war. As for the liquor, personally I always carry my own brand of the white destroyer.

The Perfessor drew deftly from his boottop a bottleful of bubbling fluid. He led the way to the main business street of the town, turned off, went down a back alley, and fetched up at a door that opened in the side of a mournful frame building. Muffled laughter and bursts of singing came from inside.

The Perfessor rapped on the door. The door opened two inches.

—Who is it? said a hoarse man's voice.

—A friend, Madame, the Perfessor said. On the recommendation of one of your regular clients, Madame.

—Who's that? said the hoarse voice.

—A Mr. Perkins, the Perfessor said.

—We try to keep a respectable house here, the hoarse voice said argumentatively.

—Of course, Madame, the Perfessor said. One hears only good things of your establishment.

—Course it's pretty hard under the circumstances——

—One does not expect perfection, Madame, the Perfessor said, laughing jovially. One merely wants a little relaxation and a place to chat among congenial spirits.

—Flash Perkins sent you? the voice said.

—I believe they call him that, the Perfessor said. You know him?

—Yeah, I know the big lug, the voice said. He owes three dollars. Come on in.

—Thank you, thank you, Madame, the Perfessor said.

He and Johnny walked into an ill-lighted hallway, in which an elderly woman with powdered pouches under her eyes and a slack, painted mouth was waiting for them. Her eyes were hostile and suspicious.

—This one too? she said, in her man's voice.

—Another friend of Perkins, the Perfessor said. An excellent young man.

—The place is full now.

—We only want some drinks, the Perfessor said.

They followed the proprietress to another door and into the main downstairs room. Drawn blinds made the place dark. It was full of smoke and badly lighted by oil lamps, but Johnny could see that it was furnished with plank tables and crude benches. There was a door leading into a kitchen. Three or four ugly young women sat at the tables, and the other half a hundred occupants of the room were soldiers. A woman and a soldier got up from a near-by table and went through a door at the far end of the room. Heavy boots banged on stairs. The planks overhead shook unmysteriously. Johnny and the Perfessor took the empty chairs.

Johnny looked around but didn't see Flash. An aged waitress brought drinks, and the Perfessor insisted on paying. He tossed off his drink, but Johnny didn't touch his.

—Ouch! said the Perfessor. Now, John, tell me about yourself.

Johnny began to tell, in more detail than his infrequent letters had made possible, what had happened to him since the night when he had last seen the Perfessor's blackwinged form spring from darkness to the passing train.

—Well, John, the Perfessor said after they had talked a while, I should have known you'd go and do all these damfool things. I had hoped that with my shining example before you, you would escape the Philistine snares of Raintree County. That was quite a fuss I stirred up, wasn't it?

—I felt sorry for you and the Reverend's wife, Johnny said. It looked like a real passion to me and——

—By the way, what was her name? the Perfessor said.

Later Johnny and the Perfessor talked mostly of the War.

—What's the War in the East like? Johnny said.

To him the War in the East was still the storybook War in a mythical Theatre of Operations between two capitals.

—Gettysburg was a beautiful battle, the Perfessor said. Three days of dramatic corpsemaking and a real chance for Meade to end the War. But he muffed it, and since then he and Mars Robert have been blowing kisses at each other across impregnable positions. My boy, war is the same everywhere. A great stink in the nostrils of God.

He looked around the room.

—Perhaps the whores are a trifle better looking on the Eastern front. What was Chickamauga like?

Johnny tried to give him some idea of the battle, but all he could tell him was his own confused picture of the fighting.

—You poor boy! the Perfessor said. For this you left Raintree County.

—What's going to happen anyway, Professor? Where are we heading?

The Perfessor began to drink directly out of his bottle.

—I just report the news, he said.

—Here we are—getting ready to fight on the same ground where we fought two months ago and got whipped.

—And while you boys kill and cuss on the battlefields, and squitter and whore in the camps, back home a lot of bastards and bounty-jumpers are marrying all the beautiful women and wallowing in gravy. But who are we to question the ways of the Eternal?

Someone was arguing about cardhands in the measured syllables of drunkenness. A woman giggled and squeaked weakly in the alcoholic mist. A song started near-by to the accompaniment of a clattering, tuneless piano. A woman stood up, one hand sentimentally supporting her flabby left breast, and sang one of the War's most popular songs.

> —Dearest love, do you remember,
> When we last did meet,
> How you told me that you loved me,
> Kneeling at my feet?
> O, how proud you stood before me,
> In your suit of blue,
> When you vowed to me and country
> Ever to be true.

The room stank of sweat, spilled whiskey, powdered flesh, cheap perfume, a jakes.

> —Weeping, sad and lonely,
> Hopes and fears how vain!
> Yet praying, when this cruel war is over,
> Praying that we meet again.

The Perfessor sucked moodily at his bottle.

—By the way, he said, I just came from Gettysburg on my way over here. They had a patriotic ceremony there on the 19th to commemorate the establishment of a great National Cemetery. The President was there and spoke. I talked with him.

—What did he say?

The Perfessor smiled, remembering something.

—He told a little story and said we would win the War. The story was a damn good one. I picked up a paper in Cincinnati.

He pulled a rolled newspaper from his pocket and tossed it on the table.

—I haven't seen a newspaper for two months, Johnny said.

He unrolled the paper and started reading:

THE PRESIDENT'S ADDRESS AT GETTYSBURG

The President arose and delivered the following short address. . . .

—By the way, the Perfessor said, standing up, I've got an appointment with Grant in ten minutes. The press will be admitted to the august presence for a while. Want to go along?

Johnny put the newspaper in his coatpocket and left with the Perfessor. They walked to a house where Grant was in conference with his generals. There was tremendous activity around the house as couriers came and went. Several generals entered while Johnny was watching. He heard famous names whispered by bystanders. After about twenty minutes, the Perfessor came out.

—Let's stay a minute, he said. The General's leaving.

In a few minutes, several officers came out of the house. General Ulysses S. Grant was a medium-sized man in a sloppy uniform. He had a black beard, fair skin, pale blue eyes. He looked like a commissary man or an engineer. He had a cigar in his mouth.

A spontaneous cheer went up from the crowd.

—Hurrah for old Ulyss!

—You just give the word, General, and we'll whup 'em.

General Grant got on a horse and rode away. He looked like someone who was going off for a day's work at the office.

—The Hero of Vicksburg, the Perfessor said, as he and Johnny walked away, was in an uncommunicative mood. He said he hoped to give the Rebels some trouble and had no objection to my sticking around to see the fuss. He smokes foul cigars, drinks his whiskey straight, and graduated twenty-first in a class of thirty-nine at West Point. There is no subtlety in the man and very little syntax. In peace time, he would make a bad grocer. In fact, he failed farming and business before the War and got cashiered from the Army once. Nevertheless, he's a good general and perhaps a great one. Of such stuff are the heroes of the Republic fashioned. Let's get back to the shanty.

—Do you think we'll fight soon?

—The General declined to say. But it's no great secret that Sherman is on the other side of the river with maybe twenty thousand men waiting to cross. Anyone can see that Grant is making a concentration. The way we understand it in the East, this damn, dull, whiskey-drinking brute of a general lacks the finesse of our Eastern prima donnas, and when he gets his army concentrated, he can only think of one thing to do with it. Wham! He fights.

It was dark out when Johnny and the Perfessor got back to the shanty and found empty seats at a table in the corner. Johnny opened the newspaper and went on reading the President's Address.

. . . a great civil war, testing whether that nation, or any nation so conceived and so dedicated, can long endure. We are met on a great battlefield of that war. We have come to . . .

—Meet the girls! said a loud and happy voice.

Flash Perkins smote Johnny and the Perfessor simultaneously between the shoulderblades. The Perfessor's hat fell on the table.

—This one's yours, Jack, Flash said. Doris, this is Jack Shawnessy, the smartest son-of-a——

—Please, Johnny said, rising and looking helplessly at the Perfessor, I was supposed to be back at camp an hour ago, and——

—Sit down, boy! Flash said. Drinks on me. I'm already lit to the roof and rarin' to go. Hell, I aim to have me a time tonight!

He pushed Johnny down. Doris, a skinny woman who snarled when she spoke, sat down on the table beside him, swinging her legs.

—Honey, she snarled, you're the best-lookin' sojer I seen since I left Louisville. I din't think they made your kind no more.

—Look, Johnny said resolutely. I was reading this paper. Have a drink on me, Doris. Then I have to leave. Honest, I'm sorry, but I'm carrying the regimental mail, and also I have a girl back home. Besides——

—Take it easy, honey, Doris snarled. Nobody's goin' to bite yuh.

I don't mind if I have that drink, though. Go on and read your paper, honey.

Johnny stubbornly put the paper up and tried to go on reading. He could hardly see the words.

> . . . dedicate a portion of that field, as a final resting place for those who here gave their lives that that nation might live. It is altogether fitting and proper that we should do this. But, in a larger sense . . .

Flash upset a glass; his girl, who was tall, rawboned, and drunk, giggled. The Perfessor was reciting verse.

> —Is this the face that launched a thousand ships
> And burnt the titless towers of Ilium.
> Sweet Hesper, make me unconscious with a kiss!

—You *are* crazy, Hesper said, but I like you. You're kinder cute and diffrunt.

The Perfessor fitted his thin, hawklike face and beard snugly between Hesper's bosoms.

—I salute the Army of the Cumberland, he said. I salute the Commissary Department of the Army of the Cumberland. I salute the Quartermaster of the Commissary Department of the Army of the Cumberland—for provisioning us with these excellent pillows whereon to rest our battle-wearied brows.

This was so good that even Johnny had to laugh.

—Ain't he a scream! Hesper giggled, as Johnny put the paper up again.

> . . . we cannot dedicate—we cannot consecrate—we cannot hallow— this ground. The brave men, living and dead, who struggled here have consecrated it, far above our poor power to add or detract. The world will little note, nor long remember . . .

—Come on, girls! Flash said. I feel like dancin'. Tell Flo to thump that ole pile a wire and ivory over there, and le's have a little dance.

—Come on, honey, Doris snarled, fluttering a hand over the newspaper. Let's dance little.

—You haven't had your drink yet, Johnny said. Better have your drink.

The Perfessor smiled sympathetically and recited,

—*Virginei volucrum vultus foedissima ventris.*

—He cain't even talk plain now, Hesper said, giggling. He's so drunk.

—Same old war, the Perfessor said, on both fronts.

. . . what we say here, but it can never forget what they did here. It is for us, the living, rather, to be dedicated here to the unfinished work which they who fought here have thus far so nobly advanced. It is rather for us to be here dedicated to the great . . .

—Jerusalem! Flash Perkins yelled. I feel a jig a-kickin' in my limbs.

Without warning, he upset the table. His forehead was tight with ridges. He clumped his great shoes on the floor. Someone was hitting the piano, and a space was cleared in the middle of the floor. Flash Perkins began to call the figures.

—Ladies and gennulmen, start tew dance.
Jist watch me a-jiggin' in muh bran-new pants.

The crowd roared approval. The square dance started. The rough soldier forms jostled and jumped on the wide boards. The young faces glowed with sweat in the yellow glare of the lamps. The dancers looked bigger than natural size, as they clumped their club-shaped shoes on the floor, flapped their huge, ill-fitted blue coats. Flash Perkins was cutting in and out like a great rhythmical bull, yelling above the racket:

—I got a gal, her name is Jane.
We're headin' for Memphis on the midnight train.

O, I got a gal in Kalamazoo.
You jist oughta see the things she kin dew!

. . . task remaining before us—that from these honored dead we take increased devotion to that cause for which they gave the last full measure of devotion—that we here highly resolve . . .

—Come on, Jack! Flash yelled, whirling out of the crowd and grabbing Johnny by the arm. Git into the dance, boy! Grab yerself some fun!

Johnny rolled the paper and stood up. As the dance went on, he backed uncertainly toward the door.

> —If you got a gal that's a mite tew fat,
> You kin melt her down with a dance like that!
>
> But if you got a gal that's a mite tew thin,
> You won't have a dern thing left but skin!
>
> But if you got a gal——

A table upset at the far side of the room, glasses splintered, a girl screamed. There was a confused shoving and shouting. A tangle of struggling bodies burst apart. Flash Perkins stood in the middle.

—Come on, you bastards! Come on and fight! I kin lick any man in this whole goddam Army! Come on, you sons-a——

It seemed to Johnny that everyone on that side of the hall accepted the challenge. Flash was buried under a hail of blows and bodies. Johnny shoved the newspaper into his pocket and started trying to get through the crowd to Flash.

The room became a vortex of faces and fists. Someone smashed the lights. Someone shoved Johnny. He fell sprawling. Something flew over his head. A window smashed, scattering glass outdoors. Johnny groped for a table to get under. He found himself grappling with a woman on the floor. She screamed. Johnny stood up. Something hit him smash on the side of the head. He lurched blindly, hunting for an exit. Over the noise, he could hear Flash Perkins' jubilant and terrific profanity.

—Tryin' to hit me, huh! Well, goddamn you, where I come from——

A door opened somewhere and a gush of cold air came in. The crowd quieted down. There was a crisp young officer standing at the door swinging a lamp. Soldiers with bayonets fixed stood behind him.

—Report to your units at once, he said. Any soldier not answering to regimental rollcall one hour from now will stand court martial for desertion.

The door slammed. Someone turned a lamp up on the beshambled room. The soldiers looked at one another dully.

—Must mean we're gonna fight tomorra.

—Lc's git out a here.

Johnny found the Perfessor in a corner sitting in Hesper's lap. She was applying a handkerchief to an eggshaped lump on the Perfessor's forehead.

—Poor darlin', she cooed. He hurt hisself.

—Well, Professor, Johnny said, are you enjoying yourself?

The Perfessor put his pince-nez glasses back on his nose, looked around, and recited:

> —A poet could not but be gay
> In such a jocund company!

—You better come with me, Johnny said. Flash and I have to get back to camp.

—Run along, boys, the Perfessor said, looking intently at Hesper's bosom. Remember—the soldier only has to be at his post, but the correspondent has to cover the whole damn war. See you in Richmond, John.

As he left, Johnny could hear the Perfessor's high voice reciting,

> —And oft when on my couch I lie . . .

Back at the camp, General Jake Jackson spoke to the brigade.

—We'll fight tomorrow, he said. Let every man get his arms in readiness. Here's your chance, boys, to avenge Chickamauga. Get a good night's sleep.

Johnny lay on his cot, listening to Flash Perkins in the adjoining cot.

—Yes, sir! Flash was saying, I mean to kill me a whole wagonload a Rebs tomorra. Cuss it, I'm a-gittin fed up with this here war. I simply cain't unnerstan' anybody fightin' agin the United States of Amerikee. Who the hell do they think they are anyhow? Ownin' slaves when respectable folks pays for their hire. Not that I want to fight no war for no dinge—let the niggers take keer a themselves. But I cain't unnerstan' them a-firin' on the Flag, can you, Jack? What I wanna know is . . .

Johnny mumbled something. He envied Flash the simplicity of his concepts. It was perhaps good to take life as you found it, bare your teeth, and laugh like hell. It was perhaps good to have no doubts.

Johnny thought of the coming battle and of his unexpected reunion with the Perfessor. Then he thought of Raintree County lying beneath these sharp, autumnal stars. In his coat he had letters from his father, mother, and Nell. They all said to take care of himself and come back home as soon as he could. The words in these letters cared about him. He thought of the way his name looked in Nell's highly personal handwriting. *My darling Johnny, I take my pen in hand and seat myself to* . . .

When he had read those letters, he had felt like the Hero of Raintree County for certain, the darling boy precious and irreplaceable. But now he was only one of thousands of boys, waiting in darkness for a day of battle. These thousands of young men slept a little time and went back home in vague dreams remembering. But on the morrow they would get up, recalling duty. The General would have a plan. The President would be waiting for news of the Battle. The folks at home would pray for victory and the safety of loved ones. The Flag must be avenged and the Constitution upheld. On the morrow, then, he must be brave, as he hadn't been before, and distinguish himself in the fighting.

Sad words ran in his mind, words of a man named Abraham Lincoln, words from a perishable paper read in a brothel where soldiers hunted for love's poor counterfeit before the Battle. These words had been woven from the deathcries of ten thousand young men on the hills of Gettysburg and also from the anguish of Johnny Shawnessy hunting for two lost children through days of climax and disaster. These words might vanish like the thin smokes on Lookout Mountain, or they might be graven on the memory of the Republic. Tomorrow he and his comrades would go out to give life or death to these words. On the brooding hills of Tennessee and Georgia, they must affirm and reaffirm

. . . that these dead shall not have died in vain—that this nation, under God, shall have a new birth of freedom—and that government

OF THE PEOPLE, BY THE PEOPLE, FOR THE PEOPLE,

SHALL NOT PERISH

FROM

THE EARTH of Raintree County, covered with corn and wheat, was the image of peace and plenty in the anniversary sunlight. On the platform Mrs. Evelina Brown raised her arms to lead the opening bars of the song.

—Yes, we'll rally round the flag, boys, we'll rally once again,
   Shouting the battle cry of freedom,
We will rally from the hillside, we'll gather from the plain,
   Shouting the battle cry of freedom.

The Union forever, hurrah! boys, hurrah!
Down with the traitor, up with the star,
While we rally round the flag, boys,
Rally once again,
Shouting the battle cry of freedom.

A chill went up Mr. Shawnessy's spine; he perceptibly straightened his back and squared his shoulders, hoping that the Perfessor hadn't observed.

—We are springing to the call of our brothers gone before,
   Shouting the battle cry of freedom.
And we'll fill the vacant ranks with a million freemen more,
   Shouting the battle cry of freedom.

He was lifted on a wave forward and upward. Memory carried him on the feet of trampling thousands.

The Union forever! O, beautiful, unanalyzable concept!

Forward, comrades, let us push forward up the slope. Let us carry the banners of freedom to the summit. O, let us be in the vanguard of history, anonymous and fearless comrades! A hundred hands will bear us to the crest. Young men, my comrades, we shall all behold the far side of the mountain in resplendent weather, white roads of peace and blossoming summer. But first, good heart, comrades, a deep breath, a long shout, and——

The Union forever, hurrah! boys

November 25——   ——Hurraaaahhhh!   ——1863
The cry smote him,
made him tremble. The lines on the right

moved out. The blue rush of the ranks poured like a wave advancing.
The movement was given on down the line like a rope cracking. It
swirled into his regiment, picked him up. He was running.

—Hurraaaaaaaahhhh! Hurraaaaaaaaaahhhh! Hurraaaaaaaahhhh!

He was held up by the deep bass roar of the Army. It was one
voice shouting. This force held back from early morning, unleashed
at last, was a torrent of grim men. Starving, marching, waiting, grip-
ing, despairing were trampled down by the thunder of forty thousand feet.

He went as though the earth moved with him. The blue line
reached and topped a little slope that had hid them from view all
morning. A hundred yards in front were the Rebel riflepits at the
base of the ridge. Smokepuffs flowered along a line loosely entrenched.

Running, he saw on his left how Jesse Gardner, the thinfaced,
querulous boy from the City, stuck out from the straight of the
charge, leaning and lunging, ran down to his knees, pitched forward,
his gun flung out in front. His canteen bounced on the ground like
a pod tossing on water. The wave swept on. At the base of the
ridge, the Enemy rose. Some furiously worked their ramrods. Others
broke for the rear. Belatedly, a few shells dropped, but far behind.

Groups of enemy soldiers fell back in a ragged line, firing. Back
of that line, a second was trying to fire through the first. He heard
the commands of Rebel officers.

Rocks, bushes, trees faded around. He and others made for a knot
of Rebels. One tall Rebel walked forth from the rest. He held his
musket clubbed. His eyes glared with a personal hatred. Corporal
Johnny Shawnessy flung himself under the swung musket, missed in
a lunge with his bayonet, lost balance, fell, rolled over to keep moving. A blast of powder singed the back of his neck. The tall Rebel
sat down hard, grabbing his stomach. Flash Perkins reached down

a hand and pulled Johnny standing. With clubbed muskets and bayonets, blue and gray soldiers drove at each other in mute violence. Johnny and Flash together rushed a Rebel on one knee ramming a charge. He threw down the rifle. Flash's bayonet was at his throat. The man squirmed like a snake, screamed for mercy, holding the bare blade in his hands. Flash missed twice with killing lunges. All around, the Enemy threw down their arms.

More Union soldiers swept in around them, bayonets flashing like cruel desires. Then an officer riding by, said crisply,

—All right. Go to the rear, you traitorous bastards. Keep your hands up.

Johnny grabbed Flash around the shoulders and pulled him back from the man on the ground, who lay panting and watching Flash with hypnotized eyes.

—Goddamn 'im, he'd a-killed me if he could! Flash growled.

All the Rebels in sight held up their hands and walked slowly, like men treading on wires. One boy was sobbing. As always, the face of the Enemy and the speech of the Enemy were barbarous and strange. These were outsiders, men of a strange belief, plucked like fish from their own world, forcibly into his.

Grape and riflefire whined around him. A Union soldier sat down. He tore his shirt open and looked at his chest. There was a black hole in the flesh of his right breast. The soldier sat looking at the hole in his chest and then shyly around at his comrades.

The blue wave had overrun the riflepits at the base of the hill. It was momentarily confused by its own success. General Jake Jackson rode up the line, hatless as usual. His voice and sword whipped the line forward.

Johnny heard the deep shout again from along the captured pits.

—Hurraaaaaaaahhhh! Hurraaaaaahhh! Hurraaaahh!

A word and a primitive cry—a deep aitch, a growling ar, and a raucous ah—it was savage and almost exultant.

—Go on, boys! Captain Bazzle said. Keep moving forward! Fire at will!

The men advanced in groups, firing from cover. Johnny and Flash were to the left of the regimental colors. The ridge here began to rise steeply in humps covered with low bushes and scrub trees. What was left of the retreating first line of the Rebels had become confused with a second, forming in clear view a hundred yards higher. The Rebels fired volleys of grape down the hill. Parts of the enemy line were advancing. A man with a blue bandanna tied around his neck walked right over the top of Johnny's rifle sight, getting bigger and bigger. Johnny squeezed off.

—Up, Jack, up! Flash Perkins yelled.

Johnny got up. The first Union line was forward again, forced on by the advancing second wave which was now firing over Johnny's head. In places the Unionists were running shoulder to shoulder. Johnny crossed a fence and climbed down into a road that ran diagonally up the ridge. Rebels were entrenched along the road or retreating across it. For a moment he appeared to be the only Union soldier on it. Then the road was choked in both directions with his comrades. A Rebel officer stood up from concealment on the far side of the road.

—Come on, boys, he said briskly, le's give 'em what-fer.

Forty or fifty Rebels poured out into the road. The officer cocked a pistol and aimed it directly at Johnny's head. Both sides fired a volley at short range. The road was filled with smoke and cursing men. Rebel soldiers ran out of the smoke, yelling. A big bearded man naked to the waist walked forward swinging his musket by the small end. A glancing blow smashed so hard against Johnny's bayonet that his hands and arms stung to the shoulders, and his musket clattered on the road. He grabbed it by the small end and swung wild. The blue roof of the world bloomed with fire. Stars were shooting up in a fountain of brightness and coming down in dissolving trickles of light. Blackness ate at the light in soft waves.

Johnny felt something rough on his face. He had perhaps been dreaming. Someone was pulling him up. The ground rocked, tipped, turned over, came rightside up. Tom Conway was standing beside him.

—What happened? Johnny said.

—You got a nasty crack on the head, Tom said.

Half a dozen Rebels and Unionists lay around him. In the ditch on the other side, a Union soldier stood over a Rebel, bayonet pressing him down. The Rebel held to the stock of the gun, said nothing, his eyes pleading.

Dirt and smoke spurted in a high black fountain out of the ground where the two struggled. Johnny flattened. When he raised his head, Tom Conway was lying on his back a yard away. Johnny leaned over him. Tom's eyes fluttered open. He looked around.

—What—— he started to say, his voice gentle, vaguely worried.

—It was a shell, Johnny said. Where did it hit you?

—I don't know, Tom said. I can't move.

There was no mark on the front of his body. Johnny started to turn him over on his side. Tom's eyes fluttered again, and he fainted. The back of his torn coat was soaked.

—All right, boys, go on up! an officer shouted. Follow 'em up the hill.

The Enemy was shelling his own abandoned positions all along the base of the ridge. Every able soldier in the road climbed over the ditch at the far side and went on up. Johnny felt the back of his head, matted with blood. His head throbbed, and he was sick in the stomach. He didn't know quite where he was and what he was doing.

After a while, he was alone in dense timber. He didn't remember how he had come there. Sunlight fell down through broad trunks. He walked among gray stones covered with lichen. He lay down and listened to distant cries, explosions, his own hoarse breath. He didn't know how long he had been there. He opened his canteen and took a drink. Down the slope, he could see clear to the base of the ridge. Waves of tiny soldiers breasted the small hills. Cannon inched forward. Bits of bright color advanced. A motionless speck of blue or gray marked where a man had fallen.

Later he was up and walking again. The pale air, streaked with sunlight, had the look of late afternoon under deep trees. After a while he was standing in bushes on the rim of a deep cut.

In a sunflooded, open space here, amazing things were happening. Half a dozen Confederate guns had been parked below. Some of the artillerists were still methodically working their pieces. Others were trying to get away. Horses whinnied and kicked in the traces. The holders cursed and pulled. Officers shouted commands. Thick smoke and the stench of powder filled the air.

All around the cut Federal soldiers closed in, firing and yelling.

One dropped down from a rock near where Johnny was standing and ran toward the nearest gun. The crew had just begun to pull their piece out to a road. The Union soldier fired as he ran, and one of the men fell. A boy sitting on the lead horse raised a pistol and fired back. The Rebel artillerists, seeing that it was one soldier only, closed in on him, one with a rammer, another with a pistol, a third with a sword, like men who knew what they were doing and were sure of the result. The Union soldier broke through them, ran to the gun and onehanded himself clear over the barrel. He turned swinging his musket, teeth bared in the sunlight.

It was Flash Perkins.

—Come on, you sons-a-bitches! he yelled. Come on, you——

Every Rebel in the vicinity accepted the challenge. Johnny ran forward along with several other Unionists.

It was like a race. A battery officer in immaculate uniform stood ten feet from the gun, backing toward it and calmly loading a pistol with practiced fingers, while he kept darting his eyes around to appraise his chances. An officer with a sword ran at Flash from the other side of the gun. Flash swung his musket. Johnny heard the dull clunk of butt on skull. The officer's sword was pinned hanging through the cloth in Flash's coat under the left arm. Bullets sang on the parked gun. Two of the artillerists fell. Flash onehanded over to the other side of the gun.

The Rebel officer with the pistol threw it down and backed around the cannon away from Flash. He put up his hands.

—Prisoner.

A half-dozen Rebels were beginning to fire from farther up the hill on the Unionists clustered around the captured gun. Johnny and Flash crouched behind the prize. Balls spanged on the gunmetal. More and more soldiers in blue came up through the woods, and the Rebels retired all along the line.

The captured artillerist leaned on the gun and took out a pipe.

—Pretty sharp scrapping, he said.

He had a cultivated, amiable voice.

—Either you Yanks got a light?

A brigadier general rode by waving his sword, smiling and violently shaking his head.

—Great work, boys! Fine work! We've got 'em whipped now. Make for that crest, and plant your flags on it.

—Go to the rear, Johnny said to the captured officer. Keep your hands up, and you won't get hurt.

A man came by carrying a regimental flag.

—There's our flag! Flash said to Johnny. Let's go up with it.

He and Flash went up the slope with the flag. Johnny had a terrible headache, and his nose was bleeding. They were only a little way from the top. There was a road up there, and a disorganized mob of Rebel wagons and troops retreated down it.

On the crest of the ridge the regiment raised its flag. Johnny looked down over the ground they had covered. On the wide fanlike sweep of the battle area, he could see troops and guns coming up. Apparently, he and Flash were at the crest of the fighting, first to the summit.

—Give a cheer, boys, an officer said.

They cheered. Other cheers broke out along the ridge. Flags were waving farther down the line.

—We whupped 'em, Jack! Flash said.

He grabbed Johnny's shoulders and shook him. He capered and jumped. Soldiers were hitting each other on the backs and shaking hands. Some were crying.

—Godamighty! Flash said. Raintree County captured a cannon!

They followed the Rebels for a while, but both sides were disorganized, the one by defeat, the other by victory. Around sundown, the Unionists stopped on the far side of the ridge, trying to reform units. The men lay down and rested. But there was a new outbreak of cheering as a General rode down the lines waving to the men.

—It's Grant!

—RRRRRRRRAAAAAAA!

—Good old Ulyss!

General Grant smiled. He stopped at the place where Flash and Johnny were standing, pointed toward a road, said something to his staff.

—How about it, Ulyss! Flash said. We took 'em for yuh, didn't we!

The men stood around.

—Three cheers for General Grant.

They cheered.

—Good fight, men, the little General said. Reform your units, and pursue the Enemy. Don't give 'em any rest.

Out of his blackstubbled beard stuck the stump of a dead cigar. He looked quite unmoved by the victory. As he rode on down the lines, the men continued to cheer.

—Where are the other boys? Flash said.

—Jesse and Tom Conway got hit, Johnny said.

He lay down by the campfire. He had tied a wet bandage around his head. He was too sick and tired to eat. His head whirred, sang, pounded with the violence of the charge.

Twenty million hands, generations of strong hands, had pushed him up that slope. He had reached the crest of Missionary Ridge on a wave of history. Here at this vital place, the thin, tough line of the South had suffered an hour of weakness and confusion, and several thousand stronglegged young men had broken through to the top of a mountain. Perhaps at last far down the roads receding south, where the wreck of the Rebel Army retreated, a man with good eyesight could see the white shape of Victory.

Corporal Johnny Shawnessy ceased to know anything about that. He was still appalled at the fury of that long charge up Missionary Ridge. He desperately yearned for home, for the soft arms of a woman who loved him and to whom he was a precious, irreplaceable person. Hadn't he done enough for the Cause, now that he was a veteran of both defeat and victory?

What he could never get used to was the fact that War was the supreme image of Chance, brutal god of the battle casualty. With a blind sowing of gold seed in the swamp of life, life had begun. With a blind sowing of lead seed in the confusion of battle, life ended.

He began to feel a little better after he had eaten something, and he sat and talked and joked with the others, who were beginning to relive the Battle. Every man had taken Missionary Ridge in a different way. The victory had been twenty thousand separate fights. The Battle of Missionary Ridge was only now beginning to be created in the shared images of the twenty thousand men who had gone from base to summit in the forever lost afternoon of the physical fighting.

Later on, that night, Johnny saw a longlegged figure striding through the lines, looking everywhere among the resting soldiers. It was the Perfessor. His face was haggard and anxious.

—Hi, Professor, Johnny said.

The Perfessor stopped and peered at Johnny's bandaged head in the dusk.

—My God, John, is that you?

His voice was peculiarly high. He sat down on the ground beside Johnny and took a long time to light a cigar, cupping his hands around it.

—I see you got through all right, he said.

—I'm all right except for a bang on the head.

The Perfessor made his cigar glow and took his hands away from his face. He was darting his eyes about in his usual manner.

—It's a great victory, he said. Thousands of prisoners taken. Bragg won't be able to stop this side of Atlanta. Hello, Perkins. Surprised you had any fight left in you, after the other night.

—How are the dames? Flash said.

—You know terrible girls, Orville, the Perfessor said. You boys'll have to pardon me. I have to file some dispatches. How many men lost in your regiment?

—No telling, yet, Johnny said.

—Losses not very heavy for the results achieved, the Perfessor said, as if making a note. This will be great news. The siege of Chattanooga broken! Bragg in wild, disorderly retreat! The Gateway to the South opened to our armies! With his mailed fist, the Hero of Vicksburg smote one——

—Save it for the newspapers, Professor, Johnny said.

—Could one of you boys swipe me a horse? the Perfessor said. Some Confederate nag no one else wants?

Later the Perfessor got a horse and rode off toward Chattanooga.

All night in his sleep, Johnny Shawnessy was pressing up a long slope. All night long in the gray and red figuration of the dream, he was trying to reach the crest of a hill. The pale bodies of a thousand soldiers were scattered on the gray-green slopes of his sleep. The bloody fragments of the day

TRIED VAINLY TO COMPLETE THEMSELVES

IN THE TROUBLED CAVES OF

HIS

—Memories of the Republic in War and Peace, the Senator was saying, which, by the way, I propose to make the title of a modest work of mine soon to be published—flood the soul on such a day as this. Sacred memories of other days they are, and perhaps it has been fitting to linger, as I have done, a little among some, the most sacred and significant, the common heritage of our people.

The Senator had been speaking for an hour to frequent applause. During this time he had discovered America (How many of you are aware that this is the quadricentennial anniversary of the discovery of America by the Prince of Explorers?), established the thirteen colonies (O, proud peoples, bringing in frail barks across the perilous sea the inextinguishable fire of freedom to virgin shores . . .), fought and won three wars (Did she ever bare her sword in other than a righteous cause?), composed and proclaimed two of the greatest documents in the literature of human enlightenment (Two of the greatest documents in the literature of human enlightenment!), exterminated the Indian (We must honor his stoical endeavor to keep his savage empire, but the forces of freedom, enlightenment, and civilization have pushed irresistibly on. . . .), and conquered the wilderness, the great plains, the desert, and the mountains (These ships of the interminable seas of waving grass bore in their ribbed and canvas-covered walls—burning unquenchably—the spark of . . .).

Now the Senator was approaching one of his celebrated climaxes. The Perfessor was frankly asleep. Mr. Shawnessy, impressed by the splendor of the Senator's delivery, was attempting to analyze what it was that made the Senator a magnificent ham instead of a great statesman. He had nevertheless been moved by the Senator's discourse, which was mannered and proportioned like classical inscriptions wherein the history of vanished peoples is preserved. Who then, after all, was the greater poet? Mr. John Wickliff Shawnessy, the maker of a huge manuscript that might never see print, or Senator Garwood B. Jones, whose utterance was the living breath of history applauded by millions?

—If we must choose one word, the Senator was saying, if we must seek out and sanctify a solitary epithet to express the spirit of our generation, the slogan of our Republic in the last fifty years, what would it be? Who that has beheld this epic of the forging of a nation from ocean unto ocean can doubt the answer! Forward the course of empire has advanced, the manifest destiny of a great people, riding the winds of Fate, with Courage for the arms and Freedom for the goal. What word shall describe this pilgrimage of peoples toward the setting sun? There is but one word to fit the scenes that we have seen in fifty years. Yesterday—the desolate, windswept prairie; today—the mighty City with broad boulevards and costly monuments. Yesterday—the rocky, inhospitable coast; today—the great ports filled with shipping. Yesterday—a race in chains; today—the dusky children of emancipation with faces set hopefully to the future. Only by a Union of Free Peoples, One Nation Indivisible, could we have achieved this thing. Under the banner of that God who has never forsaken our people in their hour of need, we shall go on, good soldiers in the cause of freedom, and on our banners, as we pass through burning shards of barbarous superstition and down broad roads of splendid and serene fulfillment, we shall bear a single word emblazoned for all the world to see——

because of the hundreds of supply wagons. There could be no question about it—the Army was getting out.

—Hey, Jimmy, one of the drivers called to another, I wish we could stay and see the fun.

—The engineers have all the luck.

—Goin' to be one hell of a big wreckin' party.

The foodbringers of the Army whipped on their horses. The long files kept turning into the street that debouched from the yards.

Johnny and Professor Stiles could see thick ganglia of tracks a block away. They walked on and stopped beside a bank on the corner at the edge of the yards. They were in sight of the depot. Several companies of infantry were laying levers to a length of track.

—All together, heave! yelled a cheeryvoiced sergeant.

With a reluctant shriek, the rail came ripping, up-ending ties. A thin dust drifted. The Perfessor got out his sketch book and began to draw. The destruction of Atlanta had begun.

Johnny Shawnessy stood for a while at the corner watching. He had seen a great deal since the day when, almost a year ago, a veteran of a single battle, he had charged up the slope of Missionary Ridge. Since then he had wintered in Chattanooga and had fought through one of the most exhausting campaigns in the history of warfare. Following the victory at Missionary Ridge, Grant had gone to the Eastern Theatre of Operations, where he had spent the summer in fruitless battles trying to crush Lee's army and take Richmond. Sherman had become the commander of the Armies of the West and in the spring had initiated a campaign to take Atlanta, Georgia. All summer his armies had fought and flanked from Chattanooga to Atlanta. On the first of September, the main arsenal-fortress of the Confederacy in the West had fallen. It was the first mortal crack in the South's armor.

During this time, Johnny Shawnessy had become a veteran soldier. He had learned to fight and to endure. And as the skills of his trade were few and simple, what he mainly had to do all the time was to endure.

To Corporal Johnny Shawnessy and the other fighting soldiers, North and South, the War had long ago become a contest in endurance. Newfangled weapons were all right, the cavalry was all right, the engineers were all right—all these things were necessary and important. But Johnny and his comrades knew that Victory—that theoretically possible but practically invisible goal—was achieved by a brutally simple thing—a soldier with a long musket loading at the muzzle and firing a lead ball. This irreducible unit of warfare had to be powered with legs able to march forty miles a day. It had to be equipped with an intangible something called 'morale' that made it able to stand and fire in the face of an entrenched enemy. There was a great deal more, but it was all subsidiary to the use and advance of this ancient weapon of attack, occupation, and defense, the combat infantryman. If the infantryman was properly used in adequate numbers and if he had enough endurance, a series of pins might be moved on a map until the Enemy position was untenable and further war unthinkable. This goal was the object of something called 'Strategy.' Corporal Johnny Shawnessy and his comrades made Strategy possible.

Except for the long musket and a slight difference in sartorial styles, the Civil War infantryman wasn't far distinguishable from a Roman legionary, and his battles were fought and won according to the same plan. His power to inflict a wound was increased over the short sword. But he was the same instrument of strategy. He was hurled in compact masses on the enemy's front or flank in an effort to break through, roll up, encircle, capture, confuse. Through the primitive forest and mountain country between Chattanooga and Atlanta, the young men with muskets comprising Sherman's Army had flanked and fought all summer to drive the Southern armies from one entrenched position after another. There had been no easy, glamorous, or brilliant way to achieve the thing called 'Victory.' There had been only this strong, bearded, tough, devoted, and probably doomed young man—the Union infantryman.

In the incredibly primitive, unhappy life of a Civil War infantryman, something had happened to young Johnny Shawnessy of Raintree County. To begin with, he had changed in appearance. He hadn't shaved for over a year, though he sometimes clipped his beard, which was much lighter in color and redder than his hair. His uniform was a grotesque remnant of the bright new thing that had been issued to him after enlistment. He had lived a life more brute than a beast's. He had fought for weeks on end through rainrotten forests, up mountains, down endless dirt roads—marching, countermarching, bivouacking, fighting. He had slept in mud, filth, dirt, lice. He had gone days and sometimes weeks without change of uniform or a bath.

Once he had gone a month without looking into a mirror. When he did so, he saw a strange person, a bearded automaton with a lean, sundarkened face, whitewrinkled around two dull, tired eyes. He knew then how greatly he had changed. He had buried all softer emotions in favor of the combat soldier's two main preoccupations— duty and survival.

For skillfully and without heroism, he had done his duty. And inflexibly, he had willed to survive.

For what?

So that one day he could cease to be a fearing, hating, expertly dangerous human being. So that one day he might forcibly lay hands on this hard husk and tear it off and restore to sunlight that young poet of life, a generously emotional, happy, affirmative creature, Johnny Shawnessy of Raintree County. So that one day he might sleep on a soft bed, eat good food, wear civilian clothes, walk freely where he pleased, work at some innocent task that didn't have homicide as its ultimate objective. So that one day—one impossibly remote, breath-taking day—he might put his arms around the supple waist of a young woman who loved him and whom he loved and kiss her upturned face and feel her bare arms on his shoulders.

He didn't allow himself to think too much of that day. For the present, it was best to leave the husk on, hide within it, endure. Endure, endure, and endure.

He suspected, however, that either the husk had become a part of him, or that the creature beneath it had changed. For after all, he had remained a human being even in the Army, this organized denial of a man's humanity. He had acquired certain ideally simple and touchingly human attributes, which he shared with his comrades.

He had acquired the simple loyalties of the soldier. He was fiercely loyal to his comrades, to his regiment, to his brigade, to his General. He had learned to hate—if not the Rebels—at least their Cause. He felt murderous when he thought of the speculators, bounty jumpers, and Copperhead politicians on the home front. The Union of the States had become a mystically beautiful concept for him and synonymous with Freedom.

War had discovered in him a simple human being who clung yearningly and without criticism to the most ancient beliefs of the Republic. They made it possible for him to endure. They justified his agony. This agony was so great and terrible that only by infusing it with an ideal quality crudely religious in its fervors could it be endured. Only an intensely sentimental soldier in an intensely sentimental Republic could have fought and endured the Civil War.

Meanwhile, Corporal Johnny Shawnessy had become superficially like his comrades in some of his other habits. He had begun to smoke. He was rarely profane, but the immense profanity of the soldier seemed to him strangely unprofane. It expressed the soldier's enormous disgust with the inhumanity of his life. What the soldier endured was fit to be described only by verbal excretions. The Civil War soldier cursed fighting, eating, marching. He cursed awake, and he cursed asleep. He was cursing the great insanity of War with the bitter curse of experience.

The soldier's pleasures found their ultimate simplicity in the embrace of the campfollower. Johnny had ample opportunity to study this oldest impedimentum of the foot-soldier. It was possible to have wars without battles but not without whores. They followed the soldier almost into the Enemy's guns. Perhaps it was they who made the War possible for him. They gave him the last of his great illusions. Though Johnny himself couldn't have touched a woman who didn't adore him, he understood that the soldier desperately wanted life in the midst of death. He would have some semblance of love—even its bought counterfeit. He would have it—and its unfailing scarlet aftermath. He would drink, smoke, whore. But somehow he would remain the soldier. Somehow he would achieve by this means more than by any other the purity of the soldier. By this pathetic gesture he affirmed the greatness of his sacrifice. All this was part of the uncleanness of battle.

By the time Corporal Johnny Shawnessy had arrived in the railroad yards of Atlanta, Georgia, he was well schooled in the uncleanness of battle, but there was still something to learn.

A photographer across the yards was focusing his instrument. The wagontrain had stopped just after the last wagon had rolled over the tracks.

—Don't move, boys, the photographer yelled. Just a minute.

The Perfessor went on sketching, while the photographer ducked under the hood behind his boxbodied apparatus.

—What are you drawing, Professor? Johnny said.

—I'm sketching a picture of the photographer taking a picture. Thus I get the best of him.

—But don't forget that he has a picture of you sketching a picture of him.

—Yes, the Perfessor said, but don't forget that I have a picture of him taking a picture of me sketching a picture of him.

The photographer was carrying the plate to his Whatisit for development, the supply wagons were moving again, and time, which had been chemically arrested, began to flow again on the doomed walls of Atlanta.

—What time do you expect the train? the Perfessor asked.

—Any time now.

—It'll have to come soon. Sherman's obviously going to wreck the joint before he moves.

Johnny walked across the tracks to the station. The wagons rolled and rattled through the town on a stream of cusswords, whipcracks, jingled harness, squeaks, bawdy songs. He read the words on the large white building to his left.

ATLANTA HOTEL

and on other buildings around him: BILLIARD-SALOON, HARDWARE, HAGAN & CO., GROCERIES, CONFECTIONERIES, PHOENIX, CONNOR & HARDACE.

Tomorrow would not find these legends written on the treacherous stuff of time. They looked down on Johnny with a tragic fixity, like fragments of words dug from the ruins of an antique city. These sweaty soldiers in workworn uniforms, these cursing comrades in a passing afternoon, these blasphemous wagoners were mythical men. They were the destroyers of Atlanta and the legended walls of Atlanta.

Of course time had destroyed all forums of all republics, but the process had been slow—sometimes a work of centuries. History moved faster now in the white light of the Nineteenth Century, and a sentimental republic with hundreds of thousands of defenders could flower and fade in a few years.

Looking about him at the yard, he thought of days in Atlanta before the War, of the trains clanging to the station, the ladies in wide dresses stepping down, the jocund buggies waiting to receive them, the Negroes lounging outside the big depot. So they had driven forth, these sentimental ladies, into the lazy, lightfilled streets, homeward in summer through a stately name. They had ridden through Atlanta, and they never dreamed, these softspoken, tender ladies, that in a few years a horde of hardlegged boys in blue uniforms would march joking, cursing, singing through Atlanta and tear her ancient fabric.

Here at last, after incredible persistence on the one hand and incredible resistance on the other, the palladium of the South had been surrendered. And if one were obliged to say, just here or here is the tough heart of the South, beating lifeblood to its defenders, it would be this depot, whose great ventricles had pulled and pumped the chugging engines, receiving and replenishing and rendering forth again.

Now the South was stricken in this heart. Her Enemy had had too many engines on too many tracks, too many factories in too many cities, too many determined generals juggling sheets of supplies and railroad timetables, too many corps of engineers, too many whirring, remorseless machines, too many legions of stronghearted boys. An Army sixty thousand strong, trained for endurance, fierce and jocular, veterans of a dozen battles, was poised for the kill. And over these swarming legions presided a symbol of this Army, William Tecumseh Sherman, a Westerner, a man who had seen Destiny, disguised as a locomotive, moving across the plains, Sherman, the madman who had said in the War's beginning that 200,000 men must swarm down from the West in an overwhelming tide of envelopment and devastation before the South could be conquered.

Of all the Northern generals, Sherman had been the first to pay the South the bloody compliment of understanding that she was a total nation and must be totally conquered.

Soldiers were beginning to pile up the wooden sleepers for bonfires. They sang, quipped, called loudly to one another at their work. Johnny went on down through the yards. An engine drawing four cars was coming in from the north. Soot belched grayly from the funnelstack. Soldiers cleared the tracks and stood back waving their arms at the engineer.

—Better hurry, Captain. Ain't gonna be no station left around here in a little while.

Johnny walked on beside the depot and turned in at the open end. He stood on a platform inside, waiting for the train. There was one passenger car and a string of freights. Troops were clinging to the sides and riding on top. They waved their hands. The train came steadily on toward the righthand halfcircle of the three-mouthed depot. Now the tracks were swarming with soldiers as far back as he could see. The train coasted into the depot. Soldiers jumped down; men poured from the open sides of the freightcars. Supplies were lifted out. Civilians and officers came from the lone passenger car.

—Hurry up and unload those cars, a major of engineers shouted. Get that train out of here. We're going to blow this station up.

Under the wide, slow circle of the roof, the engine bell was clanging; the troops were unpacking their gear and moving toward the exits; in the brown sunstreaked spaces of the depot the voices of hundreds of men made a busy murmur.

One seldom stopped to think that great interiors could be destroyed. Hollow containers of change, themselves never changing, they were less mutable than sky and trees. It didn't matter how long ago this roof had been lifted—it had the timelessness of a center of arrival and departure that itself never departs or arrives, but remains a constant in equations of mutability.

On a far platform a spare figure in black civilian garb was standing. Johnny instantly recognized the liquidbrown eyes, the grave composure, the trim, pointed beard.

—Well, John, Cash Carney said after the conventional greetings, looks like I got here just before the deluge. I'm glad you got my letter.

As they left the station, a group of officers standing at the entrance nodded to Cash.

—Goodday, Colonel, Cash said. Going to have some fun, I see.

—Yes. Thanks for sending that load of stuff through so promptly, Mr. Carney.

They moved out into the light.

—Colonel Poe, of Sherman's staff, Chief Engineer, Cash said. I do a lot of business with him. I'm down here now to handle a supply problem for the Army. It's a shame to see them rip all this stuff up. Nice depot. Not much of a town though. Just came down in time to see them blow the hell out of it. So this is what you boys were fighting for all summer? Well, it's a war of railroads. Once Sherman wrecks the Rebel system of supply, this war is going to be over. Do you have any idea where Uncle Billy is going to take you scamps?

—He hasn't told us, Johnny said. The order of November 9 promised a long and difficult march, involving a change of base. The Army is being stripped for movement.

—Wouldn't surprise me if he went clear to the East Coast, Cash said. He's cutting himself off from the North completely. Last telegraphic dispatch went through two days ago. Then they blew a bridge and cut the line. Our train was already over. I've been outside the city the last two days. The Union forces here in the West have been divided in two. One mass is withdrawing to Chattanooga and Nashville, and it looks as though you boys were beginning to move through Georgia. In between, Hood is squatting trying to figure out where to hit. How do the men feel about it? What do they think of marching right off into the heart of the South?

—So that we keep our bellies full, Johnny said, we don't care where we go. This is a marching Army.

—How did you boys react to the Election?

—The Army was for Lincoln. Of course, we Indiana boys couldn't vote because the Copperhead legislature at home wouldn't let us.

—You boys voted with your bayonets. You elected Lincoln when you took Atlanta.

—Have you been home? Johnny said. Seen anyone I know?

This was the thing he had been wanting to say.

—I haven't been in the County for over a year, Cash said. I guess it's still there.

—Clear the yards! came a yell. Depot's going up!

Cash and Johnny withdrew to a drugstore from which they could watch. The Perfessor waved his hand and came over. He and Cash greeted each other warmly. The Perfessor observed that Cassius had a lean and hungry look for a man who had been steeping in gravy since the War started, and Cash asked the Perfessor if he had been chased out of any towns lately.

Already the last charges had been laid under the walls of the depot.

—It's been a nice little city, the Perfessor said.

Colonel Poe and his staff walked leisurely away from the depot. Several engineers ran far back from the sides. A ring of soldiers formed in the surrounding streets. The brick face of the city preserved for a final moment its ancient pattern. Then the roof of the depot shifted and a spray of bricks spouted noiselessly from the base. A series of heavy soundblows staggered the three men at the corner. The walls of the depot crumbled. The roof settled and sank as if slowly relaxing, thundered gently, sent up a huge soft flower of dust and smoke. The soldiers cheered, tossed their hats. Teeth gleamed in bearded faces. The yards swarmed with men, busily at work to destroy the roundhouse and the machineshops.

—Say, a soldier said, let's burn the whole goddam place up. Ain't nothin' to keep us from it.

A hot wind fanned Corporal Johnny Shawnessy's face. Fire was the supreme violence in this existence of perpetual violence. The War would end at last in the terror and beauty of fire until nothing was left but a dead ash. In this cataclysm, he, Northman and Invader, had connived.

A hot breath breathed on Corporal Johnny Shawnessy and died, but left the heat. He and the Perfessor said good-by to Cash Carney and walked away toward the bivouac outside the city. Evening was approaching as they reached the outskirts of the town. In the soft, still air columns of smoke stood stiffly from the center of the city. Flames licked the darkening roofs. The fire was spreading, audibly eating its way through the deserted walls of Atlanta.

Everywhere there was movement. Some companies were already

beginning the march. Wagon trains were assembling and filing through and around the city, though some had to be rerouted because of the unexpected spread of the fire.

Now all along the road where the brigade was encamped, as far as Johnny could see, were the wagons of the black people. For days they had been gathering on the fringes of the Army. No regulations could prevent it. Most of the Southern Negroes stayed with their masters, but in the path of Sherman's Army there were no masters. To the more ignorant, Lincoln was like a god, and Sherman was his brightsworded lieutenant. When they learned that the Northerners wouldn't spit them on bayonets and roast them over slow fires, they came in growing hordes, some on foot, but the majority driving brokendown wagons. In the tragic illumination of the fire, this uprooted people had a new significance. Perhaps they collectively remembered the ancestral rape by which they had been torn from the bosom of primitive centuries, borne oversea in the stinking slavers, sold into bondage in the white man's country. Children of violence, in violence they were being restored to freedom. Atlanta, the city of the white masters, was roaring into death.

The dark flesh glistened on the roads around Atlanta. Murmurous, like a surf, it darkly seethed at the edges of the Army. These people had heard that they were to be free, and like a sign of their liberation they saw this spectacle of fire. To many, the burning of Atlanta was Judgment Day.

Soldiers kept streaming out of the town loaded with plunder raped from deserted homes and buildings. Shortly after Johnny and the Perfessor reached the camp, Flash Perkins came in. He hadn't been in camp for several days. He kept laughing louder than usual and hitting Johnny and the Perfessor on the back. At last, he said,

—You fellers wanna see somethin'? I'll show you somethin' good, if you'll keep your mouths shut.

He led the way down a little sideroad. In the corner of the field was a pile of junk on wheels. A very pretty Negro girl was cooking pigfat at a woodfire. An old Negro man was lying on the ground close to the wagon talking to a little Negro boy.

—What the hell! Flash said belligerently. They wanted to come with me. I sot 'em free. They think I'm a god or somethin'. I brung 'em back with me.

—Um, the Perfessor said, thoughtfully regarding the group. Noble gesture, Orville.

—A souvenir of the Atlanta Campaign, Johnny said.

—I was never distinguished for race prejudice myself, Orville, the Perfessor said.

That night, Johnny, Flash, and the Perfessor took some bottles of wine and some chickens and had a banquet down in the corner of the field where the Negro girl was. She was sleek, coalblack, good-natured, young. She had the grace of a young thoroughbred. She smiled most of the time and spoke in a husky, pleasant voice. Her name was Parthenia. The old Negro man was referred to as Uncle Hervey, though he claimed no relationship to the girl, of whom he openly disapproved. The little colored boy was called Joe. None of them had a last name.

The hot wind fanned Corporal Johnny Shawnessy's cheek. Lying in the redrimmed darkness, he remembered John Brown's song:

> Blow ye the trumpet, blow
> The gladly-solemn sound!
> Let all the nations know
> To earth's remotest bound,
> The year of Jubilee has come!

The torch of Atlanta grew brighter and hotter. For a long time there had been intermittent explosions. Someone said an arsenal was on fire.

—What do you think of that for a bonfire, Parthenia? the Perfessor asked.

—It seem a shame to burn up all them white folk house thataway, she said.

The Perfessor became very moody as the night wore on, and later in the evening he said,

—Do you have a sister, Parthenia?

Flash laughed fiercely.

—I see you took Sherman's advice to heart, Orville, the Perfessor said. Forage liberally on the country.

—What are you going to do with them when we march? Johnny asked.

—Take 'em along, Flash said. Hell, they look up to me to save 'em and take keer of 'em.

Later on, back in camp, Johnny lay listening to the songs of the Negroes still swelling through the redlit darkness.

> —No mo hunded lash foh me,
> No mo, no mo.
> No mo hunded lash foh me.
> Many a thousand die.
>
> No mo bag a cawn foh me,
> No mo, no mo.
> No mo bag a cawn foh me.
> Many a thousand die.

His skin was fevered with the heat he had felt from the moment when the depot had shifted and sunk and the first flames had sprung. The wine of the South burned in his veins. Primeval images struggled in him, sensual and strong, bringing no release but only wishes that could have no fulfillment.

He listened to the thick waves of song that came from the night, the distant cries and muffled booms from the city, the rattle and creak of the wagontrains departing, departing. In this darkness, the times were changing, the War was changing, the Republic was changing. After years of deadlock, a few hours had shown signs of the crumbling of an era. The earth of mancreated boundaries and habitations was in convulsion. What did it mean that around him uprooted thousands without names, whose past was darker than their skins, swarmed toward the beacon of burning Atlanta!

He was troubled by the image of the Negro girl. She seemed to him a darkskinned Helen for whom this epic war was being fought.

The hot wind fanned his cheeks. He could feel great tides of change and old desire going over him on the cinderladen wind. Perhaps a man felt most alive when things were changing, when cities were being raped and burned, when love laughed at forbiddenness. If then he could have had a beautiful, smoothfleshed woman of his own kind in this night of permitted crime, he would have been utterly fulfilled.

The hot wind fanned his cheeks. He had come southward to march through stately names. Atlanta—it was a name feminine, as of a once lovely woman of pathetic memory. Now it was being destroyed by fire. Ah, it was no use to be the rememberer at such times as this. Was he doomed always to remember his name and Raintree County origins! All barriers, inhibitions, memories, names, duties, and speculations were swept away by purging and terrific fire! It was time for that nameless hero to exert himself again and striding through the night discover love beneath a shaken tree, while the light of ravaged cities shone on distant waters. It was good to be lost in this onrushing Event, to be this city burning in the night, to be this seed-dense earth on which he lay, to be this flame that purified and destroyed, to be this moving of the wagontrains, to be of and in and for this Army of insouciant young men, to be each and all of them, from the General whose orders set a hundred thousand hands to work, down to the lustful and triumphant comrade who exerted himself this night upon a creature of the musky Southern earth. This it was to live, to be lifted and borne upon the crest of events, to be at the head of the column where the veteran soldiers loved to be, to be in danger, yes, but in prospect of victory and the savage and sweet spoils of victory.

In the morning, he awakened to a vague sense of guilt. A low pall of smoke hung on the gutted city. The brigade didn't march all day, though many others were moving out. They didn't march the following night either, but lingered over the cold banquet of the ravaged city. On the following morning early, they left, marching on the road to Decatur, their faces turned toward the east. As they topped a rise just outside the old Rebel works, the men turned and looked back.

—Right here is where we fought that big battle of July 22, Captain Bazzle said. McPherson fell back there.

Atlanta was still smoking. The broad scar where the railroad tracks had been, the charred fragments of buildings made Johnny think of a face in which the eyes had been destroyed and the withered pits remained, mournful reminders.

—Look there, Jack, Flash said, ain't that Sherman?

A general with his staff was riding along the lines. A cheer went up from the men.

—Hi there, Uncle Billy!

—Hey, Uncle Billy! Flash called out. I reckon Grant is waitin' for us in Richmond.

Sherman's thin, ugly face smiled. Johnny was surprised by the flash of kind, quick light in the eyes of a man whom several million people execrated. A little past the two men, Sherman stopped. With an expression of nostalgia and fierce pride, he too looked back at ruined Atlanta—Sherman, who had wept when he heard the news of McPherson's death near this spot months before in the summer of the siege.

Corporal Johnny Shawnessy remembered then how the Army had fought its way down from Chattanooga, remembered Resaca and the wide ditch in which they had buried hundreds of comrades, remembered rainy weeks in the woods at the base of Kenesaw Mountain, remembered the fierce charge halfway up the flank of that conical hill, remembered the flanking marches, the crossings of rivers, the falling back of the Southern Army to Atlanta, the hard battles after Hood had replaced Johnston in the Rebel command, the long looking from distant lines at Atlanta besieged, the sudden withdrawal from before it, the last great flanking move, the news of Atlanta's fall, the occupation, the long camping near-by, and at last the devastation of Atlanta. And now departure.

The vast myriapod of the Army slogged monotonously on. The troops were beginning to sing as Sherman turned his horse's head and rode along the column. The soldiers were singing the oldest song of the War.

> —John Brown's body lies a-mouldering in the grave,
> John Brown's body lies a-mouldering in the grave,
> John Brown's body lies a-mouldering in the grave,
> His soul is marching on.

The longstriding Westerners were going East. An army had completely severed itself from its base of supplies, striking straight into the heart of the Enemy's stronghold.

So in the warm autumn of the South, they had turned their faces east, and the Great March had begun. The soldiers didn't know where they were going, but they knew that by nightfall they would be somewhere they had never been before,

SOMEWHERE FAR ALONG THE ROAD TO
THE ENDING OF THE WAR,
SOMEWHERE

. . . tenting tonight on the old camp ground
Give us a song to cheer
Our weary hearts, a song of home,
And friends we love so dear.

Chorus

Many are the hearts that are weary tonight
Wishing for the war to cease;
Many are the hearts that are looking for the right,
To see the dawn of peace.
Tenting tonight, tenting tonight,
Tenting on the old camp ground.

He was tenting on the old camp ground of hundreds of lost en-
campments, dressed in his faded suit of blue and dreaming of the
girl he left behind him. His mother kissed him in his dream, he
wrapped the flag around him, boys, to fight and die was sweet,
boys, with Freedom's starry banner, boys, wound for a winding
sheet. He was tenting on that sentimental old camp ground where
all the veterans camped in their declining years.

We are tired of war on the old camp ground,
Many are dead and gone,
Of the brave and true who've left their homes;
Other's been wounded long. . . .
Dying tonight, dying tonight,
Dying on the old camp ground.

And how long would it be, he was wondering, till the very last of
them all, the oldest of all the incredibly old veterans, would tent for
the last time in the old camp ground of a longforgotten war?

The Perfessor drew a short, quick breath, but lapsed back again
into sleep. The quavering horns quickened to a faster tempo.

In the prison cell I sit,
Thinking, Mother dear, of you,

And our bright and happy home so far away.
And the tears they fill my eyes
Spite of all that I can do,
Tho' I try to cheer my comrades and be gay.

Tramp, tramp, tramp, the boys are marching,
 Cheer up, comrades, they will come,
And beneath the starry flag
 We shall breathe the air again,
Of the freeland in our own beloved home.

Listen to the sound of the bugles blowing loud. *Tramp, tramp, tramp, the boys are . . .*
Who is marching there? Who are these bearded young men?

Bring the good old bugle, boys, we'll sing another song—
Sing it with a spirit that will start the world along—
Sing it as we used to sing it, fifty thousand strong,
While we were marching through Georgia.

Hurrah! Hurrah! we bring the jubilee,
Hurrah! Hurrah! the flag that makes you free!
So we sang the chorus from Atlanta to the sea,
While we were marching through Georgia.

Yes, bring the good old bugle, boys, and blow into being the ranks of the comrades of that Army. Blow into being the columns extending for miles, the husky noise of thousands singing on the march, the rattling wagons. Blow into being the hordes of the liberated slaves. Blow into being the bearded bummers. For it is still marching, that legendary Army. It was never anything but a great myth marching to Savannah on the Sea! They didn't march in any newspaper, they were from the beginning—were they not?—immense soldiers of stone!

Ah, what becomes of young hearts, warm weather, singing throats? And is victory no more enduring than defeat? Where are they all now, commander and commanded! Were they ever real, and was I one of them, bearing in my weatherstained knapsack the unseen grail of the Republic! Then, sing it as we used to sing it

the Army of the West awakened from its sleep. The vague fabric
of a dream Corporal Johnny Shawnessy had been dreaming collapsed
under the buglenotes fast crowding in the dawn.

He awakened. He was with the Army, they were to be up and
marching soon, and there would be another day crammed with
fiercely jocund images, as the Army of the West flowed on four
roads toward Savannah on the sea.

Hawkfaced, naked except for his jackboots, Professor Jerusalem
Webster Stiles was striding toward the dawncolored east on rakethin
legs, chanting:

> —Then up, then up, brave gallants all,
> And don your helms amain.
> Death's couriers, Fame and Honor, call
> Us to the field again.

On both sides of the road the Army was getting ready to leave the
night encampment. Johnny smelled bacon frying. Aroma of coffee
fumed in his nostrils. Later he shook a skilletful of corncakes while
the Perfessor held the coffeepot.

Flash Perkins drove up the road in a wagon crammed with provisions. Parthenia was sitting on the seat beside him, and Joe and
the old man were in back. Flash whistled as he jumped down and
walked over to the camp. He flung his big feet sideways. His coat
was unbuttoned. His high, hard nasal voice jabbed Johnny's ears.

—Say, are you fellers part of this yere big Army I been hearin' tell
about?

As usual everyone was glad to see Flash.

—What's the matter? Decide to march with us poor whites for
a while?

—I brung you poor bastards a little food, Flash said.

—What a yuh got?

—Chicken, goose, pig, lard, little ever'thing. What'll yuh have?

—If you don't mind, I'll have a little of that dark meat there, the Perfessor said.

The men were cheerful as they sat around the fire eating breakfast. The sun found them still roasting chickens on their bayonets. The air was warm and bright.

—Jack, you and the Perfessor come with me today, Flash said, and I'll show you some fun.

Johnny had been wanting to go with Sherman's bummers. Foragers who operated independent of all command, they stripped the countryside of its riches and made the name of Sherman execrated on both sides of the Army's path. For a week and a half now the Army had been marching from Atlanta, and during this time Flash Perkins had spent only one day—the first—with his company. Since then he and the other bummers had moved on the Army's flanks and front, returning when they pleased, sometimes mounted on mules, sometimes driving wagons, always loaded with provisions—the fat of the land. There were regular foragers, too, usually fifty from each brigade, duly officered, but the bummers were without regular status. Fabulous stories were told by and about them—how they made themselves rich in a few nights by the pillage of buried treasures, how they went among the plantations acting the part of God's lieutenants, emancipating hordes of slaves, how they sometimes gathered in swarms without officers and fought detachments of the Georgia militia.

Flash, the Perfessor, and Johnny set out on foot, the two soldiers equipped with lean knapsacks, muskets, and forty rounds, the Perfessor armed with an old service revolver.

As they passed along the road, they saw the Army preparing to abandon camp. Hundreds of wagons were assembling for the day's march. The soldiers were packing on their haversacks and blanketrolls and lining up in loosely ordered columns. Fires were burning out on the low hills and among the woods. Thousands of bearded, bluecoated soldiers had sprung from this ground where they had lain for a night and to which they would never return. Regimental bands played, men sang, horses neighed. Drums were beating on a hundred hills. Like history endowed with visible form, this many-featured mass was slowly unfolding from its sleep and would go on grandly with a thousand unrecorded collisions and adventures through the blue shining of another day and toward another campfire in the night. For the first time the War had found a deep, straight channel.

The three men soon turned down a side lane and slipped off through a forest. They found a road and went on until mid-morning without incident. Now and then from a break in the woods, at a great distance, they could see the Army. It was good to see the thin line of it proceeding, to know that it was there, vaguely parallel to them, advancing.

There seemed to be no danger in the woods and fields of Georgia. The country was pleasant, green, and firm in the dry weather.

About noon, they saw a plantation house beside a road running at right angles to the course of the Army. They came up to it through a long yard. A woman was standing on the porch, white with anger. Halfway down the lane, Johnny stopped and said,

—Maybe we better not bother her. I thought these places were deserted.

—There's gener'ly a woman around to yipe at you while you pluck the place, Flash said. I don't mind 'em. It's fun to pull their feathers and hear 'em squawk.

When they reached the porch, the woman had gone inside. A dead dog lay in the yard. Two soldiers came out of the house, carrying a chest.

—Come on, boys, they said. They's plenty more where this come from.

Around behind the house, soldiers were digging up the yard.

—We didn't git started early enough, Flash said.

He pushed open the back door. The woman they had seen before came out.

—Murderers! she said in a voice of cold hatred. Thieves! Do you call yourselves soldiers!

—Ma'am, Flash said, would you direct me to the pantry?

—Go on, she said. Wreck everything. Take everything. You'll never beat the South that way. You, there—can't you stop these men?

—Who, me? the Perfessor said. Madame, I'm only here in the capacity of a spectator. Alas, war is at best a dreadful thing. May we trouble you for a drink of water?

Johnny and the Perfessor skittered around the corner of a shed to the pump.

Several curious Negroes were watching the men dig for buried plate and money. A middle-aged white man in shabby civilian attire watched the process, chuckling.

—You boys sho is busy, he said. Dog bite it, eberywhere people been sayin', Jest wait'll the militia hems ole Sherman in. They'll cut 'im to pieces. 'Pears to me you boys am still pretty much uncut. Look here, have y'all tried over there behind the woodshed?

—Obligin' cuss, a soldier said. Say, Uncle, you don't sound like no fire-eatin' Reb to me.

—Dog bite it, the man said, I'm tired of this war. I had my bellyful long ago. Have y'all looked down the well?

Glass shattered, and Flash Perkins stuck his grinning, shaggy head out of a cellar window.

—This here cellar's full a liquor, he said. Here, I'll throw it out.

He began to shove bottles through the opening. Several soldiers came around and drank freely. They went on spading up the garden. Johnny and the Perfessor walked down to the Negro quarters. A group of slaves came out and watched them, not saying much.

—You there, Uncle, the Perfessor said to an old black man. Do you know who we are?

—I reckon youse some of Gennul Sherman's men, the old man said.

—Well, do you know what we're here for?

—Yassuh, the old man said. Dey say hit's the yar ob jubilee.

—That's right, Uncle, Johnny said. You're free now. You don't have to work without pay any more.

They heard an explosion of angry voices behind them, and returning to the house found an old white-haired man standing at the corner of the house. He had a pistol in his hand. His mouth trembled, and his hands shook.

—Go on and git out a here, he said. Goddamyankees. Git back where you belong. This land don't belong to you and never will.

—Better put that pistol down, Grampa, one of the soldiers said.

—I'm a-tellin' you to git.

The woman came out and took the old man by the hand.

—Come on, she said. Come on in, Papa. They'll murder you.

—Listen, you ole bastard, one of the men said, we didn't start this

war. You folks would a been let alone, but you had to go and fire
on the flag.

—Goddamn the flag! the old man said. I ain't never been a
Union man, and never will!

One of the soldiers slipped up behind him. The old man whirled
and would have fired, but another forager slipping up from the
other side grabbed his arm. One soldier tore the gun away from
him, and the other knocked him down.

—Go on, git out, you old bastard, he said, before you git hurt.

—Come on, several of the soldiers said roughly, let's burn this
place up and git out a here.

The old man sobbed weakly and yelled something, and the
woman led him into the house.

—I hate you! she said, turning to the soldiers. You'll never beat
us! Never! We'll hate you to our dying days.

—Let's go, the Perfessor said. This is no business for gentlemen to
be engaged in.

Flash came out of the barn driving a wagon. They filled it up with
hams, pots of lard, live chickens tied in bunches by the legs,
turkeys, geese, a hog, several bottles of liquor. They opened a bottle
of wine and drank it as they drove off. Johnny kept trying to forget
the hatred in the woman's eyes and voice. They drove for a long
time down little roads and stopped at two other places where they
got some more provisions. At one a very pretty girl stood and
watched them, saucy and proud.

—What do you expect to do with us after you beat us? she
asked.

—Nothing, Johnny said. If you'd just let yourselves get beat,
we'd quit and draw off. Come back in the Union, that's all, and free
your slaves.

—What do you expect to do with the Nigroes when they're free?
the girl said.

—Educate them, Johnny said. Set them to work like human
beings, getting their own wages.

—Well, the young woman said, you may beat us, but you can
never rule us.

—Madame, the Perfessor said, describing a deep bow, Beauty
rules and is not ruled.

—You ugly jackanapes! she said, what are you doing here? You aren't even in uniform. Just along for the fun, I suppose.

—Pardon me, the Perfessor said, I see you have some newspapers there. May I borrow one?

They picked up several newspapers lying on a table and carried them off.

When they were in the wagon again, Johnny said,

—I don't see how we can ever reconcile them.

—That was a pretty little Rebel, the Perfessor said. I'd love to reconcile her.

They had dinner in an abandoned plantation house close to the line of march. They stopped the wagon in the yard and went inside the house. Other bummers had already been there, and the place was a shambles. Flash built a fire in the fireplace, and they dragged up a table and prepared to eat. Flash and Johnny set about preparing a broiled turkey, while the Perfessor read aloud to them from the newspapers. Several other soldiers came into the room while they were there, and one of them banged on a bayonet-scarred piano.

There was much loud singing, shouting, cursing, drunken mirth. Several of the men came downstairs with velvet curtains draped around their shoulders.

—Well, shet mah mouf! the Perfessor said. These heah Southuhn newspapuhs shuah ah declamatoruh sheets.

He read in a stagey Southern accent:

—TO THE PEOPLE OF GEORGIA

Arise for the defense of your native soil! Rally round your patriotic Governor and gallant soldiers! Obstruct and destroy all the roads in Sherman's front, flank, and rear, and his army will soon starve in your midst.

—Please brown that turkey a little more on the back, Johnny said to Flash.

Be confident. Be resolute. Trust in an overruling Providence, and success will crown your efforts. I hasten to join you in the defense of your homes and firesides.

                                                    G. T. BEAUREGARD

CORINTH, MISSISSIPPI
November 18, 1864

—Boys, let's enjoy ourselves while we may, Johnny said. Beauregard is coming!

—TO THE PEOPLE OF GEORGIA

read the Perfessor,

You have now the best opportunity ever yet presented to destroy the enemy. Put everything at the disposal of our generals; remove all provisions from the path of the invader, and put all obstructions in his path.

Every citizen with his gun, and every negro with his spade and axe, can do the work of a soldier. You can destroy the enemy by retarding his march.

Georgians, be firm! Act promptly, and fear not!

B. H. HILL, Senator.

I most cordially approve the above.

JAMES A. SEDDON, Secretary of War.

—We done licked everything else, Flash said. It'd be kind of fun to take on this here B. H. Hill and the Secretary of War.

—I'm ashamed of you boys, the Perfessor said. Listen to this:

ATROCITIES BY THE UNION SCUM

SHERMAN'S MEN LOOT, RAPE, AND MURDER

Let every Southron in whose patriot breast still palpitates a heart not insusceptible to the claims of outraged womanhood rally to the sacred Cause. We long ago knew that the Yankees were cowards and thieves. It is with regret we learn that they are also rapists, arsonists, defilers of everything sacred to hearth, home, and God. Reports emerging from the devastated areas in the rear of Sherman's Army reveal, alas! beyond any doubt the bestiality of these vulturesque and blood-dripping ruffians from the north. Houses ransacked, old men murdered, women outraged, children slain and thrown down wells, every species of atrocity known to the stained and sanguinary story of human depravity has been surpassed a hundredfold by the work of these gory Goths that now rage unchecked on the fair soil of Georgia.

—Boys, the Perfessor said, you see: you've been found out. The press is ubiquitous, all-seeing, impartial. Your names are branded forever in the sheets of shame.

—Tell you the truth, raping ain't been very good lately, Flash said. I only raped six women yesterday and two today. You raped anybody lately, Perfessor?

—Hardly anything to mention, the Perfessor said. A few old ladies in hedgerows. I've got somewhat out of the habit lately. How about you, John?

—I've been observing a Lent, Johnny said, and have limited myself to two rapes a day. Of course, sometimes the Devil tempts me, and I rape before I think.

The Perfessor was in form. He lay on a sofa delicately gouging its velvet flanks with his pocketknife. He put his booted feet on a bust of John C. Calhoun, which some soldier had crowned with a chamberpot. He had a bottle in his hand from which now and then, sitting up, he tipped a little liquor on the potted pate of the pre-War South's greatest statesman.

—Senator Calhoun, seh, he said, addressing the bust, you see now the result of your pernicious subtleties. Give me another leg off that turkey, Private Perkins.

Flash tore a turkey leg loose and handed it to the Perfessor, who shook the leg under the statue's nose.

—Mr. Calhoun, seh, your people are conquered and your land is laid waste, and it's all your own fault. You have awakened the spirit of rapine and conquest, seh, in a race long accustomed to the ways of peace. This goddamyankee, seh, this simple farmboy, this placid mechanic, contained a sleeping demon. You tapped him with a sword, and he sprang up beating his breast, waving his dagger, brandishing his torch. Laughing with white teeth, he strides through the wreck of your fair South, seh. Seh, the gory Goth was a skittish virgin to him. Ages of puritan repression, seh, have made him more terrible than Attila. Tear me a breast from that chicken, Orville.

The Perfessor tossed a halfchewed bone at the bust and accepted half a chicken from Flash.

—Senator and gentlemen, he said, war is a good life. Men are only happy when they are feeding, fluting, or fighting, and war gives them an opportunity to do all three at once. Fellow Goths, man's eternal urge to war was expressed once and for all by the greatest conqueror in History, Genghis Khan. You will remember, Senator and Private Perkins, how one day the great Mongol asked his lieutenants what they considered the greatest happiness of a man. The greatest happiness of a man, said one, is to ride out on a fast horse when the grass is small and a hawk on the arm. That is good, the Conqueror said, but it is not the best. The greatest happiness of a man is to break his enemies, to drive them before him, to take from them all that is theirs, to hear the weeping of their widows and their orphans, to hold between his knees their swiftest horses, and to press in his arms the most beautiful of their women.

The Perfessor gnashed his white teeth on a chicken bone and shook soundlessly.

There was a wisp of smoke coming from the back of the house.

—Damn house is on fire, Flash said.

—Well, boys, let's get on with our raping, the Perfessor said.

He paused long enough to pick three volumes from a bookcase and followed Flash and the others outside. The back of the house was burning famously. They watched it for a while and then climbed into the wagon, the Perfessor declaiming,

> —I warmed both hands before the fire of life,
> It sinks, and I am ready to depart.

As they started off, they heard a sound of hooves on the road behind.

—Calvary! Flash said.

He turned around and stood up in the wagon.

—Jinks—it's Rebel!

Johnny hit the road just behind the Perfessor and rolled into a ditch. He trained his rifle on the leader of the oncoming troop of horsemen. There were about twenty. Several shots came from around the house, and one of the Rebels fell from his horse. The others rode swiftly into a little grove.

—Let's get hell out of here, boys, the Perfessor said crisply.

Just then the Rebels came out of the woods, dismounted. They began to advance, firing in a skirmish line.

—I'm goin' to drive the wagon out, Flash said.

He jumped into the seat and began to flail the mules. The wagon shook off down the road. In the shelter of the ditch, Johnny and the Perfessor ran along beside. Bullets sang by. Two or three wine bottles gurgled dark blood on the road.

A large foraging party approached, mounted on motley beasts and led by a captain.

—What's going on? he asked.

—Just a few Rebels, Johnny said.

—The bummers are whippin' 'em for yuh, Captain, Flash said.

Flash parked the wagon and jumped down. He and Johnny joined the newcomers and began to exchange shots with the Rebels, who retired into the grove where they had left their horses.

—Some of you men go around and flank that grove, the Captain said.

Flash and Johnny left the lines and crept through a ditch and up a hill. The field seemed to be swarming with Union soldiers, most of them irregulars, who had concentrated like magic at the sound of the shooting. After a little while, the flankers, including Johnny and Flash, rushed the grove yelling. The Rebels broke out of the timber, riding. There was a wild discharge of rifles at the fleeing butternut uniforms, and one of the horses went down on his knees and skidded forward, flinging over on his twisted neck and lying still. The rider was thrown heavily, rolling free. He started to get up, shaking his head. Johnny and Flash lit out for the place. The Rebel had lost his rifle and had only a sabre. He spat in disgust.

—That's what comes a leadin' militia, he said.

He was a tall, broadshouldered fellow, with thin lips, light silken mustache and beard, blue eyes. He was only shaken up.

—By God, we got a captain! Flash said. A sure-nuff captain.

—I trust I'm in the hands of gentlemen, the Rebel said, looking apprehensively at Flash Perkins and the other bummers who were moving up around him.

—Give me your sword, Captain, Johnny said. And come along with us. We'll take you to the proper place.

The Rebel seemed relieved.

—Hell of a way to git caught, he said. That's what comes a leadin' militia.

They put the Rebel on the wagon seat between them, and drove away. About a mile down, the Perfessor sat in a ditch smoking a cigar.

—Just taking a little rest, he said, to relax my legs. Been riding so much I—— Hey, who's that?

—Just a Rebel captain, Flash said. We picked him up after the scrap.

—Charmed to make your acquaintance, Captain, the Perfessor said. I'm Jerusalem Stiles of the New York *Dial*.

—James Rutherford, captain in the Georgia Cavalry, the Rebel said. I'm pleased to make your acquaintance, sir.

Introductions were completed all around, and the Perfessor climbed up.

—Now, Johnny said, we have to find the Army. You have any idea where it is, Captain?

—If you mean your Army, sir, I reckon it's all over the place.

The Unionists roared, and the Rebel smiled mournfully.

—How about a drop of something, Captain? the Perfessor said.

—Don't care if I do, the Captain said.

They gave the Confederate a bottle, and he took a long drink.

He sighed.

—Well, he said, this is the goddamnedest war! I fought in six major engagements from Gettysburg to the Wilderness and never lost a horse. Then I gits captured by two foragers and a war correspondent. That's what comes a leadin' militia.

—Say, Flash said, this guy's all right. I hate to turn him over to the Army.

From the crest of a gentle hill, they saw the Army again. It was past noon. The men had turned out for dinner. Muskets were stacked. Fields and yards on each side of the road were littered with soldiers.

Before reaching the main road, Flash drove up a side road that brought them across the Georgia Central Railroad. Coming over a hill and out of the woods, they could see a long stretch of the railroad extending for a mile east. Along this line were a thousand infantrymen, and all on the left side. Shouts of command ran up and down the line. The men bent over, some using levers, many taking the iron rail in their bare hands. The whole line strained and tore a mile of track shrieking from its bed.

—Tell me something, said Captain James Rutherford of the Georgia Cavalry. You Yankees claim this land belongs to the whole nation, don't yuh?

—Sure.

—Then why in hell are yuh tearin' it all up for? There won't be anything left down here for y'all or anyone else, after the War's over.

Along the railroad, men were stacking the wooden ties. The iron rails were laid across the tops of the bonfires. When a rail was red-hot in the center, two men would take each an end and running with the rail fold it neatly around the nearest tree.

—That's what they call Sherman's neckties, Flash said to the Captain.

—I can tell one thing, the Captain said. Sherman don't intend to come back this way.

—And he don't intend to let anyone else come back either, Flash said.

They rode all afternoon through scenes of jovial devastation. The Army was happy in its work of wreckage. Back of it, trailing to westward, lay the burned-out trail of the railroad and hundreds of ravaged homes. The Army passed like a plague of giant locusts: they settled on the land for a night; they rose and left the land bare.

Sometimes Johnny could hear the Army singing. The husky thunder of its Northern songs echoed in the woodlands of Georgia, filling the soft air with unfamiliar rhythms.

Meanwhile, all day long, the wagontrains filled themselves to bursting. Nearing a wellstocked farm, they would stream off the road, around through a gate and past the corncrib. As each wagon passed, men would stuff it with forage. Without stopping, the train would exhaust the contents of the crib and come back to the road.

Everywhere along the Army's path were the Negro people. Each day, with pathetic trust, additional hundreds left their old homes, from which their masters had fled before them, and attached themselves to the Army. Their pitiful wagons were stuffed with junk and pickaninnies. Eastward they went as though to a promised land, although in fact there was nothing that Sherman could do with them when he reached the sea.

On this day especially, the uprooted thousands came out of the earth until they seemed to outnumber the Army. Johnny and the other three men in the wagon were vaguely disturbed by this spectacle of a people marching, unbidden, toward a resurrection.

—I just hope, the Rebel Captain said, that the whole goddam race keeps right on marchin' up North with y'all, and settles right down with yuh. In another fifty years, we'll have another Civil War with the situation reversed.

But the Army thought nothing of that. They didn't trouble themselves with consequences. Now there were blue days on the breast of the land, they were marching. Each day, each hour they passed through new scenes. It was a beautiful country, and they took their toll of it like drunken lovers. They sang, they were carefree, they feared not death or the devil, they were young men, a strong tide, a swift river, which must somewhere come to the sea.

By evening of that day, the Army had moved about fifteen miles, through a dense maze of incident, accident, excitement. New hundreds of black people had been added to its impedimenta. A broad swath of country lay stripped and blackened in its wake. The Army left its spoor not only in destruction, but in a debris of empty cans, papers, letters, caps, a few bodies. The Army of the West had made one more sevenleagued stride on its way to the sea, gathering to itself uncountable legends.

In the early evening, the Perfessor, Johnny, and Flash began to hunt for the regiment which they had abandoned in the morning. All day long it had been moving in its appointed path beside them, and now it was somewhere in this widebosomed evening dense with crowding wagons, tired soldiers, and the brighteyed, inextinguishably jubilant darkies. The men were calling back and forth to one another.

—Hey, Sam, I can smell that old coffeepot a-bilin' right now.

—Say, I'm a-goin' to eat me a whole chicken all to myself.

—Reckon we'll have to do any fightin' tomorra?

—Hell, no. This time Sherman's flanked 'em so wide, they ain't an army within a hundred miles.

—Yes, but I heerd they was fightin' up ahead today at a place called Sandersville or somethin' like that.

—Let the calvary handle that.

—Sure, let the damn horseboys do the fightin' fer a change.

Then it was very dark. Breaking out on both sides of the road far up ahead were the first fires of the bivouacking troops. The wagoners were calling back and forth.

—Hey, anybody heard a the Twenty-second Indiana?

—They done got drowned in a river a piece back.

—Get your goddam corpsecart out a the way, and let a man past that *knows* how tew drive.

—Son, I was drivin' an Army ambulance when your maw was removin' snot from your chin.

—Reckon ole Jeff Davis'd like to know where we are.

—They say ole Abe hisself don't know where we are. Folks at the North ain't heerd from us since we left Atlanta.

—Lost—an Army of sixty thousand men. Please return to the owner. Signed, Abe Lincoln.

With laughter and with cursing, the wagons crowded toward their camps. Johnny and his companions found the regiment at last, bivouacked in a trampled cornfield beside a forest.

—Hey, what you got there? the men said, crowding around the wagon.

—We have a little of everything, Johnny said, from fat shoats to a plump Rebel officer. This is Captain Jim Rutherford, boys, of the Georgia Cavalry.

—Pleased to meet yuh, the men said.

It was good to see the comrades again, their faces lit by the flickering glare of pineknot campfires. Fragrance of burning balsam wood perfumed the air. A score of skewered turkeys dripped on the fire. Corporal Johnny Shawnessy was ravenously hungry.

By nine o'clock they were sitting at the fire gorged on cooked flesh, leaning back on beds of straw, cornstalks, and branches, drinking the stolen wine and smoking pipes and cigars. The entertainment was varied but familiar, the only new feature being the presence of the Rebel captain, whom the men permitted to stay in the camp for the night on *parole d'honneur* and whom they plied with wine and questions in their eagerness to learn about the Enemy.

—When this war goin' to end, Reb? Reckon it can't go on much longer now.

—Why, sir, I look to see right smart of fightin' yet. General Lee ain't whupped by a long shot.

—Suppose ole Sherman takes him in the rear, then what'll he do?

—Why, then, I reckon someone'll just have to take ole Sherman in the rear.

They compared notes on army food, combat experiences, women. Everyone agreed that the Rebel captain was a capital fellow.

—Jim, Flash Perkins said, I'll tell yuh the truth. For two cents

I'd a blowed your head off this afternoon and never thought a thing of it. Now, I'm glad I didn't do it. If all the traitors was like you, damn me but I think I could git along with 'em O.K.

—They ain't any different from me, the Rebel captain said.

—I talked with a whole lot of Rebel prisoners in Atlanta, a soldier said. They wan't no different from us fellers. They don't like the War no more'n we do. They acted real human.

—Trouble you damyankees, the Rebel said, is you never knew anything about us. You had to start a damn war to come down and find out what nice folks we are.

—You believe all this truck in the papers, Reb, Flash said, about us rapin' your women and all?

—No, I don't. That there's civilian talk. I don't take no stock in anything I read in the newspapers.

—There, you see! a soldier said.

—Way I look at it, the Rebel said, all the soldiers in both armies oughta go back home after the War and whup hell out of the speculators and newspapermen, beggin' your pardon, Mr. Stiles.

—Don't mind me, boys, the Perfessor said.

He was propped up so that he could read his stolen books, a volume of Shakespeare's *Plays*, a translation of *Les Misérables*, and a copy of Scott's *Life of Napoleon*.

—Willie, Walter, and Victor, he said to Johnny, are true classics. Your true classic confines himself to the classic view of life, which is that men are most alive when fighting and loving. The blood-thirstiest writing ever, is in Shakespeare's historical plays. They are singularly devoid of what we miscall humanity. The heroes kill, rape, murder, and loot equally with the villains. And the whole strong drench is washed down with magnificent verbal poetry alternating with rude Falstaffian comedy. When you write your American historical plays, John, keep in mind that the prime ingredients are blood, lust, and laughter.

Johnny lay and listened to the good soldier talk, which, to illustrate the Perfessor's remark, continued to revolve upon its two eternal subjects, the War and the Women. The Rebel captain contributed affably to the discussion. There was a heated argument about the respective beauty of the ladies North and South. Blondes, brunettes, and redheads were compared as to their intrinsic talents in the art of love. Flash Perkins described in robust detail and with gestures his last contact with a woman. Notes were compared on the camp-followers of the armies North and South.

On all these subjects, the Rebel captain was well informed and entertainingly vivid.

The Perfessor now and then joined in the discussion and now and then read aloud a choice bit from *Henry IV*. Corporal Johnny Shaw-nessy was never so happy in the whole war as on that night.

Later on, the soldiers began to sing. As he lay listening to the simple soldier ballads, the songs of mother, home, the Union, and the girls they left behind, Johnny felt epic fulfillment. Encamping for a night on alien earth and far from home, he had become at last the Hero of Raintree County. There was no hero like the veteran soldier, the comrade of comrades. In after years, he would be able to say with pride, Yes, I was one of those soldiers. I made the Great March with Sherman to the Sea. I was part of that Army. I saw those places. I remember that earth.

Now for the first time he felt that the War was really coming to a close. Many comrades might be lost, but the end was in view.

> —A few more days for to tote the weary load,
> No matter, 'twill never be light,
> A few more days till we totter on the road,
> Then my old Kentucky Home, good night.

Yes, a few more days, and good night to the Old Kentucky Home, the sentimental republic founded on a crime, good night to flags, bands, uniforms, good night to valors and enthusiasms. He and his comrades had conquered more than they supposed in this avenging sweep from Atlanta to the sea.

> —Weep no more, my lady,
> O, weep no more today!
> We will sing one song for the old Kentucky Home,
> For the old Kentucky Home, far away.

Later, the singing died, and the bugles sounded taps. Soon the large, low stars of the Southern night whited the upturned faces of fifty thousand young men, sleeping in bedrolls. Sleep touched with mystic wand the face of Private Flash Perkins, closed his savage eyes, erased the ridges from his forehead, stole the insolent laughter from his mouth. Sleep put its soft enchantment on the face of Jerusalem Webster Stiles, correspondent for the New York *Dial*, and turned him into a sharpfaced child in a chinbeard. It touched the face of Corporal Johnny Shawnessy with the beginning of an affectionate smile and discovered, beneath the stage whiskers, Johnny Shawnessy of Raintree County. They slept, these children of far-off counties, in their costume of the Civil War, each one reprieved from time and soldiering, each one escaping into a private world of memory and desire. The Southern night silvered in deep sleep the ravagers of Georgia, Sherman's terrible men.

Where was the sleeping soul of John Wickliff Shawnessy? It was lost in a classic dream of love and war, whose ingredients were blood, lust, and laughter but transmuted from inhumanity by the humane poetry which was the idiom of Johnny Shawnessy's mind. The Southern earth had touched a young Northerner with a sword of silver light, and in his breast a not unamiable warrior leapt alive and was off to the wars in his own private historical drama. . . .

Sleeping, Corporal Johnny Shawnessy dreamed that he was standing in the wings of the Old Opera House while Professor Jerusalem Webster Stiles in the guise of a Chorus stalked out before the curtain and read from a scroll.

CHORUS

—Scene One. Off to the Wars!

The stage and orchestra of the Opera House were lit scarlet with an eruption of soft fire. Behind the scenes Johnny saw a young woman ascending a spiral stair, beckoning with lips and eyes. The dim loft of the theatre turned out to be the upper floor of a house on Pennsylvania Avenue.

NELL GAITHER

lying under a sheet in a huge fourposter bed, bare arm beckoning,

—I do hope Aunt isn't up.

NEWSBOY

popping head in at roomdoor, throwing newspaper,

—Extra! Read all about it! Young soldier off to the Wars. Most affecting were the farewells exchanged on this occasion.

COMMITTEE FROM THE LADIES' AID

fussy spinsters, sitting on bed, folding hands solicitously,

—Corporal Shawnessy, is there anything we can do to assist you in this trying hour?

DELEGATION FROM THE DANWEBSTER METHODIST CHURCH

blackfrocked elders, cleaning teeth with whittled sticks, taking armchairs in a halfcircle around bed,

—Brother Shawnessy, have you been baptized?

T. D. SHAWNESSY

rocking blandly back on his heels, hands behind back, surveying scene from a great height,

—I see, my boy, that you're just a good cleancut Shawnessy. I think this calls for a little prayer.

The old man held up his hand. As he did so, someone pulled him violently through the curtains with a loop of rope, and a cardboard train crossed the stage with a rhythmical, butting motion, forlornly wailing. The sound turned into the trumpet voice of the

CHORUS

—Scene Two. An incident in the French Camp. . . .

He was wandering through the backstreet of a shabby little Southern river town. On the highbreasted hills of Tennessee, he saw wan fires burning. Repeating an ancient act of soldierdom, he knocked at the door of a flimsy building shaken with rough merriment.

GIRL

opening and standing in the dim hall dressed in a costume sewn together from greenbacks and Confederate paper dollars,

—What can love's little counterfeit do for you, honey?

Following her into the brothel, he found himself standing on a platform draped with bunting and seating a collection of celebrities, including President Abraham Lincoln, General U. S. Grant, General William Tecumseh Sherman, members of the Cabinet, and foreign dignitaries. The crowd consisted of soldiers and campfollowers. He held a timesmoothed coin, a quarter-dollar having the head of George Washington on one side and an American eagle with spread wings on the other.

JOHNNY

reading from scroll and addressing girl,

—The President, the Supreme Court, the Senate, and the House of Representatives in joint session assembled have empowered me to present to you, my dear, this medallion, the Republic's highest award, given only to those who have fought with courage beyond the call of duty in this great war for the Preservation of the Republic and the Emancipation of the Race. For Valor.

GIRL

accepting coin with a curtsey, singing dolefully with pretty gestures,

—I'm little May of the Great White Way.
 I'm only a twobit whore.
 You can get the same from a sprightlier dame,
 But it will cost you more.

JOHNNY

—*Una cauda, legionem perturbavit.* 'Tis an ancient and dishonorable profession, as old as——

CHORUS

—Scene Three. The Battle. Perhaps the greatest and most decisive conflict of all time, the Battle of the Shawmucky, as it is denominated in the history books, changed the fate of republics and caused thousands yet unborn to tremble on the shadowy shore of time. Yet it was precipitated by the most trifling circumstance in the world when a number of young men living in the vicinity of Danwebster went swimming one day and, leaving their vestments on the bank, crossed to the far side where as luck would have it . . .

Hundreds of naked women were hiding in the rushes at the rim of the river. Through the green mesh he could see their flametipped breasts, smoothmuscled thighs, and tufted love-mounds, their white teeth gleaming and their red lips.

YOUNG WOMEN

with cruel, lipcurling laughter,
 —Jackjackjackjackjackie.

CENTURION JOHANNES FACTOTUM SHAWNESSY

armed in shield, short sword, helmet, and shinpieces,

—The Republic hath need of wombs to bear her lusty sons. What valiant arms are stiffened to the charge?

WILLIE SHAKESPEARE

springing up in Elizabethan breastplate and helmet, brandishing a spear, presenting shield with full heraldic elaboration—a falcon, his wings displayed argent, standing on a wreath of his colors, support- ing a spear gold steeled, on a bed sable,

—Behold, Dan William of the doughty spear!
Full many a field hath felt his martial tread.
Queen Bess herself his crest did knightly rear—
A gold spear regnant on a royal bed!

JERUSALEM STILES

springing up, the young professor of the Academy, gesturing with classroom pointer, glasses swinging by a string, coat of arms chalked on a blackboard,

—Behold, Jay Stiles that hath the hissing tongue.
With sudden fang his hundreds doth he slay.
On many an eve seductive he hath hung,
A serpent pendent from a branch of bay!

WILLIE

stamping back and forth, cutting and thrusting with a sword, laying open thousands of books, shearing off sheets of other men's plays,

—Ah, what a creature is man, born to be beast, and like a beast a-borning, but being born, mark you, thou beast in being, thou bully bawcock, man, what be'est thou? say, boy, say!

PERFESSOR

—Why, we are born to fight and feed and flute, Will, and when we are faint with our fighting, then feed we, and when we are full of our feeding, then do we foot about our fluting, until with feed- ing, fighting, and fluting we fall into a fit. For 'tis but a brief road running from womb to tomb.

WILLIE SHAKESPEARE

hotspurring his horse into the reeds beside the river,

—'Tis an old story. Men will have that they will have. And when they have it, 'tis but a little hole that they have, being but big enough to hold your poxy, whoreson body. So the only begetter, the only begotten, is the earth, boys, under and dead and rotten. Goodby, lads, good-by, sweet lads. The horns blow prologue to the swelling act, our sails fairbellied with the favoring wind conceive the bully seed of war, and we——

SUSANNA DRAKE

Queen of Amazons, riding a white stallion stately treading, bearing in one hand a little spear and in the other a garland of oakleaves,

—Mr. Shawnessy, allow me to present to you in behalf of all these young ladies here present this wreath. To the victor belongs——

WILLIE SHAKESPEARE

herald's costume, rakethin legs in tights, proclaiming through megaphone,

—Now is she in the very lists of love. . . .

JOHNNY

mounted on a great white eagle, lunging here and there among the Amazons, silver arrows pattering on his shield and shinpieces,

—Careful, girls, I can't control this thing!

WILLIE SHAKESPEARE

strutting back and forth, declaiming in actor's voice,

—Cry covah! And lash on the gods of raw!

JACK FALSTAFF

tripping up a bank, looking keenly about, drawing sword,

—Here's a jolly fight toward and Fat Jack i' the thick of it. This be no place for a Falstaff—nay, nor a fallen one either for the matter of that. Well, we shall see whether this weapon have still an edge to it. Nay, here's a bit of keenness left, albeit 'tis damnably rusted for want of use. Cut me for a capon if I do not share a little in the sport.

Garde! Avant! There! There! 'Ware, warrior ladies! Give me a bony mount, lads. For—

> Fat Jack and skinny Jill
> Fetch far better over the hill,
> While fat Jill and skinny Jack
> Fetch far better coming back.

CHORUS

—Another part of the field.

CORPORAL JOHNNY SHAWNESSY

standing before plantation house, addressing a lovely Southern girl on the porch,

—'Tis the part of man to subdue; of woman, to submit. Submit!

SOUTHERN GIRL

archly,

—Subdue!

Without warning, she pounced on him, slapped his face, bit his shoulder, mussed his hair, scratched his cheeks, stepped on his toe, spit in his eyes, kicked his shins, writhed, panted, hissed, and screamed. She finally managed to get a good grip on him and pulled him down hard.

SOUTHERN GIRL

suddenly going soft, arching her back, purring warmly,

—I love it thataway. Go on, fo'ce me, honey.

OLD SOUTHERN PLANTER

in stentorian voice,

—Ah chahge that man with attempted rape.

SOUTHERN GIRL

—Take it easy, Paw. Give 'im anothuh five minutes, and we'll have a bettuh case.

Along the river, he saw how the warrior women had been driven to the water's edge. The hardmuscled legionaries rushed in among them. With hoarse cries of panic and surrender, the women threw down arrows, sheaths, helmets. Their white forms were tumbled in the shallow water. Victors and vanquished clove together, grappling fiercely. He ran toward the rushes wondering if he could mitigate the fierceness of that old struggle. . . .

VOICE

musical, receding,

—Come back, lost boy. Come back to Raintree County. Before it's too late . . .

He awoke. He lay lost for a while on the immense, patient earth until the dream dissolved. All around him, his comrades lay, a stricken host. Warm pangs of love and fierce yearning still coursed over him. *Come back to Raintree County.* The voice that slew this barbarous dream had been tinged with anxiety. What were they doing there at home? Where was Nell Gaither? Was she lying by herself in a vestal bed, dreaming of Johnny Shawnessy as he of her? Did those slender arms yearn to clasp him and keep him from remembering battles? What was she doing there—back there, while he lay bemused among the alien corn?

And Corporal Johnny Shawnessy slept once more and rose another day. The Army of the West marched and camped for days without opposition in a vast Edenic garden. When the world found them again, they and their march were legend.

And as Johnny saw the Southern earth, secretly, as once long ago, he loved it and was moved by its bitter, proud resistance and the fatal mixture of its bloods. But being a soldier now and simple in his concepts, he never wavered in his belief that this earth, like that of Raintree County, belonged to the whole people by a mystic covenant called the Union.

And they went on, the young Northerners, marching to Savannah on the Sea, through days of Southern secondsummer. They came to the forests of the piedmont. For days they marched then on the level land, between dark ranks of southern pine, and at last they reached the outskirts of Savannah. And a day soon after came

WHEN BEYOND THE PINEFRINGED SHORES,
BEYOND THE SWAMPS THEY SAW THE
SHINING

                    . . . ocean of thee,
        Laved in the flood of thy bliss O death . . .

The Perfessor was still asleep. Mr. Shawnessy was afloat on the
ocean rhythms of Whitman's elegy.

—And I saw askant the armies,
I saw as in noiseless dreams hundreds of battle-flags,
Borne through the smoke of the battles and pierc'd with missiles I saw
    them,
And carried hither and yon through the smoke, and torn and bloody,
And at last but a few shreds left on the staffs, (and all in silence,)
And the staffs all splinter'd and broken.

Mrs. Evelina Brown stood in the attitude of victory leaning on a
sheathèd sword. Her face was tender, her voice sweet with compassion.

—I saw battle-corpses, myriads of them,
And the white skeletons of young men, I saw them,
I saw the debris and debris of all the slain soldiers of the war,
But I saw they were not as was thought,
They themselves were fully at rest, they suffer'd not,
The living remain'd and suffer'd, the mother suffer'd,
And the wife and the child and the musing comrade suffer'd,
And the armies that remain'd suffer'd.

We have reared the great shaft almost to the top. A woman in
stone awaits those who have climbed to the summit. A little longer,
comrades!
    But I had forgotten awhile (though never really forgotten) this
old tableau. I will tranquillize its writhings in the serenities of everlasting stone. I will show a fallen form, stone tears, the hand of a
comrade soothing a comrade's brow; and in the distance the pillared
image of Columbia, a woman fair, the goal of our exertions.
    Great God, must there be deaths within sight of the goal?
    (Then did you fight in that Great War to preserve the Union?

Did you march in the last march from Savannah northward? Did you see the burning of those cities? Did you weep as all men must for the death of comrades?)

O, let us believe in the simple concepts of Raintree County! Let us believe in the perpetuity of the Republic and its images! Let us believe that the stringbreakers, the strong competitors, the old soldiers never die! Can young fury and lust to live be stilled by a lead ball? Can the most vital figure in the Court House Square be slain? Can death and the Great Swamp overcome the strongest man in Raintree County, the greatchested one, the laugher?

The Perfessor gasped in his sleep, and his chin sank deeper into his coat.

Sleep on, watchdog of cynicism. And I will carve a last memorial stone to the dead comrades of the Grand Army of the Republic! Let us believe also in the great fact of loyalty! For this is the best commandment in the decalogue of Raintree County—that a man shall die for his comrade!

    —Passing the visions, passing the night,
      Passing, unloosing the hold of my comrades' . . .

POINTING AND GESTURING,
FLASH PERKINS WAS RUNNING FROM THE BARN

back to the yard where Johnny had been standing in conversation with the woman. At first Johnny couldn't tell what Flash was yelling over and over. Then it came clear.

—Rebel horsemen!

Johnny waited until Flash reached him, and the two ran down a lane that led through an orchard back of the house.

—About twenty, Flash said. They seen me.

—How far?

—Half a mile. I was standin' right out in plain sight by the barn when they come over a hill. The officer pointed, and they all broke into a gallop.

Johnny and Flash with other regimental foragers had crossed the river ahead of the main armies closing in on Columbia, the capital of South Carolina. The Rebel forces in this vicinity were supposed to be thin or non-existent, and the two comrades had gone alone, perhaps unwisely, far to the left flank of the Army to find forage which could later be collected for the brigade.

The day had been bright, warm, and peaceful, despite a steady wind from the north. It was around noon. Johnny had been thinking all day of spring returning.

As they ran, he could hear the thunder of hooves on the road.

—The woman will tell, he said to Flash.

—I know it, Flash said.

There was a railfence back of the orchard, and beyond that a wide field rising gently toward a stone wall.

—Let's git to that wall, Flash said.

They sprang over the railfence and ran across the field. Beyond the field, only a quarter of a mile away was the river. On the far side there would be more foragers and detachments of Union cavalry.

The noise of the horses slowed down and came to a scuffling halt before the house, now hidden by trees. Johnny and Flash ran hard, holding their muskets unslung. Johnny's legs were beginning to go dead with the long run to the summit of the field where the wall was, and his breath was spent.

The field was uneven ground, planted in hay the year before, now stubbly and with a beginning of spring grass. The wall rose cleanly along the summit of the field and ran off slanting, vaguely parallel with the river. If the horsemen followed right away, they would just about catch him at the wall, winded and with one shot in his gun.

Five minutes from now, he might be dead. It would be a dumb, dirty little death, and completely unnecessary, but so had been every other death of the War. But perhaps it wasn't true about Rebel cavalry killing the bummers without quarter, whenever they could.

Looking back again, he saw the Rebels. They had ridden farther along the road before the house, instead of coming up the lane. The officer was pointing down the road, and some of the men were looking at the two Unionists.

He and Flash climbed over the wall. They leaned against it, sucking air and watching the Enemy on the road. It didn't seem to make much difference now which side of the wall they were on.

—Must be some Union cavalry around here somewhere, Johnny said. Maybe these fellows don't want to mess around with bummers. Don't fire at 'em.

The great hope now lay in being unimportant.

The Rebels split into two groups, and all but six rode on down the road toward the river. The remaining six turned back toward the house and disappeared behind the screening trees.

—Those six that went back are probably for us, Johnny said.

—Hell, if they's only six! Le's move up to the angle here, Flash said.

Johnny looked around. Another stone wall approached from the direction of the river and joined their own about fifty yards away, forming the stem of a vast straggling T. They had been moving along the roof of the T. The stem, which they now reached, ran downhill to a thick woods that bordered and concealed the river.

What a line to post a division on! Johnny thought. They were two men trying to get shelter from death on a bare field behind a system of walls a mile long.

They climbed over the abutting wall and were hidden from the road. They kept watching the house and the lane.

—If we could reach the wood there.

—No use, Flash said. They might catch us halfway there. We could fight 'em from here.

A minute passed. Two minutes. Five minutes. Johnny had his breath back. They couldn't see any Rebels now. The larger group had ridden down the road, which curved behind the field and disappeared into the woods along the river. They could hear horses fording the river.

—Maybe those six went on back to the rear, Flash said.

—Perhaps we ought to run for the woods now, Johnny said.

He said it without conviction. As they remained in their absurd position on the crest of the hill, the desire to run to the woods began to fade. It began to seem very dangerous to leave a place where they were unharmed and go to a place that might be full of danger.

Then another large body of Rebel cavalry came along the road past the house and down to the river.

—Where's our goddam calvary? Flash said.

—I don't know, Johnny said. But look over there.

Eastward, a great way off, from the mild elevation of the field they could see a city. A stately stone structure of Corinthian pattern, uncapped or damaged, with a wooden derrick above it, gave distinction to a collection of lowflung houses and buildings. A thick tower of smoke rose from the middle of the city, bending southward under the pressure of the wind.

—What is that? Flash said.

—That must be Columbia, Johnny said.

It was the capital city of the state where the Rebellion had begun. After taking Savannah in December, Sherman's Army had rested for a short time and then had resumed its march, again cutting communication with the world as it marched northward to fasten a deathgrip on the remaining Southern armies, caught between Grant to the north and Sherman to the south. For several weeks, the Army had pushed on through Georgia and then South Carolina, taking a heavy toll of the latter because it had been the hotbed of Secession.

—Lookee there, Jack, Flash said, pointing to a distant slope south of the city.

A river of dull blue was pouring there, and myriad flashes played on its crest. Both men knew instantly what it was.

—There's the Army, Johnny said.

Both men looked with love and hunger.

—Are they over the river?

—I don't know, Flash said. I wish to hell they were over the river.

—I think they're too far back, Johnny said.

Another troop of Rebel cavalry rode along the road below them a quarter of a mile away.

—They aren't going to waste all those men on us.

—Where's *our* goddam calvary? Flash said through clenched teeth. I *always* hated those bastards.

They stayed for an hour hiding behind the wall, taking turns at standing watch over the road and the house.

—Pretty soon, Flash said, part of our Corps will come up and cross, and we'll be all right.

—No use getting alarmed, Johnny said. Let's have a smoke.

They both took out cigars, lit up, and lay in the wall angle smoking. This place where two walls met began to seem the best place in the world to be, except back home.

—I thought that there calvary troop was goin' to cut us up, Flash said. Maybe they didn't see us after all.

—Of course, Johnny said, the woman must have told them.

—She may have been a Union sympathizer.

—She didn't sound like it.

The two men lay and puffed on their cigars. Their loaded muskets leaned against the wall. They began to feel perfectly safe. It seemed absurd that with a big Union Army enveloping the capital of South Carolina, the Rebels would take the time to exterminate two bummers in a wall corner.

—Let's have something to eat, Johnny said, and wait for some of our cavalry to come up and clean these guys out.

They opened their knapsacks and got out some food. They had meat sandwiches and apples.

—Nice little picnic, Jack. All we need is a bottle of corn and some women.

The meat was pork, cold and salty between hunks of moist bread. They drank a little water from their canteens, and then lay back again and lit cigars. They got to talking about the War and Raintree County. They lay for a long time smoking and talking.

—I'm sick and tired of all this fightin' around, Flash said. I'll be glad to git back to the ole county. I'm goin' to live peaceful the rest of muh life, git me a lil gal, marry her, and settle down. I been a bastard long enough, and God mus' be a-gittin' tard of it.

Not long after, a sound of shooting broke out down the river to the west, a halfmile distant. Soon a band of Rebel cavalry rode up from the river. One of them had a roughly bandaged arm. They passed from sight before the farmhouse, the hoofbeats stopped, then started again, going up the road.

A minute later, a small band of horsemen rode up the lane to the point where Johnny and Flash had crossed the railfence and run through the field.

—Cuss it! Flash said, surely they ain't goin' to come up after us now.

—They don't even know if we're up here, Johnny said. Can you see?

Flash was peering through a chink he had made near the top of the wall.

—They're pintin' up here, he whispered. I think one of 'em wants to ride up. They look like just kids. Now they're goin' to ride away. No, now they've turned, and one of 'em is arguin' with 'em again. He wants 'em to come up here.

—How many are there?

—Six, Flash said. Prob'ly them same guys. What they been doin' all this time? Now the others are startin' to ride back, but this one guy—yes—he's waitin' and lookin' up here. Now I think—I think he's—yes, he's comin' on up alone. Here he comes.

Flash began to run his hand up and down the stock of his musket.

—Don't shoot unless you have to. It'll bring 'em all.

—He's comin' straight up. We'll have to shoot 'im. The others are out of sight. He don't think we're here, but he's comin' up to see.

—How far is he?

—About fifty yards. When I say so, raise up and let 'im have it.

—Where is he?

—He's above us now. He's goin' to cross the wall up there on our side. All right, let 'im have it.

Johnny stood up. There was a young officer on a small gray horse, approaching the wall. Looking down the barrel, Johnny saw a man's face startled like one who has discovered danger but hasn't yet had time to be afraid of it.

The two rifles banged. Through the smoke, a riderless horse plunged and ran away.

—Come on! Flash said. Let's git to the river!

The two men ran down the stem of the T, toward the woods. It was a long way down. The brown grass of the preceding summer was thick. There were evergreen shrubs along the wall. Sooner than seemed possible, several mounted Rebels appeared along the wall where their comrade had been shot.

Each of the two runners rammed home a shot running.

The horsemen fired a volley. Unhurt, Johnny bounded over a brush heap and ran into a wood thick with saplings and briars. He skirted a briar patch, looking for a place to take shelter.

He looked back. Flash Perkins had one knee on the ground beside a tree, his rifle up and sighted. His body jumped with the shot. Someone in the field beyond the woods said in a cheery voice,

—Dismount and spread out, boys. Don't go straight in on 'em.

Flash got up and started toward Johnny. He had his hand low over his left breast almost on his stomach. His face was dead white.

Fifty feet away, he stopped to lean against a tree. There was a noise of thrashing in the underbrush.

—Go on in deep, boys, came the cheery voice from the field, and cut 'em off. I think we hit the big bastard.

Flash leaned heavily against the tree, loading his rifle. A dripping stain spread slowly on his shirt. His face was turned away. Johnny ran to him.

Flash was crying. Strong sobs wrenched at his set teeth. They seemed to Johnny the most terrible sound he had ever heard.

—Git out a here! Flash said suddenly in his high, arrogant voice. Go on, git out!

—No, I'm staying, Johnny said.

—Git out, goddamn you! Flash said. Run fer it! No use both of us gittin' kilt! Git out and run! They'll never ketch you in this woods.

In the cool shadow of the forest, Flash took Johnny by the shoulders and shoved him.

—Go on, git!

He clutched his side and sat down under the tree. His eyes closed. Johnny didn't say anything about the wound. There was nothing to be said about a wound like that. He looked around. They were close to the field where at least one Confederate had stayed to watch while the others had gone in wide around. There were a number of stones lying near at the beginning of a rocky gully that ran toward the river.

—We can get down there in that hollow and pile up some rocks and hold 'em off, Johnny said. Can you walk, Flash?

—Give me a hand, Flash said.

There was a hurt, childish look in his eyes. He walked over to the gully and sat down in a depression. Johnny ringed the place with rocks. He heard the Rebels calling to each other deep in the woods.

—Hey, Jake.

—Yeh.

—See anything?

—Naw. How about you, Lester?

—Naw, not a thing. I think they ain't gone in fer. They're layin' up.

—Hey, Fred!

—Yeh? yelled the cheery voice from the field, about where Johnny had entered the woods.

—Sure they ain't stayed right there by the field?

—I'll see, the man said.

Through the branches Johnny drew a bead on a man riding warily along the fringe of the woods. The man was hidden before he could get a clean shot.

—Ever'body dismount and move up toward me, the man in the field yelled, out of sight now.

Flash was lying full length on the ground.

—In the back, he said. Clean through. Christ!

—Listen, Flash, they got us surrounded. Think we ought to surrender?

—They won't leave us to, Flash said. We already got two of 'em. I wouldn't take the chance. Try an' hold 'em off.

—What if they rush us?

—They ain't enough to do that. Only four now. I hit one on my last shot. They's only that guy in the field out there and three others.

They don't know how bad I'm hit. Unless a lot more comes up, we kin hold 'em off.

—Can you fire?

—When I have to, Flash said.

He sat up, turned over, and rested his shoulder against a rock.

Johnny quickly tore off his own shirt, wadded it on the two holes front and back, and bound it to place with long strips tied directly around the chest. He couldn't understand what was keeping Flash alive.

—Hurt much?

—Hell, yes, Flash said.

He had a little color in his face again. Both men kept arranging rocks for rifle rests.

—Pretty good riflepit, Flash said. They'll have to shell us out of here.

He sounded cheerful.

For about five minutes, Johnny heard and saw no movement in the woods around him. Then Flash's rifle boomed with a big sound that lasted a long time in the woods along the river.

—Hell, missed 'im! Flash said, reloading.

—Where?

—Right down there in the ravine. He's hid behind a rock there now. Next time, I'll tear his head off. He don't dare move.

—Hey! said the cheery voice from the edge of the field. Was that you, Jake?

A voice from the ravine yelled,

—I got 'em spotted, Fred. They're right at the head of this here cut.

—Well, le's go in and git 'em.

—I cain't.

The voice was exasperated.

—Why not?

—I cain't move fum behind this here rock.

—Wasn't that you that shot?

—Hell, no. That was them.

—What you goin' to do?

—Hell, I don't know. What *you* goin' to do?

There was no reply.

—I'll keep this guy nailed behind that rock, Flash whispered. You watch for the others.

Johnny searched the woods carefully. He had a view in every direction for about fifty yards, although there were many trees, rocks, and clumps of bushes behind which a man might take cover. At last he caught a flicker of movement on the right. A Rebel had just moved behind a tree.

—Hey, Bob, yelled the man Flash had pinned down. They right in front of you. Be keerful, son!

The Rebel behind the tree leaned out and took a quick look and was back in before Johnny could fire.

—Behind that there little pile of rocks? he said.

—That's right.

The Rebel leaned out and took a quick shot at Johnny who squeezed off at the same instant. The two rifles made one explosion. The woods shook. Johnny had hardly finished loading, when something socked him in the shoulder and knocked him flat as if someone had hit him with a spade. The report of a rifle, fired from behind him, echoed away in the woods.

Just then Flash fired and began to reload frantically. Johnny did the same, finding that he could use his arms, although the left one felt numb all the way down. Blood spilled down on the rocks around him.

—Got 'im! Flash said. Got 'im!

He cursed, trying to ram home a cartridge.

—O, hell, he crawled away. But that's one ain't goin' to charge us.

Two shots came almost together out of the woods and spanged on the rocks, burning splinters into Johnny's face.

—Listen, Flash said. Don't fire unless you got a sure thing. If we're both empty same time, they'll rush us while we're reloadin'.

—I'm hit, Johnny said.

—How bad?

—Left shoulder. High up, I think.

He looked cautiously out between two stones toward the quarter from which the wounding shot had come. Flash had shifted over a little to cover the man whom Johnny had first seen on his right.

There was a crash, and dust blew into Johnny's face as a bullet thumped the ground in front of him. He sighted at the smokecloud forming in some bushes about forty yards away. Catching the glint of a rifle barrel, he squeezed off, ducked, and an answering shot scotched the covering rock.

From then on, it was give and take, the two wounded men firing rarely, just enough to keep the three Rebels careful. After a while, the Rebels stopped firing.

—Hey, Jake! said the cheery voice of Fred, who had come in from the field.

There was no answer.

—Jake!

Down the ravine there was no answering sound. Flash Perkins chuckled and groaned at the same time.

—Jake's absent, teacher, he said.

He was sobbing again between clenched teeth. There was a silence. After a while, the cheery voice said,

—Hey, you! Yanks!

—What d'yuh want, you goddam Reb? Flash said.

It was the old high, hard, nasal rasp, jabbing and crowding.

—Jest wanted to see if you was still there, said the cheery voice.

At this all three of the Confederates laughed. When they were through, Flash said,

—Why don't you sons-a-bitches go off and play somewheres else? You're preventin' us from gittin' our beauty rest.

—You a-goin' to git a good long beauty rest, Yank, the cheery voice said.

—Hell, yes, said one of the other Rebels.

The firing began again. For a while the three Rebels yelled back and forth, and Fred, the cheery one, and Flash carried on a conversation.

—Say, Yank, you shaved that one pretty close. Now that ain't friendly.

—Say, Reb, I heard a lot about Southern hospitality. Is this a sample?

—Say, Yank, you got any coffee?

—Sure. Come and git yourself some.

—Not jest now. Little later, I'll he'p myself freely.

Then there was a while when no one talked. The Rebels fired savagely, but it was hard to get a good clean shot in the woods.

Once Flash said,

—Listen, Jack. These bastards are goin' to git tired a this after a while. One of 'em'll go back and git some more.

There was obviously no answer to this remark. A long period of silence followed, during which Flash didn't say anything and no one fired. It began to grow dark.

—Yank!

Johnny waited for Flash to say something, but Flash didn't talk.

—Listen, we got he'p comin' up, the Rebel said. You fit a good fight. How about surrenderin' to us?

Johnny waited to see what Flash would say, but Flash was silent.

—This yo' last offer, the voice said. Hit's a good chance. You fought brave. But with reinforcements we'll rush yuh, and if we have to do that, we don't aim to take no prisoners.

—That's right, Yank!

Johnny waited, but Flash didn't say anything. He was lying on his face.

—We won't kill yuh, Yank, the cheery voice said. Word of honor. The word of a Virginia gentleman. Captain Frederick Claymore Jackson.

Johnny pulled himself around so as to look at Flash.

—How about it, Flash? he said in a low voice.

There was no answer. Flash might be dead. It was one against three, a clear case for surrender.

Nevertheless, Johnny couldn't get himself to surrender. It wasn't courage. It was sheer instinct to survive. He didn't trust the word of Frederick Claymore Jackson, a Virginia gentleman.

He lay and listened. It was getting darker all the time. For several minutes there had been a sound of trampling horses, distant voices, an occasional shot west along the river. He waited, listening.

—How about it, Yank? Are y'all gonna come, or are we gonna come and git yuh?

Johnny didn't answer. He rubbed off his sight and waited. He could hear a sound of many horses down by the river. The voices grew louder. They were singing. For a moment the rhythm wasn't clear. Then he knew what it was.

—. . . rally round the flag, boys,
   Rally once again,
      Shouting the battle cry of . . .

—Comrades! Johnny yelled at the top of his lungs. Help! Help!

Flash Perkins stirred and started to sit up. He didn't seem to know where he was. His head was above the parapet of stones. Johnny pushed him flat just as a shot went over.

—All right, boys, said the cheery voice of Captain Frederick Claymore Jackson, le's git the hell out a here. That there's Union horse.

The three Rebels ran off through the brush, making for their horses. The sound of hooves on the near-by road became a little louder and then began to wane. Johnny went on yelling, but apparently no one heard him.

He stopped calling and sat up. He peered cautiously around. The Rebels were really gone. He could hear them riding off through the field.

Flash was lying on his face as Johnny leaned over him.

—Flash! Listen! We're safe, boy.

There was a strong wind blowing in high branches, but here on the forest floor the air was quiet and cool and already full of darkness. In spite of the stiff shoulder, Johnny raised Flash and managed to turn him over on his back. Flash's eyes were closed, but his mouth was open. He was breathing. Johnny put the canteen to the open lips, but the water only spilled down Flash's beard and over his bloody shirt. Johnny wet his hand and passed it over his comrade's forehead. He did this for several minutes. Then he heard Flash mumbling something. He bent down. Flash's eyes were open. They had a set glare.

—Flash, it's me—Johnny.

Flash stared like a sleepwalker. He took deeper and deeper breaths as if he were on the point of saying something. At last he said,

—Listen, they're startin' up. Indynaplis, Greenfield, Beardstown, Freehaven. You hear that, don't you?

—Sure, I hear it.

—Hear that whistle!

Flash was trying to get up. He had Johnny by the shirt. His powerful hands shook Johnny so hard that he cried out with the pain in his shoulder.

—Sure, sure. Take it easy, Flash. Just lie down and take it easy.

Waterstreaks through the powder-black on Flash's face were deadwhite. But his voice was harsh and strong.

—We're goin' home, boy, he said, fiercely nodding his head as if trying to convince someone doubting.

—Sure we are, Johnny said.

Flash searched Johnny's face with bloodshot, staring eyes.

—No use worryin', boy, Flash said. Hell, you ran a good race. Hell's fire, it ain't no disgrace to git beat. Hell, I ain't been beat in five years.

Flash's mouth remained open. His eyes dilated. He gave a hoarse cry, as if something strong and masterless in him had just felt the wound for the first time. His hold on Johnny's shoulders let go suddenly, and he fell back, holding his chest and groaning. His eyes rolled. He panted like a runner who had just finished his race. He clutched at his throat coughing, choking.

—I—can't—breathe! Goddammit! Let go my throat, you bastards!

—Flash! It's me—Johnny!

There was a faint red light in the forest. Johnny could see Flash plainly now. He was gurgling and twisting in spasms. Suddenly, Johnny realized that Flash was laughing. He listened to this terrible laughter coming from the big shattered breast.

—Come on, you bastards! Flash yelled. Where I come from——

He went on panting and laughing. His forehead made ridges.

—Git a hat! he yelled. Go on, git a hat! Let's see the color of your coin! Hell, where I come from——

He coughed, his forehead was ridged, his eyes glared savage and exultant.

—Hell, I can lick any man here! I can outrun any man in Raintree County! Hell, where I come from—— Where I come from, why, hell, where I come from——

He coughed for nearly five minutes, blood gushed from his mouth, he rolled back and forth. Johnny clung with one good arm under his comrade's shoulders. Here, surely, was the strongest life that ever lived, and it was dying, it was beating itself out in blood and fury.

There was nothing good about the way Flash Perkins died in a forest near Columbia, South Carolina. He died choking with his throat full of blood, still trying to beat some unseen competitor who was too much for him.

But at last the big thing that lashed him to fury was still. When it was over, Flash Perkins lay on his back, mouth open, blood blackening on his beard and lips, toes turned out, shoulders slightly hunched, chin thrust up in that terrible repose that sleep couldn't counterfeit. Johnny had seen a lot of men lying like that in two years. He sat trying to accept the immense stillness of this form that lay in an alien forest far from Raintree County.

There was a peculiar red light under the trees as Corporal Johnny Shawnessy managed somehow with his one good arm, his feet, and his gun barrel to scoop out a shallow grave in the riflepit. Over the body of his comrade, he piled leaves, dirt, and the stones of the make-shift barrier. On a tree near-by, he carved with his knife the words

> Flash Perkins,
> Feb. 17, '65
> A Union Soldier

Later, he was walking down through the woods along the river, trying to find a road and open ground. He saw now that the red light in the forest came from a big fire east. Later still, he was on a road choked with Union troops. A city was burning in the night. He was half out of his head with the pain in his shoulder. He lay down once in a ditch by the road and rested. Then he got up and went on toward the flames.

Later still, he was entering the town. Troops were singing ironically:

—O, Columbia, the gem of the ocean . . .

In the glare of the fire was the same building that he and Flash had seen at a great distance in the afternoon.

—That there's the State House, someone said. They never finished building it.

Union soldiers were halfheartedly trying to extinguish flames in a little tangle of worksheds in the yard of the capitol building. The fire roared on ravenous through the sheds. Inside, fragments of pediments, capitals, friezes, meant to complete the building, were chunks of incandescence.

The air was thick with flakes of flame that softly dropped as if the sky rained fire.

—It's cotton, men said.

Johnny kept asking for his unit. Finally, an officer was holding him by the arm.

—Say, son, you're wounded. Better get to a surgeon.

Later, he woke up somewhere in a tent, crying out with pain. A surgeon was working over him, washing out the wound in his shoulder.

—What about it, Doc?

—You're all right, the surgeon said. It got a piece of the bone. You've got to be quiet. You've got a touch of fever.

—What about the fire?

—O, that! the surgeon said. It was a good one, wasn't it?

Johnny knew then that the War was over for him. He sank back into fever and dull pain. For days and nights thereafter he lay, dreaming of Raintree County, seeing the earth of it ravaged and dry as if the source of its life had been scorched to a trickle. When the Army made contact with the Navy again, he was shipped with other sick and wounded up the coast and left in a hospital in Washington.

But what happened to Corporal Johnny Shawnessy was only a contemptibly minor incident in the progress of Sherman's Army north from Savannah in the spring of 1865. And as the army that had marched from Atlanta to the Sea cut a path of flame through the state where the War had started, men saw that the gods were tiring of this lengthy game of murder. Like bored children, they began

TO SMASH AND SCATTER THE PIECES

IN WANTON VIOLENCE

AT

THE END of the Grand Patriotic Program was nearing. The Perfessor slept on, his face relaxing from its look of pert cynicism. His sharp chin rested on his breast, his glittering eyes were shut, his face was childlike and almost tender. As the drums and bugles of the band assaulted his sleeping ears, he faintly moved his lips.

With a start Mr. Shawnessy realized that Professor Jerusalem Webster Stiles had once been young in Raintree County.

For thirty years and more the Perfessor had been a wanderer. Now perhaps in sleep he remembered a home. So also did the heart of Mr. John Wickliff Shawnessy yearn for the home of his youth, remembering road and river, a tree that stood by a house, a rock, and the scent of clover. A jocund music smote him almost to tears.

> I wish I was in de land ob cotton,
> Old times dar am not forgotten;
> Look away, look away! look away!
> Dixie Land.

Americans, the eternal children of humanity! Rootless wanderers, creators of new cities, conquerors of deserts and forests, voyagers on rivers, migrants to westward, they kept eternally in their hearts the fact or fiction of the childhood home.

Let each remember the face of the earth as it was in his childhood —mystical, brooding, and maternal. Let South remember South, let North remember North, let each remember the Republic. O, wandering one, far from the childhood rivers, o, soldier far from home, do not try to solve the riddle of Raintree County. Do not try to push back beyond the antiquity of the Republic's memories. Do not seek beyond the Old Kentucky Home. Do not try to rediscover the lost source of the river of mankind. Let these inquiries cease. Sleep, inquisitive explorer, sleep and dream of your home in Indiana, the mythical America that is called Raintree County, the map that is like a face or a human form and that is written upon with the unconscious penmanship of the dreamers who came from the Great Swamp, never, we trust, to go back in again.

Mine eyes have seen the glory of the coming of the Lord. . . .

Now we have reached the penultimate ring in the greatest monument ever erected to the private soldier. The prize we sought, in the guise of a woman thirty-eight feet tall and holding aloft a torch, is near.

And I will show comrades together for the last time at the end of their marching, young men holding aloft victorious banners. Forever, they shall approach the Reviewing Stand. Forever an unheard music shall be sounding, stone bugles of the Republic, stone drums of triumph and thudding exultation.

River of stone forms pressing forward between walls of stone on a stone street!

But a voice tells me that the tides of the Republic will beat at the base of this column, men will grow old and die, generations of lovers will walk beside the river, men will forget, and the words on this shaft will be meaningless words: Chattanooga, Chickamauga, Lookout Mountain, Missionary Ridge, Resaca, Pine Mountain, Kenesaw Mountain, New Hope Church, Peach-Tree Creek, Atlanta. People will already have forgotten before dirt falls on the face of the last incredibly old comrade of the Grand Army.

> In the beauty of the lilies Christ was born across the sea,
> With a glory in his bosom that transfigures you and me:
> As he died to make men holy, let us die to make men free,
> While God is marching on.

There is an Army marching on Pennsylvania Avenue, strong lads and many. Let it always be there and marching. Let it be composed also of those who fell in the first battles, who never saw the Enemy, who died in prison pen or fever camp, let it be composed of the hundreds of thousands who never reached the top of the column, the ultimate ring, for those who never went home to Raintree County.

Did any of us ever go back to Raintree County after that War?

O, martyrs, waiting for a resurrection, bearded, blasphemous saints, clotted harvest of a hundred fields! March with us too on Pennsylvania Avenue! Rise with us too around the Capitol Building in Washington, boisterously the Western Army rose. Early in the morning legions of Westerners stirred from bivouac, putting on battlegear for the last time as an army. Metal flashed in the clean sunlight, harness jingjingjingled, hooves rang on pavement. The morning streets, already filled with flags and faces, carried the manifold tremendous sound of an army preparing for a march.

On sidewalks, lawns, and open fields, the Army breakfasted. Soldiers polished their metal and tried to make their uniforms presentable, but they couldn't change the look of veteran toughness and careless savvy that hundreds of miles of marching and fighting had given. They talked of the coming parade in raucous Western voices, shouting back and forth from camp to camp. Then they began to crowd toward the streets in response to the marshalling bugles.

—Got to look dandy for the ladies.

—Hey, Bob, you goin' to trim your facefuzz?

—I've had it tied up in curlpapers all night. I'm just about to let it down.

—When does this damn fuss start?

—Any time now. We don't leave till about the middle of the thing.

—Hey, Johnny, where you goin' now that you're mustered out?

—Back to Indiana.

—I mean after that. What you goin' to *do?*

—Haven't decided yet. What are you going to do?

—I'm goin' West.

—Ain't anybody goin' to stay in the Army?

—All of a sudden, they ain't goin' to be no Army.

At nine o'clock, a gun boomed to signal the beginning of the parade. The head of the column, with General Sherman and his staff leading the way, marched out on Pennsylvania Avenue. Johnny's company waited in shade. The song of the leading band dwindled in the bannered distance and was presently drowned in the blare of another band near-by starting up and moving off. Band after band marched out with the troops. The great marching songs of the War pursued each other in overlapping waves down the milelong stretch of the Avenue. Minute by minute, the thick crowds of soldiers around the Capitol continued to feed their mass into the flagbright channel. The men in Johnny's brigade chafed restlessly.

—I pretty near forgot how to march. Reckon I can still keep step?

—The head of the column must be about in front of the stand.

—What kind of a stand is it?

—Why every great man alive is settin' on it. It's right in front a the President's House, and the President is on it, and Grant, and the whole dern Cabinet.

At high noon, three hours after the Review had begun, Johnny's brigade fell in and marched out of the lawns south of the Capitol and into the Avenue.

Marching before the Capitol, Johnny saw steps, walls, terraces black with people. The same great crowds from all over the land who had seen the Army of the Potomac march on the preceding day were there to see the Western Army. As his own company debouched onto the Avenue, Johnny had a lateral view of the column along its whole length from the Capitol to the Treasury Building at the far end of the street. On either side crowds made solid walls, sometimes flowing out from the sidewalks and touching the marchers. Flags fluttered from windows, housetops, towers. Hands waved. Hats went up. Garlands of flowers pitched from windows. Down the Avenue, the ranks became a solid stream of brightness riding on a bed of blue between vague banks of faces.

Then Corporal Johnny Shawnessy was marching with his comrades down the straight of the Avenue, on the last mile of the two thousand he had marched from Chattanooga to the Last Encampment. It was eyes front and shoulders back for the bronzed young saviors of the Republic; it was a strict dress on the guides; it was a rhythm of long strides, thirty-six inches to the take, the ground-devouring tramp of the Western Armies, the longest martial stride in the world.

—When Johnny comes marching home again,
　　Hurrah! Hurrah!

A girl ran out, pointing to the regimental banner and shouting,
—Hello, boys! Here's a delegation of Indiana people!
Several young ladies screamed, recognizing the flag of an Indiana
regiment. The crowd laughed, egging the girls on.
—Kiss 'em, dearie.
—Give 'em a hug for me.
Flowers pelted the soldiers. One excited girl ran into the ranks of
the marchers. Her arms clung around Johnny's neck, she kissed him,
the crowd cheered.
—I'm from Evansville. Where you from, honey?

　　—We'll give him a hearty welcome then,
　　　　Hurrah! Hurrah!
　　The men will cheer, the boys will shout,
　　The ladies they will all turn out.
　　　　And we'll all feel gay,
　　When .Johnny comes marching home.

Play on, strong horns of the Republic. Beat, drums of exultation.
Receive us in your garland arms, young women of the Republic, pelt
our lips with kisses: we have come home from battle. We have
come back from the gray days and the many deaths.

　　—The old church-bell will peal with joy,
　　　　Hurrah! Hurrah!
　　To welcome home our darling boy,
　　　　Hurrah! Hurrah!
　　The village lads and lasses say
　　With roses they will strew the way. . . .

Corporal Johnny Shawnessy didn't look to right or left. He was
thinking of his return to Freehaven. He would arrange things so as
to arrive on a Saturday when the Court House Square would be
jammed with people. He wouldn't tell anyone of his coming. Then,
in a casual way, he would drop in at the newspaper office. His
friends would swarm around him, shaking his hands, slapping him
on the back, asking questions about the Great March. Then he

would step outside. T. D., Ellen, and the girls would be sitting in the old wagon at the accustomed place, eating their lunch. Ellen's vivid eyes would pop with surprise, and she would clap her hands and jump down and run to him.

—Why, it's Johnny! O, dear God! he's back!

She would kiss him and cling to him in her small fierce strength.

—Johnny! How thin you are! You poor child!

T. D. would come over blinking, smiling, leaning far back, taking an unusually hopeful view of the whole situation. Everyone would help Johnny into the wagon as if shielding him from something.

But the best of all was that Nell Gaither would be sitting in a buggy on another part of the Square. Her wide green eyes would be all shining with tender excitement, and her full, flowerlike mouth would curve into that radiant, promiseful smile.

—Hello, Johnny.

He could hear the name said like a caress. He would walk over to the buggy, thin and pale in his uniform. Gravely she would offer her little hand, and gravely he would take it.

—Hello, Nell. How have you been?

—Just fine, Johnny.

The Square and its holiday hundreds and its immense, victorious tumult would be gone, the Great War and its memories would be dispelled like phantoms of an uneasy sleep, and he would be floating again on the wide green river of summer toiling with a white oar lakeward. This time for certain he would find the Raintree, and life's young hero would have the golden apples.

Blow on, bright bugles of the Republic. Beat, drums of triumph and crowding exultation.

Flags fluttered from the windows. Branches of trees brushed against him passing. Children shouted. Girls waved from house-tops. The band had struck up a new tune.

—Sing it as we used to sing it, fifty thousand strong,
    While we were marching through Georgia.

As the jaunty music of this new song swept along the Avenue, the crowd roared its approval. Washington was getting its first view of the men who had marched from Atlanta to the sea.

—How the darkeys shouted when they heard the joyful sound!
How the turkeys gobbled which our commissary found!
How the sweet potatoes even started from the ground,
While we were marching through Georgia.

In the rear of Johnny's company came a motley crowd of contrabands, shouting and dancing, laughed at by the crowd and laughing back. The Army had not yet entirely lost the black human baggage that it had acquired on its famous march. The commissary wagons came by, crowded with Negroes, cooks, campfollowers. Chickens clucked, geese quacked, turkeys gobbled; full jugs, pots, tubs, barrels shook on the loaded wagons. Bummers rode by on donkeys.

—'Hurrah! Hurrah! we bring the jubilee,
Hurrah! Hurrah! the flag that makes you free!'
So we sang the chorus from Atlanta to the sea,
While we were marching through Georgia.

The regimental flags, flapping bullettorn, moved steady and proud. In the streets, people looking at the faces of the soldiers said again and again,
—How young they are!

—We will rally round the flag, boys, we'll rally once again,
Shouting the battle cry of freedom. . . .

Ugly brick and frame buildings—groceries, hotels, brothels, banks, clothing stores, junkshops, saloons, bedizened with banners and bunting—flowed by on either side.

He moved through a valley of thronging faces. He had come two thousand miles, mostly by foot, from Raintree County to the Nation's Capital. He had discovered the greatest of all the court houses, the most significant of all the Main Streets.

—The Union forever, hurrah! boys, hurrah!

Corporal Johnny Shawnessy felt the presence of a grandiose idea in the confusion of Pennsylvania Avenue, in the rhythms of the Grand Review, in the huddled waste of the Capital City—an answer to the conundrum of the Individual and the Republic, a perfection of feeling, an abiding purpose. If now he could only say what it was! But instead, he kept thinking lines and magnitudes, coiled shapes of rivers, faces of people, music of marching songs, outstretched arms of girls.

He felt no vengeance or hatred any longer. In the best tradition of the Shawnessys—who always forgave too easily—he found himself including in his vision of the Republic all the soldiers North and South. By a wry trick of Fate, geography, and ancient institutions, both North and South had fought for liberty, a sacred cause.

The end of the Avenue was close now. The crowds were thicker. The trolley tracks were bright under his feet. The shouting of the crowd increased. The stone shape of the Treasury Building was just above him. Behind an iron railing hundreds of people waved handkerchiefs and flags. In their midst, the black box of a photographer looked down at the scene. The bayonets moved to the turning. They turned. Corporal Johnny Shawnessy was passing out of the Avenue. He had completed the last long mile. The turning column had fixed itself in the dark chemistry of time, young men holding aloft victorious banners.

In front of the Presidential Mansion, he could see the long stand, hung with flags and bunting, with the names of famous battles of the War upon it. The band played more strongly. The guides called for a perfect alignment. He could see General Sherman, standing proudly at attention, Grant and President Andrew Johnson, and several other notables.

—Hurrah! Hurrah! we bring the jubilee.
Hurrah! Hurrah! the flag that makes you free.

He passed the stand, marched down a sidestreet, and halted. The Grand Review was over.

The regiments broke up. The soldiers moved slowly and confusedly in the unpaved streets around the Executive Mansion, thousands of young men, suddenly ill at ease in their uniforms, laughing and telling each other how drunk they would get that night.

In the quiet evening, Johnny went back to the camp in streets where soldiers and civilians mingled. He began to feel lost and insecure as flags drooped in the setting sun, and a few bands played in far streets. The Army was breaking up. It was about time to take the uniform off and go back home.

There was a surprise waiting for him in camp. While he was at mess,. a stranger in black civilian garb' came up and, stopping near him, said,

—Did anyone here know a boy named John Shawnessy?

—Yes, sir, Johnny said, I'm John Shawnessy.

The man gave him a peculiar look.

—No joking, son—this is serious, he said. Now, this boy's folks back home asked me to find out anything I could about how the boy died, and I promised to check up. This is his regiment, I believe.

—I'm John Shawnessy, Johnny said, getting up from the table. I'm not dead.

The stranger, a short, bald man, with cavernous black eyes, said,

—You aren't foolin' me, are you, boy?

—No, sir, Johnny said, laughing nervously. I'm very much in earnest.

The soldiers crowded around.

—This here is John Shawnessy, mister. No doubt about that.

—Well, sir, the man said, if what you say is true, there's been a mistake then, and there's going to be some folks back home in Raintree County mighty happy.

The stranger, for his part, looked vaguely unhappy and disappointed.

—You were reported dead, son, he said accusingly. All the papers carried it.

—Dead! Johnny said. Why, I wrote a letter less than a month ago, and——

—Makes no difference, the man said. You were reported dead. He said it in an argumentative way.

—Who are you? Johnny said.

—I'm Peter Greenow, the man said. I've taken up the practice of law in Freehaven since you left. Just a week ago, when it became known I was going to Washington for the Review, your dad, T. D. Shawnessy, and other citizens, got in touch with me and asked me to find out anything I could about your death.

—I'm *not* dead, Johnny said.

The stranger looked skeptical.

—The papers carried the news of it last November 18, he said. That was over six months ago.

—But I don't understand, Johnny said. I wrote a letter from Savannah and another from here about a month ago.

He ran his mind back over the past few months. He had written his folks a letter in late October of the preceding year. The Army had left Atlanta in mid-November. For a month, the Army had been lost to the world, and no mail had been sent. At Savannah, he had received a few letters from home written before the middle of November, and from Savannah, he had written and mailed a letter home. Then the Army had cut communications again and had started North. When he was wounded near Columbia, he had been too sick for weeks to write. He had been transported by boat to Washington, where he had been hospitalized. He had got up only once, on the day of the President's assassination, and had suffered a relapse that had kept him in bed for better than another month. He had written another letter during this time, meanwhile wondering why he hadn't heard from his folks but supposing it was because of the vicissitudes of Sherman's Army and his own absence from his regiment. Only a few days ago, he had been mustered out, but had got permission to march with his regiment, though still weak from dysentery and fever.

—Yessirree, the man said, both papers carried your obituary. I've got copies of them here. Your last letter, written in October, was printed in the *Free Enquirer*. You might be interested to see——

The man had been digging in his wallet. He fished out some clippings and handed them to Johnny.

LOCAL HERO DEAD

JOHN W. SHAWNESSY GIVES LIFE FOR HIS COUNTRY

Recent casualty lists released by the War Department include among those killed in action the name of John Wickliff Shawnessy, whose mother today received official notice from the War Department of her son's heroic death in line of duty. Readers of this paper will remember 'Johnny,' as he was affectionately called by his friends, as a writer and poet of great promise. A service for the departed will be held next Sunday at the Danwebster Church, and floral tributes . . .

—There, you see, the man said querulously. They had quite a service for you, and everybody's got used to the idea now of you

being a *dead* hero. There was some talk of establishing an educational fund in your name, and I was made the trustee of it.

Johnny was looking at another clipping, this one from his old
rival, the *Clarion*.

LOCAL BOY DIES A HERO

YOUNG JOHN SHAWNESSY SACRIFICED
AT SHRINE OF MARS

Another sad reminder of the heavy toll of this terrible and perhaps
fruitless war was the death recently announced of John Wickliff Shawnessy, local young man, whose writings have won him fame throughout the County. Seldom has so much genuine grief been evinced as
at the passing of this gifted lad. No braver or better soul was ever
immolated in the fearful holocaust of War.

John W. Shawnessy was born in Raintree County in 1839 in a little
log cabin which stood on the site of the present Shawnessy Home in
Shawmucky township. He early manifested those . . .

—You see, the man said. Why, they even put up a stone *in
absentia* in the Danwebster Graveyard.

Johnny was reading another and later clipping from the *Clarion*.

˙COLONEL GARWOOD JONES
TOUCHED BY FRIEND'S PASSING
WRITES ELOQUENT EPISTLE

We have just received the following affecting tribute from that
famous young politician and orator—and more recently, soldier—Garwood Jones. Though we cannot condone the recent action by which
this young man publicly renounced his allegiance to the party of
Jefferson, Jackson, and Polk, we have always admired his energy and
integrity, and we are happy to print his letter.

Dear *Clarion:*

No words can express the deep and profound sense of personal loss
which I recently sustained on hearing of the death of my friend, John
Shawnessy, Poet, Scholar, and Soldier of the Republic. Many worthier
pens than mine may lavish upon this young martyr the praise that is
his due, but none can put forth a stronger claim to personal bereavement. How many times have I not crossed verbal swords with this al-

ways genial and gentle young man! We sometimes differed, but we respected each other even in our differences. Little did I suppose when I last saw John in a camp in Indianapolis, where I found him the same laughing and confident companion that I had known since my boyhood in Raintree County—little did I anticipate that in slightly more than a year of mortal time, I would be myself in uniform, a humble defender of the flag—and he—brave young heart!—would be sleeping forever in the beloved earth which by his valor and devotion and that of hundreds of thousands like him, we mean to keep One Nation Indivisible, with Liberty and Justice for All.

In my pressing duties as Colonel of a volunteer regiment (soon, I trust, to be hurled into the last onslaught against the treacherous foe), I find little time or taste for literary pursuits, but the poignancy of my grief over this young genius's untimely demise has prompted me to take up the pen again and in hands which have learned to wield a more decisive and terrible instrument, indite a few lines to one of the truest souls that ever lived:

To J. W. S.

R. I. P.

Lo, where is Seth, that erst did fill these glades
With laughter and rejoicing blithe and brave?
Behold! he sleeps where beauty never fades
In martyred glory and a hero's grave.

Dear lad, we shall not fail the sacred trust,
To which you pledged your pure and patriot breath.
We shall do no dishonor to your dust
But take new courage from your valiant death.

Sleep in thy hero grave, belovèd boy!
Sleep well, thou pure defender of the right.
Far from the battle's din and rude annoy,
Our tears shall keep your memory ever bright.

Sleep on, dear youth. And lo! to take your place
A hundred hearts advance whose aim shall be
Never to fail or falter in the race
Till Freedom's banner wave from sea to sea!

—My God! Johnny said, his eyes misting in spite of himself, what terrible poetry!

—Of course, your mother and father've been all broken up by this, and——

—How is everyone, anyway? Johnny said. Do they really think I'm dead? Are they all right? How could they think I'm dead when——

—I assure you, son, as far as Raintree County goes, you're dead as a doornail. Why, they're even thinking of making the commemorative monument for our Civil War martyrs in the Court House Square more or less in your likeness. I happen to be in charge of the plans and——

The man looked unhappy and vaguely disappointed.

—But how did it happen? Johnny said. I wasn't even wounded then. I was wounded much later.

—Of course, the man said, there've been a lot of mistakes like that. It *could* happen.

—It *did* happen, Johnny said. Let me see, I suppose my two letters were lost. The first one had to go by sea from Savannah. The second one I gave to an old orderly at the hospital, and he probably forgot to mail it. My God, do you mean to say that they still don't know I'm alive?

—Son, your ma stopped wearing black a month ago. They've plumb given you up. You'll shock the daylights out of them when you go home.

—I've got to get home, Johnny said, feeling a little frantic. I've got to get back and show them that I'm not dead. They've got to print a refutation.

Everyone crowded around and talked about it, and the soldiers all knew of similar cases.

—Hell, I knowed a boy, a soldier said, he was reported dead, and hell, his wife married another man and when he got home, hell, she refused to have any truck with 'im. Said he was always a goddam noaccount anyway, said the other guy was a hell of a sight better man in bed and made a hell of a sight more dough, and far as she was concerned, this poor bastard, who had the squitters and one arm shot off, could just go back and die decent and not bother her.

—Hell, that's nothin', a soldier said, I heard of a boy they reported 'im dead, and . . .

Johnny tried to imagine what it must be like that almost everyone who had ever known and loved him believed him dead and in fact had gone through the whole process of grief and had closed up all the accounts and neatly stowed him away forever. One thing he was sure of—he must lose no time getting home.

He was two days winding up his affairs and leaving Washington. He decided not to write since he would probably beat the letter home. He might have sent a telegram through, but he began to take pleasure in the thought that he would come back from death and surprise everyone. Now, at last he had become, it seemed, the Hero of Raintree County, but he was in the peculiar fix of enjoying that distinction mainly because he was supposed to be dead and incapable of all enjoyment.

In fact, a cold anxiety began to trouble Johnny Shawnessy. Was it possible to come back into people's lives after what was to all of them a death as true as death itself? Wouldn't he be a pallid disappointment to people who had had months to formulate a hero-image of him? Could he live up to the obituaries, the floral tributes, the stone in the Danwebster Graveyard, the trust fund, and the projected memorial?

He didn't sleep for hours during the first night of his trainride home. The spacious earth of America seemed interminable to him. He had walked almost all the way over to the East Coast, but, in a way the ride back by train was longer. Every minute of it prolonged his death. He was as many times dead as there were people who knew him—until he got back home and overcame all those deaths at once.

He was still very weak from his long sickness, and he had a horrible feeling that something might happen to him on the very threshold of return and he would be dead—pathetically dead—in very fact. It seemed almost impossible that he could give the lie to so much newspaper print. Garwood's poem was so tritely final. Could anyone crawl out from under the dead mound of so many clichés? Sure enough, something or someone had been killed, a hundred times over.

On the second day, he fell asleep and dreamed a dreadful dream in which he returned to Raintree County. No one paid any attention to him. People went by him in the streets as if he weren't there, and when he hunted for the Court House Square, he couldn't find it, and when he went out to hunt for the Home Place, it wasn't there. The world that he had known was gone and gone forever, and he knew with a hollow certainty that he could never get it back.

On the last day of May, Corporal Johnny Shawnessy had crossed the border of Raintree County and had got down from a train at the depot in Beardstown. He looked around in vain for someone who knew him. Two other men in uniform were in the station and no one paid any attention to him.

The station at Beardstown hadn't changed in the nearly two years of his absence. Joy and anxiety warred in his heart as he boarded the train for Freehaven, taking his place in an almost empty coach. Still no one recognized the young Lazarus.

The train moved out of the Beardstown terminal, and now a measurable time separated him from home, the home he had many times never expected to see again and which now never expected to see him again. It was fair weather in the end of May, the level fields of Raintree County were green and gay with flowers, the air was warm. He was a little horrified to see that the face of the County showed no sign at all of grief, that the roads ran in the same relation to the railroad and that the young corn was green as it was before Corporal Johnny Shawnessy, the Hero of the County, had become officially defunct. Was it possible for him to be uprooted and the County remain the same? Here was perhaps disturbing proof that the existence of Raintree County was not contingent upon the existence of Johnny Shawnessy.

And yet he felt also like a creator, as if by his return he gave life back to hundreds and restored Raintree County to being once again.

In this collision of vanity and fear, he watched for the white cupola of the Court House in the middle of the Square of Freehaven, as a famished mariner, twenty years from home, might watch for the familiar shoreline of his native island. He waited with short breath and wildly beating heart, his eyes fixed on a green horizon. The train bore him steadily on, stopped briefly at Three Mile Junction, and then continued—beyond the point, he thought, where he had been accustomed to notice the cupola of the Court House.

BUT THE TIME COULD NOT BE LONG NOW,
COULD NOT BE LONG UNTIL
THE

AWAKENING, the Perfessor snorted. He looked bewildered, clutched at his face, and then, touching his pince-nez, seemed instantly to recover his composure.

—God! he said. Garwood should bottle and sell that stuff. I haven't had such a good snooze in weeks. Well, program's over, I see.

Sheets of the Grand Patriotic Program littered the ground. Mr. Shawnessy felt that he had just seen and not quite solved another conundrum of his life. In fact he had devised the riddle himself and was now baffled by his own devising.

For it was he who had conjured up out of himself the Grand Patriotic Program. It was a selection of lines from the greatest of all the epic poems, and this poem was himself and his memories of the Republic in War and Peace. Out of himself, he was always creating it, but he had as yet only discovered a language of conundrums in which to express it. Maps, patriotic programs, sheets of music, old letters, newspaper columns, negatives of photographs taken in the years 1859, 1863, 1865—only in these did he hint the vast comedy, more true than Dante's.

In front of the speaker's platform, people were shaking hands with the distinguished guests. General Jake Jackson strode suddenly from the confusion, vigorously wagging his head and laughing as he waved good-by to friends. He saw Mr. Shawnessy and the Perfessor and came over.

—Maybe you better let me have that manuscript, Shawnessy. Just remembered I want to show it to some friends in Willkieville.

With the Perfessor musing at his side, Mr. Shawnessy walked slowly from the schoolhouse to the intersection, where he turned and followed the broad back of General Jacob J. Jackson through crowds of buggies and pedestrians toward the railroad station.

—There goes, the Perfessor said, a case of arrested development. The General there is strictly a pre-Appomattox American. To feel alive, he has to surround himself with other anachronisms like himself. He has to go on fighting that goddam war to his last gasp. He'll probably die in a home for aged and infirm veterans, wearing full Civil War regalia, draped in the flag, and growling something like, Send McPherson to hold that flank, and give 'em hell in the center, boys! I can see the newspaper article now. The General ought to rate page three in the New York papers with a small engraving of his valorous old puss. I wouldn't mind writing it up myself in my best blackbordered bow-wow style, reserved for the demise of Civil War generals.

—Where else but in America, Mr. Shawnessy said, do famous generals become old hat so soon? Let's give the General his due. When the Republic needed him and his big voice and his bull courage, he was there. And how much more innocent it is to reminisce about old wars than to start new ones!

Mr. Shawnessy watched the bluff form of a certain illustrious commander blending with the crowd at the Station, lost from view in the tired afternoon. He thought then of monuments approaching but not quite reaching their apex. Of love approaching but not quite reaching a climax. Of blind seeds struggling in the swamp and not quite reaching a matrix. And of trains, the great trains coming into stations. Of the miracle of arrival and consummation. Of life incessantly defeating the paradox of Zeno. Of the riddle of Raintree County incessantly proposing itself as its own solution.

As usual the thought of a train coming filled him with excitement. He took from his pocket a telegram received the day before and reread it.

CANT COME FOR PROGRAM BUT WILL ARRIVE ON FIVE OCLOCK TRAIN IN WAYCROSS FOR BRIEF VISIT ON WAY TO PITTSBURGH STOP HOPE TO SEE ALL OLD FRIENDS STOP LAURA MAY COME

CASSIUS P CARNEY

Mr. Shawnessy wondered then if it was still possible to walk through the late afternoon (when the Grand Patriotic Program was over and crumpled leaves of it were strewn among the burst firecrackers) and find strong love and a great wisdom among the faces of

Waycross Station

WERE THE WORDS painted on the building by the tracks. Eva realized that always before when she had seen the Station, it had been empty, a bleakly official structure where trains passed and never stopped. Now the Station like the town was filled with people, and all the trains were stopping.

The Reverend Lloyd G. Jarvey stood somewhat apart from the crowd at the Station talking with her Grandfather Root. The two big heads wagged solemnly at each other. The town had been filled today with perilous encounters. She remembered how at noon, she and other children had seen through a window at Mrs. Passifee's a great white creature in a darkened parlor. This creature had looked blindly at her as it stood in the act of placing a pair of spectacles on its nose.

General Jacob J. Jackson was climbing into a carriage before the Post Office and waving good-by to friends. Standing near the track before the Station was Senator Jones and his entourage, while somewhat apart her father talked to a tall, thin man with a cane.

On this one day, the little town where she had lived for two years had been briefly touched with splendor, and its homely mask had fallen to show an immense tide of faces, arriving, passing, and departing. She felt that they had always been there really, and were part of what the town had always been and meant.

Waycross was the place where straight roads crossed on the breast of the land. It was the Shawnessy lot extending from the Road back to the Railroad. In this time-enchanted world, rectangular between two paths of change, the rooms were always quiet in the summer, and in the bookcase in the middle room the same books held their places on the wall. On fall nights an apple dropping on the woodhouse roof made a one, solemn, hollow, haunted sound. Always the cellar underneath the house was cold incredibly, smelling of waxen rims of cans of apples, peaches, pears. A cold jet came from the driven well at the southwest corner of the house. The smokehouse smelled of woodchar and rinded pigfat, an odor steeped and stained into its boards. The cherry tree beside the cistern bled a clear jellysap from clotted wounds where armies of ants collected. The barn, the woodhouse, and the walk to the outdoor toilet were eternal things. Waycross was this bordered plot of earth, scarred, built on, hived in, inhabited—an ancient, man-created ground.

Waycross was the General Store at the intersection, the Post Office in the sleepy street, the Station, a huge, decaying toy, left to rot functionless beside the track. It was the Schoolhouse down the Road, divided by absolute decree into two rooms.

Waycross was this ancient fixity of things, but it was also the thunder and butting rhythm of trains passing with a cry of desperate haste back of the lot across the land.

And Waycross was at last the broad Road cutting through the town. Endlessly the carriaged faces came, swept by on the low rush and rumorous sound of wheels, arriving, enlarging, impending, passing, receding, fading.

Eva knew that she, too, like the town of Waycross was a being filled with a becoming. Seasons, tides, fruitions poured through this waycrossing with the changeless name of Eva. Today the long road widened and beckoned her beyond her present self, the Waycross Eva. In this town to which her father had come to live his life out, she was perhaps only to build the last edifice of her childhood and then go forth herself and become one of those faces on the Great Road, one of those passengers on trains. . . .

EVA GROWS UP

(Epic Fragment from the *Eva Series*)

And so, indulgent little readers, as we bring Eva near the end of her happy child life and leave her on the threshold of woman's estate, we will agree, I think, that the little heroine of our moral pilgrimage is not wholly unprepared to face the great world in which doubtless she will have many troubles—for such, alas! is the fate of us all in this perplexing world. But if she keeps the happy faith of childhood, may we not hope that all her cares will come to nought and she will find her way through all vexations homeward at last along

1890—   The   —1892
Road, the great broad Road,
the National Road was a hundred feet in width

from curb to curb. When Eva ventured across it, she always felt scared until she reached the other side. Out in the middle, she lost her ancient footing in the County. Space attacked her. Tides of force rolled in from blue horizons east and west. What she was seemed annihilated, levelled, trod under, thinned out, and spread over the whole of the United States of America.

Except for the Road, Waycross was like any other town in Raintree County, and a few days after the family arrived in the summer of 1890, Eva felt at home. But it was at Waycross that she herself changed with amazing swiftness. In the spring of 1892 the tide of growth completed its inexorable rhythm, and Eva became in form a woman, though in spirit still a child. The child, the sexless, anachronistic child, still lingered on, ill at ease, unhappy, reluctant to give up. And in a last desperate orgy of self-assertion, this child did strange devotions.

Her jealousy toward her brother Wesley was violently exaggerated. She threw herself with excessive zeal into her studies. She forced her awkward body to the limit of its strength in the school-yard games. But she was getting plump, her hips were broad, her hands were stubby, and it looked as though she never would be slim and pretty like her mother. She knew that anything she got in the world would have to be achieved through character and intelligence. When her father got her a piano at a serious strain to the family pocketbook, she practiced like a fanatic, sometimes six hours at a stretch, until she was so dizzy and cramped she could hardly stand.

Her mind was feverishly active, wandering off into daydreams in which she was one of the greatest authors of her time. She greatly admired Mrs. Brown and, like her, became an ardent feminist. She was convinced that women were downtrodden creatures: they had never had a fair chance; everything conspired to keep them from asserting their true capacity. She was determined to become a great woman and make the name Eva Alice Shawnessy famous as the names Harriet Beecher Stowe, George Eliot, Augusta Evans, Rosa Bonheur. She selected a pen name—Eva Westward, in honor of her father—and began to write fragments of stories, novels, poems, which she hid from everyone, being painfully dissatisfied with them.

It was during these years at Waycross that Eva conceived her great plan to write her father's life so that nothing that he was would be lost to posterity. She kept the plan secret from everyone and even began to make some small notes. But the whole thing became absurd when she realized how little she knew about her father in the Pre-Eva age. Whole eras of his history were buried beneath the debris of the indifferent years. Like the evolutionary biologist, she had to be satisfied with a leafprint on a rock or a fragment of fossil bone, sole remnants of gigantic life-fabrics that flourished on the earth in lost ages.

Strange, wonderful, and fearful must have been that ancient life before there was any Eva. Now and then, unexpectedly, a pale ray was cast across those old times, and she beheld her father briefly in an attitude of his youth. Once she had found a little wallet full of newspaper clippings, among them some which reported her father's death in the Civil War. She knew something, of course, about that famous mistake. But she had a feeling that there were meanings and happenings buried in his homecoming from the War that she would never learn. What had it been like to come back to Raintree County after being reported dead? What had he found waiting for him after that homecoming?

This sacred, lost person—her father in his younger days—moved, as it seemed to her, through a mystic web of adventures, loves, dreams, exertions which had nothing in common with the life he lived now. The lost eras of his life were all bathed in the golden light of legend; they were inexpressibly remote; they were fragmentary, scriptural, symbolic—like the gospels.

On the other hand, when Eva thought of writing about that part of her father's life in which she had had a part, she was surprised by how little there was to tell. Her father had taught school and written poetry and read books and talked with people; the children had grown up; the family had lived in several little towns in Raintree County. That was all there was to it. Yet even here, she felt the presence of a meaning sacred and momentous, if she could only express it.

Slowly the town of Waycross became for her the perfect image of her father's life in his latter years. To this waycrossing on the breast of the land, the family had been meant to come. Between the two broad roads of change, they had found perhaps a lasting home. She had often heard her father say to her mother,

—This is a good place to spend the rest of our days, Esther.

During these years, Eva became more appreciative of her father's rare literary gifts and began to wonder at the paradox of a man so gifted living contentedly in a little country town and teaching the half-formed minds of children. And yet he seemed perfectly in context, and it was a happy life that the family had in Waycross. Sometimes in the midst of reading something, Eva would lift her eyes from the book and, not yet having left the land of legend, would see the life in Waycross in a perspective as of time and years remote. And then truly it seemed a golden and serene existence to her. This feeling was strongest when she would hunt out certain old manuscripts of her father's—Tennysonian lyrics written in his youth. One such was a little song called 'One Summer Morn,' which perfectly expressed for her the color of the years in Waycross.

> My muse and I, one summer morn,
>   Built, dreaming we were cunning fays,
> A castle on a cloud-isle borne
>   Adrift on blue, ethereal bays.
> Our blessed isle was far away
>   From earth. It swam down eastern skies,
> Whereon in bright pavilions lay
>   Glad choristers with joyous eyes,
> And from their sweet throats woke the song—
> *'Tis summer, and the days are long.*
>
> Far east o'er pure empyreal seas,
>   Our happy souls that morning sailed,
> Light-seated on our isle at ease,
>   Unheeding earth from whence we hailed.
> Forgotten was all touch of care.
>   An age was lived in one sweet dream,

As in our castle built in air
   We swam the blue celestial stream
Safe into daybreak with the song—
'Tis summer, and the days are long.

Summer was his season and his temple. The perfect weather of his soul was in the season of the long midsummer days that rose and blazed and waned above the Road and the Railroad, while the carriages passed in dust and the trains in wailing fury all day long; and in the little rectangle of the family ground, becalmed between the two great bands of change, close by the cornfield in the backlot, beside the sundial with the inscription, *I record only the sunshine,* her father would be sitting in his old rocker, his long blue eyes enclosed in their intricate net of suncreated lines and wrinkles, propping his head on his hand, holding a neglected book, a copy of the *Indianapolis News-Historian,* or perhaps notebook and pencil; and the sleepy noises of the little town—cries of children, murmur of women at backfences, jingle of harness—would rise and fall like surf on white sands; and the whole level, sun-enamored earth of Raintree County would lie in a bland repose outward from the intersection of Waycross—and it was summer and the days were long.

At such times, Eva too would generally be reading, lying on her stomach under an appletree or curled up in the swing on the front porch. She would be walking high meadows of summer in the land of the sentimental novels, stories grave and gay for the instruction of all the wellbroughtup little girls of America.

Then she felt as though she were living in some wise enchantment, and when she came down from the dreamland of her books, it was merely from one circle of her dream into another still more glorious and legendary. Then she felt like the Alice from whom she got her middle name, the fabulous little girl who had walked hand in hand with a gentle elder spirit, lapped in legends old, and herself dreaming of legends. Eva read the last paragraph of *Alice's Adventures in Wonderland* over and over. It anticipated (in a dream within the dream, as it were) how the little storybook Alice

> . . . would, in the after-time, be herself a grown woman: and how she would keep, through all her riper years, the simple and loving heart of her childhood: and how she would gather about her other little

children, and make *their* eyes bright and eager with many a strange tale, perhaps even with the dream of Wonderland of long ago: and how she would feel with all their simple sorrows, and find a pleasure in all their simple joys, remembering her own child-life, and the happy summer days.

It was one of Eva's favorite daydreams to imagine herself grown and returning to Waycross in afteryears, a famous woman who had succeeded in glorifying her father's life and imprinting it forever on the memory of mankind. Rarely, too, in her nightdreams she had nostalgic sensations as of return after long years to the scenes and places of her childhood. In these dreams, remarkable like her father's for their vivid realism, she would, be riding in some odd sort of vehicle on the broad road from west to east, a woman returning to the little town where she had been a girl fifty years before. She would be trying to reconstruct the old tranquil life just as it was in those faded, lost years at the end of the Nineteenth Century.

Yes, she had come back to the old, the archetypal Waycross. She was walking down the unpaved sidewalk beside the tidy fences. Each house was like a homely, once-familiar face. Behind the gray-eyed windows were rooms she had never entered but had always vaguely wondered about. And it gave her a queer start to think that they were all furnished down to the last exquisite detail with the furnishings of a lost era and that they were peopled with faces that were long since gone from the indifferent years. How still and deep the lawns looked and the spaces between the houses!

And now she was approaching the little house behind the white fence. She paused with her hand on the gate. They were all there, yes, they would surely be there in the changeless world between the Road and the Railroad. Her mother would be working in the kitchen where smell of sealing wax lingered forever. The lost Eva and the forever lost Wesley would be in the middle room reading, each one absorbed in a sentimental dream, which was itself peopled only with dreamers. And somewhere she would find little Will, another lost face of her childhood. And if she went behind the house, she would see the sunlight falling through the appletrees, the outhouse papered with clippings, the barn, the narrow backfield stretching to the railroad. And perhaps, even as she watched, one of the trains of those departed years would go roaring by, carrying to westward a hundred mysterious faces.

But no, she wouldn't go in for a while yet. Probably school was in session, since there were no children in the streets. She would turn, then, and approach the schoolhouse—not one of the newer schoolhouses built since her departure from the County but the old frame school where the famous celebrations were held back in those tattered, stained, and lovely years of the early nineties. Yes, it was the old school, and the children would all be there in the holy communion of the schoolroom, half a hundred precise child faces, enclosed in the ambercolored light of those many and many photographs taken before the schools of Raintree County, with her father standing unobtrusively in a corner of the picture, his tall, gentle form half-dissolved in sunlight.

Then there would rush over her the recollection of a thousand lost days in schoolrooms and schoolhouse yards. And all the children whom her father had taught trooped through her memory, proceeding all (by a second birth) from the archetypal schoolroom into the archetypal Raintree County and thence beyond its borders and down the roads of all the years into the sunlight of a new century.

But now she must be courageous and hold hard to the perishable moment if she wished to see her father (whose death in some earlier dream she seemed to remember). And in fact, she was opening the door and stepping into the hall between the two rooms of the schoolhouse. In one room her mother taught the elementary classes, and in the other her father taught the advanced pupils. Golden light of the late spring was in the room, it was one of those days when her heart cried out with music, and she seemed able to accomplish anything. There was her brother Wesley at his accustomed desk, and there close by him was the lost Eva, and there—there at the blackboard at the front of the room, turning now with the light of afternoon on his old dark suit, there to be sure was her father touching the blackboard with a piece of chalk.

—Eva, he would say, will you please go on with the problem from there?

Such strange, timeleaping dreams, speculations, and endeavors colored the early years at Waycross and slowly formed the Waycross Eva, that grave, great-eyed girl-woman, that reluctant daughter-mother, that little transitional being who was passing through the valley of decision between a self and a self. This passing, like nearly all things human, was made imperceptibly and would go on being made for years, and in a sense too, of course, would never be entirely made, since the earlier Evas and the transitional Evas would all linger on in the deeper layers of Eva's being.

Yet there was a moment of self-discovery during these early years in Waycross when Eva herself became clearly aware for the first time that she had crossed a dark valley and was emerging on the farther side. The discovery came in early June of the year 1892 along with one of the great emotional crises of her life. It came suddenly and unexpectedly as a result of a simple thing.

Little by little she had been forced to give up her claims to physical equality with her brother Wesley. Only in wrestling had she still been able to maintain her old proud feeling of equality. One evening after supper in early June, after a day of small disappointments and frustrations, Eva herself had suggested a match. She hadn't wrestled Wesley for several weeks, and although she had had to exert every particle of strength to get a fall in their last match, she still believed in her ability to hold her own with him. It was after supper, and they were all out on the back lawn. The children had been running about barefooted. The air was warm and still, and day was ebbing on the level fields. Her father, who had been walking at the rim of the backlot where the young corn was already a hand high, came back to the middle of the yard.

—All right, he said. Square off.

Wesley stood before her, lithe and wary, hands on hips, waiting for the signal. His mouth and eyes had the usual set look of stoical confidence. At the signal, they laid hold of each other. Eva gritted her teeth and tugged and pushed and pulled and twisted, trying to use her superior weight to advantage, trying all her tricks one after another. She and Wesley had never wrestled longer for a fall than for that one. After nearly five minutes of struggling, Eva felt her strength going from her, while Wesley remained as lithe and powerful as a wild thing. Just then, when she hardly expected it, he gave her a quick twist, and down she went slapbang on her back.

Her mother laughed.

—Well, pshaw! she said. *Did*n't you go down, Eva!

—I just slipped, Eva said, jumping up angry and panting.

Wesley, as usual, didn't say anything, but waited, hands on hips, confident-like. All set to make a heroic exertion, Eva laid hold of him and gave a great push. He cut his leg in front of her, dodged, and she threw herself.

—Well, pshaw, her mother said, smiling one of her rare smiles, *are*n't you getting strong, Wesley!

—There now, that's enough, her father said. Wesley seems to be feeling his oats tonight.

—No, please, Eva said. Three best out of five.

This time, the struggle was longer. Eva lashed herself to a superhuman effort. She groaned, strained, squealed, and thrashed around, but Wesley stuck his tongue between his teeth and this time, without any trick throw, gradually bent her back and back until there was no help for it, and down she went crashbang.

—Pshaw, her mother said. *Don't* they wrestle hard!

She licked her smooth lips and stood watching the contest with more than her usual interest.

—Yes, Eva's father said, when those two lay hold, it's do or die. Of course, Wesley being the older and a——

—Let's try again, Wesley, Eva said, springing up, her voice quavering.

They struggled again—a long, silent, grim struggle. This time, he threw her on her face.

—Well, that's enough now, children, her father said. Let's have a game of——

But she was up and trying again. She thought her heart would burst if she didn't throw Wesley at least once. They were wrestling again, and then again, and again. Each time, he threw her more easily. She lost count of the times.

—Eva, Eva! her father said. You're too tired to win now. Wait until you're rested.

—No, just *once* more, she pleaded, her voice breaking. I want to throw him just once.

Wesley had become an impersonal force that had to be subdued or else there was no longer any hope or joy in life. Tears streamed down her face as she took hold of him for the last time. She began to sob openly.

—Eva, I'm ashamed of you! her mother said.

In the middle of that last struggle, Eva found herself wishing that Wesley would *let* her throw him. And in that instant she knew that she was hopelessly beaten. She knew that she would never be able to throw him again and that she was wrestling him for the last time.

As she went down, all her anguish and sorrow came forth from her in a great wail that sounded ridiculous even to herself. She didn't move from where she was thrown, half-lying on her face, her cheeks wet with sweat and tears.

—Pshaw, Eva, her mother said. You ought to be ashamed of yourself. A great big girl like you! Go on in, and wash your face.

—Poor child, her father said. Let her be, Esther. She was so proud of her wrestling ability. After all, Eva, you couldn't expect to beat Wesley forever. He's a year older than you, child, and he's bound to get stronger. It's nature for men to be physically stronger than women. I think it's extraordinary you've held your own with him so long.

Eva started to say something, but her voice soared off in a series of O sounds, and she didn't seem to be able to take the one deep breath that would stop them.

So she lay there, with everyone watching her, she lay there in the soft grass of the back lawn, her outraged, overgrown girl's body sprawled on the earth. She just wanted to lie there, and she never wanted to have to wrestle anyone again.

As she cried, she was thinking of all the days and ways of her eager, sexless childhood when she and Wesley had wrestled, and sometimes it was one, sometimes the other who beat. It was all, all over now, the innocent, swift days of the two children playing together, Eva and Wesley, the laughter, the jealousies, the frustrations, the triumphs. And now she realized that during that time they had been as one, she and Wesley, in the close passion of competitors, which is fierce like love and hate. All that time they had been one and wedded to each other by jealousy and emulation. And now they were forever and irrevocably two, boy and girl, brother and sister, man and woman.

Strangely then into her heart there crept a feeling of tenderness and strong love for her brother that had perhaps been there all the time, and in this last great defeat there was no longer any bitterness but a sorrowful, complete acceptance. And as she lay on the green breast of the earth, even the tears and the sorrow went slowly out of her, leaving her stilled and pensive. The family went away, and she stayed there in the grass a long time, lying on her stomach, her tear-stained face propped in her hands. She watched the night come on, filling up the backlot and the cornfield with darkness and flowing around the houses of the town. A train went by during this time; the steady thunder faded down the track to westward. Carts and wagons passed on the National Road. The insect voices of the night began to shrill louder and louder. And the cool dew came on the grass.

And still she lay, looking out across the growing cornfield and wondering what great tide it was, gentle, inexorable, and strong, flowing up from all the years of all her life that had at last reached and flooded to the full here in this town to which latterly they had come beside the Great Road, and where perhaps her father and mother would live out their days, had found her as it had been fated to find her from the beginning, and had created at last out of all the earlier Evas (perhaps better and braver and more tender than them all) this new and latest Eva.

Then she looked east and west and thought of the Great Road, the broad straight Road, the National Road, rising upon the plain forever, and flowing in a band of brightness east and west, and of the vast plain beneath the night and of all the lost days of her father's life that were somehow hovering in this night, and of the terrible and beautiful rhythms of the earth, and of its wandering flowers, and of its ancient tides, moondrawn and flowing out of darkness, and of the great tide of death that must some day come and find her father in this quiet ground between the two roads. And so the darkness came, lapping her with mystery as she lay a long time

ON THE GREEN EARTH OF RAINTREE COUNTY

IN THE ATTITUDE OF

A

Sphinx Recumbent

THE PERFESSOR SAID. Yes, I still have it, packed away in a box somewhere. I've moved around a good deal since then. As I remember it, it was a hideous daub. 'Sphinx Recumbent.' What made you think of it?

—O, nothing in particular, Mr. Shawnessy said, shoving the telegram from Cassius Carney, received the day before, back into his coatpocket. Just memories of my City days. Fact is, I dreamed about the darn thing last night.

The Senator's train was late, and as the crowd slowly dispersed, the Senator walked over to the bench by the station door and sat down fanning his face with his hat. Mr. Shawnessy and the Perfessor flanked him. Inside the Station the telegraph key clickclicked its uncertain but incessant rhythm.

—Phew! the Senator said. Wish my train would come. What time does Cash come in?

—Around five, Mr. Shawnessy said. On the Eastbound from Indianapolis.

—Maybe I'll get to see him after all, the Senator said. Jesus, John, don't tell me you mean to stay in this hick town all your life! How do you do it?

—How do *you* do it, Garwood? Mr. Shawnessy said. How do you go on playing the part of the Great Commoner?

—Up there on the rostrum, the Senator said, it's the noble part of me that speaks. You fellows appeal to my baseness. To tell you the truth, I really appreciate Raintree County when I'm a thousand miles away from it. But if I had to live here for a month, I'd go nuts. It's so—so goddam wholesome and peaceful. By the way, what is your candid opinion of the program today? Did it go over?

—You're safe, the Perfessor said. There's one born every minute, and each one has a vote.

—What made you think you needed to pull this big charade, Garwood? Mr. Shawnessy said.

—I have to take cognizance of this new Populist movement, the Senator said. To be perfectly frank, I'm afraid of it. After winning every political contest I've been entered in for thirty years, I don't intend to get stampeded out of office by this gang of amateur politicians and professional horse-thieves who call themselves the People's Party.

—Of which, Mr. Shawnessy said, I'm a member. The People's Party is made up of the folks who are tired of a government of cynical understandings between politicians and businessmen. As for you, Garwood, you never belonged to the People's Party—I mean the eternal and usually unorganized People's Party. You always belonged to just one party, the Party of Yourself, the Party of Garwood B. Jones, and you never had but one platform—the advancement of Garwood B. Jones to the Highest Office Within the Gift of the American People.

—Not so loud, John, the Senator said, oozing laughter. People will overhear you.

He leaned back in his chair, mellow and imperturb.

—Yes, he said, I've always sought the advancement of Garwood B. Jones. He's a magnificent guy, and I like him. But I've always furthered this wonderful bastard's interests in strict observance of the American Way—by giving people what they wanted.

—By *appearing* to give them what they wanted, Mr. Shawnessy said. The people want a chance to own their own land, to have economic security, to see government perform its function of protecting the interests of the many instead of the interests of the few. You'll promise the same things that the People's Party are promising, to keep your party and yourself in power, and once elected, you'll go on doing what you've done before because it's the easiest way and because it's always been successful. You'll continue to obey the voice of the Big Interests, while wooing the vote of the Little Interests.

—My dear fellow, the Senator said, using his big voice like a bludgeon, you do me a great injustice. You speak of the so-called Big Interests as if they were gangs of criminals. Who built this vast country? The Big Interests—that's who. These men are also feathering their own nests—but they've discovered that the best way to

feather your own nest is to advance the interest of people generally. The honest capitalist like the honest politician is the servant
of the people. He's a man of superior imagination and daring whose
ability to do his country good has earned him the just reward of continued power and wealth, by which he can continue to do good.
The people know that their best interests lie in the direction of a con-
stitutional government which encourages the Free Exercise of Individual Rights and the Protection of Home Industries.

—I suppose you perceive, John, the Perfessor said, that we haven't
after all emerged very far from the Great Swamp. What is life in the
fairest republic the world has ever seen? What did the martyrs of
the Great War die for? Liberty? Justice? Union? Emancipation?
The Flag? Hell, no. They died so that a lot of slick bastards could
exploit the immense natural and human resources of this nation and
become fabulously rich while the vast majority of the people grind
their guts out to get a living. They died so that several million poor
serfs from the stinking slums and ghettos of Europe could come five
thousand miles to wedge themselves into the stinking ghettos and
slums of America. Only in America is Survival of the Fittest, the
principle of brute struggle for life, erected into a principle of government. In America anyone who can crawl to the top of the pile through
daring, guile, and sheer ruthlessness can stay up there until somebody
pulls him down.

—Professor, the Senator said, you read too much. Go out sometime, jerk off your specs, and take a look at this nation. This nation
is big enough for everyone in it.

The Senator was standing now, gesturing forcibly and bringing
within the range of his voice a number of citizens who still lingered
in the Station and who now began to close in toward the center of
sound.

—This nation is big enough and rich enough for everyone to
pursue and realize a worthwhile goal. What is wrong with the principle of self-interest anyway? Rational self-interest, controlled by law,
is the basis of a free society. Look at the men who have risen to the
top of the pile—the presidents, the statesmen, the financiers. Where
did they come from? Out of log cabins and back alleys. Everyone
has the same chance, under the aegis of the Constitution. What is
America, gentlemen? I will tell you. America is the only nation in

the world where mineboys become millionaires, and paperboys become presidents. It is the place where—— Pardon me, folks, I'm not making a speech. We are just engaging in that grand old American custom of political disputation. After all, it's an Election Year.

—You've got to hand it to Garwood, the Perfessor sighed. He shovels that stuff with a golden pitchfork.

The Senator sat down again.

—By the way, John, about that *Atlas*—I'm beginning to think the whole thing was a fake. Still, there might be something hidden in it somewhere. Suppose you keep it and sift it fine. If you find something worthwhile, let me know. And another thing, John, I'd esteem it a great personal favor if you'd look over this manuscript for a few days and correct any errors of fact relating to the early history of the County, which you know better than anyone—or make any other suggestions that occur to you. Some of it'll interest you, I'm sure. One of the best things is the story of your homecoming from the War. I quote in full the tender lyric I composed on the occasion of your demise. All handled, of course, with appropriate irony.

Mr. Shawnessy took the proffered manuscript of *Memories of the Republic in War and Peace.*

Leaves of my life—but by another's hand.

—To be perfectly frank, John, the Senator went on, I'll never forgive you for walking in on me that day in my office in Indianapolis. At least you didn't have to come in reciting the goddam poem.

Mr. Shawnessy raised a hand in benediction and intoned:

> —Sleep in thy hero grave, belovèd boy!
> Sleep well, thou pure defender of the right.
> Far from the battle's din and rude annoy,
> Our tears shall keep your memory ever bright.

The Senator laughed and laughed until the tears came to his eyes. He blew his nose and swatted the Perfessor on the back with his free hand. He wiped his eyes and went on wheezing with laughter. Mr. Shawnessy had never seen the Senator so amused before.

—I'll never forget the expression on your face, Garwood. It's the only time in your life I've seen you speechless for twenty seconds.

—Just what did I do? I forget now.

—You turned completely white, cleared your throat, got up, walked over, put a hand on my arm to see if I was real, sat down again, studied a moment, and said, You spoiled a good poem, sprout.

The Senator was still laughing.

—That was one hell of a homecoming you had, he said. I wrote it up at some length in my book there. Hope you don't mind. I guess I got the important facts in.

I doubt it, Mr. Shawnessy thought.

—Ah, gentlemen, the Senator said. What things we have seen and done in fifty years! What is America? Well, I'll tell you, gentlemen—— Thunder! there comes my train.

A rhythmical pulse was beating on the rails.

What is America? What is America? What is America?

America is a memory of a boy who was dead and then came home anyway, hunting for an old court house and a home place in the County. America is the memory of millions of young men who came home and never came home and never could come home. America is the land where no one who goes away for a year can come back home again. America is the land where the telegraph keys are clicking all the time and the trains are changing in the stations. America is the image of human change where the change is changed by experts.

Come back, come back to Raintree County. O, wanderer far from home, come back after the Patriotic Program, when the leaves of it are scattered on the grass, and seek again for beauty, love, and wisdom. America is a dream that I was dreaming, an innocent dream among the moneychangers. For I got lost in stations where the trains were changing. I got lost in cities of a gilded age. O, wanderer far from home, come back, come back and live a memory of your illusioned, strong young manhood, a memory of

THE FIRST ELEVEN YEARS
FOLLOWING THE GREAT WAR WERE SAD AND LONELY YEARS

for the tired hero who came back to Raintree County one day in the spring of 1865 like Lazarus from the dead. When Johnny came marching home at the War's end and when the reunions and discoveries of that extraordinary homecoming were over, he found that in a sense the report of his death had not been unduly exaggerated. Johnny Shawnessy, that innocent and happy youth who had somehow contrived to keep in touch with the elder Raintree County of before the War, was really dead (though it took his successor a little while to become aware of the fact), and the Raintree County to which he had fondly dreamed of returning was also dead. Out of the shocks and changes of the War and the equally great shocks and changes of the homecoming, there emerged a new hero of Raintree County and a new County. The old (that is to say, the young) Johnny was really gone, interred in the triteness of Garwood Jones's poem. In his stead was John Shawnessy, a sober young man of twenty-six, who had now a new life to live, a new love to find, a new poem of himself and the Republic to create.

Also the old Republic was gone. Johnny Shawnessy had unwittingly put the torch to it along with Atlanta and Columbia. The new Republic was something he hadn't foreseen.

He hadn't foreseen the sooty monster that stood alone after the smoke of battle had cleared, the Vanquisher alike of vanquishers and vanquished. Before the War this monster had been an awkward babe. But during the War he had put on muscle. His name was Industrialism.

Johnny Shawnessy hadn't foreseen that where there had been one factory before the War there would be a hundred factories following. He hadn't foreseen that the railroads would grow with magic speed until the huge vine enmeshed the Republic in iron tendrils. He hadn't foreseen that hundreds of thousands of Americans would leave the farms and go to the great cities. He hadn't foreseen the great cities themselves (for who could have foreseen these huge, glistening mushrooms that appeared one morning on the surface of the Great Swamp!). He hadn't foreseen how tides of aspiration. setting ever east to west would bring millions of immigrants to America and how the tidal glut of these innumerable faces would fill up whole cities and run deep into the prairie leaving pools of alien speech and alien ways around and far beyond the borders of Raintree County.

He didn't foresee the Reconstruction of the South, the doomed experiment of giving the black man a vote by force of arms. He didn't foresee the scalawags and carpetbaggers who exploited the prostrate South. He didn't foresee the bayonet legislatures, the wrecked economy of the Cotton Kingdom. He didn't foresee the inflamed race hatred that war left behind, the lynchings, the Ku Klux Klan. He didn't foresee the impeachment of Andrew Johnson (who was a cousin of Johnny Shawnessy's on his mother's side), a shameful effort to wrest from an honest, if tactless, Executive the power vested in him by the Constitution, a cynical effort to destroy the balanced system of government. He didn't foresee the sectional feeling kept alive for years after the War by orators North and South. He didn't foresee the formation of a Solid South, a political bloc, reactionary and resentful, a separate culture in all but legal fact.

He didn't foresee that the greatest Union General of the War, Ulysses S. Grant, would be elected President, expressing for millions the wish to see a nation peaceful and united, and he didn't foresee that, once elected, this politically stupid man would become a helpless front for crooks in high place, who bled the Republic of wealth and honor alike.

He didn't foresee the Tweed Ring in New York, the Gas Ring in Philadelphia, the Whiskey Ring in St. Louis. He didn't foresee the daring speculations, the corrupt deals, the barefaced frauds. He didn't foresee the famous Corner in Gold, the Crédit Mobilier, the Panic of 1873. He didn't foresee Jay Gould, Jay Cooke, Jim Fisk, Cornelius Vanderbilt, John D. Rockefeller, J. P. Morgan—the new men, titans of industry, amassers of corrupt fortunes, exploiters of millions, barons of a new feudalism.

He didn't foresee the materialism of the age, the spirit of getting wealth, of amassing property, of conquering space, of mining and stripping and gutting and draining, and whoring and ravaging and rending the beautiful earth of America. He didn't foresee the grotesque buildings, public and private, that festered on the land, the tenements of stunted souls.

He didn't foresee any of these things. Johnny Shawnessy didn't even foresee John Shawnessy.

For example, he didn't anticipate the loneliness of John Shawnessy, his search for a new religion, and his brief appearance in the political arena.

When John Shawnessy was once more firmly back in the County, he resumed a life that outwardly resembled the good old life he had had before he met Susanna Drake in 1859. He lived at the Home Place with his parents and continued to teach school, work on the *Free Enquirer,* and write. But the resemblance between his new and his old way of life was outward only. Between him and the happy youth of 1859 lay the red divide of the Civil War and many memories.

These post-War years were the saddest and loneliest that he would ever have. Sometimes at night he would dream of his comrades beslutted by death in yellow fields and forests rotten with rain. Waking up alone in his bed at the Home Place, he would be engulfed in silence and a brooding sadness. Was this the Republic that he and his comrades had been tramping toward in the Great March? Was this the Union they had hammered out ringing on the forge of battle? Was this the Raintree County of which Johnny Shawnessy had intended to become the hero?

Pensive, he listened to the pulse of silence and the earth. The earth alone endured the same. The rock still lay at the limit of the land. The river ran in darkness down its pathway to the lake, tracing a word of prophecy and recollection. The lake lay, an ancient scar in the middle of the County. But this was the period of awakening into a new age, and a new light was upon the land. He thought then of the railroads, the newspapers, the speculators, the builders, miners, exploiters of the earth. He thought of new cities crammed with new people. Did they still wait the coming of a young Shakespeare, a hero from the West? Was there still a passionate lover waiting for him somewhere, the incarnation of all the beauty he had ever seen and coveted? Where was the streambegotten girl? Where in all the turning waste of nights and days was the anciently beloved of the youth with the sunlight in his hair?

Then John Shawnessy, that sober young man whose hair had begun to fade a little at the temples and whose forehead now never quite lost its faint lines even when he slept and whose long blue eyes had traces of crowsfeet at the corners, would lie a long time in his lonely bed and wish that he had someone to love and to love him, a woman with great eyes and passionate lips, someone whose voice, touching his ear in the lone spaces of the night, would lull him from the bad dreams.

All things changed on the earth except the earth itself and certain memories of the earth.

He would think then of his wife Susanna. For he was still bound to her by ancient ties. Now and then he would receive and answer one of her poor mad letters. But he knew now that he would probably never see her again. She herself didn't wish it, though she still clung pitifully to the memory of their love, a last anchor in the swirling torrent of her madness. There was no use raising the question of divorce. Even if he could have obtained a divorce, he wasn't sure that his conscience would let him. It seemed best for the moment to let things go on as they were. Time would make decisions for him.

But in one of his most terrible dreams of that lonely period following the War, he found himself walking up the steps of the tall house south of the Square in Freehaven, coming back home after long absence, approaching with the old feeling of nameless dread, and as he neared the door he could see, peering at him through the wavering glass, his wife Susanna, her face and body marked with fire and bound with bandages.

As for his family, the girls were all married, the older boys had farms and families of their own, and his favorite among them, Zeke, had gone West after the War and had started a new life in California. T. D. went on dispensing botanical medicines to a few old patients and meeting more and more rarely, fewer and fewer people in the church at Danwebster. As for the town of Danwebster, it died after the War. Just why it died no one knew, but the life went out of it. Half the houses in town became empty, and the remaining residents began to apologize for living in the place. The walks grew up with weeds, porches sagged and fell, stores closed. By 1870, Danwebster was a collection of roofless sheds and shacks. T. D. would drive by, shaking his head and saying,

—I don't understand. It was a right nice little town before the War.

When several families refused to bury their dead in the graveyard on the hill, it was clear that the town was done for. As for T. D., who had depended largely on the community of Danwebster for patients and parishioners, he too began to seem a pathetic anachronism in the post-War period. No one cared anything for reform after the Civil War. All the ardent crusades had been trampled under in the one great crusade of the generation. The younger people had little faith in the Botanical Medicines. T. D. himself went on taking a hopeful view of things, but without financial aid from his youngest son, he would have been hard pressed to buy food for himself and Ellen.

Ellen, however, seemed to change little with the years. And though the Office behind the house began to seem more and more like a tiny faded museum, the house itself, the fields, the rock at the limit of the land, the brown road running east and west, the contour of the earth remained unchanged, and the taproot of his being was still deep in this ancestral place.

Despite his lonely life during this time, John Shawnessy had complete faith in himself, and there welled up in him stronger than ever the assurance that he was the bearer of a sacred fire. He had been meant from the beginning by a messianic birth to be the Hero of the County. Only he could fulfill prophecy and lead his generation to a nobler way of life, a loftier religion than they had known before.

He had always meant to do this great thing while he was young. At the close of the War in 1865, he was twenty-six. At twenty-six Keats was dead. At thirty-three, Jesus was crucified. The time had come for John Shawnessy to make a godlike exertion, to produce a masterwork, a book that would usher in the Golden Age of the American Republic.

So he would write the epic of the American Republic and its people, the greatest poem ever written. He didn't know at the outset just what form the story would take or what resources of language (rich and daring—equal to the theme) he would discover. But he knew that what he wrote would be the story——

Of a quest for the sacred tree of life. Of a happy valley and a face of stone—and of the coming of a hero. Of mounds beside the river. Of threaded bones of lovers in the earth. Of shards of battles long ago. Of names upon the land, the fragments of forgotten language. Of beauty risen from the river and seen through rushes at the river's edge. Of the people from whom the hero sprang, the eternal innocent children of mankind, latest of the mythic races and of their mythical republic. Of their towns and cities and the weaving millions. Of their vast and vulgar laughters, festive days, their competitions, races, lusty games. Of strong men running to a distant string. Of their rights and their reforms, religions and revivals. Of their shrine to justice, the court house in the middle of the square. Of their plantings, buildings, minings, makings, ravagings, explorings. Of how they were always going with the sun, westward to purple mountains, new dawns and new horizons. Of the earth on which they lived —its blue horizons east and west, exultant springs, soft autumns, brilliant winters. And of all its summers when the days were long . . .

This was the epic vision that John Shawnessy had arrived at shortly after the War and hoped to express while he was still young.

For seven years, then, following the War, he taught school children and worked at the monumental edifice of his poem, slowly erecting it through endless visions and revisions. But it was a gigantic task that he had set himself. It was all to be done from the ground up—a new language to fashion, a new wisdom—perhaps a new religion—to be discovered. Seventy times seven years might not be enough for such an undertaking, and at the end of seven John Shawnessy was still far short of his goal. So in the year 1872, when he was thirty-three years old, he did a remarkable thing.

He left his life of teaching and meditation and ran for political office. This decision was perhaps an odd one for the still unlaureled Homer of the age, but it wasn't entirely inconsistent with his aims. And the resulting scenes were, to be sure, all conducted in the purest John Shawnessy tradition.

For he had decided that the new religion toward which he was groping was not for the pulpit. The pulpit had already failed in America. Orthodox religion, an exotic on American shores, had run out of miracles long ago. The true religion of Americans, he decided —although no American would have admitted it—was politics. American politics had its rituals, sacred objects, saints, dogmas, devotions, feasts, fanaticisms, mummeries, and its Bible of sacred writings. Abraham Lincoln, the most sanctified figure of the century, had been a politician. Perhaps Lincoln was a John the Baptist to a still greater prophet who would lead Americans, a chosen people, to a new vision of heaven and earth. And the messianic task would be accomplished through the very institutions that made America unique among the peoples of history.

This religion of the new republic of John Shawnessy's vision was not, of course, a logical formulation. It was something to phrase in parables. The Old Testament of it was in the writings of Emerson, Thoreau, Hawthorne, Whitman, the Declaration of Independence, the Constitution, and other American scriptures. The New Testament of it had yet to be written—and lived.

Where orthodox Christianity had been the negation of human life, this new religion would be the affirmation of it. It affirmed that heaven and hell and hereafter are now, living and present. It affirmed that every second of life is a miracle greater than Lazarus trembling in the tomb. It affirmed that every human life is sacred because it is the whole of life and that in the continuity of being, no life is lost. It affirmed that the world of human ideals, morality, loyalties, and dedications was in a true sense the work of God, fashioning order out of blind becoming, but that this God was not separate from the universe of his creation or from its creatures. He existed in each human awareness. Only in this mancreated world was there truth and beauty, wisdom and goodness, and these things were both temporal and eternal simply because only in the mancreated world did time and eternity have any meaning whatsoever.

Thus was a man the artificer of his fate, building out of nothing what had not been there before. Therefore was a man free to some extent both in his means and ends.

To believe in this creed required, of course, an act of faith, but no greater act of faith than the creation of a republic of Raintree Counties in the first place, the daily living with others in peace and happiness, the simple affirmation that words had meanings. All human life was founded on faith anyway, and to live more fully required more faith.

This creed was also political. In fact it envisaged a state made up of wisely affirmative individuals, each one having the supreme, amiable vanity that taught him the inviolability of his own soul and that of others. This distinctively American state would be a republic of endless rediscovery, in which souls were rescued from the underside of Raintree County and educated in self-reliance. By an act of total responsibility for themselves and others, men voted themselves citizens of this republic, which was greater than the boundaries of America.

How could such a condition be brought about? The long way was by education. The short way was by an emotional surge, a religious crusade. It was the short way that John Shawnessy was trying when he entered politics in 1872, convinced that the American Messiah, if he came at all, would have to come as a candidate for office and that religious miracles in the pressridden Nineteenth Century would have to be miracles of social betterment and education.

This scheme of John Shawnessy's was either very daring or very innocent—probably both at once. In the America of the railroad and the sweatshop, he foresaw an Eden of social and economic equality. In the era of Jay Gould, President Grant, the Whiskey Ring, and Tammany Hall, he foretold a Periclean Epoch of honesty and forbearance. In the middle of the Gilded, he sought to build the ramparts of a Golden Age.

So it was that in 1872, John W. Shawnessy and Garwood B. Jones were rival candidates for the office of Representative to the Congress of the United States from the Congressional District in Indiana of which Raintree County was a part.

The campaign was probably the most colorful ever conducted in Raintree County. John Shawnessy ran on an Independent ticket, aided in his campaign by the fact that a great many former Republicans were fed up with the corruptions of Grantism and the failures of Radical Reconstruction. Garwood Jones ran on the straightline Republican ticket. He had the backing of the *Clarion,* which he now owned and edited himself, while John Shawnessy had the backing of the *Free Enquirer,* which had become a non-partisan paper during

Andrew Johnson's administration. There was also a Democratic paper in the County and a Democratic Candidate, but the campaign turned out to be a horse-race between Garwood B. Jones and John W. Shawnessy.

John Shawnessy conducted his campaign by riding around the country after school and talking to crowds everywhere. His speeches were short and simple and often humorous. At the same time, he wrote many trenchant articles in the *Enquirer*. Perhaps his greatest weakness was the fact that he was a political upstart, an anomaly, an independent. In general, Raintree County was skeptical of anyone who didn't belong to one of the time-honored parties. Thus Garwood B. Jones, who had done a complete turntail from one party to another, had the advantage of John W. Shawnessy, who belonged to no party at all.

The Independent Candidate didn't promise the usual things to the usual groups. He avoided the now familiar issues of protection and free trade, internal improvements, western lands, cheap money, control of the railroads, reconstruction, and the elimination of waste and corruption in the Federal machinery. He said frankly that he was campaigning simply for a better America, and he set about in his speeches and writings to tell the people of Raintree County what kind of America he thought it would be. Much of his platform was sheerly visionary; and even his most practical planks were regarded as revolutionary. He came out strongly for woman suffrage, protection of the laborer in his economic rights, relaxation of restrictions on divorce, legislative curbs on the big capitalists. He soon built up a following, especially among school children and women (none of whom had a vote) and among the independent voters of the County, of whom there were few.

At first Garwood didn't take his old rival's campaign seriously, anticipating more trouble from the Democratic candidate, but people in general liked John Shawnessy, and little by little his name and fame, already not unknown to Raintree County, spread to the outlying districts. After a while Garwood, who hadn't lost an election since his entry into politics in 1860, became worried and turned the whole force of his attack loose on the Independent Candidate. It was a formidable assault.

Garwood's campaign style was slambang and resourceful. He was adept at mining every vote-rich stratum of American society. His manner was sacred or profane as occasion required. He was known as a damn-good-guy and a fellow-who-gets-things-done.

Garwood was a talented artist of the campaign smear. Although he himself avoided signed or public attacks on the character of his opponent (to whom he always referred in the best tradition of American sportsmanship, as 'my dear young friend, John Shawnessy'), he permitted various libels to be circulated by his henchmen. Gradually he created a picture of the Independent Candidate as an improvident dreamer, an upstart experimenter, a vapid visionary, an overbrilliant and hence impractical scholar.

In addition, someone succeeded in circulating the impression that John Shawnessy was guilty of the two greatest sins in the black book of Raintree County—Atheism and Adultery.

An atheist was anyone who didn't believe in the stern old God of Raintree County and in the literal truth of the Bible, word for word. On this charge, the Independent Candidate convicted himself over and over out of his own mouth, and it was nothing short of a marvel that he had any supporters left at all. What took the sting out was the fact that he always created an impression of impregnable innocence and goodness, while Garwood's strongest supporters never concealed the fact (in fact they gloried in it) that their candidate could beat the Devil himself at his own game, while always remaining within the letter of the law.

The second charge—that of adultery—wasn't so dangerous politically. The libel, purposefully vague, seemed to acquire support from the fact that John Shawnessy was known to be married but not living with his wife. Besides there had been a number of affairs involving young women under his instruction. The plain truth was that John Shawnessy was never associated with an unattached young woman very long before she began to sleep badly at night, dress more attractively than her income permitted, and investigate in secrecy the exact relationship existing between Mr. Shawnessy and his reputed wife. As for him, it was his curse, as a Shawnessy, to feel a strong interest in every woman of unusual charm whom he saw, and during his long period of enforced chastity after the War, it wouldn't have been surprising if he sometimes, in the passion of his young manhood, yielded to temptations more frequent and strong for him than for any other man in Raintree County. But if he did transgress the code of Raintree County and find forbidden loves in those fleeting years after the War, if there were letters written and burned, if there were broken hearts (for women who once conceived a passion for the Hero of Raintree County had a time getting over it), unusual discretion must have been shown on both sides.

Certain it is that during this time no passion occurred in John Shawnessy's life that could compensate him for one that he had been obliged to bury with the defunct Johnny, that brave young casualty of the Great War, so fragrantly interred in Garwood's poem.

As for the charge of adultery, insinuated by Garwood's henchmen, it invited retaliation. In fact, there was a story in the County about a handsome young matron who forsook husband and children in order to follow Garwood to Chicago, where she turned up tactlessly in the middle of a political convention and expressed a willingness to run away with the lionhaired young orator from Indiana, offering a public sacrifice of her family, her honor, and her good name (and his). Some said that there had been a highly dramatic scene in a lobby of one of Chicago's leading hotels, and a great political career had hung in the balance until Garwood's golden tongue and majestic presence somehow managed to stifle the lady and the scandal. For some reason, this story improved Garwood's election chances.

As Election Day neared and it looked as though Garwood was in real danger of being defeated, resort was made by his party to the war issue, still the strongest plank in the Republican platform. Garwood, who had changed parties at the end of the War and had volunteered just in time to get a colonelcy and avoid combat, waved the bloody shirt from every platform in the district. Somehow or other he won a more or less official backing from the G.A.R. and managed to be seen often surrounded by men in uniform, who referred to him respectfully as Colonel Jones.

As for the Independent Candidate, who had fought from Chattanooga to the Sea, he was, oddly enough, handicapped by the fact that he had once been reported dead in battle and had been picturesquely lamented and interred in all the papers of the County. His unexpected return at the end of the War had created a minor sensation, but it left a faint impression that John Shawnessy had somehow cheated Fate and had got a great deal more credit than he was entitled to. Without a single open statement, Garwood labored hard to create the impression that the Independent Candidate's war record, which had turned out to be erroneous in at least one very important particular, would not bear close investigation in other respects.

There was even a squib in the Democratic paper (where Garwood cleverly planted his most poisonous barbs) to the effect that a certain handsome and romantic candidate for the office of representative had acquired the scar on his left shoulder, not, as was reported, in combat with Sherman's Army, but from a drunken brawl in a Louisville hotel.

Of course, some of Garwood's measures were in sheer self-defense, as both the rival parties threw a merciless light on the Colonel's belated and unperilous entry into the fray. The Democratic paper, taking advantage of the mysterious middle initial, that had only recently turned up in Garwood's name, always referred to him as Colonel Garwood Battleshy Jones, while the *Enquirer* carried a delightful anecdote, which, though unsigned, bore the touch of Will Westward, recounting the most dangerous combat experience of Garwood's military service. One day, it appeared, the Colonel had led a regiment of trainees, armed with broomsticks and tin cans, against a haystack. According to the story, Colonel Jones and his men were repulsed, outwitted, routed, and driven in panic from the field by an irate housewife who had a tabby and a litter of kittens in the stack. Garwood himself was credited with great coolness under fire, exceptional gallantry, and valor beyond the call of duty.

When all was said and done, Garwood's most powerful weapon was his persistent ridicule of the mystical pretensions in the Independent Candidate's platform. He built his campaign strategy on the proposition that Americans in the year 1872 were thoroughgoing materialists at heart and had no faith in poets and prophets. Here was a typical Dan Populus article from the *Clarion* during this time.

NEW MESSIAH DISCOVERED IN RAINTREE COUNTY

———

CITIZENS OF COUNTY DISCOVERED TO BE RACE OF
DEMIGODS

Wonders never cease in that Canaan of the Cornlands, Shawmucky Township. Apparently the waters of the Upper Shawmucky possess magic properties. At any rate, a few days ago we heard that a young denizen of those parts had lately emerged from a dip in the river and upon studying his lineaments in a frog pond found that he had suddenly acquired the stature and beauty of a god. Forthwith he went out among the people, effusing a strong radiance. It was a hot day, and a tired housewife in the neighborhood, having laced her stays too tight, happened to fall over on her back, heels in the air, just as the young demigod approached. Impressed with his new effulgence, the transformed bumpkin was visited with a gift of tongues and began to prophesy.

Can anything good come out of the Upper Shawmucky? we asked ourself.

Well, we sent our trusty researcher, Rube Shucks, up there the other day to investigate the phenomenon. Here is Rube's own account of the matter:

'Wellsirree, Mr. Populus, I went up thar and sot down in a pigstye where the noo messiah was a-goin' tew dew his stuff, and I sot and sot, meanwhile exchangifying idees with the local hicks. "What's his creed," sez I to an espeshially intellygent member of the cumpney. "The world will be made pure agin," sez he, settlin' hisself comfortable in a corner of the stye and diggin' his bare toze into the ooze thereuv. "Hit's the Golden Age, mister." "What dew you expect to git out of it?" sez I. "We is all christs and saints and angles," sez he, "and never knowed it."

'I sot and jawed a while with these fokes, when all a sudden I felt the sperrit descendin' on me. I riz up and said to a lady neerby: "Sister, yore eyes is a puffick shinin'. We air all a-floatin' in a ocean of luv, puffick luv. Dew I heer laughter from the back row? Cease your vulgar cacchinations, frend. Under your honest blue jeans, I purceeve the puffick proporshuns of a god. Duz anybody know where I kin git a halo at slightly reduced cost?"

'Jist then, everybody stood up and begun to crane their necks and shout and p'int their fingers. "Hyar he cums," they yelled. "Hyar cums the noo messiah." I thought my ize would pop right out a my hed tryin' to see this grate man. "Whar is he?" sez I. "Right thar," they sez.

'I looked, and, Mr. Populus, so help me God, all I seen wuz old Seth Twigs in a clean shirt, grinnin' and gestickulatin' at the crowd. "Shucks," I sez, "I useter swap lies reglar with that skunk back before the War. But I see he's clean out a my class now." '

DAN POPULUS

The climax of the campaign came on the day before the Election when the two rivals agreed to have a debate in the Court House Square of Freehaven. Around two o'clock in the afternoon, the Square was filled with citizens under the majestic shadow of the New Court House, which had just been finished to replace the old one burnt down toward the end of the War.

As the two candidates and a moderator sat on the platform, both parties conducted a spirited demonstration. A snake-dance, mainly composed of young women and school children, wound around the Court House carrying placards reading:

VOTE FOR

JOHN W. SHAWNESSY

AND A NEW REPUBLIC

The crude picture on the transparencies looked like Jesus Christ with moosehead mustaches. The Shawnessy supporters were led by a small band that played feebly but together. The snake dancers sang the Shawnessy campaign song:

> —Our Johnny is in the race to win.
>   Hurrah! Hurrah!
> Let's all get busy and vote him in.
>   Hurrah! Hurrah!
> The boys will cheer, the men will shout,
> The ladies they will all turn out,
>
> And we'll all feel gay
> When Johnny has won the race.

There was a second verse, but it had hardly got started when it was trampled down under the cadenced boots of a louder song. And another band marched out of a sidestreet into the Square followed by solid ranks of marching men, most of whom had been recruited from Middletown, in the neighboring county. They chanted as they came,

> —Tramp, tramp, tramp, we'll vote for Garwood!
>   Look out, scoundrels, here we come!
>   Down with Shawnessy and shame!
>   Send him back to where he came!
> Vote for Garwood! He's the boy to make things hum!

In massed ranks, heavyfooted, led by a phalanx of young businessmen, the cohorts of Garwood B. Jones strode three times around the Square. Now and then, John Shawnessy could hear the voices of school children bravely singing his own campaign song. But the dominant sound was

—Step right up and vote for Garwood.
 Join the forwardlooking throng.
 When the final count is made,
 He'll put Johnny in the shade.
 Vote for Garwood, one and all, you can't go wrong.

Garwood stood up. He waved his great arms. A throaty shout from massed hundreds responded. Deepchested, thickbellied, he stalked back and forth on the platform.

When the moderator made the introduction, Garwood got up and delivered a stemwinder. John Shawnessy, who hadn't heard Garwood talk for several years, was amazed at the man's power and eloquence. For a moment he himself was halfpersuaded that Garwood was in the right and ought to be elected. Garwood smote applause from the crowd like a director whose gestures sculpture the music of the instruments. The whipsnap of his climaxes was a command to a trained beast. Applause piled up against closed gates. Garwood's voice now seemed to invite, now quickly suppressed, now tugged at the gates, now checked unexpectedly, now suddenly smashed the dam and let the flood come through. His supporters clapped, yelled, shrieked, howled. They taunted the Shawnessy supporters.

—Take that, goddern ye! That's Garwood fer ye! Listen to that man talk!

Their banners carried the simple legend:

GARWOOD B. JONES
THE PEOPLE'S CHOICE

But in a few minutes John Shawnessy realized that it was all pure virtuosity. Garwood was the same old Garwood. His political creed was transparent as ever. He promised the farmers better treatment from the railroads. He promised the railroads more money from the farmers. He promised the businessmen and creditor classes a currency that wouldn't fold up and go into any old pocketbook but would find its way clinking into strongboxes with reinforced corners. He promised the debtor and farming classes a currency so plentiful everybody could pay off his debts and buy fat acres. He promised the radical reconstructionists that he wanted to see a firm hand maintained in the South so that the fruits of the War would not be lost. He promised the Southern sympathizers that the Negro would be kept in his place and that the Union would somehow be the old Union of before the War.

Garwood's political creed was even simpler than all that. It was simply and solely to get himself elected to office.

Garwood B. Jones was a born politician. He knew how to make the votes flow. In the hands of Garwood B. Jones, the ballot ceased to be the expression of a free people. It was the charmed tribute of the dumb to the eloquent.

When Garwood at last sat down, he left the Square churned up with fury. Faces leaped through the air and confronted other faces. Men cursed. Middle-aged women fanned themselves and panted as if they had just had physical contact with a Casanova. Cowbells clanked. And above it all, Garwood's band, which was much bigger than the Independent Candidate's and had a great deal more brass and blow in it, played the militant air of Garwood's campaign song.

At this inauspicious moment, the moderator introduced the Independent Candidate.

John Shawnessy knew, when he got up before the crowd in the Court House Square, that this was one of the mythical hours of his life. He was at last confronting the people. He knew most of them, and most of them knew him or thought they knew him. Could he indeed open a door for these people that would admit them to a better day? Or was he, even as Garwood had implied, a cloudgathering impostor?

—Friends and fellow citizens, he began.

—Go home, Johnny, a man in the front row said, and git your maw to wipe your nose.

The crowd laughed.

—Shut up, you! a Shawnessy supporter said.

—You shet me up! the man said.

—Friends and fellow citizens——

A man in the front row plucked slowly a huge belch from beer-swollen guts. Garwood's supporters guffawed savagely.

John Shawnessy stopped, confused.

But at this moment, Garwood Jones made a magnificent gesture. He stood up and said with impressive dignity,

—I repudiate the support of any man who denies to this candidate the right to be heard.

This spontaneous action touched the crowd, and members of all parties cheered Garwood to the echo. With a gracious bow to the Independent Candidate, Garwood sat down. Next morning his behavior was very favorably noticed in the newspapers and elsewhere, except for a few cynics who said Garwood had planted his meanest hatchet men and hecklers in the crowd and had planned the whole thing, including the noble gesture.

More confused by Garwood's generosity than by the heckling of the crowd, John Shawnessy launched into his speech.

Neither speech was quoted in the papers next day. The words which John Shawnessy had carefully prepared were cast like little seeds on the silence and enigma of hundreds of attentive faces young and old. He never knew where the words fell, and where, if anywhere, they took root. He spoke in a calm, serious voice, and there was no applause for anything that he said, except at the end. The Independent Candidate preserved no copy of the address after he made it, deciding that as a political speech it was a failure.

It may have been a great utterance, to set beside the Gettysburg Address and the Sermon on the Mount. Or, again, it may have been a rather stilted and, in the light of the times, pointless performance. Its immediate effect could be easily calculated in the voting statistics of the following day. As for its ultimate effect, perhaps some seed of all its words lodged in the memory of an admiring child and was carried devious ways to a more receptive day. John Shawnessy never knew about that.

But in later years, a good many people who had been very young in 1872, some only children, remembered the speech. And as time passed, an impression grew that it had been a marvellous speech, full of wisdom and high sentence. People often said that they wished they had a copy of it.

—That was a humdinger of a speech, they said, the best I ever heard, now that I think back.

But they couldn't quote a single sentence from it. The lost speech was like the secret of the County's mysterious naming; and it took its place among the riddles and legends of Raintree County, as 'That Speech John Shawnessy Made in the Court House Square in Seventy-Two.'

As for the Election itself, the next day after the great debate Garwood's machine got busy and went to town. Garwood himself admitted that his campaign fund bought five thousand cigars and one hundred barrels of beer for distribution on Election Day. The biggest town in the Congressional District, Middletown, which was beginning to boast an industrial middle class, went solidly Republican. Garwood's machine voted blocks of five all day long—paid votes marked under the vigilant inspection of Garwood's heelers and dutifully held aloft in squads of five until they reached the box. Apparently, the voting American of 1872 preferred a cigar stuck in his face to a halo crammed down on his cranium. He went to the polls puffing on Garwood's cigar and pleasantly exhilarated by Garwood's beer and voted overwhelmingly for Garwood—two or three times when possible.

There was some small consolation for the Independent Candidate. Although he was soundly defeated in the total vote, by some miracle he carried Raintree County proper by one ballot, which he afterwards laughingly remarked must have been his own.

But the verdict of the polls was decisive, and John Shawnessy never returned to the political arena. He had been rejected by his people and called a false prophet. He had come down into the Court House Square from the wilderness where he had searched his soul somewhat longer than the scriptural forty days. But as Professor Jerusalem Webster Stiles remarked to him in a letter written during that time, Jesus Christ himself couldn't have achieved the notoriety of a crucifixion in post-War America. So pocketing his disappointment and pondering his latest epic gesture, John Shawnessy went back to teaching the school children in Shawmucky Township the rudiments of what is known as education.

Enlivened by this single public appearance, his post-War years fled by, and the Republic went on building great fortunes for a few men, swelling up with immigrant millions, pouring westward, multiplying railroads, mining, rending, ravaging the earth, fighting Indians, planting the plains, loving, raising children, dying. And John Shawnessy went on writing, musing, speculating, and preparing, as confidently as ever, for the day when he would complete his task and become the epic poet of his people.

During this time, his face was one of the lost faces of the Republic. It underwent imperceptible changes, aging a little, becoming perhaps a little more gentle, having perhaps a little less of the young arrogance of earlier days. And there were unnumbered faces of school children during those fading years (lost faces like his own and changing) that beheld his face and had some memory of it. And perhaps in those silent years there may have been planted in the obscure womb of time a future flower, a wondrous affirmation of life, some love more passionate and true than he had dreamed. He couldn't say as to that, but went on with his teaching, wondering the while whether he taught anything that was really meaningful and whether he would ever leave his mark on Raintree County in a significant way, or whether he would be taken back into its indifferent earth, like all the other little flowers, even as these withering years were taken one by one back into the watery grave of time while the Republic roared to the end of its first century as an independent nation.

And as the year 1876 approached, the Centennial Year in which the Fledgling of the Nations would complete the first one hundred years of its existence, John Shawnessy, stirred by deep currents of unrest and aspiration and having now completed a sizeable quantity of manuscript, decided that the time had come to do what he had always intended to do, before his youth was gone. So it was that at last he hearkened to the urgings of Professor Stiles, who had become a famous topical poet, newspaper columnist, and special reporter on Life in New York City. In July of the Centennial Summer, he took a few personal belongings, the manuscript of his unfinished poem, and some money that he had painfully saved, and entraining at Beardstown on the Pennsylvania line,

BADE FAREWELL TO HIS MOTHER AND FATHER

AND A SMALL GATHERING

OF

—FRIENDS AND FELLOW CITIZENS, the Senator said, I bid you all an affectionate farewell.

Standing on the rear platform, flanked by his secretaries and press-agents, the Senator leaned down out of his statesman's mask to clasp Mr. Shawnessy's hand. For a second, his eyes looked kindness and concern.

—Well, sprout, finish that great book, he said, and if you ever get to the Nation's Capital, look me up.

Mr. Shawnessy, moved by an unexpected rush of feeling, clung a moment to the Senator's plump hand.

—Good-by, Garwood, I——

Just then, the train trembled along its length. Instantly the Senator straightened up, leaned back into his greatbellied costume, his face became fixed in the same smile that he had worn in the morning, his storeteeth clenched the unlit cigar, he raised his arms, he began to bow massively. The train started.

Dipping, diminishing, receding, Senator Garwood B. Jones, framed in the hindend of a passenger train, gradually lost precision. It was a little melancholy and oppressive to think of the grinning mask of a certain eminent statesman in his frock coat and black Lincoln tie getting tinier and tinier in the immense plain of the year 1892.

The last curious members of the crowd loitered in the Station, sniffing the lingering aroma of greatness, and then left. The Perfessor and Mr. Shawnessy went back to the bench and sat down.

—Something I've never understood, the Perfessor said, is how trains keep from running into each other oftener than they do. If Cash Carney's train is on time—and you say it is—it should be running into Garwood's train any time now.

—It's all done with wires, Mr. Shawnessy said. And dispatchers. Inside the Station, the single live cell of the telegraph key fluttered endlessly on.

—Wonder what they're transmitting there? the Perfessor said.

Mr. Shawnessy, who had learned the code during the War, listened, laughed, and read aloud,

—'ARE YOU FOR THAT WINDBAG?' 'HELL, NO. ARE YOU?' 'HELL, NO.' The tower men are talking to each other, he explained. 'NEVER FORGAVE HIM FOR CHEATING US IN '77.' 'HOW'S WIFE?' 'O.K.' 'NEW KID?' 'DOING O.K.' 'NAME YET?' 'WAIT. SENATOR'S TRAIN PASSING.'

—The Republic has a voice, the Perfessor said.

There was a silence on the keys. Then:

—'SENATOR WAVED AT SMALL CROWD. KID'S NAME GROVER CLEVELAND.' 'HOW'S BILL?' 'GONE TO CHICAGO. WORK ON FAIRGROUNDS.'

—By the way, the Perfessor said, I plan to go up and see the Fairgrounds at Chicago. The work's pretty well along, I hear.

—How long since you've seen Cash?

—Year or two.

—The telegram says Laura may come too. Is she still pretty?

—There's a sort of ripe splendor about her now. It's still a gorgeous looking edifice. Too bad she hasn't acted since her marriage. Well, poor Cash finally made the grade. Her beauty was rolled for an old man's gold.

The Perfessor looked keenly at Mr. Shawnessy.

—All right, come clean, he said. Did you or didn't you? After all, it was so long ago.

Mr. Shawnessy smiled in embarrassment.

—I've forgotten all that, he said, lying. As you say, it was all so long ago.

—I don't know why I ask such dumb questions, the Perfessor said. Must excite you to think that she may be on this train.

—It's strange, Mr. Shawnessy said. You never know who's going to get down from a train. During my sojourn in the big City, I used to go down to the biggest terminal in town and just stand in the station watching people get on and off, as if I were waiting for someone.

—Did the party ever come?

—No, not exactly, Mr. Shawnessy said. The truth is, I've never lost that feeling of excitement about incoming trains. And I have the same feeling when I get off a train. It's as though I were young again and about to step into the middle of a wonderful adventure, as if the crowds of the City would pick me up and bear me off on a floodtide of fulfillment.

—John, the Perfessor said, you're an incurable idealist. As for me, I've gotten out of too many trains in my time. I always look for the nearest toilet.

—Speaking of the Fair, Mr. Shawnessy said, remember the Centennial Fourth in Philadelphia?

—What a day! the Perfessor said. Remember my monolithic blonde?

—Sure. What ever happened to her?

—Don't ask me, the Perfessor said. Her price went up right after that. The Great American Blonde, I think we called her. Sixteen years ago, by the way. Exactly. To the day. Well, we had some life left in us then, boy. Ah, I can see the sunshine now on her corncolored hair and the little railway that took us around the Fairgrounds. That surely was one of the hottest days in the history of the Republic. And those godawful buildings chockful of third-rate canvas and big glittering machines. The Centennial Exposition! Tell me the truth, John, did that ever happen? By the way, her name was Phoebe.

Her name was Phoebe, and that was sixteen years ago. And her name was Laura Golden, and that was sixteen years ago. The price went up right after that. In America, the price kept rising all the time.

—We're always having fairs, the Perfessor said. And they keep on moving West. New York, Philadelphia, and now Chicago. A few years from now, you can probably meet me in St. Louis. And then they'll go clear out to San Francisco, and then start all over again. And each time they'll build bigger buildings and sell more bellyaches.

—But the blondes will be the same as ever, Mr. Shawnessy said.

—Yes, but the price keeps rising all the time, the Perfessor said. It's awful what you have to pay these days for the bare necessities of life. Are you the way I am? I remember everything by the women I've had. And it's a good thing I have a retentive memory.

—I remember things the same way, Mr. Shawnessy said. If I wasn't in love, I wasn't alive.

—Of course, I generally paid my way, the Perfessor said. You idealists are the real thieves of love. In a business civilization like our own, everything should have a price.

—It all had its price, Mr. Shawnessy said. The tags just weren't marked in advance. I paid my way too, but with a different coin.

Meet me in Philadelphia, or New York, or in Chicago. Meet me in St. Louis. Meet me at the Fair. Hotdog, mister? Buy the lady a pink lemonade, mister. And here's a flower for your coat lapel.

Meet me in the City of Brotherly Love (and Sisterly Reserve), meet me in the station where the faces pour out smiling from the hollow cars forever. I shall be waiting for you there. We shall catch a horsedrawn car and go through crowded streets and find again the city of the lost, exciting domes, archaic domes beside a river.

O, shall we live again the birthday of a nation, shall we walk again beside the river, shall I yearn again to touch my lips to yours in the City of the Love of Brothers (and the shy reserve of sisters)? O, shall you ever meet me, meet me at the Fair?

O, shall we ever find again green pinnacles beside the river, that were new as the shining new republic, and yet no sooner built than old—old, old incredibly—the oldest minarets in all the world, the buildings of the oldest fair that ever was, in the oldest of all the Raintree Counties?

Come back, come back, to that most crude of Raintree Counties, come back to that great fair. O, meet me, meet me once again, and let us walk again, retracing all our paths, and finding others that we never dared to take. O, let us saunter down the Avenue of the Republic and see the brave exhibits.

And you will have your green dress on, asserted by a saucy bustle, the floating island of your parasol will ride on rivers of exultant heat. O, you will be the stateliest exhibition of all the exhibitions.

O, meet me at the Fair, and let us walk together, arm in arm. What have we builded here beside the river in a hundred years? And is everything marked with a price-tag, including you?

O, inventory of progress, o, general store of humanity, I passed your loaded counters one day of ancient summer. I hunted love and wisdom in the guidebook of Centennial Summer. I studied maps of cities that are gone. Babylon was fair, and they say the walls were built to last forever. But Babylon is not more buried in Ozymandian sands than the city by the river in the summer of the Fair.

My God, do no trains run backward, and no clocks counterclockwise? O, let us have dispatchers that make the trains of sixteen years ago run into stations of sixteen years ago, and punctual on the hour.

O, great Dispatcher of the Cosmic Trains, Arranger of the time schedules of the Republic, Deviser of smoothly running overland expresses, do no trains run backward and no clocks counterclockwise?

—Say, what's holding up the eastbound express? the Perfessor said to the head of the station agent jutting from the window.

—Hot box in the Roiville siding, the agent said. She'll be along in a few minutes.

She'll be along, and then we'll go together to the Fair. For they had great fairs in ancient days, that aspiring and erecting people. They built so big they dwarfed all buildings ever built, and yet they never could build big enough. They built a thousand rooms and filled them full of dolls and clocks and pots and arrowheads, typewriters, sewing machines, kitchenware, steam engines, Krupp guns, locomotives, harvesters, telephones, livestock, paintings. But they left something out.

It must have been a dream that I was dreaming. It must have been a huge, disordered dream that rose from the little brick womb of Independence Hall in the middle of the City.

Tom Jefferson, John Adams, John Hancock, George Washington, Ben Franklin, come back, you ancient flingers of democratic seed, behold the thing you did. Behold the buildings out of buildings, behold the words erected out of words, the faces out of faces.

John Adams, and John Hancock, George Washington, Ben Franklin, and Tom Jefferson, old fathers, founders of myself and founders of us all, come back and see the city on the river, the City of the Love of Brothers (and of the silent and the sweet reserve of sisters), come back and meet me, meet me, meet me

John Shawnessy awoke in a hotel room in Philadelphia, to the sound of guns saluting the sunrise of the Centennial Day. He awoke with a sensation of jubilant aloneness and independence, as if he and the Republic had been reborn together.

He went to the window and looked down on Philadelphia. The street, fragrant with the horsy summer smell of the City and empty of people at this early hour, looked like a vaudeville backdrop. Every doorstep, sign, cigarstore Indian, scrap of paper, cigarbutt, burst firecracker was bathed in a painted stillness. But soon hooves would be clanging on the cobbles, horsecars would go clattering by, surf of human voices would batter him with an old excitement that was always new. And somewhere at the farthest end of the wide and sleepy street of summer, eastward on a fabled water, lifting fair banners to the day, the Centennial City waited.

By the time he reached the train station at eight o'clock, the streets were jammed with people. Two hundred thousand Americans had come to Philadelphia for the great Fourth of July Celebration.

From the sunlight of the morning, he stepped into the depot. Out of this vast brown shell, webbed with girders, filled with the sound of trains arriving and departing, faces gushed endlessly to sunlight. In tides they had been moving toward this appointment in the Centennial City. They had won through. They were the most fortunate beings who ever lived. They had come out beside the river in the dawn of the Nation's second century. Each one had a name, wore clothing, had paid the price of a ticket on the railroad. And each one clutched a guidebook to assure his safety in the City.

He found a bench and sat waiting for the train from New York, and to while away the time glanced through a letter that he had received just before leaving Raintree County.

Dear John,

Meet me in the City of Brotherly Love (and Sisterly Reserve) on the morning of the Fourth. I'll arrive at eight o'clock on the Centennial Special from New York, not unaccompanied. Wear shoes, country boy. Ladies (by an enlargement of the term) will be present.

Remember that actress you almost met in Washington eleven years ago? Perhaps—what with the long gap in our correspondence—I have omitted to tell you that that young lady—then known as Daphne Fountain—is today none other than the celebrated Laura Golden, whose name and fame (and shame) have surely penetrated even to the borders of Raintree County. Well, I've always regretted that the assignation of that far-off day was never assignated, and I have put a flea in her ear for you, my boy, hoping that she may do something for you in the Big City. She's being beaued about the town these days by— among others—your old friend and mine, that distinguished financier, Mr. Cassius P. U. Carney. They're planning to come with me, and I'm bringing a little creature comfort of my own.

It will be good to see you again, my boy, after eleven years. At eight o'clock in the station, an old man, drooling and decrepit, will accost you. Do not spurn the poor old dotard. 'Twill be I.

JERUSALEM WEBSTER STILES

The Centennial Special from New York slid by him breathing softly, its power couched in massive metal haunches. The long line of coaches, buntinghung, shrugged to a stop. Instantly, young people sprang from the doors into the arms of lovers; whole families disembarked, waving flags and rushing to get out of the station as if a door might slam shut and cut them off from happiness forever.

He was repeating to himself with a curiously deep emotion the name 'Laura Golden.' Since the receipt of the Perfessor's letter he had been busy fitting out this name of notoriety with fictitious faces like so many masks. He was deeply moved too by the thought that he was about to see again the Perfessor and Cash Carney, neither of whom he had seen since the Civil War.

Was it really possible, then, that the tide of the indifferent years, passing blindly through a thousand gates and sluices, could cast up again these discarded faces?

—Mr. John Wickliff Shawnessy, I presume? said a familiar voice.

He had come suddenly face to face with the Perfessor, Cash Carney, and two women. Blinking and embarrassed, he began to shake hands around.

—My God, boy, the Perfessor said, catching him by the arm, you've aged a little!

John Shawnessy's first impression was that the Perfessor had decayed considerably too, but on a second look it seemed to him that he recovered entirely—or almost so—the pattern of his old friend's face —the black busy eyes, the still black hair slicked back hard from the middle part, the trim, tall, erect figure. The vivid, hacking motion of the face remained invincibly the same and the highpitched crackling voice with its cutting edge. Meanwhile the Perfessor, resuming his old manner of genial showmanship, stepped back and motioned grandly with his cane.

—And now, folks, it gives me great pleasure to present Miss Laura Golden of New York City to Mr. John Shawnessy of Raintree County, Indiana.

—So this is the Gentleman from Indiana!

The woman who spoke, though only a little taller than middle height, somehow gave the impression of gazing down at him from a queenly eminence. Her face—this entirely unforeseeable face—wore an indefinite mocking smile fixed upon it like a mask, its habitual look, its hovering essence. The cheeks with their unusual fullness, the eyes with their drooping lids, the wide cheekbones, the full-lipped mouth, the nose delicate but receding too quickly to the bridge, the pointed chin gave this face an oriental lushness at variance with its pale, clear skin. The tawny gold hair was parted precisely in the middle, pulled flat, and gathered into a heavy ball behind to show the ears. The face, thus thrust forward, as it were, and nodding on a slender neck, this face—inescapable, fullorbed, calm with its disdainful smile—abruptly destroyed all the imprecise masks he had been fashioning.

At first he thought the smile was from the eyes—wideset, long, fountain-green—halfclosed under languid lids. But on looking directly into them, he saw that they did not smile at all, that they had a kind of jadelike impassivity. The smile then came from the mouth. It was lushly fleshed, mobile, beautifully formed, but just at the left corner a faint scar twisted the upper lip. Perhaps this scar made it impossible for the face not to smile its imperial smile.

—This is a long deferred pleasure, Miss Golden, he said. I have been waiting at the stage door eleven years for the purpose of making your acquaintance.

She pointed one smoothly sculptured shoulder at him, and in a voice mocking, lowpitched, thrillingly distinct, said,

—That makes you the most persistent stage-door Johnny of all time, Mr. Shawnessy.

Her mocking laugh reverberated in the hollow shell of the train station, blending with the murmur of wheels and voices. Smiling his pensive, innocent smile, Mr. John Shawnessy made a stately bow, and Miss Laura Golden (as if they had rehearsed their parts) gracefully extended her white hand, softfingered, with lacquered nails, and with one green jewel blazing on the ring finger. He kissed her hand, surprised at its warmth; he smelled the perfume of it vaguely disturbing; the great jewel blazed in his left eye.

The Perfessor's creature comfort, a Miss Phoebe Veach, was a monumental blonde, ripely thirty-five, with a healthy, appealing face and marvellous hair, the color of ripe corn, full of yellowness and life.

Back at the hotel, where the whole party had reservations, the ladies spent some time in their rooms, while the gentlemen waited in the lobby reviewing the years between.

—I suppose you're running the country now, on the sly, Cash, John Shawnessy said. You've gone fast and far since you hitched your star to a locomotive—and your locomotive to a star.

—I barely keep ahead of my creditors, Cash said.

He pulled out his palmsmoothed gold watch. Eleven years had faintly stained and yellowed him and fixed the rapt abstraction of his eyes.

—This business recession, he said, has had us all humping. The layman has an erroneous idea of wealth. What you fellas call wealth is only an increased ability to go into debt. You heard of the man who was boasting about his speculations: Two years ago, he said, I didn't have a nickel. Now I owe two million dollars. Ha. Ha.

He said the laughter flatly without humor. He went on to explain how his various interests were still suffering from the Panic of '73 and how important it was for Hayes to get the nod in November. After a while, he said,

—I got to keep some business appointments here. Good chance to see the Republican nominee and the men around him. Hope you boys'll pardon me if I don't go to the program. Maybe John'll look after Laura for me.

—Sure. Be glad to, Cash.

—The ladies already know, Cash said. See you at the Centennial Ball tonight, boys.

He nodded without smiling and walked off briskly through the station and was lost in the crowd.

The Perfessor, nervous and fidgety as ever, began to pace in a corridor off the lobby. The two men followed each other up and down the corridor, while the Perfessor gestured with his cane.

—Great to see you again, my boy. High time you got out of Raintree County. Hell of a place to bury a talent like yours. Well, we've all come a long way since '65. What do you think of Miss Golden?

—I'm already depositing bouquets at the stage door. What sort of person is she?

—Miss Laura Golden, the Perfessor said, chief ornament of the metropolitan stage, was born some thirty years ago in New York City from a poor immigrant family. When I first knew her, she was a young actress understudying Laura Keene. She disappeared then entirely—did the western circuit, I understand, and went to Europe. Then about three years ago, she turned up in New York with her own troupe billed as Miss Laura Golden in *Mazeppa*. She cased her lovely legs in pink tights, pulled a tight tunic over her tits and had herself tied to the backend of a real horse. It was in half-light, and she looked damn near naked. The boys stood shoulder-to-shoulder in the aisles for nights. It was terrific. She became overnight the most notorious actress in New York City. No one seemed to know anything about her but me, and I didn't know much. She became a myth. The stories about her were right out of Apuleius. I made a major contribution to her fame myself by referring to her as 'the most beautifully undressed woman in New York City.' The crush around her stage door was homicidal—and I was smack in the middle of it, hoping to play Justinian to her Theodora. But lo! it turned out that she was already married to an old millionaire she had picked up in California, who had both feet and his backside in the grave, and inside of two weeks she had fitted her pretty palm against the poor old codger's face and shoved him all the way in. She swore to me once privately that he never got a thing—and I don't doubt it. She still has the house he fitted out for her on Fifth Avenue before the marriage, but I think she's running out of money. The stories about Laura's house are—by the way—richly flavored. I've been in it for balls and things myself, and they always seemed reasonably circumspect. But you hear about lewd pomps and prurient games, and some of the theatre gossips swear that Laura's bedroom is decorated with a Pompeian lavishness for the entertainment of her lovers.

—Like Mr. Cassius P. Carney for example?

—No, she wipes her little boot on him—and he loves it.

—Like Professor Jerusalem W. Stiles then?

The Perfessor shrugged his shoulders.

—O, no, I never fall in love anymore, he said, his eyes unfocused and oblique as they always were when he was telling a whopper. Too exhausting. I admit I tried hard to break into that Forbidden Room myself. I was damned curious about it and her, and still am. But I guess I wasn't virile enough for her. Laura's a cheat, but so am I, and we've become good friends. She pretends to confide in me—that is to say, she tells me grave, gigantic lies about her past, which I pretend to believe. One of these is some kind of hokum about a great love back in her obscure years from which she hasn't yet recovered. No doubt luckier and lustier lovers than I file in and out of her famous bedroom all the time. But getting any hard facts about Miss Laura Golden's private life is pretty hard. She gives the impression of being jaded from too much passion, but it's probably just part of her act. She acts all the time on and off the stage, and there's no truth in the woman.

—Is she a great actress?

—She's a great stage personality. As an actress, she simply plays herself—aggressively, emphatically, shamelessly female. She does Shakespeare's vicious, bitchy women to perfection. Mainly she goes in for grand exhibitions of herself, and every play she appears in— whether Shakespeare or Boucicault—comes out a big spectacle, in which Laura strides around the stage in her queenly way, strikes attitudes, and spellbinds the audience with her voice and her regal beauty.

John Shawnessy was surprised.

—You find her beautiful?

—Devil take her! the Perfessor said with emphasis, I find her ravishing! Don't you?

—Why—yes.

He had not, as a matter of fact, until that moment thought of her as ravishingly beautiful, but now he waited with heightened interest for her re-entrance upon the scene, and when she came down the stair of the hotel a few minutes later, wearing a green dress trimmed with gilt and asserted by a saucy bustle, swinging a parasol, walking in a manner that subtly accentuated the opulent contours of her long-stemmed figure, smiling her twisted smile at no one in particular, he was sure that she was indeed ravishingly beautiful, with that rare beauty which was only derived—as the Perfessor had been wont to say many years ago—from a strangeness in the proportion. Certain it was that from the moment when she took his arm, her face, held proudly averted, glowed like an aloof yet sensual moon over the whole landscape of his Centennial Day.

A platform had been set up in the square opposite Independence Hall, the ancient tiny brick building where the Republic had been born. The party of four wedged its way through hundreds of Centennial Americans onto the grandstand erected for the occasion. It was rumored that the orchestra was playing, though no one on the grandstand could see or hear the orchestra. Finally someone said that the National Anthem was being played, and everyone groaned to a standing position. The sun was implacably hot. Small boys sold wilted flags and tepid lemonade. A band came by, marching through a cleared space and followed by troops, thousands, advancing tediously. Someone said that General Sherman was on the stand. Craning for a look, John Shawnessy saw, standing at attention among other notables, a thin, grizzled person, the faded remnant of what seemed now an old-fashioned and rather improbable legend. Someone said that General Sheridan was on the reviewing stand. The soldiers kept on marching, and it got hotter. All the women were fanning, including Miss Laura Golden.

—Do you enjoy the theatre, Mr. Shawnessy?

Her voice had a studied indifference.

—Why, yes, Miss Golden, I love it, he said. But I haven't had much opportunity to enjoy it. The last time I saw a really first-rate troupe was in Washington eleven years ago, the night we almost met. By the way, what happened to you that night?

—Like everyone else, I was almost out of my mind, she said. Most of us just milled around and screamed at each other and finally we all went back to the hotel.

—You had another name then, I believe—and I composed a girl around that name, who was nothing like you.

—Let me see, she said. What *was* my name then?

—Daphne Fountain.

—One of my better names, she said, laughing a delightful mocking laugh that came from her throat without disturbing her smile.

—Have you had several names?

—O, yes, she said. I used to put on a new personality with each name, Mr. Shawnessy. It's as well that you didn't know Daphne Fountain, poor little innocent thing. She was thin, scared, and very, very poor. She had some good qualities that I don't have—she was much more openhearted, generous, and sweet. But I had to discard her—poor little creature. She wasn't getting anywhere. I tossed her back into the costume closet.

—And then?

Miss Laura Golden gave him an amused glance over her undulant fan.

—I'm sure I don't know why I tell you these things. But since you ask, then there was Diana Lord. She appeared with a magician and was sawed in two. That was the end of her.

She laughed again, swaying her head on the slender neck.

—Then there was Vivi Lamar. Less said of Vivi, the better. And then there were one or two others. I don't know why I had such a passion for changing my name.

—Now, of course, you can't do it any longer.

—I know—and it's annoying in a way.

—Didn't it dissolve your feeling of identity—to be so many names, Miss Golden? How did you hang on to yourself—I mean that never-changing essence that we like to call our Self?

—Who wants to hang on to it, Mr. Shawnessy?

He tried to imagine this tall, voluptuous woman changing with the years, receding in a series of poses toward that unknown actress who had stood in the wings of a theatre waiting for him long ago. Were the eyes always as they were now, with this green impersonal fire in them? Was the mouth always scarred and smiling as it was now? It seemed to him that whatever fluctuations there might have been in her appearance and her personality, she had slowly fashioned a costumed, imperial, scornful creature and finished her with such immense certitude that she was immune from time and change.

Was it possible—was it really possible, he was wondering—that this statuesque woman with the many names gave lavishly of her beauty to random gay gentlemen in a secret chamber of the City?

Shortly after nine, the rostrum before Independence Hall was entirely filled with dignitaries, and the program started. It was very hard to hear what was being said.

A minister arose and said a prayer for the Nation. He asked God to shine favorably upon this great nation as she began the second hundred years of her existence. He thanked God for having shone favorably upon her during the first hundred years. Everybody was sweating fiercely from the way God was at that moment shining on the Nation.

Then Richard Henry Lee got up and read the Declaration of Independence from the Original Document containing the Original Signatures. People applauded from time to time.

Bayard Taylor, regarded by many as America's Greatest Living Poet, was introduced and recited by heart his Centennial Ode.

William Evarts got up and delivered the Address of the Day. He spoke lengthily about the Progress of America. He said that this was an Inspiring Occasion. He reviewed the Great Strides since 1776. He said that we had won the Revolution and several other wars. He reminded his auditors that the Civil War was over and that the Nation was One. He pointed out that a Great Mechanical Progress was necessary for a nation to reach the condition which America was in today. He affirmed that all this had been a Good Thing. He said that America had a Future. He gave it as his considered judgment that America was a Nation Shone Upon by Providence and Almighty God.

As the hours went by, John Shawnessy tried to reconstruct the scene of the Founding Fathers founding and fathering the Republic. But it wouldn't come clear and have any meaning. Penetrating into the reality of the Past was an impossible undertaking, he decided. There was, he felt, only one reality—the reality of someone's experience. What people dealt with when they spoke of the Past was a world of convenient abstractions—myths—Events. And even the world of the Present was sustained by the same omnipotent creative fictions. His own life was a myth to himself and others, an agreeably confused, aspirant myth loosely tied together under the title 'Mr. John Wickliff Shawnessy.' And if he was a myth, other people were even more so.

He thought of the talented creature who sat beside him. All names were costumes, it was true, that subtly changed the appearance and behavior of the wearer, but how was it possible to know a woman who had worn so many costumes of names? When you called a thing by a name, you gave it form. By clinging to its name, it clung to its being. But here was a woman who had dissolved her being into many names, the discarded costumes of her outworn years.

The Centennial Day was halfspent, approaching noon when the program ended. After the program, they were an hour getting out of the Square. They tried to find a place to eat, but whenever they put their heads inside a restaurant, they saw that all the tables were already full of hot, healthy, hungry Centennial Americans who looked as though they intended to sit all afternoon and eat everything in sight like goats or locusts. They decided after a while that they might as well go out to the Exposition Grounds in Fairmount Park and try to get something to eat out there. After failing to hail a carriage, they wedged themselves into a streetcar and were carried into the passenger railway concourse just outside the Park and under the massive brick backside of the Main Exhibition Building, which was almost a halfmile long. After passing through one of the near-by entrances, they bought a little red book with black letters on the outside.

VISITORS GUIDE

TO THE

CENTENNIAL EXHIBITION

AND

PHILADELPHIA

1876

The only Guide Book
Sold on the Exhibition Grounds

The walls and pinnacles and spiny domes of the great exhibition buildings lay in shimmering green heat across the graceful lawns and the long avenues dense with sauntering thousands. This, then, was the Great Fair of Mankind, where the world had heaped its richest spoils. Perhaps behind these thickrinded buildings the secret of humanity lay, husked and delicious. Eager-eyed in the nooning heat, he and these other pilgrim thousands had come to seek it out.

The two couples managed to get dinner at the Great American Restaurant and then sat out in the Beer Garden drinking beer and listening to concert music. After a couple of beers, the Perfessor, that expert in calculated insanity, was putting on an unusually perfessorial performance.

—What did you say they call this place, honey? Phoebe asked him.

Taking the guidebook, the Perfessor read:

—Centennial Exhibit No. 1

THE GREAT AMERICAN RESTAURANT

Attractively landscaped, in the midst of the fairground, a favorite retreat for epicures, gourmands, and gastronomes, The Great American Restaurant contains a Banqueting Hall 115 feet by 50 feet, Special Rooms for Ladies, Private Parlors, Smoking-Rooms, Bath-Rooms, and Barber-Shop. Fountains, Statues, Shrubbery surround the building. In this pleasant setting the Great American Stomach can be ministered to in the most agreeable surroundings. In the Special Rooms, the Great American Ladies can be Special in the Great American Way. In the Private Parlors, the Great American Privacy can be had by all. In the Smoking Rooms, the Great American Cigar can be smoked. In the Bathrooms, one can lave one's limbs with a Great American Soap, pouring over one's recumbent form the incomparable waters of a Great American Bath. In the Barber-Shop, one can get the Great American Haircut, plus shave, for two bits. Among the Fountains, the Statues, and the Shrubbery, one can commune with nature and perhaps ambulate hand in hand with one's beloved and when no one is noticing be Greatly American in the most approved and interesting fashion. . . .

—Is that really in there? Phoebe said.

—My dear, the Perfessor said, gently touching her corncolored hair, you have beautiful corncolored hair.

Before an hour was up, Miss Golden had drunk three beers. She and Mr. Shawnessy briefly discussed Raintree County, and Miss Golden recorded her suspicion that it was a kind of recent clearing in the wilderness. Mr. Shawnessy defended his homeland tactfully but zealously. In response to some queries of Mr. Shawnessy's, Miss Golden discussed the New York stage, illustrating her dissertation with anecdotes drawn directly from her own experience. Both Miss

Golden and Mr. Shawnessy arranged themselves as it were into an admiring audience for a creature who walked with queenly stride up and down before the footlights. Mr. Shawnessy deftly introduced the name of *Mazeppa* into the discussion.

—I'm afraid I made quite an exhibit of myself in that play, Miss Golden said. A Centennial Exhibit! *You* will have to write me a play sometime, Mr. Shawnessy.

—What sort of play?

—Something with a great climactic scene of passion.

—You excel at passion, Miss Golden?

—Of course, she said. Haven't you heard about me? I'm supposed to be a very passionate actress, *dear*.

She said the last word in a cutting voice, prolonging it mockingly with her truncated metropolitan ar sound.

—What passion do you prefer?

—Why, the passion of love, of course, she said. Love jealous, love tumultuous, love sensual and brooking no restraint. Now that all passion has departed from my life, I express it on the stage.

He gave her a quick glance to see if she was laughing at him, but he could see only the unchanged smile and the veiled green fire of her eyes.

—Yes, she said, the world contemplates me, Mr. Shawnessy, and I contemplate the world. I find it entirely possible to dispense with passion. Don't you?

—No.

She laughed.

—O, yes, I must say you gentlemen seem passionate enough for two. Really, gentlemen are so persistent. It's quite fatiguing.

He blushed with anger at this remark. This young woman, he found, was more claws than caresses.

At this point, Miss Golden said another disturbing thing.

—Your own love-life has been a singular one, Mr. Shawnessy, judging from what Mr. Stiles tells me.

Mr. Shawnessy averred that this was perhaps so. Miss Golden laughingly surmised the existence of a number of barefoot darlings back in Raintree County with long gold hair hanging down to their waists.

—Mr. Stiles has told me that it's quite pastoral there and that you in particular, Mr. Shawnessy, have a talent for swimming in country

waters *au naturel* with young ladies of the vicinity, and all quite innocent and charming.

Mr. Shawnessy was inwardly shocked at the Perfessor's betrayal
of confidence. Outwardly he admitted that some such episodes might
have occurred in his youth, but that to the best of his knowledge such
a practice was an extremely uncommon one in Raintree County at
the present time.

—About this marriage of yours, Miss Golden said, showing a remarkably extensive knowledge of Mr. Shawnessy's affairs, I think it's
a shame. Can't you do anything to dissolve it?

He had diverted the conversation to other topics, and Miss Golden
had then volunteered some information about her own marriage.

—I was married once. To a very rich old man. I'm afraid he died
from it. It was, of course, merely a marriage of *convenance*. I didn't
mean he should die, of course. But he did.

The consummate cruelty of this statement inwardly annoyed Mr.
Shawnessy, but outwardly he joined Miss Golden in the musical
laugh with which she dismissed the subject.

—I hope my candor doesn't shock you, Mr. Shawnessy. I'm afraid
you find me a very unladylike person, she said, swaying her very
ladylike face close to his own.

He said that he liked unladies. At this point the Perfessor was
overheard singing:

> —O, who would despond
> With a beer and a blonde!

—I feel very Centennial, Miss Golden said.

He agreed that this was the only possible adjective to describe his
own feelings.

—We'd best look at some buildings, hadn't we? she said. What's
that big thing over there?

The Perfessor's vision was blocked by Phoebe. Opening the guidebook, he smoothed his eyebrows and recited:

—Centennial Exhibit No. 2
THE GREAT AMERICAN BLONDE

No matter how rushed for time the sightseeing tourist is, he must
not miss one of the prize exhibits of the Fair. The Great American
Blonde will be found almost anywhere between the East and West en-

closures of the Garden. This colossal piece of domestic architecture was pushed to completion just in time for the opening of the Exposition. The maker is to be especially commended for the effective mixture of Byzantine and Rococo motifs that have been blended into the ample curvatures and globed redundancies of the edifice. The exterior is impressive enough, but he who would . . .

At this point, the Perfessor began to shake so hard that he was unable to go on.

—You made that up, Phoebe said. Didn't you?

—My dear, the Perfessor said, looking at her bosom with gentle, unfocused eyes, you have the most beautiful eyes.

Later they left the Garden and wandered aimlessly.

—Where are we now? Miss Golden asked.

John Shawnessy opened the colored map, checked some numbers, and finally announced,

—That's the Main Building there. We are sauntering down the Avenue of the Republic.

In the Main Building of the Centennial Exposition, Mr. John Shawnessy and Miss Laura Golden walked on, looking at plumes shed from Time's condor wings.

The biggest crowds were pouring in and out of Machinery Hall, which everyone said was the real wonder of the Exhibition. The first thing they saw in the entrance was a big truculent cannon made by Krupp and sent over as Germany's prime contribution to the Exposition. A sign said:

THE BIGGEST GUN IN THE WORLD

—God help the Kaiser's enemies in the next war, the Perfessor said.

Machinery Hall was crammed with clanking, glittering, grinding, shrieking, whirring machines for doing and making things hitherto performed by hand. The four visitors wandered a little confusedly until they found themselves part of an awed crowd standing before the Corliss Steam Engine in the middle of Machinery Hall. Someone said that this engine was powering all the shafts that ran all the machines that filled up all of Machinery Hall.

A sign said:

THE BIGGEST STEAM ENGINE IN THE WORLD

The Perfessor removed his hat.

—Mr. Shawnessy, lead us in prayer.

After Machinery Hall, they visited Horticultural Hall, where they wandered around in what a sign said was

THE BIGGEST CONSERVATORY IN THE WORLD

—It smells like the funeral of God in here, the Perfessor said. Alas, what corpse are we burying under all these flowers?

John Shawnessy found himself standing somewhat away from the crowd in an alcove of shrubbery under an artificial palm tree. He suddenly realized that Miss Laura Golden was studying his face with an amused intentness, as if to break through some defense that he had.

—You may call me 'Laura,' Mr. Shawnessy.

—Laura, he said. A stately name. Surely one of your best.

She kept her eyes unwaveringly upon him. It was cruel. He felt himself blushing.

—You may call me 'John,' he said, or—if you prefer one of *my* discarded names—'Johnny.'

—Johnny. Yes I think I *will* call you 'Johnny.'

She had said the talismanic name the first time like a caress in a low, thrilling voice, but the second time she had somehow managed to give it a tinge of mockery.

The Perfessor popped his head into the alcove.

—Touching little tableau, he said. The modern Adam and Eve. Under the Tree. Enter the Serpent.

They were beginning to feel a little bored with the whole thing by the time they went through the Art Gallery, to which Britain, France, Germany, and other nations had sent an impressive acreage of unimpressive canvas. The ladies excused themselves. John Shawnessy found the Perfessor gazing absorbedly at an oil painting richly colored and glisteningly precise in the style of the current romantic school of minor British painters.

It was the picture of a great stone cat with head of woman. It lay couched on sleekly powerful haunches. Its jadegreen eyes looked forth upon an Ozymandian desert backgrounded with vague temples and broken columns. The face, a little mutilated, wore an expression of imperial disdain, cruelty, self-indulgence, enigma. The picture bore the title SPHINX RECUMBENT.

—I wonder if that's for sale, the Perfessor said. I wouldn't mind adding it to my collection of sphinxes.

He shook soundlessly and shrugged his shoulders.

—Old men, John, all acquire revolting little hobbies. Everyone has to collect something to acquire a feeling of triumph over time. Some people collect coins. Some people collect operations. I knew a man once who collected petrified worm dung. For my part, I used to collect women. Now I collect the real thing—sphinxes. It's a passion with me. When you drop into my quarters in New York, you'll see a room there crawling with all sorts of hideous little statues and pictures of sphinxes—grinning, mutilated, multiform, winged, jeweled, headless, noseless, legless, some more woman than beast, some more beast than woman, Greek, Egyptian, American, masculine, feminine, and neuter.

—What—another sphinx! Laura Golden said, coming back unexpectedly with Miss Phoebe Veach. For your collection, dear?

—If it's for sale, the Perfessor said.

He called an attendant, who took the number of the painting and went off to consult the Catalogue of Exhibition.

—By the way, this figure is grotesquely inaccurate, the Perfessor said, which adds to its value. The setting's Egyptian, but the head's a woman's. Now all the authentic Egyptian sphinxes were manheaded or something-else-headed, but never female. The Greek sphinx, on the other hand, was female. Of course the word 'sphinx' itself is Greek from 'strangle.' The Greeks applied the word to that mythical female monster who sat above the road to Thebes propounding her childish riddle and choking all who were unable to answer it. *What creature is it that in the morning walks on four, at noon on two, and at evening on three legs,* children? The local morons flunked this elementary examination and were slain in droves until the boy-prodigy Oedipus came along and gave the answer, hurling the lady down from her high couch.

—I've always thought it the profoundest myth in antiquity, John Shawnessy said. Veiled in this simple question is the hardest of all riddles—*What is man?* This riddle is propounded by that composite beast, the earth—feminine, secret, and recumbent.

—Isn't the title of the picture redundant? Laura Golden asked.

—Not wholly, the Perfessor said. Some sphinxes are standing, some sitting, some are naked, some are clothed. And some wear bustles. What would it cost me to add *you* to my collection, *dear?*

Laura Golden pointed a shoulder at the Perfessor and swung her parasol. Though a head shorter than he, she had the air of looking down at him from a high couch.

—You'll have to answer my riddle first, *dear*. And how will you have me—sitting, standing, or recumbent?

—Any way I can get you, *dear*. Seriously, though, Laura, when are you going to come up and pose for me? In the nude, of course. I'll do you in oils, and we'll call it 'Laura Recumbent.' You used to pose, dear—you know you did.

—I still pose, dear, but I get well paid for it. Besides, I might catch cold in your apartment.

She laughed her musical laugh.

—I'm afraid we're shocking Mr. Shawnessy. He'll think we're very corrupt. We talk this way all the time, dear, she said.

The Perfessor seemed peculiarly insistent and excited.

—Seriously, dear, I'll pay your price. I paint rather well, you know. And I'll sell the picture to Mr. Cassius P. Carney for a hundred thousand dollars.

—I've been offered that much for the original, *dear*, she said.

—Here you are, the attendant said, pulling the Perfessor aside to confer in whispers.

—Outrageous! the Perfessor said. It's a horrible daub. But put my name down for it, and if no one else bites, I may take it in November, after the Exhibition closes.

The Perfessor folded his arm in Miss Veach's.

—And how is our little Phoebe Redundant? he said. Personally, darling, I like my women pliant and uncomplicated like you. Come up to my studio sometime, and I'll have you pose for a vast green landscape dotted with golden hemispheres of hay.

They had intended to see Agricultural Hall, but they got lost in the exhibits of the several states. John Shawnessy wanted to drop into the Indiana Building, but Laura told him all he would find in there would be the Biggest Ear of Corn in the World. They stopped again at the Beer Garden, gasping with heat, and drank a great deal more cold beer.

Somewhere on the grounds, it was their understanding that the Grand Ceremonies were going on.

—I have had enough Grand Ceremonies for one day, Laura said. Let us have some Little Ceremonies for a change.

John Shawnessy never saw the rest of the Exhibition. He managed to hire a carriage, and he and Laura set out in the early night through the streets of Philadelphia. They had lost the Perfessor and Phoebe.

—I promised to meet Mr. Carney for the ball at the hotel this evening, she said.

—It's past time now, he said.

—Let's go for a ride, dear. Mr. Carney bores me to extinction.

They had the driver take them out around the City. It was all a blur of crowds, vehicles, gaslamps, bonfires. Now and then a rocket streaked up the purple sky and described its great, gentle curve, falling and fading through the Centennial night.

The hood of the carriage was thrown back. A river of cool air streaked with flame flowed over them.

They talked. Miss Laura Golden undertook to educate Mr. Shawnessy into certain ways of the City. She told him about the *haut monde* in which she moved, of balls, pomps, mad, bad parties, of roistering men and easy-virtued girls.

—You must have money, dear, she said in a grave, sweet way that she had assumed during this part of their conversation. Only money means anything in the City. Neither beauty nor intelligence dominates society. Most women of beauty are bought and sold like *objets d'art*. If I have managed to escape all that, it's only because I have money. Fabulously wealthy men are always leaving their cards and sending flowers and trying to buy the favors of my actresses—not to say myself. Of course, your friend Mr. Cassius Carney would give a hundred thousand dollars to be permitted to enter my bedroom door.

She looked directly at John Shawnessy.

—You didn't believe that, did you, *dear?* she said.

—I can't imagine any better way he could invest his money, dear, John Shawnessy came back gallantly.

—Well, it's true, dear, she said. He offered me that much as flatly as you or I would bid on some railroad stock. Poor man, he's asking for a full share of Unpacific Union. Of course he's quite mad about me. Do you think I ought to take his money?

—My dear Laura, your bedroom transactions are strictly your own affair.

She laughed.

—Aren't you tart! she said. I've been shocking you. You find me very, very shocking, don't you, dear?

—I find you very, very Centennial, Laura.

At the Centennial Ball that night in one of Philadelphia's biggest hotels, John Shawnessy and Laura Golden and a few hundred other celebrants danced away the declining hours of the first day of America's second century. There was a good deal of champagne flowing, and the Perfessor and Phoebe left the party early. Around midnight, Mr. Cassius Carney turned up and absentmindedly revolved twice around the floor with Miss Laura Golden and then disappeared as abruptly as he came, consulting a watch. Mr. John Shawnessy escorted Miss Laura Golden to the door of her room. There was a languid condescension in her manner.

—Don't worry, dear, she said. Mr. Stiles and I will take good care of you in the City. You come around and see me at the theatre and I'll introduce you to some little actresses.

—Thank you so much, dear.

—And when you get a hundred thousand dollars, you can come and see *me* at my place, *dear*.

In the halflight of the hall, she leaned back against the door, cruelly conscious of her beauty. She seemed indeed to be couched like a great cat on beautifully muscled haunches. He was angry with her for this cynical, unmeant invitation.

—My dear Miss Golden, he said, not every man is trying to find his way into your famous bedroom.

—Famous? she said, bending her face proudly to one side on the slender neck. Pray—why famous?

Just then she gave a little shriek of surprise as the door opened and she almost fell inside. Professor Jerusalem Webster Stiles, indifferently put together, appeared with his arm around Phoebe.

—I trust you all perceive, he said, the object which I hold in my hand.

He disappeared in the corridor.

—I suppose Mr. Stiles has been telling stories about me, she said. Don't believe anything he says. I'm a very ladylike unlady. Good night, Johnny *dear*.

She had said his name like a caress from deep in her throat, but the lovely disdainful mouth gave the last word a tinge of mockery all the same.

—Good night, Laura dear.

—You know, I love the way you say that, she said, stepping back out unexpectedly. You give it such a courteous sound in your precious Hoosier accent. Say it again, *dear*.

—Laura dear.

As he said her name the second time, she watched his mouth, much amused, moving her lips with his. Tilting her chin, half-shutting her eyes, tipping her head sideways, she invited him to kiss her good night. Slowly, he approached the painted mouth in the moonpale, powdered face and barely touched its sultry outline with his lips, thinking of the scar. Even then, he was surprised by the softness and warmth of the mouth. But without responding, it withdrew into the darkness of the room, and silently the door closed. It had been a very imperfect kiss.

Lying in his lonely bed, John Shawnessy totted up the scattered statistics of the Centennial Day. A muggy dawn was breaking. The Republic had completed its first century of progress toward the goal of Social and Moral Perfection envisaged by her founders.

As for him, he had gone to the Centennial Exhibition, but he had not seen the most exciting of the Centennial Exhibits. He had, however, touched its mystery, couched and strange, a mystery of lives and years. He tried to imagine the face of a girl named Daphne Fountain, perhaps unscarred, as it might have been on that far-off April night when it waited for him in the wings of a theatre in the City of Washington, but instead there came to him the memory of another face in the wings of a theatre, the face of a girl who stood against unused sceneshifts of woodland and river scenery in an old Opera House.

> I came to the City, a vagrant day,
> In the bloom of my blithesome youth,
> And I sought in the City great and gray
> The beautiful bird of Truth.
> I sought her along the wide, wide streets,
> The glimmering parks and lawns,
> Through all of the City's dim retreats
> And under its lonely dawns.

Then he tried to remember Miss Laura Golden's face, as he had just seen it, but he couldn't do it. It had become as featureless as a sensual summer moon, nodding languidly upon his fevered meditations —a Centennial Summer moon.

So then it was a hundred years since America had begun. Yes, he would start all over and discover America again.

America was a city by a river, a city of gloomily eclectic buildings, confused unhappy domes and spires of buildings that were trying to be the most beautiful buildings that ever were but couldn't be because they hadn't any souls. America was faces in the Avenue of the Republic, eager, excited faces with mobile eyes. America was the place where all the world sent its third-rate art and gaudiest claptrap and where it was all piled up together and then became something hushed, exciting, wonderful because it was in America.

America was cities—cities that changed and faded overnight, pushed down and trampled under by other cities that had the same names, preposterous and arrogant cities, shooting from the fecund soil like the most fulsome flowers the world had ever seen. America was hotels filled with Centennial thousands; it was the saturnalia of the night-time city, the bodies of persuaded blondes bounding on beds with Centennial abandon. America was a thin bright rocket rising in the purple sky, a streak of force that hadn't yet arrived at its gentle, gradual curve and handsome fall. It was the biggest rocket of them all, obedient to the pressure in its tail. And it was much desire, young dreams, unshakable conviction, clenched hands in darkness beating upon pillows and reaching out for other hands and finding——

America was John Wickliff Shawnessy, and how he left Raintree County, and in the summer of the Republic's rededication to Life, Liberty, and the Pursuit of Happiness, began to seek his fortune in the City of New York, where he was confident there awaited him the greatness and wisdom he had long been seeking, the consummation of a magic poem, and the vouchsafing of a love that was wholly of the City. But whether it would be like the City, sensual and self-indulgent,

OR, LIKE THE CITY, PASSIONATE AND REAL,

HE HAD YET TO DISCOVER

IN

—LITTLE OLD NEW YORK, the Perfessor was saying, has changed a lot since you were there in '76, John. You'd feel like Rip Van Winkle if you came back today.

—'HOT BOX ON EASTBOUND,' the telegraph key was clicking. 'DELAY FEW MORE MINUTES AT ROIVILLE.'

—John, we stand on the threshold of immense changes, the Perfessor went on, gesticulating in his best classroom manner. America —our old America—is gone. The War killed it. The City killed it. The Declaration of Independence and the Constitution never foresaw the Modern City. If Tom Jefferson were to come back today and walk through the sunlight and shadow of New York, he'd say, Good God, what's happened to the Republic?

Mr. Shawnessy got up and nervously smoothed his hair in the glass of the station window. He sat down and listened for the train.

—When you stand on a high roof, the Perfessor was saying, and look down at the canyons of one of our great modern cities, how can you resist the impression that you are looking into the welter and stench of the Great Swamp itself! The people look like frantic bugs going in and out of holes, the sharp angles of the City are softened, whole streets sink back into shadow while others shimmer with a hot radiance. Listen to the dungbed of it seething with a dirtiness called human life! Can you resist the feeling that this is the place where all souls are extinguished? Can any wisdom or love or beauty come out of the City?

Mr. Shawnessy felt an old feeling of revulsion mixed with a taste of bitter passion.

I came to the City a vagrant day in the bloom of my blithesome youth. And I sought in the City what all men seek, and I was lost in the City like one who wandered in a dream.

—Here in the City, the Perfessor was saying, Raintree County is utterly destroyed. The City destroys all the ancient values, prides, loyalties, convictions. The City has no everlasting values, being itself the creature of endless change.

—'SHE'S LEAVING ROIVILLE,' the telegraph key was saying.

And I sought in the City, great and gray, the beautiful bird of truth. I sought her among the wide, wide streets, the glimmering parks and lawns, through all of the City's vague retreats, and under her lonely, under her lonely, under her lonely dawns.

—The supreme irony of it all, the Perfessor was saying, is that the creators of the Machine, believing it the fairest flower of human progress, have really made it the noxious weed that chokes out everything else and finally begins to choke itself out of room and means of sustenance. Thus with the Machine, his last brilliant contrivance, the Heir of all the Ages succeeds in hurling himself back into the Swamp and destroys all the beautiful, insubstantial dreams that made him think he had a home forever on this earth.

Listen! I hear a voice of prophecy in Raintree County. I hear the thunder of the hurrying wheels. Broad roads are built through Raintree County, and the ancient boundaries will dissolve. There is a banner of progress fast and far across the land. And who shall be the Hero of the County and who shall have the golden fruit?

—Gangway for the new man, the new American, John! the Perfessor was saying. You and I are nothing to him. He has dispensed with conscience and morality, those articles of excess baggage on the road to fame and riches. Gangway for Progress and Unlimited Expansion.

—Gangway for the Eastbound Express! Mr. Shawnessy said. Here it comes!

Just then the train broke small and far and fast from the realm of faith into the realm of fact. The black shape of it had been preceded by the sound of its panting breath. And now the whistle wailed.

And many a year I spent at last in the City's swallowing void, till I thought that my youthful dream was past and its delicate, delicate, delicate, delicate, delicate form destroyed. Till I thought . . . till I thought . . . till I thought

HE CAME
TO THE CITY OF NEW YORK

in the Centennial Summer, how he lived in the City from a summer to a summer, how he became lost in the City like one wandering in a dream.

He came to the City because he was always meant to come. It was as if a voice had spoken from the sky above his home in Raintree County, saying:

My child, you shall go to the City, because without the City you are incomplete. You shall go to the City and be sad, because you haven't yet been sad enough. You shall go to the City and know a love unlike any other, because you haven't yet loved enough. You shall go to the City, and the City will drench you in its liquorcolored lights, ravish you with its enormous beauty, wound you with its hard surfaces and pointed towers, and reject you from its million doors. Then perhaps some day if you are lucky, having tasted its red forbidden fruit, you will come back from the City to your home again.

What was the City to John Shawnessy?

The City was a street, any street taken at random in summer between the dense fronts of the buildings or valleying to distant parks. It was the dense tide of the faces in the street. For like a tide in those gilded years, the immigrant faces surged through the channels of the City. Surflike, they beat on the island stillness of the brownstone mansions of the rich in parklike yards.

The City was the meeting of the trains in marshalling yards, the changing of the cars, incessant arrivals and departures.

Often in his time within the City, the young man from Raintree County would go down and stand in one of the terminals and watch the ventricles expanding and contracting, the pale tide of the faces streaming in and out. Why did they come, the people of the City, the eager self-appointed heroes, the bewildered children of humanity? He saw their faces looking from the windows of the hollow, gaslit cars, their million faces, tender, delicate, obtuse, deformed, eager, illu-sioned, cynical, depraved, desirous, a hundred thousand vagrant seeds blown down into this heaving swamp, the City. What other faces did they meet while they swam on the blind nocturnal tides? What faces yet unborn were imminent from faces that he saw? What mil-lions of Americans were being spawned from the muck of seeding faces that lost themselves in chambers of the City? Good-by, they said, and waving left the City, or descending from the cars at evening rushed into waiting arms, were carried by cabs, walked with tired eyes into the shells of old hotels. Good-by! Hello! Hail and Fare-well! The City was the place of all departure and arrival, meeting and farewell.

The City was perhaps, most of all, a place where people came to see the City.

The City was the place where the great newsstories were manu-factured out of ink and blood. The young man from Raintree County was amazed to see how blindly the people of the City ingurgitated print. The City was the newsboy on the corner. (O, little shaghaired shouter of headlines! O, little seedling of the asphalt!) The hoarse cry of the newsboy on the corner was the voice of Providence address-ing Mankind.

The City was A Great Calamity, Sensational Fire, Terrific Loss of Life (Git Yuh Papuh Heah), Custuh Massacree, Centennial Exposi-tion Closes (Git Yuh Papuh Heah), Great Train Wreck in Ohio, Terrific Loss of Life, Election in Dispute (Git Yuh Papuh Heah), Southerners Massacree Negroes, Terrific Loss of Life, Negro Lady Names Attackers, Hayes Elected (Git Yuh Papuh Heah). The City was the Great American Newsstory.

The epic of the City in the Centennial Year was the epic of the Custers, roaring with their boots on hell-for-leather out of the smoke of the Great War and across the plains, driving a lot of savages from their own land with the utmost dash and dare. But the West kept its secret from the City, and the City didn't really understand or care that on the sunbaked Western plain, which was America, the body of the Civil War was lying, with brave boots on and an anachronistic arrow in its guts.

The City was the story of closing up the Centennial Exposition in the autumn of the year. The little city of strange domes beside the river was instantly old, naked, forlorn, as time rushed on, panting and wailing down the rails, burning out boxes on the Western plain, and spawning cities, cities, cities, cities, all in the image of the City.

The City was words, it was brown days and months and years of words that flowed across the face of time.

The City was a lonely, desirous young man from Raintree County reading to late hours in a great municipal library endowed by a multi-millionaire who made his money out of railroads that bled the farmers back in Raintree County. One of the saddest images of the City was the young man from the West reading in one of the hundred million books, feeling the brevity of his time within the City and the eternity of the City's spawning of ideas, images, and words. And even as he plowed a puny path through the mounded lore of ages, the City went on with gushing presses, drowning him with words. The magazines were printing poems, stories, novels, the City was a waste of books and words in which a man might sink from sight and never be heard of again. Brown bindings stamped with gilded words turned beneath his hands. In the late hours, he left the echoing building and stepped out again into the stale valleys and caverns of the City, and the City roared around him, multitudinous, unsubdued, uncaring. There were so many books. A hundred lives would not suffice to read the City's own outpouring.

What was the poem that would tell the City—its vastness, richness, cruelty, the beauty of its women, the pathos of its crammed, explosive life, the victories, joys, defeats, frustrations of its days!

When John Shawnessy listened for the voices of famous poets then living, to see whether they were reaching to express this thing, the City, he was disappointed. The laureate voices of the City were singers of poor small songs, sentimental lyrics in the columns of the newspapers, the fancy doggerel of Stedman, the watered nightingale notes of Aldrich. Whitman, though not stilled, had sung his greatest songs, had never made the epic of his people. Emerson was an old man who couldn't remember faces of his youth. Hawthorne, Thoreau were dead. The great voices were all in one way or another casualties of the Great War. The epic of America, her youth, her martial vigor, her innocent dedications, her great crusades, were back in the years when a divided people fought, each side for its dream of human freedom, when a race had been emancipated, when the face of

Abraham Lincoln brooded above the wartorn nation. The City and the Nation had fallen on degenerate days.

He sought the secret of the City also in the theatres. Here he saw the foppish posturings, the sentimental attitudes of a Gilded Age. To express its turbulence and passion, its laughter and tears, the City required a Shakespeare; it had to be satisfied with Boucicault.

When at last shyly he had revealed some of his own unfinished work to certain literary persons of the City, he was coldly rejected. All at once he knew the sinister selfishness of mankind, the infinite gap between his own vision of himself and the brief, indifferent viewing of other people. He knew then all at once how lucky and rare it is for anyone to make his world acceptable to anyone else. He knew then how vain he had been to suppose that the City would be eager to receive him, caress him, lionize him, make him her poet. His manuscripts came back to him devoid of comment, scarcely read.

Meanwhile the City had an insatiable appetite for words and drugged itself with the thin music of a billion clichés.

There were nights when he lay in his room in one of the crammed apartment regions of the City and felt a sick despair rising up around him in the night. The City was this despair, it was the steady pounding of his heart, his face on the pillow, the brown shadows of the room, the winking jungle of the walls, the sound of time ebbing on the shelved and shadowy ramparts of the City in the night.

So like that other gifted young poet, Mr. William Shakespeare, Mr. John Shawnessy had left the little rural water where he had spent his youth and had come (if somewhat belatedly) to the Great City. And to fulfill an ancient dream of his he began to write a play. The epic that he had meant to finish in the City was set aside, for into it had crept the City's own moral and artistic confusion. The play on which he worked ceaselessly now was itself an image of the City. He called it by a somber, glittering phrase that had lodged in his memory and turned to stone, *Sphinx Recumbent.* A verse-drama gorgeous with rich words and violent scenes, it had for its heroine a woman sensual, proud, enigmatic. He set her in the gilded world of the City like an idol blazing with a stony light, against which men beat themselves to death. But there was one, a poet lost for a time in the chambers of the City, between whom and this woman a contest rose, each seeking to find and possess the other's soul—she through cruel conquest, and he through virile identity.

Thus through the long months of his life in the City, Mr. John Wickliff Shawnessy—in his best Raintree County tradition—built a fictitious woman from a woman of flesh and blood named Laura Golden, who became, unknown to her, the subject of a play on the theme of love—love jealous, love tumultuous, love sensual and brooking no restraint.

For there was one thing he wanted in the City more even than fame and fortune. It was love. The City was this love.

The City was Miss Laura Golden posed in attitudes of fear, love, joy, rejection, loathing, horror, surprise. It was her swift body disappearing in the wings, the crashing of the curtain, her gracious encores, the kissing of her hand to voluptuous, noisy gentlemen in the boxes. It was the terrible power of the actress multiplied a hundredfold by the hundred costumes in which her graceful body was masked and a thousandfold by the thousand hushed faces that watched her from the darkened theatre.

But who this woman really was—except that she was the City and his dream of it—he couldn't say. For who could follow the progress of this face through the twisted years? Who could follow it through many loves and many days back to its beginnings in the City? Who could describe the gray lights and seasons of the City, the old brown stridulous fabric of its days, the clamor of its streets and stunted words?

Mr. John Shawnessy saw little of Miss Laura Golden during the first year of his sojourn in the City, except in the theatres where she played. He was never one of those many bachelors with gold watchchains and greased mustaches who, like Mr. Cassius P. Carney, waited so often at the stage door of the Broadway Theatre with roses in their hands. He did meet her a few times at the Perfessor's quarters, where, in the spring of 1877, a characteristic dialogue occurred between the two principal characters in Mr. John Wickliff Shawnessy's own private drama of *Sphinx Recumbent.*

—Hello, Johnny. Where have you been? I haven't seen you for weeks.

—I've been writing.

—But you can't write all the time. What do you do for amusement?

—I take walks—over the nocturnal City.

—How thrilling! Alone, dear?

—Yes.

—I can't understand it. Aren't you interested in a woman?

—Well, yes. I *am* intensely preoccupied with a certain woman.

—How exciting! Tell me about her. Are you very much in love with her?

—I think about her all the time.

—How lucky she is! I'm positively jealous, *dear!*

—You needn't be. She's no more lovely than you.

—O, but I'm sure she is. Is she—an actress?

—How did you know?

—Just guessing. By the way, when do I get to see your play?

—When it's finished.

—I'm very impatient, dear. You must show it to me the first of all. But I suppose you'll show it to her first.

—I promise to show it to you first.

—You're sweet. Johnny dear, will you do me a favor?

—Of course.

—Write me a letter on my tour.

—Where are you going?

—Out to your country—Ohio, Michigan, Nebraska, Idaho, California—I don't know where all.

—I live in Indiana, dear.

—Well, that's what I said, didn't I? I'll be gone three months.

—I'll miss you, Laura.

—Dear, you're such a terrible liar. How can you miss me when you never see me?

—It's a talent that I have.

—Well, I shall miss you too, dear. So write to me, and I'll read your dear letters just before I go to bed, *dear,* in my lonely little bed.

Her laughter conjured up a picture of a very unlonely little bed. When he took her home that night to her big brownstone mansion on Fifth Avenue, which he had never entered, his goodnight kiss fell on curved lips still laughing, though, to his surprise, Laura's mouth twisted strangely at him just as he withdrew his lips. Or so he thought. But the door closed on her laughter, and he had the warm taste of her perfumed lips—deep, soft, and cruelly writhing—on his mouth. He lingered awhile just outside the parklike yard of her house until he saw a single yellow light go on behind closed curtains in a thirdfloor room. No doubt some luckier, lustier lover had been waiting there in her notorious bedroom. She had seemed in a hurry to say good night. It had been after all a very imperfect kiss.

Why was it then that this woman, who (according to an astute biographer of metropolitan decadence) had made a profession of the theatre and a pastime of love, seemed so invulnerable to the Gentleman from Indiana? Perhaps this distant, amused reserve was intended as a pungent sauce to the appetite of her lovers. As the Perfessor had once remarked, Every whore has her amenity of surrender.

As for John Shawnessy, he told himself that what he felt toward Laura Golden was surely not love (he wasn't sure that he even liked her)—it was a species of intense curiosity, which had been transmitted to him with a vengeance by his old mentor. The pupil was simply making (as he had done before) more profound researches into a subject to which the Perfessor had devoted only a cursory inspection and a few brilliantly illuminating—though possibly erroneous—conjectures.

So he went home that night murmuring to himself, as he did so often in those days, the word 'Laura.'

Laura. This name became his City—the City was this stately, sensual name of his gilded years. Laura.

Meanwhile in the gradual fashioning of his play, as he strove slowly toward a plausible and yet immensely novel climactic scene, he kept imagining how some night he himself would rise through the echoing chambers of the City and approach the door of that Forbidden Room, the City's ultimate chamber. In the door would be the face that brooded over his whole sojourn in the City, moonluscious, with its twisted smile. Then he would follow the jade eyes and the beckoning hand within, and he would solve at last the secret of the City, know it to its inmost meaning, and the City would have yielded to his heroic, lone assault.

And so he lived his season in the City, waiting until his play should have its great Fifth Act or the City

CHEAT HIM OF THE CLIMAX AND AWAKEN HIM

WITH THE SOUND OF A

COLD

BELL CLANGING, the Eastbound Express thundered into Waycross Station, stopped, ejected from its long dark body an exceedingly rich man, and, bell clanging, resumed its way. Cassius P. Carney, the distinguished financier, carrying a grip and lipping a cigar, walked briskly up and shook hands with Mr. Shawnessy and the Perfessor.

—Hello, boys, he said, unsmiling, his brown eyes burning somberly, one delicate quick hand stroking his trim ball of beard, the other plucking the cigar from his mouth.

—Where's Laura? the Perfessor said.

—Didn't want to come through with me, Cash said. I can only stop off an hour. I've arranged to be picked up by the next train through. Got to get to Pittsburgh.

His eyes were probing the town, the Station, and the grain elevator beside the tracks.

—I'll be damned, he said. Is this where you been spending your life, John? I didn't know they built towns this small any more.

The remark seemed without humor, made as a practical observation.

—We've just had a big time here, Mr. Shawnessy said. Garwood pulled out on the Westbound just a few minutes ago. He must have passed you at Roiville.

—I wanted to see the Senator, Cash said, but it can wait. If you boys don't mind, I'll just sit down here in the Station and chat with you until the next train along.

—My wife and I would like to have you stay all night, Cash, if——

—No chance, Cash said. There's a hell of a situation shaping up in Pittsburgh, and a lot of my interests are involved. I got to get over there and look into it.

Cash sat down on the bench, flanked by Mr. Shawnessy and the Perfessor. He took off his derby and fanned his face with it.

Mr. Shawnessy had a feeling of unimportance. Around Cash Carney, he always felt like a little waystation between two really big terminals. Cash looked out of place sitting in Waycross Station. Even now, there clung to him the aroma and strangeness of the linked, thundering coaches from which he had just descended. Senator Garwood B. Jones, the eternal Dan Populus, the Man of the People, had a foot in two worlds, but Cash had gone over so entirely to his one world of big deals and big business that he seemed a bloodless abstraction. His face had not so much aged as yellowed. His nervous hands palping the big cigar, his face, the thin sheet of his oiled hair, even his eyeballs were yellow. Mr. Shawnessy had the feeling that the whole man—derby, cigar, black suit, shirt, tie stud, gartered socks, black conventional shoes with shiny toes, gold watch, massive signet ring—had all been dipped at once into a solution that preserved but discolored.

And the whole world in which the man moved was stained with that tincture of the gilded years. It was a world shut in, a world of rooms in cities, opulent interiors, lobbies in hotels where brass cuspidors squatted like obscene gods, banquet halls filled with fat men choking on rich foods and dirty jokes, depots whose walls were darkened with the sooty breath of trains, office buildings, stock exchanges, banks that saw the world through myopic windows lettered with gilded names and gilded legends, houses that were not houses, but mansions—great cages of iron and stone, diseased lumps of rusty architecture, nightmarish agglomerations of lightless windows and unlofty towers. And everywhere there was the smell of smoke— cigarsmoke, trainsmoke, factorysmoke. And all these interiors were foursquare, squat, thickrinded, and reptilian.

—Let me see, John, Cash was saying, last time I saw you was just before you left New York in '77. I think I remember the very night —the night Laura threw the Grand Ball, and I couldn't stay because of the Strike. Correct?

—Correct.

The Perfessor hummed softly and smiled a bland smile.

—Those were busy days, Cash said. But no worse than now. Those Bastards are getting ideas again.

—You mean, the Perfessor said, you're expecting real trouble there at the Homestead Mill?

—Got it already, Cash said. I got word a couple days ago that an ugly situation is developing there. Of course we don't want that stuff to spread. Those Bastards have a tendency to stick together.

—What're they striking for this time? Mr. Shawnessy said.

—We had to cut their wage, Cash said. It's the times. Threatens to be the worst thing since '77, according to my private information. After all, imagine a shutdown in the steel industry! Imagine, for Christ's sake, the men who make steel, all these wops getting into their heads they don't want to make steel except on their own terms! Do you fellas realize that this nation is built on steel? If you pulled the steel out of it, it would fall to pieces like a house of cards. It isn't just a question of one factory or one city. This thing could get really big. But we don't aim to let it get out of hand. I've exchanged telegrams with Pittsburgh, and we're moving in a whole army of Pinkertons, if things look ugly.

—Of course, it's not to your interest to let it flare up into open warfare, is it? the Perfessor asked.

—Depends, Cash said. When they start shooting, it always antagonizes the public, and we can send the troops in to put it down. The biggest trouble is that the Populist Party is dragging it into the realm of politics. By the way, what does Garwood think about the Election chances? How much strength do the Populists have?

—The Man of the People is afraid of the People, Mr. Shawnessy said.

—And well he may be, Cash said. I don't know whether you fellas have changed your notions any since the last time I talked with you, but I wonder if you know what's happening to this country?

Cassius P. Carney took the cigar out of his mouth, sat briskly erect, placing one hand, fingers neatly folded under, on the knife-edge of his knee, and with the other hand began to wave his cigar.

—This country, he said, has grown great, strong, and rich on the principle of Free Enterprise. We've had the land, the means, the brains, the generosity to welcome and absorb the peoples of the earth. But, boys, it can't go on forever. Do you know why? It's simple. Because we've run out of land.

Mr. Shawnessy looked up and down the track, quiet from its recurrent thunders. Was it possible then to run out of America?

—Yes, sir, boys, we've run out of land at last. God knows, some of us got our share of it.

Cash smiled for the first time since he had landed in the Station —a nervous, almost lecherous smile.

—Yep, the Government don't give it away anymore. Now, it used to be that when the laborer didn't like his job, he couldn't crab about it because there was always that hundred and sixty acres of black stuff waiting for him out in the Golden West. But all that's over now. And here we are, with the immigrants still pouring into this country and looking for work. The cities are alive and stinking with 'em right now, and still they come. These people are willing to work at any wage, and we've still got the work for 'em. But that don't mean we can give 'em all a house on Fifth Avenue, a lot of gilt-edged securities, and a family vault. Hell, no, we can barely make room for 'em at the current wage, what with the country going hellbent toward another panic. And yet Those Bastards blame us for holding down their wages. Let 'em blame each other. Let 'em blame the Law of Supply and Demand. Let 'em blame the Constitution of the United States, which protects the right of an American citizen to own his business and run it as he sees fit.

—Cash, Mr. Shawnessy said, those people are Americans too, and they have a right to a decent living in this big country.

—Of course they do, John, Cash said. You don't need to go and get idealistic on me, son. I love this country and believe in her as much as you do. Every dollar I spend is a bet on the future of America. I always play America as a bull market. And incidentally I've done more for Those Bastards than practically any man living. How many of your social reformers and labor-leaders have given even fifty dollars of their dirty money to help out the cause of the poor and needy? Do you fellas want to know something? Last week, I delivered to the Society for the Independent Relief of Indigent Children a check for exactly one hundred thousand dollars. One hundred thousand dollars! Let's see some of these anarchists and communists tie that.

—Guilt money, Mr. Shawnessy said. You're just bribing them, Cash. That money's in the same category with the money that keeps Garwood winning in a Populist stronghold. Put it on the campaign fund. Write it off to expenses for running the business.

—Money, Cash said, belongs to the man who knows how to use it. Money has to be on the move. If you went and distributed the money in this country equally, the money would stand still, and everything else would stand still. Money makes money, not just for the capitalist, but for everybody. That's the American secret as I see it. Keep capital fluid and in the hands of men who are willing to take risks and who don't have their hands tied. Hell, there's no limit to what we can do in this country if we don't get our hands tied by the kind of legislation the Populists are yelling for.

—Nevertheless, Mr. Shawnessy said, here are a lot of people who are eager to work, who have big families, who are honest citizens of the Republic, and yet they don't have decent homes or enough to eat. How do you propose to remedy this situation?

—Who ever said you could remedy the situation? Cash Carney said. To be perfectly frank, it's a situation that never has had a solution, because there isn't any solution. We've come closer in America than anywhere else.

—There you are, John, the Perfessor said. Malthus and Darwin were right: there are too many Americans. There are too many bugs in the swamp. Some of them will just have to die for the race. Life's a great cannibal.

—But, Mr. Shawnessy said, America's going to get bigger and bigger. If we have troubles like these now, what will it be in fifty years? Is it merely an idle dream, then, to suppose that the Machine, instead of manufacturing more trouble for the human race, might manufacture more leisure, more food, more happiness for more people?

—Put this Machine in the hands of the State, the Perfessor said, sitting up suddenly and waving his cane. Take it away from the control of private individuals like our friend Carney here, and let it work for the best interests of all.

—By God, that's Communism, Perfessor! Cash said.

—By God, you're right! the Perfessor said. And like it or not, gentlemen, that's what we're coming to. I say it without a particle of personal concern, because I frankly don't give a hoot myself. But Marx was right. The bourgeois culture contains the seeds of its own destruction. The Many will some day be more powerful than the Few, just because they are the Many. The Proletariat will some day have a Plan and a Planner, and then God help that little band of rich men who have nothing but fluid resources to stop the flood.

—That day, Cassius Carney said, if and when it comes, will be the end of the American Republic. I hope I won't be alive to see it.

—That Day will come! the Perfessor said. In Economics as in everything else, Mass and Vitality prevail. Can't you see it coming yourself? Freedom, friends—freedom and democratic institutions— were manufactured by happy gentlemen with prosperous acres and contented slaves on the fringe of a wilderness. They and our tradition of rugged individualism, our capitalists, our log-cabin presidents, our millionaire paperboys—all belong not only to the youth of America but also to the youth of the human race. Americans are the frontiersmen of history, and America is running out of frontier. As Cash says, the times are changing. In America history has been speeded up. Wealth and all the power and prestige that go with it have flowed into huge concentrations in the hands of a few individuals. Industrial empires own whole towns, railroad systems, States, and—yes—the Senate of the United States. In a sense a few great combines may be said to own the country. But they own it how? By the remarkable acquiescence of the people they exploit. In creating these empires of wealth and power, our Capitalists have created the instruments of their own destruction. Behold, the day is almost at hand! When several million men suddenly awaken to find that they are forging with their toil the chains that bind them, when, I say, that historic moment arrives, they will find also that they have in their hands the simple means of emancipation. Then will come, gentlemen, the Great Confiscation! For the workers will say, These machines belong to us because we are the people who work them. Then it will also occur to them to say, We are the Government. That, friends, will be the end of our free and easy, hell-for-leather, capitalistic democracy, and the Revolution will be here!

The Perfessor leaned back, vastly satisfied with himself.

—The trouble with you, Perfessor, Cash Carney said, is that you read too much.

—The trouble with you, Professor, Mr. Shawnessy said, is that for you everything is growing old. For my part, I don't think America will ever be either young or old. America is an Idea, and ideas are neither young nor old, they are simply—Ideas. It's entirely possible for the laborer to improve his lot and for the State to own some of the agents of production without an invasion of the individual's sacred rights.

—Even a condition of that kind, Cash Carney said, would be completely alien to the American form of government and the spirit of the men who made America.

—Alien to the spirit of the America we have known, Mr. Shawnessy said. But the Declaration of Independence, like the Constitution, has to be rewritten by each generation, to have any meaning. The Civil War was the second American Revolution. And unless I'm much mistaken, in 1877, a third American Revolution had its beginning in the coalyards and train stations of this republic. The Strike of '77 was the Sumter of a new Civil War for Liberty and Union, a confused War fought by an Army leaderless and lost in darkness. Nevertheless——

—I don't know where you expect to get with this talk of Revolution, Cash Carney broke in. Most Americans know they're pretty well off, and like yourself, they sit on their tails and watch from the sidelines, while cheering a little for the so-called underdog. Meanwhile, by God, a few of us get out there and get the work of the Nation done. By Jerusalem, if some of us didn't keep the mills humming and the railroads running, you'd soon find out about your Revolution. You'd find yourself in the power of a bunch of ignorant dagoes that can't even talk good English, and you'd begin to wish you had back the good old America of Unlimited Opportunity for Everybody and the Protection of Home Industries.

—What a Century! the Perfessor said, suddenly leaning back into one of his gentle, nostalgic moods. And when you stop to think of it, we were there. We've been in on everything. When I look back on the Great Strike of '77 now, it seems incredible. As you say, John, it was like a beginning, an obscure and terrible dawn, which hasn't yet found its day. My God, where have we been heading, anyway? What did we think that we were doing? You remember, of course

July 21–22—   How   —1877

THE GREAT STRIKE

CAME UPON THE LAND IN THE FIRST YEAR

of America's second century as a nation. How it spread through the
Republic in the summer of 1877, following the trunklines of the Nation's railroads. How it smouldered in the smoky yards of the Republic's mightiest cities. And how John Shawnessy saw the writhings
of this belated Centennial monster, which the Exhibitors of Progress
had wisely reserved until the other exhibits were dismantled and
sent home.

No one anticipated the Great Strike or the form that it would
take, least of all the men who made it. But the immediate cause was
clear enough. The big railroad combines agreed to reduce the wages
of their workers, and the workers, already living on bare subsistence
wages, refused to work the railroads or allow them to be worked.
The Strike began in Baltimore and spread like wildfire along the
trunklines of the Nation.

Those days, America had made God in the image of a Locomotive. The people rebelled against God.

In July of 1877, John Shawnessy was still in New York, living by
himself in a rented room in one of the dense apartment regions of
the City. For two months, he had been exchanging letters with Laura
Golden, who had taken her troupe on a tour of the West. Her letters
were curious, hasty documents written from many cities, footprints of
a woman flying from theatre to theatre, from hotel to hotel, pushing
herself and her troupe to exhaustion over the rail lines of the Nation
to keep her engagements. These words of Laura's were the first that
he had met unaccompanied by her habitual smile and the veiled
amusement of her heavily lidded eyes. He found in them a childlike,
breathless quality, reflected even in the quaintly barbaric punctuation
and spelling. The following letter, written late in the tour, was
typical:

Johnny dear,

Well, here we are in Indianapolis. This is the hottest place we've hit yet—the theatre was packed tonight—balcony very restless. We were all tired from the trip down from Chicago.

You will be pleased to know—that I went out and asked the first inteligent person I saw if they were aquainted with Mr. John Shawnessy—and on being told—no—they never heard of him—I soundly berated them for their ignorence of Hoosierdom's greatest author—who I assured them was making his mark in the great City of New York.

Which I suppose is what you are still busy doing—dear. Do you still miss me? Your last letter was very sweet—I have it right here. I'm sorry to anser such beautiful letters with these dredful scrawls. Reading your letters I think I understand you better. If anyone can understand a man like you, dear.

Are you really sending me the Play? I'll get it in Pittsburg—can hardly wait and won't mind if it isn't finished. We'll have a reading when I get back.

All tired out and to bed—

In haste—

LAURA.

P.S. Excuse slips and spelling—morning now—very pressed for time. Rehearsing new play "Belle of the Beautiful West." Will open with it in New York I think. Sending out now to mail this atrocity—is that the way you spell it?

Passionately and perpetually yours—

LG

This letter, with the others, he read with intense care like a scholar trying to decipher a whole era of human life from a stone fragment covered with hieroglyphs. It seemed to him that these little documents were rich with unguessed meanings and that if he could unravel their apparently simple motivations he would find his way to the heart of the labyrinth in which the secret of Miss Laura Golden resided. The most barbed phrases were the simplest, such as, 'All tired out and to bed.' During the past year, there had been rumors to the effect that Miss Laura Golden's leading man, a rather large, gaudy actor named Mr. Timothy Duchet, was very high in her favor. Perhaps Mr. Timothy Duchet amused himself reading aloud in a stentorian voice the letters of Mr. John Shawnessy, just before retiring, all tired out, to bed. Or perhaps (and this was the most dreadful thought of all) Mr. Timothy Duchet and Laura would entertain each other with lines from *Sphinx Recumbent* before collapsing in mutual gales of laughter all tired out, in bed.

It was an agonizing period for John Shawnessy before he received a telegram saying:

> JOHNNY AM STRANDED AT HOTEL ROMAN PITTSBURGH BY RAILROAD STRIKE STOP MR CARNEY HERE BUT TOO BUSY TO TAKE CARE OF LITTLE ME STOP CAN YOU TAKE CARE OF LITTLE ME STOP COME IF YOU CAN STOP EVERYTHING VERY EXCITING INCLUDING YOUR WONDERFUL PLAY STOP LAURA RECUMBENT

Around nine o'clock in the evening of Saturday, July 21, when John Shawnessy arrived with Professor Stiles in the lobby of the Hotel Roman after a hectic trip, Miss Laura Golden was anything but recumbent. Instead, she was regally erect among a great many valises, her usually pale cheeks flushed with heat and excitement, her mouth curled with indignation.

—Johnny, I'm so glad to see you! she cried. Things are in a dreadful state. All our props and costumes are in a car down at the yards, and they say no trains will move for days. I've got to get that stuff out and back to New York some way. You know I'm opening there Wednesday night at the Broadway, and I have a Ball scheduled after the show.

Other members of Laura's troupe, including Mr. Timothy Duchet, were standing helpless in the crowded lobby. Muffled explosions rumbled from the darkness of the City. The street outside was full of muttering throngs.

—What's the matter with Cash? the Perfessor said. I thought he owned the railroads in this country.

—O, he can't do a thing, Laura said. He says the strikers are very stubborn. There was a riot this afternoon down at the yards and the troops killed some people.

She stamped her foot irritably.

—After all, *I* didn't start the Strike, she said. I've always managed to meet my engagements, and I mean to this time. Johnny, you'll help me, won't you, dear?

Just then Mr. Cassius P. Carney came walking through the lobby followed by two other distinguished financiers. They were talking heatedly and consulting watches.

—Just a moment, boys, Cash said, spying Laura among her valises.

Hello, dear. Hello, boys. Well, all hell's blown loose down at the yards. Those Bastards'll stop at nothing.

He looked strangely happy.

—What's wrong with giving them their demands? John Shawnessy said. Anybody ever think of that solution?

—We can't afford to pay 'em the old wage. Only way to treat 'em is with cusswords and cold steel. We got more troops coming in to-night. Christ, you'd think the railroads of this country were being run for Those Bastards!

—Who are they being run for? blandly asked the Perfessor.

Cash ignored the question. He was licking his lips and weighing his watch. It was evident that he had a plan. John Shawnessy felt sorry for the Strikers, who in all probability didn't have a plan.

—See you later, dear, Cash said. Maybe we can get your stuff out some way later on. If it isn't burnt up.

—Burnt up! Laura cried.

—Yep. They say the Strikers are burning up all the property of the railroad, dear, and——

—And you just stand there, you great booby, fingering your watch?

—Honey, I can't do anything right now. Want me to go down there and get killed?

—Yes.

Cash was apologetic.

—When more troops come in, dear, why——

—Johnny, Laura said, striding to the door and stopping actress-wise just before her exit, you've got to help me!

Cash was already on his way out by another door. He stopped and whispered,

—Take care of her, John. Damn female's crazy. Been that way all day. Can't do a damn thing with her.

—On with the show! the Perfessor said.

They caught up with Laura, who was walking with an undulant, unhurried stride straight toward the Union Depot of the Pennsylvania Railroad.

—I mean to get my props to New York if the whole world goes hang in the process, she said pleasantly enough.

It was a little after nine o'clock. In the direction of the yards, a flower of fire put scarlet petals into the night. The air had an old familiar smell to John Shawnessy, the smell of disaster, a stench of burning coal, wood, oil, the dead strong stench of hot metal, the stink of burning paint. A hot wind fanned his cheeks.

They cut over to where the railroad tracks flowed through the City in a broad band of rails, beaded with switches, engine houses, signal towers. But instead of getting free of the crowds, they found hundreds of people advancing in little squads slowly toward the fire. The fire seemed blossoming and spreading into a cluster of fires. Boxcars, sheds, buildings were ablaze. The tracks looked like the scene of a weird battle fought with huge, clumsy clubs. A wave of carnage had swept by, leaving corpses of boxcars, baggage cars, burst engines, gutted sheds. The ground was strewn with carwheels, couplings, brakes, twisted rods, blackened remnants of freight ripped out of cars and piled for burning.

Laura stopped and asked a group of men if they knew where any baggage cars for New York were.

—Ma'am, a man said, there ain't going to be any cars to New York.

—We'll see about that, she said calmly.

Closer to the depot, they found themselves mingled with an army of destruction. Strikers hammered on freight cars with great sledges. Men ran about with torches setting fire to everything combustible. Explosions ripped the darkness. The air rained fragments of fire.

—Who's in authority around here? Laura asked a man who seemed to be in charge of operations.

—There ain't any authority, he said. We're just tearin' the hell out of everything, Ma'am.

There was a burst of laughter. She tried wheedling him.

—If a lady wanted to get some personal things—of no value to anyone—out of a car that was going to New York—stage things—how would she do it?

—I don't know, Ma'am, the man said. What can you offer?

The men guffawed again. Something exploded in the darkness.

—Laura, the Perfessor said, ducking instinctively, you'll get us all killed, dear. For Christ's sake, go back to the hotel. John and I'll do what we can about your stuff.

As the scene had become more convulsed, Laura had become more poised and disdainful. She now looked proudly at the Perfessor.

—Go back yourself, *dear,* if you want to. I'm going to save my stuff.

A little farther on, they walked out from behind a line of boxcars into a clear space, in the middle of which stood the great roundhouse, squat, dark, and defiant.

—Now, see, Laura said. It's quieter here. Now if we can——

There was a blast of sound, and something hailed against a near-by boxcar. John Shawnessy grabbed Laura by the waist and pulled her down, rolling behind a low embankment.

With a silent, determined fury she turned on him, thrust him back, clawed at his arms, forced her way up to one knee. Her face, which he had never seen with any but a stage passion, was convulsed with real anger. There was no time to argue, as another blast came from the same source. Taking unscrupulous advantage of his strength, he seized her arms, hugged her and threw her down ungently. She writhed furiously beneath him.

—Damn you! Let me up!

—Give up, Laura, he said. That's gunfire.

The Perfessor crawled across her legs.

—Got you, dear, he said.

She made stifled sounds, twisting and panting under the two men.

—I'll have you both arrested! she panted.

After a while, she stopped.

—All right, you two great big cowards.

—Promise to stay down.

—All right.

They let her go. She sat up cautiously, panting, her hair dishevelled, her dress dirty. Her halfbared bosom heaved, shining with sweat.

Yelling, hundreds of men began to run out from behind overturned cars, sprinting toward the great roundhouse of the Pennsylvania Railroad. Spurts of fire came from the roundhouse. A confused shouting rose under its walls. Apparently the troops were inside, and the Strikers had made a breach. After a while, they fell back. There was a continuous rattling sound.

—Poor bastards! the Perfessor said. The soldiers have a Gatling.

A boxcar came careening down the tracks. Soaked with petroleum, spouting fire, it rolled solemnly against the barriered gates of the roundhouse. Another and another car followed flaming and the building began to burn.

—Doesn't it occur to you, Laura dear, the Perfessor said, that there are more important things at stake than your mouldy little props?

She ignored the question. In an interval of the firing, the two men pulled her up and ran to a safe place.

—What a story! the Perfessor said. I got to get a dispatch to my paper right away. Embattled Workers Defeat Troops! Unarmed Strikers Charge Into Concentrated Fire! Hundreds Killed!

At the hotel, the Perfessor tried to file some dispatches. Laura paced restlessly in the lobby, her face flushed, her eyes set. The Perfessor came back consulting his notebook, on which several names were scribbled.

—Been a lot of people killed, he said.

—Martyrs, John Shawnessy said.

—Small-print martyrs, the Perfessor said. Backpage martyrs.

He read aloud:

—John Fabrizio, a worker.
Henry Fisher, a plumber.
John Rowe, a young man.
Mrs. E. Keener, shot through the arm while standing in a doorway.
A little girl.

He flipped some pages.

—Suppose we go and call at one of these addresses I have listed here and get a human-interest story on the thing.

Maintaining a stony silence, Laura followed the Perfessor to the door.

John Shawnessy was appalled by the neighborhood through which they passed that night. Above the swamplike darkness, he saw the ragged shapes of factories. There was a palpitation in this darkness. It sighed with the respiration of the Workers, those who existed only that they might work. And passing, he saw their many faces, pale flowers in the fetid dark, colored with the fire that poured wavering tides of light over the whole industrial region. He remembered another dispossessed race whom Corporal Johnny Shawnessy (that brave young soldier defunct in battle) had seen in another burning city. The torch had been set again to the City of the Masters.

They found their address in a street of frame houses all alike and crammed together touching.

—This where the Fabrizio family lives? the Perfessor asked.

—Yes, sir, a little girl said. Johnny's dead. They brung him in about an hour ago.

As they went up the stair to the Fabrizio flat, John Shawnessy was ashamed of himself and his friends in their city clothes. His shame increased as they met the grieving mother, a stocky Italian woman, and stood in the stale, crowded flat. The Perfessor asked some routine questions. It appeared that the dead boy was only eighteen years old. He had simply been with the crowd at the railroad tracks and had been shot in a blind volley from the troops.

There was an appalling lack of privacy in this death. People kept entering and leaving. The room where the body lay was full of women weeping. When the visitors approached the bed, a sheet covering the head and shoulders of the dead boy was pulled back.

Alone of all the faces in this jungle of weeping, talking, grieving, hating, loving human beings, the face of Johnny Fabrizio was tranquil. It was a face unwasted by age or disease, and as such, reminded John Shawnessy of many a face he had seen in death during the War. It was not a handsome face, but death had touched it with a hand of sleep and silence, had left it without pain or anger or desire.

On the way back to the hotel, the Perfessor made a gesture, indicative of the swarming streets and deserted mills.

—Listen to them! he said. They can't win. A few of them get shot, and they shoot a few other poor bastards in uniform who are merely obeying orders. Meanwhile, Cash Carney and a gang of fat millionaires sit around a table in perfect safety and coldly lay a trap for them. All this shooting will antagonize the newspapers and the so-called American Public, more troops will be rushed into the City, the ringleaders will be arrested and probably strung up, and after starving a few weeks, these poor creatures will come crawling on their knees begging to be taken back by the companies at any price.

—But there are so many of them! John Shawnessy said. If they only had a leader and a plan, they might come out of this jungle and rule it instead of being ruled by it.

—See those factories! the Perfessor said. Someone has to work them. Accept life for what it is, boy, and be happy that it wasn't you lying there in that stinking room with a hunk of lead in your heart.

—But if we can just manufacture enough human beings in this country, along with the trains and the sewing machines, enough people of passion and indignation, we might get somewhere.

—That may be, the Perfessor said. All that may be so—but what will bring back Johnny Fabrizio? Well, anyway, the boy is being wept into his grave. Perhaps in this, the poor have their triumph—there are so many of them, and they feel so sorry for each other. My God, did you ever see so many tears! I don't suppose a pint of water will be poured on the memory of Jerusalem Webster Stiles, when the Great Mother gathers *him* to her loathsome bosom. And yet he was a not inconsiderable figure in his day, wrote verses that scanned indifferently well, composed a number of salty epigrams, even made a few feminine hearts flutter at a faster tempo. Pah—it's a dirty thing to die—to be dead! Life! Life! Well, I'll give Johnny Fabrizio a brief fame. He shall die on the front page of the Nation's greatest daily. Is that a small thing? Vanderbilt did no more. And they buried him—or was it Jim Fisk?—in a casket that weighed a ton!

When they got to the hotel around midnight, John Shawnessy took Laura up to her room. The lights were out in the upper floors of the hotel, and they had a hard time finding the door. He was about to say good night to her, realizing that for a while he had ignored her as much as she had him; but she turned now and leaned back against the door as if at bay. In the darkness he could barely see her face.

—You hate me, don't you, Johnny?

He was shocked by this question asked in a calm, matter-of-fact voice.

—Why—no. Of course not, Laura. I——

—You hate me, she said, because I wanted to get my troupe back to New York. No doubt I have offended your great pure innocent soul.

The words were cuttingly said in a distinct, lowtoned voice.

—I—why, no, Laura. I assure you. It's quite understandable—I—— I don't hate anybody. On the contrary, I——

—O, yes, she said. In a way, I'm not *good* enough for you, Mr. John Wickliff Shawnessy. And it's true. I'm not. Because I *hate* lots of people and lots of things.

—Laura, dear, I——

—You don't understand me at all, she said. You think you do, but you don't.

—I don't think I do, and I'm quite sure that I don't, he said fatuously.

—You saw those people, she said. You saw them—where they lived. Well, let me tell you something, Mr. John Shawnessy, those people are my people. Because that's where I came from. I came from all that!

She made a fierce gesture. Better accustomed now to the darkness, he could see her face. The mouth curled with contempt, the cheeks were deadpale, the eyes were long glittering slits. He touched her arms, as if in a gesture of self-defense.

—Take your hands off me, Mr. Shawnessy. I may not be good enough for you. But I know something that you don't know. I know that when you come from that, you get hurt, and it does something to you. I've been hurt plenty. I've seen men kill each other before. I *hate* the world of men. They have hurt me too and killed something in me. No man will ever hurt me again. I don't care for them—that much! I don't care for you either—Mr. Shawnessy—that much!

She tossed her head and snapped her fingers under his nose. The thing that always shocked him was that when women became outspoken, they became so terribly outspoken.

—Laura, he said, the world may have hurt you, but I haven't hurt you, have I?

—I read your play, she said. And I read your letters. If you don't understand me, neither do I understand you. You are the most maddening man, sir.

—I? he said. My dear child, I——

—Don't dear child me, she said. I know things that would make you pale.

The narrow eyes watched him. With all her powder and rouge gone, the scar on her lip was unusually distinct, a little white line in the deep flesh.

—As for the play, he said, I feel now as if I had left everything important out of it.

Suddenly, it was over. Her laughter reverberated in the empty corridors of the hotel. She seemed very much amused.

—Don't mind me, dear, she said, touching her temples and patting her tangled hair. You know I loved your play. And I loved your letters too. I'm not an easy person to understand, dear. I don't understand myself. All I know is that getting my troupe to New York and opening when I say I'll open are more important to me than anything in the world. Can you understand that?

He intensely disliked her for this remark.

—Perhaps.

—Don't think I'm heartless, dear, she said, trying to rearrange her bodice. Everyone has to have something to love. I've hardly ever had anything to love—to really love—that I *could* love. I've had my work. If I didn't have my work, then I'd be lost, wouldn't I? Everyone's lost, Johnny, don't you see? We're all lost, and we never find anything or anybody, do we, dear? It's like your play, hunting around for its Fifth Act. If I wasn't a trouper, then I'd be lost too—like all those people we saw today. They're all lost.

—They have each other.

—But that's all they have. And then they don't even have each other. Because they get killed.

He became aware that her eyes were fixed on him with a curious intentness.

—What gave you the idea for such a play? she asked softly.

—Laura Recumbent, he said slowly.

She continued exactly the same expression, but her voice was musical and mocking.

—But you haven't seen Laura recumbent. I haven't posed for you, *dear*, have I? You haven't had enough sittings—or shall we say recumbencies!

—I suppose not.

—Well, I'll make you a bargain, dear! I'll finish your play for you. You shall have a special performance of it—just for you—before the footlights and behind the scenes. Now what do you think of that? Would you like that?

He couldn't tell whether she was making fun of him or not.

—Of course. And when does the show begin?

—When I get back to New York, she said. All you have to do is help me get my things and get back.

—It's a bargain.

—And come around to the Broadway Wednesday night to the stage door after the show.

—I shall be waiting for you there.

—And escort me home to the Ball. Here.

She reached into the torn bodice and extracted a card that must have been prepared and placed there much earlier in the day.

—This will admit you to my dressing room. Good night, Johnny *dear*.

—Good night, Laura.

She poised her face for him to kiss, and because one thing she had said was indeed true and he wasn't sure that he didn't hate her, he barely touched her lips. Suddenly, then, he wanted to squeeze this languidly posed woman in his arms until she writhed. But already she was withdrawing. He heard the door close. It had been a very imperfect kiss.

The Perfessor was up when John Shawnessy got to their room. Cash Carney had just dropped in. He was waving a telegram sent by the Governor of the State authorizing a ruthless suppression of the Strike.

—Yes, sir, Cash said. Yessirree, we're going to whip this thing. My God, what kind of a country is it that can't protect the sacred right of the individual to own property, invest capital, and use his wealth as he sees fit? Where would we all be if it weren't for old Cash Carney, Jay Gould, Cornelius Vanderbilt, and other men of vision, who built those roads and gave America an iron roadway from sea to shining sea.

—The audience is invited to join on the chorus, the Perfessor said.

Cash looked out of the window toward the burning yards. He seemed to be apart from the scene, a lean, winged, lascivious god, peering down on a Homeric conflict without danger to himself.

—Don't they know it isn't us they're fighting? he said. It's the Law of Supply and Demand. Labor and Capital are complementary forces. *You* can't change it, and *I* can't change it. Let Capital alone and it'll provide as many jobs and as much money as the times allow. The comeback is certain all in good time. Thank God, we've got courts and congresses that understand these things. God, it'll be good to see the troops really come in and mash hell out of Those Bastards. Good night, boys. See you in New York at Laura's Ball. By the way, I located her stuff all right, and it's safe.

John Shawnessy couldn't get to sleep. He lay and listened to the explosions and distant shouts. It seemed to him that Humanity was in convulsion. While he had pursued his private dream, suddenly he had been permitted to glimpse a million faces pale in the redlit darkness and a million hands reaching for bread and completing the baffled gesture by making fists. They had been there a long time, they would be there a long time, and he hadn't really known it. Something blindly convulsive stirred like a buried titan beneath the pyramiding cities of America.

—John, are you awake?

—Yes.

—Me too, the Perfessor said. I keep thinking of that poor dead boy.

John Shawnessy lay there in the lurid dawn also thinking of the dead boy, Johnny Fabrizio, who had been dead now for ages and forever. And he thought of other dead men, comrades—marchers and fighters. He thought of Flash Perkins who had lain in the arms of Corporal Johnny Shawnessy (also dead), Flash Perkins, a Union soldier, a bloodstained recumbent form in the glare of a distant fire. Had mankind, then, come so very far from the Great Swamp that was the underside of Raintree County?

And as he lay there, he wound and unwound in his mind the skein of a life that was lived in the City and knew nothing but the City for a home, a life rooted in the shadow of the factories, flowering in a space of sunlight between the fences and the sheds where the great trains thundered day and night, living a brief while in the crammed rooms of the City, and returning suddenly into darkness, the same web of darkness and blind hunger from which it had arisen.

Then he thought of another creature of the City, a woman whose recumbent form lay voluptuous in the darkness in a room not far from his. And it seemed to him that he was moving slowly through a drama of gorgeous and confused rhetoric toward a climactic scene that would perhaps show to him at last the answer to his quest in the City.

The next day John Shawnessy and the whole party returned to New York. And in the days that followed, the newspapers reported the continuing of the Great Strike and the spread of it from city to city in the Nation's transportation system. The Constitution of the United States was invoked against the Strikers, troops were sent in to quell the riots, and the great republic that had come one hundred years along the Path of Progress went on bleeding, groaning, blaspheming, and mutilating itself as

IT BEGAN THE SECOND HUNDRED YEARS

ON THE ROAD

TO

—PERFECTION, the Perfessor was saying, isn't attainable in human institutions. When I say I prefer a Communist State, with all wealth vested in the People, share and share alike, I don't mean to say that we'll have the Millennium. Human beings seem to have an invincible talent for being unhappy under all forms of government. But by taking money and property away from the individual, you take away most of his power to do evil to himself and others. Three-fourths of human vanity is derived from property. Property, money, all symbols of personal wealth nurture the illusion that the individual amounts to something, that he has a permanent vested right in the earth from which all blessings flow, and that his dividends will go on forever in the land which the Lord God Mammon has given him. Even a little property makes him one of the chosen—with all the arrogance of the chosen. Property's a religion, and like most religions, succeeds in keeping its priests fat and few and its devotees many and hungry. And all of its dividends belong conveniently to the Future, which is known as Heaven or Prosperity for All.

—If equal distribution of wealth would make men happier and better, let it come, say I, Cash Carney said. But it won't. Instead of the present ten percent wealthy and ninety percent poor with a chance of improvement, you'll have a hundred percent poor and no chance of improvement. Why? Because man's a competitive animal. If we haven't yet reached a condition in which all the people are well off, it's because we're still building America and because the world keeps pouring millions of poor dagos into this country to enjoy the advantages of our system. We just can't catch up with all that poverty overnight.

—But the capitalist state will never catch up, the Perfessor said. It derives its very life from the current set up between the two poles of enormously hungry demand and enormously profitable supply.

—What do you think about this, John? Cash said.

—My economics is improvised—like the Republic's. Capitalism and Communism in their pure form are both contrary to the spirit of American democracy. They both make slaves out of men—slaves to economic principles. The Capitalist stretches man on the rack of Supply and Demand. The Communist sticks him in an economic class and tells him that history will look after him. Both appeal to the Nature of Nature for their principles. Neither Capitalism nor Communism was foreseen by those who founded America. The Declaration of Independence isn't an economic document. Jefferson wrote the economics out of it when he changed the classic formula of the time from Life, Liberty, and Property to Life, Liberty, and the Pursuit of Happiness.

—But, John, the Perfessor said, let's admit it—the Declaration of Independence is a wonderful old piece of scripture that hasn't any more resemblance to the truth of man's nature than the first chapter of Genesis has to the real beginnings of the earth. *We hold these truths to be self-evident: That all men are created equal.* Dammit, that's the most self-evident lie ever told! If you want truth, go to the *Origin of Species.* There we have the word of an honest scientist. Darwin cooked Tom Jefferson's goose for good and all. In fact, what is Communism but an effort to give some truth to the Declaration?

—The Declaration was true, Mr. Shawnessy said. The Signers spoke the language of moral beings, and what they said was true for the republic of men's souls. All men, as *men,* are created equal. Of course they aren't created equal as animals, as Darwinian contenders for life, as economic equations, as class-slaves and wage-slaves, as Proletarians and Capitalists. The Republic of the United States of America was intended as a government for *men,* animated by the virtues that we associate with mankind. This ideal republic was superimposed on the Darwinian Swamp, and the result has been this magnificent pageant of crusade and confusion known as American History.

Cash Carney consulted his gold watch. He fondled the solid, palm-smoothed lump of it in his left hand, pondering.

—It's all right for you fellas that have no responsibility to sit around and criticize, he said. But suppose you had gradually got involved, as I have, in the economic and political life of this Nation. Suppose you were one of the men who thought of building railroads through the West when there weren't any and took the necessary steps and the necessary personal risk to build 'em and operate 'em. Do you think you could ever have stopped anywhere along the line? Do you think I can stop now, with other men like me, who came up the hard way, trying to horn in on my holdings, trying to squeeze me out?

Cash was breathing hard. His eyes had a fixed stare.

—You talk of security, he said. I'll be perfectly frank with you. I never have had a feeling of security in this country. I haven't had any more security than the guy that throws the switch out there. I feel driven all the time. Anything that threatens the financial stability of the Nation threatens everything I have. I tell you, I don't feel I can let up one minute. Every now and then I look at myself and wonder how it all happened, and I realize that it's all just on paper and I'm just one weak bastard holding together factories, railroad systems, and whole cities by my single vision and my willingness to take risks. Believe me, boys, I have to feel that the Government is back of me when I do that. Even now, with this Populist agitation and these big labor outbreaks and the clamor for cheap money, I begin to feel the whole thing trembling crazylike. Sometimes I dream that I'm in the middle of my office in Wall Street, and all of a sudden people start coming in waving bills, bonds, mortgages, stocks, contracts, leases, demanding payments, deliveries, foreclosures. And I haven't any way to meet 'em. I haven't got a red cent. It was all a dream. And there I am trying to hold up the whole works all by myself, and the whole goddam business toppling around me and trying to crash.

Cash kept sucking on his cigar as he spoke, not aware that it was dead. He sucked harder and harder, stood up, his jaundiced cheeks hollowed with the effort, his eyes bulging. He took the cigar and threw it at the tracks and immediately went down into his pockets for another, as if something might happen to him if he didn't hurry. He got a light from the Perfessor, sucked his cigar to flame, and sank back on the bench. He was breathing hard and still holding his watch.

—Jesus! he said. I don't think I've had one minute of real peace since I left Raintree County. Tell you the truth, John, I envy your quiet life—yes, and your family, and all. Hell, those were happy days before the War when all I had was a feedstore to manage. Since then, it's been one goddam thing after another and nowhere I could let go. Other men can retire when they get old, but not me. I haven't any children to give my wealth to, and most of it's reinvested. O, of course, I suppose, if I had to, I could liquidate my holdings, sell out, and come up with a cold million or so to live on comfortably. But tell you the truth, I never was in it for the money exactly. You prob-

ably don't believe that, but it's true. It wasn't the money exactly.
It was——

Cash leaned back.

Mr. Shawnessy and the Perfessor waited a long time for Cash to
say what it was. Finally, Mr. Shawnessy said,

—It was the times. You just went along with the Republic.
You're a poet of finance, Cash, and here in America you found your
poet's paradise—a perfect playground for your type of imagination—
great resources of land and labor, enormous vitality in yourself and
others, the most fluid system of credit and finance the world has ever
known. You took these ingredients and began to build your own republic, Cash, and you've built it around you like a cage. But of
course you have to remember that there are other republics besides
your own and that all of them are trying to mingle and become one
Republic, which always seems to want to conform to the old pattern
envisioned by its creators. We're beginning to reinterpret the Declaration.

—Ah, John, the Perfessor said, I see now, boy, that you were right
to stay here in Raintree County. They ought to build a Chinese Wall
around it so that you never see the ugly world outside. In America,
boy, our old religion, our old morality, our old idealism are going to
smash. Moses, Christ, and Plato are finally going to be buried in
Oshkosh six feet under and packed down. Democritus and Darwin
are going to come into their own. For here are your Americans, the
race of dreamers, the idealists of government, and look at 'em! They're
the most materialistic people who ever lived. How do they spend their
lives? In accumulations. In blind, dirty grubbing for gold. Americans are the first people in history to get down on their knees and
worship brute mass. Their idols no longer have a soul—or any
particular form—which is, after all, the same thing. Why, they tell
me they've started building a new type of building in Chicago called
a skyscraper, and the idea seems to be to see how tall you can build it
before it falls over. They say you shoot right up to the top in speedy
elevators, and there's no limit to how high they'll go. Wouldn't surprise me if Americans went right on doing that, only worse.

The Perfessor bounced to a forward-leaning position and said,

—You believe in values, John. Well, let me tell you something.
In America, we've found a quick way to express all values. Everything here fits into the price system. Everybody goes around wearing

a pricetag of one kind or another. The looks of the dame you can afford to keep are a pricetag. The house you can afford to live in is a pricetag. The cigar you can afford to smoke is a pricetag. Your degree from the university is a pricetag. The books in your bookcase are pricetags. The color of your collar is a pricetag. The whole cockeyed civilization is a series of pricetags hanging out for people to read each other by. And life in America consists of trying to accumulate more and more spectacular pricetags. Everything is on the block in America and can be had for a price. Money will buy anything from a to zebra.

—Everything but truth, wisdom, beauty, goodness, Mr. Shawnessy said. And love, he added, feeling a little embarrassed as he said it.

But Cash Carney went on smoking, his eyes staring, his left hand fondling the gold watch.

—John, the Perfessor said, you're clinging to a way of life that's doomed. Go and look at the modern City. How can anyone look at it and believe in love? Or morality? Or the Eternal Ideas? Or the Inalienable Rights? How can anyone believe in the real existence of Raintree County, which you, dear boy and endlessly courageous dreamer, have taken as your image of the enduring values of human life? Yes, go and look at the City, and then look at your little Raintree County, child. Shed a nostalgic tear for it, because the City's going to eat it up. The God of the City is going to kill the ancient God of Raintree County, who has nothing but a couple of stone tablets and a golden rule for weapons.

—Still corrupting the youth, I see, Cash Carney said. Don't believe him, John. He's the same old Perfessor and hasn't changed a bit.

—What is this? Mr. Shawnessy said. A contest for my soul?

The Perfessor laughed.

—I don't know why it is, he said, but everybody was always trying to corrupt you, John.

Mr. Shawnessy slowly lit a cigar and watched the smoke ascend.

Good-by to Raintree County, incorrigible enthusiast of ideas. Good-by to the good small roads of Raintree County, the horse-and-buggy roads. Hard roads and wide will run through Raintree County, and its ancient boundaries will dissolve. People will hunt it on the map, and it won't be there.

For America will become the City. America will hunt for a tree of life whose fruit is gold. And that man shall be the Hero of the County who plucks from the high branches the heaviest dividends. And he shall get the most beautiful woman of the City, and he shall lie all night betwixt her breasts. And she will cheat him too, and cheat you too, because she is the City.

—Yes, the Perfessor was saying, in the modern City we can read the doom of our race. For in the City all the women are whores more or less. Some get cash on the bedhead, and the rest get a form of payment in installments called marriage. The City woman has learned to cheat you and herself and the race. Hell, it's really tough on an old bachelor like me, these days. There's no love left in the sex. They simper, vamp, and lead you on, and wear love's life out in sterile preliminaries. I tell you, the race is doomed. The bugs have it all over us and will win out in the end. The roach doesn't require a dowry before he gets his, and the common housefly doesn't insist on a church ceremony. But in the City of the Love of Brothers and the Shy Reserve of Sisters, everyone counts the Cost, and the Price is rising all the time, everyone counts and counts and counts the Cost, and the Price is rising all the time.

—About time for my train to come along, Cash said. Well, I see you two haven't changed much. Still carrying on your lifelong argument. By the way, John, before I forget it, Laura said she might stop off here by herself, next week sometime. Appreciate it if you'd put her up a few nights. Be perfectly frank, I don't know why she wants to—except to see you again, of course. I mean, she hates Indiana, says she'd just as soon live in a gopher hole. And, after all, Waycross isn't the most exciting place in the State for a woman like Laura.

—Of course, with John in it—— the Perfessor started to say, but immediately began to cough. I'm getting hoarse as hell, he said.

—Tell you the truth, Cash said, she told me to feel the situation out a little. So when you write the letter, John, don't let her know I told you. I guess you haven't seen Laura since the night of the big Ball in '77. That was some night.

—You can emphasize, elaborate, and repeat that statement, the Perfessor said, winking at Mr. Shawnessy. By the way, whatever happened to Laura's house on Fifth Avenue? That was one fancy pile.

—That's been gone a long time, Cash said. That land got so expensive, even I couldn't afford the tax. The whole neighborhood there is chockablock with office buildings now.

—That was quite a house, the Perfessor said. Remember that big stair right up the middle of it?

He winked at Mr. Shawnessy again.

—I don't clearly remember the way it looked inside, Cash said. You wouldn't believe the way rents are rising on the Rock right now. Christ, no one but Rockefeller or Carnegie could afford to have a house in that neighborhood now. Hell, some mathematical genius was computing what it would cost a man to pay the upkeep on a six-foot burial lot there in the center of the City fifty years from now, and I forget how many thousands of bucks it would cost you every year just to rot in that earth. Talk about your skyscrapers in Chicago —they ought to start building them that way in New York to save taxes on the land. It's the most expensive dirt in the world, and the Indians just gave us the whole island for a bottle of whiskey.

—They can have it back, the Perfessor said. They cheated us.

—Why, you wouldn't know that part of the City now, John, if you went back, Cash said. I think there's a bank right there where that house of Laura's was. It's really fierce what things cost you nowadays. And the Cost just keeps rising all the . . .

Time, time, time. The Cost keeps rising all the time. They build much taller buildings now, and instead of stairs they go shooting straight up in elevators. But do they still find a Forbidden Room on the top floor?

What was I seeking up that stair? What was I doing up there anyway?

For I was lost among the moneychangers. I wandered in the chambers of a gilded age. I wanted to find love even in the City, where the trains are always changing in the station and the Cost is rising all the time. For I had faith even in the City, heard its seductive language, thought that its meanings were my meanings.

And now if I went back, would I ascend the Grand Stair again? Would I want to taste the City once again from its red mouth smeared with ointment? And now if I went back, would I retrace the last steps of my gilded days? O, would I walk down streets and streets to find my little City sweetheart of New York City, Miss Laura Golden had promised Mr. John Shawnessy a private performance on their return from Pittsburgh. Just what she had in mind, he didn't know, but his curiosity had become an obsession by the time he arrived before the Broadway Theatre on Wednesday evening and read the playbill announcing:

A BELLE OF THE BEAUTIFUL WEST

Starring MISS LAURA GOLDEN

and a Distinguished Supporting Cast
Also
'The Mississippi Minstrels'
Minstrel Comedians
and
Burlesque

His excitement increased tenfold when he sat in the steepwalled womb of the theatre looking at the drawn curtains, shrouded entrance to a world of mystery and revelation. When at last the curtains rolled back, he watched the vulgar pomps and promenades of the supporting numbers as if they concealed some wondrous secret—young ladies of the burlesque, clad in a travesty of Greek costume, giving the audience saucy glimpses of legs and breasts; corkblack comedians grotesquely clacking their lips in tiresome jokes.

And when the main show started and the Heroine, Brave as she was Beautiful, rode out to conquer with her Virtue and her Beauty the Untamed West, he felt that he saw a drama greater than its stage, an emotion stronger than its gesture—and as such typically American. Costumed America seemed incapable of any but tinsel gestures before the footlights, but behind the scenes a greater drama strove like a buried titaness, convulsive in her bonds.

Outside the theatre, he went by a side alley around to the Stage Door, where several gay gentlemen were pressing for admittance. He showed a card and was admitted behind the scenes of the Broadway Theatre.

He walked through the dim, cluttered world out of which were born the painted postures that he had been watching. Here the colossal artifice of the theatre became nakedly plain in the daubed faces of the women, the white necks of the Negro comedians, the cheesecloth backdrops, the mouldy canvas tombs, the echoing vault filled with platforms and cables where the stage crew toiled at swinging ropes like mariners in a crazy ship.

In the cellared world beneath the stage he found a door with the sign

MISS LAURA GOLDEN

and knocked.

—Who is it?

The voice had come to him musical and muffled, as from a cave.

—John Shawnessy.

—Come on in, dear.

He opened the door. There seemed to be no one in the little dressing room.

—I'm back here, Laura said, speaking from behind a folding screen. Just make yourself at home. How was I?

—You were completely lovely and charming, my Little Belle of the Beautiful Unwest.

He heard her laughing above a silken rustle of clothing.

—You know, he said, I've never been behind the scenes in a big theatre before. This is the real theatre of course. Most of our life is lived behind the scenes, don't you think? Only now and then we manage to get the right props together, smear our faces with makeup, and appear briefly for a little playacting. My own life, I'm sure, has been a rehearsal for a big show that never quite came off. Pardon me—I sound like the Professor tonight. I'm a little sad.

—Don't be sad tonight, dear, she said, her voice thrillingly distinct behind the screen.

The walls of the little dressing room were thick with photographs, pictures of Miss Laura Golden in various roles that she had made famous. One picture in especial took his fancy. A penned inscription at the bottom said

Daphne Fountain, 1865.

The girl in the picture was rather thin, with great eyes in a broad, sharply contoured face. She was standing in half-profile looking back over her shoulder. Something about the posture and the girl's eyes gave him a dreadful start. He passed his hand over his forehead.

—What are you doing out there, dear?

—Looking at pictures of you. Are they all you?

—Most of them.

—You look like a hundred different women.

—I am a hundred different women, dear.

—I like this one taken in 1865. That's the girl I almost met in Washington.

—I was skinny then. You would like me much better now, dear.

He stood for a long time studying the pictures, listening to the sound of a woman dressing behind a screen. The secret of a soul lay feline and recumbent in the mystery of the passing years, elusive in a gallery of faded photographs.

—Here I am, dear. Let's go.

She came out from behind the screen. Her gown was a black velvet trimmed with gold, drawn very tight at the waist, following and flowing on the curves of her hips and thighs. From this black dress, her neck, arms, and shoulders shone with a sensual pallor. Little gold balls swung from her ears. She wore a heavy gold ring set with a black stone. Her red mouth glistened with ointment. Her face, her full cheeks, her forehead had a kind of pale radiance in the bad light of the little dressing room. He had never seen anyone look so costumed, so contrived. She looked impossibly, stonily beautiful.

He could not repress an exclamation.

—Laura!

—I knew you'd like it, she said, supremely conscious of his admiration. An Egyptian touch—for our play, you know.

She led the way up the stair. In the darkness, he could see only her white neck and gold hair and the beginning of her back with its graceful furrow. He followed this floating disembodied head, faint in the scent of her perfume. Backstage, the lights were out except for a single gasjet. Everyone had already gone. Turning, Laura tossed her head triumphantly.

—This is my world, Johnny! she said. Here I am queen!

She led the way through the wings out upon the stage, still set with the closing scene, dimly illumined through joints in the scenery. Her face was a pale moon floating in this nocturnal world.

—The West! she said. It's ridiculous, isn't it, dear! My whole life is just make-believe. But it's only by making believe that I've become anybody at all.

She seemed preternaturally excited.

—Let's take a curtain call, she said.

Together they pressed through the drawn curtains. Beyond them was the pit, empty of spectators, a great cave of shadows. He couldn't see her face at all now.

—You see, Mr. Shawnessy, this is the way *I* express myself. You sit in a room and make your gorgeous words and think your noble thoughts. And I—I go before the footlights and become a hundred different women.

—In order to keep from being whom?

—Myself, maybe.

She had been speaking in a great stage whisper, of which there were innumerable repetitions in the empty theatre. She was hovering very close, enunciating her words almost in his ear with wonderful distinctness.

—You know, dear, she said, I do believe that everyone has gone home. We're quite alone.

Yes, they were quite alone, quite, quite alone, he and someone on an empty stage. Suppose now he fulfilled one of the ancient images of his life and took this woman in his arms. What better place to enact the beautiful audacity of love than the stage of the Broadway Theatre? But he was paralyzed by a strange anxiety. He was afraid of this woman who walked beside him in the dark. It seemed to him that if he were able to illuminate her face suddenly, he would find that it was the face of someone he had forgotten or someone he had dreamed once in a dream or someone he had never seen before and would never see again. It might even be the face of someone who was dead.

—Johnny, she said, you're strangely quiet.

—We're in *your* world now, Laura. You talk.

—All right, she said, I will. In your play, you have the hero attempting to realize an old image—that of finding a little actress waiting for him in a costume closet, someone to love in the great modern City.

—Yes?

—And the woman who comes to symbolize his passion is a woman of a hundred masks and moods.

—Yes?

—But some innermost part of what she is is hidden—kept, as it were, in a Forbidden Room.

—Yes. I suppose each of us has a Forbidden Room, containing some photographs, some things that we'd rather not have the world see.

—You, too, Johnny?

—Yes. But here, we talk about you.

—Well, suppose you were baffled by someone and that someone gave you a key to her Forbidden Room, do you think you would understand her any better?

—Perhaps.

—Where are you, Johnny? I can't even find you.

He felt her cool hands catching at his, and his own hands touched her smooth arms and slid on the warm velvet of her back, his face brushed her sideheld head, her hips pressed momentarily hard against him, his foot tripped on the curtain, she seemed to elude him in the folds, her laughter was vaguely repeated in the darkened theatre.

—Come on, silly man, she said. We're late for the Ball.

Not until they were outside the theatre and riding in a carriage did he make fully sure that while they had touched each other on the stage, she had indeed thrust the key—a small plain one—into his left coatpocket.

On the way, they passed a square where a mass meeting was being held by people in sympathy with the Railroad Strike. He put this other world out of his mind, and he pressed his hand deep into the pocket of his coat, holding the little key.

In the ballroom of Laura Golden's house on Fifth Avenue stood Professor Jerusalem Webster Stiles presiding at the punchbowl. Everyone was chattering about the Strike. John Shawnessy felt that he had stepped once more into a cheating stageset briefly peopled with these women in flamboyant gowns, these men in tails and ties.

But the world out of which this playlet had been engendered—the world Behind the Scenes—was simply the nocturnal City—its strewn alleys, gaslit parks, belching factories, masted harbor—where people toiled namelessly through dingy nights and days so that from time to time this waxen flower of gaiety might bloom briefly Before the Footlights.

Cash Carney appeared striding among the dancers with a rolled newspaper in his hand. Everyone gathered around him to know the latest news of the Strike.

—Public opinion is beginning to react in our favor, he said. My old friend Senator Garwood B. Jones made a humdinger of a speech yesterday, and it's quoted in all the evening papers.

Cash opened the paper and read a little from Garwood's speech. The Statesman from Indiana, serving his third year in the United States Senate, had begun by challenging any man to show more genuine concern for the welfare of the Common Laboring Man than he, Garwood B. Jones. But it was one thing for the laboring man to ask for a better wage, and it was quite another thing for a mob of hoodlums, incited by foreignborn bombslingers, to rape, burn, and pillage the fairest cities of the Republic. He, Garwood B. Jones, would be doing a disservice to the thousands that had made him their spokesman . . .

—By God, he knew he'd better get up and have his say, Cash said. We pumped a cold fifty thousand into his campaign fund.

The newspaper was passed around, and people read the Senator's address.

—Yessirree, Cash Carney said, and that isn't all. I have it on the highest authority that this thing will be killed and killed dead in a matter of days.

Mr. Carney stayed another five minutes and then, looking at his watch, spit a cigarbutt in an ornamental urn, and left.

—Jesus, the Perfessor said, doesn't Laura look stunning tonight! Ah, John, tell me now, where do they all go, these lovely girls, these lushloined girls! *But where are the snows of yesteryear?* John, I'll tell you a secret. The mistress of this mansion is mad about you.

—What makes you think so?

—I've talked with her since we got back from Pittsburgh, and we talked about you. She has you on her mind. You baffle her.

—We baffle each other.

—I swore on my mother's grave that I wouldn't tell you a word of all this, so keep it under your hat. But she asked some very searching questions about you. Unless I'm losing my acuteness, you're a candidate for initiation into that room on the top floor.

—Where is this famous room?

—Third floor up. Last door on the left, the Perfessor said. Once when I was here and no one was watching, I slipped up just for the hell of it and went all over the house. I found the room all right, but I couldn't get in. It was locked. You see, I too have knocked. But to him who knocks it shall not be opened. And he who seeketh not shall find.

Just then Laura approached.

—I want you two big cowards to come with me, she said.

They followed her into an alcove off the main hall where a glass decanter full of a pale green liquid stood on a table. She poured three wideglobed glasses brimming.

—There, she said. Just for us three. A toast.

—To what? the Perfessor said.

—To Johnny's play, she said.

Her eyes widened and then narrowed to their habitual heavylidded languor as she raised the glass and drank it off. John Shawnessy thought he never would drain the deep green pool of his glass. It had a taste of licorice and fire.

—Ouch! the Perfessor said, Where did you get this stuff, dear?

—It's something from France, she said.

—Hmmmm, the Perfessor said, pouring himself another glass. Pass this stuff around, and we'll have a Roman Holiday here.

—It's quite harmless, Laura said.

She poured herself another glass and drank it. She poured John Shawnessy's glass full.

—There now, she said, this is just for us. It's a special night.

—I can *see* that, dear, the Perfessor said. Laura, you're *damnably* beautiful tonight.

He bowed gravely to her and then allowed his thin form to move sedately around her, like a starved satellite revolving around a plumpbodied planet. She remained calmly posed, head thrown back. Still bowing gravely, the Perfessor backed out of the alcove.

Alone with Laura, John Shawnessy suddenly had a strong desire to escape. His head swam. He leaned against the wall to steady himself. He expected her to say something, but instead, she pressed the full glass into his hand, and looking back over her shoulder, she stood a moment at the door, her face proud, challenging, defiant, enigmatic.

He left the alcove and entered the hall. A great stair, ten feet wide, flanked with marble balustrades and cushioned with red plush, rose without a turn to the second floor. The hall was empty.

On a sudden impulse, clenching his fist on the little key, he ran two steps at a time up the Great Stair, as though he were being pursued. On the second floor of the mansion a few lights were burning. It was after he had started up a narrow stair to the third floor and was almost hidden in the darkness of it that the Perfessor passed along the secondfloor hall below with a woman giggling on his arm. John Shawnessy was sure that the Perfessor's black, busy eyes had seen him.

There was a window at the landing halfway up to the third floor. Looking out, he saw the jet of a fountain falling on a melancholy group of iron gods and goddesses, saw parallel iron spears of the fence hugely repeated on the lawn by the glare of a streetlamp. Stretching beyond and away was the City, a tenebrous, winking world of roofs and chimneytops.

On the third floor he made his way down the lighted hall to the farthest door on the left. He found the knob and the keyhole, fitted the key in and turned it. After all, he had been given permission. The door opened noiselessly, and he stepped in. He gave a violent start.

A great many people seemed to encircle him in a room palely lighted from the hall and the streetlamp outdoors. Suddenly he realized that the room was walled with mirrors. In fact, it was not a bedroom at all—at least in the usual sense—but a kind of little private theatre with its own little stage and an audience of receding mirror reflections.

It seemed to him then that the woman who had teased him with the enigma of herself during his sojourn in the City had given him at last a revelation of herself. It seemed to him that perhaps with the little key he held in his hand he was touching that naked, unpredictable thing—a human soul.

Baffled, he seated himself in a large chair facing the small stage and waited. Slowly the echoes of the Ball expired in nether chambers of the mansion. How little, after all, his world and Laura Golden's had overlapped! She was still to him a sphinx recumbent. As this woman, of whom indeed he knew so little, lingered on the threshold of becoming real, she became still more enigmatic. A disturbing question flickered in his brain. Had all those rumored lovers really come to this private theatre on the third floor, or was the innocent hero from Raintree County perhaps the only one who had reached so far?

At any rate, she herself had offered this rehearsal and dénouement of the play they had jointly written. Doubtless the last act was to be simply her charming amenity of surrender.

He felt vaguely alarmed and unhappy. He no longer desired to finish the play. A memory of Raintree County and another scarred young woman came to him like a sad-eyed protectress. He had a great desire to escape from something, to sleep. The beverage he had drunk and the smell of the room—an odor of theatre ointments—drugged him cruelly. The voluptuous chair heavily embraced him. Of course, he must stay awake. Under the circumstances, it wouldn't do at all for him to go to sleep. Besides, the train would be stopping soon, and he could get off and stretch his limbs. Yes, the train would be stopping, and he would get off for that rendezvous in . . .

The trainshed of the Pennsylvania Railroad was an enormous room with exits in distant corners. On the footworn floor men, women, and children flowed in tidal rhythms to intersections beyond the station walls. Dreaming, he saw a woman leaning on an upright girder. He started toward her, but her face, which was without precision, dissolved into the thousand faces of the crowd, and he was walking in a park of soft lawns where fountains made green jets of coolness in the air. Thousands of healthy, enterprising Americans were hurrying to see the Grand Ceremonies. He consulted his guidebook.

VOICE OF GUIDE

golden and masterful,

> —The banners of the Modern Age triumphantly unfurled!
> Centennial Exposition of the Progress of the World!

CENTENNIAL LADIES

in strophes of song,

> —He sought the gaudy goddess of the re-redundant curve
> In the scintillating city of unsisterly reserve!

He joined the seeking thousands as they walked through clanging gates to see the last great exhibit. But the day darkened suddenly. . . .

A great rose of fire burned in the middle of the railroad yards. It was night. A pale horde marched past him, men and women.

MARCHER

a blurred face in the darkness,

—*Quo vadis?*

He turned then, remembering brown decades, squat temples erected to degenerate gods, lewd pomps and prurient games in a mammonloving republic. These pale faces marching in darkness were being sacrificed to make a Roman Holiday. Joining the throng, he walked at their head, leading the way across railroad tracks half-buried in sand under the balconies of a coliseum. Chariots thundered ceaselessly on the circular track, voices cried blood and death, bodies were torn and trampled on the course beneath the wheels and hooves of hurrying chariots.

CROWD

ranked in tiers of seats, yelling with thumbs down,

—Give them to the beast! Blood! Blood!

EMPEROR JUSTINIAN WEBSTER STILES

leaning from the imperatorial box, pale temples wreathed in vine-leaves, hands hanging languidly down,

—I've done all I could, boy. But you know the Populus Americanus as well as I do. They *will* have their little pomps and games. After you've been suitably mangled, I'll see that you get a write-up on the front page of the *Sol Quotidianus*. How about it, Senator, can we get this boy off?

SENATOR CIGARIUS BOVOCACUS JONES

toga, cigar,

—No one is more concerned about the lot of the Common Man than I. But I wouldn't fairly represent the thousands that have made me their spokesman if——

LAURA GOLDEN

costume of Empress Theodora, in Roman attitude of accubation,

—You are the most maddening man, dear.

The gates under the imperial stand opened; a blacksnouted locomotive roared out, bell clanging, and ran butting hither and thither in the darkened arena. The rim of a volcano glowed scarlet in the purple night. Death rained on the City. Doomed hands clutched skyward. Troops, strikebreakers, Pinkertons ran about clubbing, shooting, raping.

CROWD

in streets, voices fading,

—God is dead! God is dead! . . .

In Machinery Hall, an odor of decayed flesh floated off the couched bodies of the machines. Stained light filtered to the cold stone floor. A locomotive lay on its back under the chancel. The wreck of its dinosaur bones thrust through the rotting rind.

REPORTER STILES

—To understand this life in all its aspects, Before the Footlights and Behind the Scenes, one must take a little verbal tour with us. . . .

Backstage in the Broadway Theatre he wandered waiting for his cue, trying to remember his part in the play. Standing on a darkened stage, he saw the pale faces of the audience ranked in receding balconies to the sky misted with stars. Apparently it was a performance of his own play, though he hadn't sufficiently rehearsed it and couldn't even remember his own lines. He was wandering then backstage, hunting for the young woman who had the leading female part. He heard the sound of a train passing in the night. In the far places of the City, across the stony squares and vacant lots steeped by the pale moon, the whistle of the train was loud. The train was rushing from the City, the funnel was a flare of fire, the passengers were homeward-going. He thought of the place where the great trains came to rest, vast sheds of lonely sound, and there among the shapes of steel, the strikers moved, a wan horde waiting for the light. . . .

Somehow he had come to be in an Egyptian temple where stone idols to lascivious gods stood between brownstone columns. Priestesses naked except for belts of the brown tobacco leaf scattered gold coins at the base of an idol of pure gold, which, changing slowly, became Mr. Cassius P. Carney, the high priest of the temple, in ceremonial robes stained with tobacco juice.

PERFESSOR

small potbelly, wearing a Saturnian mask, revolving on goatsfeet
around a statue of the Venus Callipygos,

> —Goddess gaily unbedight,
> Will you be my moon tonight?
> Beck and quip and dance and nod
> For the jolly Roman god?
>   Saturn's self entreats thy tail,
>   Goddess eminently frail!

The broad stone steps rising to the altar became narrower as he ascended. A noise of telegraph keys sounded far off, monotonous, disturbing. It seemed to him that perhaps he was climbing a spiral stair
that the sceneshifters mount, or perhaps it was the tower of the Raintree County Court House. The ticking noise grew louder.

VOICE

waning down the corridors, musical, lonely,
   —Beautiful river and change everlasting. The clock is ticking in
the tower. Have you seen from a window (as you hurried up the
narrowing stair to the third floor), have you perceived how the late
pedestrians hurry home, and how their footfalls hollowly reverberate
in the hushed lawns of the City, and have you seen the sad glowing
of the lights—and their extinction one by one?

PERFESSOR

appearing in medieval jerkin and hose, peaked sandals, having the
sad, lecherous, pointed face of François Villon, reciting,

> —Where is the maiden whose long hair shaken
>   Over her shoulders was ravendark,
> Whose dreambound spirit would not awaken
>   Because of her body's scarlet mark?
> And where is she that was lost on the dark,
>   The mystic water of love's old tears—
> A white oar driving a drifting bark?
>   But where are the rains of the rivered years?

Sickness of love flowed up his loins. Floor after floor turned diz-
zily beneath him. He seemed to be walking through galleries of pho-

tographs, and the many and many faces of the beautiful young women of his memory silted like leaves around him. The noise of the clock had become a hard, tapping sound, rhythmical and mocking. And even after it had stopped, it seemed to reverberate in his dream for a long time. He kept listening for it and trying to awaken. . . .

Slowly he became aware that someone was calling his name.

—Johnny! Johnny!

He awoke from the dream, aware that while he had been sleeping he had heard the noise of footfalls on the stair, a hard, pointed sound rising through the dark empty halls and chambers of the City, approaching the door. He started up immediately and left the room of mirrors. At the head of the stair, he met Laura Golden, breathless, holding something in her hand.

—It's a telegram for you, Johnny, she said. It was left at your lodgings and a friend brought it over here. It must be something important.

He tore open the telegram, read it, and handed it to Laura. Together they began slowly to descend the stair. He had been recalled to Raintree County.

At the door of Miss Laura Golden's mansion on Fifth Avenue in New York City, Mr. John Shawnessy lingered a moment. The woman, who had perhaps loved him and whom he had perhaps loved in a rather characteristic Raintree County way, held up her face for him to kiss. This time it was he whose lips were cold and passionless, while the mouth that clung a moment hungrily to his was the mouth of a woman distraught with passion. It was a very imperfect kiss.

—Come back, Johnny, she said, when you can, and we'll give the play a more pleasing dénouement. I'll wait in the wings for you—if need be—forever.

This beautiful invitation was in fact a farewell, for Mr. John Shawnessy returned immediately to his lodgings, packed his belongings, and boarded the first train home.

And so he said good-by to the City, carrying in his luggage some hieroglyphs and indications of a soul—the memory of an unexplained but perhaps not inexplicable woman—Laura, whose stately name had become his symbol of the City. And as for his play, well, he would leave it unfinished, without its fifth and climactic act, deciding that he hadn't made a very good job of it anyway. He had only approached and barely touched the real self of the woman who had inspired the play.

Around him now, as he looked from the departing train and saw a last gray dawn rising on the City, he imagined a whole republic of men drowning in neglect and hunger, desperate and lost—as Miss Laura Golden had been, hunting for love and something to believe in through a universe of receding mirror illusions. Who was to help these drowning millions? Was there no hero to stand up each time a human being held out a hand in panic from the swallowing night, and say, Here, take my hand. *By God, you shall not go down!*

For his part, he had been seeking the Tree of Life as an act of self-glorification. In affirming himself, he hadn't affirmed the best part of himself—Humanity. Meanwhile, he carried in his pocket a message from Raintree County, recalling him to himself again, a message that had come down all the wires and the ways of the world since the world began to find him unerringly in the City

AND AWAKEN HIM FOREVER

FROM HIS

CITY

—Dream on, boy! the Perfessor was saying. It's all a great chamber of self-reflections that you've constructed.

Mr. Shawnessy was startled by the coincidence, wondering if the Perfessor had ever been in a certain room himself on the top floor of an ancient brownstone mansion, now a bank with gilded letters. He was wondering if, for that matter, Cash Carney had ever been there, or whether it was only the innocent hero from Raintree County who had got so far.

But the Perfessor gave no sign, and Cash Carney was putting his watch in his pocket.

—There she is, he said. Right on time.

An eastbound train was coming.

—Well, boys, Cash said, standing up, it's been nice to see you two anarchists again. Don't let this old devil corrupt you entirely, John. If you see Laura, tell her——

The telegraph operator came out of the Station, with a paper in his hand.

—Special message for Mr. Cassius P. Carney, he said.

Cash took the message and read it.

—Well, I'll be goddamned! he said.

He handed the message to Mr. Shawnessy and began to stroke his little ballshaped beard. His eyes burned with apostolic fervor. Mr. Shawnessy and the Perfessor read the scrawled dispatch:

HOMESTEAD SITUATION VERY THREATENING STOP RUSH HELP STOP
GET HERE FAST STOP WE NEED YOU

Cash retrieved the message, crammed it into his pocket. His face muscles twitched. He took out a new cigar, viciously bit off the tip.

—Now, let me see, he said, fixing his eyes on a distant point. I can get two or three hundred men through my agency in Detroit, and they'll be in Pittsburgh day after tomorrow. Now, then——

The train had been approaching all the time, and Cash was walking down the platform, trying to light his cigar while Mr. Shawnessy carried his grip for him. Cash was like a general, calling on his reserves, throwing them into a battle that he would never see himself, except from a distant hill. He had a match to his cigar. The train roared up and stopped, trembled, spat steam, howled, like a black hound held in leash.

—So long, Cash, Mr. Shawnessy said. I'm not sure that I'll be able to invite Laura to see us because——

—Those Bastards never will learn sense, Cash said. I'll get a couple hundred toughs down from Buffalo. That dick in Philadelphia ought to be able to scrape up something. And——

Mr. Shawnessy handed the grip to a Negro porter who had jumped down, bowing and smiling at Cash.

—Good-by, Cash, Mr. Shawnessy said. Just take it easy. Stop worrying. Remember there are only several hundred thousand men on the other side.

Cash didn't hear the remark. He paused before the open door of a coach, while the engineer hung out, impatient for the start. Cash leaned forward, trying to get his cigar to burn. He was still talking between puffs.

—Take several days—puff, puff—to bring in a carload of strikebreakers from New York. If we can hold the lid on till then—puff, puff—Those Bastards will find out who's——

The cigar glowed and Cash threw the match down, stepped briskly up on the platform and turned. One hand was hooked in his vest holding his coat back from the gold watchchain; he waved his cigar with the other.

— . . . boss around here, he said, on a crisp crescendo. Good-by, Perfessor. Good-by, John. Don't let anything happen to Raintree County, John. If you ever drop into Little Old New York, Laura and I'll be glad to put you up and show you a time.

He pulled out his watch.

—Five-fifty-six.

The train was moving.

A thin yellow man, dipped in a preservative acid, was visible only for a second, as he looked out from the moving wall of the train. Then the speeding coaches expunged the image of Mr. Cassius P. Carney, the Distinguished Financier, reading his watch.

—There goes, the Perfessor said, the most friendless person I know. Nobody loves him, including the woman he married. Say, do you really plan to invite her down?

—We're going to have a County Teachers' Institute at Paradise Lake starting next week, Mr. Shawnessy said. I'm in charge, as usual, and I doubt——

—You really ought to see Laura again, boy. What's the matter? Didn't you like what you found up the Grand Stair that night?

Mr. Shawnessy smiled a little sadly.

—I tried awfully hard, the Perfessor said, to blast my way into that room on the top floor, both before and after you left New York, but I never made it. What in the devil did she keep up there anyway? The bodies of her ex-lovers?

Mr. Shawnessy smoked slowly on his cigar.

—Damn you, boy, the Perfessor said. You can be the most uncommunicative person when you want to be. Well, you got back down anyway. You got out all right.

I wonder? In a way, I suppose I'm still up there, reflected and rereflected.

—I hate to beg, the Perfessor said, but I'm damn curious. Tell you the truth, I always thought there was something wrong with that woman. Maybe she had a harpy's body under all the fancy clothes. Hell, boy, you can tell me. I'll keep it out of my column.

—Professor, there are a few things in this world you'll never know or understand.

—All right, all right, the Perfessor said. After all, I wasn't born yesterday. Matter of fact, I was born a long time ago, and right now I feel every minute of it. What a devil of a day this is! Will it ever end? What's on the agenda now?

They were walking toward the National Road, passing the Post Office. Mr. Shawnessy remembered then the letter from Roiville he had picked up in the morning and hadn't yet read, but he allowed it to remain unopened in his pocket.

—Now for a picnic supper at Evelina's, he said. The Literary Society is entertaining, and you can be the Guest of Dishonor.

—I don't see how I can go through with it, the Perfessor said, coughing, unless I get a little more fuel. Mind if I stop off at your house and get another flask out of my suitcase?

—Not at all.

—The *Atlas* is at Evelina's, you know. By the way, boy, I suppose you know that woman's in love with you.

—Professor, you always exaggerate.

—Everything but you, the Perfessor said. People who believe my lies implicitly don't believe me at all when I tell the truth about you. Mrs. Evelina Brown is no ordinary butterfly either. I spent a good deal of time trying to collect that gorgeous specimen myself in New York a few years back. Well, I guess Laura came about as close to corrupting you as any woman ever will. Confess, it was just the body that you were after that time. We made a materialist out of you for a little while in Little Old New York.

Mr. Shawnessy heard the noise of the Eastbound Special, the Thunderer, as it went wailing toward a distant crossing, making its eternal sound of departure and . . .

Farewell. Arrivals and departures. And farewells. Farewells to cities of the East, and gilded days and dreams, farewells. To meet again is only to repeat an old farewell that means, I never can go back again to the City of my young manhood, my barriered wishes, and my gilded dreams.

Arrivals and departures. Appointments and reunions. But are not all farewells forever and everlasting? Is it not well, and very well to say farewell when one is young and never to meet again after the hair has faded from the temples and the innocent brightness has gone out of the eyes? Who loves an old man? And who that loved strength and beauty can love the shattered shape thereof? Ah, God, I have clung too hard to my youth. To become old is merely a form of resignation.

I went to the City a vagrant day. And I was many days in the City from a summer to a summer, and I was lost in the City like one who wanders in a dream. O, hero boy, did you then entirely fail to find the face that was waiting among the faces in the station where the cars were changing all the time, or did you see it for a little while in the City's winking night and gaslit chambers, where you were dreaming in a spell

Between Two Worlds

CONTENDING at the intersection, the Nation east and west and the County north and south, Esther Root Shawnessy was passing in the early evening, coming from the Schoolhouse, where she had stayed to help clean up after the Patriotic Program. She was thinking now that she liked Waycross best of the towns in Raintree County, perhaps because the National Road passed cleanly here through the troubled earth of the County, crossing the old boundaries, dissolving the old obligations.

Approaching the intersection, she watched Pa drive by in his buggy beside the Reverend Lloyd G. Jarvey. Pa saw her and nodded but said nothing as he and the Preacher turned north toward the Revival Tent. She had heard that there was to be a special meeting of some kind at the Tent tonight, but she hadn't been invited.

The warning Pa had given her earlier was in her mind. He had said that she would find out before the day was over that her husband was fooling her. All day she had vaguely wondered at the threat. Perhaps it meant no more than that the voice of scandal, easily raised in small towns, had accused some woman of being in love with Mr. Shawnessy.

If that was the case, Esther wasn't disturbed. She had always known that other women loved her husband. When she had been a little girl, the other girls had loved him, though of course none so passionately as she. Now that she was older and married to him, she still expected that other women would be in love with him. It was impossible to know him without being in love with him—or so it seemed to her. For that matter, Mr. Shawnessy might love other women—as he loved and admired Mrs. Evelina Brown. Whatever was virtuous, beautiful, and feminine, he loved. But as for his being to any other woman what he was to her, Esther considered the idea simply absurd. She used to wonder if she ought to be jealous of

Mr. Shawnessy's first wife and of other vaguely rumored loves of his through the years. But none of these associations had any reality for her. Mr. Shawnessy could no more cease to be her husband, through any act of his own, than her father could cease to be her father.

Her mood today had been tinged with more than sadness. It verged on fear and at times even panic. Once during the Patriotic Program, she had slipped out of the crowd to the parked vehicles and finding Pa's buggy, had searched it, hunting she knew not what. She had found nothing to frighten her except Pa's blacksnake whip, the handle standing stiffly from the whiprest. But then she had been unable to open the rear compartment, which was locked.

At the intersection, she looked south in the direction of the Station, where more than an hour ago she had heard a burst of band music and applause, indicating, she supposed, the Senator's departure. Now as two figures came from the Station, walking toward her, she recognized her husband and Professor Stiles and wondered what had happened to Mr. Carney, who had been expected to stop in Waycross and perhaps bring his wife.

The children, she supposed, had already gone on to Mrs. Brown's for the picnic supper, where she too must go as soon as possible to help prepare the food.

It seemed to her that all the important symbols of her life had gathered today in Waycross. A world abandoned long ago was trying to win her back. Her reason told her that she had made her new world so securely that nothing could take her from it. But some unregenerate portion of herself had never lost the instinct of return, return to her father's farm.

She had no desire to go back. The feeling was more dangerous than desire. It was the feeling of belonging, as if somewhere inside her a tough spring had been stretched out nearly straight and had to be held there by an effort, lest it spring back to the old shape. Even here where the broad road had given her a sunlit promise of a life far from the crooked county road that passed her father's farm, even here the old strife was joined again,

CONTEST FOR HER SOUL
WAS WAGED BETWEEN TWO WORLDS

in the year that followed the Teachers' Institute at Paradise Lake.

One world was Pa's, wholly now and formidably his. Esther's mother, her sad, wistful, tired mother, died in December of 1877. Her brothers had all married and left the Farm. Her sisters, Sarah, Fernie, and even the youngest, Mollie, only sixteen, were busy being courted and were expecting engagements and early marriages. With these changes the family had assumed a new form, which had perhaps only been waiting for years to disclose itself. The ancient solidarity of the family now took its last refuge in the strong love of Esther and Pa. Pa consulted her in everything he did and gave her the place that had been her mother's in the old days.

During this year, she knew that her love for Pa was the most ancient part of herself—and as such unalterable. The round fair face, Jovian beard, now turning handsomely gray, black passionate eyes, mouth so terrible in its denunciations—all made an image in her life so old that it was no longer to be questioned or changed.

Perhaps her destiny was simply to live forever in this relation to Pa. Sometimes, even, there was a stern joy in the thought of such a dedication. Always she felt as though it would take impossible courage and sinful audacity to sever the ancient tie. Pa's will was right simply because it was his will, and she never questioned his right to keep her entirely to himself.

It was clear to her that Pa loved her more than anything else in the world, had always loved her more, far more, than he had loved her mother. His love was a somber, enduring fact. She didn't expect it to change. She would have been shocked if it had changed, as much so as if some morning on awakening she had found that Raintree County had turned into a desert.

But during the year after the Teachers' Institute at Paradise Lake, especially after her mother's death, there was a change in the way Pa expressed his love for her. He now could hardly bear to have her out of his sight, and when she was at the Stony Creek school, where she taught, she knew that he was thinking constantly of her. As often as he could, he came to meet her in the evening and rode home with her, asking her about her day as if he wanted to relive and repossess every minute of her. When he drove into town, he took her with him. At night before she went to sleep in the room that had been her mother's, he would wait until she was in bed, and then she would hear his heavy footfalls on the creaking stair, there would be a timid knock at the door, and she would say,

—Come in, Pa.

He would come in, always fully clothed. He would come over to the bed where she was now tucked in with only her face showing above the sheet. He would bend over without a word and kiss her mouth, and would pat her hand and hold it a moment, and then say,

—Good night, Esther.

—Good night, Pa, she would say.

Then he would get up and leave the room, firmly shutting the door. The ritual hardly ever varied, and had it varied even a little, Esther would have been deeply disturbed and perhaps even a little frightened, as any change would have meant some disturbing change in Pa.

She was bound as by great cords to the earth of her father's farm.

Nevertheless, there was another world in which she moved during that year and which she tried desperately to keep separate from Pa's world.

The other world had begun a long time ago when she was a little girl in her first term of school with Mr. Shawnessy. For a long time afterwards, only a memory persisted of that world, like voices faintly calling from a remote place. Then for two weeks in the summer of 1877 the voices had become loud and joyous; she had discovered their source one evening when a buggy carried her down sloping hills to a place of waters. For two weeks she had lived entirely in this rival world, had bathed in its green lifegiving pool, had become almost lost in its primitive serenity, had shared its images of beauty, goodness, truth. Then Pa had appeared dreadfully on the threshold of that world and had reclaimed her.

For Esther, too much happiness always had something forbidden and wrong about it. To be really good was to be a little unhappy and engaged in a task that demanded all of one's strength and somewhat more than one's inclination.

She knew from the beginning that there was no way of reconciling her two worlds. They were night and day, with no twilight between. They were stone and fire. They were earth and air.

Not long after the Teachers' Institute, Ivy Foster called on her and left a letter from Mr. Shawnessy, the first of many she was to receive and answer.

This letter all by itself was as strong as Pa's world. It brought back the memory of Paradise Lake. The very handwriting had the curving look of that other world, of its lifegiving foliage, luxuriant shapes, and springing forms. She read the letter over and over, hid it under her pillow at night, carried it always on her person, as a token, a blown leaf, unspeakably precious, of that other world. Of course, she concealed all knowledge of this other world from Pa, knowing the futility of making him understand it or accept it.

She answered Mr. Shawnessy's letter, and there were other letters. They were all very simple. His letters told her that he loved her and wanted to make her his wife in spite of all. They were full of images and recollections of Paradise Lake. Her letters said that she loved him, but that she didn't know whether she could ever come to him. In the earlier letters, he addressed her as 'Dear Esther,' and she addressed him as 'Dear Mr. Shawnessy.' In the later letters, he addressed her as 'Darling,' 'My Darling Esther,' 'Dearest,' and 'Dearest Pet.' She addressed him as 'Dearest One' and 'My Darling.' These forms of address seemed right to her, but she never called him John and knew that she never could. Such a thing was unthinkable.

After she began teaching the school on Stony Creek, she and Mr. Shawnessy managed to see each other secretly. He had the school at Moreland that year, and after school in the afternoons, the lovers would meet as often as possible at a deserted mill on the Shawmucky about midway between the two schools. They also left notes at the trysting place under a stone. Sometimes, too, Esther would be invited to dinner at Ivy and Carl Foster's, their house being only a half-mile from the Root house across the fields. Mr. Shawnessy would be there too, and all four would keep the secret. Ivy was

Esther's only confidante until somehow Fernie found out about the secret trysts in the spring; but Fernie—goodhearted, homely, talkative Fernie—kept her mouth shut and never breathed a word of the affair to anyone.

In fact, Esther never did discover who it was that found out about the secret letters and meetings and told Pa.

One day in April of 1878, she went to the trysting place to leave a note for Mr. Shawnessy. She knelt and placed the note under a stone close to the door of the old mill and was just rising when she saw Pa standing in the door of the mill not ten feet away watching her. He walked over and without a word lifted the stone and took the note.

—Pa, she said in a small desperate voice, please don't read it.

He opened the note and read it through. His face, usually red and bloated at moments of anger, was pale.

—Is he coming here today? Pa said.

His voice scared her as she had never been scared before because it was so dreadfully even and controlled. For the first time, she realized that Pa was fully capable of killing Mr. Shawnessy.

—No, Pa. I don't think so.

—How long have you been meeting him and writing to him? Pa said in the same low, quiet voice.

—Since September, Pa.

—Don't lie to me, Esther. I know about it anyway.

—I didn't lie to you, Pa.

—Where is he now? Pa said.

—I don't know, Pa. Please, Pa, don't hurt him. It isn't his fault. It's my fault.

Pa picked up the gun that had been leaning against the wall inside the mill and went around back of the mill where he had tied his horse. Esther looked at the long black gun with which she had often seen Pa knock a rabbit kicking.

Pa got on his horse and came around. She got on her horse. She kept running her eyes all over the fields and the paths of the countryside, praying that Mr. Shawnessy wouldn't appear, riding along in his abstracted way, his eyes bright and pleasant.

—If you kill him, Pa, she said, I'll kill myself.

—Why did you do it, Esther? Pa said, with a passion so terrible body. News of this development had been unpardonably delayed in reaching Mr. Shawnessy, as his wife's family had kept expecting her to be found alive or dead. An action was instituted in a Louisiana court to get the woman declared legally dead, but the affair was pending and promised to go on for a long time. Mr. Shawnessy then boldly claimed the legal death of his wife on the basis of her disappearance. His case wasn't a strong one, but it was better than nothing. The way was as clear as perhaps it ever would be.

Mr. Shawnessy managed to get these facts to Esther by way of Ivy Foster. He said that he was ready to stand up before the world and claim Esther for his wife.

Meanwhile, Esther was being subjected to a different kind of pressure. Pa and other older people whom she respected had talked with her gently but firmly about the matter. They told her that no matter how strong it seemed to her now, her feeling toward Mr. Shawnessy was after all only a girlish infatuation. They said that from no point of view was Mr. Shawnessy a fit man for her. They said that he was an atheist and a no-account, ambitionless drifter. They said that he had had other shady affairs with young girls in schools where he had taught; and though the names of the girls were not named, some details of the affairs were given. They said that Mr. Shawnessy's own father had forced him to marry his first wife. They said that there was a bad streak in the Shawnessy family. It was no secret in the County that old T. D. Shawnessy was the child of an illegitimate union and had come to America to escape the shame of his bastard birth. Everyone loved the old gentleman—true enough—but there was that stain. Mrs. Shawnessy had been, as everyone knew, a wonderful woman, and no one had been more broken up than she by the failures and foibles of her brilliant but erratic son. They said that John Wickliff Shawnessy was an unstable, undependable philanderer, approaching middle age, almost old enough to be Esther Root's father, and once she got over the crazy infatuation she now felt, she would thank her lucky stars forever that she hadn't let herself get caught with him. They said that besides all that, her pa, who had loved and looked after her all her life, was alone in the world, now that his wife had died and the other girls were getting married and the sons had left, and she would break her pa's heart by making such a bad marriage. They said that anyway there were legal impediments in the way of such a marriage. They said that it was better to break that it took all anger from his voice and made it break l. woman's.

—I love him, Pa.

Pa turned his face away. He was crying. Sobs tore his big frame Esther was appalled. She had never seen Pa cry, had never dreamed that he could cry. She began to sob with him.

—Don't, Pa. Please don't.

Pa fought to contain himself, his big chest heaving convulsively.

—Please, Pa, she said. I'm sorry. It was all my fault. Honest, I didn't do anything but meet him a few times and write. I'll never do it again, honest. I'll stop it. Honest, I will, Pa. Please, don't— don't *cry* so, Pa.

At that moment, it seemed to her that the whole matter was irrevocably sealed and settled. There was nothing else to do but stop the whole thing. The way it was, Mr. Shawnessy would be killed or Pa would die or something dreadful would happen. This thing was bigger than she. It was Fate that she had loved as she had, and it was Fate too that she was doomed never to marry her love. It was Fate, Godappointed Fate, that she was to live forever with Pa. The pain of tearing herself away from him seemed at this moment greater than any conceivable pain of separation from Mr. Shawnessy, which would be a dull long pain, prolonged over all the years of her life until she died.

So she went home with Pa, and in sorrow, fear, and remorse remained for weeks a voluntary prisoner at the farm. As for Pa, he openly declared his intention to horsewhip John Shawnessy to death if he ever caught him around his daughter again.

Meanwhile, in the world outside, a number of remarkable things occurred that Esther didn't know about at the time.

To begin with, Mr. Shawnessy, who had always been regarded as an easy-going person in the County, showed unexpected fight. And his position in the affair was improved by a strange development.

In late April a letter came from Louisiana, saying that his wife had disappeared several months before from the private home where she was being kept and that although a diligent search had been conducted for her, she had not reappeared. There was some evidence that in her demented state, she had committed suicide, and cannons were fired over the Mississippi River in an effort to raise the off the whole thing clean, or at any rate to wait and get more tangible evidence of Mr. Shawnessy's honesty than an annulment based on a mysterious disappearance.

Meanwhile, Esther was watched and attended by various energetic maiden ladies of mature years who rose staunchly to the defense of outraged fatherhood and threatened chastity. One of them even slept with Esther at night. It became almost impossible to get any word at all to or from Mr. Shawnessy, even through Ivy Foster, who was forbidden to see Esther any longer.

In spite of herself, Esther was shocked and disturbed by what she heard. She hadn't seen Mr. Shawnessy for a long time. It began to appear that she might have been all wrong in her infatuation for him. At any rate there was nothing that she could or would do about it. The gods of Family Virtue, Conventional Morality, and Orthodox Religion seemed to be winning a decisive victory.

These Raintree County deities did not, however, reckon with a certain masterpiece of romantic strategy on the part of Mr. Shawnessy.

In early June of 1878, there appeared in the *Free Enquirer,* in the space usually reserved for the Sage of the Upper Shawmucky, Will Westward, an open letter to Mr. Gideon Root, under which appeared in bold capitals the name JOHN WICKLIFF SHAWNESSY. The letter made a clear, honest, and dispassionate statement of the legal facts of the case, and it concluded with a courteous demand that the writer be permitted to visit the Root home and ask the hand of Esther Root in marriage, as the young lady was now twenty-one years old and the suitor was a man not without friends and prestige in Raintree County—and, to the best of his knowledge, legally single and eligible. A note of passion crept into the letter in the last sentence, in which the writer did not hesitate to appeal to justice and the power of immortal love.

It was the last sentence that threatened to cook Mr. Gideon Root's goose.

On receipt of his personal copy of this letter, Mr. Root went out and got into his buggy, selecting his longest and heaviest leather whip as a suitable accessory. He drove over to the Shawnessy Home and walked into the yard, carrying the whip. What followed was variously reported, but most accounts agreed on the following conversation.

Mr. Shawnessy, upon answering the door and seeing Mr. Root standing there fingering a big black whip, carefully kept the door between himself and his visitor.

—What may I do for you, sir? he said.

—I want a word with you in private, Mr. Root said.

—Just a second, sir, Mr. Shawnessy had said.

He reappeared in a moment with an immense rawhide horsewhip, newly purchased, which he kept twisting between his strong, nervous hands.

He and Mr. Root then walked out into the yard.

—Shawnessy, Mr. Root said, I have come over here to tell you to leave my daughter Esther alone. We want no part of you, and we don't aim to have you botherin' around her any more.

—Are these her words or your words, Mr. Root?

—They're my words and her sentiments.

—What guarantee have I got of that? You've had her jailed up for weeks. I haven't even been able to talk with her.

—Older and wiser people have talked with her and brought her to her senses, Mr. Root said. She knows now that you're a goddam, blackhearted scoundrel, and she don't want no more of your lyin' words. If you try any more tricks to git her, I'm warnin' you, by God Almighty, that you will have more than a poor, defenseless, and foolish girl to reckon with.

Mr. Root's broad hand bulged on the handle of his whip.

—Meaning? Mr. Shawnessy said, shaking out his whip along the ground and absently making the end of it flick at some flowerheads on the fringe of the lawn.

—Meanin', Mr. Root said, that I'm that girl's pa and I intend to take care of her, any way I know how. There are laws to prevent the seduction of girls and to punish their seducers. And if the law don't help, I'll find means of my own.

—Sir, Mr. Shawnessy said, there are also laws to prevent a man from keeping his daughter brutally locked up so that she can't marry the man of her choice.

There was then some violent discussion of whether Mr. Shawnessy was a fit man to marry any woman. Mr. Shawnessy's antecedents, both paternal and maternal, were stigmatized in no uncertain terms. Both men watched each other's whiphands and turned white and red several times. Mr. Shawnessy attempted to keep the discussion on a temperate level and drew several legal distinctions, to make his position perfectly clear.

Finally, Mr. Root said,

—Look here, Shawnessy. Much as you may think so, I have no personal interest in hurtin' you. All I want is my daughter safe out of your hands. Now, I'm not a rich man, but I'm willin' to pay something for that. I'll give you a thousand dollars, my note of hand, to stay away from my daughter. You'll have five hundred dollars down and the rest as soon as I can git it, and I give you my word no one will ever know of it. I'm a practical man. I'm willin' to pay this money and strike a bargain, and no hard feelin's.

—Mr. Root, Mr. Shawnessy said, if you're so sure your daughter cares nothing for me, why are you offering me this bribe?

—I've made the offer, Mr. Root said. Take it or leave it.

—I don't want your money, Mr. Shawnessy said. Esther and I love each other. We want to be married and live as man and wife.

At these words, Mr. Root stared wildly about as if he were hunting for something that he should have brought. He looked at Mr. Shawnessy's whip. He put his hand to his throat as if to squeeze his heart back into his breast.

—John Shawnessy, he said slowly, I ought to thrash you to death.

—Mr. Root, Mr. Shawnessy said, I've lived too long and seen too much to be afraid of a man with a whip. I've been cheated out of a lot of things in my time, but I don't intend to be cheated out of your daughter, if she'll have me. I might as well make perfectly clear to you that I intend to take her away from you and marry her. That's all I have to say to you, sir. Good day.

Mr. Shawnessy turned his back on Mr. Root and walked into the house, and Mr. Root went down and got into his buggy and raised a long ugly welt on the side of his horse.

After Mr. Shawnessy's famous letter to the newspapers, the affair broke wide open. Gideon Root found that he had a hard fight on his hands. He wasn't simply bucking the power of love, but also the power of the press, which is perhaps even greater.

At first, the County split up into factions, and both sides found voice in the newspapers. The Republican sheet, the old *Clarion,* which had long ago done a political turntail along with Garwood B.

Jones, its absent owner, and which had in its time taken many a wallop at John Wickliff Shawnessy, at first leaned a little toward Mr. Root's side of the argument.

Then a wonderful thing happened. A letter came from the Nation's Capital, Washington, D.C., signed by a certain eminent young statesman who had won his first seat in the Senate of the United States in 1875 and had already gained national attention by his golden voice and commanding presence. This letter was received by one of Garwood's old political henchmen in the County, and it was shown widely about. It was not couched in the Senator's sacred style.

Dear Skinny,

It has just come to my attention that my good young friend John Shawnessy has got himself into another big mess back there in the old County. The way I hear it, he's fallen in love with a girl about half his age. No doubt John put his usual hex on the kid, and she's crazy about him. According to my advices, her old man is trying to break it up and hold back the force of young love.

Now it just so happens that John Shawnessy is one of the best friends I ever had, and if cutting off any part of my anatomy (with one exception) would do the sprout any good, I'd submit to the knife.

Skinny, I want it understood that I want the boy to have that girl legal and proper if that's the way he wants it. If I still have a little prestige and influence left in the old County, Skinny, I want it used to bring this thing about. Just let it be known that Garwood B. Jones would be personally gratified to see young love have its course.

You can even show part of this letter to the right people, Skinny, and get the boys behind it. Don't spare money or anything else that will do any good. My personal fund will take care of the thing.

The G.A.R. may be able to help, as everyone knows John Shawnessy fought like hell from Chattanooga to the Sea and got an honorable wound in the gut when we took Atlanta.

Now, Skinny, I trust that's all I need to say, and let me know how the thing turns out.

GARWOOD B. JONES

P.S. By the way, it won't hurt to have my name mentioned favorably in the right places and with a touch of humor as reacting to this situation with characteristic humanity. 'No detail, however minute, back in the home state, fails to arouse the Senator's instant, personal attention, etc., etc.' Some of that old crap might do me some good right now after the stink stirred up among the laboring classes by my reaction to that damn strike last year. Skinny, get busy in there. I'm counting on you personally.

Garwood's signature on this document was so big that it could be read without spectacles.

After this letter, the tide of Public Opinion, already turning strongly to the side of young love as against filial piety, became a raging torrent. The *Clarion* instantly reversed its stand, declaring the issue to be above narrow partisanship and to concern the universal human heart. The Jones machine got busy and went to town. In no time at all the columns of both newspapers were full of letters, suggesting a hundred solutions to the affair, among which the most straightforward was a proposal that old Gideon Root be horse-whipped and hanged on a hickory limb.

The affair attracted attention even beyond the borders of Raintree County, receiving some notice in a widely read column in New York's leading newspaper. Letters came to the local papers from surprisingly remote places. Not wholly characteristic was one to the *Clarion* from a Miss Geranium Warbler Stiles, a resident of Oshkosh (though, curiously, the envelope was postmarked New York). Miss Stiles (who was obviously a very gifted old woman) said that her entire sympathies had been aroused by reports that she had read of the case. She then proceeded to record at great length the tribulations of her own enforced maidenhood which she said had been caused by the determination of a tyrant father to prevent her marriage to the young man of her choice. The upshot of the thing had been that

. . . my father at last, in a fit of insane rage, discharged a shotgun at my intended, which though it did not mortally wound him resulted in such highly localized damage to his person that marriage was, alas! out of the question.

This letter was at once so touchingly frank and so convincingly eloquent that it had no little weight in turning Public Opinion in Raintree County in favor of the lovers.

It got so that Gideon Root hardly dared go out of his house. One day when he was riding down the road in his buggy, a very muscular man on a bay horse rode up beside him, grabbed him by the shirt at the neck, pulled him half out of the buggy, shook him, and said with deadly seriousness,

—Root, if you don't let them youngsters git married, I'll personally beat the hell out of you.

He then shoved Mr. Root back into his buggy and rode off rapidly in the opposite direction. Mr. Root, who was never a man to back out of a fight, recovered from his surprise and nearly lashed the liver out of his horse in a vain effort to catch up with his assailant, whom he had never seen before in his life.

He got dozens of letters signed and unsigned, of which the following was a fair sample:

> Root, goddam you, if you goddam well don't let Johnny Shawnessy have your daughter, I'll blow your goddam head off with a shotgun. Folks are agin you, Root, and you mite as well know it. Now goddam you, git some sence in your goddam thick skull and leave them youngsters git marred.

One night, a shower of brickbats and horseshoes smashed the lower windows of the Root house, and someone set fire to the barn. The Jones machine got the people in Freehaven so worked up that a huge halfcrazy mob was on its way out to the Root Farm with tar, feathers, and a knotty rail, when Mr. Shawnessy, hearing of the matter, rode a fast horse to intercept them, and using all his wit and power of persuasion finally managed to turn them back.

There were six elopements in the County during this period, all of which were indirectly traced to the abnormal excitement caused by the Shawnessy-Root Affair.

The power of immortal love, the power of the free press, and the personal power of Senator Garwood B. Jones appeared to be closing in on one poor man like an inexorable combination of natural forces. But there was some question whether the last two elements didn't do John Shawnessy more harm than good.

During this time, Esther Root had suffered a virtual imprisonment. All she knew for sure was that her pa, whom she loved very much, was taking a fearful drubbing. He came home one night with his shirt torn and his throat bruised from the assault of an unknown man, and another time the whole family was awakened when hoodlums tried to smash the house and fire the barn. That night Pa ran around in the darkness half-naked like a madman, shooting off a shotgun while unknown people made vulgar sounds from hiding. The next morning, they carried Pa in, half out of his mind, his body scratched with briars, his eyes bloodshot, and his voice a hoarse sob in his throat.

Esther hadn't heard from Mr. Shawnessy for weeks now, and she didn't know what his attitude was. She was told that he had gone around the County boasting to people about how he had made old Root come begging on his knees not to take his daughter away from him. She heard that Mr. Shawnessy had said that he would personally see to it that half the young toughs in the County beat the hell out of Mr. Root every time he stepped out of his front door. She heard that Mr. Shawnessy went around laughing and saying that he could have the girl any time.

These reports didn't make her angry. They didn't square with her idea of Mr. Shawnessy. But they were all she heard.

Things were in this condition when on the third of July Pa came in to see her. He told her that the situation had become more than he could bear. He looked like a beaten man.

—Sometimes, Esther, he said, I wish I was dead. When I think that you that I loved most have caused me all this trouble! But I guess it's my own fault. Maybe I loved you too much. Maybe I've not been a good pa to you.

Again Esther felt the strong anguish that she had felt the day Pa had cried.

—Why, Pa, what have I done now?

—Nothing, he said. Only, I see just one way to git us all out of it, and no one harmed. I plan to let Robert have the Farm, now that all you children are grown. I thought if you had no objection you and I could leave the County and go out West. I got a brother out there, and I got a little money saved up. You could go with me if you want to. If after a decent interval, when this thing blows over, you wanted to come back to the County, you could do it. I wouldn't stand in your way. How about it, Esther? Will you do this last thing for your old pa?

It was the first time in her memory that Pa had ever referred to himself as old in her presence.

—O, Pa, she said, I couldn't bear to leave you. If you say so, I'll go with you.

—I want you to make up your own mind, with no one influencing you, Pa said. I got everything about ready. I'm goin' to town about some legal matters tomorrow, and if I don't git beat up, I'll come back at four o'clock in the afternoon, and we can ketch the six o'clock train at Three Mile Junction. Tomorrow's the Fourth, and everybody'll be too busy celebratin' to worry about you and me. If you do this last thing for your old pa, he can go to his grave knowin' that you were kind to him and more than repaid his love for you. I won't say anything more.

Esther lay long sleepless that night. If she could only see Mr. Shawnessy once more before she left! But then, if she saw him again, she would be lost, and it would be all to do over again. She felt sure that whatever she did and whatever happened, this was the last night that she would spend in her father's house.

Toward morning, she fell asleep and dreamed that she was going somewhere all by herself. It appeared that she was all dressed up and was hurrying across the land. Her feet sank in the freshly plowed earth of the fields around her home, but she stumbled on, crossing fences and pushing through thickets trying to find a place where she was to meet someone. It had something to do with catching a train or keeping an appointment, with whom or where she couldn't say for certain, but in the dream she kept seeing the dark, beloved ground of the Farm lying all around her in a light that was tinged with the sadness and forever of a myth. In the oak forest that lay behind the Farm, the trees were dark and still. She could see deep into the hushed recesses. But across a distant stile, where the spring welled to make a running branch,

THERE HUNG, ALL SHINING

IN THE GRAY

DUSK

The Golden Bough

MR. SHAWNESSY said, is the title of tonight's discussion of the Way-cross Literary Society. We are happy to have with us a visiting celebrity, Professor Jerusalem Webster Stiles, who will lead the forum.

The Perfessor adjusted his pince-nez.

—Let me see, he said perfessorially. Yes, I have my notes with me.

He plunged both hands into his looseflapping coat and plucked out two flasks, one half full, the other full. His face, nodding on long neck, leaned past Mrs. Brown, tendering the full flask, an amber bubbling bottle, to his two companions, who smilingly declined.

The face of Professor Jerusalem Webster Stiles was a map of wrinkles and ridges. Black eyes glittered unfocused in seamy sockets. The skull was polished bone under black hair. The wide mouth grinned stumps of moribund teeth. The pince-nez glasses, lensed with pictures of the fading day, were a feature of the face, as much so as the sharp nose and the big shapely ears sensitive to the least shift of the forehead. The face of Professor Jerusalem Webster Stiles was wise and devious like an old monk's manuscript.

Mrs. Brown put the Raintree County *Atlas,* which she had been diligently examining, under the swing.

—Shall I keep the minutes? This promises to be a memorable . . .

MEETING OF LITERARY SOCIETY
(Epic Fragment from the *Cosmic Enquirer*)

Attractively landscaped with smooth lawns, tufts of shrubbery, and pagan adornments, Mrs. Evelina Brown last Monday entertained members of the Waycross Literary Society in her palatial residence east of town. Refreshing himself with frequent drafts from the Heliconian Spring, Professor Jerusalem Webster Stiles led a discussion on the origin of . . .

Mr. Shawnessy was sitting on the right of the porchswing and the Perfessor on the left, with Mrs. Brown between. It was seven-thirty and the picnic supper was over. Mrs. Brown's American-Gothic mansion gloomed over the three forms. The yard was a rectangle of shaven green where children played. A fountain in the left corner lifted a thin jet to flower and fall over two bronze bodies. Enshrined in halfcircles of the fence, the nymphs were lumps of rusty nudity. The house and yard were nearly surrounded by cornfields. A cornfield began on the far side of the National Road and extended to the elevated bed of the Pennsylvania Railroad. Due west, a white bull stood in a small pasture. Islanded in trees, the roofs of Waycross were drenched in fading splendor.

—Mr. Shawnessy, the Perfessor said, will you elucidate our text for tonight?

—Our text for tonight, Mr. Shawnessy said, is taken from the *Aeneid,* the story of a national hero. In Book VI, members, you will recall how the hero descends into the land of shades, after first plucking a golden bough. This talismanic branch makes him superior to death and he is enabled to learn of things past and future.

—To begin then with things simple, the Perfessor said, I propose this question to the enlightened company which I behold before me: What is human life?

—Human life is a myth, Mr. Shawnessy said.

—Amen, the Perfessor said.

—To be most human is to be most mythical.

—This is wisdom, said the Perfessor.

—A myth is a story that is always true for all men everywhere.

—An oracle speaks, the Perfessor said. But are there any new myths? I doubt it. In their wisdom, the Hebrews and the Greeks have furnished us with all our myths. Will there ever be another mythical race?

—Yes, Mr. Shawnessy said. The Americans are a mythical race. We are making a new myth, the American myth.

—What is this American myth?

—It's the story of the hero who regains Paradise.

—Ah, yes, the Perfessor said. The subject of your own great unfinished epic.

—Where does he find Paradise? Mrs. Brown asked.

—At the crossroads of the Nation. In the Court House Square. In a train station. In the center of Raintree County.

—Adam, the prize of God's great bounty,
Pops up again in Raintree County,

recited the Perfessor.

—Americans have rewritten the old epics and have added myths of their own. From the Greeks, we've taken the plural gods, the rape of beauty, the long war, the wandering and the return. From the Hebrew and Christian myth, we've taken the lost garden and the divine man. But to all this we've added our own national experience. Our myth is a sun myth—it has the path of the sun. America is the geographical symbol of the Renaissance. The seagoing humanists set out to find again the lost garden of humanity. What were they seeking except a Passage to India, the cradle of mankind! America is mankind returning upon itself through the circle of the earth and defeating time and space. In a new Eden, we have strewn the memories of all mankind. We began by calling the aborigines of America 'Indians' and have pursued the delightful fraud ever since. We're the new mythmakers.

—But this westward legend, John, and this Edenic dream belong to an innocent day when myths were believable. It belongs to young America. My dear boy, you're trying to Hellenize America after her Hellenic age is over.

—I'm trying to Americanize America, Mr. Shawnessy put in.

—All great myths, the Perfessor went on, are pre-alphabetic. By your theory, then, early America has had the advantage of being almost illiterate?

—The early Americans, Mr. Shawnessy said, were poets of the open road. They rediscovered the earth. They uncoiled the Mississippi, they unrolled the Great Plains, they upheaved the Rocky Mountains. They brought the miracle of names to an earth that was nameless, even as Adam did when God bade him name the earth and its inhabitants. They were the new Adams.

—Adam, who always slept in the raw,
Went to bed with an Indian squaw,

the Perfessor recited. It's an amazing synthesis that you've achieved, my boy. How you ever managed to make this bleak little county conform to a universal pattern amazes me. You didn't have much to work on.

—On the contrary.

—I suppose you're referring to our little local myth, the Perfessor said. Assume just for fun that a seedy halfwit called Johnny Appleseed *did* walk through here seventy-five years ago when this was a wilderness, and suppose this nutty yokel *did* strew a little seed around here. Even suppose he got hold of a seedling of some exotic tree and planted it. What of it? One tree is like another. Johnny Appleseed was just one of the bees who help the winds spread pollen. It's human and poetic to make a myth out of it. But if you and Evelina and I made an excursion tomorrow to your precious swamp in the middle of your precious county and found your precious tree with a couple rocks under it, do you know what we'd do? We'd sit there and have a couple sandwiches and after an afternoon of contemplating the tree, we'd go back home with sunburnt noses and ants in our pantses, no wiser than before.

—I'd be thrilled to death, Mrs. Brown said, to find the Raintree.

A girl's voice clanged in the yard:

—Mrs. Brown!

—I've got to help direct games and things, she said, rising. I'll be back as soon as I can.

The Perfessor took a drink. Mr. Shawnessy made a motion indicative of the lawn, the town, the running children, Mrs. Brown in her green dress.

—You see, he said. It is all myth. We are all myth.

—John, the Perfessor said mellowly, what you say is true. Americans are an absolutely legendary people. Who knows it better than I, after a lifetime of reporting the incredible deeds of this incredible race?

—If we have a recorded epic in this century, Mr. Shawnessy said, it's the newspaper. A hundred years from now the newspapers of this day will provide the epic fragments of our time.

—I suggest, the Perfessor said, that you name your epic poem the *Mythic Examiner*, being a kind of fabulous newspaper in which the deeds of these fabulous people, the Nineteenth Century Americans, shall be recorded in a mythical American style.

—I suppose I've been too close to this stuff of myth, Mr. Shawnessy said, to handle it properly.

—Your great poem, the Perfessor said, is your own life, John. My God, what an epic we have lived in this century! But as you say, we've been the makers of the legend, and I suppose someone else will have to record it. We're essentially a physical people—doers not sayers. Where the Greeks worshipped the form, we worship the act. For us, it's size, strength, and speed that count. I see it all the time, and I think we're getting more rather than less so. Maybe you've been reading about the coming fight between the Great John L. Sullivan and Gentleman Jim Corbett. It's the very stuff out of which our American Homer will some day create his Hector and Achilles, with breast-thumpings, epithets, and great brags. Only a few weeks ago, I myself saw the Great John L. stripped to the heels. I was in Boston when they carted the Strongest Living Body down to a doctor's office to have it measured. It made me think of a big fat beefy bull at the County Fair. We all stood around gaping and gasping, while John L. flexed his biceps and blew out his great chest. Of course, hardly had the Boston doc called Sullivan the Strongest Living Man than Corbett's manager trotted his bruiser down to a doctor, who gave it as his opinion that the Challenger was the finest hunk of man in all America.

—Well, well, we have these cunning things called bodies, and we might as well mythicize them. What's wrong with trying to be first in a hard contest? It's another sign of our innocent obsession with space.

—Ah, I just remembered, the Perfessor said, you were something of an athlete yourself in your youth. Here, have a slug of this, hero boy, and tell us how you sought the garland. Give us a few chapters from your mythic life.

Smiling, he declined. In the yard, his oldest boy ran past the porch, leading a cry of children around the house.

Life's young Greek and blithe contender, maker of myths, stand forth. Stand forth again, pre-alphabetic and prediluvian boy, and find the earth gardened with names, the earth rivered and roaded, fenced and freehavened.

Where is the young American?

He stood on the brink of day and heard prophecies and legends old and new. He dreamed and saw the republic of himself. He knew that somewhere the Tree of Life was waiting, from which the County took its name of music and of strangeness. For this he had come forth to summer. For this he stripped him for the race. For this he heard speech like unworn coins flung down ringing in the Square. For this he made great vaunts and laughed with white teeth.

—And right after this exhibition, the Perfessor was saying, the Great John L. took us all down to a saloon in the heart of the Hub, where he stood at the bar hammering hell out of the counter and buying drinks for the crowd. I can lick any mon in the worrrrrrrld! says he, letting me have the flat of his hand between my shoulder blades. After they picked me up and revived me with a double slug, I said, John, I've seen this Corbett fight, and he's a crafty one. He says you'll never lay a glove on him. At this, John L. roared like a bull, doubled his great fist, and rocked the teaparty town with a blow on the brass. See this arm? he said. I see it, I said. See this fist? he said. Yes, sir, I said. With this arm and this fist, he said, I'll . . .

Make way, make way for the Hero of Raintree County. He who is first in the race shall pluck the golden bough; flowers shall pelt his naked shoulders.

—He stood there, the Perfessor was saying, and so help me, he drank two to my one until midnight and went right on roaring and beating the bar and . . .

The words of an old myth shall be graven on lost columns. They shall be the speech of the early Americans and their Olympic games. Godlike, they ran toward mountains of gold. Goldseekers, trainracers, aeronauts of the blue and enterprising day, stringbreakers, steamboaters, wirewalkers, make way, make way for was set for eleven o'clock in the morning of the Fourth. Around nine o'clock, opencoated, longlegged, with a blue bowtie at his throat, Johnny Shawnessy walked through the Court House Square nodding to friends.

—Good luck, Johnny.

—Hope you beat, Johnny.

—I got a pig bet on you, Johnny.

—I'll do my best, folks.

In front of the Saloon, Cash Carney was waiting, leaning against the plateglass. He took off his derby and fanned himself with it, though there wasn't a trace of sweat on his elegant face, smelling of lotion. His hair was slicked back flat from a middle part. He tipped the ash from his cigar and swung open his coat, revealing a gold chain on his spotless shirt. He plucked out a watch and cradled it in his hand.

—We got two hours, yet, John. Everything's set. By the way, all of the other contestants withdrew from the Race, and it's just between you and Flash.

—Look, Cash, I'd rather not go through with this business of getting Flash drunk. I think I can beat him sober.

—It's all fixed, Cash said. Jake is all set with the fake bottle, and honest, it looks just like whiskey. Hell, they'll never know the difference.

—They say Garwood is riding herd on Flash to see that he doesn't get drunk. Garwood and the *Clarion* crowd have a lot of money on this race, and they don't aim to lose it if they can help it. Suppose Garwood smelled a rat.

—I tell you, Cash said, only Jake and I and you and your brother Zeke know anything about it. I told Jake if he blabbed to anybody, he'd lose his job.

—Garwood has a way of finding things out, Johnny said. It's been weeks since we made the plan.

—A man has to take some risks, Cash said. After all, I got my money out at two to one. But I can't get any more takers at those odds after the way you run in that race at Middletown Fair last Saturday. I told you to hold yourself in a little.

—I was nervous.

—You didn't have to spreadeagle the field by ten yards, Cash said. How do you feel?

—Nervous, Johnny said.

In the plateglass of the Saloon, his young head was framed with rainbow colors. While he was fixing his bowtie, a familiar image emerged from the door of the reflected Court House and strode importantly through the crowd.

—Well, men, Garwood Jones said, I see you're here early. Suppose we have a little drink before the Race. On me.

Garwood laughed a throaty baritone, removed his straw hat, and studied himself in the plateglass, touching his fat young cheeks and sculpturing his black hair. He took out a cigar and lit up, gently weaving his bulky shoulders as he puffed the tip to flame. Johnny watched Garwood closely, but the handsome blue eyes were veiled in cynical amusement.

Small boys were already out with firecrackers. The Square was filling with people. Venders and showmen were drawing the crowd. Workmen were putting the finishing touches on a platform built halfway out from the edge of the court house yard into the street. American flags were limp flares of color in the windless air. It promised to be a hot day.

—You wouldn't want to take a little more easy money, would you, Garwood? Cash asked, watching Garwood sharply.

—It would be stealing from a friend, Garwood said. By the way, Perkins is sober. I hired three strong boys to watch him.

Several citizens were collecting around the Saloon, and now and then one went in for a drink.

—Folks, said an oily baritone booming from a shady place on the court house lawn, I trust you all perceive this round, elongate object that I hold here in my hand. Why, Perfessor, you say, that's nothing but a bottle, as any fool can plainly see. Ah, ha, my friends, so it is.

But, friends, this bottle—this simple, plain, and ordeenary bottle contains . . .

—The Perfessor's open letter caused quite a sensation, didn't it? Garwood said. By the way, did I show you the letter he sent me along with it?

Garwood pulled a letter from his pocket and read,

—Dear Garwood,

Enclosed find a noble prose, the which I hope you will print in the columns of your paper. It is full of high sentence and pious fraud and alas! a certain seed of truth. If you see Lydia, tell her I love her. Spit in the Reverend's face for me. As for yourself, boy, study my example, and get the hell out of Raintree County before someone gets to *you* with a shotgun.

Your ob't servant, etc., etc.,

JERUSALEM WEBSTER STILES

Garwood borrowed a copy of a New York paper from a near-by citizen and began to read it.

—Shucks, a citizen said, nobody believed that letter, but it was a nice thing for him to do.

—Tell you the truth, a second citizen said, I sort of hoped he'd git away with her.

—Seems to me, the first citizen said, I recommember you were part of the posse and carried a rope.

—I did that, the second citizen said. I already had the noose tied in it.

—Tell you the truth, a third citizen said, I always liked that there Perfessor Stiles. He warn't a bad cuss, at that. Shucks, you couldn't zackly blame 'im.

—If you fellers want my personal opinion, the second citizen said, I allays thought Reverend Gray was an old stinkball. I'm glad he's went and left the County. Besides, my folks never believed in total immersion nohow.

Several men were in front of the Saloon now, reading newspapers and talking.

—That dern balloon went over Fort Wayne day before yesterday, a citizen said. I wisht we'd see one around here.

Everybody looked up at the sky speculatively. This was the summer of balloon ascensions. The newspapers were full of stories about big canvas bags blowing around America like winddriven birds, tearing along on high gales, dropping ballast, collapsing unpredictably, spewing their occupants out on far waters and wildernesses.

—It's jist one dern thing after another this summer, a citizen said. Seem like ever'body's tryin' to think up some damfool way to git 'emselves kilt fancy. And folks eggs 'em on to it.

—Like this dern Frenchman whatshisname, a second citizen said. The tightrope walker.

—Blondin.

—That's him. He ain't satisfied no longer to cross Niagara Falls on a wire. He's got to carry a man across on his shoulders.

—You mean tew stan' thar and tell me he aims tew carry a man across with 'im?

—That's whut I said.

—Well, I declare tew tell! thar might be one man dumb enough to dew a thing like walk a wire over Niagara Falls, but shorely they ain't tew.

—O, ain't they! They's another one besides—an American. Leave me to have that paper a minute, Garwood. Lookee here, now, here's where it says——

The man flapped pages, searching.

—Yes, sir, friends, boomed the great voice of redemption from the court house lawn, if this bottle that I hold here in my hand doesn't afford you all the marvellous . . .

—Here she is, the man said. Right here. John, you read that fer us, will yuh? I ain't got my specs.

Johnny read:

—'I am an American and a native of Rhode Island. This will show that Americans is as bold and as smart as a Frenchman. I have been in the business about 2 years and have performed on a slack wire, one so small that it is scarcely perceptible. But I could walk on the edge of a razor.' A program of exhibitions is announced. Terrific ascension, etc. The Great American phenomena, Professor Sweet, Music by Full Military Band. Admission only 10 cents.

A general invitation is extended all around
    To the people of the Union in every state and town,
To come and witness this great and daring feat
    Of walking on the mammoth rope by the great Professor Sweet.

—Hmmmm, Garwood said. Look what's coming.

Johnny looked up and saw Susanna Drake in a white dress walking between two other young women. Passing the Saloon, she saw Johnny and Garwood, and a smile of pleasure and confusion tugged at her pouted lips, fluttered and faded on her face. She touched her white satin dress at the shoulder and switched her red parasol back and forth with a lithe fury that seemed to flow from her body into the stalk of the parasol.

—Hello, Johnny. Hello, Uncle Garwood.

The boys said hello.

—What a pair! a citizen said.

Johnny felt wildly excited as he thought of the party of young people who were going to Paradise Lake that afternoon.

—That's that there girl from the South, another citizen said. She's goin' to award the prize to the winner of the Race.

—Say, a citizen said, they've done had another rape case down there. It's in the paper.

—Where's that? Garwood said. I missed that.

He took the paper out of Johnny's hand, lipped his cigar, and flapped pages, eagerfingered.

—Page three, bottom of the second colyum, the citizen said. A nigger raped a white woman down in Alabammy. They lynched 'im.

—Serves the black bastard right, Garwood Jones said, walking his cigar up and down his mouth while holding the paper in both hands. Here it is.

—And now, friends, boomed the baritone voice from the court house lawn, I hope you will pardon me if I offer a little medical advice of an intimate character, but I am sure the enlightened intelligence of the audience I see before me makes it possible for me to talk on a subject highly important to both sexes. This little bottle which I hold here, and which—mark my words, Gentlemen and Ladies—*and* which, I intend to give away free with the other bottle I have just demonstrated . . .

—Hi there! Garwood said. What are we wasting our time in Indiana for? And there's a whole mountainful of gold in the glorious West. Folks are *swarming* out to Pike's Peak. It's like Forty-Nine all over again.

Garwood plucked the cigar out of his mouth and peered keenly at the crowded buggies across the street.

—Hold this paper for me a minute, sprout, he said.

He walked across the street and leaning head and shoulders into a buggy helped a young woman down.

It was Nell Gaither, whom Johnny hadn't seen since a certain afternoon on the Shawmucky which had resulted in a letter requesting him to put from his mind forever *all* recollections of his unworthy but repentant Nell. From parasol to shoes, she was dressed in a complete new outfit. Her long, graceful body bent prettily as she stepped down. She pushed her heavy gold hair back a little from her ears and looked tranquilly up and down the street. Her eyes touched Johnny with a lingering look and poured a green excitement on him. A faint, faint smile touched the corner of her lovely mouth, her cheeks paled and were then faintly flushed with scarlet. She opened her parasol suddenly and knocked Garwood's straw hat off.

Everyone laughed, including Garwood, and Nell laughed nervously, and Garwood retrieved his hat, and Nell walked away into the crowd alone.

Johnny studied the isthmus of her waist and the bellshaped continent of her skirt, green with flowered figures worked into the cloth. A rush of longing went over him. Shutting his eyes, he saw his strong young body floating in green water warm in the sunlight. And this water was between wide banks in summertime, and a smooth oar made wounds in the pale flesh of a river of floating flowers.

. A high, hornloud voice whipped across his ears.

—Well, I'll be hogtied and turned in a barl!

Advancing the first of a throng, longlegged, opencoated, with a red bowtie at his throat, Flash Perkins was crossing the street toward the Saloon. Flash's wide hat was pushed back on his head. The brown shag of his hair shot out and over his forehead. His white teeth smiled savagely through his beard. His forehead twitched upward. His blue eyes glared excitement and good humor. He walked flinging his feet out sideways and swinging his hands, half made into fists.

Everyone within hearing stopped and began to move in toward

the Saloon. Johnny didn't shift his position against the window, but he wouldn't have been surprised if Flash had walked right into him. Flash stopped, however, and putting his hands on his hips, and spreading his feet apart, leaned his powerful chest and shoulders far back and . . .

PRE-BOUT SHOWDOWN
(Epic Fragment from the *Mythic Examiner*)

At the weighing-in ceremonies, these two marvellous specimens of American manhood flexed and unflexed their muscles for the delectation of an admiring throng. Small boys trampled each other for the privilege of palping the bicipital bulge of the Champion. When the two had stripped, the crowd withdrew to a reverent distance, while several ladies swooned with high yelps. Those who had suggested prior to the bout that the Champion had acquired too much embonpoint in the pleasant dissipations of vine and venery were obliged to confess that seldom had they seen a more magnificent marvel of mature manhood. In contrast, the Challenger appeared a very stripling. But the boyish mop of his sunset-tinted hair suggested the mane of the young lion. Tall, slender, and fair, he lacked the robust figure of the Champion, and yet there was a light in his blue eyes that bespoke a steely determination to win. All in all, the pre-bout meeting between these two worldfamous athletes was in the best tradition of good clean American . . .

—Put 'er there, boy! Flash said. Le's see have you got any force in your hand.

Johnny Shawnessy, whose nervous hands were strong out of all proportion to his size, took hold of Flash's big fist. They ground at each other's knuckles, smiling at each other through gritted teeth. It was a draw.

—How about a little drink with me before the Race? Flash said. This goddam Garwood Jones won't let me have a drop, but I figger if we both had a drink, it'd be all right.

Johnny almost gasped—it sounded so easy. Cash nudged him in the ribs.

—Well, Johnny said, I don't know as I ought to.

—Now look here, John, Cash said, you're to do no drinkin'. You aren't use to it. You don't know what it'll do to you.

Garwood didn't say anything, but stood smoking his cigar and trying the flesh of his cheek.

—Hell, I forgot this boy ain't even weaned yet! Flash said.

Flash's toadies laughed.

—You goin' to let him git away with that, young Shawnessy? one of them said.

—Heck, no! Johnny said. I can beat this man running or drinking. Come on.

Flash Perkins gave a great laugh and hit Johnny between the shoulderblades.

—Come on, Garwood! he yelled. It's O.K. now, ain't it, boy?

Garwood didn't say anything, but followed Johnny and the rest of the crowd into the Saloon, as Flash walked through the batwing doors without bothering to put out his hand. Johnny and Flash went over to the bar and each put a foot on the brass rail. Half a hundred men shoved into the Saloon and crowded around the two competitors. Everyone was talking at once.

—Johnny Shawnessy is goin' to drink with Flash Perkins, a citizen said.

—Hell, he can't do that, another citizen said. Ain't nobody in Raintree County can drink with that crazy buck glass for glass.

—Say, it'd be smart, a third citizen said, to take a little more of Carney's money. They say this Shawnessy kid is fast as greased lightnin', but that whiskey'll kill 'im.

—What'll it be, boys? Jake the barkeep said.

He was a nervous young man in a white apron.

—You name it, and I'll drink it, Flash said to Johnny.

—What have you got? Johnny said.

—Here's a couple bottles bourbon, the barkeep said. Raw stuff. Right out a the still.

He got two water tumblers and opened both bottles.

—Each boy can have a bottle, he said.

Just then two men in the *Clarion* crowd grabbed Cash Carney and pulled him out of the ring and began to talk bets at two to one. Meanwhile, the barkeep poured one of the tumblers full, set it down in front of Flash, took the other bottle, and started to pour for Johnny.

—Just a minute there! boomed an authoritative voice.

Garwood Jones leaned over the counter, pointed to the bottle, and said,

—Let's have those drinks poured from the same bottle.

The barkeep looked at Johnny, and Johnny looked around for Cash, but Cash was clear out of sight. The barkeep hesitated and smiled a queer smile. He tried to bluff.

—You mean to say—— he began in a small voice.

—I mean to say, Garwood said in his doublebass, full volume, that I don't want any shenanigans around here. Let's have it fair and square and both boys drinking from the same bottle.

The barkeep shrugged his shoulders, put the bottle back on a shelf. He took the first bottle and poured a short tumblerful for Johnny.

—Fill it up! Garwood said, the trace of a laugh coming into his voice. Fill that goddam glass up!

The barkeep shrugged his shoulders and complied. He set the glass down in front of Johnny.

Johnny looked at the tumblerful of whiskey. It was a beautiful amber fluid with a few clear bubbles at the edges. A dense wall of sweaty male bodies and flushed faces shut him in.

—Jesus, boy! a man whispered, you better quit right now. Flash Perkins was weaned on that stuff.

Johnny looked around for Cash and saw him waving his cigar from the corner.

—You all right, John? he yelled.

—I guess so, Johnny said weakly.

Everybody laughed. Garwood's eyes were innocent and remote as he boomed,

—All right, drink up, boys! Let's get started here. I'll have a little of that myself, Jake, but make mine just half. I can't stick it with these Cold Water Army people.

Everybody laughed. Flash Perkins took his glass and stuck it into his grinning beard. It gurgled in his throat like water. Johnny Shawnessy picked up the tumbler and . . .

ROUND ONE

(Epic Fragment from the *Mythic Examiner*)

Without more ado, the referee withdrew and the bruising contest began. Nervous but plucky, the fairhaired hope from the Upper

Shawmucky advanced with a tentative left hand while the Champion, serenely confident, took the opening gambit in stride. He seemed not to be conscious of the stiff wallop that caught him flush in the puss. The Challenger on the other hand was seen to absorb a jolt in the midsection that staggered him and made him stare and hang on. The remainder of the first round was without incident, and . . .

—How did it go, John? Garwood said, after everyone had stopped laughing and the tears had left Johnny's eyes.

Johnny stood holding the empty glass.

—Nothing to it, he said.

—Come on, Flash yelled. Here, give us another glass. I'm thirsty.

—Not that it affects me the least little bit, Johnny said, but I just don't see what you guys get out of it. It tastes awful.

The barkeep poured two more glasses. Johnny watched the thick stream gurgling into the bright white glass. His insides felt like fire.

ROUND TWO
(Epic Fragment from the *Mythic Examiner*)

Between rounds the Champion laughed and shook hands with his ringside followers. At the start of the second round he moved unconcernedly to the middle of the ring where he collided headon with his thoroughly aroused and determined antagonist. Both fighters absorbed hard belts to the body, and the Challenger seemed to get something the worst of it. But when he stepped back he was smiling and appeared not to know what had hit him. However, it was later remembered that at the close of this round he went to the wrong corner and had to be directed to his place. There are those who opine that from here on he had no idea what was taking place and . . .

—How do you feel, John?

It was Zeke who had shouldered his way into the crowd.

—I feel fine, Johnny said.

Zeke looked blurred and huge as he leaned over and smelled the glass.

—That's enough, Zeke said. This boy ain't use to strong liquor.

—Don't spoil the fun, Zeke, Garwood said. This boy dared Flash.

—Don't worry about me, Zeke, Johnny said. There's nothing to it. Just a burning sensation.

He felt heroically strong. The world was a place of laughing gods, bathed in yellow fire. He knew now that he would win the race in the Court House Square and become the Hero of Raintree County.

Someone hit him between the shoulderblades.

—Fill 'em up! Flash Perkins yelled.

—Stand back and give the boy a chance! Garwood boomed. Fill 'em up, Jake, and let's have . . .

ROUND THREE

(Epic Fragment from the *Mythic Examiner*)

'At the commencement of the third round, the Challenger threw all caution to the winds. He rushed wildly about, extending himself to the utmost. A series of lethal lunges from his veteran opponent left his face flushed and his eyes out of focus. Dead game, he was still slugging merrily at the bell and had to be carried more or less forcibly to his corner, where he insisted on struggling weakly to his feet and had to be held down by main . . .

—Hell's fire, Flash said, son, you're doin' all right for a youngster. Yippee!

Flash shoved a hole in the crowd and did a handspring in the middle of the Saloon. Someone gave an Indian yell and began to wardance on top of the bar. Looking into the mirror, Johnny Shawnessy perceived that it was himself. He sprang five feet straight up into the air and came down to the floor, where he found himself looking into Cash Carney's trim, serious face.

—Say, what the hell! Cash whispered. This is *some* act.

Cash picked up the glass and smelled it.

—Ouch! he said. What's goin' on around here?

A band began to play right in front of the Saloon, and Flash Perkins stood on his hands on the bar. He jumped from the bar, caught hold of a chandelier in the room, swung back and forth. Johnny took a running leap, went clear over a table in the middle of the room. Flash Perkins put one table on top of another, jumped over head first. Johnny followed him over. Someone picked him up, and he found himself standing at the bar again with another tumblerful of whiskey in his hand. Two tough-looking guys supervised by Garwood Jones were holding Cash Carney in a corner.

—Come on, Jack, Flash Perkins was saying, we'll show these folks *how* tew drink.

The band outside was playing 'Yankee Doodle,' and a boy threw a lighted firecracker through the door.

—Jesus Christ! Cash yelled from the corner. Get him to stop, Zeke. It'll kill 'im.

—Come on, boys! boomed the voice of Garwood Jones. Drink up! By the way, Cash, how would you like to take a little more of my money before . . .

ROUND FOUR

(Epic Fragment from the *Mythic Examiner*)

The fourth and final round of the famous exhibition beggared description. All eyes were focused on the Champion for whom it was clearly a case of now or never. He moved out menacingly, stalking his slender prey for the kill. But the boy somehow managed to evade the knockout wham until just a few seconds before the closing bell, at which time the Champion lifted one from somewhere around the far corner of the arena. The crowd could see it coming from way back, but the intended recipient of this Sabbath Sock seemed to be hypnotized. When it got there, it picked the brave form of the Hope of Danwebster gently off the floor and . . .

Flash Perkins completed a series of handsprings down the top of the bar landing feet first on a chair that folded up like matchwood under his feet.

—Let's see you do that, Jack.

Johnny was on the bar and turning. The ceiling tipped and turned over, tipped and turned over, tipped and turned over. Something fell solidly on the back of his neck. He started to get up and the saloon floor came up gently and hit him a stunning wallop in the face. He sprang straight up in the air and found Zeke and Cash holding him.

—Take it easy, John! Cash said. Goddammit, do you realize that the Race is just half an hour away and that I got nearly a hundred dollars bet on you! Can you still run, boy?

—Can I run? Johnny said gently.

He smiled his affectionate smile and then like a great blithe bird shot out between the batwing doors. Head erect, coat flying, he ran on long, floating strides down the street with Cash Carney, Zeke Shawnessy, and half a hundred men and boys behind him.

—Catch 'im! Cash said.

—No one in the County can do that, Zeke said, stopping. Look at 'im go! He's turnin' the corner now. Let's wait here and catch him when he comes around.

Faces blurred past Johnny Shawnessy, as he ran on and on, drawing a bright circumference on bounding feet. The breath began to pump pleasantly in his lungs. He was going down the east side of the Square, he was leaning over for the corner, he was running down the north side, he was turning, he was running down the west side. But now he had a great weight sitting on his neck and dragging at his whole body. He turned again at the corner and started down the south side where the Saloon was. A crowd of faces and arms spread out, closed in around him, and caught his vaulting body.

—Let's get him upstairs here, Cash said.

Johnny came to, naked and gasping, as buckets of cold water hit him. Something had been aching in spasms.

—Keep throwing it on him, Cash said. And someone go down and get Flash as drunk as possible.

—No chance, someone said. Garwood's got him under control.

—But not till he run around the Square, someone said, to show he could do it as well as Johnny.

—We still got a chance, Cash said. Hell, if John had only saved that till the Race! Cuss that Garwood Jones! That was a mean, sneakin' trick he played. I reckon he knew all the time what we planned to do.

—Hell, he's down there now laughin' fit to kill, someone said. He says he took Jake's girl out the other night, got her drunk, and got the whole story out of her.

—And I'll bet that ain't all he got either, someone said.

—Goddam that Garwood! Cash said. Imagine playin' a trick like that on your best friend, and poor John here that never had a drink in his life before! Let me see, it's fifteen till. We still got a quarter hour to get this boy sober. How d'yuh feel, John?

Johnny sat up in the tub. The sickness was gone. He felt woozy and wonderful. He got up.

—Keep throwin' that water on him, Cash said. I hope they didn't puke Flash. I'm goin' down to see if I can delay the start.

He went over to the window and looked out.

—Jesus, lover of my soul, look at that crowd! he said. Must be two thousand people. They're all lined up along the course right now, and Susanna's on the platform. We should of charged admission. We can't delay it long, but I'll try. After all, they can't start the Race without the contestants.

Cash went out, but in five minutes he was back.

—Flash is rarin' to go, he said. He's beatin' his chest and yellin' for action. We got to get John down there.

—I'm all right, Johnny said.

He walked over to the window. People were beginning to clap and shout.

—We want Johnny! We want Johnny!

Their hands and voices beat excitement through him. His head wasn't clear, but he felt strong.

—Come on, he said. Let's go.

He dried himself and belted on a pair of white flannel trousers, except for which he was naked. He combed his hair back and went downstairs. Barefooted, he walked into the street with Cash Carney and . . .

OLYMPIC GAMES, 1859
(Epic Fragment from the *Mythic Examiner*)

Now they bring forward the young Athenian stripped for the contest. The young man shakes his tawny locks. His feet touch springing on thrown petals. His shoulders gleam in the sun. His supple back is straight as an upright spear. The muscles of his legs are clearly shown in the bright air as are the cupped breasts of chrystoelephantine Athena. . . .

—Yea, Flash, the crowd yelled. Looking back, Johnny saw . . .

OLYMPIC GAMES, 1859
(Epic Fragment from the *Mythic Examiner*)

That other, the bronzed Spartan, he too comes forward now for the running. Amazement takes the breath of the onlookers, to see the vast fashioning of his chest and shoulders. His muscles are like rocks left glistening from the sea. His brown hair waves in the wind. His great calves bulge, and the maidens blush to behold him. . . .

—All right, boys, said a man in a tall black hat, who had been waiting at the starting line. You have the field to yourselves. Now what I want to know is, do you want me to set you off by word of mouth or by pistol?

—Shoot a gun, Cash said. I want John to hear it.

—All right, the starter said, it'll be a gun. One, two, three, and bang.

Johnny Shawnessy stood at the starting line and ran his eyes over the crowd. Everything was bathed in a dewy brightness. Some distance down the lane of faces, he saw Nell. Desire to win, to be first, to get the garland rushed over him in a wave of fire and longing.

—John, Cash Carney was saying in a low voice, it's now or never, boy. Remember, I got one hundred dollars planted on you. One hundred dollars.

—John, Zeke said, you got to get in there and run. Pa don't know it, but I got two months' hire bet on you.

An important-looking citizen walked from the crowd, took off his hat, and said,

—Folks, I know you're eager as I am for the Race to start. Now these two boys are as fine boys as you will find anywhere. They're both trained to the limit, and I know they're going to show us a fine exhibition of speed and endurance. I understand that this race is something of a grudge battle, and it's been talked about in the papers for some time now. I guess both boys are known to most all of us here, but I will intcrduce them to you anyway. Now, I want to interduce first——

He was motioning to Johnny, who stepped forward and stood hands on hips.

—Mister John Wickliff Shawnessy!

There was a great deal of handclapping and a violent agitation of parasols among the many girls lining the course. Johnny looked down three hundred yards between the roped-in walls of faces to the platform where a darkhaired girl in a white dress was leaning over the rail. . . .

OLYMPIC GAMES, 1859
(Epic Fragment from the *Mythic Examiner*)

Barbarian woman, steepbreasted and passionate, do you wait with a garland of bay to catch the victor? What flagon of grape shall be poured for the stringbreaker! What wine pressed from the vineyarded hills! O, delicious and blood-exciting potion! He shall drink deep

the viny adoration of your beautiful eyes. None shall prevent him.
Victory, wingèd goddess, be in his bounding feet!

—Go home and git some meat on your bones, kid, a man's voice
said.
—Isn't he cute! a girl said.
—This boy, the announcer said, comes from Danwebster, or near
it, a place about which we've read a good deal in the county papers
lately. Are there any folks from that locality here?
—Yes, sir!
—Betcher life!
—I see, the man said. Danwebster has sent a big delegation to
cheer their favorite son. Five or six anyway. (Laughter.) Well, he's
a fine upright young man as you can see for yourself, and I'm sure
that, win or lose, he'll reflect credit on the home community.
—Speech! Speech!
—Hello, folks, Johnny said. I'll do my best.
—And best of luck to you, Johnny, the announcer said, and now,
folks——
Johnny retired, and Flash Perkins stepped out.
—Now, folks, here's a lad needs no interduction. Orville Perkins
of Freehaven, better known as Flash. (Thunderous applause.) Flash
here hasn't lost a race since he was kneehigh to a grasshopper. He's
won the Fourth of July Race five years straight now, and if somebody
don't beat him pretty soon, he'll trip on his beard, and get beat that
way. (Loud laughter.) Would you say a word to the crowd, Flash?
—Hello, folks, Flash said. I mean to win this here race.
—That's the spirit, Flash. All right, clear the street.
A few dogs and boys were chased out of the street, leaving a lane
about ten feet wide down to the flagdraped platform. Shading his
eyes, Johnny could see a thin white line of string tied to the platform
and stretching into the crowd. A throng of girls made a vague wall
of color behind the finish line. Some were standing, and some were
sitting in buggies, drawn up in a halfcircle at the end of the street.
—How about them girls down there? a man said. Ain't they too
close?
—Let 'em take keer a themselves, Flash said. Let's git this race
started.

Flash was stamping his bare feet on the ground and swinging his great arms. His teeth laughed. His forehead was ridged. He kept shaking the shag of his hair out of his fierce eyes.

—Shake hands, boys, the announcer said.

Johnny and Flash shook hands savagely. The crowd yelled like savages. Someone savagely clanked a cowbell, and a whole string of firecrackers went off under a wagon on which a halfdozen girls were sitting. The girls shrieked, and the crowd laughed like savages.

Johnny Shawnessy turned and set his foot to the mark. His teeth chattered with excitement. Goosepimples stood on his arms. At this moment there was nothing that he wanted more in the world than to break the white string three hundred yards off in the middle of the Court House Square. Three hundred yards off through walls of faces, where the flags were hung on the platform, three hundred yards and a few seconds away was the summit of all desire. Victory, wingèd goddess, be in his bounding feet!

It seemed to him that he was out of his body. He wondered if it would run when he wanted it to. Where his body should be, there was nothing but a void of desire. Nevertheless, he saw his own slender foot going to the mark beside the brown foot of Flash Perkins, and though he didn't look at Flash nor Flash at him, he was aware of the powerful body of his rival drawn back like a bow.

—All right! the starter said coming out in tall black hat, swallowtail coat, and stickpinned tie. Quiet, everybody!

He raised a pistol and put a finger in his ear. The crowd laughed, and he took it out. He fumbled with the pistol and raised it again.

—Don't run till you hear that shot, boys.

He waved toward the far end of the course, hallooed,

—Judges ready?

—Fire away! came a thin, high voice from the finish line.

—On your marks, boys, the starter said. One. Two. Three. There was a long, long, long, long silence. . . .

BANG!

(Epic Fragment from the *Mythic Examiner*)

The Fourth of July Celebration this year in the Court House Square featured some pyrotechnic displays that were quite out of the ordinary. A couple of rockets so constructed as to simulate human form were set in the ground and the fuses having been lit, suddenly took off together at a tremendous speed and whizzed along the ground like two runners to a distant mark. A lively interest was exhibited in the new infernal device, especially by the ladies, a group of whom having gathered . . .

—Go it, Johnny!
—Take him, Flash!
—Look at them two scalawags go!

RIVER RACE
(Epic Fragment from the *Mythic Examiner*)

The *Red Streak* and the *Comet,* those two wellknown sidewheelers, leaned into the current, coming together. Crowds lined the shore as the two fastest boats on the river jostled each other on the last long run into New Orleans. The *Streak* was crammed with fastburning pine, and a nigger squat on her boiler. 'More pine, Mr. Shawnessy?' 'A little more, thank ye, Mr. Burns.' The *Comet,* a more durable-looking craft, though lacking the *Streak's* speedy design, was gathering head, and as they came into the bend she had a lead of a half length. The banks were lined with shouting thousands, the wealth and beauty of America's sultriest City, as the Mistress of the Delta, all braceleted with lights, cheered the stacking steamers to their piers. . . .

—Catch 'im, Johnny! Catch 'im!
—Keep it up, Flash! You got 'im whipped!
—Don't give up, John! One hundred dollars! Jerusalem, boy! Go! Go! Go!

IRON HORSES IN SPEEDTEST
(Epic Fragment from the *Mythic Examiner*)

Running side by side, the Midnight Express and the Northern Fury were like two huge projectiles in the night. Going fully forty-five miles an hour, fullblast, together they roared toward the signal light. It was do or die. A long, thin scream of pain emerged from the Fury as she began to close the gap on . . .

Johnny Shawnessy was turning the earth with his bare toes. Always before, this drumming fury that he had in his feet had beaten his rivals back until he was alone at the halfway mark, in front and thundering to the string. But now at the halfway mark, as faces went by him faster and faster, he and Flash Perkins were running side by side and stride for stride, and every effort of his own seemed only to increase Flash's speed, as if they were one body. A strange madness, akin to joy, anger, and intoxication, ran through Johnny Shawnessy. He fixed his eyes on the white string and leaned into the hot air, trying to overcome and subdue this remorseless companion. But now his legs were growing heavy, he was laboring hard, his arms felt like lengths of lead that he had to swing to keep running. With terror he saw the white string closer and closer. The wall of restless color behind it became the faces of girls: he could see the lines of their lips and eyes, the beauty spots on their cheeks, thin ribs of their parasols. And there was not enough room, not enough, not enough, not enough. Thirty yards, twenty yards, ten yards . . .

Johnny Shawnessy shut his eyes and gave a tremendous leap. Something light touched at his breast, and he plunged into a flashing pool of colors, shrieks, perfume, laughter, and flailing bodies. He was down on his hands and knees and then rolling on his back, while girls' voices shrieked in shrill delight. Fluffy summer gowns raked his shoulders; girls' arms and hands pushed and clung to his body. He felt as if he had just been hurled head foremost into an immense costume closet, where twenty naked girls had been hiding.

Someone grabbed his arm and plucked him out of the heap. It was Flash Perkins, standing up to his knees in girls and holding up a capsized buggy with his shoulders while girls scrambled out from beneath it.

—Who won? Johnny said.

Just then, for answer, out of the exultant morning a great wave of arms and voices surged under him and picked him up, as if he were a light flower floating, and he was tossed on hands and shoulders and borne wildly hither and thither, his panting body sustained by rushes of hoarse sound.

—Hurrah for Johnny! Hurrah! Hurrah!

—Hurrah for the New Champeen!

He was being borne like a balloon aimlessly on tempests of summer violence, and then someone yelled,

—Take him around the Square!

His body was tossed above the faces of the Court House Square.

Hands waved. Lips smiled. Parasols pointed and bobbed. Hats went up.

Below him standing at the finish line was Flash Perkins, rubbing his chin and shaking his head. His eyes had a hurt, bewildered look. He was all alone, and apparently only Johnny remembered him. Johnny felt pity and even remorse for the thing that he had done. He knew then that to become the Hero of Raintree County, it was necessary to kill the Hero of Raintree County.

—Speech! Speech! yelled the crowd.

—I was lucky, folks. I couldn't do it again in a million years.

Someone was yanking at his leg. Looking down, he saw Cash Carney.

—Jehosaphat, John! Cash said. We cleaned up two hundred and fifty dollars. You sure you won't take some a that?

—No, thanks, Cash. It's all yours.

Cash was eating his way into his cigar. Both fists were full of coins, and people were still paying off.

—Just remember, boy, Cash said, the party this afternoon is strictly on me. Every bit of it. Soon as you can get away, meet me in front of the Saloon and we'll get the girls.

Now the crowd was carrying Johnny around the Square while the bearers sang, 'Hail to the Chief!' and 'Yankee Doodle.' In front of the *Clarion* office, Garwood Jones was leaning on the door fanning himself with a copy of the *Clarion*.

—Come and see me sometime at the poorhouse, sprout, he said, shaking his head in disgust.

On the east side of the Square, Johnny saw Nell Gaither, standing lonely and apart under a tree on the court house lawn. When he looked at her, she twirled her parasol and watched him with shining eyes. She looked very small and far-off, as the crowd bore him resistlessly on.

And now they were moving again over the ground where the Race had been run. They carried him toward the platform, and with one last surge they tossed him up and over the rail. He was standing beside Susanna Drake. She looked up at him, her eyes brilliant and soft.

—Hi, Susanna, he said. Well, here I am again.

—You ran beautiful, she said, as she fingered a chaplet of oak-leaves.

—How about that race you and I were going to have? he whispered.

—I wouldn't have a chance, she said.

The crowd was applauding so loud he could hardly hear his own voice.

A minister of the community came forward and said,

—Mr. Shawnessy, we are gratified that you should encourage a spirit of helpful and manly contest; not for the sake of winning, not for the sake of defeating another, but that you may so strengthen yourself that you may be victor in the contests of life. Consider the symbolism of these flags—innocence, truth, purity, manliness. Let them guide you in your different paths through life.

— Mr. Shawnessy, Susanna Drake said, putting her little hand on his arm and holding the oakleaf garland as high as his head, allow me to present to you in behalf of all these young ladies here present this wreath. To the victor belongs . . .

A GARLAND FOR OUR JOHNNY
(Epic Fragment from the *Free Enquirer*)

The conclusion of this great sporting event, certainly the most exciting ever seen in Raintree County, was a moving and memorable one, leaving more than one eye drenched with sympathetic dew. Miss Susanna Drake, that charming ambassadress from the land of mint and magnolia, decorated the head of the young hero with a garland in token of his prowess. . . .

And there in the white roadway, before the multitude, did the loveliest of the damsels adorn his fine curlclustered head with the antique garland, a chaplet of laurel, flower of the mountain. There did she secretly also tender to the young Athenian the empetalled garland of her love, and all the girls dancing flung wreaths of flowers over the heads of the statues lining the way, and all this was in the day when the beautiful gods still dwelt on the mountains and in the rivers and

PEOPLED THE SHORE AND THE SEA, AND YOUTH WAS A TIME
OF MANLY CONTEST AND OF
INNOCENT

—Desire, said the Perfessor, is blind, as the Greeks well knew. The original love-desire is that of the sperm for the egg. This blind little boat loaded with memories goes and goes till the fuel gives out or it touches port. This terrific tadpole is the real bearer of life. It is Aeneas bearing the Golden Bough and overcoming death. And the only sacred place is the darkwalled valley into which it swims. As for us, we're just seedpods with delusions of grandeur.

The Perfessor took a drink.

—I wish I could believe in sacred places, he said. At heart, I'm really a bacchant hunting for a garland and a pliant nymph. I ask nothing better than to shout hymen and jump up and down before the symbol of the god. But beauty and the gods can't survive the era of Darwin and the Dynamo. All lovely things are old things.

He took a pull at his bottle and sighed.

—The barbarous peoples had beautiful and dreadful rites. In Mexico, they chose a young man to be the god. They feasted him, gave him flutes to play and fair young women for his pleasure. At the climax of the festival, he mounted a sequence of great stone steps, breaking a flute on each one. Arriving at the top, he was seized forcibly by the priests. They flung him down on a block of stone and cut out his living heart. Then they bore him tenderly to the base of the altar, where they cut off his young, beautiful head.

The Perfessor took another drink and sighed.

—All the primitive peoples, he said, including the early Greeks and Romans, killed their gods. They all believed in the immortal soul, as we do not, and they wanted their god to remain young and vigorous in a new human proxy every year. With burnings and beheadings and geldings of gods, they celebrated the great mystic rite of fertility and besought the spring to come again. The later Mediterranean peoples touched this blood rite with beauty. Mother-gods of earth and vegetation, Venus, Cybele, Diana, Ishtar, Aphrodite, Astarte, were loved by beautiful young men, Adonis, Osiris, Tammuz, Attis. Each year the goddess and her lover had to mate, or the whole earth would wither without issue. And at the sanctuary of the goddess, each year the human sexes aped the gods in licentious rites. We don't know what the Eleusinian Mysteries were, but we know enough of the Dionysiac revels and the Roman Saturnalia to know that religion used to be fun. In Babylon, the Vestals of Astarte, the Syrian Venus, gave up their bodies to strangers as a religious sacrament. By their charming gift they guaranteed the green returning spring. I don't know about you, but I think they had something on the Baptists.

The Perfessor stopped and took another drink.

—Ah, how beautiful the earth was in pagan times! Imagine going into the sacred shrine at Eleusis. I wonder what words were uttered, words so old that no one knew any longer what they meant, words like the whisperings of a womb, words from the dawn of the Aryan peoples! And what mystic rite did the young initiate behold!

—I think it likely that he was shown an ear of corn.

—What a charming idea! the Perfessor said. John, you must go abroad some day before you die. Of all the shrines, the one I like best is the lake at Nemi in the Alban Hills. Of course, you know Turner's picture of 'The Golden Bough.' The ancient belief was that Jupiter entered the oak, his sacred tree, in the lightning bolt and left his evergreen spirit on its limbs in the herb called mistletoe. So each candidate for the priesthood of the Arician grove at Nemi had to pluck down this golden bough, the life of the god, and take it to himself. Then he could kill the old priest and take his place. No doubt, after this achievement he coupled with the vestals who kep† the oak fire burning.

—Professor, you ought to write this great story of the myths of vegetation and the beginnings of religion.

—I'm too old, the Perfessor said. Some other genius, younger and less bibulous, will do it and get the credit for it. You see, John, the Jews made the world ethical instead of beautiful. I for one will never forgive them for the myth of Eden. Of course, the dramatic climax of the story, as in most myths, is simply the act of love. But the great invention of the Jews was their idea that sex was evil as well as fun and fruitful. Their god, though made in the image of man, never made love. The old boy was too busy breaking the heads of rebellious tribes. Why is love taboo anyway?

—Taboo was primitive man's moral law. The taboo thing wasn't evil in our sense—just dangerous. It was charged with the fluid of divine power. For primitive man, all things connected with love and death were dangerous.

—Did it ever occur to you that primitive man was a rather wily customer after all?

—The wisdom of the mythmakers is still with us, Professor. The profoundest mystery in the world is the existence of Another. Erotic love is the intense awareness of this Other, a Sacred Place. The lover bears the golden bough of godlike appetite and mysterious power and passes through the dismal wood that lies at the portals of Tartarus. Among the gibbering shades, he presses in with mortal thrust, making the boat of Charon heavy with his unusual weight. He bears the golden bough to the inmost shrine of the earth-goddess where he repeats the ancient frenzy. As you say, this rite is not unconnected with blood and death, for the renewal of form is possible only by the destruction of form. Love is a sweet death. A million die that one may reach the mark.

He beheld the fading beauty of the day over Waycross. Now the roofs of the town were drenched in a last red bath of fire. A few rays thrust through to paint the green body of a nymph and touch the pooled and spouting fountain with golden light. The children were little blind swimmers in the valley of the day's receding brightness. Corn filled the earth with blind roots. All things were bathed in light and longing.

—We'll never go any farther than those broken stones beside the inland ocean, the Perfessor said. The corn god is gone, and we have —behold!—only the corn.

He took a long pull at his bottle, coughed, and sighed.

—The world is still full of divinity and strangeness, Mr. Shawnessy said. The scientist stops, where all men do, at the doors of birth and death. He knows no more than you and I why a seed remembers the oak of twenty million years ago, why dust acquires the form of a woman, why we behold the earth in space and time. He hasn't yet solved the secret of a single name upon the earth. We may pluck the nymph from the river, but we won't pluck the river from ourselves: this coiled divinity is still all murmurous and strange. There are sacred places everywhere. The world is still man's druid grove, where he wanders hunting for the Tree of Life.

—This conversation is hard on an excitable old man, the Perfessor said. Just look at little Evelina out there! I wish you could persuade her to do her duty as a vestal. And isn't it a ritual day that we've been having?

The Perfessor moved his head in quick darts to an odd rhythm. Under his breath, he was reciting,

—*Io Hymen Hymenaee!*

Io Hymen Hymenaee! On the day of the birth of the Republic, after the runners had gone down the lane of faces to a distant string and the women had made a music of laughter and applause with their red mouths, in the young afternoon, by a curious and curving pathway, the hero made his way unto the place.

And the waters of the lake slept in the solitude of the encircling hills, the stream of the serpent river came down by shore and shallow, through tarn and tangling swamp, the murmur of its waters was beautiful in dense reeds.

And according to a legend, there was a grove near that lake and in the midst thereof a sacred tree, from which the earth there had taken its name of music and of strangeness.

In distant and dark woodlands, in the attitude of one listening, the young hunter stood and waited for a sign. And this was in the time before the fall and death of so many woodland deities, when the earth was young, and the goddess still lived on earth in the person of a woman with bright hair and gracious limbs. It had also been said in the legend that she might be known by a curious and curving mark on the bare flesh of her body.

And the tall oaks of the wood were filled with a living sound, the barky lips were calling to him through the dim forest, saying:

Io Hymen Hymenaee! O, fleet of foot, the goddess is waiting by the tree. O, impetuous young man!

In distant and dark woodlands, in the attitude of one listening, he waited for a sign, and the voices of the woodland deities were saying:

Io Hymen Hymenaee! O, sun-belovèd! For you, the golden bough, all heavy with seed. For you the talismanic branch. For you a prize, dangerous and sweet. O, mortal more than mortal, o, young man more belovèd than a god, hunt deep and far and do not be prevented.

Come, come, the voices said, come unto these woods with dark hair glancing. Come and join our revels. But first drink deep the blood-exciting potion. We will imprison you in ropes of flowers. *Io Hymen Hymenaee!* O, strong young bull! O, young prize-winner!

Victorious boy, feed on the flesh of apples smitten by the sun. It is the season when the corn is green beside the river and the sacred juice of life is rising in the stalk. Let there be rains and golden warmth for many days. O, brave young man, be tender but compulsive. Lo! you were chosen from among thousands to make the goddess fruitful.

The vestals are jealous—all afternoon they plunge their fevered bodies into the lake without relief.

The corn is as tall as the knee of a goddess. Let the corn be high and the seedshock stiff to bursting. Fling seed and make the earth tremble from delirious feet.

Come, come, and bring the hero to the shrine, sweet sisters, un-clothe his body, let his limbs be laved in the cold waters of the sacred pool, and bring him, bring him, jealous sisters, into the pres-ence of the goddess

EXCEPT FOR A CHAPLET
OF OAKLEAVES, JOHNNY SHAWNESSY'S HEAD

was dizzy from the noonday sun and other, more worldly causes. In the buggy were three other people, Susanna Drake, Cash Carney, and a girl from Middletown named Peachy something or other. The buggy seat was narrow, and Susanna sat on Johnny's lap. The girls had insisted that he wear his oakleaf garland. Peachy said it looked fetching, and Susanna said that it reminded her of the picture of a statue she had seen somewhere, but she couldn't remember where.

Cash Carney had brought two jugs of cider and a few sandwiches. The sandwiches were soon gone. The whiskey and the Race had left Johnny very hungry and thirsty, and he drank several cupfuls of cider. It had a sharp taste that made him feel wild. Of course, even in his festive condition, he was aware that Susanna Drake was a Southern Lady and that he must be very careful not to offend her in any way. It was hard, however, to find legitimate uses and places for his hands, until he discovered that she was holding them and squeezing them from time to time. Her hands were warm, moist, and very strong. A light dew stood on the flesh above her pouting mouth, and her body smelled faintly of flowers. After a few cupfuls of cider she was talking very fast and giving little shrieks of laughter at inappropriate times. She bounced and twisted in his lap and now and then to express excitement hugged him so hard that he couldn't breathe.

Cash Carney had brought some firecrackers along, and every now and then he lit one on his cigar and tossed it out of the buggy. He had also brought a newspaper, from which Johnny kept reading aloud to the girls, introducing witty variations of his own into the news, until the sun and the cider made his head swirl and the print blurred. All four talked excitedly and sometimes all at once.

Cash Carney talked about extending the branch rail line northwest from Three Mile Junction and of various plans he had for expanding

his feedstore and liquor business to Middletown. He gestured forcibly with his cigar and sometimes put his right arm around Peachy's
back and blew smoke in her face.

Peachy talked about various troubles she had had with a dress-
maker in Middletown, who was, it appeared, an impossible person.

Susanna Drake talked about various buggyrides she had been on
and picnics on rivers down South. She talked about how beautiful
Louisiana was and how Johnny must come South sometime and visit
her. He would just *love* it.

Johnny, for reasons quite unknown to himself, talked mostly about
balloon ascensions, goldseekers in the West, and tightrope walkers.

The road which led from Freehaven to Lake Paradise was a grass-
grown trail just wide enough for one buggy, and in the last half-
mile it was little better than a cowpath. Those days, the lake was
still inaccessible to the general public, though fishermen, hunters, and
picnickers sometimes made their way to it. Now and then, in the
latter stages of the ride, it was necessary to get out and push the
buggy through difficult places. Johnny, still chapleted with oakleaves,
performed prodigies of strength. The earth was fluid beneath his
pushing feet. There was a strong taste of cider in his throat.

He had always intended to visit Paradise Lake. Now he remembered the time he had set out to do so in a leaky boat, which foundered just short of the goal. On that occasion he had made his way
out of a swamp and had encountered a buggy coming from the lake,
containing a number of young people, including Nell Gaither. Even
now he felt a hot twinge of jealousy because Nell had gone swimming in the mysterious waters of Lake Paradise with Garwood
Jones.

The buggy went through oak forests and past dark ravines choked
with brush and rotten logs. The air returned the jocund voices with
a hollow distinctness. There was a smell of rottenness and the river.
Gaps in the forest showed half-naked hills, strewn with glacial
boulders. Now and then there was a low place filled with rushes and
swampgrass. The path, perhaps an old Indian trace, writhed in and
out among the hills, slowly through a vast green summer day. Soon
he would see the ancient pool of Paradise.

Meanwhile, he drank more cider, and his vision became less certain. Other people were making the decisions, and he was just going

along for the sensation. Somewhere it was decided to leave the buggy and walk.

In the young afternoon, reeling and singing like a clovenfooted god, one finger hooked into the ring of a ciderjug, the other holding the hand of a laughing girl, Johnny Shawnessy came down to Lake Paradise.

He wasn't aware of the exact moment when he first saw the lake. After a while he knew he had been walking for some time beside the cold, flat pool of it, smelling its fishy odor. He wanted to plunge into it, feel the cold wash of it across his floating limbs, he wanted to raise his voice in great cries clanging like the majestic birds that swam down the air along the lilied reaches of the lake and river, he wanted to croak and cry with watergurglings like the troops of frogs that shouted from the shallows.

What happened after that, Johnny Shawnessy never could remember in a systematic way. There was a period during which everything was blurred, and there was a period during which everything had a dazzling clarity.

It was during the blurred period that he and Cash changed into striped bathing suits that hung below their knees. Cash kept his cigar and Johnny his oakleaf garland, token of victory. They hunted up the girls, who had been giggling and shrieking in a secluded place near shore. Susanna came out of the wood in a green bathing dress belted at the waist and reaching to her ankles. Her black hair was unloosened. She and Johnny took hands and ran into the water.

—I can outswim you, Johnny! she cried.

The padded floor of the lake sank under their bare feet. They swam out into the lake a long way.

—Let's dive under! Susanna shrieked.

Diving under, he saw a creature moving through glaucous depths with a fishlike ease in spite of its fantastic costume. Its black hair trailed in the water. Its face approached his in the green pool of Lake Paradise, the large violet eyes dilated, the deep lips parted. This creature below the surface of the lake looked ferally excited. It flung its strong arms around his neck. For some reason, he wasn't at all afraid. With a swift motion, he freed himself and shot to the surface, his oakleaf garland dripping.

The sun was a hot yellow coin in the vast day overhead. The lake lay brilliant and flat around him. There were no human sounds or forms anywhere to be seen except his own.

Then Susanna's head broke the surface.

—Let's have a waterfight, Johnny.

She sprang on him and tried to thrust him under. They were near the northeast shore now, in water up to their necks. Johnny had never dreamed that a woman could be so strong. But it turned out that he was much stronger, and he got a savage joy out of overpowering her without hurting her. The struggle lasted a long time, as they thrashed around in the water. It ended when Johnny plucked her bodily from the water and ran up on the shore with her, both of them gasping and almost crying with laughter. Then they had perhaps fallen down in a strange ecstasy of laughter and exhaustion, and there had been perhaps a kind of sleep.

It was much later that he awoke. The sun hailed heat on his eyeballs. He seemed to remember that he had lain backward and the earth had turned over on him. He had taken it into his arms, and he had touched it with his hands, admiring the slippery warmth of it. The shadecasting hair of it had fallen into his eyes and around his face. He had touched his lips to it again and again. He had touched its mouth, warm and with a taste of passion, and he had drunk the steam of it, which was of madness and of grapes.

The second period, the period in which all things seemed drenched with an unusual light, began when he opened his eyes. He saw then a wild, almost unfamiliar woman's face watching his face.

—We must be sort of crazy, she said. Lying here like this with nothing on.

He reached up and touched his head.

—I still have my garland, he said.

At this, they began laughing, and while they were laughing they sat up, and he saw that they were in deep grass close to the lake. Their cast-off bathing suits lay in soggy heaps beside them. They were in a region of pools, rushes, small trees. Frogs quirped among the lily pads.

The girl sitting beside him dropped her head in sudden shyness and put her hands over her perfectly formed breasts.

—I hope you don't mind my scar, Johnny, she said in a low, thrilling voice.

He had seen it faintly scarlet, descending just to the roots of her left breast, deepening into a pool of cruelly writhen flesh where it ended. But it only emphasized the mystery and beauty of the creature who had been lying with him on the shore of Lake Paradise. And in answer to her question, he was about to put his arms around her again, when abruptly she sprang up and began to walk away from him.

—Catch me if you can! she said, looking back over her shoulder.

—Madame, he said, you have just challenged the fastest runner in Raintree County.

The gesture with which she flung her hair back and began to run was so wanton that he was smitten with a precise ambition, though up to this time he had hardly known what it was that he intended to do. Now, a. victorious smile curved his lips, and he sprang after. The olive-tinted nudity of the girl seemed about to dissolve in the green-gold light of the swamp. He made the pursuit much longer than was necessary while his eyes drank in this incredible creature reeling and running before him. He listened to her wild, soft cries. Twice he caught her, but when she struggled to escape, laughing and pushing him away, he let her go.

In this way they came to a place in the deep swamp where there were many small trees of one kind all growing from a grassy mound which rose from the damp floor of the marsh like an island. It seemed an ultimate place as he chased her up the gentle incline among the trees and caught her a third time. He had seen boulders strewn along the ascent, and there were two stones between which, panting with exhaustion, he stood holding his companion.

—You win the race, she said. To the victor——

Her hand came up and lazily pulled at the oakleaf garland around his head, and then suddenly the whole consented weight of her body was suspended only by the circle his arms made at her waist. Head reeling with light and heat, he stood a moment braced against this tyrannous weight that pulled his whole body into an attitude of resistance and desire. The earth seemed tremulous beneath his feet. It buzzed and softly clamored, beat him with quick, soft wings of wind and light. A dust of yellow flowers dripped on his shoulders and into the black hair of the girl.

He didn't know then who it was that he held. She was nameless, untamed, candid. And as for him, even as the river found its way with slowness, as if it had an everlasting summer to swell and swell through its broad channel to the lake, so did he linger on the brink of young fulfillment, life's young American, wearing his victory garland. Mad images of desire, contest, and thrilling achievement, of bold exertions, words of valor and pagan disregard for old convention assaulted him in the rank air of Lake Paradise, where still his feet were arched to support the weight that was pulling and pulling at his strength. He shut his eyes. A flood of words on fragments of newspapers streamed down on him in a soft dust, describing mythical Events in which he was the hero. Stringbreaker, wirewalker, goldseeker, aeronaut of a blue and enterprising day, he lingered on the brink of . . .

TERRIFIC ASCENSION

(Epic Fragments from the *Mythic Examiner*)

The crowd became impatient, as the ascension had been delayed for so long and the balloon still lay collapsed on the car. Mr. Mountain gave a last look of appraisal at the sky, and as everything still seemed propitious he gave a signal to his assistants, who straightway began to inflate the sphere. Gradually the canvas globe rounded out under the pressure of the instreaming ethereal fluid, until with a few last vigorous puffs it burst into majestic rotundity, taut and straining to be off, pulling with gigantic force against the restraining ropes. The ballasting sandbags were torn violently from their place and it was only by dint of grabbing the flailing ropes and hanging on for dear life that Mr. Mountain's assistants, aided by volunteers from the crowd, could keep the prodigious ship from bursting from its moorings and soaring off into the azure with no passengers aboard. There was no time to be lost. With a brisk adieu, still wearing his stovepipe hat and jauntily swinging his cane, Mr. Mountain, overcoat and all, leaped handily aboard, where he was joined by Mr. Jennings and Mr. Luce. Your correspondent bestowed a farewell kiss on the lips of his intended, and notebook in hand, walked toward the eager craft, excited and not a little filled with trepidation at the thought of being the first professional eyewitness reporter of an aerial ascension. The men began to release the ropes, and no sooner had the ballast been removed than with a smooth, birdlike rush, the great sphere shot up and floated blithely down the air. Leaning out, your observer had the giddy dreamlike sensation of being carried aloft on the magic carpet of the Arabian Nights. The City grew small. Figures of friends and strangers became antlike. Then, although there was no further sensation of movement, the rigid projectile was coasting serenely down the blue sunlit vistas of the upper air, proceeding southward at a tremendous rate of speed to . . .

A place of ancient memory waited for him beside still waters. A grove of flowering trees beside memorial waters. *A green isle in the sea, love, a fountain and a shrine.* There had been a legend and a prophecy of how . . .

The young hero swam a night and a day through the ocean stream and arriving at an island of various and pleasant growth, came forth streaming into sunlight, dashing the water from his hair and eyes. Then, entering a gloomy wood, he walked toward the center of the island, where . . .

—I feel right out on public view, he said.

—You're sweet, she said. O, you are *so* sweet, Johnny.

A GENERAL INVITATION

A general invitation is extended all around
   To the people of the Union in every state and town,
To come and witness this great and daring feat
   Of walking on the mammoth rope by the great Professor Sweet.

The crowd cheered the steel-legged Professor, who was doing his best to uphold the strength, resolution, and muscular agility of Americans before the world. He made his way through roaring thousands. He stopped once, and gesturing for silence, made one of his quaint speeches, to the effect that he had been practicing for two years and that he had every reason to suppose he was as adroit in all the complicated evolutions of the sport as the renowned Frenchman himself. He bespoke himself ready to do whatever another man could on a slack rope or a taut. Admission for the first performance, his virginal adventure in this breathtaking pastime, was free of charge. Taking in hand the usual long, smoothly planed pole, if anything a trifle above the dimensions commonly employed by the famous Frenchman, he set his foot tentatively on the wire and then, as if bracing himself for the shock of standing above the chasm over which he was expected to go and return, he paused while the full military band struck up a chorus. Then . . .

As the young hero approached the tree, he passed by flowers that kissed his body like soft mouths. He beat them down, observing with a sidelong glance the furious and sweet death of so much beauty. And the earth here became more moist and seemed as if it swayed beneath his feet. Looking upward he saw the sunburst of the tree in the very middle of the sacred grove while . . .

WAY DOWN SOUTH

Those accustomed to the pinching and penurious weathers of the North cannot possibly imagine until they have experienced it the day-long softness and fragrance of the Southern air. Below the Mason and Dixon Line, one passes almost imperceptibly into another realm, full of balsamic odors and blue skies of billowy clouds. And who shall sufficiently extol the loamy richness of that Southern earth and who shall describe . . .

THE WONDERS OF AERIAL NAVIGATION

Looking over the side of the car, we perceived that the smoke from the factories had faded. Streets grew narrower and darker, and at last the City had dwindled to a spot. The balloon now commanded an extended view of the Mississippi, the Missouri, and the Illinois Rivers, and another water which we could not identify glimmered eastward in the direction which our flight was now swiftly taking. Your observer had now lost all sense of danger. His feeling was that bal-looning, besides being the most pleasant and swift, was the safest mode of locomotion known. Steaming down a rapid current in a boat on a lovely evening, with sublime vistas, romantic caverns, and green foliage on either side, glistening waves below and mild sky above, is grand and delightful; sailing on an unruffled lake, parting the placid water and skimming like a gull with gentle fleetness, is ineffably glorious, but these enjoyable modes of travel yield in point of dainty pleasurableness to the birdlike grace and the impressive surroundings of aerial . . .

THERE HE GOES!

Without more ado, the young American ran a short way out onto the rope, where he seemed to hesitate. Then taking the pole more firmly in hand, he ran rapidly out to the middle, where again he paused briefly, and then, in less time than it takes to relate it, while the crowd gasped, his lithe young form was seen to negotiate the whole length of the perilous crossing, and he leaped down on the far side to accept the applause of the crowd, louder than the cataract over which he had just safely transported himself. Then, as if stimulated by the excitement of his audience, he stepped once more upon the swaying rope, and running lightly out to the center, he stopped, placed the pole crosswise on the rope and stood on his head. As the crowd alternately applauded and begged him to return to safety, he went on to perform certain gymnastic evolutions so complicated as to bring gasps of horror. These acrobatic feats, performed at a fixed spot on the rope, were rendered all the more difficult because of the encumbrance of the pole with which at other times the intrepid boy maintained his equilibrium. Now, however, this unwieldy prop came very near precipitating him headlong to disaster as he several times executed headstands, bodyflips, hung with one leg from the rope, and once again achieved an upright position. The chasm of the Niagara River roared ominously hundreds of feet below, but the steelnerved little figure never for a moment lost his head and at last, amid salvos of applause, catching the balancing stick in his two hands, he ran lightly and easily back to the American . . .

Shore and shallow, tarn and tangling swamp seemed now to mud his feet, but he would get the golden bough, regain the lost garden, achieve what no man ever had before. Still fired to hero fury by the elixir he had drunk from a flagon of enchantment, he rushed on reeling earth toward the trunk, which seemed now touched with motion. Somewhere the dragon brood was waiting, the guardians of the tree, and one, the greatest dragon of them all, lay mudded to forty fathoms in his lair, stirring the coiled length of his great tail. But before the beast awakened in his cave, the hero ran to the base of the tree and catching the supple trunk in his arms thrashed it back and forth. The whole earth swayed and swam beneath this plucking and this shaking, the roots of the tree throbbed and tightened in the deep soil, the dark vegetation lashed itself against him. . . .

WATCH OUT, PERFESSOR!

Just then, to the concern of all, the intrepid young funambulist was seen to miss his footing halfway across, although up to that time, with the blindfold over his eyes, he had proceeded with wonderful surefootedness. And so for what seemed an eternity, he tottered on the very brink of the chasm, while the rope thrashed mightily, and all eyes turned instinctively to the hideous steepness and churning precipitous sides of the abyss into which unless . . .

CRASH!

The violence of the suddenly engendered storm having torn a great rent in the balloon, it was now carried broken and losing altitude swiftly toward the lake, scudding and skimming just over the tops of the trees, with branches now and again reaching up and tearing gaps in the burst, collapsing sphere, and now the cold waters of the lake were beneath us, and having thrown out everything and even taken off and tossed away all our garments, we were preparing ourselves for the inevitable plunge into . . .

. . . *one last godlike exertion, whereupon, with a great cry, as if the earth were stabbed with pleasure to its center, the tree gave down the seeddust from its laden branches. This seed raining goldenly upon the earth was warm with exultation and the promise of eternal life. . . .*

How many times and how long in that afternoon, the Hero of Raintree County, nameless and remote from time, pleasured himself with a forbidden fruit he couldn't say. But in the late afternoon, awakening as from a sleep, he rose from the place where he had lain. With him arose the woman his companion, and together, silently, not holding hands, they found their way back to a place where they had left their costumes. They entered again un-naked, the cold lake, and they swam back silently across, feeling as if an eye were watching them from covert. Arriving at the far side, Johnny Shawnessy discovered that he had left his oakleaf garland behind him and some other things beside that he would never get back. And with a start of wonder and recognition, now that his head was clearing, he remembered that in leaving the strange island in the middle of the swamp he had looked back and had seen what looked like letters carven on the stones beneath a tree, on one a J and on the other

SOMETHING THAT MIGHT HAVE BEEN
A C OR EVEN A
MISSHAPEN

said the Perfessor,

is for Sex and also for Sin.
The difference between them is not worth a pin.

—Well, I'm back, Mrs. Brown said, coming up the steps of the verandah.

Darkness, a gentle tide, had risen up the prim enclosure of the garden, hiding the nymphs in pools of shadow. Mr. Shawnessy could no longer distinguish the forms of two bronze bodies entangled in lilies at the base of the fountain. The children had gone behind the house.

—Still talking, I see, she said to the Perfessor. Here let me sit between.

—There's only one thing I like better than good talk, the Perfessor said. Put it right down here. We were talking about clothes.

Mr. Shawnessy cleared his throat.

—Don't worry, John, the Perfessor said. Evelina's an emancipated woman. As for clothes, I'm for 'em. What kills these back-to-nature cults isn't prudery, but the fact that most folks look like hell naked. Man is really one of the more unattractive animals. For sheer looks, the great apes beat him all hollow.

—Strange, Mr. Shawnessy said, that the only animal that knows it's an animal is desperately eager to conceal the fact.

—There, said the Perfessor, you have the beginning of religion. Modern religion is man's effort to convince himself that he's not an animal. Now, animals live according to their instincts. Therefore, says Religion, instinctive life shall be evil, and Sex, the strongest instinct, shall be the greatest evil. God is man's conscience, the policeman of civilization, punishing man for all recollections of his animal state. It's only right that religion should begin with the Fall of Man because religion was itself the Fall of Man.

—Personally, Mr. Shawnessy said, I think we're happier wearing the figleaf of forbidden knowledge.

—O, I don't know, the Perfessor said. The average animal is happier than you or I—that is, until man comes along and fences him in. Think what a good time our friend Jupiter over there in the bullpasture would have if we let him run loose. He could feed and fight and flute to his heart's content until cut down in a serene old age. Man's unhappiness, you see, comes precisely because he knows. Man's the only animal who knows that he's going to die. Religion's a vast ritual of remorse for the unhappy discovery of pain and death.

A sound of singing came from the Revival Tent.

—There is a fountain filled with blood. . . .

—Listen to 'em! the Perfessor said. Inmates of the greatest lunatic asylum man ever built—the Christian Church! The typical Christian is just plain crazy—in a socially acceptable way. He believes that the universe was made by a grand old man squatting on a cloud. He believes that this old man somehow begot a son without intercourse a few hundred years ago. He believes that this son is in some mysterious way also the father. He believes that this son came down to earth for the express purpose of being executed like a common criminal to purge humanity of its sins. He believes that the world is better for all this, despite the fact that people go on being as no-account as ever. He believes that this young man, after being very dead, got up and walked out of the grave. He believes that the old man up there on the cloud is all-good and all-powerful, but that the world of his creation is a world of corruption and death.

The Perfessor stopped and took a drink. A faint glare of fire was on the western wall of the night. The singing from the Revival Tent had lapsed and begun again.

—As for this god, the Perfessor went on, he has all the characteristics of a crazy person. He has a god-obsession. He's being constantly annoyed and persecuted by other imaginary gods that shall not be had before him. He wants everything to redound to his personal credit. Nothing for others—but all only for him, so that he may be glorified forever and forever. He falsifies the history of the world as an act of self-justification. He wields unlimited power like a despot and brags of his triumphs. Whatever he wills is good, and whatever is against his will is evil. He attributes his own faults to others, attacking Satan for wanting to rule in heaven and charging the Hebrews for being a stiff-necked people. Isn't this a picture of a thoroughly unpleasant old man and a thoroughly unpleasant universe?

—Yes, it is, Mr. Shawnessy said. But it was better than what went before. At least the Hebrew God was the product of a strong moral sense. Later, in the Christian ethic of the Golden Rule, this moral sense went beyond the tribal stage.

—The pagans were closer to divinity than Christ was, the Perfessor said. At least they frankly recognized the miracle of sex and procreation. They showed a healthy appetite for life itself, which is more than we can say for the immaculate Nazarene.

—The pagans recognized the divinity of process, Mr. Shawnessy said, but not of personality. And as far as I can see, human life is people. It's even simpler than that. It's Oneself, a simple, separate person. But Oneself exists by virtue of a world shared with other selves. Our life is the intersection of the Self with an Other. In the intense personal form this intersection is love, and in the ideal, general form it's the Republic. Jesus gave us the moral shape of this Republic—the Sign of the Cross.

Mr. Shawnessy heard a commotion in the bushes. The Perfessor's place on the swing was empty, and the Perfessor's head was just disappearing over the side of the verandah.

—I'll be back later, he said. Be good children, and don't eat any apples.

—It's getting quite dark, Mrs. Brown said, her voice low and musical.

She sat beside him on the swing, her hair bound up leaving her neck bare all around in the fashionable way, her hands folded in her lap, her face and figure in piquant profile.

He was thinking of her universe. It was, he knew, a rather brave, hopeful, lovely universe. He understood this universe, liked it, lingered uneasily at the threshold of it. He was thinking of the long, long way that had led from female to feminine, from Woman to Eve. Billions of lost souls had labored to perfect this slight creature and her universe of feminine values. Two hundred thousand years had been necessary to tailor her modish dress out of a figleaf. Billions of dead hands had put stone upon stone to erect the curious monument of her house. Like a sound of ocean was the murmur of dead tongues that had struggled to speak so that her mouth might make musical words about the rights of women and the finer things of life, so that her bookcase might be full of gilded volumes. This woman, too, was Eve, a sacred Other. There was, he knew, a sense in which he approached her through the precise formulations of her lawn, and as he did so, garden and house dissolved; pagan adornments were overcome by bark and leaves. He had entered a grove of danger and decision. There was a sense in which he found her there, forever waiting, naked, with gracious loins, an anguishingly beautiful young woman whose body wore perhaps some curious blemish as a sign of her mortality. There was a sense in which he was always reaching out his hand toward her in this place and touching her face as it looked up into his. There was a sense in which the face was that of the woman he had married, and also of some other women whose faces had been turned up toward his. There was a sense in which this face of the archetypal woman was forbidden, untouchable, divine. In this excitement, there was a sense in which he became lost: he lost his name, his selfhood, his oakleaf garland, and even his own private republic, and achieved a wonderful unity— which was immediately relinquished.

—Professor Stiles is an odd person, isn't he? Mrs. Brown said at last. What makes him so unhappy?

—The Professor has a vested interest in being unhappy. If the world·were other than he supposed, he'd be a discredited person.

—He says so much that's true. But he turns it all to a joke or a hollow thing at last.

—But it gives him a great advantage in conversation to speak without responsibility. Nothing is sacred to the Professor. There are no taboos, no forbidden words or places. You and I, on the other hand, Evelina, are continually treading with care as if the universe were all alive and wherever we put down our foot we might hear a cry of human anguish.

—I used to admire Professor Stiles very much, Mrs. Brown said. He wants me to come back to New York. Do you think I ought to go?

Just then, there was a disturbance in the bushes, and Professor Jerusalem Webster Stiles clambered over the wall of the verandah and lay full-length on the stone floor.

—*And curst be he that moves my bones,* he said, his voice hoarse.

—Mrs. Brown!

It was a voice from the backyard.

—Excuse me, Mrs. Brown said. I'll try to come back. It's about time to hang the Japanese lanterns.

She walked down the steps into the darkening lawn and disappeared around the corner of the house. The Perffessor stayed flat, a monumental effigy with eyeglasses on, face sharp and pallid, hands crossed on chest.

—There she goes! he said. What a waste of beauty! Why will women try to be intellectual? The only feminist movement I want to see is one to make women more feminine. For Christ's sake, let's not make them more like men. You know, I really despise bright women. It's unbecoming of a woman to be interested in ideas.

—Professor, Mr. Shawnessy said, don't you ever get tired of being a professional rebel? Why don't you resign yourself to being happy now and then? Why not give up and admit that you enjoy life? Still, I suppose such a radical change of mind might make you disintegrate in a second like the corpse of M. D. Valdemar, when they took it out of the mesmeric trance.

—Really! the Perffessor said. You disturb me, John. I'm not feeling very well as it is.

He crawled over to the swing and sat down.

—I would love to be moral, he said. I would love to believe in the Republic of Brotherly Love, Sisterly Affection, Filial Piety, and Jesusly Humility. If only I weren't 'so goddam well-informed and bright! After all, John, human morality is a mere refinement of the social instinct, which we see also in some of the other animals. We're moral because it pays to be moral. But the really great problems of the Republic don't achieve moral solutions. Take the Negro question. The Negro is morally about where he was before the War. The Declaration of Independence is still a White Paper.

Westward, from the Revival Tent, came a smell of smoke. Low flames licked the fringed horizon.

—What are they doing over there anyway? the Perffessor asked.

—Just a Fourth of July bonfire, Mr. Shawnessy said.

He was vaguely troubled. He was stirred by a memory of something that had happened, a legend of beauty and the earth, of the tangled world of personal republics, and of their infinite intersections.

—Yes, sir, the Perfessor said. If everyone were like me, the Negro problem could be settled in a jiffy. Sex doesn't draw any color lines, and neither do I. At night, all cats are black. Never in the history of mankind have two races lived so close as the black and white do in America without a complete blend after a while. This dark old rule of the jungle is just what the Southern white fears. Let's not fool ourselves: all his efforts to keep the Negro down are, at root, efforts to keep black seed running in black channels. This paladin, the old Southern Colonel, defends the purity of us all.

Just a Fourth of July bonfire. Some fragments of old lumber that used to be somebody's house, loose odds and ends of lives.

—You may prate as you please, the Perfessor said, of beauty and the good—human life's a dark affair. In the Swamp all was fated, but no one knew it. Now, our advance in understanding consists of *know*ing that all is fated.

—But what you call fate includes moral decisions made by human beings. The tragedies of human life merely teach us that we can't escape responsibility. In short, we can't resign from the Republic.

The two men smoked in silence. The red glare in the west now flickered through the palings in the fence.

—John, the Perfessor said, shaking his head, what a bloody tapestry our life has been! In this modern republic, nineteen hundred years after the birth of Christ, a million young men killed each other in hot blood because human skins differ in pigment. And the end is not in view.

The Perfessor shot a keen glance at Mr. Shawnessy.

—Your own life, he said, has been strangely touched by this mixture of the bloods. You know, John, there was something you never told me about your first marriage, though you hinted at it.

—Yes?

—Maybe I shouldn't ask, the Perfessor said, but I've always been damn curious——

He hesitated.

—Yes? Mr. Shawnessy said, his voice gentle and remote.

He was flicking pages in the book of his own life, a myth of himself and his memories of the Republic in War and Peace.

The trains are changing in the station of Myself. I must catch a darktime express. Good night, ladies. Good night, ladies. Good night, sweet ladies, we're going to leave you now. . . .

O, let's go back and live in old daguerreotypes of houses by the river. *O, subtle, musky, slumbrous . . .*

Yes, I was guilty too. I never could resist the shape of beauty by the river. But I didn't know that I set my mouth to the mouth of a dark Helen.

Did you think that a single black man could feel the lash and you not bear the scar? Did you think that a single comrade might lie dead in the July corn, and you not lose a portion of yourself? Did you think that mankind could go to war and you not fight?

Go back. Unwind the tapestry and trace the scarlet thread. Go back, lonely young voyager on rivers. Relive the sibilant names. Review old lusts beside the river. Lay on the lash and fill the slaver's hold. Plant seed and raise a crop of cotton in the bottom lands. Stand up and give us pompous words about the rights of man, while the darkies labor on the levee.

(All this is the marvellous myth of Raintree County, where all threads come together and where all rivers run and all must find the lake, where all the trains are changing in the stations, and every single word that ever was is written into riddles between the four lines of a square.)

But tread with care. There are lost souls here. There is a piteous and lost republic. Tread with care. There are lost lives here that will cry out like sinners touched by flame. Catch the train. Hurry back along the branchlines of departed Raintree Counties. There are lost souls here. There are lost voices here. There are lost songs. Tread with care.

O, don't you remember a long time ago? O, don't you remember

July 4—   AN   —1863
                OLD SOUTHERN MELODRAMA
            WAS PLAYING ITSELF UP TO THE LAST CURTAIN,

he felt, as the train chugged on toward Three Mile Junction. He
shook the last of a brief, uneasy sleep from his head. Smoke sifted
in through the open windows on his already grimy face. He stared
at the daguerreotype in his hand, in which four faces looked palely
out from under the shadow of a Southern mansion. He studied the
mad scrawls on two letters that had started him two days ago on a
hunt for two lost children. He had touched their ghostly trail in a
store where a doll had been bought. He had seen the two lost faces
imprisoned on a glass plate in a photographer's shop. One of these
faces had taken the name Henrietta Courtney, a certain Negro girl,
dark Helen, dead long ago in fire. He had said good-by to Nell
Gaither in the station in Indianapolis. And now the chase had nearly
come fullcircle to the place where it had started.

In a few minutes, he would be home in Freehaven, and the thing
would be settled. No doubt this dark old melodrama in which he
had been entangled for four years would turn out all right—more or
less—and the nightmare of the last three days would have an awakening.

Nevertheless, he felt more terror now than at any time since the
hunt had started, as he sat helpless, holding some fragments of a life.
He had been slowly assembling the pieces of a curious puzzle for
three years now. He reshuffled the pieces, slowly fitting them into
place, still hunting for the missing piece.

The faces in the daguerreotype were pale smudges in the yellow
gaslight. Behind them rose the pillars of a doomed house. Here
(but twenty years ago) was a little girl beside a river.

Then it seemed to him that only through a weakness of the will
is the past relinquished. A human life had a dimension that wasn't
perfectly understood. In this dimension, the whole river of one's
life existed all at once, a legendary symbol written across the face of
time. And the source of the river was in the gulf to which it flowed

as well as the spring from which it rose. And if one were to understand the enigma of a twisted life on the land, where would one begin, except in a daguerreotypal river flowing past a daguerreotypal house?

The river was flowing, flowing to the sea. It poured its cold strong waters past dissolving swamps. The yellow pollen sifted on the river, the yellow pollen sank and bubbled in the river. The river passed a city on the Delta.

It was summer, and a little girl with violet eyes grew up beside the river, her life rising out of ancient summers where the hot nights throbbed with voices of darkies singing on the levees. They picked the cotton in the fields and piled the bales beside the river, and the steamboats passed in neverending line, their whistles shrilling and their big wheels turning. And the river passed and washed the earth away.

Whence had she come—Susanna, lost child of a stained republic? Who was the mother of this child? Who was the father of this child? Was it possible to follow this child, holding her unburnt doll, back through the windings of the Great Swamp?

The river passed in darkness to the sea, the yellow river passed in darkness, flowing, flowing to the sea.

This little being, being human, knew love and hatred by the river. One night she hunted for a doll in an old log cabin. On the levees, the darkies were gay, a glare of bonfires lit the night to celebrate the birth of the fairest of all republics. And her small form in a nightdress (dark hair hanging to her shoulders) wavered on a mirror at the landing. She saw the dark flesh and the white; the rose of love bloomed scarlet in the night, the symbol of a stained republic. This was the thing she found while hunting for a doll.

(Do you want to lose the most precious thing in all the world? Can you keep the most tragic of all the secrets?)

After that, she never ceased to be a little girl who was hunting something in the night.

The days went by like a shadow o'er the heart. There were novels about sentimental ladies and courtly gentlemen, in which mysterious notes broke up loves, effected conciliations and happy endings. Was it strange that in a little girl's jealous anger, the fatal note was penned?

(How could I know that it would kill the dearest thing in all the world? Didn't I hunt for the letter after that and ever since in the album where I left it? Didn't I hunt and hunt to get it back before she read it?)

Who set the fire that burned the house beside the river?

No one will ever know. No one will ever know who put the torch to the house and burned it to the ground. Was it a little girl who did it with a jealous word? Who was it murdered two bodies joined by fire taken from the ashes of the house beside the river? Whose was the footstep passing in the night? And could anyone tell after the fire which was the mother of Susanna? Did they ever put out the fire entirely and heal the scar and stop the smouldering pain over the left breast?

So there was one who grew up a shape of this earth; her name was musical and proud like names of cities razed. Her body was lovely like Helen and the Greeks, though scarred with a scarlet letter.

And the river flowed, the river flowed in music and strangeness, the father of all waters, dividing east and west and joining north and south, through shore and shallow, tarn and tangling swamp to the sea. And the senators stood up, put togas on their phrases, they bade the black flesh lie quiet in the chains, they bade the clamorous West to be still.

Could they make the words be still? Could they chain the strong words? Could they keep seed from growing and hunting for the light? Could they keep the black flesh in the Great Dismal Swamp?

(For there were strong men ever going West. *O, Susanna, do not cry for me!* They were putting the rails across the plain. The covered wagons shrugged and staggered through the passes. The engines hit the grade at forty miles per hour. They were coming all the time. They were coming down to . . .)

The days went by like a shadow o'er the heart. And one day a hero, lost young bard of Raintree County, sprang from the sunlight of a court house square and entered a room where his image was traced forever with a finger of light.

The train brought Johnny Shawnessy into Three Mile Junction, stopped briefly, and started up for the short run into Freehaven. Several new passengers had got on, crowding the coach. He would soon be home.

Then he remembered the afternoon on the shore of Lake Paradise, when a young gymnosophist had performed for cheering thousands, had walked a tightrope over the broad Ohio, achieved gymnastic bliss, ridden a balloon across the Republic, made bold forays below the Mason and Dixon Line, beaten down desire with a branch of yellow flowers.

And he remembered faces around a telegraph window and a letter at the post office, jasmine-scented from the South. A gray face had been seen many times in the Court House Square, of an old man, biblically stern. (Blow ye the trumpet, blow, all over the Republic!) One evening of November, when leaves dripped on the dead grass, he had stood by a lonely rock at the limit of the land and had remembered duty.

—Jedgin' from the light of them fires, they sure are raisin' a ruckus in town, a man said, peering out of a window. Reckon maybe they're celebratin' this here great victory at Gettysburg.

There was a strong glare of light in the sky over Freehaven, but as the train turned now directly toward the town, Johnny could see nothing more. He sat waiting.

The fragments of an immense puzzle of a human life and the Republic continued to fall into place, moving more and more swiftly and strongly like a river proceeding southward collecting a thousand random waters into one inexorable tide. On such a flood of waters he and Susanna Drake had gone South for their honeymoon to sultry nights of love in an old American city by the Delta.

He looked again at the daguerreotype in his hand. A tall house beside a river with five windows on its face! He remembered then the house near the Square in Freehaven; walkings at night, strange evasions, a scarlet strand of madness growing.

(When we lay together in the night, my unforgotten darling, when we touched our bodies in the night and made that fatal crossing, when we lay dreaming in the darkness so long and long, my darling, we were coming down to Sumter. *O, Susanna, do not cry for me. . . .*)

He remembered then how the bloody rose of Sumter had dawned on the Republic. Meanwhile he had lived in the tall house far from battles and had seen a being that was only a beginning come into Raintree County, Little Jim Shawnessy, a blue-eyed child. This child had come from the swamp where no one knew what seeds had intercrossed, where black and white and red and yellow sought each other blindly in the timeless underside of Raintree County.

He remembered then the face of his mad little wife fading from the doorpane back into the detested fabric of the house.

Who was Susanna Drake? A stream of reflections in mirrors? A sequence of shadows on lightsensitive plates? A river of dreams of rivers? Had she ever awakened from a dream that had begun one night before a fire? Perhaps she had gone on, always moving in that dream, walking in terror at night, hunting through the chambers of a tall house with a lamp in her hand, hunting for a secret darker than any other, whose source was hidden in the night of the Great Dismal Swamp. Did she hunt for a secret so dark that it could only be purged in fire?

He shut his eyes. Instantly, he saw the face of a little boy, an earnest small face in darkness, with violet eyes. A child's arms clutched at him wildly. A child voice cried, *Daddy!*

Johnny Shawnessy's body was bathed in cold sweat. His heart pounded. He was choking in the smoky heat of the car.

A man standing in the crowded coach leaned over and peered from the window.

—Must be some big excitement in town! Look at all them people on the road there!

Many people in wagons and buggies were going into town along the road that ran parallel with the tracks. Two or three wagons on their way out of town turned around and started back. The faces on the road were faintly scarlet.

Johnny stuffed the letter and the daguerreotype into his coatpocket. He got up and walked to the car door. Though the train had just entered the outskirts of Freehaven, he opened the door and stepped down to the last step, which skimmed the weeds along the track. He leaned out, watching. Other passengers lined up behind him. Above the noise of the train he could hear people shouting, bells ringing.

They were in town now. Streets, houses, buildings shuttled past. People stood before their houses all looking in one direction. Down all the ways of Raintree County in this commemorative night, hooves thundered, wheels turned, feet flew, all moving toward a center.

When the tracks veered northeast to the station, Johnny saw a column of flame and smoke roaring straight up.

—Jerusalem! a man said. That there's a *fire!* Must be the Court House.

—No, it ain't the Court House, a man said. Can't tell what it is.

Before the train stopped, Johnny jumped down and crossed the tracks. Running, he reached the Square, to find it full of people crossing it on their way to the fire. He ran on toward the alley at the south side of the Square. He looked between the buildings. There he saw plainly the last fragment of the puzzle.

The house blazed with light. Fire burned into the lonely face of it, fire shot in sharp tongues from the windows of it, fire flowed up it almost without touching it and rose fountainlike a hundred feet into the air.

In every open space where the heat wasn't too great, in streets, alleys, yards, on porches and roofs, hundreds and hundreds of faces enclosed the fire in dense banks watching.

After that, it made no difference that Johnny Shawnessy ran through the crowd and shoved his way out into the space before the house. It made no difference that he tried to throw himself into the fire to find the child that no one had been able to rescue. It made no difference that strong hands had to hold him back. All that made no difference now. In a way he had foreseen this thing, but all that he had done to circumvent it had been part of the great circle of time and fate that brought it about.

Or so it seemed to him as he walked back and forth before the burning house all night, waiting, as if the fire were a surly tenant who would have to be expelled before he could reenter his own premises. He heard people tell how the fire had gained headway before it was discovered, what with the excitement, the bonfires, and the fireworks on the Square. He heard them tell how a brave man had managed to get into the downstairs part of the house and had found Susanna lying unconscious in smoke near one of the windows, a broken lamp in her hand, her hair and face burned. He heard of fruitless efforts to ascertain whether anyone else was in the house. He heard all this and knew that it was all an old legend of pity and terror that had to be played out in expiation of a crime. Not his crime, necessarily—and yet in part his crime.

He received condolences about the lost child. He heard the speculations as to what might have caused the fire. He could have told them now what had caused the fire, but they wouldn't have understood.

He could have told them that fire could only be consumed by fire. He could have told them that this fire had come because men return to the swamp and lust after darkness and the night, because the form of a woman is meant to be seductive, because the earth is our first beloved. He could have told them that this fire had come and destroyed an innocent being because of guilty lust and careless seed. He could have told them that this fire had come because of Sumter and the Rights of Man and the Compromises and Danwebster and Gettysburg and the everrunning river, Father of Waters, which had that day begun to flow once more unvexed to the sea. He could have told them all that, but it wouldn't have done any good.

And as he waited into the dawn, Johnny Shawnessy decided that he too would go forth now and become a soldier of the Republic. It was a choice made not from heroism but from revulsion. He was sick at heart, and he had to leave Raintree County, perhaps in order to rediscover it and rebuild it again. He had to leave it and his memories of its alien visitor, a dark love, a tragic begetting.

And during that night when ten thousand dead young men lay unburied on the picnic slopes, cornfields, and familiar grounds of a little town in Pennsylvania, the house in which Johnny Shawnessy had lived for over three years burned utterly to the ground. Fire ate its way through the mournful face of the house. It cracked and shattered the windowglasses. The roof came crashing down, spattering chimney bricks all over the street. And in the gray of the morning, when a rain came up and beat steadily on Freehaven, there was nothing left of the house but a hole on the skyline

AND A LONG FLIGHT OF STONE STEPS

THAT LED UP

TO

—NOTHING is more certain in my opinion, the Perfessor said.

—But no one will ever know for sure, Mr. Shawnessy said. Everyone who knew is dead.

—How many knew?

—Three. And one was mad. And all were killed by fire.

—Did Susanna really know, do you think?

—I think she only suspected it—or rather feared it.

—Of course, there's one thing dead against the whole supposition, John. Would her father—or any other Southerner of good family—do a thing like that?

—Only for the strongest conceivable reason.

—What reason could be that strong?

—Great love, perhaps. Not so much for the little girl—as for her mother. A transcendent passion that broke all racial bounds and made him wish to legitimize as his child the offspring of his beloved.

—If so, he did it in the teeth of a widespread suspicion. Judging from what you say, it must have been widely rumored through New Orleans society that Susanna was a Negress. Obviously that's why her father whipped Uncle Buzbee—as you call him—to a pulp. That's why the family feeling was so violent both before and after the fire. That's why Susanna never married any of the young blades who fell in love with her.

—Obviously it was only a suspicion, Mr. Shawnessy said. But a suspicion was enough—enough to ruin her life and ultimately to drive her crazy.

—Of course, the madness suggests that she was the child of her mad mother after all, the Perfessor said.

—She was the child of a greater madness, Mr. Shawnessy said.

The two men smoked quietly.

—Life, said the Perfessor, is a volume of blind force, dispersed and trying to return into a condition of stability. In the intersections of this force with itself, human lives and whole nations are caught like gnats. That's what we mean by fate. Susanna was the child of fate. By the way, whatever became of her family? The last I heard, she had run away and was declared legally dead just before your present marriage. Was that the end of it?

—Not quite, Mr. Shawnessy said. In 1880, I received a letter. . . .

He was losing his way in a web of waters, tracing a skein of tangled force across a map. Letters, newspaper clippings, dreams, photographs, faces—they were all drowned. . . .

In the river, the eternal river, the mystic river of her fate, Ophelialike, facedown, and floating with the stream. Where would she go at last except to darkness and the river? . . .

> My dear Mr. Shawnessy,
>
> The enclosed newspaper clippings will apprise you fully of a melancholy event that I am sure you will wish to take full cognizance of. For my part, as the legal adviser of Susanna Drake Shawnessy's heirs, I had never been entirely satisfied in my own mind that she was dead. Therefore, two weeks ago, when I read in the newspaper of an unidentified woman found floating . . .

In the river, where all desire is quenched.

Where then is the soul to whom was given a proud, sibilant name? Her anguish was necessary that there might one day be fairer republics. Shall she be lost, this erring child from the eternal summer of the South?

I had a dream the other night, when everything was still. I thought I saw . . .

A WOMAN'S BODY FOUND IN RIVER
(Epic Fragment from the *Meridian Sun*)

July 8. Excursionists on the steamboat *Delta Belle* were startled in the midst of gaiety and song the other night when someone saw a body floating in the river. When fished up, it proved to be that of a woman unclothed and judged to have been in the river three or four days. Identification is rendered difficult by exposure to the water, but death is believed to have occurred by drowning. The woman is darkhaired and of medium stature. Her face and shoulders appear to have been scarred by fire. Persons having clues to the identity of the deceased may view the remains at . . .

My Old Kentucky Home, or Old Virginny, or Uncle Tom's

Cabin, or just anywhere and everywhere south of the Mason and Dixon Line!

O, tragic legend of the mingled seed! O, beautiful Electra, avenger of your murdered father, followed by furies to the last. O, stained and tragic girl!

So we rebuilt the doomed, incestuous house on the new earth of America, a house divided, a house of seven gables and seven deadly sins. Returning from the epic fight, we found the black stain still on the lintels. We burned the house, rebuilt it, and we are doomed to burn it and rebuild it many times.

When shall the black Helen be freed at last? When shall the river of the Republic flow to the sea unvexed by sorrowful floaters?

—But didn't that invalidate your present marriage? the Perfessor asked.

—I had the ceremony repeated after positive proof of death was established.

The Perfessor had followed with peculiar relish the dark turnings of this Old Southern Melodrama.

—And to think, John, he said, that all this happened to you because you climbed a stair one day to have your picture taken!

—But I can't say that it was for the worse, Mr. Shawnessy said. See the girl out there in the white dress watching the other children —my daughter—Eva? For her to be, there had to be that other little girl and her burnt doll. Of course, the whole universe is implacably interconnected. It was all necessary to produce me, and I am all necessary to produce it.

He found a cigar in his coat.

—I take this cigar, Professor, and I now choose whether to light it or put it back. The delicate balance of the human universe depends on my decision. When I alter my surroundings, even slightly, I alter the timing of the human sperm throughout the world. All the generations of mankind down to the most distant future hang on the lighting of this cigar. Innumerable republics expire with every breath while I make my choice.

He struck a match on his shoe and lit the cigar. He took some time to draw it to a flame.

—All very well, the Perfessor said, except that there was always only one choice for you—the one you made. And so on down the line. There aren't trillions of possibilities, as you imply, but only in every case the one thing that happened. Down to the most distant future, everything has to all intents and purposes already happened in the only way it could—through the operation of causality. In other words, your choice in lighting that cigar wasn't really a free choice. The proof is that you made it and that you can't take it back.

—You admit, don't you, that in a choice between alternatives my belief that I'm making a free choice may be one of the causal ingredients of the choice.

—Well, yes.

—In that case, the idea of freedom has become a factor in the causal sequence, and without upsetting the doctrine of causality, it introduces freedom into human life. Man becomes a free agent by believing that he's a free agent.

—But this idea of freedom is itself caused.

—Good! Mr. Shawnessy said. Thus freedom too is inevitable.

—I fell through a trapdoor, the Perfessor said.

—Human beings, Mr. Shawnessy said, don't know how powerful they are. Every person determines the future by his least act. The Law of Causality means that the life of any man is the sum of everything past and the germ of everything to come. A man's not only the child of wombs but of Events. Every single thing that happened in the world before my time was midwife to my birth. When I pick up an old newspaper of seventy-five years ago I feel a sacred excitement—I know I touch one of the lost copies of the immense newspaper of Myself. The great human problem is to find the source of Oneself. This is the Riddle of the Sphinx. And to find Oneself, I believe, is to find the Republic.

—And what is the Republic? the Perfessor asked.

Mr. Shawnessy was aware of having spent a day of definitions.

—The Republic is the world of shared human meanings—ideas. A man voluntarily votes himself a citizen of the Republic, this great fruitful fiction where men and women exist in time and space, desire each other, perceive beauty, beget children, create institutions, share words. In a very real sense we live in Humanity, that being the only place where we can live.

—Give me a cigar, John, will you?

—I have a couple of Garwood's left.

—I suppose that big pompous fiction is nearing St. Louis by now, the Perfessor said.

He put a match to the cigar-tip.

—Just a moment while I destroy generations unborn.

He puffed the cigar into a glowing tip.

—From Abraham Lincoln to Garwood B. Jones in thirty years, the Perfessor said. Does American History have a meaning? What is a Great Historic Event anyway? Take any three at random— Caesar stabbed in the Senate Chamber of Rome, Christ crucified at Jerusalem, Abraham Lincoln shot in Ford's Theatre in Washington.

—An Historic Event is one of those clever fictions that Humanity fashions from infinite causal intersections. The world's incredibly daring, erected by gigantic human labor, a vast dream, for which each of us is responsible. One doesn't even become a self without entering into that dream. But we become citizens of that world so slowly that we forget the miracle of the process in which we participate. It's perhaps well that we do, for otherwise life would be unbearably exciting. As it is, we every now and then are touched with the feeling of historic participation. We are with crowds. We feel beyond ourselves. We partake festively in the old communion of Humanity. We do it in moments of intense love and great national crisis, on festive days like this. We do it also when we study Great Men and Great Events. Great men—Jesus, Shakespeare, Lincoln— give us the feeling of a human life lived in relation to Humanity, more fully partaking of the sacred communion.

—True, the Perfessor said. All so-called great men are the result of human collaboration before, during, and after the fact. With a little cooperation from Fate, you might have been America's Shakespeare, John, but you lacked the human context. A whole age worked to create the Plays, which are not unwisely attributed to a dozen other men besides the man who penned them. And today we still work at the Myth of Shakespeare, conferring glamor on the Bard beyond his merit.

—Are you about to deflate Shakespeare?

—The truth is, the Perfessor said, that Shakespeare is still only a fad, for we are all his contemporaries more or less, as we are of the Greeks. Mankind has only just begun to write. Man's been thinking man maybe a hundred thousand years, and only in the last few thousand has he been writing. Shakespeare's no older than yesterday's newspaper. There are no serious barriers between his mind and ours. But ten thousand years from now his plays may be pretty precious stuff to an age which, for all we know, will have kicked over the nonsense of romantic love, tribal honor, historical pride, feudal class divisions, and even—perish the thought—wit and humor, which are just human ways of viewing a very unwitty and unhumorous universe. In due time, Willie the Shake may become an old-fashioned curio whose verse-dramas were popular among the curious barbarians of the second, third, and fourth millenniums after the birth of a quaint religious figure called Jesus. The Plays won't seem picturesque or even obscure—but quite simply pointless and dull. Shakespeare is part of the dream of our time. We have an atmosphere of consent for him as for the Myth of Jesus and the Myth of Plato. This is the era of the glorification of the individual and his works. But there may well be a time when art itself will be dead as a mode of human activity.

—Shakespeare's greatest play, Mr. Shawnessy said, was one he never set words to.

—Entitled? the Perfessor said.

—*The Tragedy of Abraham Lincoln.*

—Goody! the Perfessor said. Another riddle!

—A Study in Fate, Mr. Shawnessy said. Picture to yourself a balding, plain-looking businessman-poet-bonvivant sitting down in his London rooms some evening *fin de siècle* to goosequill a surefire historical drammer full of daggers, ghosts, and mob scenes. He conjures up some stage-prop citizens along a concourse and a soothsayer bidding Caesar to beware the Ides. Keen student of human fate that he is, he doesn't know that his fastflowing goosefeather is writing the prelude to another red drama of assassination in a Republic as little known to him as Caesar's Rome. He has no idea that he is adumbrating one of his maddest young men.

—Ah, I begin to follow you, the Perfessor said.

—John Wilkes Booth would never have killed Lincoln except for his background as a Shakespearean actor. Booth had been brought up before the footlights. His father, Junius Brutus, was the most popular Shakespearean actor of his time. To young Booth, living in a dream of pompous tirades, great leaps before footlights, heroic attitudes, but never achieving the stature or fame of his gifted brother Edwin or his father, there came an opportunity to make the most impressive stage entrance of all time.

—And to think, John, that you and I were tangled in the close web of chance that caught the Great Commoner and the Assassin in Ford's Theatre!

—The republic of John Wilkes Booth was not in any real sense the republic of Abraham Lincoln. Booth knew nothing of Lincoln, the real Lincoln. As far as Booth knew, he was killing a vulgar baboon-president who had been strangling a sentimental republic. Little by little, Booth made his plans, revising them as chance required, until at last he came into Ford's Theatre, one night of April, upon the stage of his great act of affirmation. He slinks up through the crowd in the darkness of the balcony, where everyone is staring at a play. Where is he, in what space and time, this strange young man, approaching the footlights of History! He enters the private corridor to the President's box. He fits the pre-contrived bar into the pre-contrived niche to secure the door. All is going as he has planned. He's controlling Fate. For a few minutes, he's all alone on the threshold of History, as he sets his eye against the pre-contrived hole in the door to the President's box. He sees there the outline of his intended victim, a man he doesn't really know, whose hand he has never touched, with whom he has never exchanged a word. There is a burst of applause, and the stage is empty. He opens the door and, still unseen, he aims a pistol at the demon of his self-created nightmare. And in the next instant, by the inexorable law that makes human lives share each other, whether they will or not, President Abraham Lincoln, one of the kindest men who ever lived, tired from the terrible burdens of war, about to take up the equally great burdens of peace, watching a fifth-rate little fiddling farce, is stunned into darkness.

Darkness had thickened into night on Waycross. Over the cornfield straight ahead, Mr. Shawnessy could no longer see the line of the Pennsylvania Railroad, where twenty-seven years ago a train had passed bearing the body of a great man home.

Then he remembered, as if he had heard them all, the dirges in the night (*Let the great bell be tolled!*) and the sound of the women wailing. He remembered, as if he had seen them all himself, the

torches, the faces of the grieving thousands (*Lower the starry flag!*).
He remembered a train that pulled with sobbing breath from the
trainshed in the smoky dawn (*Let the great bell be tolled!*) and the
line of the flagdraped funeral coaches, passing through vacant
squares, passing on the great bridges, passing through little stations
on the plain, day and night journeying westward. And he remembered the crowds in the stations (*Lower the starry flag!*) and the
dark body of the train in the dark night going forever to the place
where the great trains come to rest (*Let the great bell be tolled,* be
tolled, let the great bell be tolled, and the voice of the mourners be
heard in the grieving dark).

In the station of himself the trains were changing.

In me, all trains are leaving on the roads to home. In me, the
unrelinquished faces press through vacant worlds. In me, lost time
is restless for a resurrection. Hail and farewell to all the lost
horizons.

This was a face that I made up from the columns of the country
weeklies. This is the tragedy that I portended from the primeval
slime. This is the play for which I made old marble words, when I
was a gay scrivener, actor-redactor of plays, a country boy completely
citified back in my old Cheapside days.

For one dead, a sprig of Raintree County lilacs. For one of the
great dead, in whom the Republic died for resurrection's sake, a
few lines graven on a monument, some faces struck in stone. For
one of the great, tender faces, the tribute of a simple soldier, himself
—alas! dead also long ago and far from home.

Now I will find out the seed of Great Events. I will hunt for
assassins and accomplices through delicately intersected times. I
think I will follow the path of a young murderer and the path of
one who was murdered. *They know not well the subtle ways I keep,
and pass, and turn again.* I will take up a trail of huge and
cloudy indications across a forum to a Senate Chamber. Caesar shall
be a hundred times reassassinated and Christ a thousand times re-
crucified, but I shall go to a train station and find a young republic

A BATTLE WOUND, SCARCE HEALED,
CORPORAL JOHNNY SHAWNESSY DESCENDED FROM A COACH

and walked across the station. It was the first time he had been in
the Nation's Capital, Washington, D.C.

He looked around in vain for an expected face. Being early, he
sat down on a bench and waited. He felt very weak, and although
the day was not at all warm, he was in a cold sweat. He wondered
if he had been wise to leave the hospital and come into the City for
the day.

It had been less than two months since Corporal Johnny Shawnessy had got his battle wound near Columbia, South Carolina.
During that time he had gone through a hell as bad as the fighting
part of his war. He had been sick. On the physical side, his sickness
might have been variously diagnosed as dysentery, wound-fever, loss
of appetite, general debility, battle shock—but Johnny knew that
something more profound and terrible had happened to him. His
fever fevered everything he saw. Or perhaps all that he saw was
really fevered by the old wound of the War. Before his wounding,
he had seen death in battle often, forms torn forever from the shape
that they were meant to be, faces suddenly touched with a stillness
from which after a while all personality and meaning drained away.
But he hadn't yet seen the backwash of the War, the hospital camp,
the sickness, the long dying. He hadn't yet seen the total fever and
decay of men's souls behind the battle lines. He hadn't yet realized
that for many of the soldiers of the War, a lightning-sudden death
in battle would have been merciful.

Corporal Johnny Shawnessy's hospital experience was not unusually bad for the times. In fact, care and treatment of the wounded
had improved during the War. Soon after he had got his wound,
he had been transported by boat to one of the hospitals near Washington, where he received the best care available for the wounded
and sick soldiers of the Union. During this time, he lay in a long

whitewashed hospital ward of thirty beds. The hospital was short of expert help, and there was some callousness and indifference among the orderlies and nurses, but no more so than in any other hospital of the day.

Those who took care of him would have described him as a typical case. He was Patient Number 23, Shawnessy, John W., shoulder wound, dysentery, and fever—and he didn't make out badly at all. His morale seemed good. He complained little, made no undue demands on the help, seemed to be a rather sweet-tempered, softspoken person. His wound suppurated nicely and was not difficult to wash and bandage. The discharge of pus was normal and proceeded exactly as wounds were supposed to in the year 1865. The gangrene that had set in before he reached the hospital was not overly serious, smelled no worse—nor better—than any other gangrene, and soon went away. The patient did have a pretty nasty fever when he came in and was out of his head at times in a harmless way. He was a nicelooking boy with dark hair touched with red but a light—almost sandy—beard. He was very weak at first and languid and the life seemed to be beaten out of him, but most of the patients were that way after they had been jostled over rough roads, carried by boat, loaded and unloaded from stretchers. The fever had stayed a while, and the patient had had a bad case of dysentery, with loss of appetite. After the wound was well on its way to healing, the dysentery hung on, and the patient lost weight, so that, like the majority of dysentery patients, he looked like an anatomical chart, with everything taken away but the essential bone, muscle, nerve, blood, and organic structure—and the mysterious principle of vitality. He went down, as most such cases did, and wavered around the boundary line that so many boys crossed, but he never quite crossed it, and in fact never awakened any special anxiety in the staff, as men without a mark on them were dying all the time in spite of all that could be done for them.

After Patient Number 23, Shawnessy, John W., perked up a bit, he had a very pleasant wit and was well liked by the other men.

All in all, the hospital record of Shawnessy, John W., was quite unpicturesque.

From his own point of view, Johnny went down into hell and stayed there for weeks. No one knew it, because he never told anyone, but there were whole days when it seemed to him that he was dying. Death was approaching all the time, touching with a gradual hand all around him. Other men died who had as much right to live as he, who looked stronger, who were unwounded; and his reason told him there was no good reason why he shouldn't die too.

Whether he died now or not, he knew what death was, and he knew that he could never wholly escape it. Death was an impersonal thing that happened to a person who was alone and far from home.

So he lay in his bed and watched human souls sicken and die, and fought back the thought in his own mind that he too might be sinking beyond the point of recovery. So he clung tenaciously and with a coward fear to a shrunken, mysterious thing, his body.

Meanwhile, he knew the hopes and despairs of the sick soldier.

He knew the indescribably sweet rush of confidence when the surgeon looked at his festering, smelling wound, and with a trace of brightness said,

—Well, my boy, you're coming along. Not bad at all.

The man said the same thing automatically up and down the line, and to boys who were obviously on the brink of death. But those words were as necessary to Johnny as food. He would speculate on just exactly what made the surgeon say them, and he would interpret every little nuance of the surgeon's voice as having special significance.

The surgeon was a sort of god because he walked upright where men were prostrate and pronounced sentence upon life without being fearful of his own. And yet Corporal Johnny Shawnessy, who had a fund of common sense and a good deal of medical knowledge, knew that the chief surgeon was a mediocre fellow who did only what anyone else could do in such cases and who had no real knowledge of what was taking place in the wounded body of Corporal Johnny Shawnessy.

He knew also the awakenings at night, when he was covered with cold sweat and his heart beat hard and swift, as if to run its course and expire in a rush of failing palpitations. At such times, he wanted to talk with someone or have someone rise up and say,

—Johnny, you're all right. It's probably just the air in here. I feel it too.

He wanted people to lie to him about his condition, as if words were facts. He knew the wild joy and black despair aroused by the sound of certain words—'crisis,' 'recovery,' 'suppuration,' 'pulse rapid,' 'fever down.' He came to love the beautiful, holy sound of the word 'normal.'

He saw men die suddenly. He saw men die with a grotesque slowness.

He saw soldier after soldier come into the ward with a belly wound. He never saw one go out alive.

He learned to know the look of death before death came. When a new patient was brought in, Johnny and the other veteran cases (one week or more in the same ward) silently made a diagnosis. Sometimes, Johnny would turn his face aside lest the silent, hardbought knowledge show in his eyes.

He knew the pitiful conversations of the sick and wounded, memories of the past or aspirations for the future, fabrics of sheer hope built in the house of despair. He knew the nostalgic words of the wounded, which were mostly the names of things, places, and people in America.

He knew the sympathies and fierce loyalties of the sick. He found that it was possible to know another person so well in three or four days that his death was like the loss of a lifelong friend. He knew the awful void caused when one of the veteran comrades died.

He knew the unhappy little pleasantries of the hospital, grins carved on the mask of suffering. One of the most cheerful patients was a man who had a leg gone, a chest wound, and dysentery with complications.

He saw boys of eighteen age visibly in a few days and act and talk like old men. He wondered at the courage of the dying. In all the time he was in the hospital, he heard hardly a word of bitterness or disillusionment about the Cause for which these men had suffered.

He saw at least a dozen Rebel wounded brought in during this time. He noticed the lack of bitterness between the wounded of both sides and their dispassionate reference to battles and places. Their wounds had made them historians instead of rivals.

He noticed that Rebel wounded looked like Union wounded, their wounds smelled the same, they died pitifully in the same way. In death they were the same debris of a human being that had to be hurried away and buried.

He knew over and over again the prosaic horror of the orderlies coming with the death-stretcher, the lifting of the shattered hulk, the laying of it on the stretcher, the bearing of it off out of light and time forever.

And he knew that the greatest anguish of all was the thought of dying far from home, of going down into the void without a single face from home to watch the descent, without a single hand to touch the lost hand—except the equally lost hands and lonely faces of the other soldiers who were there.

There were few visitors to the hospital. Now and then some ladies would go through the ward, bravely unembarrassed by the smell and look of the wounded. They would leave gifts of fruit or Bibles. One day a very pretty girl prominent in Washington society walked through the ward. She smiled sweetly and looked radiantly healthy and talked cheerfully with several of the patients. After she had left, the men talked for hours about her face, her dress, her eyes, speculated on whether or not she was married, and agreed that she was a damn good scout.

Another visitor was a big grayhaired, graybearded man with ruddy face and light blue eyes. He came three or four times to Johnny's ward, left oranges and tobacco, wrote letters home for those who wished it, brought books and read aloud whatever the patients requested, listened to boys talk about home hours without interrupting, and sat hours at the bedsides of dying men, lest they should lack company. The boys knew him as Walt. After a while, the word got about that he was a poet named Walt Whitman, but Johnny, who was the literary authority of the ward, had never heard of him before.

One day, the orderlies worked especially hard to clean up the ward and make the patients presentable. Around noon the chief surgeon came in and told the men that they were to have a distinguished visitor, who had asked that his name not be disclosed. Shortly after, a tall, gaunt, ugly man appeared at the door holding a tall black hat in his hand. His face was dark, coarsegrained, and graven with deep lines. His hair and beard were coarse and black, with a beginning of gray. He had a wart beside his nose. His clothes were illfitting.

His gaunt neck stuck far out of his collar. His knees had made bags in his pants. He was so tall he had to stoop to get through the doorway. He seemed to be the most awkward, sorrowful figure in a room of awkward, sorrowful men. He stepped to the bedside of the man nearest the door and held out his hand.

—I'm Mister Lincoln, he said.

His voice was highpitched, clear, and kindly. He got the boy's name and regiment and asked him what battle he had been wounded in. He seemed to become completely at ease as he went down the line of cots. The men found their tongues, saying,

—Howdy do, Mister Lincoln.

—Glad to meet yuh, Mister Lincoln.

—Very happy to make your acquaintance, Mister Lincoln.

Approaching Johnny's bedside, the President held out his hand.

—Where are you from, my boy?

—Indiana, Johnny said. Freehaven.

—Well, it's good to see a fellow Hoosier, the President said. Where did you get your wound?

—Near Columbia, Johnny said.

The President looked surprised.

—You were with Sherman then? On the Great March?

—Yes.

The President spoke with unusual warmth.

—It was a bold move—and boldly executed. I congratulate you.

Johnny blushed and looked down. The President looked as though he wanted to linger and ask more questions about the March, but some of his attendants whispered to him, and it was evident that the President was expected somewhere and was far off schedule.

—I'd a lot rather talk with this boy than with the Secretary of War, the President said.

One of the aides raised his hands in a gesture of good-natured acquiescence. But the President nodded pleasantly to Johnny and went on slowly down the line. He shook hands with every man in the ward and exchanged a few words with each. At the end of the row, he must have said something funny to the man who had the leg gone, the chest wound, and all the complications, for the soldier laughed heartily and so did all the men within hearing.

At the far door, the President turned, stood a moment, a scarred, gaunt figure, lifted his hand, and said in a clear voice,

—Get well, boys, and go back to your homes. There's good reason to hope that the War will soon be over.

When he was gone, the men talked for a long time about the visit.

—He's just like your own folks, they all agreed.

It turned out that the President had told a joke. The man with all the complications had remarked that he had so many ailments he had given up trying to count them. The President's joke involved an old coon dog that had so many fleas 'he'd give up scratchin' 'em 'cause it only stirred 'em up wuss.' The men told the joke up and down the ward. It didn't sound very funny in the retelling, but it must have had a remarkable fitness because the man with all the complications kept laughing about it for hours afterwards.

—Where does he git all them jokes? a man asked.

—I reckon he makes 'em up.

—But didn't he look sad!

—Yes, sir, the man with all the complications said. This war's really been hard on 'im.

And so the days went by, and Corporal Johnny Shawnessy lingered on while that impersonal thing, his body, tried to make up its mind whether to live or die. As for himself, he had never had a more terrible passion to live, to stand up, to walk, to move about in sunlight, to touch human hands, to laugh, to smoke a cigar, to mosey downtown. It seemed absurd that the affair was going to be decided for him by a hundred some-odd pounds of sweating clay.

These were the days of his most violent dualism. He had never before been so passionately addicted to the belief that the spirit is everything, that there is some kind of God, that the Cause was just, that the Republic was a worthwhile institution, that all men are brothers, that love is forever, and that there is no death. On the other hand, he had never been so utterly absorbed by the phenomenon of his body, of which he had once been very proud and which he had enjoyed with the naïve pleasure of a young pagan.

Those days, he clung to his belief in human souls with unreasoning fervor—during the very time when it seemed to him that life was a process in which human beings were carefully endowed with a feeling of importance only that they might be wantonly tortured and destroyed.

The men in Johnny's hospital were intensely religious, and though they swore all the time, they never really took God's name in vain.

These men were the most miserable, unhappy, and wretched men he had ever seen. At the same time they had none of the vanities and pomps of healthy people. They were completely humble. They had no aspirations for wealth, revenge, or guilty pleasures. They only wanted to live and let live, to love and be loved. They were the simplest people in the world. The sicker they were, the more saintly they were. Going on the cross seemed to make them all like Christ.

Johnny never afterward saw so much misery and so much nobility in human beings as he did in the Soldiers' Hospital. He knew that sick people in general showed all the baseness and cowardice in them. Why it wasn't true of the wounded soldiers of the Republic, he couldn't exactly say. When he and the rest of them left the hospital, he felt sure they would all slip back into their old vices and vanities, but as long as they were in the hospital they seemed to rise collectively to a code of behavior that they had always understood, even if they had never practiced it before.

Johnny was conscious of the paradox of the wounded soldier. Out of the most passionate selfishness of his life—the desire to live, to be well, to be whole, no matter what happened to the rest of the world —came also a wonderful unselfishness. For when one of the veteran comrades died, every man went down into death, and all felt miserable for days. By clinging to others, they clung to themselves. Several men in the ward wept bitterly when the cheerful man with all the complications died a few days after the President's visit.

During this time Corporal Johnny Shawnessy dreamed the dreams of the wounded soldier. He dreamed of home. And over and over again in the dream, he wanted to make the ones there understand how desperately he needed them, how much he had longed to see them, how much it meant to him that they were still there. Some of the dreams had a frustrate sweetness as when it seemed to him that he was back in the old Academy Building and he saw the cool, pale form of Nell Gaither standing in the ivied yard and looking at him from eyes alive with love and tenderness. Sometimes too he dreamed that he lay sick in his bed at home. He hoped that now he would be really healed, that she who had given life to him once could give it again. The irregular, vivid face of his mother Ellen Shawnessy bent over him in his dream, a lock of loose hair hung from under her cap, her eyes were full of belief in his recovery. He felt that here was a great strength from which he could draw inexhaustibly. Then he was happy to tears that he was home again.

His worst dreams were those in which it seemed to him that he had come back to Raintree County, sick, lonely, perhaps dying, and no one paid any attention to him.

In the darkest period of his fight to live, when it seemed that he got no better and was perhaps not even holding his own, his strength gone, his shoulder swollen with corruption, his insides weak and sore, his fever climbing to the danger zone, he had sunk one night into a half-delirious sleep. It seemed that he had been on some kind of excursion with a great many people to Lake Paradise in the center of the County. Somehow, he had got separated from the others and had become lost in the Great Swamp. The ancient muds and pools heaved yellow in hideous sunlight. He saw what seemed to be a tree standing cool on an island of firm ground. Sinking in slime, he made his way painfully to the tree and reaching up caught a golden branch. Instantly, the tree changed, the branch became a scaly arm, a little dragon wallowed lustfully down and sprang on his mudded form. Its clawed hands closed around his chest, squeezing the breath from his body. He began to cry out in horror. He was going down in the warm mud of the Swamp. The reptile body sat implacably on his arms and shoulders, dragging him down to death. He shut his eyes, choking, trying to shake the thing loose. He could hear his own cries, feebly, as from a great distance. He was being violently shaken. He heard voices, footsteps. People were perhaps coming to rescue him after all. He went on holding his breath. Something cold was dashed into his face.

He was standing between the bedrows of the Soldiers' Hospital. Three orderlies were fighting with him, trying to hold him. One of his soldier comrades had got out of bed and was yelling over and over,

—Johnny! Johnny! For Christ's sake, wake up!

Most of the soldiers were sitting up. A man was standing with a white pitcher in his hand. Johnny was dripping with cold water. They got him back into bed. He was panting as if he had run a race. He was shivering all over. His teeth chattered violently.

—Get some blankets on him, the orderly said. My God, boy, it took three men to hold you! What was the matter anyway?

—I don't know—I'm sorry, Johnny muttered between clenched teeth.

He was still horrified by the dream. A tired surgeon came in, looked him over, and dressed his wound again.

—I guess you're all right, he said. Everybody go back to sleep.

—Jesus, Johnny! the man next to him said, you really had a bad one.

It had happened often before to others, of course. Every night or so, some boy tried to get out of bed in a delirium.

As Corporal Johnny Shawnessy lay there chattering, sore, weak, soaked in a cold sweat, there came to him with more than usual vividness the memory of the younger Johnny of before the War, the boy who had believed that he would one day be a greater poet than Shakespeare, a faster runner than Flash Perkins, a lover for whom waited the most passionate of women, a hero for whom the Republic reserved her wildest applause. He remembered this Johnny—his strong young arms and legs, his inexhaustible vitality, his happy smile, his strong competitive heart; and then he thought of the miserable shrunken creature who lay in a makeshift building a thousand miles from home, perhaps dying. Hot tears came to his eyes. He buried his face in the pillow to stifle his sobs. He was afraid some of the other boys would hear him—as he had often heard them. He wept—the terrible tears of the soldier sick and far from home. He fought with himself and finally managed to stop. He was amazed and a little heartened by the violence of his fit. The sobbing had been like part of the dream. Then he felt very still and calm. An orderly went by and put a hand on his forehead.

—Your fever's gone, son, he said. That's why you threw that fit. Your fever dropped all of a sudden.

Corporal Johnny Shawnessy closed his eyes. He was exhausted. He sank into a dreamless sleep and didn't awaken until broad daylight. After that he was out of danger. Apparently, that night he had gone down to the brink and had come back.

So Corporal Johnny Shawnessy learned that behind all the victories of the War was this perpetual defeat, and behind all the defeats of the War this strange victory.

During the worst days of his sickness, he had read President Lincoln's Second Inaugural Address, delivered March 4. Johnny went back in memory to the First Inaugural, four years before, in March of 1861; and the strange, devious pattern of the War and of his own life passed in review through his mind. Four years ago, he had been living in the house south of the Square in Freehaven, and Susanna was waiting for the birth of Little Jim. The Republic was split in two. Men were talking War with foolish pride, and yet no certain policy had emerged in the confusion of the moment. The President was then an untried man, a political accident, an oddlooking Westerner. He had stood on a scaffold in front of a capitol building whose dome was only half completed, had looked down at a crowd of Americans, and had said a few remarkably wise and patient words, which were immediately swept away in the violence of Sumter and the ensuing battles. No one had known then what a long, bloody epic of courage, despair, sickness, and death the Republic was about to fashion. Bull Run, Shiloh, Antietam, Gettysburg, Chickamauga, Lookout Mountain were only obscure towns and local landmarks. Ulysses S. Grant was a nobody. William Tecumseh Sherman was superintendent of a military academy in the South. 'The Battle Hymn of the Republic' hadn't been written. The word 'contraband' didn't mean a black man. Andersonville was inconceivable. The Emancipation Proclamation was unthinkable. The Bloody Angle at Spottsylvania was unimaginable. And no one North or South could possibly have dreamed up the half a hundred thousand strong young men in blue uniforms who marched from Atlanta to the Sea.

Nor could anyone have foreseen what lay in wait for Johnny Shawnessy along the railroad tracks of time—a son, a tall house burning, two days at Chickamauga Creek, an afternoon on the slopes of Missionary Ridge, a summer of battles before Atlanta, marches and bivouacs and burning cities, the death of comrades, the hospital near Washington.

On March 4, 1861, Abraham Lincoln had stood bareheaded before the Nation, had said solemn words, and had accepted a solemn trust. Then they had taken the ceremonial platform down. Slowly the dome of the Capitol had gone on a-building, and Washington had become a City at War.

Now the four years were done. Once again the tall, ungainly man stood on a platform on the steps of the Capitol. The dome was complete. Again a throng of anonymous Americans gathered to hear the President's words. Corporal Johnny Shawnessy read them while lying in a hospital cot near Washington:

> Neither party expected for the war the magnitude or the duration which it has already attained. Neither anticipated that the cause of the conflict might cease with, or even before, the conflict itself should cease. Each looked for an easier triumph, and a result less fundamental and astounding. Both read the same Bible, and pray to the same God; and each invokes His aid against the other. It may seem strange that any men should dare to ask a just God's assistance in wringing their bread from the sweat of other men's faces; but let us judge not, that we be not judged. The prayers of both could not be answered—that of neither has been answered fully.

These words of wisdom and forbearance seemed already part of the old legend of this war fought for the preservation of the Republic and the Emancipation of a Race.

> Fondly do we hope—fervently do we pray—that this mighty scourge of war may speedily pass away. Yet, if God wills that it continue until all the wealth piled by the bondman's two hundred and fifty years of unrequited toil shall be sunk, and until every drop of blood drawn with the lash shall be paid by another drawn with the sword, as was said three thousand years ago, so still it must be said, 'The judgments of the Lord are true and righteous altogether.'

These words did nothing to insult or offend the memories of the men who lay in the hospitals, North or South. They were the brooding, almost doubtful words of a man who had carried on his conscience the moral burden of the War, had already, as it seemed, delivered history's verdict on the contest, and had achieved a solemn victory over himself. Abraham Lincoln was obviously the most ungloating victor who ever lived.

> With malice toward none; with charity for all; with firmness in the right, as God gives us to see the right, let us strive on to finish the

work we are in; to bind up the Nation's wounds, to care for him who shall have borne the battle, and for his widow, and his orphan— to do all which may achieve and cherish a just and lasting peace among ourselves, and with all nations.

Around the first of April, just as Johnny was beginning to recover his strength, the War went suddenly into its final convulsions. For the last time the newspapers published the Theatre of Operations and began to pour forth the confidently inaccurate reportage of battle. The words told of renewed attacks around Petersburg, where Grant had been besieging Lee since the summer before. From habit of many disappointments the soldiers in the hospital refused to be excited. Then the words came telling that Petersburg had fallen and Lee was retreating. Name after name—legendary names that had been defended to the death earlier in the War—fell almost unnoticed. The Theatre of Operations had lost its power to resist. The invading words poured into it and across it, became excited, hopeful, triumphant, ecstatic. One day a man came into Johnny's ward waving a paper with the headlines

RICHMOND HAS FALLEN!!

The soldiers listened stunned. They had been fooled so often before that they had learned caution. But some of the sickest men openly expressed the hope that they would live to hear that the end had come.

Then at last the news came that Lee had surrendered. There was no doubt about it. It was official. The newspapers carried the text of Grant's terms and his telegram to the President:

> General Lee surrendered the Army of Northern Virginia this afternoon on terms proposed by myself. The accompanying additional correspondence will show the conditions fully.
>
> U. S. GRANT,
> Lieut.-General

Gen. R. E. Lee,

GEN: In accordance with the substance of my letter to you of the 8th inst., I propose to receive the surrender of the Army of N. Va., on the following . . .

After millions of words the mythical words had come.

It would be time later to review the pageantry of that great surrender, with all the false lights and glamors, to envision the meeting of the two generals, Lee in his spotless uniform, Grant, slovenly, smoking his cigar, to imagine the yielding of the never yielded sword. It would be time later to notice the simplicity with which the soldiers agreed that the War was finished and turned things over to the politicians. Just now it seemed that all the rest of a man's life would be downhill from this almost unbearable moment.

The hospital rang with shouts of thanksgiving. One-legged veterans crippled up and down the corridors, waving crutches. Soldiers embraced and cried like children. Every man who had strength enough to get up got up, while the weakest ones lay and yelled feeble hurrahs or wept quietly and helplessly. Soldiers who shouldn't have been out of bed disappeared from the hospital encampment and didn't turn up for days. Some never came back.

The War was over. The peace terms were in; they didn't include the restoration of health, limb, and eyesight to the sick and wounded; but no one thought of that for a little while.

Each soldier's happiness was magnified by the knowledge that it was shared by twenty million people. It was a joy that couldn't be expressed in any other words than the simple statement, *The War is over.*

Like the other invalid soldiers, Corporal Johnny Shawnessy wanted to get out of the hospital. He wanted to be where he could see the faces of thousands of people, wring their hands, walk for hours and listen to their songs. He wanted to see beautiful young women. He wanted them to smile at him and perceive that he was a soldier of the Republic. He wanted these satisfactions not alone for himself—but unselfishly for everyone. Although he was rapidly getting better and had long been out of danger, he hadn't yet lost the wounded soldier's sweet humility. He almost forgave the bounty-jumpers, the professional civilians, the second-guessers.

For several days after the announcement of Lee's surrender, tension mounted. Grant was expected in Washington. Sherman in North Carolina was negotiating with the only remaining Rebel army of any size. Hourly the news poured in, and jubilation went from peak to peak of frenzy.

It was in the midst of this accelerating triumph that Johnny received a letter from New York, in answer to one that he had written not long before. It said simply:

> My dear young martyr,
> Meet me in Washington Friday morning, first train from New York, and we'll do the City. Everything, including the ladies, will be on
>
> Your ebullient savant,
J. W. STILES

The morning of April 14 came raw and gray. Johnny didn't ask for a leave. He just walked out, and making connections with a local line, was carried into the city, where he sat in the station and waited for the Perfessor to show up. By an understanding with an orderly, he had got himself a freshly pressed uniform and a new cap. His face was cleanshaven. He began to feel a little better as he rested on the bench.

Someone arriving on an earlier train from New York had left a copy of the *New York Tribune* on the bench. Johnny ran his eyes over it, his attention being arrested by some words in an editorial entitled 'The Dawn of Peace.'

> And every loyal heart beats fast as it remembers all that has passed since the 14th of April, 1861, and all that is promised on the 14th of April, 1865.

April 14 would always be one of the somber anniversaries of his life as well as the Republic's. On April 14, four years ago, Sumter had been surrendered, and Little Jim Shawnessy had been born.

Soon the train from New York came in. Hands, handkerchiefs, flags were waving from the windows as the train coasted to a stop.

Instantly, young people sprang from the doors into the arms of lovers, whole families disembarked, waving flags and bearing luggage; statesmen, soldiers, businessmen, hundreds of eager and excited Americans, got down into the station, their eyes shining with expectation, all of them looking for faces to greet and doors to hurry through.

The Perfessor, appearing in the crowd with a woman, caught sight of Johnny and came over swinging his cane. With one hand, he shook Johnny's hand, and with the other took hold of Johnny's arm as if to support him. He kept shaking his head and blinking his eyes.

—Good heavens, boy, they've nearly killed you.

The Perfessor introduced his companion as a Miss Bessie Dietz. A spaciously contrived blonde with a sweet dollface, she giggled every time the Perfessor spoke.

—I have a girl lined up for you too, John, the Perfessor said. She's a young actress named Daphne Fountain, who's here with Laura Keene's troupe. They're playing at Ford's Theatre tonight in *Our American Cousin*. She understudies Miss Keene. She has seats for us that we can pick up at the ticket office this morning, and we're to get her at the Stage Door after the show tonight.

They hailed a carriage outside the station.

—Don't expect too much of Washington, the Perfessor said, as they rode away. It's just a poor Southern city, a parvenu trying to look and act dressed up and doing a bad job of it. Take us past the Capitol, driver.

In the raw April day, Washington was a muddy plain of drab, ill-assorted buildings. Johnny looked south down a wide unpaved avenue, at the far end of which was a gray pile of stone and a dome surmounted by a misty figure.

—There's the Capitol! the Perfessor said. Rome on the banks of an Indian river.

—Ain't it big! Bessie said.

The sidewalks and streets around the Capitol were full of civilians and soldiers. Now and then a company marched down the street, and the crowds cheered. Everyone looked purposeless, as if for the first time in four years it was all right to take one's time.

As the carriage turned onto Pennsylvania Avenue, a company of soldiers marched by, singing,

> —Hurrah, Hurrah,
> We bring the Jubilee.
> Hurrah, Hurrah,
> The Flag that makes you free.

> So we sang the chorus from Atlanta to the Sea,
> While we were marching through Georgia.

—It's that new song, the Perfessor said. In your honor, hero boy.

He stuck his cane through a window and pointed to the dome of the Capitol.

—The lady on top there is arméd Freedom, resting on her sheathèd sword. High time. Perhaps we'd best check our reservations at Willard's before we see anything else.

—This city's sort of messy, Bessie said.

> —And nought but mud and Honest Abe we see
> Where streets should run and sages ought to be,

recited the Perfessor.

They stopped at Willard's Hotel, where the Perfessor had reserved rooms. The lobby and the bar were crowded.

Later they left the hotel in a carriage. Pennsylvania Avenue, the main street of Washington, was unpaved. Ugly brick buildings alternated with dingy wood. The sidewalks were dirty; the gutters ran with slops. But hundreds of gay, overdressed young women and their escorts, mostly officers, were walking and riding in the City.

—Let's turn here, the Perfessor said. I want to pick up the tickets.

They turned off the Avenue and rode down a block and a half, stopping before a brick theatre. Bills in front announced the play:

OUR AMERICAN COUSIN

Starring

LAURA KEENE

Johnny and Bessie waited in the carriage.

In a few minutes, the Perfessor returned with tickets for the play.

—Here they are, he said. We're lucky to get them. The President's expected to be there with General Grant.

—What kind of play is it? asked Bessie.

—A prickmedainty piece of fooling, the Perfessor said. Neither fish nor flesh.

So there was time again for third-rate plays. There was time for the theatre. There was time for the ladies to deck their bodies for pleasure and seduction. There was time to lean back in a carriage and dream of a young woman from the City, an actress whose talented body lured perfumed gallants to the stagedoor with bouquets of roses in their hands.

The carriage had crossed the Avenue, going south. Four or five blocks from the hotel was a wide gray sheet of water and beside it a stump of stone.

—I especially wanted to see this, Johnny said. I suppose a dime I gave years ago added a mite to this monument. How tall is it now?

—Just a minute, the Perfessor said.

He had the driver stop and called to a crowd of Negro boys playing near-by.

—How tall is the monument, boys?

—Yassuh, Generl Wash'ton's Monument, one of the boys said as he walked out of the group, reciting monotone. Present height thee hunud and thutty-thee feet. Dammeter at base, thutty feet. Jected height foh hunud and fitty-fah feet. Talles' structure inna world.

—Thank you, my boy, the Perfessor said, pitching him a dime.

—What's this river? Bessie asked.

—This is the Puttoric Histommac, the Perfessor said, across which the General is reputed to have thrown a dollar. In Greece, the hero skins a lion. In America, he slings a dollar.

—The General's dollar fell on fertile ground, Johnny said, judging from the size of this big stone flower.

—The Republic has a poorer memory than any schoolboy, the Perfessor said. A boy ties a string around his finger, but the Republic can't remember anything without piling up several hundred feet of stone.

In the mist beside the Potomac, the Washington Monument was an amputated finger of frustration, indicating an undivined and undivinable future.

—There's the White House, the Perfessor said, indicating a graceful pillared front a long way off across a parklike lawn.

Raindrops began to fall. The carriage crossed a small bridge over an arm of water, went through a block of shabby houses, and came out on a walk skirting the President's Park.

—It'd be nice to see the President, Johnny said.

—Anyone can see Abe, the Perfessor said. Just walk right in, spit on the floor, and make yourself at home. Perhaps you'll be there yourself some day, boy.

—I decline the nomination, Johnny said.

—Poor old Abe! the Perfessor said. He's barely pulled the Republic through a victorious War and the wolves are already at him again. That speech he made a few days ago raised quite a stink. His Reconstruction policy is too gentle to suit most people.

As they returned to the hotel, the mist closed down so thick that the Capitol was no longer visible. The City of Washington was a waste of ugly buildings in rain.

At the hotel, they began to have a good time. They had lunch and got a table in the bar, where they watched the crowds come and go. The Perfessor knew almost everyone of importance and was up and down like a jack on a spring to greet people and bring them to the table. Everyone was drinking and proposing toasts, and toward the dinner hour people got to singing war songs. Corporal Johnny Shawnessy had a good time just sitting there in a blur of faces, colors, sounds.

Along in the afternoon, Bessie tried to get him to tell about his hero experiences. When he declined out of modesty, the Perfessor, who was in vein, put together an ingenious fiction in which Johnny held off a whole regiment of Georgia militia singlehanded while help came up. The story included a Southern beauty, buried treasure, gory fighting, and everything incorrect that people associated with the March to the Sea. Johnny topped the story with a palpable fraud about the Perfessor riding a horse three days and three nights through hostile country, risking his life twenty times, in order to file a dispatch to his paper.

—Oddly enough, said the Perfessor, I felt no fear at the time.

People kept stopping at Johnny's table and saying,

—So you're the boy from Sherman's Army.

When things got a little wild around seven o'clock in the evening and everyone was singing the new song 'Marching Through Georgia,' the crowd made Johnny stand on the table.

—Speech! Speech! they yelled.

—Tell us about the March, boy! they yelled.

—It was nothing, Johnny said. We just walked.

Everyone applauded.

—Isn't he sweet! a girl said.

Johnny said something about his comrades in the hospital and about how much victory meant to them.

—Sure! Sure! everyone yelled.

People pumped his hand, swatted him on the back, and tried to establish mutual friendships back in Indiana. A girl came over and put her arms around him and kissed him on the lips.

—Honey, I'd kiss every man in Sherman's Army, if I got a chance, she said.

—Maybe I could stand proxy for the rest, Johnny said.

Everyone laughed.

—Time to go, someone said.

It was the Perfessor, leaning through the liquorcolored air.

—Play starts at eight-thirty, I think. We've just time to go over and get settled. It seems certain Lincoln and Grant will be there.

Bessie Dietz giggled, and Johnny got unsteadily to his feet. He hadn't drunk much, but he was still wobbly. His ears sang. But he felt very happy when they were outside driving away somewhere through the misty evening. Pennsylvania Avenue was two wavering rows of gaslamps. The illuminated dome of the Capitol seemed suspended in the mist.

The carriage left the Avenue and turned into a narrower way. In a few minutes, they were before the theatre. Johnny's head was far from clear as he joined the crowd crossing over the wooden platform built out across the gutter. As they went up the steps to the entrance, he noticed that the brick front of Ford's Theatre was hung with bunting.

Everyone in the crowded lobby was talking about the end of the War, the latest news from Sherman's Army, the expected appearance of the President and General Grant at the theatre. Someone said that the General wasn't coming after all.

—Maybe the President won't come either, someone said.

They went upstairs to the balcony. People were stirring in the aisles, hunting for seats.

Someone pointed out the President's box projecting over the right side of the stage and ten feet above it. A chandelier hung close by, and a picture was suspended between the folds of an American flag draped over the edges of the box. The double arches were curtained and dark. The curtain hiding the stage showed an autumntinted landscape and a bust of Shakespeare. Hardly were they seated when the houselights were darkened, and the curtain went up for the opening scene in the play called *Our American Cousin*.

Johnny, who had seen few plays in his time and none at all for two years, was thrilled by the garish color and unreality of the stage. The Play itself was a vapid little thing in which bogus Englishmen made laughter over a bogus American. The voices had the artificial hoarseness of veteran performers trying to fill up the back spaces of a theatre. There was much trained gesture and forced laughter. The posturing mannequins on the stage had names—Florence Trenchard, Lord Dundreary, Asa Trenchard.

The performance was spirited, and people laughed and applauded now and then. But the Play itself made no difference. The actors were only supposed to present a little tableau of the times, while everyone, audience and players together, collaborated in a more significant drama. People had come to the theatre, as perhaps they always did, to satisfy an ancient yearning, to find a place of gaiety and mystery with a thousand of their fellows, and to behold time, fate, and the Republic expressed both inside and outside the artificial boundaries of the stage.

As the Play continued, the feeling of excitement subsided only to return again. People moved restlessly in their seats, waiting for the entrance of a more important actor than those now posturing on the stage.

Johnny had become absorbed in the Play and was a little surprised when the actors paused in the midst of some punning on the word 'draft.' There was a disturbance in the balcony.

—The President! someone said.

—And there's Mrs. Lincoln with him!

A murmur ran over the balcony and lower floor as people craned for a look. Four people were walking along the dress-circle that divided the balcony. Johnny stood up, applauding with the others. A little fattish woman led the way, and behind her walked a tall, sloped man. Johnny could have reached out and touched the President as he passed. The party made their way to a door that led down a hidden corridor to the box at the side of the theatre. They entered the door and passed from sight. In a few moments, the President's face appeared in the box overlooking the stage, as if he were leaning forward preparatory to sitting back. Then he disappeared.

—Ha! Ha! Ha!

It was Lord Dundreary on the stage hollowly laughing.

ALL

—What's the matter?

DUNDREARY

—Why, that wath a joke, that wath.

FLORENCE

—Where was the joke?

The excitement of the audience lessened, and there was no further disturbance in the aisles as the Play went on. No one could see the President, unless possibly the people in the box immediately opposite his.

Once more, Corporal Johnny Shawnessy, Soldier of the Republic and unsung Hero-Poet of Raintree County, leaned back in his place, musing on the strange legend of his life. It seemed to him that he had assembled here the lost pages of a myth of himself and the Republic, and that he had only to put them together at last into a meaningful pattern. All was promise, excitement, near-fulfillment. The battle days were over. The Republic was in the ritual hour of exultation. Here was the shrine of that aspiring people, the Americans, their Capital City, rising from mist on its muddy plain, rising from April to eternal spring. Names of battles reverberated in the corridors of the sped years; a door was about to clang shut on the pantheon of a nation's sacrifice. And all was turning, turning toward a new day. The Republic was waiting for its poet, for him who could discover beauty in immortal phrases, for him whose being was attuned to the music of rivers on the land, for him who had known strong passion, love, and death, whose memories were memories of the Republic in War and Peace. Here all about him were the actors and the stage-props of the greatest of all dramas. An unknown actress waited for him somewhere behind the scenes. Pensive, alonely brooding in his box over the stage, was President Lincoln, the gaunt, tender father who had brought the Republic through the War, One Nation. In the camps, hospitals, barracks of the land, the men who had fought from Sumter to Appomattox were waiting for the bugles of the last encampment.

What was President Abraham Lincoln thinking in his forever lonely, barriered world? What were his own memories of the Republic in War and Peace, as he sat brooding in his box above the stage? Was his world the world of Corporal Johnny Shawnessy? Did they not together share the meanings of an eternal republic that both were striving to build, the one by statesmanship, the other by poetry?

Yes, the times were changing. The soldiers were waiting to go home. Now that the battle-years were nearly over, what was it that waited for the Republic and for John Wickliff Shawnessy? All stages were like great stereopticons into which one looked with an illusion of depth and reality. Might not a man of keen vision look into the boxlike diorama of the stage and see shining cities on the land, exultant tomorrows!

The stage was empty, as two ladies went off to the right and a man to the left. Over the ebbing applause and laughter, there had been a sharp, hard sound that made Corporal Johnny Shawnessy vaguely uneasy as he tried to fit it into the Play. He seemed to be trying to remember something that he ought not to have forgotten.

Just then an amazing thing happened to the Play.

A man was falling through the air, violently swinging his arms, tipping over precariously and landing heavily on the stage. It seemed a furious and fantastic piece of nonsense. The man had landed on his bent leg and hands, he was scrambling to his feet with a catlike, frantic speed, he stood up, half-ran, half-hopped like a crazy cripple to the middle of the stage brandishing a dagger, his white face was lit with two black balls of eyes, his mouth spat a deformed ejaculation into the hushed theatre, and then with maimed fury he ran off the stage on the left side.

So unexpected was this apparition that it seemed to Johnny it might have shot dreamlike from the musing part of himself across the outward world. Like everyone else in the theatre he went on watching and waiting for some sequel to explain the thing.

—Where'd *he* come from? someone said.

Just then, across the growing tumult of the theatre a woman's shriek lay like a lash, raw with anguish and unbelief. People began to look toward the President's box, from which and only which the dark, dagger-carrying man could have leaped.

For the moment, nothing could be seen in the President's box. But the stage had lost its look of legend and fixity. The actors were walking across it, making natural gestures, their faces expressive of real emotions. One was trying to tell the crowd something. Words came from somewhere and began to be repeated in the crowd.

—The President has been shot!

Suddenly, what had been a pointless farce had pulled off its little grinning mask and had taken for its stage the whole Republic, for its lines history, for its audience the generations. In the darkness and confusion of Ford's Theatre, Corporal Johnny Shawnessy and his companions had become supernumeraries in the cast, anonymous faces in a cry of citizens.

—Well, damn it, why don't somebody do something instead of just standing around!

—Why'd they let the fella get away?

—Who done it?

—Maybe it's a trick.

—I thought it was part of the celebration.

—Well, why don't somebody do something instead of just standing around!

Most of the crowd in the balcony were just standing or trying vaguely to go somewhere. Many people hadn't seen what happened. Most of them hadn't heard the shot. The Perfessor, as usual, kept his head.

—I'm going down to see what I can find out, he said. If I'm not mistaken, I know the man who leaped down to the stage. Pardon me, folks, I'll see you later at the hotel.

The Perfessor pushed off into the crowd and disappeared, leaving Johnny to take care of Bessie.

There was a clot of confusion now at the door leading to the President's box. The door was suddenly broken through, and an usher let someone in. A young man in uniform was at the door, his arm bleeding.

Now people began jamming to the exits or pushing toward the front of the theatre. Someone kept crying out,

—Clear the theatre! Clear the theatre!

From the pit, someone was lifted up and shoved bodily into the President's box, several hands reaching out for him. An actor ran across the stage and passed up a basin and a white sheet. Someone was trying to shout something to the crowd from the stage, but no one could hear it.

—What's he saying?

—Why don't he talk louder?

—Why don't they get out and catch that fella?

—I don't see the President. Do you suppose he's dead?

—What's he saying down there anyway?

A great many people decided to remain in the balcony. People were trying to get in through the exits as others pushed to get out.

Johnny and Bessie talked excitedly with each other and the people around them, all saying the same things over and over. No one had any idea what had happened, and many expected to find that it was all an accident or a false scare of some kind.

Johnny shared the general feeling of helplessness and confusion. Life had been proceeding with a pretense of orderliness, and now abruptly chaos had come, leaving individual human beings weakly shaking at the ends of strings, puppets whose purposeful motion had abruptly been suspended. He had had this feeling often before and had hoped never to repeat it. It was a feeling that men often had in battle.

In a little while four soldiers came from the corridor leading to the President's box. They were bearing a long, limp body as tenderly as they could.

—It's him.

The crowd was made to stand back as the soldiers carried the body down the stair. The crowd poured after, funneling into the jammed stairway. When Johnny and his companions reached the street, they saw six men holding the President's body, standing in the middle of the street, waiting for something. A young man in Army uniform was pointing and shouting. The soldiers then carried their burden across the street, up the steps of a house, and through the front door.

The Play was over. And the Play was not over, but would go on forever.

—What can we do?

—Is he dead?

—I don't know.

—Where was he shot?

—Through the head, they said.

—It's bad then.

—He can't live. They say he can't live.

—What can we do?

The street began to fill up with more and more people from all parts of the City. Rumors flashed up and down the crowd, crackling from lip to lip, leaving crisscrossed trails of alarm.

—Secretary Seward's been murdered in his bed. It's a plot to wipe out the Government.

—Whole Cabinet's been assassinated.

—They say Grant was attacked on the train.

—Vice-President Johnson was killed in his bed.

—They couldn't win fair, so they tried foul, goddamn them!

A shout of angry voices came from down the street. A man was being pushed and struck by the crowd.

—What'd he do?

—Is that the murderer?

—I think he called the President a name.

—Yes, he said he was glad the son of a bitch got shot.

—Hang the son of a bitch up!

—Hang him, hell! Hanging's too good for him.

—Poor old Abe. Goddammit, why'd they have to pick on him now for!

—It's a plot to wipe out the Government.

The crowd was so thick and wild that Johnny decided to take Bessie back to the hotel. There was no use trying to meet Miss Daphne Fountain.

Everywhere, the feeling was the same. Almost everyone looked and talked as if an unbearable personal calamity had occurred.

—What's going to happen now?

—Poor old Abe.

—I hope he pulls through.

—What's going to happen now?

—What'll we do without Abe?

—My God, Johnson will be President now. I always thought it was a mistake to elect him.

—Johnson, hell! He's been killed too, they say. And the whole Cabinet. We won't have any Government.

—Poor old Abe. I hope he pulls through.

—What's going to happen now?

At the hotel Johnny stayed with Bessie a few minutes and then said good night. He felt all shocked and trembling as if a musketball had torn through his belly.

He went back out into the streets. He wanted to be out hunting for someone or something, awake and helping. And yet he had seldom before felt so helpless.

A feeling of ubiquitous disaster hung over the people. It was as though the whole city were bleeding from the pistol bullet that had felled the President.

As the night passed, Corporal Johnny Shawnessy walked through the streets, his face fevered and dripping from the mist. He kept thinking of the Army. If only he felt around him the confident strength of those sixty thousand young men, his comrades, and the fierce leadership of Sherman!

Reports kept coming all night long about the President's condition. The President was steadily sinking, and no hope was held for his recovery.

In the cold, small hours of the night, the Play streamed meaninglessly on, could not be stopped, must be played out. The body of Abraham Lincoln lay dying in the night with a bullet in the brain.

Black despair, beginning to take more and more the form of anger, sat upon the City. Men waited everywhere for a cold dawn.

In the morning came the report that the President had died at twenty-two minutes after seven. It seemed that, after all, the Government stood. Seward was wounded but not dead. No one else had been attacked. The situation was under control. Johnny went back to Ford's Theatre where he was in time to see a dark casket carried from the house across the street. To a sound of bells tolling and a lowering of flags to halfmast, the coffined body was borne away by soldiers up the muddy street. In the dismal weather, Ford's Theatre still had the rainlimp bunting on its face.

Sleepless for a night, exhausted, sick, Corporal Johnny Shawnessy wandered in the City of Washington. He kept feeling that he was himself obscurely at fault. I was in the theatre, he told himself. I might have reached out and prevented the thing from happening. The President passed as close to me as the length of my arm, and was alive and surrounded by friends. Then Death came in and cut him down.

It was some consolation to Johnny to see that others were grieving like himself. Hundreds of people wept openly in the streets, in the churches, in crowded cabs and public buildings. In one great death, all the deaths of the War achieved a representative.

Late in the day, he got back at last to the hospital. He was so sick and weak he was ashamed to see the staff, but for a while no one paid attention to him. The inmates of the hospital were fretfully gloomy. Later, a doctor found him lying in bed.

—Where've you been, Shawnessy?

—Celebrating.

The doctor looked him over.

—You've got three degrees of fever. Fine thing.

Johnny knew he had had a relapse. He lay in bed, hot and breathless.

I must live, he kept telling himself. I must live and get well.

He thought of the President's body in state somewhere in the Capital City, of the blackedged newspapers, of the silent crowds all over the Republic, of his own people back in Raintree County. He wondered if they were thinking of him, if they were saying prayers for him.

Waves of alternate exaltation and sorrow went over him as he thought of Abraham Lincoln. In this death, the War had had its last great death. He must bear the memory of this great death tenderly. It was good to die for mankind—it was a good and great thing to give one's life in battle for one's fellows.

But it was also a bad thing, it was a pitiful and dirty thing to die—to die with a bullet in the brain, to gasp life away in the night while the women sobbed and shrieked and the rain fell. And it was an awful thing to die with a bullet in the breast and rot in a nameless grave hundreds of miles from home. And it was a bad, dirty, pitiful thing to die in a hospital and become a yellow corpse when you were twenty-five years old and had the world before you.

Again he felt remorse, as if it were partly his own fault that he had permitted a figure to vault across the stage of Ford's Theatre, coming out of the unexpected part of himself to burst the boundaries of the little farce. Through a lack of vigilance, he had let the web spin itself out of control for a moment, and this thing had happened. He kept returning to the fated moment and wondering if it were not all a dream. How easily time might have run on at that point, playing the farce to a conclusion! The slightest weakening in the murderer's resolve, the least impediment thrown by chance in his way, and the thing wouldn't have happened. The following morning, the newspapers would have carried a notice, saying that the President and his wife had spent a pleasant evening at Ford's Theatre and had enjoyed the play.

And Corporal Johnny Shawnessy would have met a young woman named Daphne Fountain, who would always be now a fictitious girl waiting in the wings of a lost theatre, watching a never-finished play and expecting to meet a fictitious soldier named Corporal Johnny Shawnessy.

But now the thing was done. And now that it was done, it was part of the vast design; it had to be fitted to its place. It was all a legend now, a story of the Republic. And those who were young must survive and give the legend to their children. The light was breaking on the land. Abraham Lincoln was dead, but the Republic would live.

Corporal Johnny Shawnessy felt that he had come to Washington on a mysterious mission, one upon which hung the Fate of the Nation. He must be with the Army again, and tell them that he had completed his mission. It had been a strange mission—to be an image-bearer of the Republic. He had been brought delicately out of the fighting for this purpose. He must get well and be with the comrades again and march with them for a last time, and then he must go back at last, he must go back home.

Sometime in the afternoon of April 15, 1865, he finally went to sleep.

And he dreamed that he stood on a hill overlooking some historic river. Dense masses of soldiers were coming up to the river in the forlorn dawn. The tide of their ranked faces spread, engulfed the plain below him, rose in the streets of a little town, advanced with a shrill murmur. They came on crying the names of lost nations, states, commonwealths, cities on the delta. The cry went up and down their ranks, their ghastly drums beat up the charge, the officers turned and waved them forward with swords. They were entering the river, crossing to the attack. They foamed and swirled on little breasts of earth above the town. They choked the roads with wagons, the drivers cursed in high yelps, lashing the bodies of decayed horses.

They were all dead men. Lost faces, they passed him, risen from clotted waters. They fought a war of Events, historic, entirely legendary, in a world lost, lost. And somewhere among them, he remembered, was a young soldier of happy memory, long dead, marching forever in his sentimental landscape to a city on the sea.

If he could only stop them from repeating the somnambulism of the Great War and show them that it had all been only a dream in the first place, a nightmare of human contriving! But the dream went on as if to repeat every act of the Civil War and re-create all its dead thousands and hundreds of thousands. And he slept and dreamed in such a fevered and deep sleep that when he awoke on Sunday morning, it was a while before he remembered what city it was near which he was lying and

WHAT IT WAS THAT THE BIG BELLS OF THE CITY
WERE TOLLING SO MOURNFULLY ALL
THE

—TIME was, the Perfessor was saying, when a man's life had a kind of sweet vagueness. Back in the Thirteenth Century a man lived in the bosom of the ages, even if he couldn't flush the toilet. He never dreamed he wouldn't go on living, although of course it might be in Dante's Inferno. Since then we've come a long way. Today a thinking man knows that the earth spouted from the sun a few billion years ago, cooled down into a collection of atoms and finally became encrusted with something called life, an anomalous stuff that scummed the place up. He knows that life, like the matter that spawned it, is regulated by brute causality. Man has emerged from the period of his illusions and is approaching the age of Science and the Machine.

—What will the Twentieth Century be like, Professor?

—Maybe you've seen my articles on the subject—the World Fifty Years From Now, and all that crap. My guess is that we'll live in a world of pushbuttons, dynamos, motors. Man will find faster and faster ways of getting nowhere. They tell me there's a chap up here in Kokomo who's had some luck with a horseless carriage. Well, one of these days they'll roll Dobbin up and put him under a hood. We won't stop there. Man will conquer the air too in something faster than a balloon, and the earth will shrink. Nelly Bly's globecircling antics will look pale by comparison. Jules Verne will be a quaint antiquity. Some day, no doubt, man will blow himself right up to the moon. It's all a question of exploiting matter—coal, gasoline, electricity. Man makes a greater reliance on matter—that's all—as he understands it better.

—And is this Progress?

—Of a kind, yes.

—The only real Progress is Progress toward happiness, Mr. Shawnessy said.

—Man will be happier with these things, the Perfessor said mellowly. Why not? Perhaps with his machines, he can even defeat the laws of economics and have more leisure time and more Pears' Soap. The Age of Science and the Age of Contraceptives are apparently going to happen together. When women learn to love without fearing the consequences and every man is guaranteed a job by the Government and an equal chance with his fellows, we shall have arrived at the only millennium mankind is likely to have.

—But man can explore matter as much as he pleases, Mr. Shawnessy said. And he won't find any happiness in it. Happiness and Progress come only through self-mastery and self-expression broadly interpreted. After all, what is matter, Professor?

—What is matter? Professor Jerusalem Webster Stiles said. A subtle question.

He thought a while.

—Matter is that which is there, he said at last.

—But the thereness of matter is suspect. There why, how, and for whom?

—Perhaps it's enough that it's there, the Perfessor said, and that it's completely dependable. It's made out of little bricks that never wear out. What marvellous stuff it is, when you stop to think about it! What beautiful things have come from it! What is the great *I Am,* finally? It's the Atom—the impregnable Atom. This little package of invisible strength and tenacity is diversified into somewhat less than one hundred varieties differing in mass. It just so happens that when you pile up a visible quantity of these little fellows, the mass takes on certain humanly perceived properties. Some kinds of atoms have ways of catching onto other kinds of atoms and forming bigger blocks, by which the world is diversified.

—Is this your God, Professor? Is this the one thing you believe in?

—Yes, the Perfessor said, getting out his bottle of whiskey and taking a long, strong pull. This I believe in. Matter. Wonderful stuff. Palpable, visible, odorous, audible, tastable matter. From this fountain of coagulated force, all blessings flow.

—Is matter forceful?

—I'm probably anticipating someone, the Perfessor said. I always am. Yes, it wouldn't surprise me if matter is a kind of force. How else can it go on happening except by the eternal exertion of its indestructible force? And the God that sustains it is just this basic, brute, invisible Force. If this God is anything like man, I don't know it. He doesn't have to be. All he has to be is Force, beautiful and perpetual Energy!

—But matter doesn't really explain anything, Mr. Shawnessy said.

—What doesn't it explain, for example?

—For example, it doesn't explain matter.

—Perhaps matter is the First Cause, the Perfessor said. The Beyond Which Nothing.

—What then are human beings? What is a soul?

—Men are mirrors of matter. Like a mirror, they are made of matter themselves, but they are matter peculiarly constructed to reflect matter. And when you get two mirrors facing each other, you get the perfect symbol of human society. It's a self-sustaining world, knowing itself only by its mirror repetitions. But when you shatter these mirrors, their reflected images are gone forever. Mirrors have no memory, and neither in the long run have human lives.

Mr. Shawnessy smoked quietly and listened to the creaking swing. No sound of singing or exhortation came from the Revival Tent. But the fire was still burning there, and the wind carried a stench like pitch.

—The human mirror is more lasting than its images, Professor. The real building blocks of the world are those indivisible, mysterious units called minds or souls.

—Souls? the Perfessor said. I don't know what that word means.

—I don't either, Mr. Shawnessy said. But I have been in contact with what it means.

—What is a human soul? the Perfessor said. When a man loves a woman, isn't it a case of two mirrors, one reflecting the other and so itself at the same time? The more you carry about this bland mirror of the ego, presenting it to other mirrors, the more it reflects itself. Narcissus was your only honest lover. One loves only oneself, or a pleasing reflection of oneself in a pond. Who ever loved another person only for that person's sake? Love is utterly selfish.

—The noblest love is the intense awareness of another being, Mr. Shawnessy said. Love is the all-important discovery that one is not alone in the world.

—How well do your own loves illustrate this, John? the Perfessor said. Take, for example, your brief sojourn in Little Old New York. Did you ever find the soul of Laura Golden? Which is perhaps only another way of rephrasing my earlier question. What in the devil did you do up that stair? What the devil did you do there—up there, soul-discoverer?

—I discovered a soul.

—And did you love what you discovered?

Mr. Shawnessy smoked in silence.

—Confess, boy, it was only the body that you were hunting there— for this woman had somehow persuaded you to believe in the existence of her body, and it became necessary to you, proud and sensitive as you are, to have that body. Matter sought matter; the whirling atoms wished to dance together. And perhaps you wanted it just because you felt that her mask of invitation covered the stony mystery of the Sphinx. Did you ever solve the riddle of that devious woman?

Mr. Shawnessy smoked in silence.

—Damn you, boy, the Perfessor said. Tell me this one thing.

—Professor, your atoms are in a frightful agitation. Why be such an inquisitive mirror? Mirrors are supposed to reflect only what is put before them. Mirrors are passive and obedient. What does it matter to your atoms what my atoms and her atoms perpetrated, lo! these many years ago?

—That's what I get for abandoning philosophy for biography, the Perfessor said, leaning back in the swing. But my mirror isn't really willful. It's merely reflecting its own agitations. *Its old agitations of myrtles and roses,* he added, allowing his thought, as he so often did, to deteriorate in a quotation.

Mr. Shawnessy smoked on, in silence. His cigar had a bitter taste.

Holding a Visitor's Guide, he walked on a broad way through the city of an extinct republic. A procession of metropolitan women in murmuring dresses passed on the arms of dandy escorts into the portals of an old theatre. Under the golden languor of the lights, their diminished and receding forms followed the curve of balustrades into a hushed interior from which a music flowed down all the wavering ramparts of the City. Their beckoning hands and painted smiles dissolved by a quaint transition of images into a yard of castiron statuary, walled in by steep cliffs of buildings. A brownstone mansion lay in eternal twilight here on the floor of the aboriginal City, which elsewhere had vanished under mountains of masonry. The parklike yard expanded; it was a place of Exposition. He remembered then how Centennial crowds had filled the park, tidal millions. He had seen the last great rocket rise on its burning tail, had seen it reach the climax of its climb, had seen it burst and shed its petals on the City, had seen it fall and rain upon the City, had seen the City redly lit to its remotest valleys in the night, all fading in the night—and all its naked streets and mournful walls disclosed.

Well, then, what was I seeking in the City? I came to the City a vagrant day. And I sought in the City one who vanished in a dream.

But now and then I must return and find my way upstairs to a chamber on the third floor. I pause at the landing, and looking down, I see around me once again the City, a winking world of shadow, and on the hollow street a footfall sounds. It is a late hour, after the ball is over, and the dancers are gone. And so I wait up there for someone in whose existence I believed. And this, all this, was long ago, a legend of the City.

Ascend the stair again, lost one, far from home and Raintree County. The Republic has many republics, and the City has many cities. Love has a thousand loves, and passion is a dream of mirrors. What was it that you wanted at the stairhead, and what did you find when you were there?

Ascend, ascend the stair, lost dreamer drowned in urban days. For you were drowned in chambers of the City, your innocence was wasted in a yellow flare of passion before the gaslamp of your City days expired.

Go back, dear boy, and make your lonely try again. Is there something more impenetrable than the substance of the atom? Is there a chamber of yourself that will always be locked against you, unless, unless, unless . . .

Go back. The noises of the night rise from the winking roofworld of the City, the vapors of the night are risen from the harbor, and in the slums the sleepers all are sleeping. Go back, and wait, while in a lavish chamber of the City, you hear again a calling of your name.

Along the Pennsylvania Railroad, a train passed in the darkness, crying. It was the old sound of farewell and of recall to Raintree County. It was the most memorable sound of his life, receding down dark lanes of memory into the West. Its voice at the crossing was like a calling of his name, calling, recalling him to home. He listened to its lonely and diminishing cry in sadness, remembering a severance of himself from himself. Arrival and departure and farewell! Union and reunion! A train had passed in the darkness, crying.

—The sound of this century, said the Perfessor, is the wail of a train whistle at the crossing. In this lone vowel of sorrow and farewell, the Nineteenth Century has its perfect poem.

The train had been a passenger express. Mr. Shawnessy had seen in the rhythmic flow of its windows the motionless yet moving images of passengers across the night.

Eternal passengers across the plain, Americans, travellers to cities on the plain, hail and farewell!

Farewell to all passengers on the trains of America, fixed in the yellow frames of windows and passing in the night. To all passengers from dawn to sorrow, to all young men from cities returning to their homes, hail and farewell.

To all days and ways of living in cities of the East, to lone awakenings in the great City where men are lost like atoms in the astral void, farewell.

To mansions on the old brick streets, to stairways leading up to moonlight landings, to hearts that beat a lonely drum in the hollow chambers of the night, to all the sleepers in the lonely beds, to all the sleepers in the unlonely beds, to all the City's twilight rooms, farewell.

To a woman of the City, Laura recumbent in my gilded years, farewell, hail and farewell!

Some part of me I left, always a wanderer in cities.

Go some night to the squares where the girls come out and walk, or to the station where the trains are changing, go some day along the narrow way between the milelong walls of factories, and see if you can find him—this lost wanderer. For I left him to wander in the City, a lonely Gentleman from Indiana with a shy and winning smile. Perhaps you will hear his hollow footfalls in your dreams, and awakening, you may rush to the window and push aside the heavy drapes and hear his retreating footsteps in the dawn.

Remember him in the afterfollowing years whenever you board a train and go across America. Look for his face among the faces of

the crowd and for his affectionate smile. Remain a little the senti-
mentalist of life, life's young American, as he was.

Remember him whenever the boats are putting out to sea from
harbors and the wind strains at the skirts of pretty girls along the
harbor and the tides are setting strong against the shore. Remember
him when the clockface in the tallest tower of the City tells you that
time is running out to darkness. Remember him in your awakenings
just before darkness dissolves into the dawn. For he is still there
among the faces of your City, he is a legend of your City, and in
this legend you have a part, eternal actress of yourself, who succeeded
in your greatest role by means of failure.

Remember him in the hot summers of your City and in its sudden
and bright springs. Remember him in the fabric of its years, for the
legend of his days in the City is twisted with your own. Remember
him when you are old, and he is gone, and remember that he believed in the existence and reality of you and of the world that you
two fashioned together.

Remember him, for he will remember you. Perhaps you learned
to find him too, by losing him. Remember that you two lost each
other then, but will find each other in some later century of the City
(or some earlier perchance) wherever and whenever a traveller gets
down from the train to find the face of one who loved him waiting
in the station.

—The sound of the train, the Perfessor said, his voice hoarser
but his mood more mellow as he watched Mrs. Brown and the children hanging Japanese lanterns around the lawn, is the sound of
time. No generation was ever so time-conscious as our own.

—We Americans, Mr. Shawnessy said, always have watches in our
hands. We're always rushing to that rendezvous at the far end of
the tracks—an appointment with Progress.

—But where, finally, the Perfessor said, are these trains taking us?
Where are we going on schedule, keeping abreast of the ticking minutes? Well, I will tell you, lost boy, soul-discoverer. We are going
back to the earth.

—So we are, Mr. Shawnessy said, knowing that as usual his meaning was the same and subtly different.

—The earth, said the Perfessor (who drunk or sober was never
afraid to be rhetorical—his profound advantage as a conversational-

ist), the one great mother of us all. We have no other, when the tale is told, except the earth. From dust we sprang and unto dust return. Children of dust, feeders on dust, lovers of dust, fathers of dust, sleepers in dust. I'm not sure that men resist this idea as much as they pretend. Men desire what is natural, and nothing is more natural than to die. Life's a restlessness of unstable compounds that long for the stability of death. Perhaps all desire is really for death. The act of love's a burial whose afterfruit is sadness, a fierce desire to quell desire. And earth is the great bed where all sickness is unsickened and every lust is cooled.

—But doesn't this thought make you unhappy, Professor? Do you really want to die?

With a festive gesture, the Perfessor tossed the empty bottle over the side of the porch where it landed in some bushes.

—Life is sorrow, he said. And death is a stoppage of sorrow. Why then be sorry to die?

Where every sickness is unsickened and every lust is cooled.

—I think it's likely, the Perfessor said, that all the myths of homecoming are really symbols of death. If I took up teaching school again, I'd teach only one thing—resignation to death. By the way, what did I do with my heart pills?

The Perfessor fumbled in his pockets and pulled out the other bottle.

—I will tell you a secret, he said. Perhaps because I'm drunk.

The Perfessor did something that Mr. Shawnessy hadn't seen him do all day long. He removed his glasses and breathed on them. His face acquired a childlike, defenseless look while he carefully polished the lenses with a silk handkerchief.

—Years ago, he said, I was a child in Raintree County.

He paused as if the words just said were full of labyrinthine meanings.

—My father had died before I was old enough to remember him. When I was only ten years old, my mother died. In that death, Jerusalem Webster Stiles knew the secret of life—which is death—and never after added to his wisdom though he added to his words. And with that act, also, he left Raintree County and went East, where he had roots. Now, as you know, he came back to Raintree County when he was a young man, but he never came back home. He learned early, with the bitterness of the homeless child, that the earth cares nothing for our grief, and that even our mother who cared for us in life cares nothing for us in death. We care for her and keep her image alive in our brief world of memory and grief, but she doesn't care for us any longer. She has forgotten us. She doesn't remember our face.

—Your mother, Mr. Shawnessy said. You never mentioned her before. You remember her—clearly?

—My mother, the Perfessor said amiably, was a tall, thin woman in a black dress. She had a sharp, sweet voice. She knew the Bible backwards and made me memorize all the popular passages. I went to church every Sunday and to prayer meetings during the week. I spouted verses at the drop of a hat, being considered a prodigy. I hated God, and I think he hated me. We never got along together.

The Perfessor took another drink.

—My mother, he said, had a kind smile and a wistful look around the mouth. She meant I should be a preacher and praise God. She was very stiff and terrible in her coffin, and they buried her at noon on a summer's day. I remember this like yesterday. I wept so many pints of tears that the well has been dry ever since. Sometimes, I try to cry to see whether I can or not. I make a very impressive racket— but no tears. The bucket comes up empty. After her death, they kept trying to get me to recite Bible verses, saying it would get me over my grief. I went East with relatives and became slowly the pitiful, harmless creature that you behold today. This is the autobiography of Jerusalem Webster Stiles, which may be said to have ended when he was ten years old.

—If you could only cry, Professor, you might recover your faith in life.

—What is there to cry about? the Perfessor said. When you have known all grief and learned all wisdom at the age of ten?

—But you loved your mother?

—Yes, I suppose I did, the Perfessor said. But when I came back to the County years later, I found no trace of her except her grave, and I felt no desire to dig that up again.

—So you believe that the dead are utterly and forever gone?

—This I believe, the Perfessor said, and I assure you that once you accept this wisdom and give up to it entirely, you get peace. You

lose your vanity and most of your vexations. Nothing is left of the
dead but earth. Can you refute this wisdom?

—Perhaps I can.

—And how will you do it, hero boy?

—By the legend of my life, with which I refute all sophistries. By
a myth of homecoming and a myth of resurrection.

Come back to Raintree County, wandering child. Remember the
great deaths and the great homecomings. Come back, and bring a
sprig of lilac. For you will always be on trains and coming home,
and the legend that recalled you from the City will always be tingling
along the wires of the Republic.

Come back to Raintree County and find your home again. And
you will find again the sphinxlike silence of the earth. Knock hard,
young hero, on the gates of death.

Listen to the wail of the train at the crossing. This is the myth
of America and of those who cross America on trains. This is the
myth of those who come back home.

Who would not suffer grief? Grief is the most beautiful garland
given to love. (And who would not suffer love?)

But listen to the wail of the train at the crossing. O, sound of
sorrow and farewell, as we go down the years of life into the gulf
together! Lost years. Last years. Stations upon the plain. One-
minute stops of life and smoky rooms where I got down with
crowds. O, gates of iron gushing human faces!

Delay the trains! Keep them from crossing rivers! Delay the
iron horse of time!

My gilded years come back to me, my postwar years. The Republic was roaring West; factories mushroomed from the nightsoil of
cities. But there was a message for me to come back home. I had
known already how the legend would end. All the great legends of
the earth are certain like the earth.

For the saddest legend of my life was only some pencil marks on
paper, a pulse of atoms in a wire. It was the one undissuadable
legend. It had been coming all the time down all the wires and all
the ways of the world since the world began, and it found a lost
young man in the City and made him once more a passenger on
trains, for it was

MESSAGE FOR HIM

TO COME BACK HOME TO RAINTREE COUNTY

was in his pocket as he travelled by train along the trunklines of the Republic. When his train came into Pittsburgh, he remembered dully that the Great Strike was still on. Only a week ago, he had seen the Strike become a bloody war in the yards at Pittsburgh. He remembered an army leaderless and lost in darkness. In the Workers' neighborhood a boy named Johnny Fabrizio had lain dead.

Since that day in Pittsburgh, he had taken the warm flesh of the City into his arms and had possessed it by rejection. Since that time, he had received a telegram. He knew now that time couldn't be measured by Wednesdays, Thursdays, Fridays, but only by the revolutions of the soul.

The telegram that he kept in his pocket and sometimes took out for rereading had already acquired a crumpled antiquity.

JOHN WICKLIFF SHAWNESSY:

COME HOME. . . .

A few words had crossed the statelines and rivers of the Republic and had found him in the City.

As the train passed slowly through Pittsburgh with unexplained delays, he saw the wreckage of the yards, a drab aftermath of battle —ashes, watersoaked rags, lumps of iron, overturned cars, gutted buildings, spewed bricks. Troops were in force, and when night fell and the train hadn't yet left the station, torches sputtered in the yards, and the air was charged with excitement, as if at any time the fighting might flare up again.

As he was leaving Pittsburgh at last, train bells were tolling. He heard them in the yards of city after city on his way back home. They went on tolling and tolling the bloody dirge of the Great Strike. With troops and court injunctions and arrests without right of trial, the Strike was being broken. Cash Carney had been absolutely right. But the trouble was a long time dying in the land.

Usually, John Shawnessy would have expected to come home in a day and a night, but he was many days getting home now because of the Strike.

Those days, the Strikers gathered along the trainways, standing sometimes in mute hundreds. Often at night, the train would be stopped by Strikers, John Shawnessy would be awakened from a fitful sleep, a lantern would be thrust into his face, voices would say,

—Is this the feller?

—No, that ain't the one. Must have been the next car down.

—Who are you, Mister?

—John Shawnessy.

—Where you from?

—New York.

—Where you goin'?

—Indiana.

—What's your business?

He showed them the telegram, and they passed on.

Several times, men raised lanterns to the windows.

—Are there any soldiers on this train?

—No.

—Damn good thing!

Through these summer nights and days of anger and pent violence, he passed, obeying an old command. For certain words had come and found him in the City. They had been reaching out for him with feminine and pleading hands, and they had called him home.

During these days, he hated the bigness of America. These miles of iron roadways, these planless cities, these stations, depots, roundhouses, warehouses, grain elevators, factories were the gray huge swollen river of American time. Like a gulf of bitter waters he had to drink it down before he could come home.

But there was a dark satisfaction, too, in these many delays because they kept the legend of the words he had got from becoming final. Perhaps a man might, by crowded thought, by accumulation of images, linger for a hundred lifetimes between two unrelated points on the vast earth of America.

The convulsions of the Strike had reached Indiana before him.

More days were lost as he was diverted to Chicago, and from there down to Indianapolis, where the Strike had reached a climax of violence. During a stop-over there, he got out briefly in the Union Station and saw the backwash of bloody riots in which troops under the command of General Benjamin Harrison had been called in by a court injunction to put down the disturbance.

Strangely, all during this time, he had a morbid preoccupation with the lives and destinies of other people whom he saw, passengers on trains. He seemed to understand as never before the isolation and uniqueness of other human beings. Each one, he knew, was going a private voyage across time, approaching or departing from the terminals of birth, marriage, death, from the cities of joy and sorrow; and each, whether he knew it or not, carried in his pocket a crumpled telegram telling him to come back home.

Then on a brilliant August afternoon, he was speeding out of Indianapolis on the way to Raintree County. Familiar names went by, tolling the minutes off. Those days, the trains ran unpredictably, even on the local lines, and he hadn't been able to get a telegram through. Consequently, when he got down at the station in Free-haven, he looked in vain for a familiar face. The town was hot and sleepy, and hardly anyone was on the Square.

John Shawnessy set out to walk home. He was unshaven, grimy, sweaty. His suitcase was heavy. His city suit was baggy and hot. The streets blurred and swam in his eyes. Looking back, he saw the flag limply hanging on the tower of the New Court House. The clock said three o'clock.

He was dizzy and panting as he went on through the outskirts of the town. The weeds along the road seemed insultingly lush, tall, fragrant. Thousands of voracious grasshoppers seethed at the edges of the road, frightened by his feet. The Shawmucky was choked with reeds, flowers, small trees, mudbars. As soon as he crossed the bridge, he left the road and picked his way through the lost yards and fallen fences of Danwebster, following a lane that led down to the mill on the river. He crossed the structure of wood and rock that still spanned the river there. He climbed the railroad, went down the embankment, ascended the hill to the iron gates of the graveyard, entered.

The Danwebster Graveyard hadn't been mowed for several weeks.

As he walked through the deep grass, hundreds of insects rose and fell like seeds from the hand of a sower.

He went down on his knees before a fresh mound in the southeastern corner of the yard. The tall stone, surmounted by a cross, had the legend

MOTHER

Ellen Shawnessy

1801–1877

There were bouquets of withered flowers on the grave. The sun beat hard on the crusted earth.

He lay on the earth, and the earth gave no sign, except to remain beautiful with summer. The river made a little sound in the shallows. A train passed, crying.

He thought of a face darkly tranquil in the earth below him.

Then he remembered the living face of his mother, Ellen Shawnessy. And with this memory there came to him like a tide of musical waters the legend of his days in Raintree County. The face of his mother leaned down to him from a prehistoric past. This young, vivid face with the affectionate smile moved, and the mouth said the single piercing word that had touched him into being. *Johnny!* With that word came the memory of his father, T. D. Shawnessy, benignly nodding down to him from a great height. The old days came back, the days of his childhood on the breast of the land, a life steeped in myths and golden quests. Like invulnerable angels, the forms of his father and mother moved on the young earth of Raintree County. From the grass and flowers that brushed his face a sweet, wild fragrance rose of all the withered summers distilled into the little house behind the house. He remembered the primeval Home Place in the County, the log cabin, the road before it—a pioneer trace, the great oak forest, a twilight of stately trunks. *Johnny!* The word was talismanic. It called into being the newer Home Place of Before the War and the days of his burgeoning manhood. He remembered golden afternoons on the upland meadows, harvest of wheat and corn. He remembered the Old Court House, the shrine of clockless days when there had been no death. He remembered a hundred Saturdays, Memorial Days, Fourths of July, footraces, picnics, ice-cream socials, church suppers. The form of a young professor stood at the blackboard in a brick building and chalked a slanting script across it. The river ran through the whole bright legend, green waters of prophecy, rising from an unknown source and flowing to a lake. *Johnny!* With a pang of sadness, he heard the name said like a caress by the mouth of one who was lost and gone forever on the great river of the years.

Now he knew what grief was. It was a memory of time past, of time in its poignant and irrevocable pastness. It was man's memory of being a child after it was impossible any longer to be a child.

It was late afternoon when John Shawnessy left the Danwebster Graveyard and going back to the road walked toward the Old Home Place, looking for its lonely form on the sky.

T. D. met him at the door. He looked pathetically old and broken, blinking back tears, wandering around disconsolately while others talked. Now and then the old man would stop and put his chin up and clasping his hands behind his back, would begin to rock on his heels with a faint revival of the old look of buoyant optimism. But a vague bewilderment erased the smile, and he would turn and go away by himself. During the next few days, he spent hours sitting in his Office fumbling with the Botanical Medicines. T. D. was obviously not long for this world himself.

Ellen Shawnessy's death had been unexpected. A call had come from a neighbor's house two miles away, near Moreland. A woman was about to have a baby. T. D. was away at the time, but Ellen had put down her work, bridled a horse, and ridden away bareback. Arriving, she had got off the horse and started toward the house. She had come up the walk, smiling, flushed with the ride, had raised her hand to greet one of the members of the household. Just then, she had stopped, turned pale, and fallen senseless on the path. A few hours later, without regaining consciousness and shortly after telegrams had been dispatched to John Shawnessy and other members of the family not at home, she had been pronounced dead.

In the days following, while John Shawnessy remained at the Home Place, wondering if he could find his way back to a satisfactory Raintree County, Carl Foster, a good friend and fellow teacher, told him of a teaching position vacant at the school in Moreland. He suggested that John Shawnessy apply for the place and also attend the County Teachers' Institute, which was being held at Paradise Lake in the latter part of August.

With almost cynical resignation (as cynically resigned as he was ever likely to be), John Shawnessy accepted the suggestion.

In the strength of his young manhood, he had gone to Lake Paradise with a girl named Susanna Drake, after a victorious run through the Court House Square. That was nearly twenty years ago. He had plunged for an afternoon into the very quick of life and had done what it pleased him to do, like a young god. That was before he had erected on the horizons of his soul the shape of a mansion doomed to fall in fire. That was before the War and its wreck of human souls. That was before Atlanta fell and Columbia burned and Lincoln's body had crossed the Nation on a flag-draped train. That was before his lonely post-War years and his messianic dreams. That was before he had gone in Centennial Summer to the City, where he dreamed an enchanting dream of love and fame, and hunted through the world Behind the Scenes, trying to find a lovely woman in a costume closet, but found instead the multiple image of a sphinx recumbent. That was before his recall to Raintree County:

> JOHN WICKLIFF SHAWNESSY:
> COME HOME. MAMMA IS DYING.

Come home. Come home. That was the thing he hadn't been able to do and perhaps would never be able to do again. For where was the home of life's eternal wanderer, the young American?

Now, he was thirty-eight years old, had lived more than half his allotted years. What trophies did he have of his days to carry before him like victorious banners? He had a huge, half-written, rejected manuscript, some letters addressed to a young soldier named Corporal Johnny Shawnessy (dead in battle), some notes scrawled by a pathetic child whose soul had been scarred by fire, a guide-book to the Centennial Exposition, an album of class day posies, some photographs of children's faces in front of country schools, and a crumpled telegram.

Come home. Come home. He had come home and had completed the necessary legend. But now he saw that he hadn't built new ramparts against the day when the old ones came crumbling down. He had his memories of Raintree County and his mother, and these he incessantly turned in his mind in the days following her death, as if now, when it was too late, he would try to recapture and understand fully the person who had gone away.

Come home. Come home. Well, he would go back to Lake Paradise in the center of Raintree County and see it as it was now, with its new hotel, its revival tabernacle, and its cottages for summer tourists. He would remind himself that nothing remains the same, not even the most ancient scar on the earth of Raintree County. He might even wander some day over to the wild side of the lake, where the Shawmucky emptied into it and see if he could find a boy with sun-illumined hair running among the trees (the fastest runner in Raintree County!).

He would, however, not disturb himself to hunt for that old tree, that mothy personal legend with which he had quaintly amused himself from childhood. He wouldn't hunt for it, precisely because he was afraid that he would find it.

After all, it was there somewhere, with two rocks under it. He knew. He alone knew that it was there in the almost impenetrable swamp where the great reeds thrust to sunlight and the bugs went buzzing by like bullets. It was there, where an itinerant preacher had thrust a little seedling into the earth. It was there all right—and exactly what of it?

Or had he been drunker on applewine than he thought and dreamed the tree and the two rocks?

He knew then that he would never go back to the City. He knew then that he had ceased to be the child of his mother and had become at last, reluctantly, a man, who would have to make new alliances with Time and Fate and find, if possible, new loves to replace the old.

So, in the latter days of August, 1877, John Shawnessy climbed into T. D.'s old buggy and drove off toward the lake with a pile of books behind the seat, among them a pamphlet that Carl Foster had given him. It was really an advertisement for the new Biltmore Hotel, containing a gem of commercial poetry. He had read it with sardonic amusement. COME TO PARADISE LAKE, it said:

O, come ye now, and bring your children,

BRING YOUR WIFE AND SWEETHEART TRUE,
TO THE EARTH'S
MOST

—LOVELY GARDEN you have here, Evelina, Professor Stiles remarked to Mrs. Brown.

Esther liked Professor Stiles, but she didn't really understand him. He and Mr. Shawnessy had just left the porchswing, where they had been talking ever since the picnic supper, and were standing with the ladies near the fountain in the front part of the lawn, watching a game of drop-the-handkerchief. The children gave such a wild shout of laughter that Esther didn't catch Mrs. Brown's reply, but it was probably something genteel and witty.

Esther hadn't forgot Pa's warning, given after the Revival Service. Now that the day was so nearly finished and it seemed unlikely that anything could happen, she was more frightened than at any time before. What was waiting there in the hushed night to surprise these revelers in the garden? Was it something that had been waiting in secret for its hour during fourteen years?

Every Fourth of July was an occasion for mixed recollections of joy and sorrow; she always felt pulled apart emotionally before the anniversary day was over. It was both a birthday and a deathday in her life. Always there was a victory to be won over herself. People who had known her joy would have to suffer for it—this she had always known. For greatest bliss, one had to suffer greatest chastisement.

She had known, too, what this chastisement would be, had often found herself thinking about it when darkness would fall on the little towns where the summer evenings died slow, gorgeous deaths.

—I wonder what's happened to the revivalists, Professor Stiles said. What in the world do they do over there? Burn a house down every time they hold a meeting?

Mrs. Brown and Mr. Shawnessy laughed. Esther was surprised, not realizing that the remark was intended to be humorous. Perhaps they *had* been burning something down. She had had for some time a feeling that there was an unusual disturbance in the town. People were perhaps gathering in the darkness, just beyond the palely colored light from the Japanese lanterns.

—Maybe they're coming to run me out of the County again, Professor Stiles said, sniffing. That's a familiar odor. You don't see anyone out there carrying a long, knotty piece of somebody's fence, do you—and a bagful of feathers?

Mr. Shawnessy laughed, but his eyes were puzzled.

About three hundreds yards away in the Main Street of Waycross, bunches of flame began to move, flicker, flare, approach, recede. They were torches. They drew together into a thick cluster. They began to move forward, held aloft in a shapeless mass, yet riding in a fixed relation to each other. They came forward voicelessly, glaring through the spears of the fence. The children stopped playing and listened. There was a noise now of heavy feet trampling on the road coming out of town.

Professor Stiles sniffed.

—Do they do this sort of thing often? Now if they only had a jungle tom-tom or an Indian war-drum and shrieked at the tops of their——

At that moment, the darkness erupted with a shout of voices singing:

—Mine eyes have seen the glory of the coming of the Lord. . . .

Involuntarily, the four older people and the many children in the yard drew closer together.

—Well, Mr. Shawnessy said, I must say——

—Glory, Glory, Halleluiah!

Esther's heart beat hard. A feeling of helplessness came over her, as she waited for this impersonal force to unmask itself and reveal its purpose.

Whatever the purpose was, she felt certain now that it was sinister. Feeling lonely and helpless, she walked over to her husband and placed her hand on his arm. Worst of all was the suspense of waiting. If there were only something that she could do to break the spell, some heroic decision that she could repeat, then all might be well. But as it was, she had to stand here, frightened to the foundations of her being by these trampling feet, shouting voices, swung beams of light. She had to go on waiting here in this garden like someone discovered in the commission of a crime, a guilty woman, shrinking from a sword of flame. She had to go on waiting, waiting, she went hypnotically through the last details of packing her things. She had a trunk to pack and a small suitcase that she intended to carry. Fernie helped her with the packing, sniffling and blowing her nose from time to time. Esther didn't cry at all.

It was a hot day. When she went over to the window to look out, she saw the yard, the spattered barnlot, fields of corn with limp arms. The taut feeling in her stomach went up into her throat.

Pa had gone into Freehaven at nine o'clock in the morning. He had said that he would be back around four in the afternoon with the tickets for their trip. They were going to drive by a roundabout way to Three Mile Junction, where they could take the train without notice and escape detection. Most of the people would be in Freehaven for the Fourth of July Celebration. Once on the train, the whole thing would be out of Esther's hands. She and Pa would go on out West, and she would try to forget Mr. Shawnessy.

Several female relatives were vigilantly supervising the last arrangements. They came around and talked with Esther, telling her how sensible she was to do this thing for her old pa. They hardly let her out of their sight, except when she went upstairs.

As the hours dragged on, she stood for minutes at a time before the window looking at the road and the fields. But nothing happened. The earth gave no sign, except to grow hotter and brighter. She looked out so long that the fields began to have a kind of white radiance. The earth swam in heat, faintly in motion.

She couldn't imagine what was the matter with her. She felt no sorrow, no joy, no languor, no excitement. She had only this taut feeling of waiting.

Nevertheless, she knew that when Pa's buggy appeared on the road from the direction of Freehaven, rolling swiftly up as she had seen it do hundreds of times, the black horse crisply trotting, the wheels blurred with speed, the polished frame bouncing under

Pa's weight, she knew that then she would have a dark moment of farewell, and she didn't really know what she would do at that moment.

But she had made her decision. She had said that she would go. It was Pa's will that she go, and in this crucial hour of her life Pa's will must be her own will. Only thus could she save from death those whom she loved.

She had voluntarily made a solemn promise. Esther couldn't remember ever breaking that kind of promise.

She kept looking at the familiar rooms, and from time to time she went to the window again. This was the house in which she had spent her life. This was the earth where she was born. The things about her now were the oldest things in the world. In the stillness of these ancient things, she moved restlessly. This world, Pa's world, closed in on her, taking added weight from the heat and stillness of the day. She felt that if she stopped moving for a moment, the walls of her self would be crushed, and she would stop breathing.

At three o'clock in the afternoon she went upstairs to dress. The white dress she took down from a closet was one that she had worn nearly a year ago, twice in one memorable week—and not at all since. She had rowed through the hot brilliance of a summer afternoon and had plunged through a swamp to find someone whom now she would perhaps never see again. There were faint green stains in the cloth that no amount of water would wash out.

It was her most beautiful dress, and this was her most significant day.

Slowly she put on the dress at the mirror of what had been her mother's room. Slowly she bound up her dark hair, winding it and pinning it back to show her ears, one of which bore a disfiguring scar in the lobe. She had no ornament on and didn't powder her face, which looked back at her from the mirror familiar-strange— brilliant dark eyes, lips red and smooth, finely formed straight nose, high cheekbones.

Once long ago, she had been taunted with Indian descent. She had flung back a terrible word, which even now she was ashamed to remember. Pa had risen in a towering rage. She had fled to the windgrove not far away and had heard the whip laid to her sister Sarah.

She had not quite finished her packing. Lying in the bottom drawer of her dresser were some souvenirs she had saved to the last. She opened the drawer and took out a packet of letters tied with a blue ribbon. She carefully wrapped them in a silk handkerchief and placed them among the things in her personal suitcase. There were some photographs, including a large one recently taken of the Root family, sitting on the front lawn before the house. She and Pa were together in the middle of the picture almost as if above and apart from the others.

There was another picture that she had hidden very carefully for years. At the bottom of it were the words

Stony Creek School
1866

She found her own small face in the front row, turned a little to one side and looking across the fields with a brooding expression. The picture was yellowed, yet remarkably clear. She could see the ribbon knots in her pigtails and the creases in her dress. Mr. Shawnessy stood at the right-hand side of the picture, arms folded, eyes half-shut because of the sun. That part of the picture hadn't been properly exposed, and with the fading caused by time, his form looked half-dissolved in light. His figure had a golden, wondrous look, while her own in the middle of the picture was dark, precise, and actual. She noticed also that the school door was open so that the light dimly illumined the hall. She had gone running one day in spring out of that door and had climbed through the bars and had run down through the woods to be the first to meet Mr. Shawnessy.

She put this picture carefully into the suitcase.

She went to the window and looked out. It must be close to four o'clock. She looked across the fields in the direction of the Foster Farm. She hadn't taken the path to Ivy's for months now, but she knew just how it went.

The path to Ivy's went through the back gate and through the barnyard, and out through the orchard, and along beside the corn-field for two hundred yards. Then the path sloped off to the left and down the hill to a stile crossing over into the pasture woods. It went on through the woods for several hundred yards and down past the little spring that rose under the roots of the old dead tree to flow off in a winding stream northeast. The quick way was to cross the stream if it was low, but, if not, to go around. Then there was a short walk through the woods, gently rising until suddenly the path came out into a field back of the Foster house.

She had made this walk several times in the past year to meet Mr. Shawnessy at Ivy's. Sometimes he had come out a way to meet her.

Now, she looked toward the wood, where the path entered the trees. The wood was still. She could see deeper than usual into it because of the immense light.

She walked into the hall and to her old bedroom where she could look out and see the road. There was no one on it as far as she could see. She went back to her packing.

Now she lifted some other things from the drawer. Among them was a certificate which testified that Esther Root had passed the Teachers' Examination with a satisfactory mark and was adjudged competent to instruct in the Public Schools of Raintree County. It was dated June, 1876, and it bore the examiner's signature in a bold, flowing hand. John Wickliff Shawnessy.

She remembered an afternoon in the New Court House, the masculine, exciting odor, the brave, terrific tower. Suddenly, she wondered if she would ever see it again. With a wild excitement, she imagined it now, in the middle of Freehaven. The flag would be bright on its pole at the top of the tower; the clockfaces would look in four directions telling the time of day.

The time of day. The time of day.

The hands would be pointing to the hour.

Pa would have read the clock and would have got into his buggy. Through this heatstricken earth of eternal things, he was driving steadily home, poised on the buggy seat, sometimes making his black whip uncoil and crack above the horse. He had never driven so fast before—of that she might be sure.

Her hands trembled as she put the certificate in the suitcase. She was being compelled to make hasty decisions. The world was beginning to come apart. She had begun to forget where things belonged. She began to rake in the bottom of the drawer, taking things out and then putting them back again—and again senselessly taking them out—pictures, books, folders, lockets, wisps of hair tied in ribbons.

She got up and looked at herself in the mirror. Her face was white, and she had to steady herself. Her head swam. She listened. No, it was not the drumming of a horse's hooves, it was not the humming of wheels that she had heard.

Or perhaps it was. She walked rapidly through the house to a front window.

The road was empty.

She ran back to her room and began to rake through the drawer again, as if she were looking for something important. But she couldn't imagine what.

Yesterday evening, at the risk of Pa's terrible anger, Fernie—poor, frightened, heroic Fernie—had slipped out of the house and gone to Ivy's to let Ivy know of the projected trip. No one was at home, and Fernie had left a note. Apart from that last message, Esther had had no way of letting Mr. Shawnessy know that she was leaving. Fernie, no fancy rhetorician, had written plain words:

> Ivy, Esther is leaving the County tomorrow with Pa. They are going West, and I don't think he aims to ever bring her back.
>
> FERNIE

Well, she had made up her mind to go, but she had desperately wanted to let Mr. Shawnessy know that she was going. She would go West all right, yes, she would go because God willed her to suffer for her great wrong love; she would go so that no one might die. But at least, before she went, she had reached out of her prison and had touched him with a word, a last sign, so that he would say to himself: Now she is going. Esther is no longer here.

Over the fields toward Ivy's the way was empty. The deep woods gave no sign. The air was still. The immense, triumphant afternoon held hardly a moving thing. She remembered the look of the empty fields a few months ago when Pa had come to the trysting place with his gun. She had looked everywhere then for Mr. Shawnessy across the wide fields, fearing that he might come.

She heard a rush of voices from downstairs and someone called,

—Esther, are you about ready?

—Yes, she said, her voice so small and hoarse that she had to repeat the word to be sure they heard her.

Now there was no time to lose. She must hurry now, or she

wouldn't be ready when Pa came. She went to the drawer and, pulling it entirely out, emptied it onto the bed. Among the things lying there, she picked up a little advertising booklet. Impulsively, she opened it, remembering what it was. In the yellow brightness of her room the words swam up to her alive and blackly writhing like serpents in a place of sunwarmed waters:

COME TO PARADISE LAKE

Come to Paradise Lake, situated in the geometrical center of Raintree County. Summer tourists, fishermen, honeymooners, whoever is seeking . . .

She put the booklet on top of her little suitcase and stood looking desperately about her.

—Esther, the voices called from downstairs. Better come now.

Esther! Esther! Esther! Esther!

Come to Lake Paradise in the very center of Raintree County.

She stood, her body stricken with waves of feeling rising from the sunbright afternoon beyond her bedroom window. She was panting, and in her anguish she bent over and leaned her whole body across the open suitcase and onto the bed. She had not realized until then that she was gasping and sobbing.

There was a noise downstairs, far off, in the nether regions of herself, in the old life, in the world that walled her in as if forever. There were people calling her. There were excited voices.

She listened. Something was burning at her ears, an intolerable piercing sound. She listened.

There was a steady thunder of hooves not far away. Under this noise was a persistent, vicious hum of wheels.

She sat up suddenly and gave a little cry. She pushed down the lid of the suitcase and latched it and picked the suitcase up. She ran out of the door, looking wildly around. There was no one upstairs. She looked down the back stair. It was empty. She ran down and into the kitchen. It was empty. Everyone was at the front of the house, watching for Pa's arrival. She ran out of the back door and down the walk, pushed open the gate, ran into the barnyard. From long habit, she turned, swung the gate to, and latched it. She paused with her hand on the gate.

Come to Lake Paradise, little darkhaired child. Come to Lake Paradise, where long ago, but o, so long, so long, so long ago . . .

She heard the noise of a buggy slowing and stopping in front of the house. But all she could see was the back of the white farmhouse, the not-very-well-kept yard, the weeds along the fence, a few chickens scratching, the back door open, the pump beside the window. All she could see was the most familiar image of her life.

She turned away and began to run.

She could hardly see where she was going: the green earth was drenched with waves of water flashing and brightening in the sunlight. She heard a hoarse, gasping sound. It was her own voice, sobbing and saying,

—Good-by, Pa. Good-by, Pa. Good-by, Pa.

She ran through the orchard and beside the cornfield. After a while her right arm ached terribly, and her chest felt as though it would burst. The earth beside the cornfield was soft, and she kept slipping and stumbling. She fell full length and soiled her going-away dress. She was up immediately, thinking that she heard voices behind her. She ran down the path sloping to the left and went over the stile. Her dress caught on a snag and tore away a wide gash of cloth which clung accusingly on the fence.

She was sure that they were after her. Still she clung to her suitcase and went on, running through the woods. Though the stream was high from recent rains she plunged in and across, soaking herself to the thighs.

Looking up now through the clean woods toward Ivy's, far off she saw a tall man in a black suit striding along the path alone.

She heard then a distinct sound of voices and footsteps far behind her in the afternoon. She didn't look back, but ran forward crying out in a loud voice,

—Mr. Shawnessy! Mr. Shawnessy! Mr. Shawnessy!

She listened, and above the terrible elation of her heart,

SHE HEARD VERY CLEARLY THE SOUND

OF HIS VOICE

CALLING

HER NAME was being called in the garden.

In the cool of the evening, when a thin dew gathered on the grass and the air was still, and it was summer at the end of a long day, and the light had been long gone from the sky, and the crickets chirped, and the grass was tingling cool on her bare feet, and there were dark corners of a lawn, and the night bugs beat themselves to death on the window panes, and darkness was full of distant and vague tumults, she would almost remember. She would listen then for the voices deep inside her, the voices from long ago that said,

—Eva! Eva!

They were calling for her and coming to find her, and she was in the attitude of one listening in beautiful and dark woodlands, and waiting for them to come.

This was a memory then of the very first of the Evas, the dawn Eva. Sometimes in the afternoon, when she had been sleeping and awoke to hear a sound of flies buzzing at the window panes, she would almost remember that Eva. It was the lost Eva, the one who had lived in a summer that had no beginning nor any ending, beyond time and memory, beyond and above all the books—most legendary and lost of Evas!

Now she was in the round room at the top of the brick tower looking down at the other children playing. It was Maribell's playroom, and here Eva could imagine that she was a princess in a lonely tower looking down on strange tumults in a legendary world.

Leaning on the window ledge, secure in her tower, she was remembering the pantomimic scenes that had flickered across the stage of the garden a half-hour before, just after she had first come up to the tower.

It had begun with the torches that had flared up suddenly in the town and moved toward Mrs. Brown's. There had been a burst of song, and the torchbearers had stopped in front of the flungback iron gates of Mrs. Brown's yard.

At first, Eva had wanted to run down, but she could see so well from her place that she remained listening and watching, fearful that it might all be over before she entered the scene.

The leader of the marchers had been the Reverend Lloyd G. Jarvey. There were about fifty men and women in a column, most of whom appeared to be strangers, while on the fringes of the torchbearers little knots of townspeople hovered.

Preacher Jarvey had walked straight up to the open gates and had stood between them. Eva had seen the torchlight reflected on his glasses. The Preacher had shouted something in his deep voice, and Eva's father had walked down to the gate. The Preacher had shaken his finger in her father's face, and as he did so, there was a low grumbling among the men in the crowd. Three or four rough-looking strangers had come up pushing a tub of steaming stuff on a wheelbarrow. The torches had burned smokily, flaring and sputtering.

Then Eva realized that her father was in danger, and she had been on the point again of turning and running downstairs.

But just then Professor Stiles had walked briskly down to the gate, his sharp, high voice cutting the air like a whip above the crowd. His long, thin arm swinging a cane had extended, pointing at the Preacher, and Eva had caught the words,

—. . . happen to be . . . wellknown doctor of theology . . . great city of New York . . . think you are anyway, you . . . promise you . . . every scalawag in this party . . . disturbing the peace, trespassing on private . . . person of an innocent . . .

The Preacher had shouted something back, and Eva's father had said something, and the Preacher had pointed at Mrs. Brown and at Eva's father. Mrs. Brown had shaken her head violently, and Eva's father had squared his shoulders and said some very crisp words that Eva couldn't make out and had opened his arms as if in appeal to the whole crowd of watchers beyond the gate. The Preacher had turned and made a motion of calling someone from the crowd, and a woman who looked like Libby Passifee's mother had stood forth and come up to the gate and talked in a shrill voice.

Once again, Eva had been on the point of running down to the yard, when another amazing thing happened. Her brother Wesley was pulling Professor Stiles' arm and pointing to the Preacher and then to the Widow Passifee. Professor Stiles had raised his cane and, waving it, had shouted in a piercing voice,

—Silence! Silence!

The crowd had quieted down a little, and Wesley had said something else, still pointing at the Widow Passifee and the Preacher. Then Johnny Jacobs had stepped up and vigorously nodded his head and pointed his finger at the Widow and the Preacher. The Preacher began to bellow over and over

—It's a lie! It's a lie!

And Wesley had pulled Libby Passifee out of the crowd of children and had made her admit something.

Professor Stiles had shaken violently, and the crowd had begun to snicker. The Widow Passifee was shaking her finger at her daughter Libby and threatening her some way. Johnny Jacobs had said in a very loud voice,

—He didn't even have his glasses on!

Professor Stiles had shaken soundlessly again, and the crowd had snickered again.

And the whole crowd had begun to shake their heads and laugh and draw away from the Preacher. The Widow Passifee had shrieked something and walked away very fast toward her house. The Preacher had remained in the entrance to the yard, peering from side to side.

Just then, Professor Stiles, who had been pacing briskly back and forth like a trial lawyer in a crowded courtroom, walked decisively down to the gate and began to harangue the crowd. Eva caught the words,

—. . . duped and led astray . . . exciting you to frenzies . . . final act of madness . . . guilty of committing himself!

At this point, the Preacher had flung down his torch and, raising both arms, had bellowed like a bull. He had made a lunge at Mrs. Brown, but Professor Stiles had planted himself in the way and, pointing his malacca cane before him like a fencer, with a single deft motion flipped the Preacher's spectacles into the night. Thereupon several townspeople had thrown themselves upon the Preacher, and the Preacher had butted, lunged, and struck blindly in the darkness. Professor Stiles, remaining well out of danger, had occasionally rapped the Preacher sharply on the head with his cane or jabbed him in the seat of the trousers. So doing, he had appeared to whip the whole struggling mass through the gates, which he promptly slammed to. The Preacher had turned and reared at his assailants and in spite of blows had broken through and struck fists and head against the iron gates before he realized that they were shut. Then abruptly he had turned and run down the road into Waycross, with short steps, hands open before him like a man half-blind and beset by pestering sprites.

Several people had come up from the road and said something to Eva's father, and some women had come and talked with Mrs. Brown, who kept putting her hands against her cheeks and shaking her head.

Eva's mother had stayed beside her husband the whole time, but she too now went over and said something to Mrs. Brown. Everyone seemed to be very sorry about something, except Professor Stiles, who seemed very happy about something.

Suddenly realizing that the excitement was over, Eva had gone tearing downstairs. She had hunted Wesley and had found out what had happened. It seemed that the Preacher had gone crazy and had come down to accuse their father of doing something bad and being an atheist. Their Grandfather Root's name had been mentioned, and he was mixed up in it some way. Then Wesley had told what the children had seen in the morning, and that had got the Preacher in hot water, and everyone had laughed at him. Wesley was a hero, and so was Johnny Jacobs.

—Just go back to your playing, children, Eva's father had said. In a little while, we'll have those fireworks.

Then the people had gone on back to the town, and the children had started up the game again, and Eva's father and Professor Stiles had gone back to the porch again.

Eva hadn't felt like playing any longer. Instead, she had wandered away again and had come back to the tower and had remained at the window looking out again, wondering if she was missed.

Even now the night was restless with sounds—the last explosions of firecrackers, the last buggies leaving Waycross to go home, the tag-ends of the Revival crowd breaking up. The night was full of terror and mystery. Always, she had known that the earth of Raintree County was full of dragons breathing fire. She had known too that the dark image of her grandfather would haunt her life. She hadn't quite realized how serious the danger had been until it was over.

As long as there were little children and faithful women around, her father would be safe, and so long as her father was safe, she would be safe. The voices and the lanterns had advanced even to the gate and had almost broken in, and then they had been driven back; the flickering cane of Professor Stiles had chased them down the road.

Now all was well, and the night was kept from the garden by colored lanterns and by the shrill excitement of the children at their games. The evil ones had been defeated by their own evil.

But she had been touched to see the sadness in her father's eyes, and she wondered if she alone had seen it. In a way, he had looked as though he had anticipated this coming of torches through the night.

If only there would always be gardens where fountains played in summer and drenched the bodies of children tangled in lilies! If only there would always be days of festival excitement! If only she, Eva, could by strength of mind and faith and daring preserve forever the good world of certainties and keep the look of sadness from her father's eyes! If only the long, promiseful days didn't pass away and the good books close, leaving one stranded on vague shores of summer.

—Eva! Eva!

It was the voice of her brother Wesley calling.

She would stay here in the tower.

—Eva!

Let them be calling her. But she would hide. She would go back, small and proud, and stand in beautiful and dark woodlands, in the attitude of one listening. She would wait in the oldest garden of her being until they came and found her. She would possess the wild, lovely secret of the garden, seen only by her. *O, don't you remember, a long time ago . . .*

Lost child! O, little heroine of the Eva series, blue-eyed wanderer in fields of summer, little boater on secret lakes (all choked with lilies) and listener to stories! Lost child, discoverer of rivers, listen to the voices calling. Listen to the voices of the callers calling by the lake, where it is always summer and the days are long. Listen, listen to the footsteps of the seekers seeking by the lake. And perhaps you will retrace some portion of the dawn when

STRANGE LIGHT WAS OVER
EVERYTHING, SOFT GRAY AND GREEN AND GOLD.

The two children got up before any of the other campers and slipped away from the tent. Papa and Mamma were both sound asleep. Wesley had the clothes, and he helped Eva put on her little dress. Wesley was four years old and knew how to do everything. He knew just what to do and led the way down to the pier. It was funny to see the lake all still and the boats beside the lake all empty and no one on the pier and no one walking around the tents. The world had never been so unfull of people before.

—It's dawn, Wesley said. The sun doesn't come up.

It was Wesley's idea about the two of them getting up early and going on a botanical expedition. The teachers all got to go with Papa every day, but Papa wouldn't let Wesley and Eva go. But Wesley knew how to row a boat, and he could take them across the lake, and they could gather leaves and come back before anyone missed them.

Just as they got into the boat, Eva felt sad about Papa lying in the tent asleep, and she had a feeling that if Papa knew what was happening, he wouldn't be pleased. But Wesley was already pushing the boat out into the water, and he had a hard time getting into it, struggling with his feet waving in the water. He got his pants wet, but that was all right and couldn't be helped. The lake was all a funny green, and the lilypads were all flat and green, and the lilies were just beginning to open. Wesley worked hard with the oars. She had never noticed before what a funny sound they made, a lonely, plunking sound when they went into the water.

When the boat reached the other side, Wesley and she got out, and it was too bad because the boat slipped out from under her as she got out, and Wesley tried to catch it, but it floated very slowly out of reach and just lay out in the lake a little way. Eva felt like crying about it, but Wesley said,

—Just leave it be.

They went into the woods together, and Eva kept thinking about the book that she and Wesley used to look at in the bookcase at home. *Through the Dark Continent.*

—Ith thith a dungle, Wethley? she asked.

—I guess it is, he said.

Wesley was four years old and knew a lot more about books than she did. But he knew nothing about dolls and didn't even have one.

In the book about the jungle there were big fernleaves and thick trunks and snakes and wild beasts and black men. A white man was looking for another white man, and when they met in the middle of a clearing, they shook hands. Africa.

They kept finding funny leaves and mushrooms and sticks and stones, and after a while there was sunlight in the woods and singing noises and birds flying. Wesley told her to wait for him while he followed a bird. She did wait a long time, and then she went over through some bushes and found a path and walked along it. She stopped once and called,

—Wethley!

She was a little surprised because there weren't any teachers on this side of the lake. Not that she was afraid. She wasn't afraid of anything hardly.

—Eva doesn't have enough sense to be afraid, Papa had said, smiling.

Several times, she came out where there weren't many trees, and it was a good thing she didn't have her shoes on because in places it was very muddy, though the mud felt warm and all sinky and nice. She got clear out of the woods after a while, and wandered around where the sun blazed down on her. She began to get hungry and turned around and started back. Wesley had been gone long enough now to find that bird.

She kept going around and around. The forest was full of strange things. Once she stopped for a long time and watched a frog at the edge of a pool.

She must have wandered around all morning and she was very, very hungry. After a while, she came to a place where the water was very deep, and when she started to wade into it, it went right up over her knees. She backed out of it then, and there was a big yellow and green snake shooting himself around in the water. The biggest flies she had ever seen in her life would stand still in the air right next to her. Their bodies were like little pencils and their wings all misty. There were lots of turtles plopping, and she tried to catch one, but they were too fast for her.

She always loved to wade, and now she was getting all she wanted. The water was warm and the reeds were very stiff and tall, and there were green things everywhere. The sun shone down so hard that she had to blink her eyes. She kept on going, and once when she looked up, the sun was right overhead, and very small. She wondered what they were doing over on the other side of the lake anyway and if they had missed her. She felt very lonely and hungry and cried for quite a while because she had sat down and got her dress muddy. It was just the same way everywhere she went. She couldn't seem to get out of the muddy places, and just went along walking in the water.

Pretty soon, she came to a place where there were a lot of little trees with slender brown trunks, and the sun was shining down through them, and they were all covered with yellow flowers. She could look right up between them to a bigger tree at the top of a little hill. This was the best place she had found, because the grass was soft under the trees and the ground was dry. She walked up in the soft grass, and when she got to the big tree she sat down there between a couple of big rocks that were sunken in the ground and half-covered with grass. The big tree was like the smaller trees, but it was taller and had a thick trunk. She kept feeling the little yellow flowers touching her hair and face. She was all warm and itchy and tired and hungry, and it was so hot that she thought she would stay there. She lay down in the grass, and it felt good just to shut her eyes because the earth was all warm and a little breeze was blowing up from somewhere, and she could hear a noise of water trickling. Frogs were splashing around and making chunking sounds. Every now and then a big bug whizzed by her. She could hear bees. They said that they made honey out of flowers.

They said that they made honey out of flowers, and in a greenhouse you could see flowers inside a glass. God was up in Heaven where there were many flowers. All the flowers made a murmuring sound as if they were all full of great bees, the earth rocked her, blowing on her hair and eyes, the soft flowers sifted on her face and hair. They said that they made honey out of flowers.

After a while, she got up and found that she had been lying in the grass. She thought then that she had better go home. She felt very hungry and could think of them all eating back home.

The air had a different look now. She couldn't see just where the sun was, but up in the tops of the trees there were rays of light, and she could see the yellow dust sifting down through the rays. The yellow dust was thick in the grass and on the ground. She picked up a handful of it and put it in her little pocket. Her dress had dried and was all stained with leaves and crusted with mud.

She started walking down under the trees. It wasn't the same as when she had come up this way. It showed you how quickly things changed. Now, it was almost dark under the trees. She was terribly thirsty and hungry. If she only had some berries.

She went on down and came to the place where the water was deep again, and she couldn't find a way around it. It was darker now and not a soul anywhere. She was going to cry again. Perhaps she had better go back and lie down and cover herself with leaves like the two little babes, those poor little babes, whose names I don't know. They were carried away on a bright summer's day and lost in the woods as I've heard people say. And lost in the woods. Lost.

That's what she was. She was lost in the woods as I've heard people say. She had got lost. It was too late now to do anything about it.

She had never been lost before, unless it was a long time ago as I've heard people say because a long time ago she couldn't remember where she was.

But God took care of all little children, and God would take care of her. She was lost in the woods as I've heard people say.

She began to cry a little then, being lost. She would have cried more, but she heard voices calling to her.

—Eva! Eva!

They weren't so very far away, and she called back.

—Papa!

Her voice wasn't very strong because the voices just went on saying, Eva, Eva, the same way, and the way they said it was very musical. They made the name last a long time, and the sound went on quavering after it was really over.

She wandered away from the water and came back, and pretty soon, she heard Papa's voice very close say,

—E-e-e-e-e-va!

—He I nam, Papa.

—Stay where you are, Papa said.

He came over to her, stomping and wading through water. She was very happy to see him and said,

—I dot my dreth dutty.

—So you did, Papa said.

He picked her up and gave her a big squeeze. He was all scratched, and his shirt was torn, and his hair was mussed. As they walked back, he kept calling out,

—I've found her! I've got her!

He went a long way around, and it kept getting darker and darker. When they got to the lake, it was very dark. A lot of people came up with lanterns and kept shining them at Eva.

—Eva, you sure gave us a scare, people said.

She just clung to Papa and was very happy. They got into a boat, and several people were rowing boats over the lake. There were big lights on the water. Papa told her she must never run away again.

—Wheh ith Wethley? she asked.

—O, he's all right, Papa said. Count on Wesley.

When they got back to the camp, Mamma came down, and her face was all wet as a child's is when it has been crying, and she gave Eva a very stern, unhappy look and squeezed her very hard, and said,

—Well, pshaw, Eva, *did*n't you give us a scare!

Everybody was around them and walking with them when they went up to the tent.

—I'm hungwy, she said.

They took her into the hotel and gave her so much to eat she thought she would pop. Everybody at the lake didn't seem to have anything to do except to come in and watch her eat. Men kept coming in bunches with lanterns, and someone would yell,

—She's in here. John found her on the fer side of the lake.

—Right in the middle of the swamp, Papa said, just ready to fall into a pool two or three feet over her head. How she got that far without drowning I'll never know.

—How'd you happen to go there, John? a man said.

—Just a hunch.

—Look at her eat!

—Poor child! she's starved.

She had never been up after dark before. It was just as black as when she woke up sometimes at night. When they carried her out of the hotel and down to the tent, it was sort of cool, and there were lots of people around all smiling and coming up to see her. Her mother took the little dirty dress off and bathed her. Papa picked up the dress and shook it and the little yellow flowers fell out of the pockets.

—Where did you get these? he said.

—Unduh a twee, she said.

—We'll have to give Eva the grand prize in Natural History, he said.

He stood with a strange look on his face sifting the tiny flowers from one hand to the other.

She had meant to tell more about the flowers and all the things she had seen because these were things that no one had ever seen before, and she wanted desperately to tell Papa about them, but she didn't have the words, and she got all sleepy, and they put her to bed.

The moment she shut her eyes, she was back under the trees in the middle of the swamp, where the earth rocked her softly and the warm sunlight touched her cheek, and the soft yellow flowers fell on her hair and eyelids, they said that they made honey out of flowers, and she was hungry and a little sad, waiting for them to find her, and their voices were far-off and

> HAD BEEN A LONG TIME CALLING
>
> AND CALLING HER TO
>
> COME

—BACK where I started from, the Perfessor was saying. Well, thirty-three years ago, the Lord God Jehovah drove me out of Raintree County, and now I've driven him out.

He and Mr. Shawnessy walked up on the verandah and sat down again in the swing.

—And to think, the Perfessor said, that the old ranter himself had been riding the circuit only this morning. Well, it's been a busy day for us all.

The Perfessor looked at Mrs. Brown, who was still standing near the gate. He sighed.

—If I had your chances and my morals, John, what a time I'd have! Couldn't I love that, though! Ah, that is sweet! Look at her out there! Ah, John, life is so good to us, and we are so bad to it! It gives us beauty and the earth and days and nights. Then we build our walls and weapons and defy each other to come in.

The Perfessor was very hoarse. He and Mr. Shawnessy lit cigars.

—You certainly are putting on a good show today, John. As for me, I've nearly talked myself out. What time is it?

—Nine-fifty, Mr. Shawnessy said, consulting his watch.

—What time does my train come through?

—Twelve o'clock.

—You're sure it'll stop?

—Yes, we'll wave it down with a lantern. But, frankly, I don't like to let you go into this dark night, Professor. What will become of you?

—O, it's very simple, the Perfessor said. I shall die.

—In my opinion, no one will hold harder to life than you. You'll take pills to the end and expire with the beginning of a witty word on your lips, as if you intended to finish it in the hereafter.

—But if we could only resign ourselves to death, *complete* death, the Perfessor said, how much happier we'd be! I seem to see things more clearly tonight, John. And I'll give you my *History of Mankind* in a few hundred words, which are more than it deserves.

The Perfessor took a long, hard pull on his last bottle.

—THE HISTORY OF MANKIND

by Professor JERUSALEM WEBSTER STILES

Sometime in the mist of the hugely indifferent ages, the ancestor of Man climbed down out of the elm and walked on his hind legs. The female of the species was beginning to lose the hair around her vestigial tail because the male of the species liked it better that way and chased the ones with the bare behinds. This is called Natural Selection. From this beginning Man became the Bald Mammal— though I must say he carried it a little too far. The tail itself was beginning to curl up and wither, and some of the foremost sports of the day expressed a strong preference for the ladies who didn't have this curious twig.

Dawn Man was a dumb little character with a jut jaw and a flat head, bearing a remarkably close resemblance to a cousin of mine in Spokane. Back in his Asian homeland, where for centuries he enjoyed immunity from serious competition, he managed to evolve sub-species of different colors.

While he was still in his original home, Dawn Man began to enjoy a loud blat that he discovered in his throat. He brayed loudest in the mating season and from that time forth made poems. He was a pugnacious runt from the beginning and fought ferociously with other males for the possession of his little bearded doxies.

With the discovery of fire, our little bastard progenitor won a secure foothold on terra firma and a resounding victory over the other mammals, who were afraid of his torch. Sometime after that, he discovered words, and by words he began to build up his brain, being no doubt somewhat less attractive after he made the top of his head bulge. He spent several thousand years adding to his cortex and his vocabulary, and meanwhile the races of mankind began to spread out, and whole cycles of languages flowered and decayed. Language gave Man a means of transmitting his knowledge from generation to gen- eration. Thus culture came about, being the intellectual inheritance of mankind as distinct from the physical. Morality grew from the fact that Man was a social beast. All Man's moral sanctions were really social. And the only reason Man ever held back his hand in the whole range of his history was the fear of retaliation.

This little Dawn Man, our poor relation, our skeleton in the biologi- cal closet, had wonderful hands. His little deft hands, developed by swinging on limbs and picking fleas, were as good as Modern Man's, and with hands and words he developed his brain. For the human brain itself, with all its wonderful processes of language, memory, aesthetic feeling, and association, was only a highly specialized instrument of survival. Some of the variations of the species seem to run away with themselves and develop beyond the point of utility, and Man's brain, with its myth-making power, wasn't an unmixed gift. Primitive Man was a creature so enmeshed in taboos and totems that he was much less free than the beast he hunted for food. Biologically, Man never came very far from the little bald mammal with the deft hands and vestigial tail who came down from the Miocene oaks all ready to elect Garwood B. Jones President of the United States.

Modern Man began with the discovery of the alphabet. Modern Times were characterized by the following grand illusions—warfare on a large scale, art, religion, and science, most of which had to be written off as a dead loss to the development of life. For example, the invention of gods and finally of God didn't help the Bald Mammal to any noticeable extent. Religion was a purely intramural pastime of the existing tribes. Taken as a whole, God was merely Man's pathetic hope that a creature like himself devised the world.

As for who devised the world, Man never found out. Science, the religion of the intelligent man, never told him who devised the world. But the world wasn't well explained by imagining a Person who made it. After all, what was the Person of God? The most searching theologians were obliged to deprive It of all real attributes and make of It a Great Someone who was Nobody and Nothing. The most advanced men said, Nature is: this Isness is what I believe in because I can see it, measure it, and make predictions about it.

In the department of miscellanies, I wish to take special note of the Christian Religion, the Republic, and the United States of America. The Christian Religion was the cultural product of a little tribe with delusions of grandeur. By a fascinating historical process, the infection spread. But Christianity reached its peak in the Middle Ages, and erosion set in. The Church encouraged the Bald Mammal to believe in his importance, and he could believe in it only if he seemed important enough to be punished for his crimes. Actually, the Universe never cared enough about Man even to punish him. It just accepted him and let him live and die as he could. As for the Republic, it was merely the primitive horde squared—and acted like it. America was one of the more picturesque migrations of the Bald Mammal. One sub-species exterminated another by superior weapons and numbers. As an instrument of biological survival, the American Culture proved a wondrous supple weapon. The Doctrine of Moral and Political Equality invited expansion by attracting other people to its banners. The Economics of Unlimited Material Expansion and Free Enterprise kept the race on its toes and squelched the unfit. And of course the Americans stole a magnificent hunk of earth from lo! the poor Indian.

—And how did it all end?

—We gibbon apes, who superseded Mankind as the master race on the planet, look back today with a certain nostalgia on that quaint dead-end of the Simian Family, whose specialized nervous system led to self-annihilation. Unlike most species, whose decline and fall are gradual, Mankind's collapse would appear to have been sudden and spectacular. Though more weakly armed than the insect in the reproductive battle, Man's overthrow would appear not to have been induced by procreative weakness. The most ancient historians of our own race, to whom there remained some literary relics of the pregibbon ages, refer over and over to the amorous fury with which the human males wooed their pertbreasted and plumpbottomed females (to use the epithet of that quaint old historiographer Jehoshaphat Wooster Stuttius, whose veracity in this particular there is no reason to doubt). Probably it was Man's own somewhat remarkable gifts that proved his undoing. He was his own—and life's—greatest enemy. By his extraordinary mechanical ingenuity, he discovered ways of destroying the delicate adjustment of the species to one another. And in the year 2032, he blew himself right off the face of the earth. *Requiescat in pace.*

The Perfessor made a small, neat smoke ring, which rose slowly and somewhat mournfully into the night.

—And this is *The History of Mankind?*

—This is it, the Perfessor said. What can you say against it?

—Against it, I'll set another history, which is included by it but which includes its includer.

—And this is?

—*The Legend of Raintree County,* Mr. Shawnessy said. A little fable with multiple meanings, and a moral for a vestigial tail.

—All right, the Perfessor said, let's hear it.

—THE LEGEND OF RAINTREE COUNTY
by John Wickliff Shawnessy

Once upon a time a child looked abroad on the darkness of a Great Swamp. And a voice spoke and said a Word.

And behold! the child lived in a place called Raintree County, which had been forever, even as the child had been forever. This was the magic of the Word, for the Word was of God, and the Word was God.

But the child had forgotten the curving path by which he had come into Raintree County, and he had forgotten the location of the shrine where the Word was spoken, and he had forgotten the Tree, which was the living embodiment of the Word. And as he grew in strength and years, he had a quest to find the Tree and the sacred place, which was the source of himself.

Now, wherever he sought he found the earth penetrated by names and peopled by other souls, wanderers like himself in quest of beauty and eternal life. Each one was a private universe. And the feeling with which the child sought to understand and share the universe of other souls was love. When the child had grown in years and strength and had become a young man, his love was a strong desire to pluck forbidden fruit and know a sweet pleasure which only could be found with a mysterious creature like himself but subtly different, who embodied in her white beauty the ancient secret of the earth touched into breathing form.

Meanwhile, he and these other souls struggled darkly through a series of Events, the imperfect writhings of their human dream. Out of them they built a fiction called the Past and embodied it in a myth called History.

And seasons and years passed, and he continued in his quest, which was no other than to win eternal life from darkness and a dream of darkness.

And slowly he discovered that in the imperfect world of his personal dream, he had been making the legend of a hero. This hero was Humanity, and the place in which the hero strove for beauty and the good was the Republic. Both Hero and Republic were immense fictions. They could never have existed without their poet, but neither could he have existed without them.

For he had localized the great myth of the Republic in Raintree County. He and all who had ever lived had labored to create this vast, amiable legend, the Republic, and this most gentle and passionate of heroes, Humanity. Unknown to himself, the child had already consummated the quest, the quest being itself an eternal consummation.

And in so doing, he became in truth, what he had always known himself to be, the father and preserver of Raintree County, which without him never could have been at all. And thus, by becoming most himself, he became a greater than himself—in fact a god, who singly by his own desire and faith created and kept alive a universe.

—And thereby hangs what tail?

—And so he learned that Raintree County being but a dream must be upheld by dreamers. So he learned that human life's a myth, but that only myths can be eternal. So he learned the gigantic labor by which the earth is rescued again and again from chaos and old night, by which the land is strewn with names, by which the river of human language is traced from summer to distant summer, by which beauty is plucked forever from the river and clothed in a veil of flesh, by which souls are brought from the Great Swamp into the sunlight of Raintree County and educated to its enduring truths.

—And this is *The Legend of Raintree County?*
—This is it. What can you say against it?
The Perfessor had sunk far down in the swing, shoulders hunched, head sunken between them, face in shadow. After a while, his voice rasped up as from a cave.
—To my *History of Mankind,* he said, I wish to append a footnote:

Homo pluviarboriensis, or Raintree County Man, who evidently consisted of a dried testicle, a copy of the *Indianapolis News-Historian,* a cake of Pears' Soap, a Colt revolver, a McGuffey *Reader,* and a railroad spike, was dug out of a tertiary stratum in which were also imbedded *bovum domesticum* and his spouse *bova domestica, la cucaracha,* and John D. Rockefeller.

The Perfessor considered this so funny that he shook, choked, and coughed for half a minute.
—Seriously, John, he said, there's much truth in what you say. Your *Legend of Raintree County* is a beautiful and brave fable. For my part, I love ideas, and I love people—some people. I think that in our human world are all beauty, goodness, love, and godlike disputation. Only, I also think that all this is only a mist—a dream, if you will—from which we awaken into nothingness. All this is only a by-product of blind process. In the enormous web of chance, which

a little while ago you described so eloquently, I believe that there was no provision for myself or any other, but that we merely happened to arrive. I go forth beneath the skies of your Republic, and everywhere I see impermanence—beautiful, fleeting forms, among whom, alas! most beautiful and most fleeting, I perceive a certain reflection in a mirror—Myself! A man knowing himself is merely a property of living matter, the by-product of certain agitations in his nerve-system.

—I name, Mr. Shawnessy said, the Sacred Name of the Great God Nerve-System. His Law is Cause, and his abode is Space, and his Divine Substance is composed of Matter. Through his all-pervasive body Electric Impulse passes and creates the World. This is the Truth, the one Truth, and the only Truth. And when the Great God Nerve-System dies, then shall we all be dead and overthrown. And we who believe in the Great God Nerve-System accept on faith—for in our infinite humility we do not understand—the Sacred Mysteries of Name, Cause, Space, Matter, Electric Impulse, Truth, and Death. For all that we are and all that we hope to be we owe to the Great God Nerve-System.

The Perfessor elevated his hands in a priestlike gesture.

—You are taking advantage of a sick man, he said. What do *you* believe in, my boy?

—In miracles.

—Such as?

—In the eternal miracle of the living Self which is greater than itself. From this premise all begins: that science and all the world are unavoidably human. Everything exists by the authority of that sturdy republican, the Self. The world in which we live lives in us. To look outward at the farthest star is to look inward into oneself. We are merely exploring our immense cupboard.

—Get me another bottle off the shelf, the Perfessor said.

He tossed an empty bottle into the bushes.

—But, John, your Self and its precious Ideas don't explain anything.

—For example?

—They don't explain your Self and its precious Ideas. By what authority is the Self here and who or what implants its Ideas? To be brutal with you, boy, what is the *cause* of all this?

He made a gesture with his hand indicative of the night, the fountain, Mrs. Evelina Brown, Esther Root Shawnessy, and the children, who were busy fixing rocket sticks in the ground.

—There are laws beyond the Law of Cause.

—Such as?

—The Law of Being.

—Which is?

—I am that I am.

The Perfessor crossed himself and shuddered dramatically.

—Then to be is to be God?

—In a way, yes. Beyond all Cause, is the Uncaused Thing, the Causer that isn't Caused. Beyond every mystery is another mystery—by Cause itself, which creates more and more causes by its own law.

—But what is the ground of it all?

—The ground of it all, the Uncaused Causer, is a Self, which must always assume a prior cause, creating mystery out of its own law of order. The deepest intuition is that we are alive in mystery. Know thy Self, Professor, and the greatness of thyself.

—And is this Self God?

—Each Self participates in God.

—John, the Perfessor said, I have a crudely logical mind, and I must say that if I have to believe in God, frankly I would rather believe in the crude old God of Christianity because this comfortably crude old God was at least a creator, and He crudely explains what I cannot explain and didn't create—the world and its creatures.

—But the world is a perpetual creation, Mr. Shawnessy said. Every moment of it is an intense, sustained act of creation, in which everything participates. Each Self is a part of this divine act of creation and couldn't detach itself from it if it wished. Each Self is a Universe, and no universe is possible without God.

—I have a petty geographical mind, the Perfessor said. This Self—where does it live?

—In Raintree County.

—And where is Raintree County?

—Where is Raintree County? A profound question, Mr. Shawnessy said.

He studied for a moment.

—That's like asking, Where is place? The only reason we can

come back to Raintree County is that we've put it there ourselves and haven't forgot it. Raintree County was never contained in its map. Nor, I trust, was a human being ever contained in that semblance made of dust and called a face.

—That's what you meant this morning, John, when you said that a face is a map?

—Yes—a symbol of what is always placeless, being its own place, of what is always wandering, exploring, creating—a human soul. A face—like a map—is the earth imbued with human meanings. And the earth is a Great Stone Face, in which we perceive the profile of our own life.

The Perfessor made a motion of frivolity with his head and shoulders.

—Great Eve, the Mother of the Race,
Went to bed with the Great Stone Face.

As the dialectic died in this perfessorial couplet, Mr. Shawnessy was thinking of the map of Raintree County, repeated in many copies— one by an old landsurveyor, another varnished and hanging in a clockless court house, another faintly colored and finely printed in an *Atlas of Raintree County, 1875.* What dream was this in which the earth was ensnared on a piece of paper?

He had a moment of doubt. The myth was beautiful, but was it truly lasting? Who could save Raintree County from destruction, what brash hero, weaponless and now with fading temples? Or who could save the hero himself, whose life was twisted with this legend of the earth? Or who could save his children or his children's children? How and why did it ever happen that there was once a place called Raintree County, and a young man grew up beside a road and visited a court house square on Saturdays and lay beside a river with a mystic name and fell in love with another soul? What were all the wars and the City days and the letters and the newspapers now? Some day, suddenly and surely, this little piece of paper called Raintree County would be rolled up and put in a bottom drawer of the Cosmos along with the loose sheets of an unfinished poem, and it would be forgotten. Forgotten. Lost.

On an obscure impulse, he reached down into his left coatpocket and fished up the letter that he had got at the Post Office in the morning. He tore it open, held it in such a way as to catch the glare of the lanterns, glanced over it, and then read it to the Perfessor.

—Dear Mr. Shawnessy,

In reply to your request for information concerning a family burial lot in Havenholm, we wish to advise that we have such a lot available for you at moderate cost. Burial Plot 163 is at the south side of the Cemetery, on the peripheral drive, near the railroad. We cordially invite you to examine it at your convenience. Havenholm, the Cemetery of Beautiful Rest, has recently been enlarged and landscaped, and the beloved dead may be committed here with the satisfaction that they will be cared for in death as in life.

The lot in question is ten by twenty feet and costs $50. For $50 more, you can purchase Perpetual Upkeep.

If you are interested, let us hear immediately. A check by return mail will insure your retention of this plot. We have many requests, and we wish to give you exactly what you want.

Respectfully yours,

The Havenholm Graves and

Markers Company, Roiville, Indiana

—Buy, buy! the Perfessor cried, rejuvenated. Have and hold in Havenholm! It's a sure investment, the one piece of real estate you'll never part with! It's a bargain! Eternity for fifty dollars!

—Do you think I ought to buy Perpetual Upkeep too?

—They're giving it away! the Perfessor said. Ten thousand years from now they'll still be changing the posies in your urn and wiping the bird dooey off your block.

—But what if they lose the account book? Or what if they just plain decide they won't do it?

—You won't mind, the Perfessor said. You have bought and paid for two beautiful and satisfying words, 'Perpetual Upkeep.' Are you afraid to think of yourself lying by the railroad, John?

—I shall never lie by the rails with unlistening ears, Mr. Shawnessy said. Even now, as I think of my stone there, and others rising in years to come, and the great trains passing day and night, and the feet of pilgrim hundreds——

—*Blest be the man that spares these stones,* intoned the Perfessor.

—I'm certain that I, John Wickliff Shawnessy, won't be there.

—Just so, said the Perfessor. You won't be there.

—If I should die, the human world dies with me. Nothingness knows no Time nor Space. To it ten million years are like a second. In the very instant of my nothingness, the whole pageant of humanity expires. The faces that leaned over me in the moment of parting, that sorrowed at my death, they too are all gone in the moment of my becoming nothing. Nothingness! Can you imagine real nothingness, Professor?

The Perfessor chewed his cigar in silence. A little reluctantly, he said,

—No.

—If I—who am something—were to become nothing, it would be the annihilation of everything. On my life, the world depends. After all, nothingness is not and cannot be.

—Then you believe in resurrections?

—In Perpetual Upkeep.

—And yet, John, the Perfessor said, suddenly bestirring himself, as if for a last effort, nothing is more certain than that fifty-four years ago, there was no John Wickliff Shawnessy. You yourself have a memory of awakening awareness and no prior memory. Why then do you suppose that fifty-four years from now there will be a John Wickliff Shawnessy?

—I didn't exist before or after. I exist always. It's a riddle of Time. Time was when Time was not. Man doesn't live in Time, but Time in man, eternal conjugator of the verb 'to be.'

—Ah, my boy, the Perfessor said, adopting his gentle, sweet manner, what really worries me, you see, is that I'm afraid to die. I do not sincerely believe that I will live forever. I do not sincerely believe that anyone who ever died was ever seen again on earth or heard again. I do not sincerely believe that there are resurrections. I do not sincerely believe that the dead lovers ever find each other again. And from this one fact, more than any other, I derive my great Nature God, who doesn't sincerely believe these things either. You see, my boy, I am afraid to die. I am afraid of the grave.

The Perfessor appeared somehow pleased and revived by this confession. He bestirred himself, sitting up as if for a last effort.

—You know, John, in your pleasant vanity, you remind me of another misguided idealist, young Jesus of Nazareth, who also believed in the Resurrection and the Light. And yet, the resurrection of Jesus was a myth like those that have gathered in the wake of every great moral personality since the world began. If it weren't for the newspapers, Lincoln would have had a resurrection. I wish I could go back to the days after the murder of young Jesus and take a series of photographs and write it up for the newspapers as it really happened. Call it if you want to

THE REAL STORY OF THE RESURRECTION
by Reporter J. W. STILES
(Epic Fragment from the *Cosmic Enquirer*)

Imagine yourselves, friends, plucked up and put down in the middle of the crucifixion scene as it really happened. You see a very Semitic young Jew hanging naked on a cross and groaning audibly. He's sweaty and ugly as all men are in pain, and you perceive that he's flesh and bone like anyone else. Everyone around you has a drab, everyday look, and there aren't any thunderbolts from heaven. The aging shabby Jewish woman standing near-by with some other crones is, of course, Mary, the Mother of Jesus. She's shaking her head and moaning with grief. Young Jesus, the first of her nine children, always had been a source of great concern to her, ever since his dubiously virginal begetting had caused her such anxiety—until she caught the pliant Joseph for a husband. And ever since adolescence, young Jesus had raised a stench in the local community with his overactive mentality and his messianic obsession. Now here he is at last, being nailed up like a common criminal between a couple of thieves.

Now if you follow this great Passion a little farther, you see the women take the bedraggled and very dead remnant of young Jesus from the cross. Just now, it looks as though the whole thing is washed up. A little more historical perspective on the part of the local authorities, a little more judicious killing, and Jesus will go into the records as an old forgotten court case—you know, another one of those young Jews that are always coming out of the hills and pretending to be God.

Just now the disciples are lying and sweating and doublecrossing each other to escape the axe. Some of the miracle-healing jobs are going around, openly admitting that they still have the sores.

Meanwhile, the women, who are the only ones with sand enough to admit a connection with Jesus, carry the body off, and the greatest *corpus delicti* case in all history is under way. The big problem is, what to do with it? No doubt young Jesus himself predicted his resurrection —that would go well with his sublime vanity. The faithful fear reprisals on the body and a possible visit from the civil authorities. So a pretense is made that Jesus has been buried in a certain tomb to throw the policemen off the scent. People come and worship around the tomb and perhaps open it after a few days. No Jesus! He has arisen! some say out of ignorance and others out of deception.

As time goes by and the law fails to take any reprisals, the body becomes more and more important. Meanwhile, the physical remnant is beginning to embarrass its custodians, and the question of disposal gets serious. People are really beginning to believe in the resurrection, and something must be done about it. Some of the sturdier apostles are beginning to get back their courage. They're not going to have a life-career as preachers go down the drain just because the body of Jesus is still around. Besides, people at this time are close enough to primitive mental states so that they can't conceive of real death anyway. What is important is that someone should see the shade and talk with it. Everyone believes in ghosts anyway, and very ordinary people have seen other very ordinary people after death and are willing to swear to it. Nor do people distinguish clearly between dreams and waking reality. Is it any wonder that one or more of the disciples—a thoroughly neurotic gang anyway—claim that they've seen the Master? They're all rival preachers and quarrelling with each other over the spoils. So each comes forward with his own private myth of resurrection, and finally they all get together on a collective falsification. I suppose literally hundreds of people see Jesus in the days following the crucifixion.

But what really happened to that poor outraged, murdered body, of course we'll never know. At least we may be sure that it obeyed the universal laws of decomposition by fire or decay.

The whole thing may be even simpler than that. It's entirely possible that the body remained in a marked tomb for years and was known to be there. We can't emphasize too much how little we know of the real Jesus and how late and untrustworthy our only records are.

A few hundred years after Jesus died, there was a quantity of recorded myth available, and out of this the Divine Scriptures were selected. Thus upon a basis of lies, bad reporting, and the memories of ghost-ridden barbarians, the greatest religion of all time was erected. In the face of this unpleasant historical truth, can you call yourself a Christian?

—In transition, Mr. Shawnessy said. I believe in the eternal existence of a great human being named Jesus, and I also believe that this man was God.

—In the Raintree County sense, said the Perfessor.

—In the Raintree County sense, Mr. Shawnessy said. And as for the question of his resurrection, I do not believe that the physical body of Jesus had a resurrection. This is a crude, primitive conception which retards rather than assists religious feeling. But to think that this Jesus was a man, a human being, and that he was born as all of us are born, and died as all of us must die, makes him a more divine being than if he were some nature-transcending god. I also believe in the Divine Words of Jesus Christ, which, along with some other Divine Words uttered since the beginning of time, affirm the sacred and eternal miracle of life.

—You know, John, the Perfessor said, with a little luck, you might have been a messiah yourself. But you were born into the age of newsprint and the locomotive. Do you really want to be a Great Man, my boy?

—Of course.

—Then I'll tell you how to do it. Die obscure. Fifty years later, when civilization has all but destroyed itself and has returned to moral barbarism, your epic will be found among the ruins in a state of tantalizing incompleteness. The critics will acclaim it an authentic masterpiece, having the freshness and golden splendor of America's lost youth. Lines from it will be on everyone's lips. But biographers hunting for traces of the author will run up against a series of locked doors. Instantly, people will come forward with hundreds of untrue stories about you that will be canonized and a few true ones that will be discredited. Forged letters will appear that will be much more flattering to you than any you might have written. Someone will come out with a book to prove that you were really a down-at-the-heels country schoolteacher of no ability and that the great work attributed to you was an unacknowledged piece by Walt Whitman. Several unidentified photographs of this era will be proved beyond contention to be you. Three incredibly old ladies will claim that they enjoyed intimacies with you in your heyday and will write memoirs to prove it. A monument will be erected to your memory on the banks of the Shawmucky. An illiterate old man will show visitors through the Shawnessy Home in Waycross and sell them hunks of wood from the local lumberyard as chips from the eponymous Raintree. Someone will contend that your father and mother were never legally married, and the way will be open for a doctrine of a virgin birth. And if you can manage to hide the *corpus delicti,* I might even promise you a resurrection and a religion of which you will be the new messiah.

—Well, it's entirely possible that I'll stay here in Waycross the rest of my life and die in a roomful of unsorted manuscript.

—John, the Perfessor said, please don't speak of dying. My own death I contemplate with some degree of placidity and resignation. But somehow it makes me bleed to think of you dying. Of course, you have the advantage of the rest of us. You've already died once and come alive. *Sleep in thy hero grave, belovèd boy!* No, my boy, never die, if you can help it. You're my last great hope. When all is said and done, I'm damnably afraid of this dream in which we live and of its sudden awakening. It has been a rather dependable dream in some ways. It has always been possible to get on a train in New York City and arrive after a day or so in the neat rectangle of Raintree County. But I'm afraid that all the time we were all lost and didn't know it, because it wasn't really possible to come back to Raintree County even in a dream.

The Perfessor's voice was cavernous. He seemed a rack of bones hunched in shadow, faintly shaken by the swing.

—Lost! he said. Lost in the nation of the railroads and the century of wars and revolutions. You can't go back to Raintree County and find it, because it won't be there. Not one—*not one single moment* of time past can ever be got back. *Not one little thing* can escape change and death. Lost, the early Republic of our agrarian dream. We fought for it in battle and destroyed the thing we fought for. Lost, the years of our youth. They were good days and many, and they are all gone. And think of all the girls, John, the lovely girls, the lushloined girls who have gone down into the gulf of years.

Mr. Shawnessy shuffled the loose leaves of Senator Garwood B. Jones's manuscript, stuffing up the righthand pocket of his coat. *Memories of the Republic in War and Peace.* Perhaps on page 46 there would be an engraving of one of the lost faces, a floater on the mystic river. Drowned in years.

O, river of remembrance, you carry her on your memorial tide down many summers through an ancient Raintree County. O, nymphic whiteness and the river green with life! O, young—forever young!—and prediluvian days.

It was getting very late. The day seemed to be running in jagged rhythms, eccentric and aimless, but far beneath it, was a leading idea, a river of memory that had been moving all the time toward a shadowy gulf.

He shut his eyes. He was taking the long way, the river way to the homeland. He seemed to be bearing a map to a place that had been lost. He held a parchment, yellow, immensely old, smelling of goat's musk. Archaic symbols—hieroglyphs, dawnwords—cluttered the margins. He heard dawnsounds. Great waterbirds plunged squawking into flight from the rivermarge. Frogs shouted from the shallows. The papyrus rushes made a murmuring sound. He heard the hiss of oars breaking the green skin of the river. There was a place where his boat had mudded in a swamp that choked the river's flow. A yellow pollen lay inches deep on the heaving muck. Reptilian birds beat upward on vast batwings from banks of rushes big as telephone poles. Their horrid cries clanged on the stridulous murmur of the Great Swamp. He floundered in sucking bogs, half-drowned in light and life, and a forest of flowering trees nodded their plumed tops at him. The flowers were halfsized human heads, dipping on fleshy stalks. One was the face of a certain lost young woman. Blushing, with eyes averted, it whispered in husky accents, *One for whom you once expressed affection, Johnny. . . .* Faces, innumerable faces, swam on the thick air, and some were the withering faces of children on blasted stalks, and the flowerfaces filled the swamp with a low, terrible cry.

—Ah, God, the Perfessor was saying in a low, terrible voice, if there were just some way to keep from going down into that Great Dismal Swamp!

Beneath his shut eyes, with startling vividness, Mr. Shawnessy beheld the form of Professor Jerusalem Webster Stiles sinking, pince-nez glasses and all, into the muck of the Great Swamp. The Perfessor seemed to be taking it placidly enough and made no struggle as the mud climbed up his white linen suit. Down he went deeper and deeper, weakly waving the malacca cane, his mouth submerged and bubbling slime. Attempting to rescue him, Mr. Shawnessy felt himself also plucked into the heaving pool, and in a fit of anger at the Perfessor's resignation, he caught the linen collar in his right hand and angrily shook it. The Perfessor tried vainly to escape. He wriggled and ducked and squeaked, he shrivelled and wept and pleaded. Then in swift succession, he changed into a grinning skull, a wood nymph, a revival preacher, the Pope of Rome, a bony goat, a Republican Fourth of July Orator, a Democratic Congressman from the Deep South, a Certain Eminent Statesman, an Exceedingly Rich Man, an Illustrious Commander, a gray rat, a mortuary effigy, a bottle of rotgut whiskey, a book with ELBIB gilded on the cover, a hissing serpent, a copy of the *News-Historian,* a classroom pointer, a glistening black insect, and at last a small darkhaired boy, sobbing and trying to pull an old oaken bucket out of a well.

Mr. Shawnessy looked sharply at the collapsed form of the Perfessor on the porchswing and shook him gently by the shoulder.

—Good friend, for Jesus' sake forbear
To dig the dust enclosèd here,

groaned the Perfessor.

—Wake up, Professor. It's about time for the fireworks.

There is a music on the ties of time. The clock in the Court House Tower is telling the time of day. Come back. Come back to Raintree County. Come down the branchlines of the past and take another turning. *Wake from thy hero grave, belovèd boy.*

For resurrections! For homecomings! For heroes! A last inscription! For soldiers who died for the Republic! For warwounded, casualties, homeless ones! For amputees of legs, arms, eyes, and hopes! For those who were falsely reported missing in action! For those who were truly reported missing in action! For all the Americans who tried to find their way back to youth and hope!

For all the converts and disciples who hunted for the Master! For all the mothers who waited in the night and never gave up hoping! For all who were once living in Raintree County! For all the lost souls hunting for each other and reaching out hands and touching each other with words! A last inscription.

For all who wait for the millennium, for all the campers on the hills waiting for the world to end, for all the revivalists and resurrectionists! A last inscription! O, I shall make a last inscription for all the passengers on trains crisscrossing on the roads to home. O, I shall make inscriptions and inscriptions for a lost young man, the father and preserver of Raintree County, returning out of windless days in summer, and I shall tell the story of a day

May 31— WHEN —1865
JOHNNY CAME MARCHING
HOME AGAIN (HURRAH, HURRAH)

or—more accurately—riding on a train, it was a day in the late spring, and the weather was fine. As the train approached Free-haven, after a brief stop at Three Mile Junction, he stood up and went to the cardoor, craning for a look at the Court House cupola, which he hadn't seen for nearly two years. But now the train had turned and was running directly toward the center of town. There were few people in his coach, and none besides himself who intended to get off. He decided that he still had a long way to go to recover from his sickness, for his legs were weak and trembly, and his heart beat uncontrollably fast. He had to sit down after all.

He could see his face dimly reflected in the smokebleared window, a thin, curiously youthful face. Though his uniform had looked smart when he left Washington, two days and nights on trains had made it slovenly. Despite the heat, Johnny buttoned it to the neck and set his cap straight.

A wild young happiness flowed over him, and he turned his face toward the front of the car so that people couldn't see his emotion. Everything was soft and radiant in the spring light. It was morning. Out of thousands, he had come back. Out of thousands and hundreds of thousands, he had been chosen.

He had a few more minutes to live in his private never-never-land of suspension between two worlds, war and peace, wandering and homecoming, death and life.

He leaned back against the seat and shut his eyes. He took a guilty pleasure in thinking of the sensation that his return would cause. He could already see the headlines. . . .

LOCAL HERO BACK FROM THE GRAVE
(Epic Fragment from the *Mythic Examiner*)

Over six months ago, young Johnny Shawnessy was reported killed in action. Today he is back in the land of the living. At exactly ten-thirty yesterday, he stepped down from a train into a community as much thunderstruck as if the Judgment Day had come and yielded up its harvest. Words fail to describe the sensation caused when . . .

But he hadn't been able to banish an undercurrent of anxiety felt ever since a stranger in Washington had confidently pronounced him dead. Could the soldier whom seven months ago the newspapers had interred in fragrant prose really come home? Was it possible to find one's way back to the gentle County of the elder days? And which had changed more—himself or Raintree County?

He touched his righthand coatpocket to reassure himself. In it, he had a dozen letters that Nell Gaither had faithfully written to him during his days at the front.

Dearest Johnny, I seat myself and take my pen in hand. . . . My darling, I think of you all the time. I hope these few words find you well and strong. . . . Johnny, come back safe, and don't forget one who . . .

They had been in strange places—these letters. They were worn from rereading and stained with fingerprints. These letters had gone from Atlanta to the Sea. A couple of them were smeared with blood.

But then he had heard of boys who had come home with letters like these to find the girl married to a fat civilian and insisting that she had merely done her duty and had written the same stuff to lots of boys to help bring them through the fray. Girls were incurable sentimentalists and would write nearly anything in a letter to a soldier of the Republic a thousand miles away.

Nevertheless, if all went well, he would come back a hero, and he would get his marriage to Susanna annulled, and he would take Nell away from Garwood Jones. It was no more than Garwood deserved for writing that repulsively sincere poem. Yes, if necessary, he would take Nell Gaither and go West and start up a new life. Lots of the boys were going West, and he had always wanted to go himself. Not that he would be in any great hurry to leave the County right after getting back to it. It looked plenty good to him. His tastes had been simplified by two years of soldiering.

His excitement went up as the whistle shrilled at the crossings and the moments ebbed away. Green, fragrant, familiar, the fields of Raintree County flowed by him in the sunlight. Here was a house that he knew, and here a little leaning shed that had been slowly decaying for as far back as he could remember. A barn just outside town still had a familiar legend little faded in two years' time:

BUY DOCTOR HOSTETTER'S STOMACH WATERS

He could see the houses of Freehaven and among the roofs and trees a steeple.

> The churchbells, they will ring with joy,
>   Hurrah! Hurrah!
> To welcome home our darling boy—
>   Hurrah! Hurrah!

He went out to the observation platform and leaning out a little looked down the tracks to the station. The train began to slow down, bell clanging. There were some people standing on the platform. He couldn't keep from grinning. Probably someone would recognize him.

HUGE DELEGATION GREETS RETURNING HERO
(Epic Fragment from the *Mythic Examiner*)

It was a gala day in the old home town. The whole dern county, as the poet says, turned out to welcome back Raintree County's distinguished soldier-poet, Corporal John Wickliff Shawnessy. When the young man descended from the train, he was overwhelmed with the scene that greeted his optics. One thousand people had somehow managed to cram themselves onto the platform and into the station yard, and were backed up several hundred yards on the walks and streets leading down to the station. A brass band played appropriate national airs, and his honor the Mayor was on hand to confer upon the young soldier the key to the City. Our manly hero, as bashful as he is brave, is reported to have said, upon seeing this acclamatory multitude, 'Shucks, I'd rather face Rebel musketballs.'

He tried to slip away from the scene unnoticed, but the crowd would not permit it. Hoisting the young Cincinnatus to their shoulders, they bore him off to the Square, where . . .

Corporal Johnny Shawnessy got down into the station and looked around. The people who had been waiting on the platform boarded the train without noticing him.

An enigma presented itself to him. He had marched hundreds of miles, emancipated a race, and saved a republic; and when he came back, he found the station hardly changed at all. The brute immutability of physical things appalled him and yet filled him with strong excitement.

He walked out into the street and started toward the Square, carrying his suitcase. It was a usual summer weekday in town. Hardly anyone was on the streets. When he reached the Square, he understood why he had been unable to see the cupola from the train.

Where the Court House had been, there was a sunken pile of fireblackened bricks and timbers. What was left of the cupola lay on its side, half sunken in the middle of the pile. The Court House had evidently burned down months ago, for weeds were growing in its grave.

The four sides of the Square were visible all at once. The little shops, stores, banks were naked and dingy. In fact, the Square as he had known it was simply not there at all any longer.

He walked to the ruined yard and sat on his suitcase in the shade of a tree. It was a much hotter day than he had supposed at first, a real Indiana scorcher.

There was no use kidding himself. Everything would be changed more or less. In the ashes of the Court House, of its Grecian columns and white cupola, in the ashes of its chaste republican design, a great many memories were inurned—memories of the old hitching-post days, the Fourth of July celebrations, the platform speakers, the county fairs, the barkers for the sideshows, the medicine venders, the phrenologists, the footraces, the temperance rallies.

All he needed was a rusty gun, and they would take him for Rip Van Winkle.

Nevertheless, he was feeling pretty good. It was fun to prolong the suspense a little before really coming home. After all, people came home to people, not to places. There was no memory in the earth. There was no memory in trees, buildings, houses. He had remembered them, but they hadn't remembered him. Shucks, they could burn down the whole town as far as he cared. But there were people who couldn't easily have forgotten Johnny Shawnessy, he of the affectionate smile and the innocent young eyes, he of the fleet legs and the gifted speech.

Just then a middle-aged man walked past, eyeing Johnny curiously. He stopped and came back. Johnny remembered the man's name, though he hadn't known him well. A little sorry that he was going to be greeted home by someone besides a close friend, he waited for the man to speak.

—Hello, there, the man said. Say, ain't you one of the Shawnessy boys?

—Yes, sir, Johnny said, standing up crisply, as if coming to attention.

—Well, I see you're back from the War, the man said, jedgin' by yer uniform.

He kept peering at Johnny, almost suspiciously.

—Yes, sir, I'm back, Johnny said.

—Well, sir, it's been a long war, the man said. How long you been back?

—Just got back, Johnny said.

—Well, well, the man said. I reckon you don't remember me.

He watched Johnny closely, trying to size him up.

—Sure, Johnny said. Harley Walters.

—You do sure enough, the man said. I know your pa well. Well, I reckon you saw considerable fightin'.

—Quite a bit, Johnny said.

—Lots a boys been comin' back lately, the man said. We had quite a cellybration just yestiddy, welcomin' General Jake Jackson back. They had a lot of troops up from Kentucky. You remember young Garwood Jones?

—Sure, Johnny said.

—Well, he led them boys, and say, they was somethin' to see! I never seen sich a smart bunch in my life. He marched them around the Square several times, and right here where we're a-standin' they had up a platform. Colonel Jones got up and made a speech recitin' the deeds of General Jackson and tracin' the course of the War, and say, I want to tell you it was a humdinger! Then General Jackson got up spite of wounds that hadn't healed yit and give a grand speech. We hain't had sich a cellybration fer back as I kin remember. It practically laid us all out.

The man stopped and eyed Johnny a little suspiciously.

—What campaigns did you fight in? he said.

—Chattanooga, Johnny said, Atlanta campaign, and the March to the Sea.

—Yes, we've had several boys back from those, the man said. You look a little peaky and kinder washed out. Must have been hard on you.

—Yes, sir, Johnny said. I've been a little sick.

—Well, sir, the man said. Well, anyways, you ain't dead. Lots of boys died.

Johnny knew then that the man didn't really remember him or must be taking him for one of his brothers. He decided to let it pass.

—Well, sir, the man said, I got to be runnin' along now. Good day to ye.

—Good day, Johnny said.

He stood a moment, watching the man walk off. Panic went over him. He had had dreams of returning home and not finding anyone who knew him or cared about him any longer.

He picked up the suitcase and went over to the office of the *Free Enquirer*. The door was open, but the office was empty. Johnny went in. He set the suitcase down and peered around. The office had the old inky smell. There were scraps of papers everywhere. His own old desk was littered as if someone had just been working there.

In a corner of the office was a table piled up with copies of past issues, an accumulation of seven or eight months.

A strong curiosity caused him to go over to the pile. Here was the record of a Raintree County that had given him up for dead. Here was the history of the earth after his demise, the record of a world that had gone on without him.

He felt a feverish excitement. He was about to cheat death and read forbidden words.

He plucked up a huge flexible load of papers and read the date on the earliest. November 12, 1864. It was full of news about the Election and President Lincoln's victory over McClellan. He remembered the date spoken by the stranger in Washington—November 18. He leafed through and found the paper for that day, turning the others upside down on his old desk.

Sure enough, here was the news of his death. He turned more papers, running his eyes up and down the columns. Except for the war news, the columns carried the usual diet of deaths, marriages, births, society news, reports from surrounding communities, personal notices, poems. His death had certainly not put the institution of newsprint out of business.

He turned pages rapidly. Yes, here were other mentions of his name. On November 25, Garwood's poem appeared, borrowed from the *Clarion*, but with typographical errors and on the back page. Johnny was a little hurt, but supposed that the position was dictated by political considerations and lack of space. After the appearance of Garwood's poem there was no further mention of John Wickliff Shawnessy. Other war dead were mentioned, among them two or three boys he had known, and there were other poems. He read some of them. He derived a wan satisfaction from the fact that they were neither so eloquent nor so metrically perfect as Garwood's poem.

He kept turning pages. He ran his eyes up and down, hunting familiar words, almost afraid of what he might find. He turned a week of papers, reading less and less carefully. Then on the front page of the paper for December 5, he saw a headline:

JONES-GAITHER RITES SOLEMNIZED

He drank the article down at a gulp. It had been a church wedding with the usual embellishments. The bride had worn a simple but fetching white dress. The groom, who had been on leave for three weeks following his successful campaign for County Prosecutor, was resplendent in his Colonel's uniform. There was to be a brief honeymoon before the Colonel returned to pressing duties at (or adjoining) the front. Cassius P. Carney had been best man, and the bride's father had given Nell away. At the reception afterwards, Mrs. Garwood Jones had received a host of friends and well-wishers at her father's estate in Shawmucky Township and had left with the groom for parts unknown in a simple goingaway gown of green brocade and a bonnet trimmed with flowers. Rough military friends of the Colonel had planned a chivaree, but the Colonel fooled the whole bunch by a cleverly timed getaway. Guests at the wedding and the reception had included . . .

Corporal Johnny Shawnessy lifted the heavy load of papers and carefully put them back on the table. He picked up his suitcase and left the office. His throat felt hot and choky, and his eyelids burned. He walked across the street and put his suitcase down in the shade of the tree again. He sat down on it and stared at the ground.

When Johnny comes marching home again (hurrah, hurrah) . . .

The first wave of anger and disbelief passed and left him pale and weak. After all, what did the dead expect? Did the dead have any rights? Besides, long ago, he had said good-by to a tearstained face on a rainy night in December, and the next day he had left Raintree County with a bride, though the getaway hadn't been very cleverly timed.

It occurred to Corporal Johnny Shawnessy that his anger was the first sign that he was getting well and becoming a civilian again. In a few days, he would have all his old vanities and vices back. The purity of the soldier was already passing. But what about the yellow corpses in the Soldiers' Hospital, the mouldering form of Flash Perkins on the edge of a forest near Columbia, South Carolina? What was a newspaper article more or less to the dead? After all, he couldn't expect to come back and have the world at his feet. Who did he think he was anyway?

Panic rushed through him. He wanted to go back and read the rest of the papers. After all, in six months, terrible things could happen, things that one didn't even want to dream about. He hadn't had a single word from home for six months.

He got up and took his suitcase and started out of town along the familiar way. He felt as though he were going to choke, and reaching up found his collar buttoned tight and the blood throbbing beneath it. He opened the collar. Sweat dripped into his eyes. He ran a few steps now and then, but the heavy suitcase slowed him down. Grass, weeds, and flowers along the road were thick and fresh. In the air was a fragrance of clover hay, the first cutting.

They were cutting the clover in Raintree County, and Johnny Shawnessy had been six months buried in the memory of Raintree County.

The corn was a hand high, bright spears in wavering rows. Wheat, a tender, undulous carpet, covered the uplands along the

Shawmucky. When he reached the river bridge and looked down the street of Danwebster, he saw a few men around the General Store. He didn't want them to see him. He didn't want anyone to see him until he got back home. He made a quick decision. After crossing the bridge, he climbed down to a path that followed the river bank.

The river was cold and shallow here at its great south bend. The air was tranquil under the bordering trees. Frogs splashed in the shallows, fish leaped, heads of turtles broke the skin of the water, floating. The river had a cold old smell of rottenness and fishy life. The Civil War had come and gone, Chickamauga had been fought by furious thousands, Missionary Ridge had been scaled from base to summit, Atlanta had been burned, Savannah had been taken, Lee had surrendered, Lincoln had been shot, and Corporal Johnny Shawnessy had been interred in iambs. And all this was simply nothing to the river.

How beautiful the still air was under the trees beside the river! Ah, it was all here, the same plentiful and peaceful earth. All the old symbols were here, the tokens of the legend, waiting to be read. The great enigma was here, murmuring its lost language among the rushes at the river's edge. Whither, whither, whither, the waters said, and whence, whence, whence.

Johnny had expected to give the mill a wide berth to avoid seeing anyone, but to his surprise the mill was abandoned. The wheel had been dismantled, and several timbers were down. He sprang up on the northern abutment. Then on a sudden impulse, he walked across to the other side. The path had been freshly cut. He reached the railroad embankment, climbed over, and made his way to the hill beyond. He reached the iron gate of the Danwebster Graveyard. He could see the family lot over in the far corner, the two stones marking the graves of his little sisters who had died in the epidemic of 1842.

There was a new stone in the Shawnessy family lot.

He started over to it, but almost stumbled on a grave that was lying across the way. It had the usual raw look of a new grave. There were withered funeral bouquets lying on the mound. He glanced at the stone, rising in a tranquil arc. The legend was simple.

NELL
Wife of Garwood Jones

Died in Childbirth, May 24, 1865,
and
Lies in this Earth with her Infant Child.

. . . .

'We Parted in the Springtime of Life,
Nell and I.'
S. FOSTER

Johnny Shawnessy sat down on his suitcase again. He was really very weak.

He looked at the stone, reading and rereading the words. He looked at the fresh gash of the grave, the fast-withering flowers. It had rained since the burial.

So then, all the time, these legends had been a-building. Day and night, while he was gone from home, the words had kept coming from the presses. Time hadn't stopped in Raintree County, merely because Johnny Shawnessy had gone to the War. Birth, marriage, death, the cutting of the clover, the harvest of the corn—all these things went on.

And the river had carried its unceasing burden of musical waters to the lake, day after day, and who could say how many creatures had died and sprung into birth along the valley of its course!

If only this grave were not so new and naked and ashamed! If only the years had touched it with gentle curves and greenness!

He made some calculations. Nell had been dead for a week only. The child, since it was unnamed, must have been a very premature birth. May 24. That was the day of the Grand Review in Washington. Garwood must have rallied fast for the victory celebration in Freehaven.

Well, what about Corporal Johnny Shawnessy? He had been a jaunty marcher on that day. Or was there really a relationship between what he was doing that day and this legend in stone? Hundreds and thousands of years would make no difference now to the green-eyed, streambegotten girl named Nell. He had never known her anyway, the real Nell, who had lived a hundred thousand hours in a Raintree County uniquely hers, while Johnny Shawnessy had gone selfishly along his own way, building fantastic dreams of love and fame.

Who was Nell Gaither that was once the belovèd of Johnny Shawnessy? Who was she that lay beneath these weeds? Did she rise once from serpent waters—a precise little face, gold hair streaming, wary eyes? Was her white back a stately column in the sunlight? Who was she that was once the belovèd of Johnny Shawnessy, under these flowers?

Was she the same whose young mouth was moist with a taste of passion on a haystack in summer long ago beside the river? (O, legend written with an oar in the pale flesh of the river!)

Had she remembered Johnny Shawnessy in her last hour, or did she not rather cling to those who were living, to her husband, her friends? There must have been many sorrowing, and the preacher must have said a good deal about beauty cut off in the prime and God numbering her among his angels.

What became of precise little faces? What became of girls who swam palely naked in rural waters? What became of words of undying devotion written to soldiers away to war? What became of the soldiers and the wars and the names of battles and the columns of casualties in the back pages of the newspapers?

But what became of Johnny Shawnessy, the dead boy, the fleet of foot, life's innocent victor?

Here were immense symbols and tokens strewn beside the river. Here were legends for a young man to read, who had been dead for a time and had come back to life. Here were memorial verses and graven columns—fragments, only, it was true, and half-inscriptions.

What became of the old newspapers and the reporters of the news in the old newspapers and the news reported in the old newspapers?

Perhaps it was better to have no legends at all, no letters composed into rigid words and pressed on sheets of paper. Break up the forms and melt the letters back. Let there be no more legends on the earth. Let life live and death die, and let there be no names for sorrowful recollection. Let there be no words for the earth, for love, for life, for death, for beauty and piquant faces.

Let there be no sorrow or recollection of life. Let there be only the river and its odor of fish and flower, let there be the river, the nameless river, flowing from distant to distant summer.

Let there be no geologists, archeologists, biologists, collectors of specimens, classifiers of species. Let no one disturb mounds beside the river and give names to extinct peoples. Let all the fossils remain undisturbed around the watering places of the earth. Let no one sorrow for the extinct dinosaur. Let no one grieve for the three-toed ancestor of the horse. Let no one mourn beside the tomb of Abraham Lincoln in Springfield, Illinois. Who was Abraham Lincoln of Springfield, Illinois? Who was Uncle Tom of Uncle Tom's Cabin? Who was Johnny Shawnessy of Raintree County? And what was the Republic that they died to save?

Let there be no more historians of species, nations, races, suns. Let there be no nebular hypotheses. Let there be entire forgetfulness and beautiful and blissful ignorance. Let there be no lusting for forbidden fruits. Let there be no historian of the decline and fall of empires, ancient or modern, or of republics ancient or modern, or of Raintree Counties, ancient or modern.

Let there be only the earth, which does not weep or have vanity. Let there be only the earth and the nameless memories that the flesh has. Does the frog have a name? Would it make the green frog happier to know that he is frog? Only the namers have names; only the bald mammals with the adroit hands write names on stones.

Down with the alphabet. Let there be no symbols traced on stones. Take away the words and give man back to the earth. Let the earth have its own. Let there be no more songs about the Old Plantation; let no one sing of the Old Kentucky Home. Let Old Black Joe go back to the jungle from which he came. Let Dred and all the other blackskinned thousands sink peacefully back into the Great Dismal Swamp, and do not emancipate them from ignorance into grief.

Go out and ask the earth about loyalties and listen for a response. Go out and ask the river about permanence, and listen to its voice of change. But stay away from graveyards and mounds beside the river. As long as you can, hero boy. As long as you can.

Beside the stone that had the word 'Nell' on it, Johnny Shawnessy sat very still with bent head. Well, he had come marching home again (hurrah, hurrah). Life's victor had come back from the South, in a uniform with brave brass buttons. He had come up flowerstrewn avenues with bugles and thumping drums. (Receive him with garlands, o, ye virgins!)

The Hero of Raintree County sat on his suitcase and looked around him. The day was a typical Indiana scorcher.

What good had he been to those who loved him, believed in him, and remained more or less true to him (at least as long as he was alive), while he went around getting into forbidden places and doing forbidden things? Had he been able to hold back this legend of the earth? Had he, the supreme poet of his people, the bard of the Shawmucky (*Good friend, for Jesus' sake forbear*), been able to unwrite this single legend? While he sat bemused in theatres, assassins leaped from the wings. While he marched in parades, a victor among victors, his postwar dreamworld (which was really his prewar dreamworld) expired in agony and became a legend on a stone.

It was all very simple. It was not he who was the maker of legends. The earth was the maker of legends, and he was one of the little legends of the earth. And the earth had trillions of such legends and absolutely no way of filing them for future reference.

His sadness was for more than the now shattered dream he had had of coming back to Nell's soft arms. (After all, the earth was full of girls who would consider it a privilege to solace Corporal Johnny Shawnessy and keep him from remembering battles.) His sadness was a universal sadness.

Or maybe it was only a kind of self-pity because John Wickliff Shawnessy had been done out of a good thing and a sweet thing and a lovely thing. Maybe it was all mawkish vanity; and what he was really worried about was the lost boy, Johnny Shawnessy, who had been buried after all, six feet under.

Put up a stone for the lost boy Johnny Shawnessy. He ran for garlands in the Court House Square. He had a talent for finding beauty in the river. He had a dream of love and fame. Put up a stone for life's eternal young American.

Now here was a thing ended. Now here was a chapter closed.

He put his head in his hands and leaned over. His tired young mouth drew down at the corners. He kept shaking his head and trying to understand.

It was not just one stone in the earth. What he beheld beside the river was the grave of mankind. The banks of all the rivers of America were filled with white bones. They died on the Ganges and the Nile and the Seine and the Tiber and the Rhine. The history of mankind was a mound beside the river.

Was it possible that all the beauty, life, and loyalty, the brave dreams and the young hopes had to die after all, after all! Was it so easy to dispose of that intense young person who went by the name of Johnny Shawnessy? This young man had held up whole worlds by his single strength. He had floated a universe by the simple expedient of filling his lungs with air. With a very sensitive pencil he had wrought the fairest republic since the beginning of time.

Perhaps it was right after all to worry about himself. If he fell and came apart, all things fell and came apart. Who else could save the streambegotten girl or find beauty by the river? Who else could discover the secret of the Shawmucky, except him whose name had also flowed from remote ages? If he triumphed, there would be triumphs for all, but if he died, there would be deaths for all. It was still his legend, and they couldn't take it away from him.

Cities on the land, dwellers in cities, republic of the races, red, white, brown, and black, and yellow—human thousands, hungerers after infinite satisfactions! Soldiers of the Republic, dead in stinking explosions, yellow sacks of bone, debris of the Great War! Slaves— dark millions, hunting for a way from Africa to light! you shall be rescued by one who includes you all, the sum of all that you are or ever were or will be—a single, simple person not easily overcome.

Looking across the graveyard, he saw the new stone in the Shawnessy family lot. He got up and walked over.

The inscription was simple.

JOHN WICKLIFF SHAWNESSY

1839–1864

In Memoriam

. . . .

'Sleep in thy hero grave, belovèd boy!'

G. JONES

He took hold of the top of his tombstone and tugged on it. It was firm as if it had taken root. He gritted his teeth and pushed and pulled. The stone wanted to stay there. With a great effort he tore it loose from the earth and pushed it over. It fell flat, curiously solid and inert, the words staring up. In a fury of effort, he picked it up and carried it to the brow of the hill and rolled it down.

He picked up his suitcase and took his way back to the railroad. He climbed the embankment and began walking down the ties, peering through the woods in the direction of the Home Place. But the house was not, as he well knew, visible from the railroad. He reached a spot behind the farm, where he had always turned off before. He stepped down and pushed through weeds and little trees and found a path through the woods. In a few minutes he would be at the limit of the familiar earth. He was almost home.

He was coming through the great oak forest in the summer afternoon, carrying his suitcase. There could be no question about it now. He was going to get back home.

But as he neared the place where he had lived the strange legend of his life, as he thought of the land waiting there—a mysterious, indestructible *place*—as he thought of the human beings who were perhaps there and of his long absence from the place and from them, a mixture of joy and fear swept over him. All things around him— the still woods in the blazing afternoon, the separate, quivering leaves of the trees, the round bright ball of the sun overhead, the spongy earth underfoot, the sticks and stones and darting birds— acquired a miraculous immediacy and intensity. Thousands of separate, glittering objects surrounded him; yet all were impervious to him, bathed in an air that he could never invade. The whole thing was like an enormously vivid dream, becoming speedily more and more intolerable. He had a fearful thought. Perhaps in the woods near Columbia, South Carolina, he had actually received his death wound and everything since had been a dream taking no more of human time than the instant required to die, moving faster and faster toward this climax, in which he would approach his home and be about to touch loved hands and faces and hear the voices of people long dead to him, and then—in the very instant of attainment—the whole thing would explode into nothingness, and his death would be entire.

As if to reassure himself, he reached up and stripped a branch of oak from its parent bough. Still holding it, he reached and climbed the railfence at the limit of the land. Just on the other side was the rock against which one evening long ago he had leaned his head and wept. He was walking up the long slope. He came to the brow of the hill.

Below him beside the road was the Home Place. The little Office was under the lone, familiar tree. Things were grown up around. But there the Place was, perfectly still and completely familiar. He couldn't see anyone in the yard. Perhaps T. D. was in his Office. Perhaps Ellen was in the house. Perhaps they were gone. Perhaps the house was shut and there was no one there. My God, perhaps they were all dead!

He was walking with long strides, unconscious of the weight of the suitcase. He wondered why the house was so strangely blurred, as if great waters were washing across it, and why the earth seemed to rise and fall around him in misty waves. He fixed his eyes on the back door. He walked down the lane from the orchard. He walked through the barnlot. He walked into the backyard. The breath rushed in his throat. Flies buzzed on the screen door of T. D.'s Office as he went by. Someone was coming to the back door. Johnny Shawnessy's voice was a great cry in his throat.

—Mamma! It's me—Johnny! I'm back! I'm home!

And to Johnny Shawnessy in the moment of his homecoming, it seemed that he did indeed become life's eternally young, triumphant American. It seemed to him that he would never have to hunt farther than that moment of return, when the earth surged up from the lonely rock at the limit of the land and carried him into the place of memories. It seemed to him that he would never come any closer to the secret of Raintree County than the instant when he saw again the faces of his father and mother.

From an ancient wall engraving in T. D.'s Office, a tree grew whose fruit was for the healing of the nations. Johnny Shawnessy had discovered again the antique map of Raintree County, which was surely as old and as new and as eternal as the life of Johnny Shawnessy. Yes, he had come back from long wandering. He had learned the humility of the soldier, he had been purified by loathsomeness, he had been given back to life by death. His vanity would be greater now, for he would have to be vain for millions living and dead. He would be an interpreter now. He had come back to Raintree County (if indeed he had ever really been away), and though it wasn't long after the homecoming that an old restlessness returned to him and some of the magic went out of the familiar objects around him (the Home Place badly needed a coat of paint), he knew that he must hold firm to revelation and express, so that it would never die, the legend of his life, which was the legend of his people, the story of the republic in which all men were created equal, the amiable myth of the river and the rock, the tree and the letters on the stones, the mounds beside the river,

THE ANTIQUITY AND SOURCE

OF THE NAMES

UPON

THE LAND surrounding was lit by the flare of the last rocket, a big one painted red, white, and blue. It left the earth with a great gush of force and shot to a surprising depth. A fountain of fire burst on the climax of the arc. The spray bloomed white, faded into scarlet, lazily fell. Mr. Shawnessy stood, the burnt match in his hand, color of the rocket changing and fading on his face.

—Behold! John Wickliff Shawnessy is himself the Hero of Raintree County!

It was the hoarse voice of Professor Jerusalem Webster Stiles, heard among the exclamations of the children.

The explosion of the great rocket was the climax of the Glorious Fourth in Waycross. The planned program was over. There was nothing to do now but to see the Perfessor off and get to bed.

Mr. Shawnessy walked over and said goodnight to Mrs. Brown, who was standing alone beside the fountain in the front yard. Some of the children were already taking down the Japanese lanterns.

—It's been a wonderful day, she said.

The Perfessor came over with the *Atlas*. He handed it to Mr. Shawnessy and put his long arms around the two, like a conspirator. The last lantern was out, leaving the garden dark.

—I don't know about the rest of you, he croaked, but I'm pooped! Was there ever such a day! They won't believe this in New York. Be sure not to miss my next column, which will be entitled 'A Day Spent with the Americans.'

—When are you leaving, Professor dear? Mrs. Brown said.

—On the midnight train, dear, the Perfessor said. How about coming with me?

—Why don't you stay with us in Raintree County, Professor dear? And we'll reform you.

—My dear, the Perfessor said, you can take Raintree County, and rolling it into a neat parcel, stow it in the first appropriate place that occurs to you.

He straightened up and spat into a dark tangle of bronze limbs and lily stems.

—As for that *Atlas*, John, he said, you see, it was all a fraud.

There's no use trying to make Raintree County over, even in our imaginations. And no flybynight artist would be clever enough to hide something in it that could escape the subtle scrutiny of Shawnessy and Stiles.

—Wait! Mr. Shawnessy said, trying to remember something. Perhaps that was our mistake. We were *too* subtle. Perhaps the artist hid it by putting it in the most conspicuous place of all. Perhaps old Waldo found it precisely because he wasn't looking for it.

—Like Poe's 'Purloined Letter,' the Perfessor said, instantly pleased with the idea. The arch-criminal fooled the police by putting the stolen object in front of their noses. It's true, John, that only a supersubtle mind detects the supersubtlety of simplicity. Now, following this line of reasoning, what is the most conspicuous location in the whole of Raintree County, children?

The Perfessor thought a moment.

—Obviously the Court House Square, Perfessor, he said, answering his own question.

—And in the Court House Square, children? he asked.

—The Court House, Perfessor, he replied.

—And on the Court House, children?

Mrs. Brown began to laugh, a low, bubbling contralto, as if perhaps the memory of the Raintree County Court House with its famous Statue of Justice over the Main Entrance, spattered with pigeondung, were a delightfully amusing thing, when seen from the proper—or the improper—angle.

But Mr. Shawnessy sprang forward, rested the *Atlas* on the shoulder of the fountain, and flapped the leaves to page five where the long form of the Raintree County Court House was couched in darkness like a sphinx. He tried to plunge his eyes into the space above the Main Entrance where in the standard copies the Statue of Justice stood. He saw a pool of shadow there, vaguely alive with sculpture. In his skipping examination of the *Atlas* during the day, he couldn't remember having looked at precisely that spot.

—Give me a light, Professor.

The Perfessor struck a match on his sole. He and Mrs. Brown bent over to see.

The flaring match illuminated for a brilliant instant something in the niche above the Main Entrance that left all three speechless.

The Perfessor, reaching for another match, recovered first.

—Zeus! he said. Let's put some more light on that!

He struck the match, but the head flew off flaming.

—Shades of Michelangelo! he said, fumbling for another match. Wasn't that terrific! It was there all the time, and we didn't see it.

Etched in flame, the imprint of the tiny group seen slantingly above the Main Entrance of the Raintree County Court House persisted as an afterimage. On the instant of seeing it, Mr. Shawnessy had felt that it was just as he had known it would be and where he had eventually intended to look.

And now that he saw it, it was (in the Raintree County sense) not at all naughty—for what was naughty about the oldest picture in the world, the frontispiece for the first book printed by man—the father and mother of mankind in beautiful nakedness, tasting the Forbidden Fruit! With what an exquisite feeling for paradox, an unknown artist had substituted his symbolic statue of Edenic rebellion for the stern yet necessary lady with the scales, whose upright form had ruled the conscience of Raintree County from the beginning!

He had displayed the inadmissibly beautiful reverse of the coin. He had unveiled the Eleusinian mystery to the Court House Square where it would be seen by all who came there—the Saturday hundreds, the platform speakers, the visiting dignitaries, the prodigal sons, the carnival barkers, the dancing girls, the freaks, the medicine venders, the storekeepers, the candidates for office, the horseback evangelists, the city councillors, the county functionaries, the loafers on the court house lawn, the marchers in the Memorial Day parades, the housewives, the travelling salesmen, the pigeons, the prostitutes, the farmers, the girls in their summer dresses, the small boys with fists of firecrackers—in short, the whole lusty tide of life that pooled and poured into the foursided enclosure of the Court House Square to appease a devout hunger as old as the gathering of mankind in crowds.

So from their infinity of vantage points, in the changing lights and seasons of this mythical Raintree County, they would behold the double figure hewn from a single block of marble, the *E pluribus unum* of the classic coin, the Paradisal pair in the moment of republican and pluviarboreal discovery, trembling nameless on the verge of names.

While the Perfessor groped in his pockets for a third match, Mr. Shawnessy gave him the *Atlas*.

—Here, he said, you can bring it with you. I'll meet you in front of my house.

He stepped through the gate into the road to rejoin his wife and the three children. But they were already considerably in advance of him. He could just discern the form of the woman he had married entering the tree-pillared night of Waycross, and with her the forms of the three children.

Yes, he had overcome the aloneness of the garden. On an unsuspected path he had found her waiting. He had helped to fashion her, and yet she had lain at the very sources of himself. In her, he had rediscovered Eve. Bearing the name of an old reformer and Bible translator, Mr. John Wickliff Shawnessy had rewritten into the landscape of Raintree County the great book of God in all its beautiful, disarming candor.

He felt immensely joyous and calm. The vision was not only Hebraic but Grecian. Had he not also been sent, chief of a visiting delegation of Cosmic Lithographers, to record in stone the eternal verities of the Republic!

Half-shutting his eyes, he seemed to see the statue of a goddess waveborn and beautiful, begirt with foam, a sign to travellers on the seaward approaches of the Republic. He had climaxed a lifetime of Phidian endeavor by erecting this wondrous symbol, the Lady Custodian of the Temple.

And perhaps when he approached the Temple, after tying his stonewheeled cart up to the rim of an antique fountain, when he walked past the stone clock with its stone hands fixed forever at nine o'clock (*'Tis summer and the days are long*), when he ascended the wide marble steps strewn with the bearded grain and fitted his gold key to the lock and thrust the bronze doors in, perhaps then he would see her standing on her pedestal in the robe and attitude of the island Venus. (*Hello, Johnny. How do you like my costume?*) And leaning down, her form would lose the look of painted stone for the warm imperfection of a living woman, and she would remind him in her stately voice (lingering like a caress along his name) that a real woman had posed for the goddess found on Melos and that the sculptor who strove with the marble had learned ardently and well the lesson of those deepfleshed loins. (*Oft was I weary when I toiled with thee.*) And then, stepping down, she would walk before him, allowing her robe to travel off her graceful back. And they would go thus together through the Temple, while a white stony light bathed equally columns, roof, and floor, every line and plane distinct from end to end of the vast rectangular space. And the urge to impose form would possess him like fire and hunger as the Lady Custodian of his life, his mother-daughter-wife-and-sweet-companion, moved undraped between vast lumps of Parian marble newly quarried, in which slept the limbs of gods and goddesses, a world of linear perfections. And her unsandaled feet would make no sound, but he would hear the cold clang of hammers striking on stone.

And naked with uncut hair, he would follow her, riding a wingèd horse, until he reached the ledge of the great pediment where the painted marble frieze showed fauns pouring a purple wine into gold cups and nymphs with scarlet cheeks flying from young gods beside a river choked with rushes. Putting one hand around her bending waist, he would touch his face to hers. And for a marmoreal instant, assuming the attitude of a lost engraving in an old book of Raintree County, together they would achieve the ecstasy of form, an unendurable bliss.

And in that instant the faces of the people, the pale blue vault of sky, the rectangular horizons, the distant temples, the viny hills, the clustering roofs became an image of arrested time.

By a single bound, riding the white horse of Eros, he had achieved the summit of the Platonic forms, the shrine of Justice on the Court House Square.

Soon enough, he would have to restore the lady with the grocery scales to her accustomed niche.

In front of his house he stopped, having overtaken his family. He could hear the Perfessor coming along in darkness under the trees.

—I'll see Professor Stiles to the Station, he said to his wife. You'd best go to bed, Pet.

The Perfessor came up, carrying the *Atlas*. He took his suitcase from the porch. He said a gracious farewell to Esther, patted Will's shoulder, winked at Wesley, and paid a pretty compliment to Eva, although his voice was nearly gone.

—A return of an old throat ailment, he whispered, contracted during the War.

Mr. Shawnessy and the Perfessor walked together to the Station. The street was littered with fragments of the memorial day—cigar butts, firecrackers, picnic sacks, patriotic programs. The Perfessor whimpered as he carried his suitcase.

—Here, let me take it to the Station for you, Mr. Shawnessy said.

—Gladly! the Perfessor croaked. I must have talked a hundred thousand words today. Remind me never to visit you again in Waycross, John. Heaven defend me from the quietude of country towns!

They turned at the intersection and walked on toward the Station, the Perfessor stooped and hobbling, but still clutching the *Atlas*. When they reached the Station, they found the agent asleep inside, propped up in a chair. A single lantern burned on the table. The telegraph key clicked sleepily from time to time.

Sitting down on the outside bench, the Perfessor slumped forward, chin on breastbone, but instantly sat up when the agent came out of the Station swinging a lantern.

—She's about due, the agent said.

The Perfessor opened the *Atlas* and studied the statuary group that an unknown artist had placed in the most conspicuous place in Raintree County.

—Ah, he said sadly, Life! Life! John, I'll give you a hundred dollars for this book, and you can make your peace with the Lady Custodian in whatever way you please.

—Sorry, Professor, Mr. Shawnessy said, but, after all, she gave it to me on faith. The Senator gets the first bid.

The Perfessor turned, still clutching the book.

—Men have been known to kill for artistic masterpieces, he said hoarsely.

His eyes brightened strangely. His face looked so evil and convulsed that Mr. Shawnessy made an involuntary motion of raising his arm between himself and his friend.

But in the next moment, the Perfessor, acting as usual, shook with amusement. The sweet, forlorn look came back into his eyes, and he laid the *Atlas* on Mr. Shawnessy's lap.

—There you are, he said. Keep it yourself, boy. It's your own Raintree County and no one else's. Forever the little straight roads shall run to lost horizons; and in the niche reserved for Justice, the image of young love and soul-discovery forever shall be poised. It shall be there for you alone, in your unique copy of the universe.

A low thunder of wheels was swelling from the east. A red eye glared in the dark, grew astonishingly big and close. The agent swung his lantern athwart the rails, and the train rolled heavily to a stop in Waycross Station. Instantly, a figure, resembling the Reverend Lloyd G. Jarvey, appeared from the darkness and climbed into one of the rear coaches.

—O, o! croaked the Perfessor, who hadn't missed the movement. The Lord God Jehovah and I are getting out together.

He and Mr. Shawnessy shook hands, and the Perfessor swung onto the coach behind the coalcar. The glare from the furnace showed a long, thin body in a soiled white suit, a face old and cunning, black eyes shining through pince-nez glasses. Already the engine was beginning to puff. The smoke and the furnace glare stung Mr. Shawnessy's eyes so that they smarted.

—Good-by, Professor! he cried out, waving his hand.

The Perfessor opened his mouth.

—For our mirrors! he was shouting.

He tried to say something else, but his failing voice was lost in the roar of the train. He leaned far out, pointed to his voice-box, and then with characteristic quickness of decision elevated his malacca cane and traced huge letters in the air. Mr. Shawnessy was not able to decipher the first part because a gush of smoke crossed the writing, but the Perfessor's last blackboard flourish was entirely legible and familiar:

JWS

Mr. Shawnessy could no longer see his old friend's face. He could see only the long arm and the malacca cane, which lingered a moment in the air indicative of stars. But the legend lay across his memory, the initials of his own name.

Suddenly, he realized that the Perfessor with his usual cleverness must have written them backwards, and what was in reverse for him had come right for Mr. Shawnessy.

The train which bore the mortal shell of Professor Jerusalem Webster Stiles was already lost in the night except for the smoke-stack flare. There was a lonesome wail at the crossing a mile west of town. The train was entirely gone then except for the steady chugging of the engine. It was entirely gone then.

It was entirely gone, and the night had closed in upon Waycross. The agent had left the Station already, and Mr. Shawnessy started back up the street toward the intersection. The starlight was now so intense and his eyes so well accustomed to the night that he could easily read his watch. It was twelve o'clock.

There was no light burning now in Waycross. He felt a wonderful and soft serenity. All things around him now were sunken into sleep.

The long day and its images shook in his mind like a chain of luminous and tinkling fragments. As he approached the intersection, faces and faces on the Great Road of the Republic pressed through his memory, fading and fading into summer night. What was this immense, tranquil substance, that which was there, enormous and eternal thereness? And where were all the warm, relinquished shapes of a day spent with the Americans?

He mused upon the strange dream called Raintree County. In some oriental garden, the seed of it was sown, but it had had its nurture in a womb of fair and fecund ideas on the rim of an inland ocean, and it had ridden west in wingèd vessels, and it had rebuilt itself through more than four levels from its earliest antiquities. Now, impending in the still night was the world of mystery, the world that hovered forever beyond the borders of the County. What was Raintree County except a Columbian exploration, a few acres of discovery in a jungle of darkness, a few lightyears of investigated space in nebular vastness! That which lay beyond its borders was simply—everything potential.

And who was John Wickliff Shawnessy, whose wavering initials had just been signed in smoke in Waycross Station? How deep and broad was the substance of himself, built into this engendering night? Surely there was a being who didn't bear his name but was none the less a composite of all that he had ever been or ever could be. How did one find access to this eternal Self-Affirmer, this restless Shakespeare of Creation, hovering in a world Behind the Scenes? What was he doing there, down there? Polishing the lines of the eternal tragi-comedy of life, setting up props, trying on masks, restlessly taking on and off the costumes, assembling the company for endless rehearsals, reviews, redactions? What was he doing there, down there? Weaving a legend of a younger brother, a residual and mortal brother, this innocent and fortunate brother who walked the streets of time?

At the intersection of the two roads, he looked west. West, just touching with clean rim the empurpled earth, a huge halfball of yellow poured down the National Road a river of golden light. Five hours behind her radiant brother, tranquil, with stately descent, the moon had sunk to her setting.

The wall between himself and the world dissolved. He seemed suddenly lost from himself, plucked out of time and space, being both time and space himself, an inclusive being in which all other beings had their being. A vast unrest was in the earth. The Valley of Humanity was turbulent with changing forms. The immense dream trembled on a point of night and nothingness and threatened explosion.

He held tight to the *Atlas* and walked on. Strong yearning possessed him to build again—and better than before—the valorous dream. If it should all expire, he would be able to rebuild it. He would walk on in his old black schoolmaster's suit, shaking from Family Bibles, McGuffey Readers, Histories of America, Latin and Greek Texts, Free Enquirers, Declarations of Independence and Constitutions, the seeds of words, planting the virgin earth of America with springing forms.

So each man had to build his world again!

So he would plant again and yet again the legend of Raintree County, the story of a man's days on the breast of the land. So he would plant great farms where the angular reapers walk all day, whole prairies of grass and wheat rising in waves on the headlands. So he would plant the blond corn in the valleys of Raintree County. Yes, he would plant once more the little towns, Waycrosses and Danwebsters, and the National Roads to far horizons, passing to blue days and westward adventures, and progress, the cry of a whistle, arcs of the highflung bridges, and rails and the thundering trains. (Hail and farewell at the crossing!) He would plant cities, clusters of blazing jewels on the dark flesh of the night, and faces shining under the glare of the great fires—San Francisco, Indianapolis, Pittsburgh, Philadelphia, New York, Washington, Washington, Washington, and parts between, cities and dwellers in cities, a dragon seed, a harvest of fury. (Shall there be one man hungry, and I go fed!) He would plant gilded years and gilded dreams, the young men wandering lost in metropolitan jungles, and the place where the great trains come to rest. He would plant science, explorers of matter, finders of new species, the august ascent of man from form to form, and honest doubts and dark misgivings. (Are you there, old truepenny, reverse of the coin!) He would plant the young messiahs down from the hills, divinely arrogant heroes, makers of bread and beatitudes, the gentle gods dying on angry crosses, and new crusades, and fearless emancipations. He would plant the anniversaries of mankind, celebrations of great beginnings.

He would plant the Republic of Mankind.

Yes, he would plant the great fair dream, again and ever; he would record it on paper so that it might be found from time to time among old manuscripts in a forgotten drawer of the Cosmos.

Did you think that I had lost the way? Did you think that I was drowned in darkness and the swamp? But I was here always, bearing a stem of the summer grass.

Make way, make way for the Hero of Raintree County! His victory is not in consummations but in quests!

Bearing the huge book of Raintree County, he walked along the now entirely deserted street of Waycross, approached his own home, and entered the gate. The town lay somewhere in infinite night, hushed and potential with all mystery and meaning.

Where was the town of Waycross at night when the sleepers all were sleeping?

But where were the trains that only lightly disturbed the ears of dreamers, and where was the whereness of a dreamer, dreaming dreams in an upstairs bedroom of a little town beside a road in America long ago? For in a little time, he knew that he would be that dreamer, lost in darkness, lost and yet not lost, away and yet at home, forever awake and yet forever dreaming. He would be that dreamer, and he would have perhaps again his ancient and eternal dream. . . .

Of a quest for the sacred Tree of Life. Of a happy valley and a face of stone—and of the coming of a hero. Of mounds beside the river. Of threaded bones of lovers in the earth. Of shards of battles long ago. Of names upon the land, the fragments of forgotten language. Of beauty risen from the river and seen through rushes at the river's edge. Of the people from whom the hero sprang, the eternal, innocent children of mankind. Of their towns and cities and the weaving millions. Of the earth on which they lived—its blue horizons east and west, exultant springs, soft autumns, brilliant winters. And of all its summers when the days were long.

So dreaming, he held the golden bough still in his hand. So dreaming, he neared the shrine where the tree was and the stones and the letters upon them. And the branch quivered alive in his hands, unrolled its bark, became a map covered with lines and letters, a poem of mute but lovely meanings, a page torn from the first book printed by man, the legend of a life upon the earth and of a river running through the land, a signature of father and preserver, of some young hero and endlessly courageous dreamer

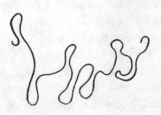

Chronology of Some Historical Events

CHRONOLOGY OF SOME HISTORICAL EVENTS
With Bearing on the Story
of
RAINTREE COUNTY

1816 ....Indiana becomes a State.

1801–1847..............John Chapman (Johnny Appleseed) plants apple-tree nurseries in the Middle West.

1826 ....New Harmony, Indiana, founded by Robert Owen on the southern Wabash.

1844, November ....James K. Polk, Democrat, defeats Henry Clay, Whig, in Presidential Election.

1846–1848...............The War with Mexico.

1846, August ....The Wilmot Proviso, proposing that land acquired from Mexico be free territory, reopens the slavery controversy.

1847, September 11 ....Stephen Foster's 'Oh! Susanna' sung, probably for the first time, at Andrews' Eagle Ice Cream Saloon in Pittsburgh.

1848

    January 24..........Gold discovered in California.

    July 4..............Cornerstone of the Washington Monument laid.

    November ....General Zachary Taylor, Whig, wins Presidential Election.

1851 ....Hawthorne's story 'The Great Stone Face' published in *The Snow Image*.

1852 ....*Uncle Tom's Cabin* published.

1854

May 25 . . . . Kansas-Nebraska Bill passed.

July 6 . . . . A Republican Party founded in convention at Jackson, Michigan.

October 16 . . . . The 'Peoria Speech' makes Abraham Lincoln famous throughout the Northwest for its clear statement of the moral and political case against slavery and its extension.

1855 . . . . *Hiawatha* and *Leaves of Grass* published.

1856, November . . . . James Buchanan, Democrat, defeats John C. Frémont, Republican, in Presidential Election.

1858, June 16 . . . . Lincoln opens senatorial campaign against Douglas with 'House Divided' speech.

1859

October 16 . . . . John Brown raids Harper's Ferry.

December 2 . . . . John Brown hanged at Charles Town, Virginia.

1860, November . . . . Lincoln elected President of the United States.

1861

February 8 . . . . Confederate Government formed.

March 4 . . . . Lincoln inaugurated in Washington.

April 12–14 . . . . Fort Sumter besieged and surrendered; Civil War begins.

1863

January 1 . . . . The Emancipation Proclamation.

May 2–4 . . . . The Battle of Chancellorsville.

July 1–3 . . . . The Battle of Gettysburg.

July 8–13 . . . . Morgan's Raid passes through Indiana.

September 19–20 . . . . . . The Battle of Chickamauga.

September–November . The Siege of Chattanooga.

November 19 . . . . Lincoln delivers the Gettysburg Address.

November 25 . . . . The Battle of Missionary Ridge.

1864

November 14–16 . . . . . . The destruction of Atlanta, Georgia.

Nov. 15–Dec. 10 . . . . . . Sherman's Army marches to the Sea.

1865

February 17 . . . . Fall of Columbia, South Carolina.

March 4 . . . . Lincoln inaugurated for a second term.

April 9 . . . . Lee surrenders to Grant at Appomattox Court House.

April 14 . . . . Lincoln shot by John Wilkes Booth in Ford's Theatre in Washington.

May 23–24 . . . . The Grand Review in Washington.

1869, May 10 . . . . The Golden Spike driven at Promontory Point, linking the continent by rail.

1869–1877 . . . . Presidential term of Ulysses S. Grant.

1876

June 26 . . . . Custer Massacre at the Little Big Horn.

July 4 . . . . Centennial Fourth in Philadelphia; America is one hundred years old.

November . . . . Disputed Presidential Election between Tilden and Hayes; finally
awarded to Hayes.

1877, July . . . . The Great Railroad Strike.

1892

June . . . . Republicans nominate Benjamin
Harrison for President; Demo-
crats nominate Grover Cleveland.

July 1 . . . . Carnegie and Company lock out
3800 men on a wage dispute at
Homestead.

July 4 . . . . The Populist Party convenes at
Omaha, Nebraska.